★＝今年版新収録
（全部改正及び改題名含む）

人事院規則・給実甲通達さくいん

人事院規則

1－2（用語の定義）……………………………213
1－9（沖縄の復帰に伴う国家公務員法等の適用の特別措置等）(抄）……………1652
1－12（日本国有鉄道退職希望職員及び日本国有鉄道清算事業団職員を採用する場合の任用、給与等の特例等）…………1655
1－24（公務の活性化のために民間の人材を採用する場合の特例）…………………348
1－34（人事管理文書の保存期間及び保存期間が満了したときの措置）(抄)………862
1－69（職員の公益社団法人福島相双復興推進機構への派遣）……………………1131
1－72（職員の令和7年国際博覧会特措法第14条第1項の規定に[illegible]指定された博覧会協会への派遣）・[illegible]
1－74（職員の公益財[illegible]ション・コースト[illegible]遣）…………[illegible]
1－80（職員の令和9[illegible]措法第2条第1項[illegible]た国際園芸博覧会[illegible]
8－21（年齢60年以上[illegible]任用）………………[illegible]
9－1（非常勤職員の給与）……………1018
9－2（俸給表の適用範囲）…………………216
9－5（給与簿）………………………………838
9－6（俸給の調整額）………………………516
9－7（俸給等の支給）………………………820
9－8（初任給、昇格、昇給等の基準）…226
9－13（休職者の給与）……………………892
9－15（宿日直手当）………………………704
9－17（俸給の特別調整額）………………706
9－24（通勤手当）…………………………581
9－30（特殊勤務手当）……………………640
9－34（初任給調整手当）…………………630
9－40（期末手当及び勤勉手当）…………760
9－43（休日給）……………………………702
9－49（地域手当）…………………………543
9－54（住居手当）…………………………571
9－55（特地勤務手当等）…………………673
9－80（扶養手当）…………………………533
9－82（俸給の半減）………………………832
9－89（単身赴任手当）……………………608
9－93（管理職員特別勤務手当）…………747
9－97（超過勤務手当）……………………700
9－102（研究員調整手当）………………569
9－107（定年前再任用短時間勤務職員等の俸給月額の端数計算）…………………503
9－121（広域異動手当）…………………561
9－122（専門スタッフ職調整手当）……759
9－123（本府省業務調整手当）…………752
9－129（東日本大震災及び東日本大震災以外の特定大規模災害等並びに特定新型インフルエンザ等に対処するための人事院規則9－30（特殊勤務手当）の特例）
……………………………………………664
9－137（平成27年1月1日における昇給に関する人事院規則9－8（初任給、昇格、昇給等の基準）の特例……………462
9－139（平成26年改正法附則第7条の規定による俸給）……………………………466
9－144（平成30年4月1日における号俸の調整）…………………………………457
9－147（給与法附則第8項の規定による俸給月額）……………………………474
9－148（給与法附則第10項、第12項又は第13項の規定による俸給）………………488
[illegible]等手当）………………625
[illegible]改正法附則第2条の[illegible]号俸を超える俸給月額[illegible]付職員の俸給月額の切[illegible]…………………1101
[illegible]及び安全保持）(抄）
……………………1008
[illegible]射線障害の防止）(抄）…668
10－6（職[illegible]クリエーションの根本基準）(抄）……………………………1014
10－7（女子職員及び年少職員の健康、安全及び福祉）(抄）……………………1011
10－13（東日本大震災により生じた放射性物質により汚染された土壌等の除染等のための業務等に係る職員の放射線障害の防止）……………………………………670
11－4（職員の身分保障）(抄）…………894
11－8（職員の定年）……………………1045
11－10（職員の降給）……………………504
11－11（管理監督職勤務上限年齢による降任等）……………………………………478
11－12（定年退職者等の暫定再任用）…1054
12－0（職員の懲戒）……………………835
13－4（給与の決定に関する審査の申立て）…………………………………………1466
15－14（職員の勤務時間、休日及び休暇）
……………………………………………903
15－15（非常勤職員の勤務時間及び休暇）
……………………………………………1023
17－2（職員団体のための職員の行為）
(抄）…………………………………………1015
18－0（職員の国際機関等への派遣）…1036
19－0（職員の育児休業等）……………967
20－0（任期付研究員の採用、給与及び勤

務時間の特例）……………………………1062
21－0（国と民間企業との間の人事交流）
……………………………………………1078
23－0（任期付職員の採用及び給与の特例）……………………………………1101
24－0（検察官その他の職員の法科大学院への派遣）……………………………1116
25－0（職員の自己啓発等休業）…………990
26－0（職員の配偶者同行休業）…………997

給実甲通達

28号（一般職の職員の給与に関する法律の運用方針）…………………………………202
65号（人事院規則９－７（俸給等の支給）の運用について）……………………700,824
151号（通勤手当の運用について）…………589
180号（初任給調整手当の運用について）
……………………………………………636
192号（復職時等における号俸の調整の運用について）……………………………398
197号（特殊勤務手当の運用について）…658
220号（期末手当及び勤勉手当の支給について）………………………………………773
242号（常直勤務に対する宿日直手当の支給等について）…………………………705
254号（初任給基準又は俸給表の適用を異にして異動した場合の職務の級及び号俸の決定等について）………………………390
280号（教育職俸給表の適用を受ける博士課程修了者の昇給期間の短縮について）
……………………………………………427
318号（医療職俸給表㈢の適用を受ける保健師及び助産師の昇給期間の短縮について）………………………………………428
324号（非常勤職員の給与の承認手続について）……………………………………1020
326号（人事院規則９－８（初任給、昇格、昇給等の基準）の運用について）………317
327号（免許所有者の経験年数の取扱いについて）………………………………………387
342号（行政職俸給表㈡の適用を受ける技能職員の号俸の決定について）…………425
343号（民間の研究所等から採用された研究員の号俸の決定について）……………427
351号（特地勤務手当等の運用について）
……………………………………………694
386号（復帰職員にかかる給与関係の特別措置等について）(抄）…………………1653
434号（住居手当の運用について）………573
436号（試験採用者等の昇給期間の短縮について）………………………………………428
442号（人事交流による採用者等の職務の級及び号俸の決定について）……………388
444号（派遣職員の給与の支給割合の決定等について）……………………………1042
470号（行政職俸給表㈡在級期間表において別に定めることとされている要件による職務の級の決定について）……………424
556号（協議様式について）………………445
576号（給与簿等の取扱いについて）……839
580号（扶養手当の運用について）………535
609号（俸給の調整額の運用について）…529
633号（初任給の基準の改正に伴う在職者の昇給期間の短縮等について）…………405
649号（経験年数を有するＩ種区分適用職員の昇給期間の短縮等について）………406
660号（単身赴任手当の運用について）…611
673号（博士課程修了者等の初任給基準の改正に伴う在職者の号俸の決定等について）…………………………………………407
688号（管理職員特別勤務手当の運用について）………………………………………749
698号（初任給基準の改正に伴う在職者の号俸の決定等について）……………………411
703号（人事院規則９－８－18（人事院規則９－８（初任給、昇格、昇給等の基準）の一部を改正する人事院規則）の運用等について）…………………………352
740号（経験年数を有する者の俸給月額の調整基準の改正に伴う在職者の号俸等の決定について）……………………………414
741号（経験年数を有する者の俸給月額の調整基準の改正に伴う行政職俸給表㈡の適用を受ける在職者の号俸等の決定について）………………………………………416
797号（研究員調整手当の運用について）
……………………………………………570
851号（人事院規則９－８－40（人事院規則９－８（初任給、昇格、昇給等の基準）の一部を改正する人事院規則）の運用等について）…………………………394
869号（一般職の職員の給与に関する法律第22条第１項の非常勤職員について）
……………………………………………1019
922号（人事院規則９－43（休日給）第１条ただし書の休日給の支給される日について）………………………………………703
934号（運賃等の値上げ等、在宅勤務等手当の支給又は通勤所要回数の変動に伴う通勤手当に係る届出の取扱いについて）
……………………………………………600
1011号（切替日の前日から引き続き休職等をしていた職員が切替日以後に復職等を

した場合等の復職時調整について)……405
1013号（人事院規則９－８－57（人事院規則９－８（初任給、昇格、昇給等の基準）の一部を改正する人事院規則）の運用について)……397
1014号（経験年数を有する者の初任給の号俸の調整基準の改正に伴う在職者の号俸の決定について)……423
1015号（平成17年改正法の施行に伴う平成18年４月１日における俸給の切替え等について)……447
1019号（地域手当の運用について)……551
1033号（広域異動手当の運用について)…564
1064号（一般職の職員の給与に関する法律第22条第２項の非常勤職員に対する給与について）……1022
1078号（本府省業務調整手当の運用について)……758
1080号（指定職俸給表を適用する職員について)……428
1126号（人事院規則９－82（俸給の半減）の運用について)……833
1144号（人事院規則９－129（東日本大震災及び東日本大震災以外の特定大規模災害等並びに特定新型インフルエンザ等に対処するための人事院規則９－30（特殊勤務手当）の特例）の運用等について)……667
1180号（平成26年改正法附則第６条の規定に基づく号俸の調整について)……463
1181号（人事院規則９－139（平成26年改正法附則第７条の規定による俸給）の運用について)……468
1245号（平成30年４月１日における号俸の調整の運用について)……460
1291号（給実甲1290号（給実甲第326号の一部改正について）の施行に伴う経過措置について)……347
1293号（給実甲1292号（給実甲第1080号の一部改正について）の施行に伴う経過措置について)……430
1295号（給与法附則第８項の規定による俸給月額の運用について)……476
1296号（人事院規則９－148（給与法附則第10項、第12項又は第13項の規定による俸給）の運用について)……498
1306号（博士課程修了者等の初任給基準の改正に伴う在職者等の号俸の決定について)……411
1319号（在宅勤務等手当の運用について)……626
★1333号（令和６年改正法附則第４条及び第５条の規定に基づく号俸の切替え及び号俸の調整について)……456
★1334号（令和７年４月１日における給実甲第254号（初任給基準又は俸給表の適用を異にして異動した場合の職務の級及び号俸の決定等について）の適用の特例について)……394
★1342号（人事院規則９－24－21（人事院規則９－24（通勤手当）の一部を改正する人事院規則）の運用について)……601

給与小六法

令和8年版

一般財団法人
人事行政研究所
［編］

学陽書房

はしがき

この小六法は、昭和三十四年、人事給与担当者の熱望に応えて創刊されたもので、爾来半世紀を超える歴史を有しています。この間、国、地方公共団体、政府関係機関の関係者はもとよりのこと、民間企業、各種団体の関係者等にも広く愛用され、多大の好評を得てまいりました。

給与制度についての正しい理解と適正な実施を確保するためには、正確かつ最新の法令等を収録し、更には、利用しやすい形で編集された法令集が整っていることが重要であります。

本書には、公務員給与に関する各種の法律、規則、通達、行政実例等を分かりやすく分類、整理して収録しています。殊に、近年、公務員の給与制度が大幅に見直され、更には、令和七年四月から給与制度のアップデートによる改正が行われ（初任給の引上げは令和六年四月一日実施）、職務や職責をより重視した俸給体系の導入等が講じられているところであり、その内容把握のための座右の書として給与実務担当者をはじめとする関係者に広くご利用頂いているところであります。

この令和八年版は、令和七年五月十五日までの間に施行されたすべての法令等について加除訂正し、最新の内容のものを網羅しております。

なお、「一般職の職員の給与に関する人事院勧告」については、勧告があり次第、「追録」として学陽書房ホームページに掲載される予定です。

給与制度に関する法令はその数も多く、すべてをこの小冊子に収めることはとかく困難を伴いますが、読者の方々のご意見をいただき、今後ともできる限りの改善を加えてまいりたいと考えています。

この給与小六法が、今までと同様、多くの関係者のご愛顧を賜ることができれば幸いに存じます。

令和七年七月

一般財団法人
人事行政研究所

総目次

★＝今年版新収録（全部改正及び改題名含む）

第一編　基本法

◎日本国憲法（昭二一・一一・三）……二
◎国家公務員法（昭二二法一二〇）……一〇
◎一般職の職員の給与に関する法律（昭二五法九五）……六一
○一般職の職員の給与に関する法律の運用方針（昭二六給実甲二八）……二〇二
◎国家行政組織法（昭二三法一二〇）…二〇八
◎人事院規則一―二（用語の定義）（昭二四・一・一）……二一三

第二編　俸給

第一　俸給表の適用範囲

◎人事院規則九―二（俸給表の適用範囲）（昭三一・六・一）……二一六
○専門行政職俸給表の適用について（平一三指令九―四）……二二〇
○専門行政職俸給表の適用について（平一三指令九―五）……二二〇
○専門行政職俸給表の適用について（平一三指令九―六）……二二〇
○税務職俸給表の適用について（平一三指令九―七）……二二〇
○公安職俸給表㈠の適用について（平一三指令九―八）……二二一
○公安職俸給表㈠の適用について（平三一 指令九―一二）……二二一
○公安職俸給表㈡の適用について（平一三指令九―九）……二二一
○公安職俸給表㈡の適用について（平一三指令九―一〇）……二二一
○海事職俸給表の適用について（平一三指令九―一一）……二二二
○教育職俸給表㈡の適用について（平一六指令九―二四三）……二二二
○研究職俸給表の適用について（平一三指令九―一六）……二二二
○研究職俸給表の適用について（平一八指令九―二五）……二二二
○研究職俸給表の適用について（平一三指令九―二八三）……二二二
○研究職俸給表の適用について（平一三指令九―一九）……二二三
○研究職俸給表の適用について（平一三指令九―二〇）……二二三
○研究職俸給表の適用について（平一三指令九―二一）……二二三
○研究職俸給表の適用について（平一三指令九―二二）……二二三
○研究職俸給表の適用について（平一三指令九―二三）……二二三
○研究職俸給表の適用について（平一五指令九―一九五）……二二四
○研究職俸給表の適用について（平二六指令九―二三）……二二四
○医療職俸給表㈡の適用について（平一三指令九―二五）……二二四
○医療職俸給表㈡の適用について（令五指令九―七）……二二四
○福祉職俸給表の適用について（平一三指令九―二六）……二二五

第二　初任給・昇格・昇給

◎人事院規則九―八（初任給、昇格、昇給等の基準）（昭四四・五・一）……二二六
○人事院規則九―八（初任給、昇格、昇給等の基準）の運用について（通知）（昭四四給実甲三二六）……三一七
○給実甲第一二九〇号（給実甲第三二六号の一部改正について）の施行に伴う経過措置について（通

知）（令三給実甲一二九一）……三四七
◎人事院規則一一—二四（公務の活性化のために民間の人材を採用する場合の特例）（平一〇・三・二六）……三四八
○人事院規則一一—二四（公務の活性化のために民間の人材を採用する場合の特例）の運用について（通知）（平一〇管総二八〇）……三四九
★民間企業等からの採用時の給与決定及び職員の昇格の柔軟な運用について（通知）（令七給二—一五・給三—一六）……三四九
○人事院規則九—八—一八（人事院規則九—八（初任給、昇格、昇給等の基準）の一部を改正する人事院規則）の運用等について（通知）（平四給実甲七〇三）……三五二
○免許所有者の経験年数の取扱いについて（通知）（昭四四給実甲三三七）……三八七
○人事交流による採用者等の職務の級及び号俸の決定について（通知）（昭五〇給実甲四四二）……三八八
○初任給基準又は俸給表の適用を異にして異動した場合の職務の級及び号俸の決定等について（通知）（昭四〇給実甲二五四）……三九〇
★令和七年四月一日における給実甲第二五四号（初任給基準又は俸給表の適用を異にして異動した場合の職務の級及び号俸の決定等について）の適用の特例について（通知）（令七給実甲一三三四）……三九四
○人事院規則九—八—四〇（人事院規則九—八（初任給、昇格、昇給等の基準）の一部を改正する人事院規則）の運用等について（通知）（平一一給実甲八五一）……三九四
○人事院規則九—八—五七（人事院規則九—八（初任給、昇格、昇給等の基準）の一部を改正する人事院規則）の運用について（通知）（平一八給実甲一〇一三）……三九七
○復職時等における号俸の調整の運用について（通知）（昭三七給実甲一九二）……三九八
○切替日の前日から引き続き休職等をしていた職員が切替日以後に復職等をした場合等の復職時調整について（通知）（平一八給実甲一〇一一）……四〇五
○初任給の基準の改正に伴う在職者の昇給期間の短縮等について（通知）（昭六三給実甲六三三）……四〇五
○経験年数を有するI種区分適用職員の昇給期間の短縮等について（通知）（平元給実甲六四九）……四〇六
○博士課程修了者等の初任給基準の改正に伴う在職者の号俸の決定等について（通知）（平二給実甲六七三）……四〇七
○初任給基準の改正に伴う在職者の号俸の決定等について（通知）（平四給実甲六九八）……四一一
○博士課程修了者等の初任給基準の改正に伴う在職者等の号俸の決定について（通知）（令四給実甲一三〇六）……四一一
○人事院規則九—八（初任給、昇格、昇給等の基準）の「専門的な知識、技術又は経験を必要とする官職」について（通知）（令四給二—一七四）……四一四
○経験年数を有する者の俸給月額の調整基準の改正に伴う在職者の号俸等の決定について（通知）（平六給実甲七四〇）……四一四
○経験年数を有する者の俸給月額の調整基準の改正に伴う行政職俸給表㈡の適用を受ける在職者の号俸等の決定について（通知）（平六給

実甲七四一）……四一六

○経験年数を有する者の俸給月額の調整基準の改正に伴う在職者調整の適用等について（通知）（平六給二―一五）……四二二

○経験年数を有する者の初任給の号俸の調整基準の改正に伴う在職者の号俸の決定について（通知）（平一八給実甲一〇一四）……四二三

○行政職俸給表㈡在級期間表において別に定めることとされている要件による職務の級の決定について（通知）（昭五二給実甲四七〇）……四二四

○行政職俸給表㈡の適用を受ける技能職員の号俸の決定について（通知）（昭四五給実甲三四二）……四二五

【参考】○教育職俸給表の適用を受ける博士課程修了者の昇給期間の短縮について（通知）（昭四一給実甲二八〇）……四二七

○民間の研究所等から採用された研究員の号俸の決定について（通知）（昭四五給実甲三四三）……四二七

【参考】○医療職俸給表㈢の適用を受ける保健師及び助産師の昇給期間の短縮について（通知）（昭四三給実甲三一八）……四二八

【参考】○試験採用者等の昇給期間の短縮について（通知）（昭四九給実甲四三六）……四二八

○指定職俸給表を適用する職員について（通知）（平二一給実甲一〇八〇）……四二八

○給実甲第一二九二号（給実甲第一〇八〇号の一部改正について）の施行に伴う経過措置について（通知）（令三給実甲一二九三）……四三〇

○昇格及び昇給への人事評価の結果の活用に関する留意事項等について（通知）（平二一給二―二五）……四三〇

○Ⅱ種・Ⅲ種等採用職員の幹部職員への登用の推進に関する指針（通知）（平一一任企七三）……四三七

◎人事評価の基準、方法等に関する政令（平二一政令三一）……四三八

○給実甲第三二六号第十五条関係第七項第一号の取扱いについて（通知）（平一九給二―三二）……四四二

○人事異動通知書の様式及び記載事項等について（通知）（抄）（昭二七、一三―七九九）……四四三

○協議様式について（通知）（昭六〇給実甲五五六）……四四五

○平成十七年改正法の施行に伴う平成十八年四月一日における俸給の切替え等について（通知）（平一八給実甲一〇一五）……四四七

★令和六年改正法附則第四条及び第五条の規定に基づく号俸の切替え及び号俸の調整について（通知）（令七給実甲一三三三）……四五六

【参考】◎人事院規則九―一四四（平成三十年四月一日における号俸の調整）（平三〇・二・一）……四五七

【参考】○平成三十年四月一日における号俸の調整の運用について（通知）（平三〇給実甲一二四五）……四六〇

【参考】◎人事院規則九―一三七（平成二十七年一月一日における昇給に関する人事院規則九―八（初任給、昇格、昇給等の基準）の特例）（平二六・一一・一九）……四六二

【参考】○平成二十六年改正法附則第六条の規定に基づく号俸の調整について（通知）（平二七給実甲一一八〇）……四六三

【参考】◎人事院規則九―一三九（平成二十六年改正法附則第七条の規定による俸給）（平二七・一・三〇）……四六六

【参考】○人事院規則九―一三九

（平成二十六年改正法附則第七条の規定による俸給）の運用について（通知）（平二七給実甲一一八二）……四六八
●行政実例……四七〇

第三　六〇歳に達した職員の俸給月額等の特例

◎人事院規則九—一四七（給与法附則第八項の規定による俸給月額）（令四・一二・一八）……四七四
○給与法附則第八項の規定による俸給月額の運用について（通知）（令四給実甲一二九五）……四七六
◎人事院規則一一—一一（管理監督職勤務上限年齢による降任等）（令四・一二・一八）……四七八
○管理監督職勤務上限年齢による降任等の運用について（通知）（令四給生一一六）……四八四
○併任されている管理監督職を占める職員の取扱いについて（通知）（令四給生六九）……四八八
◎人事院規則九—一四八（給与法附則第十項、第十二項又は第十三項の規定による俸給）（令四・一二・一八）……四八八
○人事院規則九—一四八（給与法附則第十項、第十二項又は第十三項の規定による俸給）の運用について（通知）（令四給実甲一二九六）……四九八

第四　定年前再任用短時間勤務職員等の俸給月額

◎人事院規則九—一〇七（定年前再任用短時間勤務職員等の俸給月額の端数計算）（平一一・一〇・二五）……五〇三

第五　降給

◎人事院規則一一—一〇（職員の降給）（平二一・三・一八）……五〇四
○人事院規則一一—一〇（職員の降給）の運用について（通知）（平二一給二—二六）……五〇六
○降給に当たっての留意点等について（通知）（平二二給二—二三）……五一一
○人事院規則一一—一〇（職員の降給）第四条第一号イ、第五条並びに第六条第一項第一号イ及び第二項の「勤務実績がよくないと認められる場合」について（通知）（令二給二—九三）……五一三

第三編　調整額及び諸手当

第一　俸給の調整額

◎人事院規則九—六（俸給の調整額）（昭三一・八・一）……五一六
○俸給の調整額の運用について（通知）（昭六二給実甲六〇九）……五二九
★人事院規則九—六（俸給の調整額）の調整基本額について（令六・一二・二五事務連絡）……五三二

第二　扶養手当

◎人事院規則九—八〇（扶養手当）（昭六〇・一二・二一）……五三三
○扶養手当の運用について（通知）（昭六〇給実甲五八〇）……五三五
○扶養親族の認定について（通知）（抄）（平七給三—八〇）……五四〇
●行政実例……五四〇

第三　地域手当

◎人事院規則九—四九（地域手当）（平一八・二・一）……五四三
○地域手当の運用について（通知）

（平一八給実甲一〇一九）……五五一

○併任制度の適正な運用について（通知）（平二一人企五七五・給三—一二八）……五六〇

第四　広域異動手当

◎人事院規則九—一二一（広域異動手当）（平一八・一二・一五）……五六一

○広域異動手当の運用について（通知）（平一八給実甲一〇三三）……五六四

第五　研究員調整手当

◎人事院規則九—一〇二（研究員調整手当）（平九・一・三一）……五六九

○研究員調整手当の運用について（通知）（平九給実甲七九七）……五七〇

第六　住居手当

◎人事院規則九—五四（住居手当）（昭四九・一二・二三）……五七一

○住居手当の運用について（通知）（昭四九給実甲四三四）……五七三

●行政実例……五八〇

第七　通勤手当

◎人事院規則九—二四（通勤手当）（昭三三・四・二五）……五八一

○通勤手当の運用について（昭三三給実甲一五一）……五八九

○運賃等の値上げ等、在宅勤務等手当の支給又は通勤所要回数の変動に伴う通勤手当に係る届出の取扱いについて（通知）（平一五給実甲九三四）……六〇〇

★人事院規則九—二四—二一（人事院規則九—二四（通勤手当）の一部を改正する人事院規則）の運用について（通知）（令七給実甲一三四二）……六〇一

○通勤手当の所得税法上の取扱いについて……六〇三

○新幹線鉄道等に係る通勤手当について（通知）（平二一給三—一二九）……六〇四

●行政実例……六〇四

第八　単身赴任手当

◎人事院規則九—八九（単身赴任手当）（平二・一二・一五）……六〇八

○単身赴任手当の運用について（通知）（平二給実甲六六〇）……六一一

○単身赴任手当における異動等に伴う転居の取扱いについて（通知）（平二一給三—一一七）……六二四

第九　在宅勤務等手当

◎人事院規則九—一五一（在宅勤務等手当）（令六・一・一三）……六二五

○在宅勤務等手当の運用について（通知）（令六給実甲一三一九）……六二六

第一〇　初任給調整手当

◎人事院規則九—三四（初任給調整手当）（昭三六・三・三一）……六三〇

○初任給調整手当の運用について（通知）（昭三六給実甲一八〇）……六三六

★人事院規則九—三四（初任給調整手当）において規定する初任給調整手当の種別について（通知）（令七給三—一八）……六三八

第一一　特殊勤務手当

◎人事院規則九—三〇（特殊勤務手当）（昭三五・六・九）……六四〇

○特殊勤務手当の運用について（通知）（昭三七給実甲一九七）……六五八

●行政実例……六六四

◎人事院規則九—一二九（東日本大震災及び東日本大震災以外の特定大規模災害等並びに特定新型インフルエンザ等に対処するための人

事院規則九—三〇（特殊勤務手当の特例）（平二三・六・二九）……六六四
○人事院規則九—一二九（東日本大震災及び東日本大震災以外の特定大規模災害等並びに特定新型インフルエンザ等に対処するための人事院規則九—三〇（特殊勤務手当の特例）の運用等について（通知）（平二三給実甲一一四四）……六六七
◎人事院規則一〇—五（職員の放射線障害の防止）（抄）（昭三八・九・二五）……六六八
◎人事院規則一〇—一三（東日本大震災により生じた放射性物質により汚染された土壌等の除染等のための業務等に係る職員の放射線障害の防止）（平二三・一二・二八）……六七〇

第一二　特地勤務手当等

◎人事院規則九—五五（特地勤務手当等）（昭四五・一二・一七）……六七三
○特地勤務手当等の運用について（通知）（昭四五給実甲三五一）……六九四

第一三　超過勤務手当・休日給・夜勤手当・宿日直手当

◎人事院規則九—九七（超過勤務手当）（平二一・一二・一）……七〇〇
○人事院規則九—七（俸給等の支給）の運用について（抄）（昭二八給実甲六五）……七〇〇
○超勤代休時間の指定及び超過勤務手当の支給の取扱いについて（通知）（平二二職職三七・給三—二七）……七〇一
○併任先で超過勤務を行った場合の超過勤務手当等の取扱いについて（通知）（平三〇給三—四一）……七〇二
●行政実例……七〇二
◎人事院規則九—四三（休日給）（昭六〇・一二・二一）……七〇二
○人事院規則九—四三（休日給）第一条ただし書の休日給の支給される日について（通知）（平一四給実甲九二二）……七〇三
◎人事院規則九—一五（宿日直手当）（昭三九・一二・一七）……七〇四
○常直勤務に対する宿日直手当の支給等について（通知）（昭三九給実甲二四二）……七〇五
●行政実例……七〇五

第一四　俸給の特別調整額

◎人事院規則九—一七（俸給の特別調整額）（昭三九・一二・二六）……七〇六

第一五　管理職員特別勤務手当

◎人事院規則九—九三（管理職員特別勤務手当）（平三・一二・二四）……七四七
○管理職員特別勤務手当の運用について（通知）（平三給実甲六八八）……七四九
★管理職員特別勤務手当の支給等について（通知）（令七給三—一二）……七五〇

第一六　本府省業務調整手当

◎人事院規則九—一二三（本府省業務調整手当）（平二一・二・二）……七五二
○本府省業務調整手当の運用について（通知）（平二一給実甲一〇七八）……七五八

第一七　専門スタッフ職調整手当

◎人事院規則九—一二二（専門スタッフ職調整手当）（平二〇・二・一）……七五九

第一八　期末手当・勤勉手当

◎人事院規則九―四〇（期末手当及び勤勉手当）（昭三八・一二・二〇）…七六〇

○期末手当及び勤勉手当の支給について（通知）（昭三八給実甲二二〇）……七七三

★指定職俸給表適用職員の勤勉手当の運用について（通知）（令七給三―二六）……七八八

○役職段階別加算措置における経験年数の取扱いについて（通知）（平二二給三―一三〇）……七八八

○定年前再任用短時間勤務職員等の勤勉手当の成績率の決定に係る業績評価の取扱いについて（通知）（令四給三―七四）……七八九

○学術研究等のための休職の取扱いについて（通知）（令二給三―五六）……七八九

●行政実例……七九〇

第一九　寒冷地手当

◎国家公務員の寒冷地手当に関する法律（昭二四法二〇〇）……七九二

◎寒冷地手当支給規則（昭三九総府令二二）……八〇二

○国家公務員の寒冷地手当に関する法律等の運用方針について（昭五五総人局九五八）……八一一

第二〇　国際平和協力手当

◎国際連合平和維持活動等に対する協力に関する法律（抄）（平四法七九）……八一三

◎南スーダン国際平和協力隊の設置等に関する政令（平二三政令三四五）……八一七

第四編　給与の支給

第一　給与の支給

◎人事院規則九―七（俸給等の支給）（昭二八・一一・七）……八二〇

○人事院規則九―七（俸給等の支給）の運用について（昭二八給実甲六五）……八二四

○人事院規則九―七第一条の三及び給実甲第六五号第一条の三関係の取扱いについて（通知）（平二一給二―一〇三）……八二七

○退職の日の給与の取扱等について（通知）（昭三四給二―五一二）……八二八

○特殊勤務手当、超過勤務手当、休日給、夜勤手当、宿日直手当及び管理職員特別勤務手当の支給について（通知）（平二〇給二―七七）……八二八

●行政実例……八二九

◎人事院規則九―八二（俸給の半減）（昭六〇・一二・二一）……八三二

○人事院規則九―八二（俸給の半減）の運用について（通知）（平二一給実甲一一二六）……八三三

●行政実例……八三四

◎人事院規則一二―〇（職員の懲戒）（昭二七・五・二三）……八三五

○人事院規則一二―〇（職員の懲戒）の運用について（昭三二職職三九三）……八三六

第二　給与簿

◎人事院規則九―五（給与簿）（昭二六・一一・三〇）……八三八

○給与簿等の取扱いについて（通知）（昭六〇給実甲五七六）……八三九

○職員別給与簿、諸手当の認定簿等の取扱いについて（通知）（平二九給二―一一九・給三―三〇）……八五一

○国庫出納金等端数処理法の一部を改正する法律の施行に伴う給与簿の取扱いについて（昭三三給二―一二二）……八六一

◎国等の債権債務等の金額の端数計算に関する法律（昭二五法六一）……八六一
◎人事院規則一―三四（人事管理文書の保存期間及び保存期間が満了したときの措置）（抄）（平一三・一・一九）……八六二
○人事院規則一―三四（人事管理文書の保存期間及び保存期間が満了したときの措置）の運用について（通知）（抄）（令五事企法三一九）……八八〇
●行政実例……八九一

第三　休職者の給与

◎人事院規則九―一三（休職者の給与）（昭二七・一二・二九）……八九二
○研究休職の場合の休職給の算定に関する留意事項等について（通知）（平一三給二―三八）……八九三
◎人事院規則一一―四（職員の身分保障）（抄）（昭二七・五・二三）……八九四
◎公立の学校の事務職員の休職の特例に関する法律（昭三二法一一七）……八九六
◎教育公務員特例法（抄）（昭二四法一）……八九六
●行政実例……八九七

第四　勤務時間・休暇・厚生

◎一般職の職員の勤務時間、休暇等に関する法律（平六法三三）……八九九
◎人事院規則一五―一四（職員の勤務時間、休日及び休暇）（平六・七・二七）……九〇三
○職員の勤務時間、休日及び休暇の運用について（通知）（平六職職三二八）……九二一
◎行政機関の休日に関する法律（昭六三法九一）……九五五
◎国民の祝日に関する法律（昭二三法一七八）……九五五
◎建国記念の日となる日を定める政令（昭四一政令三七六）……九五六
◎天皇の即位の日及び即位礼正殿の儀の行われる日を休日とする法律（平三〇法九九）……九五七
◎国家公務員の育児休業等に関する法律（平三法一〇九）……九五七
◎人事院規則一九―〇（職員の育児休業等）（平四・一・一七）……九六七
○育児休業等の運用について（通知）（平四職福二〇）……九七六
◎国家公務員の自己啓発等休業に関する法律（平一九法四五）……九八八
◎人事院規則二五―〇（職員の自己啓発等休業）（平一九・七・二〇）……九九〇
○自己啓発等休業の運用について（通知）（平一九職職二五六）……九九二
◎国家公務員の配偶者同行休業に関する法律（平二五法七八）……九九五
◎人事院規則二六―〇（職員の配偶者同行休業）（平二六・二・二一）……九九七
○配偶者同行休業の運用について（通知）（平二六職職四〇）……九九九
◎科学技術・イノベーション創出の活性化に関する法律（抄）（平二〇法六三）……一〇〇三
◎科学技術・イノベーション創出の活性化に関する法律施行令（抄）（平二〇政令三一四）……一〇〇六
◎人事院規則一〇―四（職員の保健及び安全保持）（抄）（昭四八・三・一）……一〇〇八
○人事院規則一〇―四（職員の保健及び安全保持）の運用について（通知）（抄）（昭六二職福六九一）……一〇一〇
◎人事院規則一〇―七（女子職員及び年少職員の健康、安全及び福祉）（抄）（昭四八・三・一）……一〇一一
○人事院規則一〇―七（女子職員及び年少職員の健康、安全及び福祉

の運用について（通知）（抄）（昭六一職福一二二）……一〇一二
◎人事院規則一〇—六（職員のレクリエーションの根本基準）（抄）（昭三九・四・一）……一〇一四
○人事院規則一〇—六（職員のレクリエーションの根本基準）の運用について（通知）（昭四一職能一〇七）……一〇一四
◎人事院規則一七—二（職員団体のための職員の行為）（抄）（昭四三・一一・六）……一〇一五
●行政実例……一〇一五

第五編　各種職員

第一　非常勤職員

◎一般職の職員の給与に関する法律（抄）（昭二五法九五）……一〇一八
◎人事院規則九—一（非常勤職員の給与）（昭二六・一一・三〇）……一〇一八
○一般職の職員の給与に関する法律第二十二条第一項の非常勤職員について（通知）（平一二給実甲八六九）……一〇一九
○非常勤職員の給与の承認手続について（通知）（昭四四給実甲三二四）……一〇二〇
○非常勤職員に支給される通勤手当相当の給与に対する所得税の取扱について（通知）（昭三三給三—三六八）……一〇二一
○一般職の職員の給与に関する法律第二十二条第二項の非常勤職員に対する給与について（通知）（平二〇給実甲一〇六四）……一〇二二
○非常勤の顧問、参与等に対する給与について（昭五二給三—四八）……一〇二二
◎人事院規則一五—一五（非常勤職員の勤務時間及び休暇）（平六・七・二七）……一〇二三
○人事院規則一五—一五（非常勤職員の勤務時間及び休暇）の運用について（通知）（平六職職三二九）……一〇二六
○定員外職員の常勤化の防止について（昭三六・二・二八閣議決定）……一〇三二
○昭和三十七年度の定員外職員の定員繰入れに伴う措置について（昭三七・一・一九閣議決定）……一〇三三
●行政実例……一〇三三

第二　派遣職員

◎国際機関等に派遣される一般職の国家公務員の処遇等に関する法律（昭四五法一一七）……一〇三四
◎人事院規則一八—〇（職員の国際機関等への派遣）（昭四五・一二・二五）……一〇三六
○国際機関等に派遣される一般職の国家公務員の処遇等に関する法律および人事院規則一八—〇（職員の国際機関等への派遣）の運用について（通知）（昭四五任企八八七）……一〇三九
○派遣職員の給与の支給割合の決定等について（通知）（昭五〇給実甲四四四）……一〇四二

第三　勤務延長及び再任用職員

◎人事院規則一一—八（職員の定年）（令四・一二・一八）……一〇四五
○定年制度の運用について（通知）（令四給生一五）……一〇四八
◎人事院規則八—一二（年齢六十年以上退職者等の定年前再任用）（令四・一二・一八）……一〇五一
○年齢六十年以上退職者等の定年前再任用の運用について（通知）（令四給生一八）……一〇五三
◎人事院規則一一—一二（定年退職

者等の暫定再任用）（令四・二・一八）……一〇五四

○定年退職者等の暫定再任用の運用について（通知）（令四給生一九）…一〇五七

第四　任期付研究員

◎一般職の任期付研究員の採用、給与及び勤務時間の特例に関する法律（平九法六五）……一〇五九

◎人事院規則二〇—〇（任期付研究員の採用、給与及び勤務時間の特例）（平九・六・四）……一〇六二

○任期付研究員の採用、給与及び勤務時間の特例の運用について（通知）（平九任企一四九）……一〇六五

第五　官民人事交流職員

◎国と民間企業との間の人事交流に関する法律（平一一法二二四）……一〇七二

◎人事院規則二一—〇（国と民間企業との間の人事交流）（平二六・五・二九）……一〇七八

○国と民間企業との間の人事交流の運用について（通知）（平二六人企六六〇）……一〇九〇

第六　任期付職員

◎一般職の任期付職員の採用及び給与の特例に関する法律（平一二法一二五）……一〇九八

★人事院規則九—一五二（令和六年改正法附則第二条の規定による最高の号俸を超える俸給月額を受ける特定任期付職員の俸給月額の切替え）（令六・一二・二五）……一一〇一

◎人事院規則二三—〇（任期付職員の採用及び給与の特例）（平一二・一一・二七）……一一〇一

○任期付職員の採用及び給与の特例の運用について（通知）（平一二任企五九〇）……一一〇三

第七　法科大学院派遣職員

◎法科大学院への裁判官及び検察官その他の一般職の国家公務員の派遣に関する法律（平一五法四〇）…一一〇九

◎人事院規則二四—〇（検察官その他の職員の法科大学院への派遣）（平一五・一〇・一）……一一一六

○検察官その他の職員の法科大学院への派遣の運用について（通知）（平一五人企八二五）……一一二一

第八　公益社団法人福島相双復興推進機構派遣職員

◎福島復興再生特別措置法（抄）（平二四法二五）……一一二八

◎人事院規則一—六九（職員の公益社団法人福島相双復興推進機構への派遣）（平二九・五・一九）……一一三一

○職員の公益社団法人福島相双復興推進機構への派遣の運用について（通知）（平二九人企四九六）……一一三四

第九　国際博覧会協会派遣職員

◎令和七年に開催される国際博覧会の準備及び運営のために必要な特別措置に関する法律（抄）（平三一法一八）……一一三八

◎人事院規則一—七二（職員の令和七年国際博覧会特措法第十四条第一項の規定により指定された博覧会協会への派遣）（令元・五・二三）……一一四一

○職員の令和七年国際博覧会特措法第十四条第一項の規定により指定された博覧会協会への派遣の運用

について（通知）（令元人企六〇）…一一四四

第一〇　国際園芸博覧会協会派遣職員

◎令和九年に開催される国際園芸博覧会の準備及び運営のために必要な特別措置に関する法律（抄）（令四法一五）……一一四九

◎人事院規則一―八〇（職員の令和九年国際園芸博覧会特措法第二条第一項の規定により指定された国際園芸博覧会協会への派遣）（令四・六・二四）……一一五二

○職員の令和九年国際園芸博覧会特措法第二条第一項の規定により指定された国際園芸博覧会協会への派遣の運用について（通知）（令四人企七九一）……一一五五

第一一　公益財団法人福島イノベーション・コースト構想推進機構派遣職員

◎福島復興再生特別措置法（抄）（平二四法二五）……一一六〇

◎人事院規則一―七四（職員の公益財団法人福島イノベーション・コースト構想推進機構への派遣）（令二・六・一二）……一一六三

○職員の公益財団法人福島イノベーション・コースト構想推進機構への派遣の運用について（通知）（令二人企五九七）……一一六六

第一二　外務公務員

◎在外公館の名称及び位置並びに在外公館に勤務する外務公務員の給与に関する法律（昭二七法九三）…一一七〇

◎在外公館に勤務する外務公務員の在勤基本手当の額、住居手当に係る控除額及び限度額並びに子女教育手当に係る自己負担額を定める政令（昭四九政令一七九）……一一七八

◎在勤基本手当の号の適用に関する規則（昭六二外務令六）……一一九七

【参考】◎在勤基本手当の月額の調整に関する規則（令三外務令五）…一一九七

◎住居手当の支給に関する規則（抄）（昭四四外務令七）……一一九九

第一三　検察官

◎検察官の俸給等に関する法律（昭二三法七六）……一二〇〇

○検察官の初任給調整手当に関する準則（昭四六法務人甲二）……一二〇二

第一四　独立行政法人の職員

◎行政執行法人の労働関係に関する法律（昭二三法二五七）……一二〇三

◎独立行政法人通則法（平一一法一〇三）……一二〇七

第一五　内閣総理大臣等

◎特別職の職員の給与に関する法律（昭二四法二五二）……一二三三

【参考】◎天皇の退位等に関する皇室典範特例法（抄）（平二九法六三）……一二三九

◎特別職の職員の給与に関する法律施行令（平二政令三六六）……一二三九

◎特別職の職員の給与に関する法律施行令第一条の所得の額の算定に関する内閣官房令（平一七総務令五三）……一二四〇

○特別職の職員の給与に関する法律施行令第一条ただし書中の「その他内閣総理大臣が定める場合」について（平一七総人恩総二二二）…一二四一

○特別職の職員の給与に関する法律等の一部を改正する法律附則第四条第三項の内閣総理大臣の定めに

ついて（通知）（平二七閣人人一六二）……一二四二

第一六　国会議員及び国会職員

◎国会議員の歳費、旅費及び手当等に関する法律（昭二二法八〇）……一二四三
○国会議員の歳費、旅費及び手当等支給規程（昭二二・七・一一両院議長協議決定）……一二四六
◎国会議員の秘書の給与等に関する法律（平二法四九）……一二四八
○国会議員の秘書の給与の支給等に関する規程（平二・六・二〇両院議長協議決定）……一二五四
○国会議員の秘書の退職手当支給規程（昭三七・三・三一両院議長協議決定）……一二五七
◎国会職員法（昭二二法八五）……一二六三
○国会職員の給与等に関する規程（昭二二・一〇・一六両院議長決定）……一二七六
○育児短時間勤務国会職員等についての国会職員の給与等に関する規程等の特例に関する規程（平一九・五・九両院議長決定）……一三〇二
○特定任期付職員の給与の特例に関する規程（平一九・一一・二六両院議長決定）……一三〇五
○国会職員の勤務時間、休暇等に関する規程（平六・六・二三両院議長決定）……一三〇八

第一七　裁判官及び裁判所職員

◎裁判官の報酬等に関する法律（昭二三法七五）……一三一三
◎裁判官以外の裁判所職員の俸給等の支給に関する規則（令二最高裁規四）……一三一五
◎裁判官の報酬等に関する規則（平二九最高裁規一）……一三一五
◎裁判官及び裁判官の秘書官以外の裁判所職員の定年に関する規則（昭五九最高裁規六）……一三二三
◎裁判官の災害補償に関する法律（昭三五法一〇〇）……一三二四
◎裁判所職員臨時措置法（昭二六法二九九）……一三二四
◎裁判所職員に関する臨時措置規則（昭二七最高裁規一）……一三二六
◎裁判所書記官等の俸給の調整に関する規則（昭二七最高裁規三）……一三二六
◎裁判官以外の裁判所職員の俸給の特別調整額に関する規則（昭四〇最高裁規三）……一三二八
◎裁判官及び裁判官の秘書官以外の裁判所職員の本府省業務調整手当に関する規則（平二一最高裁規四）……一三二九

第一八　自衛官

◎防衛省の職員の給与等に関する法律（昭二七法二六六）……一三三〇

第一九　地方公務員

◎地方公務員法（昭二五法二六一）……一三九一
◎地方公務員の育児休業等に関する法律（平三法一一〇）……一四一五
◎地方自治法（抄）（昭二二法六七）……一四一九
◎教育公務員特例法（昭二四法一）……一四二一
◎公立の義務教育諸学校等の教育職員の給与等に関する特別措置法（昭四六法七七）……一四三〇
◎学校教育の水準の維持向上のための義務教育諸学校の教育職員の人材確保に関する特別措置法（昭四九法二）……一四三二
◎農業、水産、工業又は商船に係る産業教育に従事する公立の高等学校の教員及び実習助手に対する産業教育手当の支給に関する法律

（昭三二法一四五）……一四三二
◎産業教育手当の支給を受ける実習助手の範囲を定める政令（昭三三政令三一五）……一四三三
◎高等学校の定時制教育及び通信教育振興法（抄）（昭二八法二三八）…一四三三
◎高等学校の定時制教育及び通信教育振興法施行令（昭二九政令三一二）……一四三四
◎地方公営企業法（抄）（昭二七法二九二）……一四三四
◎地方公営企業等の労働関係に関する法律（昭二七法二八九）……一四三五
◎労働基準法（昭二二法四九）……一四三八

第六編　その他

第一　給与の決定に関する審査の申立て
◎人事院規則一三―四（給与の決定に関する審査の申立て）（昭三七・一〇・一）……一四六六
第二　退職手当
◎国家公務員退職手当法（昭二八法一八二）……一四六八
【参考】◎日本国有鉄道改革法（抄）（昭六一法八七）……一四九三
【参考】◎日本国有鉄道改革法等施行法（抄）（昭六一法九三）……一四九三
◎国家公務員退職手当法施行令（昭二八政令二一五）……一四九四
◎国家公務員退職手当法の一部を改正する法律の施行に伴う経過措置に関する政令（平一八政令三〇）…一五三六
◎国家公務員退職手当法附則第十二項、第十四項及び第十六項の規定による退職手当の基本額の特例等に関する内閣官房令（令四内閣官房令三）……一五四一
◎国家公務員退職手当法施行令第四条の二の規定による退職の理由の記録に関する内閣官房令（平二五総務令五七）……一五四五
◎国家公務員退職手当法の規定による退職手当の支給制限等に係る書面の様式を定める内閣官房令（平二一総務令二七）……一五四八
◎国家公務員退職手当法の規定に基づく意見の聴取の手続に関する規則（平二一総務令二九）……一五六〇
○国家公務員退職手当法の運用方針（昭六〇総人二六一）……一五六二
◎国家公務員退職手当法の規定による早期退職希望者の募集及び認定の制度に係る書面の様式等を定める内閣官房令（平二五総務令五八）…一五七〇
○早期退職募集制度の運用について（平二五総人恩総四〇三）……一五七六
◎失業者の退職手当支給規則（昭五〇総府令一四）……一五八〇
○国家公務員退職手当法の一部を改正する法律（平成十七年法律第百十五号）の施行後の退職手当の取扱いについて（抄）（平一八総人恩総二〇四）……一五八八
○国家公務員の自己啓発等休業に関する法律第八条第二項の規定により読み替えて適用される国家公務員退職手当法第七条第四項に規定する内閣総理大臣が定める要件について（平一九総人恩総八一二）…一六〇九
○国家公務員退職手当法の適用を受ける非常勤職員について（昭六〇総人二六〇）……一六一一
○期間業務職員の退職手当に係る取扱いについて（平二三総人恩総八三六）……一六一二

第三　旅費

◎国家公務員等の旅費に関する法律（昭二五法一一四）……一六一四
★国家公務員等の旅費に関する法律施行令（令七政令三〇六）……一六一八
◎国家公務員等の旅費支給規程（昭二五大蔵令四五）……一六二二
★国家公務員等の旅費に関する法律等の運用方針について（令六財計四七〇七）……一六四七

第四　沖縄復帰職員の特例

◎沖縄の復帰に伴う特別措置に関する法律（抄）（昭四六法一二九）……一六五二
◎人事院規則一―九（沖縄の復帰に伴う国家公務員法等の適用の特別措置等）（抄）（昭四七・五・一三）……一六五二
○復帰職員にかかる給与関係の特別措置等について（通知）（抄）（昭四七給実甲三八六）……一六五三

第五　旧国鉄職員の給与等の特例

◎人事院規則一―一二（日本国有鉄道退職希望職員及び日本国有鉄道清算事業団職員を採用する場合の任用、給与等の特例等）（昭六一・一二・四）……一六五五
○日本国有鉄道退職希望職員及び日本国有鉄道清算事業団職員を採用する場合の任用、給与等の取扱いについて（通知）（昭六一管総一五八六）……一六五八

附録

○一般職給与法改正経過一覧表……一六六二
○人事院規則（九の系列）一覧表……一六八六
○現行給実甲通達一覧表……一七〇六
○国家公務員退職手当支給率早見表……一七三三

行政実例目次

第二編　俸給関係

〔初任給・昇格・昇給等〕

●試験または職種欄の適用について……四七〇
●初任給基準表の学歴免許欄について……四七〇
●無線従事者の初任給について……四七〇
●昇給予定日の昇格について……四七〇
●試験の結果に基づいて異動する場合について……四七一
●人事院細則第一九条第一項第一号および給実甲第二五四号について……四七一
●復職時等における俸給月額の調整について……四七一
●各種学校卒業者の学歴区分の取扱について……四七二
●通信教育により六二単位を修得した者の取扱について……四七二
●学歴または資格を取得した月の取扱いについて……四七二
●一日付で昇格等を行う場合の当該日の取扱いについて……四七三

●「学校又は学校に準ずる教育機関」に関する疑義について……四七三
●大学院の在学期間の取扱について……四七三

第三編　調整額及び諸手当関係

〔扶養手当〕
●扶養手当支給について……五四〇
●扶養家族認定上の疑義について……五四〇
●扶養親族認定の疑義について……五四一
●職員の配偶者が農業に従事している場合の扶養親族の認定について……五四一
●扶養手当支給の扶養親族の認定について……五四二
●扶養手当に関する疑義について……五四二

〔住居手当〕
●住居手当の支給について……五八〇

〔通勤手当〕
●通勤手当について……六〇四
●人事院規則九―二四、第七条について……六〇六
●人事院規則九―二四（通勤手当）等について……六〇六
●通勤手当の支給について……六〇六

〔特殊勤務手当〕
●併任官職に係る休日給、夜勤手当および特殊勤務手当の支給について……六六四

〔超過勤務手当・休日給・夜勤手当・宿日直手当〕
●給実甲第二十八号第十六条第二項(1)関係の改正について……七〇二

〔期末手当・勤勉手当〕
●勤勉手当の支給について……七九〇
●勤勉手当に関する疑義について……七九〇
●期末手当および勤勉手当の支給について……七九〇
●基準日の翌日以後に異動した職員の期末、勤勉手当の支給義務者について……七九一

第四編　給与の支給関係

〔俸給等の支給〕
●人事院規則九―二について……八二九
●国家公務員の給与における地方税特別徴収の可否について……八二九
●公務員法および給与法上の疑義について……八二九
●給与の直接払について……八三〇
●免職等の場合における給与の支給について……八三〇
●俸給の支給方法について……八三一
●給与に関する疑義について……八三一
●俸給の支給について……八三一
●人事院規則九―七第四条の解釈について……八三一
●職員が死亡した場合の俸給等の取扱いについて……八三一

〔俸給の半減〕
●病気休暇等により俸給が半減されている場合の休日等の取扱いについて……八三四

〔給与簿〕
●赴任期間について……八九一
●人事院規則九―五第十三条第二項ただし書の解釈について……八九一

〔休職者の給与〕
●休職期間終了の際の給与支給の疑義について……八九七
●休職者の給与に関する疑義について……八九七
●休職者の給与について……八九七
●休職給の支給等について……八九七

〔勤務時間・休暇・厚生〕
●給与の疑義について……一〇一五
●一時間単位の年次休暇について……一〇一五
●公務に基く病気休暇の取扱について……一〇一六

第五編　各種職員関係

〔非常勤職員〕

●非常勤職員の給与について……………一〇三三
●非常勤職員の勤務を要しない日における勤務に対する割増給与の算出法について……………一〇三三

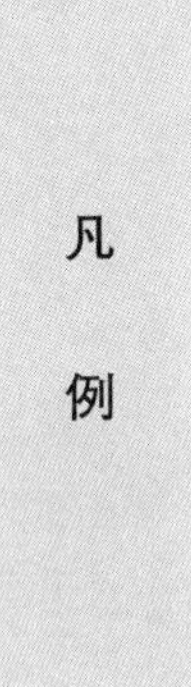

【本書の目的】

本書は、主として国家公務員、地方公務員の給与事務を担当する方々及び広く給与に関係ある管理者の方々のために、必要な法令及び行政実例を網ら収録して、日常の事務処理はもちろん、会議、出張等にも簡便に携行し役立てられるように編集した。

【収録法令】

給与関係者が、常時必要とされる法令、規則、指令、通達など二二一件と主要行政実例を吟味撰択して文字通り給与法規集の集大成とした。

附則については、原則として令和二年以降分を掲載した。

【内容現在】

内容は、原則として令和七年五月十五日現在のものである。ただし、「刑法等の一部を改正する法律の施行に伴う関係法律の整理等に関する法律」（令四法六八）、「国家公務員退職手当法の規定による退職手当の支給制限等に係る書面の様式を定める内閣官房令の一部を改正する内閣官房令」（令七内閣官房令四）、「刑事訴訟規則等の一部を改正する規則」（令七最高裁規三）及び「国会議員の秘書の退職手当支給規程及び国会議員の政策担当秘書資格試験等実施規程の一部を改正する規程」（令四・六・一五両院議長協議決定）については、令和七年六月一日現在までを掲載した。

【分類】

本書は、基本、俸給、手当、支給、各種職員、その他の計六編に大きく分類し、各編をさらに、数項目ごとに小分類した。また巻末に若干の附録をつけた。

【附録・追録】

巻末の附録には、一般職給与法改正経過一覧、人事院規則（九の系列）一覧表ほか、現行給実甲通達一覧表等を収めた。また、今年の人事院勧告は、勧告あり次第緊急追録として弊社ホームページに掲載する予定である。

【検索方法】

法令の検索は「編別総目次」及び「法令名さくいん（50音順）」、人事院規則、給実甲の検索は、「人事院規則・給実甲通達さくいん」によられたい。

【公布・改正】

各法令の公布年月日及び法令番号は、各法令名の下に示し、以後の改正については、直近の改正の年月日及び法令番号のみ示した。これに使用した略号は、左の用例による。

法――法律
政令――政令
大蔵令――大蔵省令
財務令――財務省令
総務令――総務省令
規則――人事院規則
最高裁規――最高裁規則

また、主要法令の各条項ごとの改正経緯については、法律にあっては、各条の末尾に同条全体の改正経緯を表示し、規則にあっては、条の末尾に現行の規定の施行日または適用日を表示した。

第一編　基本法

○日本国憲法

昭二一・一一・三

日本国民は、正当に選挙された国会における代表者を通じて行動し、われらとわれらの子孫のために、諸国民との協和による成果と、わが国全土にわたつて自由のもたらす恵沢を確保し、政府の行為によつて再び戦争の惨禍が起ることのないやうにすることを決意し、ここに主権が国民に存することを宣言し、この憲法を確定する。そもそも国政は、国民の厳粛な信託によるものであつて、その権威は国民に由来し、その権力は国民の代表者がこれを行使し、その福利は国民がこれを享受する。これは人類普遍の原理であり、この憲法は、かかる原理に基くものである。われらは、これに反する一切の憲法、法令及び詔勅を排除する。

日本国民は、恒久の平和を念願し、人間相互の関係を支配する崇高な理想を深く自覚するのであつて、平和を愛する諸国民の公正と信義に信頼して、われらの安全と生存を保持しようと決意した。われらは、平和を維持し、専制と隷従、圧迫と偏狭を地上から永遠に除去しようと努めてゐる国際社会において、名誉ある地位を占めたいと思ふ。われらは、全世界の国民が、ひとしく恐怖と欠乏から免かれ、平和のうちに生存する権利を有することを確認する。

われらは、いづれの国家も、自国のことのみに専念して他国を無視してはならないのであつて、政治道徳の法則は、普遍的なものであり、この法則に従ふことは、自国の主権を維持し、他国と対等関係に立たうとする各国の責務であると信ずる。

日本国民は、国家の名誉にかけ、全力をあげてこの崇高な理想と目的を達成することを誓ふ。

第一章　天皇

〔天皇の地位と主権在民〕

第一条　天皇は、日本国の象徴であり日本国民統合の象徴であつて、この地位は、主権の存する日本国民の総意に基く。

〔皇位の世襲〕

第二条　皇位は、世襲のものであつて、国会の議決した皇室典範の定めるところにより、これを継承する。

〔内閣の助言と承認及び責任〕

第三条　天皇の国事に関するすべての行為には、内閣の助言と承認を必要とし、内閣が、その責任を負ふ。

〔天皇の機能〕

第四条　天皇は、この憲法の定める国事に関する行為のみを行ひ、国政に関する権能を有しない。

②　天皇は、法律の定めるところにより、その国事に関する行為を委任することができる。

〔摂政〕

第五条　皇室典範の定めるところにより摂政を置くときは、摂政は、天皇の名でその国事に関する行為を行ふ。この場合には、前条第一項の規定を準用する。

〔天皇の任命行為〕

第六条　天皇は、国会の指名に基いて、内閣総理大臣を任命する。

②　天皇は、内閣の指名に基いて、最高裁判所の長たる裁判官を任命する。

〔天皇の国事行為〕

第七条　天皇は、内閣の助言と承認により、国民のために、左の国事に関する行為を行ふ。

一　憲法改正、法律、政令及び条約を公布すること。
二　国会を召集すること。
三　衆議院を解散すること。
四　国会議員の総選挙の施行を公示すること。
五　国務大臣及び法律の定めるその他の官吏の任免並びに全権委任状及び大使及び公使の信任状を認証すること。
六　大赦、特赦、減刑、刑の執行の免除及び復権を認証すること。
七　栄典を授与すること。
八　批准書及び法律の定めるその他の外交文書を認証すること。
九　外国の大使及び公使を接受すること。
十　儀式を行ふこと。

〔財産授受の制限〕

第八条　皇室に財産を譲り渡し、又は皇室が、財産を譲り受け、若しくは賜与することは、国会の議決に基かなければならない。

第二章　戦争の放棄

〔戦争の放棄と戦力及び交戦権の否認〕

第九条　日本国民は、正義と秩序を基調とする国際平和を誠実に希求し、国権の発動たる戦争と、武力による威嚇又は武力の行使は、国際紛争を解決する手段としては、永久にこれを放棄する。

② 前項の目的を達するため、陸海空軍その他の戦力は、これを保持しない。国の交戦権は、これを認めない。

第三章 国民の権利及び義務

〔国民たる要件〕

第十条 日本国民たる要件は、法律でこれを定める。

〔基本的人権〕

第十一条 国民は、すべての基本的人権の享有を妨げられない。この憲法が国民に保障する基本的人権は、侵すことのできない永久の権利として、現在及び将来の国民に与へられる。

〔自由及び権利の保持義務と公共福祉性〕

第十二条 この憲法が国民に保障する自由及び権利は、国民の不断の努力によつて、これを保持しなければならない。又、国民は、これを濫用してはならないのであつて、常に公共の福祉のためにこれを利用する責任を負ふ。

〔個人の尊重〕

第十三条 すべて国民は、個人として尊重される。生命、自由及び幸福追求に対する国民の権利については、公共の福祉に反しない限り、立法その他の国政の上で、最大の尊重を必要とする。

〔平等原則・貴族制度の否認・栄典の限界〕

第十四条 すべて国民は、法の下に平等であつて、人種、信条、性別、社会的身分又は門地により、政治的、経済的又は社会的関係において、差別されない。

② 華族その他の貴族の制度は、これを認めない。

③ 栄誉、勲章その他の栄典の授与は、いかなる特権も伴はない。栄典の授与は、現にこれを有し、又は将来これを受ける者の一代に限り、その効力を有する。

〔公務員の選定罷免権・公務員の本質・普通選挙及び投票秘密の保障〕

第十五条 公務員を選定し、及びこれを罷免することは、国民固有の権利である。

② すべて公務員は、全体の奉仕者であつて、一部の奉仕者ではない。

③ 公務員の選挙については、成年者による普通選挙を保障する。

④ すべて選挙における投票の秘密は、これを侵してはならない。選挙人は、その選択に関し公的にも私的にも責任を問はれない。

〔請願権〕

第十六条 何人も、損害の救済、公務員の罷免、法律、命令又は規則の制定、廃止又は改正その他の事項に関し、平穏に請願する権利を有し、何人も、かかる請願をしたためにいかなる差別待遇も受けない。

〔公務員の不法行為による損害賠償〕

第十七条 何人も、公務員の不法行為により、損害を受けたときは、法律の定めるところにより、国又は公共団体に、その賠償を求めることができる。

〔奴隷的拘束及び苦役の禁止〕

第十八条 何人も、いかなる奴隷的拘束も受けない。又、犯罪に因る処罰の場合を除いては、その意に反する苦役に服させられない。

〔思想及び良心の自由〕

第十九条 思想及び良心の自由は、これを侵してはならない。

〔信教の自由〕

第二十条 信教の自由は、何人に対してもこれを保障する。いかなる宗教団体も、国から特権を受け、又は政治上の権力を行使してはならない。

② 何人も、宗教上の行為、祝典、儀式又は行事に参加することを強制されない。

③ 国及びその機関は、宗教教育その他いかなる宗教的活動もしてはならない。

〔集会、結社及び表現の自由と通信秘密の保護〕

第二十一条 集会、結社及び言論、出版その他一切の表現の自由は、これを保障する。

② 検閲は、これをしてはならない。通信の秘密は、これを侵してはならない。

〔居住、移転、職業選択、外国移住及び国籍離脱の自由〕

第二十二条 何人も、公共の福祉に反しない限り、居住、移転及び職業選択の自由を有する。

② 何人も、外国に移住し、又は国籍を離脱する自由を侵されない。

〔学問の自由〕

第二十三条 学問の自由は、これを保障する。

〔家族関係における個人の尊厳と両性の平等〕

第二十四条 婚姻は、両性の合意のみに基いて成立し、夫婦が同等の権利を有することを基本として、相互の協力により、維持されなければならない。

② 配偶者の選択、財産権、相続、住居の選定、離婚並びに婚姻及び家族に関するその他の事項に関しては、法律は、個人の尊厳と両性の本質

的平等に立脚して、制定されなければならない。

〔生存権・国民生活の社会的進歩向上に努める国の義務〕

第二十五条　すべて国民は、健康で文化的な最低限度の生活を営む権利を有する。

②　国は、すべての生活部面について、社会福祉、社会保障及び公衆衛生の向上及び増進に努めなければならない。

〔教育を受ける権利と受けさせる義務〕

第二十六条　すべて国民は、法律の定めるところにより、その能力に応じて、ひとしく教育を受ける権利を有する。

②　すべて国民は、法律の定めるところにより、その保護する子女に普通教育を受けさせる義務を負ふ。義務教育は、これを無償とする。

〔勤労の権利と義務・勤労条件の基準・児童酷使の禁止〕

第二十七条　すべて国民は、勤労の権利を有し、義務を負ふ。

②　賃金、就業時間、休息その他の勤労条件に関する基準は、法律でこれを定める。

③　児童は、これを酷使してはならない。

〔勤労者の団結権及び団体行動権〕

第二十八条　勤労者の団結する権利及び団体交渉その他の団体行動をする権利は、これを保障する。

〔財産権〕

第二十九条　財産権は、これを侵してはならない。

②　財産権の内容は、公共の福祉に適合するやうに、法律でこれを定める。

③　私有財産は、正当な補償の下に、これを公共のために用ひることができる。

〔納税の義務〕

第三十条　国民は、法律の定めるところにより、納税の義務を負ふ。

〔生命及び自由の保障と科刑の制約〕

第三十一条　何人も、法律の定める手続によらなければ、その生命若しくは自由を奪はれ、又はその他の刑罰を科せられない。

〔裁判を受ける権利〕

第三十二条　何人も、裁判所において裁判を受ける権利を奪はれない。

〔逮捕の制約〕

第三十三条　何人も、現行犯として逮捕される場合を除いては、権限を有する司法官憲が発し、且つ理由となつてゐる犯罪を明示する令状によらなければ、逮捕されない。

〔抑留及び拘禁の制約〕

第三十四条　何人も、理由を直ちに告げられ、且つ、直ちに弁護人に依頼する権利を与へられなければ、抑留又は拘禁されない。又、何人も、正当な理由がなければ、拘禁されず、要求があれば、その理由は、直ちに本人及びその弁護人の出席する公開の法廷で示されなければならない。

〔侵入、捜索及び押収の制約〕

第三十五条　何人も、その住居、書類及び所持品について、侵入、捜索及び押収を受けることのない権利は、第三十三条の場合を除いては、正当な理由に基いて発せられ、且つ捜索する場所及び押収する物を明示する令状がなければ、侵されない。

②　捜索又は押収は、権限を有する司法官憲が発する各別の令状により、これを行ふ。

〔拷問及び残虐な刑罰の禁止〕

第三十六条　公務員による拷問及び残虐な刑罰は、絶対にこれを禁ずる。

〔刑事被告人の権利〕

第三十七条　すべて刑事事件においては、被告人は、公平な裁判所の迅速な公開裁判を受ける権利を有する。

②　刑事被告人は、すべての証人に対して審問する機会を充分に与へられ、又、公費で自己のために強制的手続により証人を求める権利を有する。

③　刑事被告人は、いかなる場合にも、資格を有する弁護人を依頼することができる。被告人が自らこれを依頼することができないときは、国でこれを附する。

〔自白強要の禁止と自白の証拠能力の限界〕

第三十八条　何人も、自己に不利益な供述を強要されない。

②　強制、拷問若しくは脅迫による自白又は不当に長く抑留若しくは拘禁された後の自白は、これを証拠とすることができない。

③　何人も、自己に不利益な唯一の証拠が本人の自白である場合には、有罪とされ、又は刑罰を科せられない。

〔遡及処罰、二重処罰等の禁止〕

第三十九条　何人も、実行の時に適法であつた行為又は既に無罪とされた行為については、刑事上の責任を問はれない。又、同一の犯罪について、重ねて刑事上の責任を問はれない。

〔刑事補償〕

第四十条 何人も、抑留又は拘禁された後、無罪の裁判を受けたときは、法律の定めるところにより、国にその補償を求めることができる。

第四章 国会

〔国会の地位〕

第四十一条 国会は、国権の最高機関であつて、国の唯一の立法機関である。

〔二院制〕

第四十二条 国会は、衆議院及び参議院の両議院でこれを構成する。

〔両議院の組織〕

第四十三条 両議院は、全国民を代表する選挙された議員でこれを組織する。

② 両議院の議員の定数は、法律でこれを定める。

〔議員及び選挙人の資格〕

第四十四条 両議院の議員及びその選挙人の資格は、法律でこれを定める。但し、人種、信条、性別、社会的身分、門地、教育、財産又は収入によつて差別してはならない。

〔衆議院議員の任期〕

第四十五条 衆議院議員の任期は、四年とする。但し、衆議院解散の場合には、その期間満了前に終了する。

〔参議院議員の任期〕

第四十六条 参議院議員の任期は、六年とし、三年ごとに議員の半数を改選する。

〔議員の選挙〕

第四十七条 選挙区、投票の方法その他両議院の議員の選挙に関する事項は、法律でこれを定める。

〔両議院議員相互兼職の禁止〕

第四十八条 何人も、同時に両議院の議員たることはできない。

〔議員の歳費〕

第四十九条 両議院の議員は、法律の定めるところにより、国庫から相当額の歳費を受ける。

〔議員の不逮捕特権〕

第五十条 両議院の議員は、法律の定める場合を除いては、国会の会期中逮捕されず、会期前に逮捕された議員は、その議院の要求があれば、会期中これを釈放しなければならない。

〔議員の発言表決の無答責〕

第五十一条 両議院の議員は、議院で行つた演説、討論又は表決について、院外で責任を問はれない。

〔常会〕

第五十二条 国会の常会は、毎年一回これを召集する。

〔臨時会〕

第五十三条 内閣は、国会の臨時会の召集を決定することができる。いづれかの議院の総議員の四分の一以上の要求があれば、内閣は、その召集を決定しなければならない。

〔総選挙・特別会・緊急集会〕

第五十四条 衆議院が解散されたときは、解散の日から四十日以内に、衆議院議員の総選挙を行ひ、その選挙の日から三十日以内に、国会を召集しなければならない。

② 衆議院が解散されたときは、参議院は、同時に閉会となる。但し、内閣は、国に緊急の必要があるときは、参議院の緊急集会を求めることができる。

③ 前項但書の緊急集会において採られた措置は、臨時のものであつて、次の国会開会の後十日以内に、衆議院の同意がない場合には、その効力を失ふ。

〔資格争訟〕

第五十五条 両議院は、各々その議員の資格に関する争訟を裁判する。但し、議員の議席を失はせるには、出席議員の三分の二以上の多数による議決を必要とする。

〔議事の定足数と過半数議決〕

第五十六条 両議院は、各々その総議員の三分の一以上の出席がなければ、議事を開き議決することができない。

② 両議院の議事は、この憲法に特別の定のある場合を除いては、出席議員の過半数でこれを決し、可否同数のときは、議長の決するところによる。

〔会議の公開と会議録〕

第五十七条 両議院の会議は、公開とする。但し、出席議員の三分の二以上の多数で議決したときは、秘密会を開くことができる。

② 両議院は、各々その会議の記録を保存し、秘密会の記録の中で特に秘密を要すると認められるもの以外は、これを公表し、且つ一般に頒布しなければならない。

③ 出席議員の五分の一以上の要求があれば、各議員の表決は、これを会議録に記載しなければならない。

〔役員の選任・議院の自律権〕

第五十八条　両議院は、各々その議長その他の役員を選任する。

② 両議院は、各々その会議その他の手続及び内部の規律に関する規則を定め、又、院内の秩序をみだした議員を懲罰することができる。但し、議員を除名するには、出席議員の三分の二以上の多数による議決を必要とする。

〔法律の成立〕

第五十九条　法律案は、この憲法に特別の定のある場合を除いては、両議院で可決したとき法律となる。

② 衆議院で可決し、参議院でこれと異なつた議決をした法律案は、衆議院で出席議員の三分の二以上の多数で再び可決したときは、法律となる。

③ 前項の規定は、法律の定めるところにより、衆議院が、両議院の協議会を開くことを求めることを妨げない。

④ 参議院が、衆議院の可決した法律案を受け取つた後、国会休会中の期間を除いて六十日以内に、議決しないときは、衆議院は、参議院がその法律案を否決したものとみなすことができる。

〔衆議院の予算先議権・予算の議決〕

第六十条　予算は、さきに衆議院に提出しなければならない。

② 予算について、参議院で衆議院と異なつた議決をした場合に、法律の定めるところにより、両議院の協議会を開いても意見が一致しないとき、又は参議院が、衆議院の可決した予算を受け取つた後、国会休会中の期間を除いて三十日以内に、議決しないときは、衆議院の議決を国会の議決とする。

〔条約締結の承認〕

第六十一条　条約の締結に必要な国会の承認については、前条第二項の規定を準用する。

〔議院の国政調査権〕

第六十二条　両議院は、各々国政に関する調査を行ひ、これに関して、証人の出頭及び証言並びに記録の提出を要求することができる。

〔国務大臣の出席〕

第六十三条　内閣総理大臣その他の国務大臣は、両議院の一に議席を有すると有しないとにかかはらず、何時でも議案について発言するため議院に出席することができる。又、答弁又は説明のため出席を求められたときは、出席しなければならない。

〔弾劾裁判所〕

第六十四条　国会は、罷免の訴追を受けた裁判官を裁判するため、両議院の議員で組織する弾劾裁判所を設ける。

② 弾劾に関する事項は、法律でこれを定める。

第五章　内閣

〔行政権の帰属〕

第六十五条　行政権は、内閣に属する。

〔内閣の組織と責任〕

第六十六条　内閣は、法律の定めるところにより、その首長たる内閣総理大臣及びその他の国務大臣でこれを組織する。

② 内閣総理大臣その他の国務大臣は、文民でなければならない。

③ 内閣は、行政権の行使について、国会に対し連帯して責任を負ふ。

〔内閣総理大臣の指名〕

第六十七条　内閣総理大臣は、国会議員の中から国会の議決で、これを指名する。この指名は、他のすべての案件に先だつて、これを行ふ。

② 衆議院と参議院とが異なつた指名の議決をした場合に、法律の定めるところにより、両議院の協議会を開いても意見が一致しないとき、又は衆議院が指名の議決をした後、国会休会中の期間を除いて十日以内に、参議院が、指名の議決をしないときは、衆議院の議決を国会の議決とする。

〔国務大臣の任免〕

第六十八条　内閣総理大臣は、国務大臣を任命する。但し、その過半数は、国会議員の中から選ばれなければならない。

② 内閣総理大臣は、任意に国務大臣を罷免することができる。

〔不信任決議と解散又は総辞職〕

第六十九条　内閣は、衆議院で不信任の決議案を可決し、又は信任の決議案を否決したときは、十日以内に衆議院が解散されない限り、総辞職をしなければならない。

〔内閣総理大臣の欠缺又は総選挙施行による総辞職〕

第七十条　内閣総理大臣が欠けたとき、又は衆議院議員総選挙の後に初めて国会の召集があつたときは、内閣は、総辞職をしなければならない。

〔総辞職後の職務続行〕

第七十一条　前二条の場合には、内閣は、あらたに内閣総理大臣が任命されるまで引き続きその職務を行ふ。

〔内閣総理大臣の職務権限〕

第七十二条 内閣総理大臣は、内閣を代表して議案を国会に提出し、一般国務及び外交関係について国会に報告し、並びに行政各部を指揮監督する。

〔内閣の職務権限〕

第七十三条 内閣は、他の一般行政事務の外、左の事務を行ふ。

一 法律を誠実に執行し、国務を総理すること。

二 外交関係を処理すること。

三 条約を締結すること。但し、事前に、時宜によつては事後に、国会の承認を経ることを必要とする。

四 法律の定める基準に従ひ、官吏に関する事務を掌理すること。

五 予算を作成して国会に提出すること。

六 この憲法及び法律の規定を実施するために、政令を制定すること。但し、政令には、特にその法律の委任がある場合を除いては、罰則を設けることができない。

七 大赦、特赦、減刑、刑の執行の免除及び復権を決定すること。

〔法律及び政令への署名と連署〕

第七十四条 法律及び政令には、すべて主任の国務大臣が署名し、内閣総理大臣が連署することを必要とする。

〔国務大臣訴追の制約〕

第七十五条 国務大臣は、その在任中、内閣総理大臣の同意がなければ、訴追されない。但し、これがため、訴追の権利は、害されない。

第六章 司法

〔司法権の機関と裁判官の職務上の独立〕

第七十六条 すべて司法権は、最高裁判所及び法律の定めるところにより設置する下級裁判所に属する。

② 特別裁判所は、これを設置することができない。行政機関は、終審として裁判を行ふことができない。

③ すべて裁判官は、その良心に従ひ独立してその職権を行ひ、この憲法及び法律にのみ拘束される。

〔最高裁判所の規則制定権〕

第七十七条 最高裁判所は、訴訟に関する手続、弁護士、裁判所の内部規律及び司法事務処理に関する事項について、規則を定める権限を有する。

② 検察官は、最高裁判所の定める規則に従はなければならない。

③ 最高裁判所は、下級裁判所に関する規則を定める権限を、下級裁判所に委任することができる。

〔裁判官の身分の保障〕

第七十八条 裁判官は、裁判により、心身の故障のために職務を執ることができないと決定された場合を除いては、公の弾劾によらなければ罷免されない。裁判官の懲戒処分は、行政機関がこれを行ふことはできない。

〔最高裁判所の構成及び裁判官任命の国民審査〕

第七十九条 最高裁判所は、その長たる裁判官及び法律の定める員数のその他の裁判官でこれを構成し、その長たる裁判官以外の裁判官は、内閣でこれを任命する。

② 最高裁判所の裁判官の任命は、その任命後初めて行はれる衆議院議員総選挙の際国民の審査に付し、その後十年を経過した後初めて行はれる衆議院議員総選挙の際更に審査に付し、その後も同様とする。

③ 前項の場合において、投票者の多数が裁判官の罷免を可とするときは、その裁判官は、罷免される。

④ 審査に関する事項は、法律でこれを定める。

⑤ 最高裁判所の裁判官は、法律の定める年齢に達した時に退官する。

⑥ 最高裁判所の裁判官は、すべて定期に相当額の報酬を受ける。この報酬は、在任中、これを減額することができない。

〔下級裁判所の裁判官〕

第八十条 下級裁判所の裁判官は、最高裁判所の指名した者の名簿によつて、内閣でこれを任命する。その裁判官は、任期を十年とし、再任されることができる。但し、法律の定める年齢に達した時には退官する。

② 下級裁判所の裁判官は、すべて定期に相当額の報酬を受ける。この報酬は、在任中、これを減額することができない。

〔最高裁判所の法令審査権〕

第八十一条 最高裁判所は、一切の法律、命令、規則又は処分が憲法に適合するかしないかを決定する権限を有する終審裁判所である。

〔対審及び判決の公開〕

第八十二条　裁判の対審及び判決は、公開法廷でこれを行ふ。

② 裁判所が、裁判官の全員一致で、公の秩序又は善良の風俗を害する虞があると決した場合には、対審は、公開しないでこれを行ふことができる。但し、政治犯罪、出版に関する犯罪又はこの憲法第三章で保障する国民の権利が問題となつてゐる事件の対審は、常にこれを公開しなければならない。

第七章　財政

〔財政処理の要件〕

第八十三条　国の財政を処理する権限は、国会の議決に基いて、これを行使しなければならない。

〔課税の要件〕

第八十四条　あらたに租税を課し、又は現行の租税を変更するには、法律又は法律の定める条件によることを必要とする。

〔国費支出及び債務負担の要件〕

第八十五条　国費を支出し、又は国が債務を負担するには、国会の議決に基くことを必要とする。

〔予算の作成〕

第八十六条　内閣は、毎会計年度の予算を作成し、国会に提出して、その審議を受け議決を経なければならない。

〔予備費〕

第八十七条　予見し難い予算の不足に充てるため、国会の議決に基いて予備費を設け、内閣の責任でこれを支出することができる。

② すべて予備費の支出については、内閣は、事後に国会の承諾を得なければならない。

〔皇室財産及び皇室費用〕

第八十八条　すべて皇室財産は、国に属する。すべて皇室の費用は、予算に計上して国会の議決を経なければならない。

〔公の財産の用途制限〕

第八十九条　公金その他の公の財産は、宗教上の組織若しくは団体の使用、便益若しくは維持のため、又は公の支配に属しない慈善、教育若しくは博愛の事業に対し、これを支出し、又はその利用に供してはならない。

〔会計検査〕

第九十条　国の収入支出の決算は、すべて毎年会計検査院がこれを検査し、内閣は、次の年度に、その検査報告とともに、これを国会に提出しなければならない。

② 会計検査院の組織及び権限は、法律でこれを定める。

〔財政状況の報告〕

第九十一条　内閣は、国会及び国民に対し、定期に、少くとも毎年一回、国の財政状況について報告しなければならない。

第八章　地方自治

〔地方自治の本旨の確保〕

第九十二条　地方公共団体の組織及び運営に関する事項は、地方自治の本旨に基いて、法律でこれを定める。

〔地方公共団体の機関〕

第九十三条　地方公共団体には、法律の定めるところにより、その議事機関として議会を設置する。

② 地方公共団体の長、その議会の議員及び法律の定めるその他の吏員は、その地方公共団体の住民が、直接これを選挙する。

〔地方公共団体の権能〕

第九十四条　地方公共団体は、その財産を管理し、事務を処理し、及び行政を執行する権能を有し、法律の範囲内で条例を制定することができる。

〔一の地方公共団体のみに適用される特別法〕

第九十五条　一の地方公共団体のみに適用される特別法は、法律の定めるところにより、その地方公共団体の住民の投票においてその過半数の同意を得なければ、国会は、これを制定することができない。

第九章　改正

〔憲法改正の発議・国民投票・公布〕

第九十六条　この憲法の改正は、各議院の総議員の三分の二以上の賛成で、国会が、これを発議し、国民に提案してその承認を経なければならない。この承認には、特別の国民投票又は国会の定める選挙の際行はれる投票において、その過半数の賛成を必要とする。

② 憲法改正について前項の承認を経たときは、天皇は、国民の名で、この憲法と一体を成すものとして、直ちにこれを公布する。

第十章　最高法規

〔基本的人権の由来特質〕

第九十七条　この憲法が日本国民に保障する基本的人権は、人類の多年にわたる自由獲得の努力の成果であつて、これらの権利は、過去幾多の試錬に堪へ、現在及び将来の国民に対し、侵すことのできない永久の権利として信託されたものである。

〔憲法の最高性と条約及び国際法規の遵守〕

第九十八条　この憲法は、国の最高法規であつて、その条規に反する法律、命令、詔勅及び国務に関するその他の行為の全部又は一部は、その効力を有しない。

② 日本国が締結した条約及び確立された国際法規は、これを誠実に遵守することを必要とする。

〔憲法尊重擁護の義務〕

第九十九条　天皇又は摂政及び国務大臣、国会議員、裁判官その他の公務員は、この憲法を尊重し擁護する義務を負ふ。

第十一章　補則

〔施行期日と施行前の準備行為〕

第百条　この憲法は、公布の日から起算して六箇月を経過した日から、これを施行する。

② この憲法を施行するために必要な法律の制定、参議院議員の選挙及び国会召集の手続並びにこの憲法を施行するために必要な準備手続は、前項の期日よりも前に、これを行ふことができる。

〔参議院成立前の国会〕

第百一条　この憲法施行の際、参議院がまだ成立してゐないときは、その成立するまでの間、衆議院は、国会としての権限を行ふ。

〔参議院議員の任期の経過的特例〕

第百二条　この憲法による第一期の参議院議員のうち、その半数の者の任期は、これを三年とする。その議員は、法律の定めるところにより、これを定める。

〔公務員の地位に関する経過規定〕

第百三条　この憲法施行の際現に在職する国務大臣、衆議院議員及び裁判官並びにその他の公務員で、その地位に相応する地位がこの憲法で認められてゐる者は、法律で特別の定をした場合を除いては、この憲法施行のため、当然にはその地位を失ふことはない。但し、この憲法によつて、後任者が選挙又は任命されたときは、当然その地位を失ふ。

○国家公務員法

昭二二・一〇・二一
法　一二〇

最終改正　令四・六・一七法六八

目次

第一章　総則（第一条・第二条）
第二章　中央人事行政機関（第三条―第二十六条）
第三章　職員に適用される基準
　第一節　通則（第二十七条―第三十二条）
　第二節　採用試験及び任免（第三十三条・第三十三条の二）
　　第一款　通則（第三十四条―第四十一条）
　　第二款　採用試験（第四十二条―第四十九条）
　　第三款　採用候補者名簿（第五十条―第五十三条）
　　第四款　任用（第五十四条―第六十条の二）
　　第五款　休職、復職、退職及び免職（第六十一条）
　　第六款　幹部職員の任用等に係る特例（第六十一条の二―第六十一条の八）
　　第七款　幹部候補育成課程（第六十一条の九―第六十一条の十一）
　第三節　給与（第六十二条）
　　第一款　通則（第六十三条―第六十七条）
　　第二款　給与の支払（第六十八条―第七十条）
　第四節　人事評価（第七十条の二―第七十条の四）
　第四節の二　研修（第七十条の五―第七十条の七）
　第五節　能率（第七十一条―第七十三条の二）
　第六節　分限、懲戒及び保障（第七十四条）
　　第一款　分限
　　　第一目　降任、休職、免職等（第七十五条―第八十一条）
　　　第二目　管理監督職勤務上限年齢による降任等（第八十一条の二―第八十一条の五）
　　　第三目　定年による退職等（第八十一条の六―第八十一条の八）
　　第二款　懲戒（第八十二条―第八十五条）
　　第三款　保障
　　　第一目　勤務条件に関する行政措置の要求（第八十六条―第八十八条）
　　　第二目　職員の意に反する不利益な処分に関する審査（第八十九条―第九十二条の二）
　　　第三目　公務傷病に対する補償（第九十三条―第九十五条）
　第七節　服務（第九十六条―第百六条）
　第八節　退職管理
　　第一款　離職後の就職に関する規制（第百六条の二―第百六条の四）
　　第二款　再就職等監視委員会（第百六条の五―第百六条の二十二）
　　第三款　雑則（第百六条の二十三―第百六条の二十七）
　第九節　退職年金制度（第百七条・第百八条）
　第十節　職員団体（第百八条の二―第百八条の七）
第四章　罰則（第百九条―第百十三条）
附則

第一章 総則

（この法律の目的及び効力）

第一条 この法律は、国家公務員たる職員について適用すべき各般の根本基準（職員の福祉及び利益を保護するための適切な措置を含む。）を確立し、職員がその職務の遂行に当り、最大の能率を発揮し得るように、民主的な方法で、選択され、且つ、指導さるべきことを定め、以て国民に対し、公務の民主的且つ能率的な運営を保障することを目的とする。

② この法律は、もつぱら日本国憲法第七十三条にいう官吏に関する事務を掌理する基準を定めるものである。

③ 何人も、故意に、この法律又はこの法律に基づく命令に違反し、又は違反を企て若しくは共謀してはならない。又、何人も、故意に、この法律又はこの法律に基づく命令の施行に関し、虚偽行為をなし、若しくはなそうと企て、又はその施行を妨げてはならない。

④ この法律のある規定が、効力を失い、又はその適用が無効とされても、この法律の他の規定又は他の関係における適用は、その影響を受けることがない。

⑤ この法律の規定が、従前の法律又はこれに基く法令と矛盾し又はてい触する場合には、この法律の規定が、優先する。

本条…全改（昭二三法二二二）、二項…一部改正（昭四〇法六九）

（一般職及び特別職）

第二条 国家公務員の職は、これを一般職と特別職とに分つ。

② 一般職は、特別職に属する職以外の国家公務員の一切の職を包含する。

③ 特別職は、次に掲げる職員の職とする。

一 内閣総理大臣
二 国務大臣
三 人事官及び検査官
四 内閣法制局長官
五 内閣官房副長官
五の二 内閣危機管理監
五の三 国家安全保障局長
五の四 内閣官房副長官補、内閣広報官及び内閣情報官
六 内閣総理大臣補佐官
七 副大臣
七の二 大臣政務官
七の三 大臣補佐官
七の四 デジタル監
八 内閣総理大臣秘書官及び国務大臣秘書官並びに特別職たる機関の長の秘書官のうち人事院規則で指定するもの
九 就任について選挙によることを必要とし、あるいは国会の両院又は一院の議決又は同意によることを必要とする職員
十 宮内庁長官、侍従長、東宮大夫、式部官長及び侍従次長並びに法律又は人事院規則で指定する宮内庁のその他の職員
十一 特命全権大使、特命全権公使、特派大使、政府代表、全権委員、政府代表又は全権委員の代理並びに特派大使、政府代表又は全権委員の顧問及び随員
十一の二 日本ユネスコ国内委員会の委員
十二 日本学士院会員
十二の二 日本学術会議会員
十三 裁判官及びその他の裁判所職員
十四 国会職員
十五 国会議員の秘書
十六 防衛省の職員（防衛省に置かれる合議制の機関で防衛省設置法（昭和二十九年法律第百六十四号）第四十一条の政令で定めるものの委員及び同法第四条第一項第二十四号又は第二十五号に掲げる事務に従事する職員で同法第四十一条の政令で定めるもののうち、人事院規則で指定するものを除く。）
十七 独立行政法人通則法（平成十一年法律第百三号）第二条第四項に規定する行政執行法人（以下「行政執行法人」という。）の役員

④ この法律の規定は、一般職に属するすべての職（以下その職を官職といい、その職を占める者を職員という。）に、これを適用する。人事院は、ある職が、国家公務員の職に属するかどうか及び本条に規定する一般職に属するか特別職に属するかを決定する権限を有する。

⑤ この法律の規定は、この法律の改正法律により、別段の定がなされない限り、特別職に属する職には、これを適用しない。

⑥ 政府は、一般職又は特別職以外の勤務者を置いてその勤務に対し俸給、給料その他の給与を支払つてはならない。

⑦ 前項の規定は、政府又はその機関と外国人の間に、個人的基礎においてなされる勤務の契約には適用されない。

三項…一部改正（昭二三法一九五）、本条…全改（昭二三法二二二）、三項…一部改正（昭二三法二五八・昭二四法二・法一二五・昭二五法四九・昭二六法五九・法三一四・昭二七法四一・法九七・法一七四・法二〇七・法二五二・法二六五・昭二九法一六四・昭三一法一二・法二七・法一四〇・法一六一・昭三二法一五八・昭三三法七八・昭三七法七七・法一二二・法一三二・昭四〇法六九・法一一六・昭四一法八九・昭四五法九七・昭四八法一一六・昭五八法六五・法七八・法八〇・平元法一・平七法五四・平八法一〇三・平一〇法一三・平一一法一〇二・法一〇四・平一三法三二・平一四法九八・平一七法一〇二・平一八法一一八・平一九法八〇・平二五法二二・法八九・平二六法二二・法六七・平二七法三九・法六六・令三法三六）

第二章　中央人事行政機関

章名…改正（昭二三法二二二・昭四〇法六九）

（人事院）

第三条　内閣の所轄の下に人事院を置く。人事院は、この法律に定める基準に従つて、内閣に報告しなければならない。

② 人事院は、法律の定めるところに従い、給与その他の勤務条件の改善及び人事行政の改善に関する勧告、採用試験（採用試験の対象官職及び種類並びに採用試験により確保すべき人材に関する事項を除く。）、任免（標準職務遂行能力、採用昇任等基本方針、幹部職員の任用等に係る特例及び幹部候補育成課程に関する事項（第三十三条第一項に規定する根本基準の実施につき必要な事項であつて、行政需要の変化に対応するために行う優れた人材の養成及び活用の確保に関するものを含む。）を除く。）、給与（一般職の職員の給与に関する法律（昭和二十五年法律第九十五号）第六条の二第一項の規定による指定職俸給表の適用を受ける職員の号俸の決定の方法並びに同法第八条第一項の規定による職務の級の定数の設定及び改定に関する事項を除く。）、研修（第七十条の六第一項第一号に掲げる観点に係るものに限る。）の計画の樹立及び実施並びに当該研修に係る調査研究、分限、懲戒、苦情の処理、職務に係る倫理の保持その他職員に関する人事行政の公正の確保及び職員の利益の保護等に関する事務をつかさどる。

③ 法律により、人事院が処置する権限を与えられている部門においては、人事院の決定及び処分は、人事院によつてのみ審査される。

④ 前項の規定は、法律問題につき裁判所に出訴する権利に影響を及ぼすものではない。

本条…全改（昭二三法二二二）、三項…一部改正（昭三四法一六三）、見出し…全改・一項…削除・旧二・四項…一部改正し一項ずつ繰上・旧三項…全改し二項に繰上・旧五項…四項に繰上（昭四〇法六九）、二項…一部改正（平一一法一二九・平一九法一〇八・平二六法二二）

（国家公務員倫理審査会）

第三条の二　前条第二項の所掌事務のうち職務に係る倫理の保持に関する事務を所掌させるため、人事院に国家公務員倫理審査会を置く。

② 国家公務員倫理審査会に関しては、この法律に定めるもののほか、国家公務員倫理法（平成十一年法律第百二十九号）の定めるところによる。

本条…追加（平一一法一二九）

（職員）

第四条　人事院は、人事官三人をもつて、これを組織する。

② 人事官のうち一人は、総裁として命ぜられる。

③ 人事院は、事務総長及び予算の範囲内においてその職務を適切に行うため必要とする職員を任命する。

④ 人事院は、その内部機構を管理する。国家行政組織法（昭和二十三年法律第百二十号）は、人事院には適用されない。

本条…全改（昭二三法二二二）

（人事官）

第五条　人事官は、人格が高潔で、民主的な統治組織と成績本位の原則による能率的な事務の処理に理解があり、かつ、人事行政に関し識見を有する年齢三十五年以上の者のうちから、両議院の同意を経て、内閣が任命する。

② 人事官の任免は、天皇が認証する。

③ 次の各号のいずれかに該当する者は、人事官となることができない。

一　破産手続開始の決定を受けて復権を得ない者

二　拘禁刑以上の刑に処せられた者又は第四章に規定する罪を犯し、刑に処せられた者

三　第三十八条第二号又は第四号に該当する者

④ 任命の日以前五年間において、政党の役員、政治的顧問その他これらと同様な政治的影響力を有する政党員であつた者又は任命の日以前五年間において、公選による国若しくは都道府県の公職の候補者となつた者は、人事院規則で定めるところにより、人事官となることができない。

⑤ 人事官の任命については、そのうちの二人が、

同一の政党に属し、又は同一の大学学部を卒業した者となることとなつてはならない。

一～六項…一部改正（昭二三法二二二）、二項…削除・旧三～六項…一項ずつ繰上（昭二三法二五八）、三項…一部改正（平一一法一五二）、本条…一部改正（令元法三七）、三項…一部改正（令四法六八）

（宣誓及び服務）

第六条　人事官は、任命後、人事院規則の定めるところにより、最高裁判所長官の面前において、宣誓書に署名してからでなければ、その職務を行つてはならない。

② 第三章第七節の規定は、人事官にこれを準用する。

本条…一部改正（昭二三法二二二）

（任期）

第七条　人事官の任期は、四年とする。但し、補欠の人事官は、前任者の残任期間在任する。

② 人事官は、これを再任することができる。但し、引き続き十二年を超えて在任することはできない。

③ 人事官であつた者は、退職後一年間は、人事院の官職以外の官職に、これを任命することができない。

本条…一部改正（昭二三法二二二）

（退職及び罷免）

第八条　人事官は、左の各号の一に該当する場合を除く外、その意に反して罷免されることがない。

一　第五条第三項各号の一に該当するに至つた場合

二　国会の訴追に基き、公開の弾劾手続により罷免を可とすると決定された場合

三　任期が満了して、再任されず又は人事官として引き続き十二年在任するに至つた場合

② 前項第二号の規定による弾劾の事由は、左に掲げるものとする。

一　心身の故障のため、職務の遂行に堪えないこと

二　職務上の義務に違反し、その他人事官たるに適しない非行があること

③ 人事官の中、二人以上が同一の政党に属することとなつた場合においては、これらの者の中一人以外の者は、内閣が両議院の同意を経て、これを罷免するものとする。

④ 前項の規定は、政党所属関係について異動のなかつた人事官の地位に、影響を及ぼすものではない。

一～四項…一部改正・六項…削除（昭二三法二二二）、二項…一部改正・五項…削除（昭二三法二五八）

（人事官の弾劾）

第九条　人事官の弾劾の裁判は、最高裁判所においてこれを行う。

② 国会は、人事官の弾劾の訴追をしようとするときは、訴追の事由を記載した書面を最高裁判所に提出しなければならない。

③ 国会は、前項の場合においては、同項に規定する書面の写を訴追に係る人事官に送付しなければならない。

④ 最高裁判所は、第二項の書面を受理した日から三十日以上九十日以内の間において裁判開始の日を定め、その日の三十日以前までに、国会及び訴追に係る人事官に、これを通知しなければならない。

⑤ 最高裁判所は、裁判開始の日から百日以内に判決を行わなければならない。

⑥ 人事官の弾劾の裁判の手続は、裁判所規則でこれを定める。

⑦ 裁判に要する費用は、国庫の負担とする。

一～四・六項…一部改正（昭二三法二二二）

（人事官の給与）

第十条　人事官の給与は、別に法律で定める。

本条…全改（昭二三法二二二・昭三三法八六）

（総裁）

第十一条　人事院総裁は、人事官の中から、内閣が、これを命ずる。

② 人事院総裁は、院務を総理し、人事院を代表する。

③ 人事院総裁に事故のあるとき、又は人事院総裁が欠けたときは、先任の人事官が、その職務を代行する。

本条…一部改正（昭二三法二二二）

（人事院会議）

第十二条　定例の人事院会議は、人事院規則の定めるところにより、少なくとも一週間に一回、一定の場所において開催することを常例としなければならない。

② 人事院会議の議事は、すべて議事録として記録しておかなければならない。

③ 前項の議事録は、幹事がこれを作成する。

④ 人事院の事務処理の手続に関し必要な事項は、人事院規則でこれを定める。

⑤ 事務総長は、幹事として人事院会議に出席する。

⑥ 人事院は、次に掲げる権限を行う場合においては、人事院の議決を経なければならない。
一 人事院規則の制定及び改廃
二 削除
三 第二十二条の規定による関係大臣その他の機関の長に対する勧告
四 第二十三条の規定による国会及び内閣に対する意見の申出
五 第二十四条の規定による国会及び内閣に対する報告
六 第二十八条の規定による国会及び内閣に対する勧告
七 第四十八条の規定による試験機関の指定
八 第六十条の規定による臨時的任用及びその更新に対する承認、臨時的任用に係る職員の員数の制限及びその資格要件の決定並びに臨時的任用の取消（人事院規則の定める場合を除く。）
九 第六十七条の規定による給与に関する法律に定める事項の改定案の作成並びに国会及び内閣に対する勧告
十 第八十七条の規定による事案の判定
十一 第九十二条の規定による処分の判定
十二 第九十五条の規定による補償に関する重要事項の立案
十三 第百三条第五項の審査請求に対する裁決
十四 第百八条の規定による国会及び内閣に対する意見の申出
十五 第百八条の三第六項の規定による職員団体の登録の効力の停止及び取消し
十六 その他人事院の議決によりその議決を必要とされた事項

本条…全改（昭二三法二二二）、六項…一部改正（昭三四法一六三・昭三七法一六一・昭三八法一一一・昭四〇法六九・平一九法一〇八・平二六法六九）

（事務総局及び予算）
第十三条 人事院に事務総局及び法律顧問を置く。
② 事務総局の組織及び法律顧問に関し必要な事項は、人事院規則でこれを定める。
③ 人事院は、毎会計年度の開始前に、次の会計年度においてその必要とする経費の要求書を国の予算に計上されるように内閣に提出しなければならない。この要求書には、土地の購入、建物の建造、事務所の借上、家具、備品及び消耗品の購入、俸給及び給料の支払その他必要なあらゆる役務及び物品に関する経費が計上されなければならない。
④ 内閣が、人事院の経費の要求書を修正する場合においては、人事院の要求書は、内閣により修正された要求書とともに、これを国会に提出しなければならない。
⑤ 人事院は、国会の承認を得て、その必要とする地方の事務所を置くことができる。

本条…全改（昭二三法二二二）、三項…一部改正・四項…削除・旧五・六項…一項ずつ繰上（昭四〇法六九）

（事務総長）
第十四条 事務総長は、総裁の職務執行の補助者となり、その一般的監督の下に、人事院の事務上及び技術上のすべての活動を指揮監督し、人事院の職員について計画を立て、募集、配置及び指揮を行い、又、人事院会議の幹事となる。

本条…全改（昭二三法二二二）、一項…一部改正・二項…削除（昭四〇法六九）

（人事院の職員の兼職禁止）
第十五条 人事官及び事務総長は、他の官職を兼ねてはならない。

本条…全改（昭二三法二二二）

（人事院規則及び人事院指令）
第十六条 人事院は、その所掌事務について、法律を実施するため、又は法律の委任に基づいて、人事院規則を制定し、人事院指令を発し、及び手続を定める。人事院は、いつでも、適宜に、人事院規則を改廃することができる。
② 人事院規則及びその改廃は、官報をもつて、これを公布する。
③ 人事院は、この法律に基いて人事院規則を実施し又はその他の措置を行うため、人事院指令を発することができる。

本条…全改（昭二三法二二二）、一項…一部改正（昭四〇法六九）

（人事院の調査）
第十七条 人事院又はその指名する者は、人事院の所掌する人事行政に関する事項に関し調査することができる。
② 人事院又は前項の規定により指名された者は、同項の調査に関し必要があるときは、証人を喚問し、又は調査すべき事項に関係があると認められる書類若しくはその写の提出を求めることができる。
③ 人事院は、第一項の調査（職員の職務に係る倫理の保持に関して行われるものに限る。）に関し必要があると認めるときは、当該調査の対象である職員に出頭を求めて質問し、又は同項

の規定により指名された者に、当該職員の勤務する場所（職員として勤務していた場所を含む。）に立ち入らせ、帳簿書類その他必要な物件を検査させ、又は関係者に質問させることができる。

④ 前項の規定により立入検査をする者は、その身分を示す証明書を携帯し、関係者の請求があつたときは、これを提示しなければならない。

⑤ 第三項の規定による立入検査の権限は、犯罪捜査のために認められたものと解してはならない。

本条…一部改正（昭二三法二二二）、一項…全改（昭四〇法六九）、二・四・五項…追加（平一一法一二九）、見出し…全改（平一九法一〇八）

（国家公務員倫理審査会への権限の委任）

第十七条の二 人事院は、前条の規定による権限（職員の職務に係る倫理の保持に関して行われるものに限り、かつ、第九十条第一項に規定する審査請求に係るものを除く。）を国家公務員倫理審査会に委任する。

本条…追加（平一一法一二九）、一部改正（平二六法六九）

（給与の支払の監理）

第十八条 人事院は、職員に対する給与の支払を監理する。

② 職員に対する給与の支払は、人事院規則又は人事院指令に反してこれを行つてはならない。

本条…全改（昭二三法二二二）

（内閣総理大臣）

第十八条の二 内閣総理大臣は、法律の定めるところに従い、採用試験の対象官職及び種類並びに採用試験により確保すべき人材に関する事務、標準職務遂行能力、採用昇任等基本方針、幹部職員の任用等に係る特例及び幹部候補育成課程に関する事務（第三十三条第一項に規定する根本基準の実施につき必要な事務であつて、行政需要の変化に対応するために行う優れた人材の養成及び活用の確保に関するものを含む。）、一般職の職員の給与に関する法律第六条の二第一項の規定による指定職俸給表の適用を受ける職員の号俸の決定の方法並びに同法第八条第一項の規定による職務の級の定数の設定及び改定に関する事務並びに職員の人事評価（任用、給与、分限その他の人事管理の基礎とするために、職員がその職務を遂行するに当たり発揮した能力及び挙げた業績を把握した上で行われる勤務成績の評価をいう。以下同じ。）、研修、能率、厚生、服務、退職管理等に関する事務（第三条第二項の規定により人事院の所掌に属するものを除く。）をつかさどる。

② 内閣総理大臣は、前項に規定するもののほか、各行政機関がその職員について行なう人事管理に関する方針、計画等に関し、その統一保持上必要な総合調整に関する事務をつかさどる。

本条…追加（昭四〇法六九）、一項…一部改正（平一九法一〇八・平二六法二二）

（内閣総理大臣の調査）

第十八条の三 内閣総理大臣は、職員の退職管理に関する事項（第百六条の二から第百六条の四までに規定するものに限る。）に関し調査することができる。

② 第十七条第二項から第五項までの規定は、前項の規定による調査について準用する。この場合において、同条第二項中「人事院又は前項の規定により指名された者は、」とあるのは「内閣総理大臣は、第十八条の三第一項」と、同条第三項中「第一項の調査（職員の職務に係る倫理の保持に関して行われるものに限る。）」とあるのは「第十八条の三第一項の調査」と、「対象である職員」とあるのは「対象である職員若しくは職員であつた者」と、「同項の規定により指名された者に、当該職員」とあるのは「当該職員」と、「立ち入らせ」とあるのは「立ち入り」と、「検査させ、又は関係者に質問させる」とあるのは「検査し、若しくは関係者に質問する」と読み替えるものとする。

本条…追加（平一九法一〇八）

（再就職等監視委員会への権限の委任）

第十八条の四 内閣総理大臣は、前条の規定による権限を再就職等監視委員会に委任する。

本条…追加（平一九法一〇八）

（内閣総理大臣の援助等）

第十八条の五 内閣総理大臣は、職員の離職に際しての離職後の就職の援助を行う。

② 内閣総理大臣は、官民の人材交流（国と民間企業との間の人事交流に関する法律（平成十一年法律第二百二十四号）第二条第三項に規定する交流派遣及び民間企業に現に雇用され、又は雇用されていた者の職員への第三十六条ただし書の規定による採用その他これらに準ずるものとして政令で定めるものをいう。第五十四条第二項第七号において同じ。）の円滑な実施のための支援を行う。

本条…追加・二項…一部改正（平一九法一〇八・平二一

六法二二）

（官民人材交流センターへの事務の委任）

第十八条の六　内閣総理大臣は、前条に規定する事務を官民人材交流センターに委任する。

②　内閣総理大臣は、前項の規定により委任する事務について、その運営に関する指針を定め、これを公表する。

本条…追加（平一九法一〇八）、二項…追加（平二六法二二）

（官民人材交流センター）

第十八条の七　内閣府に、官民人材交流センターを置く。

②　官民人材交流センターは、この法律及び他の法律の規定によりその権限に属させられた事項を処理する。

③　官民人材交流センターの長は、官民人材交流センター長とし、内閣官房長官をもつて充てる。

④　官民人材交流センター長は、官民人材交流センターの事務を統括する。

⑤　官民人材交流センター長は、官民人材交流センターの所掌事務を遂行するために必要があると認めるときは、関係行政機関の長に対し、資料の提出、意見の開陳、説明その他必要な協力を求め、又は意見を述べることができる。

⑥　官民人材交流センターに、官民人材交流副センター長を置く。

⑦　官民人材交流副センター長は、官民人材交流センター長の職務を助ける。

⑧　官民人材交流センターに、所要の職員を置く。

⑨　内閣総理大臣は、官民人材交流センターの所掌事務の全部又は一部を分掌させるため、所要の地に、官民人材交流センターの支所を置くことができる。

⑩　第三項から前項までに定めるもののほか、官民人材交流センターの組織に関し必要な事項は、政令で定める。

本条…追加（平一九法一〇八）

（人事記録）

第十九条　内閣総理大臣は、職員の人事記録に関することを管理する。

②　内閣総理大臣は、内閣府、デジタル庁、各省その他の機関をして、当該機関の職員の人事に関する一切の事項について、人事記録を作成し、これを保管せしめるものとする。

（注）平成二三年法律第一二五号により、第一九条第二項は次のようになる。

②　内閣総理大臣は、内閣府、デジタル庁、復興庁、各省その他の機関をして、当該機関の職員の人事に関する一切の事項について、人事記録を作成し、これを保管せしめるものとする。

③　人事記録の記載事項及び様式その他人事記録に関し必要な事項は、政令でこれを定める。

④　内閣総理大臣は、内閣府、デジタル庁、各省その他の機関によつて作成保管された人事記録で、前項の規定による政令に違反すると認めるものについて、その改訂を命じ、その他所要の措置をなすことができる。

（注）平成二三年法律第一二五号により、第一九条第四項は次のようになる。

④　内閣総理大臣は、内閣府、デジタル庁、復興庁、各省その他の機関によつて作成保管された人事記録で、前項の規定による政令に違反すると認めるものについて、その改訂を命じ、その他所要の措置をなすことができる。

本条…一部改正（昭二三法二二二）、二・四項…一部改正（昭二四法一二五）、本条…一部改正（昭四〇法六九）、二・四項…一部改正（平一一法一六〇・令三法三六）

（統計報告）

第二十条　内閣総理大臣は、政令の定めるところにより、職員の在職関係に関する統計報告の制度を定め、これを実施するものとする。

②　内閣総理大臣は、前項の統計報告に関し必要があるときは、関係庁に対し随時又は定期に一定の形式に基いて、所要の報告を求めることができる。

一・二項…一部改正（昭二三法二二二・昭四〇法六九）

（権限の委任）

第二十一条　人事院又は内閣総理大臣は、それぞれ人事院規則又は政令の定めるところにより、この法律に基づく権限の一部を他の機関をして行なわせることができる。この場合においては、人事院又は内閣総理大臣は、当該事務に関し、他の機関の長を指揮監督することができる。

本条…一部改正（昭二三法二二二）、全改（昭四〇法六九）

（人事行政改善の勧告）

第二十二条　人事院は、人事行政の改善に関し、関係大臣その他の機関の長に勧告することができる。

② 前項の場合においては、人事院は、その旨を内閣に報告しなければならない。

一～三項…一部改正（昭二三法二二二）、二項…削除・旧三項…一部改正し二項に繰上（昭四〇法六九）

（法令の制定改廃に関する意見の申出）

第二十三条 人事院は、この法律の目的達成上、法令の制定又は改廃に関し意見があるときは、その意見を国会及び内閣に同時に申し出なければならない。

本条…全改（昭二三法二二二）

（人事院規則の制定改廃に関する内閣総理大臣からの要請）

第二十三条の二 内閣総理大臣は、この法律の目的達成上必要があると認めるときは、人事院に対し、人事院規則を制定し、又は改廃することを要請することができる。

② 内閣総理大臣は、前項の規定による要請をしたときは、速やかに、その内容を公表するものとする。

本条…追加（平二六法二二）

（業務の報告）

第二十四条 人事院は、毎年、国会及び内閣に対し、業務の状況を報告しなければならない。

② 内閣は、前項の報告を公表しなければならない。

一項…全改・二項…一部改正（昭二三法二二二）

（人事管理官）

第二十五条 内閣府、デジタル庁及び各省並びに政令で指定するその他の機関には、人事管理官を置かなければならない。

> **（注）平成二三年法律第一二五号により、第二五条第一項は次のようになる。**
>
> （人事管理官）
>
> **第二十五条** 内閣府、デジタル庁、復興庁及び各省並びに政令で指定するその他の機関には、人事管理官を置かなければならない。

② 人事管理官は、人事に関する部局の長となり、前項の機関の長を助け、人事に関する事務を掌る。この場合において、人事管理官は、中央人事行政機関との緊密な連絡及びこれに対する協力につとめなければならない。

一項…一部改正（昭二三法二二二・昭二四法一二五）、本条…一部改正（昭四〇法六九）、一項…一部改正（平一一法一六〇・平一八法一一八・令三法三六）

第二十六条 削除

本条…削除（昭四〇法六九）

第三章 職員に適用される基準

章名…改正（平一九法一〇八）

第一節 通則

（平等取扱いの原則）

第二十七条 全て国民は、この法律の適用について、平等に取り扱われ、人種、信条、性別、社会的身分、門地又は第三十八条第四号に該当する場合を除くほか政治的意見若しくは政治的所属関係によつて、差別されてはならない。

本条…一部改正（昭二三法二二二）、見出し・本条…一部改正（令元法三七）

（人事管理の原則）

第二十七条の二 職員の採用後の任用、給与その他の人事管理は、職員の採用年次、合格した採用試験の種類及び第六十一条の九第二項第二号に規定する課程対象者であるか否か又は同号に規定する課程対象者であつたか否かにとらわれてはならず、この法律に特段の定めがある場合を除くほか、人事評価に基づいて適切に行われなければならない。

本条…追加（平一九法一〇八）、一部改正（平二六法二二）

（情勢適応の原則）

第二十八条 この法律及び他の法律に基づいて定められる職員の給与、勤務時間その他勤務条件に関する基礎事項は、国会により社会一般の情勢に適応するように、随時これを変更することができる。その変更に関しては、人事院においてこれを勧告することを怠つてはならない。

② 人事院は、毎年、少くとも一回、俸給表が適当であるかどうかについて国会及び内閣に同時に報告しなければならない。給与を決定する諸条件の変化により、俸給表に定める給与を百分の五以上増減する必要が生じたと認められるときは、人事院は、その報告にあわせて、国会及び内閣に適当な勧告をしなければならない。

本条…全改（昭二三法二二二）、一項…一部改正（平二六法二二）

第二十九条から第三十二条まで 削除

二九条から三二条まで…削除（平一九法一〇八）

第二節 採用試験及び任免

本節…全改し旧三節を繰上（平一九法一〇八）

（任免の根本基準）

第三十三条　職員の任用は、この法律の定めるところにより、その者の受験成績、人事評価又はその他の能力の実証に基づいて行わなければならない。

② 前項に規定する根本基準の実施に当たつては、次に掲げる事項が確保されなければならない。

一　職員の公正な任用

二　行政需要の変化に対応するために行う優れた人材の養成及び活用

③ 職員の免職は、法律に定める事由に基づいてこれを行わなければならない。

④ 第一項に規定する根本基準の実施につき必要な事項であつて第二項第一号に掲げる事項の確保に関するもの及び前項に規定する根本基準の実施につき必要な事項は、この法律に定めのあるものを除いては、人事院規則でこれを定める。

本条…全改（昭二三法二二二）、一項…一部改正・二項…削除・旧三・四項…一部改正し二・三項に繰上（平一九法一〇八）、見出し…全改・二項…追加・旧二項…三項に繰下・旧三項…一部改正し四項に繰下（平二六法二二）

第三十三条の二　第五十四条第一項に規定する採用昇任等基本方針には、前条第一項に規定する根本基準の実施につき必要な事項であつて同条第二項第二号に掲げる事項の確保に関するものとして、職員の採用、昇任、降任及び転任に関する制度の適切かつ効果的な運用の確保に資する基本的事項を定めるものとする。

本条…追加（平二六法二二）

第一款　通則

（定義）

第三十四条　この法律において、次の各号に掲げる用語の意義は、当該各号に定めるところによる。

一　採用　職員以外の者を官職に任命すること（臨時的任用を除く。）をいう。

二　昇任　職員をその職員が現に任命されている官職より上位の職制上の段階に属する官職に任命することをいう。

三　降任　職員をその職員が現に任命されている官職より下位の職制上の段階に属する官職に任命することをいう。

四　転任　職員をその職員が現に任命されている官職以外の官職に任命することであつて前二号に定めるものに該当しないものをいう。

五　標準職務遂行能力　職制上の段階の標準的な官職の職務を遂行する上で発揮することが求められる能力として内閣総理大臣が定めるものをいう。

六　幹部職員　内閣府設置法（平成十一年法律第八十九号）第五十条若しくは国家行政組織法第六条に規定する長官、同法第十八条第一項に規定する事務次官若しくは同法第二十一条第一項に規定する局長若しくは部長の官職又はこれらの官職に準ずる官職であつて政令で定めるもの（以下「幹部職」という。）を占める職員をいう。

七　管理職員　国家行政組織法第二十一条第一項に規定する課長若しくは室長の官職又はこれらの官職に準ずる官職であつて政令で定めるもの（以下「管理職」という。）を占める職員をいう。

② 前項第五号の標準的な官職は、係員、係長、課長補佐、課長その他の官職とし、職制上の段階及び職務の種類に応じ、政令で定める。

本条…削除（昭四〇法六九）、全改（平一九法一〇八）、一項…一部改正（平二六法二二）

（欠員補充の方法）

第三十五条　官職に欠員を生じた場合においては、その任命権者は、法律又は人事院規則に別段の定のある場合を除いては、採用、昇任、降任又は転任のいずれか一の方法により、職員を任命することができる。但し、人事院が特別の必要があると認めて任命の方法を指定した場合は、この限りではない。

本条…一部改正（昭二三法二二二）

（採用の方法）

第三十六条　職員の採用は、競争試験によるものとする。ただし、係員の官職（第三十四条第二項に規定する標準的な官職が係員である職制上の段階に属する官職その他これに準ずる官職として人事院規則で定めるものをいう。第四十五条の二第一項において同じ。）以外の官職に採用しようとする場合又は人事院規則で定める場合には、競争試験以外の能力の実証に基づく試験（以下「選考」という。）の方法によることを妨げない。

一・二項…一部改正・三項…削除（昭二三法二二二）、一項…一部改正・二項…削除（平一九法一〇八）、本条…一部改正（平二六法二二）

第三十七条　削除

本条…削除（平一九法一〇八）

（欠格条項）

第三十八条　次の各号のいずれかに該当する者は、人事院規則で定める場合を除くほか、官職に就く能力を有しない。

一　拘禁刑以上の刑に処せられ、その執行を終わるまで又はその執行を受けることがなくなるまでの者

二　懲戒免職の処分を受け、当該処分の日から二年を経過しない者

三　人事院の人事官又は事務総長の職にあつて、第百九条から第百十二条までに規定する罪を犯し、刑に処せられた者

四　日本国憲法施行の日以後において、日本国憲法又はその下に成立した政府を暴力で破壊することを主張する政党その他の団体を結成し、又はこれに加入した者

本条…一部改正（昭二三法二二二・平一一法一五一・平一九法一〇八・令元法三七・令四法六八）

（人事に関する不法行為の禁止）

第三十九条　何人も、次の各号のいずれかに該当する事項を実現するために、金銭その他の利益を授受し、提供し、要求し、若しくは授受を約束したり、脅迫、強制その他これに類する方法を用いたり、直接たると間接たるとを問わず、公の地位を利用し、又はその利用を提供し、要求し、若しくは約束したり、あるいはこれらの行為に関与してはならない。

一　退職若しくは休職又は任用の不承諾

二　採用のための競争試験（以下「採用試験」という。）若しくは任用の志望の撤回又は任用に対する競争の中止

三　任用、昇給、留職その他官職における利益の実現又はこれらのことの推薦

本条…一部改正（平一九法一〇八）

（人事に関する虚偽行為の禁止）

第四十条　何人も、採用試験、選考、任用又は人事記録に関して、虚偽又は不正の陳述、記載、証明、採点、判断又は報告を行つてはならない。

本条…一部改正（平一九法一〇八）

（受験又は任用の阻害及び情報提供の禁止）

第四十一条　試験機関に属する者その他の職員は、受験若しくは任用を阻害し、又は受験若しくは任用に不当な影響を与える目的を以て特別若しくは秘密の情報を提供してはならない。

第二款　採用試験

款名…改正（平一九法一〇八）

（採用試験の実施）

第四十二条　採用試験は、この法律に基づく命令で定めるところにより、これを行う。

本条…一部改正（昭二三法二二二）、見出し…全改・本条…一部改正（平一九法一〇八）、本条…一部改正（平二六法二二）

（受験の欠格条項）

第四十三条　第四十四条に規定する資格に関する制限の外、官職に就く能力を有しない者は、受験することができない。

（受験の資格要件）

第四十四条　人事院は、人事院規則により、受験者に必要な資格として官職に応じ、その職務の遂行に欠くことのできない最小限度の客観的且つ画一的な要件を定めることができる。

本条…一部改正（昭二三法二二二）

（採用試験の内容）

第四十五条　採用試験は、受験者が、当該採用試験に係る官職の属する職制上の段階の標準的な官職に係る標準職務遂行能力及び当該採用試験に係る官職についての適性を有するかどうかを判定することをもつてその目的とする。

本条…一部改正（昭二三法二二二）、全改（平一九法一〇八）

（採用試験における対象官職及び種類並びに採用試験により確保すべき人材）

第四十五条の二　採用試験は、次に掲げる官職を対象として行うものとする。

一　係員の官職のうち、政策の企画及び立案又は調査及び研究に関する事務をその職務とする官職その他これらに類する官職であつて政令で定めるもの（第三号に掲げるものを除く。）

二　定型的な事務をその職務とする係員の官職その他の係員の官職（前号及び次号に掲げるものを除く。）

三　係員の官職のうち、特定の行政分野に係る専門的な知識を必要とする事務をその職務とする官職として政令で定めるもの

四　係員の官職より上位の職制上の段階に属する官職のうち、民間企業における実務の経験その他これに類する経験を有する者を採用することが適当なものとして政令で定めるもの

②　採用試験の種類は、次に掲げるとおりとする。

一　総合職試験（前項第一号に掲げる官職への採用を目的とした競争試験をいう。）であつ

て、一定の範囲の知識、技術その他の能力（以下この項において「知識等」という。）を有する者として政令で定めるものごとに、受験者が同号に掲げる官職の属する職制上の段階の標準的な官職に係る標準職務遂行能力及び同号に掲げる官職についての適性を有するかどうかを判定することを目的として行うそれぞれの採用試験

二　一般職試験（前項第二号に掲げる官職への採用を目的とした競争試験をいう。）であつて、一定の範囲の知識等を有する者として政令で定めるものごとに、受験者が同号に掲げる官職の属する職制上の段階の標準的な官職に係る標準職務遂行能力及び同号に掲げる官職についての適性を有するかどうかを判定することを目的として行うそれぞれの採用試験

三　専門職試験（前項第三号に掲げる官職への採用を目的とした競争試験をいう。）であつて、同号に規定する特定の行政分野に応じて一定の範囲の知識等を有する者として政令で定めるものごとに、受験者が同号に掲げる官職の属する職制上の段階の標準的な官職に係る標準職務遂行能力及び同号に掲げる官職についての適性を有するかどうかを判定することを目的として行うそれぞれの採用試験

四　経験者採用試験（前項第四号に掲げる官職への採用を目的とした競争試験をいう。）であつて、同号に規定する職制上の段階その他の官職に係る分類に応じて一定の範囲の知識等を有する者として政令で定めるものごとに、受験者が同号に掲げる官職の属する職制上の段階の標準的な官職に係る標準職務遂行能力及び同号に掲げる官職についての適性を有するかどうかを判定することを目的として行うそれぞれの採用試験

③　採用試験により確保すべき人材に関する事項は、前項各号に掲げる採用試験の種類ごとに、政令で定める。

④　前三項の政令は、人事院の意見を聴いて定めるものとする。

本条…追加（平二六法二二）

（採用試験の方法等）

第四十五条の三　採用試験の方法、試験科目、合格者の決定の方法その他採用試験に関する事項については、この法律に定めのあるものを除いては、前条第二項各号に掲げる採用試験の種類に応じ、人事院規則で定める。

本条…追加（平二六法二二）

（採用試験の公開平等）

第四十六条　採用試験は、人事院規則の定める受験の資格を有するすべての国民に対して、平等の条件で公開されなければならない。

本条…一部改正（昭二三法二二二）

（採用試験の告知）

第四十七条　採用試験の告知は、公告によらなければならない。

②　前項の告知には、その採用試験に係る官職についての職務及び責任の概要及び給与、受験の資格要件、採用試験の時期及び場所、願書の入手及び提出の場所、時期及び手続その他の必要な受験手続並びに人事院が必要と認めるその他の注意事項を記載するものとする。

③　第一項の規定による公告は、人事院規則の定めるところにより、受験の資格を有するすべての者に対し、受験に必要な事項を周知させることができるように、これを行わなければならない。

④　人事院は、受験の資格を有すると認められる者が受験するように、常に努めなければならない。

⑤　人事院は、公告された採用試験又は実施中の採用試験を、取り消し又は変更することができる。

二～四項…一部改正・五項…追加（昭二三法二二二）、二・五項…一部改正（平一九法一〇八）

（試験機関）

第四十八条　採用試験は、人事院規則の定めるところにより、人事院の定める試験機関が、これを行う。

本条…一部改正（昭二三法二二二・平一九法一〇八）

（採用試験の時期及び場所）

第四十九条　採用試験の時期及び場所は、国内の受験資格者が、無理なく受験することができるように、これを定めなければならない。

見出し・本条…一部改正（平一九法一〇八）

第三款　採用候補者名簿

款名…改正（平一九法一〇八）

（名簿の作成）

第五十条　採用試験による職員の採用については、人事院規則の定めるところにより、採用候補者名簿を作成するものとする。

本条…一部改正（昭二三法二二二・平一九法一〇八）

（採用候補者名簿に記載される者）

第五十一条 採用候補者名簿には、当該官職に採用することができる者として、採用試験において合格点以上を得た者の氏名及び得点を記載するものとする。

本条…一部改正（昭二三法二二二・平一九法一〇八）

（名簿の閲覧）

第五十二条 採用候補者名簿は、受験者、任命権者その他関係者の請求に応じて、常に閲覧に供されなければならない。

本条…一部改正し旧五三条を繰上（平一九法一〇八）

（名簿の失効）

第五十三条 採用候補者名簿が、その作成後一年以上を経過したとき、又は人事院の定める事由に該当するときは、いつでも、人事院は、任意に、これを失効させることができる。

本条…一部改正（昭二三法二二二）、一部改正し旧五四条を繰上（平一九法一〇八）

第四款 任用

（採用昇任等基本方針）

第五十四条 内閣総理大臣は、公務の能率的な運営を確保する観点から、あらかじめ、次条第一項に規定する任命権者及び法律で別に定められた任命権者と協議して職員の採用、昇任、降任及び転任に関する制度の適切かつ効果的な運用を確保するための基本的な方針（以下「採用昇任等基本方針」という。）の案を作成し、閣議の決定を求めなければならない。

② 採用昇任等基本方針には、第三十三条の二に規定する基本的事項のほか、次に掲げる事項を定めるものとする。

一 職員の採用、昇任、降任及び転任に関する制度の適切かつ効果的な運用に関する基本的な指針

二 第五十六条の採用候補者名簿による採用及び第五十七条の選考による採用に関する指針

三 第五十八条の昇任及び転任に関する指針

四 管理職への任用に関する基準その他の指針

五 任命権者を異にする官職への任用に関する指針

六 職員の公募（官職の職務の具体的な内容並びに当該官職に求められる能力及び経験を公示して、当該官職の候補者を募集することをいう。次項において同じ。）に関する指針

七 官民の人材交流に関する指針

八 子の養育又は家族の介護を行う職員の状況を考慮した職員の配置その他の措置による仕事と生活の調和を図るための指針

九 前各号に掲げるもののほか、職員の採用、昇任、降任及び転任に関する制度の適切かつ効果的な運用を確保するために必要な事項

③ 前項第六号の指針を定めるに当たつては、犯罪の捜査その他特殊性を有する職務の官職についての公募の制限に関する事項その他職員の公募の適正を確保するために必要な事項に配慮するものとする。

④ 内閣総理大臣は、第一項の規定による閣議の決定があつたときは、遅滞なく、採用昇任等基本方針を公表しなければならない。

⑤ 第一項及び前項の規定は、採用昇任等基本方針の変更について準用する。

⑥ 任命権者は、採用昇任等基本方針に沿つて、職員の採用、昇任、降任及び転任を行わなければならない。

本条…追加（平一九法一〇八）、二項…一部改正・三項…追加・旧三～五項…一項ずつ繰下（平二六法二二）

（任命権者）

第五十五条 任命権は、法律に別段の定めのある場合を除いては、内閣、各大臣（内閣総理大臣及び各省大臣をいう。以下同じ。）、会計検査院長及び人事院総裁並びに宮内庁長官及び各外局の長に属するものとする。これらの機関の長の有する任命権は、その部内の機関に属する官職に限られ、内閣の有する任命権は、その直属する機関（内閣府及びデジタル庁を除く。）に属する官職に限られる。ただし、外局の長（国家行政組織法第七条第五項に規定する実施庁以外の庁にあつては、外局の幹部職）に対する任命権は、各大臣に属する。

（注） 平成二三年法律第一二五号により、第五五条第一項は次のようになる。

（任命権者）

第五十五条 任命権は、法律に別段の定めのある場合を除いては、内閣、各大臣（内閣総理大臣及び各省大臣をいう。以下同じ。）、会計検査院長及び人事院総裁並びに宮内庁長官及び各外局の長に属するものとする。これらの機関の長の有する任命権は、その部内の機関に属する官職に限られ、内閣の有する任命権は、その直属する機関（内閣府、デジタル庁及び復興庁を除く。）に属する官職に限られる。ただし、外局の長（国家行政組織法第七

条第五項に規定する実施庁以外の庁にあつては、外局の幹部職）に対する任命権は、各大臣に属する。

② 前項に規定する機関の長たる任命権者は、幹部職以外の官職（内閣が任命権を有する場合にあつては、幹部職を含む。）の任命権を、その部内の上級の国家公務員（内閣が任命権を有する幹部職にあつては、内閣総理大臣又は国務大臣）に限り委任することができる。この委任は、その効力が発生する日の前に、書面をもつて、これを人事院に提示しなければならない。

③ この法律、人事院規則及び人事院指令に規定する要件を備えない者は、これを任命し、雇用し、昇任させ若しくは転任させてはならず、又はいかなる官職にも配置してはならない。

本条…全改（昭二三法二二二）、一項…一部改正（昭二七法二六八・平一一法一〇二）、一・二項…一部改正（平二六法二二）、一項…一部改正（令三法三六）

（採用候補者名簿による採用）

第五十六条　採用候補者名簿による職員の採用は、任命権者が、当該採用候補者名簿に記載された者の中から、面接を行い、その結果を考慮して行うものとする。

本条…一部改正（昭二三法二二二・昭四〇法六九）、全改（平一九法一〇八）

（選考による採用）

第五十七条　選考による職員の採用（職員の幹部職への任命に該当するものを除く。）は、任命権者が、任命しようとする官職の属する職制上の段階の標準的な官職に係る標準職務遂行能力及び当該任命しようとする官職についての適性を有すると認められる者の中から行うものとする。

本条…全改（平一九法一〇八）、一部改正（平二六法二二）

（昇任、降任及び転任）

第五十八条　職員の昇任及び転任（職員の幹部職への任命に該当するものを除く。）は、任命権者が、職員の人事評価に基づき、任命しようとする官職の属する職制上の段階の標準的な官職に係る標準職務遂行能力及び当該任命しようとする官職についての適性を有すると認められる者の中から行うものとする。

② 任命権者は、職員を降任させる場合（職員の幹部職への任命に該当する場合を除く。）には、当該職員の人事評価に基づき、任命しようとする官職の属する職制上の段階の標準的な官職に係る標準職務遂行能力及び当該任命しようとする官職についての適性を有すると認められる官職に任命するものとする。

③ 国際機関又は民間企業に派遣されていたこと等の事情により、人事評価が行われていない職員の昇任、降任及び転任（職員の幹部職への任命に該当するものを除く。）については、前二項の規定にかかわらず、任命権者が、人事評価以外の能力の実証に基づき、任命しようとする官職の属する職制上の段階の標準的な官職に係る標準職務遂行能力及び当該任命しようとする官職についての適性を判断して行うことができる。

本条…一部改正（昭二三法二二二）、全改（平一九法一〇八）、一部改正（平二六法二二）

（条件付任用）

第五十九条　職員の採用及び昇任は、職員であつた者又はこれに準ずる者のうち、人事院規則で定める者を採用する場合その他人事院規則で定める場合を除き、条件付のものとし、職員が、その官職において六月の期間（六月の期間とすることが適当でないと認められる職員として人事院規則で定める職員にあつては、人事院規則で定める期間）を勤務し、その間その職務を良好な成績で遂行したときに、正式のものとなるものとする。

② 前項に定めるもののほか、条件付任用に関し必要な事項は、人事院規則で定める。

本条…全改（昭二三法二二二）、見出し・本条…一部改正（令三法六一）

（臨時的任用）

第六十条　任命権者は、人事院規則の定めるところにより、緊急の場合、臨時の官職に関する場合又は採用候補者名簿がない場合には、人事院の承認を得て、六月を超えない任期で、臨時的任用を行うことができる。この場合において、その任用は、人事院規則の定めるところにより人事院の承認を得て、六月の期間で、これを更新することができるが、再度更新することはできない。

② 人事院は、臨時的任用につき、その員数を制限し、又は、任用される者の資格要件を定めることができる。

③ 人事院は、前二項の規定又は人事院規則に違

反する臨時的任用を取り消すことができる。

④　臨時的任用は、任用に際して、いかなる優先権をも与えるものではない。

⑤　前各項に定めるもののほか、臨時的に任用された者に対しては、この法律及び人事院規則を適用する。

一〜三・五項…一部改正（昭二三法二二二）、一・五項…一部改正（平一九法一〇八）

（定年前再任用短時間勤務職員の任用）

第六十条の二　任命権者は、年齢六十年に達した日以後にこの法律の規定により退職（臨時的職員その他の法律により任期を定めて任用される職員及び常時勤務を要しない官職を占める職員が退職する場合を除く。）をした者（以下この条及び第八十二条第二項において「年齢六十年以上退職者」という。）又は年齢六十年に達した日以後に自衛隊法（昭和二十九年法律第百六十五号）の規定により退職（自衛官及び同法第四十四条の六第三項各号に掲げる隊員が退職する場合を除く。）をした者（以下この項及び第三項において「自衛隊法による年齢六十年以上退職者」という。）を、人事院規則で定めるところにより、従前の勤務実績その他の人事院規則で定める情報に基づく選考により、短時間勤務の官職（当該官職を占める職員の一週間当たりの通常の勤務時間が、常時勤務を要する官職でその職務が当該短時間勤務の官職と同種の官職を占める職員の一週間当たりの通常の勤務時間に比し短い時間である官職をいう。以下この項及び第三項において同じ。）（一般職の職員の給与に関する法律別表第十一に規定する指定職俸給表の適用を受ける職員が占める官職及びこれに準ずる行政執行法人の官職として人事院規則で定める官職（第四項及び第六節第一款第二目においてこれらの官職を「指定職」という。）を除く。以下この項及び第三項において同じ。）に採用することができる。ただし、年齢六十年以上退職者又は自衛隊法による年齢六十年以上退職者がこれらの者を採用しようとする短時間勤務の官職に係る定年退職日相当日（短時間勤務の官職を占める職員が、常時勤務を要する官職でその職務が当該短時間勤務の官職と同種の官職を占めているものとした場合における第八十一条の六第一項に規定する定年退職日をいう。次項及び第三項において同じ。）を経過した者であるときは、この限りでない。

②　前項の規定により採用された職員（以下この条及び第八十二条第二項において「定年前再任用短時間勤務職員」という。）の任期は、採用の日から定年退職日相当日までとする。

③　任命権者は、年齢六十年以上退職者又は自衛隊法による年齢六十年以上退職者のうちこれらの者を採用しようとする短時間勤務の官職に係る定年退職日相当日を経過していない者以外の者を当該短時間勤務の官職に採用することができず、定年前再任用短時間勤務職員のうち当該定年前再任用短時間勤務職員を昇任し、降任し、又は転任しようとする短時間勤務の官職に係る定年退職日相当日を経過していない定年前再任用短時間勤務職員以外の職員を当該短時間勤務の官職に昇任し、降任し、又は転任することができない。

④　任命権者は、定年前再任用短時間勤務職員を、指定職又は指定職以外の常時勤務を要する官職に昇任し、降任し、又は転任することができない。

本条…追加（令三法六一）

第五款　休職、復職、退職及び免職

（休職、復職、退職及び免職）

第六十一条　職員の休職、復職、退職及び免職は任命権者が、この法律及び人事院規則に従い、これを行う。

本条…一部改正（昭二三法二二二）

第六款　幹部職員の任用等に係る特例

本款…追加（平二六法二二）

（適格性審査及び幹部候補者名簿）

第六十一条の二　内閣総理大臣は、次に掲げる者について、政令で定めるところにより、幹部職（自衛隊法第三十条の二第一項第六号に規定する幹部職を含む。第二号及び次項において同じ。）に属する官職（同条第一項第二号に規定する自衛官以外の隊員が占める職を含む。次項及び第六十一条の十一において同じ。）に係る標準職務遂行能力（同法第三十条の二第一項第五号に規定する標準職務遂行能力を含む。次項において同じ。）を有することを確認するための審査（以下「適格性審査」という。）を公正に行うものとする。

一　幹部職員（自衛隊法第三十条の二第一項第六号に規定する幹部隊員を含む。次号及び第六十一条の九第一項において同じ。）

二　幹部職員以外の者であつて、幹部職の職責を担うにふさわしい能力を有すると見込まれ

る者として任命権者（自衛隊法第三十一条第一項の規定により同法第二条第五項に規定する隊員（以下この条及び次条において「自衛隊員」という。）の任免について権限を有する者を含む。第三項及び第四項、第六十一条の六並びに第六十一条の十一において同じ。）が内閣総理大臣に推薦した者

三　前二号に掲げる者に準ずる者として政令で定める者

② 内閣総理大臣は、適格性審査の結果、幹部職に属する官職に係る標準職務遂行能力を有することを確認した者について、政令で定めるところにより、氏名その他政令で定める事項を記載した名簿（以下「幹部候補者名簿」という。）を作成するものとする。

③ 内閣総理大臣は、任命権者の求めがある場合には、政令で定めるところにより、当該任命権者に対し、幹部候補者名簿を提示するものとする。

④ 内閣総理大臣は、政令で定めるところにより、定期的に、及び任命権者の求めがある場合その他必要があると認める場合には随時、適格性審査を行い、幹部候補者名簿を更新するものとする。

⑤ 内閣総理大臣は、前各項の規定による権限を内閣官房長官に委任する。

⑥ 第一項（第三号を除く。）及び第二項から第四項までの政令は、人事院の意見を聴いて定めるものとする。

本条…追加（平二六法二二）、一・六項…一部改正（令三法六一）

（幹部候補者名簿に記載されている者の中からの任用）

第六十一条の三　選考による職員の採用であつて、幹部職への任命に該当するものは、任命権者が、幹部候補者名簿に記載されている者であつて、当該任命しようとする幹部職についての適性を有すると認められる者の中から行うものとする。

② 職員の昇任及び転任であつて、幹部職への任命に該当するものは、任命権者が、幹部候補者名簿に記載されている者であつて、職員の人事評価に基づき、当該任命しようとする幹部職についての適性を有すると認められる者の中から行うものとする。

③ 任命権者は、幹部候補者名簿に記載されている職員の降任であつて、幹部職への任命に該当するものを行う場合には、当該職員の人事評価に基づき、当該任命しようとする幹部職についての適性を有すると認められる幹部職に任命するものとする。

④ 国際機関又は民間企業に派遣されていたこと等の事情により人事評価が行われていない職員のうち、幹部候補者名簿に記載されている者の昇任、降任又は転任であつて、幹部職への任命に該当するものについては、任命権者が、前二項の規定にかかわらず、人事評価以外の能力の実証に基づき、当該任命しようとする幹部職についての適性を判断して行うことができる。

本条…追加（平二六法二二）

（内閣総理大臣及び内閣官房長官との協議に基づく任用等）

第六十一条の四　任命権者は、職員の選考による採用、昇任、降任及び転任であつて幹部職への任命に該当するもの、幹部職員の幹部職以外の官職への昇任、降任及び転任（第八十一条の二第一項の規定による降任及び転任を除く。）並びに幹部職員の退職（政令で定めるものに限る。第四項において同じ。）及び免職（次項及び第三項において「採用等」という。）を行う場合には、政令で定めるところにより、あらかじめ内閣総理大臣及び内閣官房長官に協議した上で、当該協議に基づいて行うものとする。

② 前項の場合において、災害その他緊急やむを得ない理由により、あらかじめ内閣総理大臣及び内閣官房長官に協議する時間的余裕がないときは、任命権者は、同項の規定にかかわらず、当該協議を行うことなく、職員の採用等を行うことができる。

③ 任命権者は、前項の規定により職員の採用等を行つた場合には、内閣総理大臣及び内閣官房長官に通知するとともに、政令で定めるところにより、遅滞なく、当該採用等について、内閣総理大臣及び内閣官房長官に協議し、当該協議に基づいて必要な措置を講じなければならない。

④ 内閣総理大臣又は内閣官房長官は、幹部職員について適切な人事管理を確保するために必要があると認めるときは、任命権者に対し、幹部職員の昇任、降任、転任、退職及び免職（第八十一条の二第一項の規定による降任及び転任を除く。以下この項において「昇任等」という。）について協議を求めることができる。この場合において、協議が調つたときは、任命権者は、当該協議に基づいて昇任等を行うものと

する。

本条…追加（平二六法二二）、一・四項…一部改正（令三法六一）

（管理職への任用に関する運用の管理）

第六十一条の五　任命権者は、政令で定めるところにより、定期的に、及び内閣総理大臣の求めがある場合には随時、管理職への任用の状況を内閣総理大臣に報告するものとする。

② 内閣総理大臣は、第五十四条第二項第四号の基準に照らして必要があると認める場合には、任命権者に対し、管理職への任用に関する運用の改善その他の必要な措置をとることを求めることができる。

本条…追加（平二六法二二）

（任命権者を異にする管理職への任用に係る調整）

第六十一条の六　内閣総理大臣は、任命権者を異にする管理職（自衛隊法第三十条の二第一項第七号に規定する管理職を含む。）への任用の円滑な実施に資するよう、任命権者に対する情報提供、任命権者相互間の情報交換の促進その他の必要な調整を行うものとする。

本条…追加（平二六法二二）

（人事に関する情報の管理）

第六十一条の七　内閣総理大臣は、この款及び次款の規定の円滑な運用を図るため、内閣府、デジタル庁、各省その他の機関に対し、政令で定めるところにより、当該機関の幹部職員、管理職員、第六十一条の九第二項第二号に規定する課程対象者その他これらに準ずる職員として政令で定めるものの人事に関する情報の提供を求めることができる。

（注）平成二三年法律第一二五号により、第六一条の七第一項は次のようになる。

（人事に関する情報の管理）

第六十一条の七　内閣総理大臣は、この款及び次款の規定の円滑な運用を図るため、内閣府、デジタル庁、復興庁、各省その他の機関に対し、政令で定めるところにより、当該機関の幹部職員、管理職員、第六十一条の九第二項第二号に規定する課程対象者その他これらに準ずる職員として政令で定めるものの人事に関する情報の提供を求めることができる。

② 内閣総理大臣は、政令で定めるところにより、前項の規定により提出された情報を適正に管理するものとする。

本条…追加（平二六法二二）、一項…一部改正（令三法三六）

（特殊性を有する幹部職等の特例）

第六十一条の八　法律の規定に基づき内閣に置かれる機関（内閣法制局、内閣府及びデジタル庁を除く。以下この項において「内閣の直属機関」という。）、人事院、検察庁及び会計検査院の官職（当該官職が内閣の直属機関に属するものであつて、その任命権者が内閣の委任を受けて任命権を行う者であるものを除く。）については、第六十一条の二から第六十一条の五までの規定は適用せず、第五十七条、第五十八条及び前条第一項の規定の適用については、第五十七条中「採用（職員の幹部職への任命に該当するものを除く。）」とあるのは「採用」と、第五十八条第一項中「転任（職員の幹部職への任命に該当するものを除く。）」とあるのは「転任」と、同条第二項中「降任させる場合（職員の幹部職への任命に該当する場合を除く。）」とあるのは「降任させる場合」と、同条第三項中「転任（職員の幹部職への任命に該当するものを除く。）」とあるのは「転任」と、前条第一項中「、政令」とあるのは「、当該機関の職員が適格性審査を受ける場合その他の必要がある場合として政令で定める場合に限り、政令」とする。

（注）平成二三年法律第一二五号により、第六一条の八第一項は次のようになる。

（特殊性を有する幹部職等の特例）

第六十一条の八　法律の規定に基づき内閣に置かれる機関（内閣法制局、内閣府、デジタル庁及び復興庁を除く。〔後略〕

② 警察庁の官職については、第六十一条の二、第六十一条の三、第六十一条の四第四項及び第六十一条の五の規定は適用せず、第五十七条、第五十八条、第六十一条の四第一項から第三項まで及び前条第一項の規定の適用については、第五十七条中「採用（職員の幹部職への任命に該当するものを除く。）」とあるのは「採用」と、第五十八条第一項中「転任（職員の幹部職への任命に該当するものを除く。）」とあるのは「転任」と、同条第二項中「降任させる場合（職員の幹部職への任命に該当する場合を除く。）」とあるのは「降任させる場合」と、同条第三項中

「転任（職員の幹部職への任命に該当するものを除く。）」とあるのは「転任」と、第六十一条の四第一項中「に協議した上で、当該協議に基づいて行う」とあるのは「（任命権者が警察庁長官である場合にあつては、国家公安委員会を通じて内閣総理大臣及び内閣官房長官）に通知するものとする。この場合において、内閣総理大臣及び内閣官房長官は、任命権者（任命権者が警察庁長官である場合にあつては、国家公安委員会を通じて任命権者）に対し、当該幹部職に係る標準職務遂行能力を有しているか否かの観点から意見を述べることができる」と、同条第二項中「に協議する」とあるのは「（任命権者が警察庁長官である場合にあつては、国家公安委員会を通じて内閣総理大臣及び内閣官房長官）に通知する」と、「当該協議」とあるのは「当該通知」と、同条第三項中「内閣総理大臣及び内閣官房長官に通知するとともに、遅滞なく」とあるのは「遅滞なく」と、「に協議し、当該協議に基づいて必要な措置を講じなければならない」とあるのは「（任命権者が警察庁長官である場合にあつては、国家公安委員会を通じて内閣総理大臣及び内閣官房長官）に通知しなければならない。この場合において、内閣総理大臣及び内閣官房長官は、任命権者（任命権者が警察庁長官である場合にあつては、国家公安委員会を通じて任命権者）に対し、当該幹部職に係る標準職務遂行能力を有しているか否かの観点から意見を述べることができるものとする」と、前条第一項中「、政令」とあるのは「、当該機関の職員が適格性審査を受ける場合その他の必要がある場合として政令で定める場合に限り、政令」とする。

③　内閣法制局、宮内庁、外局として置かれる委員会（政令で定めるものを除く。）及び国家行政組織法第七条第五項に規定する実施庁の幹部職（これらの機関の長を除く。）については、第六十一条の四第四項の規定は適用せず、同条第一項及び第三項の規定の適用については、同条第一項中「内閣総理大臣」とあるのは「任命権者の属する機関に係る事項についての内閣法（昭和二十二年法律第五号）にいう主任の大臣（第三項において単に「主任の大臣」という。）を通じて内閣総理大臣」と、同条第三項中「内閣総理大臣」とあるのは「主任の大臣を通じて内閣総理大臣」とする。

本条…追加（平二六法二二）、一項…一部改正（令三法三六）

第七款　幹部候補育成課程

本款…追加（平二六法二二）

（運用の基準）

第六十一条の九　内閣総理大臣、各省大臣（自衛隊法第三十一条第一項の規定により自衛隊員の任免について権限を有する防衛大臣を含む。）、会計検査院長、人事院総裁その他機関の長であつて政令で定めるもの（以下この条及び次条において「各大臣等」という。）は、幹部職員の候補となり得る管理職員（同法第三十条の二第一項第七号に規定する管理隊員を含む。次項において同じ。）としてその職責を担うにふさわしい能力及び経験を有する職員（自衛隊員（自衛官を除く。）を含む。同項において同じ。）を育成するための課程（以下「幹部候補育成課程」という。）を設け、内閣総理大臣の定める基準に従い、運用するものとする。

②　前項の基準においては、次に掲げる事項を定めるものとする。

一　各大臣等が、その職員であつて、採用後、一定期間勤務した経験を有するものの中から、本人の希望及び人事評価（自衛隊法第三十一条第三項に規定する人事評価を含む。次号において同じ。）に基づいて、幹部候補育成課程における育成の対象となるべき者を随時選定すること。

二　各大臣等が、前号の規定により選定した者（以下「課程対象者」という。）について、人事評価に基づいて、引き続き課程対象者とするかどうかを定期的に判定すること。

三　各大臣等が、課程対象者に対し、管理職員に求められる政策の企画立案及び業務の管理に係る能力の育成を目的とした研修（政府全体を通ずるものを除く。）を実施すること。

四　各大臣等が、課程対象者に対し、管理職員に求められる政策の企画立案及び業務の管理に係る能力の育成を目的とした研修であつて、政府全体を通ずるものとして内閣総理大臣が企画立案し、実施するものを受講させること。

五　各大臣等が、課程対象者に対し、国の複数の行政機関又は国以外の法人において勤務させることにより、多様な勤務を経験する機会を付与すること。

六　第三号の研修の実施及び前号の機会の付与に当たつては、次に掲げる事項を行うよう努めること。

イ　民間企業その他の法人における勤務の機会を付与すること。

ロ　国際機関、在外公館その他の外国に所在する機関における勤務又は海外への留学の機会を付与すること。

ハ　所掌事務に係る専門性の向上を目的とした研修を実施し、又はその向上に資する勤務の機会を付与すること。

七　前各号に掲げるもののほか、幹部候補育成課程に関する政府全体としての統一性を確保するために必要な事項

本条…追加（平二六法二二）、二項…一部改正（平二七法三九）

（運用の管理）

第六十一条の十　各大臣等（会計検査院長及び人事院総裁を除く。次項において同じ。）は、政令で定めるところにより、定期的に、及び内閣総理大臣の求めがある場合には随時、幹部候補育成課程の運用の状況を内閣総理大臣に報告するものとする。

②　内閣総理大臣は、前条第一項の基準に照らして必要があると認める場合には、各大臣等に対し、幹部候補育成課程の運用の改善その他の必要な措置をとることを求めることができる。

本条…追加（平二六法二二）

（任命権者を異にする任用に係る調整）

第六十一条の十一　第六十一条の六の規定は、任命権者を異にする官職への課程対象者の任用について準用する。

本条…追加（平二六法二二）

第三節　給与

旧四節…繰上（平一九法一〇八）

（給与の根本基準）

第六十二条　職員の給与は、その官職の職務と責任に応じてこれをなす。

二項…全改（昭二三法二二二）、二項…削除（平一九法一〇八）

第一款　通則

款名…改正（平一九法一〇八）

（法律による給与の支給）

第六十三条　職員の給与は、別に定める法律に基づいてなされ、これに基づかずには、いかなる金銭又は有価物も支給することはできない。

二項…一部改正（昭二三法二二二）、見出し…全改・一項…一部改正・二項…削除（平一九法一〇八）

（俸給表）

第六十四条　前条に規定する法律（以下「給与に関する法律」という。）には、俸給表が規定されなければならない。

②　俸給表は、生計費、民間における賃金その他人事院の決定する適当な事情を考慮して定められ、かつ、等級ごとに明確な俸給額の幅を定めていなければならない。

二項…全改（昭二三法二二二）、本条…一部改正（平一九法一〇八）

（給与に関する法律に定めるべき事項）

第六十五条　給与に関する法律には、前条の俸給表のほか、次に掲げる事項が規定されなければならない。

一　初任給、昇給その他の俸給の決定の基準に関する事項

二　官職又は勤務の特殊性を考慮して支給する給与に関する事項

三　親族の扶養その他職員の生計の事情を考慮して支給する給与に関する事項

四　地域の事情を考慮して支給する給与に関する事項

五　時間外勤務、夜間勤務及び休日勤務に対する給与に関する事項

六　一定の期間における勤務の状況を考慮して年末等に特別に支給する給与に関する事項

七　常時勤務を要しない官職を占める職員の給与に関する事項

②　前項第一号の基準は、勤続期間、勤務能率その他勤務に関する諸要件を考慮して定められるものとする。

一項…一部改正（昭二三法二二二）、見出し…全改・一項…一部改正（平一九法一〇八）

第六十六条　削除

本条…削除（平一九法一〇八）

（給与に関する法律に定める事項の改定）

第六十七条　人事院は、第二十八条第二項の規定によるもののほか、給与に関する法律に定める事項に関し、常時、必要な調査研究を行い、これを改定する必要を認めたときは、遅滞なく改定案を作成して、国会及び内閣に勧告をしなければならない。

本条…一部改正（昭二三法二二二）、全改（平一九法一〇八）

第二款　給与の支払

（給与簿）

第六十八条　職員に対して給与の支払をなす者は、

先づ受給者につき給与簿を作成しなければならない。

② 給与簿は、何時でも人事院の職員が検査し得るようにしておかなければならない。

③ 前二項に定めるものを除いては、給与簿に関し必要な事項は、人事院規則でこれを定める。

二・三項…一部改正（昭二三法二二二）

（給与簿の検査）

第六十九条　職員の給与が法令、人事院規則又は人事院指令に適合して行われることを確保するため必要があるときは、人事院は給与簿を検査し、必要があると認めるときは、その是正を命ずることができる。

本条…一部改正（昭二三法二二二）

（違法の支払に対する措置）

第七十条　人事院は、給与の支払が、法令、人事院規則又は人事院指令に違反してなされたことを発見した場合には、自己の権限に属する事項については自ら適当な措置をなす外、必要があると認めるときは、事の性質に応じて、これを会計検査院に報告し、又は検察官に通報しなければならない。

本条…一部改正（昭二三法二二二）

第四節　人事評価

本節…追加（平一九法一〇八）

（人事評価の根本基準）

第七十条の二　職員の人事評価は、公正に行われなければならない。

本条…追加（平一九法一〇八）

（人事評価の実施）

第七十条の三　職員の執務については、その所轄庁の長は、定期的に人事評価を行わなければならない。

② 人事評価の基準及び方法に関する事項その他人事評価に関し必要な事項は、人事院の意見を聴いて、政令で定める。

本条…追加（平一九法一〇八）

（人事評価に基づく措置）

第七十条の四　所轄庁の長は、前条第一項の人事評価の結果に応じた措置を講じなければならない。

② 内閣総理大臣は、勤務成績の優秀な者に対する表彰に関する事項及び成績の著しく不良な者に対する矯正方法に関する事項を立案し、これについて、適当な措置を講じなければならない。

本条…追加（平一九法一〇八）

第四節の二　研修

本節…追加（平二六法二二）

（研修の根本基準）

第七十条の五　研修は、職員に現在就いている官職又は将来就くことが見込まれる官職の職務の遂行に必要な知識及び技能を習得させ、並びに職員の能力及び資質を向上させることを目的とするものでなければならない。

② 前項の根本基準の実施につき必要な事項は、この法律に定めのあるものを除いては、人事院の意見を聴いて政令で定める。

③ 人事院及び内閣総理大臣は、それぞれの所掌事務に係る研修による職員の育成について調査研究を行い、その結果に基づいて、それぞれの所掌事務に係る研修について適切な方策を講じなければならない。

本条…追加（平二六法二二）

（研修計画）

第七十条の六　人事院、内閣総理大臣及び関係庁の長は、前条第一項に規定する根本基準を達成するため、職員の研修（人事院にあつては第一号に掲げる観点から行う研修とし、内閣総理大臣にあつては第二号に掲げる観点から行う研修とし、関係庁の長にあつては第三号に掲げる観点から行う研修とする。）について計画を樹立し、その実施に努めなければならない。

一　国民全体の奉仕者としての使命の自覚及び多角的な視点等を有する職員の育成並びに研修の方法に関する専門的知見を活用して行う職員の効果的な育成

二　各行政機関の課程対象者の政府全体を通じた育成又は内閣の重要政策に関する理解を深めることを通じた行政各部の施策の統一性の確保

三　行政機関が行うその職員の育成又は行政機関がその所掌事務について行うその職員及び他の行政機関の職員に対する知識及び技能の付与

② 前項の計画は、同項の目的を達成するために必要かつ適切な職員の研修の機会が確保されるものでなければならない。

③ 内閣総理大臣は、第一項の規定により内閣総理大臣及び関係庁の長が行う研修についての計画の樹立及び実施に関し、その総合的企画及び関係各庁に対する調整を行う。

④ 内閣総理大臣は、前項の総合的企画に関連し

て、人事院に対し、必要な協力を要請することができる。

⑤ 人事院は、第一項の計画の樹立及び実施に関し、その監視を行う。

本条…追加（平二六法二二）

（研修に関する報告要求等）

第七十条の七 人事院は、内閣総理大臣又は関係庁の長に対し、人事院規則の定めるところにより、前条第一項の計画に基づく研修の実施状況について報告を求めることができる。

② 人事院は、内閣総理大臣又は関係庁の長が法令に違反して前条第一項の計画に基づく研修を行つた場合には、その是正のため必要な指示を行うことができる。

本条…追加（平二六法二二）

第五節 能率

（能率の根本基準）

第七十一条 職員の能率は、充分に発揮され、且つ、その増進がはかられなければならない。

② 前項の根本基準の実施につき、必要な事項は、この法律に定めるものを除いては、人事院規則でこれを定める。

③ 内閣総理大臣は、職員の能率の発揮及び増進について、調査研究を行い、その確保のため適切な方策を講じなければならない。

二・三項…一部改正（昭二三法二二二）、三項…一部改正（昭四〇法六九・平二六法二二）

第七十二条 削除

本条…削除（平一九法一〇八）

（能率増進計画）

第七十三条 内閣総理大臣及び関係庁の長は、職員の勤務能率の発揮及び増進のために、次に掲げる事項について計画を樹立し、その実施に努めなければならない。

一 職員の保健に関する事項

二 職員のレクリエーションに関する事項

三 職員の安全保持に関する事項

四 職員の厚生に関する事項

② 前項の計画の樹立及び実施に関し、内閣総理大臣は、その総合的企画並びに関係各庁に対する調整及び監視を行う。

本条…一部改正（昭二三法二二二・昭四〇法六九・平二六法二二）

（能率の増進に関する要請）

第七十三条の二 内閣総理大臣は、職員の能率の増進を図るため必要があると認めるときは、関係庁の長に対し、国家公務員宿舎法（昭和二十四年法律第百十七号）又は国家公務員等の旅費に関する法律（昭和二十五年法律第百十四号）の執行に関し必要な要請をすることができる。

本条…追加（平二六法二二）

第六節 分限、懲戒及び保障

（分限、懲戒及び保障の根本基準）

第七十四条 すべて職員の分限、懲戒及び保障については、公正でなければならない。

② 前項に規定する根本基準の実施につき必要な事項は、この法律に定めるものを除いては、人事院規則でこれを定める。

二項…一部改正（昭二三法二二二）

第一款 分限

第一目 降任、休職、免職等

（身分保障）

第七十五条 職員は、法律又は人事院規則で定める事由による場合でなければ、その意に反して、降任され、休職され、又は免職されることはない。

② 職員は、この法律又は人事院規則で定める事由に該当するときは、降給されるものとする。

本条…一部改正（昭二三法二二二・令三法六一）

（欠格による失職）

第七十六条 職員が第三十八条各号（第二号を除く。）のいずれかに該当するに至つたときは、人事院規則で定める場合を除くほか、当然失職する。

本条…一部改正（昭二三法二二二・令元法三七）

（離職）

第七十七条 職員の離職に関する規定は、この法律及び人事院規則でこれを定める。

本条…全改（昭二三法二二二）

（本人の意に反する降任及び免職の場合）

第七十八条 職員が、次の各号に掲げる場合のいずれかに該当するときは、人事院規則の定めるところにより、その意に反して、これを降任し、又は免職することができる。

一 人事評価又は勤務の状況を示す事実に照らして、勤務実績がよくない場合

二 心身の故障のため、職務の遂行に支障があり、又はこれに堪えない場合

三 その他その官職に必要な適格性を欠く場合

四 官制若しくは定員の改廃又は予算の減少により廃職又は過員を生じた場合

本条…一部改正（昭二三法二二二・平一九法一〇八）

（幹部職員の降任に関する特例）

第七十八条の二　任命権者は、幹部職員（幹部職のうち職制上の段階が最下位の段階のものを占める幹部職員を除く。以下この条において同じ。）について、次の各号に掲げる場合のいずれにも該当するときは、人事院規則の定めるところにより、当該幹部職員が前条各号に掲げる場合のいずれにも該当しない場合においても、その意に反して降任（直近下位の職制上の段階に属する幹部職への降任に限る。）を行うことができる。

一　当該幹部職員が、人事評価又は勤務の状況を示す事実に照らして、他の官職（同じ職制上の段階に属する他の官職であつて、当該官職に対する任命権が当該幹部職員の任命権者に属するものをいう。第三号において「他の官職」という。）を占める他の幹部職員に比して勤務実績が劣つているものとして人事院規則で定める要件に該当する場合

二　当該幹部職員が現に任命されている官職に幹部職員となり得る他の特定の者を任命すると仮定した場合において、当該他の特定の者が、人事評価又は勤務の状況を示す事実その他の客観的な事実及び当該官職についての適性に照らして、当該幹部職員より優れた業績を挙げることが十分見込まれる場合として人事院規則で定める要件に該当する場合

三　当該幹部職員について、欠員を生じ、若しくは生ずると見込まれる他の官職についての適性が他の候補者と比較して十分でない場合として人事院規則で定める要件に該当すること若しくは他の官職の職務を行うと仮定した場合において当該幹部職員が当該他の官職に現に就いている他の職員より優れた業績を挙げることが十分見込まれる場合として人事院規則で定める要件に該当しないことにより、転任させるべき適当な官職がないと認められる場合又は幹部職員の任用を適切に行うため当該幹部職員を降任させる必要がある場合として人事院規則で定めるその他の場合

本条…追加（平二六法二二）

（本人の意に反する休職の場合）

第七十九条　職員が、左の各号の一に該当する場合又は人事院規則で定めるその他の場合においては、その意に反して、これを休職することができる。

一　心身の故障のため、長期の休養を要する場合

二　刑事事件に関し起訴された場合

本条…一部改正（昭二三法二二二）

（休職の効果）

第八十条　前条第一号の規定による休職の期間は、人事院規則でこれを定める。休職期間中その事故の消滅したときは、休職は当然終了したものとし、すみやかに復職を命じなければならない。

②　前条第二号の規定による休職の期間は、その事件が裁判所に係属する間とする。

③　いかなる休職も、その事由が消滅したときは、当然に終了したものとみなされる。

④　休職者は、職員としての身分を保有するが、職務に従事しない。休職者は、その休職の期間中、給与に関する法律で別段の定めをしない限り、何らの給与を受けてはならない。

一項…全改・三項…追加・旧三項…一部改正し四項に繰下（昭二三法二二二）、四項…一部改正（平一九法一〇八）

（適用除外）

第八十一条　次に掲げる職員の分限（定年に係るものを除く。次項において同じ。）については、第七十五条、第七十八条から前条まで及び第八十九条並びに行政不服審査法（平成二十六年法律第六十八号）の規定は、適用しない。

一　臨時的職員

二　条件付採用期間中の職員

②　前項各号に掲げる職員の分限については、人事院規則で必要な事項を定めることができる。

一・二項…一部改正・三項…削除（昭二三法二二二）、一項…一部改正（昭三七法一六一・昭五六法七七・平一九法一〇八・平二六法六九）

第二目　管理監督職勤務上限年齢による降任等

本目…追加（令三法六一）

（管理監督職勤務上限年齢による降任等）

第八十一条の二　任命権者は、管理監督職（一般職の職員の給与に関する法律第十条の二第一項に規定する官職及びこれに準ずる官職として人事院規則で定める官職並びに指定職（これらの官職のうち、病院、療養所、診療所その他の国の部局又は機関に勤務する医師及び歯科医師が占める官職その他のその職務と責任に特殊性があること又は欠員の補充が困難であることによりこの条の規定を適用することが著しく不適当と認められる官職として人事院規則で定める官職を除く。）をいう。以下この目及び第八十一条の七において同じ。）を占める職員でその占

める管理監督職に係る管理監督職勤務上限年齢に達している職員について、異動期間（当該管理監督職勤務上限年齢に達した日の翌日から同日以後における最初の四月一日までの間をいう。以下この目及び同条において同じ。）（第八十一条の五第一項から第四項までの規定により延長された期間を含む。以下この項において同じ。）に、管理監督職以外の官職又は管理監督職勤務上限年齢が当該職員の年齢を超える管理監督職（以下この項及び第三項においてこれらの官職を「他の官職」という。）への降任又は転任（降給を伴う転任に限る。）をするものとする。ただし、異動期間に、この法律の他の規定により当該職員について他の官職への昇任、降任若しくは転任をした場合又は第八十一条の七第一項の規定により当該職員を管理監督職を占めたまま引き続き勤務させることとした場合は、この限りでない。

② 前項の管理監督職勤務上限年齢は、年齢六十年とする。ただし、次の各号に掲げる管理監督職を占める職員の管理監督職勤務上限年齢は、当該各号に定める年齢とする。

一 国家行政組織法第十八条第一項に規定する事務次官及びこれに準ずる管理監督職のうち人事院規則で定める管理監督職 年齢六十二年

二 前号に掲げる管理監督職のほか、その職務と責任に特殊性があること又は欠員の補充が困難であることにより管理監督職勤務上限年齢を年齢六十年とすることが著しく不適当と認められる管理監督職として人事院規則で定める管理監督職 六十年を超え六十四年を超えない範囲内で人事院規則で定める年齢

③ 第一項本文の規定による他の官職への降任又は転任（以下この目及び第八十九条第一項において「他の官職への降任等」という。）を行うに当たつて任命権者が遵守すべき基準に関する事項その他の他の官職への降任等に関し必要な事項は、人事院規則で定める。

本条…追加（令三法六一）

（管理監督職への任用の制限）

第八十一条の三 任命権者は、採用し、昇任し、降任し、又は転任しようとする管理監督職に係る管理監督職勤務上限年齢に達している者を、その者が当該管理監督職を占めているものとした場合における異動期間の末日の翌日（他の官職への降任等をされた職員にあつては、当該他の官職への降任等をされた日）以後、当該管理監督職に採用し、昇任し、降任し、又は転任することができない。

本条…追加（令三法六一）

（適用除外）

第八十一条の四 前二条の規定は、臨時的職員その他の法律により任期を定めて任用される職員には適用しない。

本条…追加（令三法六一）

（管理監督職勤務上限年齢による降任等及び管理監督職への任用の制限の特例）

第八十一条の五 任命権者は、他の官職への降任等をすべき管理監督職を占める職員について、次に掲げる事由があると認めるときは、当該職員が占める管理監督職に係る異動期間の末日の翌日から起算して一年を超えない期間内（当該期間内に次条第一項に規定する定年退職日（以下この項及び次項において「定年退職日」という。）がある職員にあつては、当該異動期間の末日の翌日から定年退職日までの期間内。第三項において同じ。）で当該異動期間を延長し、引き続き当該管理監督職を占める職員に、当該管理監督職を占めたまま勤務をさせることができる。

一 当該職員の職務の遂行上の特別の事情を勘案して、当該職員の他の官職への降任等により公務の運営に著しい支障が生ずると認められる事由として人事院規則で定める事由

二 当該職員の職務の特殊性を勘案して、当該職員の他の官職への降任等により、当該管理監督職の欠員の補充が困難となることにより公務の運営に著しい支障が生ずると認められる事由として人事院規則で定める事由

② 任命権者は、前項又はこの項の規定により異動期間（これらの規定により延長された期間を含む。）が延長された管理監督職を占める職員について、前項各号に掲げる事由が引き続きあると認めるときは、人事院の承認を得て、延長された当該異動期間の末日の翌日から起算して一年を超えない期間内（当該期間内に定年退職日がある職員にあつては、延長された当該異動期間の末日の翌日から定年退職日までの期間内。第四項において同じ。）で延長された当該異動期間を更に延長することができる。ただし、更に延長される当該異動期間の末日は、当該職員が占める管理監督職に係る異動期間の末日の翌

日から起算して三年を超えることができない。

③　任命権者は、第一項の規定により異動期間を延長することができる場合を除き、他の官職への降任等をすべき特定管理監督職群（職務の内容が相互に類似する複数の管理監督職（指定職を除く。以下この項及び次項において同じ。）であつて、これらの欠員を容易に補充することができない年齢別構成その他の特別の事情がある管理監督職として人事院規則で定める管理監督職をいう。以下この項において同じ。）に属する管理監督職を占める職員について、当該職員の他の官職への降任等により、当該特定管理監督職群に属する管理監督職の欠員の補充が困難となることにより公務の運営に著しい支障が生ずると認められる事由として人事院規則で定める事由があると認めるときは、当該職員が占める管理監督職に係る異動期間の末日の翌日から起算して一年を超えない期間内で当該異動期間を延長し、引き続き当該管理監督職を占めている職員に当該管理監督職を占めたまま勤務をさせ、又は当該職員を当該管理監督職が属する特定管理監督職群の他の管理監督職に降任し、若しくは転任することができる。

④　任命権者は、第一項若しくは第二項の規定により異動期間（これらの規定により延長された期間を含む。）が延長された管理監督職を占める職員について前項に規定する事由があると認めるとき（第二項の規定により延長された当該異動期間を更に延長することができるときを除く。）、又は前項若しくはこの項の規定により異動期間（前三項又はこの項の規定により延長された期間を含む。）が延長された管理監督職を占める職員について前項に規定する事由が引き続きあると認めるときは、人事院の承認を得て、延長された当該異動期間の末日の翌日から起算して一年を超えない期間内で延長された当該異動期間を更に延長することができる。

⑤　前各項に定めるもののほか、これらの規定による異動期間（これらの規定により延長された期間を含む。）の延長及び当該延長に係る職員の降任又は転任に関し必要な事項は、人事院規則で定める。

本条…追加（令三法六一）

第三目　定年による退職等

本目…追加（昭五六法七七）、見出し…一部改正・旧二目…繰下（令三法六一）

（定年による退職）

第八十一条の六　職員は、法律に別段の定めのある場合を除き、定年に達したときは、定年に達した日以後における最初の三月三十一日又は第五十五条第一項に規定する任命権者若しくは法律で別に定められた任命権者があらかじめ指定する日のいずれか早い日（次条第一項及び第二項ただし書において「定年退職日」という。）に退職する。

②　前項の定年は、年齢六十五年とする。ただし、その職務と責任に特殊性があること又は欠員の補充が困難であることにより定年を年齢六十五年とすることが著しく不適当と認められる官職を占める医師及び歯科医師その他の職員として人事院規則で定める職員の定年は、六十五年を超え七十年を超えない範囲内で人事院規則で定める年齢とする。

③　前二項の規定は、臨時的職員その他の法律により任期を定めて任用される職員及び常時勤務を要しない官職を占める職員には適用しない。

本条…追加（昭五六法七七）、旧八一条の二…繰下・一項…一部改正・二項…全改（令三法六一）

（定年による退職の特例）

第八十一条の七　任命権者は、定年に達した職員が前条第一項の規定により退職すべきこととなる場合において、次に掲げる事由があると認めるときは、同項の規定にかかわらず、当該職員に係る定年退職日の翌日から起算して一年を超えない範囲内で期限を定め、当該職員を当該定年退職日において従事している職務に従事させるため、引き続き勤務させることができる。ただし、第八十一条の五第一項から第四項までの規定により異動期間（これらの規定により延長された期間を含む。）を延長した職員であつて、定年退職日において管理監督職を占めている職員については、同条第一項又は第二項の規定により当該定年退職日まで当該異動期間を延長した場合であつて、引き続き勤務させることについて人事院の承認を得たときに限るものとし、当該期限は、当該職員が占めている管理監督職に係る異動期間の末日の翌日から起算して三年を超えることができない。

一　前条第一項の規定により退職すべきこととなる職員の職務の遂行上の特別の事情を勘案して、当該職員の退職により公務の運営に著しい支障が生ずると認められる事由として人事院規則で定める事由

二　前条第一項の規定により退職すべきこととなる職員の職務の特殊性を勘案して、当該職員の退職により、当該職員が占める官職の欠員の補充が困難となることにより公務の運営に著しい支障が生ずると認められる事由として人事院規則で定める事由

② 任命権者は、前項の期限又はこの項の規定により延長された期限が到来する場合において、前項各号に掲げる事由が引き続きあると認めるときは、人事院の承認を得て、これらの期限の翌日から起算して一年を超えない範囲内で期限を延長することができる。ただし、当該期限は、その職員に係る定年退職日（同項ただし書に規定する職員にあつては、当該職員が占めている管理監督職に係る異動期間の末日）の翌日から起算して三年を超えることができない。

③ 前二項に定めるもののほか、これらの規定による勤務に関し必要な事項は、人事院規則で定める。

本条…追加（昭五六法七七）、旧八一条の三…繰下・一・二項…一部改正・三項…追加（令三法六一）

（定年に関する事務の調整等）

第八十一条の八　内閣総理大臣は、職員の定年に関する事務の適正な運営を確保するため、各行政機関が行う当該事務の運営に関し必要な調整を行うほか、職員の定年に関する制度の実施に関する施策を調査研究し、その権限に属する事項について適切な方策を講ずるものとする。

本条…追加（昭五六法七七）、旧八一条の五…繰下（平一一法八三）、旧八一条の六…繰下（令三法六一）

第二款　懲戒

（懲戒の場合）

第八十二条　職員が次の各号のいずれかに該当する場合には、当該職員に対し、懲戒処分として、免職、停職、減給又は戒告の処分をすることができる。

一　この法律若しくは国家公務員倫理法又はこれらの法律に基づく命令（国家公務員倫理法第五条第三項の規定に基づく訓令及び同条第四項の規定に基づく規則を含む。）に違反した場合

二　職務上の義務に違反し、又は職務を怠つた場合

三　国民全体の奉仕者たるにふさわしくない非行のあつた場合

② 職員が、任命権者の要請に応じ特別職に属する国家公務員、地方公務員又は沖縄振興開発金融公庫その他その業務が国の事務若しくは事業と密接な関連を有する法人のうち人事院規則で定めるものに使用される者（以下この項において「特別職国家公務員等」という。）となるため退職し、引き続き特別職国家公務員等として在職した後、引き続いて当該退職を前提として職員として採用された場合（一の特別職国家公務員等として在職した後、引き続き一以上の特別職国家公務員等として在職し、引き続いて当該退職を前提として職員として採用された場合を含む。）において、当該退職までの引き続く職員としての在職期間（当該退職前に同様の退職（以下この項において「先の退職」という。）、特別職国家公務員等としての在職及び職員としての採用がある場合には、当該先の退職までの引き続く職員としての在職期間を含む。以下この項において「要請に応じた退職前の在職期間」という。）中に前項各号のいずれかに該当したときは、当該職員に対し、同項に規定する懲戒処分を行うことができる。定年前再任用短時間勤務職員が、年齢六十年以上退職者となつた日までの引き続く職員としての在職期間（要請に応じた退職前の在職期間を含む。）又は第六十条の二第一項の規定によりかつて採用されて定年前再任用短時間勤務職員として在職していた期間中に前項各号のいずれかに該当したときも、同様とする。

本条…一部改正（昭二三法二二二・昭四〇法六九）、一項…一部改正・二項…追加（平一一法八三）、一項…一部改正（平一一法一二九）、二項…一部改正（平一一法八三）、一項…一部改正（平一二法二〇・平一四法九八・平一七法一〇二）、二項…一部改正（平一九法五八）、本条…一部改正（令三法六一）

（懲戒の効果）

第八十三条　停職の期間は、一年をこえない範囲内において、人事院規則でこれを定める。

② 停職者は、職員としての身分を保有するが、その職務に従事しない。停職者は、第九十二条の規定による場合の外、停職の期間中給与を受けることができない。

一項…全改・二項…一部改正・三項…削除（昭二三法二二二）

（懲戒権者）

第八十四条　懲戒処分は、任命権者が、これを行う。

② 人事院は、この法律に規定された調査を経て職員を懲戒手続に付することができる。

二項…追加（昭二三法二二二）

（国家公務員倫理審査会への権限の委任）

第八十四条の二　人事院は、前条第二項の規定による権限（国家公務員倫理法又はこれに基づく命令（同法第五条第三項の規定に基づく訓令及び同条第四項の規定に基づく規則を含む。）に違反する行為に関して行われるものに限る。）を国家公務員倫理審査会に委任する。

本条…追加（平一一法一二九）、一部改正（平一一法一二〇・平一四法九八・平一七法一〇二）

（刑事裁判との関係）

第八十五条　懲戒に付せられるべき事件が、刑事裁判所に係属する間においても、人事院又は人事院の承認を経て任命権者は、同一事件について、適宜に、懲戒手続を進めることができる。この法律による懲戒処分は、当該職員が、同一又は関連の事件に関し、重ねて刑事上の訴追を受けることを妨げない。

本条…全改（昭二三法二二二）

第三款　保障

第一目　勤務条件に関する行政措置の要求

（勤務条件に関する行政措置の要求）

第八十六条　職員は、俸給、給料その他あらゆる勤務条件に関し、人事院に対して、人事院若しくは内閣総理大臣又はその職員の所轄庁の長により、適当な行政上の措置が行われることを要求することができる。

本条…一部改正（昭二三法二二二・昭四〇法六九）

（事案の審査及び判定）

第八十七条　前条に規定する要求のあつたときは、人事院は、必要と認める調査、口頭審理その他の事実審査を行い、一般国民及び関係者に公平なように、且つ、職員の能率を発揮し、及び増進する見地において、事案を判定しなければならない。

本条…一部改正（昭二三法二二二）

（判定の結果採るべき措置）

第八十八条　人事院は、前条に規定する判定に基き、勤務条件に関し一定の措置を必要と認めるときは、その権限に属する事項については、自らこれを実行し、その他の事項については、内閣総理大臣又はその職員の所轄庁の長に対し、その実行を勧告しなければならない。

本条…一部改正（昭二三法二二二・昭四〇法六九）

第二目　職員の意に反する不利益な処分に関する審査

（職員の意に反する降給等の処分に関する説明書の交付）

第八十九条　職員に対し、その意に反して、降給（他の官職への降任等に伴う降給を除く。）、降任（他の官職への降任等に該当する降任を除く。）、休職若しくは免職をし、その他職員に対し著しく不利益な処分を行い、又は懲戒処分を行おうとするときは、当該処分を行う者は、当該職員に対し、当該処分の際、当該処分の事由を記載した説明書を交付しなければならない。

②　職員が前項に規定する著しく不利益な処分を受けたと思料する場合には、同項の説明書の交付を請求することができる。

③　第一項の説明書には、当該処分につき、人事院に対して審査請求をすることができる旨及び審査請求をすることができる期間を記載しなければならない。

三項…追加（昭三七法一六一）、一部改正（平二六法六九）、一・二項…一部改正（令三法六一）

（審査請求）

第九十条　前条第一項に規定する処分を受けた職員は、人事院に対してのみ審査請求をすることができる。

②　前条第一項に規定する処分及び法律に特別の定めがある処分を除くほか、職員に対する処分については、審査請求をすることができない。職員がした申請に対する不作為についても、同様とする。

③　第一項に規定する審査請求については、行政不服審査法第二章の規定を適用しない。

本条…一部改正（昭二三法二二二）、全改（昭三七法一六一）、見出し…全改・一～三項…一部改正（平二六法六九）

（審査請求期間）

第九十条の二　前条第一項に規定する審査請求は、処分説明書を受領した日の翌日から起算して三月以内にしなければならず、処分があつた日の翌日から起算して一年を経過したときは、することができない。

本条…追加（昭三七法一六一）、見出し…全改・本条…一部改正（平二六法六九）

（調査）

第九十一条　第九十条第一項に規定する審査請求を受理したときは、人事院又はその定める機関は、直ちにその事案を調査しなければならない。

② 前項に規定する場合において、処分を受けた職員から請求があつたときは、口頭審理を行わなければならない。口頭審理は、その職員から請求があつたときは、公開して行わなければならない。

③ 処分を行つた者又はその代理者及び処分を受けた職員は、すべての口頭審理に出席し、自己の代理人として弁護人を選任し、陳述を行い、証人を出席せしめ、並びに書類、記録その他のあらゆる適切な事実及び資料を提出することができる。

④ 前項に掲げる者以外の者は、当該事案に関し、人事院に対し、あらゆる事実及び資料を提出することができる。

一・四項…一部改正〔昭二三法二二二〕、一項…一部改正〔昭三七法一六一・平二六法六九〕

（調査の結果採るべき措置）

第九十二条 前条に規定する調査の結果、処分を行うべき事由のあることが判明したときは、人事院は、その処分を承認し、又はその裁量により修正しなければならない。

② 前条に規定する調査の結果、その職員に処分を受けるべき事由のないことが判明したときは、人事院は、その処分を取り消し、職員としての権利を回復するために必要で、且つ、適切な処置をなし、及びその職員がその処分によつて受けた不当な処置を是正しなければならない。人事院は、職員がその処分によつて失つた俸給の弁済を受けるように指示しなければならない。

③ 前二項の判定は、最終のものであつて、人事院規則の定めるところにより、人事院によつてのみ審査される。

本条…全改〔昭二三法二二二〕

（審査請求と訴訟との関係）

第九十二条の二 第八十九条第一項に規定する処分であつて人事院に対して審査請求をすることができるものの取消しの訴えは、審査請求に対する人事院の裁決を経た後でなければ、提起することができない。

本条…追加〔昭三七法一四〇〕、見出し…一部改正・本条…一部改正〔平二六法六九〕

第三目 公務傷病に対する補償

（公務傷病に対する補償）

第九十三条 職員が公務に基き死亡し、又は負傷し、若しくは疾病にかかり、若しくはこれに起因して死亡した場合における、本人及びその直接扶養する者がこれによつて受ける損害に対し、これを補償する制度が樹立し実施せられなければならない。

② 前項の規定による補償制度は、法律によつてこれを定める。

（法律に規定すべき事項）

第九十四条 前条の補償制度には、左の事項が定められなければならない。

一 公務上の負傷又は疾病に起因した活動不能の期間における経済的困窮に対する職員の保護に関する事項

二 公務上の負傷又は疾病に起因して、永久に、又は長期に所得能力を害せられた場合におけるその職員の受ける損害に対する補償に関する事項

三 公務上の負傷又は疾病に起因する職員の死亡の場合におけるその遺族又は職員の死亡当時その収入によつて生計を維持した者の受ける損害に対する補償に関する事項

（補償制度の立案及び実施の責務）

第九十五条 人事院は、なるべくすみやかに、補償制度の研究を行い、その成果を国会及び内閣に提出するとともに、その計画を実施しなければならない。

本条…全改〔昭二三法二二二〕

第七節 服務

（服務の根本基準）

第九十六条 すべて職員は、国民全体の奉仕者として、公共の利益のために勤務し、且つ、職務の遂行に当つては、全力を挙げてこれに専念しなければならない。

② 前項に規定する根本基準の実施に関し必要な事項は、この法律又は国家公務員倫理法に定めるものを除いては、人事院規則でこれを定める。

二項…一部改正〔昭二三法二二二・平一一法一二九〕

（服務の宣誓）

第九十七条 職員は、政令の定めるところにより、服務の宣誓をしなければならない。

本条…一部改正〔昭二三法二二二・昭四〇法六九〕

（法令及び上司の命令に従う義務並びに争議行為等の禁止）

第九十八条 職員は、その職務を遂行するについて、法令に従い、且つ、上司の職務上の命令に忠実に従わなければならない。

② 職員は、政府が代表する使用者としての公衆に対して同盟罷業、怠業その他の争議行為をなし、又は政府の活動能率を低下させる怠業的行

為をしてはならない。又、何人も、このような違法な行為を企て、又はその遂行を共謀し、そそのかし、若しくはあおつてはならない。

③　職員で同盟罷業その他前項の規定に違反する行為をした者は、その行為の開始とともに、国に対し、法令に基いて保有する任命又は雇用上の権利をもつて、対抗することができない。

本条…全改（昭二三法二二二）、四項…一部改正（昭二七法二五八・昭三五法一二二）、八項…追加（昭三七法一六一）、見出し…一部改正・二〜四・七・八項…削除・旧五・六項…三項ずつ繰上（昭四〇法六九）

（信用失墜行為の禁止）

第九十九条　職員は、その官職の信用を傷つけ、又は官職全体の不名誉となるような行為をしてはならない。

（秘密を守る義務）

第百条　職員は、職務上知ることのできた秘密を漏らしてはならない。その職を退いた後といえども同様とする。

②　法令による証人、鑑定人等となり、職務上の秘密に属する事項を発表するには、所轄庁の長（退職者については、その退職した官職又はこれに相当する官職の所轄庁の長）の許可を要する。

③　前項の許可は、法律又は政令の定める条件及び手続に係る場合を除いては、これを拒むことができない。

④　前三項の規定は、人事院で扱われる調査又は審理の際人事院から求められる情報に関しては、これを適用しない。何人も、人事院の権限によつて行われる調査又は審理に際して、秘密の又は公表を制限された情報を陳述し又は証言することを人事院から求められた場合には、何人からも許可を受ける必要がない。人事院が正式に要求した情報について、人事院に対して、陳述及び証言を行わなかつた者は、この法律の罰則の適用を受けなければならない。

⑤　前項の規定は、第十八条の四の規定により権限の委任を受けた再就職等監視委員会が行う調査について準用する。この場合において、同項中「人事院」とあるのは「再就職等監視委員会」と、「調査又は審理」とあるのは「調査」と読み替えるものとする。

三項…一部改正・四項…追加（昭二三法二二二）、三項…一部改正（昭四〇法六九）、五項…追加（平一九法一〇八）

（職務に専念する義務）

第百一条　職員は、法律又は命令の定める場合を除いては、その勤務時間及び職務上の注意力のすべてをその職責遂行のために用い、政府がなすべき責を有する職務にのみ従事しなければならない。職員は、法律又は命令の定める場合を除いては、官職を兼ねてはならない。職員は、官職を兼ねる場合においても、それに対して給与を受けてはならない。

②　前項の規定は、地震、火災、水害その他重大な災害に際し、当該官庁が職員を本職以外の業務に従事させることを妨げない。

本条…全改（昭二三法二二二）、一項…一部改正・三項…削除（昭四〇法六九）

（政治的行為の制限）

第百二条　職員は、政党又は政治的目的のために、寄附金その他の利益を求め、若しくは受領し、又は何らの方法を以てするを問わず、これらの行為に関与し、あるいは選挙権の行使を除く外、人事院規則で定める政治的行為をしてはならない。

②　職員は、公選による公職の候補者となることができない。

③　職員は、政党その他の政治的団体の役員、政治的顧問、その他これらと同様な役割をもつ構成員となることができない。

一・二項…一部改正・三項…全改（昭二三法二二二）

（私企業からの隔離）

第百三条　職員は、商業、工業又は金融業その他営利を目的とする私企業（以下営利企業という。）を営むことを目的とする会社その他の団体の役員、顧問若しくは評議員の職を兼ね、又は自ら営利企業を営んではならない。

②　前項の規定は、人事院規則の定めるところにより、所轄庁の長の申出により人事院の承認を得た場合には、これを適用しない。

③　営利企業について、株式所有の関係その他の関係により、当該企業の経営に参加し得る地位にある職員に対し、人事院は、人事院規則の定めるところにより、株式所有の関係その他の関係について報告を徴することができる。

④　人事院は、人事院規則の定めるところにより、前項の報告に基き、企業に対する関係の全部又は一部の存続が、その職員の職務遂行上適当でないと認めるときは、その旨を当該職員に通知することができる。

⑤　前項の通知を受けた職員は、その通知の内容

について不服があるときは、その通知を受領した日の翌日から起算して三月以内に、人事院に審査請求をすることができる。

⑥ 第九十条第三項並びに第九十一条第二項及び第三項の規定は前項の審査請求のあつた場合について、第九十二条の二の規定は第四項の通知の取消しの訴えについて、それぞれ準用する。

⑦ 第五項の審査請求をしなかつた職員及び人事院が同項の審査請求について調査した結果、通知の内容が正当であると裁決された職員は、人事院規則の定める期間内に、人事院規則の定めるところにより、その企業に対する関係の全部若しくは一部を絶つか、又はその官職を退かなければならない。

二項…全改・三～六・八項…一部改正（昭二三法二二二）、七項…一部改正（昭三七法一四〇）、六～八項…一部改正（昭三七法一六一）、九項…追加（昭三八法一一二）、二項・九項…一部改正（平一一法一〇四・平一四法九八・平一七法一〇二）、二項…削除・旧三項…一部改正し二項に繰上・旧四～六項…一項ずつ繰上・旧七・八項…一部改正し一項ずつ繰上・九項…削除（平一九法一〇八）、五～七項…一部改正（平二六法六九）

（他の事業又は事務の関与制限）

第百四条 職員が報酬を得て、営利企業以外の事業の団体の役員、顧問若しくは評議員の職を兼ね、その他いかなる事業に従事し、若しくは事務を行うにも、内閣総理大臣及びその職員の所轄庁の長の許可を要する。

本条…一部改正（昭二三法二二二・昭四〇法六九）

（職員の職務の範囲）

第百五条 職員は、職員としては、法律、命令、規則又は指令による職務を担当する以外の義務を負わない。

本条…全改（昭二三法二二二）

（勤務条件）

第百六条 職員の勤務条件その他職員の服務に関し必要な事項は、人事院規則でこれを定めることができる。

② 前項の人事院規則は、この法律の規定の趣旨に沿うものでなければならない。

本条…一部改正（昭二三法二二二）

第八節 退職管理

本節…追加（平一九法一〇八）

第一款 離職後の就職に関する規制

本款…追加（平一九法一〇八）

（他の役職員についての依頼等の規制）

第百六条の二 職員は、営利企業等（営利企業及び営利企業以外の法人（国、国際機関、地方公共団体、行政執行法人及び地方独立行政法人法（平成十五年法律第百十八号）第二条第二項に規定する特定地方独立行政法人を除く。）をいう。以下同じ。）に対し、他の職員若しくは行政執行法人の役員（以下「役職員」という。）をその離職後に、若しくは役職員であつた者を、当該営利企業等若しくはその子法人（当該営利企業等に財務及び営業又は事業の方針を決定する機関（株主総会その他これに準ずる機関をいう。）を支配されている法人として政令で定めるものをいう。以下同じ。）の地位に就かせることを目的として、当該役職員若しくは役職員であつた者に関する情報を提供し、若しくは当該地位に関する情報の提供を依頼し、又は当該役職員をその離職後に、若しくは役職員であつた者を、当該営利企業等若しくはその子法人の地位に就かせることを要求し、若しくは依頼してはならない。

② 前項の規定は、次に掲げる場合には適用しない。

一 職業安定法（昭和二十二年法律第百四十一号）、船員職業安定法（昭和二十三年法律第百三十号）その他の法令の定める職業の安定に関する事務として行う場合

二 退職手当通算予定職員を退職手当通算法人の地位に就かせることを目的として行う場合（独立行政法人通則法第五十四条第一項において読み替えて準用する第四項に規定する退職手当通算予定役員を同条第一項において準用する次項に規定する退職手当通算法人の地位に就かせることを目的として行う場合を含む。）

三 官民人材交流センター（以下「センター」という。）の職員が、その職務として行う場合

③ 前項第二号の「退職手当通算法人」とは、独立行政法人（独立行政法人通則法第二条第一項に規定する独立行政法人をいう。以下同じ。）その他特別の法律により設立された法人でその業務が国の事務又は事業と密接な関連を有するもののうち政令で定めるもの（退職手当（これに相当する給付を含む。）に関する規程において、職員が任命権者又はその委任を受けた者の要請に応じ、引き続いて当該法人の役員又は当該法人に使用される者となつた場合に、職員としての勤続期間を当該法人の役員又は当該法人

に使用される者としての勤続期間に通算することと定めている法人に限る。）をいう。

④　第二項第二号の「退職手当通算予定職員」とは、任命権者又はその委任を受けた者の要請に応じ、引き続いて退職手当通算法人（前項に規定する退職手当通算法人をいう。以下同じ。）の役員又は退職手当通算法人に使用される者となるため退職することとなる職員であつて、当該退職手当通算法人に在職した後、特別の事情がない限り引き続いて選考による採用が予定されている者のうち政令で定めるものをいう。

本条…追加（平一九法一〇八）、一・二項…一部改正（平二六法六七）

（在職中の求職の規制）

第百六条の三　職員は、利害関係企業等（営利企業等のうち、職員の職務に利害関係を有するものとして政令で定めるものをいう。以下同じ。）に対し、離職後に当該利害関係企業等若しくはその子法人の地位に就くことを目的として、自己に関する情報を提供し、若しくは当該地位に関する情報の提供を依頼し、又は当該地位に就くことを要求し、若しくは約束してはならない。

②　前項の規定は、次に掲げる場合には適用しない。

一　退職手当通算予定職員（前条第四項に規定する退職手当通算予定職員をいう。以下同じ。）が退職手当通算法人に対して行う場合

二　在職する局等組織（国家行政組織法第七条第一項に規定する官房若しくは局、同法第八条の二に規定する施設等機関その他これらに準ずる国の部局若しくは機関として政令で定めるもの、これらに相当する行政執行法人の組織として政令で定めるもの又は都道府県警察をいう。以下同じ。）の意思決定の権限を実質的に有しない官職として政令で定めるものに就いている職員が行う場合

三　センターから紹介された利害関係企業等との間で、当該利害関係企業等又はその子法人の地位に就くことに関して職員が行う場合

四　職員が利害関係企業等に対し、当該利害関係企業等若しくはその子法人の地位に就くことを目的として、自己に関する情報を提供し、若しくは当該地位に関する情報の提供を依頼し、又は当該地位に就くことを要求し、若しくは約束することにより公務の公正性の確保に支障が生じないと認められる場合として政令で定める場合において、政令で定める手続により内閣総理大臣の承認を得た職員が当該承認に係る利害関係企業等に対して行う場合

③　前項第四号の規定による内閣総理大臣が承認する権限は、再就職等監視委員会に委任する。

④　前項の規定により再就職等監視委員会に委任された権限は、政令で定めるところにより、再就職等監察官に委任することができる。

⑤　再就職等監視委員会が第三項の規定により委任を受けた権限に基づき行う承認（前項の規定により委任を受けた権限に基づき再就職等監察官が行う承認を含む。）についての審査請求は、再就職等監視委員会に対して行うことができる。

本条…追加（平一九法一〇八）、二項…一部改正（平二六法六七）、五項…一部改正（平二六法六九）

（再就職者による依頼等の規制）

第百六条の四　職員であつた者であつて離職後に営利企業等の地位に就いている者（退職手当通算予定職員であつた者であつて引き続いて退職手当通算法人の地位に就いている者（以下「退職手当通算離職者」という。）を除く。以下「再就職者」という。）は、離職前五年間に在職していた局等組織に属する役職員又はこれに類する者として政令で定めるものに対し、国、行政執行法人若しくは都道府県と当該営利企業等若しくはその子法人との間で締結される売買、貸借、請負その他の契約又は当該営利企業等若しくはその子法人に対して行われる行政手続法（平成五年法律第八十八号）第二条第二号に規定する処分に関する事務（以下「契約等事務」という。）であつて離職前五年間の職務に属するものに関し、離職後二年間、職務上の行為をするように、又はしないように要求し、又は依頼してはならない。

②　前項の規定によるもののほか、再就職者のうち、国家行政組織法第二十一条第一項に規定する部長若しくは課長の職又はこれらに準ずる職であつて政令で定めるものに、離職した日の五年前の日より前に就いていた者は、当該職に就いていた時に在職していた局等組織に属する役職員又はこれに類する者として政令で定めるものに対し、契約等事務であつて離職した日の五年前の日より前の職務（当該職に就いていたときの職務に限る。）に属するものに関し、離職後二年間、職務上の行為をするように、又はしないように要求し、又は依頼してはならない。

③　前二項の規定によるもののほか、再就職者のうち、国家行政組織法第六条に規定する長官、同法第十八条第一項に規定する事務次官、同法第二十一条第一項に規定する事務局長若しくは局長の職又はこれらに準ずる職であつて政令で定めるものに就いていた者は、当該職に就いていた時に在職していた府省その他の政令で定める国の機関、行政執行法人若しくは都道府県警察（以下「局長等としての在職機関」という。）に属する役職員又はこれに類する者として政令で定めるものに対し、契約等事務であつて局長等としての在職機関の所掌に属するものに関し、離職後二年間、職務上の行為をするように、又はしないように要求し、又は依頼してはならない。

④　前三項の規定によるもののほか、再就職者は、在職していた府省その他の政令で定める国の機関、行政執行法人若しくは都道府県警察（以下この項において「行政機関等」という。）に属する役職員又はこれに類する者として政令で定めるものに対し、国、行政執行法人若しくは都道府県と営利企業等（当該再就職者が現にその地位に就いているものに限る。）若しくはその子法人との間の契約であつて当該行政機関等においてその締結について自らが決定したもの又は当該行政機関等による当該営利企業等若しくはその子法人に対する行政手続法第二条第二号に規定する処分であつて自らが決定したものに関し、職務上の行為をするように、又はしないように要求し、又は依頼してはならない。

⑤　前各項の規定は、次に掲げる場合には適用しない。

一　試験、検査、検定その他の行政上の事務であつて、法律の規定に基づく行政庁による指定若しくは登録その他の処分（以下「指定等」という。）を受けた者が行う当該指定等に係るもの若しくは行政庁から委託を受けた者が行う当該委託に係るものを遂行するために必要な場合、又は国の事務若しくは事業と密接な関連を有する業務として政令で定めるものを行うために必要な場合

二　行政庁に対する権利若しくは義務を定めている法令の規定若しくは国、行政執行法人若しくは都道府県との間で締結された契約に基づき、権利を行使し、若しくは義務を履行する場合、行政庁の処分により課された義務を履行する場合又はこれらに類する場合として政令で定める場合

三　行政手続法第二条第三号に規定する申請又は同条第七号に規定する届出を行う場合

四　会計法（昭和二十二年法律第三十五号）第二十九条の三第一項に規定する競争の手続、行政執行法人が公告して申込みをさせることによる競争の手続又は地方自治法（昭和二十二年法律第六十七号）第二百三十四条第一項に規定する一般競争入札若しくはせり売りの手続に従い、売買、貸借、請負その他の契約を締結するために必要な場合

五　法令の規定により又は慣行として公にされ、又は公にすることが予定されている情報の提供を求める場合（一定の日以降に公にすることが予定されている情報を同日前に開示するよう求める場合を除く。）

六　再就職者が役職員（これに類する者を含む。以下この号において同じ。）に対し、契約等事務に関し、職務上の行為をするように、又はしないように要求し、又は依頼することにより公務の公正性の確保に支障が生じないと認められる場合として政令で定める場合において、政令で定める手続により内閣総理大臣の承認を得て、再就職者が当該承認に係る役職員に対し、当該承認に係る契約等事務に関し、職務上の行為をするように、又はしないように要求し、又は依頼する場合

⑥　前項第六号の規定による内閣総理大臣が承認する権限は、再就職等監視委員会に委任する。

⑦　前項の規定により再就職等監視委員会に委任された権限は、政令で定めるところにより、再就職等監察官に委任することができる。

⑧　再就職等監視委員会が第六項の規定により委任を受けた権限に基づき行う承認（前項の規定により委任を受けた権限に基づき再就職等監察官が行う承認を含む。）についての審査請求は、再就職等監視委員会に対して行うことができる。

⑨　職員は、第五項各号に掲げる場合を除き、再就職者から第一項から第四項までの規定により禁止される要求又は依頼を受けたとき（独立行政法人通則法第五十四条第一項において準用する第一項から第四項までの規定により禁止される要求又は依頼を受けたときを含む。）は、政令で定めるところにより、再就職等監察官にその旨を届け出なければならない。

本条…追加（平一九法一〇八）、一・三〜五・九項…一

部改正（平二六法六七）、八項…一部改正（平二六法六九）

第二款　再就職等監視委員会

本款…追加（平一九法一〇八）

（設置）

第百六条の五　内閣府に、再就職等監視委員会（以下「委員会」という。）を置く。

② 委員会は、次に掲げる事務をつかさどる。

一　第十八条の四の規定により委任を受けた権限に基づき調査を行うこと。

二　第百六条の三第三項及び前条第六項の規定により委任を受けた権限に基づき承認を行うこと。

三　前二号に掲げるもののほか、この法律及び他の法律の規定によりその権限に属させられた事項を処理すること。

本条…追加（平一九法一〇八）

（職権の行使）

第百六条の六　委員会の委員長及び委員は、独立してその職権を行う。

本条…追加（平一九法一〇八）

（組織）

第百六条の七　委員会は、委員長及び委員四人をもつて組織する。

② 委員は、非常勤とする。

③ 委員長は、会務を総理し、委員会を代表する。

④ 委員長に事故があるときは、あらかじめその指名する委員が、その職務を代理する。

本条…追加（平一九法一〇八）

（委員長及び委員の任命）

第百六条の八　委員長及び委員は、人格が高潔であり、職員の退職管理に関する事項に関し公正な判断をすることができ、法律又は社会に関する学識経験を有する者であつて、かつ、役職員又は自衛隊員としての前歴（検察官その他の職務の特殊性を勘案して政令で定める者としての前歴を除く。）を有しない者のうちから、両議院の同意を得て、内閣総理大臣が任命する。

② 委員長又は委員の任期が満了し、又は欠員を生じた場合において、国会の閉会又は衆議院の解散のために両議院の同意を得ることができないときは、内閣総理大臣は、前項の規定にかかわらず、委員長又は委員を任命することができる。

③ 前項の場合においては、任命後最初の国会において両議院の事後の承認を得なければならない。この場合において、両議院の事後の承認を得られないときは、内閣総理大臣は、直ちにその委員長又は委員を罷免しなければならない。

本条…追加（平一九法一〇八）、一項…一部改正（平二六法二二）

（委員長及び委員の任期）

第百六条の九　委員長及び委員の任期は、三年とする。ただし、補欠の委員長及び委員の任期は、前任者の残任期間とする。

② 委員長及び委員は、再任されることができる。

③ 委員長及び委員の任期が満了したときは、当該委員長及び委員は、後任者が任命されるまで引き続きその職務を行うものとする。

本条…追加（平一九法一〇八）

（身分保障）

第百六条の十　委員長及び委員は、次の各号のいずれかに該当する場合を除いては、在任中、その意に反して罷免されることがない。

一　破産手続開始の決定を受けたとき。

二　拘禁刑以上の刑に処せられたとき。

三　役職員又は自衛隊員（第百六条の八第一項に規定する政令で定める者を除く。）となつたとき。

四　委員会により、心身の故障のため職務の執行ができないと認められたとき、又は職務上の義務違反その他委員長若しくは委員たるに適しない非行があると認められたとき。

本条…追加（平一九法一〇八）、一部改正（平二六法二二・令四法六八）

（罷免）

第百六条の十一　内閣総理大臣は、委員長又は委員が前条各号のいずれかに該当するときは、その委員長又は委員を罷免しなければならない。

本条…追加（平一九法一〇八）

（服務）

第百六条の十二　委員長及び委員は、職務上知ることのできた秘密を漏らしてはならない。その職を退いた後も同様とする。

② 委員長及び委員は、在任中、政党その他の政治的団体の役員となり、又は積極的に政治運動をしてはならない。

③ 委員長は、在任中、内閣総理大臣の許可のある場合を除くほか、報酬を得て他の職務に従事し、又は営利事業を営み、その他金銭上の利益を目的とする業務を行つてはならない。

本条…追加（平一九法一〇八）

（給与）

第百六条の十三　委員長及び委員の給与は、別に法律で定める。

本条…追加（平一九法一〇八）

（再就職等監察官）

第百六条の十四　委員会に、再就職等監察官（以下「監察官」という。）を置く。

② 監察官は、委員会の定めるところにより、次に掲げる事務を行う。

一　第百六条の三第四項及び第百六条の四第七項の規定により委任を受けた権限に基づき承認を行うこと。

二　第百六条の四第九項の規定による届出を受理すること。

三　第百六条の十九及び第百六条の二十第一項の規定による調査を行うこと。

四　前三号に掲げるもののほか、この法律及び他の法律の規定によりその権限に属させられた事項を処理すること。

③ 監察官のうち常勤とすべきものの定数は、政令で定める。

④ 前項に規定するもののほか、監察官は、非常勤とする。

⑤ 監察官は、役職員又は自衛隊員としての前歴（検察官その他の職務の特殊性を勘案して政令で定める者としての前歴を除く。）を有しない者のうちから、委員会の議決を経て、内閣総理大臣が任命する。

本条…追加（平一九法一〇八）、五項…一部改正（平二六法二二）

（事務局）

第百六条の十五　委員会の事務を処理させるため、委員会に事務局を置く。

② 事務局に、事務局長のほか、所要の職員を置く。

③ 事務局長は、委員長の命を受けて、局務を掌理する。

本条…追加（平一九法一〇八）

（違反行為の疑いに係る任命権者の報告）

第百六条の十六　任命権者は、職員又は職員であつた者に再就職等規制違反行為（第百六条の二から第百六条の四までの規定に違反する行為をいう。以下同じ。）を行つた疑いがあると思料するときは、その旨を委員会に報告しなければならない。

本条…追加（平一九法一〇八）

（任命権者による調査）

第百六条の十七　任命権者は、職員又は職員であつた者に再就職等規制違反行為を行つた疑いがあると思料して当該再就職等規制違反行為に関して調査を行おうとするときは、委員会にその旨を通知しなければならない。

② 委員会は、任命権者が行う前項の調査の経過について、報告を求め、又は意見を述べることができる。

③ 任命権者は、第一項の調査を終了したときは、遅滞なく、委員会に対し、当該調査の結果を報告しなければならない。

本条…追加（平一九法一〇八）

（任命権者に対する調査の要求等）

第百六条の十八　委員会は、第百六条の四第九項の届出、第百六条の十六の報告又はその他の事由により職員又は職員であつた者に再就職等規制違反行為を行つた疑いがあると思料するときは、任命権者に対し、当該再就職等規制違反行為に関する調査を行うよう求めることができる。

② 前条第二項及び第三項の規定は、前項の規定により行われる調査について準用する。

本条…追加（平一九法一〇八）

（共同調査）

第百六条の十九　委員会は、第百六条の十七第二項（前条第二項において準用する場合を含む。）の規定により報告を受けた場合において必要があると認めるときは、再就職等規制違反行為に関し、監察官に任命権者と共同して調査を行わせることができる。

本条…追加（平一九法一〇八）

（委員会による調査）

第百六条の二十　委員会は、第百六条の四第九項の届出、第百六条の十六の報告又はその他の事由により職員又は職員であつた者に再就職等規制違反行為を行つた疑いがあると思料する場合であつて、特に必要があると認めるときは、当該再就職等規制違反行為に関する調査の開始を決定し、監察官に当該調査を行わせることができる。

② 任命権者は、前項の調査に協力しなければならない。

③ 委員会は、第一項の調査を終了したときは、遅滞なく、任命権者に対し、当該調査の結果を通知しなければならない。

本条…追加（平一九法一〇八）

（勧告）

第百六条の二十一　委員会は、第百六条の十七第三項（第百六条の十八第二項において準用する場合を含む。）の規定による調査の結果の報告に照らし、又は第百六条の十九若しくは前条第一項の規定により監察官に調査を行わせた結果、任命権者において懲戒処分その他の措置を行うことが適当であると認めるときは、任命権者に対し、当該措置を行うべき旨の勧告をすることができる。

② 任命権者は、前項の勧告に係る措置について、委員会に対し、報告しなければならない。

③ 委員会は、内閣総理大臣に対し、この節の規定の適切な運用を確保するために必要と認められる措置について、勧告することができる。

本条…追加（平一九法一〇八）

（政令への委任）

第百六条の二十二　第百六条の五から前条までに規定するもののほか、委員会に関し必要な事項は、政令で定める。

本条…追加（平一九法一〇八）

第三款　雑則

本款…追加（平一九法一〇八）

（任命権者への届出）

第百六条の二十三　職員（退職手当通算予定職員を除く。）は、離職後に営利企業等の地位に就くことを約束した場合には、速やかに、政令で定めるところにより、任命権者に政令で定める事項を届け出なければならない。

② 前項の届出を受けた任命権者は、第百六条の三第一項の規定の趣旨を踏まえ、当該届出を行つた職員の任用を行うものとする。

③ 第一項の届出を受けた任命権者は、当該届出を行つた職員が管理又は監督の地位にある職員の官職として政令で定めるものに就いている職員（以下「管理職職員」という。）である場合には、速やかに、当該届出に係る事項を内閣総理大臣に通知するものとする。

本条…追加（平一九法一〇八）

（内閣総理大臣への届出）

第百六条の二十四　管理職職員であつた者（退職手当通算離職者を除く。次項において同じ。）は、離職後二年間、次に掲げる法人の役員その他の地位であつて政令で定めるものに就こうとする場合（前条第一項の規定により政令で定める事項を届け出た場合を除く。）には、あらかじめ、政令で定めるところにより、内閣総理大臣に政令で定める事項を届け出なければならない。

一　行政執行法人以外の独立行政法人

二　特殊法人（法律により直接に設立された法人及び特別の法律により特別の設立行為をもつて設立された法人（独立行政法人に該当するものを除く。）のうち政令で定めるものをいう。）

三　認可法人（特別の法律により設立され、かつ、その設立に関し行政庁の認可を要する法人のうち政令で定めるものをいう。）

四　公益社団法人又は公益財団法人（国と特に密接な関係があるものとして政令で定めるものに限る。）

② 管理職職員であつた者は、離職後二年間、営利企業以外の事業の団体の地位に就き、若しくは事業に従事し、若しくは事務を行うこととなつた場合（報酬を得る場合に限る。）又は営利企業（前項第二号又は第三号に掲げる法人を除く。）の地位に就いた場合は、前条第一項又は前項の規定による届出を行つた場合、日々雇い入れられる者となつた場合その他政令で定める場合を除き、政令で定めるところにより、速やかに、内閣総理大臣に政令で定める事項を届け出なければならない。

本条…追加（平一九法一〇八）、一項…一部改正（平二六法六七）

（内閣総理大臣による報告及び公表）

第百六条の二十五　内閣総理大臣は、第百六条の二十三第三項の規定による通知及び前条の規定による届出を受けた事項について、遅滞なく、政令で定めるところにより、内閣に報告しなければならない。

② 内閣は、毎年度、前項の報告を取りまとめ、政令で定める事項を公表するものとする。

本条…追加（平一九法一〇八）

（退職管理基本方針）

第百六条の二十六　内閣総理大臣は、あらかじめ、第五十五条第一項に規定する任命権者及び法律で別に定められた任命権者と協議して職員の退職管理に関する基本的な方針（以下「退職管理基本方針」という。）の案を作成し、閣議の決定を求めなければならない。

② 内閣総理大臣は、前項の規定による閣議の決定があつたときは、遅滞なく、退職管理基本方針を公表しなければならない。

③ 前二項の規定は、退職管理基本方針の変更について準用する。

④ 任命権者は、退職管理基本方針に沿つて、職員の退職管理を行わなければならない。

本条…追加（平一九法一〇八）

（再就職後の公表）

第百六条の二十七 在職中に第百六条の三第二項第四号の承認を得た管理職職員が離職後に当該承認に係る営利企業等の地位に就いた場合には、当該管理職職員が離職時に在職していた府省その他の政令で定める国の機関、行政執行法人又は都道府県警察（以下この条において「在職機関」という。）は、政令で定めるところにより、その者の離職後二年間（その者が当該営利企業等の地位に就いている間に限る。）、次に掲げる事項を公表しなければならない。

一 その者の氏名

二 在職機関が当該営利企業等に対して交付した補助金等（補助金等に係る予算の執行の適正化に関する法律（昭和三十年法律第百七十九号）第二条第一項に規定する補助金等をいう。）の総額

三 在職機関と当該営利企業等との間の売買、貸借、請負その他の契約の総額

四 その他政令で定める事項

本条…追加（平一九法一〇八）、一部改正（平二六法六七）

第九節 退職年金制度

本節…全改（昭二四法一六三）、旧八節…繰下（平一九法一〇八）

（退職年金制度）

第百七条 職員が、相当年限忠実に勤務して退職した場合、公務に基く負傷若しくは疾病に基き退職した場合又は公務に基き死亡した場合におけるその者又はその遺族に支給する年金に関する制度が、樹立し実施せられなければならない。

② 前項の年金制度は、退職又は死亡の時の条件を考慮して、本人及びその退職又は死亡の当時直接扶養する者のその後における適当な生活の維持を図ることを目的とするものでなければならない。

③ 第一項の年金制度は、健全な保険数理を基礎として定められなければならない。

④ 前三項の規定による年金制度は、法律によつてこれを定める。

本条…全改（昭二四法一六三）

（意見の申出）

第百八条 人事院は、前条の年金制度に関し調査研究を行い、必要な意見を国会及び内閣に申し出ることができる。

三・四項…一部改正（昭二三法二二二）、本条…全改（昭二四法一六三）

第十節 職員団体

本節…追加（昭四〇法六九）、旧九節…繰下（平一九法一〇八）

（職員団体）

第百八条の二 この法律において「職員団体」とは、職員がその勤務条件の維持改善を図ることを目的として組織する団体又はその連合体をいう。

② 前項の「職員」とは、第五項に規定する職員以外の職員をいう。

③ 職員は、職員団体を結成し、若しくは結成せず、又はこれに加入し、若しくは加入しないことができる。ただし、重要な行政上の決定を行う職員、重要な行政上の決定に参画する管理的地位にある職員、職員の任免に関して直接の権限を持つ監督的地位にある職員、職員の任免、分限、懲戒若しくは服務、職員の給与その他の勤務条件又は職員団体との関係についての当局の計画及び方針に関する機密の事項に接し、そのためにその職務上の義務と責任とが職員団体の構成員としての誠意と責任とに直接に抵触すると認められる監督的地位にある職員その他職員団体との関係において当局の立場に立つて遂行すべき職務を担当する職員（以下「管理職員等」という。）と管理職員等以外の職員とは、同一の職員団体を組織することができず、管理職員等と管理職員等以外の職員とが組織する団体は、この法律にいう「職員団体」ではない。

④ 前項ただし書に規定する管理職員等の範囲は、人事院規則で定める。

⑤ 警察職員及び海上保安庁又は刑事施設において勤務する職員は、職員の勤務条件の維持改善を図ることを目的とし、かつ、当局と交渉する団体を結成し、又はこれに加入してはならない。

本条…追加（昭四〇法六九）、三項…一部改正（昭五三法七九）、五項…一部改正（平一七法五〇）

（職員団体の登録）

第百八条の三 職員団体は、人事院規則で定めるところにより、理事その他の役員の氏名及び人事院規則で定める事項を記載した申請書に規約を添えて人事院に登録を申請することができる。

② 職員団体の規約には、少なくとも次に掲げる事項を記載するものとする。

一　名称
二　目的及び業務
三　主なる事務所の所在地
四　構成員の範囲及びその資格の得喪に関する規定
五　理事その他の役員に関する規定
六　次項に規定する事項を含む業務執行、会議及び投票に関する規定
七　経費及び会計に関する規定
八　他の職員団体との連合に関する規定
九　規約の変更に関する規定
十　解散に関する規定

③　職員団体が登録される資格を有し、及び引き続いて登録されているためには、規約の作成又は変更、役員の選挙その他これらに準ずる重要な行為が、すべての構成員が平等に参加する機会を有する直接かつ秘密の投票による全員の過半数（役員の選挙については、投票者の過半数）によつて決定される旨の手続を定め、かつ、現実にその手続によりこれらの重要な行為が決定されることを必要とする。ただし、連合体である職員団体又は全国的規模をもつ職員団体にあつては、すべての構成員が平等に参加する機会を有する構成団体ごと又は地域若しくは職域ごとの直接かつ秘密の投票による投票者の過半数で代議員を選挙し、この代議員の全員が平等に参加する機会を有する直接かつ秘密の投票による全員の過半数（役員の選挙については、投票者の過半数）によつて決定される旨の手続を定め、かつ、現実に、その手続により決定されることをもつて足りるものとする。

④　前項に定めるもののほか、職員団体が登録される資格を有し、及び引き続いて登録されているためには、前条第五項に規定する職員以外の職員のみをもつて組織されていることを必要とする。ただし、同項に規定する職員以外の職員であつた者でその意に反して免職され、若しくは懲戒処分としての免職の処分を受け、当該処分を受けた日の翌日から起算して一年以内のもの又はその期間内に当該処分について法律の定めるところにより審査請求をし、若しくは訴えを提起し、これに対する裁決若しくは裁判が確定するに至らないものを構成員にとどめていること、及び当該職員団体の役員である者を構成員としていることを妨げない。

⑤　人事院は、登録を申請した職員団体が前三項の規定に適合するものであるときは、人事院規則で定めるところにより、規約及び第一項に規定する申請書の記載事項を登録し、当該職員団体にその旨を通知しなければならない。この場合において、職員でない者の役員就任を認めている職員団体を、そのゆえをもつて登録の要件に適合しないものと解してはならない。

⑥　登録された職員団体が職員団体でなくなつたとき、登録された職員団体について第二項から第四項までの規定に適合しない事実があつたとき、又は登録された職員団体が第九項の規定による届出をしなかつたときは、人事院は、人事院規則で定めるところにより、六十日を超えない範囲内で当該職員団体の登録の効力を停止し、又は当該職員団体の登録を取り消すことができる。

⑦　前項の規定による登録の取消しに係る聴聞の期日における審理は、当該職員団体から請求があつたときは、公開により行わなければならない。

⑧　第六項の規定による登録の取消しは、当該処分の取消しの訴えを提起することができる期間内及び当該処分の取消しの訴えの提起があつたときは当該訴訟が裁判所に係属する間は、その効力を生じない。

⑨　登録された職員団体は、その規約又は第一項に規定する申請書の記載事項に変更があつたときは、人事院規則で定めるところにより、人事院にその旨を届け出なければならない。この場合においては、第五項の規定を準用する。

⑩　登録された職員団体は、解散したときは、人事院規則で定めるところにより、人事院にその旨を届け出なければならない。

本条…追加（昭四〇法六九）、六項…一部改正・七項…追加・旧七～九項…一項ずつ繰下（昭五三法七九）、六項・旧七項…一部改正・七項…追加・旧七～九項…一項ずつ繰下・旧一〇項…削除（平五法八九）、四項…一部改正（平二六法六九）

第百八条の四　削除

本条…削除（平一八法五〇）

（交渉）

第百八条の五　当局は、登録された職員団体から、職員の給与、勤務時間その他の勤務条件に関し、及びこれに附帯して、社交的又は厚生的活動を含む適法な活動に係る事項に関し、適法な交渉の申入れがあつた場合においては、その申入れに応ずべき地位に立つものとする。

②　職員団体と当局との交渉は、団体協約を締結する権利を含まないものとする。

③　国の事務の管理及び運営に関する事項は、交渉の対象とすることができない。

④　職員団体が交渉することのできる当局は、交渉事項について適法に管理し、又は決定することのできる当局とする。

⑤　交渉は、職員団体と当局があらかじめ取り決めた員数の範囲内で、職員団体がその役員の中から指名する者と当局の指名する者との間において行なわなければならない。交渉に当たつては、職員団体と当局との間において、議題、時間、場所その他必要な事項をあらかじめ取り決めて行なうものとする。

⑥　前項の場合において、特別の事情があるときは、職員団体は、役員以外の者を指名することができるものとする。ただし、その指名する者は、当該交渉の対象である特定の事項について交渉する適法な委任を当該職員団体の執行機関から受けたことを文書によつて証明できる者でなければならない。

⑦　交渉は、前二項の規定に適合しないこととなつたとき、又は他の職員の職務の遂行を妨げ、若しくは国の事務の正常な運営を阻害することとなつたときは、これを打ち切ることができる。

⑧　本条に規定する適法な交渉は、勤務時間中においても行なうことができるものとする。

⑨　職員は、職員団体に属していないという理由で、第一項に規定する事項に関し、不満を表明し、又は意見を申し出る自由を否定されてはならない。

本条…追加（昭四〇法六九）

（人事院規則の制定改廃に関する職員団体からの要請）

第百八条の五の二　登録された職員団体は、人事院規則の定めるところにより、職員の勤務条件について必要があると認めるときは、人事院に対し、人事院規則を制定し、又は改廃することを要請することができる。

②　人事院は、前項の規定による要請を受けたときは、速やかに、その内容を公表するものとする。

本条…追加（平二六法二二）

（職員団体のための職員の行為の制限）

第百八条の六　職員は、職員団体の業務にもつぱら従事することができない。ただし、所轄庁の長の許可を受けて、登録された職員団体の役員としてもつぱら従事する場合は、この限りでない。

②　前項ただし書の許可は、所轄庁の長が相当と認める場合に与えることができるものとし、これを与える場合においては、所轄庁の長は、その許可の有効期間を定めるものとする。

③　第一項ただし書の規定により登録された職員団体の役員として専ら従事する期間は、職員としての在職期間を通じて五年（行政執行法人の労働関係に関する法律（昭和二十三年法律第二百五十七号）第二条第二号の職員として同法第七条第一項ただし書の規定により労働組合の業務に専ら従事したことがある職員については、五年からその専ら従事した期間を控除した期間）を超えることができない。

④　第一項ただし書の許可は、当該許可を受けた職員が登録された職員団体の役員として当該職員団体の業務にもつぱら従事する者でなくなつたときは、取り消されるものとする。

⑤　第一項ただし書の許可を受けた職員は、その許可が効力を有する間は、休職者とする。

⑥　職員は、人事院規則で定める場合を除き、給与を受けながら、職員団体のためその業務を行ない、又は活動してはならない。

本条…追加（昭四〇法六九）、三項…一部改正（昭四六法一一七・昭六一法九三・平一一法一〇四・平一四法九八・平二四法四二・平二六法六七）

（不利益取扱いの禁止）

第百八条の七　職員は、職員団体の構成員であること、これを結成しようとしたこと、若しくはこれに加入しようとしたこと、又はその職員団体における正当な行為をしたことのために不利益な取扱いを受けない。

本条…追加（昭四〇法六九）

第四章　罰則

第百九条　次の各号のいずれかに該当する者は、一年以下の拘禁刑又は五十万円以下の罰金に処する。

一　第七条第三項の規定に違反して任命を受諾した者

二　第八条第三項の規定に違反して故意に人事官を罷免しなかつた閣員

三　人事官の欠員を生じた後六十日以内に人事官を任命しなかつた閣員（此の期間内に両議院の同意を経なかつた場合にはこの限りでな

い。）
四　第十五条の規定に違反して官職を兼ねた者
五　第十六条第二項の規定に違反して故意に人事院規則及びその改廃を官報に掲載することを怠つた者
六　第十九条の規定に違反して故意に人事記録の作成、保管又は改訂をしなかつた者
七　第二十条の規定に違反して故意に報告しなかつた者
八　第二十七条の規定に違反して差別をした者
九　第四十七条第三項の規定に違反して採用試験の公告を怠り又はこれを抑止した職員
十　第八十三条第一項の規定に違反して停職を命じた者
十一　第九十二条の規定によつてなされる人事院の判定、処置又は指示に故意に従わなかつた者
十二　第百条第一項若しくは第二項又は第百六条の十二第一項の規定に違反して秘密を漏らした者
十三　第百三条の規定に違反して営利企業の地位に就いた者
十四　離職後二年を経過するまでの間に、離職前五年間に在職していた局等組織に属する役職員又はこれに類する者として政令で定めるものに対し、契約等事務であつて離職前五年間の職務に属するものに関し、職務上不正な行為をするように、又は相当の行為をしないように要求し、又は依頼した再就職者
十五　国家行政組織法第二十一条第一項に規定する部長若しくは課長の職又はこれらに準ずる職であつて政令で定めるものに離職した日の五年前の日より前に就いていた者であつて、離職後二年を経過するまでの間に、当該職に就いていた時に在職していた局等組織に属する役職員又はこれに類する者として政令で定めるものに対し、契約等事務であつて離職した日の五年前の日より前の職務（当該職に就いていたときの職務に限る。）に属するものに関し、職務上不正な行為をするように、又は相当の行為をしないように要求し、又は依頼した再就職者
十六　国家行政組織法第六条に規定する長官、同法第十八条第一項に規定する事務次官、同法第二十一条第一項に規定する事務局長若しくは局長の職又はこれらに準ずる職であつて政令で定めるものに就いていた者であつて、離職後二年を経過するまでの間に、局長等としての在職機関に属する役職員又はこれに類する者として政令で定めるものに対し、契約等事務であつて局長等としての在職機関の所掌に属するものに関し、職務上不正な行為をするように、又は相当の行為をしないように要求し、又は依頼した再就職者
十七　在職していた府省その他の政令で定める国の機関、行政執行法人若しくは都道府県警察（以下この号において「行政機関等」という。）に属する役職員又はこれに類する者として政令で定めるものに対し、国、行政執行法人若しくは都道府県と営利企業等（再就職者が現にその地位に就いているものに限る。）若しくはその子法人との間の契約であつて当該行政機関等においてその締結について自らが決定したもの又は当該行政機関等による当該営利企業等若しくはその子法人に対する行政手続法第二条第二号に規定する処分であつて自らが決定したものに関し、職務上不正な行為をするように、又は相当の行為をしないように要求し、又は依頼した再就職者
十八　第十四号から前号までに掲げる再就職者から要求又は依頼（独立行政法人通則法第五十四条第一項において準用する第十四号から前号までに掲げる要求又は依頼を含む。）を受けた職員であつて、当該要求又は依頼を受けたことを理由として、職務上不正な行為をし、又は相当の行為をしなかつた者

本条…全改（昭二三法二二二）、一部改正（昭二三法二五八・昭四〇法六九・平一九法一〇八・平二六法六七・令四法六八）

第百十条　次の各号のいずれかに該当する者は、三年以下の拘禁刑又は百万円以下の罰金に処する。
一　第二条第六項の規定に違反した者
二　第十七条第二項（第十八条の三第二項において準用する場合を含む。次号及び第四号において同じ。）の規定による証人として喚問を受け虚偽の陳述をした者
三　第十七条第二項の規定により証人として喚問を受け正当の理由がなくてこれに応ぜず、又は同項の規定により書類若しくはその写しの提出を求められ正当の理由がなくてこれに応じなかつた者
四　第十七条第二項の規定により書類又はその

写しの提出を求められ、虚偽の事項を記載した書類又は写しを提出した者

五　第十七条第三項（第十八条の三第二項において準用する場合を含む。）の規定による検査を拒み、妨げ、若しくは忌避し、又は質問に対して陳述をせず、若しくは虚偽の陳述をした者（第十七条第一項の調査の対象である職員（第十八条の三第二項において準用する場合にあつては、同条第一項の調査の対象である職員又は職員であつた者）を除く。）

六　第十八条の規定に違反して給与を支払つた者

七　第三十三条第一項の規定に違反して任命をした者

八　第三十九条の規定による禁止に違反した者

九　第四十条の規定に違反して虚偽行為を行つた者

十　第四十一条の規定に違反して受験若しくは任用を阻害し又は情報を提供した者

十一　第六十三条の規定に違反して給与を支給した者

十二　第六十八条の規定に違反して給与の支払をした者

十三　第七十条の規定に違反して給与の支払について故意に適当な措置をとらなかつた人事官

十四　第八十三条第二項の規定に違反して停職者に俸給を支給した者

十五　第八十六条の規定に違反して故意に勤務条件に関する行政措置の要求の申出を妨げた者

十六　何人たるを問わず第九十八条第二項前段に規定する違法な行為の遂行を共謀し、唆し、若しくはあおり、又はこれらの行為を企てた者

十七　第百条第四項（同条第五項において準用する場合を含む。）の規定に違反して陳述及び証言を行わなかつた者

十八　第百二条第一項に規定する政治的行為の制限に違反した者

十九　第百八条の二第五項の規定に違反して団体を結成した者

② 前項第八号に該当する者の収受した金銭その他の利益は、これを没収する。その全部又は一部を没収することができないときは、その価額を追徴する。

本条…全改（昭二三法二二二）、一項…一部改正（昭四〇法六九・平一一法一二九・平一九法一〇八・令三法七五・令四法六八）

第百十一条　第百九条第二号から第四号まで若しくは第十二号又は前条第一項第一号から第七号まで、第九号から第十五号まで、第十七号若しくは第十九号に掲げる行為を企て、命じ、故意にこれを容認し、唆し又はその幇（ほう）助をした者は、それぞれ各本条の刑に処する。

本条…全改（昭二三法二二二）、一部改正（昭二三法二五八・昭四〇法六九・令四法六八）

第百十二条　次の各号のいずれかに該当する者は、三年以下の拘禁刑に処する。ただし、刑法（明治四十年法律第四十五号）に正条があるときは、刑法による。

一　職務上不正な行為（第百六条の二第一項又は第百六条の三第一項の規定に違反する行為を除く。次号において同じ。）をすること若しくはしたこと、又は相当の行為をしないこと若しくはしなかつたことに関し、営利企業等に対し、離職後に当該営利企業等若しくはその子法人の地位に就くこと、又は他の役職員をその離職後に、若しくは役職員であつた者を、当該営利企業等若しくはその子法人の地位に就かせることを要求し、又は約束した職員

二　職務に関し、他の役職員に職務上不正な行為をするように、又は相当の行為をしないように要求し、依頼し、若しくは唆すこと、又は要求し、依頼し、若しくは唆したことに関し、営利企業等に対し、離職後に当該営利企業等若しくはその子法人の地位に就くこと、又は他の役職員をその離職後に、若しくは役職員であつた者を、当該営利企業等若しくはその子法人の地位に就かせることを要求し、又は約束した職員

三　前号（独立行政法人通則法第五十四条第一項において準用する場合を含む。）の不正な行為をするように、又は相当の行為をしないように要求し、依頼し、又は唆した行為の相手方であつて、同号（同項において準用する場合を含む。）の要求又は約束があつたことの情を知つて職務上不正な行為をし、又は相当の行為をしなかつた職員

本条…追加（平一九法一〇八）、一部改正（平二六法六七・令四法六八）

第百十三条　次の各号のいずれかに該当する者は、

十万円以下の過料に処する。

一　第百六条の四第一項から第四項までの規定に違反して、役職員又はこれらの規定に規定する役職員に類する者として政令で定めるものに対し、契約等事務に関し、職務上の行為をするように、又はしないように要求し、又は依頼した者（不正な行為をするように、又は相当の行為をしないように要求し、又は依頼した者を除く。）

二　第百六条の二十四第一項又は第二項の規定による届出をせず、又は虚偽の届出をした者

本条…追加（平一九法一〇八）

附　則

〔施行期日〕

第一条　この法律は、昭和二十三年七月一日から施行する。

旧二項…削除・旧三項…一部改正し二項に繰上（昭二三法二二二）、一項…一部改正・二項…削除（令三法六一）

〔大学学部の意味〕

第二条　第五条第五項に規定する大学学部には、旧大学令（大正七年勅令第三百八十八号）に規定する大学学部及び旧専門学校令（明治三十六年勅令第六十一号）に規定する専門学校を含むものとする。

本条…全改（昭二三法二二二）、一部改正（昭二三法二五八）、旧三条…一部改正し繰上（令三法六一）

〔秘密保持の規定の適用〕

第三条　第百条の規定は、従前職員であつた者で同条の規定の施行前に退職した者についても適用する。

旧一二条…一部改正し繰上（令三法六一）

〔職務と責任の特殊性に基づく特例〕

第四条　職員に関し、その職務と責任の特殊性に基づいて、この法律の特例を要する場合には、別に法律又は人事院規則（人事院の所掌する事項以外の事項については、政令）をもつて、当該特例を規定することができる。ただし、当該特例は、第一条の精神に反するものであつてはならない。

本条…一部改正（昭二三法二二二・昭四〇法六九）、旧一三条…一部改正し繰上（令三法六一）

〔この法律の施行に伴う経過的特例〕

第五条　この法律の各規定の施行又は適用の際現に効力を有する政府職員に関する法令の規定の改廃及びこれらの規定の適用を受ける者に、この法律の規定を適用するに当たり、必要な経過的特例その他の事項は、法律又は人事院規則で定める。

本条…一部改正（昭二三法二二二）、旧一四条…一部改正し繰上（令三法六一）

〔労働組合法等の適用排除〕

第六条　労働組合法（昭和二十四年法律第百七十四号）、労働関係調整法（昭和二十一年法律第二十五号）、労働基準法（昭和二十二年法律第四十九号）、船員法（昭和二十二年法律第百号）、最低賃金法（昭和三十四年法律第百三十七号）、じん肺法（昭和三十五年法律第三十号）、労働安全衛生法（昭和四十七年法律第五十七号）及び船員災害防止活動の促進に関する法律（昭和四十二年法律第六十一号）並びにこれらの法律に基づく命令は、職員には適用しない。

本条…追加（昭二三法二二二）、一部改正（昭二四法一七四・昭三四法一三七・昭三五法三〇・昭三九法一一八・昭四二法六一・昭四七法五七・昭五七法四〇）、旧一六条…一部改正し繰上（令三法六一）

第七条　第百八条の六の規定の適用については、国家公務員の労働関係の実態に鑑み、労働関係の適正化を促進し、もつて公務の能率的な運営に資するため、当分の間、同条第三項中「五年」とあるのは、「七年以下の範囲内で人事院規則で定める期間」とする。

本条…追加（平九法三）、旧一八条…一部改正し繰上（令三法六一）

〔定年退職年齢に関する経過措置〕

第八条　令和五年四月一日から令和十三年三月三十一日までの間における第八十一条の六第二項の規定の適用については、次の表の上欄に掲げる期間の区分に応じ、同項中「六十五年」とあるのはそれぞれ同表の中欄に掲げる字句と、同項ただし書中「七十年」とあるのはそれぞれ同表の下欄に掲げる字句とする。

令和五年四月一日から令和七年三月三十一日まで	六十一年	六十六年
令和七年四月一日から令和九年三月三十一日まで	六十二年	六十七年
令和九年四月一日から令和十一年三月三十一日まで	六十三年	六十八年
令和十一年四月一日から令和十三年三月三十一日まで	六十四年	六十九年

②　令和五年四月一日から令和十三年三月三十一日までの間における国家公務員法等の一部を改正する法律（令和三年法律第六十一号。以下この条及び次条において「令和三年国家公務員法等改正法」という。）第一条の規定による改正前の第八十一条の二第二項第一号に掲げる職員に相当する職員として人事院規則で定める職員に対する第八十一条の六第二項の規定の適用については、前項の規定にかかわらず、次の表の上欄に掲げる期間の区分に応じ、同条第二項ただし書中同表の中欄に掲げる字句は、それぞれ同表の下欄に掲げる字句とする。

令和五年四月一日から令和七年三月三十一日まで	六十五年を超え七十年を超えない範囲内で人事院規則で定める年齢	年齢六十六年
令和七年四月一日から令和九年三月三十一日まで	七十年	六十七年
令和九年四月一日から令和十一年三月三十一日まで	七十年	六十八年
令和十一年四月一日から令和十三年三月三十一日まで	七十年	六十九年

③　令和五年四月一日から令和十三年三月三十一日までの間における令和三年国家公務員法等改正法第一条の規定による改正前の第八十一条の二第二項第二号に掲げる職員に相当する職員として人事院規則で定める職員に対する第八十一条の六第二項の規定の適用については、第一項の規定にかかわらず、次の表の上欄に掲げる期間の区

分に応じ、同条第二項中「六十五年」とあるのはそれぞれ同表の中欄に掲げる字句と、同項ただし書中「七十年」とあるのはそれぞれ同表の下欄に掲げる字句とする。

令和五年四月一日から令和七年三月三十一日まで	六十三年	六十六年
令和七年四月一日から令和九年三月三十一日まで	六十三年	六十七年
令和九年四月一日から令和十一年三月三十一日まで	六十三年	六十八年
令和十一年四月一日から令和十三年三月三十一日まで	六十四年	六十九年

④　令和五年四月一日から令和七年三月三十一日までの間における令和三年国家公務員法等改正法第一条の規定による改正前の第八十一条の二第二項第三号に掲げる職員に相当する職員として人事院規則で定める職員に対する第八十一条の六第二項の規定の適用については、第一項の規定にかかわらず、同条第二項中「、年齢六十五年」とあるのは「、六十年を超え六十五年を超えない範囲内で人事院規則で定める年齢」と、同項ただし書中「六十五年を超え七十年を超えない範囲内で人事院規則で定める年齢」とあるのは「年齢六十六年」とする。

⑤　令和七年四月一日から令和十三年三月三十一日までの間における前項に規定する職員に対する第八十一条の六第二項の規定の適用については、第一項の規定にかかわらず、次の表の上欄に掲げる期間の区分に応じ、同条第二項中「、年齢六十五年」とあるのはそれぞれ同表の中欄に掲げる字句と、同項ただし書中「七十年」とあるのはそれぞれ同表の下欄に掲げる字句とする。

令和七年四月一日から令和九年三月三十一日まで	、六十一年を超え六十五年を超えない範囲内で人事院規則で定める年齢	六十七年
令和九年四月一日から令和十一年三月三十一日まで	、六十二年を超え六十五年を超えない範囲内で人事院規則で定める年齢	六十八年
令和十一年四月一日から令和十三年三月三十一日まで	、六十三年を超え六十五年を超えない範囲内で人事院規則で定める年齢	六十九年

本条…追加（令三法六一）

〔任命権者の責務〕

第九条　任命権者は、当分の間、職員（臨時的職員その他の法律により任期を定めて任用される職員及び常時勤務を要しない官職を占める職員並びに令和三年国家公務員法等改正法第一条の規定による改正前の第八十一条の二第二項第一号に掲げる職員に相当する職員として人事院規則で定める職員及び同項第三号に掲げる職員に相当する職員のうち人事院規則で定める職員その他人事院規則で定める職員を除く。以下この条において同じ。）が年齢六十年（同項第二号に掲げる職員に相当する職員として人事院規則で定める職員にあつては同号に定める年齢とし、同項第三号に掲げる職員に相当する職員のうち人事院規則で定める職員にあつては同号に定める年齢とする。以下この条において同じ。）に達する日の属する年度の前年度（当該前年度に職員でなかつた者その他の当該前年度においてこの条の規定による情報の提供及び意思の確認を行うことができない職員として人事院規則で定める職員にあつては、人事院規則で定める期間）において、当該職員に対し、人事院規則で定めるところにより、令和三年国家公務員法等改正法による定年の引上げに伴う当分の間の措置として講じられる一般職の職員の給与に関する法律附則第八項から第十六項までの規定による年齢六十年に達した日後における最初の四月一日以後の当該職員の俸給月額を引き下げる給与に関する特例措置及び国家公務員退職手当法（昭和二十八年法律第百八十二号）附則第十二項から第十五項までの規定による当該職員が年齢六十年に達した日から定年に達する日の前日までの間に非違によることなく退職をした場合における退職手当の基本額を当該職員が当該退職をした日に第八十一条の六第一項の規定により退職をしたものと仮定した場合における額と同額とする退職手当に関する特例措置その他の当該職員が年齢六十年に達する日以後に適用される任用、給与及び退職手当に関する措置の内容その他の必要な情報を提供するものとするとともに、同日の翌日以後における勤務の意思を確認するよう努めるものとする。

本条…追加（令三法六一）

第一次改正法附則（昭二三・一二・三法二二二）（抄）

〔施行期日〕

第一条　この法律は、公布の日から、施行する。但し、改正後の国家公務員法第十三条第三項から第五項までの規定は、昭和二十四年度以後の会計年度について適用し、この附則第六条の規定及びこの附則第七条中船員職業安定法（昭和二十三年法律第百三十号）第十条の改正規定は、別に人事院規則で定める日から適用する。

〔公選による公職に在る者の措置〕

第二条　人事院規則で定めた場合を除き、国家公務員法第百二条第二項の改正規定施行の際、職員で現に公選による公職に在る者は、昭和二十四年六月三十日までにその公職を退いて辞表の写及びその辞表が受理され、且つ、その効力を生じたことを公に証明する書面を人事院に送付しない限り、その日においてその官職を失うものとする。

〔労働基準法・船員法の準用〕

第三条　一般職に属する職員に関しては、別に法律が制定実施されるまでの間、国家公務員法の精神にてい触せず、且つ、同法に基く法律又は人事院規則で定められた事項に矛盾しない範囲内において、労働基準法及び船員法並びにこれらに基く命令の規定を準用する。但し、労働基準監督機関の職権に関する規定は、一般職に属する職員の勤務条件に関しては、準用しない。

2　前項の場合において必要な事項は、人事院規則で定める。

〔職員を主たる構成員とする労働組合又は団体の存続〕

第四条　職員を主たる構成員とする労働組合又は団体で、国家公務員法附則第十六条の規定が適用される日において、現に存するものは、引き続き存続することができる。これらの団体は、すべて役員の選挙及び業務執行について民主的手続を定め、その他その組織、目的及び手続において、この法律の規定に従わなければならない。これらの団体は、人事院の定める手続により、人事院に登録しなければならない。

2　前項の組合又は団体に関して必要な事項は、法律又は人事院規則で定める。

〔従前の罰則の適用〕

第五条　国家公務員法附則第六条の規定の施行前にした同条に規定する法令の規定に違反する行為に対する罰則の適用については、同条の規定にかかわらず、なお従前の例による。

〔昭和二三年政令二〇一号の失効〕

第八条　昭和二十三年七月二十二日附内閣総理大臣宛連合国最高司令官書簡に基く臨時措置に関する政令（昭和二十三年政令第二百一号）は、国家公務員に関して、その効力を失う。

2　前項の政令がその効力を失う前になした同令第二条第一項の規定に違反する行為に関する罰則の適用については、なお従前の例による。

〔読替〕

第九条　この法律施行の際、他の法令中「人事委員会」、「人事委員長」、「人事委員」及び「人事委員会規則」とあるのは、それぞれ「人事院」、「人事院総裁」、「人事官」及び「人事院規則」と読み替えるものとする。

〔人事委員会職員の身分〕

第十条　人事院設置の際、現に臨時人事委員会の職員である者は、別に辞令を発せられない限り、そのまま人事院の各相当の職員となるものとする。人事院の事務総長の職は、臨時人事委員会の事務局長の職に相当するものとする。

〔国会及び裁判所職員の取扱〕

第十一条　国会及び裁判所の職員は、昭和二十六年十二月三十一日までこの法律の定める一般職に属する職員とする。

〔法令の廃止〕

第十二条　官吏懲戒令（明治三十二年勅令第六十三号）、高等試験委員及び普通試験委員官制（大正七年勅令第九号）、高等試験令（昭和四年勅令第十五号）、一級官吏銓衡委員会官制（昭和十六年勅令第四号）、昭和二十年勅令第七十七号（二級事務官吏の任用資格の特例に関する件）、二級事務官吏銓衡委員会官制（昭和二十年勅令第七十八号）及び高等試験委員及び普通試験委員臨時措置法（昭和二十三年法律第五十三号）並びにこれらに基く命令は、この法律施行の日から廃止する。但し、高等試験令は、裁判所法（昭和二十二年法律第五十九号）、第六十六条及び弁護士法（昭和八年法律第五十三号）第三条の試験に関する限り、又、高等試験委員会は、その第三部に関する限り、昭和二十三年十二月三十一日までは、従前の法律に定めた条件の下に存続するものとする。

2　この法律施行の際、現に前項に規定する法令によつて設置された委員会の事務にもつぱら従事している職員は、その日において、辞令を用いることなく、その職を免ぜられるものとする。

附　則（平二六・四・一八法二二）（抄）

（施行期日）

第一条　この法律は、公布の日から起算して六月を超えない範囲内において、政令で定める日〔平二六・五・三〇〕から施行する。ただし、次の各号に掲げる規定は、当該各号に定める日から施行する。

一　次条〔中略〕の規定　公布の日

二　第一条中国家公務員法の目次の改正規定（「第七款　幹部候補育成課程（第六十一条の九―第六十一条の十二）」に係る部分に限る。）及び同法第三章第二節に二款を加える改正規定（同節第七款に係る部分に限る。）　この法律の施行の日（以下「施行日」という。）から起算して三月を経過する日

三　第一条（国家公務員法第百六条の八第一項の改正規定、同法第百六条の十第三号の改正規定及び同法第百六条の十四第五項の改正規定に限る。）〔中略〕の規定　公布の日から起算して一年六月を超えない範囲内において政令で定める日〔平二七・一〇・一〕

（準備行為）

第二条　内閣は、第一条の規定による改正後の国家公務員法（次条及び附則第七条第二項において「新国家公務員法」という。）第四十五条の二第一項から第三項まで、第六十一条の二第一項各号列記以外の部分及び第二項から第四項まで並びに第七十条の五第二項の政令を定めようとするときは、施行日前においても、人事院の意見を聴くことができる。

2・3　〔略〕

（国家公務員法の一部改正に伴う経過措置）

第三条　施行日から附則第一条第二号に定める日の前日までの間は、新国家公務員法第三条、第十八条の二、第二十七条の二、第六十一条の二、第六十一条の七及び第七十条の六の規定並びに附則第三十二条の規定による改正後の独立行政法人通則法（平成十一年法律第百三号。以下この項において「新独立行政法人通則法」という。）第五十四条の二第一項の規定の適用については、新国家公務員法第三条第二項及び第十八条の二第一項中「、幹部職員の任用等に係る特例及び幹部候補育成課程」とあるのは「及び幹部職員の任用等に係る特例」と、新国家公務員法第二十七条の二中「、合格した採用試験の種類及び第六十一条の九第二項第二号に規定する課程対象者であるか否か又は同号に規定する課程対象者であつたか否か」とあるのは「及び合格した採用試験の種類」と、新国家公務員法第六十一条の二第一項中「次項及び第六十一条の十二」とあるのは「次項」と、同項第一号中「この項及び第六十一条の九第一項」とあるのは「この項」と、同項第二号中「、第六十一条の六並びに第六十一条の十二」とあるのは「並びに第六十一条の六」と、新国家公務員法第六十一条の七第一項中「この款及び次款」とあるのは「この款」と、「、第六十一条の九第二項第二号に規定する課程対象者その他」とあるのは「その他」と、新国家公務員法第七十条の六第一項第二号中「各行政機関の課程対象者の政府全体を通じた育成又は内閣の」とあるのは「内閣の」と、新独立行政法人通則法第五十四条の二第一項中「、幹部職員の任用等に係る特例及び幹部候補育成課程」とあるのは「及び幹部職員の任用等に係る特例」とする。

2　施行日から起算して三月を超えない範囲内において政令で定める日〔平二六・六・二九〕までの間は、新国家公務員法第三十四条第一項第六号に規定する幹部職（以下この項において単に「幹部職」という。）に任用される者並びに幹部職を占める職員であって幹部職以外の官職に任用される者、退職する者及び免職される者については、新国家公務員法第六十一条の三及び第六十一条の四の規定は適用せず、新国家公務員法第五十七条及び第五十八条の規定の適用については、新国家公務員法第五十七条中「採用（職員の幹部職への任命に該当するものを除く。）」とあるのは「採用」と、新国家公務員法第五十八条第一項中「転任（職員の幹部職への任命に該当するものを除く。）」とあるのは「転任」と、同条第二項中

「降任させる場合（職員の幹部職への任命に該当する場合を除く。）」とあるのは「降任させる場合」と、同条第三項中「転任（職員の幹部職への任命に該当するものを除く。）」とあるのは「転任」とする。

（処分等の効力）

第十条 この法律の施行前にこの法律による改正前のそれぞれの法律（これに基づく命令を含む。次条第一項において「旧法令」という。）の規定によってした処分、手続その他の行為であって、この法律による改正後のそれぞれの法律の規定に相当の規定があるものは、この附則に別段の定めがあるものを除き、この法律による改正後のそれぞれの法律（これに基づく命令を含む。同項において「新法令」という。）の相当の規定によってしたものとみなす。

（命令の効力）

第十一条 この法律の施行の際現に効力を有する旧法令の規定により発せられた内閣府令又は総務省令で、新法令の規定により内閣官房令で定めるべき事項を定めているものは、この法律の施行後は、内閣官房令としての効力を有するものとする。

2 この法律の施行の際現に効力を有する人事院規則の規定でこの法律の施行後は政令をもって規定すべき事項を規定するものは、施行日から起算して二年を経過する日までの間は、政令としての効力を有するものとする。

（その他の経過措置）

第十三条 附則第三条から前条までに定めるもののほか、この法律の施行に関し必要な経過措置は、政令（人事院の所掌する事項については、人事院規則）で定める。

（検討）

第四十二条 政府は、平成二十八年度までに、公務の運営の状況、国家公務員の再任用制度の活用の状況、民間企業における高年齢者の安定した雇用を確保するための措置の実施の状況その他の事情を勘案し、人事院が国会及び内閣に平成二十三年九月三十日に申し出た意見を踏まえつつ、国家公務員の定年の段階的な引上げ、国家公務員の再任用制度の活用の拡大その他の雇用と年金の接続のための措置を講ずることについて検討するものとする。

附 則（平二六・六・一三法六七）（抄）

（施行期日）

第一条 この法律は、独立行政法人通則法の一部を改正する法律（平成二十六年法律第六十六号。以下「通則法改正法」という。）の施行の日〔平二七・四・一〕から施行する。ただし、次の各号に掲げる規定は、当該各号に定める日から施行する。

一 附則〔中略〕第三十条の規定 公布の日

二 〔略〕

（国家公務員法の一部改正に伴う経過措置）

第三条 第百四条の規定による改正前の特定独立行政法人の労働関係に関する法律（以下「旧特労法」という。）第七条第一項ただし書の規定により旧特労法第四条第二項に規定する組合の業務に専ら従事した期間は、第二条の規定による改正後の国家公務員法第百八条の六の規定の適用については、第百四条の規定による改正後の行政執行法人の労働関係に関する法律（以下「新行労法」という。）第七条第一項ただし書の規定により新行労法第四条第二項に規定する組合の業務に専ら従事した期間とみなす。

（処分等の効力）

第二十八条 この法律の施行前にこの法律による改正前のそれぞれの法律（これに基づく命令を含む。）の規定によってした又はすべき処分、手続その他の行為であってこの法律による改正後のそれぞれの法律（これに基づく命令を含む。以下この条において「新法令」という。）に相当の規定があるものは、法律（これに基づく政令を含む。）に別段の定めのあるものを除き、新法令の相当の規定によってした又はすべき処分、手続その他の行為とみなす。

（罰則に関する経過措置）

第二十九条 この法律の施行前にした行為及びこの附則の規定によりなおその効力を有することとされる場合におけるこの法律の施行後にした行為に対する罰則の適用については、なお従前の例による。

（その他の経過措置の政令等への委任）

第三十条 附則第三条から前条までに定めるもののほか、この法律の施行に関し必要な経過措置（罰則に関する経過措置を含む。）は、政令（人事院の所掌する事項については、人事院規則）で定める。

附 則（平二六・六・一三法六九）（抄）

（施行期日）

第一条 この法律は、行政不服審査法（平成二十六年法律第六十八号）の施行の日〔平二八・四・一〕から施行する。

附 則（平二七・六・一七法三九）（抄）

（施行期日）

第一条 この法律は、公布の日から起算して十月を超えない範囲内において政令で定める日〔平二七・一〇・一〕から施行する。〔ただし書略〕

附 則（平二七・九・一一法六六）（抄）

（施行期日）

第一条 この法律は、平成二十八年四月一日から施行する。〔ただし書略〕

附 則（令元・六・一四法三七）（抄）

（施行期日）

第一条 この法律は、公布の日から起算して三月を経過した日から施行する。ただし、次の各号に掲げる規定は、当該各号に定める日から施行する。

一 〔前略〕次条並びに附則第三条〔中略〕の規定 公布の日

二～四 〔略〕

（行政庁の行為等に関する経過措置）

第二条 この法律（前条各号に掲げる規定にあっては、当該規定。以下この条及び次条において同じ。）の施行の日前に、この法律による改正前の法律又はこれに基づく命令の規定（欠格条項その他の権利の制限に係る措置を定めるものに限る。）に基づき行われた行政庁の処分その他の行為及び当該規定により生じた失職の効力については、なお従前の例による。

（罰則に関する経過措置）

第三条 この法律の施行前にした行為に対する罰則の適用については、なお従前の例による。

（国家公務員法の一部改正に伴う裁判員の参加する刑事裁判に関する法律の適用に係る経過措置）

第四条 この法律の施行の日（以下「施行日」という。）前に裁判員の参加する刑事裁判に関する法律（平成十六年法律第六十三号）第二十六条第三項の規定により呼び出すべき裁判員候補者が選定された事件に係る同法第二章及び第五章第二節の規定の適用については、第一条の規定による改正後の国家公務員法第三十八条の規定にかかわらず、なお従前の例による。

附　則（令三・五・一九法三六）（抄）

（施行期日）

第一条　この法律は、令和三年九月一日から施行する。〔ただし書略〕

附　則（令三・六・一一法六一）（抄）

改正　令六・一二・二五法七二

（施行期日）

第一条　この法律は、令和五年四月一日から施行する。ただし、〔中略〕次条並びに附則第十五条及び第十六条の規定は、公布の日から施行する。

（実施のための準備等）

第二条　第一条の規定による改正後の国家公務員法（以下「新国家公務員法」という。）の規定による職員（国家公務員法第二条に規定する一般職に属する職員をいう。以下同じ。）の任用、分限その他の人事行政に関する制度の円滑な実施を確保するため、任命権者（同法第五十五条第一項に規定する任命権者及び法律で別に定められた任命権者並びにその委任を受けた者をいう。以下この項及び次項並びに次条から附則第六条までにおいて同じ。）は、長期的な人事管理の計画的推進その他必要な準備を行うものとし、人事院及び内閣総理大臣は、それぞれの権限に応じ、任命権者の行う準備に関し必要な連絡、調整その他の措置を講ずるものとする。

2　任命権者は、この法律の施行の日（以下「施行日」という。）の前日までの間に、施行日から令和六年三月三十一日までの間に年齢六十年に達する職員（当該職員が占める官職に係る第一条の規定による改正前の国家公務員法（以下「旧国家公務員法」という。）第八十一条の二第二項に規定する定年が年齢六十年である職員に限る。）に対し、新国家公務員法附則第九条の規定の例により、同条に規定する給与に関する特例措置及び退職手当に関する特例措置その他の当該職員が年齢六十年に達する日以後に適用される任用、給与及び退職手当に関する措置の内容その他の必要な情報を提供するものとするとともに、同日の翌日以後における勤務の意思を確認するよう努めるものとする。

3　特定地方警務官（第七条の規定による改正後の警察法第五十六条の二第一項に規定する特定地方警務官をいう。附則第六条第十一項及び第十一条第九項において同じ。）に対する前項の規定の適用については、同項中「任命権者」とあるのは「警視総監又は道府県警察本部長」と、「対し、」とあるのは「対し、第七条の規定による改正後の警察法附則第三十八項の規定により読み替えて適用する」とする。

4　第四条の規定による改正後の検察庁法（次項及び附則第十六条第一項において「新検察庁法」という。）の規定による検察官の任用、分限その他の人事行政に関する制度の円滑な実施を確保するため、法務大臣は、長期的な人事管理の計画的推進その他必要な準備を行うものとし、人事院及び内閣総理大臣は、それぞれの権限に応じ、法務大臣の行う準備に関し必要な連絡、調整その他の措置を講ずるものとする。

5　法務大臣は、施行日の前日までの間に、施行日から令和六年三月三十一日までの間に年齢六十三年に達する検察官（検事総長を除く。）に対し、新検察庁法附則第四条の規定の例により、同条に規定する給与に関する特例措置及び退職手当に関する特例措置その他の当該検察官が年齢六十三年に達する日以後に適用される任用、給与及び退職手当に関する措置の内容その他の必要な情報を提供するものとするとともに、同日の翌日以後における勤務の意思を確認するよう努めるものとする。

6　第八条の規定による改正後の自衛隊法（以下「新自衛隊法」という。）の規定による隊員（自衛隊法第二条第五項に規定する隊員をいう。以下同じ。）の任用、分限その他の人事行政に関する制度の円滑な実施を確保するため、任命権者（同法第三十一条第一項の規定により隊員の任免について権限を有する者をいう。以下この項及び次項並びに附則第八条から第十一条までにおいて同じ。）は、長期的な人事管理の計画的推進その他必要な準備を行うものとし、防衛大臣は、任命権者の行う準備に関し必要な連絡、調整その他の措置を講ずるものとする。

7　任命権者は、施行日の前日までの間に、施行日から令和六年三月三十一日までの間に年齢六十年に達する隊員（当該隊員が占める官職に係る第八条の規定による改正前の自衛隊法（以下「旧自衛隊法」という。）第四十四条の二第二項に規定する定年が年齢六十年である隊員に限る。）に対し、新自衛隊法附則第十四項の規定の例により、同項に規定する給与に関する特例措置及び退職手当に関する特例措置その他の当該隊員が年齢六十年に達する日以後に適用される任用、給与及び退職手当に関する措置の内容その他の必要な情報を提供するものとするとともに、同日の翌日以後における勤務の意思を確認するよう努めるものとする。

（国家公務員法の一部改正に伴う経過措置）

第三条　新国家公務員法第六十条の二の規定は、施行日以後に退職をした同条第一項に規定する年齢六十年以上退職者（次項において「新国家公務員法による年齢六十年以上退職者」という。）及び同条第一項に規定する自衛隊法による年齢六十年以上退職者（次項において「新自衛隊法による年齢六十年以上退職者」という。）について適用する。

2　任命権者は、基準日（令和七年四月一日、令和九年四月一日、令和十一年四月一日及び令和十三年四月一日をいう。以下この項において同じ。）から基準日の翌年の三月三十一日までの間、基準日における新国家公務員法定年相当年齢（新国家公務員法第六十条の二第一項に規定する短時間勤務の官職であって同項に規定する指定職（次条第一項及び附則第六条第三項において「指定職」という。）以外のもの（附則第六条第二項を除き、以下この条及び附則第五条から第七条までにおいて「短時間勤務の官職」という。）を占める職員が、常時勤務を要する官職でその職務が当該短時間勤務の官職と同種の官職を占めているものとした場合における新国家公務員法第八十一条の六第二項に規定する定年をいう。以下この項及び附則第五条第二項において同じ。）が基準日の前日における新国家公務員法定年相当年齢を超える短時間勤務の官職（基準日における新国家公務員法定年相当年齢が新国家公務員法第八十一条の六第二項本文に規定する定年である短時間勤務の官職に限る。）及びこれに相当する基準日以後に設置された短時間勤務の官職その他の人事院規則で定める短時間勤務の官職（以下この項において「新国家公務員法原則定年相当年齢引上げ短時間勤務官職」という。）に、基準日の前日までに新国家公務員法による年齢六十年以上退職者又は新自衛隊法による年齢六十年以上退職者となった者（基準日前から新国家公務員法第八十一条の七第一項又は第二項の規定により勤務した後基準日以後に退職をした者及び基準日前から新自衛隊法第四十四条の七第一項又は第二項の規定により勤務した後基準日以後に退職をした者を含む。）のうち基準日の前日において同日における当該新国家公務員法原則定年相当年齢引上げ短時間勤務官職に係る新国家公務員法定年相当年齢に達している者（当該人事院規則で定める短時間勤務の官職にあっては、人事院規則で定める者）を、新国家公務員法第六十条の二第一項の規定により採用することができず、新国家公務員法原則定年相当年齢引上げ短時間勤務官職に、同条第二項に規定する定年前再任用短時間勤務職員（附則第十二条第一項及び第三項を除き、以下「定年前再任用短時間勤務職員」という。）のうち基準日の前日において同日における当該新国家公務員法原則定年相当年齢引上げ短時間勤務官職に係る新国家公務員法定年相当年齢に達している定年前再任用短時間勤務職員（当該人事院規則で定める短時間勤務の官職にあっては、人事院規則で定める定年前再任用短時間勤務職員）を、昇任し、降任し、又は転任することができない。

3　平成十一年十月一日前に新国家公務員法第八十二条第二項前段に規定する退職又は先の退職がある定年前再任用短時間勤務職員について、同項後段の規定を適用する場合には、同項後段に規定する引き続く職員としての在職期間には、同日前の当該退職又は先の退職の前の職員としての在職期間を含まないものとする。

4　暫定再任用職員（次条第一項若しくは第二項又は附則第五条第一項若しくは第二項の規定により採用された職員をいう。附則第六条及び第七条において同じ。）として在職していた期間がある定年前再任用短時間勤務職員に対する新国家公務員法第八十二条第二項後段の規定の適用については、同項後段中「又は」とあるのは、「又は国家公務員法等の一部を改正する法律（令和三年法律第六十一号）附則第四条第一項若しくは第二項若しくは第五条第一項若しくは第二項の規定によりかつて採用されて同法附則第三条第四項に規定する暫定再任用職員として在職していた期間若しくは」とする。

5　施行日前に旧国家公務員法第八十一条の三第一項又は第二項の規定により勤務することとされ、かつ、旧国家公務員法勤務延長期限（同条第一項の期限又は同条第二項の規定により延長された期限をいう。以下この項及び次項において同じ。）が施行日以後に到来する職員（次項において「旧国家公務員法勤務延長職員」という。）に係る当該旧国家公務員法勤務延長期限までの間における同条第一項又は第二項の規定による勤務については、新国家公務員法第八十一条の七の規定にかかわらず、なお従前の例による。

6　任命権者は、旧国家公務員法勤務延長職員について、旧国家公務員法勤務延長期限又はこの項の規定により延長された期限が到来する場合において、新国家公務員法第八十一条の七第一項各号に掲げる事由があると認めるときは、人事院の承認を得て、これらの期限の翌日から起算して一年を超えない範囲内で期限を延長することができる。ただし、当該期限は、当該旧国家公務員法勤務延長職員に係る旧国家公務員法第八十一条の二第一項に規定する定年退職日の翌日から起算して三年を超えることができない。

7　独立行政法人通則法（平成十一年法律第百三号）第二条第四項に規定する行政執行法人の職員に対する前項の規定の適用については、同項中「ときは、人事院の承認を得て」とあるのは、「ときは」とする。

8　新国家公務員法第八十一条の二第一項の規定は、施行日において第五項の規定により同条第一項に規定する管理監督職を占めたまま引き続き勤務している職員には適用しない。

9　任命権者は、基準日（施行日、令和七年四月一日、令和九年四月一日、令和十一年四月一日及び令和十三年四月一日をいう。以下この項において同じ。）から基準日の翌年の三月三十一日までの間、基準日における新国家公務員法定年（新国家公務員法第八十一条の六第二項に規定する定年をいう。以下この項及び次条第二項において同じ。）が基準日の前日における新国家公務員法定年（基準日が施行日である場合には、施行日の前日における旧国家公務員法第八十一条の二第二項に規定する定年）を超える官職（基準日における新国家公務員法定年が新国家公務員法第八十一条の六第二項本文に規定する定年である官職に限る。）及びこれに相当する基準日以後に設置された官職その他の人事院規則で定める官職に、基準日から基準日の翌年の三月三十一日までの間に新国家公務員法第八十一条の七第一項若しくは第二項の規定又は第五項若しくは第六項の規定により勤務している職員のうち、基準日の前日において同日における当該官職に係る新国家公務員法定年（基準日が施行日である場合には、施行日の前日における旧国家公務員法第八十一条の二第二項に規定する定年）に達している職員（当該人事院規則で定める官職にあっては、人事院規則で定める職員）を、昇任し、降任し、又は転任することができない。

10　第二条の規定による改正後の一般職の職員の給与に関する法律（附則第七条及び第十二条第四項において「新一般職給与法」という。）附則第八項から第十六項までの規定は、第五項又は第六項の規定により勤務している職員には適用しない。

11　第五項から前項までに定めるもののほか、第五項又は第六項の規定による勤務に関し必要な事項は、人事院規則で定める。

12　研究施設研究教育職員（第六条の規定による改正後の教育公務員特例法第三十一条第一項に規定する研究施設研究教育職員をいう。附則第六条第九項及び第十項において同じ。）については、第二項及び第九項の規定は、適用しない。

第四条　任命権者は、次に掲げる者のうち、年齢六十五年に達する日以後における最初の三月三十一日（以下「年齢六十五年到達年度の末日」という。）までの間にある者であって、当該者を採用しようとする常時勤務を要する官職（指定職を除く。以下この項及び次項並びに附則第六条第四項において同じ。）に係る旧国家公務員法第八十一条の二第二項に規定する定年（施行日以後に設置された官職その他の人事院規則で定める官職にあっては、人事院規則で定める年齢）に達している者を、人事院規則で定めるところにより、従前の勤務実績その他の人事院規則で定める情報に基づく選考により、一年を超えない範囲内で任期を定め、当該常時勤務を要する官職に採用することができる。

一　施行日前に旧国家公務員法第八十一条の二第一項の規定により退職した者

二　旧国家公務員法第八十一条の三第一項若しくは第二項又は前条第五項若しくは第六項の規定により勤務した後退職した者

三　施行日前に旧国家公務員法の規定により退職した者（前二号に掲げる者を除く。）のうち、勤続期間その他の事情を考慮して前二号に掲げる者に準ずる者として人事院規則で定める者

四　施行日前に旧自衛隊法の規定により退職した者（旧自衛隊法第四十四条の三第一項又は第二項及び附則第八条第五項又は第六項の規定により勤務した後退職した者を含む。）のうち、前三号に掲げる者に準ずる者として人事院規則で定める者

2　令和十四年三月三十一日までの間、任命権者は、次に掲げる者のうち、年齢六十五年到達年度の末日までの間にある者であって、当該者を採用しようとする常時勤務を要する官職に係る新国家公務員法定年に達している者を、人事院規則で定めるところにより、従前の勤務実績その他の人事院規則で定める情報に基づく選考により、一年を超えない範囲内で任期を定め、当該常時勤務を要する官職に採用することができる。

一　施行日以後に新国家公務員法第八十一条の六第一項の規定により退職した者

二　施行日以後に新国家公務員法第八十一条の七第一項又は第二項の規定により勤務した後退職した者

三　施行日以後に新国家公務員法第六十条の二第一項の規定により採用された者のうち、同条第二項に規定する任期が満了したことにより退職した者

四　施行日以後に新国家公務員法の規定により退職した者（前三号に掲げる者を除く。）のうち、勤続期間その他の事情を考慮して前三号に掲げる者に準ずる者として人事院規則で定める者

五　施行日以後に新自衛隊法の規定により退職した者のうち、前各号に掲げる者に準ずる者として人事院規則で定める者

3　前二項の任期又はこの項の規定により更新された任期は、人事院規則で定めるところにより、一年を超えない範囲内で更新することができる。ただし、当該任期の末日は、前二項の規定により採用する者又はこの項の規定により任期を更新する者の年齢六十五年到達年度の末日以前でなければならない。

第五条　任命権者は、新国家公務員法第六十条の二第三項の規定にかかわらず、前条第一項各号に掲げる者のうち、年齢六十五年到達年度の末日までの間にある者であって、当該者を採用しようとする短時間勤務の官職に係る旧国家公務員法定年相当年齢（短時間勤務の官職を占める職員が、常時勤務を要する官職でその職務が当該短時間勤務の官職と同種の官職を占めているものとした場合における旧国家公務員法第八十一条の二第二項に規定する定年（施行日以後に設置された官職その他の人事院規則で定める官職にあっては、人事院規則で定める年齢）をいう。）に達している者を、人事院規則で定めるところにより、従前の勤務実績その他の人事院規則で定める情報に基づく選考により、一年を超えない範囲内で任期を定め、当該短時間勤務の官職に採用することができる。

2　令和十四年三月三十一日までの間、任命権者は、新国家公務員法第六十条の二第三項の規定にかかわらず、前条第二項各号に掲げる者のうち、年齢六十五年到達年度の末日までの間にある者であって、当該者を採用しようとする短時間勤務の官職に係る新国家公務員法定年相当年齢に達している者（新国家公務員法第六十条の二第一項の規定により当該短時間勤務の官職に採用することができる者を除く。）を、人事院規則で定めるところにより、従前の勤務実績その他の人事院規則で定める情報に基づく選考により、一年を超えない範囲内で任期を定め、当該短時間勤務の官職に採用することができる。

3　前二項の規定により採用された職員の任期については、前条第三項の規定を準用する。

第六条　施行日前に旧国家公務員法第八十一条の四第一項又は第八十一条の五第一項の規定により採用された職員（以下この項及び次項において「旧国家公務員法再任用職員」という。）のうち、この法律の施行の際現に常時勤務を要する官職を占める職員は、施行日に、附則第四条第一項の規定により採用されたものとみなす。この場合において、当該採用されたものとみなされる職員の任期は、同項の規定にかかわらず、施行日における旧国家公務員法再任用職員としての任期の残任期間と同一の期間とする。

2　旧国家公務員法再任用職員のうち、この法律の施行の際現に旧国家公務員法第八十一条の五第一項に規定する短時間勤務の官職を占める職員は、施行日に、前条第一項の規定により採用されたものとみなす。この場合において、当該採用されたものとみなされる職員の任期は、同項の規定にかかわらず、施行日における旧国家公務員法再任用職員としての任期の残任期間と同一の期間とする。

3　任命権者は、暫定再任用職員を指定職に昇任し、又は転任することができない。

4　任命権者は、附則第四条第一項又は前条第一項の規定により採用した職員のうち当該職員を昇任し、降任し、又は転任しようとする常時勤務を要する官職に係る旧国家公務員法第八十一条の二第二項に規定する定年（施行日以後に設置された官職その他の人事院規則で定める官職にあっては、人事院規則で定める年齢）に達した職員以外の職員及び附則第四条第二項又は前条第二項の規定により採用した職員のうち当該職員を昇任し、降任し、又は転任しようとする常時勤務を要する官職に係る新国家公務員法第八十一条の六第二項に規定する定年に達した職員以外の職員を、当該常時勤務を要する官職に昇任し、降任し、又は転任することができない。

5　前二条の規定が適用される場合における新国家公務員法第六十条の二第三項の規定の適用については、同項中「経過していない定年前再任用短時間勤務職員」とあるのは、「経過していない定年前再任用短時間勤務職員、国家公務員法等の一部を改正する法律（令和三年法律第六十一号。以下この項において「令和三年国家公務員法等改正法」という。）附則第四条第一項又は第五条第一項の規定により採用した職員のうち当該職員を昇任し、降任し、又は転任しようとする短時間勤務の官職に係る旧国家公務員法定年相当年齢（短時間勤務の官職を占める職員が、常時勤務を要する官職でその職務が当該短時間勤務の官職と同種の官職を占めているものとした場合における令和三年国家公務員法等改正法第一条の規定による改正前の第八十一条の二第二項に規定する定年（令和三年国家公務員法等改正法の施行の日以後に設置された官職その他の人事院規則で定める官職にあつては、人事院規則で定める年齢）をいう。）に達している職員及び令和三年国家公務員法等改正法附則第四条第二項又は

第五条第二項の規定により採用した職員のうち当該職員を昇任し、降任し、又は転任しようとする短時間勤務の官職に係る新国家公務員法定年相当年齢（短時間勤務の官職を占める職員が、常時勤務を要する官職でその職務が当該短時間勤務の官職と同種の官職を占めているものとした場合における第八十一条の六第二項に規定する定年をいう。）に達している職員」とする。

6　任命権者は、基準日（前二条の規定が適用される間における各年の四月一日（施行日を除く。）をいう。以下この項において同じ。）から基準日の翌年の三月三十一日までの間、基準日における新国家公務員法定年（新国家公務員法第八十一条の六第二項に規定する定年（短時間勤務の官職にあっては、当該短時間勤務の官職を占める職員が、常時勤務を要する官職でその職務が当該短時間勤務の官職と同種の官職を占めているものとした場合における同項に規定する定年）をいう。以下この項において同じ。）が基準日の前日における新国家公務員法定年を超える官職及びこれに相当する基準日以後に設置された官職その他の人事院規則で定める官職（以下この項において「新国家公務員法定年引上げ官職」という。）に、附則第四条第二項各号に掲げる者のうち基準日の前日において同日における当該新国家公務員法定年引上げ官職に係る新国家公務員法定年に達している者（当該人事院規則で定める官職にあっては、人事院規則で定める者）を、同項又は前条第二項の規定により採用しようとする場合には、当該者は当該者を採用しようとする新国家公務員法定年引上げ官職に係る新国家公務員法定年に達しているものとみなして、これらの規定を適用し、新国家公務員法定年引上げ官職に、附則第四条第二項又は前条第二項の規定により採用された職員のうち基準日の前日において同日における当該新国家公務員法定年引上げ官職に係る新国家公務員法定年に達している職員（当該人事院規則で定める官職にあっては、人事院規則で定める職員）を、昇任し、降任し、又は転任しようとする場合には、当該職員は当該職員を昇任し、降任し、又は転任しようとする新国家公務員法定年引上げ官職に係る新国家公務員法定年に達しているものとみなして、第四項の規定及び前項の規定により読み替えて適用する新国家公務員法第六十条の二第三項の規定を適用する。

7　暫定再任用職員は、定年前再任用短時間勤務職員とみなして、新国家公務員法第八十二条第二項後段の規定を適用する。この場合において、同項後段中「年齢六十年以上退職者」とあるのは「国家公務員法等の一部を改正する法律（令和三年法律第六十一号。以下この項において「令和三年国家公務員法等改正法」という。）附則第四条第一項第一号から第三号まで若しくは第二項第一号、第二号若しくは第四号に掲げる者となつた日若しくは同項第三号に掲げる者に該当する場合における年齢六十年以上退職者」と、「又は」とあるのは「又は令和三年国家公務員法等改正法第一条の規定による改正前の第八十一条の四第一項若しくは第八十一条の五第一項の規定によりかつて採用されて職員として在職していた期間、令和三年国家公務員法等改正法附則第四条第一項若しくは第二項若しくは第五条第一項若しくは第二項の規定によりかつて採用されて令和三年国家公務員法等改正法附則第三条第四項に規定する暫定再任用職員として在職していた期間若しくは」とする。

8　平成十一年十月一日前に新国家公務員法第八十二条第二項前段に規定する退職又は先の退職がある暫定再任用職員について、前項の規定により定年前再任用短時間勤務職員とみなして同条第二項後段の規定を適用する場合には、同項後段に規定する引き続く職員としての在職期間には、同日前の当該退職又は先の退職の前の職員としての在職期間を含まないものとする。

9　研究施設研究教育職員への採用についての前二条の規定の適用については、附則第四条第一項及び第二項並びに前条第一項及び第二項中「任期を定め」とあるのは「文部科学省令で定めるところにより任命権者が定める任期をもって」と、附則第四条第三項（前条第三項において準用する場合を含む。）中「範囲内で」とあるのは「範囲内で文部科学省令で定めるところにより任命権者が定める期間をもって」とする。

10　附則第四条第二項又は前条第二項の規定による研究施設研究教育職員への採用並びにこれらの規定により採用された研究施設研究教育職員の昇任、降任及び転任に関し必要な経過措置は、第六項の規定にかかわらず、文部科学省令で定める。

11　検察官及び退職時に特定地方警務官であった者につい

ては、前二条の規定は、適用しない。

第七条　暫定再任用職員（短時間勤務の官職を占める暫定再任用職員（以下この条において「暫定再任用短時間勤務職員」という。）を除く。以下この項及び次項において同じ。）の俸給月額は、当該暫定再任用職員が定年前再任用短時間勤務職員であるものとした場合に適用される一般職の職員の給与に関する法律第六条第二項に規定する俸給表の定年前再任用短時間勤務職員の欄に掲げる基準俸給月額のうち、同法第八条第三項の規定により当該暫定再任用職員の属する職務の級に応じた額とする。

2　国家公務員の育児休業等に関する法律（平成三年法律第百九号。第九項及び附則第十二条において「育児休業法」という。）第十二条第一項に規定する育児短時間勤務をしている暫定再任用職員に対する前項の規定の適用については、同項中「とする」とあるのは、「に、国家公務員の育児休業等に関する法律（平成三年法律第百九号）第十七条の規定により読み替えられた一般職の職員の勤務時間、休暇等に関する法律（平成六年法律第三十三号）第五条第一項ただし書の規定により定められた当該暫定再任用職員の勤務時間を同項本文に規定する勤務時間で除して得た数を乗じて得た額とする」とする。

3　暫定再任用短時間勤務職員の俸給月額は、当該暫定再任用短時間勤務職員が定年前再任用短時間勤務職員であるものとした場合に適用される一般職の職員の給与に関する法律第六条第二項に規定する俸給表の定年前再任用短時間勤務職員の欄に掲げる基準俸給月額のうち、同法第八条第三項の規定により当該暫定再任用短時間勤務職員の属する職務の級に応じた額に、一般職の職員の勤務時間、休暇等に関する法律（平成六年法律第三十三号）第五条第二項の規定により定められた当該暫定再任用短時間勤務職員の勤務時間を同条第一項に規定する勤務時間で除して得た数を乗じて得た額とする。

4　暫定再任用短時間勤務職員は、定年前再任用短時間勤務職員とみなして、新一般職給与法第十二条第二項、第十六条第二項及び第二十二条第一項の規定を適用する。

5　暫定再任用職員は、定年前再任用短時間勤務職員とみなして、新一般職給与法第十九条の四第三項の規定を適用する。

6　新一般職給与法第十九条の七第一項の職員に暫定再任

用職員が含まれる場合における勤勉手当の額の同条第二項各号に掲げる職員の区分ごとの総額の算定に係る同項の規定の適用については、同項第一号中「定年前再任用短時間勤務職員」とあるのは「定年前再任用短時間勤務職員及び国家公務員法等の一部を改正する法律（令和三年法律第六十一号）附則第三条第四項に規定する暫定再任用職員（次号において「暫定再任用職員」という。）」と、同項第二号中「定年前再任用短時間勤務職員」とあるのは「定年前再任用短時間勤務職員及び暫定再任用職員」とする。

7　一般職の職員の給与に関する法律第八条第四項、第七項及び第九項から第十一項まで、第十条の四並びに第十一条並びに新一般職給与法第八条第五項、第六項及び第八項の規定は、暫定再任用職員には適用しない。

8　暫定再任用職員に対する第三条の規定による改正後の国家公務員退職手当法（附則第十二条第六項において「新退職手当法」という。）第二条第一項の規定の適用については、同項中「又は自衛隊法」とあるのは「、自衛隊法」と、「第四十五条の二第一項」とあるのは「第四十五条の二第一項又は国家公務員法等の一部を改正する法律（令和三年法律第六十一号）附則第四条第一項若しくは第二項若しくは第五条第一項若しくは第二項」とする。

9　暫定再任用短時間勤務職員は、定年前再任用短時間勤務職員とみなして、附則第十九条の規定による改正後の育児休業法（附則第十二条において「新育児休業法」という。）第二十六条第一項並びに附則第二十条の規定による改正後の一般職の職員の勤務時間、休暇等に関する法律第五条第二項、第六条第一項ただし書及び第二項ただし書、第七条第二項、第十一条、第十七条第一項並びに第二十三条の規定を適用する。

10　前三条及び前各項に定めるもののほか、暫定再任用職員の任用その他暫定再任用職員に関し必要な事項は、人事院規則で定める。

11　暫定再任用短時間勤務職員は、定年前再任用短時間勤務職員とみなして、国家公務員の寒冷地手当に関する法律（昭和二十四年法律第二百号）第一条の規定を適用する。

（自衛隊法の一部改正に伴う経過措置）

第八条　新自衛隊法第四十一条の二の規定は、施行日以後に退職をした同条第一項に規定する年齢六十年以上退職者（次項において「新自衛隊法による年齢六十年以上退職者」という。）及び同条第一項に規定する国家公務員法による年齢六十年以上退職者（次項において「新国家公務員法による年齢六十年以上退職者」という。）について適用する。

2　任命権者は、附則第三条第二項に規定する基準日（以下この項において「基準日」という。）から基準日の翌年の三月三十一日までの間、基準日における新自衛隊法定年相当年齢（新自衛隊法第四十一条の二第一項に規定する短時間勤務の官職であって同項に規定する指定職（次条第一項及び附則第十一条第三項において「指定職」という。）以外のもの（附則第十一条第二項を除き、以下「短時間勤務の官職」という。）を占める隊員が、常時勤務を要する官職でその職務が当該短時間勤務の官職と同種の官職を占めているものとした場合における新自衛隊法第四十四条の六第二項に規定する定年をいう。以下この項及び附則第十条第二項において同じ。）が基準日の前日における新自衛隊法定年相当年齢を超える短時間勤務の官職（基準日における新自衛隊法定年相当年齢が新自衛隊法第四十四条の六第二項本文に規定する定年である短時間勤務の官職に限る。）及びこれに相当する基準日以後に設置された短時間勤務の官職その他の政令で定める短時間勤務の官職（以下この項において「新自衛隊法原則定年相当年齢引上げ短時間勤務官職」という。）に、基準日の前日までに新自衛隊法による年齢六十年以上退職者又は新国家公務員法による年齢六十年以上退職者となった者（基準日前から新自衛隊法第四十四条の七第一項又は第二項の規定により勤務した後基準日以後に退職をした者及び基準日前から新国家公務員法第八十一条の七第一項又は第二項の規定により勤務した後基準日以後に退職をした者を含む。）のうち基準日の前日において同日における当該新自衛隊法原則定年相当年齢引上げ短時間勤務官職に係る新自衛隊法定年相当年齢に達している者（当該政令で定める短時間勤務の官職にあっては、政令で定める者）を、新自衛隊法第四十一条の二第一項の規定により採用することができず、新自衛隊法原則定年相当年齢引上げ短時間勤務官職に、同条第二項に規定する定年前再任用短時間勤務隊員（以下「定年前再任用短時間勤務隊員」という。）のうち基準日の前日において同日における当該新自衛隊法原則定年相当年齢引上げ短時間勤務官職に係る新自衛隊法定年相当年齢に達している定年前再任用短時間勤務隊員（当該政令で定める短時間勤務の官職にあっては、政令で定める定年前再任用短時間勤務隊員）を、昇任し、降任し、又は転任することができない。

3　平成十一年十月一日前に新自衛隊法第四十六条第二項前段に規定する退職又は先の退職がある定年前再任用短時間勤務隊員について、同項後段の規定を適用する場合には、同項後段に規定する引き続く隊員としての在職期間には、同日前の当該退職又は先の退職の前の隊員としての在職期間を含まないものとする。

4　暫定再任用隊員（次条第一項若しくは第二項又は附則第十条第一項若しくは第二項の規定により採用された隊員をいう。附則第十一条及び第十二条において同じ。）として在職していた期間がある定年前再任用短時間勤務隊員に対する新自衛隊法第四十六条第二項後段の規定の適用については、同項後段中「）又は」とあるのは、「）又は国家公務員法等の一部を改正する法律（令和三年法律第六十一号）附則第九条第一項若しくは第二項若しくは第十条第一項若しくは第二項の規定によりかつて採用されて同法附則第八条第四項に規定する暫定再任用隊員として在職していた期間若しくは」とする。

5　施行日前に旧自衛隊法第四十四条の三第一項又は第二項の規定により勤務することとされ、かつ、旧自衛隊法勤務延長期限（同条第一項の期限又は同条第二項の規定により延長された期限をいう。以下この項及び次項において同じ。）が施行日以後に到来する隊員（次項において「旧自衛隊法勤務延長隊員」という。）に係る当該旧自衛隊法勤務延長期限までの間における同条第一項又は第二項の規定による勤務については、新自衛隊法第四十四条の七の規定にかかわらず、なお従前の例による。

6　任命権者は、旧自衛隊法勤務延長隊員について、旧自衛隊法勤務延長期限又はこの項の規定により延長された期限が到来する場合において、新自衛隊法第四十四条の七第一項各号に掲げる事由があると認めるときは、防衛大臣の定めるところにより、これらの期限の翌日から起算して一年を超えない範囲内で期限を延長することができる。ただし、当該期限は、当該旧自衛隊法勤務延長隊員に係る旧自衛隊法第四十四条の二第一項に規定する定年退職日の翌日から起算して三年を超えることができない。

7 新自衛隊法第四十四条の二第一項の規定は、施行日において第五項の規定により同条第一項に規定する管理監督職を占めたまま引き続き勤務している隊員には適用しない。

8 任命権者は、附則第三条第九項に規定する基準日（以下この項において「基準日」という。）から基準日の翌年の三月三十一日までの間、基準日における新自衛隊法定年（新自衛隊法第四十四条の六第二項に規定する定年をいう。以下この項及び次条第二項において同じ。）が基準日の前日における新自衛隊法定年（基準日が施行日である場合には、施行日の前日における旧自衛隊法第四十四条の二第二項に規定する定年）を超える官職（基準日における新自衛隊法定年が新自衛隊法第四十四条の六第二項本文に規定する定年である官職に限る。）及びこれに相当する基準日以後に設置された官職その他の政令で定める官職に、基準日から基準日の翌年の三月三十一日までの間に新自衛隊法第四十四条の七第一項若しくは第二項の規定又は第五項若しくは第六項の規定により勤務している隊員のうち、基準日の前日において同日における当該官職に係る新自衛隊法定年（基準日が施行日である場合には、施行日の前日における旧自衛隊法第四十四条の二第二項に規定する定年）に達している隊員（当該政令で定める官職にあっては、政令で定める隊員）を、昇任し、降任し、又は転任することができない。

9 第九条の規定による改正後の防衛省の職員の給与等に関する法律（附則第十二条第五項及び第十三条において「新防衛省職員給与法」という。）附則第五項から第十一項まで及び第十六項の規定は、第五項又は第六項の規定により勤務している隊員には適用しない。

10 第五項から前項までに定めるもののほか、第五項又は第六項の規定による勤務に関し必要な事項は、政令で定める。

第九条 任命権者は、次に掲げる者のうち、年齢六十五年到達年度の末日までの間にある者であって、当該者を採用しようとする常時勤務を要する官職（指定職を除く。以下この項及び次項並びに附則第十一条第四項において同じ。）に係る旧自衛隊法第四十四条の二第二項に規定する定年（施行日以後に設置された官職その他の政令で定める官職にあっては、政令で定める年齢）に達している者を、政令で定めるところにより、従前の勤務実績その他の政令で定める情報に基づく選考により、一年を超えない範囲内で任期を定め、当該常時勤務を要する官職に採用することができる。

一 施行日前に旧自衛隊法第四十四条の二第一項の規定により退職した者

二 旧自衛隊法第四十四条の三第一項若しくは第二項又は前条第五項若しくは第六項の規定により勤務した後退職した者

三 施行日前に旧自衛隊法の規定により退職した者（前二号及び第五号から第七号までに掲げる者を除く。）のうち、勤続期間その他の事情を考慮して前二号に掲げる者に準ずる者として政令で定める者

四 施行日前に旧国家公務員法の規定により退職した者（旧国家公務員法第八十一条の三第一項又は第二項及び附則第三条第五項又は第六項の規定により勤務した後退職した者を含む。）のうち、前三号に掲げる者に準ずる者として政令で定める者

五 施行日前に自衛隊法第四十五条第一項の規定により退職した者

六 施行日前に自衛隊法第四十五条第二項の規定による政令で定める定年に達した者であって、同条第三項又は第四項の規定により勤務した後退職した者

七 施行日前に自衛隊法第四十五条第一項に規定する定年に達した日の翌日以前に退職した者のうち勤続期間その他の事情を考慮して前二号に掲げる者に準ずるものとして政令で定める者

2 令和十四年三月三十一日までの間、任命権者は、次に掲げる者のうち、年齢六十五年到達年度の末日までの間にある者であって、当該者を採用しようとする常時勤務を要する官職に係る新自衛隊法定年に達している者を、政令で定めるところにより、従前の勤務実績その他の政令で定める情報に基づく選考により、一年を超えない範囲内で任期を定め、当該常時勤務を要する官職に採用することができる。

一 施行日以後に新自衛隊法第四十四条の六第一項の規定により退職した者

二 施行日以後に新自衛隊法第四十四条の七第一項又は第二項の規定により勤務した後退職した者

三 施行日以後に新自衛隊法第四十一条の二第一項の規定により採用された者のうち、同条第二項に規定する任期が満了したことにより退職した者

四 施行日以後に新自衛隊法の規定により退職した者（前三号及び第六号から第八号までに掲げる者を除く。）のうち、勤続期間その他の事情を考慮して前三号に掲げる者に準ずる者として政令で定める者

五 施行日以後に新国家公務員法の規定により退職した者のうち、前各号に掲げる者に準ずる者として政令で定める者

六 施行日以後に自衛隊法第四十五条第一項の規定により退職した者

七 施行日以後に自衛隊法第四十五条第二項の規定による政令で定める定年に達した者であって、同条第三項又は第四項の規定により勤務した後退職した者

八 施行日以後に自衛隊法第四十五条第一項に規定する定年に達した日の翌日以前に退職した者のうち勤続期間その他の事情を考慮して前二号に掲げる者に準ずるものとして政令で定める者

3 前二項の任期又はこの項の規定により更新された任期は、政令で定めるところにより、一年を超えない範囲内で更新することができる。ただし、当該任期の末日は、前二項の規定により採用する者又はこの項の規定により任期を更新する者の年齢六十五年到達年度の末日以前でなければならない。

第十条 任命権者は、新自衛隊法第四十一条の二第三項の規定にかかわらず、前条第一項各号に掲げる者のうち、年齢六十五年到達年度の末日までの間にある者であって、当該者を採用しようとする短時間勤務の官職に係る旧自衛隊法定年相当年齢（短時間勤務の官職を占める隊員が、常時勤務を要する官職でその職務が当該短時間勤務の官職と同種の官職を占めているものとした場合における旧自衛隊法第四十四条の二第二項に規定する定年（施行日以後に設置された官職その他の政令で定める官職にあっ

ては、政令で定める年齢）をいう。）に達している者を、政令で定めるところにより、従前の勤務実績その他の政令で定める情報に基づく選考により、一年を超えない範囲内で任期を定め、当該短時間勤務の官職に採用することができる。

2　令和十四年三月三十一日までの間、任命権者は、新自衛隊法第四十一条の二第三項の規定にかかわらず、前条第二項各号に掲げる者のうち、年齢六十五年到達年度の末日までの間にある者であって、当該者を採用しようとする短時間勤務の官職に係る新自衛隊法定年相当年齢に達している者（新自衛隊法第四十一条の二第一項の規定により当該短時間勤務の官職に採用することができる者を除く。）を、政令で定めるところにより、従前の勤務実績その他の政令で定める情報に基づく選考により、一年を超えない範囲内で任期を定め、当該短時間勤務の官職に採用することができる。

3　前二項の規定により採用された隊員の任期については、前条第三項の規定を準用する。

第十一条　施行日前に旧自衛隊法第四十四条の四第一項又は第四十四条の五第一項の規定により採用された隊員（以下この項及び次項において「旧自衛隊法再任用隊員」という。）のうち、この法律の施行の際現に常時勤務を要する官職を占める隊員は、施行日に、附則第九条第一項の規定により採用されたものとみなす。この場合において、当該採用されたものとみなされる隊員の任期は、同項の規定にかかわらず、施行日における旧自衛隊法再任用隊員としての任期の残任期間と同一の期間とする。

2　旧自衛隊法再任用隊員のうち、この法律の施行の際現に旧自衛隊法第四十四条の五第一項に規定する短時間勤務の官職を占める隊員は、施行日に、前条第一項の規定により採用されたものとみなす。この場合において、当該採用されたものとみなされる隊員の任期は、同項の規定にかかわらず、施行日における旧自衛隊法再任用隊員としての任期の残任期間と同一の期間とする。

3　任命権者は、暫定再任用隊員を指定職に昇任し、又は転任することができない。

4　任命権者は、附則第九条第一項又は前条第一項の規定により採用した隊員のうち当該隊員を昇任し、降任し、又は転任しようとする常時勤務を要する官職に係る旧自衛隊法第四十四条の二第二項に規定する定年（施行日以後に設置された官職その他の政令で定める官職にあっては、政令で定める年齢）に達した隊員以外の隊員及び附則第九条第二項又は前条第二項の規定により採用した隊員のうち当該隊員を昇任し、降任し、又は転任しようとする常時勤務を要する官職に係る新自衛隊法第四十四条の六第二項に規定する定年に達した隊員以外の隊員を、当該常時勤務を要する官職に昇任し、降任し、又は転任することができない。

5　前二条の規定が適用される場合における新自衛隊法第四十一条の二第三項の規定の適用については、同項中「経過していない定年前再任用短時間勤務隊員」とあるのは、「経過していない定年前再任用短時間勤務隊員、国家公務員法等の一部を改正する法律（令和三年法律第六十一号。以下この項において「令和三年国家公務員法等改正法」という。）附則第九条第一項又は第十条第一項の規定により採用した隊員のうち当該隊員を昇任し、降任し、又は転任しようとする短時間勤務の官職に係る旧自衛隊法定年相当年齢（短時間勤務の官職を占める隊員が、常時勤務を要する官職でその職務が当該短時間勤務の官職と同種の官職を占めているものとした場合における令和三年国家公務員法等改正法第八条の規定による改正前の第四十四条の二第二項に規定する定年（令和三年国家公務員法等改正法の施行の日以後に設置された官職その他の政令で定める官職にあつては、政令で定める年齢）をいう。）に達している隊員及び令和三年国家公務員法等改正法附則第九条第二項又は第十条第二項の規定により採用した隊員のうち当該隊員を昇任し、降任し、又は転任しようとする短時間勤務の官職に係る新自衛隊法定年相当年齢（短時間勤務の官職を占める隊員が、常時勤務を要する官職でその職務が当該短時間勤務の官職と同種の官職を占めているものとした場合における第四十四条の六第二項に規定する定年をいう。）に達している隊員」とする。

6　任命権者は、附則第六条第六項に規定する基準日（以下この項において「基準日」という。）から基準日の翌年の三月三十一日までの間、基準日における新自衛隊法定年（新自衛隊法第四十四条の六第二項に規定する定年（短時間勤務の官職にあっては、当該短時間勤務の官職を占める隊員が、常時勤務を要する官職でその職務が当該短時間勤務の官職と同種の官職を占めているものとした場合における同項に規定する定年）をいう。以下この項において同じ。）が基準日の前日における新自衛隊法定年を超える官職及びこれに相当する基準日以後に設置された官職その他の政令で定める官職（以下この項において「新自衛隊法定年引上げ官職」という。）に、附則第九条第二項各号に掲げる者のうち基準日の前日において同日における当該新自衛隊法定年引上げ官職に係る新自衛隊法定年に達している者（当該政令で定める官職にあっては、政令で定める者）を、同項又は前条第二項の規定により採用しようとする場合には、当該者は当該者を採用しようとする新自衛隊法定年引上げ官職に係る新自衛隊法定年に達しているものとみなして、これらの規定を適用し、新自衛隊法定年引上げ官職に、附則第九条第二項又は前条第二項の規定により採用された隊員のうち基準日の前日において同日における当該新自衛隊法定年に達している隊員（当該政令で定める官職にあっては、政令で定める隊員）を、昇任し、降任し、又は転任しようとする場合には、当該隊員は当該隊員を昇任し、降任し、又は転任しようとする新自衛隊法定年引上げ官職に係る新自衛隊法定年に達しているものとみなして、第四項の規定及び前項の規定により読み替えて適用する新自衛隊法第四十一条の二第三項の規定を適用する。

7　暫定再任用隊員は、定年前再任用短時間勤務隊員とみなして、新自衛隊法第四十六条第二項後段の規定を適用する。この場合において、同項後段中「年齢六十年以上退職者」とあるのは「国家公務員法等の一部を改正する法律（令和三年法律第六十一号。以下この項において「令和三年国家公務員法等改正法」という。）附則第九条第一項第一号から第三号まで若しくは第五号から第七号まで若しくは第二項第一号、第二号、第四号若しくは第六号から第八号までに掲げる者となつた日若しくは同項第三号に掲げる者に該当する場合における年齢六十年以上退職者」と、「）又は」とあるのは「）又は令和三年国家公務員法等改正法第八条の規定による改正前の第四十四条の五第一項の規定によりかつて採用されて隊員として在職していた期間、令和三年国家公務員法等改正法附則第九条第一項若しくは第十条第一項若しくは第二項の規定によりかつて採用されて令和三年国家公務員法等改正法附則第八条第四項に規定する暫定再任用隊員として在職していた期間若しくは」とする。

8　平成十一年十月一日前に新自衛隊法第四十六条第二項前段に規定する退職又は先の退職がある暫定再任用隊員について、前項の規定により定年前再任用短時間勤務隊員とみなして同条第二項後段の規定を適用する場合には、同項後段に規定する引き続く隊員としての在職期間には、同日前の当該退職又は先の退職の前の隊員としての在職期間を含まないものとする。

9　退職時に特定地方警務官であつた者については、前二条の規定は、適用しない。

第十二条　暫定再任用隊員（短時間勤務の官職を占める暫定再任用隊員（以下この条において「暫定再任用短時間勤務隊員」という。）を除く。以下この項及び次項において同じ。）の俸給月額は、当該暫定再任用隊員が定年前再任用短時間勤務隊員であるものとした場合に適用される防衛省の職員の給与等に関する法律第四条第一項に規定する俸給表の定年前再任用短時間勤務職員の欄に掲げる基準俸給月額のうち、同法第四条の二第三項の規定により当該暫定再任用隊員の属する職務の級に応じた額とする。

2　新育児休業法第二十七条第一項において準用する育児休業法第十二条第一項に規定する育児短時間勤務をしている暫定再任用隊員に対する前項の規定の適用については、同項中「とする」とあるのは、「に、当該暫定再任用隊員の一週間当たりの通常の勤務時間を定年前再任用短時間勤務隊員及び新育児休業法第二十七条第一項において準用する育児休業法第十三条第一項に規定する育児短時間勤務職員以外の隊員の一週間当たりの通常の勤務時間として防衛省令で定めるもので除して得た数を乗じて得た額とする」とする。

3　暫定再任用短時間勤務隊員の俸給月額は、当該暫定再任用短時間勤務隊員が定年前再任用短時間勤務隊員であるものとした場合に適用される防衛省の職員の給与等に関する法律第四条第一項に規定する俸給表の定年前再任用短時間勤務職員の欄に掲げる基準俸給月額のうち、同法第四条の二第三項の規定により当該暫定再任用短時間勤務隊員の属する職務の級に応じた額に、当該暫定再任用短時間勤務隊員の一週間当たりの通常の勤務時間を定年前再任用短時間勤務隊員及び新育児休業法第二十七条第一項において準用する育児休業法第十三条第一項に規定する育児短時間勤務職員以外の隊員の一週間当たりの通常の勤務時間として防衛省令で定めるもので除して得た数を乗じて得た額とする。

4　暫定再任用短時間勤務隊員は、定年前再任用短時間勤務隊員とみなして、防衛省の職員の給与等に関する法律第十四条第二項において準用する新一般職給与法第十二条第二項及び第十六条第二項の規定を適用する。

5　防衛省の職員の給与等に関する法律第五条第二項、第十二条及び第十四条（初任給調整手当に係る部分に限る。）並びに新防衛省職員給与法第五条第一項の規定は、暫定再任用隊員には適用しない。

6　暫定再任用隊員に対する新退職手当法第二条第一項の規定の適用については、同項中「又は自衛隊法」とあるのは「、自衛隊法」と、「第四十五条の二第一項」とあるのは「第四十五条の二第一項又は国家公務員法等の一部を改正する法律（令和三年法律第六十一号）附則第九条第一項若しくは第二項若しくは第十条第一項若しくは第二項」とする。

7　暫定再任用短時間勤務隊員は、定年前再任用短時間勤務隊員とみなして、新育児休業法第二十六条第一項並びに自衛隊法第五十四条第二項の規定に基づく防衛省令で定める勤務時間及び休暇の規定を適用する。

8　前三条及び前各項に定めるもののほか、暫定再任用隊員の任用その他暫定再任用隊員に関し必要な事項は、政令で定める。

9　暫定再任用短時間勤務隊員は、定年前再任用短時間勤務隊員とみなして、国家公務員の寒冷地手当に関する法律第五条において準用する同法第一条の規定を適用する。

（防衛省の職員の給与等に関する法律の一部改正に伴う経過措置）

第十三条　新防衛省職員給与法第二十七条の二及び附則第十二項から第十五項までの規定は、施行日以後に退職した同条に規定する若年定年退職者であつて、退職の日において定められている当該若年定年退職者に係る定年に達する日が施行日以後であるものに係る若年定年退職者給付金について適用し、退職の日において定められている当該若年定年退職者に係る定年に達する日が施行日前である同条に規定する若年定年退職者及び施行日前に退職した第九条の規定による改正前の防衛省の職員の給与等に関する法律第二十七条の二に規定する若年定年退職者に係る若年定年退職者給付金については、なお従前の例による。

（その他の経過措置の政令等への委任）

第十五条　附則第三条から前条までに定めるもののほか、この法律の施行に関し必要な経過措置は、政令（人事院の所掌する事項については、人事院規則）で定める。

（検討）

第十六条　政府は、国家公務員の年齢別構成及び人事管理の状況、民間における高年齢者の雇用の状況その他の事情並びに人事院における検討の状況に鑑み、必要があると認めるときは、新国家公務員法若しくは新自衛隊法に規定する管理監督職勤務上限年齢による降任等若しくは定年前再任用短時間勤務職員若しくは定年前再任用短時間勤務隊員に関連する制度又は新検察庁法に規定する年齢が六十三年に達した検察官の任用に関連する制度について検討を行い、その結果に基づいて所要の措置を講ずるものとする。

2　政府は、国家公務員の給与水準が旧国家公務員法第八十一条の二第二項、第四条の規定による改正前の検察庁法第二十二条又は旧自衛隊法第四十四条の二第二項に規定する定年の前後で連続的なものとなるよう、国家公務員の給与制度について、人事院においてこの法律の公布後速やかに行われる昇任及び昇格の基準、昇給の基準、俸給表に定める俸給月額その他の事項についての検討の状況を踏まえ、令和十三年三月三十一日までに所要の措置を順次講ずるものとする。

3　政府は、前項の人事院における検討のためには、職員の能力及び実績を職員の処遇に的確に反映するための人事評価の改善が重要であることに鑑み、この法律の公布後速やかに、人事評価の結果を表示する記号の段階その他の人事評価に関し必要な事項について検討を行い、施行日までに、その結果に基づいて所要の措置を講ずるものとする。

附　則（令三・六・一六法七五）（抄）

（施行期日）

1　この法律は、公布の日から起算して二十日を経過した日から施行する。

附　則（令四・六・一七法六八）（抄）

（施行期日）

1　この法律は、刑法等一部改正法施行日〔令七・六・一〕から施行する。〔ただし書略〕

○一般職の職員の給与に関する法律

昭二五・四・三
法　　九五

改正
昭二五・一二・二七法二九九
昭二六・一一・三〇法二七八
昭二六・一二・二一法三一四
昭二七・六・一二法一八三
昭二七・七・三一法二五一
昭二七・七・三一法二六八
昭二七・七・三一法二七〇
昭二七・一二・二五法三二四
昭二八・八・一法一六一
昭二八・八・一八法二三七
昭二八・一二・一一法二七九
昭二八・一二・一二法二八五
昭二九・六・一法一四一
昭三〇・一二・一四法一八四
昭三一・一二・一四法一七四
昭三一・一二・二〇法一七六
昭三二・六・一法一五四
昭三二・一一・一八法一八二
昭三三・四・二五法八七
昭三三・一二・一五法一七六
昭三三・一二・二三法一七九
昭三四・四・一三法一一九
昭三四・五・一五法一六四
昭三五・六・九法一九三
昭三五・一二・二二法一五〇
昭三六・六・一五法一三二
昭三六・一一・一法一七六
昭三七・九・一五法一六一
昭三八・二・二八法六
昭三八・一二・二〇法一七四
昭三九・一二・一七法一七四
昭四〇・一二・二七法一四七
昭四一・一二・二一法一四〇
昭四二・一二・二二法一四一
昭四三・一二・二一法一〇五
昭四四・一二・二法七二
昭四五・一二・一七法一一九
昭四六・一二・一五法一二一
昭四七・一一・一三法一一八
昭四八・四・一二法一〇
昭四八・九・二六法九五
昭四九・三・二七法七
昭四九・四・二七法三二
昭四九・六・一法七〇
昭四九・六・四法七四
昭四九・一二・二三法一〇五
昭五〇・三・三一法九
昭五〇・一一・七法七一
昭五一・一一・五法七七
昭五二・一二・二一法八八
昭五三・一〇・二一法九〇
昭五四・一二・一二法五七
昭五五・一一・二九法九四
昭五六・一二・二四法九六
昭五七・七・一六法六六
昭五八・一一・二九法六九
昭五八・一二・二法八〇
昭五八・一二・三法八二
昭五九・一二・二二法七九
昭六〇・一二・二一法九七
昭六〇・一二・二七法一〇五
昭六一・一二・四法九三
昭六一・一二・二二法一〇一
昭六二・一二・一五法一〇九
昭六三・一二・一三法九二
昭六三・一二・二四法一〇〇
平元・一二・一三法七三
平二・一二・二六法七九
平三・一二・二四法一〇二
平三・一二・二四法一〇九
平四・四・二法二八
平四・一二・一六法九二
平五・一一・一二法八二
平六・六・一五法三三
平六・一一・七法八九
平七・三・三一法五一
平七・一〇・二五法一一六
平八・一二・一一法一一二
平九・六・四法六六
平九・一二・一〇法一一二
平一〇・一〇・一六法一二〇
平一一・七・七法八三
平一一・七・一六法一〇四
平一一・一一・二五法一四一
平一一・一二・二二法一六〇
平一二・一一・二二法一二二
平一三・一一・一八法一二六
平一三・一二・一二法一五三
平一四・七・三一法九八
平一四・一一・二二法一〇六
平一五・一〇・一六法一四一
平一六・一〇・二八法一三六
平一七・一〇・二一法一〇二
平一七・一一・七法一一三
平一七・一一・七法一二三
平一八・一一・一七法一〇一
平一九・五・一六法四二
平一九・五・二五法五八
平一九・七・六法一〇八
平一九・一一・三〇法一一八
平二〇・一二・二六法九四
平二一・五・二九法四一
平二一・一一・三〇法八六
平二二・一一・三〇法五三
平二四・二・二九法二
平二四・六・二七法四二
平二五・六・二一法五二
平二六・四・一八法二二
平二六・六・一三法六七
平二六・六・一三法六九
平二六・一一・一九法一〇五
平二八・一・二六法一
平二八・一一・二四法八〇
平二九・一二・一五法七七
平三〇・一一・三〇法八二
令元・六・一四法三七
令元・一一・二二法五一
令二・六・二四法六三
令二・一一・三〇法六五
令三・六・一一法六一
令四・四・一三法一七
令四・六・一七法六八
令四・一一・一八法八一
令五・一一・二四法七三
令六・一二・二五法七二

（この法律の目的及び効力）

第一条　この法律は、別に法律で定めるものを除き、国家公務員法（昭和二十二年法律第百二十号）第六十四条第一項に規定する給与に関する法律として、国家公務員法第二条に規定する一般職に属する職員（以下「職員」という。）の給与に関する事項を定めることを目的とする。

㊟　給実甲二八号一条関係一項参照

2　この法律の規定は、国家公務員法のいかなる条項をも廃止し、若しくは修正し、又はこれに代わるものではない。この法律の規定が国家公務員法の規定に矛盾する場合においては、その規定は、当然その効力を失う。

一・三項…全改・二項…一部改正（昭二五法二九九）、一項…全改（昭二六法二七八）、一項…一部改正（昭六〇法九七・平六法三三）、一・二項…一部改正・三項…削除（平一九法一〇八）

（人事院の権限）

第二条　人事院は、この法律の施行に関し、次に掲げる権限を有する。

一　この法律（第六条の二第一項及び第八条第一項を除く。第七号において同じ。）の実施及びその技術的解釈に必要な人事院規則を制定し、及び人事院指令を発すること。

二　第六条に規定する俸給表の適用範囲を決定すること。

㊟　規則九―二（俸給表の適用範囲）参照

三　職員の給与額を研究して、その適当と認める改定を国会及び内閣に同時に勧告すること、この法律の実施及びその実際の結果に関するすべての事項について調査するとともに、その必要に応じ、この法律の目的達成のため適当と認める勧告を付してその研究調査の結果を国会及び内閣に同時に報告すること。

㊟　国家公務員法二三条、二八条参照

四　新たに職員となつた場合及び職員が一の職務の級から他の職務の級に移つた場合の俸給並びに同一級内における昇給の基準に関し人事院規則を制定し、及び人事院指令を発すること。

㊟　規則九―八（初任給、昇格、昇給等の基準）参照

五　給与を決定する諸条件の地域差に対応する給与に関する適当と認める措置を国会及び内閣に同時に勧告するため、全国の各地における生計費等の調査研究を行うこと。

㊟　四二年改正法（昭四二法一四一）附則九項参照

六　第二十一条の規定による職員の苦情の申立

てを受理し、及びこれを審査すること。

七　この法律の完全な実施を確保し、その責めに任ずること。

本条…一部改正（昭二五法二九九・昭三三法一五四・昭三五法九三・法一五〇・昭三六法一三二・昭三八法六・昭三九法一七四・昭四二法一四一・昭四五法一一九・昭六〇法九七・平六法三三・平一六法一二）

（給与の支払）

第三条　この法律に基く給与は、第五条第二項に規定する場合を除く外、現金で支払わなければならない。

2　いかなる給与も、法律又は人事院規則に基かずに職員に対して支払い、又は支給してはならない。

3　公務について生じた実費の弁償は、給与には含まれない。

一項…一部改正（昭二五法二九九）

㊟　規則九―七（俸給等の支給）、国家公務員法一八・六三条、労働基準法二四・二五条参照

（俸給）

第四条　各職員の受ける俸給は、その職務の複雑、困難及び責任の度に基き、且つ、勤労の強度、勤務時間、勤労環境その他の勤務条件を考慮したものでなければならない。

㊟　国家公務員法六二条参照

第五条　俸給は、一般職の職員の勤務時間、休暇等に関する法律（平成六年法律第三十三号。以下「勤務時間法」という。）第十三条第一項に規定する正規の勤務時間（以下単に「正規の勤務時間」という。）による勤務に対する報酬であつて、この法律に定める俸給の特別調整額、本府省業務調整手当、初任給調整手当、専門スタッフ職調整手当、扶養手当、地域手当、広域異動手当、研究員調整手当、住居手当、通勤手当、単身赴任手当、在宅勤務等手当、特殊勤務手当、特地勤務手当（第十四条の規定による手当を含む。第十九条の九において同じ。）、超過勤務手当、休日給、夜勤手当、宿日直手当、管理職員特別勤務手当、期末手当及び勤勉手当を除いた全額とする。

2　宿舎、食事、制服その他これらに類する有価物が職員に支給され、又は無料で貸与される場合においては、これを給与の一部とし、別に法律で定めるところにより、その職員の俸給額を調整する。但し、この調整は、国家公務員宿舎法（昭和二十四年法律第百十七号）に定める公邸及び無料宿舎については行わない。

一項…一部改正・二項…全改・三・四項…削除（昭二五法二九九）、一項…一部改正（昭二七法三二四・昭三二法一五四・昭三三法八七）、二項…一部改正（昭三三法一七九）、一項…一部改正（昭三五法九三・法一五〇・昭四二法一四一・昭四五法一一九・昭五〇法九・平元法七三・平三法一〇二・平六法三三・平八法一一二・平九法六六・平九法一一二・平一六法一三六・平一七法一一三・平一八法一〇一・平一九法一一八・平二〇法九四・平二一法四一・令五法七三）

㊟　二項の「法律」―なし

第六条　俸給表の種類は、次に掲げるとおりとし、各俸給表の適用範囲は、それぞれ当該俸給表に定めるところによる。

一　行政職俸給表（別表第一）

イ　行政職俸給表㈠

ロ　行政職俸給表㈡

二　専門行政職俸給表（別表第二）

三　税務職俸給表（別表第三）

四　公安職俸給表（別表第四）

イ　公安職俸給表㈠

ロ　公安職俸給表㈡

五　海事職俸給表（別表第五）

イ　海事職俸給表㈠

ロ　海事職俸給表㈡

六　教育職俸給表（別表第六）

イ　教育職俸給表㈠

ロ　教育職俸給表㈡

七　研究職俸給表（別表第七）

八　医療職俸給表（別表第八）

イ　医療職俸給表㈠

ロ　医療職俸給表㈡

ハ　医療職俸給表㈢

九　福祉職俸給表（別表第九）

十　専門スタッフ職俸給表（別表第十）

十一　指定職俸給表（別表第十一）

2　前項の俸給表（以下単に「俸給表」という。）は、第二十二条及び附則第三項に規定する職員以外のすべての職員に適用するものとする。

3　職員の職務は、その複雑、困難及び責任の度に基づきこれを俸給表に定める職務の級（指定職俸給表の適用を受ける職員にあつては、同表に定める号俸）に分類するものとし、その分類の基準となるべき標準的な職務の内容は、人事院が定める。

二・四項…一部改正（昭二五法二九九）、二項…一部改正・五項…追加（昭二六法二七八）、五項…一部改正（昭二七法二五二）、二項…一部改正（昭二七法二六八）、五項…一部改正（昭二七法二七〇）、二項…一部改正（昭二七法三二四）、二項…一部改正・六項…追加（昭二八法二三七）、二項…一部改正・五項…削除・旧

六項…五項に繰上（昭二九法一四二）、本条…全改（昭三二法一五四）、一項…一部改正（昭三八法六）、一・三項…一部改正（昭三九法一七四・昭六〇法九七）、一項…一部改正（平一一法一四一・平一六法一三六・平一九法一一八）、三項…一部改正（平二六法二二）

㊟ 一項＝規則九―一二参照
三項の「人事院が定める」＝規則九―八、三条

第六条の二 指定職俸給表の適用を受ける職員（会計検査院及び人事院の職員を除く。）の号俸は、国家行政組織に関する法令の趣旨に従い、及び前条第三項の規定に基づく分類の基準に適合するように、かつ、予算の範囲内で、及び人事院の意見を聴いて内閣総理大臣の定めるところにより、決定する。この場合において、内閣総理大臣は、職員の適正な勤務条件の確保の観点からする人事院の意見については、十分に尊重するものとする。

2 会計検査院及び人事院の指定職俸給表の適用を受ける職員の号俸は、国家行政組織に関する法令の趣旨に従い、及び前条第三項の規定に基づく分類の基準に適合するように、かつ、予算の範囲内で、及び人事院の定めるところにより、決定する。

本条…追加（昭三八法一七四）、全改（昭三九法一七四・昭四八法九五・平二六法二二）

第七条 内閣総理大臣、各省大臣、会計検査院長若しくは人事院総裁（以下各庁の長という。）又は各庁の長の委任を受けた者は、人事院の定めるところに従い、それぞれその所属の職員が、その毎月の俸給の支給を受けるよう、この法律を適用しなければならない。

本条…一部改正（昭二五法二九九・昭二六法三一四・昭二七法二六八・法三三四）

㊟ 「人事院の定」＝規則九―八、その他

第八条 内閣総理大臣は、国家行政組織に関する法令の趣旨に従い、及び第六条第三項の規定に基づく分類の基準に適合するように、かつ、予算の範囲内で、及び人事院の意見を聴いて、職務の級の定数（会計検査院及び人事院の職員の職務の級の定数を除く。）を設定し、又は改定することができる。この場合において、内閣総理大臣は、職員の適正な勤務条件の確保の観点からする人事院の意見については、十分に尊重するものとする。

2 人事院は、国家行政組織に関する法令の趣旨に従い、及び第六条第三項の規定に基づく分類の基準に適合するように、かつ、予算の範囲内で、会計検査院及び人事院の職員の職務の級の定数を設定し、又は改定することができる。

3 職員の職務の級は、前二項の職員の職務の級ごとの定数の範囲内で、かつ、人事院規則で定める基準に従い決定する。

㊟ 規則九―八、一一・二〇～二二・二四・二五・二七条参照

4 新たに俸給表（指定職俸給表を除く。）の適用を受ける職員となつた者の号俸は、人事院規則で定める初任給の基準に従い決定する。

㊟ 規則九―八、一一～一九条参照

5 職員が一の職務の級から他の職務の級に移つた場合（指定職俸給表の適用を受ける職員が他の俸給表の適用を受けることとなつた場合を含む。）又は一の官職から同じ職務の級の初任給の基準を異にする他の官職に移つた場合における号俸は、人事院規則で定めるところにより決定する。

㊟ 規則九―八、二三・二四の二・二六・二八・二九・三〇条参照

6 職員（指定職俸給表の適用を受ける職員を除く。）の昇給は、人事院規則で定める日に、同日前において人事院規則で定める日以前一年間における当該職員の勤務成績に応じて、行うものとする。この場合において、同日の翌日から昇給を行う日の前日までの間に当該職員が国家公務員法第八十二条の規定による懲戒処分を受けたことその他これに準ずるものとして人事院規則で定める事由に該当したときは、これらの事由を併せて考慮するものとする。

㊟ 規則九―八、三四～四一条
規則九―八―五七、附則八～一二項参照

7 前項の規定により職員（次項各号に掲げる職員を除く。以下この項において同じ。）を昇給させるか否か及び昇給させる場合の昇給の号俸数は、前項前段に規定する期間の全部を良好な成績で勤務し、かつ、同項後段の規定の適用を受けない職員の昇給の号俸数を四号俸（海事職俸給表㈠の適用を受ける職員でその職務の級が六級以上であるもの、医療職俸給表㈡の適用を受ける職員でその職務の級が七級以上であるもの、医療職俸給表㈢の適用を受ける職員でその職務の級が六級以上であるもの及び福祉職俸給表の適用を受ける職員でその職務の級が六級であるものにあつては三号俸、専門スタッフ職俸給表の適用を受ける職員でその職務の級が二級であるものにあつては一号俸）とすることを標準として人事院規則で定める基準に従い決定す

るものとする。

㊟　規則九―八、三四～四一条
　　規則九―八―五七、附則八～一二項参照

8　次の各号に掲げる職員の第六項の規定による昇給は、当該各号に掲げる職員の区分に応じ同項前段に規定する期間における当該職員の勤務成績が当該各号に定める場合に該当し、かつ、同項後段の規定の適用を受けない場合に限り行うものとし、昇給させる場合の昇給の号俸数は、勤務成績に応じて人事院規則で定める基準に従い決定するものとする。

一　五十五歳（人事院規則で定める職員にあつては、五十六歳以上の年齢で人事院規則で定めるもの）を超える職員（次号に掲げる職員及び専門スタッフ職俸給表の適用を受ける職員でその職務の級が二級以上であるものを除く。）　特に良好である場合

二　行政職俸給表㈠の適用を受ける職員でその職務の級が八級以上であるもの並びに同表及び専門スタッフ職俸給表以外の各俸給表の適用を受ける職員でその職務の級がこれに相当するものとして人事院規則で定める職員　特に良好である場合

三　専門スタッフ職俸給表の適用を受ける職員でその職務の級が三級又は四級であるもの　次に掲げる職員の職務の級の区分に応じ、それぞれ次に定める場合

イ　三級　特に良好である場合

ロ　四級　極めて良好である場合

9　職員の昇給は、その属する職務の級における最高の号俸を超えて行うことができない。

10　職員の昇給は、予算の範囲内で行わなければならない。

㊟　規則九―八、三七条一一項、四一条参照

11　第六項から前項までに規定するもののほか、職員の昇給に関し必要な事項は、人事院規則で定める。

12　国家公務員法第六十条の二第二項に規定する定年前再任用短時間勤務職員（以下「定年前再任用短時間勤務職員」という。）の俸給月額は、当該定年前再任用短時間勤務職員に適用される俸給表の定年前再任用短時間勤務職員の欄に掲げる基準俸給月額のうち、第三項の規定により当該定年前再任用短時間勤務職員の属する職務の級に応じた額に、勤務時間法第五条第二項の規定により定められた当該定年前再任用短時間勤務職員の勤務時間を同条第一項に規定する勤務時間で除して得た数を乗じて得た額とする。

本条…全改（昭二五法二九九）、四・六項…一部改正（昭二六法二七八・昭二七法三三四・昭二八法二八五）、旧一・二・四・八項…削除・二～六項…追加・旧三項…一部改正し一項に繰上・旧六項…一部改正し八項に繰下・旧五・七項…二項ずつ繰下（昭三二法一五四）、六・八項…一部改正（昭三五法一五〇）、三・四・六項…一部改正（昭三九法一七四）、六・八項…一部改正（昭四五法一一九）、六項…一部改正・九項…追加・旧九項一部改正し一〇項に繰下（昭五四法五七）、一・二・四・五・八項…一部改正（昭六〇法九七）、六・八・九項…一部改正（平一〇法一二〇）、一一項…追加（平一一法八三）、五～一〇項…一部改正（平一七法一一三）、六・七項…一部改正・八項…追加・旧八～一一項…一項ずつ繰下（平一九法一一八）、五・六・八項…一部改正（平二〇法九四）、六項…一部改正・旧七項…削除・旧八項…一部改正し七項に繰上・旧九～一二項…一項ずつ繰上（平二五法五二）、一項…一部改正・二項…追加・旧二項…一部改正し三項に繰下・旧三～六項…一項ずつ繰下・旧七項…一部改正し八項に繰下・旧八・九項…一項ずつ繰下・旧一〇項…一部改正し一一項に繰下・旧一一項…一二項に繰下（平二六法二二）、八項…一部改正（平二八法八〇）、五・六・八項…一部改正・一二項…全改（令三法六一）、七・八項…一部改正（令六法七二）

（俸給の支給）

第九条　俸給は、毎月一回、その月の十五日以後の日のうち人事院規則で定める日に、その月の月額の全額を支給する。ただし、人事院規則の定めるところにより、特に必要と認められる場合には、月の一日から十五日まで及び月の十六日から末日までの各期間内の日に、その月の月額の半額ずつを支給することができる。

本条…全改（昭二五法二九九・昭二七法三三四）、一項…一部改正（昭三二法一五四）、全改（昭三五法一五〇）

㊟　規則九―七参照

第九条の二　新たに職員となつた者には、その日から俸給を支給し、昇給、降給等により俸給額に異動を生じた者には、その日から新たに定められた俸給を支給する。但し、離職した国家公務員が即日職員になつたときは、その日の翌日から俸給を支給する。

2　職員が離職したときは、その日まで俸給を支給する。

3　職員が死亡したときは、その月まで俸給を支給する。

4　第一項又は第二項の規定により俸給を支給する場合であつて、月若しくは前条ただし書に規定する各期間（以下この項において「期間」という。）の初日から支給するとき以外のとき、又はその期間の末日まで支給するとき以外のと

きは、その俸給額は、その期間の現日数から勤務時間法第六条第一項、第七条及び第八条第一項の規定に基づく週休日並びに勤務時間法第六条第三項及び勤務時間法第八条第二項において読み替えて準用する同条第一項の規定に基づく勤務時間を割り振らない日の日数の合計日数を差し引いた日数を基礎として日割りによつて計算する。

本条…追加（昭二七法三二四）、三項…全改（昭二五法二九九）、三項…一部改正（昭三五法一五〇）、二項…一部改正・四項…旧三項を一部改正し繰下・三項…追加（昭四九法一〇五）、四項…一部改正（昭六〇法九七・昭六三法九二・平六法三三・平一八法一・令五法七三）

㊟ 規則九—七参照

（俸給の調整額）

第十条 人事院は、俸給月額が、職務の複雑、困難若しくは責任の度又は勤労の強度、勤務時間、勤労環境その他の勤労条件が同じ職務の級に属する他の官職に比して著しく特殊な官職に対し適当でないと認めるときは、その特殊性に基づき、俸給月額につき適正な調整額表を定めることができる。

2 前項の調整額表に定める俸給月額の調整額は、調整前における俸給月額の百分の二十五をこえてはならない。

一項…一部改正（昭二五法二九九）、全改（昭三二法一五四）、一項…一部改正（昭六〇法九七）

㊟ 一項の「定め」＝規則九—六（俸給の調整額）

（俸給の特別調整額）

第十条の二 人事院は、管理又は監督の地位にある職員の官職のうち人事院規則で指定するものについて、その特殊性に基き、俸給月額につき適正な特別調整額表を定めることができる。

2 前項の特別調整額表に定める俸給月額の特別調整額は、同項に規定する官職を占める職員（以下「管理監督職員」という。）の属する職務の級における最高の号俸の俸給月額の百分の二十五を超えてはならない。

本条…追加（昭二七法三二四）、一項…一部改正（昭三二法一五四）、二項…全改（平一八法一〇）、二項…一部改正（平二〇法九四・平二六法二二）

㊟ 一項の「指定」及び「定め」＝規則九—一七（俸給の特別調整額）

（本府省業務調整手当）

第十条の三 行政職俸給表㈠、専門行政職俸給表、税務職俸給表、公安職俸給表㈠、公安職俸給表㈡又は研究職俸給表の適用を受ける職員（管理監督職員を除く。）が次に掲げる業務に従事する場合は、当該職員には、本府省業務調整手当を支給する。

一 国の行政機関の内部部局として人事院規則で定めるもの（以下この項において「内部部局」という。）の業務（当該内部部局が置かれる機関の長がその職務を行うために使用する庁舎が所在する地域以外の地域に所在する官署における業務であつて、当該庁舎における内部部局の業務と同様な業務の特殊性及び困難性並びに職員の確保の困難性があると認められないものとして人事院規則で定めるものを除く。）

二 内部部局以外の組織の業務であつて、前号に掲げる業務と同様な業務の特殊性及び困難性並びに職員の確保の困難性があると認められるものとして人事院規則で定めるもの

2 本府省業務調整手当の月額は、行政職俸給表㈠の適用を受ける職員にあつては当該職員の属する職務の級、専門行政職俸給表、税務職俸給表、公安職俸給表㈠、公安職俸給表㈡又は研究職俸給表の適用を受ける職員にあつては当該職員の属する職務の級に相当すると認められる行政職俸給表㈠の職務の級であつて人事院規則で定めるものにおける最高の号俸の俸給月額に百分の十を乗じて得た額を超えない範囲内で人事院規則で定める額とする。

3 前二項に規定するもののほか、本府省業務調整手当の支給に関し必要な事項は、人事院規則で定める。

本条…追加（平二〇法九四）、一項…一部改正（平二六法二二）

㊟ 規則九—一二三（本府省業務調整手当）参照

（初任給調整手当）

第十条の四 次の各号に掲げる官職に新たに採用された職員には、当該各号に定める額を超えない範囲内の額を、第一号及び第二号に掲げる官職に係るものにあつては採用の日から三十五年以内、第三号に掲げる官職に係るものにあつては採用の日から十年以内、第四号に掲げる官職に係るものにあつては採用の日から五年以内の期間、採用の日（第一号から第三号までに掲げる官職に係るものにあつては、採用後人事院規則で定める期間を経過した日）から一年を経過するごとにその額を減じて、初任給調整手当として支給する。

一 医療職俸給表㈠の適用を受ける職員の官職のうち採用による欠員の補充が困難であると

認められる官職で人事院規則で定めるもの　月額四十一万六千六百円

二　医学又は歯学に関する専門的知識を必要とし、かつ、採用による欠員の補充が困難であると認められる官職（前号に掲げる官職を除く。）で人事院規則で定めるもの　月額五万千六百円

三　科学技術に関する高度な専門的知識を必要とし、かつ、採用による欠員の補充が著しく困難であると認められる官職（前二号に掲げる官職を除く。）で人事院規則で定めるもの　月額十万円

四　前三号に掲げる官職以外の官職のうち特殊な専門的知識を必要とし、かつ、採用による欠員の補充について特別の事情があると認められる官職で人事院規則で定めるもの　月額二千五百円

2　前項の官職に在職する職員のうち、同項の規定により初任給調整手当を支給される職員との権衡上必要があると認められる職員には、同項の規定に準じて、初任給調整手当を支給する。

3　前二項の規定により初任給調整手当を支給される職員の範囲、初任給調整手当の支給期間及び支給額その他初任給調整手当の支給に関し必要な事項は、人事院規則で定める。

本条…追加（昭三五法一五〇）、一項…全改（昭三六法一七六）、一部改正（昭三九法一七四・昭四一法一四〇・昭四二法一四一・昭四三法一〇五・昭四四法七二・昭四五法一一九・昭四六法一二一・昭四七法一一八・昭四八法九五・昭四九法一〇五・昭五〇法七一・昭五一法七七・昭五二法八八・昭五三法九〇・昭五四法五七・昭五五法九四・昭五六法九六・昭五八法六九・昭五九法七九・昭六〇法九七・昭六一法一〇一・昭六二法一〇九・昭六三法一〇〇・平元法七三・平二法七九・平三法一〇二・平四法九二・平五法八二・平六法八九・平七法一一六・平八法一一二・平九法一一二・平一〇法一二〇・平一四法一〇六・平一五法一四一・平一七法一一三・平一八法一〇二）、一項…一部改正・本条…旧一〇条の三を繰下（平二〇法九四）、一項…一部改正（平二六法一〇五・平二八法一・平二八法八〇・平二九法七七・平三〇法八二・令二法六三・令五法七三・令六法七二）

㊟　規則九―三四（初任給調整手当）参照

（専門スタッフ職調整手当）

第十条の五　専門スタッフ職俸給表の適用を受ける職員でその職務の級が三級であるものが極めて高度の専門的な知識経験及び識見を活用して遂行することが必要とされる業務で重要度及び困難度が特に高いものとして人事院規則で定める業務に従事することを命ぜられた場合は、当該職員には、当該業務に従事する間、専門スタッフ職調整手当を支給する。

2　専門スタッフ職調整手当の月額は、俸給月額に百分の十を乗じて得た額とする。

3　前二項に規定するもののほか、専門スタッフ職調整手当の支給に関し必要な事項は、人事院規則で定める。

本条…追加（平一九法一一八）、本条…旧一〇条の四を繰下（平二〇法九四）

㊟　規則九―一二二（専門スタッフ職調整手当）参照

（扶養手当）

第十一条　扶養手当は、扶養親族のある職員に対して支給する。ただし、次項第二号から第五号までのいずれかに該当する扶養親族（第三項において「扶養親族たる父母等」という。）に係る扶養手当は、行政職俸給表㈠の適用を受ける職員でその職務の級が九級以上であるもの及び同表以外の各俸給表の適用を受ける職員でその職務の級がこれに相当するものとして人事院規則で定める職員に対しては、支給しない。

2　扶養手当の支給については、次に掲げる者で他に生計の途がなく主としてその職員の扶養を受けているものを扶養親族とする。

一　満二十二歳に達する日以後の最初の三月三十一日までの間にある子

二　満二十二歳に達する日以後の最初の三月三十一日までの間にある孫

三　満六十歳以上の父母及び祖父母

四　満二十二歳に達する日以後の最初の三月三十一日までの間にある弟妹

五　重度心身障害者

3　扶養手当の月額は、前項第一号に該当する扶養親族（次項において「扶養親族たる子」という。）については一人につき一万三千円、扶養親族たる父母等については一人につき六千五百円（行政職俸給表㈠の適用を受ける職員でその職務の級が八級であるもの及び同表以外の各俸給表の適用を受ける職員でその職務の級がこれに相当するものとして人事院規則で定める職員にあつては、三千五百円）とする。

4　扶養親族たる子のうちに満十五歳に達する日後の最初の四月一日から満二十二歳に達する日以後の最初の三月三十一日までの間にある子がいる場合における扶養手当の月額は、前項の規定にかかわらず、五千円に当該期間にある当該扶養親族たる子の数を乗じて得た額を同項の規

定による額に加算した額とする。

5　前各項に規定するもののほか、扶養親族の数の変更に伴う支給額の改定その他扶養手当の支給に関し必要な事項は、人事院規則で定める。

三項…一部改正（昭四一法一四〇）、二・三項…一部改正（昭四四法七二）、三項…一部改正・四項…追加（昭四六法一二二）、三項…一部改正（昭四七法一一八）、一・三項…一部改正（昭四八法九五）、三項…一部改正（昭四九法一〇五・昭五〇法七二）、三・四項…一部改正（昭五一法七七）、三項…一部改正（昭五二法八八・昭五三法九〇・昭五四法五七・昭五五法九四・昭五六法九六）、二項…一部改正（昭五七法六六）、三項…一部改正（昭五八法六九・昭五九法七九）、三項…一部改正・四項…全改（昭六〇法九七）、三項…一部改正（昭六三法一〇二・平三法一〇二）、二・三項…一部改正（昭六一法一〇二）、二項…一部改正・四項…削除（平三法一〇二）、二項…一部改正（平四法九二）、三項…一部改正・四項…追加（平五法八二）、四項…一部改正（平六法八九・平七法一一六・平八法一一二）、三・四項…一部改正（平九法一一二）、四項…一部改正（平一〇法一一〇）、三項…一部改正（平一二法一二一・平一四法一〇六・平一五法一四一・平一七法一一三・平一八法一〇一・平一九法一一八）、一・二項…一部改正・三項…全改（平二八法八〇）、一～四項…一部改正・五項…追加（令六法七二）

第十一条の二　削除

本条…追加（昭二五法二九九）、二・三項…全改（昭四〇法一四七）、一・二項…一部改正（昭四四法七二）、本条…一部改正（昭四九法一〇五・平五法八二）、三項…一部改正（平九法一一二・平一九法一一八）、本条…一部改正（平二八法八〇）、本条…削除（令六法七二）

（地域手当）

第十一条の三　地域手当は、当該地域における民間の賃金水準を基礎とし、当該地域における物価等を考慮して人事院規則で定める地域に在勤する職員に支給する。当該地域に近接する地域のうち民間の賃金水準及び物価等に関する事情が当該地域に準ずる地域に所在する官署で人事院規則で定めるものに在勤する職員についても、同様とする。

2　地域手当の月額は、俸給、俸給の特別調整額、専門スタッフ職調整手当及び扶養手当の月額の合計額に、次の各号に掲げる地域手当の級地の区分に応じて、当該各号に定める割合を乗じて得た額とする。

一　一級地　百分の二十

二　二級地　百分の十六

三　三級地　百分の十二

四　四級地　百分の八

五　五級地　百分の四

3　前項の地域手当の級地は、人事院規則で定める。

本条…追加（昭四二法一四一）、二項…一部改正（昭四五法一一九・昭五六法九六・昭六〇法九七・平四法九二）、一～三項…一部改正（平一七法一一三）、二項…一部改正（平一九法一一八・平二六法一〇五・令六法七二）

㊟　規則九―四九（地域手当）参照

第十一条の四　その設置に特別の事情がある大規模な空港の区域であつて、当該区域内における民間の事業所の設置状況、当該民間の事業所の従業員の賃金等に特別の事情があると認められるものとして人事院規則で定めるものに在勤する職員には、前条の規定によりこの条の規定による地域手当の支給割合以上の支給割合による地域手当を支給される場合を除き、前条の規定にかかわらず、俸給、俸給の特別調整額、専門スタッフ職調整手当及び扶養手当の月額の合計額に百分の十六を超えない範囲内で人事院規則で定める割合を乗じて得た月額の地域手当を支給する。

本条…全改（平一七法一一三）、一部改正（平一九法一一八・平二六法一〇五）

㊟　規則九―四九、四条参照

第十一条の五　医療職俸給表㈠の適用を受ける職員及び指定職俸給表の適用を受ける職員（医療業務に従事する職員で人事院の定めるものに限る。）には、前二条の規定によりこの条の規定による地域手当の支給割合以上の支給割合による地域手当を支給される場合を除き、当分の間、前二条の規定にかかわらず、俸給、俸給の特別調整額及び扶養手当の月額の合計額に百分の十六を乗じて得た月額の地域手当を支給する。

本条…追加（昭四二法一四一）、全改（昭四五法一一九）、一部改正（昭五六法九六・昭六〇法九七）、一部改正・一一条の四を繰下（平一七法一一三）、一部改正（平二六法一〇五）

㊟　「人事院の定めるもの」＝給実甲一〇一九

第十一条の六　第十一条の三第一項の人事院規則で定める地域に所在する官署又は同項の人事院規則で定める官署（以下「地域手当支給官署」という。）が特別の法律に基づく官署の移転に関する計画その他の特別の事情による移転（人事院規則で定める移転に限る。）をした場合において、当該移転の直後の官署の所在する地域若しくは官署に係る地域手当の支給割合（同条第二項各号に定める割合をいう。）が当該移転の日の前日の官署の所在していた地域若しくは官署に係る地域手当の支給割合（同条第二項各号に定める割合をいう。以下「移転前の支給割合」という。）に達しないこととなるとき、又は当該移転の直後の官署の所在する地域若しくは官署が同条第一項の人事院規則で定める地域若しくは官署に該当しないこととなるときは、当該移転をした官署で人事院規則で定めるもの（以下「特別移転官署」という。）に在勤する職員（人事院規則で定める職員を除く。）には、前二条の規定により当該官署に係るこの項の規定による地域手当の支給割合以上の支給割合による地域手当を支給される期間を除き、前三条の規定にかかわらず、人事院規則の定めるところにより、一定の期間、俸給、俸給の特別調整額、専門スタッフ職調整手当及び扶養手当の月額の合計額に次の各号に掲げる特別移転官署の区分に応じ当該各号に定める割合で人事院規則で定めるものを乗じて得た月額の地域手当を支給する。

一　地域手当支給官署である特別移転官署　移転前の支給割合を当該官署の所在する地域又は当該官署に係る第十一条の三第二項各号に定める割合に至るまで段階的に引き下げた割合

二　前号に掲げるもの以外の特別移転官署　移転前の支給割合を段階的に引き下げた割合

2　新たに設置された官署で特別移転官署の移転と同様の事情により設置されたものとして人事院規則で定める官署に在勤する職員（人事院規則で定める職員を除く。）には、前二条の規定により当該官署に係るこの項の規定による地域手当の支給割合以上の支給割合による地域手当を支給される期間を除き、前三条の規定にかかわらず、当該官署の設置に関する事情、当該官署の設置に伴う職員の異動の状況等を考慮して人事院規則の定めるところにより、一定の期間、俸給、俸給の特別調整額、専門スタッフ職調整手当及び扶養手当の月額の合計額に前項各号の規定に準じて人事院規則で定める割合を乗じて得た月額の地域手当を支給する。

3　地域手当支給官署が第一項に規定する特別の事情に準ずると認められる事情による移転（人事院規則で定める移転に限る。）をした場合において、当該移転の直後の官署の所在する地域若しくは官署に係る地域手当の支給割合（第十一条の三第二項各号に定める割合をいう。）が当該移転の日の前日の官署の所在していた地域若しくは官署に係る地域手当の支給割合（同条第二項各号に定める割合をいう。）に達しないこととなるとき、又は当該移転の直後の官署の所在する地域若しくは官署が同条第一項の人事院規則で定める地域若しくは官署に該当しないこととなるときは、当該移転をした官署で人事院規則で定めるもの（以下「準特別移転官署」という。）に在勤する職員（当該移転の日前から引き続き準特別移転官署に在勤する職員その他これらの職員との権衡上必要があると認められるものとして人事院規則で定める職員（以下「移転職員等」という。）に限る。）には、人事院規則の定めるところにより、第一項の規定に準じて、地域手当を支給する。新たに設置された官署で準特別移転官署の移転と同様の事情により設置されたものとして人事院規則で定める官署に在勤する職員（人事院規則で定める職員に限る。）についても、当該官署の設置に関する事情、当該官署の設置に伴う職員の異動の状況等を考慮して人事院規則の定めるところにより、前項の規定に準じて、地域手当を支給する。

本条…追加（平七法一一六）、一部改正（平一七法一一三）、一・二項…一部改正（平一九法一一八）

㊟　規則九—四九、五・六条参照

第十一条の七　第十一条の三第一項の人事院規則で定める地域若しくは官署若しくは第十一条の四の人事院規則で定める空港の区域に在勤する職員がその在勤する地域、官署若しくは空港の区域を異にして異動した場合又はこれらの職員の在勤する官署が移転した場合（これらの職員が当該異動又は移転の日の前日に在勤していた地域、官署又は空港の区域に引き続き六箇月を超えて在勤していた場合その他当該場合との権衡上必要があると認められる場合として人事院規則で定める場合に限る。）において、当該異動若しくは移転（以下この項において「異動等」という。）の直後に在勤する地域、官署若しくは空港の区域に係る地域手当の支給割合（第十一条の三第二項各号に定める割合又は第十一条の四の人事院規則で定める割合をいう。以下この項において「異動等後の支給割合」という。）が当該異動等の日の前日に在勤していた地域、官署若しくは空港の区域に係る地域手当の支給割合（第十一条の三第二項各号に定める割合又は第十一条の四の人事院規則で定める割合をいい、人事院規則で定める場合には、当該支給割合を超えない範囲内で人事院規則で定める割合とする。以下この項において「異動等前の支給割合」という。）に達しないこととなるとき、又は当該異動等の直後に在勤する地域、官署若しくは空港の区域が第十一条の三第一項の人事院規則で定める地域若しくは官署若しくは第十一条の四の人事院規則で定める空港の区域に該当しないこととなるときは、異動等の円滑を図るため、当該職員には、前二条の規定により当該異動等に係るこの項本文の規定による地域手当の支給割合以上の支給割合による地域手当を支給される期間を除き、第十一条の三から前条までの規定にかかわらず、当該異動等の日から三年を経過するまでの間（次の各号に掲げる期間において当該各号に定める割合が異動等後の支給割合（第十一条の三第三項の人事院規則で定める級地、第十一条の四の人事院規則で定める空港の区域又は同条の人事院規則で定める割合の変更により、異動等後の支給割合が当該異動等の後に変更された場合にあつては、当該変更後の異動等後の支給割合）以下となるときは、その以下となる日の前日までの間。以下この項において同じ。）、俸給、俸給の特別調整額、専門スタッフ職調整手当及び扶養手当の月額の合計額に次の各号に掲げる期間の区分に応じ当該各号に定める割合を乗じて得た月額の地域手当を支給する。ただし、当該職員が当該異動等の日から三年を経過するまでの間に更に在勤する地域、官署又は空港の区域を異にして異動した場合その他人事院の定める場合における当該職員に対する地域手当の支給については、人事院の定めるところによる。

一　当該異動等の日から同日以後一年を経過する日までの期間　異動等前の支給割合（異動等前の支給割合が当該異動等の後に第十一条の三第三項の人事院規則で定める級地、第十一条の四の人事院規則で定める空港の区域又は同条の人事院規則で定める割合の変更により当該異動等の日の前日の異動等前の支給割合を超えた場合にあつては、当該異動等の日の前日の異動等前の支給割合。次号及び第三号において同じ。）

二　当該異動等の日から同日以後二年を経過する日までの期間（前号に掲げる期間を除く。）　異動等前の支給割合に百分の八十を乗じて得た割合

三　当該異動等の日から同日以後三年を経過する日までの期間（前二号に掲げる期間を除く。）　異動等前の支給割合に百分の六十を乗じて得た割合

2　特別移転官署に在勤する職員（前条第一項の人事院規則で定める職員を除く。）、同条第二項の人事院規則で定める官署に在勤する職員（同項の人事院規則で定める職員を除く。）、準特別移転官署に在勤する職員（移転職員等に限る。）若しくは同条第三項後段の人事院規則で定める官署に在勤する職員（同項後段の人事院規則で定める職員に限る。）がその在勤する官署を異にして異動した場合又はこれらの職員の在勤する官署が移転した場合（これらの職員が当該異動又は移転の日の前日に在勤していた官署に引き続き六箇月を超えて在勤していた場合その他当該場合との権衡上必要があると認められる場合として人事院規則で定める場合に限る。）において、当該異動若しくは移転（以下この項において「異動等」という。）の直後に在勤する地域、官署若しくは空港の区域に係る地域手当の支給割合（第十一条の三第二項各号に定める割合又は第十一条の四の人事院規則で定める割合をいう。以下この項において「異動等後の支給割合」という。）が当該異動等の日の前日に在勤していた官署に引き続き在勤するものとした場合における当該官署に係る前条の規定による当該異動等の日の地域手当の支給割合に達しないこととなるとき、又は当該異動等の直後に在勤する地域、官署若しくは空港の区域が第十一条の三第一項の人事院規則で定める地域若しくは官署若しくは第十一条の四の人事院規則で定める空港の区域に該当しないこととなるときは、当該職員には、前二条又は前項ただし書若しくは次項の規定により当該異動等に係るこの項本文の規定による地域手当の支給割合以上の支給割合による地域手当を支給される期間を除き、第十一条の三から前条まで又は前項若しくは次項の規定にかかわらず、当該異動等の日から三年を経過するまでの間（次の各号に掲げる期間において当該各号に定める割合が異動等後の支給割合以下となるときは、その以下となる日の前日までの間。以下この項において同じ。）、俸給、俸給の特別調整額、専門スタッフ職調整手当及び扶養手当の月額の合計額に当該各号に掲げる期間の区分に応じ当該各号に定める割合を乗じて得た月額の地域手当を支給する。ただし、当該職員が当該異動等の日から

三年を経過するまでの間に更に在勤する地域、官署又は空港の区域を異にして異動した場合その他人事院の定める場合における当該職員に対する地域手当の支給については、人事院の定めるところによる。

一　当該異動等の日から同日以後一年を経過する日までの期間　当該異動等の日の前日に在勤していた官署に引き続き在勤するものとした場合における当該官署に係る前条の規定による地域手当の支給割合（次号及び第三号において「みなし特例支給割合」という。）

二　当該異動等の日から同日以後二年を経過する日までの期間（前号に掲げる期間を除く。）　みなし特例支給割合に百分の八十を乗じて得た割合

三　当該異動等の日から同日以後三年を経過する日までの期間（前二号に掲げる期間を除く。）　みなし特例支給割合に百分の六十を乗じて得た割合

3　検察官であつた者若しくは独立行政法人通則法（平成十一年法律第百三号）第二条第四項に規定する行政執行法人の職員、特別職に属する国家公務員、地方公務員若しくは沖縄振興開発金融公庫その他その業務が国の事務若しくは事業と密接な関連を有する法人のうち人事院規則で定めるものに使用される者（以下「行政執行法人職員等」という。）であつた者から引き続き俸給表の適用を受ける職員となつた者又は第一項に規定する異動等に準ずるものとして人事院規則で定めるものがあつた者が、第十一条の三第二項第一号の一級地に係る地域及び官署以外の地域又は官署に在勤することとなつた場合において、任用の事情、当該在勤することとなつた日の前日における勤務地等を考慮して前二項の規定による地域手当を支給される職員との権衡上必要があると認められるときは、当該職員には、人事院規則の定めるところにより、これらの規定に準じて、地域手当を支給する。

本条…追加（昭四五法一一九）、一部改正・一一条の五を繰下（昭五五法九四）、二項…追加（昭五五法九四）、一部改正（昭六〇法九七・昭六一法九三）、本条…一部改正（平四法九二）、一部改正・一一条の六を繰下（平七法一一六）、二項…追加（平七法一一六）、三項…一部改正（平一一法一〇四・平一四法九八）、一・二項…一部改正（平一五法一四一）、三項…一部改正（平一七法一〇二）、一～三項…一部改正（平一七法一一三）、三項…一部改正（平一九法五八）、一・二項…一部改正（平一九法一一八）、三項…一部改正（平二四法四二・平二六法六七）、一～三項…一部改正（令六法七二）

㊟　規則九―四九、一一～一四条参照
「人事院の定める場合」及び「人事院の定めるところ」＝給実甲一〇一九

（広域異動手当）

第十一条の八　職員がその在勤する官署を異にして異動した場合又は職員の在勤する官署が移転した場合において、当該異動又は移転（以下この条において「異動等」という。）につき人事院規則で定めるところにより算定した官署間の距離（異動等の日の前日に在勤していた官署の所在地と当該異動等の直後に在勤する官署の所在地との間の距離をいう。以下この項において同じ。）及び住居と官署との間の距離（異動等の直前の住居と当該異動等の直後に在勤する官署の所在地との間の距離をいう。以下この項において同じ。）がいずれも六十キロメートル以上であるとき（当該住居と官署との間の距離が六十キロメートル未満である場合であつて、通勤に要する時間等を考慮して当該住居と官署との間の距離が六十キロメートル以上である場合に相当すると認められる場合として人事院規則で定める場合を含む。）は、当該職員には、当該異動等の日から三年を経過する日までの間、俸給、俸給の特別調整額、専門スタッフ職調整手当及び扶養手当の月額の合計額に当該異動等に係る官署間の距離の次の各号に掲げる区分に応じ当該各号に定める割合を乗じて得た月額の広域異動手当を支給する。ただし、当該異動等に当たり一定の期間内に当該異動等の日の前日に在勤していた官署への異動等が予定されている場合その他の広域異動手当を支給することが適当と認められない場合として人事院規則で定める場合は、この限りでない。

一　三百キロメートル以上　百分の十

二　六十キロメートル以上三百キロメートル未満　百分の五

2　前項の規定により広域異動手当を支給されることとなる職員のうち、当該支給に係る異動等（以下この項において「当初広域異動等」という。）の日から三年を経過する日までの間の異動等（以下この項において「再異動等」という。）により前項の規定により更に広域異動手当が支給されることとなるものについては、当該再異動等に係る広域異動手当の支給割合が当初広域異動等に係る広域異動手当の支給割合を上回るとき又は当初広域異動等に係る広域異動手当の支給割合と同一の割合となるときにあつ

ては当該再異動等の日以後は当初広域異動手当を支給せず、当該再異動等に係る広域異動手当の支給割合が当初広域異動等に係る広域異動手当の支給割合を下回るときにあつては当初広域異動等に係る広域異動手当が支給されることとなる期間は当該再異動等に係る広域異動手当を支給しない。

3　検察官であつた者、行政執行法人職員等であつた者その他の人事院規則で定める者から引き続き俸給表の適用を受ける職員となつた者（任用の事情等を考慮して人事院規則で定める者に限る。）又は異動等に準ずるものとして人事院規則で定めるものがあつた職員であつて、これらに伴い勤務場所に変更があつたものには、人事院規則の定めるところにより、前二項の規定に準じて、広域異動手当を支給する。

4　前三項の規定により広域異動手当を支給されることとなる職員が、第十一条の三から前条までの規定により地域手当を支給される職員である場合における広域異動手当の支給割合は、前三項の規定による広域異動手当の支給割合から当該地域手当の支給割合を減じた割合とする。この場合において、前三項の規定による広域異動手当の支給割合が当該地域手当の支給割合以下であるときは、広域異動手当は、支給しない。

5　前各項に規定するもののほか、広域異動手当の支給に関し必要な事項は、人事院規則で定める。

本条…追加（平一八法一〇二）、一項…一部改正（平一九法一一八）、三項…一部改正（平二四法四二・平二六法六七）、一項…一部改正（平二六法一〇五）

（研究員調整手当）

第十一条の九　科学技術に関する試験研究を行う機関のうち、研究活動の状況、研究員（研究職俸給表の適用を受ける職員（人事院規則で定める職員を除く。）及び指定職俸給表の適用を受ける職員（試験研究に関する業務に従事する職員に限る。）をいう。以下同じ。）の採用の状況等からみて人材の確保等を図る特別の事情があると認められる機関（地域手当支給官署であつて、当該官署の所在する地域又は当該官署に係る第十一条の三の規定による地域手当の支給割合が百分の十以上であるものを除く。）で人事院規則で定めるものに勤務する研究員には、研究員調整手当を支給する。

2　研究員調整手当の月額は、俸給、俸給の特別調整額及び扶養手当の月額の合計額に百分の十（次の各号に掲げる職員にあつては、その割合からそれぞれ当該各号に定める割合を減じた割合）を乗じて得た額とする。

一　地域手当支給官署に在勤する職員　当該官署の所在する地域又は当該官署に係る第十一条の三の規定による地域手当の支給割合

二　前条の規定により広域異動手当が支給される職員　当該職員に係る同条の規定による広域異動手当の支給割合

3　前二項に規定するもののほか、研究員調整手当の支給に関し必要な事項は、人事院規則で定める。

4　第一項の規定により研究員調整手当を支給される職員が第十一条の四、第十一条の六又は第十一条の七の規定により地域手当を支給されることとなる職員である場合における研究員調整手当とこれらの規定による地域手当との調整に関し必要な事項は、人事院規則で定める。

本条…追加（平八法一一二）、一項…一部改正・二項…削除・旧三〜五項…一部改正し二〜四項に繰上（平一六法一三六）、一・二・四項…一部改正（平一七法一一三）、本条…旧一一条の八を繰下・二・四項…一部改正（平一八法一〇二）

㊟　規則九―一〇二（研究員調整手当）参照

（住居手当）

第十一条の十　住居手当は、次の各号のいずれかに該当する職員に支給する。

一　自ら居住するため住宅（貸間を含む。次号において同じ。）を借り受け、月額一万六千円を超える家賃（使用料を含む。以下同じ。）を支払つている職員（国家公務員宿舎法第十三条の規定による有料宿舎を貸与され、使用料を支払つている職員その他人事院規則で定める職員を除く。）

二　第十二条の二第一項又は第三項の規定により単身赴任手当を支給される職員で、配偶者（届出をしないが事実上婚姻関係と同様の事情にある者を含む。同条において同じ。）が居住するための住宅（国家公務員宿舎法第十三条の規定による有料宿舎その他人事院規則で定める住宅を除く。）を借り受け、月額一万六千円を超える家賃を支払つているもの又はこれらのものとの権衡上必要があると認められるものとして人事院規則で定めるもの

2　住居手当の月額は、次の各号に掲げる職員の区分に応じて、当該各号に定める額（当該各号のいずれにも該当する職員にあつては、当該各

号に定める額の合計額）とする。

一　前項第一号に掲げる職員　次に掲げる職員の区分に応じて、それぞれ次に定める額（その額に百円未満の端数を生じたときは、これを切り捨てた額）に相当する額

イ　月額二万七千円以下の家賃を支払つている職員　家賃の月額から一万六千円を控除した額

ロ　月額二万七千円を超える家賃を支払つている職員　家賃の月額から二万七千円を控除した額の二分の一（その控除した額の二分の一が一万七千円を超えるときは、一万七千円）を一万千円に加算した額

二　前項第二号に掲げる職員　前号の規定の例により算出した額の二分の一に相当する額（その額に百円未満の端数を生じたときは、これを切り捨てた額）

3　前二項に規定するもののほか、住居手当の支給に関し必要な事項は、人事院規則で定める。

本条…追加（昭四五法一一九）、一項…一部改正（昭四八法九五）、本条…全改（昭四九法一〇五）、一・二項…一部改正（昭五〇法七二）、二項…一部改正（昭五一法七七）、一・二項…一部改正（昭五二法八八）、一・二項…一部改正（昭五四法五七）、本条…一一条の六を繰下（昭五五法九四）、一・二項…一部改正（昭五六法九六）、二項…一部改正（昭五八法六九・昭五九法七九・昭六〇法九七）、一・二項…一部改正（昭六二法一〇九）、二項…一部改正（昭六三法一〇〇・平二法七九）、一・二項…一部改正（平四法九二）、二項…一部改正（平五法八二）、本条…一部改正・旧一一条の七を繰下（平七法一一六）、本条…旧一一条の八を繰下（平八法一一二）、一・二項…一部改正（平一五法一四一）、本条…旧一一条の九を繰下（平一八法一〇一）、一・二項…一部改正（平二二法八六・令元法五一）、一項…一部改正（令六法七二）

㊟　規則九―五四（住居手当）参照

（通勤手当）

第十二条　通勤手当は、次に掲げる職員に支給する。

一　通勤のため交通機関又は有料の道路（以下この条において「交通機関等」という。）を利用してその運賃又は料金（以下この項から第三項までにおいて「運賃等」という。）を負担することを常例とする職員（交通機関等を利用しなければ通勤することが著しく困難である職員以外の職員であつて交通機関等を利用しないで徒歩により通勤するものとした場合の通勤距離が片道二キロメートル未満であるもの及び第三号に掲げる職員を除く。）

二　通勤のため自動車その他の交通の用具で人事院規則で定めるもの（以下この条において「自動車等」という。）を使用することを常例とする職員（自動車等を使用しなければ通勤することが著しく困難である職員以外の職員であつて自動車等を使用しないで徒歩により通勤するものとした場合の通勤距離が片道二キロメートル未満であるもの及び次号に掲げる職員を除く。）

三　通勤のため交通機関等を利用してその運賃等を負担し、かつ、自動車等を使用することを常例とする職員（交通機関等を利用し、又は自動車等を使用しなければ通勤することが著しく困難である職員以外の職員であつて、交通機関等を利用せず、かつ、自動車等を使用しないで徒歩により通勤するものとした場合の通勤距離が片道二キロメートル未満であるものを除く。）

2　通勤手当の額は、次の各号に掲げる職員の区分に応じ、当該各号に定める額とする。

一　前項第一号に掲げる職員　支給単位期間につき、人事院規則で定めるところにより算出した当該職員の支給単位期間の通勤に要する運賃等の額に相当する額（次項及び第五項において「運賃等相当額」という。）

二　前項第二号に掲げる職員　次に掲げる職員の区分に応じ、支給単位期間につき、それぞれ次に定める額（第十二条の三第一項の規定により在宅勤務等手当を支給される職員及び定年前再任用短時間勤務職員（支給単位期間当たりの通勤回数を考慮して人事院規則で定める職員に限る。）にあつては、その額から、その額に人事院規則で定める割合を乗じて得た額を減じた額）

イ　自動車等の使用距離（以下この号において「使用距離」という。）が片道五キロメートル未満である職員　二千円

ロ　使用距離が片道五キロメートル以上十キロメートル未満である職員　四千二百円

ハ　使用距離が片道十キロメートル以上十五キロメートル未満である職員　七千百円

ニ　使用距離が片道十五キロメートル以上二十キロメートル未満である職員　一万円

ホ　使用距離が片道二十キロメートル以上二十五キロメートル未満である職員　一万二千九百円

ヘ　使用距離が片道二十五キロメートル以上

三十キロメートル未満である職員　一万五千八百円

ト　使用距離が片道三十キロメートル以上三十五キロメートル未満である職員　一万八千七百円

チ　使用距離が片道三十五キロメートル以上四十キロメートル未満である職員　二万千六百円

リ　使用距離が片道四十キロメートル以上四十五キロメートル未満である職員　二万四千四百円

ヌ　使用距離が片道四十五キロメートル以上五十キロメートル未満である職員　二万六千二百円

ル　使用距離が片道五十キロメートル以上五十五キロメートル未満である職員　二万八千円

ヲ　使用距離が片道五十五キロメートル以上六十キロメートル未満である職員　二万九千八百円

ワ　使用距離が片道六十キロメートル以上である職員　三万千六百円

三　前項第三号に掲げる職員　交通機関等を利用せず、かつ、自動車等を使用しないで徒歩により通勤するものとした場合の通勤距離、交通機関等の利用距離、自動車等の使用距離等の事情を考慮して人事院規則で定める区分に応じ、前二号に定める額、第一号に定める額又は前号に定める額

3　官署を異にする異動又は在勤する官署の移転に伴い、所在する地域を異にする官署に在勤することとなつたことにより、通勤の実情に変更を生ずることとなつた職員で人事院規則で定めるもののうち、第一項第一号又は第三号に掲げる職員で、当該異動又は官署の移転の直前の住居（当該住居に相当するものとして人事院規則で定める住居を含む。）からの通勤のため、新幹線鉄道等の特別急行列車、高速自動車国道その他の交通機関等（第一号、次項及び第五項において「新幹線鉄道等」という。）を利用し、その利用に係る特別料金等（その利用に係る運賃等の額から運賃等相当額の算出の基礎となる運賃等に相当する額を減じた額をいう。第一号及び次項において同じ。）を負担することを常例とするものの通勤手当の額は、前項の規定にかかわらず、次の各号に掲げる通勤手当の区分に応じ、当該各号に定める額とする。

一　新幹線鉄道等の利用に係る特別料金等に係る通勤手当　支給単位期間につき、人事院規則で定めるところにより算出した当該職員の支給単位期間の通勤に要する特別料金等の額に相当する額（第五項において「特別料金等相当額」という。）

二　前号に掲げる通勤手当以外の通勤手当　前項の規定による額

4　前項の規定は、新たに俸給表の適用を受ける職員となつた者のうち、第一項第一号又は第三号に掲げる職員で、当該適用の直前の住居（当該住居に相当するものとして人事院規則で定める住居を含む。）からの通勤のため、新幹線鉄道等を利用し、その利用に係る特別料金等を負担することを常例とするもの（任用の事情等を考慮して人事院規則で定める職員に限る。）その他前項の規定による通勤手当を支給される職員との権衡上必要があると認められるものとして人事院規則で定める職員の通勤手当の額の算出について準用する。

5　運賃等相当額をその支給単位期間の月数で除して得た額（交通機関等が二以上ある場合においては、その合計額）、第二項第二号に定める額及び特別料金等相当額をその支給単位期間の月数で除して得た額（新幹線鉄道等が二以上ある場合においては、その合計額）の合計額が十五万円を超える職員の通勤手当の額は、前三項の規定にかかわらず、当該職員の通勤手当に係る支給単位期間のうち最も長い支給単位期間につき、十五万円に当該支給単位期間の月数を乗じて得た額とする。

6　通勤手当は、支給単位期間（人事院規則で定める通勤手当にあつては、人事院規則で定める期間）に係る最初の月の人事院規則で定める日に支給する。

7　通勤手当を支給される職員につき、離職その他の人事院規則で定める事由が生じた場合には、当該職員に、支給単位期間のうちこれらの事由が生じた後の期間を考慮して人事院規則で定める額を返納させるものとする。

8　この条において「支給単位期間」とは、通勤手当の支給の単位となる期間として六箇月を超えない範囲内で一箇月を単位として人事院規則で定める期間（自動車等に係る通勤手当にあつては、一箇月）をいう。

9　前各項に規定するもののほか、通勤の実情の

変更に伴う支給額の改定その他通勤手当の支給及び返納に関し必要な事項は、人事院規則で定める。

本条…削除（昭三三法一五四）、追加（昭三三法八七）、二・三項…一部改正（昭三六法一七六・昭三八法一七四・昭三九法一七四・昭四〇法一四七・昭四一法一四〇）、一項…一部改正・二項…全改・三項…削除・旧四項…一部改正し三項に繰上（昭四三法一〇五）、二項…一部改正（昭四四法七二・昭四五法一一九・昭四七法一一八・昭四八法九五・昭四九法一〇五・昭五〇法七一・昭五一法七七・昭五二法八八・昭五三法九〇・昭五四法五七・昭五五法九四・昭五六法九六・昭五八法六九・昭五九法七九・昭六〇法九七・昭六二法一〇九）、一・二項…一部改正（平元法七三）、二項…一部改正（平三法一〇二・平四法九二）、三項…追加・旧三項…一部改正し四項に繰下（平六法八九）、三・四項…追加・旧三・四項…一部改正し五・六項に繰下（平七法一一六）、一・五項…一部改正（平八法一一二）、二項…一部改正（平一一法八三）、二～五項…一部改正・六～八項…追加・旧六項…一部改正し九項に繰下（平一五法一四一）、四項…一部改正（平二四法四二・平二六法六七）、二項…一部改正（平二六法一〇五）、一～三・五項…一部改正（令三法六一）、二項…一部改正（令五法七三）、一～四項…一部改正・五項…全改（令六法七二）

㊟ 規則九―二四（通勤手当）参照

（単身赴任手当）

第十二条の二　官署を異にする異動又は在勤する官署の移転に伴い、住居を移転し、父母の疾病その他の人事院規則で定めるやむを得ない事情により、同居していた配偶者と別居することとなつた職員で、当該異動又は官署の移転の直前の住居から当該異動又は官署の移転の直後に在勤する官署に通勤することが通勤距離等を考慮して人事院規則で定める基準に照らして困難であると認められるもののうち、単身で生活することを常況とする職員には、単身赴任手当を支給する。ただし、配偶者の住居から在勤する官署に通勤することが、通勤距離等を考慮して人事院規則で定める基準に照らして困難であると認められない場合は、この限りでない。

2　単身赴任手当の月額は、三万円（人事院規則で定めるところにより算定した職員の住居と配偶者の住居との間の交通距離（以下単に「交通距離」という。）が人事院規則で定める距離以上である職員にあつては、その額に、七万円を超えない範囲内で交通距離の区分に応じて人事院規則で定める額を加算した額）とする。

3　新たに俸給表の適用を受ける職員となつたことに伴い、住居を移転し、父母の疾病その他の人事院規則で定めるやむを得ない事情により、同居していた配偶者と別居することとなつた職員で、当該適用の直前の住居から当該適用の直後に在勤する官署に通勤することが通勤距離等を考慮して人事院規則で定める基準に照らして困難であると認められるもののうち、単身で生活することを常況とする職員その他第一項の規定による単身赴任手当を支給される職員との権衡上必要があると認められるものとして人事院規則で定める職員には、前二項の規定に準じて、単身赴任手当を支給する。

4　前三項に規定するもののほか、単身赴任手当の支給の調整に関する事項その他単身赴任手当の支給に関し必要な事項は、人事院規則で定める。

本条…追加（平元法七三）、二項…一部改正（平五法八二・平一〇法一二〇）、三項…一部改正（平二四法四二・平二六法六七）、二項…一部改正（平二六法一〇五）、三項…一部改正（令六法七二）

㊟ 規則九―八九（単身赴任手当）参照

（在宅勤務等手当）

第十二条の三　住居その他これに準ずるものとして人事院規則で定める場所において、正規の勤務時間（休暇により勤務しない時間その他人事院規則で定める時間を除く。）の全部を勤務することを、人事院規則で定める期間以上の期間について一箇月当たり平均十日を超えて命ぜられた職員には、在宅勤務等手当を支給する。

2　在宅勤務等手当の月額は、三千円とする。

3　前二項に規定するもののほか、在宅勤務等手当の支給に関し必要な事項は、人事院規則で定める。

本条…追加（令五法七三）

（特殊勤務手当）

第十三条　著しく危険、不快、不健康又は困難な勤務その他の著しく特殊な勤務で、給与上特別の考慮を必要とし、かつ、その特殊性を俸給で考慮することが適当でないと認められるものに従事する職員には、その勤務の特殊性に応じて特殊勤務手当を支給する。

2　特殊勤務手当の種類、支給される職員の範囲、支給額その他特殊勤務手当の支給に関し必要な事項は、人事院規則で定める。

本条…一部改正（昭二六法二一四）、全改（昭三五法九三）

㊟ 規則九―三〇（特殊勤務手当）参照

（特地勤務手当等）

第十三条の二　離島その他の生活の著しく不便な地に所在する官署として人事院規則で定めるも

の（以下「特地官署」という。）に勤務する職員には、特地勤務手当を支給する。

2　特地勤務手当の月額は、俸給及び扶養手当の月額の合計額の百分の二十五をこえない範囲内で人事院規則で定める。

3　特地官署が第十一条の三第一項の人事院規則で定める地域に所在する場合における特地勤務手当と地域手当その他の給与との調整等に関し必要な事項は、人事院規則で定める。

本条…追加（昭三五法九三）、全改（昭四五法一一九）、三項…一部改正（平一七法一一三）

㊟ 規則九―五五（特地勤務手当等）参照

第十四条　職員が官署を異にして異動し、当該異動に伴つて住居を移転した場合又は職員の在勤する官署が移転し、当該移転に伴つて職員が住居を移転した場合において、当該異動の直後に在勤する官署又はその移転した官署が特地官署又は人事院が指定するこれらに準ずる官署（以下「準特地官署」という。）に該当するときは、当該職員には、人事院規則で定めるところにより、当該異動又は官署の移転の日から三年以内の期間（当該異動又は官署の移転の日から起算して三年を経過する際人事院の定める条件に該当する者にあつては、更に三年以内の期間）、俸給及び扶養手当の月額の合計額の百分の六を超えない範囲内の月額の特地勤務手当に準ずる手当を支給する。

2　検察官であつた者又は行政執行法人職員等であつた者から引き続き俸給表の適用を受ける職員となつて特地官署又は準特地官署に在勤することとなつたことに伴つて住居を移転した職員（任用の事情等を考慮して人事院規則で定める職員に限る。）、新たに特地官署又は準特地官署に該当することとなつた官署に在勤する職員でその特地官署又は準特地官署に該当することとなつた日前三年以内に当該官署に異動し、当該異動に伴つて住居を移転したものその他前項の規定による手当を支給される職員との権衡上必要があると認められるものとして人事院規則で定める職員には、人事院規則の定めるところにより、同項の規定に準じて、特地勤務手当に準ずる手当を支給する。

3　前二項の規定により特地勤務手当に準ずる手当を支給される職員が第十一条の八の規定により広域異動手当を支給されることとなる職員である場合における特地勤務手当に準ずる手当と広域異動手当との調整に関し必要な事項は、人事院規則で定める。

本条…追加（昭四五法一一九）、一部改正（平九法一一二）、旧一四条を削除し一三条の三を一四条に繰下（平一六法一三六）、三項…追加（平一八法一〇一）、二項…一部改正（平二四法四二・平二六法六七）

㊟ 規則九―五五参照

（給与の減額）

第十五条　職員が勤務しないときは、勤務時間法第十三条の二第一項に規定する超勤代休時間、勤務時間法第十四条に規定する祝日法による休日（勤務時間法第十五条第一項の規定により代休日を指定されて、当該休日に割り振られた勤務時間の全部を勤務した職員にあつては、当該休日に代わる代休日。以下「祝日法による休日等」という。）又は勤務時間法第十四条に規定する年末年始の休日（勤務時間法第十五条第一項の規定により代休日を指定されて、当該休日に割り振られた勤務時間の全部を勤務した職員にあつては、当該休日に代わる代休日。以下「年末年始の休日等」という。）である場合、休暇による場合その他その勤務しないことにつき特に承認のあつた場合を除き、その勤務しない一時間につき、第十九条に規定する勤務一時間当たりの給与額を減額して給与を支給する。

本条…一部改正（昭六〇法九七・平六法三三・平二一法八六）

㊟ 規則一五―一四（職員の勤務時間、休日及び休暇）、一八～二一条、給実甲二八号一五条関係参照

（超過勤務手当）

第十六条　正規の勤務時間を超えて勤務することを命ぜられた職員には、正規の勤務時間を超えて勤務した全時間に対して、勤務一時間につき、第十九条に規定する勤務一時間当たりの給与額に正規の勤務時間を超えてした次に掲げる勤務の区分に応じてそれぞれ百分の百二十五から百分の百五十までの範囲内で人事院規則で定める割合（その勤務が午後十時から翌日の午前五時までの間である場合には、その割合に百分の二十五を加算した割合）を乗じて得た額を超過勤務手当として支給する。

一　正規の勤務時間が割り振られた日（次条の規定により正規の勤務時間中に勤務した職員に休日給が支給されることとなる日を除く。次項において同じ。）における勤務

二　前号に掲げる勤務以外の勤務

2　定年前再任用短時間勤務職員が、正規の勤務

時間が割り振られた日において、正規の勤務時間を超えてした勤務のうち、その勤務の時間とその勤務をした日における正規の勤務時間との合計が七時間四十五分に達するまでの間の勤務に対する前項の規定の適用については、同項中「正規の勤務時間を超えてした次に掲げる勤務の区分に応じてそれぞれ百分の百二十五から百分の百五十までの範囲内で人事院規則で定める割合」とあるのは、「百分の百」とする。

3　正規の勤務時間を超えて勤務することを命ぜられ、正規の勤務時間を超えてした勤務（勤務時間法第六条第一項、第七条及び第八条第一項の規定に基づく週休日又は勤務時間法第六条第三項及び勤務時間法第八条第二項において読み替えて準用する同条第一項の規定に基づく勤務時間を割り振らない日における勤務のうち人事院規則で定めるものを除く。）の時間が一箇月について六十時間を超えた職員には、その六十時間を超えて勤務した全時間に対して、第一項の規定にかかわらず、勤務一時間につき、第十九条に規定する勤務一時間当たりの給与額に百分の百五十（その勤務が午後十時から翌日の午前五時までの間である場合には、百分の百七十五）を乗じて得た額を超過勤務手当として支給する。

4　勤務時間法第十三条の二第一項に規定する超勤代休時間を指定された場合において、当該超勤代休時間に職員が勤務しなかつたときは、前項に規定する六十時間を超えて勤務した全時間のうち当該超勤代休時間の指定に代えられた超過勤務手当の支給に係る時間に対しては、当該時間一時間につき、第十九条に規定する勤務一時間当たりの給与額に百分の百五十（その時間が午後十時から翌日の午前五時までの間である場合は、百分の百七十五）から第一項に規定する人事院規則で定める割合（その時間が午後十時から翌日の午前五時までの間である場合には、その割合に百分の二十五を加算した割合）を減じた割合を乗じて得た額の超過勤務手当を支給することを要しない。

5　第二項に規定する七時間四十五分に達するまでの間の勤務に係る時間について前二項の規定の適用がある場合における当該時間に対する前項の規定の適用については、同項中「第一項に規定する人事院規則で定める割合」とあるのは、「百分の百」とする。

本条…全改（昭二五法二九九）、一部改正（平五法八二）、一部改正・二項…追加（平一一法八三）、二項…一部改正（平二〇法九四）、三〜五項…追加（平二一法八六）、三項…一部改正（平二八法一）、一〜四項…一部改正（令三法六一）、三項…一部改正（令五法七三）

㊟　規則九—九七（超過勤務手当の支給割合）参照

（休日給）

第十七条　祝日法による休日等（勤務時間法第六条第一項又は第七条の規定に基づき毎日曜日を週休日と定められている職員以外の職員にあつては、勤務時間法第十四条に規定する祝日法による休日が勤務時間法第七条及び第八条第一項の規定に基づく週休日に当たるときは、人事院規則で定める日）及び年末年始の休日等において、正規の勤務時間中に勤務することを命ぜられた職員には、正規の勤務時間中に勤務した全時間に対して、勤務一時間につき、第十九条に規定する勤務一時間当たりの給与額に百分の百二十五から百分の百五十までの範囲内で人事院規則で定める割合を乗じて得た額を休日給として支給する。これらの日に準ずるものとして人事院規則で定める日において勤務した職員についても、同様とする。

二項…一部改正（昭二五法二九九・昭三九法一七四）、三項…一部改正（昭四八法一〇）、一・三項…削除・旧二項…一部改正し本条に繰上（昭六〇法九七）、本条…一部改正（昭六三法九二・平五法八二・平六法三三・令五法七三）

㊟　規則九—四三（休日給）参照

（夜勤手当）

第十八条　正規の勤務時間として午後十時から翌日の午前五時までの間に勤務することを命ぜられた職員には、その間に勤務した全時間に対して、勤務一時間につき、第十九条に規定する勤務一時間当りの給与額の百分の二十五を夜勤手当として支給する。

本条…一部改正（昭二五法二九九）

（端数計算）

第十八条の二　第十五条に規定する勤務一時間当たりの給与額及び第十六条から前条までの規定により勤務一時間につき支給する超過勤務手当、休日給又は夜勤手当の額を算定する場合において、当該額に、五十銭未満の端数を生じたときはこれを切り捨て、五十銭以上一円未満の端数を生じたときはこれを一円に切り上げるものとする。

本条…追加（昭三六法一七六）、一部改正（平五法八二）

（勤務一時間当たりの給与額の算出）

第十九条　第十五条から第十八条までに規定する勤務一時間当たりの給与額は、俸給の月額並びにこれに対する地域手当、広域異動手当及び研究員調整手当の月額の合計額に十二を乗じ、その額を一週間当たりの勤務時間に五十二を乗じたもので除して得た額とする。

本条…一部改正（昭二五法二九九・昭三二法一五四・昭三六法一七六・昭四二法一四一・昭六三法九二・平八法一一二・平一七法一一三・平一八法一〇一）

㊟　三二年改正法（昭三二法一五四）附則二八項、四二年改正法（昭四二法一四一）附則一三項参照

（宿日直手当）

第十九条の二　宿日直勤務（次項の勤務を除く。）を命ぜられた職員には、その勤務一回につき、四千四百円（入院患者の病状の急変等に対処するための医師又は歯科医師の宿日直勤務にあつては二万千円、人事院規則で定めるその他の特殊な業務を主として行う宿日直勤務にあつては七千四百円）を超えない範囲内において人事院規則で定める額を宿日直手当として支給する。ただし、執務が行われる時間が執務が通常行われる日の執務時間の二分の一に相当する時間である日で人事院規則で定めるものに退庁時から引き続いて行われる宿直勤務にあつては、その額は、六千六百円（入院患者の病状の急変等に対処するための医師又は歯科医師の宿直勤務にあつては三万千五百円、人事院規則で定めるその他の特殊な業務を主として行う宿直勤務にあつては一万千百円）を超えない範囲内において人事院規則で定める額とする。

2　宿日直勤務のうち常直的なものを命ぜられた職員には、その勤務に対して、二万二千円を超えない範囲内において人事院規則で定める月額の宿日直手当を支給する。

3　前二項の勤務は、第十六条から第十八条までの勤務には含まれないものとする。

本条…追加（昭二七法三三四）、一項…一部改正（昭三八法六・昭三九法一七四・昭四二法一四一・昭四三法一〇五）、二項…追加・旧二項…一部改正し三項に繰下（昭四三法一〇五）、一・二項…一部改正（昭四五法一一九・昭四八法九五・昭四九法一〇五・昭五一法七七）、一項…一部改正（昭五二法八八）、三項…一部改正（昭六〇法九七）、一・二項…一部改正（昭六一法一〇一・平三法一〇二）、一項…一部改正（平四法二八）、一・二項…一部改正（平四法九二・平六法八九・平七法一一六・平八法一一二・平九法一一二・平一〇法一二〇・平一一法一四一・平三〇法八二）

㊟　規則九—一五（宿日直手当）参照
規則一五—一四、一三〜一五条参照

（管理職員特別勤務手当）

第十九条の三　管理監督職員若しくは専門スタッフ職俸給表の適用を受ける職員でその職務の級が二級以上であるもの（以下「管理監督職員等」という。）又は指定職俸給表の適用を受ける職員が臨時又は緊急の必要その他の公務の運営の必要により勤務時間法第六条第一項、第七条及び第八条第一項の規定に基づく週休日若しくは勤務時間法第六条第三項及び勤務時間法第八条第二項において読み替えて準用する同条第一項の規定に基づく勤務時間を割り振らない日又は祝日法による休日等若しくは年末年始の休日等（次項において「週休日等」という。）に勤務をした場合は、当該職員には、管理職員特別勤務手当を支給する。

2　前項に規定する場合のほか、管理監督職員等又は指定職俸給表の適用を受ける職員が災害への対処その他の臨時又は緊急の必要により午後十時から翌日の午前五時までの間（週休日等に含まれる時間を除く。）であつて正規の勤務時間以外の時間に勤務をした場合は、当該職員には、管理職員特別勤務手当を支給する。

3　管理職員特別勤務手当の額は、次の各号に掲げる場合の区分に応じ、当該各号に定める額（前二項に規定する勤務に従事する時間を考慮して人事院規則で定める勤務をした職員にあつてはその額に百分の百五十を乗じて得た額、指定職俸給表の適用を受ける職員との権衡上必要があると認められるものとして人事院規則で定める職員にあつては第一号イ又は第二号イに定める額に百分の百五十を乗じて得た額）とする。

一　第一項に規定する場合　次に掲げる職員の区分に応じ、同項の勤務一回につき、それぞれ次に定める額

イ　管理監督職員等　一万二千円を超えない範囲内において人事院規則で定める額

ロ　指定職俸給表の適用を受ける職員　イの人事院規則で定める額のうち最高のものに百分の百五十を乗じて得た額

二　前項に規定する場合　次に掲げる職員の区分に応じ、同項の勤務一回につき、それぞれ次に定める額

イ　管理監督職員等　六千円を超えない範囲内において人事院規則で定める額

ロ　指定職俸給表の適用を受ける職員　イの人事院規則で定める額のうち最高のものに百分の百五十を乗じて得た額

4　前三項に定めるもののほか、管理職員特別勤務手当の支給に関し必要な事項は、人事院規則で定める。

本条…追加（平三法一〇二）、一項…一部改正（平六法三三・平一九法一一八）、一・二項…一部改正（平二〇法九四・平二六法二二）、一項…一部改正・二項…全改・三項…追加・旧三項…一部改正し四項に繰下げ（平二六法一〇五）、一項…一部改正（平二八法一・令五法七三）、一～三項…一部改正（令六法七二）

㊟　規則九—九三（管理職員特別勤務手当）参照

（期末手当）

第十九条の四　期末手当は、六月一日及び十二月一日（以下この条から第十九条の六までにおいてこれらの日を「基準日」という。）にそれぞれ在職する職員に対して、それぞれ基準日の属する月の人事院規則で定める日（次条及び第十九条の六第一項においてこれらの日を「支給日」という。）に支給する。これらの基準日前一箇月以内に退職し、又は死亡した職員（第二十三条第七項の規定の適用を受ける職員及び人事院規則で定める職員を除く。）についても、同様とする。

2　期末手当の額は、期末手当基礎額に百分の百二十五（行政職俸給表㈠の適用を受ける職員でその職務の級が七級以上であるもの並びに同表及び指定職俸給表以外の各俸給表の適用を受ける職員でその職務の複雑、困難及び責任の度等がこれに相当するもの（これらの職員のうち、人事院規則で定める職員を除く。第十九条の七第二項第一号イ及び第二号において「特定管理職員」という。）にあつては百分の百五、指定職俸給表の適用を受ける職員にあつては百分の六十六・二五）を乗じて得た額に、基準日以前六箇月以内の期間における当該職員の在職期間の次の各号に掲げる区分に応じ、当該各号に定める割合を乗じて得た額とする。

一　六箇月　百分の百

二　五箇月以上六箇月未満　百分の八十

三　三箇月以上五箇月未満　百分の六十

四　三箇月未満　百分の三十

3　定年前再任用短時間勤務職員に対する前項の規定の適用については、同項中「百分の百二十五」とあるのは「百分の七十」と、「百分の百五」とあるのは「百分の六十」とする。

4　第二項の期末手当基礎額は、それぞれその基準日現在（退職し、又は死亡した職員にあつては、退職し、又は死亡した日現在）において職員が受けるべき俸給、専門スタッフ職調整手当及び扶養手当の月額並びにこれらに対する地域手当及び広域異動手当の月額並びに俸給及び扶養手当の月額に対する研究員調整手当の月額の合計額とする。

5　行政職俸給表㈠の適用を受ける職員でその職務の級が三級以上であるもの、同表及び指定職俸給表以外の各俸給表の適用を受ける職員で職務の複雑、困難及び責任の度等を考慮してこれに相当する職員として当該各俸給表につき人事院規則で定めるもの並びに指定職俸給表の適用を受ける職員については、前項の規定にかかわらず、同項に規定する合計額に、俸給及び専門スタッフ職調整手当の月額並びにこれらに対する地域手当及び広域異動手当の月額並びに俸給の月額に対する研究員調整手当の月額の合計額に官職の職制上の段階、職務の級等を考慮して人事院規則で定める職員の区分に応じて百分の二十を超えない範囲内で人事院規則で定める割合を乗じて得た額（人事院規則で定める管理又は監督の地位にある職員にあつては、その額に俸給月額に百分の二十五を超えない範囲内で人事院規則で定める割合を乗じて得た額を加算した額）を加算した額を第二項の期末手当基礎額とする。

6　第二項に規定する在職期間の算定に関し必要な事項は、人事院規則で定める。

本条…追加（昭二七法三二四）、一・二項…一部改正（昭二八法二八五）、二項…一部改正（昭三〇法一八四・昭三一法一七四・昭三二法一五四・法一八二・昭三三法一七六・昭三四法一一九・昭三五法九三・法一五〇・昭三六法一七六）、一・三項…一部改正（昭三八法六六）、一・二項…一部改正・三項…追加・旧一九条の四…一九条の三に繰上（昭三八法一七四）、二項…一部改正（昭三九法一七四）、一・二項…一部改正（昭四〇法一四七）、二項…一部改正（昭四二法一四一）、一・二項…一部改正（昭四三法一〇五）、二項…一部改正（昭四四法七二・昭四五法一一九・昭四六法一二一・昭四九法一〇五・昭五一法七七・昭五三法九〇）、一項…一部改正（昭五八法六九）、二項…一部改正（平元法七三）、二項…一部改正・三・四項…追加・旧三項…一部改正し五項に繰下（平二法七九）、二項…一部改正・本条…旧一九条の三を繰下（平三法一〇二）、二項…一部改正（平五法八二・平六法八九）、三・四項…一部改正（平八法一一二）、一・三項…一部改正（平九法六六）、一・二項…一部改正（平九法一一二）、二項…一部改正（平一一法一四一）、三項…追加・旧三項…一部改正し四項に繰下・四・五項…一項ずつ繰下（平一一法八三）、二・三項…一部改正（平一二法一二二・平一三法一二六）、一～三項…一部改正（平一四法一〇六）、二・三項…一部改正（平一五法一四一）、二・四・五項…一部改正（平一七法一一三）、四・五項…一部改正（平一八法一〇一・平一九法一一八）、二・三・五項…一部改正

（平二一法四一）、二・三項…一部改正（平二一法八六）、一～四項…一部改正（平二二法五三）、一・二・四項…一部改正（平二九法七七）、二項…一部改正・三項…全改（平三〇法八二）、一・四項…一部改正（令元法三七）、二・三項…一部改正（令二法六五・令三法六一・令四法一七・令五法七三）、二項…一部改正（令六法七二）、三項…全改（令六法七二）

㊟　規則九―四〇（期末手当及び勤勉手当）参照

第十九条の五　次の各号のいずれかに該当する者には、前条第一項の規定にかかわらず、当該各号の基準日に係る期末手当（第四号に掲げる者にあつては、その支給を一時差し止めた期末手当）は、支給しない。

一　基準日から当該基準日に対応する支給日の前日までの間に国家公務員法第八十二条の規定による懲戒免職の処分を受けた職員

二　基準日から当該基準日に対応する支給日の前日までの間に国家公務員法第七十六条の規定により失職した職員

三　基準日前一箇月以内又は基準日から当該基準日に対応する支給日の前日までの間に離職した職員（前二号に掲げる者を除く。）で、その離職した日から当該支給日の前日までの間に拘禁刑以上の刑に処せられたもの

四　次条第一項の規定により期末手当の支給を一時差し止める処分を受けた者（当該処分を取り消された者を除く。）で、その者の在職期間中の行為に係る刑事事件に関し拘禁刑以上の刑に処せられたもの

本条…追加（平九法六六）、一部改正（令元法三七・令四法六八）

第十九条の六　各庁の長又はその委任を受けた者は、支給日に期末手当を支給することとされていた職員で当該支給日の前日までに離職したものが次の各号のいずれかに該当する場合は、当該期末手当の支給を一時差し止めることができる。

一　離職した日から当該支給日の前日までの間に、その者の在職期間中の行為に係る刑事事件に関して、その者が起訴（当該起訴に係る犯罪について拘禁刑以上の刑が定められているものに限り、刑事訴訟法（昭和二十三年法律第百三十一号）第六編に規定する略式手続によるものを除く。第三項において同じ。）をされ、その判決が確定していない場合

二　離職した日から当該支給日の前日までの間に、その者の在職期間中の行為に係る刑事事件に関して、その者が逮捕された場合又はその者から聴取した事項若しくは調査により判明した事実に基づきその者に犯罪があると思料するに至つた場合であつて、その者に対し期末手当を支給することが、公務に対する国民の信頼を確保し、期末手当に関する制度の適正かつ円滑な実施を維持する上で重大な支障を生ずると認めるとき。

2　前項の規定による期末手当の支給を一時差し止める処分（以下「一時差止処分」という。）を受けた者は、国家公務員法第九十条の二に規定する処分説明書を受領した日から起算すべき期間が経過した後においては、当該一時差止処分後の事情の変化を理由に、当該一時差止処分をした者に対し、その取消しを申し立てることができる。

3　各庁の長又はその委任を受けた者は、一時差止処分について、次の各号のいずれかに該当するに至つた場合には、速やかに当該一時差止処分を取り消さなければならない。ただし、第三号に該当する場合において、一時差止処分を受けた者がその者の在職期間中の行為に係る刑事事件に関し現に逮捕されているときその他これを取り消すことが一時差止処分の目的に明らかに反すると認めるときは、この限りでない。

一　一時差止処分を受けた者が当該一時差止処分の理由となつた行為に係る刑事事件に関し拘禁刑以上の刑に処せられなかつた場合

二　一時差止処分を受けた者について、当該一時差止処分の理由となつた行為に係る刑事事件につき公訴を提起しない処分があつた場合

三　一時差止処分を受けた者がその者の在職期間中の行為に係る刑事事件に関し起訴をされることなく当該一時差止処分に係る期末手当の基準日から起算して一年を経過した場合

4　前項の規定は、各庁の長又はその委任を受けた者が、一時差止処分後に判明した事実又は生じた事情に基づき、期末手当の支給を差し止める必要がなくなつたとして当該一時差止処分を取り消すことを妨げるものではない。

5　各庁の長又はその委任を受けた者は、一時差止処分を行う場合は、当該一時差止処分の際、一時差止処分を受けるべき者に対し、当該一時差止処分の事由を記載した説明書を交付しなければならない。

6　一時差止処分に対する審査請求については、国家公務員法第八十九条第一項

に規定する処分と、一時差止処分を受けた者は同法第九十条第一項に規定する職員と、前項の説明書は同法第九十条の二の処分説明書とそれぞれみなして、同法第九十条から第九十二条の二までの規定を適用する。

7　前各項に規定するもののほか、一時差止処分に関し必要な事項は、人事院規則で定める。

本条…追加（平九法六六）、六項…一部改正（平二六法六九）、一・三項…一部改正（令四法六八）

（勤勉手当）

第十九条の七　勤勉手当は、六月一日及び十二月一日（以下この項から第三項までにおいてこれらの日を「基準日」という。）にそれぞれ在職する職員に対し、当該職員の基準日以前における直近の人事評価の結果及び基準日以前六箇月以内の期間における勤務の状況に応じて、それぞれ基準日の属する月の人事院規則で定める日に支給する。これらの基準日前一箇月以内に退職し、又は死亡した職員（人事院規則で定める職員を除く。）についても、同様とする。

2　勤勉手当の額は、勤勉手当基礎額に、各庁の長又はその委任を受けた者が人事院規則で定める基準に従つて定める割合を乗じて得た額とする。この場合において、各庁の長又はその委任を受けた者が支給する勤勉手当の額の、その者に所属する次の各号に掲げる職員の区分ごとの総額は、それぞれ当該各号に定める額を超えてはならない。

一　前項の職員のうち定年前再任用短時間勤務職員以外の職員　次に掲げる職員の区分に応じ、それぞれ次に定める額

イ　ロに掲げる職員以外の職員　当該職員の勤勉手当基礎額に当該職員がそれぞれその基準日現在（退職し、又は死亡した職員にあつては、退職し、又は死亡した日現在。次項において同じ。）において受けるべき扶養手当の月額並びにこれに対する地域手当、広域異動手当及び研究員調整手当の月額の合計額を加算した額に百分の百五（特定管理職員にあつては、百分の百二十五）を乗じて得た額の総額

ロ　指定職俸給表の適用を受ける職員　当該職員の勤勉手当基礎額に百分の百六・二五を乗じて得た額の総額

二　前項の職員のうち定年前再任用短時間勤務職員　当該定年前再任用短時間勤務職員の勤勉手当基礎額に百分の五十（特定管理職員にあつては、百分の六十）を乗じて得た額の総額

3　前項の勤勉手当基礎額は、それぞれその基準日現在において職員が受けるべき俸給及び専門スタッフ職調整手当の月額並びにこれらに対する地域手当及び広域異動手当の月額並びに俸給の月額に対する研究員調整手当の月額の合計額とする。

4　第十九条の四第五項の規定は、第二項の勤勉手当基礎額について準用する。この場合において、同条第五項中「前項」とあるのは、「第十九条の七第三項」と読み替えるものとする。

5　前二条の規定は、第一項の規定による勤勉手当の支給について準用する。この場合において、第十九条の五中「前条第一項」とあるのは「第十九条の七第一項」と、同条第一号中「基準日から」とあるのは「基準日（第十九条の七第一項に規定する基準日をいう。以下この条及び次条第三項第三号において同じ。）から」と、「支給日」とあるのは「支給日（第十九条の七第一項に規定する人事院規則で定める日をいう。以下この条及び次条第一項において同じ。）」と読み替えるものとする。

本条…追加（昭二七法三二四）、一項…全改・二項…一部改正（昭三二法一五四）、一・二項…一部改正（昭三八法六）、一・二項…一部改正・旧一九条の五…一九条の四に繰上（昭三八法一七四）、二項…一部改正（昭三九法一七四）、一項…全改・二項…一部改正（昭四〇法一四七）、二項…一部改正（昭四三法一〇五）、二項…一部改正（昭四二法一四一）、一・二項…一部改正（昭四五法一一九・昭四六法一二一・昭五一法七七）、一項…一部改正（昭五八法六九）、二項…一部改正（平元法七三）、二項…全改・三・四項…追加（平二法七九）、本条…旧一九条の四を繰下（平三法一〇二）、一・三項…一部改正（平八法一一二）、本条…旧一九条の五を繰下・一・二・四項…一部改正・五項…追加（平九法六六）、二項…一部改正（平一一法一二二）、一・四項…一部改正（平一一法八三）、二項…一部改正（平一二法一二二・平一四法一〇六）、二・三項…一部改正（平一七法一一三・平一八法一〇一・平一九法一一八）、一項…一部改正（平二〇法九四）、二項…一部改正（平二一法四一・平二一法八六）、一・二項…一部改正（平二二法五三）、二項…一部改正（平二六法一〇五・平二八法一・平二八法八〇）、一・二項…一部改正（平二九法七七）、二・五項…一部改正（平三〇法八二）、一・二項…一部改正（令元法三七）、二項…一部改正（令元法五一）、一・二項…一部改正（令三法六一）、二項…一部改正（令四法八一・令五法七三・令六法七二）

㊟　規則九―四〇参照

（特定の職員についての適用除外）

第十九条の八　第十条から第十一条まで、第十一

条の十、第十三条、第十六条から第十八条まで及び第十九条の二の規定は、指定職俸給表の適用を受ける職員には適用しない。

2 第十六条から第十八条までの規定は、管理監督職員等には適用しない。

3 第八条第四項から第十一項まで、第十条の四及び第十一条の規定は、定年前再任用短時間勤務職員には適用しない。

本条…追加（昭三八法一七四）、一・二項…一部改正（昭四一法一四〇・昭四二法一四一・昭四五法一一九）、一項…一部改正・本条…旧一九条の五を繰下（昭五〇法九）、一項…一部改正（昭五五法九四）、一・二項…一部改正（昭六〇法九七）、一項…一部改正（平元法七三）、一・二項…一部改正・本条…旧一九条の六を繰下（平三法一〇二）、一項…一部改正（平七法一一六・平八法一一二）、本条…旧一九条の七を繰下・一項…一部改正（平九法六八）、本条…旧一九条の九を繰下・一項…一部改正・二項…追加・旧二項…三項に繰下（平九法一一二）、四項…追加（平一一法八三）、本条…旧一九条の一〇を繰上・旧二項…削除・旧三項…繰上・旧四項…一部改正・繰上（平一六法一三六）、三項…一部改正（平一七法一一三）、一・三項…一部改正（平一八法一〇二）、三項…一部改正（平一九法一一八）、二・三項…一部改正（平二〇法九四）、本条…旧一九条の九を繰上・一項…一部改正（平二二法四二）、二項…一部改正（平二六法二二）、三項…一部改正（平二六法一〇五・令三法六一）、一・三項…一部改正（令六法七二）

（俸給の特別調整額等の支給方法）

第十九条の九 俸給の特別調整額、地域手当、特地勤務手当、超過勤務手当、休日給、夜勤手当、宿日直手当、期末手当及び勤勉手当の支給方法に関し必要な事項は、人事院規則で定める。

本条…追加（昭二五法二九九）、一部改正・旧一九条の二…一九条の六に繰下（昭二七法三二四）、一部改正

（昭三二法一五四・昭三五法九三・昭四二法一四一・昭四五法一一九）、旧一九条の六を繰下（昭五〇法九）、旧一九条の七を繰下（平三法一〇二）、一部改正・本条…旧一九条の八を繰下（平九法一一二）、本条…旧一九条の一一を繰上（平一六法一三六）、一部改正（平一七法一一三）、本条…旧一九条の一〇を繰上・一部改正（平二二法四一・令六法七二）

㊟ 規則九—七、規則九—四〇、規則九—四九参照

（俸給の更正決定）

第二十条 人事院は、各庁の長又はその委任を受けた者が決定した職員の俸給が第六条の規定に合致しないと認めたときは、その俸給を更正し又はその俸給の更正を命ずることができる。

（審査の申立て）

第二十一条 この法律の規定による給与の決定（前条の規定による俸給の更正決定を含む。）に関して苦情のある職員は、人事院に対し審査を申し立てることができる。

2 前項の申立てがあつたときは、人事院は、前条に準じて、これに関する決定をなし、これを本人及び関係各庁に通知しなければならない。

本条…一部改正（昭三七法一六一）

㊟ 規則一三—四（給与の決定に関する審査の申立て）参照

（非常勤職員の給与）

第二十二条 委員、顧問若しくは参与の職にある者又は人事院が指定するこれらに準ずる職にある者で、常勤を要しない職員（定年前再任用短時間勤務職員を除く。次項において同じ。）については、勤務一日につき、三万四千七百円（その額により難い特別の事情があるものとして人事院規則で定める場合には、十万円）を超えない範囲内において、各庁の長が人事院の承認を得て手当を支給することができる。

2 前項に定める職員以外の常勤を要しない職員については、各庁の長は、常勤の職員の給与との権衡を考慮し、予算の範囲内で、給与を支給する。

3 前二項の常勤を要しない職員には、他の法律に別段の定めがない限り、これらの規定に定める給与を除くほか、他のいかなる給与も支給しない。

一項…一部改正・二・三項…追加（昭二五法二九九）、一項…一部改正（昭二六法二七八・昭二七法三二四・昭三五法一五〇・昭三六法一七六・昭四一法一四〇・昭四三法一〇五・昭四四法七二・昭四五法一一九・昭四六法一二一・昭四七法一一八・昭四八法九五・昭四九法一〇五・昭五〇法七一・昭五一法七七・昭五二法八八・昭五四法五七・昭五五法九四・昭五六法九六・昭五八法六九・昭五九法七九）、一項…一部改正・四項…追加（昭六〇法九七）、一項…一部改正（昭六一法一〇一・昭六二法一〇九・昭六三法一〇〇・平元法七三・平二法七九・平三法一〇二・平四法二八・平四法九二・平五法八二）、見出し…一部改正・四項…削除（平六法三三）、一項…一部改正（平六法八九・平七法一一六・平八法一一二・平九法一一二・平一〇法一二〇・平一一法八三・平一四法一〇六・平一五法一四一・平一七法一一三・平二二法八六・平二三法五三・平二四法二・平二六法一〇五）、一・三項…一部改正（令三法六一）、一項…一部改正（令五法七三・令六法七二）

㊟ 一項の「人事院の承認」＝規則九—一（非常勤職員の給与）参照

（休職者の給与）

第二十三条 職員が公務上負傷し、若しくは疾病にかかり、又は通勤（国家公務員災害補償法（昭和二十六年法律第百九十一号）第一条の二に規定する通勤をいう。以下同じ。）により負傷し、若しくは疾病にかかり、国家公務員法第

七十九条第一号に掲げる事由に該当して休職にされたときは、その休職の期間中、これに給与の全額を支給する。

2　職員が結核性疾患にかかり国家公務員法第七十九条第一号に掲げる事由に該当して休職にされたときは、その休職の期間が満二年に達するまでは、これに俸給、扶養手当、地域手当、広域異動手当、研究員調整手当、住居手当及び期末手当のそれぞれ百分の八十を支給することができる。

3　職員が前二項以外の心身の故障により国家公務員法第七十九条第一号に掲げる事由に該当して休職にされたときは、その休職の期間が満一年に達するまでは、これに俸給、扶養手当、地域手当、広域異動手当、研究員調整手当、住居手当及び期末手当のそれぞれ百分の八十を支給することができる。

4　職員が国家公務員法第七十九条第二号に掲げる事由に該当して休職にされたときは、その休職の期間中、これに俸給、扶養手当、地域手当、広域異動手当、研究員調整手当及び住居手当のそれぞれ百分の六十以内を支給することができる。

5　職員が国家公務員法第七十九条の人事院規則で定める場合に該当して休職にされたときは、その休職の期間中、人事院規則で定めるところにより、これに俸給、扶養手当、地域手当、広域異動手当、研究員調整手当、住居手当及び期末手当のそれぞれ百分の百以内を支給することができる。

6　国家公務員法第七十九条の規定により休職にされた職員には、他の法律に別段の定めがない限り、前各項に定める給与を除くほか、他のいかなる給与も支給しない。

7　第二項、第三項又は第五項に規定する職員が、これらの規定に規定する期間内で第十九条の四第一項に規定する基準日前一箇月以内に退職し、又は死亡したときは、同項の規定により人事院規則で定める日に、それぞれ第二項、第三項又は第五項の規定の例による額の期末手当を支給することができる。ただし、人事院規則で定める職員については、この限りでない。

8　前項の規定の適用を受ける職員の期末手当の支給については、第十九条の五及び第十九条の六の規定を準用する。この場合において、第十九条の五中「前条第一項」とあるのは、「第二十三条第七項」と読み替えるものとする。

本条…削除（昭二五法二九九）、追加（昭二六法二七八）、五項…一部改正・六項…追加（昭二七法三二四）、二～五項…一部改正（昭三三法一五四）、二・三・五項…一部改正・七項…追加（昭三八法一七四）、七項…一部改正（昭四〇法一四七）、二～五項…一部改正（昭四三法一〇五）、二法一四一）、七項…一部改正（昭四五法一一九）、一項…一部改正（平二法七九）、七項…一部改正（平三法一〇二）、二～五項…一部改正（平八法一一二）、七項…一部改正（平九法六六・平九法一一二）、八項…追加（平九法六六）、八項…一部改正（平九法一一二）、二・三・五項…一部改正（平九法一一二）、二～五項…一部改正（平一七法一一三・平一八法一〇一）、二・三・五・七・八項…一部改正（平二二法四一）、五～七項…一部改正（令元法三七）

㊟　規則一一—四（職員の身分保障）三条、規則九—一三（休職者の給与）、規則九—四〇、三二年改正法（昭三二法一五四）附則二八項、寒冷地手当法（昭二四法二〇〇）二条三項参照

（給与の額及び割合の検討）

第二十四条　国会は、給与の額又は割合の改定が必要であるかどうかを決定するために、この法律の制定又は改正の基礎とされた経済的諸要素の変化を考慮して、人事院の行つた調査に基づき、定期的に給与の額及び割合の検討を行うものとする。この目的のために、人事院は、総務省、厚生労働省その他の政府機関から提供を受けた正確適切な統計資料を利用して、事実の調査を行い、給与に関する勧告を作成する。

本条…一部改正（昭五八法八〇・平一一法一六〇）

（罰則）

第二十五条　この法律の規定に違反して給与を支払い、若しくはその支払を拒み、又はこれらの行為を故意に容認した者は、一年以下の拘禁刑又は三万円以下の罰金に処する。

本条…一部改正（令四法六八）

附　則

1　この法律は、公布の日から施行し、昭和二十五年四月一日から適用する。

2　政府職員の新給与実施に関する法律（昭和二十三年法律第四十六号）の規定に基づいて行われた給与に関する決定その他の手続は、この法律の規定に基いてなされたものとみなす。

3　未帰還職員の給与の取扱いについては、この法律の規定にかかわらず、なお従前の例による。ただし、当該未帰還職員が帰還するまでの間は、給与を支給しない。

4　労働基準法等の施行に伴う政府職員に係る給与の応急措置に関する法律（昭和二十二年法律

第百六十七号）及び大正十一年閣令第六号（官庁執務時間並休暇に関する件）の規定中この法律に抵触する部分は、その効力を失う。

5 政府職員の新給与実施に関する法律の規定に基づく政令、人事院規則その他の命令は、この法律に基づく命令とみなす。

6 当分の間、第十五条の規定にかかわらず、職員が負傷（公務上の負傷及び通勤による負傷を除く。）若しくは疾病（公務上の疾病及び通勤による疾病を除く。以下この項において同じ。）に係る療養のため、又は疾病に係る就業禁止の措置（人事院規則で定める措置に限る。）により、当該療養のための病気休暇又は当該措置の開始の日から起算して九十日（人事院規則で定める場合には、一年）を超えて引き続き勤務しないときは、その期間経過後の当該病気休暇又は当該措置に係る日につき、俸給の半額を減ずる。ただし、人事院規則で定める手当の算定については、当該職員の俸給の半減前の額をその算定の基礎となる俸給の額とする。

㊟ 規則九―八二（俸給の半減）参照

7 前項に規定するもののほか、同項の勤務しない期間の範囲、俸給の計算その他俸給の半減に関し必要な事項は、人事院規則で定める。

8 当分の間、職員の俸給月額は、当該職員が六十歳（次の各号に掲げる職員にあつては、当該各号に定める年齢）に達した日後における最初の四月一日（附則第十項において「特定日」という。）以後、当該職員に適用される俸給表の俸給月額のうち、第八条第三項の規定により当該職員の属する職務の級並びに同条第四項、第五項、第七項及び第八項の規定により当該職員の受ける号俸に応じた額に百分の七十を乗じて得た額（当該額に、五十円未満の端数を生じたときはこれを切り捨て、五十円以上百円未満の端数を生じたときはこれを百円に切り上げるものとする。）とする。

一 国家公務員法等の一部を改正する法律（令和三年法律第六十一号）第一条の規定による改正前の国家公務員法（次号及び次項第二号において「令和五年旧国家公務員法」という。）第八十一条の二第二項第二号に掲げる職員に相当する職員として人事院規則で定める職員　六十三歳

二 令和五年旧国家公務員法第八十一条の二第二項第三号に掲げる職員に相当する職員のうち、人事院規則で定める職員　六十歳を超え六十四歳を超えない範囲内で人事院規則で定める年齢

9 前項の規定は、次に掲げる職員には適用しない。

一 臨時的職員その他の法律により任期を定めて任用される職員及び常勤を要しない職員

二 令和五年旧国家公務員法第八十一条の二第二項第一号に掲げる職員に相当する職員として人事院規則で定める職員及び同項第三号に掲げる職員に相当する職員のうち人事院規則で定める職員

三 国家公務員法第八十一条の五第一項又は第二項の規定により同法第八十一条の二第一項に規定する異動期間（同法第八十一条の五第一項又は第二項の規定により延長された期間を含む。）を延長された同法第八十一条の二第一項に規定する管理監督職を占める職員

四 国家公務員法第八十一条の六第二項ただし書に規定する職員

五 国家公務員法第八十一条の七第一項又は第二項の規定により勤務している職員（同法第八十一条の六第一項に規定する定年退職日において前項の規定が適用されていた職員を除く。）

10 国家公務員法第八十一条の二第三項に規定する他の官職への降任等をされた職員であつて、当該他の官職への降任等をされた日（以下この項及び附則第十二項において「異動日」という。）の前日から引き続き同一の俸給表の適用を受ける職員のうち、特定日に附則第八項の規定により当該職員の受ける俸給月額（以下この項において「特定日俸給月額」という。）が異動日の前日に当該職員が受けていた俸給月額に百分の七十を乗じて得た額（当該額に、五十円未満の端数を生じたときはこれを切り捨て、五十円以上百円未満の端数を生じたときはこれを百円に切り上げるものとする。以下この項において「基礎俸給月額」という。）に達しないこととなる職員（人事院規則で定める職員を除く。）には、当分の間、特定日以後、附則第八項の規定により当該職員の受ける俸給月額のほか、基礎俸給月額と特定日俸給月額との差額に相当する額を俸給として支給する。

11 前項の規定による俸給の額と当該俸給を支給される職員の受ける俸給月額との合計額が第八条第三項の規定により当該職員の属する職務の

級における最高の号俸の俸給月額を超える場合における前項の規定の適用については、同項中「基礎俸給月額と特定日俸給月額」とあるのは、「第八条第三項の規定により当該職員の属する職務の級における最高の号俸の俸給月額と当該職員の受ける俸給月額」とする。

12　異動日の前日から引き続き俸給表の適用を受ける職員（附則第八項の規定の適用を受ける職員に限り、附則第十項に規定する職員を除く。）であつて、同項の規定による俸給を支給される職員との権衡上必要があると認められる職員には、当分の間、当該職員の受ける俸給月額のほか、人事院規則で定めるところにより、前二項の規定に準じて算出した額を俸給として支給する。

13　附則第十項又は前項の規定による俸給を支給される職員以外の附則第八項の規定の適用を受ける職員であつて、任用の事情を考慮して当該俸給を支給される職員との権衡上必要があると認められる職員には、当分の間、当該職員の受ける俸給月額のほか、人事院規則で定めるところにより、前三項の規定に準じて算出した額を俸給として支給する。

14　附則第十項又は前二項の規定による俸給を支給される職員に対する第十条の五第二項及び第十九条の四第五項（第十九条の七第四項において準用する場合を含む。）の規定の適用については、これらの規定中「俸給月額」とあるのは、「俸給月額と附則第十項、第十二項又は第十三項の規定による俸給の額との合計額」とする。

15　附則第八項の規定の適用を受ける職員に対する国家公務員法第七十五条第二項及び第八十九条第一項の規定の適用については、同法第七十五条第二項中「この法律」とあるのは「この法律若しくは一般職の職員の給与に関する法律附則第八項」と、同法第八十九条第一項中「伴う降給」とあるのは「伴う降給及び一般職の職員の給与に関する法律附則第八項の規定による降給」とする。

16　附則第八項から前項までに定めるもののほか、附則第八項の規定による俸給月額、附則第十項の規定による俸給その他附則第八項から前項までの規定の施行に関し必要な事項は、人事院規則で定める。

三・五・八項…削除・旧四項…三項に繰上・旧六・七項…二項ずつ繰上（昭二五法二九九）、六項…追加（昭二六法二七八）、七〜九項…追加（昭二七法三二四）、三項…一部改正（昭二八法一六一）、七〜九項…全改（昭四九法三三）、一〇・一一項…追加（昭四九法七四）、一〇・一一項…削除（昭四九法一〇五）、七〜九項…全改・一〇・一一項…追加（昭五二法八八）、一二〜一五項…追加（昭五五法九四）、一六項…追加（昭五六法九六）、旧一六項…一八項に繰下・一六・一七項…追加（昭六〇法九七）、八項…一部改正・九項…削除・旧一〇項…一部改正し九項に繰上・旧一一〜一三項…一項ずつ繰上・旧一四・一五項…一部改正し一項ずつ繰上・旧一六〜一八項…一項ずつ繰上（昭六〇法一〇五）、一七項…一部改正（昭六一法一〇二）、一一項…一部改正、一二項…追加、旧一二〜一四項…一部改正し一項ずつ繰下・旧一五〜一七項…一項ずつ繰下（昭六二法一〇九）、一一〜一五項…削除・旧一六〜一八項…五項ずつ繰上（昭六三法九二）、一三項…一部改正（平元法七三）、一一項…一部改正（平二法七九）、旧七項…削除・旧八・九項…一部改正し一項ずつ繰上・旧一〇〜一三項…一項ずつ繰上（平三法一〇九）、七〜九項…削除・旧一〇〜一二項…七〜九項に繰上（平七法五一）、九項…削除（平八法一一二）、九〜一四項…追加（平一三法一二六）、九〜一四項…削除（平一四法一〇六）、六項…削除・旧七・八項…一項ずつ繰上（平一九法一〇八）、八項…追加（平二一法四二）、八項…全改・九〜一一項…追加（平二三法五三）、八項…一部改正（平二六法三三）、八・一一項…一部改正（平二六法一〇五）、一一項…一部改正（平二八法一・平二八法八〇）、八〜一一項…削除（平二九法七七）、二〜六項…一部改正・八〜一六項…追加（令三法六一）

㊟　規則九―八二参照

別表第一 行政職俸給表（第六条関係）

イ 行政職俸給表(一)

職員の区分	職務の級	1 級	2 級	3 級	4 級	5 級	6 級	7 級	8 級	9 級	10 級
	号 俸	俸給月額	俸給月額	俸給月額	俸給月額	俸給月額	俸給月額	俸給月額	俸給月額	俸給月額	俸給月額
		円	円	円	円	円	円	円	円	円	円
	1	183,500	230,000	265,300	298,800	321,300	355,200	408,300	458,300	510,200	550,800
	2	184,600	231,500	266,300	300,300	323,100	356,900	410,200	463,800	517,100	558,000
	3	185,800	233,000	267,300	301,800	324,900	358,500	412,100	468,800	522,300	564,100
	4	186,900	234,500	268,300	303,200	326,600	360,100	413,900	473,500	526,600	569,100
	5	188,000	236,000	269,300	304,600	328,300	361,700	415,700	477,500	530,100	573,100
	6	189,700	237,500	270,300	305,700	330,000	363,500	417,500	481,000	533,400	576,100
	7	191,300	239,000	271,300	306,700	331,700	365,000	419,300	484,000	536,400	578,600
	8	192,900	240,500	272,300	307,900	333,400	366,600	421,100	486,500	538,900	580,600
	9	194,500	242,000	273,300	309,100	335,000	368,000	422,700	488,500	540,900	
	10	196,200	243,400	274,300	310,700	336,700	369,600	424,200			
	11	197,800	244,800	275,300	312,300	338,400	371,200	425,700			
	12	199,400	246,200	276,400	313,900	340,000	372,700	427,200			
	13	201,000	247,400	277,400	315,400	341,500	374,600	428,700			
	14	202,700	248,600	278,700	317,000	343,100	376,500	430,000			
	15	204,400	249,800	280,000	318,600	344,700	378,400	431,300			
	16	206,100	251,000	281,200	320,200	346,200	380,200	432,500			
	17	207,400	252,100	282,500	321,700	347,600	381,700	433,700			
	18	209,000	253,200	283,800	323,400	349,300	383,500	435,000			
	19	210,600	254,300	285,000	325,000	350,900	385,200	436,300			
	20	212,100	255,400	286,200	326,600	352,500	386,800	437,500			
	21	213,600	256,400	287,300	328,000	353,700	388,500	438,700			
	22	215,200	257,400	288,500	329,700	355,200	389,900	439,500			
	23	216,800	258,400	289,800	331,400	356,700	391,300	440,300			
	24	218,400	259,400	291,100	333,000	358,200	392,700	441,100			
	25	220,000	260,400	292,400	334,200	359,900	394,100	441,700			
	26	221,700	261,300	293,400	336,100	361,700	395,300	442,300			
	27	223,000	262,200	294,400	337,800	363,400	396,500	442,900			
	28	224,300	263,100	295,500	339,400	365,100	397,500	443,500			
	29	225,600	263,900	296,600	340,900	366,500	398,600	444,200			
	30	226,700	264,700	297,800	342,500	367,800	399,800	445,000			
	31	227,800	265,500	298,900	344,100	369,000	400,900	445,400			
	32	228,900	266,300	300,100	345,700	370,400	402,000	446,100			
	33	230,000	267,000	301,300	347,400	371,500	402,700	446,600			
	34	231,100	267,800	302,600	349,200	372,400	403,400	447,000			
	35	232,200	268,600	303,900	351,000	373,400	404,100	447,400			
	36	233,300	269,300	305,200	352,800	374,500	404,800	447,800			
	37	234,400	270,000	306,500	354,300	375,300	405,400	448,200			
	38	235,400	270,800	307,800	355,700	376,200	406,000	448,600			
	39	236,400	271,600	309,100	357,100	377,100	406,500	449,000			
	40	237,300	272,300	310,400	358,500	377,900	406,900	449,300			

		(1 級)	(2 級)	(3 級)	(4 級)	(5 級)	(6 級)	(7 級)	(8 級)	(9 級)	(10 級)
定年前再任用短時間勤務職員以外の職員	41	238,200	273,000	311,700	360,000	378,700	407,300	449,600			
	42	239,100	273,800	313,000	360,800	379,500	407,500	450,000			
	43	239,900	274,600	314,300	361,800	380,300	407,800	450,300			
	44	240,700	275,300	315,400	362,800	381,000	408,100	450,600			
	45	241,400	276,000	316,300	363,700	381,700	408,400	450,900			
	46	242,000	276,700	317,600	364,800	382,400	408,700				
	47	242,600	277,400	318,900	365,700	383,100	409,000				
	48	243,200	278,100	320,200	366,700	383,800	409,300				
	49	243,800	278,800	321,400	367,600	384,300	409,500				
	50	244,400	279,500	322,700	368,300	384,900	409,800				
	51	245,000	280,200	323,900	369,000	385,500	410,100				
	52	245,500	280,900	325,100	369,600	386,200	410,400				
	53	246,000	281,500	326,400	370,000	386,600	410,600				
	54	246,400	282,200	327,500	370,600	387,200	410,900				
	55	246,700	282,800	328,600	371,300	387,800	411,200				
	56	247,000	283,500	329,700	372,000	388,300	411,500				
	57	247,300	284,100	330,400	372,300	388,700	411,700				
	58	247,600	284,800	331,300	373,000	389,300	412,000				
	59	247,900	285,400	332,000	373,700	389,900	412,300				
	60	248,200	286,100	332,800	374,300	390,400	412,500				
	61	248,500	286,700	333,600	374,600	390,800	412,700				
	62	248,800	287,400	334,000	375,100	391,300	413,000				
	63	249,100	288,000	334,600	375,700	391,800	413,300				
	64	249,400	288,500	335,300	376,300	392,400	413,500				
	65	249,700	289,000	336,100	376,600	392,700	413,700				
	66	250,000	289,600	336,800	377,200	393,100	414,000				
	67	250,300	290,100	337,500	377,900	393,500	414,300				
	68	250,600	290,700	338,100	378,500	393,900	414,500				
	69	250,900	291,200	338,600	378,900	394,200	414,700				
	70	251,200	291,700	339,200	379,400	394,500	415,000				
	71	251,500	292,300	339,700	380,000	394,800	415,300				
	72	251,800	292,900	340,300	380,500	395,000	415,500				
	73	252,100	293,400	340,600	381,000	395,200	415,700				
	74	252,400	293,900	341,100	381,600	395,500					
	75	252,700	294,300	341,500	382,100	395,800					
	76	253,000	294,600	341,900	382,400	396,000					
	77	253,300	294,800	342,300	382,800	396,200					
	78	253,600	295,100	342,800	383,300	396,500					
	79	253,900	295,300	343,300	383,700	396,800					
	80	254,200	295,600	343,800	384,100	397,000					
	81	254,500	295,800	344,100	384,500	397,200					
	82	254,800	296,000	344,500	385,000	397,500					
	83	255,100	296,300	344,900	385,400	397,800					
	84	255,400	296,500	345,300	385,800	398,000					
	85	255,700	296,800	345,600	386,100	398,200					
	86	256,000	297,100	346,000							
	87	256,300	297,400	346,400							
	88	256,600	297,700	346,800							

		(1 級)	(2 級)	(3 級)	(4 級)	(5 級)	(6 級)	(7 級)	(8 級)	(9 級)	(10 級)
	89	256,900	298,000	347,000							
	90	257,200	298,300	347,400							
	91	257,500	298,600	347,800							
	92	257,800	299,000	348,200							
	93	258,100	299,200	348,400							
	94		299,400	348,800							
	95		299,700	349,200							
	96		300,100	349,500							
	97		300,300	349,800							
	98		300,600	350,200							
	99		301,000	350,600							
	100		301,400	351,000							
	101		301,600	351,500							
	102		301,900	351,900							
	103		302,200	352,300							
	104		302,500	352,700							
	105		302,700	353,200							
	106		303,000	353,600							
	107		303,300	353,900							
	108		303,600	354,200							
	109		303,800	354,700							
	110		304,200								
	111		304,600								
	112		304,900								
	113		305,100								
	114		305,300								
	115		305,600								
	116		306,000								
	117		306,200								
	118		306,400								
	119		306,700								
	120		307,000								
	121		307,400								
	122		307,600								
	123		307,900								
	124		308,200								
	125		308,500								
定年前再任用短時間勤務職員		基準俸給月額 円 192,000	基準俸給月額 円 219,500	基準俸給月額 円 260,000	基準俸給月額 円 279,700	基準俸給月額 円 294,900	基準俸給月額 円 320,600	基準俸給月額 円 362,700	基準俸給月額 円 396,200	基準俸給月額 円 448,000	基準俸給月額 円 528,700

備考 この表は、他の俸給表の適用を受けない全ての職員に適用する。ただし、第二十二条及び附則第三項に規定する職員を除く。

ロ　行政職俸給表(二)

職員の区分	職務の級 / 号俸	1 級	2 級	3 級	4 級	5 級
		俸給月額	俸給月額	俸給月額	俸給月額	俸給月額
		円	円	円	円	円
	1	185,700	227,700	247,600	280,400	308,100
	2	187,400	228,500	248,700	281,100	309,500
	3	189,100	229,300	249,700	281,800	310,800
	4	190,800	230,100	250,700	282,500	312,000
	5	192,500	230,800	251,700	283,100	313,000
	6	194,200	231,600	252,900	283,700	314,200
	7	195,800	232,400	254,000	284,300	315,400
	8	197,400	233,200	255,000	284,900	316,500
	9	199,000	234,000	256,100	285,500	317,600
	10	200,500	234,700	257,100	286,100	318,700
	11	202,000	235,400	258,000	286,700	319,800
	12	203,500	236,100	258,500	287,200	320,900
	13	205,000	236,800	259,100	287,700	321,900
	14	206,500	237,400	259,500	288,200	323,000
	15	208,000	238,000	259,900	288,700	324,100
	16	209,500	238,600	260,400	289,100	325,200
	17	211,000	239,200	260,900	289,500	326,200
	18	212,400	239,800	261,400	289,900	327,300
	19	213,800	240,400	261,900	290,300	328,400
	20	215,200	240,900	262,500	290,700	329,400
	21	216,600	241,400	263,300	291,100	330,400
	22	217,700	241,900	263,900	291,500	331,400
	23	218,800	242,400	264,500	291,900	332,400
	24	219,900	242,900	265,300	292,300	333,400
	25	220,900	243,400	266,100	292,700	334,400
	26	221,800	243,900	266,800	293,100	335,300
	27	222,700	244,300	267,400	293,500	336,400
	28	223,600	244,800	268,200	293,900	337,400
	29	224,500	245,400	269,000	294,300	338,400
	30	225,300	245,900	269,700	294,800	339,400
	31	226,100	246,400	270,400	295,300	340,400
	32	226,900	246,800	271,100	295,800	341,300
	33	227,700	247,200	271,800	296,300	342,200
	34	228,400	247,700	272,500	296,800	343,100
	35	229,100	248,200	273,200	297,300	344,000
	36	229,800	248,600	273,900	297,800	344,900
	37	230,500	249,000	274,600	298,300	345,800
	38	231,100	249,500	275,300	299,000	346,800
	39	231,700	250,000	275,900	299,600	347,800
	40	232,300	250,400	276,500	300,300	348,700

		(1　級)	(2　級)	(3　級)	(4　級)	(5　級)
定年前再任用短時間勤務職員以外の職員	41	233,000	250,800	277,000	300,900	349,600
	42	233,500	251,300	277,500	301,500	350,500
	43	234,000	251,800	278,000	302,100	351,400
	44	234,500	252,200	278,500	302,600	352,200
	45	235,000	252,600	279,000	303,100	353,000
	46	235,400	253,000	279,500	303,700	353,800
	47	235,800	253,400	280,000	304,300	354,600
	48	236,200	253,800	280,400	304,900	355,300
	49	236,600	254,200	280,800	305,500	356,000
	50	236,900	254,600	281,300	306,200	356,800
	51	237,200	255,000	281,700	306,900	357,600
	52	237,500	255,400	282,200	307,600	358,200
	53	237,800	255,800	282,600	308,200	358,900
	54	238,100	256,200	283,100	308,900	359,500
	55	238,400	256,600	283,600	309,600	360,200
	56	238,700	257,000	284,100	310,200	360,900
	57	238,900	257,300	284,600	310,800	361,500
	58	239,200	257,700	285,200	311,500	362,000
	59	239,500	258,100	285,800	312,200	362,500
	60	239,700	258,400	286,400	312,800	363,000
	61	239,900	258,700	287,000	313,300	363,400
	62	240,200	259,100	287,600	313,800	
	63	240,500	259,500	288,200	314,400	
	64	240,700	259,800	288,800	315,000	
	65	240,900	260,100	289,300	315,600	
	66	241,200	260,400	289,800	316,000	
	67	241,500	260,700	290,300	316,500	
	68	241,700	260,900	290,800	317,000	
	69	241,900	261,100	291,300	317,300	
	70	242,200	261,400	291,800	317,800	
	71	242,500	261,700	292,200	318,300	
	72	242,700	261,900	292,600	318,700	
	73	242,900	262,100	293,000	318,900	
	74	243,200	262,400	293,400	319,200	
	75	243,500	262,700	293,800	319,400	
	76	243,700	262,900	294,200	319,700	
	77	243,900	263,100	294,600	320,000	
	78	244,200	263,400	295,000	320,300	
	79	244,500	263,700	295,400	320,600	
	80	244,700	263,900	295,900	320,800	
	81	244,900	264,100	296,200	321,000	
	82	245,200	264,400	296,700	321,300	
	83	245,400	264,700	297,200	321,600	
	84	245,700	264,900	297,700	321,800	
	85	245,900	265,100	298,000	322,000	
	86	246,100	265,300	298,500	322,300	
	87	246,400	265,600	299,000	322,600	
	88	246,700	265,900	299,300	322,900	

	(1 級)	(2 級)	(3 級)	(4 級)	(5 級)
89	246,900	266,100	299,700	323,100	
90	247,200	266,300	300,200	323,400	
91	247,500	266,600	300,700	323,700	
92	247,700	266,800	301,200	323,900	
93	247,900	267,100	301,500	324,100	
94	248,200	267,400	301,900	324,400	
95	248,500	267,700	302,400	324,700	
96	248,700	267,900	302,900	324,900	
97	248,900	268,100	303,300	325,100	
98	249,200	268,400	303,700		
99	249,500	268,600	304,000		
100	249,700	268,900	304,300		
101	249,900	269,100	304,600		
102	250,200	269,300	305,000		
103	250,500	269,600	305,300		
104	250,700	269,900	305,700		
105	250,900	270,100	306,000		
106		270,300	306,400		
107		270,600	306,800		
108		270,800	307,100		
109		271,100	307,300		
110		271,400	307,600		
111		271,700	307,900		
112		271,900	308,100		
113		272,100	308,300		
114		272,400	308,600		
115		272,600	308,900		
116		272,800	309,100		
117		273,100	309,300		
118		273,400	309,600		
119		273,700	309,900		
120		273,900	310,100		
121		274,100	310,300		
122		274,300	310,600		
123		274,600	310,900		
124		274,900	311,100		
125		275,100	311,300		
126		275,300	311,600		
127		275,600	311,900		
128		275,900	312,100		
129		276,100	312,300		
130		276,300			
131		276,600			
132		276,900			
133		277,100			
134		277,300			
135		277,600			
136		277,900			

		(1 級)	(2 級)	(3 級)	(4 級)	(5 級)
	137		278,100			
定年前再任用短時間勤務職員		基準俸給月額	基準俸給月額	基準俸給月額	基準俸給月額	基準俸給月額
		円 197,900	円 209,000	円 227,500	円 248,600	円 279,800

備考 この表は、機器の運転操作、庁舎の監視その他の庁務及びこれらに準ずる業務に従事する職員で人事院規則で定めるものに適用する。

別表第二　専門行政職俸給表（第六条関係）

職員の区分	職務の級 / 号俸	1級	2級	3級	4級	5級	6級	7級	8級
		俸給月額	俸給月額	俸給月額	俸給月額	俸給月額	俸給月額	俸給月額	俸給月額
		円	円	円	円	円	円	円	円
	1	208,700	271,400	318,600	355,300	408,300	458,300	510,200	550,800
	2	210,400	273,000	320,400	357,000	410,200	463,800	517,100	558,000
	3	212,100	274,500	322,200	358,700	412,100	468,800	522,300	564,100
	4	213,700	276,000	324,000	360,300	413,900	473,500	526,600	569,100
	5	215,300	277,500	325,800	361,900	415,700	477,500	530,100	573,100
	6	216,800	278,700	327,300	363,500	417,500	481,000	533,400	576,100
	7	218,200	279,900	328,700	365,100	419,300	484,000	536,400	578,600
	8	219,600	281,100	330,100	366,700	421,100	486,500	538,900	580,600
	9	220,700	282,300	331,500	368,300	422,700	488,500	540,900	
	10	222,200	283,800	333,000	369,900	424,200			
	11	223,600	285,400	334,500	371,500	425,700			
	12	225,000	286,900	336,000	373,000	427,200			
	13	226,300	288,300	337,500	374,600	428,700			
	14	227,600	289,800	339,000	376,500	430,000			
	15	228,900	291,400	340,500	378,400	431,300			
	16	230,100	293,000	342,000	380,300	432,500			
	17	231,300	294,600	343,500	382,100	433,700			
	18	232,800	296,300	345,000	384,000	435,000			
	19	234,300	297,900	346,500	385,800	436,300			
	20	235,700	299,400	348,000	387,500	437,500			
	21	237,200	300,900	349,500	388,700	438,700			
	22	238,700	302,500	351,100	390,300	439,500			
	23	240,200	304,000	352,700	391,800	440,300			
	24	241,700	305,500	354,300	393,300	441,100			
	25	243,100	307,000	355,500	394,800	441,700			
	26	244,600	308,200	356,900	395,700	442,300			
	27	246,100	309,400	358,400	396,700	442,900			
	28	247,400	310,600	359,900	397,600	443,500			
	29	248,700	311,800	361,400	398,600	444,200			
	30	249,900	312,900	362,900	399,800	445,000			
	31	251,000	314,000	364,400	400,900	445,400			
	32	252,100	315,100	365,900	402,000	446,100			
	33	253,200	316,100	367,300	402,900	446,600			
	34	254,300	317,200	368,700	403,600	447,000			
	35	255,400	318,300	370,100	404,300	447,400			
	36	256,500	319,400	371,500	405,000	447,800			
	37	257,500	320,400	372,500	405,500	448,200			
	38	258,400	321,500	373,600	406,000	448,600			
	39	259,300	322,600	374,500	406,500	449,000			
	40	260,100	323,700	375,500	406,900	449,300			

		(1 級)	(2 級)	(3 級)	(4 級)	(5 級)	(6 級)	(7 級)	(8 級)
定年前再任用短時間勤務職員以外の職員	41	260,900	324,700	376,100	407,300	449,600			
	42	261,800	325,800	376,400	407,500	450,000			
	43	262,600	326,900	376,900	407,800	450,300			
	44	263,500	328,000	377,400	408,100	450,600			
	45	264,300	329,000	377,800	408,400	450,900			
	46	265,200	329,900	378,300	408,700				
	47	266,000	330,800	378,900	409,000				
	48	266,800	331,600	379,400	409,300				
	49	267,600	332,400	379,900	409,500				
	50	268,400	333,100	380,500	409,800				
	51	269,200	333,800	381,100	410,100				
	52	269,900	334,400	381,600	410,400				
	53	270,600	335,000	382,000	410,600				
	54	271,400	335,700	382,500	410,900				
	55	272,100	336,400	383,100	411,200				
	56	272,800	337,000	383,700	411,500				
	57	273,500	337,600	384,200	411,700				
	58	274,300	338,100	384,800	412,000				
	59	275,000	338,600	385,100	412,300				
	60	275,700	339,100	385,600	412,500				
	61	276,400	339,500	386,100	412,700				
	62	277,100	339,700	386,500	413,000				
	63	277,800	340,100	387,000	413,300				
	64	278,400	340,600	387,500	413,500				
	65	279,000	340,900	388,000	413,700				
	66	279,700	341,400	388,500					
	67	280,400	341,800	388,900					
	68	281,000	342,200	389,300					
	69	281,600	342,600	389,700					
	70	282,300	343,100	390,000					
	71	283,000	343,600	390,300					
	72	283,600	344,000	390,500					
	73	284,200	344,200	390,700					
	74	284,900	344,600	391,000					
	75	285,500	345,100	391,300					
	76	286,100	345,500	391,500					
	77	286,700	345,800	391,700					
	78	287,300		392,000					
	79	287,900		392,300					
	80	288,500		392,500					
	81	289,000		392,700					
	82	289,600							
	83	290,200							
	84	290,700							
	85	291,200							
	86	291,800							
	87	292,400							
	88	292,900							

		(1 級)	(2 級)	(3 級)	(4 級)	(5 級)	(6 級)	(7 級)	(8 級)
	89	293,400							
	90	293,900							
	91	294,300							
	92	294,700							
	93	295,100							
定年前再任用短時間勤務職員		基準俸給月額	基準俸給月額	基準俸給月額	基準俸給月額	基準俸給月額	基準俸給月額	基準俸給月額	基準俸給月額
		円 214,400	円 245,400	円 288,400	円 320,900	円 362,700	円 396,200	円 448,000	円 528,700

備考　この表は、植物防疫官、家畜防疫官、特許庁の審査官及び審判官、船舶検査官並びに航空交通管制の業務その他の専門的な知識、技術等を必要とする業務に従事する職員で人事院規則で定めるものに適用する。

別表第三 税務職俸給表（第六条関係）

職員の区分	職務の級	1 級	2 級	3 級	4 級	5 級	6 級	7 級	8 級	9 級	10 級
	号俸	俸給月額	俸給月額	俸給月額	俸給月額	俸給月額	俸給月額	俸給月額	俸給月額	俸給月額	俸給月額
		円	円	円	円	円	円	円	円	円	円
	1	203,400	264,000	299,300	331,900	353,300	384,100	420,300	466,000	510,200	550,800
	2	205,900	265,800	300,300	333,400	355,000	385,800	421,900	472,200	517,100	558,000
	3	208,400	267,600	301,200	334,900	356,700	387,500	423,500	477,200	522,300	564,100
	4	210,900	269,200	302,100	336,400	358,300	389,200	425,000	481,500	526,600	569,100
	5	213,400	270,900	303,000	337,900	359,900	390,700	426,500	485,500	530,100	573,100
	6	215,800	272,400	303,900	339,300	361,600	392,300	428,100	489,000	533,400	576,100
	7	218,200	273,900	304,800	340,600	363,200	393,900	429,500	492,000	536,400	578,600
	8	220,600	275,200	305,700	341,900	364,800	395,500	430,900	494,500	538,900	580,600
	9	223,000	276,500	306,600	343,200	366,400	397,100	432,000	496,700	540,900	
	10	225,300	277,900	307,600	344,800	368,000	398,700	433,400			
	11	227,600	279,300	308,600	346,400	369,600	400,300	434,900			
	12	229,900	280,500	309,600	348,000	371,200	401,900	436,400			
	13	232,200	281,700	310,500	349,500	372,800	403,400	437,700			
	14	234,500	282,600	311,700	351,100	374,400	405,400	439,400			
	15	236,700	283,400	313,100	352,700	376,000	407,400	441,000			
	16	238,900	284,200	314,400	354,200	377,600	409,400	442,600			
	17	241,100	285,000	315,700	355,700	379,200	410,900	444,000			
	18	243,300	285,800	317,000	357,300	380,800	412,600	445,700			
	19	245,500	286,600	318,200	358,900	382,400	414,200	447,400			
	20	247,700	287,300	319,400	360,400	384,000	415,900	449,000			
	21	249,900	288,000	320,600	361,900	385,600	417,500	450,400			
	22	251,700	288,600	321,800	363,500	387,200	419,000	451,100			
	23	253,100	289,200	323,000	365,100	388,900	420,500	451,800			
	24	254,400	289,800	324,100	366,700	390,600	421,900	452,500			
	25	255,700	290,400	325,200	368,100	392,300	423,100	452,900			
	26	256,800	290,900	326,300	369,800	394,300	424,600	453,400			
	27	257,900	291,400	327,400	371,500	396,200	426,100	454,000			
	28	258,900	291,900	328,600	373,100	398,100	427,500	454,600			
	29	259,900	292,400	329,800	374,700	399,800	429,000	455,200			
	30	261,000	292,900	330,800	376,300	401,200	430,300	455,900			
	31	262,100	293,300	331,900	377,900	402,400	431,500	456,400			
	32	263,100	293,700	333,100	379,600	403,700	432,700	456,900			
	33	264,100	294,100	334,400	381,300	404,700	433,700	457,400			
	34	264,600	294,600	335,500	383,300	405,800	434,400	457,700			
	35	265,100	295,000	336,600	385,300	406,800	435,200	458,000			
	36	265,600	295,400	337,700	387,300	407,800	435,900	458,400			
	37	266,100	295,800	338,800	389,000	408,900	436,400	458,800			
	38	266,600	296,300	339,700	390,700	410,100	436,800	459,000			
	39	267,100	296,800	340,600	392,200	411,200	437,200	459,300			
	40	267,500	297,300	341,500	393,700	412,300	437,500	459,500			

		(1 級)	(2 級)	(3 級)	(4 級)	(5 級)	(6 級)	(7 級)	(8 級)	(9 級)	(10 級)
定年前再任用短時間勤務職員以外の職員	41	267,900	297,700	342,300	394,900	413,500	437,800	459,900			
	42	268,300	298,200	343,200	395,900	414,300	438,100	460,100			
	43	268,700	298,700	344,100	396,900	415,100	438,400	460,300			
	44	269,000	299,200	345,000	397,900	415,700	438,700	460,500			
	45	269,300	299,600	345,600	399,000	416,200	438,900	460,900			
	46	269,600	300,000	346,500	400,100	416,900	439,200				
	47	269,900	300,300	347,300	401,200	417,600	439,500				
	48	270,200	300,600	348,100	402,300	418,200	439,800				
	49	270,500	300,900	348,900	403,600	418,900	440,100				
	50	270,800	301,200	349,800	404,400	419,300	440,400				
	51	271,100	301,500	350,600	405,200	419,900	440,700				
	52	271,300	301,800	351,400	405,800	420,500	441,000				
	53	271,500	302,100	352,200	406,300	420,900	441,200				
	54	271,800	302,400	353,200	407,000	421,300	441,500				
	55	272,100	302,700	354,200	407,700	421,800	441,800				
	56	272,300	302,900	355,200	408,400	422,300	442,100				
	57	272,500	303,100	355,800	408,700	422,800	442,300				
	58	272,800	303,400	356,600	409,400	423,400	442,600				
	59	273,100	303,700	357,300	410,100	423,800	442,900				
	60	273,300	303,900	358,000	410,600	424,200	443,100				
	61	273,500	304,100	358,400	411,000	424,600	443,300				
	62	273,800	304,400	358,900	411,400	424,900	443,600				
	63	274,100	304,700	359,400	411,900	425,200	443,900				
	64	274,300	304,900	359,900	412,400	425,500	444,200				
	65	274,500	305,100	360,400	412,900	425,800	444,400				
	66	274,800		361,100	413,300	426,100	444,700				
	67	275,100		361,800	413,800	426,400	445,000				
	68	275,300		362,400	414,300	426,600	445,300				
	69	275,500		362,900	414,800	426,800	445,500				
	70	275,800		363,400	415,300	427,100	445,800				
	71	276,100		364,000	415,900	427,400	446,100				
	72	276,300		364,600	416,400	427,600	446,400				
	73	276,500		365,100	416,800	427,800	446,600				
	74			365,600	417,400	428,100					
	75			365,900	417,900	428,400					
	76			366,300	418,100	428,600					
	77			366,500	418,400	428,800					
	78			367,000	418,900	429,100					
	79			367,500	419,200	429,400					
	80			368,000	419,500	429,600					
	81			368,200	419,800	429,800					
	82				420,200	430,100					
	83				420,600	430,400					
	84				421,000	430,600					

		(1 級)	(2 級)	(3 級)	(4 級)	(5 級)	(6 級)	(7 級)	(8 級)	(9 級)	(10 級)
	85				421,300	430,800					
定年前再任用短時間勤務職員		基準俸給月額	基準俸給月額	基準俸給月額	基準俸給月額	基準俸給月額	基準俸給月額	基準俸給月額	基準俸給月額	基準俸給月額	基準俸給月額
		円 210,000	円 236,300	円 284,600	円 310,600	円 324,900	円 348,600	円 384,200	円 416,200	円 458,800	円 528,700

備考 この表は、国税庁に勤務し、租税の賦課及び徴収に関する事務等に従事する職員で人事院規則で定めるものに適用する。

別表第四　公安職俸給表（第六条関係）

イ　公安職俸給表(一)

職員の区分	職務の級 / 号俸	1 級	2 級	3 級	4 級	5 級	6 級	7 級	8 級	9 級	10 級	11 級
		俸給月額	俸給月額	俸給月額	俸給月額	俸給月額	俸給月額	俸給月額	俸給月額	俸給月額	俸給月額	俸給月額
		円	円	円	円	円	円	円	円	円	円	円
	1	211,600	232,600	255,500	295,400	331,900	353,300	384,100	420,300	466,000	510,200	550,800
	2	214,000	234,800	257,500	296,400	333,400	355,000	385,800	421,900	472,200	517,100	558,000
	3	216,400	237,000	259,700	297,400	334,900	356,700	387,500	423,500	477,200	522,300	564,100
	4	218,800	239,200	261,900	298,300	336,400	358,300	389,200	425,000	481,500	526,600	569,100
	5	221,200	241,400	264,000	298,900	337,900	359,900	390,700	426,500	485,500	530,100	573,100
	6	223,600	243,400	265,300	299,600	339,300	361,600	392,300	428,100	489,000	533,400	576,100
	7	226,000	245,400	266,600	300,300	340,600	363,200	393,900	429,500	492,000	536,400	578,600
	8	228,200	247,200	267,900	301,000	341,900	364,800	395,500	430,900	494,500	538,900	580,600
	9	230,400	249,000	269,200	301,700	343,200	366,400	397,100	432,000	496,700	540,900	
	10	232,500	250,700	270,500	302,400	344,800	368,000	398,700	433,400			
	11	234,600	252,400	271,800	303,100	346,400	369,600	400,300	434,900			
	12	236,600	253,800	273,100	303,700	348,000	371,200	401,900	436,400			
	13	238,600	255,200	274,400	304,400	349,500	372,800	403,400	437,700			
	14	240,600	257,000	275,600	305,200	351,100	374,400	405,400	439,400			
	15	242,600	258,400	276,700	305,900	352,700	376,000	407,400	441,000			
	16	244,200	259,900	278,200	306,700	354,200	377,600	409,400	442,600			
	17	245,800	261,400	279,500	307,400	355,700	379,200	410,900	444,000			
	18	247,300	262,600	280,800	308,200	357,300	380,800	412,600	445,700			
	19	248,800	263,800	282,100	309,200	358,900	382,400	414,200	447,400			
	20	250,300	264,900	283,300	310,100	360,400	384,000	415,900	449,000			
	21	251,800	266,200	284,500	311,000	361,900	385,600	417,500	450,400			
	22	253,400	267,400	285,100	312,300	363,500	387,200	419,000	451,100			
	23	254,900	268,700	285,700	313,600	365,100	388,900	420,500	451,800			
	24	256,400	270,000	286,300	314,900	366,700	390,600	421,900	452,500			
	25	257,900	271,400	286,800	316,200	368,100	392,300	423,100	452,900			
	26	259,100	272,800	287,400	317,700	369,800	394,300	424,600	453,400			
	27	260,300	274,100	288,000	319,000	371,500	396,200	426,100	454,000			
	28	261,500	275,400	288,500	320,100	373,100	398,100	427,500	454,600			
	29	262,700	276,400	289,000	321,100	374,700	399,800	429,000	455,200			
	30	264,000	277,700	289,600	322,300	376,300	401,200	430,300	455,900			
	31	265,300	279,000	290,100	323,500	377,900	402,400	431,500	456,400			
	32	266,600	280,200	290,600	324,600	379,600	403,700	432,700	456,900			
	33	267,900	281,400	291,100	325,700	381,300	404,700	433,700	457,400			
	34	269,400	282,000	291,700	326,900	383,300	405,800	434,400	457,700			
	35	270,700	282,600	292,200	328,100	385,300	406,800	435,200	458,000			
	36	272,100	283,200	292,700	329,200	387,300	407,800	435,900	458,400			
	37	273,100	283,700	293,200	330,300	389,000	408,900	436,400	458,800			
	38	274,400	284,300	293,800	331,500	390,700	410,100	436,800	459,000			
	39	275,700	284,900	294,400	332,700	392,200	411,200	437,200	459,300			
	40	276,900	285,500	295,000	333,900	393,700	412,300	437,500	459,500			

職員の区分	号俸	(1 級)	(2 級)	(3 級)	(4 級)	(5 級)	(6 級)	(7 級)	(8 級)	(9 級)	(10 級)	(11 級)
定年前再任用短時間勤務職員以外の職員	41	278,100	286,000	295,700	335,100	394,900	413,500	437,800	459,900			
	42	278,700	286,600	296,400	336,300	395,900	414,300	438,100	460,100			
	43	279,300	287,200	297,100	337,500	396,900	415,100	438,400	460,300			
	44	279,900	287,700	297,800	338,700	397,900	415,700	438,700	460,500			
	45	280,300	288,200	298,400	339,900	399,000	416,200	438,900	460,900			
	46	280,900	288,700	299,300	341,200	400,100	416,900	439,200				
	47	281,400	289,200	300,100	342,400	401,200	417,600	439,500				
	48	281,900	289,700	300,900	343,600	402,300	418,200	439,800				
	49	282,400	290,300	301,700	344,800	403,600	418,900	440,100				
	50	283,000	290,800	302,800	346,200	404,400	419,300	440,400				
	51	283,500	291,400	303,900	347,500	405,200	419,900	440,700				
	52	284,000	292,000	304,900	348,800	405,800	420,500	441,000				
	53	284,500	292,600	305,900	349,700	406,300	420,900	441,200				
	54	285,100	293,300	307,000	351,000	407,000	421,300	441,500				
	55	285,600	294,000	308,000	352,200	407,700	421,800	441,800				
	56	286,100	294,700	309,100	353,400	408,400	422,300	442,100				
	57	286,600	295,300	310,100	354,600	408,700	422,800	442,300				
	58	287,100	296,200	311,200	356,000	409,400	423,400	442,600				
	59	287,600	297,000	312,300	357,400	410,100	423,800	442,900				
	60	288,100	297,800	313,400	358,800	410,600	424,200	443,100				
	61	288,600	298,600	314,400	360,100	411,000	424,600	443,300				
	62	289,100	299,500	315,500	361,600	411,400	424,900	443,600				
	63	289,600	300,400	316,600	363,100	411,900	425,200	443,900				
	64	290,100	301,300	317,700	364,500	412,400	425,500	444,200				
	65	290,600	302,100	318,700	365,700	412,900	425,800	444,400				
	66	291,100	303,000	319,800	367,100	413,300	426,100	444,700				
	67	291,600	303,800	320,900	368,400	413,800	426,400	445,000				
	68	292,100	304,600	322,000	369,800	414,300	426,600	445,300				
	69	292,600	305,500	323,000	370,900	414,800	426,800	445,500				
	70	293,100	306,400	324,200	372,100	415,300	427,100	445,800				
	71	293,600	307,300	325,400	373,300	415,900	427,400	446,100				
	72	294,100	308,200	326,600	374,500	416,400	427,600	446,400				
	73	294,600	309,000	327,300	375,800	416,800	427,800	446,600				
	74	295,200	309,900	328,600	377,000	417,400	428,100					
	75	295,800	310,800	329,900	378,200	417,900	428,400					
	76	296,300	311,600	331,200	379,300	418,100	428,600					
	77	296,800	312,300	332,500	380,400	418,400	428,800					
	78	297,400	313,200	333,900	381,600	418,900	429,100					
	79	298,000	314,100	335,300	382,700	419,200	429,400					
	80	298,600	315,100	336,700	383,900	419,500	429,600					
	81	299,200	316,000	338,000	385,000	419,800	429,800					
	82	299,900	317,100	339,600	385,600	420,200	430,100					
	83	300,600	318,100	341,100	386,100	420,600	430,400					
	84	301,200	319,100	342,600	386,600	421,000	430,600					
	85	301,800	320,000	344,000	387,200	421,300	430,800					
	86	302,500	321,000	345,500	387,800							
	87	303,200	322,000	347,000	388,400							
	88	303,900	323,000	348,400	389,000							

		(1 級)	(2 級)	(3 級)	(4 級)	(5 級)	(6 級)	(7 級)	(8 級)	(9 級)	(10 級)	(11 級)
	89	304,600	324,000	349,700	389,300							
	90	305,400	325,300	350,900	389,800							
	91	306,200	326,500	352,100	390,300							
	92	306,900	327,700	353,400	390,800							
	93	307,400	328,900	354,700	391,200							
	94	308,300	330,200	356,200	391,600							
	95	309,200	331,400	357,700	392,100							
	96	310,000	332,600	359,100	392,600							
	97	310,800	333,800	360,400	393,000							
	98	311,800	335,100	361,600	393,500							
	99	312,700	336,300	362,700	394,000							
	100	313,600	337,500	363,900	394,500							
	101	314,500	338,900	365,000	394,800							
	102	315,500	339,800	366,100	395,200							
	103	316,500	340,800	367,200	395,700							
	104	317,400	341,900	368,300	396,000							
	105	318,200	343,000	369,500	396,300							
	106	318,800	344,100	370,000	396,800							
	107	319,400	345,100	370,600	397,300							
	108	320,000	346,100	371,200	397,800							
	109	320,500	347,300	371,800	398,100							
	110	321,000	348,300	372,300	398,600							
	111	321,400	349,300	372,700	399,100							
	112	321,900	350,200	373,200	399,600							
	113	322,700	351,100	373,600	399,900							
	114	323,400	352,000	374,000	400,400							
	115	324,100	353,000	374,500	400,900							
	116	324,700	354,000	375,000	401,400							
	117	325,300	355,000	375,400	401,800							
	118	326,000	355,400	375,900	402,300							
	119	326,700	356,000	376,500	402,700							
	120	327,500	356,600	377,000	403,200							
	121	328,100	356,900	377,200	403,600							
	122	328,400	357,300	377,700								
	123	328,900	357,700	378,200								
	124	329,400	358,100	378,600								
	125	329,700	358,500	379,100								
	126		358,900	379,600								
	127		359,300	380,100								
	128		359,700	380,600								
	129		360,100	380,900								
	130		360,500	381,400								
	131		360,900	381,900								
	132		361,300	382,400								
	133		361,500	382,700								
	134		362,000	383,200								
	135		362,400	383,600								
	136		362,700	384,000								

		(1 級)	(2 級)	(3 級)	(4 級)	(5 級)	(6 級)	(7 級)	(8 級)	(9 級)	(10 級)	(11 級)
	137		363,000	384,300								
	138		363,400	384,800								
	139		363,900	385,300								
	140		364,400	385,800								
	141		364,700	386,100								
	142		365,200									
	143		365,700									
	144		366,200									
	145		366,500									
定年前再任用短時間勤務職員		基準俸給月額	基準俸給月額	基準俸給月額	基準俸給月額	基準俸給月額	基準俸給月額	基準俸給月額	基準俸給月額	基準俸給月額	基準俸給月額	基準俸給月額
		円 246,200	円 258,000	円 262,200	円 293,800	円 310,600	円 324,900	円 348,600	円 384,200	円 416,200	円 458,800	円 528,700

備考 この表は、警察官、皇宮護衛官、入国警備官及び刑務所等に勤務する職員で人事院規則で定めるものに適用する。

ロ　公安職俸給表(二)

職員の区分	職務の級	1級	2級	3級	4級	5級	6級	7級	8級	9級	10級
	号俸	俸給月額	俸給月額	俸給月額	俸給月額	俸給月額	俸給月額	俸給月額	俸給月額	俸給月額	俸給月額
		円	円	円	円	円	円	円	円	円	円
	1	203,400	264,000	299,300	331,900	353,300	384,100	420,300	466,000	510,200	550,800
	2	205,800	265,800	300,300	333,400	355,000	385,800	421,900	472,200	517,100	558,000
	3	208,200	267,600	301,200	334,900	356,700	387,500	423,500	477,200	522,300	564,100
	4	210,600	269,200	302,100	336,400	358,300	389,200	425,000	481,500	526,600	569,100
	5	213,000	270,900	303,000	337,900	359,900	390,700	426,500	485,500	530,100	573,100
	6	215,400	272,400	303,900	339,300	361,600	392,300	428,100	489,000	533,400	576,100
	7	217,700	273,900	304,800	340,600	363,200	393,900	429,500	492,000	536,400	578,600
	8	220,000	275,200	305,700	341,900	364,800	395,500	430,900	494,500	538,900	580,600
	9	222,300	276,500	306,600	343,200	366,400	397,100	432,000	496,700	540,900	
	10	224,600	277,900	307,600	344,800	368,000	398,700	433,400			
	11	226,900	279,300	308,600	346,400	369,600	400,300	434,900			
	12	229,200	280,500	309,600	348,000	371,200	401,900	436,400			
	13	231,500	281,700	310,500	349,500	372,800	403,400	437,700			
	14	233,800	282,600	311,700	351,100	374,400	405,400	439,400			
	15	236,100	283,400	313,100	352,700	376,000	407,400	441,000			
	16	238,400	284,200	314,400	354,200	377,600	409,400	442,600			
	17	240,700	285,000	315,700	355,700	379,200	410,900	444,000			
	18	243,000	285,800	317,000	357,300	380,800	412,600	445,700			
	19	245,300	286,600	318,200	358,900	382,400	414,200	447,400			
	20	247,600	287,300	319,400	360,400	384,000	415,900	449,000			
	21	249,900	288,000	320,600	361,900	385,600	417,500	450,400			
	22	251,700	288,600	321,800	363,500	387,200	419,000	451,100			
	23	253,100	289,200	323,000	365,100	388,900	420,500	451,800			
	24	254,400	289,800	324,100	366,700	390,600	421,900	452,500			
	25	255,700	290,400	325,200	368,100	392,300	423,100	452,900			
	26	256,800	291,100	326,300	369,800	394,300	424,600	453,400			
	27	257,900	291,800	327,400	371,500	396,200	426,100	454,000			
	28	258,900	292,500	328,600	373,100	398,100	427,500	454,600			
	29	259,900	293,100	329,800	374,700	399,800	429,000	455,200			
	30	261,000	293,800	330,800	376,300	401,200	430,300	455,900			
	31	262,100	294,500	331,900	377,900	402,400	431,500	456,400			
	32	263,100	295,200	333,100	379,600	403,700	432,700	456,900			
	33	264,100	295,800	334,400	381,300	404,700	433,700	457,400			
	34	264,900	296,400	335,500	383,300	405,800	434,400	457,700			
	35	265,700	297,000	336,600	385,300	406,800	435,200	458,000			
	36	266,500	297,600	337,700	387,300	407,800	435,900	458,400			
	37	267,200	298,400	338,800	389,000	408,900	436,400	458,800			
	38	267,900	299,000	340,000	390,700	410,100	436,800	459,000			
	39	268,600	299,600	341,200	392,200	411,200	437,200	459,300			
	40	269,300	300,300	342,300	393,700	412,300	437,500	459,500			

		(1 級)	(2 級)	(3 級)	(4 級)	(5 級)	(6 級)	(7 級)	(8 級)	(9 級)	(10 級)
定年前再任用短時間勤務職員以外の職員	41	270,000	301,000	343,400	394,900	413,500	437,800	459,900			
	42	270,500	301,700	344,700	395,900	414,300	438,100	460,100			
	43	271,000	302,400	345,900	396,900	415,100	438,400	460,300			
	44	271,500	303,000	347,100	397,900	415,700	438,700	460,500			
	45	272,000	303,600	348,000	399,000	416,200	438,900	460,900			
	46	272,500	304,200	349,200	400,100	416,900	439,200				
	47	273,000	304,800	350,400	401,200	417,600	439,500				
	48	273,500	305,500	351,600	402,300	418,200	439,800				
	49	274,000	306,200	352,700	403,600	418,900	440,100				
	50	274,500	306,900	353,900	404,400	419,300	440,400				
	51	275,000	307,600	355,100	405,200	419,900	440,700				
	52	275,400	308,300	356,300	405,800	420,500	441,000				
	53	275,800	308,900	357,400	406,300	420,900	441,200				
	54	276,300	309,600	358,700	407,000	421,300	441,500				
	55	276,800	310,300	359,900	407,700	421,800	441,800				
	56	277,200	311,000	361,000	408,400	422,300	442,100				
	57	277,600	311,600	362,200	408,700	422,800	442,300				
	58	278,000	312,300	363,200	409,400	423,400	442,600				
	59	278,400	312,900	364,100	410,100	423,800	442,900				
	60	278,800	313,500	365,100	410,600	424,200	443,100				
	61	279,400	314,100	365,500	411,000	424,600	443,300				
	62	279,900	314,700	366,200	411,400	424,900	443,600				
	63	280,300	315,300	366,900	411,900	425,200	443,900				
	64	280,700	315,900	367,700	412,400	425,500	444,200				
	65	281,200	316,400	368,400	412,900	425,800	444,400				
	66	281,700	317,000	369,100	413,300	426,100	444,700				
	67	282,100	317,600	369,800	413,800	426,400	445,000				
	68	282,500	318,200	370,300	414,300	426,600	445,300				
	69	282,900	318,700	371,000	414,800	426,800	445,500				
	70	283,400	319,300	371,600	415,300	427,100	445,800				
	71	283,800	319,800	372,200	415,900	427,400	446,100				
	72	284,200	320,300	372,800	416,400	427,600	446,400				
	73	284,600	320,800	373,300	416,800	427,800	446,600				
	74	285,100	321,300	373,900	417,400	428,100					
	75	285,500	321,700	374,400	417,900	428,400					
	76	285,900	322,000	374,900	418,100	428,600					
	77	286,300	322,200	375,200	418,400	428,800					
	78	286,800	322,500	375,700	418,900	429,100					
	79	287,200	322,800	376,200	419,200	429,400					
	80	287,600	323,000	376,700	419,500	429,600					
	81	288,000	323,200	377,200	419,800	429,800					
	82	288,400	323,400	377,600	420,200	430,100					
	83	288,900	323,700	377,900	420,600	430,400					
	84	289,300	324,000	378,300	421,000	430,600					
	85	289,700	324,200	378,500	421,300	430,800					
	86	290,100	324,400	378,800							
	87	290,300	324,600	379,300							
	88	290,600	325,000	379,600							

		(1 級)	(2 級)	(3 級)	(4 級)	(5 級)	(6 級)	(7 級)	(8 級)	(9 級)	(10 級)
	89	290,900	325,200	379,800							
	90		325,400	380,200							
	91		325,600	380,500							
	92		325,900	380,800							
	93		326,200	381,000							
	94		326,400	381,400							
	95		326,700	381,900							
	96		327,000	382,200							
	97		327,300	382,500							
	98		327,500								
	99		327,800								
	100		328,100								
	101		328,400								
定年前再任用短時間勤務職員		基準俸給月額	基準俸給月額	基準俸給月額	基準俸給月額	基準俸給月額	基準俸給月額	基準俸給月額	基準俸給月額	基準俸給月額	基準俸給月額
		円	円	円	円	円	円	円	円	円	円
		217,000	244,600	287,500	310,600	324,900	348,600	384,200	416,200	458,800	528,700

備考　この表は、検察庁、公安調査庁、少年院、海上保安庁等に勤務する職員で人事院規則で定めるものに適用する。

別表第五 海事職俸給表（第六条関係）

イ 海事職俸給表㈠

職員の区分	職務の級	1 級	2 級	3 級	4 級	5 級	6 級	7 級
	号俸	俸給月額	俸給月額	俸給月額	俸給月額	俸給月額	俸給月額	俸給月額
		円	円	円	円	円	円	円
	1	218,800	276,000	319,200	365,600	408,500	462,200	518,100
	2	222,000	277,800	320,300	367,300	410,600	464,000	519,200
	3	225,200	279,500	321,400	369,000	412,700	465,800	520,300
	4	228,400	281,200	322,400	370,700	414,800	467,600	521,300
	5	231,600	282,900	323,400	372,200	416,800	469,400	522,300
	6	234,700	284,400	324,800	373,900	418,200	471,100	523,100
	7	237,800	285,800	326,400	375,600	419,600	472,800	523,900
	8	240,800	287,300	328,000	377,200	421,000	474,400	524,700
	9	243,800	288,800	329,900	378,800	422,400	475,800	525,400
	10	246,700	290,300	331,500	380,300	423,700	477,000	526,000
	11	249,500	291,700	333,100	381,800	425,000	478,200	526,600
	12	252,300	293,100	334,700	383,300	426,200	479,200	527,200
	13	255,100	294,500	336,400	384,800	427,400	480,200	527,800
	14	258,000	295,900	338,000	386,200	428,600	481,200	
	15	260,800	297,300	339,600	387,500	429,800	482,200	
	16	263,400	298,700	341,200	388,800	430,900	483,200	
	17	266,000	300,100	342,700	390,300	431,900	483,500	
	18	267,400	301,500	343,500	391,900	433,000	484,400	
	19	268,800	302,800	344,300	393,500	434,100	485,300	
	20	270,200	304,100	345,100	395,100	435,200	486,200	
	21	271,600	305,400	345,900	396,700	436,200	487,100	
	22	272,800	306,200	346,700	398,200	437,100	488,000	
	23	274,000	307,000	347,500	399,600	438,000	488,900	
	24	275,100	307,700	348,300	401,000	438,900	489,800	
	25	276,200	308,400	349,100	402,400	439,800	490,600	
	26	276,800	309,100	349,900	403,700	440,700	491,300	
	27	277,300	309,800	350,700	404,900	441,600	492,000	
	28	277,800	310,500	351,500	406,100	442,400	492,600	
	29	278,300	311,200	352,200	407,300	442,800	493,100	
	30	278,700	311,800	353,000	408,400	443,400	493,700	
	31	279,100	312,400	353,800	409,400	444,000	494,300	
	32	279,500	313,000	354,500	410,400	444,600	494,900	
	33	279,900	313,600	355,200	410,900	445,100	495,200	
	34	280,300	314,200	355,900	411,800	445,400	495,700	
	35	280,700	314,800	356,600	412,700	445,900	496,200	
	36	281,000	315,300	357,300	413,600	446,300	496,700	
	37	281,300	315,800	358,000	414,500	446,600	497,200	
	38	281,600	316,300	358,700	415,400	447,200	497,800	
	39	281,900	316,800	359,300	416,300	447,800	498,100	
	40	282,200	317,200	360,000	417,200	448,400	498,700	

		(1 級)	(2 級)	(3 級)	(4 級)	(5 級)	(6 級)	(7 級)
定年前再任用短時間勤務職員以外の職員	41	282,500	317,600	360,800	418,000	449,000	499,200	
	42	282,800	318,000	361,600	418,900	449,700		
	43	283,100	318,400	362,300	419,800	450,300		
	44	283,400	318,800	363,000	420,500	450,900		
	45	283,700	319,200	363,700	420,700	451,200		
	46	284,000	319,600	364,500	421,100	451,900		
	47	284,300	320,000	365,300	421,500	452,600		
	48	284,600	320,400	366,100	421,800	453,300		
	49	284,900	320,800	366,900	422,100	453,700		
	50	285,200	321,200	367,900	422,300	454,000		
	51	285,500	321,600	368,800	422,700	454,300		
	52	285,700	321,900	369,500	423,100	454,500		
	53	285,900	322,200	370,100	423,400	454,700		
	54	286,200	322,500	371,000	423,900	454,900		
	55	286,500	322,800	371,900	424,500	455,200		
	56	286,700	323,100	372,700	425,000	455,500		
	57	286,900	323,400	373,200	425,600	455,700		
	58	287,200	323,700	373,600	426,200	456,000		
	59	287,500	324,000	373,900	426,700	456,300		
	60	287,700	324,200	374,200	427,200	456,500		
	61	287,900	324,400	374,500	427,800	456,700		
	62	288,200	324,700	374,900	428,300			
	63	288,500	325,000	375,200	428,900			
	64	288,700	325,200	375,500	429,500			
	65	288,900	325,400	375,700	430,000			
	66	289,100	325,700	376,000	430,600			
	67	289,300	326,000	376,300	431,100			
	68	289,600	326,200	376,600	431,700			
	69	289,900	326,400	376,900	432,200			
	70			377,100	432,700			
	71			377,500	433,300			
	72			377,800	433,900			
	73			378,100	434,200			
	74			378,600	434,800			
	75			379,100	435,400			
	76			379,500	435,900			
	77			379,900	436,300			
	78			380,300	436,800			
	79			380,800	437,500			
	80			381,300	438,200			
	81			381,700	438,400			
	82			382,200				
	83			382,600				
	84			383,000				
	85			383,500				
	86			384,000				
	87			384,500				
	88			385,000				

		（1 級）	（2 級）	（3 級）	（4 級）	（5 級）	（6 級）	（7 級）
	89			385,300				
	90			385,700				
	91			386,000				
	92			386,400				
	93			386,900				
	94			387,200				
	95			387,700				
	96			388,100				
	97			388,700				
定年前再任用短時間勤務職員		基準俸給月額	基準俸給月額	基準俸給月額	基準俸給月額	基準俸給月額	基準俸給月額	基準俸給月額
		円 225,100	円 255,100	円 284,900	円 326,200	円 355,100	円 402,200	円 471,000

備考　この表は、遠洋区域又は近海区域を航行区域とする船舶その他人事院の指定する船舶に乗り組む船長、航海士、機関長、機関士等で人事院規則で定めるものに適用する。

ロ　海事職俸給表(二)

職員の区分	職務の級 / 号俸	1 級	2 級	3 級	4 級	5 級	6 級
		俸給月額	俸給月額	俸給月額	俸給月額	俸給月額	俸給月額
		円	円	円	円	円	円
	1	207,300	242,700	283,800	310,900	336,200	359,800
	2	209,000	245,700	284,800	312,700	337,000	360,900
	3	210,700	248,600	285,800	314,400	337,800	361,900
	4	212,300	251,500	286,700	315,500	338,500	362,400
	5	213,800	254,400	287,600	316,400	339,200	362,900
	6	216,500	256,400	288,500	317,400	339,700	363,800
	7	219,200	258,400	289,400	318,400	340,200	364,600
	8	221,800	260,300	290,300	319,400	340,700	365,300
	9	224,400	262,200	291,300	320,300	341,200	366,000
	10	226,600	263,700	292,500	321,300	341,700	366,900
	11	228,700	265,200	293,700	322,300	342,200	367,700
	12	230,800	266,600	294,800	323,300	342,600	368,400
	13	232,900	268,000	295,900	324,200	343,000	369,100
	14	234,700	269,000	297,100	324,800	343,400	370,000
	15	236,500	269,800	298,300	325,400	343,800	370,900
	16	238,100	270,500	299,400	325,900	344,200	371,800
	17	239,600	271,000	300,500	326,400	344,600	372,700
	18	241,200	271,600	301,500	326,900	344,900	373,600
	19	242,800	272,100	302,500	327,400	345,200	374,500
	20	244,300	272,600	303,600	327,900	345,500	375,300
	21	245,800	273,100	304,700	328,400	345,800	376,100
	22	247,100	273,900	305,800	328,800	346,100	377,000
	23	248,300	274,600	306,900	329,200	346,400	377,900
	24	249,500	275,300	307,900	329,600	346,700	378,700
	25	250,600	276,000	308,800	330,000	347,000	379,500
	26	251,700	276,700	309,600	330,300	347,300	380,200
	27	252,800	277,400	310,400	330,600	347,600	380,900
	28	253,800	278,100	311,200	330,900	347,800	381,600
	29	254,800	278,800	312,000	331,200	348,000	382,300
	30	255,700	279,700	312,800	331,500	348,300	383,000
	31	256,600	280,600	313,600	331,800	348,600	383,600
	32	257,400	281,100	314,400	332,100	348,800	384,200
	33	258,200	281,600	315,200	332,400	349,000	384,800
	34	259,000	282,100	316,000	332,700	349,300	385,400
	35	259,800	282,600	316,800	333,000	349,600	386,000
	36	260,500	283,100	317,500	333,300	349,800	386,600
	37	261,200	283,600	318,200	333,600	350,000	387,200
	38	261,900	284,100	319,000	333,900	350,300	388,000
	39	262,600	284,700	319,700	334,200	350,600	388,800
	40	263,200	285,300	320,400	334,400	350,800	389,600

		(1 級)	(2 級)	(3 級)	(4 級)	(5 級)	(6 級)
定年前再任用短時間勤務職員以外の職員	41	263,800	285,900	321,100	334,600	351,000	390,400
	42	264,400	286,400	321,800	334,900	351,300	391,300
	43	265,000	287,000	322,500	335,200	351,600	392,000
	44	265,600	287,600	323,100	335,400	351,800	392,700
	45	266,200	288,200	323,700	335,600	352,000	393,500
	46	266,800	288,800	324,200	335,900	352,300	394,200
	47	267,400	289,400	324,700	336,200	352,600	394,900
	48	268,000	290,000	325,100	336,400	352,800	395,600
	49	268,600	290,500	325,500	336,600	353,000	396,500
	50	269,200	291,100	325,800	336,900	353,300	397,300
	51	269,800	291,700	326,100	337,200	353,600	398,100
	52	270,400	292,300	326,400	337,400	353,800	398,800
	53	270,900	292,800	326,700	337,600	354,000	399,300
	54	271,400	293,300	327,000	337,900	354,300	400,000
	55	271,900	293,800	327,300	338,200	354,600	400,600
	56	272,400	294,300	327,600	338,400	354,800	401,300
	57	272,900	294,800	327,900	338,600	355,000	401,900
	58	273,400	295,200	328,200	338,900	355,300	402,400
	59	273,900	295,600	328,500	339,200	355,600	402,800
	60	274,300	296,000	328,700	339,400	355,800	403,200
	61	274,700	296,400	328,900	339,600	356,000	403,900
	62	275,000	296,800	329,200	339,900	356,300	
	63	275,300	297,200	329,500	340,200	356,600	
	64	275,500	297,500	329,700	340,400	356,800	
	65	275,700	297,800	329,900	340,600	357,000	
	66	276,000	298,200	330,200	340,900	357,300	
	67	276,300	298,600	330,500	341,200	357,600	
	68	276,500	298,900	330,700	341,400	357,800	
	69	276,700	299,200	330,900	341,600	358,000	
	70	277,000	299,500	331,200	341,800	358,300	
	71	277,200	299,800	331,500	342,000	358,600	
	72	277,400	300,100	331,700	342,200	358,800	
	73	277,700	300,400	331,900	342,600	359,000	
	74		300,700	332,200	342,800	359,300	
	75		301,000	332,500	343,100	359,600	
	76		301,200	332,700	343,400	359,800	
	77		301,400	332,900	343,600	360,000	
	78		301,700	333,200	343,900	360,300	
	79		302,000	333,500	344,200	360,600	
	80		302,200	333,700	344,400	360,800	
	81		302,400	333,900	344,600	361,000	
	82		302,700	334,200	344,900	361,300	
	83		303,000	334,400	345,200	361,600	
	84		303,200	334,600	345,400	361,800	
	85		303,400	334,900	345,600	362,000	
	86		303,700	335,200	345,900		
	87		304,000	335,400	346,200		
	88		304,200	335,700	346,400		

		(1 級)	(2 級)	(3 級)	(4 級)	(5 級)	(6 級)
	89		304,400	335,900	346,600		
	90		304,600	336,100	346,800		
	91		304,900	336,400	347,100		
	92		305,200	336,700	347,300		
	93		305,400	336,900	347,600		
	94		305,700	337,200	347,900		
	95		306,000	337,400	348,200		
	96		306,200	337,700	348,400		
	97		306,400	337,900	348,600		
	98		306,600	338,100	348,900		
	99		306,800	338,300	349,200		
	100		307,100	338,500	349,400		
	101		307,400	338,900	349,600		
	102		307,700	339,100	350,000		
	103		307,900	339,300	350,200		
	104		308,100	339,600	350,400		
	105		308,400	339,900	350,600		
	106			340,100			
	107			340,400			
	108			340,700			
	109			340,900			
定年前再任用短時間勤務職員		基準俸給月額	基準俸給月額	基準俸給月額	基準俸給月額	基準俸給月額	基準俸給月額
		円 219,400	円 234,300	円 236,300	円 258,400	円 287,400	円 317,500

備考　この表は、船舶に乗り組む職員（海事職俸給表㈠の適用を受ける者を除く。）で人事院規則で定めるものに適用する。

別表第六 教育職俸給表（第六条関係）

イ 教育職俸給表㈠

職員の区分	職務の級	1 級	2 級	3 級	4 級	5 級
	号俸	俸給月額	俸給月額	俸給月額	俸給月額	俸給月額
		円	円	円	円	円
	1	261,400	340,300	393,600	461,300	563,800
	2	263,600	341,900	395,300	470,100	571,100
	3	265,700	343,500	396,700	478,500	577,100
	4	267,600	345,000	398,000	486,600	582,100
	5	269,400	346,500	399,200	494,900	586,100
	6	270,900	348,100	400,200	502,600	589,100
	7	272,400	349,700	401,200	509,900	591,400
	8	273,900	351,300	402,200	516,900	593,400
	9	275,700	352,700	403,100	523,600	
	10	277,700	354,700	404,200	529,800	
	11	279,700	356,700	405,300	534,500	
	12	281,700	358,700	406,400	538,000	
	13	283,700	360,500	407,500	541,500	
	14	285,900	362,100	408,600	544,700	
	15	288,000	363,700	409,700	547,700	
	16	290,100	365,300	410,800	550,200	
	17	292,000	366,600	411,900	552,300	
	18	294,700	368,100	413,000		
	19	297,400	369,500	414,100		
	20	300,000	370,800	415,300		
	21	302,600	372,100	416,300		
	22	305,000	373,300	417,400		
	23	307,400	374,500	418,500		
	24	309,600	375,600	419,700		
	25	311,800	376,700	420,600		
	26	313,800	378,100	421,700		
	27	315,800	379,400	422,800		
	28	317,800	380,700	423,800		
	29	319,800	382,000	424,800		
	30	321,700	383,300	425,900		
	31	323,600	384,600	427,000		
	32	325,500	385,900	428,100		
	33	327,300	387,200	429,100		
	34	329,200	388,400	430,300		
	35	331,100	389,600	431,500		
	36	333,000	390,700	432,700		
	37	334,700	391,800	433,400		
	38	335,900	393,000	434,300		
	39	337,000	394,100	435,200		
	40	338,100	395,200	436,000		

		(1 級)	(2 級)	(3 級)	(4 級)	(5 級)
定年前再任用短時間勤務職員以外の職員	41	338,700	396,300	436,800		
	42	339,100	397,500	437,700		
	43	339,500	398,700	438,600		
	44	339,900	399,800	439,400		
	45	340,500	400,800	440,100		
	46	341,000	401,800	441,000		
	47	341,500	402,800	442,000		
	48	341,900	403,700	442,900		
	49	342,300	404,900	443,800		
	50	342,700	406,300	444,700		
	51	343,100	407,700	445,700		
	52	343,500	409,100	446,600		
	53	343,900	409,900	447,600		
	54	344,300	410,900	448,600		
	55	344,700	411,900	449,500		
	56	345,100	413,000	450,500		
	57	345,500	413,900	451,400		
	58	345,900	414,700	452,300		
	59	346,300	415,500	453,200		
	60	346,700	416,200	454,200		
	61	347,100	416,900	455,000		
	62	347,500	417,800	455,400		
	63	347,900	418,600	456,000		
	64	348,300	419,200	456,600		
	65	348,700	419,800	457,200		
	66	349,100	420,200	457,900		
	67	349,500	420,500	458,200		
	68	349,900	420,800	458,800		
	69	350,300	421,100	459,200		
	70	350,800	421,400	459,500		
	71	351,200	421,600	459,800		
	72	351,600	421,900	460,100		
	73	351,900	422,100	460,400		
	74	352,400	422,400			
	75	352,800	422,700			
	76	353,200	423,000			
	77	353,600	423,200			
	78	354,100	423,400			
	79	354,600	423,700			
	80	355,100	424,000			
	81	355,600	424,200			
	82	356,300	424,500			
	83	357,000	424,800			
	84	357,700	425,100			
	85	358,300	425,300			
	86	358,900	425,600			
	87	359,500	425,900			
	88	360,100	426,100			

		(1 級)	(2 級)	(3 級)	(4 級)	(5 級)
	89	360,600	426,300			
	90	361,000	426,600			
	91	361,400	426,900			
	92	361,800	427,100			
	93	362,200	427,300			
	94	362,600				
	95	363,100				
	96	363,500				
	97	364,100				
	98	364,600				
	99	365,000				
	100	365,500				
	101	365,900				
	102	366,400				
	103	366,700				
	104	367,100				
	105	367,600				
	106	368,000				
	107	368,500				
	108	369,000				
	109	369,400				
	110	369,900				
	111	370,300				
	112	370,700				
	113	371,100				
	114	371,500				
	115	371,900				
	116	372,300				
	117	372,700				
	118	373,100				
	119	373,500				
	120	373,900				
	121	374,200				
	122	374,600				
	123	375,100				
	124	375,400				
	125	375,800				
	126	376,300				
	127	376,800				
	128	377,200				
	129	377,600				
定年前再任用短時間勤務職員		基準俸給月額	基準俸給月額	基準俸給月額	基準俸給月額	基準俸給月額
		円 288,000	円 299,000	円 321,200	円 406,100	円 541,500

備考 この表は、大学に準ずる教育施設で人事院の指定するものに勤務し、学生の教育、学生の研究の指導及び研究に係る業務に従事する職員その他の職員で人事院規則で定めるものに適用する。

ロ　教育職俸給表(二)

職員の区分	職務の級 / 号俸	1 級	2 級	3 級
		俸給月額	俸給月額	俸給月額
		円	円	円
	1	230,200	263,100	346,100
	2	233,000	264,900	348,300
	3	236,100	266,700	350,500
	4	239,100	268,400	352,700
	5	242,300	270,000	354,600
	6	245,500	271,500	356,900
	7	248,600	273,000	359,200
	8	251,700	274,500	361,500
	9	254,700	276,000	363,700
	10	256,500	278,000	366,000
	11	258,200	280,000	368,100
	12	259,800	282,000	370,200
	13	261,400	284,000	372,200
	14	262,800	286,000	373,800
	15	264,200	288,000	375,400
	16	265,500	290,000	377,000
	17	266,800	292,000	378,600
	18	267,900	294,700	379,900
	19	268,900	297,300	381,200
	20	269,900	299,900	382,500
	21	271,300	302,500	383,800
	22	272,800	305,000	385,400
	23	274,300	307,400	387,000
	24	275,800	309,700	388,500
	25	277,300	311,800	390,000
	26	278,900	313,900	391,600
	27	280,400	316,000	393,100
	28	281,900	318,100	394,600
	29	283,300	320,100	396,000
	30	284,900	321,700	397,400
	31	286,400	323,200	398,800
	32	287,900	324,700	400,100
	33	289,300	326,200	401,000
	34	290,600	327,800	402,200
	35	291,900	329,300	403,300
	36	292,700	330,800	404,400
	37	293,500	332,200	405,400
	38	294,300	333,600	406,600
	39	295,100	334,900	407,800
	40	295,900	336,200	408,900

	号俸	(1 級)	(2 級)	(3 級)
定年前再任用短時間勤務職員以外の職員	41	296,700	337,400	410,000
	42	297,500	339,100	411,200
	43	298,200	340,700	412,400
	44	298,800	342,600	413,600
	45	299,300	344,200	414,700
	46	299,800	345,800	416,200
	47	300,300	347,300	417,700
	48	300,800	348,800	419,200
	49	301,300	350,400	420,600
	50	301,700	352,000	421,500
	51	302,100	353,500	422,400
	52	302,500	354,900	423,200
	53	302,900	356,300	424,100
	54	303,300	357,300	425,100
	55	303,700	358,300	426,100
	56	304,100	359,300	426,900
	57	304,500	360,400	427,600
	58	304,900	361,700	428,400
	59	305,300	363,000	429,200
	60	305,700	364,300	430,100
	61	306,100	365,600	431,100
	62	306,500	366,900	432,100
	63	306,900	368,200	433,000
	64	307,300	369,500	433,900
	65	307,700	370,700	434,600
	66	308,100	372,000	435,500
	67	308,500	373,300	436,400
	68	308,900	374,500	437,200
	69	309,300	375,700	438,100
	70	309,700	377,000	438,900
	71	310,100	378,300	439,700
	72	310,500	379,500	440,600
	73	310,900	380,700	441,300
	74	311,400	382,000	441,700
	75	311,900	383,300	442,100
	76	312,400	384,500	442,500
	77	312,800	385,700	442,900
	78	313,300	386,900	443,400
	79	313,800	388,000	443,800
	80	314,200	389,200	444,200
	81	314,600	390,600	444,400
	82	315,100	392,000	444,800
	83	315,600	393,500	445,100
	84	316,000	394,900	445,400
	85	316,400	395,900	445,700
	86	316,900	397,200	
	87	317,400	398,500	
	88	317,900	399,900	

	(1 級)	(2 級)	(3 級)
89	318,300	401,000	
90	318,800	402,000	
91	319,200	403,000	
92	319,600	404,100	
93	320,200	404,900	
94	320,700	406,000	
95	321,300	407,100	
96	321,900	408,000	
97	322,300	408,900	
98	322,700	409,800	
99	323,000	410,700	
100	323,300	411,600	
101	323,600	412,400	
102	323,900	413,400	
103	324,200	414,400	
104	324,500	415,400	
105	324,900	416,000	
106	325,400	416,700	
107	325,900	417,400	
108	326,300	418,000	
109	326,700	418,400	
110	327,200	418,800	
111	327,600	419,100	
112	328,100	419,400	
113	328,400	419,600	
114	328,900	419,900	
115	329,300	420,200	
116	329,700	420,500	
117	330,000	420,700	
118	330,400	421,000	
119	330,900	421,300	
120	331,400	421,500	
121	331,600	421,700	
122	332,000	422,000	
123	332,300	422,300	
124	332,600	422,500	
125	332,800	422,700	
126	333,100		
127	333,600		
128	334,000		
129	334,200		
130	334,600		
131	335,000		
132	335,400		
133	335,600		
134	336,000		
135	336,500		
136	336,800		

		(1 級)	(2 級)	(3 級)
	137	337,100		
	138	337,500		
	139	337,900		
	140	338,300		
	141	338,700		
定年前再任用短時間勤務職員		基準俸給月額	基準俸給月額	基準俸給月額
		円 252,300	円 298,400	円 316,000

備考 この表は、高等専門学校に準ずる教育施設で人事院の指定するものに勤務し、職業に必要な技術の教授を行う職員その他の職員で人事院規則で定めるものに適用する。

別表第七　研究職俸給表（第六条関係）

職員の区分	職務の級 / 号俸	1級	2級	3級	4級	5級	6級
		俸給月額	俸給月額	俸給月額	俸給月額	俸給月額	俸給月額
		円	円	円	円	円	円
	1	183,900	233,900	326,100	376,000	446,500	552,600
	2	185,000	238,200	328,100	377,400	456,400	559,800
	3	186,200	240,900	330,100	378,800	465,800	565,100
	4	187,300	243,600	332,100	380,200	475,700	569,600
	5	188,400	246,200	333,900	381,600	485,300	573,600
	6	190,500	247,800	335,900	383,000	495,100	576,600
	7	192,600	249,300	337,800	384,400	504,000	578,800
	8	194,700	250,800	339,700	385,800	511,900	580,800
	9	196,800	252,300	341,500	387,200	519,700	
	10	198,800	254,400	343,100	388,700	526,800	
	11	200,800	256,500	344,700	390,100	532,100	
	12	202,800	258,500	346,300	391,500	536,600	
	13	204,800	260,500	347,900	392,900	539,600	
	14	206,700	262,800	348,900	394,400	541,600	
	15	208,600	265,100	349,900	395,900		
	16	210,400	267,300	350,900	397,400		
	17	212,100	269,500	352,000	398,900		
	18	213,900	271,900	353,300	400,500		
	19	215,700	274,300	354,500	402,100		
	20	217,500	276,700	355,700	403,800		
	21	219,300	279,000	356,900	405,000		
	22	221,100	281,100	358,000	406,400		
	23	222,800	283,200	359,100	407,800		
	24	224,500	285,200	360,200	409,100		
	25	226,200	287,200	361,300	410,400		
	26	228,300	289,100	362,300	411,700		
	27	230,200	291,000	363,300	413,200		
	28	232,100	292,900	364,300	414,700		
	29	234,000	294,800	365,200	415,900		
	30	235,100	296,300	366,100	417,100		
	31	236,200	297,800	366,900	418,700		
	32	237,300	299,300	367,700	420,200		
	33	238,700	300,800	368,400	421,500		
	34	240,200	302,300	369,200	422,900		
	35	241,700	303,800	370,000	424,300		
	36	243,200	305,200	370,800	425,700		
	37	244,700	306,600	371,600	427,100		
	38	246,300	307,500	372,400	428,500		
	39	247,900	308,400	373,200	429,900		
	40	249,500	309,300	374,000	431,300		

		(1 級)	(2 級)	(3 級)	(4 級)	(5 級)	(6 級)
定年前再任用短時間勤務職員以外の職員	41	251,100	310,100	374,800	432,400		
	42	252,600	310,600	376,100	433,700		
	43	254,100	311,100	377,400	435,100		
	44	255,600	311,600	378,600	436,400		
	45	257,100	312,100	379,300	437,200		
	46	258,400	312,600	380,300	438,000		
	47	259,600	313,100	381,100	438,900		
	48	260,800	313,600	381,800	439,800		
	49	262,000	314,000	382,500	440,600		
	50	263,100	314,500	383,200	441,400		
	51	264,200	315,000	383,900	442,000		
	52	265,300	315,500	384,600	442,800		
	53	266,400	315,900	385,200	443,200		
	54	267,500	316,400	385,900	443,800		
	55	268,500	316,800	386,700	444,300		
	56	269,500	317,200	387,500	444,800		
	57	270,500	317,600	388,100	445,300		
	58	271,200	318,000	388,900			
	59	271,800	318,400	389,600			
	60	272,400	318,800	390,300			
	61	273,000	319,200	390,900			
	62	273,600	319,800	391,600			
	63	274,200	320,400	392,300			
	64	274,800	321,000	393,000			
	65	275,400	321,500	393,700			
	66	276,000	322,100	394,300			
	67	276,600	322,700	394,900			
	68	277,200	323,300	395,600			
	69	277,800	323,800	396,300			
	70	278,500	324,400	396,800			
	71	279,200	325,000	397,400			
	72	279,900	325,600	398,000			
	73	280,500	326,100	398,500			
	74	281,200	326,800	399,100			
	75	281,900	327,500	399,700			
	76	282,600	328,200	400,200			
	77	283,200	328,900	400,700			
	78	283,900	329,600	401,200			
	79	284,600	330,300	401,700			
	80	285,200	331,000	402,400			
	81	285,800	331,700	402,800			
	82	286,500	332,500				
	83	287,200	333,200				
	84	287,800	333,800				
	85	288,400	334,300				
	86	289,100	334,800				
	87	289,800	335,200				
	88	290,400	335,600				

		(1 級)	(2 級)	(3 級)	(4 級)	(5 級)	(6 級)
	89	291,000	335,900				
	90	291,700	336,400				
	91	292,400	336,800				
	92	293,000	337,200				
	93	293,600	337,500				
	94	294,300	337,900				
	95	294,900	338,300				
	96	295,500	338,700				
	97	295,800	339,200				
	98	296,400	339,700				
	99	297,000	340,200				
	100	297,500	340,700				
	101	298,000	341,200				
	102	298,400	341,700				
	103	298,800	342,200				
	104	299,200	342,700				
	105	299,600	343,100				
	106	300,100	343,500				
	107	300,600	344,000				
	108	300,900	344,400				
	109	301,100	344,900				
	110	301,500	345,300				
	111	301,800	345,700				
	112	302,000	346,100				
	113	302,300	346,600				
	114	302,600	347,000				
	115	302,900	347,400				
	116	303,200	347,800				
	117	303,500	348,300				
	118	303,800	348,700				
	119	304,000	349,100				
	120	304,300	349,500				
	121	304,600	349,900				
定年前再任用短時間勤務職員		基準俸給月額	基準俸給月額	基準俸給月額	基準俸給月額	基準俸給月額	基準俸給月額
		円 221,800	円 263,600	円 288,600	円 331,400	円 390,600	円 530,400

備考　この表は、試験所、研究所等で人事院の指定するものに勤務し、試験研究又は調査研究業務に従事する職員で人事院規則で定めるものに適用する。

別表第八 医療職俸給表（第六条関係）

イ 医療職俸給表(一)

職員の区分	職務の級 / 号俸	1級	2級	3級	4級	5級
		俸給月額	俸給月額	俸給月額	俸給月額	俸給月額
		円	円	円	円	円
	1	291,400	400,300	455,100	549,800	596,100
	2	293,700	403,000	457,100	555,900	602,100
	3	296,000	405,600	459,000	561,200	607,400
	4	298,200	408,100	460,900	566,100	611,900
	5	300,300	410,500	462,300	570,500	615,900
	6	303,800	412,700	464,100	574,800	619,400
	7	307,300	414,800	465,900	578,400	622,400
	8	310,700	416,900	467,700	581,400	625,200
	9	314,100	419,000	469,500	583,900	
	10	317,600	420,500	471,300	586,200	
	11	321,000	422,000	473,100		
	12	324,400	423,500	474,900		
	13	327,800	424,900	476,700		
	14	331,300	426,400	478,500		
	15	334,700	427,900	480,300		
	16	338,100	429,300	482,100		
	17	341,500	430,700	483,900		
	18	344,600	432,200	485,800		
	19	347,700	433,700	487,700		
	20	350,800	435,100	489,600		
	21	354,000	436,500	491,500		
	22	357,100	438,000	493,200		
	23	360,200	439,500	495,000		
	24	363,200	440,900	496,800		
	25	366,200	442,300	498,400		
	26	368,500	443,700	500,200		
	27	370,800	445,100	502,000		
	28	373,000	446,500	503,600		
	29	374,900	447,900	505,000		
	30	376,600	449,300	506,700		
	31	378,300	450,700	508,500		
	32	380,100	452,100	510,200		
	33	381,900	453,500	511,700		
	34	383,700	454,900	513,000		
	35	385,300	456,300	514,300		
	36	386,700	457,700	515,600		
	37	388,100	459,100	516,600		
	38	389,600	460,800	517,900		
	39	391,100	462,400	519,200		
	40	392,600	464,000	520,500		

		(1 級)	(2 級)	(3 級)	(4 級)	(5 級)
定年前再任用短時間勤務職員以外の職員	41	394,100	465,600	521,500		
	42	394,800	466,800	522,300		
	43	395,400	468,000	523,100		
	44	396,100	469,100	523,900		
	45	397,000	470,100	524,800		
	46	397,600	471,100	525,600		
	47	398,200	472,000	526,400		
	48	398,800	472,800	527,100		
	49	399,400	473,500	527,900		
	50	399,900	474,200	528,700		
	51	400,400	474,900	529,400		
	52	400,900	475,500	530,300		
	53	401,400	476,200	531,200		
	54	401,800	476,900	532,000		
	55	402,200	477,500	532,900		
	56	402,600	478,100	533,800		
	57	403,000	478,400	534,600		
	58	403,400	479,000	535,500		
	59	403,800	479,700	536,400		
	60	404,200	480,400	537,100		
	61	404,600	480,800	537,900		
	62	405,000	481,400	538,800		
	63	405,400	482,100	539,700		
	64	405,800	482,800	540,600		
	65	406,100	483,200	541,400		
	66		483,800	542,300		
	67		484,400	543,200		
	68		484,900	544,100		
	69		485,400	544,900		
	70		485,900	545,800		
	71		486,400	546,700		
	72		486,900	547,600		
	73		487,300	548,400		
	74		487,800			
	75		488,200			
	76		488,700			
	77		489,200			
	78		489,800			
	79		490,400			
	80		490,800			
	81		491,300			
	82		491,900			
	83		492,500			
	84		493,000			

		(1 級)	(2 級)	(3 級)	(4 級)	(5 級)
	85		493,500			
定年前再任用短時間勤務職員		基準俸給月額	基準俸給月額	基準俸給月額	基準俸給月額	基準俸給月額
		円 301,700	円 344,400	円 399,500	円 473,300	円 573,800

備考 この表は、病院、療養所、診療所等に勤務する医師及び歯科医師で人事院規則で定めるものに適用する。

ロ　医療職俸給表(二)

職員の区分	職務の級	1級	2級	3級	4級	5級	6級	7級	8級
	号俸	俸給月額	俸給月額	俸給月額	俸給月額	俸給月額	俸給月額	俸給月額	俸給月額
		円	円	円	円	円	円	円	円
	1	188,600	227,400	263,000	281,800	315,000	360,700	415,000	479,100
	2	190,700	228,700	263,800	282,600	316,400	362,400	416,900	480,400
	3	192,800	230,000	264,600	283,400	317,800	364,000	418,800	481,700
	4	194,900	231,300	265,400	284,100	319,200	365,600	420,600	483,000
	5	196,900	232,500	266,200	284,800	320,600	367,200	422,400	484,200
	6	198,900	233,600	267,000	285,500	322,200	368,800	424,000	485,600
	7	200,900	234,600	267,800	286,200	323,700	370,400	425,600	487,000
	8	202,700	235,600	268,600	287,000	325,200	372,000	427,100	488,200
	9	204,500	236,700	269,400	287,800	326,700	373,600	428,600	489,600
	10	206,400	237,900	270,200	288,600	328,300	375,600	429,900	490,900
	11	208,300	239,200	271,000	289,400	329,800	377,600	431,200	492,300
	12	210,400	240,500	271,800	290,100	331,300	379,600	432,500	493,700
	13	212,100	241,800	272,600	290,800	332,800	381,000	433,800	495,100
	14	214,100	243,100	273,400	291,900	334,400	382,700	435,000	496,200
	15	216,300	244,400	274,200	293,000	335,900	384,400	436,200	497,300
	16	218,400	245,600	275,000	294,200	337,400	386,100	437,300	498,400
	17	220,500	246,800	275,800	295,400	338,900	387,800	438,500	499,500
	18	221,600	248,000	276,600	296,600	340,500	389,300	439,600	500,400
	19	222,700	249,200	277,400	297,800	342,100	390,800	440,800	501,300
	20	223,800	250,400	278,200	299,000	343,600	392,300	442,000	502,200
	21	224,900	251,500	279,000	300,200	344,900	393,600	443,100	503,200
	22	225,800	252,400	279,900	301,400	346,400	394,900	443,900	
	23	226,700	253,200	280,800	302,600	347,900	396,200	444,300	
	24	227,600	254,000	281,600	303,800	349,400	397,300	445,000	
	25	228,500	254,800	282,400	305,000	350,900	398,400	445,500	
	26	229,400	255,600	283,300	306,200	352,400	399,500	445,900	
	27	230,300	256,400	284,200	307,300	353,900	400,600	446,300	
	28	231,200	257,200	285,000	308,500	355,300	401,700	446,700	
	29	232,100	258,000	285,800	309,800	356,700	402,500	447,100	
	30	233,000	258,800	286,900	311,000	358,300	403,300	447,500	
	31	233,900	259,600	287,900	312,200	359,800	404,100	447,900	
	32	234,800	260,400	288,900	313,400	361,300	404,900	448,200	
	33	235,600	261,200	289,900	314,600	362,500	405,300	448,500	
	34	236,400	262,000	291,000	315,700	363,600	405,900	448,900	
	35	237,200	262,700	292,000	316,900	364,800	406,400	449,200	
	36	238,000	263,500	293,000	318,100	365,900	406,800	449,500	
	37	238,800	264,400	294,000	319,300	366,900	407,200	449,800	
	38	239,600	265,200	295,000	320,600	367,700	407,400		
	39	240,400	266,000	296,000	321,900	368,700	407,700		
	40	241,200	266,800	297,000	323,100	369,800	408,000		

		(1級)	(2級)	(3級)	(4級)	(5級)	(6級)	(7級)	(8級)
定年前再任用短時間勤務職員以外の職員	41	241,800	267,600	298,000	324,000	370,800	408,300		
	42	242,400	268,400	299,200	325,200	371,800	408,600		
	43	243,000	269,200	300,300	326,400	372,800	408,900		
	44	243,500	270,000	301,400	327,600	373,700	409,200		
	45	244,000	270,700	302,500	328,700	374,500	409,400		
	46	244,600	271,500	303,600	329,700	375,300	409,700		
	47	245,100	272,300	304,700	330,700	376,200	410,000		
	48	245,500	273,100	305,800	331,600	377,000	410,300		
	49	245,900	273,800	306,900	332,500	377,500	410,500		
	50	246,400	274,600	308,000	333,500	378,300	410,800		
	51	246,900	275,300	309,100	334,500	379,100	411,100		
	52	247,400	276,000	310,200	335,400	379,900	411,400		
	53	247,700	276,700	311,200	335,900	380,300	411,600		
	54	248,000	277,400	312,200	336,800	381,000			
	55	248,300	278,100	313,200	337,500	381,700			
	56	248,600	278,800	314,200	338,400	382,300			
	57	248,900	279,500	315,200	339,100	382,700			
	58	249,200	280,200	316,200	339,400	383,200			
	59	249,500	280,900	317,200	339,900	383,800			
	60	249,800	281,500	318,100	340,500	384,400			
	61	250,100	282,100	319,000	341,100	384,800			
	62	250,400	282,800	319,800	341,800	385,300			
	63	250,700	283,500	320,500	342,500	385,800			
	64	251,000	284,100	321,200	343,100	386,300			
	65	251,300	284,700	321,800	343,800	386,900			
	66	251,600	285,400	322,500	344,300	387,400			
	67	251,900	286,100	323,100	344,900	388,000			
	68	252,200	286,700	323,700	345,500	388,600			
	69	252,500	287,300	324,300	345,800	389,100			
	70	252,800	288,000	324,500	346,400	389,600			
	71	253,100	288,700	325,000	346,900	390,100			
	72	253,300	289,300	325,500	347,400	390,600			
	73	253,500	289,900	326,100	347,900	390,900			
	74	253,800	290,400	326,600	348,400	391,400			
	75	254,100	290,800	327,100	348,900	391,800			
	76	254,300	291,200	327,500	349,300	392,200			
	77	254,500	291,600	328,100	349,600	392,600			
	78	254,800	291,900	328,600	349,900				
	79	255,100	292,200	329,000	350,100				
	80	255,300	292,500	329,500	350,400				
	81	255,500	292,800	330,000	350,900				
	82	255,800	293,100	330,400	351,200				
	83	256,100	293,400	330,600	351,500				
	84	256,300	293,700	330,900	351,800				
	85	256,500	293,900	331,300	352,200				
	86		294,100	331,700	352,500				
	87		294,300	332,000	352,800				
	88		294,500	332,300	353,100				

		(1 級)	(2 級)	(3 級)	(4 級)	(5 級)	(6 級)	(7 級)	(8 級)
	89		294,900	332,600	353,500				
	90		295,100	332,800	353,800				
	91		295,300	333,200	354,100				
	92		295,500	333,500	354,400				
	93		295,900	333,700	354,700				
	94		296,100	334,000	355,100				
	95		296,300	334,300	355,500				
	96		296,600	334,600	355,900				
	97		296,900	334,800	356,400				
	98		297,100	335,100	356,800				
	99		297,300	335,400	357,200				
	100		297,600	335,600	357,600				
	101		297,900	335,800	358,100				
	102		298,100	336,000					
	103		298,300	336,400					
	104		298,600	336,600					
	105		298,900	336,800					
	106			337,200					
	107			337,600					
	108			338,000					
	109			338,200					
定年前再任用短時間勤務職員		基準俸給月額	基準俸給月額	基準俸給月額	基準俸給月額	基準俸給月額	基準俸給月額	基準俸給月額	基準俸給月額
		円 193,000	円 219,600	円 248,100	円 261,700	円 287,300	円 328,400	円 371,000	円 433,400

備考　この表は、病院、療養所、診療所等に勤務する薬剤師、栄養士その他の職員で人事院規則で定めるものに適用する。

ハ 医療職俸給表(三)

職員の区分	職務の級 / 号俸	1級	2級	3級	4級	5級	6級	7級
		俸給月額	俸給月額	俸給月額	俸給月額	俸給月額	俸給月額	俸給月額
		円	円	円	円	円	円	円
	1	207,700	240,600	281,800	295,200	319,300	362,000	416,300
	2	209,600	242,800	282,300	295,800	320,300	363,700	418,500
	3	211,400	245,000	282,800	296,400	321,300	365,400	420,700
	4	213,100	247,200	283,300	296,900	322,300	367,100	422,800
	5	214,800	249,400	283,800	297,400	323,300	368,900	424,700
	6	216,700	250,400	284,300	298,000	324,500	370,900	426,600
	7	218,500	251,300	284,800	298,600	325,700	372,900	428,400
	8	220,200	252,200	285,300	299,100	326,900	374,900	430,300
	9	221,900	253,100	285,800	299,600	328,000	376,600	432,000
	10	223,900	254,300	286,300	300,200	329,200	378,700	433,600
	11	225,800	255,400	286,800	300,800	330,300	380,800	435,300
	12	227,700	256,300	287,300	301,300	331,400	382,800	436,900
	13	229,600	257,100	287,800	301,800	332,500	384,700	438,200
	14	231,600	257,800	288,300	302,500	333,700	386,300	439,500
	15	233,600	258,500	288,800	303,200	334,800	388,100	441,100
	16	235,600	259,400	289,300	303,900	335,900	389,900	442,600
	17	237,600	260,500	289,800	304,600	337,000	391,600	444,300
	18	239,600	261,600	290,300	305,500	338,200	393,300	445,900
	19	241,700	262,700	290,800	306,400	339,300	395,200	447,300
	20	243,700	263,800	291,300	307,300	340,400	396,900	448,700
	21	245,600	264,900	291,800	308,100	341,500	398,600	449,800
	22	246,800	266,000	292,300	309,000	342,700	400,300	451,100
	23	248,000	267,100	292,800	309,900	343,800	402,100	452,400
	24	249,100	268,200	293,300	310,800	344,900	403,800	453,800
	25	250,200	269,200	293,800	311,600	346,000	405,400	454,800
	26	251,100	270,300	294,400	312,500	347,300	407,100	455,500
	27	252,000	271,400	295,200	313,400	348,600	408,900	456,300
	28	252,900	272,400	296,000	314,300	349,900	410,700	456,900
	29	253,700	273,400	296,700	315,100	351,100	412,200	457,800
	30	254,500	274,100	297,500	316,200	352,600	413,700	458,500
	31	255,200	274,800	298,300	317,300	354,100	415,200	459,300
	32	255,900	275,500	299,100	318,400	355,600	416,500	460,100
	33	256,700	276,200	299,800	319,500	356,800	417,600	460,800
	34	257,500	276,800	300,600	320,600	358,300	418,700	461,500
	35	258,300	277,300	301,400	321,700	359,700	419,800	462,200
	36	259,000	277,800	302,100	322,800	361,100	421,000	463,000
	37	259,700	278,300	302,900	323,900	362,500	422,300	463,800
	38	260,600	278,900	303,700	325,100	363,500	423,400	464,600
	39	261,500	279,400	304,500	326,200	364,900	424,600	465,300
	40	262,300	279,900	305,300	327,300	366,200	425,700	466,000

		(１　級)	(２　級)	(３　級)	(４　級)	(５　級)	(６　級)	(７　級)
	41	263,100	280,300	306,000	328,100	367,500	426,900	466,800
	42	264,000	280,800	307,000	329,200	368,900	427,900	
	43	264,800	281,300	308,000	330,300	370,200	429,000	
	44	265,600	281,800	308,900	331,300	371,500	430,100	
	45	266,400	282,300	309,800	332,300	373,000	431,100	
	46	267,100	282,800	310,800	333,300	374,200	431,600	
	47	267,800	283,300	311,800	334,300	375,300	432,200	
	48	268,400	283,800	312,700	335,300	376,500	432,600	
	49	269,000	284,300	313,600	336,500	377,600	433,200	
	50	269,500	284,800	314,600	337,800	378,500	433,700	
	51	270,000	285,300	315,600	339,000	379,500	434,100	
	52	270,400	285,800	316,600	340,200	380,400	434,600	
	53	270,800	286,300	317,400	341,100	381,000	435,100	
	54	271,300	286,800	318,400	342,300	381,800	435,500	
	55	271,800	287,300	319,400	343,400	382,600	435,800	
	56	272,200	287,800	320,300	344,700	383,400	436,100	
	57	272,600	288,300	321,200	345,700	384,100	436,500	
	58	273,000	289,100	322,200	346,600	384,800		
	59	273,400	289,900	323,200	347,700	385,500		
	60	273,800	290,600	324,100	348,900	386,100		
	61	274,200	291,300	325,000	350,000	386,700		
	62	274,600	292,200	326,200	351,200	387,300		
	63	275,000	293,100	327,400	352,400	388,000		
	64	275,400	293,900	328,600	353,400	388,600		
	65	275,800	294,700	329,300	354,400	389,300		
	66	276,200	295,600	330,400	355,400	389,800		
	67	276,600	296,400	331,500	356,500	390,400		
	68	277,000	297,200	332,400	357,600	390,900		
	69	277,400	298,000	333,500	358,400	391,300		
	70	277,900	298,900	334,200	359,500	391,900		
	71	278,400	299,800	335,300	360,600	392,400		
	72	278,800	300,700	336,400	361,600	392,700		
	73	279,200	301,600	337,500	362,300	393,000		
	74	279,800	302,500	338,700	363,100	393,500		
	75	280,400	303,400	339,800	363,900	393,900		
	76	280,900	304,300	340,900	364,600	394,200		
	77	281,400	305,100	342,000	365,200	394,500		
	78	282,000	306,100	343,100	365,700	395,000		
	79	282,600	307,100	344,100	366,200	395,500		
	80	283,100	308,000	345,200	366,700	395,900		
	81	283,600	308,500	346,100	367,300	396,200		
定年前再任用短時間勤務職員以外の職員	82	284,100	309,400	347,100	367,800	396,600		
	83	284,600	310,300	348,000	368,300	397,100		
	84	285,100	311,100	349,000	368,800	397,500		
	85	285,600	311,900	349,900	369,200	397,900		
	86	286,100	312,900	350,700	369,600			
	87	286,600	313,900	351,500	370,200			
	88	287,100	314,900	352,300	370,700			

	(1 級)	(2 級)	(3 級)	(4 級)	(5 級)	(6 級)	(7 級)
89	287,600	315,800	352,900	371,000			
90	288,100	316,900	353,500	371,500			
91	288,600	317,900	354,100	371,900			
92	289,100	318,900	354,700	372,200			
93	289,600	319,700	355,100	372,800			
94	290,200	320,400	355,500	373,300			
95	290,800	321,100	356,000	373,800			
96	291,400	321,700	356,400	374,300			
97	292,000	322,200	356,900	374,900			
98	292,500	322,500	357,300	375,400			
99	293,000	323,100	357,800	375,900			
100	293,500	323,700	358,200	376,300			
101	294,000	324,100	358,500	376,900			
102	294,500	324,700	359,000	377,400			
103	295,000	325,300	359,400	377,900			
104	295,400	325,800	359,700	378,400			
105	295,800	326,200	360,100	379,000			
106	296,300	326,700	360,600	379,400			
107	296,800	327,200	361,100	379,900			
108	297,100	327,700	361,600	380,400			
109	297,300	328,100	362,100	381,000			
110	297,600	328,500	362,600				
111	297,800	328,800	363,100				
112	298,100	329,100	363,500				
113	298,400	329,400	363,900				
114	298,600	329,800	364,300				
115	298,900	330,100	364,800				
116	299,100	330,400	365,300				
117	299,400	330,600	365,700				
118	299,700	330,900	366,200				
119	300,000	331,200	366,700				
120	300,300	331,400	367,200				
121	300,600	331,600	367,500				
122	301,000	331,900					
123	301,300	332,200					
124	301,600	332,500					
125	301,800	332,700					
126	302,000	333,000					
127	302,300	333,400					
128	302,700	333,600					
129	302,900	333,800					
130	303,200	334,000					
131	303,600	334,400					
132	304,000	334,600					
133	304,200	334,900					
134	304,500	335,300					
135	304,800	335,700					
136	305,100	336,100					

		(１　級)	(２　級)	(３　級)	(４　級)	(５　級)	(６　級)	(７　級)
	137	305,300	336,400					
	138	305,600	336,800					
	139	305,900	337,200					
	140	306,200	337,600					
	141	306,400	337,900					
	142	306,800	338,300					
	143	307,200	338,600					
	144	307,500	339,000					
	145	307,700	339,300					
	146	307,900	339,700					
	147	308,200	340,100					
	148	308,600	340,500					
	149	308,800	340,800					
	150	309,000	341,200					
	151	309,300	341,600					
	152	309,600	342,000					
	153	310,000	342,300					
	154	310,200						
	155	310,400						
	156	310,700						
	157	311,000						
	158	311,300						
	159	311,600						
	160	311,900						
	161	312,300						
	162	312,600						
	163	312,900						
	164	313,200						
	165	313,600						
	166	313,900						
	167	314,200						
	168	314,500						
	169	314,900						
定年前再任用短時間勤務職員		基準俸給月額	基準俸給月額	基準俸給月額	基準俸給月額	基準俸給月額	基準俸給月額	基準俸給月額
		円 239,700	円 260,200	円 267,500	円 277,900	円 294,300	円 331,900	円 376,600

備考　この表は、病院、療養所、診療所等に勤務する保健師、助産師、看護師、准看護師その他の職員で人事院規則で定めるものに適用する。

別表第九 福祉職俸給表（第六条関係）

職員の区分	職務の級	1 級	2 級	3 級	4 級	5 級	6 級
	号俸	俸給月額	俸給月額	俸給月額	俸給月額	俸給月額	俸給月額
		円	円	円	円	円	円
	1	199,600	254,300	287,800	313,800	355,200	408,300
	2	201,300	255,900	288,800	315,500	356,900	410,200
	3	203,000	257,500	289,700	317,000	358,500	412,100
	4	204,700	258,800	290,600	318,500	360,100	413,900
	5	206,300	260,300	291,500	319,700	361,700	415,700
	6	207,900	261,500	292,400	321,100	363,500	417,500
	7	209,500	262,600	293,300	322,500	365,000	419,300
	8	211,100	263,700	294,200	323,900	366,600	421,100
	9	212,700	264,800	295,000	325,300	368,000	422,700
	10	214,500	265,900	296,000	326,800	369,600	424,200
	11	216,300	267,000	297,200	328,200	371,200	425,700
	12	217,400	268,100	298,300	329,600	372,700	427,200
	13	218,500	269,200	299,500	331,000	374,600	428,700
	14	219,700	270,100	300,600	332,600	376,500	430,000
	15	220,900	271,000	301,700	334,200	378,400	431,300
	16	222,000	271,800	302,800	335,700	380,200	432,500
	17	223,100	272,400	303,900	337,200	381,700	433,700
	18	224,100	273,100	305,000	338,800	383,500	435,000
	19	225,100	273,900	306,100	340,400	385,200	436,300
	20	226,100	274,600	307,100	341,900	386,800	437,500
	21	227,100	275,600	308,100	343,400	388,500	438,700
	22	228,500	276,500	309,100	344,900	389,900	439,500
	23	229,800	277,400	310,100	346,400	391,300	440,300
	24	231,100	278,300	311,100	347,900	392,700	441,100
	25	232,400	279,300	312,100	349,400	394,100	441,700
	26	233,700	280,200	313,100	351,000	395,300	442,300
	27	235,000	281,100	314,100	352,600	396,500	442,900
	28	236,200	282,000	315,100	354,100	397,500	443,500
	29	237,400	282,900	316,100	355,300	398,600	444,200
	30	238,400	283,700	317,200	356,800	399,800	445,000
	31	239,400	284,600	318,300	358,300	400,900	445,400
	32	240,400	285,500	319,400	359,800	402,000	446,100
	33	241,400	286,500	320,500	361,200	402,700	446,600
	34	242,400	287,500	321,600	362,700	403,400	447,000
	35	243,300	288,500	322,700	364,200	404,100	447,400
	36	244,200	289,400	323,800	365,700	404,800	447,800
	37	245,100	290,300	324,800	367,100	405,400	448,200
	38	246,000	291,300	325,900	368,500	406,000	448,600
	39	246,900	292,300	327,000	369,900	406,500	449,000
	40	247,700	293,200	328,000	371,300	406,900	449,300

	号俸	(1 級)	(2 級)	(3 級)	(4 級)	(5 級)	(6 級)
	41	248,500	294,100	329,000	372,300	407,300	449,600
	42	249,100	295,100	329,900	373,400	407,500	450,000
	43	249,700	296,100	330,800	374,300	407,800	450,300
	44	250,300	297,000	331,700	375,400	408,100	450,600
	45	250,800	297,900	332,600	376,100	408,400	450,900
	46	251,300	298,800	333,300	376,700	408,700	
	47	251,800	299,700	333,900	377,400	409,000	
	48	252,300	300,600	334,500	378,200	409,300	
	49	252,800	301,400	335,100	379,000	409,500	
	50	253,400	302,300	335,800	379,700	409,800	
	51	253,900	303,200	336,400	380,500	410,100	
	52	254,400	304,000	337,000	381,200	410,400	
	53	254,800	304,900	337,600	382,000	410,600	
	54	255,300	305,900	338,100	382,700	410,900	
	55	255,800	306,900	338,600	383,400	411,200	
	56	256,300	307,800	339,100	384,000	411,500	
	57	256,800	308,700	339,500	384,300	411,700	
	58	257,200	309,700	339,700	384,900	412,000	
	59	257,600	310,600	340,200	385,500	412,300	
	60	258,000	311,500	340,700	386,200	412,500	
	61	258,400	312,400	341,000	386,600	412,700	
	62	258,800	313,300	341,400	387,300	413,000	
	63	259,200	314,200	341,900	387,900	413,300	
	64	259,600	315,000	342,300	388,500	413,500	
	65	260,000	315,700	342,700	388,900	413,700	
	66	260,400	316,600	343,200	389,400		
	67	260,800	317,400	343,600	390,000		
	68	261,200	318,200	344,100	390,500		
	69	261,600	319,000	344,300	390,900		
	70	262,000	319,500	344,800	391,400		
	71	262,400	320,000	345,300	391,900		
	72	262,800	320,500	345,700	392,400		
	73	263,200	321,000	346,000	392,900		
定年前再任用短時間勤務職員以外の職員	74	263,600	321,600	346,400	393,300		
	75	264,000	322,100	346,900	393,700		
	76	264,400	322,600	347,300	394,100		
	77	264,800	322,900	347,500	394,300		
	78	265,200	323,200	347,800	394,500		
	79	265,600	323,700	348,200	394,800		
	80	265,900	324,000	348,600	395,100		
	81	266,200	324,300	348,900	395,300		
	82	266,600	324,600	349,200	395,600		
	83	267,000	324,900	349,600	395,900		
	84	267,300	325,200	350,000	396,100		
	85	267,600	325,600	350,300	396,300		
	86	268,000	326,000	350,700			
	87	268,400	326,300	351,100			
	88	268,700	326,500	351,300			

		(1 級)	(2 級)	(3 級)	(4 級)	(5 級)	(6 級)
	89	269,000	327,000	351,600			
	90	269,400	327,400				
	91	269,800	327,600				
	92	270,100	328,000				
	93	270,400	328,400				
	94	270,800	328,800				
	95	271,200	329,200				
	96	271,500	329,500				
	97	271,800	329,700				
	98	272,200	330,000				
	99	272,600	330,300				
	100	272,900	330,600				
	101	273,200	331,000				
	102	273,600	331,200				
	103	274,000	331,500				
	104	274,300	331,900				
	105	274,500	332,300				
	106	274,700	332,600				
	107	275,000	332,900				
	108	275,300	333,200				
	109	275,600	333,500				
	110	275,900	333,900				
	111	276,200	334,200				
	112	276,400	334,400				
	113	276,700	334,600				
	114	277,000	334,900				
	115	277,300	335,200				
	116	277,700	335,500				
	117	278,000	335,700				
	118	278,300					
	119	278,600					
	120	279,000					
	121	279,200					
	122	279,400					
	123	279,800					
	124	280,100					
	125	280,300					
	126	280,600					
	127	281,000					
	128	281,400					
	129	281,600					
	130	282,000					
	131	282,400					
	132	282,700					
	133	282,900					
	134	283,200					
	135	283,600					
	136	283,900					

		(1 級)	(2 級)	(3 級)	(4 級)	(5 級)	(6 級)
	137	284,100					
	138	284,400					
	139	284,700					
	140	285,000					
	141	285,200					
	142	285,400					
	143	285,600					
	144	285,900					
	145	286,300					
	146	286,500					
	147	286,800					
	148	287,100					
	149	287,400					
	150	287,600					
	151	287,900					
	152	288,100					
	153	288,400					
定年前再任短時間勤務職員		基準俸給月額	基準俸給月額	基準俸給月額	基準俸給月額	基準俸給月額	基準俸給月額
		円 205,800	円 245,600	円 260,100	円 293,600	円 320,600	円 362,700

備考　この表は、障害者支援施設、児童福祉施設等で人事院の指定するものに勤務し、入所者の指導、保育、介護等の業務に従事する職員で人事院規則で定めるものに適用する。

別表第十 専門スタッフ職俸給表（第六条関係）

職員の区分	職務の級	1 級	2 級	3 級	4 級
	号俸	俸給月額	俸給月額	俸給月額	俸給月額
		円	円	円	円
定年前再任用短時間勤務職員以外の職員	1	363,600	436,500	488,800	624,800
	2	365,100	440,900	494,400	661,400
	3	366,600	444,900	499,900	698,000
	4	368,100	448,800	505,300	
	5	369,600	452,400	510,600	
	6	371,100	456,200	515,700	
	7	372,500	459,500	520,800	
	8	373,900	462,800	525,500	
	9	375,400	466,100	528,900	
	10	376,800	469,400	531,900	
	11	378,300	472,600	534,700	
	12	379,700	475,800	537,300	
	13	381,200	478,800	539,900	
	14	382,900	481,800	542,300	
	15	384,600	484,600	544,700	
	16	386,300	487,300	546,900	
	17	387,700	489,900	549,100	
	18	389,300	492,300	551,300	
	19	390,900	494,700	553,300	
	20	392,400	496,900	555,300	
	21	394,100	499,100	557,300	
	22	395,400	501,100		
	23	396,700	503,100		
	24	398,000			
	25	399,300			
	26	400,400			
	27	401,500			
	28	402,400			
	29	403,400			
	30	404,400			
	31	405,400			
	32	406,300			
	33	407,100			
	34	407,500			
	35	407,800			
	36	408,100			
	37	408,400			
	38	408,700			
	39	409,000			
	40	409,300			

		(1 級)	(2 級)	(3 級)	(4 級)
	41	409,600			
	42	409,800			
	43	410,100			
	44	410,400			
	45	410,700			
	46	411,000			
	47	411,300			
	48	411,500			
	49	411,700			
	50	412,000			
	51	412,300			
	52	412,500			
	53	412,700			
	54	413,000			
	55	413,300			
	56	413,500			
	57	413,700			
	58	414,000			
	59	414,300			
	60	414,500			
	61	414,700			
	62	415,000			
	63	415,300			
	64	415,500			
	65	415,700			
定年前再任用短時間勤務職員		基準俸給月額	基準俸給月額	基準俸給月額	基準俸給月額
		円 330,000	円 432,500	円 487,700	円 624,800

備考　この表は、行政の特定の分野における高度の専門的な知識経験に基づく調査、研究、情報の分析等を行うことにより、政策の企画及び立案等を支援する業務に従事する職員で人事院規則で定めるものに適用する。

別表第十一 指定職俸給表（第六条関係）

号 俸	俸 給 月 額
1	円 716,000
2	772,000
3	829,000
4	908,000
5	979,000
6	1,049,000
7	1,122,000
8	1,191,000

備考 この表は、事務次官、外局の長、試験所又は研究所の長、病院又は療養所の長その他の官職を占める職員で人事院規則で定めるものに適用する。

附 則（昭六〇・一二・二一法九七）（抄）

（施行期日等）

1 この法律は、公布の日から施行する。ただし、題名、第一条第一項、第九条の二第四項及び第十一条の六第二項の改正規定、第十四条の次に二条を加える改正規定、第十五条、第十七条、第十九条の二第三項、第十九条の六及び第二十二条の見出しの改正規定、同条に一項を加える改正規定、附則第十六項を附則第十八項とし、附則第十五項の次に二項を加える改正規定並びに附則第十二項から第十四項まで及び第二十三項から第二十九項までの規定は昭和六十一年一月一日から、第十一条第四項の改正規定は同年六月一日から施行する。

2 この法律（前項ただし書に規定する改正規定を除く。）による改正後の一般職の職員の給与に関する法律（以下附則第十一項までにおいて「改正後の法」という。）、国家公務員の寒冷地手当に関する法律（昭和二十四年法律第二百号）、国家公務員の寒冷地手当に関する法律の一部を改正する法律（昭和五十五年法律第九十九号）及び国立及び公立の義務教育諸学校等の教育職員の給与等に関する特別措置法（昭和四十六年法律第七十七号）の規定は、昭和六十年七月一日から適用する。

（職務の級への切替え）

3 昭和六十年七月一日（以下「切替日」という。）の前日から引き続き在職する職員であつて同日においてその者が属していた職務の等級（以下「旧等級」という。）が附則別表第一に掲げられているもの（次項に規定する職員を除く。）の切替日における職務の級は、旧等級に対応する同表の職務の級欄に定める職務の級とする。この場合において、同欄に二の職務の級が掲げられているときは、人事院の定めるところにより、そのいずれかの職務の級とする。

4 切替日の前日において行政職俸給表㈠の適用を受けていた職員のうち、切替日において専門行政職俸給表の適用を受けることとなる職員の切替日における職務の級は、旧等級に対応する附則別表第二の職務の級欄に定める職務の級とする。この場合においては、前項後段の規定を準用する。

（号俸の切替え等）

5 前二項の規定により切替日における職務の級を定めら

れる職員（附則第七項に規定する職員を除く。）の切替日における号俸（以下「新号俸」という。）は、切替日の前日においてその者が受けていた号俸（以下「旧号俸」という。）に対応する附則別表第三又は附則別表第四の新号俸欄に定める号俸とする。

6　前項の規定により新号俸を定められる職員に対する切替日以後における最初の改正後の法第八条第六項又は第八項ただし書の規定の適用については、旧号俸を受けていた期間（人事院の定める職員にあつては、人事院の定める期間。以下この項において同じ。）を新号俸を受ける期間に通算する。ただし、切替日の前日において五十六歳に達していない職員のうち、旧号俸が旧等級の最高の号俸であつて新号俸が職務の級の最高の号俸以外の号俸となる者については、旧号俸を受けていた期間のうち十二月を超える期間は、この限りでない。

（最高号俸を超える俸給月額の切替え等）

7　切替日の前日において職務の等級の最高の号俸を超える俸給月額を受けていた職員の切替日における号俸又は俸給月額及びこれらを受ける期間に通算されることとなる期間は、人事院規則で定める。

（切替期間における異動者の職務の級及び号俸等）

8　切替日からこの法律の施行の日の前日までの間（以下「切替期間」という。）において、この法律（附則第一項ただし書に規定する改正規定を除く。）による改正前の一般職の職員の給与に関する法律（以下「改正前の法」という。）の規定により、新たに俸給表（指定職俸給表を除く。）の適用を受けることとなつた職員及びその属する職務の等級又はその受ける号俸若しくは俸給月額に異動（指定職俸給表の適用を受けていた職員が他の俸給表の適用を受けることとなる異動を含むものとし、指定職俸給表以外の俸給表の適用を受けていた職員が指定職俸給表の適用を受けることとなる異動及び指定職俸給表の適用を受ける職員の号俸の異動を除く。）のあつた職員の改正後の法の規定による当該適用又は異動の日における職務の級及び号俸又は俸給月額並びにこれらを受けることとなる期間は、人事院の定めるところによる。切替期間において、一般職の職員の給与に関する法律の一部を改正する法律（昭和五十四年法律第五十七号。以下「昭和五十四年改正法」という。）附則第七項の規定により昇給した職員の改正後の法の規定による当該昇給の日における職務の級及び号俸又は俸給月額についても、同様とする。

（切替日前の異動者の号俸等の調整）

9　切替日前に職務の等級を異にして異動した職員及び人事院の定めるこれに準ずる職員の切替日における号俸又は俸給月額及びこれらを受けることとなる期間については、その者が切替日において職務の級を異にする異動等をしたものとした場合との権衡上必要と認められる限度において、人事院の定めるところにより、必要な調整を行うことができる。

（旧号俸等の基礎）

10　附則第三項から前項までの規定の適用については、職員が属していた職務の等級及びその者が受けていた号俸又は俸給月額は、改正前の法又は昭和五十四年改正法附則第七項及びこれらに基づく人事院規則の規定に従つて定められたものでなければならない。

（給与の内払）

11　改正後の法の規定を適用する場合においては、改正前の法の規定に基づいて支給された給与は、改正後の法の規定による給与の内払とみなす。

（休暇に関する経過措置等）

12　職員の昭和六十一年における年次休暇の日数は、改正後の一般職の職員の給与等に関する法律（次項及び附則第十四項において「新法」という。）第十四条の三第二項の規定にかかわらず、同項に規定する日数に、昭和六十年における年次休暇に相当する休暇の残日数のうち昭和六十一年に与えることができることとされていた日数を加えた日数とする。

13　昭和六十一年一月一日前において、既に同日前の法令の規定に基づき同日以後に与えられるものとされた新法第十四条の三に規定する年次休暇、病気休暇又は特別休暇に相当する休暇は、それぞれ同条の規定による年次休暇、病気休暇又は特別休暇とみなし、同条の規定に基づく手続を要しないものとする。

14　新法附則第十五項に規定する勤務しない期間が昭和六十一年一月一日前から引き続いている場合における同項の規定の適用については、同項中「当該療養のための病気休暇又は当該措置」とあるのは、「昭和六十一年一月一日前における当該療養のための病気休暇又は当該措置に相当する休暇又は措置」とする。

（人事院規則への委任）

15　附則第三項から前項までに定めるもののほか、この法律の施行に関し必要な事項は、人事院規則で定める。

附則別表第一　専門行政職俸給表以外の俸給表の適用を受ける職員の職務の級への切替表（附則第三項関係）

俸給表	旧等級	職務の級
行政職俸給表(一)	8 等級	1 級
	7 等級	2 級
	6 等級	3 級
	5 等級	4 級
		5 級
	4 等級	6 級
		7 級
	3 等級	8 級
	2 等級	9 級
		10 級
	1 等級	11 級
行政職俸給表(二)	5 等級	1 級
	4 等級	
	3 等級	2 級
	2 等級	3 級
		4 級
	1 等級	5 級
	特 1 等級	6 級
税務職俸給表 公安職俸給表(一) 公安職俸給表(二)	7 等級	1 級
	6 等級	2 級
	5 等級	3 級
	4 等級	4 級
		5 級
	3 等級	6 級
		7 級
	特 3 等級	8 級
	2 等級	9 級
	1 等級	10 級
	特 1 等級	11 級
海事職俸給表(一)	5 等級	1 級
	4 等級	2 級
	3 等級	3 級
	2 等級	4 級
		5 級
	1 等級	6 級
	特 1 等級	7 級
海事職俸給表(二)	4 等級	1 級
	3 等級	2 級
	2 等級	3 級
		4 級
	1 等級	5 級
	特 1 等級	6 級
教育職俸給表(一)	5 等級	1 級
	4 等級	2 級
	3 等級	3 級
	2 等級	4 級
	1 等級	5 級
教育職俸給表(二) 教育職俸給表(三)	3 等級	1 級
	2 等級	2 級
	1 等級	3 級
	特 1 等級	4 級
教育職俸給表(四)	5 等級	1 級
	4 等級	2 級
	3 等級	3 級
	2 等級	4 級
	1 等級	5 級
研究職俸給表	5 等級	1 級
	4 等級	
	3 等級	2 級
	2 等級	3 級
		4 級
	1 等級	5 級
医療職俸給表(一)	4 等級	1 級
	3 等級	2 級
	2 等級	3 級
	1 等級	4 級
医療職俸給表(二)	6 等級	1 級
	5 等級	
	4 等級	2 級
	3 等級	3 級
		4 級
	2 等級	5 級
	特 2 等級	6 級
	1 等級	7 級
	特 1 等級	8 級
医療職俸給表(三)	4 等級	1 級
	3 等級	2 級
	2 等級	3 級
		4 級
	1 等級	5 級
	特 1 等級	6 級

附則別表第二　専門行政職俸給表の適用を受けることとなる職員の職務の級への切替表（附則第四項関係）

旧等級	職務の級
8 等級	1 級
7 等級	
6 等級	
5 等級	2 級
4 等級	3 級
3 等級	4 級
2 等級	5 級
	6 級
1 等級	7 級

附則別表第三　行政職俸給表(一)、専門行政職俸給表、研究職俸給表又は医療職俸給表(一)の1級となる職員以外の職員の号俸の切替表（附則第五項関係）

イ　行政職俸給表(一)の適用を受ける職員

旧号俸	新号俸										
	1級	2級	3級	4級	5級	6級	7級	8級	9級	10級	11級
1		1	1						1	1	1
2	1	2	2	1	1	1	1	1	2	1	2
3	2	3	3	2	1	2	1	2	3	1	3
4	3	4	4	3	1	3	1	3	4	1	4
5	4	5	5	4	2	4	2	4	5	2	5
6	5	6	6	5	3	5	3	5	6	3	6
7	6	7	7	6	4	6	4	6	7	4	7
8	7	8	8	7	5	7	5	7	8	5	8
9	8	9	9	8	6	8	6	8	9	6	9
10	9	10	10	9	7	9	7	9	10	7	10
11	10	11	11	10	8	10	8	10	11	8	11
12	11	12	12	11	9	11	9	11	12	9	12
13	12	13	13	12	10	12	10	12	13	10	13
14	13	14	14	13	11	13	11	13	14	11	14
15	14	15	15	14	12	14	12	14	15	12	15
16	15	16	16	15	13	15	13	15	16	12	
17	16	17	17	16	14	16	14	16			
18		18	18	17	15	17	15	17			
19		19	19	18	16	18	16	18			
20			20	19	16	19	17	19			
21			21	20	17	20	18				
22			22	21	17	21	18				
23			23	22	18	22	19				
24			24	23	19						
25				24	19						
26				25	20						

ロ　行政職俸給表(二)の適用を受ける職員

旧号俸	新号俸				
	2級	3級	4級	5級	6級
1	1	1	1	1	1
2	2	2	1	1	1
3	3	3	1	1	2
4	4	4	1	2	3
5	5	5	2	3	4
6	6	6	3	4	5
7	7	7	4	5	6
8	8	8	5	6	7
9	9	9	6	7	8
10	10	10	7	8	9
11	11	11	8	9	10
12	12	12	9	10	11
13	13	13	10	11	12
14	14	14	11	12	13
15	15	15	12	13	14
16	16	16	13	14	15
17	17	17	14	15	16
18	18	18	15	16	17
19	19	19	16	17	18
20	20	20	17	18	19
21	21	21	18	19	20
22	22	22	19	20	21
23	23	23	20	21	22
24	24	24	20	22	23
25	25	25	21	23	
26		26	22		
27		27	22		
28		28	23		

ハ　専門行政職俸給表の適用を受ける職員

旧号俸	新号俸					
	2級	3級	4級	5級	6級	7級
1				1	1	1
2	1	1	1	2	1	2
3	2	2	2	3	1	3
4	3	3	3	4	1	4
5	4	4	4	5	2	5
6	5	5	5	6	3	6
7	6	6	6	7	4	7
8	7	7	7	8	5	8
9	8	8	8	9	6	9
10	9	9	9	10	7	10
11	10	10	10	11	8	11
12	11	11	11	12	9	12
13	12	12	12	13	10	13
14	13	13	13	14	11	14
15	14	14	14	15	12	15
16	15	15	15	16	12	
17	16	16	16			
18	17	17	17			
19	18	18	18			
20	19	19	19			
21	19	20				
22	20	21				
23	21	22				
24	22					
25	23					
26	24					

ニ　税務職俸給表の適用を受ける職員

旧号俸	新号俸										
	1級	2級	3級	4級	5級	6級	7級	8級	9級	10級	11級
1		1	1							1	1
2	1	2	2	1	1	1	1	1	1	1	2
3	2	3	3	2	1	2	1	2	1	1	3
4	3	4	4	3	1	3	1	3	2	2	4
5	4	5	5	4	2	4	2	4	3	3	5
6	5	6	6	5	3	5	3	5	4	4	6
7	6	7	7	6	4	6	4	6	5	5	7
8	7	8	8	7	5	7	5	7	6	6	8
9	8	9	9	8	6	8	6	8	7	7	9
10	9	10	10	9	7	9	7	9	8	8	10
11	10	11	11	10	8	10	8	10	9	9	11
12	11	12	12	11	9	11	9	11	10	10	12
13	12	13	13	12	10	12	10	12	11	11	13
14	13	14	14	13	11	13	11	13	12	12	14
15	14	15	15	14	12	14	12	14	13	13	15
16			16	15	13	15	13	15	14	14	
17			17	16	14	16	14	16	15	15	
18				17	14	17	15	17	16		
19				18	15	18	16	18	17		
20				19	15	19	17	19			
21				20	16	20	18				
22						21	19				

ホ　公安職俸給表(一)の適用を受ける職員

旧号俸	新号俸										
	1級	2級	3級	4級	5級	6級	7級	8級	9級	10級	11級
1		1	1							1	1
2	1	2	2	1	1	1	1	1	1	1	2
3	2	3	3	2	1	2	1	2	1	1	3
4	3	4	4	3	1	3	1	3	2	2	4
5	4	5	5	4	1	4	2	4	3	3	5
6	5	6	6	5	1	5	3	5	4	4	6
7	6	7	7	6	2	6	4	6	5	5	7
8	7	8	8	7	3	7	5	7	6	6	8
9	8	9	9	8	4	8	6	8	7	7	9
10	9	10	10	9	5	9	7	9	8	8	10
11	10	11	11	10	6	10	8	10	9	9	11
12	11	12	12	11	7	11	9	11	10	10	12
13	12	13	13	12	8	12	10	12	11	11	13
14	13	14	14	13	9	13	11	13	12	12	14
15	14	15	15	14	10	14	12	14	13	13	15
16	15	16	16	15	11	15	13	15	14	14	
17	16	17	17	16	12	16	14	16	15	15	
18	17	18	18	17	13	17	15	17	16		
19	18	19	19	18	14	18	16	18	17		
20	19	20	20	19	15	19	17	19			
21	20	21	21	20	16	20	18				
22	21	22	22	21	17	21	19				
23	22	23	23	22	18	22	20				
24	23	24	24	23	19						
25	24	25	25	24	20						
26	25	26	26	25	20						
27	26	27	27	26	21						
28	27	28	28	27	22						
29	28	29	29	28	23						
30	29	30	30								
31	30	31	31								
32	31	32	32								
33	32	33	33								
34	33										

ヘ　公安職俸給表(二)の適用を受ける職員

旧号俸	新号俸										
	1級	2級	3級	4級	5級	6級	7級	8級	9級	10級	11級
1		1	1							1	1
2	1	2	2	1	1	1	1	1	1	1	2
3	2	3	3	2	1	2	1	2	1	1	3
4	3	4	4	3	1	3	1	3	2	2	4
5	4	5	5	4	2	4	2	4	3	3	5
6	5	6	6	5	3	5	3	5	4	4	6
7	6	7	7	6	4	6	4	6	5	5	7
8	7	8	8	7	5	7	5	7	6	6	8
9	8	9	9	8	6	8	6	8	7	7	9
10	9	10	10	9	7	9	7	9	8	8	10
11	10	11	11	10	8	10	8	10	9	9	11
12	11	12	12	11	9	11	9	11	10	10	12
13	12	13	13	12	10	12	10	12	11	11	13
14	13	14	14	13	11	13	11	13	12	12	14
15	14	15	15	14	12	14	12	14	13	13	15
16	15	16	16	15	13	15	13	15	14	14	
17	16	17	17	16	14	16	14	16	15	15	
18	17	18	18	17	15	17	15	17	16		
19	18	19	19	18	15	18	16	18	17		
20	19		20	19	16	19	17	19			
21	20		21	20	16	20	18				
22	21		22	21	17	21	19				
23			23								

ト　海事職俸給表(一)の適用を受ける職員

旧号俸	新号俸						
	1級	2級	3級	4級	5級	6級	7級
1		1	1	1	1	1	1
2	1	2	2	2	1	1	1
3	2	3	3	3	1	2	1
4	3	4	4	4	1	3	2
5	4	5	5	5	2	4	3
6	5	6	6	6	3	5	4
7	6	7	7	7	4	6	5
8	7	8	8	8	5	7	6
9	8	9	9	9	6	8	7
10	9	10	10	10	7	9	8
11	10	11	11	11	8	10	9
12	11	12	12	12	9	11	10
13	12	13	13	13	10	12	11

27	27	24	17	
28	28			

カ　医療職俸給表㈠の適用を受ける職員

旧号俸	新 号 俸			
	1級	2級	3級	4級
1	1		1	1
2	1	1	2	2
3	2	2	3	3
4	3	3	4	4
5	4	4	5	5
6	5	5	6	6
7	6	6	7	7
8	7	7	8	8
9	8	8	9	9
10	9	9	10	10
11	10	10	11	11
12	11	11	12	12
13	12	12	13	13
14	13	13	14	14
15	14	14	15	15
16	15	15	16	16
17	16	16	17	17
18	17	17	18	18
19	18	18	19	19
20	19	19	20	20
21	20	20	21	
22	21	21	22	
23		22	23	
24		23		

ヨ　医療職俸給表㈡の適用を受ける職員

旧号俸	新 号 俸						
	2級	3級	4級	5級	6級	7級	8級
1	1	1	1	1	1	1	1
2	2	2	1	2	2	2	2
3	3	3	1	3	3	3	3
4	4	4	1	4	4	4	4
5	5	5	2	5	5	5	5
6	6	6	3	6	6	6	6
7	7	7	4	7	7	7	7
8	8	8	5	8	8	8	8
9	9	9	6	9	9	9	9
10	10	10	7	10	10	10	10
11	11	11	8	11	11	11	11
12	12	12	9	12	12	12	12
13	13	13	10	13	13	13	13
14	14	14	11	14	14	14	14
15	15	15	12	15	15	15	15
16	16	16	13	16	16	16	16
17	17	17	14	17	17		
18	18	18	15	18			
19	19	19	16	19			
20	20	20	17	20			
21	21	21	18				
22	22	22	18				
23	23	23	19				
24	24	24	19				

タ　医療職俸給表㈢の適用を受ける職員

旧号俸	新 号 俸					
	1級	2級	3級	4級	5級	6級
1	1	1	1	1	1	1
2	2	2	2	1	1	2
3	3	3	3	1	1	3
4	4	4	4	1	1	4
5	5	5	5	2	2	5
6	6	6	6	3	3	6
7	7	7	7	4	4	7
8	8	8	8	5	5	8
9	9	9	9	6	6	9
10	10	10	10	7	7	10
11	11	11	11	8	8	11
12	12	12	12	9	9	12
13	13	13	13	10	10	13

32		32		
33		33		
34		34		
35		35		
36		36		
37		37		
38		38		
39		39		

ヲ　教育職俸給表㈣の適用を受ける職員

旧号俸	新 号 俸				
	1級	2級	3級	4級	5級
1	1	1	1		1
2	2	2	2	1	2
3	3	3	3	2	3
4	4	4	4	3	4
5	5	5	5	4	5
6	6	6	6	5	6
7	7	7	7	6	7
8	8	8	8	7	8
9	9	9	9	8	9
10	10	10	10	9	10
11	11	11	11	10	11
12	12	12	12	11	12
13	13	13	13	12	13
14	14	14	14	13	14
15	15	15	15	14	15
16	16	16	16	15	16
17	17	17	17	16	
18	18	18	18	17	
19	19	19	19	18	
20	20	20	20	19	
21	21	21	21	20	
22	22	22	22	21	
23	23	23	23	22	
24	24	24	24	23	
25	25	25	25	24	
26	26	26	26	25	
27	27	27	27	26	
28	28	28	28	27	
29		29			
30		30			
31		31			
32		32			
33		33			

ワ　研究職俸給表の適用を受ける職員

旧号俸	新 号 俸			
	2級	3級	4級	5級
1	1			
2	2			
3	3			
4	4	1	1	1
5	5	2	1	2
6	6	3	1	3
7	7	4	1	4
8	8	5	1	5
9	9	6	2	6
10	10	7	3	7
11	11	8	4	8
12	12	9	5	9
13	13	10	6	10
14	14	11	7	11
15	15	12	8	12
16	16	13	9	13
17	17	14	10	14
18	18	15	11	15
19	19	16	12	16
20	20	17	13	17
21	21	18	13	18
22	22	19	14	19
23	23	20	15	20
24	24	21	15	21
25	25	22	16	22
26	26	23	17	23

ヌ　教育職俸給表㈡の適用を受ける職員

旧号俸	新 号 俸			
	1級	2級	3級	4級
1		1		1
2	1	1	1	2
3	2	2	2	3
4	3	3	3	4
5	4	4	4	5
6	5	5	5	6
7	6	6	6	7
8	7	7	7	8
9	8	8	8	9
10	9	9	9	10
11	10	10	10	11
12	11	11	11	12
13	12	12	12	13
14	13	13	13	14
15	14	14	14	15
16	15	15	15	
17	16	16	16	
18	17	17	17	
19	18	18	18	
20	19	19	19	
21	20	20	20	
22	21	21	21	
23	22	22	22	
24	23	23	23	
25	24	24	24	
26	25	25		
27	26	26		
28	27	27		
29	28	28		
30	29	29		
31	30	30		
32	31	31		
33	32	32		
34	33	33		
35	34	34		
36		35		
37		36		

ル　教育職俸給表㈢の適用を受ける職員

旧号俸	新 号 俸			
	1級	2級	3級	4級
1		1		1
2	1	2	1	2
3	2	3	2	3
4	3	4	3	4
5	4	5	4	5
6	5	6	5	6
7	6	7	6	7
8	7	8	7	8
9	8	9	8	9
10	9	10	9	10
11	10	11	10	11
12	11	12	11	12
13	12	13	12	13
14	13	14	13	14
15	14	15	14	15
16	15	16	15	
17	16	17	16	
18	17	18	17	
19	18	19	18	
20	19	20	19	
21	20	21	20	
22	21	22	21	
23	22	23	22	
24	23	24	23	
25	24	25	24	
26	25	26	25	
27	26	27	26	
28	27	28	27	
29	28	29	28	
30	29	30		
31	30	31		

14	13	14	14	14	11	13	12
15	14	15	15	15	12	14	13
16	15	16	16	16	13	15	14
17	16	17	17	17	14	16	15
18	17	18	18	18	15	17	
19	18		19	19	15	18	
20	19		20	20	16		
21				21	16		
22				22	17		

チ　海事職俸給表㈠の適用を受ける職員

旧号俸	新 号 俸					
	1級	2級	3級	4級	5級	6級
1	1	1	1	1	1	1
2	2	2	2	1	1	1
3	3	3	3	1	1	2
4	4	4	4	1	1	3
5	5	5	5	1	2	4
6	6	6	6	2	3	5
7	7	7	7	3	4	6
8	8	8	8	4	5	7
9	9	9	9	5	6	8
10	10	10	10	6	7	9
11	11	11	11	7	8	10
12	12	12	12	8	9	11
13	13	13	13	9	10	12
14	14	14	14	10	11	13
15	15	15	15	11	12	14
16	16	16	16	12	13	15
17	17	17	17	13	14	16
18	18	18	18	14	15	17
19	19	19	19	15	16	18
20	20	20	20	16	17	19
21	21	21	21	17	18	20
22	22	22	22	18	19	21
23	23	23	23	19	20	22
24		24	24	20	21	23
25		25	25	20	22	
26			26	21		
27			27	22		

リ　教育職俸給表㈠の適用を受ける職員

旧号俸	新 号 俸				
	1級	2級	3級	4級	5級
1	1	1	1		
2	2	2	2	1	
3	3	3	3	2	1
4	4	4	4	3	2
5	5	5	5	4	3
6	6	6	6	5	4
7	7	7	7	6	5
8	8	8	8	7	6
9	9	9	9	8	7
10	10	10	10	9	8
11	11	11	11	10	9
12	12	12	12	11	10
13	13	13	13	12	11
14	14	14	14	13	12
15	15	15	15	14	13
16	16	16	16	15	14
17	17	17	17	16	15
18	18	18	18	17	16
19	19	19	19	18	17
20	20	20	20	19	18
21	21	21	21	20	19
22	22	22	22	21	20
23	23	23	23	22	21
24	24	24	24	23	22
25	25	25	25	24	23
26	26	26	26	25	24
27	27	27		26	
28	28	28			
29	29	29			
30	30				

	9	11
	10	12
	11	13
	12	14
	13	15
	14	16
	15	17
	16	18
	17	19
	18	20
	19	21
	20	22

備考　これらの表の旧号俸欄中「５等級」等とあるのは、切替日の前日においてその者が属していた職務の等級を示す。

	7	4	9
	8	5	10
	9	6	11
	10	7	12
	11		
	12	8	13
	13	9	14
	14		
	15		
	16	10	15
	17		
	18	11	16
	19		
		12	17
		13	18
		14	19
		15	20
		16	21
		17	22
		18	23
		19	24
		20	25

14	14	14	14	11	11	14
15	15	15	15	12	12	15
16	16	16	16	13	13	16
17	17	17	17	14	14	17
18	18	18	18	15	15	18
19	19	19	19	16	16	19
20	20	20	20	17	17	20
21	21	21	21	18	18	21
22	22	22	22	19	19	22
23	23	23	23	20	20	
24	24	24	24	21	21	
25	25	25	25	22	22	
26	26	26	26	23	23	
27	27	27	27	23	24	
28	28	28	28	24		
29	29	29				
30		30				

備考　これらの表の新号俸欄中「１級」等とあるのは、切替日においてその者が属することとなる職務の級を示す。

附則別表第四　行政職俸給表(一)、専門行政職俸給表、研究職俸給表又は医療職俸給表(一)の１級となる職員の号俸の切替表（附則第五項関係）

イ　行政職俸給表(一)の１級となる職員

旧号俸		新号俸
5等級	4等級	
1		1
2		2
3		3
4		4
5	1	5
6	2	6
7	3	7
8	4	8
9	5	9
10	6	10
11	7	11
12	8	12
13	9	13
14	10	14
15	11	15
16	12	16
17	13	17
18	14	18
19		
20	15	19
21		
22	16	20
23	17	21
24		
25	18	22
26	19	23
27		
28	20	24
29	21	25
	22	26
	23	27
	24	28
	25	29

ロ　専門行政職俸給表の１級となる職員

旧号俸			新号俸
8等級	7等級	6等級	
2から6まで			1
7			2
8	1		3
9	2		4
10	3		5
11	4	1	6
12	5	2	7
13			
14			
15	6	3	8
16			
17			

ハ　研究職俸給表の１級となる職員

旧号俸		新号俸
5等級	4等級	
2		1
3		2
4		3
5	1	4
6	2	5
7	3	6
8	4	7
9	5	8
10	6	9
11	7	10
12	8	11
13		
14		
15	9	12
16		
17		
	10	13
	11	14
	12	15
	13	16
	14	17
	15	18
	16	19
	17	20
	18	21
	19	22
	20	23
	21	24
	22	25
	23	26
	24	27
	25	28
	26	29

ニ　医療職俸給表(一)の１級となる職員

旧号俸		新号俸
6等級	5等級	
2		1
3		2
4	1	3
5	2	4
6	3	5
7	4	6
8	5	7
9	6	8
10	7	9
11		
12	8	10
13		

附　則（平一七・一〇・二一法一〇二）（抄）

改正　平一八・一一・一七法一〇一

（施行期日）

第一条　この法律は、郵政民営化法の施行の日〔平一九・一〇・一〕から施行する。〔ただし書略〕

（一般職の職員の給与に関する法律の一部改正に伴う経過措置）

第八十条　施行日の前日において旧公社の職員であった者であって引き続き施行日に第三十五条の規定による改正後の一般職の職員の給与に関する法律（以下この条において「新法」という。）に規定する俸給表の適用を受ける職員となったものに対する新法第十一条の七第三項、第十一条の八第三項、第十二条第四項、第十二条の二第三項及び第十四条第二項並びに一般職の職員の給与に関する法律等の一部を改正する法律（平成十六年法律第百三十六号）附則第十五項の規定の適用については、その者は、新法第十一条の七第三項に規定する給与特例法適用職員等であった者とみなす。

附　則（平一七・一一・七法一一三）（抄）

最終改正　平二四・二・二九法二

（施行期日）

第一条　この法律は、公布の日の属する月の翌月の初日（公布の日が月の初日であるときは、その日）から施行する。ただし、第二条、第三条、第五条及び第七条並びに附則第六条から第十五条まで及び第十七条から第三十二条までの規定は、平成十八年四月一日から施行する。

（職務の級における最高の号俸を超える俸給月額等の切替え等）

第二条　この法律の施行の日（以下「施行日」という。）の前日において次に掲げる俸給月額を受けていた職員の施行日における俸給月額（第一号に掲げる俸給月額を受けていた職員にあっては、俸給月額及びこれを受ける期間に通算されることとなる期間）は、人事院規則で定める。

一　一般職の職員の給与に関する法律（以下「給与法」という。）別表第一から別表第九までの俸給表に定める職務の級における最高の号俸を超える俸給月額

二　一般職の任期付研究員の採用、給与及び勤務時間の特例に関する法律（以下「任期付研究員法」という。）第六条第四項の規定による俸給月額

三　一般職の任期付職員の採用及び給与の特例に関する法律（以下「任期付職員法」という。）第七条第三項の規定による俸給月額

（施行日前の異動者の号俸等の調整）

第三条　施行日前に職務の級を異にして異動した職員及び人事院の定めるこれに準ずる職員の施行日における号俸又は俸給月額及びこれらを受けることとなる期間については、その者が施行日において職務の級を異にする異動等をしたものとした場合との権衡上必要と認められる限度において、人事院の定めるところにより、必要な調整を行うことができる。

（職員が受けていた号俸等の基礎）

第四条　前二条の規定の適用については、これらの規定規定する職員が属していた職務の級及びその者が受けていた号俸又は俸給月額は、第一条の規定による改正前の給与法若しくは一般職の職員の給与に関する法律及び一般職の任期付研究員の採用、給与及び勤務時間の特例に関する法律の一部を改正する法律（平成十年法律第百二十号。附則第十条において「平成十年改正法」という。）附則第十一項から第十三項まで、第四条の規定による改正前の任期付研究員法又は第六条の規定による改正前の任期付職員法及びこれらに基づく人事院規則の規定に従って定められたものでなければならない。

（平成十七年十二月に支給する期末手当及び期末特別手当に関する特例措置）

第五条　平成十七年十二月に支給する期末手当又は期末特別手当（以下この項において「期末手当等」という。）の額は、第一条の規定による改正後の給与法第十九条の四第二項（同条第三項、第四条の規定による改正後の任期付研究員法第七条第二項又は第六条の規定による改正後の任期付職員法第八条第二項の規定により読み替えて適用する場合を含む。）及び第四項から第六項まで、第十九条の八第二項（同条第三項の規定により読み替えて適用する場合を含む。）及び第四項から第六項まで若しくは第二十三条第一項から第三項まで、第五項若しくは第七項、国際機関等に派遣される一般職の国家公務員の処遇等に関する法律（昭和四十五年法律第百十七号）第五条第一項又は法科大学院への裁判官及び検察官その他の一般職の国家公務員の派遣に関する法律（平成十五年法律第四十号）第十三条第二項の規定にかかわらず、これらの規定により算定される期末手当等の額（以下この項において「基準額」という。）から次に掲げる額の合計額（人事院規則で定める職員にあっては、第一号に掲げる額。以下この項において「調整額」という。）に相当する額を減じた額とする。この場合において、調整額が基準額以上となるときは、期末手当等は、支給しない。

一　平成十七年四月一日（同月二日から同年十二月一日までの間に新たに職員となった者（同年四月一日に在職していた職員で任用の事情を考慮して人事院規則で定めるものを除く。）にあっては、その新たに職員となった日（当該日が二以上あるときは、当該日のうち人事院規則で定める日））において職員が受けるべき俸給、俸給の特別調整額、初任給調整手当、扶養手当、調整手当、研究員調整手当、住居手当、単身赴任手当（給与法第十二条の二第二項に規定する人事院規則で定める額を除く。）及び特地勤務手当（給与法第十四条の規定による手当を含む。）並びに一般職の職員の給与に関する法律等の一部を改正する法律（平成八年法律第百十二号）附則第十四項及び第十五項に規定する暫定筑波研究学園都市移転手当の月額の合計額に百分の〇・三六を乗じて得た額に、同年四月から施行日の属する月の前月までの月数（同年四月一日から施行日の前日までの期間において在職しなかった期間、俸給を支給されなかった期間その他の人事院規則で定める期間がある職員にあっては、当該月数から当該期間を考慮して人事院規則で定める月数を減じた月数）を乗じて得た額

二　平成十七年六月に支給された期末手当及び勤勉手当の合計額又は期末特別手当の額に百分の〇・三六を乗じて得た額

2　平成十七年四月一日から同年十二月一日までの間において防衛庁の職員の給与等に関する法律（昭和二十七年法律第二百六十六号）の適用を受ける者その他の人事院規則で定める者であった者から引き続き新たに職員となった者で任用の事情を考慮して人事院規則で定めるものに関する前項の規定の適用については、同項中「次に掲げる額」とあるのは「次に掲げる額及び防

衛庁の職員の給与等に関する法律（昭和二十七年法律第二百六十六号）の適用を受ける者その他の人事院規則で定める者との権衡を考慮して人事院規則で定める額」と、「第一号に掲げる額」とあるのは「第一号に掲げる額及び当該人事院規則で定める額の合計額」とする。

（特定の職務の級の切替え）

第六条 平成十八年四月一日（以下「切替日」という。）の前日においてその者が属していた職務の級（以下「旧級」という。）が附則別表第一に掲げられている職務の級であった職員の切替日における職務の級（以下「新級」という。）は、旧級に対応する同表の新級欄に定める職務の級とする。この場合において、同欄に二の職務の級が掲げられているときは、人事院の定めるところにより、そのいずれかの職務の級とする。

（号俸の切替え）

第七条 切替日の前日において給与法別表第一から別表第九までの俸給表の適用を受けていた職員の切替日における号俸（以下「新号俸」という。）は、次項及び次条に規定する職員を除き、旧級、切替日の前日においてその者が受けていた号俸（以下「旧号俸」という。）及びその者が旧号俸を受けていた期間（人事院の定める職員にあっては、人事院の定める期間。以下「経過期間」という。）に応じて附則別表第二に定める号俸とする。

2 前条後段の規定により新級を決定される職員（次条に規定する職員を除く。）の新号俸は、新級、旧号俸及び経過期間に応じて附則別表第三に定める号俸とする。

3 切替日の前日において指定職俸給表の適用を受けていた職員の新号俸は、旧号俸に対応する附則別表第四の新号俸欄に定める号俸とする。

（職務の級における最高の号俸を超える俸給月額等の切替え）

第八条 切替日の前日において次に掲げる俸給月額を受けていた職員の切替日における号俸又は俸給月額は、人事院規則で定める。

一 給与法別表第一から別表第九までの俸給表に定める職務の級における最高の号俸を超える俸給月額

二 任期付研究員法第六条第四項の規定による俸給月額

三 任期付職員法第七条第三項の規定による俸給月額

（切替日前の異動者の号俸の調整）

第九条 切替日前に職務の級を異にして異動した職員及び人事院の定めるこれに準ずる職員の新号俸については、その者が切替日において職務の級を異にする異動等をしたものとした場合との権衡上必要と認められる限度において、人事院の定めるところにより、必要な調整を行うことができる。

（職員が受けていた号俸等の基礎）

第十条 附則第六条から前条までの規定の適用については、これらの規定に規定する職員が属していた職務の級及びその者が受けていた号俸又は俸給月額は、第二条の規定による改正前の給与法、第五条の規定による改正前の任期付研究員法、第七条の規定による改正前の任期付職員法又は附則第十七条の規定による改正前の平成十年改正法附則第十一項から第十三項まで及びこれらに基づく人事院規則の規定に従って定められたものでなければならない。

（俸給の切替えに伴う経過措置）

第十一条 切替日の前日から引き続き同一の俸給表の適用を受ける職員で、その者の受ける俸給月額が同日において受けていた俸給月額（一般職の職員の給与に関する法律等の一部を改正する法律（平成二十一年法律第八十六号。第一号において「平成二十一年改正法」という。）の施行の日において次の各号に掲げる職員である者にあっては、当該俸給月額に当該各号に定める割合を乗じて得た額とし、その額に一円未満の端数を生じたときはこれを切り捨てた額とする。）に達しないこととなるもの（人事院規則で定める職員を除く。）には、平成二十六年三月三十一日までの間、俸給月額のほか、その差額に相当する額（給与法附則第八項の表の俸給表欄に掲げる俸給表の適用を受ける職員（国家公務員法（昭和二十二年法律第百二十号）第八十一条の四第一項又は第八十一条の五第一項の規定により採用された職員を除く。）のうち、その職務の級が給与法附則第八項の表の職務の級欄に掲げる職務の級以上である者（以下この項において「特定職員」という。）にあっては、五十五歳に達した日後における最初の四月一日（特定職員以外の者が五十五歳に達した日後における最初の四月一日後に特定職員となった場合にあっては、特定職員となった日）以後、当該額に百分の九十八・五を乗じて得た額）を俸給として支給する。

一 平成二十一年改正法附則第三条第一項第一号に規定する減額改定対象職員（次号に掲げる職員を除く。） 百分の九十九・一

二 指定職俸給表の適用を受ける職員 百分の九十八・九四

三 前二号に掲げる職員以外の職員（医療職俸給表(一)又は任期付研究員法第六条第二項に規定する俸給表の適用を受ける職員を除く。） 百分の九十九・三四

2 切替日の前日から引き続き俸給表の適用を受ける職員（前項に規定する職員を除く。）について、同項の規定による俸給を支給される職員との権衡上必要があると認められるときは、当該職員には、人事院規則の定めるところにより、同項の規定に準じて、俸給を支給する。

3 切替日以降に新たに俸給表の適用を受けることとなった職員について、任用の事情等を考慮して前二項の規定による俸給を支給される職員との権衡上必要があると認められるときは、当該職員には、人事院規則の定めるところにより、前二項の規定に準じて、俸給を支給する。

第十二条 前条の規定による俸給を支給される職員に関する給与法第十条第二項及び第十九条の四第五項（給与法第十九条の七第四項において準用する場合を含む。以下この項において同じ。）の規定の適用については、給与法第十条第二項中「調整前における俸給月額」とあるのは「調整前における俸給月額と一般職の職員の給与に関する法律等の一部を改正する法律（平成十七年法律第百十三号。以下「平成十七年改正法」という。）附則第十一条の規定による俸給の額との合計額」と、給与法第十九条の四第五項中「俸給月額」とあるのは「俸給月額と平成十七年改正法附則第十一条の規定による俸給の額との合計額」とする。

2 前条の規定による俸給を支給される職員に関する次に掲げる法律の規定の適用については、これらの規定中「俸給月額」とあるのは、「俸給月額と一般職の職員の給与に関する法律等の一部を改正する法律（平成十七年法律第百十三号）附則第十一条の規定による俸給の額との合計額」とする。

一 任期付研究員法第六条第五項

二　任期付職員法第七条第四項

（平成二十二年三月三十一日までの間における給与法の適用に関する特例）

第十三条　平成二十二年三月三十一日までの間における次の表の上欄に掲げる給与法の規定の適用については、これらの規定中同表の中欄に掲げる字句は、それぞれ同表の下欄に掲げる字句とする。

第八条第六項	四号俸	三号俸
	三号俸	二号俸
第八条第七項	四号俸	三号俸
	三号俸	二号俸
	二号俸	一号俸
第十一条の三第二項第一号	百分の十八	百分の十八を超えない範囲内で人事院規則で定める割合
第十一条の三第二項第二号	百分の十五	百分の十五を超えない範囲内で人事院規則で定める割合
第十一条の三第二項第三号	百分の十二	百分の十二を超えない範囲内で人事院規則で定める割合
第十一条の三第二項第四号	百分の十	百分の十を超えない範囲内で人事院規則で定める割合
第十一条の三第二項第五号	百分の六	百分の六を超えない範囲内で人事院規則で定める割合
第十一条の三第二項第六号	百分の三	百分の三を超えない範囲内で人事院規則で定める割合
第十一条の五	百分の十五	百分の十五を超えない範囲内で人事院規則で定める割合

（地域手当に関する経過措置）

第十四条　第二条の規定の施行の際現に同条の規定による改正前の給与法第十一条の六の規定の適用を受けている職員に対する当該適用に係る官署の移転に係る地域手当の支給に関する給与法第十一条の六の規定の適用については、次の表の上欄に掲げる同条の規定中同表の中欄に掲げる字句は、それぞれ同表の下欄に掲げる字句とする。

第一項	第十一条の三第一項の人事院規則	一般職の職員の給与に関する法律等の一部を改正する法律（平成十七年法律第百十三号。以下「平成十七年改正法」という。）第二条の規定による改正前の第十一条の三第一項の人事院規則
	「地域手当支給官署	「調整手当支給官署
	同条第二項各号に定める割合をいう。）	第十一条の三第二項各号に定める割合をいう。）
	地域手当の支給割合（同条第二項各号に定める割合をいう。以下	調整手当の支給割合（平成十七年改正法第二条の規定による改正前の第十一条の三第二項各号に定める割合をいう。以下
	同条第一項	第十一条の三第一項
第一項第一号	地域手当支給官署	第十一条の三第一項の人事院規則で定める地域に所在する官署又は同項の人事院規則で定める官署
第三項	地域手当支給官署	調整手当支給官署
	地域手当の支給割合（同条第二項各号	調整手当の支給割合（平成十七年改正法第二条の規定による改正前の第十一条の三第二項各号
	同条第一項	第十一条の三第一項

2　第二条の規定の施行の際現に同条の規定による改正前の給与法第十一条の七の規定の適用を受けている職員に対する当該適用に係る異動等に係る地域手当の支給及び切替日の前日において第二条の規定による改正前の給与法第十一条の三若しくは第十一条の六の規定の適用を受けている職員が切替日にその在勤する官署を異にして異動した場合又はこれらの職員の在勤する官署が切替日に移転した場合における当該職員に対する当該異動等に係る地域手当の支給に関する給与法第十一条の七の規定の適用については、次の表の上欄に掲げる同条の規定中同表の中欄に掲げる字句は、それぞれ同表の下欄に掲げる字句とする。

第一項	第十一条の三第一項の人事院規則で定める地域若しくは官署若しくは第十一条の四の人事院規則で定める空港の区域に在勤する	一般職の職員の給与に関する法律等の一部を改正する法律（平成十七年法律第百十三号。以下「平成十七年改正法」という。）第二条の規定による改正前の第十一条の三第一項の人事院規則で定める地域若しくは官署に在勤する
	その在勤する地域、官署若しくは空港の区域	その在勤する地域若しくは官署
	在勤していた地域、官署又は空港の区域	在勤していた地域又は官署
	在勤していた地域、官署若しくは空港の区域	在勤していた地域若しくは官署
	地域手当の支給割合（第十一条の三第二項各号に定める割合又は第十一条の四の人事院規則で定める割合をいい	調整手当の支給割合（平成十七年改正法第二条の規定による改正前の第十一条の三第二項各号に定める割合をいい
第二項	前条第一項	平成十七年改正法第二条の規定による改正前の前条第一項
	移転職員等	同項に規定する移転職員等

（非常勤職員の給与に関する経過措置）

第十五条　第二条の規定による改正前の給与法第二十二条第一項に定める職員で、同項の規定により支給される手当の額が勤務一日につき三万五千三百円を超え三万七千八百円以下であるものに対する給与法第二十二条第一項の規定の適用については、当該職員が離職するまでの間は、同項中「三万五千三百円」とあるのは、「三万七千八百円」とする。

（人事院規則への委任）

第十六条　附則第二条から前条までに定めるもののほか、この法律の施行に関し必要な事項は、人事院規則で定める。

附則別表第一　職務の級の切替表（附則第六条関係）

俸給表	旧級	新級
行政職俸給表(一) 税務職俸給表 公安職俸給表(二)	1級	1級
	2級	
	3級	2級
	4級	3級
	5級	
	6級	4級
	7級	5級
	8級	6級
	9級	7級
	10級	8級
	11級	9級
		10級
行政職俸給表(二)	3級	3級
	4級	
	5級	4級
	6級	5級
専門行政職俸給表	7級	7級
		8級
公安職俸給表(一)	2級	2級
	特2級	
	4級	4級
	5級	
	6級	5級
	7級	6級
	8級	7級
	9級	8級
	10級	9級
	11級	10級
		11級
教育職俸給表(一) 医療職俸給表(一)	4級	4級
		5級
研究職俸給表	5級	5級
		6級

附則別表第二　旧級がこれに対応する附則別表第一の新級欄に二の職務の級が掲げられている職務の級である職員以外の職員の号俸の切替表（附則第七条関係）

イ　行政職俸給表(一)の適用を受ける職員の新号俸

旧号俸	経過期間＼旧級	1級	2級	3級	4級	5級	6級	7級	8級	9級	10級
1	3月未満			1	1	5	1	1	1	1	1
	3月以上6月未満			2	1	6	1	1	1	1	1
	6月以上9月未満			3	1	7	1	1	1	1	1
	9月以上12月未満			4	1	8	1	1	1	1	1
	12月以上			5	1	9	1	1	1	1	1
2	3月未満	1	25	5	1	9	1	1	1	1	1
	3月以上6月未満	2	26	6	2	10	1	1	1	1	1
	6月以上9月未満	3	27	7	3	11	1	1	1	1	1
	9月以上12月未満	4	28	8	4	12	1	1	1	1	1
	12月以上	5	29	9	5	13	1	1	1	1	1
3	3月未満	5	29	9	5	13	1	1	1	1	1
	3月以上6月未満	6	30	10	6	14	2	1	1	1	1
	6月以上9月未満	7	31	11	7	15	3	1	1	1	1
	9月以上12月未満	8	32	12	8	16	4	1	1	1	1
	12月以上	9	33	13	9	17	5	1	1	1	1
4	3月未満	9	33	13	9	17	5	1	1	1	1
	3月以上6月未満	10	34	14	10	18	6	2	1	1	1
	6月以上9月未満	11	35	15	11	19	7	3	1	1	1
	9月以上12月未満	12	36	16	12	20	8	4	1	1	1
	12月以上	13	37	17	13	21	9	5	1	1	1
5	3月未満	13	37	17	13	21	9	5	1	1	1
	3月以上6月未満	14	38	18	14	22	10	6	2	1	1
	6月以上9月未満	15	39	19	15	23	11	7	3	1	1
	9月以上12月未満	16	40	20	16	24	12	8	4	1	1
	12月以上	17	41	21	17	25	13	9	5	1	1
6	3月未満	17	41	21	17	25	13	9	5	1	1
	3月以上6月未満	18	42	22	18	26	14	10	6	2	1
	6月以上9月未満	19	43	23	19	27	15	11	7	3	1
	9月以上12月未満	20	44	24	20	28	16	12	8	4	1
	12月以上	21	45	25	21	29	17	13	9	5	1
7	3月未満	21	45	25	21	29	17	13	9	5	1
	3月以上6月未満	22	46	26	22	30	18	14	10	6	2
	6月以上9月未満	23	47	27	23	31	19	15	11	7	3
	9月以上12月未満	24	48	28	24	32	20	16	12	8	4
	12月以上	25	49	29	25	33	21	17	13	9	5
8	3月未満	25	49	29	25	33	21	17	13	9	5
	3月以上6月未満	26	50	30	26	34	22	18	14	10	6
	6月以上9月未満	27	51	31	27	35	23	19	15	11	7
	9月以上12月未満	28	52	32	28	36	24	20	16	12	8

	12月以上	29	53	33	29	37	25	21	17	13	9
9	3月未満	29	53	33	29	37	25	21	17	13	9
	3月以上6月未満	29	54	34	30	38	26	22	18	14	10
	6月以上9月未満	30	55	35	31	39	27	23	19	15	11
	9月以上12月未満	30	56	36	32	40	28	24	20	16	12
	12月以上	31	57	37	33	41	29	25	21	17	13
10	3月未満	31	57	37	33	41	29	25	21	17	13
	3月以上6月未満	31	58	38	34	42	30	26	22	18	14
	6月以上9月未満	32	59	39	35	43	31	27	23	19	15
	9月以上12月未満	32	60	40	36	44	32	28	24	20	16
	12月以上	33	61	41	37	45	33	29	25	21	17
11	3月未満	33	61	41	37	45	33	29	25	21	17
	3月以上6月未満	33	62	42	38	46	34	30	26	22	18
	6月以上9月未満	33	63	43	39	47	35	31	27	23	19
	9月以上12月未満	34	64	44	40	48	36	32	28	24	20
	12月以上	34	65	45	41	49	37	33	29	25	21
12	3月未満	34	65	45	41	49	37	33	29	25	21
	3月以上6月未満	34	66	46	42	50	38	34	30	26	22
	6月以上9月未満	35	67	47	43	51	39	35	31	27	23
	9月以上12月未満	35	68	48	44	52	40	36	32	28	24
	12月以上	35	69	49	45	53	41	37	33	29	25
13	3月未満	35	69	49	45	53	41	37	33	29	25
	3月以上6月未満	36	70	50	46	54	42	38	34	30	26
	6月以上9月未満	36	71	51	47	55	43	39	35	31	27
	9月以上12月未満	36	72	52	48	56	44	40	36	32	28
	12月以上	37	73	53	49	57	45	41	37	33	29
14	3月未満	37	73	53	49	57	45	41	37	33	29
	3月以上6月未満	37	74	54	49	58	46	42	38	34	30
	6月以上9月未満	37	75	55	50	59	47	43	39	35	31
	9月以上12月未満	37	76	56	50	60	48	44	40	36	32
	12月以上	38	77	57	51	61	49	45	41	37	33
15	3月未満	38	77	57	51	61	49	45	41	37	33
	3月以上6月未満	38	78	58	51	62	50	46	42	38	34
	6月以上9月未満	38	79	59	52	63	51	47	43	39	35
	9月以上12月未満	38	80	60	52	64	52	48	44	40	36
	12月以上	39	81	61	53	65	53	49	45	41	37
16	3月未満	39	81	61	53	65	53	49	45	41	
	3月以上6月未満	39	82	62	54	66	54	50	46	42	
	6月以上9月未満	39	83	63	55	67	55	51	47	43	
	9月以上12月未満	39	84	64	56	68	56	52	48	44	
	12月以上	40	85	65	57	69	57	53	49	45	
17	3月未満		85	65	57	69	57	53	49	45	
	3月以上6月未満		86	66	57	70	58	54	50	46	
	6月以上9月未満		87	67	58	71	59	55	51	47	
	9月以上12月未満		88	68	58	72	60	56	52	48	
	12月以上		89	69	59	73	61	57	53	49	
18	3月未満		89	69	59	73	61	57	53	49	
	3月以上6月未満		90	70	59	74	62	58	54	50	
	6月以上9月未満		91	71	60	75	63	59	55	51	
	9月以上12月未満		92	72	60	76	64	60	56	52	
	12月以上		93	73	61	77	65	61	57	53	
19	3月未満		93	73	61	77	65	61	57		
	3月以上6月未満		93	74	61	78	66	62	58		
	6月以上9月未満		93	75	61	79	67	63	59		
	9月以上12月未満		93	76	62	80	68	64	60		
	12月以上		93	77	62	81	69	65	61		
20	3月未満			77	62	81	69	65	61		
	3月以上6月未満			78	62	82	70	66	62		
	6月以上9月未満			79	63	83	71	67	63		
	9月以上12月未満			80	63	84	72	68	64		
	12月以上			81	63	85	73	69	65		
21	3月未満			81	63	85	73	69	65		
	3月以上6月未満			82	64	86	74	70	66		
	6月以上9月未満			83	64	87	75	71	67		
	9月以上12月未満			84	64	88	76	72	68		
	12月以上			85	65	89	77	73	69		
22	3月未満			85	65	89	77	73			
	3月以上6月未満			86	65	90	78	74			
	6月以上9月未満			87	66	91	79	75			
	9月以上12月未満			88	66	92	80	76			
	12月以上			89	67	93	81	77			
23	3月未満			89	67	93	81				
	3月以上6月未満			90	67	94	82				
	6月以上9月未満			91	68	95	83				
	9月以上12月未満			92	68	96	84				
	12月以上			93	69	97	85				
24	3月未満			93	69	97	85				
	3月以上6月未満			94	70	98	86				
	6月以上9月未満			95	71	99	87				
	9月以上12月未満			96	72	100	88				
	12月以上			97	73	101	89				
25	3月未満			97	73	101					
	3月以上6月未満			98	73	102					
	6月以上9月未満			99	74	103					
	9月以上12月未満			100	74	104					
	12月以上			101	75	105					
26	3月未満			101	75	105					
	3月以上6月未満			102	75	106					
	6月以上9月未満			103	76	107					
	9月以上12月未満			104	76	108					
	12月以上			105	77	109					
27	3月未満			105	77						
	3月以上6月未満			106	78						
	6月以上9月未満			107	79						
	9月以上12月未満			108	80						
	12月以上			109	81						
28	3月未満			109	81						
	3月以上6月未満			110	82						
	6月以上9月未満			111	83						
	9月以上12月未満			112	84						
	12月以上			113	85						
29	3月未満			113							
	3月以上6月未満			114							
	6月以上9月未満			115							
	9月以上12月未満			116							
	12月以上			117							
30	3月未満			117							
	3月以上6月未満			118							
	6月以上9月未満			119							
	9月以上12月未満			120							
	12月以上			121							
31	3月未満			121							
	3月以上6月未満			122							
	6月以上9月未満			123							
	9月以上12月未満			124							
	12月以上			125							
32	3月未満			125							
	3月以上6月未満			125							
	6月以上9月未満			125							
	9月以上12月未満			125							
	12月以上			125							

口　行政職俸給表(二)の適用を受ける職員の新号俸

旧号俸	旧級／経過期間	1級	2級	3級	4級	5級	6級
1	3月未満		1	1	5	1	1
	3月以上6月未満		1	1	6	1	1
	6月以上9月未満		1	1	7	1	1
	9月以上12月未満		1	1	8	1	1
	12月以上		1	1	9	1	1
2	3月未満	1	1	1	9	1	1
	3月以上6月未満	2	2	1	10	1	1
	6月以上9月未満	3	3	1	11	1	1
	9月以上12月未満	4	4	1	12	1	1
	12月以上	5	5	1	13	1	1
3	3月未満	5	5	1	13	1	1
	3月以上6月未満	6	6	2	14	1	1
	6月以上9月未満	7	7	3	15	1	1

	9月以上12月未満	8	8	4	16	1	1
	12月以上	9	9	5	17	1	1
4	3月未満	9	9	5	17	1	1
	3月以上6月未満	10	10	6	18	1	1
	6月以上9月未満	11	11	7	19	1	1
	9月以上12月未満	12	12	8	20	1	1
	12月以上	13	13	9	21	1	1
5	3月未満	13	13	9	21	1	1
	3月以上6月未満	14	14	10	22	2	1
	6月以上9月未満	15	15	11	23	3	1
	9月以上12月未満	16	16	12	24	4	1
	12月以上	17	17	13	25	5	1
6	3月未満	17	17	13	25	5	1
	3月以上6月未満	18	18	14	26	6	2
	6月以上9月未満	19	19	15	27	7	3
	9月以上12月未満	20	20	16	28	8	4
	12月以上	21	21	17	29	9	5
7	3月未満	21	21	17	29	9	5
	3月以上6月未満	22	22	18	30	10	6
	6月以上9月未満	23	23	19	31	11	7
	9月以上12月未満	24	24	20	32	12	8
	12月以上	25	25	21	33	13	9
8	3月未満	25	25	21	33	13	9
	3月以上6月未満	26	26	22	34	14	10
	6月以上9月未満	27	27	23	35	15	11
	9月以上12月未満	28	28	24	36	16	12
	12月以上	29	29	25	37	17	13
9	3月未満	29	29	25	37	17	13
	3月以上6月未満	30	30	26	38	18	14
	6月以上9月未満	31	31	27	39	19	15
	9月以上12月未満	32	32	28	40	20	16
	12月以上	33	33	29	41	21	17
10	3月未満	33	33	29	41	21	17
	3月以上6月未満	34	34	30	42	22	18
	6月以上9月未満	35	35	31	43	23	19
	9月以上12月未満	36	36	32	44	24	20
	12月以上	37	37	33	45	25	21
11	3月未満	37	37	33	45	25	21
	3月以上6月未満	38	38	34	46	26	22
	6月以上9月未満	39	39	35	47	27	23
	9月以上12月未満	40	40	36	48	28	24
	12月以上	41	41	37	49	29	25
12	3月未満	41	41	37	49	29	25
	3月以上6月未満	42	42	38	50	30	26
	6月以上9月未満	43	43	39	51	31	27
	9月以上12月未満	44	44	40	52	32	28
	12月以上	45	45	41	53	33	29
13	3月未満	45	45	41	53	33	29
	3月以上6月未満	46	46	42	54	34	30
	6月以上9月未満	47	47	43	55	35	31
	9月以上12月未満	48	48	44	56	36	32
	12月以上	49	49	45	57	37	33
14	3月未満	49	49	45	57	37	33
	3月以上6月未満	50	50	46	58	38	34
	6月以上9月未満	51	51	47	59	39	35
	9月以上12月未満	52	52	48	60	40	36
	12月以上	53	53	49	61	41	37
15	3月未満	53	53	49	61	41	37
	3月以上6月未満	54	54	50	62	42	38
	6月以上9月未満	55	55	51	63	43	39
	9月以上12月未満	56	56	52	64	44	40
	12月以上	57	57	53	65	45	41
16	3月未満	57	57	53	65	45	41
	3月以上6月未満	58	58	54	66	46	42
	6月以上9月未満	59	59	55	67	47	43
	9月以上12月未満	60	60	56	68	48	44
	12月以上	61	61	57	69	49	45
17	3月未満	61	61	57	69	49	45
	3月以上6月未満	62	62	58	70	50	46
	6月以上9月未満	63	63	59	71	51	47
	9月以上12月未満	64	64	60	72	52	48
	12月以上	65	65	61	73	53	49
18	3月未満	65	65	61	73	53	49
	3月以上6月未満	66	66	62	74	54	50
	6月以上9月未満	67	67	63	75	55	51
	9月以上12月未満	68	68	64	76	56	52
	12月以上	69	69	65	77	57	53
19	3月未満	69	69	65	77	57	53
	3月以上6月未満	70	70	65	78	58	54
	6月以上9月未満	71	71	66	79	59	55
	9月以上12月未満	72	72	66	80	60	56
	12月以上	73	73	67	81	61	57
20	3月未満	73	73	67	81	61	57
	3月以上6月未満	74	74	67	82	62	58
	6月以上9月未満	75	75	68	83	63	59
	9月以上12月未満	76	76	68	84	64	60
	12月以上	77	77	69	85	65	61
21	3月未満	77	77	69	85	65	61
	3月以上6月未満	78	78	70	86	66	62
	6月以上9月未満	79	79	71	87	67	63
	9月以上12月未満	80	80	72	88	68	64
	12月以上	81	81	73	89	69	65
22	3月未満	81	81	73	89	69	65
	3月以上6月未満	82	82	73	90	70	66
	6月以上9月未満	83	83	74	91	71	67
	9月以上12月未満	84	84	74	92	72	68
	12月以上	85	85	75	93	73	69
23	3月未満	85	85	75	93	73	69
	3月以上6月未満	86	86	75	94	74	69
	6月以上9月未満	87	87	76	95	75	69
	9月以上12月未満	88	88	76	96	76	69
	12月以上	89	89	77	97	77	69
24	3月未満	89	89	77	97	77	
	3月以上6月未満	90	90	77	98	78	
	6月以上9月未満	91	91	78	99	79	
	9月以上12月未満	92	92	78	100	80	
	12月以上	93	93	79	101	81	
25	3月未満	93	93	79	101	81	
	3月以上6月未満	94	94	79	102	82	
	6月以上9月未満	95	95	80	103	83	
	9月以上12月未満	96	96	80	104	84	
	12月以上	97	97	81	105	85	
26	3月未満	97	97	81	105	85	
	3月以上6月未満	98	98	82	106	86	
	6月以上9月未満	99	99	83	107	87	
	9月以上12月未満	100	100	84	108	88	
	12月以上	101	101	85	109	89	
27	3月未満	101	101	85	109	89	
	3月以上6月未満	102	102	85	110	90	
	6月以上9月未満	103	103	86	111	91	
	9月以上12月未満	104	104	86	112	92	
	12月以上	105	105	87	113	93	
28	3月未満	105	105	87	113		
	3月以上6月未満	106	106	87	114		
	6月以上9月未満	107	107	88	115		
	9月以上12月未満	108	108	88	116		
	12月以上	109	109	89	117		
29	3月未満	109	109	89	117		
	3月以上6月未満	110	110	90	118		
	6月以上9月未満	111	111	91	119		

	9月以上12月未満	112	112	92	120		
	12月以上	113	113	93	121		
30	3月未満	113	113	93	121		
	3月以上6月未満	114	114	93	122		
	6月以上9月未満	115	115	94	123		
	9月以上12月未満	116	116	94	124		
	12月以上	117	117	95	125		
31	3月未満	117	117	95	125		
	3月以上6月未満	118	118	95	126		
	6月以上9月未満	119	119	96	127		
	9月以上12月未満	120	120	96	128		
	12月以上	121	121	97	129		
32	3月未満	121	121				
	3月以上6月未満	121	122				
	6月以上9月未満	121	123				
	9月以上12月未満	121	124				
	12月以上	121	125				
33	3月未満		125				
	3月以上6月未満		126				
	6月以上9月未満		127				
	9月以上12月未満		128				
	12月以上		129				

ハ　専門行政職俸給表の適用を受ける職員の新号俸

旧号俸	経過期間＼旧級	1級	2級	3級	4級	5級	6級
1	3月未満		1	1	1	1	1
	3月以上6月未満		1	1	1	1	1
	6月以上9月未満		1	1	1	1	1
	9月以上12月未満		1	1	1	1	1
	12月以上		1	1	1	1	1
2	3月未満	1	1	1	1	1	1
	3月以上6月未満	2	2	1	1	1	1
	6月以上9月未満	3	3	1	1	1	1
	9月以上12月未満	4	4	1	1	1	1
	12月以上	5	5	1	1	1	1
3	3月未満	5	5	1	1	1	1
	3月以上6月未満	6	6	2	1	1	1
	6月以上9月未満	7	7	3	1	1	1
	9月以上12月未満	8	8	4	1	1	1
	12月以上	9	9	5	1	1	1
4	3月未満	9	9	5	1	1	1
	3月以上6月未満	10	10	6	2	1	1
	6月以上9月未満	11	11	7	3	1	1
	9月以上12月未満	12	12	8	4	1	1
	12月以上	13	13	9	5	1	1
5	3月未満	13	13	9	5	1	1
	3月以上6月未満	14	14	10	6	1	1
	6月以上9月未満	15	15	11	7	1	1
	9月以上12月未満	16	16	12	8	1	1
	12月以上	17	17	13	9	1	1
6	3月未満	17	17	13	9	1	1
	3月以上6月未満	18	18	14	10	2	1
	6月以上9月未満	19	19	15	11	3	1
	9月以上12月未満	20	20	16	12	4	1
	12月以上	21	21	17	13	5	1
7	3月未満	21	21	17	13	5	1
	3月以上6月未満	22	22	18	14	6	2
	6月以上9月未満	23	23	19	15	7	3
	9月以上12月未満	24	24	20	16	8	4
	12月以上	25	25	21	17	9	5
8	3月未満	25	25	21	17	9	5
	3月以上6月未満	26	26	22	18	10	6
	6月以上9月未満	27	27	23	19	11	7
	9月以上12月未満	28	28	24	20	12	8
	12月以上	29	29	25	21	13	9
9	3月未満	29	29	25	21	13	9
	3月以上6月未満	30	30	26	22	14	10
	6月以上9月未満	31	31	27	23	15	11
	9月以上12月未満	32	32	28	24	16	12
	12月以上	33	33	29	25	17	13
10	3月未満	33	33	29	25	17	13
	3月以上6月未満	34	34	30	26	18	14
	6月以上9月未満	35	35	31	27	19	15
	9月以上12月未満	36	36	32	28	20	16
	12月以上	37	37	33	29	21	17
11	3月未満	37	37	33	29	21	17
	3月以上6月未満	38	38	34	30	22	18
	6月以上9月未満	39	39	35	31	23	19
	9月以上12月未満	40	40	36	32	24	20
	12月以上	41	41	37	33	25	21
12	3月未満	41	41	37	33	25	21
	3月以上6月未満	42	42	38	34	26	22
	6月以上9月未満	43	43	39	35	27	23
	9月以上12月未満	44	44	40	36	28	24
	12月以上	45	45	41	37	29	25
13	3月未満	45	45	41	37	29	25
	3月以上6月未満	46	46	42	38	30	26
	6月以上9月未満	47	47	43	39	31	27
	9月以上12月未満	48	48	44	40	32	28
	12月以上	49	49	45	41	33	29
14	3月未満	49	49	45	41	33	29
	3月以上6月未満	50	50	46	42	34	30
	6月以上9月未満	51	51	47	43	35	31
	9月以上12月未満	52	52	48	44	36	32
	12月以上	53	53	49	45	37	33
15	3月未満	53	53	49	45	37	33
	3月以上6月未満	54	54	50	46	38	34
	6月以上9月未満	55	55	51	47	39	35
	9月以上12月未満	56	56	52	48	40	36
	12月以上	57	57	53	49	41	37
16	3月未満	57	57	53	49	41	
	3月以上6月未満	58	58	54	50	42	
	6月以上9月未満	59	59	55	51	43	
	9月以上12月未満	60	60	56	52	44	
	12月以上	61	61	57	53	45	
17	3月未満	61	61	57	53	45	
	3月以上6月未満	62	62	58	54	46	
	6月以上9月未満	63	63	59	55	47	
	9月以上12月未満	64	64	60	56	48	
	12月以上	65	65	61	57	49	
18	3月未満	65	65	61	57	49	
	3月以上6月未満	66	66	62	58	50	
	6月以上9月未満	67	67	63	59	51	
	9月以上12月未満	68	68	64	60	52	
	12月以上	69	69	65	61	53	
19	3月未満	69	69	65	61		
	3月以上6月未満	70	70	66	62		
	6月以上9月未満	71	71	67	63		
	9月以上12月未満	72	72	68	64		
	12月以上	73	73	69	65		
20	3月未満	73	73	69	65		
	3月以上6月未満	74	74	70	66		
	6月以上9月未満	75	75	71	67		
	9月以上12月未満	76	76	72	68		
	12月以上	77	77	73	69		
21	3月未満	77	77	73			
	3月以上6月未満	78	78	74			
	6月以上9月未満	79	79	75			
	9月以上12月未満	80	80	76			
	12月以上	81	81	77			
22	3月未満	81	81	77			
	3月以上6月未満	82	81	78			
	6月以上9月未満	83	81	79			
	9月以上12月未満	84	81	80			

	12月以上	85	81	81			
23	3月未満	85					
	3月以上6月未満	86					
	6月以上9月未満	87					
	9月以上12月未満	88					
	12月以上	89					
24	3月未満	89					
	3月以上6月未満	90					
	6月以上9月未満	91					
	9月以上12月未満	92					
	12月以上	93					
25	3月未満	93					
	3月以上6月未満	93					
	6月以上9月未満	93					
	9月以上12月未満	93					
	12月以上	93					

二　税務職俸給表の適用を受ける職員の新号俸

旧号俸	経過期間＼旧級	1級	2級	3級	4級	5級	6級	7級	8級	9級	10級
1	3月未満			1	1	5	1	1	1	1	1
	3月以上6月未満			2	1	6	1	1	1	1	1
	6月以上9月未満			3	1	7	1	1	1	1	1
	9月以上12月未満			4	1	8	1	1	1	1	1
	12月以上			5	1	9	1	1	1	1	1
2	3月未満	1	21	5	1	9	1	1	1	1	1
	3月以上6月未満	2	22	6	2	10	1	1	1	1	1
	6月以上9月未満	3	23	7	3	11	1	1	1	1	1
	9月以上12月未満	4	24	8	4	12	1	1	1	1	1
	12月以上	5	25	9	5	13	1	1	1	1	1
3	3月未満	5	25	9	5	13	1	1	1	1	1
	3月以上6月未満	6	26	10	6	14	2	1	1	1	1
	6月以上9月未満	7	27	11	7	15	3	1	1	1	1
	9月以上12月未満	8	28	12	8	16	4	1	1	1	1
	12月以上	9	29	13	9	17	5	1	1	1	1
4	3月未満	9	29	13	9	17	5	1	1	1	1
	3月以上6月未満	10	30	14	10	18	6	2	1	1	1
	6月以上9月未満	11	31	15	11	19	7	3	1	1	1
	9月以上12月未満	12	32	16	12	20	8	4	1	1	1
	12月以上	13	33	17	13	21	9	5	1	1	1
5	3月未満	13	33	17	13	21	9	5	1	1	1
	3月以上6月未満	14	34	18	14	22	10	6	2	1	1
	6月以上9月未満	15	35	19	15	23	11	7	3	1	1
	9月以上12月未満	16	36	20	16	24	12	8	4	1	1
	12月以上	17	37	21	17	25	13	9	5	1	1
6	3月未満	17	37	21	17	25	13	9	5	1	1
	3月以上6月未満	18	38	22	18	26	14	10	6	2	1
	6月以上9月未満	19	39	23	19	27	15	11	7	3	1
	9月以上12月未満	20	40	24	20	28	16	12	8	4	1
	12月以上	21	41	25	21	29	17	13	9	5	1
7	3月未満	21	41	25	21	29	17	13	9	5	1
	3月以上6月未満	22	42	26	22	30	18	14	10	6	2
	6月以上9月未満	23	43	27	23	31	19	15	11	7	3
	9月以上12月未満	24	44	28	24	32	20	16	12	8	4
	12月以上	25	45	29	25	33	21	17	13	9	5
8	3月未満	25	45	29	25	33	21	17	13	9	5
	3月以上6月未満	25	46	30	26	34	22	18	14	10	6
	6月以上9月未満	25	47	31	27	35	23	19	15	11	7
	9月以上12月未満	26	48	32	28	36	24	20	16	12	8
	12月以上	26	49	33	29	37	25	21	17	13	9
9	3月未満	26	49	33	29	37	25	21	17	13	9
	3月以上6月未満	26	50	34	30	38	26	22	18	14	10
	6月以上9月未満	27	51	35	31	39	27	23	19	15	11
	9月以上12月未満	27	52	36	32	40	28	24	20	16	12
	12月以上	27	53	37	33	41	29	25	21	17	13
10	3月未満	27	53	37	33	41	29	25	21	17	13
	3月以上6月未満	28	54	38	34	42	30	26	22	18	14
	6月以上9月未満	28	55	39	35	43	31	27	23	19	15
	9月以上12月未満	28	56	40	36	44	32	28	24	20	16
	12月以上	29	57	41	37	45	33	29	25	21	17
11	3月未満	29	57	41	37	45	33	29	25	21	17
	3月以上6月未満	29	58	42	38	46	34	30	26	22	18
	6月以上9月未満	29	59	43	39	47	35	31	27	23	19
	9月以上12月未満	29	60	44	40	48	36	32	28	24	20
	12月以上	29	61	45	41	49	37	33	29	25	21
12	3月未満	29	61	45	41	49	37	33	29	25	21
	3月以上6月未満	30	62	46	41	50	38	34	30	26	22
	6月以上9月未満	30	63	47	42	51	39	35	31	27	23
	9月以上12月未満	30	64	48	42	52	40	36	32	28	24
	12月以上	30	65	49	43	53	41	37	33	29	25
13	3月未満	30	65	49	43	53	41	37	33	29	25
	3月以上6月未満	30	66	50	43	54	42	38	34	30	26
	6月以上9月未満	31	67	51	44	55	43	39	35	31	27
	9月以上12月未満	31	68	52	44	56	44	40	36	32	28
	12月以上	31	69	53	45	57	45	41	37	33	29
14	3月未満	31	69	53	45	57	45	41	37	33	29
	3月以上6月未満	31	70	54	46	58	46	42	38	34	30
	6月以上9月未満	31	71	55	47	59	47	43	39	35	31
	9月以上12月未満	32	72	56	48	60	48	44	40	36	32
	12月以上	32	73	57	49	61	49	45	41	37	33
15	3月未満		73	57	49	61	49	45	41	37	33
	3月以上6月未満		73	58	49	62	50	46	42	38	34
	6月以上9月未満		73	59	50	63	51	47	43	39	35
	9月以上12月未満		73	60	50	64	52	48	44	40	36
	12月以上		73	61	51	65	53	49	45	41	37
16	3月未満			61	51	65	53	49	45	41	
	3月以上6月未満			62	51	66	54	50	46	42	
	6月以上9月未満			63	52	67	55	51	47	43	
	9月以上12月未満			64	52	68	56	52	48	44	
	12月以上			65	53	69	57	53	49	45	
17	3月未満			65	53	69	57	53	49	45	
	3月以上6月未満			65	53	70	58	54	50	46	
	6月以上9月未満			65	53	71	59	55	51	47	
	9月以上12月未満			65	54	72	60	56	52	48	
	12月以上			65	54	73	61	57	53	49	
18	3月未満				54	73	61	57	53	49	
	3月以上6月未満				54	74	62	58	54	50	
	6月以上9月未満				55	75	63	59	55	51	
	9月以上12月未満				55	76	64	60	56	52	
	12月以上				55	77	65	61	57	53	
19	3月未満				55	77	65	61	57		
	3月以上6月未満				56	78	66	62	58		
	6月以上9月未満				56	79	67	63	59		
	9月以上12月未満				56	80	68	64	60		
	12月以上				57	81	69	65	61		
20	3月未満				57	81	69	65	61		
	3月以上6月未満				57	82	70	66	62		
	6月以上9月未満				58	83	71	67	63		
	9月以上12月未満				58	84	72	68	64		
	12月以上				59	85	73	69	65		
21	3月未満				59	85	73	69	65		
	3月以上6月未満				59	85	74	70	66		
	6月以上9月未満				60	85	75	71	67		
	9月以上12月未満				60	85	76	72	68		
	12月以上				61	85	77	73	69		
22	3月未満				61		77	73			
	3月以上6月未満				61		78	74			
	6月以上9月未満				61		79	75			
	9月以上12月未満				62		80	76			

	12月以上				62		81	77			
23	3月未満				62		81				
	3月以上6月未満				62		82				
	6月以上9月未満				63		83				
	9月以上12月未満				63		84				
	12月以上				63		85				
24	3月未満						85				
	3月以上6月未満						86				
	6月以上9月未満						87				
	9月以上12月未満						88				
	12月以上						89				

ホ　公安職俸給表(一)の適用を受ける職員の新号俸

旧号俸	経過期間＼旧級	1級	2級	特2級	3級	4級	5級	6級	7級	8級	9級	10級
1	3月未満					1	13	1	1	1	1	1
	3月以上6月未満					1	14	1	1	1	1	1
	6月以上9月未満					1	15	1	1	1	1	1
	9月以上12月未満					1	16	1	1	1	1	1
	12月以上					1	17	1	1	1	1	1
2	3月未満	1	1	5	1	1	17	1	1	1	1	1
	3月以上6月未満	2	2	6	2	2	18	1	1	1	1	1
	6月以上9月未満	3	3	7	3	3	19	1	1	1	1	1
	9月以上12月未満	4	4	8	4	4	20	1	1	1	1	1
	12月以上	5	5	9	5	5	21	1	1	1	1	1
3	3月未満	5	5	9	5	5	21	1	1	1	1	1
	3月以上6月未満	6	6	10	6	6	22	2	1	1	1	1
	6月以上9月未満	7	7	11	7	7	23	3	1	1	1	1
	9月以上12月未満	8	8	12	8	8	24	4	1	1	1	1
	12月以上	9	9	13	9	9	25	5	1	1	1	1
4	3月未満	9	9	13	9	9	25	5	1	1	1	1
	3月以上6月未満	10	10	14	10	10	26	6	2	1	1	1
	6月以上9月未満	11	11	15	11	11	27	7	3	1	1	1
	9月以上12月未満	12	12	16	12	12	28	8	4	1	1	1
	12月以上	13	13	17	13	13	29	9	5	1	1	1
5	3月未満	13	13	17	13	13	29	9	5	1	1	1
	3月以上6月未満	14	14	18	14	14	30	10	6	2	1	1
	6月以上9月未満	15	15	19	15	15	31	11	7	3	1	1
	9月以上12月未満	16	16	20	16	16	32	12	8	4	1	1
	12月以上	17	17	21	17	17	33	13	9	5	1	1
6	3月未満	17	17	21	17	17	33	13	9	5	1	1
	3月以上6月未満	18	18	22	18	18	34	14	10	6	2	1
	6月以上9月未満	19	19	23	19	19	35	15	11	7	3	1
	9月以上12月未満	20	20	24	20	20	36	16	12	8	4	1
	12月以上	21	21	25	21	21	37	17	13	9	5	1
7	3月未満	21	21	25	21	21	37	17	13	9	5	1
	3月以上6月未満	22	22	26	22	22	38	18	14	10	6	2
	6月以上9月未満	23	23	27	23	23	39	19	15	11	7	3
	9月以上12月未満	24	24	28	24	24	40	20	16	12	8	4
	12月以上	25	25	29	25	25	41	21	17	13	9	5
8	3月未満	25	25	29	25	25	41	21	17	13	9	5
	3月以上6月未満	26	26	30	26	26	42	22	18	14	10	6
	6月以上9月未満	27	27	31	27	27	43	23	19	15	11	7
	9月以上12月未満	28	28	32	28	28	44	24	20	16	12	8
	12月以上	29	29	33	29	29	45	25	21	17	13	9
9	3月未満	29	29	33	29	29	45	25	21	17	13	9
	3月以上6月未満	30	30	34	30	30	46	26	22	18	14	10
	6月以上9月未満	31	31	35	31	31	47	27	23	19	15	11
	9月以上12月未満	32	32	36	32	32	48	28	24	20	16	12
	12月以上	33	33	37	33	33	49	29	25	21	17	13
10	3月未満	33	33	37	33	33	49	29	25	21	17	13
	3月以上6月未満	34	34	38	34	34	50	30	26	22	18	14
	6月以上9月未満	35	35	39	35	35	51	31	27	23	19	15
	9月以上12月未満	36	36	40	36	36	52	32	28	24	20	16
	12月以上	37	37	41	37	37	53	33	29	25	21	17
11	3月未満	37	37	41	37	37	53	33	29	25	21	17
	3月以上6月未満	38	38	42	38	38	54	34	30	26	22	18
	6月以上9月未満	39	39	43	39	39	55	35	31	27	23	19
	9月以上12月未満	40	40	44	40	40	56	36	32	28	24	20
	12月以上	41	41	45	41	41	57	37	33	29	25	21
12	3月未満	41	41	45	41	41	57	37	33	29	25	21
	3月以上6月未満	42	42	46	42	42	58	38	34	30	26	22
	6月以上9月未満	43	43	47	43	43	59	39	35	31	27	23
	9月以上12月未満	44	44	48	44	44	60	40	36	32	28	24
	12月以上	45	45	49	45	45	61	41	37	33	29	25
13	3月未満	45	45	49	45	45	61	41	37	33	29	25
	3月以上6月未満	46	46	50	46	46	62	42	38	34	30	26
	6月以上9月未満	47	47	51	47	47	63	43	39	35	31	27
	9月以上12月未満	48	48	52	48	48	64	44	40	36	32	28
	12月以上	49	49	53	49	49	65	45	41	37	33	29
14	3月未満	49	49	53	49	49	65	45	41	37	33	29
	3月以上6月未満	50	50	54	50	50	66	46	42	38	34	30
	6月以上9月未満	51	51	55	51	51	67	47	43	39	35	31
	9月以上12月未満	52	52	56	52	52	68	48	44	40	36	32
	12月以上	53	53	57	53	53	69	49	45	41	37	33
15	3月未満	53	53	57	53	53	69	49	45	41	37	33
	3月以上6月未満	54	54	58	54	54	70	50	46	42	38	34
	6月以上9月未満	55	55	59	55	55	71	51	47	43	39	35
	9月以上12月未満	56	56	60	56	56	72	52	48	44	40	36
	12月以上	57	57	61	57	57	73	53	49	45	41	37
16	3月未満	57	57	61	57	57	73	53	49	45	41	
	3月以上6月未満	58	58	62	58	58	74	54	50	46	42	
	6月以上9月未満	59	59	63	59	59	75	55	51	47	43	
	9月以上12月未満	60	60	64	60	60	76	56	52	48	44	
	12月以上	61	61	65	61	61	77	57	53	49	45	
17	3月未満	61	61	65	61	61	77	57	53	49	45	
	3月以上6月未満	62	62	66	62	62	78	58	54	50	46	
	6月以上9月未満	63	63	67	63	63	79	59	55	51	47	
	9月以上12月未満	64	64	68	64	64	80	60	56	52	48	
	12月以上	65	65	69	65	65	81	61	57	53	49	
18	3月未満	65	65	69	65	65	81	61	57	53	49	
	3月以上6月未満	66	66	70	66	66	82	62	58	54	50	
	6月以上9月未満	67	67	71	67	67	83	63	59	55	51	
	9月以上12月未満	68	68	72	68	68	84	64	60	56	52	
	12月以上	69	69	73	69	69	85	65	61	57	53	
19	3月未満	69	69	73	69	69	85	65	61	57		
	3月以上6月未満	70	70	74	70	70	86	66	62	58		
	6月以上9月未満	71	71	75	71	71	87	67	63	59		
	9月以上12月未満	72	72	76	72	72	88	68	64	60		
	12月以上	73	73	77	73	73	89	69	65	61		
20	3月未満	73	73	77	73	73	89	69	65	61		
	3月以上6月未満	74	74	78	74	74	90	70	66	62		
	6月以上9月未満	75	75	79	75	75	91	71	67	63		
	9月以上12月未満	76	76	80	76	76	92	72	68	64		
	12月以上	77	77	81	77	77	93	73	69	65		
21	3月未満	77	77	81	77	77	93	73	69	65		
	3月以上6月未満	78	78	82	78	77	94	74	70	66		
	6月以上9月未満	79	79	83	79	78	95	75	71	67		
	9月以上12月未満	80	80	84	80	78	96	76	72	68		
	12月以上	81	81	85	81	79	97	77	73	69		
22	3月未満	81	81	85	81	79	97	77	73			
	3月以上6月未満	82	82	86	82	79	98	78	74			
	6月以上9月未満	83	83	87	83	80	99	79	75			
	9月以上12月未満	84	84	88	84	80	100	80	76			
	12月以上	85	85	89	85	81	101	81	77			
23	3月未満	85	85	89	85	81	101	81				
	3月以上6月未満	86	86	90	86	82	102	82				
	6月以上9月未満	87	87	91	87	83	103	83				
	9月以上12月未満	88	88	92	88	84	104	84				
	12月以上	89	89	93	89	85	105	85				
24	3月未満	89	89	93	89	85	105	85				
	3月以上6月未満	90	90	94	90	86	106	86				
	6月以上9月未満	91	91	95	91	87	107	87				
	9月以上12月未満	92	92	96	92	88	108	88				
	12月以上	93	93	97	93	89	109	89				

25	3月未満	93	93	97	93	89	109				
	3月以上6月未満	94	94	98	94	90	110				
	6月以上9月未満	95	95	99	95	91	111				
	9月以上12月未満	96	96	100	96	92	112				
	12月以上	97	97	101	97	93	113				
26	3月未満	97	97	101	97	93	113				
	3月以上6月未満	98	98	102	98	94	114				
	6月以上9月未満	99	99	103	99	95	115				
	9月以上12月未満	100	100	104	100	96	116				
	12月以上	101	101	105	101	97	117				
27	3月未満	101	101	105	101	97					
	3月以上6月未満	102	101	106	102	98					
	6月以上9月未満	103	102	107	103	99					
	9月以上12月未満	104	102	108	104	100					
	12月以上	105	103	109	105	101					
28	3月未満	105	103	109	105	101					
	3月以上6月未満	106	103	110	106	102					
	6月以上9月未満	107	104	111	107	103					
	9月以上12月未満	108	104	112	108	104					
	12月以上	109	105	113	109	105					
29	3月未満	109	105	113	109	105					
	3月以上6月未満	110	106	114	110	105					
	6月以上9月未満	111	107	115	111	106					
	9月以上12月未満	112	108	116	112	106					
	12月以上	113	109	117	113	107					
30	3月未満	113	109	117	113	107					
	3月以上6月未満	114	110	118	114	107					
	6月以上9月未満	115	111	119	115	108					
	9月以上12月未満	116	112	120	116	108					
	12月以上	117	113	121	117	109					
31	3月未満	117	113	121	117						
	3月以上6月未満	118	113	122	118						
	6月以上9月未満	119	114	123	119						
	9月以上12月未満	120	114	124	120						
	12月以上	121	115	125	121						
32	3月未満	121	115	125	121						
	3月以上6月未満	122	115	126	122						
	6月以上9月未満	123	116	127	123						
	9月以上12月未満	124	116	128	124						
	12月以上	125	117	129	125						
33	3月未満	125	117	129	125						
	3月以上6月未満	125	117	130	126						
	6月以上9月未満	125	118	131	127						
	9月以上12月未満	125	118	132	128						
	12月以上	125	119	133	129						
34	3月未満		119	133	129						
	3月以上6月未満		119	134	130						
	6月以上9月未満		120	135	131						
	9月以上12月未満		120	136	132						
	12月以上		121	137	133						
35	3月未満		121	137	133						
	3月以上6月未満		122	138	134						
	6月以上9月未満		123	139	135						
	9月以上12月未満		124	140	136						
	12月以上		125	141	137						
36	3月未満		125	141							
	3月以上6月未満		126	142							
	6月以上9月未満		127	143							
	9月以上12月未満		128	144							
	12月以上		129	145							
37	3月未満			145							
	3月以上6月未満			145							
	6月以上9月未満			145							
	9月以上12月未満			145							
	12月以上			145							

へ　公安職俸給表㈡の適用を受ける職員の新号俸

旧号俸	旧級／経過期間	1級	2級	3級	4級	5級	6級	7級	8級	9級	10級
1	3月未満			1	1	5	1	1	1	1	1
	3月以上6月未満			2	1	6	1	1	1	1	1
	6月以上9月未満			3	1	7	1	1	1	1	1
	9月以上12月未満			4	1	8	1	1	1	1	1
	12月以上			5	1	9	1	1	1	1	1
2	3月未満	1	21	5	1	9	1	1	1	1	1
	3月以上6月未満	2	22	6	2	10	1	1	1	1	1
	6月以上9月未満	3	23	7	3	11	1	1	1	1	1
	9月以上12月未満	4	24	8	4	12	1	1	1	1	1
	12月以上	5	25	9	5	13	1	1	1	1	1
3	3月未満	5	25	9	5	13	1	1	1	1	1
	3月以上6月未満	6	26	10	6	14	2	1	1	1	1
	6月以上9月未満	7	27	11	7	15	3	1	1	1	1
	9月以上12月未満	8	28	12	8	16	4	1	1	1	1
	12月以上	9	29	13	9	17	5	1	1	1	1
4	3月未満	9	29	13	9	17	5	1	1	1	1
	3月以上6月未満	10	30	14	10	18	6	2	1	1	1
	6月以上9月未満	11	31	15	11	19	7	3	1	1	1
	9月以上12月未満	12	32	16	12	20	8	4	1	1	1
	12月以上	13	33	17	13	21	9	5	1	1	1
5	3月未満	13	33	17	13	21	9	5	1	1	1
	3月以上6月未満	14	34	18	14	22	10	6	2	1	1
	6月以上9月未満	15	35	19	15	23	11	7	3	1	1
	9月以上12月未満	16	36	20	16	24	12	8	4	1	1
	12月以上	17	37	21	17	25	13	9	5	1	1
6	3月未満	17	37	21	17	25	13	9	5	1	1
	3月以上6月未満	18	38	22	18	26	14	10	6	2	1
	6月以上9月未満	19	39	23	19	27	15	11	7	3	1
	9月以上12月未満	20	40	24	20	28	16	12	8	4	1
	12月以上	21	41	25	21	29	17	13	9	5	1
7	3月未満	21	41	25	21	29	17	13	9	5	1
	3月以上6月未満	22	42	26	22	30	18	14	10	6	2
	6月以上9月未満	23	43	27	23	31	19	15	11	7	3
	9月以上12月未満	24	44	28	24	32	20	16	12	8	4
	12月以上	25	45	29	25	33	21	17	13	9	5
8	3月未満	25	45	29	25	33	21	17	13	9	5
	3月以上6月未満	25	46	30	26	34	22	18	14	10	6
	6月以上9月未満	26	47	31	27	35	23	19	15	11	7
	9月以上12月未満	26	48	32	28	36	24	20	16	12	8
	12月以上	27	49	33	29	37	25	21	17	13	9
9	3月未満	27	49	33	29	37	25	21	17	13	9
	3月以上6月未満	27	50	34	30	38	26	22	18	14	10
	6月以上9月未満	28	51	35	31	39	27	23	19	15	11
	9月以上12月未満	28	52	36	32	40	28	24	20	16	12
	12月以上	29	53	37	33	41	29	25	21	17	13
10	3月未満	29	53	37	33	41	29	25	21	17	13
	3月以上6月未満	29	54	38	34	42	30	26	22	18	14
	6月以上9月未満	30	55	39	35	43	31	27	23	19	15
	9月以上12月未満	30	56	40	36	44	32	28	24	20	16
	12月以上	31	57	41	37	45	33	29	25	21	17
11	3月未満	31	57	41	37	45	33	29	25	21	17
	3月以上6月未満	31	58	42	38	46	34	30	26	22	18
	6月以上9月未満	32	59	43	39	47	35	31	27	23	19
	9月以上12月未満	32	60	44	40	48	36	32	28	24	20
	12月以上	33	61	45	41	49	37	33	29	25	21
12	3月未満	33	61	45	41	49	37	33	29	25	21
	3月以上6月未満	33	62	46	42	50	38	34	30	26	22
	6月以上9月未満	34	63	47	43	51	39	35	31	27	23
	9月以上12月未満	34	64	48	44	52	40	36	32	28	24
	12月以上	35	65	49	45	53	41	37	33	29	25
13	3月未満	35	65	49	45	53	41	37	33	29	25
	3月以上6月未満	35	66	50	45	54	42	38	34	30	26
	6月以上9月未満	36	67	51	46	55	43	39	35	31	27

	9月以上12月未満	36	68	52	46	56	44	40	36	32	28
	12月以上	37	69	53	47	57	45	41	37	33	29
14	3月未満	37	69	53	47	57	45	41	37	33	29
	3月以上6月未満	38	70	54	47	58	46	42	38	34	30
	6月以上9月未満	39	71	55	48	59	47	43	39	35	31
	9月以上12月未満	40	72	56	48	60	48	44	40	36	32
	12月以上	41	73	57	49	61	49	45	41	37	33
15	3月未満	41	73	57	49	61	49	45	41	37	33
	3月以上6月未満	41	74	58	49	62	50	46	42	38	34
	6月以上9月未満	42	75	59	50	63	51	47	43	39	35
	9月以上12月未満	42	76	60	50	64	52	48	44	40	36
	12月以上	43	77	61	51	65	53	49	45	41	37
16	3月未満	43	77	61	51	65	53	49	45	41	
	3月以上6月未満	43	78	62	51	66	54	50	46	42	
	6月以上9月未満	44	79	63	52	67	55	51	47	43	
	9月以上12月未満	44	80	64	52	68	56	52	48	44	
	12月以上	45	81	65	53	69	57	53	49	45	
17	3月未満	45	81	65	53	69	57	53	49	45	
	3月以上6月未満	46	82	66	53	70	58	54	50	46	
	6月以上9月未満	47	83	67	54	71	59	55	51	47	
	9月以上12月未満	48	84	68	54	72	60	56	52	48	
	12月以上	49	85	69	55	73	61	57	53	49	
18	3月未満	49	85	69	55	73	61	57	53	49	
	3月以上6月未満	49	86	70	55	74	62	58	54	50	
	6月以上9月未満	49	87	71	56	75	63	59	55	51	
	9月以上12月未満	50	88	72	56	76	64	60	56	52	
	12月以上	50	89	73	57	77	65	61	57	53	
19	3月未満	50	89	73	57	77	65	61	57		
	3月以上6月未満	50	89	74	57	78	66	62	58		
	6月以上9月未満	51	89	75	57	79	67	63	59		
	9月以上12月未満	51	89	76	58	80	68	64	60		
	12月以上	51	89	77	58	81	69	65	61		
20	3月未満	51		77	58	81	69	65	61		
	3月以上6月未満	52		78	58	82	70	66	62		
	6月以上9月未満	52		79	59	83	71	67	63		
	9月以上12月未満	52		80	59	84	72	68	64		
	12月以上	53		81	59	85	73	69	65		
21	3月未満	53		81	59	85	73	69	65		
	3月以上6月未満	53		82	60	86	74	70	66		
	6月以上9月未満	54		83	60	87	75	71	67		
	9月以上12月未満	54		84	60	88	76	72	68		
	12月以上	55		85	61	89	77	73	69		
22	3月未満			85	61	89	77	73			
	3月以上6月未満			86	61	90	78	74			
	6月以上9月未満			87	61	91	79	75			
	9月以上12月未満			88	62	92	80	76			
	12月以上			89	62	93	81	77			
23	3月未満			89	62		81				
	3月以上6月未満			90	62		82				
	6月以上9月未満			91	63		83				
	9月以上12月未満			92	63		84				
	12月以上			93	63		85				
24	3月未満			93	63		85				
	3月以上6月未満			94	64		86				
	6月以上9月未満			95	64		87				
	9月以上12月未満			96	64		88				
	12月以上			97	65		89				
25	3月未満			97							
	3月以上6月未満			98							
	6月以上9月未満			99							
	9月以上12月未満			100							
	12月以上			101							
26	3月未満			101							
	3月以上6月未満			101							
	6月以上9月未満			101							
	9月以上12月未満			101							
	12月以上			101							

ト　海事職俸給表㈠の適用を受ける職員の新号俸

旧号俸	経過期間＼旧級	1級	2級	3級	4級	5級	6級	7級
1	3月未満			1	1	1	1	1
	3月以上6月未満			1	1	1	1	1
	6月以上9月未満			1	1	1	1	1
	9月以上12月未満			1	1	1	1	1
	12月以上			1	1	1	1	1
2	3月未満	1	1	1	1	1	1	1
	3月以上6月未満	2	2	2	1	1	1	1
	6月以上9月未満	3	3	3	1	1	1	1
	9月以上12月未満	4	4	4	1	1	1	1
	12月以上	5	5	5	1	1	1	1
3	3月未満	5	5	5	1	1	1	1
	3月以上6月未満	6	6	6	2	1	1	1
	6月以上9月未満	7	7	7	3	1	1	1
	9月以上12月未満	8	8	8	4	1	1	1
	12月以上	9	9	9	5	1	1	1
4	3月未満	9	9	9	5	1	1	1
	3月以上6月未満	10	10	10	6	1	1	1
	6月以上9月未満	11	11	11	7	1	1	1
	9月以上12月未満	12	12	12	8	1	1	1
	12月以上	13	13	13	9	1	1	1
5	3月未満	13	13	13	9	1	1	1
	3月以上6月未満	14	14	14	10	2	1	1
	6月以上9月未満	15	15	15	11	3	1	1
	9月以上12月未満	16	16	16	12	4	1	1
	12月以上	17	17	17	13	5	1	1
6	3月未満	17	17	17	13	5	1	1
	3月以上6月未満	18	18	18	14	6	2	1
	6月以上9月未満	19	19	19	15	7	3	1
	9月以上12月未満	20	20	20	16	8	4	1
	12月以上	21	21	21	17	9	5	1
7	3月未満	21	21	21	17	9	5	1
	3月以上6月未満	22	22	22	18	10	6	1
	6月以上9月未満	23	23	23	19	11	7	1
	9月以上12月未満	24	24	24	20	12	8	1
	12月以上	25	25	25	21	13	9	1
8	3月未満	25	25	25	21	13	9	1
	3月以上6月未満	26	26	26	22	14	10	2
	6月以上9月未満	27	27	27	23	15	11	3
	9月以上12月未満	28	28	28	24	16	12	4
	12月以上	29	29	29	25	17	13	5
9	3月未満	29	29	29	25	17	13	5
	3月以上6月未満	30	30	30	26	18	14	6
	6月以上9月未満	31	31	31	27	19	15	7
	9月以上12月未満	32	32	32	28	20	16	8
	12月以上	33	33	33	29	21	17	9
10	3月未満	33	33	33	29	21	17	9
	3月以上6月未満	34	34	34	30	22	18	10
	6月以上9月未満	35	35	35	31	23	19	11
	9月以上12月未満	36	36	36	32	24	20	12
	12月以上	37	37	37	33	25	21	13
11	3月未満	37	37	37	33	25	21	13
	3月以上6月未満	38	38	38	34	26	22	14
	6月以上9月未満	39	39	39	35	27	23	15
	9月以上12月未満	40	40	40	36	28	24	16
	12月以上	41	41	41	37	29	25	17
12	3月未満	41	41	41	37	29	25	17
	3月以上6月未満	42	42	42	38	30	26	18
	6月以上9月未満	43	43	43	39	31	27	19
	9月以上12月未満	44	44	44	40	32	28	20
	12月以上	45	45	45	41	33	29	21
	3月未満	45	45	45	41	33	29	21
	3月以上6月未満	46	46	46	42	34	30	22

13	6月以上9月未満	47	47	47	43	35	31	23
	9月以上12月未満	48	48	48	44	36	32	24
	12月以上	49	49	49	45	37	33	25
14	3月未満	49	49	49	45	37	33	25
	3月以上6月未満	50	50	50	46	38	34	26
	6月以上9月未満	51	51	51	47	39	35	27
	9月以上12月未満	52	52	52	48	40	36	28
	12月以上	53	53	53	49	41	37	29
15	3月未満	53	53	53	49	41	37	29
	3月以上6月未満	54	54	54	50	42	38	29
	6月以上9月未満	55	55	55	51	43	39	29
	9月以上12月未満	56	56	56	52	44	40	29
	12月以上	57	57	57	53	45	41	29
16	3月未満	57	57	57	53	45	41	
	3月以上6月未満	58	58	58	54	46	42	
	6月以上9月未満	59	59	59	55	47	43	
	9月以上12月未満	60	60	60	56	48	44	
	12月以上	61	61	61	57	49	45	
17	3月未満	61	61	61	57	49	45	
	3月以上6月未満	62	62	62	58	50	46	
	6月以上9月未満	63	63	63	59	51	47	
	9月以上12月未満	64	64	64	60	52	48	
	12月以上	65	65	65	61	53	49	
18	3月未満	65	65	65	61	53	49	
	3月以上6月未満	66	66	66	62	54	50	
	6月以上9月未満	67	67	67	63	55	51	
	9月以上12月未満	68	68	68	64	56	52	
	12月以上	69	69	69	65	57	53	
19	3月未満	69	69	69	65	57	53	
	3月以上6月未満	69	69	70	66	58	54	
	6月以上9月未満	69	69	71	67	59	55	
	9月以上12月未満	69	69	72	68	60	56	
	12月以上	69	69	73	69	61	57	
20	3月未満			73	69	61	57	
	3月以上6月未満			74	70	62	57	
	6月以上9月未満			75	71	63	57	
	9月以上12月未満			76	72	64	57	
	12月以上			77	73	65	57	
21	3月未満			77	73	65		
	3月以上6月未満			78	74	66		
	6月以上9月未満			79	75	67		
	9月以上12月未満			80	76	68		
	12月以上			81	77	69		
22	3月未満			81	77	69		
	3月以上6月未満			82	78	70		
	6月以上9月未満			83	79	71		
	9月以上12月未満			84	80	72		
	12月以上			85	81	73		
23	3月未満			85	81	73		
	3月以上6月未満			86	82	73		
	6月以上9月未満			87	83	73		
	9月以上12月未満			88	84	73		
	12月以上			89	85	73		
24	3月未満			89	85			
	3月以上6月未満			90	86			
	6月以上9月未満			91	87			
	9月以上12月未満			92	88			
	12月以上			93	89			
25	3月未満			93	89			
	3月以上6月未満			94	89			
	6月以上9月未満			95	89			
	9月以上12月未満			96	89			
	12月以上			97	89			
26	3月未満			97				
	3月以上6月未満			98				
	6月以上9月未満			99				
	9月以上12月未満			100				
	12月以上			101				
27	3月未満			101				
	3月以上6月未満			101				
	6月以上9月未満			101				
	9月以上12月未満			101				
	12月以上			101				

チ　海事職俸給表(二)の適用を受ける職員の新号俸

旧号俸	旧級／経過期間	1級	2級	3級	4級	5級	6級
1	3月未満			1	1	1	1
	3月以上6月未満			1	1	1	1
	6月以上9月未満			1	1	1	1
	9月以上12月未満			1	1	1	1
	12月以上			1	1	1	1
2	3月未満	1	1	1	1	1	1
	3月以上6月未満	2	1	1	1	1	1
	6月以上9月未満	3	1	1	1	1	1
	9月以上12月未満	4	1	1	1	1	1
	12月以上	5	1	1	1	1	1
3	3月未満	5	1	1	1	1	1
	3月以上6月未満	6	2	2	1	1	1
	6月以上9月未満	7	3	3	1	1	1
	9月以上12月未満	8	4	4	1	1	1
	12月以上	9	5	5	1	1	1
4	3月未満	9	5	5	1	1	1
	3月以上6月未満	10	6	6	2	1	1
	6月以上9月未満	11	7	7	3	1	1
	9月以上12月未満	12	8	8	4	1	1
	12月以上	13	9	9	5	1	1
5	3月未満	13	9	9	5	1	1
	3月以上6月未満	14	10	10	6	2	1
	6月以上9月未満	15	11	11	7	3	1
	9月以上12月未満	16	12	12	8	4	1
	12月以上	17	13	13	9	5	1
6	3月未満	17	13	13	9	5	1
	3月以上6月未満	18	14	14	10	6	2
	6月以上9月未満	19	15	15	11	7	3
	9月以上12月未満	20	16	16	12	8	4
	12月以上	21	17	17	13	9	5
7	3月未満	21	17	17	13	9	5
	3月以上6月未満	22	18	18	14	10	6
	6月以上9月未満	23	19	19	15	11	7
	9月以上12月未満	24	20	20	16	12	8
	12月以上	25	21	21	17	13	9
8	3月未満	25	21	21	17	13	9
	3月以上6月未満	26	22	22	18	14	10
	6月以上9月未満	27	23	23	19	15	11
	9月以上12月未満	28	24	24	20	16	12
	12月以上	29	25	25	21	17	13
9	3月未満	29	25	25	21	17	13
	3月以上6月未満	30	26	26	22	18	14
	6月以上9月未満	31	27	27	23	19	15
	9月以上12月未満	32	28	28	24	20	16
	12月以上	33	29	29	25	21	17
10	3月未満	33	29	29	25	21	17
	3月以上6月未満	34	30	30	26	22	18
	6月以上9月未満	35	31	31	27	23	19
	9月以上12月未満	36	32	32	28	24	20
	12月以上	37	33	33	29	25	21
11	3月未満	37	33	33	29	25	21
	3月以上6月未満	38	34	34	30	26	22
	6月以上9月未満	39	35	35	31	27	23
	9月以上12月未満	40	36	36	32	28	24
	12月以上	41	37	37	33	29	25
	3月未満	41	37	37	33	29	25

12	3月以上6月未満	42	38	38	34	30	26
	6月以上9月未満	43	39	39	35	31	27
	9月以上12月未満	44	40	40	36	32	28
	12月以上	45	41	41	37	33	29
13	3月未満	45	41	41	37	33	29
	3月以上6月未満	46	42	42	38	34	30
	6月以上9月未満	47	43	43	39	35	31
	9月以上12月未満	48	44	44	40	36	32
	12月以上	49	45	45	41	37	33
14	3月未満	49	45	45	41	37	33
	3月以上6月未満	50	46	46	42	38	34
	6月以上9月未満	51	47	47	43	39	35
	9月以上12月未満	52	48	48	44	40	36
	12月以上	53	49	49	45	41	37
15	3月未満	53	49	49	45	41	37
	3月以上6月未満	54	50	50	46	42	38
	6月以上9月未満	55	51	51	47	43	39
	9月以上12月未満	56	52	52	48	44	40
	12月以上	57	53	53	49	45	41
16	3月未満	57	53	53	49	45	41
	3月以上6月未満	58	54	54	50	46	42
	6月以上9月未満	59	55	55	51	47	43
	9月以上12月未満	60	56	56	52	48	44
	12月以上	61	57	57	53	49	45
17	3月未満	61	57	57	53	49	45
	3月以上6月未満	62	58	58	54	50	46
	6月以上9月未満	63	59	59	55	51	47
	9月以上12月未満	64	60	60	56	52	48
	12月以上	65	61	61	57	53	49
18	3月未満	65	61	61	57	53	49
	3月以上6月未満	66	62	62	58	54	50
	6月以上9月未満	67	63	63	59	55	51
	9月以上12月未満	68	64	64	60	56	52
	12月以上	69	65	65	61	57	53
19	3月未満	69	65	65	61	57	53
	3月以上6月未満	70	66	66	62	58	54
	6月以上9月未満	71	67	67	63	59	55
	9月以上12月未満	72	68	68	64	60	56
	12月以上	73	69	69	65	61	57
20	3月未満	73	69	69	65	61	57
	3月以上6月未満	74	70	70	66	62	58
	6月以上9月未満	75	71	71	67	63	59
	9月以上12月未満	76	72	72	68	64	60
	12月以上	77	73	73	69	65	61
21	3月未満	77	73	73	69	65	61
	3月以上6月未満	78	74	74	70	66	62
	6月以上9月未満	79	75	75	71	67	63
	9月以上12月未満	80	76	76	72	68	64
	12月以上	81	77	77	73	69	65
22	3月未満	81	77	77	73	69	65
	3月以上6月未満	82	78	78	74	70	66
	6月以上9月未満	83	79	79	75	71	67
	9月以上12月未満	84	80	80	76	72	68
	12月以上	85	81	81	77	73	69
23	3月未満	85	81	81	77	73	69
	3月以上6月未満	85	82	82	78	74	69
	6月以上9月未満	85	83	83	79	75	69
	9月以上12月未満	85	84	84	80	76	69
	12月以上	85	85	85	81	77	69
24	3月未満		85	85	81	77	
	3月以上6月未満		86	86	82	78	
	6月以上9月未満		87	87	83	79	
	9月以上12月未満		88	88	84	80	
	12月以上		89	89	85	81	
25	3月未満		89	89	85	81	
	3月以上6月未満		90	90	86	82	
	6月以上9月未満		91	91	87	83	
	9月以上12月未満		92	92	88	84	
	12月以上		93	93	89	85	
26	3月未満		93	93	89	85	
	3月以上6月未満		94	94	90	86	
	6月以上9月未満		95	95	91	87	
	9月以上12月未満		96	96	92	88	
	12月以上		97	97	93	89	
27	3月未満		97	97	93	89	
	3月以上6月未満		98	98	94	89	
	6月以上9月未満		99	99	95	89	
	9月以上12月未満		100	100	96	89	
	12月以上		101	101	97	89	
28	3月未満		101	101	97		
	3月以上6月未満		102	102	98		
	6月以上9月未満		103	103	99		
	9月以上12月未満		104	104	100		
	12月以上		105	105	101		
29	3月未満		105	105	101		
	3月以上6月未満		105	106	102		
	6月以上9月未満		105	107	103		
	9月以上12月未満		105	108	104		
	12月以上		105	109	105		
30	3月未満			109			
	3月以上6月未満			110			
	6月以上9月未満			111			
	9月以上12月未満			112			
	12月以上			113			
31	3月未満			113			
	3月以上6月未満			113			
	6月以上9月未満			113			
	9月以上12月未満			113			
	12月以上			113			

り　教育職俸給表㈠の適用を受ける職員の新号俸

旧号俸	旧級 / 経過期間	1級	2級	3級
1	3月未満		1	1
	3月以上6月未満		1	1
	6月以上9月未満		1	1
	9月以上12月未満		1	1
	12月以上		1	1
2	3月未満	1	1	1
	3月以上6月未満	2	2	1
	6月以上9月未満	3	3	1
	9月以上12月未満	4	4	1
	12月以上	5	5	1
3	3月未満	5	5	1
	3月以上6月未満	6	6	1
	6月以上9月未満	7	7	1
	9月以上12月未満	8	8	1
	12月以上	9	9	1
4	3月未満	9	9	1
	3月以上6月未満	10	10	2
	6月以上9月未満	11	11	3
	9月以上12月未満	12	12	4
	12月以上	13	13	5
5	3月未満	13	13	5
	3月以上6月未満	14	14	6
	6月以上9月未満	15	15	7
	9月以上12月未満	16	16	8
	12月以上	17	17	9
6	3月未満	17	17	9
	3月以上6月未満	18	18	10
	6月以上9月未満	19	19	11
	9月以上12月未満	20	20	12
	12月以上	21	21	13
7	3月未満	21	21	13
	3月以上6月未満	22	22	14
	6月以上9月未満	23	23	15
	9月以上12月未満	24	24	16

	12月以上	25	25	17
8	3月未満	25	25	17
	3月以上6月未満	26	26	18
	6月以上9月未満	27	27	19
	9月以上12月未満	28	28	20
	12月以上	29	29	21
9	3月未満	29	29	21
	3月以上6月未満	30	30	22
	6月以上9月未満	31	31	23
	9月以上12月未満	32	32	24
	12月以上	33	33	25
10	3月未満	33	33	25
	3月以上6月未満	34	34	26
	6月以上9月未満	35	35	27
	9月以上12月未満	36	36	28
	12月以上	37	37	29
11	3月未満	37	37	29
	3月以上6月未満	38	38	30
	6月以上9月未満	39	39	31
	9月以上12月未満	40	40	32
	12月以上	41	41	33
12	3月未満	41	41	33
	3月以上6月未満	42	42	34
	6月以上9月未満	43	43	35
	9月以上12月未満	44	44	36
	12月以上	45	45	37
13	3月未満	45	45	37
	3月以上6月未満	46	46	38
	6月以上9月未満	47	47	39
	9月以上12月未満	48	48	40
	12月以上	49	49	41
14	3月未満	49	49	41
	3月以上6月未満	50	50	42
	6月以上9月未満	51	51	43
	9月以上12月未満	52	52	44
	12月以上	53	53	45
15	3月未満	53	53	45
	3月以上6月未満	54	54	46
	6月以上9月未満	55	55	47
	9月以上12月未満	56	56	48
	12月以上	57	57	49
16	3月未満	57	57	49
	3月以上6月未満	58	58	50
	6月以上9月未満	59	59	51
	9月以上12月未満	60	60	52
	12月以上	61	61	53
17	3月未満	61	61	53
	3月以上6月未満	62	62	54
	6月以上9月未満	63	63	55
	9月以上12月未満	64	64	56
	12月以上	65	65	57
18	3月未満	65	65	57
	3月以上6月未満	66	66	58
	6月以上9月未満	67	67	59
	9月以上12月未満	68	68	60
	12月以上	69	69	61
19	3月未満	69	69	61
	3月以上6月未満	70	70	62
	6月以上9月未満	71	71	63
	9月以上12月未満	72	72	64
	12月以上	73	73	65
20	3月未満	73	73	65
	3月以上6月未満	74	74	66
	6月以上9月未満	75	75	67
	9月以上12月未満	76	76	68
	12月以上	77	77	69
21	3月未満	77	77	69
	3月以上6月未満	78	78	70
	6月以上9月未満	79	79	71
	9月以上12月未満	80	80	72
	12月以上	81	81	73
22	3月未満	81	81	73
	3月以上6月未満	82	82	74
	6月以上9月未満	83	83	75
	9月以上12月未満	84	84	76
	12月以上	85	85	77
23	3月未満	85	85	77
	3月以上6月未満	86	86	78
	6月以上9月未満	87	87	79
	9月以上12月未満	88	88	80
	12月以上	89	89	81
24	3月未満	89	89	81
	3月以上6月未満	90	90	82
	6月以上9月未満	91	91	83
	9月以上12月未満	92	92	84
	12月以上	93	93	85
25	3月未満	93	93	85
	3月以上6月未満	94	94	86
	6月以上9月未満	95	95	87
	9月以上12月未満	96	96	88
	12月以上	97	97	89
26	3月未満	97	97	89
	3月以上6月未満	98	98	89
	6月以上9月未満	99	99	89
	9月以上12月未満	100	100	89
	12月以上	101	101	89
27	3月未満	101	101	
	3月以上6月未満	102	102	
	6月以上9月未満	103	103	
	9月以上12月未満	104	104	
	12月以上	105	105	
28	3月未満	105	105	
	3月以上6月未満	106	105	
	6月以上9月未満	107	105	
	9月以上12月未満	108	105	
	12月以上	109	105	
29	3月未満	109		
	3月以上6月未満	110		
	6月以上9月未満	111		
	9月以上12月未満	112		
	12月以上	113		
30	3月未満	113		
	3月以上6月未満	114		
	6月以上9月未満	115		
	9月以上12月未満	116		
	12月以上	117		
31	3月未満	117		
	3月以上6月未満	118		
	6月以上9月未満	119		
	9月以上12月未満	120		
	12月以上	121		
32	3月未満	121		
	3月以上6月未満	122		
	6月以上9月未満	123		
	9月以上12月未満	124		
	12月以上	125		
33	3月未満	125		
	3月以上6月未満	126		
	6月以上9月未満	127		

	9月以上12月未満	128		
	12月以上	129		
34	3月未満	129		
	3月以上6月未満	129		
	6月以上9月未満	129		
	9月以上12月未満	129		
	12月以上	129		

ヌ　教育職俸給表(二)の適用を受ける職員の新号俸

旧号俸	経過期間＼旧級	1級	2級	3級
1	3月未満		1	1
	3月以上6月未満		2	1
	6月以上9月未満		3	1
	9月以上12月未満		4	1
	12月以上		5	1
2	3月未満	1	5	1
	3月以上6月未満	2	6	2
	6月以上9月未満	3	7	3
	9月以上12月未満	4	8	4
	12月以上	5	9	5
3	3月未満	5	9	5
	3月以上6月未満	6	10	6
	6月以上9月未満	7	11	7
	9月以上12月未満	8	12	8
	12月以上	9	13	9
4	3月未満	9	13	9
	3月以上6月未満	10	14	10
	6月以上9月未満	11	15	11
	9月以上12月未満	12	16	12
	12月以上	13	17	13
5	3月未満	13	17	13
	3月以上6月未満	14	18	14
	6月以上9月未満	15	19	15
	9月以上12月未満	16	20	16
	12月以上	17	21	17
6	3月未満	17	21	17
	3月以上6月未満	18	22	18
	6月以上9月未満	19	23	19
	9月以上12月未満	20	24	20
	12月以上	21	25	21
7	3月未満	21	25	21
	3月以上6月未満	22	26	22
	6月以上9月未満	23	27	23
	9月以上12月未満	24	28	24
	12月以上	25	29	25
8	3月未満	25	29	25
	3月以上6月未満	26	30	26
	6月以上9月未満	27	31	27
	9月以上12月未満	28	32	28
	12月以上	29	33	29
9	3月未満	29	33	29
	3月以上6月未満	30	34	30
	6月以上9月未満	31	35	31
	9月以上12月未満	32	36	32
	12月以上	33	37	33
10	3月未満	33	37	33
	3月以上6月未満	34	38	34
	6月以上9月未満	35	39	35
	9月以上12月未満	36	40	36
	12月以上	37	41	37
11	3月未満	37	41	37
	3月以上6月未満	38	42	38
	6月以上9月未満	39	43	39
	9月以上12月未満	40	44	40
	12月以上	41	45	41
12	3月未満	41	45	41
	3月以上6月未満	42	46	42
	6月以上9月未満	43	47	43
	9月以上12月未満	44	48	44
	12月以上	45	49	45
13	3月未満	45	49	45
	3月以上6月未満	46	50	46
	6月以上9月未満	47	51	47
	9月以上12月未満	48	52	48
	12月以上	49	53	49
14	3月未満	49	53	49
	3月以上6月未満	50	54	50
	6月以上9月未満	51	55	51
	9月以上12月未満	52	56	52
	12月以上	53	57	53
15	3月未満	53	57	53
	3月以上6月未満	54	58	54
	6月以上9月未満	55	59	55
	9月以上12月未満	56	60	56
	12月以上	57	61	57
16	3月未満	57	61	57
	3月以上6月未満	58	62	58
	6月以上9月未満	59	63	59
	9月以上12月未満	60	64	60
	12月以上	61	65	61
17	3月未満	61	65	61
	3月以上6月未満	62	66	62
	6月以上9月未満	63	67	63
	9月以上12月未満	64	68	64
	12月以上	65	69	65
18	3月未満	65	69	65
	3月以上6月未満	66	70	66
	6月以上9月未満	67	71	67
	9月以上12月未満	68	72	68
	12月以上	69	73	69
19	3月未満	69	73	69
	3月以上6月未満	70	74	70
	6月以上9月未満	71	75	71
	9月以上12月未満	72	76	72
	12月以上	73	77	73
20	3月未満	73	77	73
	3月以上6月未満	74	78	74
	6月以上9月未満	75	79	75
	9月以上12月未満	76	80	76
	12月以上	77	81	77
21	3月未満	77	81	77
	3月以上6月未満	78	82	78
	6月以上9月未満	79	83	79
	9月以上12月未満	80	84	80
	12月以上	81	85	81
22	3月未満	81	85	81
	3月以上6月未満	82	86	82
	6月以上9月未満	83	87	83
	9月以上12月未満	84	88	84
	12月以上	85	89	85
23	3月未満	85	89	85
	3月以上6月未満	86	90	86
	6月以上9月未満	87	91	87
	9月以上12月未満	88	92	88
	12月以上	89	93	89
24	3月未満	89	93	89
	3月以上6月未満	90	94	90
	6月以上9月未満	91	95	91
	9月以上12月未満	92	96	92
	12月以上	93	97	93
25	3月未満	93	97	93
	3月以上6月未満	94	98	94
	6月以上9月未満	95	99	95
	9月以上12月未満	96	100	96
	12月以上	97	101	97

26	3月未満	97	101	97
	3月以上6月未満	98	102	98
	6月以上9月未満	99	103	99
	9月以上12月未満	100	104	100
	12月以上	101	105	101
27	3月未満	101	105	101
	3月以上6月未満	102	106	101
	6月以上9月未満	103	107	101
	9月以上12月未満	104	108	101
	12月以上	105	109	101
28	3月未満	105	109	
	3月以上6月未満	106	110	
	6月以上9月未満	107	111	
	9月以上12月未満	108	112	
	12月以上	109	113	
29	3月未満	109	113	
	3月以上6月未満	110	114	
	6月以上9月未満	111	115	
	9月以上12月未満	112	116	
	12月以上	113	117	
30	3月未満	113	117	
	3月以上6月未満	114	118	
	6月以上9月未満	115	119	
	9月以上12月未満	116	120	
	12月以上	117	121	
31	3月未満	117	121	
	3月以上6月未満	118	122	
	6月以上9月未満	119	123	
	9月以上12月未満	120	124	
	12月以上	121	125	
32	3月未満	121	125	
	3月以上6月未満	122	125	
	6月以上9月未満	123	125	
	9月以上12月未満	124	125	
	12月以上	125	125	
33	3月未満	125		
	3月以上6月未満	126		
	6月以上9月未満	127		
	9月以上12月未満	128		
	12月以上	129		
34	3月未満	129		
	3月以上6月未満	130		
	6月以上9月未満	131		
	9月以上12月未満	132		
	12月以上	133		
35	3月未満	133		
	3月以上6月未満	134		
	6月以上9月未満	135		
	9月以上12月未満	136		
	12月以上	137		
36	3月未満	137		
	3月以上6月未満	138		
	6月以上9月未満	139		
	9月以上12月未満	140		
	12月以上	141		
37	3月未満	141		
	3月以上6月未満	141		
	6月以上9月未満	141		
	9月以上12月未満	141		
	12月以上	141		

ル 研究職俸給表の適用を受ける職員の新号俸

旧号俸	旧級 / 経過期間	1級	2級	3級	4級
1	3月未満			1	1
	3月以上6月未満			1	1
	6月以上9月未満			1	1
	9月以上12月未満			1	1
	12月以上			1	1
2	3月未満	1	1	1	1
	3月以上6月未満	2	2	1	1
	6月以上9月未満	3	3	1	1
	9月以上12月未満	4	4	1	1
	12月以上	5	5	1	1
3	3月未満	5	5	1	1
	3月以上6月未満	6	6	2	1
	6月以上9月未満	7	7	3	1
	9月以上12月未満	8	8	4	1
	12月以上	9	9	5	1
4	3月未満	9	9	5	1
	3月以上6月未満	10	10	6	1
	6月以上9月未満	11	11	7	1
	9月以上12月未満	12	12	8	1
	12月以上	13	13	9	1
5	3月未満	13	13	9	1
	3月以上6月未満	14	14	10	2
	6月以上9月未満	15	15	11	3
	9月以上12月未満	16	16	12	4
	12月以上	17	17	13	5
	3月未満	17	17	13	5
	3月以上6月未満	18	18	14	6
6	6月以上9月未満	19	19	15	7
	9月以上12月未満	20	20	16	8
	12月以上	21	21	17	9
7	3月未満	21	21	17	9
	3月以上6月未満	22	22	18	10
	6月以上9月未満	23	23	19	11
	9月以上12月未満	24	24	20	12
	12月以上	25	25	21	13
8	3月未満	25	25	21	13
	3月以上6月未満	26	26	22	14
	6月以上9月未満	27	27	23	15
	9月以上12月未満	28	28	24	16
	12月以上	29	29	25	17
9	3月未満	29	29	25	17
	3月以上6月未満	30	30	26	18
	6月以上9月未満	31	31	27	19
	9月以上12月未満	32	32	28	20
	12月以上	33	33	29	21
10	3月未満	33	33	29	21
	3月以上6月未満	34	34	30	22
	6月以上9月未満	35	35	31	23
	9月以上12月未満	36	36	32	24
	12月以上	37	37	33	25
11	3月未満	37	37	33	25
	3月以上6月未満	38	38	34	26
	6月以上9月未満	39	39	35	27
	9月以上12月未満	40	40	36	28
	12月以上	41	41	37	29
12	3月未満	41	41	37	29
	3月以上6月未満	42	42	38	30
	6月以上9月未満	43	43	39	31
	9月以上12月未満	44	44	40	32
	12月以上	45	45	41	33
13	3月未満	45	45	41	33
	3月以上6月未満	46	46	42	34
	6月以上9月未満	47	47	43	35
	9月以上12月未満	48	48	44	36
	12月以上	49	49	45	37
14	3月未満	49	49	45	37
	3月以上6月未満	50	50	46	38
	6月以上9月未満	51	51	47	39
	9月以上12月未満	52	52	48	40
	12月以上	53	53	49	41

15	3月未満	53	53	49	41
	3月以上6月未満	54	54	50	42
	6月以上9月未満	55	55	51	43
	9月以上12月未満	56	56	52	44
	12月以上	57	57	53	45
16	3月未満	57	57	53	45
	3月以上6月未満	58	58	54	46
	6月以上9月未満	59	59	55	47
	9月以上12月未満	60	60	56	48
	12月以上	61	61	57	49
17	3月未満	61	61	57	49
	3月以上6月未満	62	62	58	50
	6月以上9月未満	63	63	59	51
	9月以上12月未満	64	64	60	52
	12月以上	65	65	61	53
18	3月未満	65	65	61	53
	3月以上6月未満	66	66	62	54
	6月以上9月未満	67	67	63	55
	9月以上12月未満	68	68	64	56
	12月以上	69	69	65	57
19	3月未満	69	69	65	57
	3月以上6月未満	70	70	66	58
	6月以上9月未満	71	71	67	59
	9月以上12月未満	72	72	68	60
	12月以上	73	73	69	61
20	3月未満	73	73	69	61
	3月以上6月未満	74	74	70	62
	6月以上9月未満	75	75	71	63
	9月以上12月未満	76	76	72	64
	12月以上	77	77	73	65
21	3月未満	77	77	73	65
	3月以上6月未満	78	78	74	66
	6月以上9月未満	79	79	75	67
	9月以上12月未満	80	80	76	68
	12月以上	81	81	77	69
22	3月未満	81	81	77	69
	3月以上6月未満	82	82	78	70
	6月以上9月未満	83	83	79	71
	9月以上12月未満	84	84	80	72
	12月以上	85	85	81	73
23	3月未満	85	85	81	73
	3月以上6月未満	86	86	82	73
	6月以上9月未満	87	87	83	73
	9月以上12月未満	88	88	84	73
	12月以上	89	89	85	73
24	3月未満	89	89	85	
	3月以上6月未満	90	90	86	
	6月以上9月未満	91	91	87	
	9月以上12月未満	92	92	88	
	12月以上	93	93	89	
25	3月未満	93	93	89	
	3月以上6月未満	94	94	89	
	6月以上9月未満	95	95	89	
	9月以上12月未満	96	96	89	
	12月以上	97	97	89	
26	3月未満	97	97		
	3月以上6月未満	98	98		
	6月以上9月未満	99	99		
	9月以上12月未満	100	100		
	12月以上	101	101		
27	3月未満	101	101		
	3月以上6月未満	102	102		
	6月以上9月未満	103	103		
	9月以上12月未満	104	104		
	12月以上	105	105		
28	3月未満	105	105		
	3月以上6月未満	106	106		
	6月以上9月未満	107	107		
	9月以上12月未満	108	108		
	12月以上	109	109		
29	3月未満	109	109		
	3月以上6月未満	110	110		
	6月以上9月未満	111	111		
	9月以上12月未満	112	112		
	12月以上	113	113		
30	3月未満	113			
	3月以上6月未満	114			
	6月以上9月未満	115			
	9月以上12月未満	116			
	12月以上	117			
31	3月未満	117			
	3月以上6月未満	118			
	6月以上9月未満	119			
	9月以上12月未満	120			
	12月以上	121			
32	3月未満	121			
	3月以上6月未満	121			
	6月以上9月未満	121			
	9月以上12月未満	121			
	12月以上	121			

ヲ　医療職俸給表㈠の適用を受ける職員の新号俸

旧号俸	経過期間＼旧級	1級	2級	3級
1	3月未満		1	1
	3月以上6月未満		1	1
	6月以上9月未満		1	1
	9月以上12月未満		1	1
	12月以上		1	1
2	3月未満	1	1	1
	3月以上6月未満	2	1	1
	6月以上9月未満	3	1	1
	9月以上12月未満	4	1	1
	12月以上	5	1	1
3	3月未満	5	1	1
	3月以上6月未満	6	2	1
	6月以上9月未満	7	3	1
	9月以上12月未満	8	4	1
	12月以上	9	5	1
4	3月未満	9	5	1
	3月以上6月未満	10	6	1
	6月以上9月未満	11	7	1
	9月以上12月未満	12	8	1
	12月以上	13	9	1
5	3月未満	13	9	1
	3月以上6月未満	14	10	2
	6月以上9月未満	15	11	3
	9月以上12月未満	16	12	4
	12月以上	17	13	5
6	3月未満	17	13	5
	3月以上6月未満	18	14	6
	6月以上9月未満	19	15	7
	9月以上12月未満	20	16	8
	12月以上	21	17	9
7	3月未満	21	17	9
	3月以上6月未満	22	18	10
	6月以上9月未満	23	19	11
	9月以上12月未満	24	20	12
	12月以上	25	21	13
8	3月未満	25	21	13
	3月以上6月未満	26	22	14
	6月以上9月未満	27	23	15
	9月以上12月未満	28	24	16
	12月以上	29	25	17

	3月未満	29	25	17
9	3月以上6月未満	30	26	18
	6月以上9月未満	31	27	19
	9月以上12月未満	32	28	20
	12月以上	33	29	21
10	3月未満	33	29	21
	3月以上6月未満	34	30	22
	6月以上9月未満	35	31	23
	9月以上12月未満	36	32	24
	12月以上	37	33	25
11	3月未満	37	33	25
	3月以上6月未満	38	34	26
	6月以上9月未満	39	35	27
	9月以上12月未満	40	36	28
	12月以上	41	37	29
12	3月未満	41	37	29
	3月以上6月未満	42	38	30
	6月以上9月未満	43	39	31
	9月以上12月未満	44	40	32
	12月以上	45	41	33
13	3月未満	45	41	33
	3月以上6月未満	46	42	34
	6月以上9月未満	47	43	35
	9月以上12月未満	48	44	36
	12月以上	49	45	37
14	3月未満	49	45	37
	3月以上6月未満	50	46	38
	6月以上9月未満	51	47	39
	9月以上12月未満	52	48	40
	12月以上	53	49	41
15	3月未満	53	49	41
	3月以上6月未満	54	50	42
	6月以上9月未満	55	51	43
	9月以上12月未満	56	52	44
	12月以上	57	53	45
16	3月未満	57	53	45
	3月以上6月未満	58	54	46
	6月以上9月未満	59	55	47
	9月以上12月未満	60	56	48
	12月以上	61	57	49
17	3月未満	61	57	49
	3月以上6月未満	62	58	50
	6月以上9月未満	63	59	51
	9月以上12月未満	64	60	52
	12月以上	65	61	53
18	3月未満	65	61	53
	3月以上6月未満	65	62	54
	6月以上9月未満	65	63	55
	9月以上12月未満	65	64	56
	12月以上	65	65	57
19	3月未満		65	57
	3月以上6月未満		66	58
	6月以上9月未満		67	59
	9月以上12月未満		68	60
	12月以上		69	61
20	3月未満		69	61
	3月以上6月未満		70	62
	6月以上9月未満		71	63
	9月以上12月未満		72	64
	12月以上		73	65
21	3月未満		73	65
	3月以上6月未満		74	66
	6月以上9月未満		75	67
	9月以上12月未満		76	68
	12月以上		77	69
22	3月未満		77	69
	3月以上6月未満		78	70
	6月以上9月未満		79	71
	9月以上12月未満		80	72
	12月以上		81	73
23	3月未満		81	73
	3月以上6月未満		82	74
	6月以上9月未満		83	75
	9月以上12月未満		84	76
	12月以上		85	77
24	3月未満		85	77
	3月以上6月未満		86	78
	6月以上9月未満		87	79
	9月以上12月未満		88	80
	12月以上		89	81

ワ　医療職俸給表㈢の適用を受ける職員の新号俸

旧号俸	経過期間＼旧級	1級	2級	3級	4級	5級	6級	7級	8級
1	3月未満			1	1	1	1	1	1
	3月以上6月未満			1	1	1	1	1	1
	6月以上9月未満			1	1	1	1	1	1
	9月以上12月未満			1	1	1	1	1	1
	12月以上			1	1	1	1	1	1
2	3月未満	1	1	1	1	1	1	1	1
	3月以上6月未満	2	2	2	1	1	1	1	1
	6月以上9月未満	3	3	3	1	1	1	1	1
	9月以上12月未満	4	4	4	1	1	1	1	1
	12月以上	5	5	5	1	1	1	1	1
3	3月未満	5	5	5	1	1	1	1	1
	3月以上6月未満	6	6	6	2	1	1	1	1
	6月以上9月未満	7	7	7	3	1	1	1	1
	9月以上12月未満	8	8	8	4	1	1	1	1
	12月以上	9	9	9	5	1	1	1	1
4	3月未満	9	9	9	5	1	1	1	1
	3月以上6月未満	10	10	10	6	2	1	1	1
	6月以上9月未満	11	11	11	7	3	1	1	1
	9月以上12月未満	12	12	12	8	4	1	1	1
	12月以上	13	13	13	9	5	1	1	1
5	3月未満	13	13	13	9	5	1	1	1
	3月以上6月未満	14	14	14	10	6	2	1	1
	6月以上9月未満	15	15	15	11	7	3	1	1
	9月以上12月未満	16	16	16	12	8	4	1	1
	12月以上	17	17	17	13	9	5	1	1
6	3月未満	17	17	17	13	9	5	1	1
	3月以上6月未満	18	18	18	14	10	6	2	1
	6月以上9月未満	19	19	19	15	11	7	3	1
	9月以上12月未満	20	20	20	16	12	8	4	1
	12月以上	21	21	21	17	13	9	5	1
7	3月未満	21	21	21	17	13	9	5	1
	3月以上6月未満	22	22	22	18	14	10	6	2
	6月以上9月未満	23	23	23	19	15	11	7	3
	9月以上12月未満	24	24	24	20	16	12	8	4
	12月以上	25	25	25	21	17	13	9	5
8	3月未満	25	25	25	21	17	13	9	5
	3月以上6月未満	26	26	26	22	18	14	10	6
	6月以上9月未満	27	27	27	23	19	15	11	7
	9月以上12月未満	28	28	28	24	20	16	12	8
	12月以上	29	29	29	25	21	17	13	9
9	3月未満	29	29	29	25	21	17	13	9
	3月以上6月未満	30	30	30	26	22	18	14	10
	6月以上9月未満	31	31	31	27	23	19	15	11
	9月以上12月未満	32	32	32	28	24	20	16	12
	12月以上	33	33	33	29	25	21	17	13
10	3月未満	33	33	33	29	25	21	17	13
	3月以上6月未満	34	34	34	30	26	22	18	14
	6月以上9月未満	35	35	35	31	27	23	19	15
	9月以上12月未満	36	36	36	32	28	24	20	16

	12月以上	37	37	37	33	29	25	21	17
11	3月未満	37	37	37	33	29	25	21	17
	3月以上6月未満	38	38	38	34	30	26	22	18
	6月以上9月未満	39	39	39	35	31	27	23	19
	9月以上12月未満	40	40	40	36	32	28	24	20
	12月以上	41	41	41	37	33	29	25	21
12	3月未満	41	41	41	37	33	29	25	21
	3月以上6月未満	42	42	42	38	34	30	26	22
	6月以上9月未満	43	43	43	39	35	31	27	23
	9月以上12月未満	44	44	44	40	36	32	28	24
	12月以上	45	45	45	41	37	33	29	25
13	3月未満	45	45	45	41	37	33	29	25
	3月以上6月未満	46	46	46	42	38	34	30	26
	6月以上9月未満	47	47	47	43	39	35	31	27
	9月以上12月未満	48	48	48	44	40	36	32	28
	12月以上	49	49	49	45	41	37	33	29
14	3月未満	49	49	49	45	41	37	33	29
	3月以上6月未満	50	50	50	46	42	38	34	30
	6月以上9月未満	51	51	51	47	43	39	35	31
	9月以上12月未満	52	52	52	48	44	40	36	32
	12月以上	53	53	53	49	45	41	37	33
15	3月未満	53	53	53	49	45	41	37	33
	3月以上6月未満	54	54	54	50	46	42	38	34
	6月以上9月未満	55	55	55	51	47	43	39	35
	9月以上12月未満	56	56	56	52	48	44	40	36
	12月以上	57	57	57	53	49	45	41	37
16	3月未満	57	57	57	53	49	45	41	37
	3月以上6月未満	58	58	58	54	50	46	42	37
	6月以上9月未満	59	59	59	55	51	47	43	37
	9月以上12月未満	60	60	60	56	52	48	44	37
	12月以上	61	61	61	57	53	49	45	37
17	3月未満	61	61	61	57	53	49	45	
	3月以上6月未満	62	62	62	58	54	50	46	
	6月以上9月未満	63	63	63	59	55	51	47	
	9月以上12月未満	64	64	64	60	56	52	48	
	12月以上	65	65	65	61	57	53	49	
18	3月未満	65	65	65	61	57	53		
	3月以上6月未満	66	66	66	62	58	54		
	6月以上9月未満	67	67	67	63	59	55		
	9月以上12月未満	68	68	68	64	60	56		
	12月以上	69	69	69	65	61	57		
19	3月未満	69	69	69	65	61	57		
	3月以上6月未満	70	70	70	66	62	58		
	6月以上9月未満	71	71	71	67	63	59		
	9月以上12月未満	72	72	72	68	64	60		
	12月以上	73	73	73	69	65	61		
20	3月未満	73	73	73	69	65	61		
	3月以上6月未満	74	74	74	70	66	62		
	6月以上9月未満	75	75	75	71	67	63		
	9月以上12月未満	76	76	76	72	68	64		
	12月以上	77	77	77	73	69	65		
21	3月未満	77	77	77	73	69			
	3月以上6月未満	78	78	78	74	70			
	6月以上9月未満	79	79	79	75	71			
	9月以上12月未満	80	80	80	76	72			
	12月以上	81	81	81	77	73			
22	3月未満	81	81	81	77	73			
	3月以上6月未満	82	82	82	78	74			
	6月以上9月未満	83	83	83	79	75			
	9月以上12月未満	84	84	84	80	76			
	12月以上	85	85	85	81	77			
23	3月未満	85	85	85	81	77			
	3月以上6月未満	85	86	86	82	78			
	6月以上9月未満	85	87	87	83	79			
	9月以上12月未満	85	88	88	84	80			
	12月以上	85	89	89	85	81			
24	3月未満		89	89	85				
	3月以上6月未満		90	90	86				
	6月以上9月未満		91	91	87				
	9月以上12月未満		92	92	88				
	12月以上		93	93	89				
25	3月未満		93	93	89				
	3月以上6月未満		94	94	90				
	6月以上9月未満		95	95	91				
	9月以上12月未満		96	96	92				
	12月以上		97	97	93				
26	3月未満		97	97	93				
	3月以上6月未満		98	98	94				
	6月以上9月未満		99	99	95				
	9月以上12月未満		100	100	96				
	12月以上		101	101	97				
27	3月未満		101	101	97				
	3月以上6月未満		102	102	98				
	6月以上9月未満		103	103	99				
	9月以上12月未満		104	104	100				
	12月以上		105	105	101				
28	3月未満		105	105					
	3月以上6月未満		105	106					
	6月以上9月未満		105	107					
	9月以上12月未満		105	108					
	12月以上		105	109					
29	3月未満			109					
	3月以上6月未満			110					
	6月以上9月未満			111					
	9月以上12月未満			112					
	12月以上			113					
30	3月未満			113					
	3月以上6月未満			113					
	6月以上9月未満			113					
	9月以上12月未満			113					
	12月以上			113					

カ　医療職俸給表(三)の適用を受ける職員の新号俸

旧号俸	経過期間＼旧級	1級	2級	3級	4級	5級	6級	7級
1	3月未満			1	1	1	1	1
	3月以上6月未満			1	1	1	1	1
	6月以上9月未満			1	1	1	1	1
	9月以上12月未満			1	1	1	1	1
	12月以上			1	1	1	1	1
2	3月未満	1	1	1	1	1	1	1
	3月以上6月未満	2	2	2	1	1	1	1
	6月以上9月未満	3	3	3	1	1	1	1
	9月以上12月未満	4	4	4	1	1	1	1
	12月以上	5	5	5	1	1	1	1
3	3月未満	5	5	5	1	1	1	1
	3月以上6月未満	6	6	6	2	1	1	1
	6月以上9月未満	7	7	7	3	1	1	1
	9月以上12月未満	8	8	8	4	1	1	1
	12月以上	9	9	9	5	1	1	1
4	3月未満	9	9	9	5	1	1	1
	3月以上6月未満	10	10	10	6	2	1	1
	6月以上9月未満	11	11	11	7	3	1	1
	9月以上12月未満	12	12	12	8	4	1	1
	12月以上	13	13	13	9	5	1	1
5	3月未満	13	13	13	9	5	1	1
	3月以上6月未満	14	14	14	10	6	2	1
	6月以上9月未満	15	15	15	11	7	3	1
	9月以上12月未満	16	16	16	12	8	4	1
	12月以上	17	17	17	13	9	5	1
6	3月未満	17	17	17	13	9	5	1
	3月以上6月未満	18	18	18	14	10	6	2
	6月以上9月未満	19	19	19	15	11	7	3

	9月以上12月未満	20	20	20	16	12	8	4
	12月以上	21	21	21	17	13	9	5
7	3月未満	21	21	21	17	13	9	5
	3月以上6月未満	22	22	22	18	14	10	6
	6月以上9月未満	23	23	23	19	15	11	7
	9月以上12月未満	24	24	24	20	16	12	8
	12月以上	25	25	25	21	17	13	9
8	3月未満	25	25	25	21	17	13	9
	3月以上6月未満	26	26	26	22	18	14	10
	6月以上9月未満	27	27	27	23	19	15	11
	9月以上12月未満	28	28	28	24	20	16	12
	12月以上	29	29	29	25	21	17	13
9	3月未満	29	29	29	25	21	17	13
	3月以上6月未満	30	30	30	26	22	18	14
	6月以上9月未満	31	31	31	27	23	19	15
	9月以上12月未満	32	32	32	28	24	20	16
	12月以上	33	33	33	29	25	21	17
10	3月未満	33	33	33	29	25	21	17
	3月以上6月未満	34	34	34	30	26	22	18
	6月以上9月未満	35	35	35	31	27	23	19
	9月以上12月未満	36	36	36	32	28	24	20
	12月以上	37	37	37	33	29	25	21
11	3月未満	37	37	37	33	29	25	21
	3月以上6月未満	38	38	38	34	30	26	22
	6月以上9月未満	39	39	39	35	31	27	23
	9月以上12月未満	40	40	40	36	32	28	24
	12月以上	41	41	41	37	33	29	25
12	3月未満	41	41	41	37	33	29	25
	3月以上6月未満	42	42	42	38	34	30	26
	6月以上9月未満	43	43	43	39	35	31	27
	9月以上12月未満	44	44	44	40	36	32	28
	12月以上	45	45	45	41	37	33	29
13	3月未満	45	45	45	41	37	33	29
	3月以上6月未満	46	46	46	42	38	34	30
	6月以上9月未満	47	47	47	43	39	35	31
	9月以上12月未満	48	48	48	44	40	36	32
	12月以上	49	49	49	45	41	37	33
14	3月未満	49	49	49	45	41	37	33
	3月以上6月未満	50	50	50	46	42	38	34
	6月以上9月未満	51	51	51	47	43	39	35
	9月以上12月未満	52	52	52	48	44	40	36
	12月以上	53	53	53	49	45	41	37
15	3月未満	53	53	53	49	45	41	37
	3月以上6月未満	54	54	54	50	46	42	38
	6月以上9月未満	55	55	55	51	47	43	39
	9月以上12月未満	56	56	56	52	48	44	40
	12月以上	57	57	57	53	49	45	41
16	3月未満	57	57	57	53	49	45	41
	3月以上6月未満	58	58	58	54	50	46	42
	6月以上9月未満	59	59	59	55	51	47	43
	9月以上12月未満	60	60	60	56	52	48	44
	12月以上	61	61	61	57	53	49	45
17	3月未満	61	61	61	57	53	49	45
	3月以上6月未満	62	62	62	58	54	50	46
	6月以上9月未満	63	63	63	59	55	51	47
	9月以上12月未満	64	64	64	60	56	52	48
	12月以上	65	65	65	61	57	53	49
18	3月未満	65	65	65	61	57	53	49
	3月以上6月未満	66	66	66	62	58	54	50
	6月以上9月未満	67	67	67	63	59	55	51
	9月以上12月未満	68	68	68	64	60	56	52
	12月以上	69	69	69	65	61	57	53
19	3月未満	69	69	69	65	61	57	53
	3月以上6月未満	70	70	70	66	62	58	54
	6月以上9月未満	71	71	71	67	63	59	55
	9月以上12月未満	72	72	72	68	64	60	56
	12月以上	73	73	73	69	65	61	57
20	3月未満	73	73	73	69	65	61	
	3月以上6月未満	74	74	74	70	66	62	
	6月以上9月未満	75	75	75	71	67	63	
	9月以上12月未満	76	76	76	72	68	64	
	12月以上	77	77	77	73	69	65	
21	3月未満	77	77	77	73	69	65	
	3月以上6月未満	78	78	78	74	70	66	
	6月以上9月未満	79	79	79	75	71	67	
	9月以上12月未満	80	80	80	76	72	68	
	12月以上	81	81	81	77	73	69	
22	3月未満	81	81	81	77	73	69	
	3月以上6月未満	82	82	82	78	74	69	
	6月以上9月未満	83	83	83	79	75	69	
	9月以上12月未満	84	84	84	80	76	69	
	12月以上	85	85	85	81	77	69	
23	3月未満	85	85	85	81	77		
	3月以上6月未満	86	86	86	82	78		
	6月以上9月未満	87	87	87	83	79		
	9月以上12月未満	88	88	88	84	80		
	12月以上	89	89	89	85	81		
24	3月未満	89	89	89	85	81		
	3月以上6月未満	90	90	90	86	82		
	6月以上9月未満	91	91	91	87	83		
	9月以上12月未満	92	92	92	88	84		
	12月以上	93	93	93	89	85		
25	3月未満	93	93	93	89			
	3月以上6月未満	94	94	94	90			
	6月以上9月未満	95	95	95	91			
	9月以上12月未満	96	96	96	92			
	12月以上	97	97	97	93			
26	3月未満	97	97	97	93			
	3月以上6月未満	98	98	98	94			
	6月以上9月未満	99	99	99	95			
	9月以上12月未満	100	100	100	96			
	12月以上	101	101	101	97			
27	3月未満	101	101	101	97			
	3月以上6月未満	102	102	102	98			
	6月以上9月未満	103	103	103	99			
	9月以上12月未満	104	104	104	100			
	12月以上	105	105	105	101			
28	3月未満	105	105	105	101			
	3月以上6月未満	106	106	106	102			
	6月以上9月未満	107	107	107	103			
	9月以上12月未満	108	108	108	104			
	12月以上	109	109	109	105			
29	3月未満	109	109	109				
	3月以上6月未満	110	110	110				
	6月以上9月未満	111	111	111				
	9月以上12月未満	112	112	112				
	12月以上	113	113	113				
30	3月未満	113	113	113				
	3月以上6月未満	114	114	114				
	6月以上9月未満	115	115	115				
	9月以上12月未満	116	116	116				
	12月以上	117	117	117				
31	3月未満	117	117	117				
	3月以上6月未満	118	118	118				
	6月以上9月未満	119	119	119				
	9月以上12月未満	120	120	120				
	12月以上	121	121	121				
32	3月未満	121	121					
	3月以上6月未満	122	122					
	6月以上9月未満	123	123					

	9月以上12月未満	124	124				
	12月以上	125	125				
33	3月未満	125	125				
	3月以上6月未満	126	126				
	6月以上9月未満	127	127				
	9月以上12月未満	128	128				
	12月以上	129	129				
34	3月未満	129	129				
	3月以上6月未満	130	130				
	6月以上9月未満	131	131				
	9月以上12月未満	132	132				
	12月以上	133	133				
35	3月未満	133	133				
	3月以上6月未満	134	134				
	6月以上9月未満	135	135				
	9月以上12月未満	136	136				
	12月以上	137	137				
36	3月未満	137	137				
	3月以上6月未満	138	138				
	6月以上9月未満	139	139				
	9月以上12月未満	140	140				
	12月以上	141	141				
37	3月未満	141	141				
	3月以上6月未満	142	142				
	6月以上9月未満	143	143				
	9月以上12月未満	144	144				
	12月以上	145	145				
38	3月未満	145	145				
	3月以上6月未満	146	146				
	6月以上9月未満	147	147				
	9月以上12月未満	148	148				
	12月以上	149	149				
39	3月未満	149					
	3月以上6月未満	150					
	6月以上9月未満	151					
	9月以上12月未満	152					
	12月以上	153					
40	3月未満	153					
	3月以上6月未満	154					
	6月以上9月未満	155					
	9月以上12月未満	156					
	12月以上	157					
41	3月未満	157					
	3月以上6月未満	158					
	6月以上9月未満	159					
	9月以上12月未満	160					
	12月以上	161					

ヨ　福祉職俸給表の適用を受ける職員の新号俸

旧号俸	経過期間＼旧級	1級	2級	3級	4級	5級	6級
1	3月未満	1	1	1	1	1	1
	3月以上6月未満	2	1	1	1	1	1
	6月以上9月未満	3	1	1	1	1	1
	9月以上12月未満	4	1	1	1	1	1
	12月以上	5	1	1	1	1	1
2	3月未満	5	1	1	1	1	1
	3月以上6月未満	6	2	1	1	1	1
	6月以上9月未満	7	3	1	1	1	1
	9月以上12月未満	8	4	1	1	1	1
	12月以上	9	5	1	1	1	1
3	3月未満	9	5	1	1	1	1
	3月以上6月未満	10	6	2	1	1	1
	6月以上9月未満	11	7	3	1	1	1
	9月以上12月未満	12	8	4	1	1	1
	12月以上	13	9	5	1	1	1
4	3月未満	13	9	5	1	1	1
	3月以上6月未満	14	10	6	2	1	1
	6月以上9月未満	15	11	7	3	1	1
	9月以上12月未満	16	12	8	4	1	1
	12月以上	17	13	9	5	1	1
5	3月未満	17	13	9	5	1	1
	3月以上6月未満	18	14	10	6	2	1
	6月以上9月未満	19	15	11	7	3	1
	9月以上12月未満	20	16	12	8	4	1
	12月以上	21	17	13	9	5	1
6	3月未満	21	17	13	9	5	1
	3月以上6月未満	22	18	14	10	6	2
	6月以上9月未満	23	19	15	11	7	3
	9月以上12月未満	24	20	16	12	8	4
	12月以上	25	21	17	13	9	5
7	3月未満	25	21	17	13	9	5
	3月以上6月未満	26	22	18	14	10	6
	6月以上9月未満	27	23	19	15	11	7
	9月以上12月未満	28	24	20	16	12	8
	12月以上	29	25	21	17	13	9
8	3月未満	29	25	21	17	13	9
	3月以上6月未満	30	26	22	18	14	10
	6月以上9月未満	31	27	23	19	15	11
	9月以上12月未満	32	28	24	20	16	12
	12月以上	33	29	25	21	17	13
9	3月未満	33	29	25	21	17	13
	3月以上6月未満	34	30	26	22	18	14
	6月以上9月未満	35	31	27	23	19	15
	9月以上12月未満	36	32	28	24	20	16
	12月以上	37	33	29	25	21	17
10	3月未満	37	33	29	25	21	17
	3月以上6月未満	38	34	30	26	22	18
	6月以上9月未満	39	35	31	27	23	19
	9月以上12月未満	40	36	32	28	24	20
	12月以上	41	37	33	29	25	21
11	3月未満	41	37	33	29	25	21
	3月以上6月未満	42	38	34	30	26	22
	6月以上9月未満	43	39	35	31	27	23
	9月以上12月未満	44	40	36	32	28	24
	12月以上	45	41	37	33	29	25
12	3月未満	45	41	37	33	29	25
	3月以上6月未満	46	42	38	34	30	26
	6月以上9月未満	47	43	39	35	31	27
	9月以上12月未満	48	44	40	36	32	28
	12月以上	49	45	41	37	33	29
13	3月未満	49	45	41	37	33	29
	3月以上6月未満	50	46	42	38	34	30
	6月以上9月未満	51	47	43	39	35	31
	9月以上12月未満	52	48	44	40	36	32
	12月以上	53	49	45	41	37	33
14	3月未満	53	49	45	41	37	33
	3月以上6月未満	54	50	46	42	38	34
	6月以上9月未満	55	51	47	43	39	35
	9月以上12月未満	56	52	48	44	40	36
	12月以上	57	53	49	45	41	37
15	3月未満	57	53	49	45	41	37
	3月以上6月未満	58	54	50	46	42	38
	6月以上9月未満	59	55	51	47	43	39
	9月以上12月未満	60	56	52	48	44	40
	12月以上	61	57	53	49	45	41
16	3月未満	61	57	53	49	45	41
	3月以上6月未満	62	58	54	50	46	42
	6月以上9月未満	63	59	55	51	47	43
	9月以上12月未満	64	60	56	52	48	44
	12月以上	65	61	57	53	49	45
	3月未満	65	61	57	53	49	45

17	3月以上6月未満	66	62	58	54	50	46
	6月以上9月未満	67	63	59	55	51	47
	9月以上12月未満	68	64	60	56	52	48
	12月以上	69	65	61	57	53	49
18	3月未満	69	65	61	57	53	49
	3月以上6月未満	70	66	62	58	54	50
	6月以上9月未満	71	67	63	59	55	51
	9月以上12月未満	72	68	64	60	56	52
	12月以上	73	69	65	61	57	53
19	3月未満	73	69	65	61	57	
	3月以上6月未満	74	70	66	62	58	
	6月以上9月未満	75	71	67	63	59	
	9月以上12月未満	76	72	68	64	60	
	12月以上	77	73	69	65	61	
20	3月未満	77	73	69	65	61	
	3月以上6月未満	78	74	70	66	62	
	6月以上9月未満	79	75	71	67	63	
	9月以上12月未満	80	76	72	68	64	
	12月以上	81	77	73	69	65	
21	3月未満	81	77	73	69	65	
	3月以上6月未満	82	78	74	70	66	
	6月以上9月未満	83	79	75	71	67	
	9月以上12月未満	84	80	76	72	68	
	12月以上	85	81	77	73	69	
22	3月未満	85	81	77	73		
	3月以上6月未満	86	82	78	74		
	6月以上9月未満	87	83	79	75		
	9月以上12月未満	88	84	80	76		
	12月以上	89	85	81	77		
23	3月未満	89	85	81	77		
	3月以上6月未満	90	86	82	78		
	6月以上9月未満	91	87	83	79		
	9月以上12月未満	92	88	84	80		
	12月以上	93	89	85	81		
24	3月未満	93	89	85	81		
	3月以上6月未満	94	90	86	82		
	6月以上9月未満	95	91	87	83		
	9月以上12月未満	96	92	88	84		
	12月以上	97	93	89	85		
25	3月未満	97	93	89			
	3月以上6月未満	98	94	90			
	6月以上9月未満	99	95	91			
	9月以上12月未満	100	96	92			
	12月以上	101	97	93			
26	3月未満	101	97	93			
	3月以上6月未満	102	98	93			
	6月以上9月未満	103	99	93			
	9月以上12月未満	104	100	93			
	12月以上	105	101	93			
27	3月未満	105	101				
	3月以上6月未満	106	102				
	6月以上9月未満	107	103				
	9月以上12月未満	108	104				
	12月以上	109	105				
28	3月未満	109	105				
	3月以上6月未満	110	106				
	6月以上9月未満	111	107				
	9月以上12月未満	112	108				
	12月以上	113	109				
29	3月未満	113	109				
	3月以上6月未満	114	110				
	6月以上9月未満	115	111				
	9月以上12月未満	116	112				
	12月以上	117	113				
30	3月未満	117	113				
	3月以上6月未満	118	114				
	6月以上9月未満	119	115				
	9月以上12月未満	120	116				
	12月以上	121	117				
31	3月未満	121	117				
	3月以上6月未満	122	118				
	6月以上9月未満	123	119				
	9月以上12月未満	124	120				
	12月以上	125	121				
32	3月未満	125	121				
	3月以上6月未満	126	121				
	6月以上9月未満	127	121				
	9月以上12月未満	128	121				
	12月以上	129	121				
33	3月未満	129					
	3月以上6月未満	130					
	6月以上9月未満	131					
	9月以上12月未満	132					
	12月以上	133					
34	3月未満	133					
	3月以上6月未満	134					
	6月以上9月未満	135					
	9月以上12月未満	136					
	12月以上	137					
35	3月未満	137					
	3月以上6月未満	138					
	6月以上9月未満	139					
	9月以上12月未満	140					
	12月以上	141					
36	3月未満	141					
	3月以上6月未満	142					
	6月以上9月未満	143					
	9月以上12月未満	144					
	12月以上	145					
37	3月未満	145					
	3月以上6月未満	146					
	6月以上9月未満	147					
	9月以上12月未満	148					
	12月以上	149					
38	3月未満	149					
	3月以上6月未満	150					
	6月以上9月未満	151					
	9月以上12月未満	152					
	12月以上	153					
39	3月未満	153					
	3月以上6月未満	153					
	6月以上9月未満	153					
	9月以上12月未満	153					
	12月以上	153					

附則別表第三 旧級がこれに対応する附則別表第一の新級欄に二の職務の級が掲げられている職務の級である職員の号俸の切替表（附則第七条関係）

イ 旧級が行政職俸給表㈠、税務職俸給表又は公安職俸給表㈡の11級である職員の新号俸

旧号俸	新級／経過期間	9級	10級
1	3月未満	1	1
	3月以上6月未満	1	1
	6月以上9月未満	1	1
	9月以上12月未満	1	1
	12月以上	1	1
2	3月未満	1	1
	3月以上6月未満	1	1
	6月以上9月未満	1	1
	9月以上12月未満	1	1
	12月以上	1	1
3	3月未満	1	1
	3月以上6月未満	1	1
	6月以上9月未満	1	1
	9月以上12月未満	1	1

	12月以上	1	1
4	3月未満	1	1
	3月以上6月未満	1	1
	6月以上9月未満	1	1
	9月以上12月未満	1	1
	12月以上	1	1
5	3月未満	1	1
	3月以上6月未満	1	1
	6月以上9月未満	1	1
	9月以上12月未満	1	1
	12月以上	1	1
6	3月未満	1	1
	3月以上6月未満	1	1
	6月以上9月未満	1	1
	9月以上12月未満	1	1
	12月以上	1	1
7	3月未満	1	1
	3月以上6月未満	2	1
	6月以上9月未満	3	1
	9月以上12月未満	4	1
	12月以上	5	1
8	3月未満	5	1
	3月以上6月未満	6	1
	6月以上9月未満	7	1
	9月以上12月未満	8	1
	12月以上	9	1
9	3月未満	9	1
	3月以上6月未満	10	1
	6月以上9月未満	11	1
	9月以上12月未満	12	1
	12月以上	13	1
10	3月未満	13	1
	3月以上6月未満	14	1
	6月以上9月未満	15	1
	9月以上12月未満	16	1
	12月以上	17	1
11	3月未満	17	1
	3月以上6月未満	18	1
	6月以上9月未満	19	1
	9月以上12月未満	20	1
	12月以上	21	1
12	3月未満	21	1
	3月以上6月未満	22	2
	6月以上9月未満	23	3
	9月以上12月未満	24	4
	12月以上	25	5
13	3月未満	25	5
	3月以上6月未満	26	6
	6月以上9月未満	27	7
	9月以上12月未満	28	8
	12月以上	29	9
14	3月未満	29	9
	3月以上6月未満	30	10
	6月以上9月未満	31	11
	9月以上12月未満	32	12
	12月以上	33	13
15	3月未満	33	13
	3月以上6月未満	34	13
	6月以上9月未満	35	13
	9月以上12月未満	36	14
	12月以上	37	14

ロ　旧級が専門行政職俸給表の7級である職員の新号俸

旧号俸	新級 / 経過期間	7級	8級
1	3月未満	1	1
	3月以上6月未満	1	1
	6月以上9月未満	1	1
	9月以上12月未満	1	1
	12月以上	1	1
2	3月未満	1	1
	3月以上6月未満	1	1
	6月以上9月未満	1	1
	9月以上12月未満	1	1
	12月以上	1	1
3	3月未満	1	1
	3月以上6月未満	1	1
	6月以上9月未満	1	1
	9月以上12月未満	1	1
	12月以上	1	1
4	3月未満	1	1
	3月以上6月未満	1	1
	6月以上9月未満	1	1
	9月以上12月未満	1	1
	12月以上	1	1
5	3月未満	1	1
	3月以上6月未満	1	1
	6月以上9月未満	1	1
	9月以上12月未満	1	1
	12月以上	1	1
6	3月未満	1	1
	3月以上6月未満	1	1
	6月以上9月未満	1	1
	9月以上12月未満	1	1
	12月以上	1	1
7	3月未満	1	1
	3月以上6月未満	2	1
	6月以上9月未満	3	1
	9月以上12月未満	4	1
	12月以上	5	1
8	3月未満	5	1
	3月以上6月未満	6	1
	6月以上9月未満	7	1
	9月以上12月未満	8	1
	12月以上	9	1
9	3月未満	9	1
	3月以上6月未満	10	1
	6月以上9月未満	11	1
	9月以上12月未満	12	1
	12月以上	13	1
10	3月未満	13	1
	3月以上6月未満	14	1
	6月以上9月未満	15	1
	9月以上12月未満	16	1
	12月以上	17	1
11	3月未満	17	1
	3月以上6月未満	18	1
	6月以上9月未満	19	1
	9月以上12月未満	20	1
	12月以上	21	1
12	3月未満	21	1
	3月以上6月未満	22	2
	6月以上9月未満	23	3
	9月以上12月未満	24	4
	12月以上	25	5
13	3月未満	25	5
	3月以上6月未満	26	6
	6月以上9月未満	27	7
	9月以上12月未満	28	8

	12月以上	29	9
14	3月未満	29	9
	3月以上6月未満	30	10
	6月以上9月未満	31	11
	9月以上12月未満	32	12
	12月以上	33	13
15	3月未満	33	13
	3月以上6月未満	34	13
	6月以上9月未満	35	13
	9月以上12月未満	36	14
	12月以上	37	14

ハ　旧級が公安職俸給表㈠の11級である職員の新号俸

旧号俸	経過期間＼新級	10級	11級
1	3月未満	1	1
	3月以上6月未満	1	1
	6月以上9月未満	1	1
	9月以上12月未満	1	1
	12月以上	1	1
2	3月未満	1	1
	3月以上6月未満	1	1
	6月以上9月未満	1	1
	9月以上12月未満	1	1
	12月以上	1	1
3	3月未満	1	1
	3月以上6月未満	1	1
	6月以上9月未満	1	1
	9月以上12月未満	1	1
	12月以上	1	1
4	3月未満	1	1
	3月以上6月未満	1	1
	6月以上9月未満	1	1
	9月以上12月未満	1	1
	12月以上	1	1
5	3月未満	1	1
	3月以上6月未満	1	1
	6月以上9月未満	1	1
	9月以上12月未満	1	1
	12月以上	1	1
6	3月未満	1	1
	3月以上6月未満	1	1
	6月以上9月未満	1	1
	9月以上12月未満	1	1
	12月以上	1	1
7	3月未満	1	1
	3月以上6月未満	2	1
	6月以上9月未満	3	1
	9月以上12月未満	4	1
	12月以上	5	1
8	3月未満	5	1
	3月以上6月未満	6	1
	6月以上9月未満	7	1
	9月以上12月未満	8	1
	12月以上	9	1
9	3月未満	9	1
	3月以上6月未満	10	1
	6月以上9月未満	11	1
	9月以上12月未満	12	1
	12月以上	13	1
10	3月未満	13	1
	3月以上6月未満	14	1
	6月以上9月未満	15	1
	9月以上12月未満	16	1
	12月以上	17	1
11	3月未満	17	1
	3月以上6月未満	18	1
	6月以上9月未満	19	1
	9月以上12月未満	20	1
	12月以上	21	1
12	3月未満	21	1
	3月以上6月未満	22	2
	6月以上9月未満	23	3
	9月以上12月未満	24	4
	12月以上	25	5
13	3月未満	25	5
	3月以上6月未満	26	6
	6月以上9月未満	27	7
	9月以上12月未満	28	8
	12月以上	29	9
14	3月未満	29	9
	3月以上6月未満	30	10
	6月以上9月未満	31	11
	9月以上12月未満	32	12
	12月以上	33	13
15	3月未満	33	13
	3月以上6月未満	34	13
	6月以上9月未満	35	13
	9月以上12月未満	36	14
	12月以上	37	14

二　旧級が教育職俸給表㈠の4級である職員の新号俸

旧号俸	経過期間＼新級	4級	5級
1	3月未満	1	1
	3月以上6月未満	1	1
	6月以上9月未満	1	1
	9月以上12月未満	1	1
	12月以上	1	1
2	3月未満	1	1
	3月以上6月未満	1	1
	6月以上9月未満	1	1
	9月以上12月未満	1	1
	12月以上	1	1
3	3月未満	1	1
	3月以上6月未満	1	1
	6月以上9月未満	1	1
	9月以上12月未満	1	1
	12月以上	1	1
4	3月未満	1	1
	3月以上6月未満	1	1
	6月以上9月未満	1	1
	9月以上12月未満	1	1
	12月以上	1	1
5	3月未満	1	1
	3月以上6月未満	1	1
	6月以上9月未満	1	1
	9月以上12月未満	1	1
	12月以上	1	1
6	3月未満	1	1
	3月以上6月未満	2	1
	6月以上9月未満	3	1
	9月以上12月未満	4	1
	12月以上	5	1
7	3月未満	5	1
	3月以上6月未満	6	1
	6月以上9月未満	7	1
	9月以上12月未満	8	1
	12月以上	9	1
8	3月未満	9	1
	3月以上6月未満	10	1
	6月以上9月未満	11	1
	9月以上12月未満	12	1
	12月以上	13	1
	3月未満	13	1

旧号俸	経過期間	5級	6級
9	3月以上6月未満	14	1
	6月以上9月未満	15	1
	9月以上12月未満	16	1
	12月以上	17	1
10	3月未満	17	1
	3月以上6月未満	18	1
	6月以上9月未満	19	1
	9月以上12月未満	20	1
	12月以上	21	1
11	3月未満	21	1
	3月以上6月未満	22	1
	6月以上9月未満	23	1
	9月以上12月未満	24	1
	12月以上	25	1
12	3月未満	25	1
	3月以上6月未満	26	1
	6月以上9月未満	27	1
	9月以上12月未満	28	1
	12月以上	29	1
13	3月未満	29	1
	3月以上6月未満	30	1
	6月以上9月未満	31	1
	9月以上12月未満	32	1
	12月以上	33	1
14	3月未満	33	1
	3月以上6月未満	34	1
	6月以上9月未満	35	1
	9月以上12月未満	36	1
	12月以上	37	1
15	3月未満	37	1
	3月以上6月未満	38	1
	6月以上9月未満	39	1
	9月以上12月未満	40	1
	12月以上	41	1
16	3月未満	41	1
	3月以上6月未満	42	1
	6月以上9月未満	43	1
	9月以上12月未満	44	1
	12月以上	45	1
17	3月未満	45	1
	3月以上6月未満	46	1
	6月以上9月未満	47	1
	9月以上12月未満	48	1
	12月以上	49	1
18	3月未満	49	1
	3月以上6月未満	50	1
	6月以上9月未満	51	1
	9月以上12月未満	52	1
	12月以上	53	1
19	3月未満	53	1
	3月以上6月未満	54	1
	6月以上9月未満	55	1
	9月以上12月未満	56	1
	12月以上	57	1
20	3月未満	57	1
	3月以上6月未満	58	2
	6月以上9月未満	59	3
	9月以上12月未満	60	4
	12月以上	61	5
21	3月未満	61	5
	3月以上6月未満	62	6
	6月以上9月未満	63	7
	9月以上12月未満	64	8
	12月以上	65	9
22	3月未満	65	9
	3月以上6月未満	66	9
	6月以上9月未満	67	10
	9月以上12月未満	68	10
	12月以上	69	11
23	3月未満	69	11
	3月以上6月未満	70	11
	6月以上9月未満	71	12
	9月以上12月未満	72	12
	12月以上	73	13

ホ　旧級が研究職俸給表の5級である職員の新号俸

旧号俸	新級 / 経過期間	5級	6級
1	3月未満	1	1
	3月以上6月未満	1	1
	6月以上9月未満	1	1
	9月以上12月未満	1	1
	12月以上	1	1
2	3月未満	1	1
	3月以上6月未満	1	1
	6月以上9月未満	1	1
	9月以上12月未満	1	1
	12月以上	1	1
3	3月未満	1	1
	3月以上6月未満	1	1
	6月以上9月未満	1	1
	9月以上12月未満	1	1
	12月以上	1	1
4	3月未満	1	1
	3月以上6月未満	1	1
	6月以上9月未満	1	1
	9月以上12月未満	1	1
	12月以上	1	1
5	3月未満	1	1
	3月以上6月未満	1	1
	6月以上9月未満	1	1
	9月以上12月未満	1	1
	12月以上	1	1
6	3月未満	1	1
	3月以上6月未満	1	1
	6月以上9月未満	1	1
	9月以上12月未満	1	1
	12月以上	1	1
7	3月未満	1	1
	3月以上6月未満	2	1
	6月以上9月未満	3	1
	9月以上12月未満	4	1
	12月以上	5	1
8	3月未満	5	1
	3月以上6月未満	6	1
	6月以上9月未満	7	1
	9月以上12月未満	8	1
	12月以上	9	1
9	3月未満	9	1
	3月以上6月未満	10	1
	6月以上9月未満	11	1
	9月以上12月未満	12	1
	12月以上	13	1
10	3月未満	13	1
	3月以上6月未満	14	1
	6月以上9月未満	15	1
	9月以上12月未満	16	1
	12月以上	17	1
11	3月未満	17	1
	3月以上6月未満	18	1
	6月以上9月未満	19	1

旧号俸	経過期間		
	9月以上12月未満	20	1
	12月以上	21	1
12	3月未満	21	1
	3月以上6月未満	22	1
	6月以上9月未満	23	1
	9月以上12月未満	24	1
	12月以上	25	1
13	3月未満	25	1
	3月以上6月未満	26	1
	6月以上9月未満	27	1
	9月以上12月未満	28	1
	12月以上	29	1
14	3月未満	29	1
	3月以上6月未満	30	1
	6月以上9月未満	31	1
	9月以上12月未満	32	1
	12月以上	33	1
15	3月未満	33	1
	3月以上6月未満	34	1
	6月以上9月未満	35	1
	9月以上12月未満	36	1
	12月以上	37	1
16	3月未満	37	1
	3月以上6月未満	38	1
	6月以上9月未満	39	1
	9月以上12月未満	40	1
	12月以上	41	1
17	3月未満	41	1
	3月以上6月未満	42	1
	6月以上9月未満	43	1
	9月以上12月未満	44	1
	12月以上	45	1
18	3月未満	45	1
	3月以上6月未満	46	1
	6月以上9月未満	47	1
	9月以上12月未満	48	1
	12月以上	49	1
19	3月未満	49	1
	3月以上6月未満	50	1
	6月以上9月未満	51	1
	9月以上12月未満	52	1
	12月以上	53	1
20	3月未満	53	1
	3月以上6月未満	54	2
	6月以上9月未満	55	3
	9月以上12月未満	56	4
	12月以上	57	5
21	3月未満	57	5
	3月以上6月未満	58	6
	6月以上9月未満	59	7
	9月以上12月未満	60	8
	12月以上	61	9
22	3月未満	61	9
	3月以上6月未満	62	9
	6月以上9月未満	63	10
	9月以上12月未満	64	10
	12月以上	65	11
23	3月未満	65	11
	3月以上6月未満	66	11
	6月以上9月未満	67	12
	9月以上12月未満	68	12
	12月以上	69	13

へ 旧級が医療職俸給表(一)の4級である職員の新号俸

旧号俸	新級／経過期間	4級	5級
1	3月未満	1	1
	3月以上6月未満	1	1
	6月以上9月未満	1	1
	9月以上12月未満	1	1
	12月以上	1	1
2	3月未満	1	1
	3月以上6月未満	1	1
	6月以上9月未満	1	1
	9月以上12月未満	1	1
	12月以上	1	1
3	3月未満	1	1
	3月以上6月未満	1	1
	6月以上9月未満	1	1
	9月以上12月未満	1	1
	12月以上	1	1
4	3月未満	1	1
	3月以上6月未満	1	1
	6月以上9月未満	1	1
	9月以上12月未満	1	1
	12月以上	1	1
5	3月未満	1	1
	3月以上6月未満	1	1
	6月以上9月未満	1	1
	9月以上12月未満	1	1
	12月以上	1	1
6	3月未満	1	1
	3月以上6月未満	1	1
	6月以上9月未満	1	1
	9月以上12月未満	1	1
	12月以上	1	1
7	3月未満	1	1
	3月以上6月未満	2	1
	6月以上9月未満	3	1
	9月以上12月未満	4	1
	12月以上	5	1
8	3月未満	5	1
	3月以上6月未満	6	1
	6月以上9月未満	7	1
	9月以上12月未満	8	1
	12月以上	9	1
9	3月未満	9	1
	3月以上6月未満	10	1
	6月以上9月未満	11	1
	9月以上12月未満	12	1
	12月以上	13	1
10	3月未満	13	1
	3月以上6月未満	14	1
	6月以上9月未満	15	1
	9月以上12月未満	16	1
	12月以上	17	1
11	3月未満	17	1
	3月以上6月未満	18	1
	6月以上9月未満	19	1
	9月以上12月未満	20	1
	12月以上	21	1
12	3月未満	21	1
	3月以上6月未満	22	1
	6月以上9月未満	23	1

	9月以上12月未満	24	1
	12月以上	25	1
13	3月未満	25	1
	3月以上6月未満	26	1
	6月以上9月未満	27	1
	9月以上12月未満	28	1
	12月以上	29	1
14	3月未満	29	1
	3月以上6月未満	30	1
	6月以上9月未満	31	1
	9月以上12月未満	32	1
	12月以上	33	1
15	3月未満	33	1
	3月以上6月未満	34	1
	6月以上9月未満	35	1
	9月以上12月未満	36	1
	12月以上	37	1
16	3月未満	37	1
	3月以上6月未満	38	1
	6月以上9月未満	39	1
	9月以上12月未満	40	1
	12月以上	41	1
17	3月未満	41	1
	3月以上6月未満	42	1
	6月以上9月未満	43	1
	9月以上12月未満	44	1
	12月以上	45	1
18	3月未満	45	1
	3月以上6月未満	46	2
	6月以上9月未満	47	3
	9月以上12月未満	48	4
	12月以上	49	5
19	3月未満	49	5
	3月以上6月未満	50	6
	6月以上9月未満	51	7
	9月以上12月未満	52	8
	12月以上	53	9
20	3月未満	53	9
	3月以上6月未満	54	9
	6月以上9月未満	55	10
	9月以上12月未満	56	10
	12月以上	57	11

附則別表第四　指定職俸給表の適用を受ける職員の号俸の切替表（附則第七条関係）

旧号俸	新号俸
1から4まで	1
5	2
6	3
7	4
8	5
9	6
10	7
11	8

附　則（平一七・一一・七法一一三）（抄）

（施行期日）

第一条　この法律は、平成十八年四月一日から施行する。ただし、次の各号に掲げる規定は、当該各号に定める日から施行する。

一　〔略〕

二　〔前略〕附則〔中略〕第九十八条から第百条まで〔中略〕の規定　平成十八年十月一日

三　〔略〕

附　則（平一八・一一・一七法一〇一）（抄）

改正　平二〇・一二・二六法九四

（施行期日）

第一条　この法律は、平成十九年四月一日から施行する。

（平成二十三年三月三十一日までの間における俸給の特別調整額に関する経過措置）

第二条　一般職の職員の給与に関する法律等の一部を改正する法律（平成十七年法律第百十三号）附則第十一条の規定による俸給を支給される職員のうちその者の受ける俸給月額と当該俸給の額との合計額が、その者の属する職務の級における最高の号俸の俸給月額を超える職員についてのこの法律による改正後の一般職の職員の給与に関する法律（以下「新法」という。）第十条の二第二項の規定の適用については、平成二十三年三月三十一日までの間は、同項の規定中「属する職務の級における最高の号俸の俸給月額」とあるのは、「俸給月額と一般職の職員の給与に関する法律等の一部を改正する法律（平成十七年法律第百十三号）附則第十一条の規定による俸給の額との合計額」とする。

（平成二十年三月三十一日までの間における広域異動手当の支給割合の特例）

第三条　平成二十年三月三十一日までの間においては、新法第十一条の八第一項第一号中「百分の六」とあるのは「百分の四」と、同項第二号中「百分の三」とあるのは「百分の二」とする。

（広域異動手当に関する経過措置）

第四条　新法第十一条の八の規定は、平成十六年四月二日からこの法律の施行の日の前日までの間に職員がその在勤する官署を異にして異動した場合又は職員の在勤する官署が移転した場合についても適用する。この場合において、同条第一項中「当該異動等の日から」とあるのは、「平成十九年四月一日から当該異動等の日以後」とする。

（人事院規則への委任）

第五条　前三条に定めるもののほか、この法律の施行に関し必要な事項は、人事院規則で定める。

附　則（平一九・五・一六法四二）（抄）

（施行期日）

第一条　この法律は、公布の日から起算して三月を超えない範囲内において政令で定める日〔平一九・八・一〕から施行する。

附　則（平一九・五・二五法五八）（抄）

（施行期日）

第一条　この法律は、平成二十年十月一日から施行する。〔ただし書略〕

附　則（平一九・七・六法一〇八）（抄）

（施行期日）

第一条　この法律は、平成二十年十二月三十一日までの間において政令で定める日〔平二〇・一二・三一〕から施行する。ただし、次の各号に掲げる規定は、当該各号に定める日から施行する。

一・二　〔略〕

三　〔前略〕第五条の規定並びに〔中略〕附則〔中略〕第二十二条〔中略〕の規定〔中略〕　公布の日から起算して二年を超えない範囲内において政令で定める日〔平二一・四・一〕

附 則（平一九・一一・三〇法一一八）（抄）

（施行期日等）

第一条 この法律は、公布の日から施行する。ただし、第二条〔中略〕の規定は、平成二十年四月一日から施行する。

2 第一条の規定（一般職の職員の給与に関する法律（以下「給与法」という。）第十九条の七第二項第一号の改正規定を除く。次条において同じ。）による改正後の給与法（以下「改正後の給与法」という。）の規定及び第四条の規定（一般職の任期付研究員の採用、給与及び勤務時間の特例に関する法律（以下「任期付研究員法」という。）第七条第二項の改正規定を除く。附則第四条において同じ。）による改正後の任期付研究員法（附則第四条において「改正後の任期付研究員法」という。）の規定は、平成十九年四月一日から適用する。

（平成十九年四月一日から施行日の前日までの間における異動者の号俸）

第二条 平成十九年四月一日からこの法律の施行の日（次条において「施行日」という。）の前日までの間において、第一条の規定による改正前の給与法（以下「改正前の給与法」という。）の規定により、新たに俸給表の適用を受けることとなった職員及びその属する職務の級又はその受ける号俸に異動のあった職員のうち、人事院の定める職員の、改正後の給与法の規定による当該適用又は異動の日における号俸は、人事院の定めるところによる。

（施行日から平成二十年三月三十一日までの間における異動者の号俸の調整）

第三条 施行日から平成二十年三月三十一日までの間において、改正後の給与法の規定により、新たに俸給表の適用を受けることとなった職員及びその属する職務の級又はその受ける号俸に異動のあった職員の当該適用又は異動の日における号俸については、当該適用又は異動について、まず改正前の給与法の規定が適用され、次いで当該適用又は異動の日から改正後の給与法の規定が適用されるものとした場合との権衡上必要と認められる限度において、人事院の定めるところにより、必要な調整を行うことができる。

（給与の内払）

第四条 改正後の給与法又は改正後の任期付研究員法の規定を適用する場合においては、改正前の給与法又は第四条の規定による改正前の任期付研究員法の規定に基づいて支給された給与は、それぞれ改正後の給与法又は改正後の任期付研究員法の規定による給与の内払とみなす。

（人事院規則への委任）

第五条 前三条に定めるもののほか、この法律の施行に関し必要な事項は、人事院規則で定める。

附 則（平二〇・一二・二六法九四）（抄）

改正 平二一・五・二九法四一

（施行期日）

第一条 この法律は、平成二十一年四月一日から施行する。ただし、第一条中一般職の職員の給与に関する法律（以下「給与法」という。）第八条第五項、第六項及び第八項、第十九条の七第一項並びに第十九条の八第二項の改正規定並びに次条の規定は国家公務員法等の一部を改正する法律（平成十九年法律第百八号）附則第一条第三号の政令で定める日〔平二一・四・一〕から〔中略〕施行する。

（給与法の一部改正に伴う経過措置）

第二条 前条ただし書の政令で定める日後一年間において行われる第一条の規定による改正後の給与法第八条第五項の規定による昇給については、同項中「日以前一年間」とあるのは「期間」と、「同日の」とあるのは「当該期間の末日の」とする。

2 前条ただし書の政令で定める日から起算して三年間は、第一条の規定による改正後の給与法第十九条の七第一項の規定の適用については、同項中「人事評価」とあるのは、「人事評価又はその他の能力の実証」とする。

附 則（平二一・五・二九法四一）（抄）

（施行期日）

第一条 この法律は、公布の日から施行する。〔ただし書略〕

（期末手当及び勤勉手当に係る人事院の勧告等）

第二条 平成二十一年六月の期末手当及び勤勉手当を次の表の上欄に掲げる規定により算定することとした場合における当該規定に規定する割合とそれぞれ同表の下欄に掲げる規定によりこれらの手当を支給する際に現に用いられる当該規定に規定する割合との差に相当する割合に係るこれらの手当の取扱いについては、この法律の施行後速やかに、人事院において、期末手当及び勤勉手当に相当する民間の賃金の支払状況を調査し、その結果を踏まえて、必要な措置を国会及び内閣に同時に勧告するものとする。

上欄	下欄
第一条の規定による改正後の一般職の職員の給与に関する法律（以下この表において「新給与法」という。）附則第八項の規定による読替え前の新給与法第十九条の四第二項（同条第三項の規定により読み替えて適用する場合を含む。）	新給与法附則第八項の規定による読替え後の新給与法第十九条の四第二項（同条第三項の規定により読み替えて適用する場合を含む。）
第二条の規定による改正後の一般職の任期付研究員の採用、給与及び勤務時間の特例に関する法律（以下この表において「新任期付研究員法」という。）附則第二項の規定による読替え前の新任期付研究員法第七条第二項の規定による読替え後の新給与法第十九条の四第二項	新任期付研究員法附則第二項の規定による読替え後の新任期付研究員法第七条第二項の規定による読替え後の新給与法第十九条の四第二項
第三条の規定による改正後の一般職の任期付職員の採用及び給与の特例に関する法律（以下この表において「新任期付職員法」という。）附則第二条の規定による読替え前の新任期付職員法第八条	新任期付職員法附則第二条の規定による読替え後の新任期付職員法第八条第二項の規定による読替え後の新給与法第十九条の四第二項

第二項の規定による読替え後の新給与法第十九条の四第二項	
新給与法附則第八項の規定による読替え前の新給与法第十九条の七第二項	新給与法附則第八項の規定による読替え後の新給与法第十九条の七第二項

附　則（平二一・一一・三〇法八六）（抄）

（施行期日）

第一条　この法律は、公布の日の属する月の翌月の初日（公布の日が月の初日であるときは、その日）から施行する。ただし、第二条〔中略〕の規定は、平成二十二年四月一日から施行する。

（任期付研究員等に係る最高の号俸を超える俸給月額の切替え）

第二条　この法律の施行の日（以下「施行日」という。）の前日において次の各号に掲げる俸給月額を受けていた職員の施行日における俸給月額は、当該各号に定める俸給月額及び第一条の規定による改正後の一般職の職員の給与に関する法律（次条において「改正後の給与法」という。）の指定職俸給表八号俸の額との権衡を考慮して人事院規則で定める。

一　一般職の任期付研究員の採用、給与及び勤務時間の特例に関する法律（以下この号及び次条において「任期付研究員法」という。）第六条第四項の規定による俸給月額　第四条の規定による改正後の任期付研究員法第六条第一項に規定する俸給表に掲げる号俸の俸給月額

二　一般職の任期付職員の採用及び給与の特例に関する法律（以下この号及び次条において「任期付職員法」という。）第七条第三項の規定による俸給月額　第六条の規定による改正後の任期付職員法第七条第一項に規定する俸給表に掲げる号俸の俸給月額

（平成二十一年十二月に支給する期末手当に関する特例措置）

第三条　平成二十一年十二月に支給する期末手当の額は、改正後の給与法第十九条の四第二項（同条第三項、第四条の規定による改正後の任期付研究員法第七条第二項又は第六条の規定による改正後の任期付職員法第八条第二項の規定により読み替えて適用する場合を含む。）及び第四項から第六項まで（国家公務員の育児休業等に関する法律（平成三年法律第百九号）第十六条の規定により読み替えて適用する場合を含む。）若しくは第二十三条第一項から第三項まで、第五項若しくは第七項、国際機関等に派遣される一般職の国家公務員の処遇等に関する法律（昭和四十五年法律第百十七号）第五条第一項又は法科大学院への裁判官及び検察官その他の一般職の国家公務員の派遣に関する法律（平成十五年法律第四十号）第十三条第二項の規定にかかわらず、これらの規定により算定される期末手当の額（以下この項において「基準額」という。）から次に掲げる額の合計額（以下この項において「調整額」という。）に相当する額を減じた額とする。この場合において、調整額が基準額以上となるときは、期末手当は、支給しない。

一　平成二十一年四月一日（同月二日から同年十二月一日までの間に職員（一般職の職員の給与に関する法律第二十二条及び附則第三項に規定する職員を除く。以下この条において同じ。）以外の者又は職員であって適用される俸給表並びにその職務の級及び号俸がそれぞれ次の表の俸給表欄、職務の級欄及び号俸欄に掲げるものであるもの、医療職俸給表㈠若しくは任期付研究員法第六条第二項に規定する俸給表の適用を受ける職員若しくは同条第一項若しくは任期付職員法第七条第一項に規定する俸給表の適用を受ける職員でその号俸が一号俸であるものからこれらの職員以外の職員（以下この項において「減額改定対象職員」という。）となった者（同年四月一日に減額改定対象職員であった者で任用の事情を考慮して人事院規則で定めるものを除く。）にあっては、その減額改定対象職員となった日（当該日が二以上あるときは、当該日のうち人事院規則で定める日））において減額改定対象職員が受けるべき俸給、俸給の特別調整額、本府省業務調整手当、初任給調整手当、専門スタッフ職調整手当、扶養手当、地域手当、広域異動手当、研究員調整手当、住居手当、単身赴任手当（一般職の職員の給与に関する法律第十二条の二第二項に規定する人事院規則で定める額を除く。）及び特地勤務手当（同法第十四条の規定による手当を含む。）の月額の合計額に百分の〇・二四を乗じて得た額に、同月から施行日の属する月の前月までの月数（同年四月一日から施行日の前日までの期間において、在職しなかった期間、俸給を支給されなかった期間、減額改定対象職員以外の職員であった期間その他の人事院規則で定める期間がある職員にあっては、当該月数から当該期間を考慮して人事院規則で定める月数を減じた月数）を乗じて得た額

俸給表	職務の級	号　俸
行政職俸給表㈠	一級	一号俸から五十六号俸まで
	二級	一号俸から二十四号俸まで
	三級	一号俸から八号俸まで
行政職俸給表㈡	一級	一号俸から六十八号俸まで
	二級	一号俸から三十二号俸まで
専門行政職俸給表	一級	一号俸から四十号俸まで
	二級	一号俸から八号俸まで
税務職俸給表	一級	一号俸から五十二号俸まで
	二級	一号俸から二十四号俸まで
	三級	一号俸から八号俸まで
公安職俸給表㈠	一級	一号俸から五十二号俸まで
	二級	一号俸から四十四号俸まで
	三級	一号俸から三十二号俸まで
	四級	一号俸から十六号俸まで
公安職俸給表㈡	一級	一号俸から五十二号俸まで
	二級	一号俸から二十四号俸まで
	三級	一号俸から八号俸まで

俸給表	職務の級	号俸
海事職俸給表(一)	一級	一号俸から五十二号俸まで
	二級	一号俸から三十二号俸まで
	三級	一号俸から八号俸まで
海事職俸給表(二)	一級	一号俸から六十四号俸まで
	二級	一号俸から四十四号俸まで
教育職俸給表(一)	一級	一号俸から三十二号俸まで
	二級	一号俸から十二号俸まで
教育職俸給表(二)	一級	一号俸から四十四号俸まで
	二級	一号俸から三十二号俸まで
	三級	一号俸から十二号俸まで
研究職俸給表	一級	一号俸から五十六号俸まで
	二級	一号俸から三十二号俸まで
医療職俸給表(二)	一級	一号俸から五十二号俸まで
	二級	一号俸から三十二号俸まで
	三級	一号俸から十六号俸まで
	四級	一号俸から四号俸まで
医療職俸給表(三)	一級	一号俸から五十六号俸まで
	二級	一号俸から四十号俸まで
	三級	一号俸から十六号俸まで
	四級	一号俸から四号俸まで
福祉職俸給表	一級	一号俸から五十二号俸まで
	二級	一号俸から二十八号俸まで
	三級	一号俸から四号俸まで

二　平成二十一年六月一日において減額改定対象職員であった者（任用の事情を考慮して人事院規則で定める者を除く。）に同月に支給された期末手当及び勤勉手当の合計額に百分の〇・二四を乗じて得た額

2　平成二十一年四月一日から同年十二月一日までの間において防衛省の職員の給与等に関する法律（昭和二十七年法律第二百六十六号）の適用を受ける者その他の人事院規則で定める者であった者から引き続き新たに職員となった者で任用の事情を考慮して人事院規則で定めるものに関する前項の規定の適用については、同項中「次に掲げる額」とあるのは、「次に掲げる額及び防衛省の職員の給与等に関する法律（昭和二十七年法律第二百六十六号）の適用を受ける者その他の人事院規則で定める者との権衡を考慮して人事院規則で定める額」とする。

（人事院規則への委任）

第四条　前二条に定めるもののほか、この法律（第九条及び次条の規定を除く。）の施行に関し必要な事項は、人事院規則で定める。

附　則（平二二・一一・三〇法五三）（抄）

（施行期日）

第一条　この法律は、公布の日の属する月の翌月の初日（公布の日が月の初日であるときは、その日）から施行する。ただし、第二条〔中略〕並びに附則第五条の規定は、平成二十三年四月一日から施行する。

（任期付研究員等に係る最高の号俸を超える俸給月額の切替え）

第二条　この法律の施行の日（以下「施行日」という。）の前日において次の各号に掲げる俸給月額を受けていた職員の施行日における俸給月額は、当該各号に定める俸給月額及び第一条の規定による改正後の一般職の職員の給与に関する法律（次条及び附則第四条において「改正後の給与法」という。）の指定職俸給表八号俸の額との権衡を考慮して人事院規則で定める。

一　一般職の任期付研究員の採用、給与及び勤務時間の特例に関する法律（以下この号、次条及び附則第五条において「任期付研究員法」という。）第六条第四項の規定による俸給月額　第三条の規定による改正後の任期付研究員法第六条第一項に規定する俸給表に掲げる号俸の俸給月額

二　一般職の任期付職員の採用及び給与の特例に関する法律（以下この号、次条及び附則第五条において「任期付職員法」という。）第七条第三項の規定による俸給月額　第五条の規定による改正後の任期付職員法第七条第一項に規定する俸給表に掲げる号俸の俸給月額

（平成二十二年十二月に支給する期末手当に関する特例措置）

第三条　平成二十二年十二月に支給する期末手当の額は、改正後の給与法第十九条の四第二項（同条第三項、第三条の規定による改正後の任期付研究員法第七条第二項又は第五条の規定による改正後の任期付職員法第八条第二項の規定により読み替えて適用する場合を含む。）及び第四項から第六項まで（国家公務員の育児休業等に関する法律（平成三年法律第百九号。附則第五条及び第七条において「育児休業法」という。）第十六条の規定により読み替えて適用する場合を含む。）若しくは第二十三条第一項から第三項まで、第五項若しくは第七項若しくは附則第八項、国際機関等に派遣される一般職の国家公務員の処遇等に関する法律（昭和四十五年法律第百十七号）第五条第一項又は法科大学院への裁判官及び検察官その他の一般職の国家公務員の派遣に関する法律（平成十五年法律第四十号）第十三条第二項の規定にかかわらず、これらの規定により算定される期末手当の額（以下この項において「基準額」という。）から次に掲げる額の合計額（以下この項において「調整額」という。）に相当する額を減じた額とする。この場合において、調整額が基準額以上となるときは、期末手当は、支給しない。

一　平成二十二年四月一日（同月二日から同年十二月一日までの間に職員（一般職の職員の給与に関する法律（以下この号及び附則第五条において「給与法」という。）第二十二条及び附則第三項に規定する職員を除く。以下この条において同じ。）以外の者又は職員であって適用される俸給表並びにその職務の級及び号俸がそれぞれ次の表の俸給表欄、職務の級欄及び号俸欄に掲げるものであるもの（改正後の給与法附則第八項の規定が施行されていたとした場合においても同項の規定の適用を受けず、かつ、一般職の職員の給与に関する法律等の一部を改正する法律（平成十七年法律第百十三号）附則第十一条の規定の適用を受けない職員

に限る。）若しくは医療職俸給表㈠若しくは任期付研究員法第六条第二項に規定する俸給表の適用を受ける職員からこれらの職員以外の職員（以下この項において「減額改定対象職員」という。）となった者（平成二十二年四月一日に減額改定対象職員であった者で任用の事情を考慮して人事院規則で定めるものを除く。）にあっては、その減額改定対象職員となった日（当該日が二以上あるときは、当該日のうち人事院規則で定める日）において減額改定対象職員が受けるべき俸給、俸給の特別調整額、本府省業務調整手当、初任給調整手当、専門スタッフ職調整手当、扶養手当、地域手当、広域異動手当、研究員調整手当、住居手当、単身赴任手当（給与法第十二条の二第二項に規定する人事院規則で定める額を除く。）及び特地勤務手当（給与法第十四条の規定による手当を含む。）の月額の合計額に百分の〇・二八を乗じて得た額に、同月から施行日の属する月の前月までの月数（同年四月一日から施行日の前日までの期間において、在職しなかった期間、俸給を支給されなかった期間、減額改定対象職員以外の職員であった期間その他の人事院規則で定める期間がある職員にあっては、当該月数から当該期間を考慮して人事院規則で定める月数を減じた月数）を乗じて得た額

俸給表	職務の級	号俸
行政職俸給表㈠	一級	一号俸から九十三号俸まで
	二級	一号俸から六十四号俸まで
	三級	一号俸から四十八号俸まで
	四級	一号俸から三十二号俸まで
	五級	一号俸から二十四号俸まで
	六級	一号俸から十六号俸まで
	七級	一号俸から四号俸まで
行政職俸給表㈡	一級	一号俸から百八号俸まで
	二級	一号俸から七十二号俸まで
	三級	一号俸から六十四号俸まで
	四級	一号俸から三十六号俸まで
	五級	一号俸から二十号俸まで
専門行政職俸給表	一級	一号俸から八十号俸まで
	二級	一号俸から四十八号俸まで
	三級	一号俸から三十二号俸まで
	四級	一号俸から二十号俸まで
	五級	一号俸から四号俸まで
税務職俸給表	一級	一号俸から七十三号俸まで
	二級	一号俸から六十五号俸まで
	三級	一号俸から四十八号俸まで
	四級	一号俸から三十二号俸まで
	五級	一号俸から二十四号俸まで
	六級	一号俸から十六号俸まで
	七級	一号俸から四号俸まで
公安職俸給表㈠	一級	一号俸から九十二号俸まで
	二級	一号俸から八十四号俸まで
	三級	一号俸から七十二号俸まで
	四級	一号俸から五十六号俸まで
	五級	一号俸から三十二号俸まで
	六級	一号俸から二十四号俸まで
	七級	一号俸から十六号俸まで
	八級	一号俸から四号俸まで
公安職俸給表㈡	一級	一号俸から八十九号俸まで
	二級	一号俸から六十四号俸まで
	三級	一号俸から四十八号俸まで
	四級	一号俸から三十二号俸まで
	五級	一号俸から二十四号俸まで
	六級	一号俸から十六号俸まで
	七級	一号俸から四号俸まで
海事職俸給表㈠	一級	一号俸から六十九号俸まで
	二級	一号俸から六十九号俸まで
	三級	一号俸から五十六号俸まで
	四級	一号俸から四十号俸まで
	五級	一号俸から二十八号俸まで
	六級	一号俸から十二号俸まで
海事職俸給表㈡	一級	一号俸から八十五号俸まで
	二級	一号俸から八十四号俸まで
	三級	一号俸から七十二号俸まで
	四級	一号俸から六十号俸まで
	五級	一号俸から四十八号俸まで
	六級	一号俸から三十二号俸まで
教育職俸給表㈠	一級	一号俸から七十二号俸まで
	二級	一号俸から五十二号俸まで
	三級	一号俸から四十号俸まで
	四級	一号俸から十二号俸まで
教育職俸給表㈡	一級	一号俸から八十四号俸まで

俸給表	職務の級	号俸
	二級	一号俸から七十二号俸まで
	三級	一号俸から五十二号俸まで
研究職俸給表	一級	一号俸から九十六号俸まで
	二級	一号俸から七十二号俸まで
	三級	一号俸から四十号俸まで
	四級	一号俸から二十四号俸まで
	五級	一号俸から四号俸まで
医療職俸給表㈡	一級	一号俸から八十五号俸まで
	二級	一号俸から七十二号俸まで
	三級	一号俸から五十六号俸まで
	四級	一号俸から四十四号俸まで
	五級	一号俸から二十八号俸まで
	六級	一号俸から十二号俸まで
医療職俸給表㈢	一級	一号俸から九十六号俸まで
	二級	一号俸から八十号俸まで
	三級	一号俸から五十六号俸まで
	四級	一号俸から四十四号俸まで
	五級	一号俸から二十八号俸まで
	六級	一号俸から八号俸まで
福祉職俸給表	一級	一号俸から九十二号俸まで
	二級	一号俸から六十八号俸まで
	三級	一号俸から四十四号俸まで
	四級	一号俸から三十六号俸まで
	五級	一号俸から十六号俸まで
	六級	一号俸から四号俸まで
専門スタッフ職俸給表	一級	一号俸から十六号俸まで

二　平成二十二年六月一日において減額改定対象職員であった者（任用の事情を考慮して人事院規則で定める者を除く。）に同月に支給された期末手当及び勤勉手当の合計額に百分の〇・二八を乗じて得た額

2　平成二十二年四月一日から同年十二月一日までの間において防衛省の職員の給与等に関する法律（昭和二十七年法律第二百六十六号）の適用を受ける者その他の人事院規則で定める者であった者から引き続き新たに職員となった者で任用の事情を考慮して人事院規則で定めるものに関する前項の規定の適用については、同項中「次に掲げる額」とあるのは、「次に掲げる額及び防衛省の職員の給与等に関する法律（昭和二十七年法律第二百六十六号）の適用を受ける者その他の人事院規則で定める者との権衡を考慮して人事院規則で定める額」とする。

（平成二十二年四月一日前に五十五歳に達した職員に関する読替え）

第四条　平成二十二年四月一日前に五十五歳に達した職員に対する改正後の給与法附則第八項の規定の適用については、同項中「当該特定職員が五十五歳に達した日後における最初の四月一日」とあるのは「一般職の職員の給与に関する法律等の一部を改正する法律（平成二十二年法律第五十三号）の施行の日」と、「五十五歳に達した日後における最初の四月一日後」とあるのは「同日後」とする。

（平成二十三年四月一日における号俸の調整）

第五条　平成二十三年四月一日において四十三歳に満たない職員（同日において、専門スタッフ職俸給表の適用を受ける職員でその職務の級が二級又は三級であるもの（以下この項において「専門スタッフ職二級以上職員」という。）、専門スタッフ職二級以上職員以外の職員でその職務の級における最高の号俸を受けるもの及び指定職俸給表又は任期付研究員法第六条第一項若しくは第二項若しくは任期付職員法第七条第一項に規定する俸給表の適用を受ける職員を除く。）のうち、平成二十二年一月一日において給与法第八条第五項の規定により昇給した職員（同日における昇給の号俸数の決定の状況を考慮して人事院規則で定める職員を除く。）その他当該職員との権衡上必要があると認められるものとして人事院規則で定める職員の平成二十三年四月一日における号俸は、この項の規定の適用がないものとした場合に同日に受けることとなる号俸の一号俸上位の号俸とする。

2　育児休業法第十三条に規定する育児短時間勤務職員に対する前項の規定の適用については、同項中「とする」とあるのは、「とするものとし、その者の俸給月額は、当該号俸に応じた額に、国家公務員の育児休業等に関する法律（平成三年法律第百九号）第十七条の規定により読み替えられた一般職の職員の勤務時間、休暇等に関する法律（平成六年法律第三十三号）第五条第一項ただし書の規定により定められたその者の勤務時間を同項本文に規定する勤務時間で除して得た数を乗じて得た額とする」とする。

3　前項の規定は、育児休業法第二十二条の規定による勤務をしている職員について準用する。

4　育児休業法第二十三条第二項に規定する任期付短時間勤務職員に対する第一項の規定の適用については、同項中「とする」とあるのは、「とするものとし、その者の俸給月額は、当該号俸に応じた額に、国家公務員の育児休業等に関する法律（平成三年法律第百九号）第二十五条の規定により読み替えられた一般職の職員の勤務時間、休暇等に関する法律（平成六年法律第三十三号）第五条第一項ただし書の規定により定められたその者の勤務時間を同項本文に規定する勤務時間で除して得た数を乗じて得た額とする」とする。

（人事院規則への委任）

第六条　附則第二条から前条までに定めるもののほか、この法律の施行に関し必要な事項は、人事院規則で定める。

附　則（平二四・二・二九法二）（抄）

（施行期日）

第一条　この法律は、公布の日の属する月の翌月の初日（公布の日が月の初日であるときは、その日）から施行する。ただし、次の各号に掲げる規定は、当該各号に定める日から施行する。

一　〔前略〕附則第八条から第十条までの規定　平成二十四年四月一日

二　〔略〕

（俸給月額の切替え）

第二条　この法律の施行の日（以下「施行日」という。）の前日において次の各号に掲げる俸給月額を受けていた職員の施行日における俸給月額は、当該各号に定める俸給月額及び第二条の規定による改正後の一般職給与法の指定職俸給表八号俸の額との権衡を考慮して人事院規則で定める。

一　任期付研究員法第六条第四項の規定による俸給月額　第三条の規定による改正後の任期付研究員法第六条第一項に規定する俸給表に掲げる号俸の俸給月額

二　任期付職員法第七条第三項の規定による俸給月額　第四条の規定による改正後の任期付職員法第七条第一項に規定する俸給表に掲げる号俸の俸給月額

（平成二十四年六月に支給する期末手当に関する特例措置）

第六条　平成二十四年六月に職員に支給する期末手当の額は、一般職給与法第十九条の四第二項（同条第三項、任期付研究員法第七条第二項又は任期付職員法第八条第二項の規定により読み替えて適用する場合を含む。）及び第四項から第六項まで（育児休業法第十六条の規定により読み替えて適用する場合を含む。）若しくは第二十三条第一項から第三項まで、第五項若しくは第七項若しくは附則第八項、国際機関等に派遣される一般職の国家公務員の処遇等に関する法律第五条第一項又は法科大学院派遣法第十三条第二項の規定にかかわらず、これらの規定により算定される期末手当の額（以下この項において「基準額」という。）から次に掲げる額の合計額（以下この項において「調整額」という。）に相当する額を減じた額とする。この場合において、調整額が基準額以上となるときは、期末手当は、支給しない。

一　平成二十三年四月一日（同月二日から施行日までの間に職員（一般職給与法第二十二条及び附則第三項に規定する職員を除く。以下この条において同じ。）以外の者又は職員であって適用される俸給表並びにその職務の級及び号俸がそれぞれ次の表の俸給表欄、職務の級欄及び号俸欄に掲げるものであるもの（平成十七年改正法附則第十一条の規定の適用を受けない職員に限る。）、医療職俸給表㈠若しくは任期付研究員法第六条第二項に規定する俸給表の適用を受ける職員若しくは同条第一項若しくは任期付職員法第七条第一項に規定する俸給表の適用を受ける職員でその号俸が一号俸から三号俸までであるものからこれらの職員以外の職員（以下この項において「減額改定対象職員」という。）となった者（同月一日に減額改定対象職員であった者で任用の事情を考慮して人事院規則で定めるものを除く。）にあっては、その減額改定対象職員となった日（当該日が二以上あるときは、当該日のうち人事院規則で定める日））において減額改定対象職員が受けるべき俸給、俸給の特別調整額、本府省業務調整手当、初任給調整手当、専門スタッフ職調整手当、扶養手当、地域手当、広域異動手当、研究員調整手当、住居手当、単身赴任手当（一般職給与法第十二条の二第二項に規定する人事院規則で定める額を除く。）及び特地勤務手当（一般職給与法第十四条の規定による手当を含む。）の月額（一般職給与法附則第八項の規定により給与が減ぜられて支給される職員にあっては、同項の規定により減ぜられることとなる額を差し引いた額）の合計額に百分の〇・三七を乗じて得た額に、同月から施行日の属する月の前月までの月数（同年四月一日から施行日の前日までの期間において、在職しなかった期間、俸給を支給されなかった期間、減額改定対象職員以外の職員であった期間その他の人事院規則で定める期間がある職員にあっては、当該月数から当該期間を考慮して人事院規則で定める月数を減じた月数）を乗じて得た額

俸給表	職務の級	号俸
行政職俸給表㈠	一級	一号俸から九十三号俸まで
	二級	一号俸から七十六号俸まで
	三級	一号俸から六十号俸まで
	四級	一号俸から四十四号俸まで
	五級	一号俸から三十六号俸まで
	六級	一号俸から二十八号俸まで
	七級	一号俸から十六号俸まで
	八級	一号俸から四号俸まで
行政職俸給表㈡	一級	一号俸から百二十一号俸まで
	二級	一号俸から八十四号俸まで
	三級	一号俸から七十六号俸まで
	四級	一号俸から四十八号俸まで
	五級	一号俸から三十二号俸まで
専門行政職俸給表	一級	一号俸から九十三号俸まで
	二級	一号俸から六十号俸まで
	三級	一号俸から四十四号俸まで
	四級	一号俸から三十二号俸まで
	五級	一号俸から十六号俸まで
	六級	一号俸から四号俸まで
税務職俸給表	一級	一号俸から七十三号俸まで
	二級	一号俸から六十五号俸まで
	三級	一号俸から六十号俸まで
	四級	一号俸から四十四号俸まで
	五級	一号俸から三十六号俸まで
	六級	一号俸から二十八号俸まで
	七級	一号俸から十六号俸まで
	八級	一号俸から四号俸まで

俸給表	級	号俸
公安職俸給表(一)	一級	一号俸から百四号俸まで
	二級	一号俸から九十六号俸まで
	三級	一号俸から八十四号俸まで
	四級	一号俸から六十八号俸まで
	五級	一号俸から四十四号俸まで
	六級	一号俸から三十六号俸まで
	七級	一号俸から二十八号俸まで
	八級	一号俸から十六号俸まで
	九級	一号俸から四号俸まで
公安職俸給表(二)	一級	一号俸から八十九号俸まで
	二級	一号俸から七十六号俸まで
	三級	一号俸から六十号俸まで
	四級	一号俸から四十四号俸まで
	五級	一号俸から三十六号俸まで
	六級	一号俸から二十八号俸まで
	七級	一号俸から十六号俸まで
	八級	一号俸から四号俸まで
海事職俸給表(一)	一級	一号俸から六十九号俸まで
	二級	一号俸から六十九号俸まで
	三級	一号俸から六十八号俸まで
	四級	一号俸から五十二号俸まで
	五級	一号俸から四十号俸まで
	六級	一号俸から二十四号俸まで
海事職俸給表(二)	一級	一号俸から八十五号俸まで
	二級	一号俸から九十七号俸まで
	三級	一号俸から八十四号俸まで
	四級	一号俸から七十二号俸まで
	五級	一号俸から六十号俸まで
	六級	一号俸から四十四号俸まで
教育職俸給表(一)	一級	一号俸から八十四号俸まで
	二級	一号俸から六十四号俸まで
	三級	一号俸から五十二号俸まで
	四級	一号俸から二十四号俸まで
教育職俸給表(二)	一級	一号俸から九十六号俸まで
	二級	一号俸から八十四号俸まで
	三級	一号俸から六十四号俸まで
研究職俸給表	一級	一号俸から百八号俸まで
	二級	一号俸から八十四号俸まで
	三級	一号俸から五十二号俸まで
	四級	一号俸から三十六号俸まで
	五級	一号俸から十六号俸まで
医療職俸給表(二)	一級	一号俸から八十五号俸まで
	二級	一号俸から八十四号俸まで
	三級	一号俸から六十八号俸まで
	四級	一号俸から五十六号俸まで
	五級	一号俸から四十号俸まで
	六級	一号俸から二十四号俸まで
	七級	一号俸から八号俸まで
医療職俸給表(三)	一級	一号俸から百八号俸まで
	二級	一号俸から九十二号俸まで
	三級	一号俸から六十八号俸まで
	四級	一号俸から五十六号俸まで
	五級	一号俸から四十号俸まで
	六級	一号俸から二十号俸まで
	七級	一号俸から四号俸まで
福祉職俸給表	一級	一号俸から百四号俸まで
	二級	一号俸から八十号俸まで
	三級	一号俸から五十六号俸まで
	四級	一号俸から四十八号俸まで
	五級	一号俸から二十八号俸まで
	六級	一号俸から十六号俸まで
専門スタッフ職俸給表	一級	一号俸から二十八号俸まで
	二級	一号俸及び二号俸

二　平成二十三年六月一日において減額改定対象職員であった者（任用の事情を考慮して人事院規則で定める者を除く。）に同月に支給された期末手当及び勤勉手当の合計額に百分の〇・三七を乗じて得た額並びに同年十二月一日において減額改定対象職員であった者（任用の事情を考慮して人事院規則で定める者を除く。）に同月に支給された期末手当及び勤勉手当の合計額に百分の〇・三七を乗じて得た額

2　平成二十三年四月一日から平成二十四年六月一日までの間において防衛省職員給与法の適用を受ける者その他の人事院規則で定める者であった者から引き続き新たに職員となった者で任用の事情を考慮して人事院規則で定めるものに関する前項の規定の適用については、同項中「次に掲げる額」とあるのは、「次に掲げる額及び防衛省職員給与法の適用を受ける者その他の人事院規則で定

める者との権衡を考慮して人事院規則で定める額」とする。

（平成二十四年四月一日、平成二十五年四月一日及び平成二十六年四月一日における号俸の調整）

第八条　平成二十四年四月一日において第五条の規定による改正後の平成十七年改正法附則第十一条の規定による俸給に関する状況を考慮して人事院規則で定める年齢に満たない職員（同日において、専門スタッフ職俸給表の適用を受ける職員でその職務の級が二級又は三級であるもの（以下この項において「専門スタッフ職二級以上職員」という。）、専門スタッフ職二級以上職員以外の職員でその職務の級における最高の号俸を受けるもの及び指定職俸給表又は任期付研究員法第六条第一項若しくは第二項若しくは任期付職員法第七条第一項に規定する俸給表の適用を受ける職員（以下この条において「除外職員」という。）である者を除く。）のうち、当該職員の平成十九年一月一日、平成二十年一月一日及び平成二十一年一月一日の一般職給与法第八条第五項の規定による昇給その他の号俸の決定の状況（以下この条において「調整考慮事項」という。）を考慮して調整の必要があるものとして人事院規則で定める職員の平成二十四年四月一日における号俸は、この項の規定の適用がないものとした場合に同日に受けることとなる号俸の一号俸（職員の調整考慮事項を考慮して特に調整の必要があるものとして人事院規則で定める職員にあっては、二号俸）上位の号俸とする。

2　平成二十五年四月一日において第五条の規定による改正後の平成十七年改正法附則第十一条の規定による俸給に関する状況を考慮して人事院規則で定める年齢に満たない職員（同日において除外職員である者を除く。）のうち、当該職員の調整考慮事項及び平成二十四年四月一日における号俸の調整の状況を考慮して調整の必要があるものとして人事院規則で定める職員の平成二十五年四月一日における号俸は、この項の規定の適用がないものとした場合に同日に受けることとなる号俸の一号俸（職員の調整考慮事項を考慮して特に調整の必要があるものとして人事院規則で定める職員にあっては、二号俸）上位の号俸とする。

3　平成二十六年四月一日において第五条の規定による改正後の平成十七年改正法附則第十一条の規定による俸給に関する状況を考慮して人事院規則で定める年齢に満たない職員（同日において除外職員である者を除く。）のうち、当該職員の調整考慮事項並びに平成二十四年四月一日及び平成二十五年四月一日における号俸の調整の状況を考慮して調整の必要があるものとして人事院規則で定める職員の平成二十六年四月一日における号俸は、この項の規定の適用がないものとした場合に同日に受けることとなる号俸の一号俸（職員の調整考慮事項を考慮して特に調整の必要があるものとして人事院規則で定める職員にあっては、二号俸）上位の号俸とする。

4　育児休業法第十三条第一項に規定する育児短時間勤務職員に対する前三項の規定の適用については、これらの規定中「とする」とあるのは、「とするものとし、その者の俸給月額は、当該号俸に応じた額に、育児休業法第十七条の規定により読み替えられた一般職の職員の勤務時間、休暇等に関する法律第五条第一項ただし書の規定により定められたその者の勤務時間を同項本文に規定する勤務時間で除して得た数を乗じて得た額とする」とする。

5　前項の規定は、育児休業法第二十二条の規定による勤務をしている職員について準用する。

6　育児休業法第二十三条第二項に規定する任期付短時間勤務職員に対する第一項から第三項までの規定の適用については、これらの規定中「とする」とあるのは、「とするものとし、その者の俸給月額は、当該号俸に応じた額に、育児休業法第二十五条の規定により読み替えられた一般職の職員の勤務時間、休暇等に関する法律第五条第一項ただし書の規定により定められたその者の勤務時間を同項本文に規定する勤務時間で除して得た数を乗じて得た額とする」とする。

（人事院規則等への委任）

第十一条　附則第二条から前条までに定めるもののほか、この法律の施行に関し必要な経過措置は、一般職の職員に関するものにあっては人事院規則、特別職の職員及び防衛省の職員に関するものにあっては政令で定める。

附　則（平二四・六・二七法四二）（抄）

改正　平二六・六・一三法六七

（施行期日）

第一条　この法律は、平成二十五年四月一日から施行する。〔ただし書略〕

（政令等への委任）

第十二条　附則第二条から前条まで並びに附則第二十五条、第三十条、第四十条及び第四十四条に規定するもののほか、この法律の施行に伴い必要な経過措置は、政令（人事院の所掌する事項については、人事院規則）で定める。

（一般職の職員の給与に関する法律の一部改正に伴う経過措置）

第二十五条　施行日の前日において旧給与特例法適用職員であった者であって引き続き施行日に前条の規定による改正後の一般職の職員の給与に関する法律に規定する俸給表の適用を受ける職員となったもの並びにこの法律の施行の際現に旧給与特例法適用職員であった者として同条の規定による改正前の一般職の職員の給与に関する法律第十一条の七第三項、第十一条の八第三項、第十二条第四項、第十二条の二第三項及び第十四条第二項の規定の適用を受けている職員に対する一般職の職員の給与に関する法律第十一条の七第三項、第十一条の八第三項、第十二条第四項、第十二条の二第三項及び第十四条第二項の規定の適用については、これらの者は同法第十一条の七第三項に規定する行政執行法人職員等であった者とみなす。

附　則（平二五・六・二一法五二）（抄）

（施行期日）

1　この法律は、平成二十六年一月一日から施行する。

附　則（平二六・四・一八法二二）（抄）

（施行期日）

第一条　この法律は、公布の日から起算して六月を超えない範囲内において、政令で定める日〔平二六・五・三〇〕から施行する。ただし、次の各号に掲げる規定は、当該各号に定める日から施行する。

一　次条〔中略〕の規定　公布の日

二・三　〔略〕

（準備行為）

第二条　〔略〕

2　内閣総理大臣は、第二条の規定による改正後の一般職の職員の給与に関する法律（次項において「新一般職給与法」という。）第六条の二第一項の規定による定めをしようとするときは、施行日前においても、人事院の意見を聴くことができる。

3　内閣総理大臣は、新一般職給与法第八条第一項の職務の級の定数を設定しようとするときは、施行日前においても、人事院の意見を聴くことができる。

附　則（平二六・六・一三法六七）（抄）

（施行期日）

第一条　この法律は、独立行政法人通則法の一部を改正する法律（平成二十六年法律第六十六号。以下「通則法改正法」という。）の施行の日（平二七・四・一）から施行する。ただし、次の各号に掲げる規定は、当該各号に定める日から施行する。

一　附則〔中略〕第三十条の規定　公布の日

二　〔略〕

（一般職の職員の給与に関する法律の一部改正に伴う経過措置）

第四条　施行日の前日において特定独立行政法人（通則法改正法による改正前の独立行政法人通則法（平成十一年法律第百三号。以下「旧通則法」という。）第二条第二項に規定する特定独立行政法人をいう。以下同じ。）の職員であった者であって引き続き施行日に第三条の規定による改正後の一般職の職員の給与に関する法律（以下この条において「新給与法」という。）に規定する俸給表の適用を受ける職員となったもの並びにこの法律の施行の際現に特定独立行政法人の職員であった者として第三条の規定による改正前の一般職の職員の給与に関する法律第十一条の七第三項、第十一条の八第三項、第十二条第四項、第十二条の二第三項及び第十四条第二項の規定の適用を受けている職員に対する新給与法第十一条の七第三項、第十一条の八第三項、第十二条第四項、第十二条の二第三項及び第十四条第二項の規定の適用については、これらの者は、新給与法第十一条の七第三項に規定する行政執行法人職員等であった者とみなす。

（処分等の効力）

第二十八条　この法律の施行前にこの法律による改正前のそれぞれの法律（これに基づく命令を含む。）の規定によってした又はすべき処分、手続その他の行為であってこの法律による改正後のそれぞれの法律（これに基づく命令を含む。以下この条において「新法令」という。）に相当の規定があるものは、法律（これに基づく政令を含む。）に別段の定めのあるものを除き、新法令の相当の規定によってした又はすべき処分、手続その他の行為とみなす。

（罰則に関する経過措置）

第二十九条　この法律の施行前にした行為及びこの附則の規定によりなおその効力を有することとされる場合におけるこの法律の施行後にした行為に対する罰則の適用については、なお従前の例による。

（その他の経過措置の政令等への委任）

第三十条　附則第三条から前条までに定めるもののほか、この法律の施行に関し必要な経過措置（罰則に関する経過措置を含む。）は、政令（人事院の所掌する事項については、人事院規則）で定める。

附　則（平二六・六・一三法六九）（抄）

（施行期日）

第一条　この法律は、行政不服審査法（平成二十六年法律第六十八号）の施行の日（平二八・四・一）から施行する。

附　則（平二六・一一・一九法一〇五）（抄）

（施行期日等）

第一条　この法律は、公布の日から施行する。ただし、第二条〔中略〕並びに附則第五条から第八条まで、第十条から第十四条まで及び第十六条から第十八条までの規定は、平成二十七年四月一日から施行する。

2　第一条の規定（一般職の職員の給与に関する法律（以下「給与法」という。）第十九条の七第二項及び附則第十一項の改正規定を除く。附則第四条において同じ。）による改正後の給与法（次条及び附則第四条において「改正後の給与法」という。）の規定、第四条の規定（一般職の任期付研究員の採用、給与及び勤務時間の特例に関する法律（以下「任期付研究員法」という。）第七条第二項の改正規定を除く。附則第四条において同じ。）による改正後の任期付研究員法（附則第四条において「改正後の任期付研究員法」という。）の規定及び第六条の規定（一般職の任期付職員の採用及び給与の特例に関する法律（以下「任期付職員法」という。）第八条第二項の改正規定を除く。附則第四条において同じ。）による改正後の任期付職員法（次条及び附則第四条において「改正後の任期付職員法」という。）の規定は、平成二十六年四月一日から適用する。

（適用日における任期付職員に係る最高の号俸を超える俸給月額の切替え）

第二条　平成二十六年四月一日（以下「適用日」という。）の前日において任期付職員法第七条第三項の規定による俸給月額を受けていた職員の適用日における俸給月額は、改正後の任期付職員法第七条第一項に規定する俸給表に掲げる号俸の俸給月額及び改正後の給与法の指定職俸給表八号俸の額との権衡を考慮して人事院規則で定める。

（適用日前の異動者の号俸の調整）

第三条　適用日前に職務の級を異にして異動した職員及び人事院の定めるこれに準ずる職員の適用日における号俸については、その者が適用日において職務の級を異にする異動等をしたものとした場合との権衡上必要と認められる限度において、人事院の定めるところにより、必要な調整を行うことができる。

（給与の内払）

第四条　改正後の給与法、改正後の任期付研究員法又は改正後の任期付職員法の規定を適用する場合においては、第一条の規定による改正前の給与法、第四条の規定による改正前の任期付研究員法又は第六条の規定による改正前の任期付職員法の規定に基づいて支給された給与は、それぞれ改正後の給与法、改正後の任期付研究員法又は改正後の任期付職員法の規定による給与の内払とみなす。

（切替日における任期付研究員等に係る最高の号俸を超える俸給月額の切替え）

第五条　平成二十七年四月一日（以下「切替日」という。）の前日において次の各号に掲げる俸給月額を受けていた職員の切替日における俸給月額は、当該各号に定める俸給月額及び第二条の規定による改正後の給与法の指定職俸給表八号俸の額との権衡を考慮して人事院規則で定める。

一　任期付研究員法第六条第四項の規定による俸給月額　第五条の規定による改正後の任期付研究員法第六条第一項に規定する俸給表に掲げる号俸の俸給月額

二　任期付職員法第七条第三項の規定による俸給月額　第七条の規定による改正後の任期付職員法第七条第一

項に規定する俸給表に掲げる号俸の俸給月額

（切替日前の異動者の号俸の調整）

第六条　切替日前に職務の級を異にして異動した職員及び人事院の定めるこれに準ずる職員の切替日における号俸については、その者が切替日において職務の級を異にする異動等をしたものとした場合との権衡上必要と認められる限度において、人事院の定めるところにより、必要な調整を行うことができる。

（俸給の切替えに伴う経過措置）

第七条　切替日の前日から引き続き同一の俸給表の適用を受ける職員で、その者の受ける俸給月額が同日において受けていた俸給月額に達しないこととなるもの（人事院規則で定める職員を除く。）には、平成三十年三月三十一日までの間、俸給月額のほか、その差額に相当する額（給与法附則第八項の表の俸給表欄に掲げる俸給表の適用を受ける職員（再任用職員を除く。）のうち、その職務の級が同項の表の職務の級欄に掲げる職務の級以上である者（以下この項において「特定職員」という。）にあっては、五十五歳に達した日後における最初の四月一日（特定職員以外の者が五十五歳に達した日後における最初の四月一日後に特定職員となった場合にあっては、特定職員となった日）以後、当該額に百分の九十八・五を乗じて得た額）を俸給として支給する。

2　切替日の前日から引き続き俸給表の適用を受ける職員（前項に規定する職員を除く。）について、同項の規定による俸給を支給される職員との権衡上必要があると認められるときは、当該職員には、人事院規則の定めるところにより、同項の規定に準じて、俸給を支給する。

3　切替日以降に新たに俸給表の適用を受けることとなった職員について、任用の事情等を考慮して前二項の規定による俸給を支給される職員との権衡上必要があると認められるときは、当該職員には、人事院規則の定めるところにより、前二項の規定に準じて、俸給を支給する。

第八条　前条の規定による俸給を支給される職員に関する給与法第十条の五第二項、第十九条の四第五項（給与法第十九条の七第四項において準用する場合及び国家公務員の育児休業等に関する法律（平成三年法律第百九号。次項及び次条において「育児休業法」という。）第十六条の規定により読み替えて適用する場合を含む。以下この項において同じ。）並びに附則第八項第二号から第四号まで、第六号及び第七号の規定の適用については、給与法第十条の五第二項中「俸給月額」とあるのは「俸給月額と一般職の職員の給与に関する法律等の一部を改正する法律（平成二十六年法律第百五号。以下「平成二十六年改正法」という。）附則第七条の規定による俸給の額との合計額」と、給与法第十九条の四第五項中「俸給月額」とあるのは「俸給月額と平成二十六年改正法附則第七条の規定による俸給の額との合計額」と、給与法附則第八項第二号中「専門スタッフ職調整手当の月額」とあるのは「俸給月額に対する専門スタッフ職調整手当の月額（以下この項において「俸給月額対応専門スタッフ職調整手当月額」という。）」と、同項第三号、第四号、第六号及び第七号中「専門スタッフ職調整手当の月額」とあるのは「俸給月額対応専門スタッフ職調整手当月額」とする。

2　前条の規定による俸給を支給される職員に関する育児休業法附則第二条第一項の規定の適用については、同項中「、第二号」とあるのは「から第四号まで」と、「」を減じた」」とあるのは「」「専門スタッフ職調整手当の月額」とあるのは「俸給月額に対する専門スタッフ職調整手当の月額（以下この項において「俸給月額対応専門スタッフ職調整手当月額」という。）」と、「を減じた」」と、「同項第六号」とあるのは「同項第三号及び第四号中「専門スタッフ職調整手当の月額」とあるのは「俸給月額対応専門スタッフ職調整手当月額」と、同項第六号」と、「「専門スタッフ職調整手当の月額を」とあるのは「「俸給月額対応専門スタッフ職調整手当月額を」とする。

3　前条の規定による俸給を支給される職員に関する次に掲げる法律の規定の適用については、これらの規定中「俸給月額」とあるのは、「俸給月額と一般職の職員の給与に関する法律等の一部を改正する法律（平成二十六年法律第百五号）附則第七条の規定による俸給の額との合計額」とする。

一　任期付研究員法第六条第五項

二　任期付職員法第七条第四項

（平成二十七年三月三十一日までの間における昇給に関する特例）

第九条　平成二十七年三月三十一日までの間における給与法第八条第七項（育児休業法第十六条及び第二十四条の規定により読み替えて適用する場合を含む。）の規定の適用については、同項中「四号俸」とあるのは「三号俸」と、「三号俸」とあるのは「二号俸」とする。

（平成三十年三月三十一日までの間における地域手当及び単身赴任手当に関する特例）

第十条　切替日から平成三十年三月三十一日までの間における地域手当及び単身赴任手当の支給に関する次の表の上欄に掲げる給与法の規定の適用については、これらの規定中同表の中欄に掲げる字句は、それぞれ同表の下欄に掲げる字句とする。

第十一条の三第二項第一号	百分の二十	百分の二十を超えない範囲内で人事院規則で定める割合
第十一条の三第二項第二号	百分の十六	百分の十六を超えない範囲内で人事院規則で定める割合
第十一条の三第二項第三号	百分の十五	百分の十五を超えない範囲内で人事院規則で定める割合
第十一条の三第二項第四号	百分の十二	百分の十二を超えない範囲内で人事院規則で定める割合
第十一条の三第二項第五号	百分の十	百分の十を超えない範囲内で人事院規則で定める割合
第十一条の三第二項第六号	百分の六	百分の六を超えない範囲内で人事院規則で定める割合
第十一条の三第二項第七号	百分の三	百分の三を超えない範囲内で人事院規則で定める割合
第十一条の五	百分の十六	百分の十六を超えない範

		囲内で人事院規則で定める割合
第十二条の二第二項	三万円	三万円を超えない範囲内で人事院規則で定める額

（広域異動手当に関する特例）

第十一条　切替日から平成二十八年三月三十一日までの間に職員がその在勤する官署を異にして異動した場合又は職員の在勤する官署が移転した場合における当該職員に対する当該異動又は移転に係る広域異動手当の支給に関する給与法第十一条の八第一項の規定の適用については、同項第一号中「百分の十」とあるのは「百分の八」と、同項第二号中「百分の五」とあるのは「百分の四」とする。

（地域手当に関する経過措置）

第十二条　第二条の規定の施行の際現に給与法第十一条の六の規定の適用を受けている職員に対する当該適用に係る官署の移転に係る地域手当の支給に関する同条の規定の適用については、次の表の上欄に掲げる同条の規定中同表の中欄に掲げる字句は、それぞれ同表の下欄に掲げる字句とする。

第一項	同条第二項各号に定める割合をいう。以下	一般職の職員の給与に関する法律等の一部を改正する法律（平成二十六年法律第百五号。以下「平成二十六年改正法」という。）第二条の規定による改正前の第十一条の三第二項各号に定める割合をいう。以下
	同条第一項	第十一条の三第一項
第三項	同条第二項各号	平成二十六年改正法第二条の規定による改正前の第十一条の三第二項各号
	同条第一項	第十一条の三第一項

2　第二条の規定の施行の際現に給与法第十一条の七第一項の規定の適用を受けている職員に対する当該適用に係る異動等に係る地域手当の支給及び切替日の前日において第二条の規定による改正前の給与法第十一条の三若しくは給与法第十一条の六の規定の適用を受けている職員が切替日にその在勤する官署を異にして異動した場合又はこれらの職員の在勤する官署が切替日に移転した場合における当該職員に対する当該異動等に係る地域手当の支給に関する同項の規定の適用については、同項中「第十一条の三第二項各号に定める割合又は第十一条の四の人事院規則で定める割合をいい」とあるのは、「一般職の職員の給与に関する法律等の一部を改正する法律（平成二十六年法律第百五号）第二条の規定による改正前の第十一条の三第二項各号に定める割合又は同法第二条の規定による改正前の第十一条の四の人事院規則で定める割合をいい」とする。

（広域異動手当に関する経過措置）

第十三条　切替日前に職員がその在勤する官署を異にして異動した場合又は職員の在勤する官署が移転した場合における当該職員に対する当該異動又は移転に係る広域異動手当の支給に関する給与法第十一条の八第一項の規定の適用については、同項第一号中「百分の十」とあるのは「百分の六」と、同項第二号中「百分の五」とあるのは「百分の三」とする。

（非常勤職員の給与に関する経過措置）

第十四条　第二条の規定による改正前の給与法第二十二条第一項に定める職員で、同項の規定により支給される手当の額が勤務一日につき三万四千二百円を超え三万四千九百円以下であるものに対する給与法第二十二条第一項の規定の適用については、平成三十年三月三十一日（当該職員が同日前に離職をした場合にあっては、当該離職をした日）までの間は、同項中「三万四千二百円」とあるのは、「三万四千九百円」とする。

（人事院規則への委任）

第十五条　附則第二条から前条までに定めるもののほか、この法律（第三条の規定を除く。）の施行に関し必要な事項は、人事院規則で定める。

（寒冷地手当に関する経過措置）

第十六条　この条において、次の各号に掲げる用語の意義は、当該各号に定めるところによる。

一　旧寒冷地等在勤等職員　次に掲げる職員のいずれかに該当する職員（常時勤務に服する職員に限り、国家公務員法（昭和二十二年法律第百二十号）第八十一条の四第一項又は第八十一条の五第一項の規定により採用された職員（次号において「再任用職員」という。）を除く。）をいう。

イ　第三条の規定による改正前の国家公務員の寒冷地手当に関する法律別表に掲げる地域（ロにおいて「旧寒冷地」という。）に在勤する職員

ロ　第三条の規定の施行の日（以下「一部施行日」という。）の前日において国家公務員の寒冷地手当に関する法律（以下「寒冷地手当法」という。）第一条第二号の規定に基づき内閣総理大臣が定めていた官署に在勤し、かつ、旧寒冷地又は同日において同号の規定に基づき内閣総理大臣が定めていた区域に居住する職員

二　新寒冷地等在勤等職員　寒冷地手当法第一条各号に掲げる職員のいずれかに該当する職員（常時勤務に服する職員に限り、再任用職員を除く。）をいう。

三　特定旧寒冷地等在勤等職員　旧寒冷地等在勤等職員であって、新寒冷地等在勤等職員でないものをいう。

四　みなし寒冷地手当額　次項又は第三項に規定する者につき、寒冷地手当法別表に規定する四級地をその地域の区分（寒冷地手当法第二条第一項に規定する地域の区分をいう。）と、基準日（寒冷地手当法第一条に規定する基準日をいう。以下同じ。）における基準世帯等区分（当該者の一部施行日の前日以降における世帯等の区分（寒冷地手当法第二条第一項に規定する世帯等の区分をいう。以下この号において同じ。）のうち、寒冷地手当法第二条第一項の表四級地の項に掲げる寒冷地手当の額が最も少ない世帯等の区分をいう。）をその世帯等の区分とそれぞれみなして、寒冷地手当法第二条第一項の規定を適用したとしたならば算出される寒冷地手当の額をいう。

2　基準日（その属する月が平成二十八年三月までのものに限る。）において特定旧寒冷地等在勤等職員である者のうち、一部施行日の前日から当該基準日の前日までの間、引き続き特定旧寒冷地等在勤等職員であった者に対

しては、寒冷地手当法第一条及び第二条の規定にかかわらず、みなし寒冷地手当額の寒冷地手当を支給する。

3　基準日（その属する月が平成二十八年十一月から平成三十年三月までのものに限る。）において特定旧寒冷地等在勤等職員である者のうち、一部施行日の前日から当該基準日の前日までの間、引き続き特定旧寒冷地等在勤等職員であった者に対しては、みなし寒冷地手当額が、次の表の上欄に掲げる基準日の属する月の区分に応じ同表の下欄に掲げる額を超えることとなるときは、寒冷地手当法第一条及び第二条の規定にかかわらず、みなし寒冷地手当額から同表の上欄に掲げる基準日の属する月の区分に応じ同表の下欄に掲げる額を減じた額の寒冷地手当を支給する。

平成二十八年十一月から平成二十九年三月まで	六千円
平成二十九年十一月から平成三十年三月まで	一万二千円

4　寒冷地手当法第二条第三項及び第四項の規定は、前二項の規定により寒冷地手当を支給される者について準用する。この場合において、同条第三項中「、前二項」とあるのは「、一般職の職員の給与に関する法律等の一部を改正する法律（平成二十六年法律第百五号。以下「平成二十六年改正法」という。）附則第十六条第二項又は第三項」と、同項第一号中「前二項」とあるのは「平成二十六年改正法附則第十六条第二項又は第三項」と、「同条第二項」とあるのは「一般職給与法第二十三条第二項」と、同項第二号中「前二項」とあるのは「平成二十六年改正法附則第十六条第二項又は第三項」と、同条第四項中「前三項」とあるのは「平成二十六年改正法附則第十六条第二項又は第三項及び同条第四項において読み替えて準用する前項」と、「第一項又は第二項」とあるのは「同条第二項又は第三項」と、同項第一号及び第二号中「前項各号」とあるのは「平成二十六年改正法附則第十六条第四項において読み替えて準用する前項各号」と読み替えるものとする。

5　前三項の規定により寒冷地手当を支給される者との権衡上必要があると認められるときは、基準日において特定旧寒冷地等在勤等職員である者のうち、一部施行日の前日において旧寒冷地等在勤等職員であった者であって、一部施行日から当該基準日の前日までの間、引き続き旧寒冷地等在勤等職員又は新寒冷地等在勤等職員であったもの（前三項の規定により寒冷地手当を支給される者を除く。）に対しては、寒冷地手当法第一条及び第二条の規定にかかわらず、内閣総理大臣の定めるところにより、前三項の規定に準じて、寒冷地手当を支給する。

6　検察官であった者又は給与法第十一条の七第三項に規定する行政執行法人職員等であった者が、一部施行日以降に引き続き給与法の俸給表の適用を受ける職員となり、特定旧寒冷地等在勤等職員となった場合（一部施行日の前日において独立行政法人通則法の一部を改正する法律の施行に伴う関係法律の整備に関する法律（平成二十六年法律第六十七号）第三条の規定による改正前の給与法第十一条の七第三項に規定する特定独立行政法人職員等であった者が、一部施行日に引き続き給与法の俸給表の適用を受ける職員となり、特定旧寒冷地等在勤等職員となった場合を含む。）において、任用の事情、一部施行日の前日から特定旧寒冷地等在勤等職員となった日の前日までの間における勤務地等を考慮して第二項から前項までの規定により寒冷地手当を支給される者との権衡上必要があると認められるときは、基準日において当該職員である者に対しては、寒冷地手当法第一条及び第二条の規定にかかわらず、内閣総理大臣の定めるところにより、第二項から前項までの規定に準じて、寒冷地手当を支給する。

7　第二項から前項までの規定により寒冷地手当を支給する場合における寒冷地手当法第三条第一項の規定の適用については、同項中「前条」とあるのは、「一般職の職員の給与に関する法律等の一部を改正する法律（平成二十六年法律第百五号）附則第十六条第二項から第六項まで」とする。

8　第五項及び第六項の規定に基づく内閣総理大臣の定めは、人事院の勧告に基づくものでなければならない。

（防衛省の職員への準用）

第十七条　前条の規定は、国家公務員法第二条第三項第十六号に規定する職員について準用する。この場合において、次の表の上欄に掲げる前条の規定中同表の中欄に掲げる字句は、それぞれ同表の下欄に掲げる字句に読み替えるものとする。

第一項第一号	国家公務員法（昭和二十二年法律第百二十号）第八十一条の四第一項又は第八十一条の五第一項	自衛隊法（昭和二十九年法律第百六十五号）第四十四条の四第一項、第四十四条の五第一項又は第四十五条の二第一項
第一項第一号イ	在勤する職員	在勤する職員及び当該地域に防衛大臣の定める定係港を有する船舶に乗り組む職員
第一項第一号ロ	第一条第二号	第五条において準用する寒冷地手当法第一条第二号
第一項第一号ロ、第五項、第六項及び第八項	内閣総理大臣	防衛大臣
第一項第二号	第一条各号	第五条において準用する寒冷地手当法第一条各号
第一項第四号	第二条第一項の規定	第五条において準用する寒冷地手当法第二条第一項の規定
第二項、第三項、第五項及び第六項	第一条	第五条において準用する寒冷地手当法第一条
第四項	第二条第三項	第五条において準用する寒冷地手当法第二条

	第三項（第二号を除く。）
という。）附則第十六条第二項	という。）附則第十七条において準用する平成二十六年改正法附則第十六条第二項
附則第十六条第二項又は第三項」と、「同条第二項	附則第十七条において準用する平成二十六年改正法附則第十六条第二項又は第三項」と、「同条第二項
一般職給与法	防衛省の職員の給与等に関する法律
同項第二号中「前二項」とあるのは「平成二十六年改正法附則第十六条第二項又は第三項」と、同条第四項	同条第四項
附則第十六条第二項又は第三項及び	附則第十七条において準用する平成二十六年改正法附則第十六条第二項又は第三項及び
附則第十六条第四項	附則第十七条において準用する平成二十六年改正法附則第十六条第四項
準用する前項各号	準用する前項第一号及び第三号」と、「同項各号」とあるのは「同項第一号及び第三号

第六項	又は給与法	又は防衛省の職員の給与等に関する法律（昭和二十七年法律第二百六十六号）第十四条第二項において準用する給与法
	給与法の	防衛省の職員の給与等に関する法律第四条第一項及び第四項に規定する
	前日において	前日において同法第十四条第二項において準用する
第七項	第三条第一項	第五条において準用する寒冷地手当法第三条第一項
	附則第十六条第二項	附則第十七条において準用する同法附則第十六条第二項
第八項	人事院の勧告に基づく	一般職の国家公務員との均衡を考慮した

附 則（平二八・一・二六法一）（抄）

（施行期日等）

第一条 この法律は、公布の日から施行する。ただし、第二条〔中略〕の規定は、平成二十八年四月一日から施行する。

2 第一条の規定による改正後の一般職の職員の給与に関する法律（以下「改正後の給与法」という。）の規定〔中略〕は、平成二十七年四月一日から適用する。

（任期付職員に係る最高の号俸を超える俸給月額の切替え）

第二条 平成二十七年四月一日（以下この条において「切替日」という。）の前日において一般職の任期付職員の採用及び給与の特例に関する法律第七条第三項の規定による俸給月額を受けていた職員の切替日における俸給月額は、改正後の任期付職員法第七条第一項に規定する俸給表に掲げる号俸の俸給月額及び改正後の給与法の指定職俸給表八号俸の額との権衡を考慮して人事院規則で定める。

（給与の内払）

第三条 改正後の給与法、改正後の任期付研究員法又は改正後の任期付職員法の規定を適用する場合においては、第一条の規定による改正前の一般職の職員の給与に関する法律の規定に基づいて支給された給与（一般職の職員の給与に関する法律等の一部を改正する法律（平成二十六年法律第百五号。以下この条において「平成二十六年改正法」という。）附則第七条の規定に基づいて支給された俸給を含む。）、第四条の規定による改正前の一般職の任期付研究員の採用、給与及び勤務時間の特例に関する法律の規定に基づいて支給された給与（平成二十六年改正法附則第七条の規定に基づいて支給された俸給を含む。）又は第六条の規定による改正前の一般職の任期付職員の採用及び給与の特例に関する法律の規定に基づいて支給された給与（平成二十六年改正法附則第七条の規定に基づいて支給された俸給を含む。）は、それぞれ改正後の給与法の規定による給与（平成二十六年改正法附則第七条の規定による俸給を含む。）、改正後の任期付研究員法の規定による給与（平成二十六年改正法附則第七条の規定による俸給を含む。）又は改正後の任期付職員法の規定による給与（平成二十六年改正法附則第七条の規定による俸給を含む。）の内払とみなす。

（人事院規則への委任）

第四条 前二条に定めるもののほか、この法律の施行に関し必要な事項は、人事院規則で定める。

附 則（平二八・一一・二四法八〇）（抄）

改正 令元・一一・二二法五一

（施行期日等）

第一条 この法律は、公布の日から施行する。ただし、次の各号に掲げる規定は、当該各号に定める日から施行する。

一 〔略〕

二 第二条〔中略〕並びに附則第三条の規定 平成二十

九年四月一日

2　第一条の規定（一般職の職員の給与に関する法律（以下「給与法」という。）第十九条の七第二項及び附則第十一項の改正規定を除く。次条において同じ。）による改正後の給与法（次条において「第一条改正後給与法」という。）の規定、第五条の規定（一般職の任期付研究員の採用、給与及び勤務時間の特例に関する法律（以下この項及び次条において「任期付研究員法」という。）第七条第二項の改正規定を除く。次条において同じ。）による改正後の任期付研究員法（次条において「改正後の任期付研究員法」という。）の規定及び第七条の規定（一般職の任期付職員の採用及び給与の特例に関する法律（以下この項及び次条において「任期付職員法」という。）第八条第二項の改正規定を除く。次条において同じ。）による改正後の任期付職員法（次条において「改正後の任期付職員法」という。）の規定は、平成二十八年四月一日から適用し、附則第七条の規定による改正後の国家公務員共済組合法（昭和三十三年法律第百二十八号）第六十八条の三第三項の規定は、同年八月一日以後に開始された国家公務員共済組合法第六十八条の三第一項に規定する介護休業に係る介護休業手当金の額の算定について適用する。

（給与の内払）

第二条　第一条改正後給与法、改正後の任期付研究員法又は改正後の任期付職員法の規定を適用する場合においては、第一条の規定による改正前の給与法の規定に基づいて支給された給与（一般職の職員の給与に関する法律等の一部を改正する法律（平成二十六年法律第百五号。以下この条において「平成二十六年改正法」という。）附則第七条の規定に基づいて支給された俸給を含む。）、第五条の規定による改正前の任期付研究員法の規定に基づいて支給された給与（平成二十六年改正法附則第七条の規定に基づいて支給された俸給を含む。）又は第七条の規定による改正前の任期付職員法の規定に基づいて支給された給与（平成二十六年改正法附則第七条の規定に基づいて支給された俸給を含む。）は、それぞれ第一条改正後給与法の規定による給与（平成二十六年改正法附則第七条の規定による俸給を含む。）、改正後の任期付研究員法の規定による給与（平成二十六年改正法附則第七条の規定による俸給を含む。）又は改正後の任期付職員法の規定による給与（平成二十六年改正法附則第七条の規定による俸給を含む。）の内払とみなす。

（令和二年三月三十一日までの間における扶養手当に関する特例）

第三条　平成二十九年四月一日から平成三十年三月三十一日までの間は、第二条の規定による改正後の給与法（以下この条において「第二条改正後給与法」という。）第十一条第一項ただし書及び第十一条の二第三項第三号から第六号までの規定は適用せず、第二条改正後給与法第十一条第三項及び第十一条の二の規定の適用については、同項中「扶養親族たる配偶者、父母等については一人につき六千五百円（行政職俸給表㈠の適用を受ける職員でその職務の級が八級であるもの及び同表以外の各俸給表の適用を受ける職員でその職務の級がこれに相当するものとして人事院規則で定める職員（以下「行㈠八級職員等」という。）にあつては、三千五百円）、前項第二号に該当する扶養親族（以下「扶養親族たる子」という。）については一人につき一万円」とあるのは「前項第一号に該当する扶養親族（以下「扶養親族たる配偶者」という。）については一万円、同項第二号に該当する扶養親族（以下「扶養親族たる子」という。）については一人につき八千円（職員に配偶者がない場合にあつては、そのうち一人については一万円）、同項第三号から第六号までのいずれかに該当する扶養親族（以下「扶養親族たる父母等」という。）については一人につき六千五百円（職員に配偶者及び扶養親族たる子がない場合にあつては、そのうち一人については九千円）」と、同条第一項中「扶養親族（行㈠九級以上職員等にあつては、扶養親族たる子に限る。）がある場合、行㈠九級以上職員等から行㈠九級以上職員等以外の職員となつた職員に扶養親族たる配偶者、父母等」とあるのは「扶養親族」と、「その旨」とあるのは「その旨（新たに職員となつた者に扶養親族がある場合又は職員に第一号に掲げる事実が生じた場合において、その職員に配偶者がないときは、その旨を含む。）」と、同項第一号中「場合（行㈠九級以上職員等に扶養親族たる配偶者、父母等たる要件を具備するに至つた者がある場合を除く。）」とあるのは「場合」と、同項中「二　扶養親族たる要件を欠くに至つた者がある場合（扶養親族たる子又は前条第二項第三号若しくは第五号に該当する扶養親族が、満二十二歳に達した日以後の最初の三月三十一日の経過により、扶養親族たる要件を欠くに至つた場合及び行㈠九級以上職員等に扶養親族たる配偶者、父母等たる要件を欠くに至つた者がある場合を除く。）」とあるのは

「二　扶養親族たる要件を欠くに至つた者がある場合（扶養親族たる子又は前条第二項第三号若しくは第五号に該当する扶養親族が、満二十二歳に達した日以後の最初の三月三十一日の経過により、扶養親族たる要件を欠くに至つた場合を除く。）
三　扶養親族たる子又は扶養親族たる父母等がある職員が配偶者のない職員となつた場合（前号に該当する場合を除く。）
四　扶養親族たる子又は扶養親族たる父母等がある職員が配偶者を有するに至つた場合（第一号に該当する場合を除く。）」

と、同条第二項中「扶養親族（行㈠九級以上職員等にあつては、扶養親族たる子に限る。）」とあるのは「扶養親族」と、「なつた日、行㈠九級以上職員等から行㈠九級以上職員等以外の職員となつた職員に扶養親族たる配偶者、父母等がある場合においてその職員に扶養親族たる子で前項の規定による届出に係るものがないときはその職員が行㈠九級以上職員等以外の職員となつた日」とあるのは「なつた日」と、「同項の規定による届出に係るものがない場合」とあるのは「前項の規定による届出に係るものがない場合」と、「死亡した日、行㈠九級以上職員等以外の職員から行㈠九級以上職員等となつた職員に扶養親族たる配偶者、父母等で同項の規定による届出に係るものがある場合においてその職員に扶養親族たる子で同項の規定による届出に係るものがないときはその職員が行㈠九級以上職員等となつた日」とあるのは「死亡した日」と、同条第三項中「次の各号のいずれか」とあるのは「第一号、第二号若しくは第七号」と、「においては、その」とあるのは「又は扶養手当を受けている職員について第一項第三号若しくは第四号に掲げる事実が生じた場合においては、これらの」と、「その日が」とあるのは「これらの日が」と、「第一号又は第三号」

とあるのは「第一号」と、「の改定」とあるのは「の改定（扶養親族たる子で第一項の規定による届出に係るものがある職員で配偶者のないものが扶養親族たる配偶者を有するに至つた場合における当該扶養親族たる子に係る扶養手当の支給額の改定並びに扶養親族たる父母等で同項の規定による届出に係るものがある職員であつて配偶者及び扶養親族たる子で同項の規定による届出に係るもののないものが扶養親族たる配偶者又は扶養親族たる子を有するに至つた場合の当該扶養親族たる父母等に係る扶養手当の支給額の改定を除く。）、扶養手当を受けている職員のうち扶養親族たる子で第一項の規定による届出に係るものがある職員が配偶者のない職員となつた場合における当該扶養親族たる子に係る扶養手当の支給額の改定及び扶養手当を受けている職員のうち扶養親族たる父母等で同項の規定による届出に係るものがある職員であつて扶養親族たる子で同項の規定による届出に係るもののないものが配偶者のない職員となつた場合における当該扶養親族たる父母等に係る扶養手当の支給額の改定」と、同項第二号中「扶養親族（行㈠九級以上職員等にあつては、扶養親族たる子に限る。）」とあるのは「扶養親族」とする。

2 平成三十年四月一日から平成三十一年三月三十一日までの間は、第二条改正後給与法第十一条第一項ただし書及び第十一条の二第三項第三号から第六号までの規定は適用せず、第二条改正後給与法第十一条第三項及び第十一条の二の規定の適用については、同項中「扶養親族たる配偶者、父母等」とあるのは「前項第一号及び第三号から第六号までのいずれかに該当する扶養親族」と、「（行政職俸給表㈠の適用を受ける職員でその職務の級が八級であるもの及び同表以外の各俸給表の適用を受ける職員でその職務の級がこれに相当するものとして人事院規則で定める職員（以下「行㈠八級職員等」という。）にあつては、三千五百円）、前項第二号」とあるのは「、同項第二号」と、同条第一項中「扶養親族（行㈠九級以上職員等にあつては、扶養親族たる子に限る。）がある場合、行㈠九級以上職員等から行㈠九級以上職員等以外の職員となつた職員に扶養親族たる配偶者、父母等」とあるのは「扶養親族」と、同項第一号中「場合（行㈠九級以上職員等に扶養親族たる配偶者、父母等たる要件を具備するに至つた者がある場合を除く。）」とあり、及び同項第二号中「場合及び行㈠九級以上職員等に扶養親族たる配偶者、父母等たる要件を欠くに至つた者がある場合」とあるのは「場合」と、同条第二項中「扶養親族（行㈠九級以上職員等にあつては、扶養親族たる子に限る。）」とあるのは「扶養親族」と、「なつた日、行㈠九級以上職員等から行㈠九級以上職員等以外の職員となつた職員に扶養親族たる配偶者、父母等がある場合においてその職員に扶養親族たる子で前項の規定による届出に係るものがないときはその職員が行㈠九級以上職員等以外の職員となつた日」とあるのは「なつた日」と、「同項の規定による届出に係るものがない場合」とあるのは「前項の規定による届出に係るものがない場合」と、「死亡した日、行㈠九級以上職員等以外の職員から行㈠九級以上職員等となつた職員に扶養親族たる配偶者、父母等で同項の規定による届出に係るものがある場合においてその職員に扶養親族たる子で同項の規定による届出に係るものがないときはその職員が行㈠九級以上職員等となつた日」とあるのは「死亡した日」と、同条第三項中「次の各号のいずれか」とあるのは「第一号、第二号又は第七号」と、「第一号又は第三号」とあるのは「第一号」と、同項第二号中「扶養親族（行㈠九級以上職員等にあつては、扶養親族たる子に限る。）」とあるのは「扶養親族」とする。

3 平成三十一年四月一日から令和二年三月三十一日までの間は、第二条改正後給与法第十一条第一項ただし書並びに第十一条の二第三項第三号及び第五号の規定は適用せず、第二条改正後給与法第十一条第三項及び第十一条の二の規定の適用については、同項中「扶養親族たる配偶者、父母等」とあるのは「前項第一号及び第三号から第六号までのいずれかに該当する扶養親族（以下「扶養親族たる配偶者、父母等」という。）」と、「が八級」とあるのは「が八級以上」と、「行㈠八級職員等」とあるのは「行㈠八級以上職員等」と、「前項第二号」とあるのは「同項第二号」と、同条第一項中「扶養親族（行㈠九級以上職員等にあつては、扶養親族たる子に限る。）がある場合、行㈠九級以上職員等から行㈠九級以上職員等以外の職員となつた職員に扶養親族たる配偶者、父母等」とあるのは「扶養親族」と、同項第一号中「場合（行㈠九級以上職員等に扶養親族たる配偶者、父母等たる要件を具備するに至つた者がある場合を除く。）」とあり、及び同項第二号中「場合及び行㈠九級以上職員等に扶養親族たる配偶者、父母等たる要件を欠くに至つた者がある場合」とあるのは「場合」と、同条第二項中「扶養親族（行㈠九級以上職員等にあつては、扶養親族たる子に限る。）」とあるのは「扶養親族」と、「なつた日、行㈠九級以上職員等から行㈠九級以上職員等以外の職員となつた職員に扶養親族たる配偶者、父母等がある場合においてその職員に扶養親族たる子で前項の規定による届出に係るものがないときはその職員が行㈠九級以上職員等以外の職員となつた日」とあるのは「なつた日」と、「同項の規定による届出に係るものがない場合」とあるのは「前項の規定による届出に係るものがない場合」と、「死亡した日、行㈠九級以上職員等以外の職員から行㈠九級以上職員等となつた職員に扶養親族たる配偶者、父母等で同項の規定による届出に係るものがある場合においてその職員に扶養親族たる子で同項の規定による届出に係るものがないときはその職員が行㈠九級以上職員等となつた日」とあるのは「死亡した日」と、同条第三項中「次の各号のいずれか」とあるのは「第一号、第二号、第四号、第六号又は第七号」と、「第一号又は第三号」とあるのは「第一号」と、同項第二号中「扶養親族（行㈠九級以上職員等にあつては、扶養親族たる子に限る。）」とあるのは「扶養親族」と、同項第四号中「行㈠八級職員等が行㈠八級職員等及び行㈠九級以上職員等」とあるのは「行㈠八級以上職員等が行㈠八級以上職員等」と、同項第六号中「行㈠八級職員等が行㈠九級以上職員等」とあるのは「行㈠八級以上職員等」と、「が行㈠八級職員等」とあるのは「が行㈠八級以上職員等」とする。

（人事院規則への委任）

第五条 前三条に定めるもののほか、この法律（第九条及び附則第七条から第十条までの規定を除く。）の施行に関し必要な事項は、人事院規則で定める。

附 則（平二九・一二・一五法七七）（抄）

（施行期日等）

第一条 この法律は、公布の日から施行する。ただし、第二条〔中略〕並びに附則第三条及び第五条〔中略〕の規定は、平成三十年四月一日から施行する。

2　第一条の規定による改正後の一般職の職員の給与に関する法律（次条及び附則第三条第一項において「改正後の給与法」という。）の規定〔中略〕は、平成二十九年四月一日から適用する。

（給与の内払）

第二条　改正後の給与法〔中略〕の規定を適用する場合には、第一条の規定による改正前の一般職の職員の給与に関する法律の規定に基づいて支給された給与（一般職の職員の給与に関する法律等の一部を改正する法律（平成二十六年法律第百五号。以下この条及び次条第一項において「平成二十六年改正法」という。）附則第七条の規定に基づいて支給された俸給を含む。）〔中略〕は、〔中略〕改正後の給与法の規定による給与（平成二十六年改正法附則第七条の規定による俸給を含む。）〔中略〕の内払とみなす。

（平成三十年四月一日における号俸の調整）

第三条　平成三十年四月一日において三十七歳に満たない職員（同日において、改正後の給与法別表第十に規定する専門スタッフ職俸給表の適用を受ける職員でその職務の級が二級以上であるもの（以下この項において「改正後専門スタッフ職二級以上職員」という。）、改正後専門スタッフ職二級以上職員以外の職員でその職務の級における最高の号俸を受けるもの及び一般職の職員の給与に関する法律別表第十一に規定する指定職俸給表又は改正後の任期付研究員法第六条第一項若しくは第二項若しくは改正後の任期付職員法第七条第一項に規定する俸給表の適用を受ける職員を除く。）のうち、平成二十七年一月一日において一般職の職員の給与に関する法律第八条第六項の規定により昇給した職員（同日において平成二十六年改正法第二条の規定による改正前の一般職の職員の給与に関する法律別表第十に規定する専門スタッフ職俸給表の適用を受ける職員でその職務の級が二級又は三級であるものその他同日における昇給の号俸数の決定の状況を考慮して人事院規則で定める職員を除く。以下この項において「昇給抑制職員」という。）その他昇給抑制職員との権衡上必要があると認められるものとして人事院規則で定める職員の平成三十年四月一日における号俸は、この項の規定の適用がないものとした場合に同日に受けることとなる号俸の一号俸上位の号俸とする。

2　国家公務員の育児休業等に関する法律（平成三年法律第百九号）第十三条第一項に規定する育児短時間勤務職員に対する前項の規定の適用については、同項中「とする」とあるのは、「とするものとし、国家公務員の育児休業等に関する法律（平成三年法律第百九号）第十三条第一項に規定する育児短時間勤務職員の俸給月額は、当該号俸に応じた額に、同法第十七条の規定により読み替えられた一般職の職員の勤務時間、休暇等に関する法律（平成六年法律第三十三号）第五条第一項ただし書の規定により定められたその者の勤務時間を同項本文に規定する勤務時間で除して得た数を乗じて得た額とする」とする。

3　前項の規定は、国家公務員の育児休業等に関する法律第二十二条の規定による勤務をしている職員について準用する。

4　国家公務員の育児休業等に関する法律第二十三条第二項に規定する任期付短時間勤務職員に対する第一項の規定の適用については、同項中「とする」とあるのは、「とするものとし、国家公務員の育児休業等に関する法律（平成三年法律第百九号）第二十三条第二項に規定する任期付短時間勤務職員の俸給月額は、当該号俸に応じた額に、同法第二十五条の規定により読み替えられた一般職の職員の勤務時間、休暇等に関する法律（平成六年法律第三十三号）第五条第一項ただし書の規定により定められたその者の勤務時間を同項本文に規定する勤務時間で除して得た数を乗じて得た額とする」とする。

（人事院規則への委任）

第四条　前二条に定めるもののほか、この法律の施行に関し必要な事項は、人事院規則で定める。

附　則（平三〇・一一・三〇法八二）（抄）

（施行期日等）

第一条　この法律は、公布の日から施行する。ただし、第二条〔中略〕の規定は、平成三十一年四月一日から施行する。

2　第一条の規定による改正後の一般職の職員の給与に関する法律（附則第三条において「改正後の給与法」という。）の規定〔中略〕は、平成三十年四月一日から適用する。

（特定任期付職員に係る最高の号俸を超える俸給月額の切替え）

第二条　平成三十年四月一日（以下この条において「切替日」という。）の前日において一般職の任期付職員の採用及び給与の特例に関する法律第七条第三項の規定による俸給月額を受けていた職員の切替日における俸給月額は、改正後の任期付職員法第七条第一項に規定する俸給表に掲げる号俸の俸給月額及び一般職の職員の給与に関する法律別表第十一に規定する指定職俸給表八号俸の額との権衡を考慮して人事院規則で定める。

（給与の内払）

第三条　改正後の給与法〔中略〕の規定を適用する場合には、第一条の規定による改正前の一般職の職員の給与に関する法律〔中略〕の規定に基づいて支給された給与は、〔中略〕改正後の給与法〔中略〕の規定による給与の内払とみなす。

（人事院規則への委任）

第四条　前二条に定めるもののほか、この法律の施行に関し必要な事項は、人事院規則で定める。

附　則（令元・六・一四法三七）（抄）

（施行期日）

第一条　この法律は、公布の日から起算して三月を経過した日から施行する。〔ただし書略〕

（一般職の職員の給与に関する法律の一部改正に伴う経過措置）

第十条　施行日前に旧国家公務員法第三十八条第一号に該当して旧国家公務員法第七十六条の規定により失職した職員に係る期末手当及び勤勉手当の支給については、前条の規定による改正後の一般職の職員の給与に関する法律第十九条の四第一項及び第四項、第十九条の五第二号（同法第十九条の七第五項及び第二十三条第八項において準用する場合を含む。）、第十九条の七第一項及び第二項第一号イ並びに第二十三条第七項の規定にかかわらず、なお従前の例による。

附　則（令元・一一・二二法五一）（抄）

（施行期日等）

第一条　この法律は、公布の日から施行する。ただし、第二条〔中略〕並びに附則第三条の規定は、令和二年四月一日から施行する。

2　第一条の規定（一般職の職員の給与に関する法律（以下「給与法」という。）第十九条の七第二項の改正規定を除く。次条において同じ。）による改正後の給与法（次条において「改正後の給与法」という。）の規定〔中略〕は、平成三十一年四月一日から適用する。

（給与の内払）

第二条　改正後の給与法、改正後の任期付研究員法又は改正後の任期付職員法の規定を適用する場合には、第一条の規定による改正前の給与法〔中略〕の規定に基づいて支給された給与は、〔中略〕改正後の給与法〔中略〕の規定による給与の内払とみなす。

（住居手当に関する経過措置）

第三条　第二条の規定の施行の日（以下この項において「一部施行日」という。）の前日において同条の規定による改正前の給与法第十一条の十の規定により支給されていた住居手当の月額が二千円を超える職員であって、一部施行日以後においても引き続き当該住居手当に係る住宅（貸間を含む。）を借り受け、家賃（使用料を含む。以下この項において同じ。）を支払っているもののうち、次の各号のいずれかに該当するもの（人事院規則で定める職員を除く。）に対しては、一部施行日から令和三年三月三十一日までの間、第二条の規定による改正後の給与法第十一条の十の規定にかかわらず、当該住居手当の月額に相当する額（当該住居手当に係る家賃の月額に変更があった場合には、当該相当する額を超えない範囲内で人事院規則で定める額。第二号において「旧手当額」という。）から二千円を控除した額の住居手当を支給する。

一　第二条の規定による改正後の給与法第十一条の十第一項各号のいずれにも該当しないこととなる職員

二　旧手当額から第二条の規定による改正後の給与法第十一条の十第二項の規定により算出される住居手当の月額に相当する額を減じた額が二千円を超えることとなる職員

2　前項に定めるもののほか、同項の規定による住居手当の支給に関し必要な事項は、人事院規則で定める。

（人事院規則への委任）

第四条　前二条に定めるもののほか、この法律の施行に関し必要な事項は、人事院規則で定める。

附　則（令二・六・二四法六三）（抄）

（施行期日）

第一条　この法律は、令和三年四月一日から施行する。ただし、〔中略〕附則第六条の規定は、公布の日から施行する。

（政令への委任）

第六条　附則第二条から前条までに規定するもののほか、この法律の施行に関し必要な経過措置は、政令で定める。

附　則（令二・一一・三〇法六五）（抄）

この法律は、公布の日から施行する。ただし、第二条〔中略〕の規定は、令和三年四月一日から施行する。

附　則（令三・六・一一法六一）（抄）

改正　令四・四・一三法一七

（施行期日）

第一条　この法律は、令和五年四月一日から施行する。〔ただし書略〕

〔注：国家公務員法の令三法六一の附則参照〕

附　則（令四・四・一三法一七）（抄）

（施行期日）

第一条　この法律は、公布の日から施行する。

（令和四年六月に支給する期末手当に関する特例措置）

第二条　令和四年六月に支給する期末手当の額は、第一条の規定による改正後の一般職の職員の給与に関する法律（第一号ロにおいて「新給与法」という。）第十九条の四第二項（同条第三項、第二条（第一号に係る部分に限る。）の規定による改正後の一般職の任期付研究員の採用、給与及び勤務時間の特例に関する法律第七条第二項又は第三条（第二号に係る部分に限る。）の規定による改正後の一般職の任期付職員の採用及び給与の特例に関する法律第八条第二項の規定により読み替えて適用する場合を含む。）及び一般職の職員の給与に関する法律（以下この項及び附則第四条において「給与法」という。）第十九条の四第四項から第六項まで（国家公務員の育児休業等に関する法律（平成三年法律第百九号）第十六条の規定により読み替えて適用する場合を含む。）若しくは第二十三条第一項から第三項まで、第五項若しくは第七項、国際機関等に派遣される一般職の国家公務員の処遇等に関する法律（昭和四十五年法律第百十七号）第五条第一項、法科大学院への裁判官及び検察官その他の一般職の国家公務員の派遣に関する法律（平成十五年法律第四十号）第十三条第二項、福島復興再生特別措置法（平成二十四年法律第二十五号）第四十八条の五第二項若しくは第八十九条の五第二項、令和三年東京オリンピック競技大会・東京パラリンピック競技大会特別措置法（平成二十七年法律第三十三号）第十九条第二項又は令和七年に開催される国際博覧会の準備及び運営のために必要な特別措置に関する法律（平成三十一年法律第十八号）第二十七条第二項の規定にかかわらず、これらの規定により算定される期末手当の額（以下この項において「基準額」という。）から、令和三年十二月に支給された期末手当の額に、同月一日（同日前一箇月以内に退職した者にあっては、当該退職をした日）における次の各号に掲げる職員（給与法の適用を受ける者をいう。以下この項において同じ。）の区分ごとに、それぞれ当該各号に定める割合を乗じて得た額（以下この項において「調整額」という。）を減じた額とする。この場合において、調整額が基準額以上となるときは、期末手当は、支給しない。

一　再任用職員（国家公務員法（昭和二十二年法律第百二十号）第八十一条の四第一項又は第八十一条の五第一項の規定により採用された職員をいう。次号において同じ。）以外の職員　次に掲げる職員の区分に応じ、それぞれ次に定める割合

イ　ロから二までに掲げる職員以外の職員　百二十七・五分の十五

ロ　新給与法第十九条の四第二項に規定する特定管理職員（次号ロにおいて「特定管理職員」という。）　百七・五分の十五

ハ　給与法別表第十一に規定する指定職俸給表の適用を受ける職員（次号ハにおいて「指定職職員」という。）　六十七・五分の十

ニ　一般職の任期付研究員の採用、給与及び勤務時間の特例に関する法律第五条第一項に規定する第一号任期付研究員若しくは第二号任期付研究員又は一般職の任期付職員の採用及び給与の特例に関する法律第七条第一項に規定する特定任期付職員　百六十七・五分の十

二　再任用職員　次に掲げる職員の区分に応じ、それぞ

れ次に定める割合

イ　ロ及びハに掲げる職員以外の職員　七十二・五分の十

ロ　特定管理職員　六十二・五分の十

ハ　指定職職員　三十五分の五

2　令和三年十二月に防衛省の職員の給与等に関する法律（昭和二十七年法律第二百六十六号）その他の人事院規則で定める法令の規定に基づき期末手当を支給された者に対する前項の規定の適用については、同項中「令和三年十二月に支給された期末手当の額に、同月一日（同日前一箇月以内に退職した者にあっては、当該退職をした日）における次の各号に掲げる職員（給与法の適用を受ける者をいう。以下この項において同じ。）の区分ごとに、それぞれ当該各号に定める割合を乗じて得た」とあるのは、「防衛省の職員の給与等に関する法律（昭和二十七年法律第二百六十六号）の適用を受ける者その他の人事院規則で定める者との権衡を考慮して人事院規則で定める」とする。

（人事院規則への委任）

第三条　前条に定めるもののほか、この法律の施行に関し必要な事項は、人事院規則で定める。

○刑法等の一部を改正する法律の施行に伴う関係法律の整理等に関する法律（抄）

令四・六・一七
法　六　八

（一般職の職員の給与に関する法律の一部改正に伴う経過措置）

第四百九十七条　刑法等一部改正法等の施行前に犯した禁錮以上の刑（死刑を除く。）が定められている罪につき起訴をされた者は、第七十条の規定による改正後の一般職の職員の給与に関する法律第十九条の六第一項（第一号に係る部分に限る。）及び第三項（第三号に係る部分に限る。）の規定の適用については、拘禁刑が定められている罪につき起訴をされた者とみなす。

附　則（抄）

（施行期日）

1　この法律は、刑法等一部改正法施行日〔令七・六・一〕から施行する。〔ただし書略〕

附　則（令四・一一・一八法八一）（抄）

（施行期日等）

第一条　この法律は、公布の日から施行する。ただし、第二条〔中略〕の規定は、令和五年四月一日から施行する。

2　第一条の規定（一般職の職員の給与に関する法律（以下この項及び次条において「給与法」という。）第十九条の七第二項の改正規定を除く。次条において同じ。）による改正後の給与法（次条において「改正後の給与法」という。）の規定〔中略〕は、令和四年四月一日から適用する。

（給与の内払）

第二条　改正後の給与法〔中略〕を適用する場合には、第一条の規定による改正前の給与法〔中略〕の規定に基づいて支給された給与は、〔中略〕改正後の給与法〔中略〕の規定による給与の内払とみなす。

（人事院規則への委任）

第三条　前条に定めるもののほか、この法律の施行に関し必要な事項は、人事院規則で定める。

附　則（令五・一一・二四法七三）（抄）

（施行期日等）

第一条　この法律は、公布の日から施行する。ただし、次の各号に掲げる規定は、当該各号に定める日から施行する。

一　第二条中一般職の職員の給与に関する法律（以下この条及び附則第三条において「給与法」という。）第五条第一項及び第十二条第二項第二号の改正規定、給与法第十二条の二の次に一条を加える改正規定並びに給与法第十九条の四第二項及び第三項並びに第十九条の七第二項の改正規定〔中略〕　令和六年四月一日

二　第二条（前号に掲げる改正規定を除く。）、第三条及び第五条（同号に掲げる改正規定を除く。）の規定並びに附則第六条の規定　令和七年四月一日

2　第一条の規定（給与法第十九条の四第二項及び第三項並びに第十九条の七第二項の改正規定を除く。附則第三条において同じ。）による改正後の給与法（次条及び附則第三条において「改正後の給与法」という。）の規定〔中略〕は、令和五年四月一日から適用する。

（特定任期付職員に係る最高の号俸を超える俸給月額の切替え）

第二条　令和五年四月一日（以下この条において「切替日」という。）の前日において任期付職員法第七条第三項の規定による俸給月額を受けていた職員の切替日における俸給月額は、改正後の任期付職員法第七条第一項に規定する俸給表に掲げる号俸の俸給月額及び改正後の給与法別表第十一に規定する指定職俸給表八号俸の額との権衡を考慮して人事院規則で定める。

（給与の内払）

第三条　改正後の給与法〔中略〕の規定を適用する場合には、第一条の規定による改正前の給与法〔中略〕の規定に基づいて支給された給与は、〔中略〕改正後の給与法〔中略〕の規定による給与の内払とみなす。

（人事院規則への委任）

第四条　前二条に定めるもののほか、この法律の施行に関し必要な事項は、人事院規則で定める。

附　則（令六・一二・二五法七二）（抄）

（施行期日等）

第一条　この法律は、公布の日から施行する。ただし、第二条〔中略〕の規定並びに附則第四条から第十二条まで〔中略〕の規定は、令和七年四月一日から施行する。

2　第一条の規定による改正後の一般職の職員の給与に関する法律（次条及び附則第三条において「第一条改正後給与法」という。）の規定〔中略〕は、令和六年四月一日から適用する。

（給与の内払）

第三条　第一条改正後給与法〔中略〕の規定を適用する場合には、第一条の規定による改正前の一般職の職員の給与に関する法律〔中略〕の規定に基づいて支給された給与は、それぞれ第一条改正後給与法〔中略〕の規定による給与の内払とみなす。

（号俸の切替え）

第四条　令和七年四月一日（以下「切替日」という。）の前日において一般職の職員の給与に関する法律（以下「給与法」という。）別表第一から別表第十までの俸給表の適用を受けていた職員であって同日においてその者が属していた職務の級が附則別表に掲げられている職務の級であったものの切替日における号俸（次条及び同表

において「新号俸」という。）は、切替日の前日においてその者が属していた職務の級及び同日においてその者が受けていた号俸（同表において「旧号俸」という。）に応じて同表に定める号俸とする。

（切替日前の異動者の号俸の調整）

第五条　切替日前に職務の級を異にする異動をした職員及び人事院の定めるこれに準ずるものをした職員の新号俸については、その者が切替日において当該異動又は当該準ずるものをしたものとした場合との権衡上必要と認められる限度において、人事院の定めるところにより、必要な調整を行うことができる。

（令和八年三月三十一日までの間における扶養手当に関する経過措置）

第六条　切替日から令和八年三月三十一日までの間における第二条の規定による改正後の給与法（以下「第二条改正後給与法」という。）第十一条の規定の適用については、同条第一項ただし書中「対しては」とあるのは「対しては、支給せず、次項第六号に該当する扶養親族に係る扶養手当は、行政職俸給表㈠の適用を受ける職員でその職務の級が八級以上であるもの及び同表以外の各俸給表の適用を受ける職員でその職務の級がこれに相当するものとして人事院規則で定める職員に対しては」と、同条第二項中「五　重度心身障害者」とあるのは「五　重度心身障害者　六　配偶者（届出をしないが事実上婚姻関係と同様の事情にある者を含む。）」と、同条第三項中「一万三千円」とあるのは「一万千五百円」と、「とする」とあるのは「、前項第六号に該当する扶養親族については三千円とする」とする。

（令和十年三月三十一日までの間における地域手当に関する経過措置）

第七条　切替日から令和十年三月三十一日までの間における地域手当の月額は、第二条改正後給与法第十一条の三第二項及び第三項の規定にかかわらず、俸給、俸給の特別調整額、専門スタッフ職調整手当及び扶養手当の月額の合計額に、人事院規則で定める地域手当の級地の区分に応じて、百分の二十を超えない範囲内で人事院規則で定める割合を乗じて得た額とする。この場合において、この項前段の地域手当の級地は、人事院規則で定める。

2　人事院は、前項前段の人事院規則を定めるに当たっては、当該人事院規則で定める地域手当の級地の区分及び割合（以下この項において「級地区分等」という。）が令和十年四月一日以降に適用される新たな級地区分等への円滑な移行を図るためのものであることを踏まえ、級地区分等の変更に伴う職員の生活への影響及び当該変更に必要な原資を考慮しつつ、級地区分等の段階的な変更が行われるようにしなければならない。

3　切替日から令和十年三月三十一日までの間における給与法第十一条の四から第十一条の六まで、第十一条の八第四項並びに第十一条の九第一項及び第二項第一号の規定の適用については、給与法第十一条の四中「には、前条」とあるのは「には、前条又は一般職の職員の給与に関する法律等の一部を改正する法律（令和六年法律第七十二号。以下「令和六年改正法」という。）附則第七条第一項」と、「除き、前条」とあるのは「除き、前条又は同項」と、給与法第十一条の五中「には、前二条」とあるのは「には、前二条又は令和六年改正法附則第七条第一項」と、「間、前二条」とあるのは「間、前二条又は同項」と、給与法第十一条の六第一項中「同条第二項各号に」とあるのは「令和六年改正法附則第七条第一項の人事院規則で」と、「同条第一項」とあるのは「第十一条の三第一項」と、「前三条」とあるのは「前三条又は令和六年改正法附則第七条第一項」と、同項第一号中「第十一条の三第二項各号に」とあるのは「令和六年改正法附則第七条第一項の人事院規則で」と、同条第二項中「前三条」とあるのは「前三条又は令和六年改正法附則第七条第一項」と、同条第三項中「第十一条の三第二項各号に」とあるのは「令和六年改正法附則第七条第一項の人事院規則で」と、「同条第二項各号に」とあるのは「同条第一項の人事院規則で」と、「同条第一項」とあるのは「第十一条の三第一項」と、給与法第十一条の八第四項中「まで」とあるのは「まで又は令和六年改正法附則第七条第一項」と、給与法第十一条の九第一項及び第二項第一号中「第十一条の三」とあるのは「第十一条の三又は令和六年改正法附則第七条第一項」とする。

（切替日前に異動等のあった職員等の地域手当に関する経過措置）

第八条　切替日の前日までに第二条の規定による改正前の給与法第十一条の七第一項若しくは第二項に規定する異動等のあった職員又は同日までに同条第三項の規定により同条第一項若しくは第二項の規定による地域手当を支給される職員との権衡上必要があると認められた職員（国家公務員法（昭和二十二年法律第百二十号）第六十条の二第二項に規定する定年前再任用短時間勤務職員（附則第十条及び第十一条第一項において「定年前再任用短時間勤務職員」という。）及び国家公務員法等の一部を改正する法律附則第三条第四項に規定する暫定再任用職員（附則第十条及び第十一条第一項第四号において「暫定再任用職員」という。）を除く。）については、第二条改正後給与法第十一条の七第一項本文中「又は第十一条の四の人事院規則で定める割合をいう」とあるのは「、一般職の職員の給与に関する法律等の一部を改正する法律（令和六年法律第七十二号。以下この条において「令和六年改正法」という。）附則第七条第一項の人事院規則で定める割合又は第十一条の四の人事院規則で定める割合をいい」と、「又は第十一条の四の人事院規則で定める割合をいう」とあるのは「、令和六年改正法附則第七条第一項の人事院規則で定める割合又は第十一条の四の人事院規則で定める割合をいい」と、「前条まで」とあるのは「前条まで又は令和六年改正法附則第七条第一項」と、「から二年」とあるのは「から二年」と、「区域又は」とあるのは「区域若しくは」と、「変更により」とあるのは「変更又は令和六年改正法附則第七条第一項の人事院規則で定める級地の区分、同項の人事院規則で定める割合若しくは同項後段の人事院規則で定める級地の変更により」と、同項ただし書中「から三年」とあるのは「から二年」と、同項第一号中「又は」とあるのは「若しくは」と、「変更」とあるのは「変更又は令和六年改正法附則第七条第一項の人事院規則で定める級地の区分、同項の人事院規則で定める割合若しくは同項後段の人事院規則で定める級地の変更」と、同項中「二　当該異動等の日から同日以後二年を経過する日までの期間（前号に掲げる期間を除く。）異動等前の支給
三　当該異動等の日から同日以後三年を経過する日までの期間（前二号に掲げる期間を除く。）異動等前の支

割合に百分の八十を乗じて得た割合
給割合に百分の六十を乗じて得た割合」とあるのは「二　当該異動等の日から同日以後二年を経過する日までの期間（前号に掲げる期間を除く。）　異動等前の支給割合に百分の八十を乗じて得た割合」と、同条第二項本文中「割合又は」とあるのは「割合、令和六年改正法附則第七条第一項の人事院規則で定める割合又は」と、「前条まで」とあるのは「前条まで、令和六年改正法附則第七条第一項」と、「から三年」とあるのは「から二年」と、同項ただし書中「から三年」とあるのは「から二年」と、同項中「二　当該異動等の日から同日以後二年を経過する日までの期間（前号に掲げる期間を除く。）　みなし特例支給割合に百分の八十を乗じて得た割合
三　当該異動等の日から同日以後三年を経過する日までの期間（前二号に掲げる期間を除く。）　みなし特例支給割合に百分の六十を乗じて得た割合」とあるのは「二　当該異動等の日から同日以後二年を経過する日までの期間（前号に掲げる期間を除く。）　みなし特例支給割合に百分の八十を乗じて得た割合」と、同条第三項中「者若しくは」とあるのは「者又は」と、「者から」とあるのは「者が、」と、「となつた者又は第一項に規定する異動等に準ずるものとして人事院規則で定めるものがあつた者が」とあるのは「となり」として、同条の規定を適用する。

2　切替日から令和十年三月三十一日までの間に第二条改正後給与法第十一条の七第一項若しくは第二項に規定する異動等のあった職員又は当該期間に同条第三項の規定により同条第一項若しくは第二項の規定による地域手当を支給される職員との権衡上必要があると認められた職員については、同条第一項中「又は第十一条の四の人事院規則で定める割合をいう」とあるのは「、一般職の職員の給与に関する法律等の一部を改正する法律（令和六年法律第七十二号。以下この条において「令和六年改正法」という。）附則第七条第一項の人事院規則で定める割合又は第十一条の四の人事院規則で定める割合をいう」と、「又は第十一条の四の人事院規則で定める割合をいい」とあるのは「、令和六年改正法附則第七条第一項の人事院規則で定める割合又は第十一条の四の人事院規則で定める割合をいい」と、「前条まで」とあるのは「前条まで又は令和六年改正法附則第七条第一項」と、「区域又は」とあるのは「区域若しくは」と、「変更により、」とあるのは「変更又は令和六年改正法附則第七条第一項の人事院規則で定める級地の区分、同項の人事院規則で定める割合若しくは同項後段の人事院規則で定める級地の変更により、」と、同項第一号中「又は」とあるのは「若しくは」と、「変更」とあるのは「変更又は令和六年改正法附則第七条第一項の人事院規則で定める級地の区分、同項の人事院規則で定める割合若しくは同項後段の人事院規則で定める級地の変更」と、同条第二項中「割合又は」とあるのは「割合、令和六年改正法附則第七条第一項の人事院規則で定める割合又は」と、「前条まで」とあるのは「前条まで、令和六年改正法附則第七条第一項」と、同条第三項中「一級地」とあるのは「一級地又は令和六年改正法附則第七条第一項の人事院規則で定める級地の区分のうち支給割合の最も高い級地の区分」として、同条の規定を適用する。

（通勤手当及び単身赴任手当に関する経過措置）
第九条　第二条改正後給与法第十二条第四項及び第十二条の二第三項の規定は、切替日前に新たに俸給表の適用を受ける職員となった者にも適用する。

（再任用職員への特地勤務手当に準ずる手当に関する経過措置）
第十条　切替日以後に新たに定年前再任用短時間勤務職員及び暫定再任用職員（以下この条及び次条において「再任用職員」という。）に対して適用されることとなる給与法第十四条の規定は、切替日以後に同条第一項に規定する異動をした再任用職員又は切替日以後に同項に規定する官署の移転があった再任用職員について適用する。

（その他の経過措置の人事院規則等への委任）
第十三条　附則第二条から前条までに定めるもののほか、この法律の施行に関し必要な経過措置は、人事院規則（人事院の所掌する事項以外の事項については、政令）で定める。

附則別表　号俸の切替表（附則第四条関係）
イ　行政職俸給表(一)の適用を受ける職員の新号俸

旧号俸	職務の級							
	3級	4級	5級	6級	7級	8級	9級	10級
1	1	1	1	1	1	1	1	1
2	1	1	1	1	1	1	1	1
3	1	1	1	1	1	1	1	1
4	1	1	1	1	1	1	1	1
5	1	1	1	1	1	1	1	1
6	2	1	1	1	1	1	1	1
7	3	1	1	1	1	1	1	1
8	4	1	1	1	1	1	1	1
9	5	1	1	1	1	1	1	1
10	6	2	2	1	1	1	1	2
11	7	3	3	1	1	1	1	2
12	8	4	4	1	1	1	1	2
13	9	5	5	1	1	1	1	2
14	10	6	6	2	1	1	1	3
15	11	7	7	3	1	1	1	3
16	12	8	8	4	1	1	1	3
17	13	9	9	5	1	1	1	3
18	14	10	10	6	2	1	2	3
19	15	11	11	7	3	1	2	4
20	16	12	12	8	4	1	2	4
21	17	13	13	9	5	1	2	4
22	18	14	14	10	6	1	2	
23	19	15	15	11	7	1	3	
24	20	16	16	12	8	2	3	
25	21	17	17	13	9	2	3	
26	22	18	18	14	10	2	3	
27	23	19	19	15	11	2	4	
28	24	20	20	16	12	3	4	
29	25	21	21	17	13	3	4	
30	26	22	22	18	14	3	4	
31	27	23	23	19	15	3	5	
32	28	24	24	20	16	3	5	
33	29	25	25	21	17	3	5	
34	30	26	26	22	18	4	5	
35	31	27	27	23	19	4	6	
36	32	28	28	24	20	4	6	
37	33	29	29	25	21	4	6	
38	34	30	30	26	22	4	6	
39	35	31	31	27	23	4	6	

40	36	32	32	28	24	4	7	
41	37	33	33	29	25	4	7	
42	38	34	34	30	26	5		
43	39	35	35	31	27	5		
44	40	36	36	32	28	5		
45	41	37	37	33	29	5		
46	42	38	38	34	30			
47	43	39	39	35	31			
48	44	40	40	36	32			
49	45	41	41	37	33			
50	46	42	42	38	34			
51	47	43	43	39	35			
52	48	44	44	40	36			
53	49	45	45	41	37			
54	50	46	46	42	38			
55	51	47	47	43	39			
56	52	48	48	44	40			
57	53	49	49	45	41			
58	54	50	50	46	42			
59	55	51	51	47	43			
60	56	52	52	48	44			
61	57	53	53	49	45			
62	58	54	54	50				
63	59	55	55	51				
64	60	56	56	52				
65	61	57	57	53				
66	62	58	58	54				
67	63	59	59	55				
68	64	60	60	56				
69	65	61	61	57				
70	66	62	62	58				
71	67	63	63	59				
72	68	64	64	60				
73	69	65	65	61				
74	70	66	66	62				
75	71	67	67	63				
76	72	68	68	64				
77	73	69	69	65				
78	74	70	70	66				
79	75	71	71	67				
80	76	72	72	68				
81	77	73	73	69				
82	78	74	74	70				
83	79	75	75	71				
84	80	76	76	72				
85	81	77	77	73				
86	82	78	78					
87	83	79	79					
88	84	80	80					
89	85	81	81					
90	86	82	82					
91	87	83	83					
92	88	84	84					
93	89	85	85					
94	90							
95	91							
96	92							
97	93							
98	94							
99	95							
100	96							
101	97							
102	98							
103	99							
104	100							
105	101							
106	102							
107	103							
108	104							
109	105							
110	106							
111	107							
112	108							
113	109							

ロ　行政職俸給表（二）の適用を受ける職員の新号俸

旧号俸	職務の級			
	1級	3級	4級	5級
1	1	1	1	1
2	1	1	1	1
3	1	1	1	1
4	1	1	1	1
5	1	1	1	1
6	1	2	2	1
7	1	3	3	1
8	1	4	4	1
9	1	5	5	1
10	1	6	6	2
11	1	7	7	3
12	1	8	8	4
13	1	9	9	5
14	1	10	10	6
15	1	11	11	7
16	1	12	12	8
17	1	13	13	9
18	2	14	14	10
19	3	15	15	11
20	4	16	16	12
21	5	17	17	13
22	6	18	18	14
23	7	19	19	15
24	8	20	20	16
25	9	21	21	17
26	10	22	22	18
27	11	23	23	19
28	12	24	24	20
29	13	25	25	21
30	14	26	26	22
31	15	27	27	23
32	16	28	28	24
33	17	29	29	25
34	18	30	30	26
35	19	31	31	27
36	20	32	32	28
37	21	33	33	29
38	22	34	34	30
39	23	35	35	31
40	24	36	36	32
41	25	37	37	33
42	26	38	38	34
43	27	39	39	35
44	28	40	40	36
45	29	41	41	37
46	30	42	42	38
47	31	43	43	39
48	32	44	44	40
49	33	45	45	41
50	34	46	46	42
51	35	47	47	43
52	36	48	48	44
53	37	49	49	45
54	38	50	50	46
55	39	51	51	47

56	40	52	52	48
57	41	53	53	49
58	42	54	54	50
59	43	55	55	51
60	44	56	56	52
61	45	57	57	53
62	46	58	58	54
63	47	59	59	55
64	48	60	60	56
65	49	61	61	57
66	50	62	62	58
67	51	63	63	59
68	52	64	64	60
69	53	65	65	61
70	54	66	66	
71	55	67	67	
72	56	68	68	
73	57	69	69	
74	58	70	70	
75	59	71	71	
76	60	72	72	
77	61	73	73	
78	62	74	74	
79	63	75	75	
80	64	76	76	
81	65	77	77	
82	66	78	78	
83	67	79	79	
84	68	80	80	
85	69	81	81	
86	70	82	82	
87	71	83	83	
88	72	84	84	
89	73	85	85	
90	74	86	86	
91	75	87	87	
92	76	88	88	
93	77	89	89	
94	78	90	90	
95	79	91	91	
96	80	92	92	
97	81	93	93	
98	82	94	94	
99	83	95	95	
100	84	96	96	
101	85	97	97	
102	86	98		
103	87	99		
104	88	100		
105	89	101		
106	90	102		
107	91	103		
108	92	104		
109	93	105		
110	94	106		
111	95	107		
112	96	108		
113	97	109		
114	98	110		
115	99	111		
116	100	112		
117	101	113		
118	102	114		
119	103	115		
120	104	116		
121	105	117		
122		118		
123		119		
124		120		
125		121		
126		122		
127		123		
128		124		
129		125		
130		126		
131		127		
132		128		
133		129		

ハ　専門行政職俸給表の適用を受ける職員の新号俸

旧号俸	職務の級						
	2級	3級	4級	5級	6級	7級	8級
1	1	1	1	1	1	1	1
2	1	1	1	1	1	1	1
3	1	1	1	1	1	1	1
4	1	1	1	1	1	1	1
5	1	1	1	1	1	1	1
6	2	1	1	1	1	1	1
7	3	1	1	1	1	1	1
8	4	1	1	1	1	1	1
9	5	1	1	1	1	1	1
10	6	2	1	1	1	1	2
11	7	3	1	1	1	1	2
12	8	4	1	1	1	1	2
13	9	5	1	1	1	1	2
14	10	6	2	1	1	1	3
15	11	7	3	1	1	1	3
16	12	8	4	1	1	1	3
17	13	9	5	1	1	1	3
18	14	10	6	2	1	2	3
19	15	11	7	3	1	2	4
20	16	12	8	4	1	2	4
21	17	13	9	5	1	2	4
22	18	14	10	6	1	2	
23	19	15	11	7	1	3	
24	20	16	12	8	2	3	
25	21	17	13	9	2	3	
26	22	18	14	10	2	3	
27	23	19	15	11	2	4	
28	24	20	16	12	3	4	
29	25	21	17	13	3	4	
30	26	22	18	14	3	4	
31	27	23	19	15	3	5	
32	28	24	20	16	3	5	
33	29	25	21	17	3	5	
34	30	26	22	18	4	5	
35	31	27	23	19	4	6	
36	32	28	24	20	4	6	
37	33	29	25	21	4	6	
38	34	30	26	22	4	6	
39	35	31	27	23	4	6	
40	36	32	28	24	4	7	
41	37	33	29	25	4	7	
42	38	34	30	26	5		
43	39	35	31	27	5		
44	40	36	32	28	5		
45	41	37	33	29	5		
46	42	38	34	30			
47	43	39	35	31			
48	44	40	36	32			

49	45	41	37	33			
50	46	42	38	34			
51	47	43	39	35			
52	48	44	40	36			
53	49	45	41	37			
54	50	46	42	38			
55	51	47	43	39			
56	52	48	44	40			
57	53	49	45	41			
58	54	50	46	42			
59	55	51	47	43			
60	56	52	48	44			
61	57	53	49	45			
62	58	54	50				
63	59	55	51				
64	60	56	52				
65	61	57	53				
66	62	58	54				
67	63	59	55				
68	64	60	56				
69	65	61	57				
70	66	62	58				
71	67	63	59				
72	68	64	60				
73	69	65	61				
74	70	66	62				
75	71	67	63				
76	72	68	64				
77	73	69	65				
78	74	70					
79	75	71					
80	76	72					
81	77	73					
82		74					
83		75					
84		76					
85		77					
86		78					
87		79					
88		80					
89		81					

二　税務職俸給表の適用を受ける職員の新号俸

	職務の級							
旧号俸	3級	4級	5級	6級	7級	8級	9級	10級
1	1	1	1	1	1	1	1	1
2	1	1	1	1	1	1	1	1
3	1	1	1	1	1	1	1	1
4	1	1	1	1	1	1	1	1
5	1	1	1	1	1	1	1	1
6	2	1	1	1	1	1	1	1
7	3	1	1	1	1	1	1	1
8	4	1	1	1	1	1	1	1
9	5	1	1	1	1	1	1	1
10	6	2	2	1	1	1	1	2
11	7	3	3	1	1	1	1	2
12	8	4	4	1	1	1	1	2
13	9	5	5	1	1	1	1	2
14	10	6	6	2	1	1	1	3
15	11	7	7	3	1	1	1	3
16	12	8	8	4	1	1	1	3
17	13	9	9	5	1	1	1	3
18	14	10	10	6	2	1	2	3
19	15	11	11	7	3	1	2	4
20	16	12	12	8	4	1	2	4
21	17	13	13	9	5	1	2	4
22	18	14	14	10	6	1	2	
23	19	15	15	11	7	1	3	
24	20	16	16	12	8	2	3	
25	21	17	17	13	9	2	3	
26	22	18	18	14	10	2	3	
27	23	19	19	15	11	2	4	
28	24	20	20	16	12	3	4	
29	25	21	21	17	13	3	4	
30	26	22	22	18	14	3	4	
31	27	23	23	19	15	3	5	
32	28	24	24	20	16	3	5	
33	29	25	25	21	17	3	5	
34	30	26	26	22	18	4	5	
35	31	27	27	23	19	4	6	
36	32	28	28	24	20	4	6	
37	33	29	29	25	21	4	6	
38	34	30	30	26	22	4	6	
39	35	31	31	27	23	4	6	
40	36	32	32	28	24	4	7	
41	37	33	33	29	25	4	7	
42	38	34	34	30	26	5		
43	39	35	35	31	27	5		
44	40	36	36	32	28	5		
45	41	37	37	33	29	5		
46	42	38	38	34	30			
47	43	39	39	35	31			
48	44	40	40	36	32			
49	45	41	41	37	33			
50	46	42	42	38	34			
51	47	43	43	39	35			
52	48	44	44	40	36			
53	49	45	45	41	37			
54	50	46	46	42	38			
55	51	47	47	43	39			
56	52	48	48	44	40			
57	53	49	49	45	41			
58	54	50	50	46	42			
59	55	51	51	47	43			
60	56	52	52	48	44			
61	57	53	53	49	45			
62	58	54	54	50				
63	59	55	55	51				
64	60	56	56	52				
65	61	57	57	53				
66	62	58	58	54				
67	63	59	59	55				
68	64	60	60	56				
69	65	61	61	57				
70	66	62	62	58				
71	67	63	63	59				
72	68	64	64	60				
73	69	65	65	61				
74	70	66	66	62				
75	71	67	67	63				
76	72	68	68	64				
77	73	69	69	65				
78	74	70	70	66				
79	75	71	71	67				
80	76	72	72	68				
81	77	73	73	69				
82	78	74	74	70				
83	79	75	75	71				
84	80	76	76	72				
85	81	77	77	73				

86		78	78					
87		79	79					
88		80	80					
89		81	81					
90		82	82					
91		83	83					
92		84	84					
93		85	85					

ホ　公安職俸給表(一)の適用を受ける職員の新号俸

	職務の級							
旧号俸	4級	5級	6級	7級	8級	9級	10級	11級
1	1	1	1	1	1	1	1	1
2	1	1	1	1	1	1	1	1
3	1	1	1	1	1	1	1	1
4	1	1	1	1	1	1	1	1
5	1	1	1	1	1	1	1	1
6	2	1	1	1	1	1	1	1
7	3	1	1	1	1	1	1	1
8	4	1	1	1	1	1	1	1
9	5	1	1	1	1	1	1	1
10	6	2	2	1	1	1	1	2
11	7	3	3	1	1	1	1	2
12	8	4	4	1	1	1	1	2
13	9	5	5	1	1	1	1	2
14	10	6	6	2	1	1	1	3
15	11	7	7	3	1	1	1	3
16	12	8	8	4	1	1	1	3
17	13	9	9	5	1	1	1	3
18	14	10	10	6	2	1	2	3
19	15	11	11	7	3	1	2	4
20	16	12	12	8	4	1	2	4
21	17	13	13	9	5	1	2	4
22	18	14	14	10	6	1	2	
23	19	15	15	11	7	1	3	
24	20	16	16	12	8	2	3	
25	21	17	17	13	9	2	3	
26	22	18	18	14	10	2	3	
27	23	19	19	15	11	2	4	
28	24	20	20	16	12	3	4	
29	25	21	21	17	13	3	4	
30	26	22	22	18	14	3	4	
31	27	23	23	19	15	3	5	
32	28	24	24	20	16	3	5	
33	29	25	25	21	17	3	5	
34	30	26	26	22	18	4	5	
35	31	27	27	23	19	4	6	
36	32	28	28	24	20	4	6	
37	33	29	29	25	21	4	6	
38	34	30	30	26	22	4	6	
39	35	31	31	27	23	4	6	
40	36	32	32	28	24	4	7	
41	37	33	33	29	25	4	7	
42	38	34	34	30	26	5		
43	39	35	35	31	27	5		
44	40	36	36	32	28	5		
45	41	37	37	33	29	5		
46	42	38	38	34	30			
47	43	39	39	35	31			
48	44	40	40	36	32			
49	45	41	41	37	33			
50	46	42	42	38	34			
51	47	43	43	39	35			
52	48	44	44	40	36			
53	49	45	45	41	37			
54	50	46	46	42	38			
55	51	47	47	43	39			
56	52	48	48	44	40			
57	53	49	49	45	41			
58	54	50	50	46	42			
59	55	51	51	47	43			
60	56	52	52	48	44			
61	57	53	53	49	45			
62	58	54	54	50				
63	59	55	55	51				
64	60	56	56	52				
65	61	57	57	53				
66	62	58	58	54				
67	63	59	59	55				
68	64	60	60	56				
69	65	61	61	57				
70	66	62	62	58				
71	67	63	63	59				
72	68	64	64	60				
73	69	65	65	61				
74	70	66	66	62				
75	71	67	67	63				
76	72	68	68	64				
77	73	69	69	65				
78	74	70	70	66				
79	75	71	71	67				
80	76	72	72	68				
81	77	73	73	69				
82	78	74	74	70				
83	79	75	75	71				
84	80	76	76	72				
85	81	77	77	73				
86	82	78	78					
87	83	79	79					
88	84	80	80					
89	85	81	81					
90	86	82	82					
91	87	83	83					
92	88	84	84					
93	89	85	85					
94	90							
95	91							
96	92							
97	93							
98	94							
99	95							
100	96							
101	97							
102	98							
103	99							
104	100							
105	101							
106	102							
107	103							
108	104							
109	105							
110	106							
111	107							
112	108							
113	109							
114	110							
115	111							
116	112							
117	113							
118	114							
119	115							
120	116							
121	117							

122	118							
123	119							
124	120							
125	121							

ヘ 公安職俸給表(二)の適用を受ける職員の新号俸

旧号俸	職務の級 3級	4級	5級	6級	7級	8級	9級	10級
1	1	1	1	1	1	1	1	1
2	1	1	1	1	1	1	1	1
3	1	1	1	1	1	1	1	1
4	1	1	1	1	1	1	1	1
5	1	1	1	1	1	1	1	1
6	2	1	1	1	1	1	1	1
7	3	1	1	1	1	1	1	1
8	4	1	1	1	1	1	1	1
9	5	1	1	1	1	1	1	1
10	6	2	2	1	1	1	1	2
11	7	3	3	1	1	1	1	2
12	8	4	4	1	1	1	1	2
13	9	5	5	1	1	1	1	2
14	10	6	6	2	1	1	1	3
15	11	7	7	3	1	1	1	3
16	12	8	8	4	1	1	1	3
17	13	9	9	5	1	1	1	3
18	14	10	10	6	2	1	2	3
19	15	11	11	7	3	1	2	4
20	16	12	12	8	4	1	2	4
21	17	13	13	9	5	1	2	4
22	18	14	14	10	6	1	2	
23	19	15	15	11	7	1	3	
24	20	16	16	12	8	2	3	
25	21	17	17	13	9	2	3	
26	22	18	18	14	10	2	3	
27	23	19	19	15	11	2	4	
28	24	20	20	16	12	3	4	
29	25	21	21	17	13	3	4	
30	26	22	22	18	14	3	4	
31	27	23	23	19	15	3	5	
32	28	24	24	20	16	3	5	
33	29	25	25	21	17	3	5	
34	30	26	26	22	18	4	5	
35	31	27	27	23	19	4	6	
36	32	28	28	24	20	4	6	
37	33	29	29	25	21	4	6	
38	34	30	30	26	22	4	6	
39	35	31	31	27	23	4	6	
40	36	32	32	28	24	4	7	
41	37	33	33	29	25	4	7	
42	38	34	34	30	26	5		
43	39	35	35	31	27	5		
44	40	36	36	32	28	5		
45	41	37	37	33	29	5		
46	42	38	38	34	30			
47	43	39	39	35	31			
48	44	40	40	36	32			
49	45	41	41	37	33			
50	46	42	42	38	34			
51	47	43	43	39	35			
52	48	44	44	40	36			
53	49	45	45	41	37			
54	50	46	46	42	38			
55	51	47	47	43	39			
56	52	48	48	44	40			
57	53	49	49	45	41			
58	54	50	50	46	42			
59	55	51	51	47	43			
60	56	52	52	48	44			
61	57	53	53	49	45			
62	58	54	54	50				
63	59	55	55	51				
64	60	56	56	52				
65	61	57	57	53				
66	62	58	58	54				
67	63	59	59	55				
68	64	60	60	56				
69	65	61	61	57				
70	66	62	62	58				
71	67	63	63	59				
72	68	64	64	60				
73	69	65	65	61				
74	70	66	66	62				
75	71	67	67	63				
76	72	68	68	64				
77	73	69	69	65				
78	74	70	70	66				
79	75	71	71	67				
80	76	72	72	68				
81	77	73	73	69				
82	78	74	74	70				
83	79	75	75	71				
84	80	76	76	72				
85	81	77	77	73				
86	82	78	78					
87	83	79	79					
88	84	80	80					
89	85	81	81					
90	86	82	82					
91	87	83	83					
92	88	84	84					
93	89	85	85					
94	90							
95	91							
96	92							
97	93							
98	94							
99	95							
100	96							
101	97							

ト 海事職俸給表(一)の適用を受ける職員の新号俸

旧号俸	職務の級 3級	4級	5級	6級	7級
1	1	1	1	1	1
2	1	1	1	1	1
3	1	1	1	1	1
4	1	1	1	1	1
5	1	1	1	1	1
6	2	1	1	1	1
7	3	1	1	1	1
8	4	1	1	1	1
9	5	1	1	1	1
10	6	2	1	1	1
11	7	3	1	1	1
12	8	4	1	1	1
13	9	5	1	1	1
14	10	6	2	1	1
15	11	7	3	1	1
16	12	8	4	1	1
17	13	9	5	1	1
18	14	10	6	2	2
19	15	11	7	3	3
20	16	12	8	4	4

21	17	13	9	5	5
22	18	14	10	6	6
23	19	15	11	7	7
24	20	16	12	8	8
25	21	17	13	9	9
26	22	18	14	10	10
27	23	19	15	11	11
28	24	20	16	12	12
29	25	21	17	13	13
30	26	22	18	14	
31	27	23	19	15	
32	28	24	20	16	
33	29	25	21	17	
34	30	26	22	18	
35	31	27	23	19	
36	32	28	24	20	
37	33	29	25	21	
38	34	30	26	22	
39	35	31	27	23	
40	36	32	28	24	
41	37	33	29	25	
42	38	34	30	26	
43	39	35	31	27	
44	40	36	32	28	
45	41	37	33	29	
46	42	38	34	30	
47	43	39	35	31	
48	44	40	36	32	
49	45	41	37	33	
50	46	42	38	34	
51	47	43	39	35	
52	48	44	40	36	
53	49	45	41	37	
54	50	46	42	38	
55	51	47	43	39	
56	52	48	44	40	
57	53	49	45	41	
58	54	50	46		
59	55	51	47		
60	56	52	48		
61	57	53	49		
62	58	54	50		
63	59	55	51		
64	60	56	52		
65	61	57	53		
66	62	58	54		
67	63	59	55		
68	64	60	56		
69	65	61	57		
70	66	62	58		
71	67	63	59		
72	68	64	60		
73	69	65	61		
74	70	66			
75	71	67			
76	72	68			
77	73	69			
78	74	70			
79	75	71			
80	76	72			
81	77	73			
82	78	74			
83	79	75			
84	80	76			
85	81	77			
86	82	78			
87	83	79			
88	84	80			
89	85	81			
90	86				
91	87				
92	88				
93	89				
94	90				
95	91				
96	92				
97	93				
98	94				
99	95				
100	96				
101	97				

チ　海事職俸給表(二)の適用を受ける職員の新号俸

旧号俸	職務の級				
	1級	3級	4級	5級	6級
1	1	1	1	1	1
2	1	1	1	1	1
3	1	1	1	1	1
4	1	1	1	1	1
5	1	1	1	1	1
6	1	2	2	2	1
7	1	3	3	3	1
8	1	4	4	4	1
9	1	5	5	5	1
10	1	6	6	6	2
11	1	7	7	7	3
12	1	8	8	8	4
13	1	9	9	9	5
14	2	10	10	10	6
15	3	11	11	11	7
16	4	12	12	12	8
17	5	13	13	13	9
18	6	14	14	14	10
19	7	15	15	15	11
20	8	16	16	16	12
21	9	17	17	17	13
22	10	18	18	18	14
23	11	19	19	19	15
24	12	20	20	20	16
25	13	21	21	21	17
26	14	22	22	22	18
27	15	23	23	23	19
28	16	24	24	24	20
29	17	25	25	25	21
30	18	26	26	26	22
31	19	27	27	27	23
32	20	28	28	28	24
33	21	29	29	29	25
34	22	30	30	30	26
35	23	31	31	31	27
36	24	32	32	32	28
37	25	33	33	33	29
38	26	34	34	34	30
39	27	35	35	35	31
40	28	36	36	36	32
41	29	37	37	37	33
42	30	38	38	38	34
43	31	39	39	39	35
44	32	40	40	40	36
45	33	41	41	41	37
46	34	42	42	42	38

47	35	43	43	43	39
48	36	44	44	44	40
49	37	45	45	45	41
50	38	46	46	46	42
51	39	47	47	47	43
52	40	48	48	48	44
53	41	49	49	49	45
54	42	50	50	50	46
55	43	51	51	51	47
56	44	52	52	52	48
57	45	53	53	53	49
58	46	54	54	54	50
59	47	55	55	55	51
60	48	56	56	56	52
61	49	57	57	57	53
62	50	58	58	58	54
63	51	59	59	59	55
64	52	60	60	60	56
65	53	61	61	61	57
66	54	62	62	62	58
67	55	63	63	63	59
68	56	64	64	64	60
69	57	65	65	65	61
70	58	66	66	66	
71	59	67	67	67	
72	60	68	68	68	
73	61	69	69	69	
74	62	70	70	70	
75	63	71	71	71	
76	64	72	72	72	
77	65	73	73	73	
78	66	74	74	74	
79	67	75	75	75	
80	68	76	76	76	
81	69	77	77	77	
82	70	78	78	78	
83	71	79	79	79	
84	72	80	80	80	
85	73	81	81	81	
86		82	82	82	
87		83	83	83	
88		84	84	84	
89		85	85	85	
90		86	86		
91		87	87		
92		88	88		
93		89	89		
94		90	90		
95		91	91		
96		92	92		
97		93	93		
98		94	94		
99		95	95		
100		96	96		
101		97	97		
102		98	98		
103		99	99		
104		100	100		
105		101	101		
106		102	102		
107		103	103		
108		104	104		
109		105	105		
110		106			
111		107			
112		108			
113		109			

リ　教育職俸給表(一)の適用を受ける職員の新号俸

旧号俸	職務の級 2級	3級	4級	5級
1	1	1	1	1
2	1	1	1	1
3	1	1	1	1
4	1	1	1	1
5	1	1	1	1
6	1	1	1	1
7	1	1	1	1
8	1	1	1	1
9	1	1	1	1
10	1	1	1	2
11	1	1	1	2
12	1	1	1	2
13	1	1	1	2
14	2	1	1	3
15	3	1	1	3
16	4	1	1	3
17	5	1	1	3
18	6	2	1	3
19	7	3	1	4
20	8	4	1	4
21	9	5	1	4
22	10	6	2	
23	11	7	2	
24	12	8	2	
25	13	9	2	
26	14	10	3	
27	15	11	3	
28	16	12	3	
29	17	13	3	
30	18	14	4	
31	19	15	4	
32	20	16	4	
33	21	17	4	
34	22	18	5	
35	23	19	5	
36	24	20	5	
37	25	21	5	
38	26	22	6	
39	27	23	6	
40	28	24	6	
41	29	25	6	
42	30	26	7	
43	31	27	7	
44	32	28	7	
45	33	29	7	
46	34	30	8	
47	35	31	8	
48	36	32	8	
49	37	33	8	
50	38	34	9	
51	39	35	9	
52	40	36	9	
53	41	37	9	
54	42	38	10	
55	43	39	10	
56	44	40	10	
57	45	41	10	
58	46	42	11	
59	47	43	11	
60	48	44	11	
61	49	45	11	

62	50	46	11	
63	51	47	12	
64	52	48	12	
65	53	49	12	
66	54	50	12	
67	55	51	13	
68	56	52	13	
69	57	53	13	
70	58	54	13	
71	59	55	14	
72	60	56	14	
73	61	57	14	
74	62	58	14	
75	63	59	14	
76	64	60	15	
77	65	61	15	
78	66	62		
79	67	63		
80	68	64		
81	69	65		
82	70	66		
83	71	67		
84	72	68		
85	73	69		
86	74	70		
87	75	71		
88	76	72		
89	77	73		
90	78			
91	79			
92	80			
93	81			
94	82			
95	83			
96	84			
97	85			
98	86			
99	87			
100	88			
101	89			
102	90			
103	91			
104	92			
105	93			

ヌ　教育職俸給表(二)の適用を受ける職員の新号俸

	職務の級
旧号俸	3級
1	1
2	1
3	1
4	1
5	1
6	1
7	1
8	1
9	1
10	1
11	1
12	1
13	1
14	1
15	1
16	1
17	1
18	2
19	3
20	4
21	5
22	6
23	7
24	8
25	9
26	10
27	11
28	12
29	13
30	14
31	15
32	16
33	17
34	18
35	19
36	20
37	21
38	22
39	23
40	24
41	25
42	26
43	27
44	28
45	29
46	30
47	31
48	32
49	33
50	34
51	35
52	36
53	37
54	38
55	39
56	40
57	41
58	42
59	43
60	44
61	45
62	46
63	47
64	48
65	49
66	50
67	51
68	52
69	53
70	54
71	55
72	56
73	57
74	58
75	59
76	60
77	61
78	62
79	63
80	64
81	65
82	66
83	67
84	68

85	69
86	70
87	71
88	72
89	73
90	74
91	75
92	76
93	77
94	78
95	79
96	80
97	81
98	82
99	83
100	84
101	85

ル 研究職俸給表の適用を受ける職員の新号俸

	職務の級			
旧号俸	3級	4級	5級	6級
1	1	1	1	1
2	1	1	1	1
3	1	1	1	1
4	1	1	1	1
5	1	1	1	1
6	1	1	1	1
7	1	1	1	1
8	1	1	1	1
9	1	1	1	1
10	2	1	1	2
11	3	1	1	2
12	4	1	1	2
13	5	1	1	2
14	6	1	1	3
15	7	1	1	3
16	8	1	1	3
17	9	1	1	3
18	10	2	1	3
19	11	3	1	4
20	12	4	1	4
21	13	5	2	4
22	14	6	2	
23	15	7	2	
24	16	8	2	
25	17	9	3	
26	18	10	3	
27	19	11	3	
28	20	12	3	
29	21	13	4	
30	22	14	4	
31	23	15	4	
32	24	16	4	
33	25	17	5	
34	26	18	5	
35	27	19	5	
36	28	20	5	
37	29	21	6	
38	30	22	6	
39	31	23	6	
40	32	24	6	
41	33	25	7	
42	34	26	7	
43	35	27	7	
44	36	28	7	
45	37	29	8	
46	38	30	8	
47	39	31	8	
48	40	32	8	
49	41	33	8	
50	42	34	9	
51	43	35	9	
52	44	36	9	
53	45	37	9	
54	46	38	9	
55	47	39	9	
56	48	40	10	
57	49	41	10	
58	50	42	10	
59	51	43	10	
60	52	44	10	
61	53	45	10	
62	54	46	10	
63	55	47	11	
64	56	48	11	
65	57	49	11	
66	58	50	11	
67	59	51	11	
68	60	52	11	
69	61	53	11	
70	62	54	12	
71	63	55	12	
72	64	56	12	
73	65	57	12	
74	66			
75	67			
76	68			
77	69			
78	70			
79	71			
80	72			
81	73			
82	74			
83	75			
84	76			
85	77			
86	78			
87	79			
88	80			
89	81			

ヲ 医療職俸給表㈠の適用を受ける職員の新号俸

	職務の級			
旧号俸	2級	3級	4級	5級
1	1	1	1	1
2	1	1	1	1
3	1	1	1	1
4	1	1	1	1
5	1	1	1	1
6	1	1	1	1
7	1	1	1	1
8	1	1	1	1
9	1	1	1	1
10	1	1	1	2
11	1	1	1	2
12	1	1	1	2
13	1	1	1	2
14	2	1	1	3
15	3	1	1	3
16	4	1	1	3
17	5	1	1	3
18	6	2	1	3
19	7	3	1	4
20	8	4	1	4

21	9	5	1	4
22	10	6	1	
23	11	7	1	
24	12	8	1	
25	13	9	1	
26	14	10	1	
27	15	11	1	
28	16	12	1	
29	17	13	1	
30	18	14	1	
31	19	15	1	
32	20	16	1	
33	21	17	1	
34	22	18	1	
35	23	19	1	
36	24	20	1	
37	25	21	1	
38	26	22	2	
39	27	23	2	
40	28	24	2	
41	29	25	2	
42	30	26	3	
43	31	27	3	
44	32	28	3	
45	33	29	3	
46	34	30	4	
47	35	31	4	
48	36	32	4	
49	37	33	4	
50	38	34	4	
51	39	35	5	
52	40	36	5	
53	41	37	5	
54	42	38	5	
55	43	39	5	
56	44	40	6	
57	45	41	6	
58	46	42	6	
59	47	43	6	
60	48	44	6	
61	49	45	7	
62	50	46	7	
63	51	47	7	
64	52	48	7	
65	53	49	8	
66	54	50		
67	55	51		
68	56	52		
69	57	53		
70	58	54		
71	59	55		
72	60	56		
73	61	57		
74	62	58		
75	63	59		
76	64	60		
77	65	61		
78	66	62		
79	67	63		
80	68	64		
81	69	65		
82	70	66		
83	71	67		
84	72	68		
85	73	69		
86	74	70		
87	75	71		
88	76	72		
89	77	73		
90	78			
91	79			
92	80			
93	81			
94	82			
95	83			
96	84			
97	85			

７　医療職俸給表(二)の適用を受ける職員の新号俸

旧号俸	職務の級					
	3級	4級	5級	6級	7級	8級
1	1	1	1	1	1	1
2	1	1	1	1	1	1
3	1	1	1	1	1	1
4	1	1	1	1	1	1
5	1	1	1	1	1	1
6	2	2	1	1	1	1
7	3	3	1	1	1	1
8	4	4	1	1	1	1
9	5	5	1	1	1	1
10	6	6	2	1	1	1
11	7	7	3	1	1	1
12	8	8	4	1	1	1
13	9	9	5	1	1	1
14	10	10	6	2	1	1
15	11	11	7	3	1	1
16	12	12	8	4	1	1
17	13	13	9	5	1	1
18	14	14	10	6	2	2
19	15	15	11	7	3	3
20	16	16	12	8	4	4
21	17	17	13	9	5	5
22	18	18	14	10	6	6
23	19	19	15	11	7	7
24	20	20	16	12	8	8
25	21	21	17	13	9	9
26	22	22	18	14	10	10
27	23	23	19	15	11	11
28	24	24	20	16	12	12
29	25	25	21	17	13	13
30	26	26	22	18	14	14
31	27	27	23	19	15	15
32	28	28	24	20	16	16
33	29	29	25	21	17	17
34	30	30	26	22	18	18
35	31	31	27	23	19	19
36	32	32	28	24	20	20
37	33	33	29	25	21	21
38	34	34	30	26	22	
39	35	35	31	27	23	
40	36	36	32	28	24	
41	37	37	33	29	25	
42	38	38	34	30	26	
43	39	39	35	31	27	
44	40	40	36	32	28	
45	41	41	37	33	29	
46	42	42	38	34	30	
47	43	43	39	35	31	
48	44	44	40	36	32	
49	45	45	41	37	33	
50	46	46	42	38	34	
51	47	47	43	39	35	
52	48	48	44	40	36	

53	49	49	45	41	37	
54	50	50	46	42		
55	51	51	47	43		
56	52	52	48	44		
57	53	53	49	45		
58	54	54	50	46		
59	55	55	51	47		
60	56	56	52	48		
61	57	57	53	49		
62	58	58	54	50		
63	59	59	55	51		
64	60	60	56	52		
65	61	61	57	53		
66	62	62	58			
67	63	63	59			
68	64	64	60			
69	65	65	61			
70	66	66	62			
71	67	67	63			
72	68	68	64			
73	69	69	65			
74	70	70	66			
75	71	71	67			
76	72	72	68			
77	73	73	69			
78	74	74	70			
79	75	75	71			
80	76	76	72			
81	77	77	73			
82	78	78	74			
83	79	79	75			
84	80	80	76			
85	81	81	77			
86	82	82				
87	83	83				
88	84	84				
89	85	85				
90	86	86				
91	87	87				
92	88	88				
93	89	89				
94	90	90				
95	91	91				
96	92	92				
97	93	93				
98	94	94				
99	95	95				
100	96	96				
101	97	97				
102	98	98				
103	99	99				
104	100	100				
105	101	101				
106	102					
107	103					
108	104					
109	105					
110	106					
111	107					
112	108					
113	109					

カ　医療職俸給表(二)の適用を受ける職員の新号俸

旧号俸	職務の級				
	3級	4級	5級	6級	7級
1	1	1	1	1	1
2	1	1	1	1	1
3	1	1	1	1	1
4	1	1	1	1	1
5	1	1	1	1	1
6	2	2	1	1	1
7	3	3	1	1	1
8	4	4	1	1	1
9	5	5	1	1	1
10	6	6	2	1	1
11	7	7	3	1	1
12	8	8	4	1	1
13	9	9	5	1	1
14	10	10	6	2	1
15	11	11	7	3	1
16	12	12	8	4	1
17	13	13	9	5	1
18	14	14	10	6	2
19	15	15	11	7	3
20	16	16	12	8	4
21	17	17	13	9	5
22	18	18	14	10	6
23	19	19	15	11	7
24	20	20	16	12	8
25	21	21	17	13	9
26	22	22	18	14	10
27	23	23	19	15	11
28	24	24	20	16	12
29	25	25	21	17	13
30	26	26	22	18	14
31	27	27	23	19	15
32	28	28	24	20	16
33	29	29	25	21	17
34	30	30	26	22	18
35	31	31	27	23	19
36	32	32	28	24	20
37	33	33	29	25	21
38	34	34	30	26	22
39	35	35	31	27	23
40	36	36	32	28	24
41	37	37	33	29	25
42	38	38	34	30	26
43	39	39	35	31	27
44	40	40	36	32	28
45	41	41	37	33	29
46	42	42	38	34	30
47	43	43	39	35	31
48	44	44	40	36	32
49	45	45	41	37	33
50	46	46	42	38	34
51	47	47	43	39	35
52	48	48	44	40	36
53	49	49	45	41	37
54	50	50	46	42	38
55	51	51	47	43	39
56	52	52	48	44	40
57	53	53	49	45	41
58	54	54	50	46	
59	55	55	51	47	
60	56	56	52	48	
61	57	57	53	49	
62	58	58	54	50	
63	59	59	55	51	
64	60	60	56	52	

65	61	61	57	53	
66	62	62	58	54	
67	63	63	59	55	
68	64	64	60	56	
69	65	65	61	57	
70	66	66	62		
71	67	67	63		
72	68	68	64		
73	69	69	65		
74	70	70	66		
75	71	71	67		
76	72	72	68		
77	73	73	69		
78	74	74	70		
79	75	75	71		
80	76	76	72		
81	77	77	73		
82	78	78	74		
83	79	79	75		
84	80	80	76		
85	81	81	77		
86	82	82	78		
87	83	83	79		
88	84	84	80		
89	85	85	81		
90	86	86	82		
91	87	87	83		
92	88	88	84		
93	89	89	85		
94	90	90			
95	91	91			
96	92	92			
97	93	93			
98	94	94			
99	95	95			
100	96	96			
101	97	97			
102	98	98			
103	99	99			
104	100	100			
105	101	101			
106	102	102			
107	103	103			
108	104	104			
109	105	105			
110	106	106			
111	107	107			
112	108	108			
113	109	109			
114	110				
115	111				
116	112				
117	113				
118	114				
119	115				
120	116				
121	117				
122	118				
123	119				
124	120				
125	121				

ヨ　福祉職俸給表の適用を受ける職員の新号俸

	職務の級				
旧号俸	2級	3級	4級	5級	6級
1	1	1	1	1	1
2	1	1	1	1	1
3	1	1	1	1	1
4	1	1	1	1	1
5	1	1	1	1	1
6	2	2	1	1	1
7	3	3	1	1	1
8	4	4	1	1	1
9	5	5	1	1	1
10	6	6	2	1	1
11	7	7	3	1	1
12	8	8	4	1	1
13	9	9	5	1	1
14	10	10	6	2	1
15	11	11	7	3	1
16	12	12	8	4	1
17	13	13	9	5	1
18	14	14	10	6	2
19	15	15	11	7	3
20	16	16	12	8	4
21	17	17	13	9	5
22	18	18	14	10	6
23	19	19	15	11	7
24	20	20	16	12	8
25	21	21	17	13	9
26	22	22	18	14	10
27	23	23	19	15	11
28	24	24	20	16	12
29	25	25	21	17	13
30	26	26	22	18	14
31	27	27	23	19	15
32	28	28	24	20	16
33	29	29	25	21	17
34	30	30	26	22	18
35	31	31	27	23	19
36	32	32	28	24	20
37	33	33	29	25	21
38	34	34	30	26	22
39	35	35	31	27	23
40	36	36	32	28	24
41	37	37	33	29	25
42	38	38	34	30	26
43	39	39	35	31	27
44	40	40	36	32	28
45	41	41	37	33	29
46	42	42	38	34	30
47	43	43	39	35	31
48	44	44	40	36	32
49	45	45	41	37	33
50	46	46	42	38	34
51	47	47	43	39	35
52	48	48	44	40	36
53	49	49	45	41	37
54	50	50	46	42	38
55	51	51	47	43	39
56	52	52	48	44	40
57	53	53	49	45	41
58	54	54	50	46	42
59	55	55	51	47	43
60	56	56	52	48	44
61	57	57	53	49	45
62	58	58	54	50	
63	59	59	55	51	
64	60	60	56	52	
65	61	61	57	53	
66	62	62	58	54	
67	63	63	59	55	
68	64	64	60	56	
69	65	65	61	57	
70	66	66	62	58	

71	67	67	63	59	
72	68	68	64	60	
73	69	69	65	61	
74	70	70	66	62	
75	71	71	67	63	
76	72	72	68	64	
77	73	73	69	65	
78	74	74	70		
79	75	75	71		
80	76	76	72		
81	77	77	73		
82	78	78	74		
83	79	79	75		
84	80	80	76		
85	81	81	77		
86	82	82	78		
87	83	83	79		
88	84	84	80		
89	85	85	81		
90	86	86	82		
91	87	87	83		
92	88	88	84		
93	89	89	85		
94	90				
95	91				
96	92				
97	93				
98	94				
99	95				
100	96				
101	97				
102	98				
103	99				
104	100				
105	101				
106	102				
107	103				
108	104				
109	105				
110	106				
111	107				
112	108				
113	109				
114	110				
115	111				
116	112				
117	113				
118	114				
119	115				
120	116				
121	117				

タ　専門スタッフ職俸給表の適用を受ける職員の新号俸

旧号俸	職務の級 1級	2級	3級
1	1	1	1
2	1	2	2
3	1	3	3
4	1	4	4
5	1	5	5
6	1	6	6
7	1	7	7
8	1	8	8
9	1	9	9
10	1	10	10
11	1	11	11
12	1	12	12
13	1	13	13
14	2	14	14
15	3	14	15
16	4	15	15
17	5	15	16
18	6	16	17
19	7	16	17
20	8	17	18
21	9	17	18
22	10	17	
23	11	17	
24	12		
25	13		
26	14		
27	15		
28	16		
29	17		
30	18		
31	19		
32	20		
33	21		
34	22		
35	23		
36	24		
37	25		
38	26		
39	27		
40	28		
41	29		
42	30		
43	31		
44	32		
45	33		
46	34		
47	35		
48	36		
49	37		
50	38		
51	39		
52	40		
53	41		
54	42		
55	43		
56	44		
57	45		
58	46		
59	47		
60	48		
61	49		
62	50		
63	51		
64	52		
65	53		
66	54		
67	55		
68	56		
69	57		
70	58		
71	59		
72	60		
73	61		
74	62		
75	63		
76	64		
77	65		

○一般職の職員の給与に関する法律の運用方針

昭二六・一・一一
給実甲二八

最終改正　令七・一二・一二給実甲一三三五

一般職の職員の給与に関する法律の運用方針を次のように定めたので通知します。

第一条関係

第一項　「別に法律で定めるもの」とは、例えば次の職員又は給与をいう。

一　検察官
二　在外公館に勤務する外務公務員
三　国家公務員の寒冷地手当に関する法律（昭和二十四年法律第二百号）による寒冷地手当
四　国家公務員宿舎法（昭和二十四年法律第百十七号）第十二条の規定による無料宿舎
五　国際機関等に派遣される一般職の国家公務員の処遇等に関する法律（昭和四十五年法律第百十七号）（以下「派遣法」という。）第五条に規定する給与
六　国際連合平和維持活動等に対する協力に関する法律（平成四年法律第七十九号）第十七条に規定する国際平和協力手当
七　一般職の任期付研究員の採用、給与及び勤務時間の特例に関する法律（平成九年法律第六十五号）第六条に規定する給与
八　一般職の任期付職員の採用及び給与の特例に関する法律（平成十二年法律第百二十五号）第七条に規定する給与
九　独立行政法人通則法（平成十一年法律第百三号）第二条第四項に規定する行政執行法人の職員
十　法科大学院への裁判官及び検察官その他の一般職の国家公務員の派遣に関する法律（平成十五年法律第四十号）第七条又は第十三条に規定する給与
十一　福島復興再生特別措置法（平成二十四年法律第二十五号）第四十八条の五又は第八十九条の五に規定する給与
十二　令和七年に開催される国際博覧会の準備及び運営のために必要な特別措置に関する法律（平成三十一年法律第十八号）第二十七条に規定する給与
十三　令和九年に開催される国際園芸博覧会の準備及び運営のために必要な特別措置に関する法律（令和四年法律第十五号）第十七条に規定する給与

第三条関係

第二項　「いかなる給与」とはこの法律による給与のみならずすべての勤務に対する報酬を含むものとし、給与であるか否か疑義があるときは人事院が定める。

第三項　従来実費弁償的給与として支給されていたものは、本項の「実費の弁償」に該当するものと解する。したがって旅費は「実費の弁償」であると解する。

第五条関係

第一項　「俸給」には、第十条の規定による俸給の調整額を含む。

第二項　有価物が職員に支給され又は無料で貸与される場合、その職員の俸給額の調整は、別に法律により定められるまで従前通り取り扱うものとする。

第六条関係

第一項　俸給表の適用範囲は、俸給表に定めるもののほか、人事院規則九―二（俸給表の適用範囲）の定めるところによる。

第三項　「標準的な職務の内容」は、人事院規則九―八（初任給、昇格、昇給等の基準）（以下「規則九―八」という。）第三条の定めるところによる。

第八条関係

1　この条（第一項及び第二項を除く。）の実施については、規則九―八の定めるところによる。

2　この条の第十二項の規定による定年前再任用短時間勤務職員の俸給月額に一円未満の端数があるときの取扱いについては、人事院規則九―一〇七（定年前再任用短時間勤務職員等の俸給月額の端数計算）の定めるところによる。

第九条関係

本文の場合の支給定日およびただし書の場合の実施については、人事院規則九―七（俸給等の支給。以下「規則九―七」という。）の定めるところによる。

第九条の二関係

第一項　「降給等」とは、降格、降号のほか、

昇格、休職、初任給基準を異にして異動した場合、俸給表を異にして異動した場合、一週間当たりの勤務時間が異なる官職に異動した場合及び俸給の調整額に異動があった場合等俸給の支給額に異動を生じたすべての場合を含む。

第二項　「離職」とは、辞職、退職、免職、懲戒免職又は失職をさし、任期が定められている職員については、任期満了の日をもって「離職」の日とする。

第三項　「その月まで俸給を支給する。」とは、死亡した者が、その月の末日に死亡したものとした場合に受けることとなる俸給を支給することをいう。

第四項　この項の日割計算については、週休日（一般職の職員の勤務時間、休暇等に関する法律（平成六年法律第三十三号。以下「勤務時間法」という。）第六条第一項に規定する週休日をいう。以下同じ。）が勤務時間法第十四条に規定する祝日法による休日及び年末年始の休日（以下「休日」と総称する。）と重なった場合においても、週休日として取り扱うものとする。

第十条関係

第一項

一　本条において「俸給月額」とは、第八条の規定により決定された職務の級及び号俸に応じた俸給月額であって、本条に規定する俸給の調整額を含まないものをいう。

二　俸給の調整額は、俸給に含まれるものであるから第十九条の勤務一時間当りの給与額算出の基礎とする。

三　俸給の調整額の適用される官職は、人事院規則九—六（俸給の調整額）の定めるところによる。

四　昇格、降格、昇給又は降号については、俸給月額を基礎として行う。

第十条の二関係

第一項

一　俸給の特別調整額は、俸給には含まれないものであるから、第十九条の勤務一時間当りの給与額算出の基礎とはしない。

二　俸給の特別調整を行う官職の指定及び特別調整額表は、人事院規則九—一七（俸給の特別調整額）（以下「規則九—一七」という。）の定めるところによる。

三　管理又は監督の地位にある職員の官職のうち人事院規則で指定する官職を、併任によって占める職員には、その併任官職に係る俸給の特別調整額は支給しない。

四　規則九—一七で指定する官職が欠員の場合又はその官職を占める職員が休職にされている場合に、その官職について代理、心得等として発令され、その官職の職務を行う職員には、併任の場合を除き、その官職について定められる俸給の特別調整額を支給する。

第十条の三関係

1　本府省業務調整手当は、職員の給与が第十五条の規定その他法令の規定により減額される場合においても減額されないものとする。

2　本府省業務調整手当に関し必要な事項については、人事院規則九—一二三（本府省業務調整手当）及び規則九—七の定めるところによる。

第十条の四関係

1　初任給調整手当は、職員の給与が第十五条の規定その他法令の規定により減額される場合においても減額されないものとする。

2　初任給調整手当の支給については、人事院規則九—三四（初任給調整手当）および規則九—七の定めるところによる。

第十条の五関係

1　専門スタッフ職調整手当は、職員の給与が第十五条の規定その他法令の規定により減額される場合においても減額されないものとする。

2　専門スタッフ職調整手当に関し必要な事項については、人事院規則九—一二二（専門スタッフ職調整手当）及び規則九—七の定めるところによる。

第十一条関係

1　扶養手当は、職員の給与が第十五条の規定その他法令の規定により減額される場合においても減額されないものとする。

2　扶養手当は、職員が次に掲げる場合に該当するときは、その期間中支給されない。

(1)　国家公務員法（昭和二十二年法律第百二十号）第八十二条の規定に基づき停職にされた場合

(2)　国家公務員法第百八条の六第一項ただし書に規定する許可を受けた場合

(3)　国家公務員の育児休業等に関する法律

（平成三年法律第百九号。以下「育児休業法」という。）第三条の規定により育児休業をしている場合

(4) 交流派遣（国と民間企業との間の人事交流に関する法律（平成十一年法律第二百二十四号）第二条第三項に規定する交流派遣をいう。以下同じ。）をされている場合

(5) 自己啓発等休業（国家公務員の自己啓発等休業に関する法律（平成十九年法律第四十五号）第二条第五項に規定する自己啓発等休業をいう。以下同じ。）をしている場合

(6) 配偶者同行休業（国家公務員の配偶者同行休業に関する法律（平成二十五年法律第七十八号）第二条第四項に規定する配偶者同行休業をいう。以下同じ。）をしている場合

3 扶養手当に関し必要な事項については、人事院規則九―八〇（扶養手当）及び規則九―七の定めるところによる。

第十一条の三から第十一条の七まで関係

地域手当に関し必要な事項については、人事院規則九―四九（地域手当）（以下「規則九―四九」という。）の定めるところによる。

第十一条の八関係

広域異動手当に関し必要な事項については、人事院規則九―一二一（広域異動手当）（以下「規則九―一二一」という。）及び規則九―七の定めるところによる。

第十一条の九関係

研究員調整手当に関し必要な事項については、人事院規則九―一〇二（研究員調整手当）（以下「規則九―一〇二」という。）及び規則九―七の定めるところによる。

第十一条の十関係

1 住居手当は、職員が次に掲げる場合に該当するときは、その期間中支給されない。

(1) 国家公務員法第八十二条の規定に基づき停職にされた場合

(2) 国家公務員法第百八条の六第一項ただし書に規定する許可を受けた場合

(3) 育児休業法第三条の規定により育児休業をしている場合

(4) 交流派遣をされている場合

(5) 自己啓発等休業をしている場合

(6) 配偶者同行休業をしている場合

2 住居手当の支給については、人事院規則九―五四（住居手当）及び規則九―七の定めるところによる。

第十二条関係

1 「交通機関」とは、鉄道、軌道、一般乗合旅客自動車、船舶その他これらに類する施設で運賃を徴して交通の用に供するものをいい、「有料の道路」とは、法令の規定によりその通行または利用について料金を徴収する道路（トンネル、橋、道路用エレベーター等の施設で道路と一体となってその効用を全うするものを含む。）をいう。

2 通勤手当は、職員が次に掲げる場合に該当するときは、その期間中支給されない。

(1) 国家公務員法第八十二条の規定に基づき停職にされた場合

(2) 国家公務員法第百八条の六第一項ただし書に規定する許可を受けた場合

(3) 育児休業法第三条の規定により育児休業をしている場合

(4) 交流派遣をされている場合

(5) 自己啓発等休業をしている場合

(6) 配偶者同行休業をしている場合

3 通勤手当の支給については、人事院規則九―二四（通勤手当）の定めるところによる。

第十二条の二関係

1 単身赴任手当は、職員が次に掲げる場合に該当するときは、その期間中支給されない。

(1) 国家公務員法第八十二条の規定に基づき停職にされた場合

(2) 国家公務員法第百八条の六第一項ただし書に規定する許可を受けた場合

(3) 育児休業法第三条の規定により育児休業をしている場合

(4) 交流派遣をされている場合

(5) 自己啓発等休業をしている場合

(6) 配偶者同行休業をしている場合

2 単身赴任手当の支給については、人事院規則九―八九（単身赴任手当）及び規則九―七の定めるところによる。

第十二条の三関係

1 在宅勤務等手当は、職員が次に掲げる場合に該当するときは、その期間中支給されない。

(1) 国家公務員法第八十二条の規定に基づき停職にされた場合

(2) 国家公務員法第百八条の六第一項ただし書に規定する許可を受けた場合

(3) 育児休業法第三条の規定により育児休業をしている場合
(4) 交流派遣をされている場合
(5) 自己啓発等休業をしている場合
(6) 配偶者同行休業をしている場合
2 在宅勤務等手当の支給については、人事院規則九―一五一（在宅勤務等手当）の定めるところによる。

第十三条関係

特殊勤務手当の支給については、人事院規則九―三〇（特殊勤務手当）および規則九―七の定めるところによる。

第十三条の二及び第十四条関係

1 特地勤務手当及び特地勤務手当に準ずる手当は、職員の給与が第十五条の規定その他法令の規定により減額される場合においても減額されないものとする。
2 特地勤務手当および特地勤務手当に準ずる手当に関し必要な事項については、人事院規則九―五五（特地勤務手当等）の定めるところによる。

第十五条関係

1 「その他その勤務しないことにつき特に承認のあつた場合」とは、法令の規定により勤務しないことが認められている場合をいう。なお、法令の規定により勤務しないことが認められている場合であっても、特に給与を減額する旨規定されているときは、その定めるところによる。
2 この条の規定により給与を減額する場合には、次に掲げる給与の区分に応じ、その給与期間（以下この項において「減額給与期間」という。）に対するそれぞれ次に定める式により算出した額を、それぞれその次の給与期間以降の次に掲げる給与から差し引く。ただし、減額給与期間において勤務すべき全時間がこの条の規定その他法令の規定により給与が減額される時間であった場合又はこれらの規定により俸給から減額すべき金額が減額給与期間に対する俸給の額より大である若しくはこれに等しい場合には、減額給与期間に対する次に掲げる給与（(2)及び(3)に掲げる給与については、俸給の月額に対するものに限る。）の額をそれぞれその次の給与期間以降の次に掲げる給与から差し引き、退職、休職等の場合においてこの条の規定その他法令の規定により減額すべき給与額が、次に掲げる給与から差し引くことができないときは、この法律に基づくその他の未支給の給与から差し引く。
(1) 俸給 {(俸給の月額×12)÷(1週間当たりの勤務時間×52)(円位未満四捨五入)}×この条の規定により給与が減額される時間数
(2) 地域手当及び研究員調整手当 次に掲げる職員の区分に応じ、それぞれ次に定める式により算出した額
イ 広域異動手当が支給される職員 {(地域手当及び研究員調整手当（いずれも俸給の月額に対するものに限る。）の月額×12)÷(1週間当たりの勤務時間×52)(円位未満四捨五入)}×この条の規定により給与が減額される時間数
ロ イに規定する職員以外の職員 {第18条の2及び第19条の規定により計算された勤務1時間当たりの給与額×この条の規定により給与が減額される時間数}（(3)において「15条減額総額」という。）－(1)に定める式による額
(3) 広域異動手当 15条減額総額－(1)に定める式による額－(2)イに定める式による額
3 職員が特に承認なくして勤務しなかった時間数は、その給与期間の全時間数によって計算するものとし、その時間数に一時間未満の端数を生じた場合の取扱いは、超過勤務の場合の例による。

第十六条関係

1 正規の勤務時間（勤務時間法第十三条第一項に規定する正規の勤務時間をいう。以下同じ。）を超える勤務には、週休日又は勤務時間法第六条第三項及び勤務時間法第八条第二項において読み替えて準用する同条第一項の規定に基づく勤務時間を割り振らない日における勤務が含まれる。
2 超過勤務手当の取扱は次の例による。
(1) その日の勤務時間が始まる前に超過勤務したときは、その日の超過勤務として取り扱う。
(2) 休憩時間中に所轄庁の長の命により勤務した場合は超過勤務として取り扱う。
(3) 超過勤務手当の支給の基礎となる勤務時間数は、その給与期間の全時間数（超過勤務手当のうち支給割合を異にする部分があ

るときは、その異にする部分ごとに各別に計算した時間数）によって計算するものとし、この場合において一時間未満の端数が生じた場合においては、その端数が三十分以上のときは一時間とし、三十分未満のときは切り捨てる。（夜勤手当、休日給についてもこの例により取り扱う。）

3　公務により旅行（出張及び赴任を含む。以下同じ。）中の職員は、その旅行期間中正規の勤務時間を勤務したものとみなす。但し、旅行目的地において正規の勤務時間をこえて勤務すべきことを職員の所轄庁の長があらかじめ指示して命じた場合において現に勤務し、且つその勤務時間につき明確に証明できるものについては超過勤務手当を支給する。

4　超過勤務手当に関し必要な事項については、人事院規則九―九七（超過勤務手当）の定めるところによる。

第十七条関係

1　休日給は、第十五条に規定する祝日法による休日等及び年末年始の休日等（以下「休日等」と総称する。）に特に勤務を命ぜられた職員のみでなく、休日に当然勤務することになっている交替制勤務、現場勤務等の職員についても支給する。

2　休日給は、休日等における正規の勤務時間中における実働時間に対して支給される。休日等において正規の勤務時間を超えて勤務した部分については、超過勤務手当が支給される。

3　休日と週休日とが重なった日の勤務に対しては、休日給を支給せず、超過勤務手当を支給する。

4　公務により旅行中の職員に対しては、旅行目的地において休日等の正規の勤務時間中勤務すべきことを職員の所轄庁の長があらかじめ指示して命じた場合において現に勤務したときに、その勤務時間につき明確に証明できるものについて休日給を支給する。

5　一勤務が二日にまたがる勤務でその一日が休日等に当たるときの休日給は、休日等に当たる日の勤務に対してのみ支給する。

6　人事院規則九―四三（休日給）（以下「規則九―四三」という。）第一条又は第二条に定める日における勤務をした職員に支給される休日給の取扱いについても、前各項と同様とする。

7　休日給の支給割合については、規則九―四三の定めるところによる。

第十八条関係

1　夜勤手当は、休憩時間及び睡眠時間を除いた実働時間に対して支給する。

2　夜勤手当と休日給及び超過勤務手当との関係は次のようになる。

(1)　午後十時から翌日の午前五時までの間における正規の勤務時間中の勤務の中に休日等又は規則九―四三第一条若しくは第二条に定める日に当たる部分がある場合においては、その部分の勤務に対しては休日給と夜勤手当とが併給される。

(2)　夜勤手当は正規の勤務時間として勤務した場合に限り支給されるものであるから、正規の勤務時間を超える勤務として午後十時から翌日の午前五時までの間において勤務した場合には、その勤務に対しては、夜勤手当を支給せず、超過勤務手当を支給する。

第十九条関係

1　「俸給の月額」とは、第六条の二の規定により決定された号俸又は第八条の規定により決定された職務の級及び号俸に応じた俸給月額並びに第十条の規定による俸給の調整額の合計額をいい、法令の規定により俸給を減ぜられているときでも、本来受けるべき俸給の月額とする。なお、職員が附則第八項の規定の適用を受ける場合にあっては当該俸給月額は同項の規定により算定した額となり、附則第十項、第十二項又は第十三項の規定による俸給を支給される場合にあっては「俸給の月額」には当該俸給の額を含む。

2　「これに対する地域手当、広域異動手当及び研究員調整手当の月額」とは、俸給の月額に、地域手当、広域異動手当及び研究員調整手当の支給割合（第十一条の八第四項又は第十一条の九第二項若しくは第四項の規定の適用を受ける場合にあっては、当該規定を適用した場合に得られる支給割合）をそれぞれ乗じて得た額（その額に一円未満の端数があるときは、規則九―四九第十五条、規則九―一二一第七条又は規則九―一〇二第五条の規定による額）をいう。

第十九条の二関係

宿日直手当に関し必要な事項については、人事院規則九—一五（宿日直手当）の定めるところによる。

第十九条の三関係

1 公務により旅行中のこの条の第一項に規定する管理監督職員等及び指定職俸給表の適用を受ける職員又は第十条の二に規定する管理監督職員に対しては、旅行目的地においてそれぞれ同項又はこの条の第二項の勤務をした場合で当該勤務に従事した時間が明確に証明できるものに限り管理職員特別勤務手当を支給する。

2 この条の第一項及び第二項の勤務には、第十九条の二の宿日直勤務は含まれない。

3 管理職員特別勤務手当の支給については、人事院規則九—九三（管理職員特別勤務手当）及び規則九—七の定めるところによる。

第十九条の四から第十九条の六まで関係

期末手当の支給については、人事院規則九—四〇（期末手当及び勤勉手当）（以下「規則九—四〇」という。）の定めるところによる。

第十九条の七関係

勤勉手当の支給については、規則九—四〇の定めるところによる。

第十九条の八関係

この条の適用を受ける職員が、職務遂行のためやむを得ない事由によって割り振られた一日の勤務時間の一部を勤務することができない場合は、この法律第十五条の規定によって、その勤務しないことにつき特に承認することができる。

第十九条の九関係

俸給の特別調整額、地域手当、特地勤務手当等、超過勤務手当、休日給、夜勤手当及び宿日直手当の支給については規則九—七の定めるところによる。

第二十二条関係

非常勤職員の給与に関し必要な事項については、人事院規則九—一（非常勤職員の給与）の定めるところによる。

第二十三条関係

第一項 「給与」とは、この法律に基づくものとしては、俸給、俸給の特別調整額、本府省業務調整手当、初任給調整手当、専門スタッフ職調整手当、扶養手当、地域手当、広域異動手当、研究員調整手当、住居手当、単身赴任手当、特地勤務手当、特地勤務手当に準ずる手当、期末手当及び勤勉手当をいうものとする。

第四項 第四項の規定による休職者の給与は、休職者の生活を保障する意味において予算の許す限り各庁の長が所定の割合以内で、その裁量によりその支給額を定めるものとする。この場合において、次に掲げる額を考慮して定めるものとする。

一 休職者及び休職者と生計を同じくする者（次号及び第三号において「休職者等」という。）に係る公租公課（共済組合の掛金及び厚生年金保険料を含む。）の額

二 休職者等の年齢、人数及び居住地に基づき算定した生活保護法による保護の基準（昭和三十八年四月一日厚生省告示第百五十八号）別表第一に定める居宅に係る基準生活費の額のうち休職者等の世帯員ごとの第一類に係る額を合算した額、第二類に係る額及び世帯員ごとの経過的加算額に係る額を合算した額の合計額

三 休職者の給与以外の休職者等の恒常的な所得の金額

第五項

一 第五項の規定による休職者の給与は、人事院規則九—一三（休職者の給与）の定めるところにより、休職者が生死不明若しくは所在不明になった原因又は休職者の受ける学資金若しくは報酬等の年額（以下「報酬等年額」という。）を考慮して予算の範囲内で各庁の長がその裁量によりその支給額を定めるものとする。この場合において、特別の事情があるときを除き、報酬等年額が休職者の休職の期間の初日の前日における給与の額を基礎として算定した給与の年額（当該年額が部内の他の職員との均衡を著しく失すると認められる場合にあつては、事務総長と協議して算定した額）に比べて高いと認められるときは、給与を支給しないものとし、それ以外のときは、おおむね当該給与の年額と報酬等年額との差額の範囲内となるように定めるものとする。

二 第五項の規定による休職者の給与の支給を受けている職員が附則第八項の規定の適用を受ける職員となった場合には、当分の間、当該職員となった日を休職の期間の初日の前日とみなして、前号の規定により、給与の支給額を定め、又は給与を支給しな

いものとする。

三　前号の規定により、給与の支給額を定め、又は給与を支給しないものとした職員に対しては、人事異動通知書又はこれに代わる文書（以下この号において「通知書等」という。）により給与の支給割合又は給与を支給しない旨を通知するものとする。ただし、通知書等の交付によらないことを適当と認める場合には、適当な方法をもつて通知書等の交付に代えることができる。

四　前号の規定による通知において、人事異動通知書を用いる場合の「異動内容」欄には、「　年　月　日以後、休職の期間中、俸給、扶養手当、地域手当、広域異動手当、研究員調整手当、住居手当及び期末手当の支給割合をそれぞれ百分の　とする（又は「　年　月　日以後、休職の期間中、給与は支給しない」）」と記入するものとする。

第七項　第七項の規定による期末手当の支給については、規則九―四〇の定めるところによる。

附則第六項関係

俸給の半額が減ぜられた場合における地域手当、広域異動手当、研究員調整手当、期末手当及び勤勉手当の算定の基礎となる俸給の月額は、当該半減後の額となる。

附則第八項及び第九項関係

これらの項の実施については、人事院規則九―一四七（給与法附則第八項の規定による俸給月額）の定めるところによる。

附則第十項、第十二項及び第十三項関係

これらの項の実施については、人事院規則九―一四八（給与法附則第十項、第十二項又は第十三項の規定による俸給）の定めるところによる。

○国家行政組織法

昭二三・七・一〇
法　一二〇

最終改正　令三・五・一九法三六

（目的）

第一条　この法律は、内閣の統轄の下における行政機関で内閣府及びデジタル庁以外のもの（以下「国の行政機関」という。）の組織の基準を定め、もつて国の行政事務の能率的な遂行のために必要な国家行政組織を整えることを目的とする。

（組織の構成）

第二条　国家行政組織は、内閣の統轄の下に、内閣府及びデジタル庁の組織と共に、任務及びこれを達成するため必要となる明確な範囲の所掌事務を有する行政機関の全体によつて、系統的に構成されなければならない。

2　国の行政機関は、内閣の統轄の下に、その政策について、自ら評価し、企画及び立案を行い、並びに国の行政機関相互の調整を図るとともに、その相互の連絡を図り、全て、一体として、行政機能を発揮するようにしなければならない。内閣府及びデジタル庁との政策についての調整及び連絡についても、同様とする。

（注）平成二三年法律第一二五号により、第一条及び第二条は次のようになる。

（目的）

第一条 この法律は、内閣の統轄の下における行政機関で内閣府、デジタル庁及び復興庁以外のもの（以下「国の行政機関」という。）の組織の基準を定め、もつて国の行政事務の能率的な遂行のために必要な国家行政組織を整えることを目的とする。

（組織の構成）

第二条 国家行政組織は、内閣の統轄の下に、内閣府、デジタル庁及び復興庁の組織と共に、任務及びこれを達成するため必要となる明確な範囲の所掌事務を有する行政機関の全体によつて、系統的に構成されなければならない。

2 国の行政機関は、内閣の統轄の下に、その政策について、自ら評価し、企画及び立案を行い、並びに国の行政機関相互の調整を図るとともに、その相互の連絡を図り、全て、一体として、行政機能を発揮するようにしなければならない。内閣府、デジタル庁及び復興庁との政策についての調整及び連絡についても、同様とする。

（行政機関の設置、廃止、任務及び所掌事務）

第三条 国の行政機関の組織は、この法律でこれを定めるものとする。

2 行政組織のため置かれる国の行政機関は、省、委員会及び庁とし、その設置及び廃止は、別に法律の定めるところによる。

3 省は、内閣の統轄の下に第五条第一項の規定により各省大臣の分担管理する行政事務及び同条第二項の規定により当該大臣が掌理する行政事務をつかさどる機関として置かれるものとし、委員会及び庁は、省に、その外局として置かれるものとする。

4 第二項の国の行政機関として置かれるものは、別表第一にこれを掲げる。

第四条 前条の国の行政機関の任務及びこれを達成するため必要となる所掌事務の範囲は、別に法律でこれを定める。

（行政機関の長）

第五条 各省の長は、それぞれ各省大臣とし、内閣法（昭和二十二年法律第五号）にいう主任の大臣として、それぞれ行政事務を分担管理する。

2 各省大臣は、前項の規定により行政事務を分担管理するほか、それぞれ、その分担管理する行政事務に係る各省の任務に関連する特定の内閣の重要政策について、当該重要政策に関して閣議において決定された基本的な方針に基づいて、行政各部の施策の統一を図るために必要となる企画及び立案並びに総合調整に関する事務を掌理する。

3 各省大臣は、国務大臣のうちから、内閣総理大臣が命ずる。ただし、内閣総理大臣が自ら当たることを妨げない。

第六条 委員会の長は、委員長とし、庁の長は、長官とする。

（内部部局）

第七条 省には、その所掌事務を遂行するため、官房及び局を置く。

2 前項の官房又は局には、特に必要がある場合においては、部を置くことができる。

3 庁には、その所掌事務を遂行するため、官房及び部を置くことができる。

4 官房、局及び部の設置及び所掌事務の範囲は、政令でこれを定める。

5 庁、官房、局及び部（その所掌事務が主として政策の実施に係るものである庁として別表第二に掲げるもの（以下「実施庁」という。）並びにこれに置かれる官房及び部を除く。）には、課及びこれに準ずる室を置くことができるものとし、これらの設置及び所掌事務の範囲は、政令でこれを定める。

6 実施庁並びにこれに置かれる官房及び部には、政令の定める数の範囲内において、課及びこれに準ずる室を置くことができるものとし、これらの設置及び所掌事務の範囲は、省令でこれを定める。

7 委員会には、法律の定めるところにより、事務局を置くことができる。第三項から第五項までの規定は、事務局の内部組織について、これを準用する。

8 委員会には、特に必要がある場合においては、法律の定めるところにより、事務総局を置くことができる。

（審議会等）

第八条 第三条の国の行政機関には、法律の定める所掌事務の範囲内で、法律又は政令の定めるところにより、重要事項に関する調査審議、不服審査その他学識経験を有する者等の合議により処理することが適当な事務をつかさどらせるための合議制の機関を置くことができる。

（施設等機関）

第八条の二 第三条の国の行政機関には、法律の定める所掌事務の範囲内で、法律又は政令の定めるところにより、試験研究機関、検査検定機関、文教研修施設（これらに類する機関及び施設を含む。）、医療更生施設、矯正収容施設及び作業施設を置くことができる。

（特別の機関）

第八条の三　第三条の国の行政機関には、特に必要がある場合においては、前二条に規定するもののほか、法律の定める所掌事務の範囲内で、法律の定めるところにより、特別の機関を置くことができる。

（地方支分部局）

第九条　第三条の国の行政機関には、その所掌事務を分掌させる必要がある場合においては、法律の定めるところにより、地方支分部局を置くことができる。

（行政機関の長の権限）

第十条　各省大臣、各委員会の委員長及び各庁の長官は、その機関の事務を統括し、職員の服務について、これを統督する。

第十一条　各省大臣は、主任の行政事務について、法律又は政令の制定、改正又は廃止を必要と認めるときは、案をそなえて、内閣総理大臣に提出して、閣議を求めなければならない。

第十二条　各省大臣は、主任の行政事務について、法律若しくは政令を施行するため、又は法律若しくは政令の特別の委任に基づいて、それぞれその機関の命令として省令を発することができる。

2　各外局の長は、その機関の所掌事務について、それぞれ主任の各省大臣に対し、案をそなえて、省令を発することを求めることができる。

3　省令には、法律の委任がなければ、罰則を設け、又は義務を課し、若しくは国民の権利を制限する規定を設けることができない。

第十三条　各委員会及び各庁の長官は、別に法律の定めるところにより、政令及び省令以外の規則その他の特別の命令を自ら発することができる。

2　前条第三項の規定は、前項の命令に、これを準用する。

第十四条　各省大臣、各委員会及び各庁の長官は、その機関の所掌事務について、公示を必要とする場合においては、告示を発することができる。

2　各省大臣、各委員会及び各庁の長官は、その機関の所掌事務について、命令又は示達をするため、所管の諸機関及び職員に対し、訓令又は通達を発することができる。

第十五条　各省大臣、各委員会及び各庁の長官は、その機関の任務（各省にあつては、各省大臣が主任の大臣として分担管理する行政事務に係るものに限る。）を遂行するため政策について行政機関相互の調整を図る必要があると認めるときは、その必要性を明らかにした上で、関係行政機関の長に対し、必要な資料の提出及び説明を求め、並びに当該関係行政機関の政策に関し意見を述べることができる。

第十五条の二　各省大臣は、第五条第二項に規定する事務の遂行のため必要があると認めるときは、関係行政機関の長に対し、必要な資料の提出及び説明を求めることができる。

2　各省大臣は、第五条第二項に規定する事務の遂行のため特に必要があると認めるときは、関係行政機関の長に対し、勧告することができる。

3　各省大臣は、前項の規定により関係行政機関の長に対し勧告したときは、当該関係行政機関の長に対し、その勧告に基づいてとつた措置について報告を求めることができる。

4　各省大臣は、第二項の規定により勧告した事項に関し特に必要があると認めるときは、内閣総理大臣に対し、当該事項について内閣法第六条の規定による措置がとられるよう意見を具申することができる。

（副大臣）

第十六条　各省に副大臣を置く。

2　副大臣の定数は、それぞれ別表第三の副大臣の定数の欄に定めるところによる。

3　副大臣は、その省の長である大臣の命を受け、政策及び企画をつかさどり、政務を処理し、並びにあらかじめその省の長である大臣の命を受けて大臣不在の場合その職務を代行する。

4　副大臣が二人置かれた省においては、各副大臣の行う前項の職務の範囲及び職務代行の順序については、その省の長である大臣の定めるところによる。

5　副大臣の任免は、その省の長である大臣の申出により内閣が行い、天皇がこれを認証する。

6　副大臣は、内閣総辞職の場合においては、内閣総理大臣その他の国務大臣がすべてその地位を失つたときに、これと同時にその地位を失う。

（大臣政務官）

第十七条　各省に大臣政務官を置く。

2　大臣政務官の定数は、それぞれ別表第三の大臣政務官の定数の欄に定めるところによる。

3　大臣政務官は、その省の長である大臣を助け、特定の政策及び企画に参画し、政務を処理する。

4　各大臣政務官の行う前項の職務の範囲については、その省の長である大臣の定めるところによる。

5　大臣政務官の任免は、その省の長である大臣の申出により、内閣がこれを行う。

6　前条第六項の規定は、大臣政務官について、これを準用する。

（大臣補佐官）

第十七条の二　各省に、特に必要がある場合においては、大臣補佐官一人を置くことができる。

2　大臣補佐官は、その省の長である大臣の命を受け、特定の政策に係るその省の長である大臣の行う企画及び立案並びに政務に関し、その省の長である大臣を補佐する。

3　大臣補佐官の任免は、その省の長である大臣の申出により、内閣がこれを行う。

4　大臣補佐官は、非常勤とすることができる。

5　国家公務員法（昭和二十二年法律第百二十号）第九十六条第一項、第九十八条第一項、第九十九条並びに第百条第一項及び第二項の規定は、大臣補佐官の服務について準用する。

6　常勤の大臣補佐官は、在任中、その省の長である大臣の許可がある場合を除き、報酬を得て他の職務に従事し、又は営利事業を営み、その他金銭上の利益を目的とする業務を行つてはならない。

（事務次官及び庁の次長等）

第十八条　各省には、事務次官一人を置く。

2　事務次官は、その省の長である大臣を助け、省務を整理し、各部局及び機関の事務を監督する。

3　各庁には、特に必要がある場合においては、長官を助け、庁務を整理する職として次長を置くことができるものとし、その設置及び定数は、政令でこれを定める。

4　各省及び各庁には、特に必要がある場合においては、その所掌事務の一部を総括整理する職を置くことができるものとし、その設置、職務及び定数は、法律（庁にあつては、政令）でこれを定める。

（秘書官）

第十九条　各省に秘書官を置く。

2　秘書官の定数は、政令でこれを定める。

3　秘書官は、それぞれ各省大臣の命を受け、機密に関する事務を掌り、又は臨時命を受け各部局の事務を助ける。

（官房及び局の所掌に属しない事務をつかさどる職等）

第二十条　各省には、特に必要がある場合においては、官房及び局の所掌に属しない事務の能率的な遂行のためこれを所掌する職で局長に準ずるものを置くことができるものとし、その設置、職務及び定数は、政令でこれを定める。

2　各庁には、特に必要がある場合においては、官房及び部の所掌に属しない事務の能率的な遂行のためこれを所掌する職で部長に準ずるものを置くことができるものとし、その設置、職務及び定数は、政令でこれを定める。

3　各省及び各庁（実施庁を除く。）には、特に必要がある場合においては、前二項の職のつかさどる職務の全部又は一部を助ける職で課長に準ずるものを置くことができるものとし、その設置、職務及び定数は、政令でこれを定める。

4　実施庁には、特に必要がある場合においては、政令の定める数の範囲内において、第二項の職のつかさどる職務の全部又は一部を助ける職で課長に準ずるものを置くことができるものとし、その設置、職務及び定数は、省令でこれを定める。

（内部部局の職）

第二十一条　委員会の事務局並びに局、部、課及び課に準ずる室に、それぞれ事務局長並びに局長、部長、課長及び室長を置く。

2　官房には、長を置くことができるものとし、その設置及び職務は、政令でこれを定める。

3　局、部又は委員会の事務局には、次長を置くことができるものとし、その設置、職務及び定数は、政令でこれを定める。

4　官房、局若しくは部（実施庁に置かれる官房及び部を除く。）又は委員会の事務局には、その所掌事務の一部を総括整理する職又は課（課に準ずる室を含む。）の所掌に属しない事務の能率的な遂行のためこれを所掌する職で課長に準ずるものを置くことができるものとし、これらの設置、職務及び定数は、政令でこれを定める。官房又は部を置かない庁（実施庁を除く。）にこれらの職に相当する職を置くときも、同様とする。

5　実施庁に置かれる官房又は部には、政令の定める数の範囲内において、その所掌事務の一部を総括整理する職又は課（課に準ずる室を含む。）の所掌に属しない事務の能率的な遂行のためこれを所掌する職で課長に準ずるものを置くことができるものとし、これらの設置、職務及び定数は、省令でこれを定める。官房又は部を置かない実施庁にこれらの職に相当する職を置くときも、同様とする。

第二十二条 削除

（官房及び局の数）

第二十三条 第七条第一項の規定に基づき置かれる官房及び局の数は、内閣府設置法（平成十一年法律第八十九号）第十七条第一項の規定に基づき置かれる官房及び局の数と合わせて、九十七以内とする。

第二十四条 削除

（国会への報告等）

第二十五条 政府は、第七条第四項（同条第七項において準用する場合を含む。）、第八条、第八条の二、第十八条第三項若しくは第四項、第二十条第一項若しくは第二項又は第二十一条第二項若しくは第三項の規定により政令で設置される組織その他これらに準ずる主要な組織につき、その新設、改正及び廃止をしたときは、その状況を次の国会に報告しなければならない。

2 政府は、少なくとも毎年一回国の行政機関の組織の一覧表を官報で公示するものとする。

附　則

第二十六条 この法律は、昭和二十四年六月一日から、これを施行する。但し、第二十七条の規定は、公布の日から、これを施行する。

第二十七条 この法律の施行に関し必要な細目は、他に別段の定のある場合を除く外、政令でこれを定める。

附　則（平三〇・一二・一四法一〇二）（抄）

（施行期日）

第一条 この法律は、平成三十一年四月一日から施行する。〔ただし書略〕

附　則（令三・五・一九法三六）（抄）

（施行期日）

第一条 この法律は、令和三年九月一日から施行する。〔ただし書略〕

別表第一（第三条関係）

省	委員会	庁
総務省	公害等調整委員会	消防庁
法務省	公安審査委員会	出入国在留管理庁 公安調査庁
外務省		
財務省		国税庁
文部科学省		スポーツ庁 文化庁
厚生労働省	中央労働委員会	
農林水産省		林野庁 水産庁
経済産業省		資源エネルギー庁 特許庁 中小企業庁
国土交通省	運輸安全委員会	観光庁 気象庁 海上保安庁
環境省	原子力規制委員会	
防衛省		防衛装備庁

別表第二（第七条関係）

公安調査庁
国税庁
特許庁
気象庁
海上保安庁

別表第三（第十六条、第十七条関係）

省	副大臣の定数	大臣政務官の定数
総務省	二人	三人
法務省	一人	一人
外務省	二人	三人
財務省	二人	二人
文部科学省	二人	二人
厚生労働省	二人	二人
農林水産省	二人	二人
経済産業省	二人	二人
国土交通省	二人	三人
環境省	二人	二人
防衛省	一人	二人

○人事院規則一—二（用語の定義）

昭二四・一・一制定
昭二四・一・一施行

最終改正　令四・六・二四規則一—八一

規則中次に掲げる用語は、別段の定めのある場合を除き、それぞれ次の意味に用いる。

一　「法」とは、「国家公務員法（昭和二十二年法律第百二十号）」をいう。

二　「第一次改正法律」とは、「国家公務員法の一部を改正する法律（昭和二十三年法律第二百二十二号）」をいう。

三　「第一次改正法律附則」とは、「国家公務員法の一部を改正する法律（昭和二十三年法律第二百二十二号）第一次改正法律附則」をいう。

四　「給与法」とは、「一般職の職員の給与に関する法律（昭和二十五年法律第九十五号）」をいう。

五　「補償法」とは、「国家公務員災害補償法（昭和二十六年法律第百九十一号）」をいう。

六　「派遣法」とは、「国際機関等に派遣される一般職の国家公務員の処遇等に関する法律（昭和四十五年法律第百十七号）」をいう。

七　「法人格法」とは、「職員団体等に対する法人格の付与に関する法律（昭和五十三年法律第八十号）」をいう。

八　「育児休業法」とは、「国家公務員の育児休業等に関する法律（平成三年法律第百九号）」をいう。

九　「勤務時間法」とは、「一般職の職員の勤務時間、休暇等に関する法律（平成六年法律第三十三号）」をいう。

十　「任期付研究員法」とは、「一般職の任期付研究員の採用、給与及び勤務時間の特例に関する法律（平成九年法律第六十五号）」をいう。

十一　「倫理法」とは、「国家公務員倫理法（平成十一年法律第百二十九号）」をいう。

十二　「官民人事交流法」とは、「国と民間企業との間の人事交流に関する法律（平成十一年法律第二百二十四号）」をいう。

十三　「任期付職員法」とは、「一般職の任期付職員の採用及び給与の特例に関する法律（平成十二年法律第百二十五号）」をいう。

十四　「法科大学院派遣法」とは、「法科大学院への裁判官及び検察官その他の一般職の国家公務員の派遣に関する法律（平成十五年法律第四十号）」をいう。

十五　「留学費用償還法」とは、「国家公務員の留学費用の償還に関する法律（平成十八年法律第七十号）」をいう。

十六　「自己啓発等休業法」とは、「国家公務員の自己啓発等休業に関する法律（平成十九年法律第四十五号）」をいう。

十七　「配偶者同行休業法」とは、「国家公務員の配偶者同行休業に関する法律（平成二十五年法律第七十八号）」をいう。

十八　「令和三年オリンピック・パラリンピッ

ク特措法」とは、「令和三年東京オリンピック競技大会・東京パラリンピック競技大会特別措置法（平成二十七年法律第三十三号）」をいう。

十九　「平成三十一年ラグビーワールドカップ特措法」とは、「平成三十一年ラグビーワールドカップ大会特別措置法（平成二十七年法律第三十四号）」をいう。

二十　「令和七年国際博覧会特措法」とは、「令和七年に開催される国際博覧会の準備及び運営のために必要な特別措置に関する法律（平成三十一年法律第十八号）」をいう。

二十の二　「令和九年国際園芸博覧会特措法」とは、「令和九年に開催される国際園芸博覧会の準備及び運営のために必要な特別措置に関する法律（令和四年法律第十五号）」をいう。

二十一　「規則」とは、人事院規則をいう。

二十二　「指令」とは、人事院指令をいう。

二十三　「細則」とは、人事院細則をいう。

二十四　「総裁」とは、人事院総裁をいう。

二十五　「各省各庁の長」とは、内閣、内閣総理大臣、各省大臣、会計検査院長、人事院総裁並びに宮内庁長官及び各外局の長をいう。

二十六　「官職」とは、国家公務員法第二条第二項に定める一般職に属する職をいう。

二十七　「職員」とは、国家公務員法第二条第二項に定める一般職に属する職を占める職員をいう。

二十八　「独立行政法人」とは、独立行政法人通則法（平成十一年法律第百三号）第二条第一項に規定する独立行政法人をいう。

二十九　「行政執行法人」とは、独立行政法人通則法第二条第四項に規定する行政執行法人をいう。

三十　「人事評価政令」とは、「人事評価の基準、方法等に関する政令（平成二十一年政令第三十一号）」をいう。

三十一　「能力評価」とは、人事評価政令第四条第一項に規定する能力評価をいう。

三十二　「業績評価」とは、人事評価政令第四条第一項に規定する業績評価をいう。

三十三　「全体評語」とは、人事評価政令第九条第三項（人事評価政令第十四条において準用する場合を含む。）に規定する確認が行われた人事評価政令第六条第一項に規定する全体評語をいう。

三十四　「「卓越して優秀」」とは、人事評価政令第六条第二項第三号に掲げる職員（以下「六段階評価職員」という。）に付される全体評語のうち最上位の段階のものをいう。

三十五　「「非常に優秀」」とは、六段階評価職員に付される全体評語のうち最下位の段階より四段階上位の段階のものをいう。

三十六　「「優良」」とは、六段階評価職員に付される全体評語のうち最下位の段階より三段階上位の段階のものをいう。

三十七　「「良好」」とは、六段階評価職員に付される全体評語のうち最下位の段階より二段階上位の段階のものをいう。

三十八　「「やや不十分」」とは、六段階評価職員に付される全体評語のうち最下位の段階より一段階上位の段階のものをいう。

三十九　「「不十分」」とは、六段階評価職員に付される全体評語のうち最下位の段階のものをいう。

附　則（令元・五・二三規則一―七三）

この規則は、公布の日から施行する。

附　則（令二・一二・二八規則一―七六）（抄）

（施行期日）

1　この規則は、公布の日から施行する。

附　則（令三・九・一規則一―七七）

この規則は、公布の日から施行する。

附　則（令三・一二・二四規則一―二―四）

この規則は、令和四年十月一日から施行する。

附　則（令四・六・二四規則一―八一）

この規則は、公布の日から施行する。

第二編 俸給

第一　俸給表の適用範囲

【参照】
●一般職給与法二②・六
●同運用方針六関係

〇人事院規則九—二（俸給表の適用範囲）

昭三二・六・一全改
昭三二・四・一適用
最終改正　令七・四・一規則九—二—七五

（総則）
第一条　給与法別表第一から別表第十一までのそれぞれの俸給表の適用については、この規則の定めるところによる。

本条—平二〇・四・一施行

（行政職俸給表(二)の適用範囲）
第二条　行政職俸給表(二)は、次に掲げる職員に適用する。ただし、第一号から第八号までに掲げる者のうち、海事職俸給表(二)の適用を受ける者及び指令で指定する者を除く。
一　守衛、巡視等の監視、警備等の業務に従事する者
二　用務員、労務作業員等の庁務又は労務に従事する者
三　自動車運転手、車庫長等の業務に従事する者
四　機械工作工、電工、大工、印刷工、製図工、ガラス工等の製作、修理、加工等の業務に従事する者
五　建設機械操作手、ボイラー技士等の機器の運転、操作、保守等の業務に従事する者
六　電話交換手の業務に従事する者
七　理容師、美容師、調理師等の家政的業務に従事する者
八　前各号に準ずる技能的業務に従事する者
九　総トン数五トン未満の船舶、湖、川又は港のみを航行する船舶、総トン数三十トン未満の漁船及びその他しゅんせつ船等の作業船に乗り組む者並びに指令で指定する船舶に乗り組む者（公安職俸給表(二)の適用を受ける者及び指令で指定する者を除く。）

本条—平一四・四・一施行

（専門行政職俸給表の適用範囲）
第二条の二　専門行政職俸給表は、次に掲げる職員に適用する。
一　植物防疫所又は那覇植物防疫事務所の植物防疫官及び小笠原総合事務所に勤務する職員で小笠原諸島の復帰に伴う村の設置及び現地における行政機関の設置等に関する政令（昭和四十三年政令第二百十二号）第十条第二項の規定に基づき植物防疫官の事務の処理に当たる者に指定されたもの
二　動物検疫所の家畜防疫官
三　特許庁の審査長、審査官、審査監理官、審判長、審判官及び指令で指定する職員
四　沖縄総合事務局、地方運輸局又は運輸監理部の海事技術専門官及び国土交通省海事局の船舶検査測度官
五　国土交通省航空局の航空情報管理管制運航情報官、技術管理航空管制技術官及び性能評価航空管制技術官並びに地方航空局又は航空交通管制部のシステム運用管理官、管制保安部長、航空管制運航情報官、航空管制通信官、航空管制官、航空管制技術官、航空交通管理管制官、航空交通管理管制運航情報官、航空交通管理管制技術官及びシステム管理官
六　沖縄総合事務局、国土交通省海事局、地方運輸局又は運輸監理部の海技試験官
七　検疫所において港又は飛行場における検疫又は防疫の業務に従事する職員（医療職俸給表(一)、医療職俸給表(二)又は指定職俸給表の適用を受ける職員を除く。）で指令で指定するもの
八　検疫所又は地方厚生局の食品衛生監視員
九　国土交通省航空局の設計審査官及び飛行検査官その他の指令で指定する職員
十　国土交通省航空局又は地方航空局の運航審査官、航空機検査官及び航空従事者試験官
十一　航空保安大学校の教頭、研修調整官、教官、所長及び専門研修調整官
十二　運輸安全委員会事務局の事故調査官

本条—令七・四・一施行

（税務職俸給表の適用範囲）
第三条　税務職俸給表は、国税庁に勤務し、租税の賦課及び徴収に関する事務等に従事する職員に適用する。ただし、次の各号に掲げる者を除く。

一　国税庁の内部部局に勤務する者で、国税庁監察官、税務相談官、監督評価官、国税実査官、国税調査官、国税査察官及び指令で指定する職員以外のもの
二　国税不服審判所の所長、次長及び首席国税審判官
三　国税局の局長
四　行政職俸給表(二)の適用を受ける者
五　その他指令で指定する者

本条―平一三・一・六施行

（公安職俸給表(一)の適用範囲）
第四条　公安職俸給表(一)は、次に掲げる職員に適用する。
一　警察庁の警察官及び皇宮護衛官並びに都道府県警察の警察官（次に掲げる者を除く。）並びにこれらと同種の業務に従事する職員で指令で指定するもの
(1)　警察庁の長官、次長及び官房長並びに警察庁の内部部局の局長、部長及び課長
(2)　警察大学校長
(3)　科学警察研究所長
(4)　皇宮警察本部長
(5)　管区警察局の局長及び警察支局の支局長
(6)　その他指令で指定する者
二　入国者収容所及び地方出入国在留管理局の入国警備官
三　刑務所、少年刑務所、拘置所又は矯正管区に勤務する者並びに矯正研修所に勤務する研修第一部長、研修第二部長、教頭、教官、効果検証官及び指令で指定する職員。ただし、次に掲げる者を除く。
(1)　矯正管区の管区長
(2)　専ら庶務、会計等の管理事務に従事する者
(3)　行政職俸給表(二)又は医療職俸給表の適用を受ける者
(4)　その他指令で指定する者

本条―平三一・四・一施行

（公安職俸給表(二)の適用範囲）
第五条　公安職俸給表(二)は、次に掲げる職員に適用する。
一　検察庁に勤務する検察事務官及び公安調査庁に勤務する公安調査官。ただし、次に掲げる者を除く。
(1)　最高検察庁事務局長
(2)　公安調査庁の長官及び次長並びに公安調査庁の内部部局の部長及び課長
(3)　公安調査庁研修所長
(4)　公安調査局の局長
(5)　専ら庶務、会計等の管理事務に従事する者
(6)　その他指令で指定する者
二　少年院又は少年鑑別所に勤務する者。ただし、次に掲げる者を除く。
(1)　専ら庶務、会計等の管理事務に従事する者
(2)　行政職俸給表(二)又は医療職俸給表の適用を受ける者
(3)　その他指令で指定する者
三　海上保安庁警備救難部若しくは交通部の航行安全課若しくは安全対策課、海上保安学校又は管区海上保安本部に勤務する者及びその他海上保安庁に勤務する者で船舶に乗り組むもの。ただし、次に掲げる者を除く。
(1)　海上保安庁警備救難部の部長及び課長並びに交通部の航行安全課長及び安全対策課長
(2)　海上保安学校に勤務する者で副校長、分校長及び教官以外のもの
(3)　管区海上保安本部の本部長及び次長
(4)　管区海上保安本部の総務部、経理補給部、船舶技術部、海洋情報部若しくは交通部（航行安全課及び安全対策課を除く。）又は警備救難部の船舶技術課に勤務する者（船舶に乗り組む者を除く。）
(5)　専ら庶務、会計等の管理事務に従事する者
(6)　第二条第一号から第八号までに掲げる者で船舶に乗り組む者以外のもの
(7)　医療職俸給表(一)の適用を受ける者
(8)　その他指令で指定する者

本条―令六・四・一施行

（海事職俸給表(一)の適用範囲）
第六条　海事職俸給表(一)は、遠洋区域又は近海区域を航行区域とする日本船舶（日本政府が借り入れた日本船舶以外の船舶を含む。以下同じ。）に乗り組む船長、航海士、機関長、機関士、通信長、通信士、事務長及び事務員その他これらと同等の職務に従事する職員に適用する。ただし、次に掲げる者を除く。
一　総トン数二十トン未満の船舶に乗り組む者
二　公安職俸給表(二)又は医療職俸給表(一)の適用を受ける者

（海事職俸給表㈡の適用範囲）

第七条 海事職俸給表㈡は、次に掲げる職員に適用する。ただし、公安職俸給表㈡又は医療職俸給表㈠の適用を受ける者を除く。

本条―昭六一・四・一施行

一 遠洋区域又は近海区域を航行区域とする日本船舶に乗り組む者（海事職俸給表㈠の適用を受ける者を除く。）

二 沿海区域又は平水区域を航行区域とする日本船舶に乗り組む者（第二条第九号に掲げる者及び公安職俸給表㈠の適用を受ける者を除く。）

本条―平一三・一・六施行

（教育職俸給表㈠の適用範囲）

第八条 教育職俸給表㈠は、気象大学校又は海上保安大学校に勤務する副校長、教頭、教授、准教授、講師及び助教に適用する。

本条―平二二・四・一施行

（教育職俸給表㈡の適用範囲）

第九条 教育職俸給表㈡は、国立ハンセン病療養所に置かれる附属の看護師養成所又は国立障害者リハビリテーションセンターの自立支援局の理療教育・就労支援部若しくは国立光明寮教務課若しくは学院に勤務し、教育に従事することを本務とする職員（国立障害者リハビリテーションセンター学院にあつては、指令で指定する職員に限る。）に適用する。

本条―平二二・四・一施行

第十条 削除

本条―平一六・一〇・二八施行

（研究職俸給表の適用範囲）

第十一条 研究職俸給表は、試験所、研究所若しくは指令で指定するこれらに準ずる機関又はその他の機関で指令で指定する部課等に勤務し、専門的科学的知識と創意等をもつて試験研究又は調査研究業務に従事する職員に適用する。ただし、教育職俸給表㈠又は指定職俸給表の適用を受ける者を除く。

本条―平一六・一〇・二八施行

（医療職俸給表㈠の適用範囲）

第十二条 医療職俸給表㈠は、病院、療養所、診療所等の医療施設、刑務所、拘置所等の矯正施設及び検疫所等に勤務し又は船舶に乗り組み、医療業務に従事する医師及び歯科医師である職員に適用する。ただし、指定職俸給表の適用を受ける者を除く。

本条―平一六・一〇・二八施行

（医療職俸給表㈡の適用範囲）

第十三条 医療職俸給表㈡は、病院、療養所、診療所等の医療施設、刑務所、拘置所等の矯正施設、検疫所及び学校等に勤務する職員で次に掲げるものに適用する。ただし、教育職俸給表㈡の適用を受ける者を除く。

一 調剤に従事する薬剤師

二 栄養管理に従事する栄養士及び管理栄養士

三 診療放射線技師及び診療エックス線技師

四 臨床検査技師、衛生検査技師その他の病理細菌技術職員

五 臨床工学技士

六 理学療法士その他の理学療法技術職員及び作業療法士その他の作業療法技術職員

七 視能訓練士その他の視能技術職員

七の二 言語聴覚士

八 義肢装具士

九 歯科衛生士及び歯科技工士

十 あん摩マッサージ指圧師、はり師、きゆう師及び柔道整復師

十一 その他指令で指定する医療技術職員

本条―令七・四・一施行

（医療職俸給表㈢の適用範囲）

第十四条 医療職俸給表㈢は、病院、療養所、診療所等の医療施設、刑務所、拘置所等の矯正施設、検疫所及び学校等に勤務し、保健指導又は看護等に従事する保健師、助産師、看護師及び准看護師である職員に適用する。ただし、教育職俸給表の適用を受ける者を除く。

本条―平一四・三・一施行

（福祉職俸給表の適用範囲）

第十四条の二 福祉職俸給表は、次に掲げる職員に適用する。ただし、教育職俸給表㈡又は医療職俸給表の適用を受ける者を除く。

一 国立障害者リハビリテーションセンターに勤務する職員で次に掲げるもの

(1) 管理部又は病院に勤務し、入院患者の指導、訓練又は療養、退院若しくは社会復帰に伴う問題に関する助言の業務に従事する職員で指令で指定するもの

(2) 自立支援局の総合相談支援部、第一自立訓練部、第二自立訓練部又は理療教育・就労支援部に勤務する職員で次に掲げるもの

(イ) 精神保健福祉士

(ロ) 入所者の指導、心理若しくは職能の判

定、訓練又は介護の業務に従事する職員で指令で指定するもの

(3) 自立支援局国立光明寮に勤務し、入所者の指導、心理の判定又は訓練の業務に従事する職員で指令で指定するもの

(4) 自立支援局国立保養所に勤務し、入所者の指導、心理若しくは職能の判定、訓練又は介護の業務に従事する職員で指令で指定するもの

(5) 自立支援局国立福祉型障害児入所施設に勤務する児童指導員及び保育士

二 国立児童自立支援施設に勤務する児童自立支援専門員及び児童生活支援員

三 国立ハンセン病療養所に勤務し、入院患者の療養、退院又は社会復帰に伴う問題に関する助言又は指導の業務に従事する職員で指令で指定するもの

本条―令二・四・一施行

（専門スタッフ職俸給表の適用範囲）

第十四条の三 専門スタッフ職俸給表は、行政の特定の分野における高度の専門的な知識経験に基づく調査、研究、情報の分析等を行うことにより、政策の企画及び立案、他国又は国際機関との交渉等を支援する業務に従事する職員として指令で指定する者に適用する。

本条―平二〇・四・一施行

（指定職俸給表の適用範囲）

第十五条 指定職俸給表は、次に掲げる職員に適用する。

一 事務次官、会計検査院事務総長、人事院事務総長、内閣法制次長、宮内庁次長、警察庁長官、金融庁長官、消費者庁長官及びこども家庭庁長官

二 外局（国家行政組織法（昭和二十三年法律第百二十号）第三条第三項の庁をいう。）の長官

三 会計検査院事務総局次長、内閣衛星情報センター所長、内閣府審議官、公正取引委員会事務総長、警察庁次長、警視総監、カジノ管理委員会事務局長、金融国際審議官、デジタル審議官、総務審議官、外務審議官、財務官、文部科学審議官、厚生労働審議官、医務技監、農林水産審議官、経済産業審議官、技監、国土交通審議官、地球環境審議官及び原子力規制庁長官

四 国家行政組織法第三条第二項の省、会計検査院事務総局、人事院事務総局、内閣府、公正取引委員会事務総局、警察庁、金融庁及びこども家庭庁の官房長及び局長

五 気象大学校長及び海上保安大学校長

六 経済社会総合研究所長

七 規模の大きい試験所若しくは研究所又は困難な研究を行う試験所若しくは研究所の長（前号に掲げる職員を除く。）で指令で指定するもの

八 規模の大きい病院若しくは療養所又は困難な医療業務を行う病院若しくは療養所の長で指令で指定するもの

九 その他前各号に掲げる職員に準ずる職員で指令で指定するもの

本条―令五・四・一施行

附 則（平二八・四・一規則九―二―六四）

この規則は、公布の日から施行する。

附 則（平二八・七・一規則九―二―六五）

この規則は、公布の日から施行する。

附 則（平二九・三・三一規則九―二―六六）

この規則は、平成二十九年四月一日から施行する。

附 則（平二九・七・七規則九―二―六七）

この規則は、平成二十九年七月十一日から施行する。

附 則（平三〇・三・三〇規則九―二―六八）

この規則は、平成三十年四月一日から施行する。

附 則（平三一・四・一規則九―二―六九）

この規則は、公布の日から施行する。

附 則（令二・一・七規則九―二―七〇）

この規則は、公布の日から施行する。

附 則（令二・四・一規則九―二―七一）

この規則は、公布の日から施行する。

附 則（令三・九・一規則一―七七）

この規則は、公布の日から施行する。

附 則（令五・三・三一規則九―二―七二）

この規則は、令和五年四月一日から施行する。

附 則（令六・四・一規則九―二―七三）

この規則は、公布の日から施行する。

附 則（令七・四・一規則九―二―七四）

この規則は、公布の日から施行する。

附 則（令七・四・一規則九―二―七五）

この規則は、公布の日から施行する。

○専門行政職俸給表の適用について

平一三・一・九
人事院指令九—四

最終改正　平二五・一〇・一指令九—二五六

1　人事院規則九—二（俸給表の適用範囲）第二条の二第七号の規定に基づき、検疫所に勤務する職員のうち、次に掲げる者を指定する。

一　検疫衛生課の試験検査室長及び衛生管理官
二　輸入食品・検疫検査センターの長、審査指導課長、統括検査官、微生物係長、理化学係長及び副統括検査官
三　港湾衛生評価分析官及び港湾衛生情報管理官
四　輸入食品中央情報管理官
五　検査課の長、媒介動物検査室長、検査第一係長及び検査第二係長
六　衛生課の長、輸入動物管理室長、検疫専門官及び届出審査係長
七　支所の検疫衛生課の長、試験検査係長及び輸入動物管理係長
八　前各号に掲げるもののほか、検疫感染症等の病原体及び媒介体の試験検査等衛生技術に関する知識等を必要とする業務に専ら従事する者

2　この指令は、平成十三年一月六日から適用する。

3　平成九年人事院指令九—三五〇（専門行政職俸給表の適用について）は、廃止する。

○専門行政職俸給表の適用について

平一三・一・九
人事院指令九—五

1　人事院規則九—二（俸給表の適用範囲）第二条の二第三号の規定に基づき、審査官補を指定する。

2　この指令は、平成十三年一月六日から適用する。

3　昭和六十年人事院指令九—七六八（専門行政職俸給表の適用について）は、廃止する。

○専門行政職俸給表の適用について

平一三・一・九
人事院指令九—六

最終改正　令四・四・一指令九—五五

1　人事院規則九—二（俸給表の適用範囲）第二条の二第九号の規定に基づき、国土交通省航空局に勤務する職員のうち、次に掲げる者を指定する。

一　安全部安全政策課において、航空運送事業の用に供する航空機の操縦に係る知識等を必要とする航空機の航行の安全の確保に関する監査の業務に専ら従事する職員
二　交通管制部交通管制企画課システム開発評価・危機管理センターの開発評価管理官
三　交通管制部運用課において、航空機の航行の安全に関する検査又は調査のための航空機の運用又は整備の業務に専ら従事する職員

2　この指令は、平成十三年一月六日から適用する。

3　昭和六十年人事院指令九—七七一（専門行政職俸給表の適用について）は、廃止する。

○税務職俸給表の適用について

平一三・一・九
人事院指令九—七

改正　平二八・四・一指令九—一九

1　人事院規則九—二（俸給表の適用範囲）（以下「規則」という。）第三条第一号の規定に基づき、企画専門官、税務分析専門官、監督評価官補、システム研究官、国税庁監察官補、税務相談官補、訟務専門官及び国税局に派遣されている監督評価官室総務係又は監察官総務係に勤務する職員を指定する。

2　規則第三条第五号の規定に基づき、次の各号に掲げる職員を指定する。

一 国税不服審判所（支部を除く。）に勤務する職員で国税審判官、国税副審判官及び国税審査官以外のもの
二 税務大学校（地方研修所を除く。）に勤務する職員で教頭、部長、教授、教育官、総務主事、学務主事、副主事及び企画専門官以外のもの
三 税務大学校普通科の研修生
四 沖縄国税事務所の所長
五 国の他の機関における書記的事務と同様の事務に従事する職員

3 この指令は、平成十三年一月六日から適用する。
4 昭和三十二年人事院指令九―五三（税務職俸給表の適用について）は、廃止する。

○公安職俸給表㈠の適用について

平一三・一・九
人事院指令九―八

最終改正 令四・四・一指令九―四七

1 人事院規則九―二（俸給表の適用範囲）第四条第一号(6)の規定に基づき、次に掲げる職員を指定する。
一 警察庁の総括審議官、政策立案総括審議官、審議官、参事官、首席監察官、国家公安委員会会務官、生活経済対策管理官、捜査支援分析管理官、犯罪鑑識官、国際捜査管理官、広報室長、警察制度総合研究官、国際総合研究官、人事総合研究官、生活安全総合研究官、少年問題総合研究官、刑事総合研究官、犯罪情報分析官、組織犯罪対策総合研究官、交通総合研究官、高度道路交通政策総合研究官、警備総合研究官、外事情報総合研究官、国際テロリズム情報総合研究官及び警備実施総合研究官
二 警察大学校の副校長、特別捜査幹部研修所長、国際警察センター所長、財務捜査研修センター所長、取調べ技術総合研究・研修センター所長及び警察政策研究センター所長
三 科学警察研究所の副所長及び総務部長
四 警視庁の警視総監及び副総監

2 この指令は、平成十三年一月六日から適用する。
3 昭和三十二年人事院指令九―五四（公安職俸給表㈠の適用について）は、廃止する。

○公安職俸給表㈠の適用について

平二一・四・一
人事院指令九―一二

人事院規則九―二（俸給表の適用範囲）第四条第三号本文の規定に基づき、効果検証官補を指定する。

○公安職俸給表㈡の適用について

平一三・一・九
人事院指令九―九

1 人事院規則九―二（俸給表の適用範囲）第五条第一号(6)の規定に基づき、公安調査庁の参事官及び公安調査管理官を指定する。
2 この指令は、平成十三年一月六日から適用する。

○公安職俸給表㈡の適用について

平一三・一・九
人事院指令九―一〇

最終改正 平二八・四・一指令九―一二

1 人事院規則九―二（俸給表の適用範囲）第五条第三号(8)の規定に基づき、次に掲げる職員を指定する。
一 海上保安庁警備救難部管理課の海上警備総合研究官及び航空安全総合研究官
二 海上保安庁交通部安全対策課安全情報提供センター所長
三 管区海上保安本部の警備救難部の技術管理官
四 第十一管区海上保安本部の海洋情報企画調

整官及び交通企画調整官

五　第十一管区海上保安本部の海洋情報調査課、交通企画課又は交通整備課に勤務する者及び海洋情報監理課に勤務する者で船舶に乗り組む者以外のもの

2　この指令は、平成十三年一月六日から適用する。

3　昭和三十三年人事院指令九―三〇（公安職俸給表㈡の適用について）は、廃止する。

○海事職俸給表の適用について

平一三・一・九
人事院指令九―一一

最終改正　平二八・四・一指令九―一八

1　人事院規則九―二（俸給表の適用範囲）第二条第九号括弧書の規定に基づき、地方整備局の港湾事務所、港湾・空港整備事務所又は航路事務所に勤務する職員のうち、これらの事務所に所属する同号に規定する作業船に乗り組む者を指定する。

2　この指令は、平成十三年一月六日から適用する。

3　昭和三十四年人事院指令九―六（海事職俸給表㈡の適用について）及び昭和三十六年人事院指令九―一〇（海事職俸給表の適用について）は、廃止する。

○教育職俸給表㈡の適用について

平一六・一〇・二八
人事院指令九―三四三

改正　平二〇・一〇・一指令九―二五六

1　人事院規則九―二（俸給表の適用範囲）第九条の規定に基づき、国立障害者リハビリテーションセンター学院の言語聴覚学科又は義肢装具学科を担当する教官を指定する。

2　平成十三年人事院指令九―一四（教育職俸給表㈣の適用について）は、廃止する。

○研究職俸給表の適用について

平一三・一・九
人事院指令九―一六

最終改正　令五・九・二九指令九―二六

1　人事院規則九―二（俸給表の適用範囲）第十一条の規定に基づき、次に掲げる機関及び部を指定する。

一　宮内庁書陵部
二　正倉院事務所
三　京都事務所

2　この指令は、平成十三年一月六日から適用する。

3　昭和三十二年人事院指令九―五七（研究職俸給表の適用について）は、廃止する。

○研究職俸給表の適用について

平一八・三・三一
人事院指令九―二五

改正　平二四・三・三〇指令九―二八

1　人事院規則九―二（俸給表の適用範囲）第十一条の規定に基づき、次に掲げる機関及び課を指定する。

一　消防庁総務課
二　消防大学校消防研究センター

2　この指令は、平成十八年四月一日から施行する。

○研究職俸給表の適用について

平一三・三・三〇
人事院指令九―一八三

最終改正　令二・四・一指令九―二一

1　人事院規則九―二（俸給表の適用範囲）第十

一条の規定に基づき、文化庁の企画調整課、文化資源活用課、文化財第一課及び文化財第二課並びに参事官の下に置かれる職に就いている職員で構成される組織を指定する。

2　この指令は、平成十三年四月一日から施行する。

○研究職俸給表の適用について

平一三・一・九
人事院指令九―一九

最終改正　平二二・四・一指令九―五四

1　人事院規則九―二（俸給表の適用範囲）第十一条の規定に基づき、国立保健医療科学院を指定する。

2　この指令は、平成十三年一月六日から適用する。

3　昭和四十九年人事院指令九―二四四（研究職俸給表の適用について）は、廃止する。

○研究職俸給表の適用について

平一三・一・九
人事院指令九―二〇

改正　平一三・三・三〇指令九―一八四

1　人事院規則九―二（俸給表の適用範囲）第十一条の規定に基づき、動物医薬品検査所を指定する。

2　この指令は、平成十三年一月六日から適用する。

3　昭和三十二年人事院指令九―五九（研究職俸給表の適用について）は、廃止する。

○研究職俸給表の適用について

平一三・一・九
人事院指令九―二一

1　人事院規則九―二（俸給表の適用範囲）第十一条の規定に基づき、国土地理院地理地殻活動研究センターを指定する。

2　この指令は、平成十三年一月六日から適用する。

3　平成十年人事院指令九―三〇〇（研究職俸給表の適用について）は、廃止する。

○研究職俸給表の適用について

平一三・一・九
人事院指令九―二二

最終改正　平二九・三・三一指令九―四

1　人事院規則九―二（俸給表の適用範囲）第十一条の規定に基づき、次に掲げる機関及び課を指定する。

一　高層気象台観測第二課

二　地磁気観測所

2　この指令は、平成十三年一月六日から適用する。

3　昭和三十二年人事院指令九―六〇（研究職俸給表の適用について）は、廃止する。

○研究職俸給表の適用について

平一三・一・九
人事院指令九―二三

改正　平一四・四・一指令九―一九四

1　人事院規則九―二（俸給表の適用範囲）第十一条の規定に基づき、海上保安庁海洋情報部技術・国際課を指定する。

2　この指令は、平成十三年一月六日から適用する。

3　平成六年人事院指令九―三四四（研究職俸給

表の適用について）は、廃止する。

○研究職俸給表の適用について

平一五・七・一
人事院指令九—一九五

人事院規則九—二（俸給表の適用範囲）第十一条の規定に基づき、環境調査研修所国立水俣病総合研究センターを指定する。

○研究職俸給表の適用について

平二六・二・二八
人事院指令九—一二三

改正　令三・四・一指令九—三

1　人事院規則九—二（俸給表の適用範囲）第十一条の規定に基づき、原子力規制庁長官官房の技術基盤課及び安全技術管理官の下に置かれる職に就いている職員で構成される組織を指定する。

2　この指令は、平成二十六年三月一日から施行する。

○医療職俸給表(二)の適用について

平一三・一・九
人事院指令九—一二五

最終改正　令五・三・三一指令九—四

1　人事院規則九—二（俸給表の適用範囲）第十三条第十一号の規定に基づき、次に掲げる医療技術職員を指定する。

一　大臣官房会計課又は国立障害者リハビリテーションセンターの自立支援局の総合相談支援部若しくは国立福祉型障害児入所施設若しくは病院に勤務する心理療法士

二　国立障害者リハビリテーションセンターの自立支援局第二自立訓練部若しくは国立保養所又は病院に勤務する運動療法士

2　この指令は、平成十三年一月六日から適用する。

3　昭和三十九年人事院指令九—三一二（医療職俸給表(二)の適用について）は、廃止する。

○医療職俸給表(二)の適用について

令五・四・一
人事院指令九—七

人事院規則九—二（俸給表の適用範囲）第十三条第十一号の規定に基づき、国立児童自立支援施設に勤務する心理療法士を指定する。

○福祉職俸給表の適用について

平一三・一・九
人事院指令九—二六

最終改正 令三・四・一指令九—四

1 人事院規則九—二（俸給表の適用範囲）（以下「規則」という。）第十四条の二第一号(1)の規定に基づき、生活支援員及び医療社会事業専門員を指定する。

2 規則第十四条の二第一号(2)ロの規定に基づき、生活支援員、職業指導員、就労支援員、心理判定員、精神障害者社会復帰指導員及び介護員を指定する。

3 規則第十四条の二第一号(3)の規定に基づき、生活支援員及び心理判定員を指定する。

4 規則第十四条の二第一号(4)の規定に基づき、生活支援員、職業指導員、就労支援員、心理判定員及び介護員を指定する。

5 規則第十四条の二第三号の規定に基づき、医療社会事業専門員を指定する。

6 この指令は、平成十三年一月六日から適用する。

7 平成十一年人事院指令九—八一三（福祉職俸給表の適用について）は、廃止する。

第二　初任給・昇格・昇給

【参照】
●一般職給与法二④・六・七・八
●同運用方針六関係・八関係

○人事院規則九—八（初任給、昇格、昇給等の基準）

昭四四・五・一全改
昭四四・五・一施行

最終改正　令七・四・一規則九—八—九五

目次

第一章　総則（第一条・第二条）
第二章　標準職務（第三条・第四条）
第三章　削除
第四章　新たに職員となつた者の職務の級及び号俸（第十一条—第十九条）
第五章　昇格及び降格（第二十条—第二十四条の二）
第六章　初任給基準又は俸給表の適用を異にする異動（第二十五条—第三十三条）
第七章　昇給（第三十四条—第四十一条）
第八章　降号（第四十二条）
第九章　特別の場合における号俸の決定（第四十三条—第四十五条）
第十章　雑則（第四十六条—第四十九条）

第一章　総則

（趣旨）

第一条　給与法第六条第三項の規定による職務の級又は指定職俸給表に定める号俸についての標準的な職務の内容、給与法第七条に規定する各庁の長又はその委任を受けた者（以下「各庁の長」という。）がその所属の職員（指定職俸給表の適用を受ける職員を除く。）の職務の級及び号俸を決定する場合の基準等については、別に定める場合を除き、この規則の定めるところによる。

本条—平二六・五・三〇施行

（定義）

第二条　この規則において、次の各号に掲げる用語の意義は、当該各号に定めるところによる。

一　職員　給与法第六条第一項の俸給表（以下「俸給表」という。）のうちいずれかの俸給表の適用を受ける者をいう。

二　昇格　職員の職務の級を同一の俸給表の上位の職務の級に変更することをいう。

三　降格　職員の職務の級を同一の俸給表の下位の職務の級に変更することをいう。

四　降号　職員の号俸を同一の職務の級の下位の号俸に変更することをいう。

五　採用試験　規則八—一八（採用試験）第一条第一項に規定する採用試験（規則八—一八第三条第四項に規定する経験者採用試験（第十一条第三項において「経験者採用試験」という。）を除く。）をいう。

六　総合職（院卒）　国家公務員採用総合職試験（院卒者試験）をいう。

七　総合職（大卒）　国家公務員採用総合職試験（大卒程度試験）をいう。

八　一般職（大卒）　国家公務員採用一般職試験（大卒程度試験）をいう。

九　一般職（高卒）　国家公務員採用一般職試験（高卒程度試験）及びこれに相当する採用試験をいう。

十　専門職（大卒一群）　次に掲げる採用試験（平成二十四年二月一日以後に告知された試験に限る。次号及び第十二号において同じ。）をいう。

イ　国税専門官採用試験
ロ　労働基準監督官採用試験

十一　専門職（大卒二群）　次に掲げる採用試験をいう。

イ　皇宮護衛官採用試験（大卒程度試験）
ロ　法務省専門職員（人間科学）採用試験
ハ　外務省専門職員採用試験
ニ　財務専門官採用試験
ホ　食品衛生監視員採用試験
ヘ　航空管制官採用試験
ト　海上保安官採用試験

十二　専門職（高卒）　次に掲げる採用試験をいう。

イ　皇宮護衛官採用試験（高卒程度試験）
ロ　刑務官採用試験
ハ　入国警備官採用試験
ニ　税務職員採用試験
ホ　航空保安大学校学生採用試験

へ 気象大学校学生採用試験
ト 海上保安大学校学生採用試験
チ 海上保安学校学生採用試験
十三 Ⅰ種 国家公務員採用Ⅰ種試験及びこれに相当する採用試験をいう。
十四 Ⅱ種 国家公務員採用Ⅱ種試験及びこれに相当する採用試験をいう。
十五 Ⅲ種 国家公務員採用Ⅲ種試験及びこれに相当する採用試験をいう。
十六 A種 平成二十四年二月一日前に告知された国税専門官採用試験及び労働基準監督官採用試験並びに国家公務員採用上級乙種試験及びこれに相当する採用試験をいう。
十七 B種 国家公務員採用中級試験及びこれに相当する採用試験をいう。

本条—令七・四・一施行

第二章 標準職務

（標準職務）
第三条 給与法第六条第三項に規定する職務の級又は指定職俸給表に定める号俸の分類の基準となるべき標準的な職務の内容は、別表第一に定める標準職務表に定めるとおりとし、同表に掲げる職務とその複雑、困難及び責任の度が同程度の職務は、それぞれの職務の級又は号俸に分類されるものとする。

本条—平二六・五・三〇施行

第四条 削除

本条—平二六・五・三〇施行

第三章 削除

平二一・七・一施行

第五条から第十条まで 削除

平二一・七・一施行

第四章 新たに職員となつた者の職務の級及び号俸

（新たに職員となつた者の職務の級）
第十一条 新たに職員となつた者の職務の級は、この条の定めるところにより、その者の能力等を考慮し、その職務に応じて決定するものとする。

2 採用試験の結果に基づいて新たに職員となつた者の職務の級は、その者が新たに職員となつた日においてその者に適用される別表第二に定める初任給基準表（以下「初任給基準表」という。）の試験欄の区分に対応する初任給欄の職務の級に決定するものとする。

3 経験者採用試験の結果に基づいて新たに職員となつた者その他人事院の定める職員（以下「経験者試験等採用者」という。）の職務の級は、各庁の長がその者に求められる能力等を考慮して指定する採用試験の結果により採用された部内の他の職員で、当該経験者試験等採用者の採用の日に占めることとなる官職の職務とその複雑、困難及び責任の度が同程度の職務に従事する者の職務の級を踏まえ、当該経験者試験等採用者の有する知識経験、免許等を考慮して決定するものとする。ただし、職務の級を専門スタッフ職俸給表の四級に決定しようとする場合にあつては、あらかじめ人事院の承認を得て決定するものとする。

4 新たに職員となつた者のうち、前二項の規定の適用を受ける者以外の者の職務の級は、その者が新たに職員となつた日においてその者に適用される初任給基準表の職種欄の区分又は試験欄の区分（職種欄の区分及び試験欄の区分の定めがあるものにあつては、それぞれの区分）及び学歴免許等欄の区分に対応する初任給欄の職務の級（次条第一項第四号に掲げる職員にあつては、その者に適用される俸給表の最下位の職務の級）を基礎としてその者の経験年数に相当する期間その者の職務と同種の職務に引き続き在職したものとみなして第二十条第四項前段（特別の事情がある場合には、同項）の規定の例によるものとした場合に決定することができる職務の級の範囲内で決定しようとするときにあつては当該職務の級の範囲内でその者の職務の級を決定するものとし、当該決定することができる職務の級より上位の職務の級に決定しようとするときにあつては人事院の定めるところにより当該職務の級にその者の職務の級を決定するものとする。

5 前項の規定にかかわらず、職員から人事交流等により引き続き第十七条各号のいずれかに掲げる者になつた者であつて、当該者から人事交流等により引き続いて職員となつたものの職務の級は、同条各号に掲げる者となつた日の前日におけるその者の職務の級を基礎として引き続き職員であつたものとして昇格の規定の例によるものとした場合に決定することができる職務の級の範囲内で決定するものとする。

一・二・四・五項—平二四・二・一施行
三項—令七・四・一施行

（新たに職員となつた者の号俸）

第十二条　新たに職員となつた者の号俸は、次の各号に掲げる職員の区分に応じ、当該各号に定める号俸とする。

一　前条第二項の規定により職務の級を決定された職員　その者に適用される初任給基準表の試験欄の区分に対応する初任給欄に定める号俸

二　経験者試験等採用者　各庁の長が当該経験者試験等採用者に求められる能力等を考慮して指定する採用試験の結果により採用された部内の他の職員で、当該経験者試験等採用者の採用の日に新たに職員となつたものとした場合に、当該経験者試験等採用者の有する経験年数に相応する経験年数を有することとなる者が、当該経験者試験等採用者の採用の日に属する職務の級と同一の職務の級に属する場合に受けることとなる号俸を踏まえ、当該経験者試験等採用者の有する能力等を考慮して決定する号俸（職務の級を専門スタッフ職俸給表の四級に決定された職員にあつては、最低の号俸）

三　前二号及び次号に掲げる職員以外の職員　次に掲げる職員の区分に応じ、次に定める号俸

イ　前条の規定により決定された職務の級の号俸が初任給基準表に定められている職員　当該号俸

ロ　前条の規定により決定された職務の級の号俸が初任給基準表に定められていない職員　初任給基準表に定める号俸を基礎としてその者の属する職務の級に昇格し、又は降格したものとした場合に第二十三条第一項又は第二十四条の二第一項の規定により得られる号俸

四　初任給基準表の職種欄若しくは試験欄にその者に適用される区分の定めのない職員若しくはその者に適用される初任給基準表のこれらの欄の区分に対応する学歴免許等欄の最も低い学歴免許等の区分よりも下位の区分に属する学歴免許等の資格のみを有する職員又は専門スタッフ職俸給表の適用を受ける職員（経験者試験等採用者を除く。）　その者の属する職務の級の最低の号俸

2　職務の級の最低限度の資格を超える学歴免許等の資格又は経験年数を有する職員（経験者試験等採用者を除く。）の号俸については、前項の規定にかかわらず、第十四条から第十九条までに定めるところにより、初任給基準表に定める号俸を調整し、又はその者の号俸を同項の規定による号俸より上位の号俸とすることができる。

本条—令七・四・一施行

（初任給基準表の適用方法）

第十三条　初任給基準表は、その者に適用される俸給表の別に応じ、かつ、職種欄の区分又は試験欄の区分（職種欄の区分及び試験欄の区分の定めがあるものにあつては、それぞれの区分）及び学歴免許等欄の区分に応じて適用するものとし、経験者試験等採用者には適用しない。

2　初任給基準表の試験欄の「採用試験」の区分は次に掲げる職員に適用し、同欄の「その他」の区分はその他の職員に適用する。ただし、初任給基準表に別段の定めがある場合は、その定めるところによる。

一　採用試験の結果に基づいて職員となつた者

二　前号に該当し、その後人事交流等により引き続いて俸給表の適用を受けない国家公務員、地方公務員、沖縄振興開発金融公庫に勤務する者その他人事院の定めるこれらに準ずる者となり、引き続きそれらの者として勤務した後、引き続いて職員となつた者及び採用試験の結果に基づいて行政執行法人に勤務する者となり、引き続き当該者として勤務した後、引き続いて職員となつた者

3　初任給基準表（試験欄の区分の定めのあるものに限る。）の適用を受ける職員となつた者のうち、その者が有する知識経験、学歴免許等の資格等に照らして、採用試験のうちいずれかの試験の結果により採用された者に相当すると認められる者については、前項の規定にかかわらず、同欄の「採用試験」の区分のうち当該試験に対応する区分を適用することができる。この場合において、「総合職（院卒）」、「総合職（大卒）」又は「専門職（大卒一群）」の区分によつたときは、その旨を人事院に報告するものとする。

4　初任給基準表の学歴免許等欄の区分の適用については、初任給基準表において別に定める場合を除き、別表第二に定める学歴免許等資格区分表（以下「学歴免許等資格区分表」とい

う。）に定める区分によるものとする。

一項—令七・四・一施行
二項—平二七・四・一施行
三項—平二四・二・一施行
四項—平二一・七・一施行

（学歴免許等の資格による号俸の調整）

第十四条　新たに職員となつた者のうち、その者に適用される初任給基準表の学歴免許等欄の学歴免許等の区分に対応する学歴免許等の資格より上位の学歴免許等の資格を有する者で当該学歴免許等の資格を取得するに際しその者の職務に直接有用な知識又は技術を修得したと認めるものに対する初任給基準表の適用については、その者に適用される初任給基準表の初任給欄に定める号俸に、次の表の上欄に掲げるその者の有する学歴免許等の資格の属する学歴免許等資格区分表に定める学歴免許等の区分の区分に応じて次の表の下欄に定める数から同表の上欄及び中欄に掲げるその者に適用される初任給基準表の学歴免許等欄の学歴免許等の区分（その者に適用される初任給基準表の学歴免許等欄に学歴免許等の資格が掲げられている場合にあつては、次の表の上欄に掲げる当該学歴免許等の資格の属する学歴免許等資格区分表に定める学歴免許等の区分）の区分に応じて次の表の下欄に定める数を減じた数（次条第二項において「加算数」という。）に四を乗じて得た数を加えて得た数を号数とする号俸をもつて、初任給基準表の初任給欄の号俸とすることができる。

博士課程修了		二十一
修士課程修了、専門職学位課程修了又は大学六卒		十八
大学専攻科卒		十七
大学四卒	大学卒	十六
短大三卒		十五
短大二卒	短大卒	十四
短大一卒又は高校専攻科卒		十三
高校三卒	高校卒	十二
高校二卒		十一

備考

一　学校教育法（昭和二十二年法律第二十六号）による大学院博士課程のうち医学若しくは歯学に関する課程又は薬学若しくは獣医学に関する課程（修業年限四年のものに限る。）を修了した者に対するこの表の適用については、同表の上欄に掲げる「博士課程修了」の区分に対応する同表の下欄に掲げる数に一を加えた数をもつて、同欄に掲げる数とする。

二　その者の有する学歴免許等の資格に係るこの表の下欄に掲げる数について人事院が別段の定めをした職員については、人事院が定める数をもつて、同欄に掲げる数とする。

2　初任給基準表の試験欄の「採用試験」の区分の適用を受ける者に対する前項の規定の適用については、その区分に応じ、「総合職（院卒）」にあつては「修士課程修了」、「専門職学位課程修了」及び「大学六卒」の区分、「総合職（大卒）」、「一般職（大卒）」、「専門職（大卒一群）」及び「専門職（大卒二群）」にあつては「大学卒」の区分、「一般職（高卒）」及び「専門職（高卒）」にあつては「高校卒」の区分が初任給基準表の学歴免許等欄に掲げられているものとみなす。

一項—令七・四・一施行
二項—平二四・二・一施行

（経験年数を有する者の号俸）

第十五条　新たに職員となつた次の各号に掲げる者のうち当該各号に定める経験年数を有する者の号俸は、第十二条第一項の規定による号俸（前条第一項の規定の適用を受ける者にあつては、同項の規定による号俸。以下この項において「基準号俸」という。）の号数に、当該経験年数の月数を十二月（その者の経験年数のうち五年を超える経験年数（第二号又は第四号に掲げる者で人事院の定める職務の級に決定されたものにあつては当該各号に定める経験年数とし、職員の職務にその経験が直接役立つと認められる職務であつて人事院の定めるものに従事した期間のある職員の経験年数のうち部内の他の職員との均衡を考慮して各庁の長が相当と認める年数を除く。）の月数にあつては、十八月）で除した数（一未満の端数があるときは、これを切り捨てた数）に別表第七の四イに定める行政職俸給表㈠七級以下職員等昇給号俸数表のC欄の上段に掲げる号俸数（行政職俸給表㈠の適用を受ける職員でその職務の級が八級以上であるもの又は第三十八条の二各号に掲げる職員にあつては、別表第七の四ロに定める行政職俸給表㈠八級以上職員等昇給号俸数表のC欄に掲げる号俸数）を乗じて得た数を加えて得た数を号数とする号俸（人事院の定める者にあつては、当該号俸の数に三を超えない範囲内で人事院の定める数を加えて得た数を号数とする号俸）とすることができる。

一　第十三条第二項第一号に掲げる者　その者の任用の基礎となつた試験に合格した時以後の経験年数又はその者に適用される初任給基準表の試験欄の「採用試験」の区分に応じ、「総合職（院卒）」にあつては「修士課程修了」、「専門職学位課程修了」又は「大学六卒」の区分、「総合職（大卒）」、「一般職（大卒）」、「専門職（大卒一群）」及び「専門職（大卒二群）」にあつては「大学卒」の区分、「一般職（高卒）」及び「専門職（高卒）」にあつては「高校卒」の区分に属する学歴免許等の資格（前条第一項の規定の適用を受ける者にあつては、その適用に際して用いられる学歴免許等の資格）を取得した時以後の経験年数

二　第十三条第二項第二号に掲げる者及び同条第三項の規定の適用を受ける者　人事院の定める経験年数

三　前二号又は次号に該当する者以外の者　初任給基準表の適用に際して用いられるその者の学歴免許等の資格（前条第一項の規定の適用を受ける者にあつては、その適用に際して用いられる学歴免許等の資格）を取得した時以後の経験年数

四　第一号及び第二号に該当する者以外の者で基準号俸が職務の級の最低の号俸（初任給基準表に掲げられている場合の最低の号俸を除く。）であるもの　人事院の定める経験年数

2　新たに職員となつた者のうち、その者に適用される初任給基準表の学歴免許等欄の学歴免許等の区分に対応する学歴免許等の資格より上位の学歴免許等の資格を有する者で前条第一項の規定の適用を受けないものに対する前項の規定の適用については、同条第一項の規定の適用を受けるものとした場合のその適用に際して用いられる学歴免許等の資格を取得した時以後の経験年数に加算数を加えた年数をもつて、前項各号に定める経験年数とする。

一項―令七・四・一施行
二項―平二一・七・一施行

（経験年数）

第十五条の二　第十一条第四項、第十二条第一項第二号及び第二項並びに前条に規定する経験年数（以下「経験年数」という。）は、新たに職員となつた者の有する最も新しい学歴免許等の資格を取得した時（当該資格以外の資格によることが、その者に有利である場合にあつては、その資格を取得した時）以後の年数を別表第四に定める経験年数換算表に定めるところにより換算して得られる年数とする。

2　新たに職員となつた者に適用される初任給基準表の学歴免許等欄に掲げる学歴免許等の区分（同欄に学歴免許等の資格が掲げられている場合にあつては、当該学歴免許等の資格の属する学歴免許等資格区分表の学歴区分欄に掲げる学歴免許等の区分とし、初任給基準表の学歴免許等欄に学歴免許等の区分又は学歴免許等の資格のいずれもが掲げられていない場合にあつては、人事院の定める学歴免許等の区分とする。）に対して別表第五に定める経験年数調整表に加える年数又は減ずる年数が定められている学歴免許等の資格（前項の規定の適用に際して用いられるものに限る。）を有する者については、同項の規定によるその者の経験年数にその年数を加減した年数をもつて、その者の経験年数とする。この場合において、これらの学歴免許等の区分及び当該学歴免許等の区分に属する学歴免許等の資格については、初任給基準表において別に定める場合を除き、学歴免許等資格区分表に定めるところによる。

3　初任給基準表の備考に別段の定めがある場合における経験年数の取扱いについては、前二項の規定にかかわらず、その定めるところによる。

一項―平二四・二・一施行
二・三項―平二一・七・一施行

（下位の区分を適用する方が有利な場合の号俸）

第十六条　第十四条又は第十五条の規定による号俸が、その者に適用される初任給基準表の試験欄の区分より初任給欄の号俸が下位である試験欄の区分（「その他」の区分を含む。）を用い、又はその者の有する学歴免許等の資格のうちの下位の資格のみを有するものとしてこれらの規定を適用した場合に得られる号俸に達しない職員については、当該下位の区分を用い、又は当該下位の資格のみを有するものとしてこれらの規定を適用した場合に得られる号俸をもつて、その者の号俸とすることができる。

本条―平二四・二・一施行

（人事交流等により異動した場合の号俸）

第十七条　次に掲げる者から人事交流等により引き続いて職員となつた者の号俸について、第十五条又は前条の規定による場合には著しく部内の他の職員との均衡を失すると認められるときは、これらの規定にかかわらず、人事院の定めるところにより、その者の号俸を決定することができる。

一　俸給表の適用を受けない国家公務員

二　地方公務員

三　沖縄振興開発金融公庫に勤務する者

四　前三号に掲げる者以外の者で法令の規定に基づき、国にその業務が移管される機関に勤務するもの

五　官制若しくは定員の改廃又は予算の減少により廃職又は過員を生じたことにより退職して一年を経過しない者

六　法令の規定により任期が定められている職員でその任期が満了したもの

七　前各号に掲げる者に準ずる者として人事院が定める者

本条―平二一・七・一施行

（特殊の官職に採用する場合等の号俸）

第十八条　次に掲げる場合において、号俸の決定について第十五条又は第十六条の規定による場合にはその採用が著しく困難になると認められるときは、これらの規定にかかわらず、部内の他の職員との均衡を考慮してあらかじめ人事院の承認を得て定める基準に従い、その者の号俸を決定することができる。

一　顕著な業績等を有する者をもつて充てる必要のある教授、准教授、研究員、医師等の官職に職員を採用しようとする場合

二　前号に掲げる場合のほか、特殊の技術、経験等を必要とする官職に職員を採用しようとする場合

本条―平一九・四・一施行

（特定の職員についての号俸に関する規定の適用除外）

第十九条　初任給基準表の学歴免許等欄に学歴免許等の区分の定めがない職種欄の区分（これに対応する試験欄の区分の定めのあるものを除く。）の適用を受ける職員については、第十四条、第十五条及び前三条の規定は適用しない。ただし、第十七条各号に掲げる者から引き続いて職員となつた者その他その採用について特別の事情があると認められる者については、あらかじめ人事院の承認を得て、その号俸を決定することができる。

本条―平二一・七・一施行

第五章　昇格及び降格

（昇格）

第二十条　職員を昇格させる場合には、その職務に応じ、かつ、その者の勤務成績に従い、その者の属する職務の級を決定するものとする。

２　前項の規定により職員を昇格させる場合には、第一号から第三号までのいずれか及び第四号に掲げる要件を満たさなければならない。

一　職員を昇格させようとする日に当該職員が昇任したこと。

二　前号に掲げる要件に準ずるものとして人事院の定める要件

三　昇格させようとする日以前二年間において同日の前日に属する職務の級に分類されている職務に従事していた職員が、昇格させようとする日以前における直近の連続した二回の能力評価及び四回の業績評価の全体評語について、二の全体評語が「優良」の段階以上であり、かつ、他の全体評語が「良好」の段階以上であること（行政職俸給表㈠の三級又は二級に昇格させる場合その他の人事院の定める場合にあつては、人事院の定める要件を満たすこと）、かつ、昇格させようとする日以前二年間における人事評価の結果及び勤務成績を判定するに足りると認められる事実に基づき、昇格させようとする職務の級に分類されている職務を遂行することが可能であると認められること。

四　職員を昇格させようとする日以前一年以内に、法第八十二条の規定による懲戒処分（第三十五条及び第三十七条第一項第三号において「懲戒処分」という。）又はこれに相当する処分を受けていないこと及び同日において職員から聴取した事項又は調査により判明した事実に基づきこれらの処分を受けることが相当とされる行為をしていないこと。

３　職員が国際機関若しくは民間企業に派遣されていたこと等の事情により前項第三号に規定する全体評語の全部若しくは一部がない場合又は昇格させようとする日以前二年内において同日の前日に属する職務の級に分類されている職務に従事していた職員について昇格させようとす

る日以前二年内における人事評価の結果及び勤務成績を判定するに足りると認められる事実に基づき昇格させようとする職務の級に分類されている職務を遂行することが可能であると認められる場合には、同号の規定にかかわらず、人事院の定めるところにより、職員を昇格させることができる。

4　前三項の規定により職員を昇格させる場合において、その者の属する職務の級を一級上位の職務の級に決定しようとするときは、別表第六に定める在級期間表（以下「在級期間表」という。）に定める在級期間（職員を昇格させる場合に必要な一級下位の職務の級に在級した年数をいう。以下同じ。）及び在級期間表において人事院が別に定めることとする要件に従い、その者の属する職務の級を決定するものとする。この場合において、昇格させようとする日以前における直近の能力評価及び業績評価の全体評語が「非常に優秀」の段階以上であるときその他勤務成績が特に良好であるときは、在級期間表に定める在級期間に百分の五十以上百分の百未満の割合を乗じて得た期間をもつて、在級期間表の在級期間とすることができる。

5　第一項から第三項までの規定により職員を昇格させる場合において、在級期間表において人事院が別に定めることとする要件を満たすとき又は職員を二級以上上位の職務の級に決定する特別の事情があると認められる場合として人事院の定める場合に該当するときは、その者の属する職務の級を二級以上上位の職務の級に決定するものとする。

6　第四項の場合において、在級期間表に定める在級期間によることとしたときに部内の他の職員との均衡を失すると認められる職員に対する同項の規定の適用については、同項中「別表第六」とあるのは「人事院の定める要件及び別表第六」と、「定める在級期間（職員を昇格させる場合に必要な一級下位の職務の級に在級した年数をいう。以下同じ。）及び在級期間表において」とあるのは「おいて」とする。

7　第四項の規定による昇格は、現に属する職務の級に一年以上在級していない職員については行うことができない。ただし、職務の特殊性等によりその在級する期間が一年に満たない者を特に昇格させる必要があると認められる場合であつて、人事院の定めるところによるときは、この限りでない。

一・三・五～七項―平二二・七・一施行
二・四項―令四・一〇・一施行

【人事院規則九―八―九〇（令三・一二・二四）附則第二条：経過措置（なお従前の例）】

（参考）〔改正前（令四・一〇・一前）の第二十条〕

（昇格）

第二十条　職員を昇格させる場合には、その職務に応じ、かつ、その者の勤務成績に従い、その者の属する職務の級を決定するものとする。

2　前項の規定により職員を昇格させる場合には、次の各号のいずれかに掲げる要件を満たさなければならない。

一　次のいずれかに掲げる要件を満たすこと。

イ　職員を昇格させようとする日に当該職員が昇任したこと（特定幹部職（規則八―一二（職員の任免）第十八条第三項に規定する特定幹部職をいう。ロにおいて同じ。）に昇任したことを除く。）。

ロ　職員を昇格させようとする日に当該職員が特定幹部職に昇任し、かつ、第三号イ及びハに掲げる要件を満たすこと。

二　前号に掲げる要件に準ずるものとして人事院の定める要件

三　昇格させようとする日以前二年間において同日の前日に属する職務の級に分類されている職務に従事していた職員が次に掲げる要件を満たし、かつ、昇格させようとする日以前二年間における人事評価の結果及び勤務成績を判定するに足りると認められる事実に基づき、昇格させようとする職務の級に分類されている職務を遂行することが可能であると認められること。

イ　職員を昇格させようとする日以前における直近の能力評価及び業績評価（人事院の定めるものに限る。以下この条及び第二十五条第二項（第二十七条第二項において準用する場合を含む。）において同じ。）の全体評語（人事評価政令第九条第三項（人事評価政令第十四条において準用する場合を含む。）に規定する確認が行われた人事評価政令第六条第一項に規定する全体評語をいう。以下同じ。）が上位又は中位の段階であること。

ロ　職員を昇格させようとする日以前における能力評価及び業績評価の全体評語のうち、直近の連続した二回の能力評価及び四回の業績評価の全体評語を総合的に勘案して人事評価政令第四条第三項の発揮した能力の程度及び同条第四項の役割を果たした程度が通常のものを超えるものとして人事院の定める要件（行政職俸給表(一)の三級又は二級に昇格させる場合その他の人事院の定める場合にあつては、当該通常のものを超えるものに準ずるものとして人事院の定める要件を含む。）

ハ　職員を昇格させようとする日以前一年以内に、法第八十二条の規定による懲戒処分（以下「懲戒処分」という。）又はこれに相当する処分を受けていないこと及び同日において職員から聴取した事項又は調査により判明した事実に基づきこれらの処分を受けることが相当とされる行為をしていないこと。

3　〔略〕

4　前三項の規定により職員を昇格させる場合において、その者の属する職務の級を一級上位の職務の級に決定しようとするときは、別表第六に定める在級期間表（以下「在級期間表」という。）に定める在級期間（職員を昇格させる場合に必要な一級下位の職務の級に在級した年数をいう。以下同じ。）及び在級期間表において人事院が別に定めることとする要件に従い、その者の属する職務の級を決定するものとする。この場合において、昇格させようとする日以前における直近の能力評価の全体評語が最上位の段階であり、かつ、同日以前における直近の業績評価の全体評語が上位の段階であるときその他勤務成績が特に良好であるときは、在級期間表に定める在級期間に百分の五十以上百分の百未満の割合を乗じて得た期間をもつて、在級期間表の在級期間とすることができる。

5〜7　〔略〕

（在級期間表の適用方法）

第二十条の二　在級期間表は、その者に適用される俸給表の別に応じ、かつ、職種欄の区分の定めがあるものにあつては、その区分に応じて適用する。

2　在級期間表の職務の級欄に定める数字は、当該職務の級に昇格させるための在級期間を示す。

3　第十三条第二項第二号に掲げる者又は同条第三項の規定の適用を受ける者に対する在級期間表の適用については、採用試験の結果に基づいて職員となつた者として取り扱うものとする。

4　次の各号に掲げる職員に在級期間表を適用する場合におけるその職務の級に在級した期間については、当該各号に定める期間をその職務の級に在級した期間として取り扱うことができる。

一　第十七条又は第十八条の規定の適用を受けた職員　部内の他の職員との均衡を考慮してあらかじめ人事院の承認を得て定める期間

二　第二十五条第一項又は第二十七条第一項若しくは第三項に規定する異動をした職員　部内の他の職員との均衡及びその者の従前の勤務成績を考慮してあらかじめ人事院の承認を得て定める期間

一・二項―平二一・七・一施行
三・四項―平二四・二・一施行

（上位資格の取得等による昇格）

第二十一条　職員が第十三条第二項第一号に該当することとなり、又は異なる学歴免許等の資格を取得し、若しくは在級期間表の異なる職種欄の区分の適用を受けることとなつた等の結果、上位の職務の級に決定される資格等を有するに至つた場合には、第二十条の規定にかかわらず、その資格等に応じた職務の級に昇格させることができる。

本条―平二一・七・一施行

（特別の場合の昇格）

第二十二条　派遣法第三条に規定する派遣職員（以下「派遣職員」という。）が職務に復帰した場合又は人事院が定めるこれに準ずる場合において、部内の他の職員との均衡上特に必要があると認められるときは、第二十条の規定にかかわらず、人事院の定めるところにより、その職務に応じた職務の級に昇格させることができる。

2　職員が生命をとして職務を遂行し、そのために危篤となり、又は著しい障害の状態となつた場合は、第二十条の規定にかかわらず、あらかじめ人事院の承認を得て昇格させることができる。

一項―平一四・六・二〇施行
二項―昭五七・一〇・一施行

（昇格の場合の号俸）

第二十三条　職員を昇格させた場合におけるその者の号俸は、その者に適用される俸給表の別に応じ、かつ、昇格した日の前日に受けていた号俸に対応する別表第七に定める昇格時号俸対応表の昇格後の号俸欄に定める号俸とする。

2　第二十条、第二十一条又は前条の規定により職員を昇格させた場合で当該昇格が二級以上上位の職務の級への昇格であるときにおける前項の規定の適用については、それぞれ一級上位の職務の級への昇格が順次行われたものとして取り扱うものとする。

3　第二十一条の規定により職員を昇格させた場合において、前二項の規定によるその者の号俸が新たに職員となつたものとした場合に初任給として受けるべき号俸に達しないときは、前二項の規定にかかわらず、その者の号俸を当該初任給として受けるべき号俸とすることができる。

4　降格した職員を当該降格後最初に昇格させる場合において、前三項の規定により決定される号俸が部内の他の職員との均衡を著しく失すると認められるときは、前三項の規定にかかわらず、人事院の定めるところにより、その者の号俸を決定することができる。

一・三項―平一八・四・一施行
二・四項―平二四・二・一施行

（降格）

第二十四条　職員を降格させる場合には、その職務に応じ、その者の属する職務の級を下位の職務の級に決定するものとする。

2　前項の規定により職員を降格させる場合には、当該職員の人事評価の結果又は勤務成績を判定するに足りると認められる事実に基づきその職務の級より下位の職務の級に分類されている職務を遂行することが可能であると認められなければならない。

3　職員から書面による同意を得た場合には、第一項の規定により当該職員を降格させることができる。

本条―平二一・四・一施行

（降格の場合の号俸）

第二十四条の二　職員を降格させた場合におけるその者の号俸は、その者に適用される俸給表の別に応じ、かつ、降格した日の前日に受けていた号俸に対応する別表第七の二に定める降格時号俸対応表の降格後の号俸欄に定める号俸とする。

2　職員を降格させた場合で当該降格が二級以上下位の職務の級への降格であるときにおける前項の規定の適用については、それぞれ一級下位の職務の級への降格が順次行われたものとして取り扱うものとする。

3　前二項の規定により職員の号俸を決定することが著しく不適当であると認められる場合には、これらの規定にかかわらず、あらかじめ人事院の承認を得て、その者の号俸を決定することができる。この場合において、当該号俸は、当該職員が降格した日の前日に受けていた俸給月額に達しない額の号俸でなければならない。

本条―平二一・四・一施行

第六章　初任給基準表又は俸給表の適用を異にする異動

（初任給基準を異にする異動の場合の職務の級）

第二十五条　職員を俸給表の適用を異にすることなく初任給基準表に異なる初任給の定めがある他の職種に属する職務に異動させる場合には、その異動後の職務に応じ、かつ、その異動の日に新たに職員となつたものとした場合にその者に適用されることとなる初任給基準表の職種欄の区分又は試験欄の区分（職種欄の区分及び試験欄の区分の定めがあるものにあつては、それぞれの区分）及び学歴免許等欄の区分に対応する初任給欄の職務の級（第十二条第一項第四号に掲げる職員にあつては、その者に適用される俸給表の最下位の職務の級）を基礎としてその者の経験年数に相当する期間その者の職務と同種の職務に引き続き在職したものとみなして第二十条第四項前段の規定の例によるものとした場合に決定することができる職務の級（次項及び第二十七条第一項において「仮定級」という。）の範囲内で昇格させ、当該職務に応じて降格させ、又は引き続き従前の職務の級にとどまらせるものとする。

2　前項の規定により昇格させようとする日以前における直近の能力評価及び業績評価の全体評語が「非常に優秀」の段階以上である職員その他勤務成績が特に良好である職員については、同項の規定にかかわらず、人事院の定めるところろにより、これらの者の職務の級を仮定級より上位の職務の級に決定することができる。

一項―平二四・二・一施行
二項―令四・一〇・一施行

（初任給基準を異にする異動をした職員の号俸）

第二十六条 前条第一項に規定する異動をした職員の当該異動後の号俸は、次の各号に掲げる区分に応じ、当該各号に定める号俸とする。

一 次号及び第三号に掲げる者以外の者 新たに職員となつたとき（免許等を必要とする職務に異動した者にあつては、その免許等を取得したとき）から異動後の職務と同種の職務に引き続き在職したものとみなしてそのときの初任給を基礎とし、かつ、部内の他の職員との均衡及びその者の従前の勤務成績を考慮して昇格、昇給等の規定を適用した場合に異動の日に受けることとなる号俸

二 その初任給の決定について第十七条又は第十八条の規定の適用を受けた者及び人事院の定める者（次号に掲げる者を除く。） あらかじめ人事院の承認を得て定める基準に従い、前号の規定に準じて昇格、昇給等の規定を適用した場合に異動の日に受けることとなる号俸

三 人事院の定める異動に該当する異動をした者 異動の日の前日における号俸を人事院の定めるところにより調整した場合に得られる号俸

2 前項の規定によるその者の号俸が新たに職員となつたものとした場合に初任給として受けるべき号俸に達しないときは、同項の規定にかかわらず、当該初任給として受けるべき号俸をもつて、その者の異動後の号俸とすることができる。

3 第二十三条及び第二十四条の二の規定は、前条第一項に規定する異動をしたことにより昇格し、又は降格した職員の号俸については適用しない。

一・二項―平一八・四・一施行
三項―平二一・四・一施行

（俸給表の適用を異にする異動の場合の職務の級）

第二十七条 職員を俸給表の適用を異にして他の職務に異動させる場合におけるその者の職務の級は、その異動後の職務に応じ、かつ、仮定級の範囲内で決定するものとする。

2 第二十五条第二項の規定は、前項の規定により職員の職務の級を決定する場合に準用する。

3 経験者試験等採用者を俸給表の適用を異にして他の職務に異動させる場合におけるその者の職務の級は、前二項の規定にかかわらず、その異動後の職務に応じ、その者が新たに職員となつたときから異動後の職務と同種の職務に引き続き在職したものとみなしてそのときの第十一条第三項の規定により決定される職務の級を基礎とし、かつ、部内の他の職員との均衡及びその者の従前の勤務成績を考慮して昇格等の規定を適用した場合に異動の日に属することとなる職務の級を超えない範囲内で決定するものとする。

一・二項―平二一・七・一施行
三項―令七・四・一施行

（俸給表の適用を異にする異動をした職員の号俸）

第二十八条 第二十六条第一項の規定（第三号の規定を除く。）及び同条第二項の規定は、前条第一項又は第三項に規定する異動をした職員の異動後の号俸について準用する。この場合において、第二十六条第一項第一号中「次号及び第三号」とあるのは「次号」と、同項第二号中「人事院の定める者（次号に掲げる者を除く。）」とあるのは「人事院の定める者」と読み替えるものとする。

本条―平二四・二・一施行

（専門スタッフ職俸給表へ異動した職員の号俸）

第二十九条 専門スタッフ職俸給表以外の俸給表の適用を受ける職員が専門スタッフ職俸給表の適用を受けることとなつた場合におけるその者の異動後の号俸は、前条の規定にかかわらず、別表第七の三に定める専門スタッフ職俸給表異動時号俸対応表に定める異動をした職員にあつては当該異動をした日の前日にその者が受けていた号俸に対応する同表の異動後の号俸欄に定める号俸とし、その他の職員にあつては人事院の定める号俸とする。

本条―平二一・四・一施行

（指定職俸給表から異動した職員の号俸）

第三十条 指定職俸給表の適用を受ける職員が他の俸給表の適用を受けることとなつた場合におけるその者の異動後の号俸は、前二条の規定にかかわらず、あらかじめ人事院の承認を得て決

定するものとする。

本条―平二四・二・一施行

第三十一条から第三十三条まで　削除

本条―平二四・二・一施行

第七章　昇給

（昇給日及び評価終了日）

第三十四条　給与法第八条第六項の規定により昇給を行う同項の人事院規則で定める日は、第三十九条又は第四十条に定めるものを除き、毎年一月一日（以下「昇給日」という。）とし、昇給日前における同項の人事院規則で定める日は、昇給日前一年間における九月三十日（以下「評価終了日」という。）とする。

本条―平二六・五・三〇施行

（評価終了日の翌日から昇給日の前日までの間において併せて考慮する事由）

第三十五条　給与法第八条第六項の人事院規則で定める事由は、懲戒処分を受けることが相当とされる行為をしたことその他人事院が定める事由とする。

本条―平二六・五・三〇施行

第三十六条　削除

本条―令七・四・一施行

（昇給区分及び昇給の号俸数）

第三十七条　評価終了日以前における直近の能力評価及び直近の連続した二回の業績評価の全体評語（以下この条において「昇給評語」という。）がある職員の勤務成績に応じて決定される昇給の区分（以下「昇給区分」という。）は、当該職員が次の各号に掲げる職員のいずれに該当するかに応じ、当該各号に定める昇給区分に決定するものとする。この場合において、第一号イ若しくはロ又は第三号イ若しくはロに掲げる職員に該当するか否かの判断は、人事院の定めるところにより行うものとする。

一　昇給評語がいずれも「良好」の段階以上である職員（直近の能力評価の全体評語が「優良」の段階以上であり、かつ、直近の連続した二回の業績評価の全体評語がいずれも「良好」の段階である職員及び直近の能力評価の全体評語が「良好」の段階である職員にあつては、人事院の定める者に限る。）のうち、勤務成績が特に良好である職員　次に掲げる職員のいずれに該当するかに応じ、次に定める昇給区分

イ　勤務成績が極めて良好である職員　A

ロ　イに掲げる職員以外の職員　B

二　前号及び次号に掲げる職員以外の職員　C

三　昇給評語のいずれかが「やや不十分」の段階以下である職員、評価終了日以前一年間において懲戒処分を受けた職員及び第三十五条に規定する事由に該当した職員並びに給与法第八条第六項後段の適用を受けることとなつた職員　次に掲げる職員のいずれに該当するかに応じ、次に定める昇給区分

イ　勤務成績がやや良好でない職員　D

ロ　勤務成績が良好でない職員　E

2　前項の場合において、同項第三号に掲げる職員について、その者の勤務成績を総合的に判断した場合に同号に定める昇給区分に決定することが著しく不適当であると認められるときは、同号の規定にかかわらず、人事院の定めるところにより、同号イに掲げる職員にあつてはCの昇給区分に、同号ロに掲げる職員にあつてはC又はDの昇給区分に決定することができる。

3　次に掲げる職員の昇給区分は、第一項の規定にかかわらず、人事院の定めるところにより、同項に定める昇給区分のいずれかに決定するものとする。

一　国際機関又は民間企業に派遣されていたこと等の事情により、昇給評語の全部又は一部がない職員

二　昇給評語を付された時において、人事評価政令第六条第二項第一号又は第二号に掲げる職員であつた職員

4　次の各号に掲げる職員の昇給区分は、前三項の規定にかかわらず、当該各号に定める昇給区分に決定するものとする。

一　人事院の定める事由以外の事由によつて評価終了日以前一年間（当該期間の中途において新たに職員となつた者にあつては、新たに職員となつた日から評価終了日までの期間。次号において「基準期間」という。）の六分の一に相当する期間の日数以上の日数を勤務していない職員（第一項第三号ロに掲げる職員に該当する職員及び次号に掲げる職員を除く。）　D

二　人事院の定める事由以外の事由によつて基準期間の二分の一に相当する期間の日数以上の日数を勤務していない職員　E

5　前項の規定により昇給区分を決定することとなる職員について、その者の勤務成績を総合的

に判断した場合に当該昇給区分に決定することが著しく不適当であると認められるときは、同項の規定にかかわらず、あらかじめ人事院と協議して、当該昇給区分より上位の昇給区分（A及びBの昇給区分を除く。）に決定することができる。

6　各府省において、前各項の規定により昇給区分を決定する職員の総数に占めるA又はBの昇給区分に決定する職員の数の割合は、これらの昇給区分に決定すべき職員が少数である場合その他の人事院の定める場合を除き、人事院の定める割合におおむね合致していなければならない。

7　給与法第八条第六項の規定による昇給の号俸数は、昇給区分に応じて別表第七の四に定める昇給号俸数表に定める号俸数とする。

8　前年の昇給日後に、新たに職員となつた者又は第二十三条第三項、第二十六条第二項（第二十八条において準用する場合を含む。）若しくは第四十三条の規定により号俸を決定された者の昇給の号俸数は、前項の規定にかかわらず、同項の規定による号俸数に相当する数（評価終了日の翌日から昇給日の前日までの間に新たに職員となつた者又は当該号俸を決定された者にあつては、人事院の定める数）に、その者の新たに職員となつた日又は当該号俸を決定された日から昇給日の前日までの期間の月数（一月未満の端数があるときは、これを一月とする。）を十二月で除した数を乗じて得た数（一未満の端数があるときは、これを切り捨てた数）に相当する号俸数（人事院の定める職員にあつては、前各項の規定を適用したものとした場合に得られる号俸数を超えない範囲内で人事院の定める号俸数）とする。

9　前二項の規定による号俸数が零となる職員は、昇給しない。

10　第七項又は第八項の規定による昇給の号俸数が、昇給日にその者が属する職務の級の最高の号俸の号数から当該昇給日の前日にその者が受けていた号俸（当該昇給日において職務の級を異にする異動又は第二十五条第一項に規定する異動をした職員にあつては、当該異動後の号俸）の号数を減じて得た数に相当する号俸数を超えることとなる職員の昇給の号俸数は、第七項又は第八項の規定にかかわらず、当該相当する号俸数とする。

11　一の昇給日において第一項又は第三項の規定により昇給区分をA又はBに決定する職員の昇給の号俸数の合計は、各府省の職員の定員、第六項の人事院の定める割合等を考慮して各府省ごとに人事院の定める号俸数を超えてはならない。

一・三・七～一一項―令四・一〇・一施行
二・四～六項―平二一・四・一施行

（昇給号俸数の抑制等に係る年齢の特例）

第三十八条　給与法第八条第八項第一号の人事院規則で定める職員は、行政職俸給表㈡又は医療職俸給表㈠の適用を受ける職員とし、同号の人事院規則で定める年齢は、五十七歳とする。

本条―平二六・五・三〇施行

（行政職俸給表㈠の八級以上の職員に相当する職員）

第三十八条の二　給与法第八条第八項第二号の人事院規則で定める職員は、次に掲げる職員とする。

一　専門行政職俸給表の適用を受ける職員でその職務の級が六級以上であるもの
二　税務職俸給表の適用を受ける職員でその職務の級が八級以上であるもの
三　公安職俸給表㈠の適用を受ける職員でその職務の級が九級以上であるもの
四　公安職俸給表㈡の適用を受ける職員でその職務の級が八級以上であるもの
五　教育職俸給表㈠の適用を受ける職員でその職務の級が四級以上であるもの
六　研究職俸給表の適用を受ける職員でその職務の級が五級以上であるもの
七　医療職俸給表㈠の適用を受ける職員でその職務の級が四級以上であるもの

本条―令七・四・一施行

（研修、表彰等による昇給）

第三十九条　勤務成績が良好である職員が次の各号のいずれかに該当する場合には、人事院の定めるところにより、当該各号に定める日に、給与法第八条第六項の規定による昇給をさせることができる。

一　研修に参加し、その成績が特に良好な場合　成績が認定された日から同日の属する月の翌月の初日までの日
二　業務成績の向上、能率増進、発明考案等により職務上特に功績があつたことにより、又は辺地若しくは特殊の施設において極めて困難な勤務条件の下で職務に献身精励し、公務

のため顕著な功労があつたことにより表彰又は顕彰を受けた場合　表彰又は顕彰を受けた日から同日の属する月の翌月の初日までの日

三　官制若しくは定員の改廃又は予算の減少により廃職又は過員を生じたことにより退職する場合　退職の日

本条―平二六・五・三〇施行

（特別の場合の昇給）

第四十条　勤務成績が良好である職員が生命をとして職務を遂行し、そのために危篤となり、又は著しい障害の状態となつた場合その他特に必要があると認められる場合には、あらかじめ人事院の承認を得て、人事院の定める日に、給与法第八条第六項の規定による昇給をさせることができる。

本条―平二六・五・三〇施行

（最高号俸を受ける職員についての適用除外）

第四十一条　この章の規定は、職務の級の最高の号俸を受ける職員には、適用しない。

本条―平二一・四・一施行

第八章　降号

第四十二条　規則一一―一〇（職員の降給）第五条又は第六条第二項の規定により職員を降号させる場合におけるその者の号俸は、次の各号に掲げる職員の区分に応じ、当該各号に定める号俸とする。

一　次号に掲げる職員以外の職員　降号した日の前日に受けていた号俸より二号俸下位の号俸（当該受けていた号俸が職員の属する職務の級の最低の号俸の直近上位の号俸である場合にあつては、当該最低の号俸）

二　行政職俸給表㈠の適用を受ける職員でその職務の級が八級以上であるもの及び第三十八条の二各号に掲げる職員　降号した日の前日に受けていた号俸より一号俸下位の号俸

本条―令七・四・一施行

第九章　特別の場合における号俸の決定

（上位資格の取得等の場合の号俸の決定）

第四十三条　職員が新たに職員となつたものとした場合に現に受ける号俸より上位の号俸を初任給として受けるべき資格を取得した場合（第二十三条第三項又は第二十六条第二項（第二十八条において準用する場合を含む。）の規定の適用を受ける場合を除く。）又は人事院が定めるこれに準ずる場合に該当するときは、その者の号俸を人事院の定めるところにより上位の号俸に決定することができる。

本条―平一八・四・一施行

（復職時等における号俸の調整）

第四十四条　休職にされ、若しくは法第百八条の六第一項ただし書に規定する許可（以下「専従許可」という。）を受けた職員が復職し、派遣職員が職務に復帰し、又は休暇のため引き続き勤務しなかつた職員が再び勤務するに至つた場合において、部内の他の職員との均衡上必要があると認められるときは、休職期間、専従許可の有効期間、派遣期間又は休暇の期間を別表第八に定める休職期間等換算表に定めるところにより換算して得た期間を引き続き勤務したものとみなして、復職し、職務に復帰し、若しくは再び勤務するに至つた日、同日後における最初の昇給日又はその次の昇給日に人事院の定めるところにより、昇給の場合に準じてその者の号俸を調整することができる。

2　派遣職員が職務に復帰した場合又は人事院が定めるこれに準ずる場合における号俸の調整について、前項の規定による場合には部内の他の職員との均衡を著しく失すると認められるときは、同項の規定にかかわらず、あらかじめ人事院の承認を得て定める基準に従いその者の号俸を調整することができる。

一項―平二一・四・一施行
二項―平一八・四・一施行

（派遣職員の退職時の号俸の調整）

第四十四条の二　派遣職員がその派遣の期間中に退職する場合において、部内の他の職員との均衡上特に必要があると認められるときは、あらかじめ人事院の承認を得て、前条の規定に準じてその者の号俸を調整することができる。

本条―平一八・四・一施行

（俸給の訂正）

第四十五条　職員の俸給の決定に誤りがあり、各庁の長がこれを訂正しようとする場合において、あらかじめ人事院の承認を得たときは、その訂正を将来に向かつて行なうことができる。

本条―平二四・二・一施行

第十章　雑則

（平成二十四年二月一日前に告知された採用試験等の取扱い）

第四十六条　第十三条第三項前段の規定により初任給基準表の試験欄の「採用試験」の区分のうち「Ⅰ種」又は「A種」の区分を適用した場合には、その旨を人事院に報告するものとする。

2　初任給基準表の試験欄の「採用試験」の区分のうち「Ⅰ種」、「Ⅱ種」、「Ⅲ種」、「A種」又は「B種」の区分の適用を受ける者に対する第十四条第二項及び第十五条第一項第一号の規定の適用については、第十四条第二項中「「総合職（院卒）」にあつては「修士課程修了」、「専門職学位課程修了」及び「大学六卒」の区分、「総合職（大卒）」、「一般職（大卒）」、「専門職（大卒一群）」及び「専門職（大卒二群）」にあつては「大学卒」の区分、「一般職（高卒）」及び「専門職（高卒）」」とあり、及び同号中「「総合職（院卒）」にあつては「修士課程修了」、「専門職学位課程修了」又は「大学六卒」の区分、「総合職（大卒）」、「一般職（大卒）」、「専門職（大卒一群）」及び「専門職（大卒二群）」にあつては「大学卒」の区分、「一般職（高卒）」及び「専門職（高卒）」」とあるのは、「「Ⅰ種」、「Ⅱ種」及び「A種」にあつては「大学卒」の区分、「B種」にあつては「短大卒」の区分、「Ⅲ種」」とする。

3　初任給基準表の試験欄の「採用試験」の区分のうち「一般職（大卒）」、「専門職（大卒二群）」又は「Ⅱ種」の区分の適用を受ける者に対する第十六条の規定の適用については、同条中「含む」とあるのは、「含み、当該適用される試験欄の区分が「一般職（大卒）」、「専門職（大卒二群）」又は「Ⅱ種」の区分である場合は「B種」の区分は含まないものとする」とする。

第四十七条　削除

本条―平二四・二・一施行

（人事院の承認を得て定める基準等についての暫定措置）

第四十八条　第十八条、第二十六条第一項第二号若しくは第四十四条第二項に規定する人事院の承認を得て定めることとされている基準又は在級期間表において別に定めることとされている事項が定められるまでの間におけるこれらの規定による号俸又は職務の級の決定は、あらかじめ個別に人事院の承認を得て行うものとする。

本条―平二一・七・一施行

（報告）

第四十八条の二　人事院は、この規則で別に定めるもののほか、必要があると認めるときは、各庁の長に対し、職員の職務の級及び号俸の決定等に係る事項について報告を求めることができる。

本条―平二四・二・一施行

（この規則により難い場合の措置）

第四十九条　特別の事情によりこの規則の規定によることができない場合又はこの規則の規定によることが著しく不適当であると認められる場合には、別に人事院の定めるところにより、又はあらかじめ人事院の承認を得て、別段の取扱いをすることができる。

附　則（平一八・二・一規則九―八―五七）（抄）

最終改正　平二六・一一・一九規則九―一三七

（施行期日）

1　この規則は、平成十八年四月一日から施行する。

（改正法附則第六条適用職員の在級年数等に関する経過措置）

2　一般職の職員の給与に関する法律等の一部を改正する法律（平成十七年法律第百十三号）附則第六条の規定によりその者の平成十八年四月一日（以下「切替日」という。）における職務の級を定められた職員（当該職務の級を行政職俸給表㈠の十級、専門行政職俸給表の八級、税務職俸給表の十級、公安職俸給表㈠の十一級、公安職俸給表㈡の十級、教育職俸給表㈠の五級、研究職俸給表の六級又は医療職俸給表㈠の五級に定められた職員を除く。次項において「改正法附則第六条適用職員」という。）のうち、次の各号に掲げる職員に対するこの規則による改正後の規則九―八（以下「新規則」という。）別表第二の級別資格基準表の適用については、当該各号に定める期間を、その者の当該規定により定められた職務の級に在級する期間に通算する。

一　切替日の前日においてその者が属していた職務の級（以下この項において「旧級」という。）が行政職俸給表㈠の二級若しくは五級、行政職俸給表㈡の四級、税務職俸給表の二級若しくは五級、公安職俸給表㈠の特二級若しくは五級又は公安職俸給表㈡の二級若しくは五級であった職員　旧級及び旧級の一級下位の職務の級に切替日の前日まで引き続き在職していた期間

二　前号に掲げる職員以外の職員　旧級に切替日の前日まで引き続き在職していた期間

3　改正法附則第六条適用職員に係る切替日以後の職務の級の一級上位の職務の級への昇格（切替日から平成十九年三月三十一日までの間における新規則第二十条の規定によるものに限る。）については、同条第三項中「現に属する職務の級に一年以上」とあるのは、「平成十八年三月三十一日においてその者が属していた職務の級（以下この項において「旧級」という。）が、行政職俸給表㈠の二級若しくは五級、行政職俸給表㈡の四級、税務職俸給表の二級若しくは五級、公安職俸給表㈠の特二級若しくは五級又は公安職俸給表㈡の二級若しくは五級（以下この項において「特定の職務の級」

級下位の職務の級並びに一般職の職員の給与に関する法律等の一部を改正する法律（平成十七年法律第百十三号）附則第六条の規定により定められた職務の級（以下この項において「新級」という。）に通算一年以上、旧級が同法附則別表第一の旧級欄に掲げられている職務の級で特定の職務の級以外のものであつた職員にあつては、旧級及び新級に通算一年以上」とする。

（切替日における昇格又は降格の特例）

4 切替日に昇格又は降格した職員については、当該昇格又は降格がないものとした場合にその者が切替日に受けることとなる号俸を切替日の前日に受けていたものとみなして新規則第二十三条又は第二十四条の規定を適用する。

（初任給に関する経過措置）

5 規則九―一三七（平成二十七年一月一日における昇給に関する人事院規則九―八（初任給、昇格、昇給等の基準）の特例）の施行の日から平成二十六年十二月三十一日までの間に新たに職員となり、その者の号俸の決定について規則九―八第十四条から第十六条までの規定の適用を受けることとなる者（平成二十六年四月一日（以下この項において「調整日」という。）において三十八歳に満たない職員を除く。）のうち、新たに職員となった日（以下この項において「採用日」という。）から、これらの規定による号俸（以下この項において「特定号俸」という。）の号数から同規則第十二条第一項の規定による号俸（同規則第十四条第一項の規定により初任給基準表の初任給欄の号俸とすることができることとされている号俸を除く。）の号数を減じた数を四（新たに職員となった者が特定職員（行政職俸給表(一)の適用を受ける職員でその職務の級が七級以上であるもの及び同規則第三十六条各号に掲げる職員をいう。以下同じ。）であるときは、三）で除して得た数の年数（一未満の端数があるときは、これを切り捨てた数。以下この項において「調整年数」という。）を遡った日が平成二十二年一月一日前となるものの採用日における号俸は、同規則第十四条から第十六条までの規定にかかわらず、採用日から調整年数を遡った日の翌日から採用日までの間における同規則第三十四条に規定する昇給日（次の各号に掲げる職員の区分に応じ、当該各号に定める期間又は日におけるものに限る。）の数に相当する号数を特定号俸の号数から減じて得た号数の号俸とする。

一 次号から第四号までに掲げる職員以外の職員　平成十九年一月一日から平成二十二年一月一日まで

二 調整日において四十六歳に満たない職員（次号及び第四号に掲げる職員を除く。）　平成十九年一月一日から平成二十一年一月一日まで

三 調整日において四十五歳に満たない職員（次号に掲げる職員を除く。）　平成十九年一月一日から平成二十年一月一日まで

四 調整日において四十歳に満たない職員　平成十九年一月一日

（平成十九年一月一日までの間における特定職員の昇給の号俸数の特例）

6 平成十九年一月一日までの間における規則九―八第三十七条第一項、第三項第一号及び第六項の規定の適用については、同条第一項中「定める号俸数」とあるのは「定める号俸数に相当する数から一を減じて得た数に相当する号俸数」と、「E」とあるのは「D又はE（給与法第八条第七項の規定の適用を受ける特定職員にあつては、C、D又はE）」と、同条第三項第一号中「昇給日前一年間」とあるのは「平成十八年四月一日から同年十二月三十一日までの期間」と、同条第六項中「前年の昇給日後に新たに職員となつた特定職員又は同日後に第二十三条第三項、第二十六条第二項（第二十八条において準用する場合を含む。）若しくは第四十三条の規定により号俸を決定された特定職員」とあるのは「平成十九年一月一日における特定職員」と、「その者の新たに職員となつた日又は号俸を決定された日」とあるのは「平成十八年四月一日（同日後に新たに職員となつた特定職員又は同日後に第二十三条第三項、第二十六条第二項（第二十八条において準用する場合を含む。）若しくは第四十三条の規定により号俸を決定された特定職員にあつては、新たに職員となつた日又は号俸を決定された日）」とする。

（平成十九年一月二日から平成二十二年一月一日までの間における昇給の号俸数の特例）

7 平成十九年一月二日から平成二十二年一月一日までの間における規則九―八第三十七条第七項の規定の適用については、同項中「定める号俸数」とあるのは「定める号俸数に相当する数から一を減じて得た数に相当する号俸数（当該号俸数が負となるときは、零）」とする。

（平成十九年一月一日における一般職員の昇給の号俸数等）

8 平成十九年一月一日において、特定職員（規則九―八第三十七条第一項に規定する特定職員をいう。）以外の職員（以下「一般職員」という。）を給与法第八条第五項の規定による昇給（同規則第四十条又は第四十一条に定めるところにより行うものを除く。）をさせる場合の号俸数は、次項に規定するその者の勤務成績に応じて定める基準となる号俸数（同項において「基準号俸数」という。）に相当する数から一を減じて得た数に、切替日（切替日後に新たに職員となった一般職員又は切替日後に同規則第二十三条第三項、第二十六条第二項（第二十八条において準用する場合を含む。）若しくは第四十三条の規定により号俸を決定された一般職員にあつては、新たに職員となった日又は号俸を決定された日）から平成十八年十二月三十一日までの期間の月数（一月未満の端数があるときは、これを一月とする。）を十二月で除した数を乗じて得た数（一未満の端数があるときは、これを切り捨てた数）に相当する号俸数（人事院の定める一般職員にあつては、人事院の定める号俸数）とする。この場合において、次に掲げる一般職員は、昇給しない。

一 この項の規定による号俸数が零となる一般職員

二 給与法第八条第七項の規定の適用を受ける一般職員で次項第二号又は第三号に掲げる一般職員に該当するもの

三 次項第三号に掲げる一般職員（給与法第八条第七項の規定の適用を受けるものを除く。）で各庁の長又はその委任を受けた者が昇給させることが相当でないと認めるもの

9 一般職員の基準号俸数は、規則九―八第三十五条に規定する勤務成績の証明に基づき、当該一般職員が次の各号に掲げる一般職員のいずれに該当するかに応じ、当該各号に定める号俸数とする。

一 勤務成績が特に良好である一般職員　八号俸以上（給与法第八条第七項の規定の適用を受ける一般職

員にあっては、四号俸以上）

二　勤務成績が良好である一般職員　四号俸

三　勤務成績が良好であると認められない一般職員　三号俸以下

10　人事院の定める事由以外の事由によって切替日から平成十八年十二月三十一日までの期間（当該期間の中途において新たに職員となった一般職員にあっては、新たに職員となった日から同月三十一日までの期間）の六分の一に相当する期間の日数以上の日数を勤務していない一般職員その他人事院の定める一般職員については、前項第三号に掲げる一般職員に該当するものとみなして、前二項の規定を適用する。

11　附則第八項の規定による昇給の号俸数が、平成十九年一月一日にその者が属する職務の級の最高の号俸の号数から同日の前日にその者が受けていた号俸（同月一日において職務の級を異にする異動又は規則九―八第二十五条に規定する異動をした一般職員にあっては、当該異動後の号俸）の号数を減じて得た数に相当する号俸数を超えることとなる一般職員の昇給の号俸数は、同項の規定にかかわらず、当該相当する号俸数とする。

12　附則第九項第一号に掲げる一般職員に該当するものとして決定する一般職員の昇給の号俸数の合計は、各府省の一般職員の定員等を考慮して各府省ごとに人事院の定める号俸数を超えてはならない。

附　則（平一八・三・三一規則九―八―五八）

この規則は、平成十八年四月一日から施行する。

附　則（平一八・六・三〇規則九―八―五九）

この規則は、平成十八年七月一日から施行する。

附　則（平一八・九・二九規則九―八―六〇）

この規則は、平成十八年十月一日から施行する。

附　則（平一八・一一・二九規則九―八―六一）（抄）

（施行期日）

1　この規則は、平成十九年四月一日から施行する。

附　則（平一九・三・三〇規則九―八―六二）

この規則は、平成十九年四月一日から施行する。

附　則（平一九・七・二〇規則一―四八）（抄）

（施行期日）

1　この規則は、平成十九年八月一日から施行する。

附　則（平一九・九・二八規則一―五〇）（抄）

（施行期日）

第一条　この規則は、平成十九年十月一日から施行する。

附　則（平一九・一一・三〇規則九―八―六三）

この規則は、公布の日から施行し、改正後の規則九―八の規定は、平成十九年四月一日から適用する。

附　則（平一九・一二・二六規則九―八―六四）

この規則は、公布の日から施行する。

附　則（平二〇・二・一規則九―八―六五）

（施行期日）

1　この規則は、平成二十年四月一日から施行する。

（規則九―八―五七の規定の適用除外）

2　規則九―八―五七（人事院規則九―八（初任給、昇格、昇給等の基準）の一部を改正する人事院規則）附則第七項の規定は、専門スタッフ職俸給表の適用を受ける職員でその職務の級が二級以上であるものには、適用しない。

附　則（平二〇・四・一規則九―八―六六）

この規則は、公布の日から施行する。

附　則（平二〇・一〇・一規則九―八―六七）

この規則は、公布の日から施行する。

附　則（平二一・三・一八規則九―八―六八）（抄）

最終改正　平二二・一一・三〇規則九―八―七二

（施行期日）

第一条　この規則は、平成二十一年四月一日から施行する。

（平成二十四年三月三十一日までにおける昇格に関する経過措置）

第二条　職員の昇格については、この規則の施行の日（以下「施行日」という。）から起算して三年間は、改正後の規則九―八（以下「改正後の規則」という。）第二十条第二項第三号ロの規定は、適用しない。

（施行日以降に降格した職員に関する経過措置）

第三条　施行日以降に降格した職員に関する規則九―一七―一〇九（人事院規則九―一七（俸給の特別調整額）の一部を改正する人事院規則）附則第三項及び規則九―一七―一一九（人事院規則九―一七（俸給の特別調整額）の一部を改正する人事院規則）附則第三条の規定の適用については、規則九―一七―一〇九附則第三項第三号イ中「当該下位の職務の級に降格したとしたならばその者が受けることとなる俸給の特別調整額（ロ及びハにおいて「降格後相当区分仮定額」という。）」とあるのは「受けていた俸給月額と一般職の職員の給与に関する法律等の一部を改正する法律（平成十七年法律第百十三号）附則第十一条の規定による俸給との合計額に相当する額（以下「合計相当額」という。）から、降格をした日の前日に受けていた号俸に対応する俸給月額と降格後に受けることとなる号俸に対応する俸給月額との差額に相当する額（降格を二回以上した場合にあっては、それぞれの当該差額に相当する額を合算した額。以下「差額相当額」という。）を減じた額に旧区分に応じた支給割合を乗じて得た額」と、同号ロ及びハ中「降格後相当区分仮定額」とあるのは「合計相当額」と、「得た額」とあるのは「得た額から差額相当額を減じた額に旧区分に応じた支給割合を乗じて得た額」と、同項第四号イ中「施行日の前日にその者が当該下位の職務の級に降格し、かつ、旧区分より低い区分に相当する新規則別表第一の区分欄に掲げる区分を適用したとしたならばその者が受けることとなる俸給の特別調整額（ロ及びハにおいて「降格後下位区分仮定額」という。）」とあるのは「合計相当額から差額相当額を減じた額に旧区分より低い区分に応じた支給割合を乗じて得た額」と、同号ロ及びハ中「降格後下位区分仮定額」とあるのは「得た額から差額相当額を減じた額に旧区分より低い区分に応じた支給割合を乗じて得た額」と、規則九―一七―一一九附則第三条中「同項第一号中「いた俸給の特別調整額」とあるのは「いた俸給の特別調整額に百分の九十九・五九を乗じて得た額」と、同項第二号中「いたとしたならばその者が受けることとなる俸給の特別調整額」とあるのは「いたとしたならばその者が受けることとなる俸給の特別調整額に百分の九十九・五九を乗じて得た額」と、同項第三号及び第四号中「俸給の特別調整額」とあるのは「俸給の特別調整額に百分の九十九・五九」とあるのは「平成二十一年四月一日以降に降格した職員に関する同項の規定の適用については、同項第三号中「当該下位の職務の級に降格したとしたならばその者が受けることとなる俸給の特別調整額」とあり、及び同項第四号中「当該下位の職務の級に降格し、かつ、旧区分より低い区分に相当する新規則別表第一の区分欄に掲げる区分を適用したとしたならばその者が受けることとなる俸給の特別調整額」とあるのは「受けていた俸給月額と一般職の職員の給与に関する法律等の一部を改正する法律（平成十七年法律第百十三号）附則第十一条の規定による俸給との合計額に百分の九十九・五九を乗じて得た額から、降格をした日の前日に受けていた号俸に対応する俸給月額と降格後に受けることとなる号俸に対応する俸給月額との差額に相当する額（降格を二回以上した場合にあっては、それぞれの当該差額に相当する額を合算した額）を減じた額に百分の八」とする。

（平成二十二年一月一日に行われる昇給に関する経過措置）

第四条　平成二十二年一月一日に行われる給与法第八条第五項の規定による昇給については、改正後の規則第三十四条中「日は、昇給日前一年間における九月三十日（以下「評価終了日」という。）」とあるのは、「期間は、平成二十一年一月一日から同年九月三十日までの期間」とする。

2　前項に規定する昇給に関する勤務成績の証明並びに昇給区分及び昇給の号俸数については、なお従前の例による。この場合において、改正前の規則九—八第三十五条中「第四十条又は第四十一条」とあるのは「第三十九条又は第四十条」と、同規則第三十七条第一項中「第三十五条に規定する」とあるのは「規則九—八—六八（人事院規則九—八（初任給、昇格、昇給等の基準）の一部を改正する人事院規則）附則第四条第二項の規定によりなお従前の例によるものとされた」と、同条第二項第一号中「昇給日前一年間」とあるのは「平成二十一年一月一日から同年九月三十日までの期間」と、「昇給日の前日」とあるのは「平成二十一年九月三十日」と、同条第五項中「別表第七の三」とあるのは「別表第七の四」とする。

（降号した職員に関する経過措置）

第五条　降号した職員に関する規則九—一七—一〇九附則第三項及び規則九—一七—一一九附則第三条の規定の適用については、規則九—一七—一〇九附則第三項第一号イ中「俸給の特別調整額」とあるのは「俸給月額と一般職の職員の給与に関する法律等の一部を改正する法律（平成十七年法律第百十三号）附則第十一条の規定による俸給との合計額に相当する額（以下「合計相当額」という。）から、降号をした日の前日に受けていた号俸に対応する俸給月額と降号後に受けることとなる号俸に対応する俸給月額との差額に相当する額（降号を二回以上した場合にあっては、それぞれの当該差額に相当する額を合算した額。以下「差額相当額」という。）を減じた額に旧区分に応じた支給割合を乗じて得た額」と、同号ロ及びハ中「施行日の前日にその者が受けていた俸給の特別調整額」とあるのは「合計相当額」と、「得た額」とあるのは「得た額から差額相当額を減じた額に旧区分に応じた支給割合を乗じて得た額」と、同項第二号イ中「施行日の前日に当該旧区分より低い区分に相当する新規則別表第一の区分欄に掲げる区分を適用したとしたならばその者が受けることとなる俸給の特別調整額（ロ及びハにおいて「下位区分仮定額」という。）」とあるのは「合計相当額から差額相当額を減じた額に当該旧区分より低い区分に応じた支給割合を乗じて得た額」と、同号ロ及びハ中「下位区分仮定額」とあるのは「合計相当額」と、「得た額」とあるのは「得た額から差額相当額を減じた額に当該旧区分より低い区分に応じた支給割合を乗じて得た額」と、規則九—一七—一一九附則第三条中「同項第一号中「いた俸給の特別調整額」とあるのは「いた俸給の特別調整額に百分の九十九・五九を乗じて得た額」と、同項第二号中「いたとしたならばその者が受けることとなる俸給の特別調整額」とあるのは「いたとしたならばその者が受けることとなる俸給の特別調整額に百分の九十九・五九を乗じて得た額」と、同項第三号及び第四号中「俸給の特別調整額」とあるのは「俸給の特別調整額に百分の九十九・五九」とあるのは「降号した職員に関する同項の規定の適用については、同項第一号中「その者が受けていた俸給の特別調整額」とあり、及び同項第二号中「当該旧区分より低い区分に相当する新規則別表第一の区分欄に掲げる区分を適用したとしたならばその者が受けることとなる俸給の特別調整額又は同日において課長補佐等の官職を占めていたとしたならばその者が受けることとなる俸給の特別調整額」とあるのは「その者が受けていた俸給月額と一般職の職員の給与に関する法律等の一部を改正する法律（平成十七年法律第百十三号）附則第十一条の規定による俸給との合計額に百分の九十九・五九を乗じて得た額から、降号をした日の前日に受けていた号俸に対応する俸給月額と降号後に受けることとなる号俸に対応する俸給月額との差額に相当する額（降号を二回以上した場合にあっては、それぞれの当該差額に相当する額を合算した額）を減じた額に百分の八」とする。

（雑則）

第六条　附則第二条から前条までに定めるもののほか、この規則の施行に関し必要な事項は、人事院が定める。

附　則（平二一・五・二九規則九—八—六九）（抄）

（施行期日）

第一条　この規則は、平成二十一年七月一日から施行する。

附　則（平二一・一一・三〇規則九—八—七〇）

改正　平二二・一一・三〇規則九—八—七二

（施行期日）

1　この規則は、平成二十一年十二月一日から施行する。

（人事院規則九—八の一部改正に伴う経過措置）

2　この規則の施行の日から平成二十二年三月三十一日までの間において、新たに俸給表の適用を受けることとなった職員及び降格、昇給、降号又は復職時等における号俸の調整以外の事由によりその受ける号俸に異動のあった職員（個別に人事院の承認を得て号俸を決定することとされている職員を除く。）の当該適用又は異動の日における号俸については、なお従前の例によることができる。

（人事院規則九—八—六八の一部改正に伴う経過措置）

3　平成十九年四月一日から平成二十一年三月三十一日までの間に降格をした職員であって一般職の職員の給与に関する法律等の一部を改正する法律（平成二十二年法律第五十三号）の施行の日（以下「施行日」という。）以降に降格又は降号をした職員及び平成二十一年四月一日から施行日の前日までの間に降格又は降号をした職員の規則九—一七—一〇九（人事院規則九—一七（俸給の特別調整額）の一部を改正する人事院規則）附則第二項に規定する経過措置基準額は、規則九—八—六八附則第三条及び第五条、規則九—一七—一〇九附則第三項並びに規則九—一七—一一九（人事院規則九—一七（俸給の特別調整額）の一部を改正する人事院規則）附則第三条の規定にかかわらず、人事院の定めるところによる。

附　則（平二二・四・一規則九—八—七一）

この規則は、公布の日から施行する。

附　則（平二二・一一・三〇規則九—八—七二）

（施行期日）

1　この規則は、平成二十二年十二月一日から施行する。

（人事院規則九—八の一部改正に伴う経過措置）

2　この規則の施行の日（以下「施行日」という。）から平成二十三年三月三十一日までの間において、新たに俸給表の適用を受けることとなった職員及び降格、昇給、降号又は復職時等における号俸の調整以外の事由によりその受ける号俸に異動のあった職員（個別に人事院の承認を得て号俸を決定することとされている職員を除く。）の当該適用又は異動の日における号俸については、なお従前の例によることができる。

附　則（平二三・四・一規則九―八―七三）

この規則は、公布の日から施行する。

附　則（平二三・一二・二八規則九―八―七四）（抄）

（施行期日）

第一条　この規則は、平成二十四年一月一日から施行する。

附　則（平二四・二・二九規則九―八―七五）

（施行期日）

1　この規則は、平成二十四年三月一日から施行する。

（経過措置）

2　この規則の施行の日から平成二十四年三月三十一日までの間において、新たに俸給表の適用を受けることとなった職員及び降格、昇給、降号又は復職時等における号俸の調整以外の事由によりその受ける号俸に異動のあった職員（個別に人事院の承認を得て号俸を決定することとされている職員を除く。）の当該適用又は異動の日における号俸については、なお従前の例によることができる。

附　則（平二四・一二・一〇規則九―八―七六）

この規則は、平成二十五年一月一日から施行する。

附　則（平二五・四・一規則一―五九）（抄）

最終改正　平二七・三・一八規則一―六三

（施行期日）

第一条　この規則は、公布の日から施行する。

（人事院規則九―八の一部改正に伴う経過措置）

第二条　規則八―一八（採用試験）第一条第一項に規定する採用試験の結果に基づいて、国有林野の有する公益的機能の維持増進を図るための国有林野の管理経営に関する法律等の一部を改正する等の法律（平成二十四年法律第四十二号。附則第五条第一項において「改正法」という。）第五条第一号の規定による廃止前の国有林野事業を行う国の経営する企業に勤務する職員の給与等に関する特例法（昭和二十九年法律第百四十一号）第二条第二項に規定する職員（以下「旧給与特例法適用職員」という。）となり、引き続き旧給与特例法適用職員として勤務した後、引き続いて給与法第六条第一項の俸給表のうちいずれかの俸給表の適用を受けることとなった者に対する規則九―八第四章から第六章まで及び第十章の規定の適用については、その者を同規則第十三条第二項第二号に掲げる者とみなす。

（雑則）

第十一条　附則第二条から前条までに規定するもののほか、この規則の施行に関し必要な経過措置は、人事院が定める。

附　則（平二五・一〇・一規則九―八―七七）（抄）

（施行期日）

1　この規則は、平成二十六年一月一日から施行する。

附　則（平二六・五・二九規則一―六二）（抄）

（施行期日）

第一条　この規則は、国家公務員法等の一部を改正する法律（平成二十六年法律第二十二号）の施行の日（平二六・五・三〇）から施行する。〔ただし書略〕

附　則（平二六・一一・一九規則九―八―七八）

（施行期日等）

1　この規則は、公布の日から施行し、改正後の規則九―八の規定は、平成二十六年四月一日から適用する。

（経過措置）

2　平成二十六年四月一日からこの規則の施行の日の前日までの間において、新たに俸給表の適用を受けることとなった職員及び昇給、降号、復職時等における号俸の調整又は国家公務員の給与の改定及び臨時特例に関する法律（平成二十四年法律第二号）附則第八条第三項の規定による号俸の調整以外の事由によりその受ける号俸に異動のあった職員のうち、改正後の規則九―八の規定による号俸が改正前の規則九―八の規定による号俸に達しない職員の、当該適用又は異動の日における号俸については、改正後の規則九―八の規定にかかわらず、改正前の規則九―八の規定による号俸とするものとする。

3　この規則の施行の日から平成二十七年三月三十一日までの間において、新たに俸給表の適用を受けることとなった職員及び降格、昇給、降号又は復職時等における号俸の調整以外の事由によりその受ける号俸に異動のあった職員（個別に人事院の承認を得て号俸を決定することとされている職員を除く。）のうち、前項の規定の適用を受ける職員との均衡上必要があると認められる職員の、当該適用又は異動の日における号俸については、なお従前の例によることができる。

附　則（平二七・一・三〇規則九―八―七九）

この規則は、平成二十七年四月一日から施行する。

附　則（平二七・三・一八規則一―六三）（抄）

（施行期日）

第一条　この規則は、平成二十七年四月一日から施行する。

（人事院規則九―八の一部改正に伴う経過措置）

第三条　規則八―一八第一条第一項に規定する採用試験の結果に基づいて、特定独立行政法人の職員（以下「特定独立行政法人職員」という。）となり、引き続き特定独立行政法人職員として勤務した後、引き続いて給与法第六条第一項の俸給表のうちいずれかの俸給表の適用を受ける職員（以下「俸給表適用職員」という。）となった者に対する第五条の規定による改正後の規則九―八第四章から第六章まで及び第十章の規定の適用については、その者を同規則第十三条第二項第二号に掲げる者とみなす。

（雑則）

第十五条　附則第二条から前条までに規定するもののほか、この規則の施行に関し必要な経過措置は、人事院が定める。

附　則（平二七・六・二四規則一―六六）

この規則は、平成二十七年六月二十五日から施行する。

附　則（平二八・一・二六規則九―八―八〇）

（施行期日等）

1　この規則は、公布の日から施行し、改正後の規則九―八の規定は、平成二十七年四月一日から適用する。

（経過措置）

2　平成二十七年四月一日からこの規則の施行の日の前日までの間において、新たに俸給表の適用を受けることとなった職員及び昇給、降号又は復職時等における号俸の調整以外の事由によりその受ける号俸に異動のあった職員のうち、改正後の規則九―八の規定による号俸が改正前の規則九―八の規定による号俸に達しない職員の、当該適用又は異動の日における号俸については、改正後の規則九―八の規定にかかわらず、改正前の規則九―八の規定による号俸とするものとする。

3　この規則の施行の日から平成二十八年三月三十一日までの間において、新たに俸給表の適用を受けることとなったなった職員及び降格、昇給、降号又は復職時等における号俸の調整以外の事由によりその受ける号俸に異動のあった職員（個別に人事院の承認を得て号俸を決定することとされている職員を除く。）のうち、前項の規定の適用を受ける職員との均衡上必要があると認められる職員の、当該適用又は異動の日における号俸については、なお従前の例によることができる。

附　則（平二八・三・一規則九—八—八一）

この規則は、公布の日から施行する。ただし、別表第三の改正規定は、平成二十八年四月一日から施行する。

附　則（平二八・一一・二四規則九—八—八二）（抄）

（施行期日等）

第一条　この規則は、公布の日から施行する。ただし、第十一条第三項、第十二条第一項第二号、別表第一、別表第六、別表第七の専門スタッフ職俸給表昇格時号俸対応表、別表第七の二の専門スタッフ職俸給表降格時号俸対応表及び別表第七の四の改正規定〔中略〕は、平成二十九年四月一日から施行する。

2　この規則（前項ただし書に規定する改正規定を除く。）による改正後の規則九—八の規定は、平成二十八年四月一日から適用する。

（経過措置）

第二条　平成二十八年四月一日からこの規則の施行の日の前日までの間において、新たに俸給表の適用を受けることとなった職員及び昇給、降号又は復職時等における号俸の調整以外の事由によりその受ける号俸に異動のあった職員のうち、改正後の規則九—八の規定による号俸が改正前の規則九—八の規定による号俸に達しない職員の、当該適用又は異動の日における号俸については、改正後の規則九—八の規定にかかわらず、改正前の規則九—八の規定による号俸とするものとする。

第三条　この規則の施行の日から平成二十九年三月三十一日までの間において、新たに俸給表の適用を受けることとなった職員及び降格、昇給、降号又は復職時等における号俸の調整以外の事由によりその受ける号俸に異動のあった職員（個別に人事院の承認を得て号俸を決定することとされている職員を除く。）のうち、前条の規定の適用を受ける職員との均衡上必要があると認められる職員の、当該適用又は異動の日における号俸については、なお従前の例によることができる。

附　則（平二八・一二・一規則九—八—八三）

（施行期日）

1　この規則は、平成二十九年一月一日から施行する。

（経過措置）

2　改正後の規則九—八別表第八の規定は、この規則の施行の日以後の介護休暇の期間について適用し、同日前の介護休暇の期間については、なお従前の例による。

附　則（平二九・五・一九規則一—七〇）（抄）

（施行期日）

1　この規則は、公布の日から施行する。

附　則（平二九・一二・一五規則九—八—八四）

（施行期日等）

1　この規則は、公布の日から施行し、改正後の規則九—八の規定は、平成二十九年四月一日から適用する。

（経過措置）

2　平成二十九年四月一日からこの規則の施行の日の前日までの間において、新たに俸給表の適用を受けることとなった職員及び昇給、降号又は復職時等における号俸の調整以外の事由によりその受ける号俸に異動のあった職員のうち、改正後の規則九—八の規定による号俸が改正前の規則九—八の規定による号俸に達しない職員の、当該適用又は異動の日における号俸については、改正後の規則九—八の規定にかかわらず、改正前の規則九—八の規定による号俸とするものとする。

3　この規則の施行の日から平成三十年三月三十一日までの間において、新たに俸給表の適用を受けることとなった職員及び降格、昇給、降号又は復職時等における号俸の調整以外の事由によりその受ける号俸に異動のあった職員（個別に人事院の承認を得て号俸を決定することとされている職員を除く。）のうち、前項の規定の適用を受ける職員との均衡上必要があると認められる職員の、当該適用又は異動の日における号俸については、なお従前の例によることができる。

附　則（平三〇・二・一規則九—八—八五）

この規則は、公布の日から施行する。

附　則（平三〇・一一・三〇規則九—八—八六）

（施行期日等）

1　この規則は、公布の日から施行し、この規則による改正後の規則九—八（次項において「改正後の規則九—八」という。）の規定は、平成三十年四月一日から適用する。

（経過措置）

2　平成三十年四月一日からこの規則の施行の日の前日までの間において、新たに俸給表の適用を受けることとなった職員及び昇給、降号、復職時等における号俸の調整又は一般職の職員の給与に関する法律等の一部を改正する法律（平成二十九年法律第七十七号）附則第三条第一項の規定による号俸の調整以外の事由によりその受ける号俸に異動のあった職員のうち、改正後の規則九—八の規定による号俸がこの規則による改正前の規則九—八の規定による号俸に達しない職員の、当該適用又は当該異動の日における号俸については、改正後の規則九—八の規定にかかわらず、この規則による改正前の規則九—八の規定による号俸とするものとする。

3　この規則の施行の日から平成三十一年三月三十一日までの間において、新たに俸給表の適用を受けることとなった職員及び降格、昇給、降号又は復職時等における号俸の調整以外の事由によりその受ける号俸に異動のあった職員（個別に人事院の承認を得て号俸を決定することとされている職員を除く。）のうち、前項の規定の適用を受ける職員との均衡上必要があると認められる職員の、当該適用又は当該異動の日における号俸については、なお従前の例によることができる。

附　則（平三一・四・一規則九—八—八七）

この規則は、公布の日から施行する。

附　則（令元・五・二三規則一—七三）

この規則は、公布の日から施行する。

附　則（令元・一一・二二規則九—八—八八）

（施行期日等）

1　この規則は、公布の日から施行し、この規則による改正後の規則九—八（次項において「改正後の規則九—八」という。）の規定は、平成三十一年四月一日から適用する。

（経過措置）

2　平成三十一年四月一日からこの規則の施行の日の前日までの間において、新たに俸給表の適用を受けることとなった職員及び昇給、降号又は復職時等における号俸の調整以外の事由によりその受ける号俸に異動のあった職員のうち、改正後の規則九—八の規定による号俸がこの規則による改正前の規則九—八の規定による号俸に達しない職員の、当該適用又は当該異動の日における号俸については、改正後の規則九―八の規定にかかわらず、この規則による改正前の規則九―八の規定による号俸とするものとする。

3　この規則の施行の日から令和二年三月三十一日までの間において、新たに俸給表の適用を受けることとなった職員及び降格、昇給、降号又は復職時等における号俸の調整以外の事由によりその受ける号俸に異動のあった職員（個別に人事院の承認を得て号俸を決定することとされている職員を除く。）のうち、前項の規定の適用を受ける職員との均衡上必要があると認められる職員の、当該適用又は当該異動の日における号俸については、なお従前の例によることができる。

附　則（令元・一二・一八規則九―八―八九）

この規則は、令和二年一月一日から施行する。

附　則（令二・六・一二規則一―七五）（抄）

（施行期日）

1　この規則は、公布の日から施行する。

附　則（令二・一二・二八規則一―七六）（抄）

（施行期日）

1　この規則は、公布の日から施行する。

附　則（令三・九・一規則一―七七）

この規則は、公布の日から施行する。

附　則（令三・一二・二四規則九―八―九〇）

（施行期日）

第一条　この規則は、令和四年十月一日から施行する。

（経過措置）

第二条　職員を昇格させようとする日以前における直近の連続した二回の能力評価及び四回の業績評価の全体評語の全部又は一部が、令和四年九月三十日までのいずれかの評価期間（人事評価政令第五条第三項又は第四項に規定する評価期間をいう。）に係る能力評価又は業績評価の全体評語となる間における職員の昇格については、なお従前の例による。この場合において、この規則による改正前の規則九―八第二十条第二項第三号イ中「又は中位の段階」とあるのは「若しくは中位の段階又は規則一―二―四（人事院規則一―二（用語の定義）の一部を改正する人事院規則）による改正後の規則一―二（用語の定義）（以下「改正後の規則一―二」という。）第三十七号に規定する「良好」の段階以上」と、同条第四項及び同規則第二十五条第二項中「最上位の段階」とあるのは「最上位の段階又は改正後の規則一―二第三十五号に規定する「非常に優秀」の段階以上」と、「が上位の段階」とあるのは「が上位の段階又は同号に規定する「非常に優秀」の段階以上」とする。

第三条　令和五年一月一日に行う給与法第八条第六項の規定による昇給については、なお従前の例による。

第四条　前二条に規定するもののほか、この規則の施行に関し必要な経過措置は、人事院が定める。

附　則（令四・六・二四規則一―八一）

この規則は、公布の日から施行する。

附　則（令四・一一・一八規則九―八―九一）

（施行期日等）

第一条　この規則は、公布の日から施行する。ただし、別表第一、別表第二及び別表第六の改正規定は、令和五年四月一日から施行する。

2　この規則（前項ただし書に規定する改正規定を除く。次条において同じ。）による改正後の規則九―八（同条において「改正後の規則九―八」という。）の規定は、令和四年四月一日から適用する。

（経過措置）

第二条　令和四年四月一日からこの規則の施行の日の前日までの間において、新たに俸給表の適用を受けることとなった職員及び昇給、降号又は復職時等における号俸の調整以外の事由によりその受ける号俸に異動のあった職員のうち、改正後の規則九―八の規定による号俸がこの規則による改正前の規則九―八の規定による号俸に達しない職員の、当該適用又は当該異動の日における号俸については、改正後の規則九―八の規定にかかわらず、この規則による改正前の規則九―八の規定による号俸とするものとする。

第三条　この規則の施行の日から令和五年三月三十一日までの間において、新たに俸給表の適用を受けることとなった職員及び降格、昇給、降号又は復職時等における号俸の調整以外の事由によりその受ける号俸に異動のあった職員（個別に人事院の承認を得て号俸を決定することとされている職員を除く。）のうち、前条の規定の適用を受ける職員との均衡上必要があると認められる職員の、当該適用又は当該異動の日における号俸については、なお従前の例によることができる。

附　則（令五・一一・二四規則九―八―九二）

（施行期日等）

第一条　この規則は、公布の日から施行し、この規則による改正後の規則九―八（次条において「改正後の規則九―八」という。）の規定は、令和五年四月一日から適用する。

（経過措置）

第二条　令和五年四月一日からこの規則の施行の日の前日までの間において、新たに俸給表の適用を受けることとなった職員及び昇給、降号又は復職時等における号俸の調整以外の事由によりその受ける号俸に異動のあった職員のうち、改正後の規則九―八の規定による号俸がこの規則による改正前の規則九―八の規定による号俸に達しない職員の、当該適用又は当該異動の日における号俸については、改正後の規則九―八の規定にかかわらず、この規則による改正前の規則九―八の規定による号俸とするものとする。

第三条　この規則の施行の日から令和六年三月三十一日までの間において、新たに俸給表の適用を受けることとなった職員及び降格、昇給、降号又は復職時等における号俸の調整以外の事由によりその受ける号俸に異動のあった職員（個別に人事院の承認を得て号俸を決定することとされている職員を除く。）のうち、前条の規定の適用を受ける職員との均衡上必要があると認められる職員の、当該適用又は当該異動の日における号俸については、なお従前の例によることができる。

附　則（令六・一二・二五規則九―八―九三）

この規則は、公布の日から施行し、この規則による改正後の規則九―八の規定は、令和六年四月一日から適用する。

附　則（令七・二・五規則九―八―九四）

（施行期日）

第一条　この規則は、令和七年四月一日から施行する。

（切替日における昇格、降格又は専門スタッフ職俸給表へ異動した職員の号俸の特例）

第二条　令和七年四月一日（以下「切替日」という。）に昇格、降格又は専門スタッフ職俸給表へ異動（以下この条において「昇格等」という。）した職員（指定職俸給表から専門スタッフ職俸給表へ異動した職員を除く。）については、当該昇格等がないものとした場合にその者が切替日に受けることとなる号俸を切替日の前日に受けていたものとみなして規則九―八第二十三条、第二十四条の二又は第二十九条の規定を適用する。

（行政職俸給表㈡又は海事職俸給表㈡の適用を受ける職員の初任給に関する経過措置）

第三条　切替日以後に新たに職員となり、行政職俸給表㈡の適用を受ける者（規則九―八別表第二の行政職俸給表㈡初任給基準表の備考第一項第二号及び第三号並びに第二項各号に掲げる者を除く。）又は海事職俸給表㈡の適用を受ける者となったもののうち、その者の有する学歴免許等の資格が規則九―八別表第三の学歴免許等資格区分表の「高校卒」の区分に達しない者の初任給として受ける号俸の決定に関し必要な事項は、人事院が定める。

（選考の結果に基づいて新たに職員となった者の号俸の調整）

第四条　切替日前に選考（切替日に採用することを予定して行われたものであり、かつ、切替日に当該選考の結果に基づいて新たに職員となった部内の他の職員があるものに限る。）の結果に基づいて新たに職員となった者で規則九―八第十一条第四項の規定により職務の級を決定されたものその他人事院の定めるこれに準ずる者の切替日における号俸については、その者が切替日に新たに職員となったものとした場合との均衡上必要と認められる限度において、人事院の定めるところにより、必要な調整を行うことができる。

（雑則）

第五条　附則第二条から前条までに定めるもののほか、この規則の施行に関し必要な事項は、人事院が定める。

附　則（令七・四・一規則九―八―九五）

この規則は、公布の日から施行する。

別表第一 標準職務表（第三条関係）

イ 行政職俸給表㈠級別標準職務表

職務の級	標準的な職務
1 級	定型的な業務を行う職務
2 級	1 主任の職務 2 特に高度の知識又は経験を必要とする業務を行う職務
3 級	1 本省、管区機関又は府県単位機関の係長又は困難な業務を処理する主任の職務 2 地方出先機関の相当困難な業務を分掌する係の長又は困難な業務を処理する主任の職務 3 特定の分野についての特に高度の専門的な知識又は経験を必要とする業務を独立して行う専門官の職務
4 級	1 本省の困難な業務を分掌する係の長の職務 2 管区機関の課長補佐又は困難な業務を分掌する係の長の職務 3 府県単位機関の特に困難な業務を分掌する係の長の職務 4 地方出先機関の課長の職務
5 級	1 本省の課長補佐の職務 2 管区機関の困難な業務を処理する課長補佐の職務 3 府県単位機関の課長の職務 4 地方出先機関の長又は地方出先機関の困難な業務を所掌する課の長の職務
6 級	1 本省の困難な業務を処理する課長補佐の職務 2 管区機関の課長の職務 3 府県単位機関の困難な業務を所掌する課の長の職務 4 困難な業務を所掌する地方出先機関の長の職務
7 級	1 本省の室長の職務 2 管区機関の特に困難な業務を所掌する課の長の職務 3 府県単位機関の長の職務
8 級	1 本省の困難な業務を所掌する室の長の職務 2 管区機関の重要な業務を所掌する部の長の職務 3 困難な業務を所掌する府県単位機関の長の職務
9 級	1 本省の重要な業務を所掌する課の長の職務 2 管区機関の長又は管区機関の特に重要な業務を所掌する部の長の職務
10 級	1 本省の特に重要な業務を所掌する課の長の職務 2 重要な業務を所掌する管区機関の長の職務

備考
1 この表において「本省」とは、府、省又は外局として置かれる庁の内部部局をいう。
2 この表において「管区機関」とは、数府県の地域を管轄区域とする相当の規模を有する地方支分部局をいう。
3 この表において「府県単位機関」とは、1府県の地域を管轄区域とする相当の規模を有する機関をいう。
4 この表において「地方出先機関」とは、1府県の一部の地域を管轄区域とする相当の規模を有する機関をいう。
5 この表において「室」とは、課に置かれる相当の規模を有する室をいう。

本表—平26・5・30施行

ロ　行政職俸給表(二)級別標準職務表

職務の級	標　準　的　な　職　務
１　級	１　電話交換手の職務 ２　しゆんせつ船等の作業船（以下「作業船」という。）の乗組員の職務 ３　一般技能職員（物の製作若しくは修理又は機器の運転若しくは操作に従事する職員をいう。以下同じ。）の職務 ４　理容、調理等の家政的業務を行う職員（以下「家政職員」という。）の職務 ５　自動車運転手の職務 ６　守衛又は巡視の職務 ７　用務員、労務作業員等（以下「用務員等」という。）の職務
２　級	１　相当の技能又は経験を必要とする電話交換手の職務 ２　相当の技能又は経験を必要とする作業船の乗組員の職務 ３　相当の技能又は経験を必要とする業務を行う一般技能職員の職務 ４　相当の技能又は経験を必要とする業務を行う家政職員の職務 ５　相当の技能又は経験を必要とする業務を行う自動車運転手の職務 ６　困難な業務を行う守衛又は巡視の職務 ７　数名の用務員等を直接指揮監督する主任又は特に困難な業務を行う用務員等の職務
３　級	１　数名の電話交換手を直接指揮監督する組長又は高度の技能若しくは経験を必要とする電話交換手の職務 ２　作業船の船長若しくは機関長又は数名の乗組員を直接指揮監督する甲板長若しくは操機長又は高度の技能若しくは経験を必要とする作業船の乗組員の職務 ３　数名の一般技能職員を直接指揮監督する職長又は高度の技能若しくは経験を必要とする業務を行う一般技能職員の職務 ４　数名の家政職員を直接指揮監督する主任又は高度の技能若しくは経験を必要とする業務を行う家政職員の職務 ５　数名の自動車運転手を直接指揮監督する車庫長又は高度の技能若しくは経験を必要とする業務を行う自動車運転手の職務 ６　相当数の守衛若しくは巡視を直接指揮監督する守衛長若しくは巡視長又は特に困難な業務を行う守衛若しくは巡視の職務 ７　相当数の用務員等を直接指揮監督する主任の職務
４　級	１　多数の電話交換手を直接指揮監督する組長の職務 ２　作業船の困難な業務を行う船長若しくは機関長又は多数の乗組員を直接指揮監督する甲板長若しくは操機長の職務 ３　多数の一般技能職員を直接指揮監督する職長又は特に困難な業務を行う一般技能職員の職務 ４　多数の家政職員を直接指揮監督する主任の職務 ５　多数の自動車運転手を直接指揮監督する車庫長の職務 ６　多数の守衛又は巡視を直接指揮監督する守衛長又は巡視長の職務
５　級	１　作業船の特に困難な業務を行う船長又は機関長の職務 ２　極めて多数の一般技能職員を直接指揮監督する職長の職務 ３　極めて多数の自動車運転手を直接指揮監督する車庫長の職務

本表―平18・４・１施行

ハ　専門行政職俸給表級別標準職務表

職務の級	標　準　的　な　職　務
１　級	専門的な知識、技術等に基づき独立して、又は上級の専門官の概括的な指導の下に業務を行う専門官の職務
２　級	特に高度の専門的な知識、技術等に基づき困難な業務を独立して行う専門官の職務
３　級	極めて高度の専門的な知識、技術等に基づき特に困難な業務を独立して行う専門官の職務
４　級	１　検疫所（支所を除く。）の相当困難な業務を所掌する課の長の職務

	２ 植物防疫所の統括植物検疫官、統括調査官又は統括同定官（以下「統括植物防疫官」という。）の職務 ３ 動物検疫所（支所を除く。）の相当困難な業務を所掌する課の長の職務 ４ 特許庁の審査に関する事務の調整等を行う審査官（以下「上席審査官」という。）又は審判官の職務 ５ 次席海事技術専門官の職務 ６ 先任航空管制運航情報官、先任航空管制通信官、先任航空管制官又は先任航空管制技術官（以下「先任航空交通管制官」という。）の職務
５ 級	１ 植物防疫所若しくは動物検疫所（以下「動植物防疫官署」という。）の部長又は特に困難な業務を処理する統括植物防疫官の職務 ２ 特許庁の困難な業務を処理する上席審査官又は審判官の職務 ３ 首席海事技術専門官の職務 ４ 特に困難な業務を所掌する先任航空交通管制官又は空港事務所の相当困難な業務を所掌する部の長の職務
６ 級	１ 動植物防疫官署の長又は困難な業務を所掌する部の長の職務 ２ 特許庁の審査長又は審判長の職務 ３ 困難な業務を所掌する首席海事技術専門官の職務 ４ 空港事務所の困難な業務を所掌する部の長の職務
７ 級	１ 規模の大きい動植物防疫官署の長の職務 ２ 特許庁の特に困難な業務を所掌する審査長又は困難な業務を所掌する審判長の職務
８ 級	特許庁の極めて困難な業務を所掌する審査長又は特に困難な業務を所掌する審判長の職務

本表―平18・７・１施行

二 税務職俸給表級別標準職務表

職務の級	標準的な職務
１ 級	租税の賦課及び徴収に関する定型的な業務を行う職務
２ 級	１ 国税局（税務署を除く。以下同じ。）又は税務署の主任の職務 ２ 租税の賦課及び徴収に関する特に高度の知識又は経験を必要とする業務を行う職務
３ 級	１ 国税庁の内部部局（以下「国税庁の本庁」という。）又は国税局の国税実査官、国税調査官、国税査察官又は国税徴収官（以下「国税実査官等」という。）の職務 ２ 国税不服審判所の国税審査官の職務 ３ 国税局又は税務署の困難な業務を処理する主任の職務 ４ 税務署の相当困難な業務を処理する国税徴収官又は国税調査官の職務
４ 級	１ 国税庁の本庁又は国税局の困難な業務を処理する国税実査官等の職務 ２ 国税不服審判所の困難な業務を処理する国税審査官の職務 ３ 税務署の上席国税徴収官又は上席国税調査官（以下「上席国税徴収官等」という。）の職務
５ 級	１ 税務大学校又は税務大学校地方研修所の教育官の職務 ２ 国税局の主査の職務 ３ 税務署の統括国税徴収官若しくは統括国税調査官（以下「統括国税徴収官等」という。）又は困難な業務を処理する上席国税徴収官等の職務
６ 級	１ 国税庁の国税庁監察官又は監督評価官（以下「国税庁監察官等」という。）の職務 ２ 国税不服審判所の国税副審判官の職務 ３ 国税局の課長の職務 ４ 税務署の相当困難な業務を処理する副署長又は困難な業務を所掌する統括国税徴収官等の職務
７ 級	１ 国税庁の困難な業務を処理する国税庁監察官等の職務 ２ 国税不服審判所の国税審判官の職務 ３ 国税局の特に困難な業務を所掌する課の長の職務 ４ 規模の大きい税務署の長又は税務署の困難な業務を処理する副署長の職務

８　　級	１　国税不服審判所の特に困難な業務を処理する国税審判官の職務 ２　国税局の部長の職務 ３　特に規模の大きい税務署の長の職務
９　　級	１　国税局の特に重要な業務を所掌する部の長の職務 ２　極めて規模の大きい税務署の長の職務
10　　級	国税局の極めて重要な業務を所掌する部の長の職務

本表—平18・４・１施行

ホ　公安職俸給表㈠級別標準職務表

職務の級	標準的な職務
１　　級	１　皇宮警察本部の皇宮巡査の行う職務 ２　刑務所、少年刑務所又は拘置所（以下「刑務官署」という。）の看守の行う職務 ３　入国者収容所又は地方出入国在留管理局（以下「入国管理官署」という。）の警守の行う職務
２　　級	１　皇宮警察本部の皇宮巡査部長の行う職務 ２　刑務官署の看守部長の行う職務 ３　入国管理官署の警守長の行う職務
３　　級	１　皇宮警察本部又は管区警察局の係長の職務 ２　刑務官署の係長の職務又は副看守長の行う職務 ３　入国管理官署の警備士補の行う職務
４　　級	１　警察庁の内部部局（以下「警察庁の本庁」という。）の係長の職務 ２　皇宮警察本部又は管区警察局の相当困難な業務を分掌する係の長の職務 ３　刑務官署の課長補佐又は困難な業務を分掌する係の長の職務 ４　入国管理官署の統括入国警備官又は相当困難な業務を処理する上席入国警備専門官の職務 ５　特定の分野についての特に高度の専門的な知識又は経験を必要とする業務を独立して行う専門官の職務
５　　級	１　警察庁の本庁の特に困難な業務を分掌する係の長の職務 ２　皇宮警察本部又は管区警察局の相当困難な業務を処理する課長補佐の職務 ３　刑務官署の課長又は困難な業務を処理する課長補佐の職務 ４　入国管理官署の相当困難な業務を処理する統括入国警備官の職務
６　　級	１　警察庁の本庁の課長補佐の職務 ２　皇宮警察本部又は管区警察局の困難な業務を処理する課長補佐の職務 ３　刑務官署の困難な業務を所掌する課の長の職務 ４　入国管理官署の首席入国警備官又は困難な業務を処理する統括入国警備官の職務
７　　級	１　警察庁の本庁の困難な業務を処理する課長補佐の職務 ２　皇宮警察本部又は管区警察局の相当困難な業務を所掌する課の長の職務 ３　皇宮護衛署の長の職務 ４　刑務官署の部長又は特に困難な業務を所掌する課の長の職務 ５　入国管理官署の困難な業務を所掌する首席入国警備官の職務
８　　級	１　警察庁の本庁の室長の職務 ２　皇宮警察本部又は管区警察局の特に困難な業務を所掌する課の長の職務 ３　道府県警察本部の相当困難な業務を所掌する部の長の職務 ４　規模の大きい皇宮護衛署又は警察署の長の職務 ５　刑務官署の長又は困難な業務を所掌する部の長の職務 ６　地方出入国在留管理局の警備監理官の職務
９　　級	１　警察庁の本庁の困難な業務を所掌する室の長の職務 ２　皇宮警察本部又は管区警察局の部長の職務 ３　道府県警察本部の特に困難な業務を所掌する部の長の職務 ４　市警察部又は特に規模の大きい警察署の長の職務 ５　規模の大きい刑務官署の長の職務

10　級	1　管区警察局の特に重要な業務を所掌する部の長の職務 2　道府県警察本部長の職務 3　極めて規模の大きい警察署の長の職務 4　極めて規模の大きい刑務所又は拘置所の長の職務
11　級	1　管区警察局の極めて重要な業務を所掌する部の長の職務 2　規模の大きい道府県警察本部の長の職務

本表―平31・４・１施行

ヘ　公安職俸給表㈡級別標準職務表

職務の級	標準的な職務
1　級	定型的な業務を行う職務
2　級	1　公安調査庁の相当困難な業務を処理する公安調査官の職務 2　海上保安庁の内部部局（以下「海上保安庁の本庁」という。）、管区海上保安本部（事務所を除く。以下同じ。）又は海上保安部の専門員の職務 3　地方検察庁の主任捜査官の職務 4　中型巡視船、小型巡視船又は大型巡視艇の主任航海士、主任機関士、主任通信士、主任主計士又は主任砲術士（以下「主任航海士等」という。）の職務 5　相当困難な業務を処理する航海士、機関士、通信士、主計士又は砲術士（以下この表において「航海士等」という。）の職務 6　特に高度の知識又は経験を必要とする業務を行う職務
3　級	1　最高検察庁、高等検察庁又は地方検察庁の係長の職務 2　公安調査庁の上席公安調査官又は困難な業務を処理する公安調査官の職務 3　海上保安庁の本庁、管区海上保安本部又は海上保安部の係長又は困難な業務を処理する専門員の職務 4　地方検察庁の相当困難な業務を処理する主任捜査官の職務 5　少年院又は少年鑑別所の相当困難な業務を分掌する係の長の職務 6　大型巡視船の相当困難な業務を処理する主任航海士等又は困難な業務を処理する航海士等の職務 7　中型巡視船の首席航海士、首席機関士、首席通信士、首席主計士若しくは首席砲術士（以下「首席航海士等」という。）又は困難な業務を処理する主任航海士等の職務 8　小型巡視船の航海長、首席機関士、通信長、主計長若しくは砲術長（以下「航海長等」という。）又は困難な業務を処理する主任航海士等の職務 9　大型巡視艇の船長若しくは機関長又は困難な業務を処理する主任航海士等の職務 10　中小型巡視艇の相当困難な業務を処理する船長又は機関長の職務 11　特定の分野についての特に高度の専門的な知識又は経験を必要とする業務を独立して行う専門官の職務
4　級	1　最高検察庁又は海上保安庁の本庁の困難な業務を分掌する係の長の職務 2　公安調査庁の困難な業務を処理する上席公安調査官の職務 3　高等検察庁又は管区海上保安本部の課長補佐又は困難な業務を分掌する係の長の職務 4　公安調査局の統括調査官の職務 5　地方検察庁又は海上保安部の特に困難な業務を分掌する係の長の職務 6　地方検察庁の統括捜査官又は特に困難な業務を処理する主任捜査官の職務 7　少年院又は少年鑑別所の課長の職務 8　大型巡視船の首席航海士等又は特に困難な業務を処理する主任航海士等の職務 9　中型巡視船の航海長、機関長、通信長、主計長若しくは砲術長（以下「各科長」という。）又は困難な業務を処理する首席航海士等の職務 10　小型巡視船の船長若しくは機関長又は困難な業務を処理する航海長等の職務 11　大型巡視艇の困難な業務を処理する船長又は機関長の職務 12　中小型巡視艇の特に困難な業務を処理する船長又は機関長の職務
5　級	1　最高検察庁、公安調査庁の内部部局（以下「公安調査庁の本庁」という。）又は海上保安庁の本庁の課長補佐の職務 2　高等検察庁又は管区海上保安本部の困難な業務を処理する課長補佐の職務

	3　公安調査局の困難な業務を処理する統括調査官の職務 4　地方検察庁若しくは海上保安部の課長又は少年院若しくは少年鑑別所の困難な業務を所掌する課の長の職務 5　地方検察庁の困難な業務を処理する統括捜査官の職務 6　公安調査事務所の首席調査官の職務 7　海上保安署の長の職務 8　大型巡視船の相当困難な業務を処理する首席航海士等の職務 9　中型巡視船の相当困難な業務を処理する各科長の職務 10　小型巡視船の相当困難な業務を処理する船長又は機関長の職務
6　級	1　最高検察庁、公安調査庁の本庁又は海上保安庁の本庁の困難な業務を処理する課長補佐の職務 2　高等検察庁又は管区海上保安本部の課長の職務 3　公安調査局の首席調査官の職務 4　地方検察庁又は海上保安部の困難な業務を所掌する課の長の職務 5　地方検察庁の首席捜査官又は特に困難な業務を処理する統括捜査官の職務 6　公安調査事務所の困難な業務を処理する首席調査官の職務 7　少年院、少年鑑別所又は海上保安部の次長の職務 8　少年院又は少年鑑別所の特に困難な業務を所掌する課の長の職務 9　規模の大きい海上保安署の長の職務 10　大型巡視船の各科長又は困難な業務を処理する首席航海士等の職務 11　中型巡視船の船長若しくは業務管理官又は困難な業務を処理する各科長の職務 12　小型巡視船の困難な業務を処理する船長又は機関長の職務
7　級	1　高等検察庁又は管区海上保安本部の特に困難な業務を所掌する課の長の職務 2　公安調査局の特に困難な業務を所掌する首席調査官の職務 3　地方検察庁事務局、公安調査事務所、少年院、少年鑑別所又は海上保安部の長の職務 4　地方検察庁の困難な業務を処理する首席捜査官の職務 5　少年院、少年鑑別所又は海上保安部の困難な業務を処理する次長の職務 6　特に規模の大きい海上保安署の長の職務 7　大型巡視船の船長若しくは業務管理官又は困難な業務を処理する各科長の職務 8　中型巡視船の困難な業務を処理する船長又は業務管理官の職務
8　級	1　最高検察庁の課長の職務 2　特に規模の大きい地方検察庁事務局、公安調査事務所、少年院、少年鑑別所又は海上保安部の長の職務 3　地方検察庁の特に困難な業務を処理する首席捜査官の職務 4　大型巡視船の困難な業務を処理する船長又は業務管理官の職務
9　級	1　相当の規模を有する高等検察庁事務局の長の職務 2　極めて規模の大きい地方検察庁事務局、公安調査事務所、少年院、少年鑑別所又は海上保安部の長の職務 3　大型巡視船の特に困難な業務を処理する船長又は業務管理官の職務
10　級	特に規模の大きい高等検察庁事務局の長の職務

備考

1　この表において「大型巡視船」とは、新総トン数（船舶のトン数の測度に関する法律（昭和55年法律第40号）第５条の規定によるものをいう。以下この表において同じ。）400トン以上又は旧総トン数（同法附則第３条第１項本文の規定によるものをいう。以下この表において同じ。）600トン以上の巡視船をいう。

2　この表において「中型巡視船」とは、新総トン数150トン以上400トン未満又は旧総トン数200トン以上600トン未満の巡視船をいう。

3　この表において「小型巡視船」とは、新総トン数150トン未満又は旧総トン数200トン未満の巡視船をいう。

4　この表において「大型巡視艇」とは、艇長20メートル以上の巡視艇をいう。

5　この表において「中小型巡視艇」とは、艇長20メートル未満の巡視艇をいう。

本表―平22・４・１施行

ト　海事職俸給表(一)級別標準職務表

職務の級	標準的な職務
1　級	大型船舶（一種）、大型船舶（二種）、大型船舶（三種）、中型船舶（一種）又は中型船舶（二種）の定型的な業務を行う航海士、機関士若しくは通信士（以下「航海士等」という。）又は事務員の職務
2　級	大型船舶（一種）、大型船舶（二種）、大型船舶（三種）、中型船舶（一種）又は中型船舶（二種）の相当高度の知識又は経験を必要とする業務を行う航海士等又は事務員の職務
3　級	1　大型船舶（一種）又は大型船舶（二種）の二等航海士、二等機関士若しくは二等通信士（以下「二等航海士等」という。）又は困難な業務を処理する航海士等若しくは事務員の職務 2　大型船舶（三種）の二等航海士等、事務長又は困難な業務を処理する航海士等若しくは事務員の職務 3　中型船舶（一種）の一等航海士、一等機関士若しくは通信長（以下「一等航海士等」という。）、事務長又は困難な業務を処理する航海士等の職務 4　中型船舶（二種）の船長若しくは機関長、相当困難な業務を処理する一等航海士等又は困難な業務を処理する航海士等の職務
4　級	1　大型船舶（一種）の事務長又は困難な業務を処理する二等航海士等の職務 2　大型船舶（二種）の一等航海士等、事務長又は困難な業務を処理する二等航海士等の職務 3　大型船舶（三種）の一等航海士等、困難な業務を処理する事務長又は特に困難な業務を処理する二等航海士等の職務 4　中型船舶（一種）の船長若しくは機関長又は困難な業務を処理する一等航海士等の職務 5　中型船舶（二種）の相当困難な業務を処理する船長又は機関長の職務
5　級	1　大型船舶（一種）の一等航海士等又は困難な業務を処理する事務長の職務 2　大型船舶（二種）又は大型船舶（三種）の困難な業務を処理する一等航海士等の職務 3　中型船舶（一種）の困難な業務を処理する船長又は機関長の職務
6　級	1　大型船舶（一種）の船長若しくは機関長又は困難な業務を処理する一等航海士等の職務 2　大型船舶（二種）の船長又は機関長の職務 3　大型船舶（三種）の相当困難な業務を処理する船長又は機関長の職務
7　級	大型船舶（一種）の困難な業務を処理する船長又は機関長の職務

備考

1　この表において「大型船舶（一種）」とは、遠洋区域を航行区域とする総トン数（国際トン数証書又は国際トン数確認書の交付を受けている船舶にあつては、国際総トン数。以下同じ。）2,500トン以上の船舶をいう。

2　この表において「大型船舶（二種）」とは、遠洋区域を航行区域とする総トン数1,600トン以上2,500トン未満の船舶をいう。

3　この表において「大型船舶（三種）」とは、遠洋区域を航行区域とする総トン数500トン以上1,600トン未満の船舶又は近海区域を航行区域とする総トン数1,600トン以上の船舶をいう。

4　この表において「中型船舶（一種）」とは、遠洋区域を航行区域とする総トン数20トン以上500トン未満の船舶又は近海区域を航行区域とする総トン数200トン以上1,600トン未満の船舶をいう。

5　この表において「中型船舶（二種）」とは、近海区域を航行区域とする総トン数20トン以上200トン未満の船舶をいう。

6　船舶職員及び小型船舶操縦者法施行令（昭和58年政令第13号）の規定による「甲区域」内において従業する漁船は、遠洋区域を航行区域とする船舶として、同令の規定による「乙区域」内において従業する漁船は、近海区域を航行区域とする船舶として取り扱うものとする。

本表―平15・6・1施行

チ　海事職俸給表㈡級別標準職務表

職務の級	標準的な職務
1　級	船舶の乗組員の職務
2　級	相当の技能又は経験を必要とする船舶の乗組員の職務
3　級	1　中型船舶の各次長の職務 2　小型船舶の各長の職務 3　高度の技能又は経験を必要とする船舶の乗組員の職務
4　級	1　大型船舶の各次長の職務 2　中型船舶の各長又は困難な業務を処理する各次長の職務 3　小型船舶の船長若しくは機関長又は困難な業務を処理する各長の職務
5　級	1　大型船舶の各長又は困難な業務を処理する各次長の職務 2　中型船舶の困難な業務を処理する各長の職務 3　小型船舶の困難な業務を処理する船長又は機関長の職務
6　級	大型船舶の困難な業務を処理する各長の職務

備考

1　この表において「大型船舶」とは、遠洋区域を航行区域とする総トン数500トン以上の船舶又は近海区域を航行区域とする総トン数1,600トン以上の船舶をいう。

2　この表において「中型船舶」とは、遠洋区域を航行区域とする総トン数500トン未満の船舶又は近海区域を航行区域とする総トン数20トン以上1,600トン未満の船舶をいう。

3　この表において「小型船舶」とは、近海区域を航行区域とする総トン数20トン未満の船舶又は沿海区域若しくは平水区域を航行区域とする船舶をいう。

4　この表において「各長」とは、甲板長、操機長又は司ちゆう長を、「各次長」とは、甲板次長、操機次長又は司ちゆう次長を、「乗組員」とは、操だ手、甲板員、操機手、機関員、司ちゆう手又は司ちゆう員をいう。

5　船舶職員及び小型船舶操縦者法施行令の規定による「甲区域」内において従業する漁船は、遠洋区域を航行区域とする船舶として、同令の規定による「乙区域」内において従業する漁船は、近海区域を航行区域とする船舶として、同令の規定による「丙区域」内において従業する漁船は、沿海区域を航行区域とする船舶として取り扱うものとする。

本表—平15・6・1施行

リ　教育職俸給表㈠級別標準職務表

職務の級	標準的な職務
1　級	気象大学校又は海上保安大学校（以下「大学に準ずる教育施設」という。）の助教の職務
2　級	大学に準ずる教育施設の講師の職務
3　級	大学に準ずる教育施設の准教授の職務
4　級	大学に準ずる教育施設の教授の職務
5　級	大学に準ずる教育施設の困難な業務を処理する副校長の職務

本表—平22・4・1施行

ヌ　教育職俸給表㈡級別標準職務表

職務の級	標準的な職務
1　級	専修学校において教育の補助を行う職務
2　級	専修学校において教育を行う職務
3　級	専修学校において当該専修学校における教育全般についての統括、調整等を行う職務

本表—平16・10・28施行

ル 研究職俸給表級別標準職務表

職務の級	標準的な職務
1　級	上級の研究員の指揮監督の下に補助的研究を行う研究補助員の職務
2　級	1　相当高度の知識経験に基づき困難な研究を独立して、又は指導して行う研究員の職務 2　相当高度の知識経験に基づき独立して、又は上級の研究員の概括的な指導の下に研究を行う研究員の職務
3　級	1　高度の知識経験に基づき相当の範囲にわたる研究の調整、指導等を行う職務 2　高度の知識経験に基づき困難な研究を独立して行う研究員の職務
4　級	1　特に高度の知識経験に基づき相当の範囲にわたる研究の調整、指導等を行う職務 2　特に高度の知識経験に基づき困難な研究を独立して行う研究員の職務
5　級	1　試験所又は研究所の長の職務 2　極めて高度の知識経験に基づき広範囲にわたる研究の統括、調整等を行う職務 3　極めて高度の知識経験に基づき特に困難な研究を独立して行う研究員の職務
6　級	相当の規模を有する試験所又は研究所の長の職務

本表—平18・4・1施行

ヲ 医療職俸給表㈠級別標準職務表

職務の級	標準的な職務
1　級	医療業務を行う職務
2　級	1　病院又は療養所（以下「医療機関」という。）の診療科長の職務 2　相当高度の知識経験に基づき困難な医療業務を行う職務
3　級	1　医療機関の副院長（副所長を含む。以下同じ。）の職務 2　医療機関の困難な業務を処理する診療科長の職務 3　高度の知識経験に基づき困難な医療業務を行う職務
4　級	1　医療機関の長又は医療機関の困難な業務を処理する副院長の職務 2　極めて高度の知識経験に基づき特に困難な医療業務を行う職務
5　級	規模の大きい医療機関の長の職務

本表—平18・4・1施行

ワ 医療職俸給表㈡級別標準職務表

職務の級	標準的な職務
1　級	1　栄養士の職務 2　診療放射線技師の職務 3　臨床検査技師の職務 4　理学療法士又は作業療法士の職務 5　歯科衛生士、歯科技工士又はあん摩マツサージ指圧師（以下「歯科衛生士等」という。）の職務
2　級	1　薬剤師の職務 2　困難な業務を行う栄養士、診療放射線技師、臨床検査技師、理学療法士、作業療法士又は歯科衛生士等の職務
3　級	1　困難な業務を行う薬剤師の職務 2　医療機関の困難な業務を行う主任栄養士、主任診療放射線技師、主任臨床検査技師、主任理学療法士、主任作業療法士、主任歯科衛生士、主任歯科技工士又は主任あん摩マツサージ指圧師の職務
4　級	1　医療機関の薬剤部又は薬剤科（以下「薬局」という。）の相当困難な業務を行う主任薬剤師の職務

	2　医療機関の相当困難な業務を行う栄養管理室長、診療放射線技師長、臨床検査技師長、理学療法士長又は作業療法士長の職務 3　医療機関の特に困難な業務を行う主任栄養士、主任診療放射線技師、主任臨床検査技師、主任理学療法士又は主任作業療法士の職務
5　　級	1　薬局の長の職務 2　薬局の困難な業務を行う主任薬剤師の職務 3　医療機関の困難な業務を行う栄養管理室長、診療放射線技師長、臨床検査技師長、理学療法士長又は作業療法士長の職務
6　　級	1　相当の規模を有する薬局の長の職務 2　医療機関の特に困難な業務を行う栄養管理室長、診療放射線技師長又は臨床検査技師長の職務
7　　級	規模の大きい薬局の長の職務
8　　級	特に規模の大きい薬局の長の職務

本表―平16・10・28施行

カ　医療職俸給表㈢級別標準職務表

職務の級	標　　準　　的　　な　　職　　務
1　　級	准看護師の職務
2　　級	1　看護師の職務 2　保健師又は助産師の職務
3　　級	1　医療機関の副看護師長の職務 2　特に高度の知識経験に基づき困難な業務を処理する看護師の職務
4　　級	医療機関の相当困難な業務を処理する看護師長の職務
5　　級	医療機関の総看護師長若しくは看護部長又は困難な業務を処理する副総看護師長若しくは副看護部長の職務
6　　級	特に規模の大きい医療機関の総看護師長又は看護部長の職務
7　　級	極めて規模の大きい医療機関の看護部長の職務

本表―令５・４・１施行

ヨ　福祉職俸給表級別標準職務表

職務の級	標　　準　　的　　な　　職　　務
1　　級	生活支援員、児童指導員、保育士又は介護員の職務
2　　級	1　相当困難な業務を行う生活支援専門職又は困難な業務を行う介護員長の職務 2　相当困難な業務を行う主任児童指導員又は主任保育士の職務
3　　級	1　困難な業務を行う生活支援専門職の職務 2　特に困難な業務を行う主任児童指導員又は主任保育士の職務 3　児童福祉施設の相当困難な業務を行う寮長の職務
4　　級	1　障害者支援施設又は児童福祉施設（以下「障害者支援施設等」という。）の課長の職務 2　困難な業務を行う主任生活支援専門職の職務 3　児童福祉施設の困難な業務を行う寮長の職務
5　　級	障害者支援施設等の困難な業務を所掌する課の長の職務
6　　級	障害者支援施設等の特に困難な業務を所掌する課の長の職務

本表―平18・10・１施行

タ 専門スタッフ職俸給表級別標準職務表

職務の級	標準的な職務
1級	行政の特定の分野における高度の専門的な知識経験に基づく調査、研究、情報の分析等を行うことにより、政策の企画及び立案等を支援する業務を行う職務
2級	行政の特定の分野における特に高度の専門的な知識経験に基づく困難な調査、研究、情報の分析等を行うことにより、重要な政策の企画及び立案等を支援する業務を行う職務
3級	行政の特定の分野における特に高度の専門的な知識経験に基づく特に困難な調査、研究、情報の分析等を行うことにより、特に重要な政策の企画及び立案等を支援する業務を行う職務
4級	行政の特定の分野における極めて高度の専門的な知識経験に基づく極めて困難な調査、研究、情報の分析等を行うことにより、極めて重要な政策の企画及び立案等を支援する業務を行う職務

本表—平29・4・1施行

レ 指定職俸給表号俸別標準職務表

号俸	標準的な職務
1号俸	特に重要な業務を所掌する管区機関の長の職務
2号俸	本省の部長の職務
3号俸	本省の重要な業務を所掌する部の長の職務
4号俸	本省の局長の職務
5号俸	本省の重要な業務を所掌する局の長の職務
6号俸	外局の長官の職務
7号俸	特に規模の大きい外局の長官の職務
8号俸	事務次官の職務

備考
1 この表において「本省」とは、府、省又は外局の内部部局をいう。
2 この表において「外局」とは、外局として置かれる庁をいう。
3 この表において「管区機関」とは、数府県の地域を管轄区域とする相当の規模を有する地方支分部局をいう。

本表—平26・5・30施行

別表第二 初任給基準表（第十一条、第十二条関係）

イ 行政職俸給表㈠初任給基準表

職種	試験		学歴免許等	初任給
一般	採用試験	総合職（院卒）		2級11号俸
		総合職（大卒）		2級1号俸
		一般職（大卒）		1級25号俸
		一般職（高卒）		1級5号俸
		専門職（大卒一群）		1級26号俸
		専門職（大卒二群）		1級25号俸
		専門職（高卒）		1級5号俸
	その他		高校卒	1級1号俸

無線従事者		第１級総合無線通信士 第１級海上無線通信士 第１級陸上無線技術士	１級25号俸
		第２級総合無線通信士 第２級海上無線通信士 第２級陸上無線技術士 第１級陸上特殊無線技士	１級９号俸
		航空無線通信士	１級５号俸
		第３級総合無線通信士 第３級海上無線通信士 国内電信級陸上特殊無線技士 第４級海上無線通信士 第１級海上特殊無線技士 その他の資格	１級１号俸

本表—平24・２・１施行

備考

１　職種欄の「無線従事者」の区分は、電波法（昭和25年法律第131号）に規定する無線従事者の資格を有し、無線設備の操作若しくはその監督又は電波監視の業務に従事する職員（以下「無線従事者」という。）に適用する。

２　職種欄の「無線従事者」の区分に対応する学歴免許等欄の「その他の資格」は、電波法施行令（平成13年政令第245号）に定める海上特殊無線技士、航空特殊無線技士及び陸上特殊無線技士の資格のうち、第１級陸上特殊無線技士、国内電信級陸上特殊無線技士及び第１級海上特殊無線技士以外のものを示す。

３　無線従事者の経験年数は、その資格（その資格が電波法の一部を改正する法律（平成元年法律第67号）附則第２条第１項の規定により免許を受けたものとみなされた資格である場合にあつては、当該資格に対応する同項に規定する旧資格）を取得した時以後のものとする。ただし、人事院が別段の定めをした場合は、その定めるところによる。

４　次に掲げる者にこの表又は第６項の表を適用する場合における初任給欄の号俸は、人事院が別に定める。

一　航空保安大学校本科、気象大学校大学部、海上保安大学校本科又は海上保安学校本科の学生

二　航空保安大学校本科、気象大学校大学部、海上保安大学校本科又は海上保安学校本科の卒業者のうち、人事院が定める者

三　薬剤師その他特別の免許を有する者及び特殊の知識、技術又は経験を有する者のうち、人事院が定める者

５　試験欄の「総合職（院卒）」又は「総合職（大卒）」の区分の適用を受ける者のうち、博士課程修了、修士課程修了、専門職学位課程修了又は大学６卒の学歴免許等の資格を有する者でその専門的な知識、技術又は経験を必要とする官職に採用されるものについては、この表の初任給欄の号俸が、博士課程修了（大学６卒後のものに限る。）にあつては「２級31号俸」と、博士課程修了（大学６卒後のものを除く。）にあつては「２級26号俸」と、修士課程修了、専門職学位課程修了又は大学６卒にあつては「２級11号俸」と定められているものとして取り扱うことができる。

６　平成24年２月１日前に告知された採用試験の結果に基づいて職員となつた者には、次の表を適用する。

試験		学歴免許等	初任給
採用試験	Ⅰ種		２級１号俸
	Ⅱ種		１級25号俸
	Ⅲ種		１級５号俸
	Ａ種		１級26号俸
	Ｂ種		１級15号俸

7　前項の表の試験欄の「Ⅰ種」の区分の適用を受ける者のうち、博士課程修了、修士課程修了、専門職学位課程修了又は大学６卒の学歴免許等の資格を有する者でその専門的な知識、技術又は経験を必要とする官職に採用されるものについては、同表の初任給欄の号俸が、博士課程修了（大学６卒後のものに限る。）にあつては「２級31号俸」と、博士課程修了（大学６卒後のものを除く。）にあつては「２級26号俸」と、修士課程修了、専門職学位課程修了又は大学６卒にあつては「２級11号俸」と定められているものとして取り扱うことができる。

8　第５項又は前項の規定の適用を受ける職員については、第14条の規定は適用しないものとし、これらの職員に第15条第１項第１号の規定を適用する場合には、第５項又は前項の規定の適用に際して用いられる学歴免許等の資格を取得した時以後の経験年数をもつて、同号の経験年数とする。

備考―令５・４・１施行

ロ　行政職俸給表㈡初任給基準表

職種	学歴免許等	初任給
技能職員	高校卒	１級１号俸
労務職員（甲）		１級１号俸から１級33号俸まで
労務職員（乙）		１級１号俸から１級13号俸まで

本表―令７・４・１施行

備考

1　職種欄の各区分は、その区分に応じて次の各号に掲げる者に適用する。

一　技能職員

⑴　電話交換手

⑵　湖、川若しくは港のみを航行する船舶、しゆんせつ船等の作業船、総トン数30トン未満の漁船、総トン数５トン未満の船舶その他これらに準ずる船舶に乗り組む者

⑶　機械工作工、電工（⑹に掲げる者を除く。）、大工、印刷工、製図工、ガラス工等物の製作、修理、加工等の業務に従事する者

⑷　理容師、美容師、調理師等家政的業務に従事する者

⑸　自動車運転手

⑹　建設機械操作手、ボイラー技士、電工（電気事業法（昭和39年法律第170号）に規定する自家用電気工作物の工事、維持及び運用に関する保安の監督を行う者に限る。）、溶接工等機器の運転、操作、保守等の業務に従事する者でその就業に必要な免許等の資格を有するもの

⑺　上記の⑵から⑹までに掲げる者の業務に準ずる技能的業務に従事する者

二　労務職員（甲）　守衛、巡視等監視、警備等の業務に従事する者

三　労務職員（乙）　用務員、労務作業員等庁務又は労務に従事する者

2　次に掲げる者でその者の有する学歴免許等の資格が学歴免許等資格区分表の「高校卒」の区分に達しないものに対するこの表の学歴免許等欄の学歴免許等の区分の適用については、その者の学歴免許等の資格にかかわらず、「高校卒」の区分による。

一　前項第１号の⑵に掲げる者のうち船舶職員及び小型船舶操縦者法（昭和26年法律第149号）に規定する船舶職員又は小型船舶操縦者として必要な資格を有する者

二　前項第１号の⑸に掲げる者

三　前項第１号の⑹に掲げる者

3　前項各号に掲げる者の経験年数は、それぞれその免許等の資格を取得した時以後のものとする。ただし、人事院が別段の定めをした場合は、その定めるところによる。

4　職種欄の「労務職員（甲）」又は「労務職員（乙）」の区分の適用を受ける職員に対する第12条の規定の適用については、この表の初任給欄の号俸の範囲内で部内の他の職員との均衡を考慮して定める号俸が、同欄の号俸として定められているものとして取り扱うものとする。この場合において、次の表の経験年数欄に掲げる経験年数を有する職員（次項に規定する職員を除く。）については、その者の有する経験年数に応じ、この表の初任給欄の号俸をそれぞれ次の表に定める号俸に読み替えることができる。

職　種	経験年数	初任給
労務職員（甲）	11年以上20年未満	１級37号俸から１級57号俸まで
	20年以上	１級61号俸から１級65号俸まで
労務職員（乙）	８年以上14年未満	１級17号俸から１級29号俸まで
	14年以上	１級33号俸から１級41号俸まで

注

経験年数欄の経験年数は、学歴免許等資格区分表に定める「中学卒」の区分に属する学歴免許等の資格を取得した時以後のものとする。

５　職種欄の「労務職員（乙）」の区分の適用を受ける職員のうち、採用困難な職務に従事する職員については、この表の初任給欄の号俸が「１級１号俸から１級17号俸まで」と定められているものとして取り扱うものとする。ただし、次の表の経験年数欄に掲げる経験年数を有する職員については、その者の有する経験年数に応じ、この表の初任給欄の号俸をそれぞれ次の表に定める号俸に読み替えることができる。

職　種	経験年数	初任給
労務職員（乙）	９年以上18年未満	１級21号俸から１級41号俸まで
	18年以上	１級45号俸から１級53号俸まで

注

経験年数欄の経験年数は、学歴免許等資格区分表に定める「中学卒」の区分に属する学歴免許等の資格を取得した時以後のものとする。

６　第１項第１号の(2)から(7)までに掲げる者のうち、新たに職員となつた者でその職務の級を１級に決定された「高校卒」の区分に属する学歴免許等の資格を有するものに対する第12条の規定の適用については、１級１号俸から１級13号俸までの範囲内で部内の他の職員との均衡を考慮して定める号俸が、この表の初任給欄の号俸として定められているものとして取り扱うことができる。

７　前項の規定の適用を受けた職員については、第14条の規定は適用しないものとし、これらの職員に第15条第１項の規定を適用する場合には、同項中「５年を超える経験年数」とあるのは「２年を超える経験年数」と、同項第３号中「経験年数」とあるのは「経験年数から３年を減じた経験年数」とする。

８　この表の学歴免許等欄の学歴免許等の区分の適用については、職員の有する最も新しい学歴免許等の資格によるものとする。

備考―令７・４・１施行

ハ　専門行政職俸給表初任給基準表

試験		学歴免許等	初任給
採用試験	総合職（院卒）		１級27号俸
	総合職（大卒）		１級17号俸
	一般職（大卒）		１級９号俸
	専門職（大卒二群）		１級９号俸

本表―平24・２・１施行

備考

１　電波法に規定する無線従事者の資格を有し、航空通信施設等の運用、保守等の業務に従事する職員（以下「航空無線従事者」という。）にこの表又は第６項の表を適用する場合における初任給欄の号俸は、人事院が別に定める。

２　航空無線従事者の経験年数は、その資格（その資格が電波法の一部を改正する法律附則第２条第１項の規定により免許を受けたものとみなされた資格である場合にあつては、当該資格に対応する同項に規定する旧資格）を取得した時以後のものとする。ただし、人事院が別段の定めをした場合は、その定めるところによる。

３　航空保安大学校本科の卒業者にこの表又は第６項の表を適用する場合における初任給欄の号俸は、人事院が別に定める。

4 前項に規定する者で職務の級を１級に決定されたものに第15条第１項の規定を適用する場合には、同項第３号に定める経験年数から0.5年を減じた期間をもつて、同号の経験年数とする。

5 試験欄の「総合職（院卒）」又は「総合職（大卒）」の区分の適用を受ける者のうち、博士課程修了、修士課程修了、専門職学位課程修了又は大学６卒の学歴免許等の資格を有する者でその専門的な知識、技術又は経験を必要とする官職に採用されるものについては、この表の初任給欄の号俸が、博士課程修了（大学６卒後のものに限る。）にあつては「１級47号俸」と、博士課程修了（大学６卒後のものを除く。）にあつては「１級42号俸」と、修士課程修了、専門職学位課程修了又は大学６卒にあつては「１級27号俸」と定められているものとして取り扱うことができる。

6 平成24年２月１日前に告知された採用試験の結果に基づいて職員となつた者には、次の表を適用する。

試験		学歴免許等	初任給
採用試験	Ⅰ種		１級 17 号俸
	Ⅱ種		１級 9 号俸

7 前項の表の試験欄の「Ⅰ種」の区分の適用を受ける者のうち、博士課程修了、修士課程修了、専門職学位課程修了又は大学６卒の学歴免許等の資格を有する者でその専門的な知識、技術又は経験を必要とする官職に採用されるものについては、同表の初任給欄の号俸が、博士課程修了（大学６卒後のものに限る。）にあつては「１級47号俸」と、博士課程修了（大学６卒後のものを除く。）にあつては「１級42号俸」と、修士課程修了、専門職学位課程修了又は大学６卒にあつては「１級27号俸」と定められているものとして取り扱うことができる。

8 第５項又は前項の規定の適用を受ける職員については、第14条の規定は適用しないものとし、これらの職員に第15条第１項第１号の規定を適用する場合には、第５項又は前項の規定の適用に際して用いられる学歴免許等の資格を取得した時以後の経験年数をもつて、同号の経験年数とする。

備考―令５・４・１施行

二 税務職俸給表初任給基準表

試験		学歴免許等	初任給
採用試験	総合職（院卒）		２級 11 号俸
	総合職（大卒）		２級 1 号俸
	一般職（大卒）		１級 21 号俸
	一般職（高卒）		１級 1 号俸
	専門職（大卒一群）		１級 22 号俸
	専門職（大卒二群）		１級 21 号俸
	専門職（高卒）		１級 1 号俸

本表―平24・２・１施行

備考

1 税務大学校普通科の卒業者にこの表又は第３項の表を適用する場合における初任給欄の号俸は、人事院が別に定める。

2 試験欄の「総合職（院卒）」又は「総合職（大卒）」の区分の適用を受ける者のうち、博士課程修了、修士課程修了、専門職学位課程修了又は大学６卒の学歴免許等の資格を有する者でその専門的な知識、技術又は経験を必要とする官職に採用されるものについては、この表の初任給欄の号俸が、博士課程修了（大学６卒後のものに限る。）にあつては「２級31号俸」と、博士課程修了（大学６卒後のものを除く。）にあつては「２級26号俸」と、修士課程修了、専門職学位課程修了又は大学６卒にあつては「２級11号俸」と定められているものとして取り扱うことができる。

3 平成24年２月１日前に告知された採用試験の結果に基づいて職員となつた者には、次の表を適用する。

<table>
<tr><th colspan="2">試　　験</th><th>学　歴　免　許　等</th><th>初　任　給</th></tr>
<tr><td rowspan="5">採用試験</td><td>Ⅰ　種</td><td></td><td>2 級 1 号 俸</td></tr>
<tr><td>Ⅱ　種</td><td></td><td>1 級 21 号 俸</td></tr>
<tr><td>Ⅲ　種</td><td></td><td>1 級 1 号 俸</td></tr>
<tr><td>A　種</td><td></td><td>1 級 22 号 俸</td></tr>
<tr><td>B　種</td><td></td><td>1 級 11 号 俸</td></tr>
</table>

4　前項の表の試験欄の「Ⅰ種」の区分の適用を受ける者のうち、博士課程修了、修士課程修了、専門職学位課程修了又は大学６卒の学歴免許等の資格を有する者でその専門的な知識、技術又は経験を必要とする官職に採用されるものについては、同表の初任給欄の号俸が、博士課程修了（大学６卒後のものに限る。）にあつては「２級31号俸」と、博士課程修了（大学６卒後のものを除く。）にあつては「２級26号俸」と、修士課程修了、専門職学位課程修了又は大学６卒にあつては「２級11号俸」と定められているものとして取り扱うことができる。

5　第２項又は前項の規定の適用を受ける職員については、第14条の規定は適用しないものとし、これらの職員に第15条第１項第１号の規定を適用する場合には、第２項又は前項の規定の適用に際して用いられる学歴免許等の資格を取得した時以後の経験年数をもつて、同号の経験年数とする。

備考―令５・４・１施行

ホ　公安職俸給表㈠初任給基準表

<table>
<tr><th colspan="2">試　　験</th><th>学　歴　免　許　等</th><th>初　任　給</th></tr>
<tr><td rowspan="7">採用試験</td><td>総合職（院卒）</td><td></td><td>3 級 15 号 俸</td></tr>
<tr><td>総合職（大卒）</td><td></td><td>3 級 5 号 俸</td></tr>
<tr><td>一般職（大卒）</td><td></td><td>2 級 13 号 俸</td></tr>
<tr><td>一般職（高卒）</td><td></td><td>1 級 3 号 俸</td></tr>
<tr><td>専門職（大卒一群）</td><td></td><td>3 級 2 号 俸</td></tr>
<tr><td>専門職（大卒二群）</td><td></td><td>2 級 13 号 俸</td></tr>
<tr><td>専門職（高卒）</td><td></td><td>1 級 3 号 俸</td></tr>
</table>

本表―平24・２・１施行

備考

1　皇宮警察又は都道府県警察における採用時教養の修了者、刑務所等において教科の教育等に従事する法務教官等で特別の免許又は特殊の知識、技術若しくは経験を有するもののうち人事院が定めるものその他部内の他の職員との均衡上特に必要があると認められる者にこの表又は第５項の表を適用する場合における初任給欄の号俸は、人事院が別に定める。

2　試験欄の「総合職（院卒）」又は「総合職（大卒）」の区分の適用を受ける者のうち、博士課程修了、修士課程修了、専門職学位課程修了又は大学６卒の学歴免許等の資格を有する者でその専門的な知識、技術又は経験を必要とする官職に採用されるものについては、この表の初任給欄の号俸が、博士課程修了（大学６卒後のものに限る。）にあつては「３級35号俸」と、博士課程修了（大学６卒後のものを除く。）にあつては「３級30号俸」と、修士課程修了、専門職学位課程修了又は大学６卒にあつては「３級15号俸」と定められているものとして取り扱うことができる。

3　試験欄の「専門職（大卒二群）」の区分の適用を受ける者のうち、皇宮護衛官採用試験（大卒程度試験）の結果に基づいて職員となつた者については、この表の初任給欄が「１級21号俸」と定められているものとして取り扱うものとする。

4　試験欄の「専門職（大卒二群）」の区分の適用を受ける者のうち、法務省専門職員（人間科学）採用試験の矯正心理専門職Ａ又は矯正心理専門職Ｂの結果に基づいて職員となつた者で、刑務所等において資質の調査に関する職務に従事するもの（大学院において心理学を専攻し、修士課程修了以上の学歴免許等の資格を有するものに限る。）については、この表の初任給欄の号俸が「２級14号俸」と定められているものとして取り扱うものとする。

5　平成24年２月１日前に告知された採用試験の結果に基づいて職員となつた者には、次の表を適用する。

試験		学歴免許等	初任給
採用試験	Ⅰ種		3級5号俸
	Ⅱ種		2級13号俸
	Ⅲ種		1級3号俸
	A種		3級2号俸
	B種		2級3号俸

6　前項の表の試験欄の「Ⅰ種」の区分の適用を受ける者のうち、博士課程修了、修士課程修了、専門職学位課程修了又は大学６卒の学歴免許等の資格を有する者でその専門的な知識、技術又は経験を必要とする官職に採用されるものについては、同表の初任給欄の号俸が、博士課程修了（大学６卒後のものに限る。）にあつては「３級35号俸」と、博士課程修了（大学６卒後のものを除く。）にあつては「３級30号俸」と、修士課程修了、専門職学位課程修了又は大学６卒にあつては「３級15号俸」と定められているものとして取り扱うことができる。

7　第２項又は前項の規定の適用を受ける職員については、第14条の規定は適用しないものとし、これらの職員に第15条第１項第１号の規定を適用する場合には、第２項又は前項の規定の適用に際して用いられる学歴免許等の資格を取得した時以後の経験年数をもつて、同号の経験年数とする。

備考―令５・４・１施行

ヘ　公安職俸給表㈡初任給基準表

職種	試験		学歴免許等	初任給
一般	採用試験	総合職（院卒）		2級11号俸
		総合職（大卒）		2級1号俸
		一般職（大卒）		1級21号俸
		一般職（高卒）		1級1号俸
		専門職（大卒一群）		1級22号俸
		専門職（大卒二群）		1級21号俸
		専門職（高卒）		1級1号俸
船員 通信員 航空員			高校卒	1級1号俸
海上保安官			海上保安大学校専攻科修了	1級24号俸
			海上保安学校本科の修業年限２年の課程卒	1級11号俸
			海上保安学校本科の修業年限１年の課程卒	1級7号俸

本表―平24・２・１施行

備考

1　職種欄の「海上保安官」の区分は、当該区分に対応する学歴免許等欄の学歴免許等の資格を有する者に適用する。

2　少年院等において教科の教育等に従事する法務教官並びに海上保安庁の通信員及び航空員で、特別の免許又は特殊の知識、技術若しくは経験を有するもののうち、人事院が定めるものにこの表又は第５項の表を適用する場合における初任給欄の号俸は、人事院が別に定める。

3　試験欄の「総合職（院卒）」又は「総合職（大卒）」の区分の適用を受ける者のうち、博士課程修了、修士課程修了、専門職学位課程修了又は大学６卒の学歴免許等の資格を有する者でその専門的な知識、技術又は経験を必要とする官職に採用されるものについては、この表の初任給欄の号俸が、博士課程修了（大学６卒後のものに限る。）にあつては「２級31号俸」と、博士課程修了（大学６卒後のものを除く。）にあつては「２級26号俸」と、修士課程修了、専門職学位課程修了又は大学６卒にあつては「２級11号俸」と定められているものとして取り扱うことができる。

4 試験欄の「専門職（大卒二群）」の区分の適用を受ける者のうち、法務省専門職員（人間科学）採用試験の矯正心理専門職A又は矯正心理専門職Bの結果に基づいて職員となつた者で、少年鑑別所において資質の鑑別に関する職務に従事するもの（大学院において心理学を専攻し、修士課程修了以上の学歴免許等の資格を有するものに限る。）については、この表の初任給欄の号俸が「1級22号俸」と定められているものとして取り扱うものとする。

5 平成24年2月1日前に告知された採用試験の結果に基づいて職員となつた者には、次の表を適用する。

試験		学歴免許等	初任給
採用試験	Ⅰ種		2級1号俸
	Ⅱ種		1級21号俸
	Ⅲ種		1級1号俸
	A種		1級22号俸
	B種		1級11号俸

6 前項の表の試験欄の「Ⅰ種」の区分の適用を受ける者のうち、博士課程修了、修士課程修了、専門職学位課程修了又は大学6卒の学歴免許等の資格を有する者でその専門的な知識、技術又は経験を必要とする官職に採用されるものについては、同表の初任給欄の号俸が、博士課程修了（大学6卒後のものに限る。）にあつては「2級31号俸」と、博士課程修了（大学6卒後のものを除く。）にあつては「2級26号俸」と、修士課程修了、専門職学位課程修了又は大学6卒にあつては「2級11号俸」と定められているものとして取り扱うことができる。

7 第3項又は前項の規定の適用を受ける職員については、第14条の規定は適用しないものとし、これらの職員に第15条第1項第1号の規定を適用する場合には、第3項又は前項の規定の適用に際して用いられる学歴免許等の資格を取得した時以後の経験年数をもつて、同号の経験年数とする。

備考―令5・4・1施行

ト 海事職俸給表㈠初任給基準表

職種	学歴免許等	初任給
船員	大学卒	2級1号俸
	短大卒	1級11号俸
	高校卒	1級1号俸

本表―平21・7・1施行

チ 海事職俸給表㈡初任給基準表

職種	学歴免許等	初任給
大型船舶の船員 中型船舶の船員	高校卒	1級5号俸
小型船舶の船員	高校卒	1級1号俸

本表―令7・4・1施行

備考

1 職種欄の船舶の種類については、別表第1の海事職俸給表㈡級別標準職務表の備考第1項から第3項まで及び第5項に定めるところによる。

2 この表の適用を受ける職員で、その職務の級を1級に決定されたものに対する第12条の規定の適用については、この表の初任給欄の号俸からそれぞれ8号俸上位の号俸までの範囲内で部内の他の職員との均衡を考慮して定める号俸が、この表の初任給欄の号俸として定められているものとして取り扱うことができるものとし、これらの職員に第15条第1項の規定を適用する場合には、同項中「5年を超える経験年数」とあるのは「3年を超える経験年数」と、同項第3号中「経験年数」とあるのは「経験年数から2年を減じた経験年数」とする。

備考―平21・7・1施行

リ 教育職俸給表(一)初任給基準表

職種	学歴免許等	初任給
助教	博士課程修了（大学６卒後のものに限る。）	１級37号俸
	博士課程修了	１級31号俸
	修士課程修了 専門職学位課程修了 大学６卒	１級13号俸
	大学卒	１級１号俸

本表―平22・４・１施行

ヌ 教育職俸給表(二)初任給基準表

職種	学歴免許等	初任給
専修学校の教員	博士課程修了	２級31号俸
	修士課程修了 専門職学位課程修了	２級13号俸
	大学卒	１級13号俸
専修学校の補助教員	博士課程修了	１級43号俸
	修士課程修了 専門職学位課程修了	１級25号俸
	大学卒	１級13号俸
	短大卒	１級３号俸

本表―平21・７・１施行

備考
専修学校の教員のうち、その者の有する学歴免許等の資格が「大学６卒」である者で医学に関する専門的知識を必要とする教科を担当するものに対するこの表の学歴免許等欄の適用については、「修士課程修了専門職学位課程修了」の区分によるものとする。

備考―平21・７・１施行

ル 研究職俸給表初任給基準表

試験		学歴免許等	初任給
採用試験	総合職（院卒）		２級15号俸
	総合職（大卒）		２級５号俸
	一般職（大卒）		１級25号俸
	一般職（高卒）		１級５号俸
	専門職（大卒一群）		２級２号俸
	専門職（大卒二群）		１級25号俸
	専門職（高卒）		１級５号俸
その他		博士課程修了（大学６卒後のものに限る。）	２級37号俸
		博士課程修了	２級33号俸
		修士課程修了 専門職学位課程修了 大学６卒	２級13号俸
		高校卒	１級１号俸

本表―平24・２・１施行

備考

1　試験欄の「その他」の区分に対応する学歴免許等欄の「博士課程修了（大学６卒後のものに限る。）」、「博士課程修了」又は「修士課程修了専門職学位課程修了大学６卒」の区分は、第13条第３項の規定の適用を受ける者のうち当該区分の適用についてあらかじめ人事院の承認を得た者に適用する。

2　生物学その他高度の専門性を有する学問分野についての知識経験を有する者のうち、人事院が定める者にこの表又は第５項の表を適用する場合における初任給欄の号俸は、人事院が別に定める。

3　試験欄の「総合職（院卒）」又は「総合職（大卒）」の区分の適用を受ける者のうち、「博士課程修了」、「修士課程修了」、「専門職学位課程修了」又は「大学６卒」の学歴免許等の資格を有する者で相当高度の研究業績を有する者をもつて充てる必要のある官職に採用されるものについては、この表の初任給欄の号俸が「博士課程修了」にあつては「２級33号俸」、「修士課程修了」、「専門職学位課程修了」又は「大学６卒」にあつては「２級17号俸」と定められているものとして取り扱うものとする。

4　前項又は第６項の規定の適用を受ける職員については、第14条の規定は適用しないものとし、これらの職員に第15条第１項第１号の規定を適用する場合には、前項又は第６項の規定の適用に際して用いられる学歴免許等の資格を取得した時以後の経験年数をもつて、同号の経験年数とする。

5　平成24年２月１日前に告知された採用試験の結果に基づいて職員となつた者には、次の表を適用する。

試験		学歴免許等	初任給
採用試験	Ⅰ種		２級５号俸
	Ⅱ種		１級25号俸
	Ⅲ種		１級５号俸
	A種		２級２号俸
	B種		１級15号俸

6　試験欄の「Ⅰ種」の区分の適用を受ける者のうち、「博士課程修了」、「修士課程修了」、「専門職学位課程修了」又は「大学６卒」の学歴免許等の資格を有する者で相当高度の研究業績を有する者をもつて充てる必要のある官職に採用されるものについては、前項の表の初任給欄の号俸が「博士課程修了」にあつては「２級33号俸」、「修士課程修了」、「専門職学位課程修了」又は「大学６卒」にあつては「２級17号俸」と定められているものとして取り扱うものとする。

備考―平24・２・１施行

ヲ　医療職俸給表㈠初任給基準表

職種	学歴免許等	初任給
医師 歯科医師	博士課程修了	１級25号俸
	大学６卒	１級１号俸

本表―平21・７・１施行

備考

この表の適用を受ける者の経験年数は、その免許を取得した時以後のものとする。ただし、人事院が別段の定めをした場合は、その定めるところによる。

備考―平21・７・１施行

ワ 医療職俸給表㈡初任給基準表

職種	学歴免許等	初任給
薬剤師	大学６卒	２級15号俸
	大学卒	２級１号俸
栄養士 管理栄養士 衛生検査技師	大学卒	２級１号俸
	短大卒	１級11号俸
診療放射線技師 臨床検査技師 臨床工学技士 理学療法士 作業療法士 視能訓練士 言語聴覚士 義肢装具士	大学卒	２級１号俸
	短大３卒	１級17号俸
歯科衛生士	大学卒	２級１号俸
	短大３卒	１級17号俸
	短大２卒	１級11号俸
	高校専攻科卒	１級７号俸
歯科技工士	大学卒	２級１号俸
	短大３卒	１級17号俸
	短大２卒	１級11号俸
あん摩マツサージ指圧師 はり師 きゆう師 柔道整復師	短大３卒	１級17号俸
	短大２卒	１級11号俸
	高校卒	１級１号俸
その他	高校卒	１級１号俸

本表―令７・４・１施行

備考

１ 薬剤師、栄養士、管理栄養士、衛生検査技師、診療放射線技師、臨床検査技師、臨床工学技士、理学療法士、作業療法士、視能訓練士、言語聴覚士、義肢装具士、歯科衛生士、歯科技工士、あん摩マツサージ指圧師、はり師、きゆう師及び柔道整復師の経験年数は、それぞれその免許を取得した時以後のものとする。ただし、人事院が別段の定めをした場合は、その定めるところによる。

２ 義肢装具士法（昭和62年法律第61号）第14条第３号の規定に該当して義肢装具士となつた者にこの表を適用する場合における初任給欄の号俸は、人事院が別に定める。

３ 薬剤師法の一部を改正する法律（平成16年法律第134号）附則第３条の規定により薬剤師となつた者に対するこの表の学歴免許等欄の適用については、「大学６卒」の区分によるものとする。

備考―令７・４・１施行

カ　医療職俸給表㈢初任給基準表

職種	学歴免許等	初任給
保健師 助産師	大学卒	２級11号俸
	短大３卒	２級５号俸
看護師	短大３卒	２級５号俸
	短大２卒	２級１号俸
准看護師	准看護師養成所卒	１級１号俸

本表―平21・７・１施行

備考

1　職種欄の「准看護師」の区分に対応する学歴免許等欄の「准看護師養成所卒」は、保健師助産師看護師法（昭和23年法律第203号）第22条第１号又は第２号に規定する学校又は養成所（平成13年法律第153号による改正前の保健婦助産婦看護婦法第22条第１号又は第２号に規定する学校又は養成所を含む。）の卒業を示す。

2　この表の適用を受ける者の経験年数は、その免許を取得した時（保健師及び助産師で看護師免許を有する者にあつては、看護師免許を取得した時）以後のものとする。ただし、人事院が別段の定めをした場合は、その定めるところによる。

3　准看護師の業務に３年以上従事したことにより保健師助産師看護師法第21条第４号の規定に該当した者で保健師、助産師又は看護師となつたものに対するこの表の適用については、学歴免許等欄の学歴免許等の区分に対応する初任給欄の号俸を、それぞれ「大学卒」にあつては２級15号俸、「短大２卒」にあつては２級９号俸とする。

備考―平22・４・１施行

ヨ　福祉職俸給表初任給基準表

職種	学歴免許等	初任給
生活支援員 職業指導員 就労支援員 心理判定員 精神保健福祉士 精神障害者社会復帰指導員 医療社会事業専門員 児童自立支援専門員 児童指導員	大学卒	１級21号俸
	短大卒	１級11号俸
児童生活支援員 保育士	短大卒	１級11号俸
介護員	短大卒	１級11号俸
	高校卒	１級１号俸

本表―平22・４・１施行

備考

1　児童自立支援事業、児童福祉事業等に従事したことにより児童自立支援専門員、児童指導員、児童生活支援員又は保育士になつた者のうち、人事院が定める者にこの表を適用する場合における初任給欄の号俸は、人事院が別に定める。

2　前項に規定する者で人事院が定めるものに第15条第１項の規定を適用する場合には、同項第３号に定める経験年数から人事院の定める年数を減じた年数をもつて、同号の経験年数とする。

備考―平21・７・１施行

別表第三 学歴免許等資格区分表（第十三条関係）

学歴免許等の区分		学歴免許等の資格
基準学歴区分	学歴区分	
1 大学卒	一 博士課程修了	(1) 学校教育法による大学院博士課程の修了 (2) 上記に相当すると人事院が認める学歴免許等の資格
	二 修士課程修了	(1) 学校教育法による大学院修士課程の修了 (2) 上記に相当すると人事院が認める学歴免許等の資格
	三 専門職学位課程修了	(1) 学校教育法による専門職大学院専門職学位課程の修了 (2) 上記に相当すると人事院が認める学歴免許等の資格
	四 大学6卒	(1) 学校教育法による大学の医学若しくは歯学に関する学科（同法第85条ただし書に規定する学部以外の教育研究上の基本となる組織を置く場合における相当の組織を含む。以下同じ。）又は薬学若しくは獣医学に関する学科（修業年限６年のものに限る。）の卒業 (2) 上記に相当すると人事院が認める学歴免許等の資格
	五 大学専攻科卒	(1) 学校教育法による４年制の大学の専攻科の卒業 (2) 上記に相当すると人事院が認める学歴免許等の資格
	六 大学4卒	(1) 学校教育法による４年制の大学の卒業 (2) 気象大学校大学部（修業年限４年のものに限る。）の卒業 (3) 海上保安大学校本科の卒業 (4) 上記に相当すると人事院が認める学歴免許等の資格
2 短大卒	一 短大3卒	(1) 学校教育法による３年制の短期大学の卒業又は専門職大学の修業年限３年の前期課程の修了 (2) 学校教育法による２年制の短期大学の専攻科の卒業 (3) 学校教育法による高等専門学校の専攻科の卒業 (4) 上記に相当すると人事院が認める学歴免許等の資格
	二 短大2卒	(1) 学校教育法による２年制の短期大学の卒業又は専門職大学の修業年限２年の前期課程の修了 (2) 学校教育法による高等専門学校の卒業 (3) 学校教育法による高等学校、中等教育学校又は特別支援学校の専攻科（２年制の短期大学と同程度とみなされる修業年限２年以上のものに限る。）の卒業 (4) 航空保安大学校本科の卒業 (5) 海上保安学校本科の修業年限２年の課程の卒業 (6) 上記に相当すると人事院が認める学歴免許等の資格
	三 短大1卒	(1) 海上保安学校本科の修業年限１年の課程の卒業 (2) 上記に相当すると人事院が認める学歴免許等の資格
3 高校卒	一 高校専攻科卒	(1) 学校教育法による高等学校、中等教育学校又は特別支援学校の専攻科の卒業 (2) 上記に相当すると人事院が認める学歴免許等の資格
	二 高校3卒	(1) 学校教育法による高等学校、中等教育学校又は特別支援学校（同法第76条第２項に規定する高等部に限る。）の卒業 (2) 上記に相当すると人事院が認める学歴免許等の資格
	三 高校2卒	(1) 保健師助産師看護師法による准看護師学校又は准看護師養成所の卒業 (2) 上記に相当すると人事院が認める学歴免許等の資格
4 中学卒	中学卒	(1) 学校教育法による中学校、義務教育学校若しくは特別支援学校（同法第76条第１項に規定する中学部に限る。）の卒業又は中等教育学校の前期課程の修了 (2) 上記に相当すると人事院が認める学歴免許等の資格

本表―平31・4・1施行

備考

この表の「特別支援学校」には平成18年法律第80号による改正前の学校教育法による盲学校、聾学校及び養護学校を、「准看護師学校」には平成13年法律第153号による改正前の保健婦助産婦看護婦法による准看護婦学校を、「准看護師養成所」には同法による准看護婦養成所を含むものとする。

備考―平19・12・26施行

別表第四　経験年数換算表（第十五条の二関係）

<table>
<tr><th colspan="2">経　歴</th><th>換　算　率</th></tr>
<tr><td rowspan="2">国、地方公共団体、旧公共企業体、政府関係機関、外国政府又は民間における企業体、団体等の職員等としての在職期間</td><td>職員としての職務にその経験が直接役立つと認められる職務に従事した期間（常時勤務に服する者として職務に従事した期間又はこれに準ずる期間に限る。）</td><td>$\frac{100}{100}$</td></tr>
<tr><td>その他の期間</td><td>$\frac{100}{100}$以下</td></tr>
<tr><td colspan="2">学校又は学校に準ずる教育機関における在学期間（正規の修学年数内の期間に限る。）</td><td>$\frac{100}{100}$以下</td></tr>
<tr><td rowspan="2">その他の期間</td><td>職員としての職務にその経験が直接役立つと認められる職務に従事した期間</td><td>$\frac{100}{100}$以下</td></tr>
<tr><td>その他の期間</td><td>$\frac{25}{100}$以下（部内の他の職員との均衡を著しく失する場合及び教育職俸給表の適用を受ける職員に適用する場合は、$\frac{50}{100}$以下）</td></tr>
</table>

本表―令７・４・１施行

別表第五 経験年数調整表（第十五条の二関係）

学歴区分（甲）	学歴免許等の区分															
	基準学歴区分			学歴区分（乙）												
	大学卒	短大卒	高校卒	博士課程修了（大学６卒後のものに限る。）	博士課程修了	修士課程修了	専門職学位課程修了	大学６卒	大学専攻科卒	大学４卒	短大３卒	短大２卒	短大１卒	高校専攻科卒	高校３卒	高校２卒
博士課程修了	＋ 5年	＋ 6.5年	＋ 9年	－ 1年		＋ 3年	＋ 3年	＋ 3年	＋ 4年	＋ 5年	＋ 6年	＋ 6.5年	＋ 8年	＋ 8年	＋ 9年	＋ 10年
修士課程修了	＋ 2年	＋ 3.5年	＋ 6年	－ 4年	－ 3年				＋ 1年	＋ 2年	＋ 3年	＋ 3.5年	＋ 5年	＋ 5年	＋ 6年	＋ 7年
専門職学位課程修了	＋ 2年	＋ 3.5年	＋ 6年	－ 4年	－ 3年				＋ 1年	＋ 2年	＋ 3年	＋ 3.5年	＋ 5年	＋ 5年	＋ 6年	＋ 7年
大学６卒	＋ 2年	＋ 3.5年	＋ 6年	－ 4年	－ 3年				＋ 1年	＋ 2年	＋ 3年	＋ 3.5年	＋ 5年	＋ 5年	＋ 6年	＋ 7年
大学専攻科卒	＋ 1年	＋ 2.5年	＋ 5年	－ 5年	－ 4年	－ 1年	－ 1年	－ 1年		＋ 1年	＋ 2年	＋ 2.5年	＋ 4年	＋ 4年	＋ 5年	＋ 6年
大学４卒		＋ 1.5年	＋ 4年	－ 6年	－ 5年	－ 2年	－ 2年	－ 2年	－ 1年		＋ 1年	＋ 1.5年	＋ 3年	＋ 3年	＋ 4年	＋ 5年
短大３卒	－ 1年	＋ 0.5年	＋ 3年	－ 7年	－ 6年	－ 3年	－ 3年	－ 3年	－ 2年	－ 1年		＋ 0.5年	＋ 2年	＋ 2年	＋ 3年	＋ 4年
短大２卒	－ 2年	－ 0.5年	＋ 2年	－ 8年	－ 7年	－ 4年	－ 4年	－ 4年	－ 3年	－ 2年	－ 1年	－ 0.5年	＋ 1年	＋ 1年	＋ 2年	＋ 3年
短大１卒	－ 3年	－ 1.5年	＋ 1年	－ 9年	－ 8年	－ 5年	－ 5年	－ 5年	－ 4年	－ 3年	－ 2年	－ 1.5年			＋ 1年	＋ 2年
高校専攻科卒	－ 3年	－ 1.5年	＋ 1年	－ 9年	－ 8年	－ 5年	－ 5年	－ 5年	－ 4年	－ 3年	－ 2年	－ 1.5年			＋ 1年	＋ 2年
高校３卒	－ 4年	－ 2.5年		－ 10年	－ 9年	－ 6年	－ 6年	－ 6年	－ 5年	－ 4年	－ 3年	－ 2.5年	－ 1年	－ 1年		＋ 1年
高校２卒	－ 5年	－ 3.5年	－ 1年	－ 11年	－ 10年	－ 7年	－ 7年	－ 7年	－ 6年	－ 5年	－ 4年	－ 3.5年	－ 2年	－ 2年	－ 1年	
中学卒	－ 7年	－ 5.5年	－ 3年	－ 13年	－ 12年	－ 9年	－ 9年	－ 9年	－ 8年	－ 7年	－ 6年	－ 5.5年	－ 4年	－ 4年	－ 3年	－ 2年

本表—令７・４・１施行

備考

1　学歴区分（甲）欄並びに基準学歴区分欄及び学歴区分（乙）欄の学歴免許等の区分については、それぞれ学歴免許等資格区分表に定めるところによる。

2　この表に定める年数は、その者の有する学歴区分（甲）欄の学歴免許等の区分に属する学歴免許等の資格についての初任給基準表の学歴免許等欄に掲げる基準学歴区分欄又は学歴区分（乙）欄の学歴免許等の区分に対する加える年数又は減ずる年数（以下「調整年数」という。）を示す。この場合において、「＋」の年数は加える年数を、「－」の年数は減ずる年数を示す。

3　学校教育法による大学院博士課程のうち医学若しくは歯学に関する課程又は薬学若しくは獣医学に関する課程（修業年限４年のものに限る。）を修了した者に対するこの表の適用については、学歴区分（甲）欄の「博士課程修了」の区分に対応する調整年数にそれぞれ１年を加えた年数をもつて、この表の調整年数とする。

4　この表の適用について人事院が別段の定めをした者の経験年数に係る調整年数は、人事院が別に定めるところによる。

備考—平28・３・１施行

別表第六　在級期間表（第二十条関係）

イ　行政職俸給表㈠在級期間表

職務の級								
２　級	３　級	４　級	５　級	６　級	７　級	８　級	９　級	10　級
３	４	４	２	２	４	３	３	３

本表—平21・７・１施行

備考

１　総合職（院卒）、総合職（大卒）、一般職（高卒）若しくは専門職（高卒）の結果に基づいて職員となつた者又は選考採用者（採用試験の結果に基づいて職員となつた者及び経験者試験等採用者以外の者をいう。以下同じ。）に対するこの表の適用については、職務の級２級の欄中「３」とあるのは、総合職（院卒）又は総合職（大卒）の結果に基づいて職員となつた者にあつては「０」と、一般職（高卒）又は専門職（高卒）の結果に基づいて職員となつた者にあつては「８」と、選考採用者にあつては「９」とする。

２　７級から10級までのいずれかの職務の級に昇格させる場合には、当該職務の級に係る在級期間のほか、人事院が別に定める要件を満たさなければならない。この場合において、人事院が別に定めるときは、当該在級期間によらないことができる。

３　無線従事者のうち、第１級総合無線通信士、第１級海上無線通信士又は第１級陸上無線技術士の資格を有する者については、第１項及び第６項の規定は適用しないことができる。

４　無線従事者のうち、第２級総合無線通信士、第２級海上無線通信士、第２級陸上無線技術士、第１級陸上特殊無線技士、航空無線通信士、第３級総合無線通信士、第３級海上無線通信士、国内電信級陸上特殊無線技士、第４級海上無線通信士若しくは第１級海上特殊無線技士又は別表第２の行政職俸給表㈠初任給基準表の備考第２項に規定するその他の資格を有する者（第７項において「第２級総合無線通信士等」という。）に対する第１項の規定の適用については、一般職（高卒）又は専門職（高卒）の結果に基づいて職員となつた者として取り扱うことができる。

５　別表第２の行政職俸給表㈠初任給基準表の備考第４項第２号及び第３号に掲げる者に対するこの表の適用については、その者の免許その他の資格を考慮して人事院が別に定める。

６　Ⅰ種、Ⅲ種又はＢ種の結果に基づいて職員となつた者に対するこの表の適用については、職務の級２級の欄中「３」とあるのは、Ⅰ種の結果に基づいて職員となつた者にあつては「０」と、Ⅲ種の結果に基づいて職員となつた者にあつては「８」と、Ｂ種の結果に基づいて職員となつた者にあつては「5.5」とする。

７　無線従事者のうち、第２級総合無線通信士等に対する前項の規定の適用については、Ⅲ種の結果に基づいて職員となつた者として取り扱うことができる。

８　第１項及び第３項から前項までの規定にかかわらず、２級から６級までの職務の級のうち人事院が定めるいずれかの職務の級に昇格させる場合において、人事院が別に定めるときは、当該職務の級に係る在級期間によらないことができる。

備考—令７・４・１施行

ロ　行政職俸給表㈡在級期間表

職種	職務の級			
	２　級	３　級	４　級	５　級
技能職員	６	別に定める	別に定める	別に定める
労務職員（甲）	別に定める	別に定める	別に定める	
労務職員（乙）	別に定める	別に定める		

本表—令７・４・１施行

備考

１　職種欄の各区分については、別表第２の行政職俸給表㈡初任給基準表の備考第１項に定めるところによる。

２　職種欄の「技能職員」の区分の適用を受ける職員のうち、その者の有する学歴免許等の資格が学歴免許等資格区分表の「高校卒」の区分に達しない者（別表第２の行政職俸給表㈡初任給基準表の備考第２項に規定する者を除く。）に対するこの表の適用については、職務の級２級の欄中「６」とあるのは、「９」とする。

備考—令７・４・１施行

ハ　専門行政職俸給表在級期間表

職務の級						
２　級	３　級	４　級	５　級	６　級	７　級	８　級
７	４	４	４	３	３	３

本表―平21・７・１施行

備考

１　総合職（院卒）、総合職（大卒）、一般職（高卒）若しくは専門職（高卒）の結果に基づいて職員となつた者又は選考採用者に対するこの表の適用については、職務の級２級の欄中「７」とあるのは、総合職（院卒）又は総合職（大卒）の結果に基づいて職員となつた者にあつては「５」と、一般職（高卒）若しくは専門職（高卒）の結果に基づいて職員となつた者又は選考採用者にあつては「９」とする。

２　５級から８級までのいずれかの職務の級に昇格させる場合には、当該職務の級に係る在級期間のほか、人事院が別に定める要件を満たさなければならない。この場合において、人事院が別に定めるときは、当該在級期間によらないことができる。

３　航空無線従事者のうち、第１級総合無線通信士、第１級海上無線通信士又は第１級陸上無線技術士の資格を有する者については、第１項及び第６項の規定は適用しないことができる。

４　航空無線従事者のうち、第２級総合無線通信士、第２級海上無線通信士、第２級陸上無線技術士、第１級陸上特殊無線技士、航空無線通信士、第３級総合無線通信士、第３級海上無線通信士、国内電信級陸上特殊無線技士、第４級海上無線通信士若しくは第１級海上特殊無線技士又は電波法施行令に定める海上特殊無線技士、航空特殊無線技士及び陸上特殊無線技士の資格のうち、第１級陸上特殊無線技士、国内電信級陸上特殊無線技士及び第１級海上特殊無線技士以外のものの資格を有する者（第７項において「第２級総合無線通信士等」という。）に対する第１項の規定の適用については、一般職（高卒）又は専門職（高卒）の結果に基づいて職員となつた者として取り扱うことができる。

５　別表第２の専門行政職俸給表初任給基準表の備考第３項に規定する者に対するこの表の適用については、その者の資格を考慮して人事院が別に定める。

６　Ⅰ種、Ⅲ種又はＢ種の結果に基づいて職員となつた者に対するこの表の適用については、職務の級２級の欄中「７」とあるのは、Ⅰ種の結果に基づいて職員となつた者にあつては「５」と、Ⅲ種又はＢ種の結果に基づいて職員となつた者にあつては「９」とする。

７　航空無線従事者のうち、第２級総合無線通信士等に対する前項の規定の適用については、Ⅲ種の結果に基づいて職員となつた者として取り扱うことができる。

８　第１項及び第３項から前項までの規定にかかわらず、２級から４級までの職務の級のうち人事院が定めるいずれかの職務の級に昇格させる場合において、人事院が別に定めるときは、当該職務の級に係る在級期間によらないことができる。

備考―令５・４・１施行

ニ　税務職俸給表在級期間表

職務の級								
２　級	３　級	４　級	５　級	６　級	７　級	８　級	９　級	10　級
３	４	４	２	２	４	３	３	３

本表―平21・７・１施行

備考

１　総合職（院卒）、総合職（大卒）、一般職（高卒）若しくは専門職（高卒）の結果に基づいて職員となつた者又は選考採用者に対するこの表の適用については、職務の級２級の欄中「３」とあるのは、総合職（院卒）又は総合職（大卒）の結果に基づいて職員となつた者にあつては「０」と、一般職（高卒）若しくは専門職（高卒）の結果に基づいて職員となつた者又は選考採用者にあつては「８」とする。

２　７級から10級までのいずれかの職務の級に昇格させる場合には、当該職務の級に係る在級期間のほか、人事院が別に定める要件を満たさなければならない。この場合において、人事院が別に定めるときは、当該在級期間によらないことができる。

３　Ⅰ種、Ⅲ種又はＢ種の結果に基づいて職員となつた者に対するこの表の適用については、職務の級２級の欄中「３」とあるのは、Ⅰ種の結果に基づいて職員となつた者にあつては「０」と、Ⅲ種の結果に基づいて職員となつた者にあつては「８」と、Ｂ種の結果に基づいて職員となつた者にあつては「5.5」とする。

４　第１項及び前項の規定にかかわらず、２級から６級までの職務の級のうち人事院が定めるいずれかの職務の級に昇格させる場合において、人事院が別に定めるときは、当該職務の級に係る在級期間によらないことができる。

備考—令５・４・１施行

ホ　公安職俸給表㈠在級期間表

職務の級									
２級	３級	４級	５級	６級	７級	８級	９級	10級	11級
0	1	4	6	2	2	4	3	3	3

本表—平21・７・１施行

備考

１　一般職（高卒）若しくは専門職（高卒）の結果に基づいて職員となつた者又は選考採用者に対するこの表の適用については、職務の級２級の欄中「０」とあるのは、「２」とする。

２　総合職（院卒）、総合職（大卒）、一般職（高卒）、専門職（大卒一群）若しくは専門職（高卒）の結果に基づいて職員となつた者又は選考採用者に対するこの表の適用については、職務の級３級の欄中「１」とあるのは、総合職（院卒）、総合職（大卒）又は専門職（大卒一群）の結果に基づいて職員となつた者にあつては「０」と、一般職（高卒）若しくは専門職（高卒）の結果に基づいて職員となつた者又は選考採用者にあつては「３」とする。

３　総合職（院卒）、総合職（大卒）、一般職（高卒）、専門職（大卒一群）若しくは専門職（高卒）の結果に基づいて職員となつた者又は選考採用者に対するこの表の適用については、職務の級４級の欄中「４」とあるのは、総合職（院卒）又は総合職（大卒）の結果に基づいて職員となつた者にあつては「３」と、一般職（高卒）、専門職（大卒一群）若しくは専門職（高卒）の結果に基づいて職員となつた者又は選考採用者にあつては「５」とする。

４　８級から11級までのいずれかの職務の級に昇格させる場合には、当該職務の級に係る在級期間のほか、人事院が別に定める要件を満たさなければならない。この場合において、人事院が別に定めるときは、当該在級期間によらないことができる。

５　Ⅲ種の結果に基づいて職員となつた者に対するこの表の適用については、職務の級２級の欄中「０」とあるのは、「２」とする。

６　Ⅰ種、Ⅲ種、Ａ種又はＢ種の結果に基づいて職員となつた者に対するこの表の適用については、職務の級３級の欄中「１」とあるのは、Ⅰ種又はＡ種の結果に基づいて職員となつた者にあつては「０」と、Ⅲ種の結果に基づいて職員となつた者にあつては「３」と、Ｂ種の結果に基づいて職員となつた者にあつては「2.5」とする。

７　Ⅰ種、Ⅲ種、Ａ種又はＢ種の結果に基づいて職員となつた者に対するこの表の適用については、職務の級４級の欄中「４」とあるのは、Ⅰ種の結果に基づいて職員となつた者にあつては「３」と、Ⅲ種、Ａ種又はＢ種の結果に基づいて職員となつた者にあつては「５」とする。

８　第１項から第３項まで及び第５項から前項までの規定にかかわらず、２級から７級までの職務の級のうち人事院が定めるいずれかの職務の級に昇格させる場合において、人事院が別に定めるときは、当該職務の級に係る在級期間によらないことができる。

備考—令５・４・１施行

ヘ　公安職俸給表㈡在級期間表

職務の級								
２級	３級	４級	５級	６級	７級	８級	９級	10級
3	4	4	2	2	4	3	3	3

本表—平21・７・１施行

備考

１　総合職（院卒）、総合職（大卒）、一般職（高卒）若しくは専門職（高卒）の結果に基づいて職員となつた者又は選考採用者に対するこの表の適用については、職務の級２級の欄中「３」とあるのは、総合職（院卒）又は総合職（大卒）の結果に基づいて職員となつた者にあつては「０」と、一般職（高卒）若しくは専門職（高卒）の結果に基づいて職員となつた者又は選考採用者にあつては「８」とする。

２ ７級から10級までのいずれかの職務の級に昇格させる場合には、当該職務の級に係る在級期間のほか、人事院が別に定める要件を満たさなければならない。この場合において、人事院が別に定めるときは、当該在級期間によらないことができる。

３ 海上保安庁の船員、通信員及び航空員で高校卒以上の学歴免許等の資格を有するもの（次項に掲げる者を除く。）に対する第１項の規定の適用については、一般職（高卒）又は専門職（高卒）の結果に基づいて職員となつた者として取り扱うことができる。

４ 次に掲げる者に対するこの表の適用については、その者の免許その他の資格を考慮して人事院が別に定める。

一 海上保安大学校本科又は海上保安学校本科の卒業者

二 別表第２の公安職俸給表㈡初任給基準表の備考第２項に規定する者

５ Ⅰ種、Ⅲ種又はＢ種の結果に基づいて職員となつた者に対するこの表の適用については、職務の級２級の欄中「３」とあるのは、Ⅰ種の結果に基づいて職員となつた者にあつては「０」と、Ⅲ種の結果に基づいて職員となつた者にあつては「８」と、Ｂ種の結果に基づいて職員となつた者にあつては「5.5」とする。

６ 海上保安庁の船員、通信員及び航空員で高校卒以上の学歴免許等の資格を有するもの（第４項に掲げる者を除く。）に対する前項の規定の適用については、Ⅲ種の結果に基づいて職員となつた者として取り扱うことができる。

７ 第１項及び第３項から前項までの規定にかかわらず、２級から６級までの職務の級のうち人事院が定めるいずれかの職務の級に昇格させる場合において、人事院が別に定めるときは、当該職務の級に係る在級期間によらないことができる。

備考—令５・４・１施行

ト 海事職俸給表㈠在級期間表

職種		職務の級					
船舶の種類	職名	２級	３級	４級	５級	６級	７級
大型船舶（一種） 大型船舶（二種） 大型船舶（三種）	船長 機関長	0	0	4	別に定める	別に定める	別に定める
	１等航海士 １等機関士 通信長	0	5	4	別に定める	別に定める	
	事務長	0	5	別に定める	別に定める		
	２等航海士 ２等機関士 ２等通信士	0	5	別に定める			
	航海士 機関士 通信士 栄養士 管理栄養士 事務員	0	別に定める				
中型船舶（一種） 中型船舶（二種）	船長 機関長	0	5	4	別に定める		
	１等航海士 １等機関士 通信長	0	5	別に定める			
	航海士 機関士 通信士 栄養士 管理栄養士 事務長 事務員	0	別に定める				

本表—令７・４・１施行

備考

1　船舶の種類欄の船舶の種類については、別表第１の海事職俸給表㈠級別標準職務表の備考に定めるところによる。

2　職種欄の「大型船舶（一種）大型船舶（二種）大型船舶（三種）」の「事務長」、「２等航海士」、「２等機関士」、「２等通信士」、「航海士」、「機関士」、「通信士」、「栄養士」、「管理栄養士」若しくは「事務員」又は「中型船舶（一種）中型船舶（二種）」の「１等航海士」、「１等機関士」、「通信長」、「航海士」、「機関士」、「通信士」、「栄養士」、「管理栄養士」、「事務長」若しくは「事務員」の区分の適用を受ける者のうち、その者に適用される初任給基準表の学歴免許等欄に掲げる学歴免許等の区分が「短大卒」又は「高校卒」である者に対するこの表の適用については、職務の級２級の欄中「０」とあるのは、当該学歴免許等の区分が「短大卒」である者にあつては「2.5」と、当該学歴免許等の区分が「高校卒」である者にあつては「５」とする。

備考―令７・４・１施行

チ　海事職俸給表㈡在級期間表

職種		職務の級				
船舶の種類	職名	２級	３級	４級	５級	６級
大型船舶	各長	5	5	別に定める	別に定める	別に定める
	各次長	5	5	別に定める	別に定める	
	乗組員	5	別に定める			
中型船舶	各長	5	5	別に定める	別に定める	
	各次長	5	別に定める	別に定める		
	乗組員	5	別に定める			
小型船舶	船長 機関長	6	5	別に定める	別に定める	別に定める
	航海士 機関士 通信士 各長	6	別に定める	別に定める		
	乗組員	6	別に定める			

本表―平21・７・１施行

備考

1　船舶の種類欄の船舶の種類については、別表第１の海事職俸給表㈡級別標準職務表の備考第１項から第３項まで及び第５項に定めるところによる。

2　職名欄の「各長」、「各次長」及び「乗組員」については、次の各号に掲げるところによる。

一　各長　甲板長、操機長及び司ちゆう長並びにその職務がこれらと同程度とみなされる者

二　各次長　甲板次長、操機次長、司ちゆう次長、船匠及び倉庫手並びにその職務がこれらと同程度とみなされる者

三　乗組員　操だ手、甲板員、操機手、機関員、司ちゆう手、司ちゆう員及び看護手並びにその職務がこれらと同程度とみなされる者

備考―平21・７・１施行

リ　教育職俸給表㈠在級期間表

職種	職務の級			
	２級	３級	４級	５級
教授	0	3	別に定める	別に定める
准教授	6	3		
講師	6			

本表―平21・７・１施行

ヌ 教育職俸給表㈡在級期間表

職種	職務の級	
	２級	３級
専修学校の教員	3.5	別に定める

本表—平21・７・１施行

備考

別表第２の教育職俸給表㈡初任給基準表の職種欄の「専修学校の教員」の区分の適用を受ける者に対するこの表の適用については、職務の級２級の欄中「3.5」とあるのは、「０」とする。

備考—平21・７・１施行

ル 研究職俸給表在級期間表

職務の級				
２級	３級	４級	５級	６級
1	別に定める	別に定める	別に定める	別に定める

本表—平21・７・１施行

備考

1 総合職（院卒）、総合職（大卒）、一般職（高卒）、専門職（大卒一群）若しくは専門職（高卒）の結果に基づいて職員となつた者又は選考採用者に対するこの表の適用については、職務の級２級の欄中「１」とあるのは、総合職（院卒）、総合職（大卒）又は専門職（大卒一群）の結果に基づいて職員となつた者にあつては「０」と、一般職（高卒）又は専門職（高卒）の結果に基づいて職員となつた者にあつては「５」と、選考採用者にあつては「６」とする。

2 別表第２の研究職俸給表初任給基準表の備考第２項に規定する者に対するこの表の適用については、その者の知識経験を考慮して人事院が別に定める。

3 相当高度の知識経験に基づき独立して、又は上級の研究員の概括的な指導の下に研究を行うものと認められる者及びその職務がこれと同等と認められる者を２級に昇格させる場合には、第20条又は第21条の規定によるほか、人事院の定めるところによるものとする。

4 Ⅰ種、Ⅲ種、Ａ種又はＢ種の結果に基づいて職員となつた者に対するこの表の適用については、職務の級２級の欄中「１」とあるのは、Ⅰ種又はＡ種の結果に基づいて職員となつた者にあつては「０」と、Ⅲ種の結果に基づいて職員となつた者にあつては「５」と、Ｂ種の結果に基づいて職員となつた者にあつては「2.5」とする。

備考—平24・２・１施行

ヲ 医療職俸給表㈠在級期間表

職種	職務の級			
	２級	３級	４級	５級
医師 歯科医師	6	3	別に定める	別に定める

本表—平21・７・１施行

備考

1 職務の級３級に昇格させる場合には、当該職務の級に係る在級期間のほか、人事院が別に定める要件を満たさなければならない。この場合において、人事院が別に定めるときは、当該在級期間によらないことができる。

2 病院、療養所又はこれに相当する医療機関の診療科の長以外の者で相当高度の知識経験に基づき困難な医療業務を行うものの職務の級を２級に決定する場合には、第11条、第20条、第21条、第25条又は第27条の規定によるほか、人事院の定めるところによるものとする。

備考—平21・７・１施行

ワ　医療職俸給表(二)在級期間表

職種	職務の級						
	2級	3級	4級	5級	6級	7級	8級
薬剤師	0	2	3	別に定める	別に定める	別に定める	別に定める
栄養士 管理栄養士	2.5	5	3	別に定める	別に定める		
診療放射線技師 臨床検査技師	1	5	3	別に定める	別に定める		
診療エックス線技師 衛生検査技師	2.5	5	3				
臨床工学技士 理学療法士 作業療法士 視能訓練士 言語聴覚士 義肢装具士	1	5	3	別に定める			
歯科衛生士 あん摩マッサージ指圧師 はり師 きゆう師 柔道整復師	1	5	別に定める	別に定める			
歯科技工士	2.5	5	別に定める	別に定める			
その他	別に定める	別に定める					

本表―令７・４・１施行

備考

１　職種欄の「薬剤師」の区分の適用を受ける者のうち、その者に適用される初任給基準表の学歴免許等欄に掲げる学歴免許等の区分が「大学卒」である者に対するこの表の適用については、職務の級３級の欄中「２」とあるのは、「５」とする。

２　職種欄の「栄養士」、「管理栄養士」、「診療放射線技師」、「臨床検査技師」、「衛生検査技師」、「臨床工学技士」、「理学療法士」、「作業療法士」、「視能訓練士」、「言語聴覚士」、「義肢装具士」、「歯科衛生士」又は「歯科技工士」の区分の適用を受ける者のうち、その者に適用される初任給基準表の学歴免許等欄に掲げる学歴免許等の区分が「大学卒」である者に対するこの表の適用については、職務の級２級の欄中「2.5」とあり、及び「１」とあるのは、「０」とする。

３　職種欄の「歯科衛生士」、「あん摩マッサージ指圧師」、「はり師」、「きゆう師」又は「柔道整復師」の区分の適用を受ける者のうち、その者に適用される初任給基準表の学歴免許等欄に掲げる学歴免許等の区分が「短大卒」又は「短大２卒」である者に対するこの表の適用については、職務の級２級の欄中「１」とあるのは、「2.5」とする。

４　職種欄の「歯科衛生士」の区分の適用を受ける者のうち、その者に適用される初任給基準表の学歴免許等欄に掲げる学歴免許等の区分が「高校専攻科卒」である者に対するこの表の適用については、職務の級２級の欄中「１」とあるのは、「４」とする。

５　職種欄の「あん摩マッサージ指圧師」、「はり師」、「きゆう師」又は「柔道整復師」の区分の適用を受ける者のうち、その者に適用される初任給基準表の学歴免許等欄に掲げる学歴免許等の区分が「高校卒」である者に対するこの表の適用については、職務の級２級の欄中「１」とあるのは、「５」とする。

６　職種欄の「歯科技工士」の区分の適用を受ける者のうち、その者に適用される初任給基準表の学歴免許等欄に掲げる学歴免許等の区分が「短大３卒」である者に対するこの表の適用については、職務の級２級の欄中「2.5」とあるのは、「１」とする。

備考―令７・４・１施行

カ　医療職俸給表㈢在級期間表

職種	職務の級					
	２　級	３　級	４　級	５　級	６　級	７　級
保健師 助産師 看護師	０	７	別に定める	別に定める	別に定める	別に定める

本表―平21・７・１施行

備考

職種欄の「保健師」又は「助産師」の区分の適用を受ける者のうち、その者に適用される初任給基準表の学歴免許等欄に掲げる学歴免許等の区分が「大学卒」である者に対するこの表の適用については、職務の級３級の欄中「７」とあるのは、「５」とする。

備考―平21・７・１施行

ヨ　福祉職俸給表在級期間表

職種	職務の級				
	２　級	３　級	４　級	５　級	６　級
生活支援員 職業指導員 就労支援員 心理判定員 精神保健福祉士 精神障害者社会復帰指導員 医療社会事業専門員 児童自立支援専門員 児童指導員	３	６	２	４	別に定める
児童生活支援員 保育士	5.5	６			
介護員	5.5	別に定める			

本表―平22・４・１施行

備考

１　職種欄の「生活支援員」、「職業指導員」、「就労支援員」、「心理判定員」、「精神保健福祉士」、「精神障害者社会復帰指導員」、「医療社会事業専門員」、「児童自立支援専門員」又は「児童指導員」の区分の適用を受ける者のうち、その者に適用される初任給基準表の学歴免許等欄に掲げる学歴免許等の区分が「短大卒」である者に対するこの表の適用については、職務の級２級の欄中「３」とあるのは、「5.5」とする。

２　職種欄の「介護員」の区分の適用を受ける者のうち、その者に適用される初任給基準表の学歴免許等欄に掲げる学歴免許等の区分が「高校卒」である者に対するこの表の適用については、職務の級２級の欄中「5.5」とあるのは、「８」とする。

備考―平22・４・１施行

タ　専門スタッフ職俸給表在級期間表

職務の級		
２　級	３　級	４　級
別に定める	別に定める	別に定める

本表―平29・４・１施行

72	30	44	42	60	39	16			
73	30	45	42	61	39	17			
74	30	45	42	61	39				
75	31	45	43	61	39				
76	31	45	43	61	39				
77	31	45	43	61	39				
78	32	46	44	62	39				
79	32	46	44	62	39				
80	32	46	44	62	39				
81	33	46	45	63	40				
82	33	46	45	64	40				
83	33	47	45	65	40				
84	34	47	45	66	40				
85	34	47	46	67	41				
86	34	47	46						
87	35	47	46						
88	35	48	46						
89	35	48	47						
90	36	48	47						
91	36	48	47						
92	36	48	47						
93	37	49	47						
94		49	47						
95		49	47						
96		49	48						
97		49	48						
98		50	48						
99		50	48						
100		50	48						
101		50	48						
102		50	48						
103		51	49						
104		51	49						
105		51	49						
106		51	49						
107		51	49						
108		52	49						
109		52	49						
110		52							
111		52							
112		52							
113		52							
114		52							
115		52							
116		52							
117		53							
118		53							
119		53							
120		53							
121		53							
122		53							
123		53							
124		53							
125		53							

本表—令７・４・１施行

別表第七　昇格時号俸対応表（第二十三条関係）

イ　行政職俸給表㈠昇格時号俸対応表

昇格した日の前日に受けていた号俸	昇格後の号俸								
	2　級	3　級	4　級	5　級	6　級	7　級	8　級	9　級	10　級
1	1	1	1	1	1	1	1	1	1
2	1	1	1	1	1	1	1	2	2
3	1	1	1	1	1	1	1	3	3
4	1	1	1	1	1	1	1	4	4
5	1	1	1	1	1	1	1	5	4
6	1	1	1	1	1	1	1	5	4
7	1	1	1	1	1	1	1	5	4
8	1	1	1	1	1	1	1	5	4
9	1	1	1	1	1	1	1	5	4
10	1	1	1	2	1	1	1		
11	1	1	1	3	1	1	1		
12	1	1	1	4	1	1	1		
13	1	1	1	5	1	1	2		
14	1	1	1	6	2	1	2		
15	1	1	1	7	3	1	2		
16	1	1	1	8	4	1	2		
17	1	1	1	9	5	1	2		
18	1	1	1	10	6	2	3		
19	1	1	1	11	7	3	3		
20	1	1	1	12	8	4	3		
21	1	1	1	13	9	5	3		
22	1	2	2	14	10	5	4		
23	1	3	3	15	11	6	4		
24	1	4	4	16	12	6	4		
25	1	5	5	17	13	7	4		
26	1	6	6	18	14	7	4		
27	1	7	7	19	15	8	4		
28	1	8	8	20	16	8	4		
29	1	9	9	21	17	9	5		
30	1	10	10	22	18	9	5		
31	1	11	11	23	19	10	5		
32	1	12	12	24	20	10	5		
33	1	13	13	25	21	11	5		
34	2	14	14	26	22	11	5		
35	3	15	15	27	23	12	5		
36	4	16	16	28	24	12	5		
37	5	17	17	29	25	13	5		
38	6	18	18	30	26	13	5		
39	7	19	19	31	27	13	5		
40	8	20	20	32	28	13	5		
41	9	21	21	33	29	14	5		
42	10	22	22	34	29	14	5		
43	11	23	23	35	30	14	5		
44	12	24	24	36	30	14	5		
45	13	25	25	37	31	15	5		
46	14	26	26	38	31	15			
47	15	27	27	39	32	15			
48	16	28	28	40	32	15			
49	17	29	29	41	33	15			
50	18	30	30	42	33	15			
51	19	31	31	43	34	15			
52	20	32	32	44	34	15			
53	21	33	33	45	35	15			
54	21	33	34	46	35	15			
55	22	34	35	47	36	15			
56	22	34	36	48	36	15			
57	23	35	37	49	37	15			
58	23	35	37	50	37	15			
59	24	36	37	51	38	15			
60	24	36	38	52	38	15			
61	25	37	38	53	38	15			
62	25	38	38	54	38	15			
63	26	39	39	55	38	15			
64	26	40	39	56	38	15			
65	27	41	39	57	38	15			
66	27	41	40	58	38	16			
67	28	42	40	59	38	16			
68	28	42	40	60	38	16			
69	29	43	41	60	39	16			
70	29	43	41	60	39	16			
71	29	44	41	60	39	16			

73	47	49	45	27
74	48	49	46	27
75	48	49	47	27
76	48	50	48	27
77	49	50	49	28
78	49	50	50	28
79	49	51	51	28
80	50	51	52	28
81	50	51	53	28
82	50	52	54	28
83	51	52	55	29
84	51	52	56	29
85	51	53	57	29
86	52	53	57	29
87	52	53	58	29
88	52	54	58	29
89	52	54	59	30
90	52	54	59	30
91	53	55	60	30
92	53	55	60	30
93	53	55	61	30
94	53	56	61	30
95	53	56	62	31
96	54	56	62	31
97	54	57	63	31
98	54	57	63	
99	54	57	64	
100	54	58	64	
101	55	58	65	
102	55	58	66	
103	55	59	67	
104	55	59	68	
105	55	59	69	
106		60	69	
107		60	70	
108		60	70	
109		61	71	
110		61	71	
111		61	72	
112		61	72	
113		62	72	
114		62	72	
115		62	72	
116		62	72	
117		63	72	
118		63	72	
119		63	72	
120		63	72	
121		63	72	
122		63	72	
123		63	72	
124		63	72	
125		63	72	
126		63	72	
127		63	72	
128		63	72	
129		63	72	
130		63		
131		63		
132		63		
133		63		
134		63		
135		63		
136		63		
137		63		

本表―令７・４・１施行

ロ　行政職俸給表(二)昇格時号俸対応表

昇格した日の前日に受けていた号俸	昇格後の号俸			
	2級	3級	4級	5級
1	1	1	1	1
2	1	1	1	1
3	1	1	1	1
4	1	1	1	1
5	1	1	1	1
6	1	1	1	1
7	1	1	1	1
8	1	1	1	1
9	1	1	1	1
10	1	1	1	1
11	1	1	1	1
12	1	1	1	1
13	1	1	1	1
14	1	2	1	1
15	1	3	1	1
16	1	4	1	1
17	1	5	1	1
18	1	6	1	1
19	1	7	1	1
20	1	8	1	1
21	1	9	1	1
22	2	10	1	1
23	3	11	1	2
24	4	12	1	2
25	5	13	1	3
26	6	13	1	3
27	7	14	1	4
28	8	14	1	4
29	9	15	1	5
30	10	15	2	6
31	11	16	3	7
32	12	16	4	8
33	13	17	5	9
34	14	18	6	9
35	15	19	7	10
36	16	20	8	10
37	17	21	9	11
38	18	22	10	11
39	19	23	11	12
40	20	24	12	12
41	21	25	13	13
42	22	26	14	13
43	23	27	15	14
44	24	28	16	14
45	25	29	17	15
46	26	29	18	15
47	27	30	19	16
48	28	30	20	16
49	29	31	21	17
50	30	31	22	17
51	31	32	23	18
52	32	32	24	18
53	33	33	25	19
54	34	34	26	19
55	35	35	27	20
56	36	36	28	20
57	37	37	29	21
58	38	38	30	21
59	39	39	31	22
60	40	40	32	22
61	41	41	33	23
62	42	42	34	23
63	43	43	35	24
64	44	44	36	24
65	45	45	37	25
66	45	45	38	25
67	45	46	39	25
68	46	46	40	25
69	46	47	41	26
70	46	47	42	26
71	47	48	43	26
72	47	48	44	26

73	27	32	36				
74	27	32	36				
75	28	33	36				
76	28	33	36				
77	29	33	36				
78	29		36				
79	29		36				
80	30		36				
81	30		36				
82	30						
83	31						
84	31						
85	31						
86	32						
87	32						
88	32						
89	33						
90	33						
91	34						
92	34						
93	35						

本表―令７・４・１施行

ハ　専門行政職俸給表昇格時号俸対応表

昇格した日の前日に受けていた号俸	昇格後の号俸						
	２級	３級	４級	５級	６級	７級	８級
1	1	1	1	1	1	1	1
2	1	1	1	1	1	2	2
3	1	1	1	1	1	3	3
4	1	1	1	1	1	4	4
5	1	1	1	1	1	5	4
6	1	1	1	1	1	5	4
7	1	1	1	1	1	5	4
8	1	1	1	1	1	5	4
9	1	1	1	1	1	5	4
10	1	1	1	1	1		
11	1	1	1	1	1		
12	1	1	1	1	1		
13	1	1	1	1	2		
14	1	1	1	1	2		
15	1	1	1	1	2		
16	1	1	1	1	2		
17	1	1	1	1	2		
18	1	1	2	2	3		
19	1	1	3	3	3		
20	1	1	4	4	3		
21	1	1	5	5	3		
22	1	2	6	5	4		
23	1	3	7	6	4		
24	1	4	8	6	4		
25	1	5	9	7	4		
26	1	6	10	7	4		
27	1	7	11	8	4		
28	1	8	12	8	4		
29	1	9	13	9	5		
30	1	10	14	9	5		
31	1	11	15	10	5		
32	1	12	16	10	5		
33	1	13	17	11	5		
34	1	14	18	11	5		
35	1	15	19	12	5		
36	1	16	20	12	5		
37	1	17	21	13	5		
38	2	18	22	13	5		
39	3	19	23	13	5		
40	4	20	24	13	5		
41	5	21	25	14	5		
42	6	21	26	14	5		
43	7	22	27	14	5		
44	8	22	28	14	5		
45	9	23	29	15	5		
46	10	23	29	15			
47	11	24	29	15			
48	12	24	30	15			
49	13	25	30	15			
50	13	25	30	15			
51	14	26	31	15			
52	14	26	31	15			
53	15	27	31	15			
54	15	27	32	15			
55	16	28	32	15			
56	16	28	32	16			
57	17	29	33	16			
58	18	29	33	16			
59	19	29	34	16			
60	20	30	34	16			
61	21	30	35	16			
62	21	30	35	16			
63	22	30	36	16			
64	22	30	36	16			
65	23	31	36	16			
66	23	31	36				
67	24	31	36				
68	24	31	36				
69	25	31	36				
70	25	32	36				
71	26	32	36				
72	26	32	36				

73	20		37	63	41	31			
74			37	64	41				
75			38	65	41				
76			38	66	41				
77			38	67	41				
78			38	68	41				
79			39	69	41				
80			39	70	42				
81			39	71	42				
82				72	42				
83				73	43				
84				74	43				
85				75	43				

本表―令7・4・1施行

二　税務職俸給表昇格時号俸対応表

昇格した日の前日に受けていた号俸	昇格後の号俸								
	2級	3級	4級	5級	6級	7級	8級	9級	10級
1	1	1	1	1	1	1	1	1	1
2	1	1	1	1	1	1	1	2	2
3	1	1	1	1	1	1	1	3	3
4	1	1	1	1	1	1	1	4	4
5	1	1	1	1	1	1	1	5	4
6	1	1	1	1	1	1	1	5	4
7	1	1	1	1	1	1	1	5	4
8	1	1	1	1	1	1	1	5	4
9	1	1	1	1	1	1	1	5	4
10	1	1	1	2	1	1	1		
11	1	1	1	3	1	1	1		
12	1	1	1	4	1	1	1		
13	1	1	1	5	1	1	1		
14	1	1	1	6	2	1	2		
15	1	1	1	7	3	1	2		
16	1	1	1	8	4	1	2		
17	1	1	1	9	5	1	2		
18	1	1	1	10	6	2	3		
19	1	1	1	11	7	3	3		
20	1	1	1	12	8	4	3		
21	1	1	1	13	9	5	4		
22	1	2	2	14	10	6	4		
23	1	3	3	15	11	7	4		
24	1	4	4	16	12	8	4		
25	1	5	5	17	13	9	4		
26	1	6	6	18	14	10	4		
27	1	7	7	19	15	11	4		
28	1	8	8	20	16	12	5		
29	1	9	9	21	17	13	5		
30	2	10	10	22	18	14	5		
31	3	11	11	23	19	15	5		
32	4	12	12	24	20	16	5		
33	5	13	13	25	21	17	5		
34	6	14	14	26	22	18	5		
35	7	15	15	27	23	19	5		
36	8	16	16	28	24	20	5		
37	9	17	17	29	25	21	5		
38	10	18	18	30	26	22	5		
39	11	19	19	31	27	23	5		
40	12	20	20	32	28	24	5		
41	13	21	21	33	29	25	5		
42	13	21	22	34	30	25	5		
43	13	22	23	35	31	26	5		
44	13	22	24	36	32	26	5		
45	14	23	25	37	33	27	5		
46	14	23	25	38	34	27			
47	14	24	26	39	35	28			
48	14	24	26	40	36	28			
49	15	24	27	41	37	28			
50	15	24	27	42	37	28			
51	15	24	28	43	37	28			
52	15	25	28	44	38	28			
53	16	25	29	45	38	28			
54	16	25	30	46	38	28			
55	16	25	31	47	39	28			
56	16	25	32	48	39	28			
57	17	26	33	49	39	29			
58	17	26	33	50	40	29			
59	17	26	33	51	40	29			
60	17	26	34	52	40	29			
61	17	26	34	53	40	29			
62	18	27	34	54	40	29			
63	18	27	35	55	40	29			
64	18	27	35	56	40	29			
65	18	27	35	57	40	29			
66	18		35	58	40	29			
67	19		36	59	40	29			
68	19		36	60	41	30			
69	19		36	60	41	30			
70	19		36	60	41	30			
71	19		37	61	41	31			
72	20		37	62	41	31			

73	65	61	51	41	63	41	31			
74	66	62	51	42	64	41				
75	67	63	52	43	65	41				
76	68	64	52	44	66	41				
77	69	65	53	45	67	41				
78	69	66	54	46	68	41				
79	70	67	55	47	69	41				
80	70	68	56	48	70	42				
81	71	69	57	49	71	42				
82	71	70	58	49	72	42				
83	72	71	59	50	73	43				
84	72	72	60	50	74	43				
85	73	73	61	51	75	43				
86	74	74	62	51						
87	75	75	63	52						
88	76	76	64	52						
89	77	77	65	53						
90	78	78	66	53						
91	79	79	67	53						
92	80	80	68	54						
93	81	81	69	54						
94	82	82	70	54						
95	83	83	71	55						
96	84	84	72	55						
97	85	85	73	55						
98	86	86	74	56						
99	87	87	75	56						
100	88	88	76	56						
101	89	89	77	57						
102	90	89	78	58						
103	91	90	79	59						
104	92	90	80	60						
105	93	91	81	60						
106	93	91	82	60						
107	93	92	83	60						
108	94	92	84	60						
109	94	93	85	60						
110	94	94	85	60						
111	95	95	86	60						
112	95	96	86	60						
113	95	97	87	61						
114	96	98	87	61						
115	96	99	88	61						
116	96	100	88	61						
117	97	101	89	61						
118	97	101	89	61						
119	98	101	90	61						
120	98	102	90	61						
121	99	102	91	61						
122	99	102	91							
123	100	103	92							
124	100	103	92							
125	101	103	92							
126		104	92							
127		104	92							
128		104	92							
129		105	92							
130		105	92							
131		105	92							
132		106	92							
133		106	93							
134		106	93							
135		107	93							
136		107	93							
137		107	93							
138		108	94							
139		108	95							
140		108	96							
141		109	96							
142		109								
143		110								
144		110								
145		111								

本表—令７・４・１施行

ホ　公安職俸給表㈠昇格時号俸対応表

昇格した日の前日に受けていた号俸	昇格後の号俸									
	2級	3級	4級	5級	6級	7級	8級	9級	10級	11級
1	1	1	1	1	1	1	1	1	1	1
2	1	1	1	1	1	1	1	1	2	2
3	1	1	1	1	1	1	1	1	3	3
4	1	1	1	1	1	1	1	1	4	4
5	1	1	1	1	1	1	1	1	5	4
6	1	1	1	1	1	1	1	1	5	4
7	1	1	1	1	1	1	1	1	5	4
8	1	1	1	1	1	1	1	1	5	4
9	1	1	1	1	1	1	1	1	5	4
10	2	1	1	1	2	1	1	1		
11	3	1	1	1	3	1	1	1		
12	4	1	1	1	4	1	1	1		
13	5	1	1	1	5	1	1	1		
14	6	2	1	1	6	2	1	2		
15	7	3	1	1	7	3	1	2		
16	8	4	1	1	8	4	1	2		
17	9	5	1	1	9	5	1	2		
18	10	6	1	1	10	6	2	3		
19	11	7	1	1	11	7	3	3		
20	12	8	1	1	12	8	4	3		
21	13	9	1	1	13	9	5	4		
22	14	10	2	1	14	10	6	4		
23	15	11	3	1	15	11	7	4		
24	16	12	4	1	16	12	8	4		
25	17	13	5	1	17	13	9	4		
26	18	14	6	1	18	14	10	4		
27	19	15	7	1	19	15	11	4		
28	20	16	8	1	20	16	12	5		
29	21	17	9	1	21	17	13	5		
30	22	18	10	2	22	18	14	5		
31	23	19	11	3	23	19	15	5		
32	24	20	12	4	24	20	16	5		
33	25	21	13	5	25	21	17	5		
34	26	22	14	6	26	22	18	5		
35	27	23	15	7	27	23	19	5		
36	28	24	16	8	28	24	20	5		
37	29	25	17	9	29	25	21	5		
38	30	26	18	10	30	26	22	5		
39	31	27	19	11	31	27	23	5		
40	32	28	20	12	32	28	24	5		
41	33	29	21	13	33	29	25	5		
42	34	30	22	14	34	30	25	5		
43	35	31	23	15	35	31	26	5		
44	36	32	24	16	36	32	26	5		
45	37	33	25	17	37	33	27	5		
46	38	34	26	18	38	34	27			
47	39	35	27	19	39	35	28			
48	40	36	28	20	40	36	28			
49	41	37	29	21	41	37	28			
50	42	38	30	22	42	37	28			
51	43	39	31	23	43	37	28			
52	44	40	32	24	44	38	28			
53	45	41	33	25	45	38	28			
54	46	42	34	26	46	38	28			
55	47	43	35	27	47	39	28			
56	48	44	36	28	48	39	28			
57	49	45	37	29	49	39	29			
58	50	46	38	30	50	40	29			
59	51	47	39	31	51	40	29			
60	52	48	40	32	52	40	29			
61	53	49	41	33	53	40	29			
62	54	50	42	34	54	40	29			
63	55	51	43	35	55	40	29			
64	56	52	44	36	56	40	29			
65	57	53	45	37	57	40	29			
66	58	54	46	37	58	40	29			
67	59	55	47	38	59	40	29			
68	60	56	48	38	60	41	30			
69	61	57	49	39	60	41	30			
70	62	58	49	39	60	41	30			
71	63	59	50	40	61	41	31			
72	64	60	50	40	62	41	31			

73	33	42	42	63	41	31			
74	33	42	42	64	41				
75	34	42	42	65	41				
76	34	42	42	66	41				
77	35	43	43	67	41				
78	35	43	43	68	41				
79	36	43	43	69	41				
80	36	43	43	70	42				
81	37	44	43	71	42				
82	38	44	44	72	42				
83	39	44	44	73	43				
84	40	44	44	74	43				
85	41	44	44	75	43				
86	41	44	44						
87	42	44	45						
88	42	44	45						
89	43	44	45						
90		44	45						
91		44	45						
92		45	46						
93		45	46						
94		45	46						
95		45	46						
96		45	46						
97		45	47						
98		45							
99		45							
100		45							
101		45							

本表―令７・４・１施行

ヘ　公安職俸給表(二)昇格時号俸対応表

昇格した日の前日に受けていた号俸	昇格後の号俸								
	2　級	3　級	4　級	5　級	6　級	7　級	8　級	9　級	10　級
1	1	1	1	1	1	1	1	1	1
2	1	1	1	1	1	1	1	2	2
3	1	1	1	1	1	1	1	3	3
4	1	1	1	1	1	1	1	4	4
5	1	1	1	1	1	1	1	5	4
6	1	1	1	1	1	1	1	5	4
7	1	1	1	1	1	1	1	5	4
8	1	1	1	1	1	1	1	5	4
9	1	1	1	1	1	1	1	5	4
10	1	1	1	2	1	1	1		
11	1	1	1	3	1	1	1		
12	1	1	1	4	1	1	1		
13	1	1	1	5	1	1	1		
14	1	1	1	6	2	1	2		
15	1	1	1	7	3	1	2		
16	1	1	1	8	4	1	2		
17	1	1	1	9	5	1	2		
18	1	1	1	10	6	2	3		
19	1	1	1	11	7	3	3		
20	1	1	1	12	8	4	3		
21	1	1	1	13	9	5	4		
22	1	2	2	14	10	6	4		
23	1	3	3	15	11	7	4		
24	1	4	4	16	12	8	4		
25	1	5	5	17	13	9	4		
26	1	6	6	18	14	10	4		
27	1	7	7	19	15	11	4		
28	1	8	8	20	16	12	5		
29	1	9	9	21	17	13	5		
30	2	10	10	22	18	14	5		
31	3	11	11	23	19	15	5		
32	4	12	12	24	20	16	5		
33	5	13	13	25	21	17	5		
34	6	14	14	26	22	18	5		
35	7	15	15	27	23	19	5		
36	8	16	16	28	24	20	5		
37	9	17	17	29	25	21	5		
38	10	18	18	30	26	22	5		
39	11	19	19	31	27	23	5		
40	12	20	20	32	28	24	5		
41	13	21	21	33	29	25	5		
42	13	22	22	34	30	25	5		
43	14	23	23	35	31	26	5		
44	14	24	24	36	32	26	5		
45	15	25	25	37	33	27	5		
46	15	25	26	38	34	27			
47	16	26	27	39	35	28			
48	16	26	28	40	36	28			
49	17	27	29	41	37	28			
50	17	27	30	42	37	28			
51	18	28	31	43	37	28			
52	18	28	32	44	38	28			
53	19	29	33	45	38	28			
54	19	30	33	46	38	28			
55	20	31	34	47	39	28			
56	20	32	34	48	39	28			
57	21	33	35	49	39	29			
58	22	33	35	50	40	29			
59	23	34	36	51	40	29			
60	24	34	36	52	40	29			
61	25	35	37	53	40	29			
62	25	35	37	54	40	29			
63	26	36	38	55	40	29			
64	26	36	38	56	40	29			
65	27	37	39	57	40	29			
66	27	38	39	58	40	29			
67	28	39	40	59	40	29			
68	28	40	40	60	41	30			
69	29	41	41	60	41	30			
70	30	41	41	60	41	30			
71	31	41	41	61	41	31			
72	32	41	41	62	41	31			

74			29	34		
75			29	34		
76			29	34		
77			30	34		
78			30	35		
79			30	35		
80			30	35		
81			30	36		
82			30			
83			31			
84			31			
85			31			
86			31			
87			31			
88			31			
89			32			
90			32			
91			32			
92			32			
93			32			
94			32			
95			33			
96			33			
97			33			

本表—令７・４・１施行

ト　海事職俸給表㈠昇格時号俸対応表

昇格した日の前日に受けていた号俸	昇格後の号俸					
	2級	3級	4級	5級	6級	7級
1	1	1	1	1	1	1
2	1	1	1	1	1	1
3	1	1	1	1	1	1
4	1	1	1	1	1	1
5	1	1	1	1	1	1
6	1	1	1	1	1	1
7	1	1	1	1	1	1
8	1	1	1	1	1	1
9	1	1	1	1	1	1
10	1	1	1	1	1	1
11	1	1	1	1	1	1
12	1	1	1	1	1	1
13	1	1	1	1	1	1
14	1	1	1	1	1	1
15	1	1	1	1	1	1
16	1	1	1	1	1	1
17	1	1	1	1	1	1
18	1	1	1	2	1	1
19	1	1	1	3	1	1
20	1	1	1	4	1	1
21	1	1	1	5	1	1
22	2	2	2	6	1	1
23	3	3	3	7	2	1
24	4	4	4	8	2	1
25	5	5	5	9	3	1
26	6	6	6	10	3	1
27	7	7	7	11	4	1
28	8	8	8	12	4	1
29	9	9	9	13	5	1
30	10	10	9	14	5	1
31	11	11	10	15	5	1
32	12	12	10	16	6	1
33	13	13	11	17	6	1
34	13	14	11	18	6	1
35	13	15	12	19	7	1
36	14	16	12	20	7	1
37	14	17	13	21	7	1
38	14	17	13	22	8	1
39	15	17	14	23	8	1
40	15	18	14	24	8	1
41	15	18	15	25	9	1
42	16	18	15	25	9	
43	16	19	16	25	9	
44	16	19	16	25	9	
45	17	19	17	26	9	
46	17	20	18	26	9	
47	17	20	19	26	10	
48	17	20	20	26	10	
49	17	21	21	27	10	
50	18	21	21	27	10	
51	18	21	22	27	10	
52	18	22	22	27	10	
53	18	22	23	28	11	
54	18	22	23	28	11	
55	19	22	24	28	11	
56	19	23	24	28	11	
57	19	23	25	29	11	
58	19	23	25	29	11	
59	19	23	25	30	12	
60	20	24	25	30	12	
61	20	24	26	31	12	
62	20	24	26	31		
63	20	24	26	32		
64	20	25	26	32		
65	21	25	27	32		
66	21	25	27	32		
67	22	26	27	32		
68	22	26	27	33		
69	23	27	28	33		
70			28	33		
71			28	33		
72			28	33		
73			29	34		

74		45	62	62	22
75		45	63	63	22
76		45	64	64	22
77		46	65	65	22
78		46	66	66	22
79		46	67	67	23
80		46	68	68	23
81		47	69	69	23
82		47	70	70	23
83		47	71	71	23
84		47	72	72	23
85		48	73	73	23
86		48	74	74	
87		48	75	75	
88		48	76	76	
89		48	77	76	
90		48	78	76	
91		48	79	76	
92		48	80	76	
93		48	81	76	
94		48	82	76	
95		48	83	76	
96		48	84	76	
97		48	85	76	
98		48	86	76	
99		48	87	76	
100		48	88	76	
101		48	89	76	
102		48	90	76	
103		48	91	76	
104		48	92	76	
105		48	93	76	
106			94		
107			95		
108			96		
109			97		

本表—令7・4・1施行

チ　海事職俸給表㈡昇格時号俸対応表

昇格した日の前日に受けていた号俸	昇格後の号俸				
	2級	3級	4級	5級	6級
1	1	1	1	1	1
2	1	1	1	1	1
3	1	1	1	1	1
4	1	1	1	1	1
5	1	1	1	1	1
6	1	1	1	1	1
7	1	1	1	1	1
8	1	1	1	1	1
9	1	1	1	1	1
10	2	1	1	1	1
11	3	1	1	1	1
12	4	1	1	1	1
13	5	1	1	1	1
14	6	1	2	2	1
15	7	1	3	3	1
16	8	1	4	4	1
17	9	1	5	5	1
18	10	2	6	6	1
19	11	3	7	7	1
20	12	4	8	8	1
21	13	5	9	9	1
22	14	6	10	10	2
23	15	7	11	11	3
24	16	8	12	12	4
25	17	9	13	13	5
26	18	10	14	14	5
27	19	11	15	15	5
28	20	12	16	16	6
29	21	13	17	17	6
30	22	14	18	18	6
31	23	15	19	19	7
32	24	16	20	20	7
33	25	17	21	21	7
34	26	17	22	22	8
35	27	18	23	23	8
36	28	18	24	24	8
37	29	19	25	25	9
38	30	19	26	26	9
39	31	20	27	27	10
40	32	20	28	28	10
41	33	21	29	29	11
42	34	21	30	30	11
43	35	22	31	31	12
44	36	22	32	32	12
45	37	23	33	33	13
46	38	23	34	34	13
47	39	24	35	35	13
48	40	24	36	36	14
49	41	25	37	37	14
50	42	26	38	38	14
51	43	27	39	39	15
52	44	28	40	40	15
53	45	29	41	41	15
54	46	30	42	42	16
55	47	31	43	43	16
56	48	32	44	44	16
57	48	33	45	45	17
58	48	34	46	46	17
59	48	35	47	47	18
60	48	36	48	48	18
61	49	37	49	49	19
62	49	37	50	50	19
63	49	38	51	51	20
64	49	38	52	52	20
65	49	39	53	53	21
66	50	39	54	54	21
67	50	40	55	55	21
68	50	40	56	56	21
69	50	41	57	57	21
70	50	42	58	58	21
71	51	43	59	59	21
72	51	44	60	60	22
73	51	45	61	61	22

73	27	46	8	
74	27	46		
75	28	46		
76	28	46		
77	29	46		
78	29	46		
79	30	46		
80	30	46		
81	31	46		
82	31	46		
83	32	46		
84	32	46		
85	33	46		
86	33	46		
87	33	46		
88	34	46		
89	34	46		
90	34	46		
91	35	46		
92	35	46		
93	35	46		
94	36			
95	36			
96	36			
97	37			
98	37			
99	37			
100	37			
101	38			
102	38			
103	38			
104	38			
105	39			
106	39			
107	39			
108	39			
109	40			
110	40			
111	40			
112	40			
113	40			
114	40			
115	41			
116	41			
117	41			
118	41			
119	41			
120	41			
121	42			
122	42			
123	42			
124	42			
125	42			
126	42			
127	43			
128	43			
129	43			

本表—令7・4・1施行

リ　教育職俸給表㈠昇格時号俸対応表

昇格した日の前日に受けていた号俸	昇格後の号俸			
	2　級	3　級	4　級	5　級
1	1	1	1	1
2	1	1	1	2
3	1	1	1	3
4	1	1	1	4
5	1	1	1	4
6	1	1	1	4
7	1	1	1	4
8	1	1	1	4
9	1	1	1	4
10	1	1	1	4
11	1	1	1	4
12	1	1	1	4
13	1	1	1	4
14	1	1	1	4
15	1	1	1	4
16	1	1	1	4
17	1	1	2	4
18	1	2	2	
19	1	3	2	
20	1	4	2	
21	1	5	2	
22	1	5	2	
23	1	6	2	
24	1	6	2	
25	1	7	3	
26	1	7	3	
27	1	8	3	
28	1	8	3	
29	1	9	3	
30	1	10	3	
31	1	11	3	
32	1	12	3	
33	1	13	4	
34	2	14	4	
35	3	15	4	
36	4	16	4	
37	5	17	4	
38	6	18	4	
39	7	19	4	
40	8	20	4	
41	9	21	5	
42	10	22	5	
43	11	23	5	
44	12	24	5	
45	13	25	5	
46	14	26	5	
47	15	27	5	
48	16	28	5	
49	17	29	5	
50	17	30	5	
51	18	31	6	
52	18	32	6	
53	19	33	6	
54	19	34	6	
55	20	35	6	
56	20	36	6	
57	21	37	6	
58	21	38	6	
59	21	39	7	
60	22	40	7	
61	22	41	7	
62	22	41	7	
63	23	42	7	
64	23	42	7	
65	23	43	7	
66	24	43	7	
67	24	44	7	
68	24	44	7	
69	25	45	7	
70	25	45	7	
71	26	45	7	
72	26	45	8	

73	38	33
74	38	34
75	39	35
76	39	36
77	39	37
78	40	38
79	40	39
80	40	40
81	41	41
82	41	42
83	42	43
84	42	44
85	43	45
86	43	46
87	44	47
88	44	48
89	45	49
90	45	50
91	45	51
92	46	52
93	46	53
94	46	53
95	47	54
96	47	54
97	47	55
98	48	55
99	48	56
100	48	56
101	49	57
102	49	58
103	49	59
104	49	60
105	50	61
106	50	62
107	50	63
108	50	64
109	51	64
110	51	64
111	51	64
112	51	64
113	52	64
114	52	64
115	52	64
116	52	64
117	53	64
118	53	64
119	53	64
120	53	64
121	53	64
122	53	64
123	54	64
124	54	64
125	54	64
126	54	
127	54	
128	54	
129	55	
130	55	
131	55	
132	55	
133	55	
134	55	
135	56	
136	56	
137	56	
138	56	
139	56	
140	56	
141	57	

本表…令7・4・1施行

ヌ　教育職俸給表(二)昇格時号俸対応表

昇格した日の前日に受けていた号俸	昇格後の号俸	
	2級	3級
1	1	1
2	1	1
3	1	1
4	1	1
5	1	1
6	1	1
7	1	1
8	1	1
9	1	1
10	1	1
11	1	1
12	1	1
13	1	1
14	2	1
15	3	1
16	4	1
17	5	1
18	6	1
19	7	1
20	8	1
21	9	1
22	10	1
23	11	1
24	12	1
25	13	1
26	14	1
27	15	1
28	16	1
29	17	1
30	18	1
31	19	1
32	20	1
33	21	1
34	22	1
35	23	1
36	24	1
37	25	1
38	25	2
39	26	3
40	26	4
41	27	5
42	27	6
43	28	7
44	28	8
45	29	9
46	29	10
47	29	11
48	29	12
49	30	13
50	30	14
51	30	15
52	30	16
53	31	17
54	31	18
55	31	19
56	31	20
57	32	21
58	32	22
59	32	23
60	32	24
61	33	25
62	33	26
63	34	27
64	34	28
65	35	29
66	35	29
67	36	30
68	36	30
69	37	31
70	37	31
71	37	32
72	38	32

73	33	18	29		
74	33	18	29		
75	34	19	29		
76	34	19	30		
77	35	19	30		
78	35	20	30		
79	36	20	31		
80	36	20	31		
81	37	21	31		
82	37	22			
83	38	23			
84	38	24			
85	39	25			
86	39	25			
87	40	25			
88	40	25			
89	41	26			
90	41	26			
91	42	26			
92	42	26			
93	43	27			
94	43	27			
95	44	27			
96	44	27			
97	45	28			
98	46	28			
99	47	28			
100	48	28			
101	49	29			
102	50	29			
103	51	29			
104	52	30			
105	53	30			
106	53	30			
107	53	30			
108	54	30			
109	54	31			
110	54	31			
111	55	31			
112	55	31			
113	55	31			
114	56	32			
115	56	32			
116	56	32			
117	57	32			
118	57	32			
119	58	33			
120	58	33			
121	59	33			

本表—令７・４・１施行

ル　研究職俸給表昇格時号俸対応表

昇格した日の前日に受けていた号俸	昇格後の号俸				
	２　級	３　級	４　級	５　級	６　級
1	1	1	1	1	1
2	1	1	1	1	2
3	1	1	1	1	3
4	1	1	1	1	4
5	1	1	1	1	4
6	1	1	1	1	4
7	1	1	1	1	4
8	1	1	1	1	4
9	1	1	1	1	4
10	1	1	1	1	4
11	1	1	1	1	4
12	1	1	1	1	4
13	1	1	1	2	4
14	1	1	1	2	4
15	1	1	1	2	
16	1	1	1	2	
17	1	1	1	2	
18	1	1	1	2	
19	1	1	1	2	
20	1	1	1	3	
21	1	1	1	3	
22	1	1	1	3	
23	1	1	1	3	
24	1	1	1	3	
25	1	1	1	3	
26	2	1	2	3	
27	3	1	3	4	
28	4	1	4	4	
29	5	1	5	4	
30	6	1	6	4	
31	7	1	7	4	
32	8	1	8	4	
33	9	1	9	4	
34	10	1	10	5	
35	11	1	11	5	
36	12	1	12	5	
37	13	1	13	5	
38	14	1	13	5	
39	15	1	14	5	
40	16	1	14	5	
41	17	1	15	6	
42	17	2	15	6	
43	18	3	16	6	
44	18	4	16	6	
45	19	5	17	6	
46	19	6	18	6	
47	20	7	19	6	
48	20	8	20	6	
49	21	9	21	6	
50	22	9	21	7	
51	23	9	21	7	
52	24	10	22	7	
53	25	10	22	7	
54	25	10	22	7	
55	26	11	23	7	
56	26	11	23	7	
57	27	11	23	7	
58	27	12	24		
59	28	12	24		
60	28	12	24		
61	29	13	25		
62	29	13	25		
63	29	14	26		
64	30	14	26		
65	30	15	26		
66	30	15	26		
67	31	16	27		
68	31	16	27		
69	31	17	27		
70	32	17	28		
71	32	17	28		
72	32	18	28		

73		33	5	
74		33		
75		33		
76		34		
77		34		
78		34		
79		34		
80		34		
81		35		
82		35		
83		35		
84		35		
85		35		

本表一令7・4・1施行

ヲ 医療職俸給表㈠昇格時号俸対応表

昇格した日の前日に受けていた号俸	昇格後の号俸			
	2級	3級	4級	5級
1	1	1	1	1
2	1	1	1	2
3	1	1	1	3
4	1	1	1	4
5	1	1	1	4
6	1	1	1	4
7	1	1	1	4
8	1	1	1	4
9	1	1	1	4
10	1	1	1	4
11	1	1	1	
12	1	1	1	
13	1	1	1	
14	1	1	1	
15	1	1	1	
16	1	1	1	
17	1	1	1	
18	1	1	1	
19	1	1	1	
20	1	1	1	
21	1	1	1	
22	1	2	1	
23	1	3	1	
24	1	4	2	
25	1	5	2	
26	1	6	2	
27	1	7	3	
28	1	8	3	
29	1	9	3	
30	1	10	3	
31	1	11	4	
32	1	12	4	
33	1	13	4	
34	2	14	5	
35	3	15	5	
36	4	16	5	
37	5	17	5	
38	6	18	5	
39	7	19	5	
40	8	20	5	
41	9	21	5	
42	10	21	5	
43	11	22	5	
44	12	22	5	
45	13	23	5	
46	13	23	5	
47	13	24	5	
48	14	24	5	
49	14	25	5	
50	14	25	5	
51	14	26	5	
52	15	26	5	
53	15	27	5	
54	15	27	5	
55	15	28	5	
56	16	28	5	
57	16	29	5	
58	16	29	5	
59	16	29	5	
60	17	30	5	
61	17	30	5	
62	17	30	5	
63	18	31	5	
64	18	31	5	
65	19	31	5	
66		32	5	
67		32	5	
68		32	5	
69		32	5	
70		32	5	
71		33	5	
72		33	5	

74	39	51	59	37	31		
75	40	52	60	37	31		
76	40	52	60	37	31		
77	41	53	61	38	31		
78	41	53	61	38			
79	41	53	62	38			
80	42	54	62	38			
81	42	54	63	39			
82	42	54	63	39			
83	43	55	64	39			
84	43	55	64	39			
85	43	55	65	39			
86		56	66	40			
87		56	67	40			
88		56	68	40			
89		56	69	40			
90		56	69	40			
91		57	70	41			
92		57	70	41			
93		57	70	41			
94		57	70	41			
95		57	70	41			
96		58	70	42			
97		58	70	42			
98		58	70	42			
99		58	70	42			
100		58	70	42			
101		59	70	43			
102		59	70				
103		59	70				
104		59	70				
105		59	70				
106			70				
107			70				
108			70				
109			70				

本表―令７・４・１施行

ワ　医療職俸給表(二)昇格時号俸対応表

昇格した日の前日に受けていた号俸	昇格後の号俸						
	2級	3級	4級	5級	6級	7級	8級
1	1	1	1	1	1	1	1
2	1	1	1	1	1	1	1
3	1	1	1	1	1	1	1
4	1	1	1	1	1	1	1
5	1	1	1	1	1	1	1
6	1	1	1	1	1	1	1
7	1	1	1	1	1	1	1
8	1	1	1	1	1	1	1
9	1	1	1	1	1	1	1
10	1	1	1	1	1	1	1
11	1	1	1	1	1	1	1
12	1	1	1	1	1	1	1
13	1	1	1	1	1	1	1
14	1	1	2	1	1	1	1
15	1	1	3	1	1	1	1
16	1	1	4	1	1	1	1
17	1	1	5	1	1	1	1
18	1	1	6	1	1	1	1
19	1	1	7	1	1	1	1
20	1	1	8	1	1	1	1
21	1	1	9	1	1	1	1
22	2	2	10	2	2	2	1
23	3	3	11	3	3	3	1
24	4	4	12	4	4	4	1
25	5	5	13	5	5	5	1
26	6	6	14	6	6	5	1
27	7	7	15	7	7	6	1
28	8	8	16	8	8	6	1
29	9	9	17	9	9	7	1
30	10	10	18	10	10	7	1
31	11	11	19	11	11	8	1
32	12	12	20	12	12	8	1
33	13	13	21	13	13	9	1
34	14	14	22	14	14	9	1
35	15	15	23	15	15	9	1
36	16	16	24	16	16	9	1
37	17	17	25	17	17	9	1
38	18	18	26	18	18	9	
39	19	19	27	19	19	10	
40	20	20	28	20	20	10	
41	21	21	29	21	21	10	
42	22	22	30	22	21	10	
43	23	23	31	23	21	10	
44	24	24	32	24	22	10	
45	25	25	33	25	22	11	
46	25	26	34	25	22	11	
47	26	27	35	26	23	11	
48	26	28	36	26	23	11	
49	27	29	37	27	23	11	
50	27	30	38	27	24	11	
51	28	31	39	28	24	12	
52	28	32	40	28	24	12	
53	29	33	41	29	25	12	
54	29	34	42	29	25		
55	30	35	43	30	26		
56	30	36	44	30	26		
57	31	37	45	31	27		
58	31	38	46	31	27		
59	32	39	47	32	28		
60	32	40	48	32	28		
61	33	41	49	33	28		
62	33	42	50	33	28		
63	34	43	51	33	28		
64	34	44	52	34	29		
65	35	45	53	34	29		
66	35	46	54	34	29		
67	36	47	55	35	29		
68	36	48	56	35	29		
69	37	49	57	35	30		
70	37	49	57	36	30		
71	38	50	58	36	30		
72	38	50	58	36	30		
73	39	51	59	37	30		

73	53	45	61	49	30	
74	54	46	62	50	30	
75	55	47	63	51	30	
76	56	48	64	52	30	
77	57	49	65	53	31	
78	58	50	66	53	31	
79	59	51	67	54	31	
80	60	52	68	54	31	
81	61	53	69	55	31	
82	62	54	70	55	31	
83	63	55	71	56	32	
84	64	56	72	56	32	
85	65	57	73	57	32	
86	65	58	74	57		
87	66	59	75	58		
88	66	60	76	58		
89	67	61	77	59		
90	67	62	78	59		
91	68	63	79	60		
92	68	64	80	60		
93	69	65	81	60		
94	70	66	81	60		
95	71	67	82	61		
96	72	68	82	61		
97	73	69	83	61		
98	74	70	83	61		
99	75	71	84	62		
100	76	72	84	62		
101	77	73	85	62		
102	77	74	86	62		
103	78	75	87	63		
104	78	76	88	63		
105	79	77	88	63		
106	79	77	88	63		
107	80	77	89	64		
108	80	78	89	64		
109	81	78	89	65		
110	81	78	90			
111	81	79	90			
112	81	79	90			
113	81	79	91			
114	82	80	91			
115	82	80	91			
116	82	80	92			
117	82	81	92			
118	82	81	92			
119	83	81	93			
120	83	81	93			
121	83	82	93			
122	83	82				
123	83	82				
124	84	82				
125	84	83				
126	84	83				
127	84	83				
128	84	83				
129	85	84				
130	85	84				
131	85	84				
132	86	84				
133	86	85				
134	86	85				
135	87	85				
136	87	86				
137	87	86				
138	88	86				
139	88	86				
140	88	86				
141	89	87				
142	89	87				
143	89	87				
144	89	87				
145	90	87				
146	90	88				
147	90	88				

カ　医療職俸給表㈢昇格時号俸対応表

昇格した日の前日に受けていた号俸	昇格後の号俸					
	2級	3級	4級	5級	6級	7級
1	1	1	1	1	1	1
2	1	1	1	1	1	1
3	1	1	1	1	1	1
4	1	1	1	1	1	1
5	1	1	1	1	1	1
6	1	1	1	1	1	1
7	1	1	1	1	1	1
8	1	1	1	1	1	1
9	1	1	1	1	1	1
10	1	1	1	1	1	1
11	1	1	1	1	1	1
12	1	1	1	1	1	1
13	1	1	1	1	1	1
14	1	1	2	1	1	1
15	1	1	3	1	1	1
16	1	1	4	1	1	1
17	1	1	5	1	1	1
18	2	1	6	1	1	1
19	3	1	7	1	1	1
20	4	1	8	1	1	1
21	5	1	9	1	1	1
22	6	1	10	2	1	2
23	7	1	11	3	1	3
24	8	1	12	4	1	4
25	9	1	13	5	1	5
26	10	1	14	6	2	6
27	11	1	15	7	3	7
28	12	1	16	8	4	8
29	13	1	17	9	5	9
30	14	2	18	10	6	10
31	15	3	19	11	7	11
32	16	4	20	12	8	12
33	17	5	21	13	9	13
34	18	6	22	14	10	14
35	19	7	23	15	11	15
36	20	8	24	16	12	16
37	21	9	25	17	13	17
38	22	10	26	18	14	18
39	23	11	27	19	15	19
40	24	12	28	20	16	20
41	25	13	29	21	17	20
42	26	14	30	22	17	20
43	27	15	31	23	18	20
44	28	16	32	24	18	20
45	29	17	33	25	19	21
46	30	18	34	26	19	21
47	31	19	35	27	20	21
48	32	20	36	28	20	21
49	33	21	37	29	21	21
50	34	22	38	30	21	22
51	35	23	39	31	22	22
52	36	24	40	32	22	22
53	37	25	41	33	23	22
54	38	26	42	34	23	22
55	39	27	43	35	24	23
56	40	28	44	36	24	23
57	41	29	45	37	25	23
58	41	30	46	38	25	
59	42	31	47	39	26	
60	42	32	48	40	26	
61	43	33	49	41	27	
62	43	34	50	42	27	
63	44	35	51	43	28	
64	44	36	52	44	28	
65	45	37	53	45	29	
66	46	38	54	45	29	
67	47	39	55	46	29	
68	48	40	56	46	29	
69	49	41	57	47	29	
70	50	42	58	47	29	
71	51	43	59	48	30	
72	52	44	60	48	30	

ヨ　福祉職俸給表昇格時号俸対応表

昇格した日の前日に受けていた号俸	昇格後の号俸				
	2　級	3　級	4　級	5　級	6　級
1	1	1	1	1	1
2	1	1	1	1	1
3	1	1	1	1	1
4	1	1	1	1	1
5	1	1	1	1	1
6	1	1	1	1	1
7	1	1	1	1	1
8	1	1	1	1	1
9	1	1	1	1	1
10	1	1	1	1	1
11	1	1	1	1	1
12	1	1	1	1	1
13	1	1	1	1	1
14	1	1	2	1	1
15	1	1	3	1	1
16	1	1	4	1	1
17	1	1	5	1	1
18	1	1	6	1	2
19	1	1	7	1	3
20	1	1	8	1	4
21	1	1	9	1	5
22	1	1	10	2	5
23	1	1	11	3	6
24	1	1	12	4	6
25	1	1	13	5	7
26	1	2	14	6	7
27	1	3	15	7	8
28	1	4	16	8	8
29	1	5	17	9	9
30	2	6	18	10	9
31	3	7	19	11	10
32	4	8	20	12	10
33	5	9	21	13	11
34	6	10	22	14	11
35	7	11	23	15	12
36	8	12	24	16	12
37	9	13	25	17	13
38	10	14	25	18	13
39	11	15	26	19	13
40	12	16	26	20	13
41	13	17	27	21	14
42	13	18	27	22	14
43	14	19	28	23	14
44	14	20	28	24	14
45	15	21	29	25	15
46	15	22	29	26	15
47	16	23	30	27	15
48	16	24	30	28	15
49	17	25	31	29	15
50	17	26	31	29	15
51	18	27	32	30	15
52	18	28	32	30	15
53	19	29	33	31	15
54	19	30	33	31	15
55	20	31	33	32	15
56	20	32	34	32	16
57	21	33	34	33	16
58	22	34	34	33	16
59	23	35	35	34	16
60	24	36	35	34	16
61	25	37	35	35	16
62	25	38	36	35	16
63	26	39	36	36	16
64	26	40	36	36	16
65	27	41	37	37	16
66	27	42	37	37	
67	28	43	37	38	
68	28	44	37	38	
69	29	45	38	38	
70	29	46	38	38	
71	30	47	38	38	
72	30	48	38	38	

148	90	88				
149	91	88				
150	91	88				
151	91	89				
152	91	89				
153	92	89				
154	92					
155	92					
156	92					
157	93					
158	93					
159	93					
160	94					
161	94					
162	94					
163	95					
164	95					
165	95					
166	96					
167	96					
168	96					
169	97					

本表—令７・４・１施行

73	31	49	38	38	
74	31	50	38	38	
75	32	51	38	38	
76	32	52	39	38	
77	33	53	39	39	
78	33	53	39	39	
79	34	53	39	39	
80	34	54	39	39	
81	35	54	39	39	
82	35	54	39	39	
83	36	55	40	39	
84	36	55	40	39	
85	37	55	40	39	
86	38	56	40		
87	39	56	40		
88	40	56	40		
89	41	57	40		
90	41	57			
91	42	58			
92	42	58			
93	43	59			
94	43	59			
95	44	60			
96	44	60			
97	45	61			
98	45	62			
99	45	63			
100	46	64			
101	46	64			
102	46	64			
103	47	64			
104	47	64			
105	47	64			
106	48	64			
107	48	64			
108	48	64			
109	49	64			
110	49	64			
111	49	64			
112	49	64			
113	49	64			
114	50	64			
115	50	64			
116	50	64			
117	50	64			
118	50				
119	51				
120	51				
121	51				
122	51				
123	51				
124	52				
125	52				
126	52				
127	52				
128	52				
129	53				
130	53				
131	53				
132	54				
133	54				
134	54				
135	55				
136	55				
137	55				
138	55				
139	55				
140	55				
141	55				
142	55				
143	55				
144	55				
145	56				
146	56				
147	56				
148	56				
149	56				
150	56				
151	56				
152	56				
153	56				

本表…令７・４・１施行

別表第七の二　降格時号俸対応表（第二十四条の二関係）

イ　行政職俸給表(一)降格時号俸対応表

降格した日の前日に受けていた号俸	降格後の号俸								
	1　級	2　級	3　級	4　級	5　級	6　級	7　級	8　級	9　級
1	33	21	21	9	13	17	12	1	1
2	33	22	22	10	14	18	17	2	2
3	33	23	23	11	15	19	21	3	3
4	34	24	24	12	16	20	28	4	9
5	35	25	25	13	17	22	45	9	9
6	36	26	26	14	18	24	45	9	9
7	38	27	27	15	19	26	45	9	9
8	39	28	28	16	20	28	45	9	9
9	41	29	29	17	21	30	45	9	
10	42	30	30	18	22	32			
11	43	31	31	19	23	34			
12	44	32	32	20	24	36			
13	45	33	33	21	25	40			
14	46	34	34	22	26	44			
15	47	35	35	23	27	65			
16	48	36	36	24	28	72			
17	49	37	37	25	29	73			
18	50	38	38	26	30	73			
19	51	39	39	27	31	73			
20	52	40	40	28	32	73			
21	54	41	41	29	33	73			
22	56	42	42	30	34	73			
23	58	43	43	31	35	73			
24	60	44	44	32	36	73			
25	62	45	45	33	37	73			
26	64	46	46	34	38	73			
27	66	47	47	35	39	73			
28	68	48	48	36	40	73			
29	71	49	49	37	42	73			
30	74	50	50	38	44	73			
31	77	51	51	39	46	73			
32	80	52	52	40	48	73			
33	83	54	53	41	50	73			
34	86	56	54	42	52	73			
35	89	58	55	43	54	73			
36	92	60	56	44	56	73			
37	93	61	59	45	58	73			
38	93	62	62	46	68	73			
39	93	63	65	47	80	73			
40	93	64	68	48	84	73			
41	93	66	71	49	85	73			
42	93	68	74	50	85	73			
43	93	70	77	51	85	73			
44	93	72	80	52	85	73			
45	93	77	84	53	85	73			
46	93	82	88	54	85				
47	93	87	95	55	85				
48	93	92	102	56	85				
49	93	97	109	57	85				
50	93	102	109	58	85				
51	93	107	109	59	85				
52	93	116	109	60	85				
53	93	125	109	61	85				
54	93	125	109	62	85				
55	93	125	109	63	85				
56	93	125	109	64	85				
57	93	125	109	65	85				
58	93	125	109	66	85				
59	93	125	109	67	85				
60	93	125	109	72	85				
61	93	125	109	77	85				
62	93	125	109	80	85				
63	93	125	109	81	85				
64	93	125	109	82	85				
65	93	125	109	83	85				
66	93	125	109	84	85				
67	93	125	109	85	85				
68	93	125	109	85	85				
69	93	125	109	85	85				
70	93	125	109	85	85				
71	93	125	109	85	85				
72	93	125	109	85	85				

タ　専門スタッフ職俸給表昇格時号俸対応表

昇格した日の前日に受けていた号俸	昇格後の号俸		
	2　級	3　級	4　級
1	1	1	1
2	1	1	1
3	1	1	1
4	1	1	1
5	1	1	1
6	1	1	1
7	1	1	1
8	1	1	1
9	1	1	1
10	1	1	1
11	1	1	1
12	1	2	1
13	1	3	1
14	1	5	1
15	1	5	1
16	1	6	1
17	1	8	1
18	1	9	1
19	1	9	1
20	1	10	1
21	1	10	1
22	1	11	
23	1	11	
24	1		
25	1		
26	1		
27	1		
28	1		
29	1		
30	1		
31	1		
32	1		
33	1		
34	1		
35	1		
36	1		
37	1		
38	1		
39	1		
40	1		
41	1		
42	1		
43	1		
44	1		
45	1		
46	1		
47	1		
48	1		
49	1		
50	1		
51	1		
52	1		
53	1		
54	1		
55	1		
56	1		
57	1		
58	1		
59	1		
60	1		
61	1		
62	1		
63	1		
64	1		
65	1		

本表―令７・４・１施行

備考

これらの表の昇格後の号俸欄中「２級」等とあるのは、その者が昇格した職務の級を示す。

備考―令７・４・１施行

ロ 行政職俸給表㈡降格時号俸対応表

降格した日の前日に受けていた号俸	降格後の号俸			
	1 級	2 級	3 級	4 級
1	21	13	29	22
2	22	14	30	24
3	23	15	31	26
4	24	16	32	28
5	25	17	33	29
6	26	18	34	30
7	27	19	35	31
8	28	20	36	32
9	29	21	37	34
10	30	22	38	36
11	31	23	39	38
12	32	24	40	40
13	33	26	41	42
14	34	28	42	44
15	35	30	43	46
16	36	32	44	48
17	37	33	45	50
18	38	34	46	52
19	39	35	47	54
20	40	36	48	56
21	41	37	49	58
22	42	38	50	60
23	43	39	51	62
24	44	40	52	64
25	45	41	53	68
26	46	42	54	72
27	47	43	55	76
28	48	44	56	82
29	49	46	57	88
30	50	48	58	94
31	51	50	59	97
32	52	52	60	97
33	53	53	61	97
34	54	54	62	97
35	55	55	63	97
36	56	56	64	97
37	57	57	65	97
38	58	58	66	97
39	59	59	67	97
40	60	60	68	97
41	61	61	69	97
42	62	62	70	97
43	63	63	71	97
44	64	64	72	97
45	67	66	73	97
46	70	68	74	97
47	73	70	75	97
48	76	72	76	97
49	79	75	77	97
50	82	78	78	97
51	85	81	79	97
52	90	84	80	97
53	95	87	81	97
54	100	90	82	97
55	105	93	83	97
56	105	96	84	97
57	105	99	86	97
58	105	102	88	97
59	105	105	90	97
60	105	108	92	97
61	105	112	94	97
62	105	116	96	
63	105	137	98	
64	105	137	100	
65	105	137	101	
66	105	137	102	
67	105	137	103	
68	105	137	104	
69	105	137	106	
70	105	137	108	
71	105	137	110	
72	105	137	129	

73	93	125	109	85	85				
74	93	125	109	85					
75	93	125	109	85					
76	93	125	109	85					
77	93	125	109	85					
78	93	125	109	85					
79	93	125	109	85					
80	93	125	109	85					
81	93	125	109	85					
82	93	125	109	85					
83	93	125	109	85					
84	93	125	109	85					
85	93	125	109	85					
86	93	125							
87	93	125							
88	93	125							
89	93	125							
90	93	125							
91	93	125							
92	93	125							
93	93	125							
94	93	125							
95	93	125							
96	93	125							
97	93	125							
98	93	125							
99	93	125							
100	93	125							
101	93	125							
102	93	125							
103	93	125							
104	93	125							
105	93	125							
106	93	125							
107	93	125							
108	93	125							
109	93	125							
110	93								
111	93								
112	93								
113	93								
114	93								
115	93								
116	93								
117	93								
118	93								
119	93								
120	93								
121	93								
122	93								
123	93								
124	93								
125	93								

本表…令7・4・1施行

ハ　専門行政職俸給表降格時号俸対応表

降格した日の前日に受けていた号俸	降格後の号俸						
	1　級	2　級	3　級	4　級	5　級	6　級	7　級
1	37	21	17	17	12	1	1
2	38	22	18	18	17	2	2
3	39	23	19	19	21	3	3
4	40	24	20	20	28	4	9
5	41	25	21	22	45	9	9
6	42	26	22	24	45	9	9
7	43	27	23	26	45	9	9
8	44	28	24	28	45	9	9
9	45	29	25	30	45	9	
10	46	30	26	32			
11	47	31	27	34			
12	48	32	28	36			
13	50	33	29	40			
14	52	34	30	44			
15	54	35	31	55			
16	56	36	32	65			
17	57	37	33	65			
18	58	38	34	65			
19	59	39	35	65			
20	60	40	36	65			
21	62	42	37	65			
22	64	44	38	65			
23	66	46	39	65			
24	68	48	40	65			
25	70	50	41	65			
26	72	52	42	65			
27	74	54	43	65			
28	76	56	44	65			
29	79	59	47	65			
30	82	64	50	65			
31	85	69	53	65			
32	88	74	56	65			
33	90	77	58	65			
34	92	77	60	65			
35	93	77	62	65			
36	93	77	81	65			
37	93	77	81	65			
38	93	77	81	65			
39	93	77	81	65			
40	93	77	81	65			
41	93	77	81	65			
42	93	77	81	65			
43	93	77	81	65			
44	93	77	81	65			
45	93	77	81	65			
46	93	77	81				
47	93	77	81				
48	93	77	81				
49	93	77	81				
50	93	77	81				
51	93	77	81				
52	93	77	81				
53	93	77	81				
54	93	77	81				
55	93	77	81				
56	93	77	81				
57	93	77	81				
58	93	77	81				
59	93	77	81				
60	93	77	81				
61	93	77	81				
62	93	77	81				
63	93	77	81				
64	93	77	81				
65	93	77	81				
66	93	77					
67	93	77					
68	93	77					
69	93	77					
70	93	77					
71	93	77					
72	93	77					
73	93	77					

73	105	137	129	
74	105	137	129	
75	105	137	129	
76	105	137	129	
77	105	137	129	
78	105	137	129	
79	105	137	129	
80	105	137	129	
81	105	137	129	
82	105	137	129	
83	105	137	129	
84	105	137	129	
85	105	137	129	
86	105	137	129	
87	105	137	129	
88	105	137	129	
89	105	137	129	
90	105	137	129	
91	105	137	129	
92	105	137	129	
93	105	137	129	
94	105	137	129	
95	105	137	129	
96	105	137	129	
97	105	137	129	
98	105	137		
99	105	137		
100	105	137		
101	105	137		
102	105	137		
103	105	137		
104	105	137		
105	105	137		
106	105	137		
107	105	137		
108	105	137		
109	105	137		
110	105	137		
111	105	137		
112	105	137		
113	105	137		
114	105	137		
115	105	137		
116	105	137		
117	105	137		
118	105	137		
119	105	137		
120	105	137		
121	105	137		
122	105	137		
123	105	137		
124	105	137		
125	105	137		
126	105	137		
127	105	137		
128	105	137		
129	105	137		
130	105			
131	105			
132	105			
133	105			
134	105			
135	105			
136	105			
137	105			

本表—令７・４・１施行

二 税務職俸給表降格時号俸対応表

降格した日の前日に受けていた号俸	降格後の号俸								
	1級	2級	3級	4級	5級	6級	7級	8級	9級
1	29	21	21	9	13	17	13	1	1
2	30	22	22	10	14	18	17	2	2
3	31	23	23	11	15	19	20	3	3
4	32	24	24	12	16	20	27	4	9
5	33	25	25	13	17	21	45	9	9
6	34	26	26	14	18	22	45	9	9
7	35	27	27	15	19	23	45	9	9
8	36	28	28	16	20	24	45	9	9
9	37	29	29	17	21	25	45	9	
10	38	30	30	18	22	26			
11	39	31	31	19	23	27			
12	40	32	32	20	24	28			
13	44	33	33	21	25	29			
14	48	34	34	22	26	30			
15	52	35	35	23	27	31			
16	56	36	36	24	28	32			
17	61	37	37	25	29	33			
18	66	38	38	26	30	34			
19	71	39	39	27	31	35			
20	73	40	40	28	32	36			
21	73	42	41	29	33	37			
22	73	44	42	30	34	38			
23	73	46	43	31	35	39			
24	73	51	44	32	36	40			
25	73	56	46	33	37	42			
26	73	61	48	34	38	44			
27	73	65	50	35	39	46			
28	73	65	52	36	40	56			
29	73	65	53	37	41	67			
30	73	65	54	38	42	70			
31	73	65	55	39	43	73			
32	73	65	56	40	44	73			
33	73	65	59	41	45	73			
34	73	65	62	42	46	73			
35	73	65	66	43	47	73			
36	73	65	70	44	48	73			
37	73	65	74	45	51	73			
38	73	65	78	46	54	73			
39	73	65	81	47	57	73			
40	73	65	81	48	67	73			
41	73	65	81	49	79	73			
42	73	65	81	50	82	73			
43	73	65	81	51	85	73			
44	73	65	81	52	85	73			
45	73	65	81	53	85	73			
46	73	65	81	54	85				
47	73	65	81	55	85				
48	73	65	81	56	85				
49	73	65	81	57	85				
50	73	65	81	58	85				
51	73	65	81	59	85				
52	73	65	81	60	85				
53	73	65	81	61	85				
54	73	65	81	62	85				
55	73	65	81	63	85				
56	73	65	81	64	85				
57	73	65	81	65	85				
58	73	65	81	66	85				
59	73	65	81	67	85				
60	73	65	81	70	85				
61	73	65	81	71	85				
62	73	65	81	72	85				
63	73	65	81	73	85				
64	73	65	81	74	85				
65	73	65	81	75	85				
66		65	81	76	85				
67		65	81	77	85				
68		65	81	78	85				
69		65	81	79	85				
70		65	81	80	85				
71		65	81	81	85				
72		65	81	82	85				

74	93	77					
75	93	77					
76	93	77					
77	93	77					
78		77					
79		77					
80		77					
81		77					

本表―令７・４・１施行

ホ　公安職俸給表㈠降格時号俸対応表

降格した日の前日に受けていた号俸	降格後の号俸									
	1 級	2 級	3 級	4 級	5 級	6 級	7 級	8 級	9 級	10 級
1	9	13	21	29	9	13	17	13	1	1
2	10	13	22	30	10	14	18	17	2	2
3	10	13	23	31	11	15	19	20	3	3
4	11	14	24	32	12	16	20	27	4	9
5	12	15	25	33	13	17	21	45	9	9
6	13	16	26	34	14	18	22	45	9	9
7	14	17	27	35	15	19	23	45	9	9
8	15	18	28	36	16	20	24	45	9	9
9	16	19	29	37	17	21	25	45	9	
10	17	20	30	38	18	22	26			
11	18	22	31	39	19	23	27			
12	19	23	32	40	20	24	28			
13	20	24	33	41	21	25	29			
14	21	25	34	42	22	26	30			
15	22	26	35	43	23	27	31			
16	23	27	36	44	24	28	32			
17	24	28	37	45	25	29	33			
18	25	30	38	46	26	30	34			
19	27	30	39	47	27	31	35			
20	28	32	40	48	28	32	36			
21	29	33	41	49	29	33	37			
22	29	34	42	50	30	34	38			
23	30	35	43	51	31	35	39			
24	31	36	44	52	32	36	40			
25	33	37	45	53	33	37	42			
26	33	38	46	54	34	38	44			
27	34	39	47	55	35	39	46			
28	35	40	48	56	36	40	56			
29	37	41	49	57	37	41	67			
30	38	42	50	58	38	42	70			
31	39	43	51	59	39	43	73			
32	40	44	52	60	40	44	73			
33	41	45	53	61	41	45	73			
34	42	46	54	62	42	46	73			
35	43	47	55	63	43	47	73			
36	44	48	56	64	44	48	73			
37	45	49	57	66	45	51	73			
38	46	50	58	68	46	54	73			
39	47	51	59	70	47	57	73			
40	48	52	60	72	48	67	73			
41	49	53	61	73	49	79	73			
42	50	54	62	74	50	82	73			
43	51	55	63	75	51	85	73			
44	52	56	64	76	52	85	73			
45	53	57	65	77	53	85	73			
46	54	58	66	78	54	85				
47	55	59	67	79	55	85				
48	56	60	68	80	56	85				
49	57	61	70	82	57	85				
50	58	62	72	84	58	85				
51	59	63	74	86	59	85				
52	60	64	76	88	60	85				
53	61	65	77	91	61	85				
54	62	66	78	94	62	85				
55	63	67	79	97	63	85				
56	64	68	80	100	64	85				
57	65	69	81	101	65	85				
58	66	70	82	102	66	85				
59	67	71	83	103	67	85				
60	68	72	84	112	70	85				
61	69	73	85	121	71	85				
62	70	74	86	121	72	85				
63	71	75	87	121	73	85				
64	72	76	88	121	74	85				
65	73	77	89	121	75	85				
66	74	78	90	121	76	85				
67	75	79	91	121	77	85				
68	76	80	92	121	78	85				
69	78	81	93	121	79	85				
70	80	82	94	121	80	85				
71	82	83	95	121	81	85				
72	84	84	96	121	82	85				
73		65	81	83	85					
74		65	81	84						
75		65	81	85						
76		65	81	85						
77		65	81	85						
78		65	81	85						
79		65	81	85						
80		65	81	85						
81		65	81	85						
82			81	85						
83			81	85						
84			81	85						
85			81	85						

本表―令７・４・１施行

へ 公安職俸給表(二)降格時号俸対応表

降格した日の前日に受けていた号俸	降格後の号俸								
	1 級	2 級	3 級	4 級	5 級	6 級	7 級	8 級	9 級
1	29	21	21	9	13	17	13	1	1
2	30	22	22	10	14	18	17	2	2
3	31	23	23	11	15	19	20	3	3
4	32	24	24	12	16	20	27	4	9
5	33	25	25	13	17	21	45	9	9
6	34	26	26	14	18	22	45	9	9
7	35	27	27	15	19	23	45	9	9
8	36	28	28	16	20	24	45	9	9
9	37	29	29	17	21	25	45	9	
10	38	30	30	18	22	26			
11	39	31	31	19	23	27			
12	40	32	32	20	24	28			
13	42	33	33	21	25	29			
14	44	34	34	22	26	30			
15	46	35	35	23	27	31			
16	48	36	36	24	28	32			
17	50	37	37	25	29	33			
18	52	38	38	26	30	34			
19	54	39	39	27	31	35			
20	56	40	40	28	32	36			
21	57	41	41	29	33	37			
22	58	42	42	30	34	38			
23	59	43	43	31	35	39			
24	60	44	44	32	36	40			
25	62	46	45	33	37	42			
26	64	48	46	34	38	44			
27	66	50	47	35	39	46			
28	68	52	48	36	40	56			
29	69	53	49	37	41	67			
30	70	54	50	38	42	70			
31	71	55	51	39	43	73			
32	72	56	52	40	44	73			
33	74	58	54	41	45	73			
34	76	60	56	42	46	73			
35	78	62	58	43	47	73			
36	80	64	60	44	48	73			
37	81	65	62	45	51	73			
38	82	66	64	46	54	73			
39	83	67	66	47	57	73			
40	84	68	68	48	67	73			
41	86	72	72	49	79	73			
42	88	76	76	50	82	73			
43	89	80	81	51	85	73			
44	89	91	86	52	85	73			
45	89	101	91	53	85	73			
46	89	101	96	54	85				
47	89	101	97	55	85				
48	89	101	97	56	85				
49	89	101	97	57	85				
50	89	101	97	58	85				
51	89	101	97	59	85				
52	89	101	97	60	85				
53	89	101	97	61	85				
54	89	101	97	62	85				
55	89	101	97	63	85				
56	89	101	97	64	85				
57	89	101	97	65	85				
58	89	101	97	66	85				
59	89	101	97	67	85				
60	89	101	97	70	85				
61	89	101	97	71	85				
62	89	101	97	72	85				
63	89	101	97	73	85				
64	89	101	97	74	85				
65	89	101	97	75	85				
66	89	101	97	76	85				
67	89	101	97	77	85				
68	89	101	97	78	85				
69	89	101	97	79	85				
70	89	101	97	80	85				
71	89	101	97	81	85				
72	89	101	97	82	85				
73	85	85	97	121	83	85			
74	86	86	98	121	84				
75	87	87	99	121	85				
76	88	88	100	121	85				
77	89	89	101	121	85				
78	90	90	102	121	85				
79	91	91	103	121	85				
80	92	92	104	121	85				
81	93	93	105	121	85				
82	94	94	106	121	85				
83	95	95	107	121	85				
84	96	96	108	121	85				
85	97	97	110	121	85				
86	98	98	112						
87	99	99	114						
88	100	100	116						
89	101	102	118						
90	102	104	120						
91	103	106	122						
92	104	108	132						
93	107	109	137						
94	110	110	138						
95	113	111	139						
96	116	112	141						
97	118	113	141						
98	120	114	141						
99	122	115	141						
100	124	116	141						
101	125	119	141						
102	125	122	141						
103	125	125	141						
104	125	128	141						
105	125	131	141						
106	125	134	141						
107	125	137	141						
108	125	140	141						
109	125	142	141						
110	125	144	141						
111	125	145	141						
112	125	145	141						
113	125	145	141						
114	125	145	141						
115	125	145	141						
116	125	145	141						
117	125	145	141						
118	125	145	141						
119	125	145	141						
120	125	145	141						
121	125	145	141						
122	125	145							
123	125	145							
124	125	145							
125	125	145							
126	125	145							
127	125	145							
128	125	145							
129	125	145							
130	125	145							
131	125	145							
132	125	145							
133	125	145							
134	125	145							
135	125	145							
136	125	145							
137	125	145							
138	125	145							
139	125	145							
140	125	145							
141	125	145							
142	125								
143	125								
144	125								
145	125								

本表—令７・４・１施行

ト　海事職俸給表㈠降格時号俸対応表

降格した日の前日に受けていた号俸	降　格　後　の　号　俸					
	1　級	2　級	3　級	4　級	5　級	6　級
1	21	21	21	17	22	41
2	22	22	22	18	24	41
3	23	23	23	19	26	41
4	24	24	24	20	28	41
5	25	25	25	21	31	41
6	26	26	26	22	34	41
7	27	27	27	23	37	41
8	28	28	28	24	40	41
9	29	29	30	25	46	41
10	30	30	32	26	52	41
11	31	31	34	27	58	41
12	32	32	36	28	61	41
13	35	33	38	29	61	41
14	38	34	40	30	61	
15	41	35	42	31	61	
16	44	36	44	32	61	
17	49	39	45	33	61	
18	54	42	46	34	61	
19	59	45	47	35	61	
20	64	48	48	36	61	
21	66	51	50	37	61	
22	68	55	52	38	61	
23	69	59	54	39	61	
24	69	63	56	40	61	
25	69	66	60	44	61	
26	69	68	64	48	61	
27	69	69	68	52	61	
28	69	69	72	56	61	
29	69	69	76	58	61	
30	69	69	82	60	61	
31	69	69	88	62	61	
32	69	69	94	67	61	
33	69	69	97	72	61	
34	69	69	97	77	61	
35	69	69	97	80	61	
36	69	69	97	81	61	
37	69	69	97	81	61	
38	69	69	97	81	61	
39	69	69	97	81	61	
40	69	69	97	81	61	
41	69	69	97	81	61	
42	69	69	97	81		
43	69	69	97	81		
44	69	69	97	81		
45	69	69	97	81		
46	69	69	97	81		
47	69	69	97	81		
48	69	69	97	81		
49	69	69	97	81		
50	69	69	97	81		
51	69	69	97	81		
52	69	69	97	81		
53	69	69	97	81		
54	69	69	97	81		
55	69	69	97	81		
56	69	69	97	81		
57	69	69	97	81		
58	69	69	97	81		
59	69	69	97	81		
60	69	69	97	81		
61	69	69	97	81		
62	69	69	97			
63	69	69	97			
64	69	69	97			
65	69	69	97			
66	69	69	97			
67	69	69	97			
68	69	69	97			
69	69	69	97			
70		69	97			
71		69	97			
72		69	97			

73	89	101	97	83	85				
74	89	101	97	84					
75	89	101	97	85					
76	89	101	97	85					
77	89	101	97	85					
78	89	101	97	85					
79	89	101	97	85					
80	89	101	97	85					
81	89	101	97	85					
82	89	101	97	85					
83	89	101	97	85					
84	89	101	97	85					
85	89	101	97	85					
86	89	101							
87	89	101							
88	89	101							
89	89	101							
90	89	101							
91	89	101							
92	89	101							
93	89	101							
94	89	101							
95	89	101							
96	89	101							
97	89	101							
98	89								
99	89								
100	89								
101	89								

本表―令７・４・１施行

チ　海事職俸給表㈡降格時号俸対応表

降格した日の前日に受けていた号俸	降格後の号俸				
	1級	2級	3級	4級	5級
1	9	17	13	13	21
2	10	18	14	14	22
3	11	19	15	15	23
4	12	20	16	16	24
5	13	21	17	17	27
6	14	22	18	18	30
7	15	23	19	19	33
8	16	24	20	20	36
9	17	25	21	21	38
10	18	26	22	22	40
11	19	27	23	23	42
12	20	28	24	24	44
13	21	29	25	25	47
14	22	30	26	26	50
15	23	31	27	27	53
16	24	32	28	28	56
17	25	34	29	29	58
18	26	36	30	30	60
19	27	38	31	31	62
20	28	40	32	32	64
21	29	42	33	33	71
22	30	44	34	34	78
23	31	46	35	35	85
24	32	48	36	36	85
25	33	49	37	37	85
26	34	50	38	38	85
27	35	51	39	39	85
28	36	52	40	40	85
29	37	53	41	41	85
30	38	54	42	42	85
31	39	55	43	43	85
32	40	56	44	44	85
33	41	57	45	45	85
34	42	58	46	46	85
35	43	59	47	47	85
36	44	60	48	48	85
37	45	62	49	49	85
38	46	64	50	50	85
39	47	66	51	51	85
40	48	68	52	52	85
41	49	69	53	53	85
42	50	70	54	54	85
43	51	71	55	55	85
44	52	72	56	56	85
45	53	76	57	57	85
46	54	80	58	58	85
47	55	84	59	59	85
48	60	105	60	60	85
49	65	105	61	61	85
50	70	105	62	62	85
51	73	105	63	63	85
52	73	105	64	64	85
53	73	105	65	65	85
54	73	105	66	66	85
55	73	105	67	67	85
56	73	105	68	68	85
57	73	105	69	69	85
58	73	105	70	70	85
59	73	105	71	71	85
60	73	105	72	72	85
61	73	105	73	73	85
62	73	105	74	74	
63	73	105	75	75	
64	73	105	76	76	
65	73	105	77	77	
66	73	105	78	78	
67	73	105	79	79	
68	73	105	80	80	
69	73	105	81	81	
70	73	105	82	82	
71	73	105	83	83	
72	73	105	84	84	

73		69	97			
74		69	97			
75		69	97			
76		69	97			
77		69	97			
78		69	97			
79		69	97			
80		69	97			
81		69	97			
82		69				
83		69				
84		69				
85		69				
86		69				
87		69				
88		69				
89		69				
90		69				
91		69				
92		69				
93		69				
94		69				
95		69				
96		69				
97		69				

本表―令７・４・１施行

リ　教育職俸給表㈠降格時号俸対応表

降格した日の前日に受けていた号俸	降格後の号俸			
	1　級	2　級	3　級	4　級
1	33	17	16	1
2	34	18	24	2
3	35	19	32	3
4	36	20	40	17
5	37	22	50	17
6	38	24	58	17
7	39	26	71	17
8	40	28	73	17
9	41	29	73	
10	42	30	73	
11	43	31	73	
12	44	32	73	
13	45	33	73	
14	46	34	73	
15	47	35	73	
16	48	36	73	
17	50	37	73	
18	52	38		
19	54	39		
20	56	40		
21	59	41		
22	62	42		
23	65	43		
24	68	44		
25	70	45		
26	72	46		
27	74	47		
28	76	48		
29	78	49		
30	80	50		
31	82	51		
32	84	52		
33	87	53		
34	90	54		
35	93	55		
36	96	56		
37	100	57		
38	104	58		
39	108	59		
40	114	60		
41	120	62		
42	126	64		
43	129	66		
44	129	68		
45	129	72		
46	129	93		
47	129	93		
48	129	93		
49	129	93		
50	129	93		
51	129	93		
52	129	93		
53	129	93		
54	129	93		
55	129	93		
56	129	93		
57	129	93		
58	129	93		
59	129	93		
60	129	93		
61	129	93		
62	129	93		
63	129	93		
64	129	93		
65	129	93		
66	129	93		
67	129	93		
68	129	93		
69	129	93		
70	129	93		
71	129	93		
72	129	93		

73	73	105	85	85	
74	73	105	86	86	
75	73	105	87	87	
76	73	105	88	105	
77	73	105	89	105	
78	73	105	90	105	
79	73	105	91	105	
80	73	105	92	105	
81	73	105	93	105	
82	73	105	94	105	
83	73	105	95	105	
84	73	105	96	105	
85	73	105	97	105	
86	73	105	98		
87	73	105	99		
88	73	105	100		
89	73	105	101		
90	73	105	102		
91	73	105	103		
92	73	105	104		
93	73	105	105		
94	73	105	106		
95	73	105	107		
96	73	105	108		
97	73	105	109		
98	73	105	109		
99	73	105	109		
100	73	105	109		
101	73	105	109		
102	73	105	109		
103	73	105	109		
104	73	105	109		
105	73	105	109		
106		105			
107		105			
108		105			
109		105			

本表―令７・４・１施行

ヌ 教育職俸給表(二)降格時号俸対応表

降格した日の前日に受けていた号俸	降格後の号俸	
	1級	2級
1	13	37
2	13	38
3	13	39
4	15	40
5	16	41
6	17	42
7	19	43
8	20	44
9	21	45
10	22	46
11	23	47
12	24	48
13	25	49
14	26	50
15	27	51
16	28	52
17	29	53
18	30	54
19	31	55
20	32	56
21	33	57
22	34	58
23	35	59
24	36	60
25	38	61
26	40	62
27	42	63
28	44	64
29	48	66
30	52	68
31	56	70
32	60	72
33	62	73
34	64	74
35	66	75
36	68	76
37	71	77
38	74	78
39	77	79
40	80	80
41	82	81
42	84	82
43	86	83
44	88	84
45	91	85
46	94	86
47	97	87
48	100	88
49	104	89
50	108	90
51	112	91
52	116	92
53	122	94
54	128	96
55	134	98
56	140	100
57	141	101
58	141	102
59	141	103
60	141	104
61	141	105
62	141	106
63	141	107
64	141	125
65	141	125
66	141	125
67	141	125
68	141	125
69	141	125
70	141	125
71	141	125
72	141	125

73	129	93		
74	129			
75	129			
76	129			
77	129			
78	129			
79	129			
80	129			
81	129			
82	129			
83	129			
84	129			
85	129			
86	129			
87	129			
88	129			
89	129			
90	129			
91	129			
92	129			
93	129			

本表―令７・４・１施行

ル　研究職俸給表降格時号俸対応表

降格した日の前日に受けていた号俸	降格後の号俸				
	1　級	2　級	3　級	4　級	5　級
1	25	41	25	12	1
2	26	42	26	19	2
3	27	43	27	26	3
4	28	44	28	33	14
5	29	45	29	40	14
6	30	46	30	49	14
7	31	47	31	57	14
8	32	48	32	57	14
9	33	51	33	57	
10	34	54	34	57	
11	35	57	35	57	
12	36	60	36	57	
13	37	62	38	57	
14	38	64	40	57	
15	39	66	42		
16	40	68	44		
17	42	71	45		
18	44	74	46		
19	46	77	47		
20	48	80	48		
21	49	81	51		
22	50	82	54		
23	51	83	57		
24	52	84	60		
25	54	88	62		
26	56	92	66		
27	58	96	69		
28	60	100	72		
29	63	103	75		
30	66	108	78		
31	69	113	81		
32	72	118	81		
33	74	121	81		
34	76	121	81		
35	78	121	81		
36	80	121	81		
37	82	121	81		
38	84	121	81		
39	86	121	81		
40	88	121	81		
41	90	121	81		
42	92	121	81		
43	94	121	81		
44	96	121	81		
45	97	121	81		
46	98	121	81		
47	99	121	81		
48	100	121	81		
49	101	121	81		
50	102	121	81		
51	103	121	81		
52	104	121	81		
53	107	121	81		
54	110	121	81		
55	113	121	81		
56	116	121	81		
57	118	121	81		
58	120	121			
59	121	121			
60	121	121			
61	121	121			
62	121	121			
63	121	121			
64	121	121			
65	121	121			
66	121	121			
67	121	121			
68	121	121			
69	121	121			
70	121	121			
71	121	121			
72	121	121			
73	141	125			
74	141	125			
75	141	125			
76	141	125			
77	141	125			
78	141	125			
79	141	125			
80	141	125			
81	141	125			
82	141	125			
83	141	125			
84	141	125			
85	141	125			
86	141				
87	141				
88	141				
89	141				
90	141				
91	141				
92	141				
93	141				
94	141				
95	141				
96	141				
97	141				
98	141				
99	141				
100	141				
101	141				
102	141				
103	141				
104	141				
105	141				
106	141				
107	141				
108	141				
109	141				
110	141				
111	141				
112	141				
113	141				
114	141				
115	141				
116	141				
117	141				
118	141				
119	141				
120	141				
121	141				
122	141				
123	141				
124	141				
125	141				

本表…令７・４・１施行

ヲ 医療職俸給表㈠降格時号俸対応表

降格した日の前日に受けていた号俸	降格後の号俸			
	1級	2級	3級	4級
1	33	21	23	1
2	34	22	26	2
3	35	23	30	3
4	36	24	33	10
5	37	25	73	10
6	38	26	73	10
7	39	27	73	10
8	40	28	73	10
9	41	29	73	
10	42	30	73	
11	43	31		
12	44	32		
13	47	33		
14	51	34		
15	55	35		
16	59	36		
17	62	37		
18	64	38		
19	65	39		
20	65	40		
21	65	42		
22	65	44		
23	65	46		
24	65	48		
25	65	50		
26	65	52		
27	65	54		
28	65	56		
29	65	59		
30	65	62		
31	65	65		
32	65	70		
33	65	75		
34	65	80		
35	65	85		
36	65	85		
37	65	85		
38	65	85		
39	65	85		
40	65	85		
41	65	85		
42	65	85		
43	65	85		
44	65	85		
45	65	85		
46	65	85		
47	65	85		
48	65	85		
49	65	85		
50	65	85		
51	65	85		
52	65	85		
53	65	85		
54	65	85		
55	65	85		
56	65	85		
57	65	85		
58	65	85		
59	65	85		
60	65	85		
61	65	85		
62	65	85		
63	65	85		
64	65	85		
65	65	85		
66	65	85		
67	65	85		
68	65	85		
69	65	85		
70	65	85		
71	65	85		
72	65	85		
73	121	121		
74	121	121		
75	121	121		
76	121	121		
77	121	121		
78	121	121		
79	121	121		
80	121	121		
81	121	121		
82	121			
83	121			
84	121			
85	121			
86	121			
87	121			
88	121			
89	121			
90	121			
91	121			
92	121			
93	121			
94	121			
95	121			
96	121			
97	121			
98	121			
99	121			
100	121			
101	121			
102	121			
103	121			
104	121			
105	121			
106	121			
107	121			
108	121			
109	121			
110	121			
111	121			
112	121			
113	121			
114	121			
115	121			
116	121			
117	121			
118	121			
119	121			
120	121			
121	121			

本表…令7・4・1施行

ワ　医療職俸給表(二)降格時号俸対応表

降格した日の前日に受けていた号俸	降格後の号俸						
	1　級	2　級	3　級	4　級	5　級	6　級	7　級
1	21	21	13	21	21	21	37
2	22	22	14	22	22	22	37
3	23	23	15	23	23	23	37
4	24	24	16	24	24	24	37
5	25	25	17	25	25	26	37
6	26	26	18	26	26	28	37
7	27	27	19	27	27	30	37
8	28	28	20	28	28	32	37
9	29	29	21	29	29	38	37
10	30	30	22	30	30	44	37
11	31	31	23	31	31	50	37
12	32	32	24	32	32	53	37
13	33	33	25	33	33	53	37
14	34	34	26	34	34	53	37
15	35	35	27	35	35	53	37
16	36	36	28	36	36	53	37
17	37	37	29	37	37	53	37
18	38	38	30	38	38	53	37
19	39	39	31	39	39	53	37
20	40	40	32	40	40	53	37
21	41	41	33	41	43	53	37
22	42	42	34	42	46	53	
23	43	43	35	43	49	53	
24	44	44	36	44	52	53	
25	46	45	37	46	54	53	
26	48	46	38	48	56	53	
27	50	47	39	50	58	53	
28	52	48	40	52	63	53	
29	54	49	41	54	68	53	
30	56	50	42	56	73	53	
31	58	51	43	58	77	53	
32	60	52	44	60	77	53	
33	62	53	45	63	77	53	
34	64	54	46	66	77	53	
35	66	55	47	69	77	53	
36	68	56	48	72	77	53	
37	70	57	49	76	77	53	
38	72	58	50	80	77		
39	74	59	51	85	77		
40	76	60	52	90	77		
41	79	61	53	95	77		
42	82	62	54	100	77		
43	85	63	55	101	77		
44	85	64	56	101	77		
45	85	65	57	101	77		
46	85	66	58	101	77		
47	85	67	59	101	77		
48	85	68	60	101	77		
49	85	70	61	101	77		
50	85	72	62	101	77		
51	85	74	63	101	77		
52	85	76	64	101	77		
53	85	79	65	101	77		
54	85	82	66	101			
55	85	85	67	101			
56	85	90	68	101			
57	85	95	70	101			
58	85	100	72	101			
59	85	105	74	101			
60	85	105	76	101			
61	85	105	78	101			
62	85	105	80	101			
63	85	105	82	101			
64	85	105	84	101			
65	85	105	85	101			
66	85	105	86	101			
67	85	105	87	101			
68	85	105	88	101			
69	85	105	90	101			
70	85	105	109	101			
71	85	105	109	101			
72	85	105	109	101			

73	65	85		
74	65			
75	65			
76	65			
77	65			
78	65			
79	65			
80	65			
81	65			
82	65			
83	65			
84	65			
85	65			

本表—令７・４・１施行

カ　医療職俸給表㈢降格時号俸対応表

降格した日の前日に受けていた号俸	降格後の号俸					
	1 級	2 級	3 級	4 級	5 級	6 級
1	17	29	13	21	25	21
2	17	30	14	22	26	22
3	17	31	15	23	27	23
4	18	32	16	24	28	24
5	19	33	17	25	29	25
6	20	34	18	26	30	26
7	21	35	19	27	31	27
8	22	36	20	28	32	28
9	24	37	21	29	33	29
10	25	38	22	30	34	30
11	26	39	23	31	35	31
12	28	40	24	32	36	32
13	29	41	25	33	37	33
14	30	42	26	34	38	34
15	31	43	27	35	39	35
16	32	44	28	36	40	36
17	33	45	29	37	42	37
18	34	46	30	38	44	38
19	35	47	31	39	46	39
20	36	48	32	40	48	44
21	37	49	33	41	50	49
22	38	50	34	42	52	54
23	39	51	35	43	54	57
24	40	52	36	44	56	57
25	41	53	37	45	58	57
26	42	54	38	46	60	57
27	43	55	39	47	62	57
28	44	56	40	48	64	57
29	45	57	41	49	70	57
30	46	58	42	50	76	57
31	47	59	43	51	82	57
32	48	60	44	52	85	57
33	49	61	45	53	85	57
34	50	62	46	54	85	57
35	51	63	47	55	85	57
36	52	64	48	56	85	57
37	53	65	49	57	85	57
38	54	66	50	58	85	57
39	55	67	51	59	85	57
40	56	68	52	60	85	57
41	58	69	53	61	85	57
42	60	70	54	62	85	
43	62	71	55	63	85	
44	64	72	56	64	85	
45	65	73	57	66	85	
46	66	74	58	68	85	
47	67	75	59	70	85	
48	68	76	60	72	85	
49	69	77	61	73	85	
50	70	78	62	74	85	
51	71	79	63	75	85	
52	72	80	64	76	85	
53	73	81	65	78	85	
54	74	82	66	80	85	
55	75	83	67	82	85	
56	76	84	68	84	85	
57	77	85	69	86	85	
58	78	86	70	88		
59	79	87	71	90		
60	80	88	72	94		
61	81	89	73	98		
62	82	90	74	102		
63	83	91	75	106		
64	84	92	76	108		
65	86	93	77	109		
66	88	94	78	109		
67	90	95	79	109		
68	92	96	80	109		
69	93	97	81	109		
70	94	98	82	109		
71	95	99	83	109		
72	96	100	84	109		
73	85	105	109	101		
74	85	105	109	101		
75	85	105	109	101		
76	85	105	109	101		
77	85	105	109	101		
78	85	105	109			
79	85	105	109			
80	85	105	109			
81	85	105	109			
82	85	105	109			
83	85	105	109			
84	85	105	109			
85	85	105	109			
86	85	105	109			
87	85	105	109			
88	85	105	109			
89	85	105	109			
90	85	105	109			
91	85	105	109			
92	85	105	109			
93	85	105	109			
94	85	105	109			
95	85	105	109			
96	85	105	109			
97	85	105	109			
98	85	105	109			
99	85	105	109			
100	85	105	109			
101	85	105	109			
102	85	105				
103	85	105				
104	85	105				
105	85	105				
106		105				
107		105				
108		105				
109		105				

本表―令７・４・１施行

73	97	101	85	109		
74	98	102	86	109		
75	99	103	87	109		
76	100	104	88	109		
77	102	107	89	109		
78	104	110	90	109		
79	106	113	91	109		
80	108	116	92	109		
81	113	120	94	109		
82	118	124	96	109		
83	123	128	98	109		
84	128	132	100	109		
85	131	135	101	109		
86	134	140	102			
87	137	145	103			
88	140	150	106			
89	144	153	109			
90	148	153	112			
91	152	153	115			
92	156	153	118			
93	159	153	121			
94	162	153	121			
95	165	153	121			
96	168	153	121			
97	169	153	121			
98	169	153	121			
99	169	153	121			
100	169	153	121			
101	169	153	121			
102	169	153	121			
103	169	153	121			
104	169	153	121			
105	169	153	121			
106	169	153	121			
107	169	153	121			
108	169	153	121			
109	169	153	121			
110	169	153				
111	169	153				
112	169	153				
113	169	153				
114	169	153				
115	169	153				
116	169	153				
117	169	153				
118	169	153				
119	169	153				
120	169	153				
121	169	153				
122	169					
123	169					
124	169					
125	169					
126	169					
127	169					
128	169					
129	169					
130	169					
131	169					
132	169					
133	169					
134	169					
135	169					
136	169					
137	169					
138	169					
139	169					
140	169					
141	169					
142	169					
143	169					
144	169					
145	169					
146	169					
147	169					
148	169					
149	169					
150	169					
151	169					
152	169					
153	169					

本表―令７・４・１施行

73	153	117	89		
74	153	117	89		
75	153	117	89		
76	153	117	89		
77	153	117	89		
78	153	117	89		
79	153	117	89		
80	153	117	89		
81	153	117	89		
82	153	117	89		
83	153	117	89		
84	153	117	89		
85	153	117	89		
86	153	117			
87	153	117			
88	153	117			
89	153	117			
90	153				
91	153				
92	153				
93	153				
94	153				
95	153				
96	153				
97	153				
98	153				
99	153				
100	153				
101	153				
102	153				
103	153				
104	153				
105	153				
106	153				
107	153				
108	153				
109	153				
110	153				
111	153				
112	153				
113	153				
114	153				
115	153				
116	153				
117	153				

本表—令7・4・1施行

ヨ　福祉職俸給表降格時号俸対応表

降格した日の前日に受けていた号俸	降格後の号俸				
	1 級	2 級	3 級	4 級	5 級
1	29	25	13	21	17
2	30	26	14	22	18
3	31	27	15	23	19
4	32	28	16	24	20
5	33	29	17	25	22
6	34	30	18	26	24
7	35	31	19	27	26
8	36	32	20	28	28
9	37	33	21	29	30
10	38	34	22	30	32
11	39	35	23	31	34
12	40	36	24	32	36
13	42	37	25	33	40
14	44	38	26	34	44
15	46	39	27	35	55
16	48	40	28	36	65
17	50	41	29	37	65
18	52	42	30	38	65
19	54	43	31	39	65
20	56	44	32	40	65
21	57	45	33	41	65
22	58	46	34	42	65
23	59	47	35	43	65
24	60	48	36	44	65
25	62	49	38	45	65
26	64	50	40	46	65
27	66	51	42	47	65
28	68	52	44	48	65
29	70	53	46	50	65
30	72	54	48	52	65
31	74	55	50	54	65
32	76	56	52	56	65
33	78	57	55	58	65
34	80	58	58	60	65
35	82	59	61	62	65
36	84	60	64	64	65
37	85	61	68	66	65
38	86	62	75	76	65
39	87	63	82	85	65
40	88	64	89	85	65
41	90	65	89	85	65
42	92	66	89	85	65
43	94	67	89	85	65
44	96	68	89	85	65
45	99	69	89	85	65
46	102	70	89	85	
47	105	71	89	85	
48	108	72	89	85	
49	113	73	89	85	
50	118	74	89	85	
51	123	75	89	85	
52	128	76	89	85	
53	131	79	89	85	
54	134	82	89	85	
55	144	85	89	85	
56	153	88	89	85	
57	153	90	89	85	
58	153	92	89	85	
59	153	94	89	85	
60	153	96	89	85	
61	153	97	89	85	
62	153	98	89	85	
63	153	99	89	85	
64	153	117	89	85	
65	153	117	89	85	
66	153	117	89		
67	153	117	89		
68	153	117	89		
69	153	117	89		
70	153	117	89		
71	153	117	89		
72	153	117	89		

別表第七の三　専門スタッフ職俸給表異動時号俸対応表（第二十九条関係）

異動した日の前日に受けていた号俸	異動後の号俸			
	行政職俸給表㈠６級から専門スタッフ職俸給表１級への異動	行政職俸給表㈠７級から専門スタッフ職俸給表２級への異動	行政職俸給表㈠８級から専門スタッフ職俸給表２級への異動	行政職俸給表㈠９級から専門スタッフ職俸給表３級への異動
1	1	1	12	9
2	2	1	14	12
3	3	1	15	14
4	4	1	17	15
5	5	1	19	17
6	6	1	20	18
7	7	1	21	19
8	8	1	22	20
9	9	2	23	21
10	10	2		
11	11	3		
12	12	3		
13	13	3		
14	14	4		
15	15	4		
16	16	4		
17	17	5		
18	18	5		
19	19	5		
20	20	6		
21	21	6		
22	22	6		
23	23	6		
24	24	7		
25	25	7		
26	26	7		
27	27	7		
28	28	7		
29	29	8		
30	30	8		
31	31	8		
32	32	8		
33	33	8		
34	34	9		
35	35	9		
36	36	9		
37	37	9		
38	38	9		
39	39	9		
40	40	9		
41	41	9		
42	42	9		
43	43	10		
44	44	10		
45	45	10		
46	46			
47	47			
48	48			
49	49			
50	49			
51	50			
52	50			
53	51			
54	51			
55	52			
56	52			
57	53			
58	53			
59	54			
60	54			
61	55			
62	55			
63	56			
64	56			
65	57			
66	58			
67	59			
68	60			
69	61			
70	62			
71	63			

タ　専門スタッフ職俸給表降格時号俸対応表

降格した日の前日に受けていた号俸	降格後の号俸		
	１　級	２　級	３　級
1	65	11	21
2	65	12	21
3	65	13	21
4	65	13	
5	65	15	
6	65	16	
7	65	16	
8	65	17	
9	65	19	
10	65	21	
11	65	23	
12	65	23	
13	65	23	
14	65	23	
15	65	23	
16	65	23	
17	65	23	
18	65	23	
19	65	23	
20	65	23	
21	65	23	
22	65		
23	65		

本表―令７・４・１施行

備考

これらの表の降格後の号俸欄中「１級」等とあるのは、その者が降格した職務の級を示す。

備考―令７・４・１施行

72	64			
73	65			

本表―令７・４・１施行

別表第七の四 昇給号俸数表（第三十七条関係）

イ 行政職俸給表㈠７級以下職員等昇給号俸数表

昇給区分	A	B	C	D	E
昇給の号俸数	８以上	６	４（海事職俸給表㈠の適用を受ける職員でその職務の級が６級以上であるもの、医療職俸給表㈡の適用を受ける職員でその職務の級が７級以上であるもの、医療職俸給表㈢の適用を受ける職員でその職務の級が６級以上であるもの又は福祉職俸給表の適用を受ける職員でその職務の級が６級であるものにあつては、３）	２	０
	２以上	１	０	０	０

本表―令７・４・１施行

備考

１ この表は、行政職俸給表㈠の適用を受ける職員でその職務の級が８級以上であるもの、第38条の２各号に掲げる職員及び専門スタッフ職俸給表の適用を受ける職員でその職務の級が２級以上であるもの以外の職員に適用する。

２ この表に定める上段の号俸数は給与法第８条第８項第１号に掲げる職員以外の職員に、この表に定める下段の号俸数は同号に掲げる職員に適用する。

備考―令７・４・１施行

ロ 行政職俸給表㈠８級以上職員等昇給号俸数表

昇給区分	A	B	C	D	E
昇給の号俸数	２	１	０	０	０

本表―令７・４・１施行

備考

この表は、行政職俸給表㈠の適用を受ける職員でその職務の級が８級以上であるもの及び第38条の２各号に掲げる職員に適用する。

備考―令７・４・１施行

ハ 専門スタッフ職俸給表２級職員昇給号俸数表

昇給区分	A	B	C	D	E
昇給の号俸数	５以上	３	１	０	０

本表―令７・４・１施行

備考

この表は、専門スタッフ職俸給表の適用を受ける職員でその職務の級が２級であるものに適用する。

備考―令７・４・１施行

ニ　専門スタッフ職俸給表３級職員昇給号俸数表

昇給区分	A	B	C	D	E
昇給の号俸数	５以上	３	０	０	０

本表—令７・４・１施行

備考
この表は、専門スタッフ職俸給表の適用を受ける職員でその職務の級が３級であるものに適用する。
備考—令７・４・１施行

ホ　専門スタッフ職俸給表４級職員昇給号俸数表

昇給区分	A	B	C	D	E
昇給の号俸数	１	０	０	０	０

本表—令７・４・１施行

備考
この表は、専門スタッフ職俸給表の適用を受ける職員でその職務の級が４級であるものに適用する。
備考—令７・４・１施行

別表第八　休職期間等換算表（第四十四条関係）

休職等の期間	換算率
法第79条第１号の規定による休職（公務上の負傷若しくは疾病又は通勤（補償法第１条の２に規定する通勤をいう。以下この表において同じ。）による負傷若しくは疾病に係るものに限る。）又は公務上の負傷若しくは疾病若しくは通勤による負傷若しくは疾病に係る休暇の期間	$\frac{3}{3}$以下
規則11－４（職員の身分保障）第３条第１項の規定による休職（同項第５号の規定によるものにあつては、当該休職に係る生死不明又は所在不明の原因である災害により職員が公務上の災害又は通勤による災害を受けたと認められる場合に限る。）の期間	
派遣職員の派遣の期間	
勤務時間法第16条に規定する介護休暇の期間	
規則11－４第３条第２項の規定による休職の期間	$\frac{2}{3}$以下（先行する休職が公務に基づくもの又は通勤による災害に係るものである場合にあつては、$\frac{3}{3}$以下）
専従許可の有効期間	$\frac{2}{3}$以下
法第79条第１号の規定による休職（公務上の負傷若しくは疾病又は通勤による負傷若しくは疾病に係るものを除く。）又は公務外の負傷若しくは疾病による休暇（通勤による災害に係るものを除く。）の期間	$\frac{1}{3}$以下（結核性疾患によるものである場合にあつては、$\frac{1}{2}$以下）
規則11－４第３条第１項第５号の規定による休職（当該休職に係る生死不明又は所在不明の原因である災害により職員が公務上の災害又は通勤による災害を受けたと認められる場合を除く。）の期間	$\frac{1}{3}$以下
法第79条第２号の規定による休職の期間（無罪判決を受けた場合の休職の期間に限る。）	$\frac{3}{3}$以下

本表—平29・１・１施行

備考

次の各号に掲げる職員に関するこの表の適用については、当該各号に定める当該職員の業務を公務とみなす。

一　派遣職員　派遣先の機関の業務

二　官民人事交流法第８条第２項に規定する交流派遣職員　官民人事交流法第16条に規定する派遣先企業において就いていた業務

三　法科大学院派遣法第４条第３項又は第11条第１項の規定により派遣された職員　法科大学院派遣法第９条（法科大学院派遣法第18条において準用する場合を含む。）に規定する当該法科大学院における教授等の業務

四　福島復興再生特別措置法（平成24年法律第25号）第48条の３第１項の規定により派遣された職員　同法第48条の９に規定する機構における特定業務

五　福島復興再生特別措置法第89条の３第１項の規定により派遣された職員　同法第89条の９に規定する機構における特定業務

六　令和三年オリンピック・パラリンピック特措法第17条第１項の規定により派遣された職員　令和三年オリンピック・パラリンピック特措法第23条に規定する組織委員会における特定業務

七　平成三十一年ラグビーワールドカップ特措法第４条第１項の規定により派遣された職員　平成三十一年ラグビーワールドカップ特措法第10条に規定する組織委員会における特定業務

八　令和七年国際博覧会特措法第25条第１項の規定により派遣された職員　令和七年国際博覧会特措法第31条に規定する博覧会協会における特定業務

九　令和九年国際園芸博覧会特措法第15条第１項の規定により派遣された職員　令和九年国際園芸博覧会特措法第21条に規定する博覧会協会における特定業務

備考—令４・６・24施行

○人事院規則九―八（初任給、昇格、昇給等の基準）の運用について（通知）

昭四四・五・一
給実甲三二六

最終改正 令七・四・一給実甲一三五三

人事院規則九―八（初任給、昇格、昇給等の基準）の運用について下記のとおり定めたので、昭和四十四年五月一日以降これによってください。

なお、これに伴い、給実甲第一四四号（昇給の運用について）、給実甲第一四五号（初任給、昇格等の運用について）および給実甲第二〇二号（初任給の基準の改正に伴う在職者の号俸の決定について）は廃止します。

記

第一条関係

「別に定める場合」とは、給与法の一部改正に伴い制定される俸給の切替え等に関する人事院規則で規定する場合等をいう。

第二条関係

1 第九号の「相当する採用試験」とは、平成二十六年五月三十日前に告知された次の試験をいう。

(1) 国家公務員採用一般職試験（高卒者試験）

(2) 国家公務員採用一般職試験（社会人試験（係員級））

2 第十三号から第十七号までの「相当する採用試験」とは、平成二十四年三月一日前に告知された次の試験をいう。

一 国家公務員採用Ⅰ種試験に相当する採用試験

(1) 外務公務員採用Ⅰ種試験

(2) 国家公務員採用上級甲種試験

(3) 外務公務員採用上級試験

(4) 青少年矯正職員・保護観察職員採用上級甲種試験

(5) 国立学校図書専門職員採用上級甲種試験

二 国家公務員採用Ⅱ種試験に相当する採用試験

(1) 法務教官採用試験

(2) 外務省専門職員採用試験（昭和六十年三月一日以後に告知された試験に限る。）

(3) 航空管制官採用試験（昭和六十年三月一日以後に告知された試験に限る。）

三 国家公務員採用Ⅲ種試験に相当する採用試験

(1) 皇宮護衛官採用試験

(2) 刑務官採用試験

(3) 入国警備官採用試験

(4) 航空保安大学校学生採用試験

(5) 海上保安大学校学生採用試験

(6) 海上保安学校学生採用試験

(7) 気象大学校学生採用試験

(8) 国家公務員採用初級試験

四 国家公務員採用上級乙種試験に相当する採用試験

(1) 青少年矯正職員・保護観察職員採用上級乙種試験

(2) 国立学校図書専門職員採用上級乙種試験

五 国家公務員採用中級試験に相当する採用試験

(1) 外務省専門職員採用試験（昭和六十年三月一日前に告知された試験に限る。）

(2) 航空管制官採用試験（昭和六十年三月一日前に告知された試験に限る。）

(3) 外務公務員採用中級試験

(4) 外務省語学研修員採用試験

(5) 国立学校図書専門職員採用中級試験

第十一条関係

1 この条の第一項の「能力等」とは、公務外における実績を有する者にあっては、その者の能力及び実績等をいう。

2 この条の第三項の「人事院の定める職員」は、人事院規則八―一八（採用試験）第三条第四項に規定する経験者採用試験（以下「経験者採用試験」という。）の結果に相当すると各庁の長が認める選考の結果に基づいて新たに職員となった者をいう。

3 この条の第三項の「その者に求められる能力等」とは、その者の採用の基礎となった経験者採用試験の合格者又はその者の採用の基礎となった選考の結果に基づいて採用される者に求められる能力及び実績等をいう。また、同項の「指定」は、当該経験者採用試験又は当該選考の実施前にあらかじめ行うものとする。

4　この条の第三項の規定による職務の級の決定については、その過程等を明確にして行うとともに、その内容を適切に把握しておくものとする。

5　この条の第四項の規定により職務の級を決定しようとする場合において、その者の経験年数が第十五条の二第二項の規定により負となる場合にあっては、この条の第四項の規定による職務の級の決定ができないこととなる。

6　この条の第四項の第二十条第四項前段の規定の例によるものとした場合に決定することができる職務の級は、新たに職員となった者がその者に適用される初任給基準表の初任給欄に定める職務の級に属するものとした場合において、その者の有する経験年数に相当する期間在職したものとして在級期間表に定める在級期間に従うときに昇格させることができる最も上位の職務の級をいう。

7　この条の第四項の「特別の事情がある場合」とは、新たに職員となった者の能力及び実績等を踏まえ、職員として在職した場合において勤務成績が特に良好であるものとして取り扱うことが適当である場合、部内の他の職員との均衡を失する場合等をいう。

8　この条の第四項の規定により同項の第二十条第四項前段（特別の事情がある場合には、同項）の規定の例によるものとした場合に決定することができる職務の級より上位の職務の級に決定しようとする場合には、あらかじめ事務総長に協議するものとする。

9　この条の第五項の「昇格の規定の例によるものとした場合に決定することができる職務の級」とは、人事交流等により引き続き職員となった者について、当該人事交流等がなく、引き続き職員であったものとした場合において、その者の能力及び実績等並びに部内の他の職員との均衡を考慮して、昇格させることができる最も上位の職務の級をいう。

第十二条関係

1　この条の第一項第一号又は第三号の規定の適用に当たって用いられる初任給基準表に定める号俸には、第十四条の規定による号俸が含まれる。

2　この条の第一項第二号の「経験者試験等採用者に求められる能力等」とは、経験者試験等採用者の採用の基礎となった経験者採用試験の合格者又は経験者試験等採用者の採用の基礎となった選考の結果に基づいて採用される者に求められる能力及び実績等をいう。また、同号の「指定」は、当該経験者採用試験又は当該選考の実施前にあらかじめ行うものとする。

3　この条の第一項第二号の規定により号俸を決定するに当たっては、経験者試験等採用者のうち、同号の規定により各庁の長が指定する採用試験の結果により採用された部内の他の職員に適用された初任給基準表の学歴免許等欄に掲げる学歴免許等の区分（同欄に学歴免許等の区分が掲げられていない場合にあっては、第十五条の二関係第五項に定める学歴免許等の区分とする。）に対して経験年数調整表に加える年数又は減ずる年数が定められている学歴免許等の資格（第十五条の二第一項の規定の適用に際して用いられるものに限る。）を有する者について、当該加える年数又は減ずる年数を考慮することができる。

4　この条の第一項第二号の「経験者試験等採用者の有する能力等」とは、経験者試験等採用者の有する能力及び実績等をいう。

5　この条の第一項第二号の規定による号俸の決定については、その過程等を明確にして行うとともに、その内容を適切に把握しておくものとする。

6　この条の第一項第三号ロの「前条の規定により決定された職務の級の号俸が初任給基準表に定められていない職員」とは、新たに職員となった者の決定された職務の級の号俸がその者に適用される初任給基準表の初任給欄に定められていない職員をいい、例えば行政職俸給表㈠初任給基準表の試験欄の「その他」の区分の適用を受ける職員であってその職務の級が二級以上であるもの等がこれに該当する。

7　この条の第一項第三号ロの「第二十三条第一項又は第二十四条の二第一項の規定により得られる号俸」とは、初任給基準表のその者に適用される区分に対応する初任給欄の号俸を昇格又は降格の日の前日に受けていたものとしてこれらの規定を適用した場合に得られる昇格後の号俸又は降格後の号俸をいう。

なお、これらの規定の適用については、昇格したものとされる職務の級が二級以上上位の職務の級である場合においても同様とする。

8　この条の第一項第四号の「初任給基準表の職種欄若しくは試験欄にその者に適用される区分の定めのない職員」とは、例えば教育職俸給表㈠の適用を受ける大学に準ずる教育施設の教授、准教授等をいい、また、「その者に適用される初任給基準表のこれらの欄の区分に対応する学歴免許等欄の最も低い学歴免許等の区分よりも下位の区分に属する学歴免許等の資格のみを有する職員」とは、例えば教育職俸給表㈡初任給基準表の適用を受ける専修学校の補助教員に採用された職員のうち「短大卒」の区分に達しない学歴免許等の資格のみを有するもの等をいう。

第十三条関係

1　初任給基準表の試験欄の「採用試験」の各区分については、この条の第二項第一号に該当する者にあってはその任用の基礎となった採用試験の区分、同項第二号に該当する者にあってはかつて同項第一号に該当した際の当該採用試験の区分又は独立行政法人通則法（平成十一年法律第百三号）第二条第四項に規定する行政執行法人に勤務する者としての当該採用試験の区分に応じて適用するものとする。

　なお、初任給基準表の試験欄に適用される区分の定めのない職員については、第十二条第一項第四号の規定によることとなる。

2　この条の第二項第二号の「その他人事院の定めるこれらに準ずる者」は、国家公務員退職手当法施行令（昭和二十八年政令第二百十五号）第九条の二各号に掲げる法人又は旧公共企業体の職員及び特別の法律の規定により国家公務員退職手当法（昭和二十八年法律第百八十二号）第七条の二第一項に規定する公庫等職員とみなされる者並びに独立行政法人通則法第二条第一項に規定する独立行政法人（同条第四項に規定する行政執行法人を除く。）又は同令第九条の四各号に掲げる法人の役員（俸給表の適用を受けない国家公務員である者及び沖縄振興開発金融公庫の役員を除く。）とする。

3　この条の第三項の「採用試験のうちいずれかの試験の結果により採用された者に相当すると認められる者」とは、例えば、次に掲げる者をいう。

(1)　人事院規則一―三六（給与等に関する人事院承認等の廃止・合理化のための関係人事院規則の整備等に関する人事院規則）第六条による改正前の人事院規則九―八第六条第二項第二号又は第三号に該当し、その後人事交流等により引き続いて俸給表の適用を受けない国家公務員、地方公務員、沖縄振興開発金融公庫に勤務する者又は前項に規定する者となり、引き続きそれらの者として勤務した後、引き続いて職員となった者

(2)　人事院規則八―一八第一条第一項に規定する採用試験の結果に相当すると認められる選考の結果に基づき任用された職員

4　この条の第三項後段の規定による報告は、初任給基準表の試験欄の「総合職（院卒）」、「総合職（大卒）」又は「専門職（大卒一群）」の区分の適用後遅滞なく、次に掲げる事項について行うものとする。

(1)　職員の官職（職務の級及び所属部課名）
(2)　(1)の官職に係る職務の内容
(3)　職員の氏名
(4)　職員の号俸
(5)　適用した「採用試験」の区分
(6)　(5)の「採用試験」の区分を適用した理由

5　この条の第四項の「初任給基準表において別に定める場合」とは、次に掲げる場合をいう。

(1)　行政職俸給表㈠初任給基準表の職種欄の無線従事者の区分に対応する学歴免許等欄の区分の場合
(2)　行政職俸給表㈡初任給基準表の備考第二項に規定する場合
(3)　公安職俸給表㈡初任給基準表の職種欄の「海上保安官」の区分に対応する学歴免許等欄の区分の場合
(4)　医療職俸給表㈢初任給基準表の学歴免許等欄の「准看護師養成所卒」の区分の場合

第十四条関係

1　この条の第一項の「初任給欄の号俸とすることができる」とは、初任給基準表の初任給欄に定める号俸を同項の規定による号俸に読み替えることができるという趣旨である。

2　この条の規定は、初任給基準表の備考において第十五条第一項の規定を適用する場合の経験年数の取扱いについて別段の定めがなされている職員に対しても適用される。ただし、次の各号に掲げる規定の適用を受けた職員に

対しては、当該各号に定める規定によりこの条の規定は適用しないこととされている。

一　行政職俸給表㈠初任給基準表の備考第五項又は第七項の規定　同表の備考第八項の規定

二　行政職俸給表㈡初任給基準表の備考第六項の規定　同表の備考第七項の規定

三　専門行政職俸給表初任給基準表の備考第五項又は第七項の規定　同表の備考第八項の規定

四　税務職俸給表初任給基準表の備考第二項又は第四項の規定　同表の備考第五項の規定

五　公安職俸給表㈠初任給基準表の備考第二項又は第六項の規定　同表の備考第七項の規定

六　公安職俸給表㈡初任給基準表の備考第三項又は第六項の規定　同表の備考第七項の規定

七　研究職俸給表初任給基準表の備考第三項又は第六項の規定　同表の備考第四項の規定

3　この条の第一項の表の上欄及び第二項の「専門職学位課程」とは、学校教育法（昭和二十二年法律第二十六号）第九十九条第二項の専門職大学院の課程のうち標準修業年限（当該標準修業年限が専門職大学院設置基準（平成十五年文部科学省令第十六号）第三条第一項の規定により変更されたものである場合にあっては、当該変更がないものとした場合における標準修業年限）が二年以上のものをいう。

4　この条の第一項の表の備考第二号の「人事院が別段の定めをした職員」及び「人事院が定める数」は、次に定めるとおりとする。

一　昭和四十三年法律第四十七号による改正前の医師法に規定する実地修練を経て医師国家試験に合格した職員については、この条の第一項の表の下欄に定める数（以下この項において「下欄の数」という。）に一を加えた数をもって、当該下欄の数とする。

二　昭和五十年度以前に入学した商船大学の卒業者又は高等専門学校の商船に関する学科の卒業者については、その者に適用される経験年数調整表の学歴区分（甲）欄の区分に対応する通算修学年数をその者の有する学歴免許等の資格の正規の在学年数の和の年数から減じて得られた数が正となる場合は、下欄の数に当該得られた数を加えた数（一未満の端数を生じたときは、これを切り捨てた数）をもって、当該下欄の数とする。

三　医療職俸給表㈢初任給基準表の備考第三項の規定の適用を受ける者のうち、「短大三卒」の区分以上の区分に属する学歴免許等の資格を有する者については、下欄の数から一を減じた数をもって、当該下欄の数とする。

四　次に掲げる者については、下欄の数に一を加えた数をもって、当該下欄の数とすることができる。

(1)　学校教育法による大学の二年制の専攻科の卒業者

(2)　学校教育法による三年制の短期大学（昼間課程に相当する単位を三年間に修得する夜間課程を除く。）の専攻科の卒業者（独立行政法人大学改革支援・学位授与機構（旧独立行政法人大学評価・学位授与機構、旧大学評価・学位授与機構及び旧学位授与機構を含む。以下同じ。）から学士の学位を授与された者を除く。）

(3)　学校教育法による二年制の短期大学の二年制の専攻科の卒業者（独立行政法人大学改革支援・学位授与機構から学士の学位を授与された者を除く。）

(4)　学校教育法による高等専門学校の二年制の専攻科の卒業者（独立行政法人大学改革支援・学位授与機構から学士の学位を授与された者を除く。）

(5)　学歴免許等資格区分表関係第四項第三号(6)の規定の適用を受ける者

(6)　旧独立行政法人海員学校（旧海員学校を含む。以下同じ。）司ちゅう・事務科の卒業者

(7)　旧海員学校の専修科（「高校三卒」を入学資格とする修業年限一年のものに限る。）、専科又は司ちゅう科の卒業者

(8)　旧海技大学校本科の卒業者

五　旧海員学校高等科の卒業者については、下欄の数に二を加えた数をもって、当該下欄の数とすることができる。

第十五条関係

1　第十四条の規定による号俸の調整に当たり第十四条関係第四項第二号の規定により切り捨てられた一未満の端数に相当する年数は、この条の第一項各号に定める経験年数として取り扱うことができる。

2　この条の第二項に規定する者の経験年数の算定に当たっては、第十四条関係第四項第二号の規定を適用したものとした場合に切り捨てられることとなる一未満の端数に相当する年数は、第十四条第一項の規定の適用を受けるものとした場合にその適用に際して用いられる学歴免許等の資格を取得した時以後の経験年数として取り扱うことができる。

3　この条の規定による調整に当たり、十二月で除することとされる経験年数の月数のうち十二月に満たない端数の月数（第七項において「端数の月数」という。）は、十八月で除することとされる経験年数の月数として取り扱うことができる。

4　この条の第一項の規定を適用する場合の経験年数の取扱いについて次に掲げる規定の適用を受ける者の経験年数については、それぞれその定めるところによる。

(1)　行政職俸給表㈠初任給基準表の備考第三項又は第八項の規定

(2)　行政職俸給表㈡初任給基準表の備考第三項又は第七項の規定

(3)　専門行政職俸給表初任給基準表の備考第二項、第四項又は第八項の規定

(4)　税務職俸給表初任給基準表の備考第五項の規定

(5)　公安職俸給表㈠初任給基準表の備考第七項の規定

(6)　公安職俸給表㈡初任給基準表の備考第七項の規定

(7)　海事職俸給表㈡初任給基準表の備考第二項の規定

(8)　研究職俸給表初任給基準表の備考第四項の規定

(9)　医療職俸給表㈠初任給基準表の備考の規定

(10)　医療職俸給表㈡初任給基準表の備考第一項の規定

(11)　医療職俸給表㈢初任給基準表の備考第二項の規定

(12)　福祉職俸給表初任給基準表の備考第二項の規定

5　この条の第一項の「人事院の定める職務の級」は、新たに職員となった者が新たに職員となった日においてその者に適用される初任給基準表の職種欄の区分（職種欄の区分及び試験欄の区分又は試験欄の区分の定めがあるものにあっては、それぞれの区分）及び学歴免許等欄の区分に対応する初任給欄の職務の級（第十二条第一項第四号に掲げる者にあっては、その者に適用される俸給表の最下位の職務の級）を基礎としてその者の職務と同種の職務に引き続き在職したものとみなして第二十条第四項前段の規定の例によるものとした場合にその者の属する職務の級に決定することができる最短の期間（以下「最短昇格期間」という。）が五年（次の表の左欄に掲げる者にあっては、五年に同欄に掲げる者の区分に応じ、同表の右欄に定める年数を加減した年数。ただし、当該年数が負になる場合には、○年）以上となる職務の級とする。

行政職俸給表㈠の適用を受ける者のうち、B種の結果に基づいて職員となったもので、その職務の級を2級以上に決定する者	−0.5年
行政職俸給表㈠の適用を受ける者のうち、選考採用者	−3年
経験年数調整表関係第2項第6号の表の第1欄に掲げる者	経験年数調整表関係第2項第6号の表の第1欄及び第2欄の区分に応じて同表の第3欄に定める年数（同表の第2欄に定める学歴免許等の区分が「短大卒」である場合にあっては、0.5年を当該第3欄に定める年数から減じた年数）

注　右欄の「＋」の年数は加える年数を、「−」の年数は減ずる年数を示すものとする。

6　この条の第一項の「職員の職務にその経験が直接役立つと認められる職務であって人事

院の定めるもの」は、職務に在職した年数を経験年数換算表に定めるところにより百分の百の換算率によって換算した場合における当該職務であって各庁の長が公務に特に有用であると認めるものとする。

7　この条の第一項の「人事院の定める者」は、次の各号に掲げる者とし、同項の「人事院の定める数」は、当該者の区分に応じ当該各号に定める数とする。

一　この条の規定による調整に当たりその者の経験年数の月数の全てを十二月で除すこととされる者（海事職俸給表㈠の適用を受ける職員でその職務の級が六級以上であるもの、医療職俸給表㈡の適用を受ける職員でその職務の級が七級以上であるもの、医療職俸給表㈢の適用を受ける職員でその職務の級が六級以上であるもの若しくは福祉職俸給表の適用を受ける職員でその職務の級が六級であるもの（第三十七条関係第十五項第二号において「海㈠六級以上職員等」という。）又は行政職俸給表㈠の適用を受ける職員でその職務の級が八級以上であるもの若しくは第三十八条の二各号に掲げる職員（第三十七条関係第十五項第三号及び第十七項並びに第三十九条関係第三項において「行㈠八級以上職員等」という。）となった者を除く。）で、端数の月数が九月以上となるもののうち、部内の他の職員との均衡上必要があると認められるもの　三

二　前号に掲げる者に準ずる者としてあらかじめ事務総長の承認を得たもの　同号の規定に準じて事務総長の定める数

8　この条の第一項第一号の「専門職学位課程」については、第十四条関係第三項の例による。

9　この条の第一項第二号の「人事院の定める経験年数」は、次の各号に掲げる者の区分に応じ、当該各号に定める経験年数とする。

一　第十三条第二項第二号に掲げる者　その者の最短昇格期間を超える経験年数（第十四条第一項の規定の適用を受ける者で基準号俸が職務の級の最低の号俸以外の号俸であるものにあっては、同項の規定の適用に際して用いられる学歴免許等の資格を取得した時以後の経験年数）

二　第十三条第三項の規定の適用を受ける者　その者の最短昇格期間を超える経験年数（基準号俸が職務の級の最低の号俸（初任給基準表に掲げられている場合の最低の号俸を除く。）以外の号俸である者にあっては、その者の職務に有用な免許その他の資格（例えば、その者に適用される初任給基準表の試験欄の「採用試験」の区分に応じ、「総合職（院卒）」にあっては「修士課程修了」、「専門職学位課程修了」又は「大学六卒」の区分、「総合職（大卒）」、「一般職（大卒）」、「専門職（大卒一群）」及び「専門職（大卒二群）」にあっては「大学卒」の区分、「一般職（高卒）」及び「専門職（高卒）」にあっては「高校卒」の区分に属する学歴免許等の資格が該当するものとする。）（第十四条第一項の規定の適用を受ける者にあっては、その適用に際して用いられる学歴免許等の資格）を取得した時以後の経験年数）

10　前項第二号の「専門職学位課程」については、第十四条関係第三項の例による。

11　この条の第一項第四号の「人事院の定める経験年数」は、その者の最短昇格期間を超える経験年数とする。

第十五条の二関係

1　経験年数の起算及び換算については、この条の規定によるほか、それぞれの初任給基準表の備考に定めるところによる。

2　経験年数の計算は、月を単位として行うものとする。この場合において、一の月に換算率の異なる二以上の期間があるときは、最も有利な換算率によるものとする。

3　この条の第一項の規定により換算した年数に一月未満の端数が生じたときは、その端数を合算するものとし、なお一月未満の端数が生じたときは、これを一月に切り上げる。

4　この条の第二項の規定は、経験年数を免許を取得した時以後とする旨初任給基準表の備考に定められている者（行政職俸給表㈠初任給基準表の備考第三項、行政職俸給表㈡初任給基準表の備考第二項又は専門行政職俸給表初任給基準表の備考第二項の規定の適用を受ける者を除く。）に対しても適用される。この場合において、その者が経験年数調整表に加える年数が定められている学歴免許等の資格を取得した時期がその免許を取得した時以

後であるときは、当該学歴免許等の資格を取得した時以後の経験年数をもってその者の経験年数として取り扱うものとする。

5　この条の第二項の「人事院の定める学歴免許等の区分」は、次の各号に掲げる初任給基準表の区分に応じ、当該各号に定める学歴免許等の区分とする。

一　行政職俸給表㈠初任給基準表、税務職俸給表初任給基準表、公安職俸給表㈠初任給基準表、公安職俸給表㈡初任給基準表及び研究職俸給表初任給基準表　それぞれこれらの表の試験欄の「採用試験」の区分に応じ、「総合職（院卒）」にあっては「修士課程修了」、「専門職学位課程修了」又は「大学六卒」の区分、「総合職（大卒）」、「一般職（大卒）」、「専門職（大卒一群）」、「専門職（大卒二群）」、「Ⅰ種」、「Ⅱ種」及び「A種」にあっては「大学卒」の区分、「B種」にあっては「短大卒」の区分、「一般職（高卒）」、「専門職（高卒）」及び「Ⅲ種」にあっては「高校卒」の区分

二　行政職俸給表㈡初任給基準表　「高校卒」の区分

三　専門行政職俸給表初任給基準表　「総合職（院卒）」にあっては「修士課程修了」、「専門職学位課程修了」又は「大学六卒」の区分、「総合職（大卒）」、「一般職（大卒）」、「専門職（大卒二群）」、「Ⅰ種」及び「Ⅱ種」にあっては「大学卒」の区分

6　前項第一号及び第三号の「専門職学位課程」については、第十四条関係第三項の例による。

7　この条の第三項の「初任給基準表の備考に別段の定めがある場合」とは、次に掲げる場合をいう。

(1)　行政職俸給表㈠初任給基準表の備考第三項に規定する場合

(2)　行政職俸給表㈡初任給基準表の備考第三項に規定する場合

(3)　専門行政職俸給表初任給基準表の備考第二項に規定する場合

(4)　医療職俸給表㈠初任給基準表の備考に規定する場合

(5)　医療職俸給表㈡初任給基準表の備考第一項に規定する場合

(6)　医療職俸給表㈢初任給基準表の備考第二項に規定する場合

第十六条関係

1　「その者に適用される初任給基準表の試験欄の区分より初任給欄の号俸が下位である試験欄の区分（「その他」の区分を含む。）を用い、又はその者の有する学歴免許等の資格のうちの下位の資格のみを有するものとしてこれらの規定を適用した場合」には、当該下位の区分を用い、かつ、当該下位の資格のみを有するものとして第十四条又は第十五条の規定を適用した場合（例えば試験欄の「一般職（大卒）」の区分の適用を受ける者で「大学卒」の区分に属する学歴免許等の資格を有するものについて、「一般職（高卒）」の区分を用い、かつ、「高校卒」の区分に属する学歴免許等の資格のみを有するものとして同条の規定を適用した場合）を含むものとし、この場合には、これにより得られる号俸をもって、この条の規定による号俸とすることができる。

2　行政職俸給表㈡初任給基準表の適用を受ける職員については、同表の備考第八項の規定によりこの条の規定は適用されない。

第十七条関係

この条の規定により職員の号俸を決定する場合には、別に定めるもののほか、給実甲第四四二号（人事交流による採用者等の職務の級及び号俸の決定について）に定めるところによるものとする。ただし、特別の事情によりこれらにより難い場合には、あらかじめ個別に事務総長の承認を得て、別段の取扱いをすることができる。

第十八条関係

「人事院の承認を得て定める基準」が定められるまでの間におけるこの条の規定による号俸の決定については、第四十八条に定めるところにより、個別に人事院の承認を得なければならない。なお、この条に規定する基準について次に掲げる通達の定めるところによるときは、当該基準につきあらかじめこの条の規定による人事院の承認があったものとして取り扱うことができる。

(1)　給実甲第三四二号（行政職俸給表㈡の適用を受ける技能職員の号俸の決定について）

(2)　給実甲第三四三号（民間の研究所等から採用された研究員の号俸の決定について）

第十九条関係

この条の「初任給基準表の学歴免許等欄に学歴免許等の区分の定めがない職種欄の区分（これに対応する試験欄の区分の定めのあるものを除く。）の適用を受ける職員」とは、行政職俸給表㈡初任給基準表の職種欄の「労務職員（甲）」又は「労務職員（乙）」の区分の適用を受ける職員をいい、この条のただし書の「その他その採用について特別の事情があると認められる者」とは、例えば、第十八条に規定する事情に準ずるような事情があると認められる者をいう。

第二十条関係

1　この条の第二項第二号の「人事院の定める要件」は、次の各号のいずれかに掲げる要件とする。

一　昇格させようとする日に人事院規則八―一二（職員の任免）第二十六条第二項に規定する人事院が定める転任又は同規則第十八条第三項に規定する特定幹部職への転任をしたこと。

二　昇格させようとする日前一年以内に昇任又は前号の転任をし、かつ、職員を昇格させようとする日以前における直近の連続した二回の能力評価及び四回の業績評価の全体評語がいずれも「良好」の段階以上であること。

2　この条の第二項第三号の「人事院の定める場合」は、次の各号のいずれかに掲げる場合とする。

一　次に掲げる職務の級に昇格させる場合

(1)　行政職俸給表㈠の三級
(2)　行政職俸給表㈡の三級
(3)　専門行政職俸給表の二級
(4)　税務職俸給表の三級
(5)　公安職俸給表㈠の四級
(6)　公安職俸給表㈡の三級
(7)　海事職俸給表㈠の三級
(8)　海事職俸給表㈡の三級
(9)　教育職俸給表㈠の二級
(10)　教育職俸給表㈡の二級
(11)　研究職俸給表の三級
(12)　医療職俸給表㈠の二級
(13)　医療職俸給表㈡の四級
(14)　医療職俸給表㈢の三級
(15)　福祉職俸給表の二級

二　次に掲げる職務の級に昇格させる場合

(1)　行政職俸給表㈠の二級
(2)　行政職俸給表㈡の二級
(3)　税務職俸給表の二級
(4)　公安職俸給表㈠の二級又は三級
(5)　公安職俸給表㈡の二級
(6)　海事職俸給表㈠の二級
(7)　海事職俸給表㈡の二級
(8)　研究職俸給表の二級
(9)　医療職俸給表㈡の二級又は三級
(10)　医療職俸給表㈢の二級

三　昇格させようとする日以前における直近の連続した二回の能力評価及び四回の業績評価の全体評語を総合的に勘案してこの条の第二項第三号（括弧書を除く。）に掲げる全体評語に係る要件に相当する要件を満たす職員を昇格させる場合

3　この条の第二項第三号の「人事院の定める要件」は、次の各号に掲げる場合に応じ、当該各号に定める要件とする。

一　前項第一号に掲げる場合　次のいずれかに掲げる要件又は第三号に掲げる要件を満たすこと。

(1)　昇格させようとする日以前における直近の連続した二回の能力評価及び四回の業績評価の全体評語について、二の全体評語が「優良」の段階以上であり、かつ、他の全体評語が「良好」の段階以上であること。

(2)　次のイ及びロに掲げる要件を満たすこと。

イ　昇格させようとする日以前における直近の連続した二回の能力評価及び四回の業績評価の全体評語について、いずれも「良好」の段階以上であること。

ロ　直近の能力評価の人事評価の基準、方法等に関する政令（平成二十一年政令第三十一号。以下「人事評価政令」という。）第五条第三項に規定する評価期間において職員が職務遂行の中でとった行動について人事評価政令第四条第三項に規定する評価項目に照らして優れた行動がみられ、かつ、その他の行動は当該職員に求められる能力の発揮の程度に達していること又は直近の業績評価の人事評価政令第五条第四項に規定する評価期間において職員が挙げた業績について人事評価政令第四条第四項に規定する果たすべき役割に

照らして優れた業績がみられ、かつ、その他の業績は当該職員に求められる当該役割を果たした程度に達していること。

二　前項第二号に掲げる場合　前号(2)イ又は次号に掲げる要件

三　前項第三号に掲げる場合　昇格させようとする日以前における直近の連続した二回の能力評価及び四回の業績評価の全体評語について、一の全体評語が「やや不十分」の段階であり、かつ、他の全体評語が「良好」の段階以上であること及び次の(1)から(3)までに掲げる要件を満たすこと。

(1)　「やや不十分」の段階である全体評語が、昇格させようとする日以前における直近の能力評価又は業績評価の全体評語のいずれでもないこと。

(2)　二以上の全体評語が「優良」の段階以上（そのうち一以上の全体評語が「非常に優秀」の段階以上）であること。

(3)　次に掲げる場合の区分に応じ、それぞれ次に定める要件を満たすこと。

イ　能力評価の全体評語に「やや不十分」の段階がある場合　昇格させようとする日以前における直近の能力評価の全体評語が「優良」の段階以上であること。

ロ　業績評価の全体評語に「やや不十分」の段階がある場合　他の業績評価の全体評語のうち一の全体評語が「優良」の段階以上であること。

4　この条の第二項第四号の「これに相当する処分」とは、昇格させようとする者が第十七条各号に掲げる者として受けた懲戒処分に相当する処分のことをいう。

5　この条の第三項の規定により職員を昇格させようとする場合には、当該職員の人事評価の結果及び勤務成績を判定するに足りると認められる事実に基づき、この条の第二項に掲げる要件を満たす職員に相当すると認められる職員を当該要件を満たす職員とみなして同項の規定を適用するものとする。

6　この条の第五項の「人事院の定める場合」は、「Ⅱ種・Ⅲ種等採用職員の幹部職員への登用の推進に関する指針（平成十一年三月十九日任企—七三）」に基づき選抜された職員又はこれに準ずると認められる職員を選抜し育成する一環として昇任させた場合において、その者の職務が昇任前に従事していた職務が分類されていた職務の級の二級上位の職務の級に分類されるべきものと評価することができるときその他事務総長の承認を得たときとする。

7　この条の第六項の規定により読み替えられた同条第四項の「人事院の定める要件」は、次の各号に掲げる場合に応じ、当該各号に定める要件とする。

一　第十一条第三項の規定により職務の級を決定された職員以外の職員を昇格させる場合　昇格させようとする日に新たに職員となったものとした場合のその者の経験年数（初任給基準表の試験欄の「採用試験」の区分のうち「総合職（院卒）」の区分の適用を受ける者にあっては、当該経験年数に二年を加えた年数をもって当該経験年数とすることができる。）がその者の属する職務の級の一級上位の職務の級をその者の属する職務の級とみなした場合の最短昇格期間（ただし、この条の第四項後段の規定に該当するときは、当該最短昇格期間に百分の五十以上百分の百未満の割合を乗じて得た期間とすることができる。第二十二条関係第二項第一号において同じ。）以上であること。

二　第十一条第三項の規定により職務の級を決定された職員をその者が採用された日後に最初に昇格させる場合　昇格させようとする日以前における直近の能力評価及び連続した二回の業績評価の全体評語について、一の全体評語が「優良」の段階以上であり、かつ、他の全体評語が「良好」の段階以上であること（次に掲げる職務の級に昇格させる場合にあっては、それぞれ次に定める要件を含む。）。

(1)　第二項第一号に規定する職務の級　次のイ及びロに掲げる要件を満たすこと。

イ　昇格させようとする日以前における直近の能力評価及び連続した二回の業績評価の全体評語について、いずれも「良好」の段階であること。

ロ　第三項第一号(2)ロに掲げる要件

(2)　第二項第二号に規定する職務の級　(1)イに掲げる要件

8　この条の第七項に規定するその者の在級していた期間の計算については、民法（明治二十九年法律第八十九号）の規定による期間計算の例によるものとする。また、第二十条の二関係第二項の規定は、この場合の計算については適用しない。

9　降格した職員（第二十五条第一項に規定する異動をしたことにより降格した職員を除く。）が昇格する場合におけるこの条の第七項の規定の適用に当たっては、その者が降格前の職務の級以上の職務の級に在職していた期間をその現に属する職務の級に在級している期間として取り扱うことができる。

10　この条の第七項ただし書の規定により現に属する職務の級に一年以上在級していない職員を昇格させる場合には、別に定めるもののほか、給実甲第二五四号（初任給基準又は俸給表の適用を異にして異動した場合の職務の級及び号俸の決定等について）又は給実甲第四四二号（人事交流による採用者等の職務の級及び号俸の決定について）に定めるところによるものとする。ただし、特別の事情によりこれらにより難い場合には、あらかじめ個別に事務総長の承認を得て、別段の取扱いをすることができる。

【給実甲第一二九〇号（令三・一二・二四）の改正前】

（参考）〔改正前（令四・一〇・一前）の第二十条関係〕

第二十条関係

1　この条の第二項第二号の「人事院の定める要件」は、次の各号のいずれかに掲げる要件とする。

一　昇格させようとする日に次のいずれかに掲げる要件を満たすこと。

イ　人事院規則八―一二（職員の任免）（以下「規則八―一二」という。）第二十六条第二項に規定する人事院が定める転任（次号において「第二十六条第二項転任」という。）をしたこと。

ロ　特定幹部職（規則八―一二第十八条第三項に規定する特定幹部職をいう。）への転任（適格性審査基準（平成二十六年六月四日内閣官房長官決定）の一に規定する現に幹部職に属する官職と同じ若しくは同等の職制上の段階に属する官職に就いている者又は過去に幹部職に属する官職と同じ若しくは同等の職制上の段階に属する官職に就いていた者に係る転任を除く。次号において「特定転任」という。）をし、かつ、この条の第二項第三号イ及びハに掲げる要件を満たすこと。

二　昇格させようとする日前一年以内に昇任又は第二十六条第二項転任若しくは特定転任をし、かつ、この条の第二項第三号イ及びハに掲げる要件を満たすこと。

2　この条の第二項第三号イの「人事院の定めるもの」は、能力評価にあっては人事評価政令第五条第三項に規定する評価期間の全期間において職務に従事しているものとし、業績評価にあっては同条第四項に規定する評価期間の全期間において職務に従事しているものとする。

3　この条の第二項第三号ロの「通常のものを超えるものとして人事院が定める要件」は、次に掲げる要件を満たすこととする。

一　職員を昇格させようとする日以前における直近の能力評価及び業績評価の全体評語が上位又は中位の段階であること。

二　職員を昇格させようとする日以前における直近の連続した二回の能力評価及び四回の業績評価の全体評語について、一の全体評語が上位の段階であり、かつ、他の全体評語が中位の段階であること又はこれと同等以上と認められるものであること。

4　この条の第二項第三号ロの「人事院の定める場合」は、次に掲げる職務の級に昇格させる場合とする。

一　次に掲げる職務の級

(1)～(15)〔現在の「２一(1)～(15)」〕〔略〕

二　次に掲げる職務の級

(1)～(10)〔現在の「２二(1)～(10)」〕〔略〕

5　この条の第二項第三号ロの「通常のものを超えるものに準ずるものとして人事院の定める要件」は、次の各号に掲げる職務の級に昇格させる場合に応じ、当該各号に定める要件とする。

一　前項第一号に掲げる職務の級　次に掲げる要件を満たすこと等第三項の要件を満たした場合に準ずると認められること。

イ　職員を昇格させようとする日以前における直近の連続した二回の能力評価及び

四回の業績評価の全体評語について、いずれも中位の段階であること。

ロ　直近の能力評価の人事評価政令第五条第三項に規定する評価期間において職員が職務遂行の中でとった行動について人事評価政令第四条第三項に規定する評価項目に照らして優れた行動がみられ、かつ、その他の行動は通常求められる程度であること又は直近の業績評価の人事評価政令第五条第四項に規定する評価期間において職員が挙げた業績について人事評価政令第四条第四項に規定する果たすべき役割に照らして優れた業績がみられ、かつ、その他の業績は通常求められる程度であること。

二　前項第二号に掲げる職務の級　前号イに掲げる要件又はこれと同等と認められるものであること。

6　この条の第二項第三号ハの「これに相当する処分」とは、昇格させようとする者が第十七条各号に掲げる者として受けた懲戒処分に相当する処分のことをいう。

7・8〔現在の「5・6」〕〔略〕

9　この条の第六項の規定により読み替えられた同条第四項の「人事院の定める要件」は、次の各号に掲げる場合に応じ、当該各号に定める要件とする。

一〔現在の「7一」〕〔略〕

二　第十一条第三項の規定により職務の級を決定された職員をその者が採用された日後に最初に昇格させる場合　昇格させようとする日以前における直近の能力評価（人事評価政令第五条第三項に規定する評価期間の一部の期間において職務に従事しているものを含む。以下この号において同じ。）及び連続した二回の業績評価（同条第四項に規定する評価期間の一部の期間において職務に従事しているものを含む。以下この号において同じ。）の全体評語について、一の全体評語が上位の段階であり、かつ、他の全体評語が上位又は中位の段階であること（次に掲げる職務の級に昇格させる場合にあっては、それぞれ次に定める要件を含む。）

(1)　第四項第一号に掲げる職務の級　次に掲げる要件を満たすこと。

イ　職員を昇格させようとする日以前における直近の能力評価及び連続した二回の業績評価の全体評語について、いずれも中位の段階であること。

ロ　直近の能力評価の人事評価政令第五条第三項に規定する評価期間において職員が職務遂行の中でとった行動について人事評価政令第四条第三項に規定する評価項目に照らして優れた行動がみられ、かつ、その他の行動は通常求められる程度であること又は直近の業績評価の人事評価政令第五条第四項に規定する評価期間において職員が挙げた業績について人事評価政令第四条第四項に規定する果たすべき役割に照らして優れた業績がみられ、かつ、その他の業績は通常求められる程度であること。

(2)　第四項第二号に掲げる職務の級　(1)イに掲げる要件を満たすこと。

10〜12〔現在の「8〜10」〕〔略〕

第二十条の二関係

1　この条の第四項各号の規定により同項の「在級した期間」として取り扱うことができる期間を定める場合には、包括的に人事院の承認があったものとされている場合を除き、その都度承認を得なければならない。

2　選考採用者が、初任給基準表の試験欄の「採用試験」の区分の適用を受けることとなった場合又は同欄の「採用試験」の一の区分の適用を受ける職員が他の「採用試験」の区分の適用を受けることとなった場合におけるその者の属する職務の級に在級した期間は、それぞれ新たに適用される区分の適用を受けることとなった時以後のものとする。

3　降格した職員（第二十五条第一項に規定する異動をしたことにより降格した職員を除く。）又は退職の日若しくはその日の翌日再び採用された職員については、当該降格又は退職前においてその職務の級以上の職務の級に在職していた期間（前項に該当する者にあっては、同項に定めるところによる期間）をその職務の級に在級した期間として取り扱うことができる。

4　在級した期間の計算は、月を単位として行うものとする。

5　行政職俸給表㈠在級期間表の備考第一項若しくは第六項、専門行政職俸給表在級期間表の備考第一項若しくは第六項、税務職俸給表在級期間表の備考第一項若しくは第三項、公安職俸給表㈠在級期間表の備考第一項から第三項まで若しくは第五項から第七項まで、公安職俸給表㈡在級期間表の備考第一項若しくは第五項又は研究職俸給表在級期間表の備考第一項若しくは第四項の規定の適用については、第十三条関係第一項前段の規定の例によるもの（第十三条第三項の規定の適用を受ける場合にあっては、同項の規定による初任給基準表の区分と同一の区分）とする。

第二十一条関係

1　「異なる学歴免許等の資格を取得し」とは、初任給基準表の職種欄の一の区分に対応する学歴免許等欄の区分が二以上ある場合において、同欄の下位の区分の適用を受ける職員が上位の区分に属する学歴免許等の資格を取得した場合をいい、また、「在級期間表の異なる職種欄の区分の適用を受けることとなつた等」の場合とは、教育職俸給表㈠在級期間表の職種欄の「講師」の区分の適用を受ける職員が同欄の「准教授」又は「教授」の区分の適用を受けることとなった場合、行政職俸給表㈠初任給基準表の試験欄の「一般職（大卒）」の区分の適用を受ける職員が同欄の「総合職（大卒）」の区分の適用を受けることとなった場合等をいう。

2　「上位の職務の級に決定される資格等を有するに至つた場合」には、職員が在級した期間が在級期間表に定める在級期間に達した場合等単に在級期間表に定める要件を満たした場合は含まれない。

第二十二条関係

1　この条の第一項の「人事院が定めるこれに準ずる場合」は、人事院規則一一―四（職員の身分保障）第三条第一項第一号から第四号までのいずれかに該当して休職にされた職員が復職した場合とする。

2　国際機関等に派遣される一般職の国家公務員の処遇等に関する法律（昭和四十五年法律第百十七号。以下「派遣法」という。）第二条第一項の規定により派遣された後職務に復帰した職員又は人事院規則一一―四第三条第一項第一号から第四号までのいずれかに該当して休職にされた後復職した職員を昇格させる場合には、次の各号に掲げる職員の区分に応じ、当該各号に定める職務の級に昇格させることができる。ただし、特別の事情によりこれにより難い場合には、あらかじめ個別に事務総長の承認を得て、別段の取扱いをすることができる。

一　第十一条第三項の規定により職務の級を決定された職員以外の職員　昇格させようとする日に新たに職員となったものとした場合のその者の経験年数がその者を昇格させようとする職務の級をその者の属する職務の級とみなした場合の最短昇格期間以上となる当該昇格させようとする職務の級

二　第十一条第三項の規定により職務の級を決定された職員　当該派遣又は休職がなく引き続き職務に従事したものとみなして、その者が当該派遣又は休職の直前に属していた職務の級を基礎として昇格等の規定を適用した場合に、その者を昇格させようとする日に属することとなる職務の級を超えない範囲内の職務の級

第二十三条関係

1　この条の第二項の「一級上位の職務の級への昇格が順次行われたものとして取り扱う」とは、現に属する職務の級より一級上位の職務の級に昇格したものとした場合にこの条の第一項の規定により得られる号俸を基礎として、さらにその一級上位の職務の級に順次昇格したものとしてこの条の第一項の規定を適用することをいう。

2　この条の第三項の「初任給として受けるべき号俸」とは、第十二条、第十四条、第十五条、十六条又は第十八条の規定により受けることとなる号俸をいう。

3　この条の第四項の規定により職員の号俸を決定する場合には、あらかじめ個別に事務総長の承認を得なければならない。

第二十五条関係

1　この条の第一項の「初任給基準表に異なる初任給の定めがある他の職種に属する職務に異動させる場合」には、初任給基準表の備考に異なる初任給の定めのある職務に異動させる場合を含む。

2　この条の第二項（第二十七条第二項において準用する場合を含む。）の規定により職員を昇格させる場合には、その異動後の職務に

応じ、かつ、その異動の日に新たに職員となったものとした場合にその者に適用されることとなる初任給基準表の職種欄の区分又は試験欄の区分（職種欄の区分及び試験欄の区分の定めがあるものにあっては、それぞれの区分）及び学歴免許等欄の区分に対応する初任給欄の職務の級（第十二条第一項第四号に掲げる職員にあっては、その者に適用される俸給表の最下位の職務の級）を基礎としてその者の経験年数に相当する期間その者の職務と同種の職務に引き続き在職したものとみなして第二十条第四項後段の規定の例によるものとした場合に決定することができる職務の級の範囲内でその者の職務の級を決定することができる。

第二十六条関係

1 この条の第一項第一号の「免許等を必要とする職務」は、いわゆる免許を必要とする職務のほか、その職務に任用するにあたって任用上の資格等を必要とする職務を含むものとする。また、その免許等を取得した時が新たに職員となった時以前である者については、新たに職員となった時から異動後の職務と同種の職務に引き続き在職したものとみなして同号の規定を適用するものとする。

2 この条の第一項第一号の規定により異動後の職務に引き続き在職したものとみなして昇格、昇給等の規定を適用する場合には、それぞれその在職していたとみなす時における昇格、昇給等の規定によるものとする。

3 この条の第一項第二号の「人事院の定める者」については、給実甲第二五四号（初任給基準又は俸給表の適用を異にして異動した場合の職務の級及び号俸の決定等について）の第一の二に定めるところによる。

4 この条の第一項第二号の「人事院の承認を得て定める基準」が定められるまでの間における同号の規定による号俸の決定については、第四十八条に定めるところにより個別に人事院の承認を得なければならない。なお、当該基準について給実甲第二五四号の第三及び第五に定めるところによるときは、当該基準につきあらかじめこの条の第一項第二号の規定による人事院の承認があったものとして取り扱うことができる。

5 この条の第一項第三号の「人事院の定める異動」及び「人事院の定めるところ」については、給実甲第二五四号の第二並びに給実甲第一三〇六号（博士課程修了者等の初任給基準の改正に伴う在職者等の号俸の決定について）の第二の第一項から第三項まで及び第三に定めるところによる。

6 この条の第二項の「初任給として受けるべき号俸」については、第二十三条関係第二項の例による。

第二十七条関係

この条の第三項の規定により異動後の職務と同種の職務に引き続き在職したものとみなして昇格等の規定を適用する場合には、それぞれその在職していたとみなす時における昇格等の規定によるものとする。

第二十八条関係

この条の後段の規定により読み替えられた第二十六条第一項第二号の「人事院の定める者」については、給実甲第二五四号（初任給基準又は俸給表の適用を異にして異動した場合の職務の級及び号俸の決定等について）の第四及び給実甲第一三〇六号（博士課程修了者等の初任給基準の改正に伴う在職者等の号俸の決定について）の第二の第四項に定めるところによる。

第二十九条関係

この条の「人事院の定める号俸」については、給実甲第二五四号（初任給基準又は俸給表の適用を異にして異動した場合の職務の級及び号俸の決定等について）の第七に定めるところによる。

第三十条関係

この条の規定による号俸の決定について、給実甲第二五四号（初任給基準又は俸給表の適用を異にして異動した場合の職務の級及び号俸の決定等について）の第八に定めるところによるときは、あらかじめこの条の規定による人事院の承認があったものとして取り扱うことができる。

第三十五条関係

この条の「人事院が定める事由」は、訓告その他の矯正措置の対象となる事実（勤務成績に及ぼす影響の程度が軽微であるものとして各庁の長があらかじめ指定するものを除く。第三十七条関係第四項第三号において同じ。）があったこととする。

第三十七条関係

1 この条の第一項第一号イ又はロに掲げる職

員に該当するか否かの判断は、人事評価政令第七条第二項に規定する調整者（同項ただし書の規定により調整者を指定しない場合にあっては、同条第一項に規定する評価者）が同一である職員ごとに、次に掲げる順序に従い、この条の第六項に規定する人事院の定める割合におおむね合致するよう行うものとする。この場合においては、次に掲げる職員について同号イ又はロに掲げる職員のいずれに該当するかを判断するときは、全体評語、人事評価政令第六条第一項に規定する個別評語並びに同条第四項に規定する個別評語及び全体評語を付した理由その他参考となるべき事項（第八項及び第九項において「考慮事項」という。）を考慮するものとする。

一　直近の能力評価の全体評語が「卓越して優秀」の段階であり、かつ、直近の連続した二回の業績評価の全体評語がいずれも「非常に優秀」の段階以上である職員及び直近の能力評価の全体評語が「非常に優秀」の段階であり、かつ、直近の連続した二回の業績評価のうち、一の業績評価の全体評語が「卓越して優秀」の段階であり、かつ、他の業績評価の全体評語が「非常に優秀」の段階以上である職員

二　直近の能力評価の全体評語が「優良」の段階以上であり、かつ、直近の連続した二回の業績評価のうち、一の業績評価の全体評語が「優良」の段階以上であり、かつ、他の業績評価の全体評語が「良好」の段階以上である職員（前号に掲げる職員を除く。）

2　この条の第一項第一号の「人事院の定める者」は、遠隔の地その他生活の著しく不便な地に所在する官署に異動し相当の期間勤務することとなった職員その他の公務に対する貢献が顕著であると認められる職員とする。

3　前項に規定する者については、第一項の規定にかかわらず、次の各号に掲げる職員の区分に応じ、当該各号に定める職員とすることができる。

一　第一項第二号に掲げる職員　同項第一号に掲げる職員

二　昇給評語がいずれも「良好」の段階以上である職員のうち、第一項各号に掲げる職員以外の職員　同項第二号に掲げる職員

4　次に掲げる職員（次項各号に掲げる職員を除く。）は、この条の第一項第三号イに掲げる職員に該当するものとして取り扱うものとする。

一　昇給評語のいずれかが「やや不十分」の段階である職員

二　基準期間（この条の第四項第一号に規定する基準期間をいう。以下同じ。）において、戒告の処分（次項第二号に規定するものを除く。）を受けた職員

三　基準期間において、訓告その他の矯正措置の対象となる事実があった職員

四　基準期間において、第二号に規定する処分を受けることが相当とされる行為をした職員

五　評価終了日の翌日から昇給日の前日までの間（以下「特定期間」という。）において、前三号に掲げる職員となり、給与法第八条第六項後段の規定の適用を受けることとなった職員

5　次に掲げる職員は、この条の第一項第三号ロに掲げる職員に該当するものとして取り扱うものとする。

一　昇給評語がいずれも「やや不十分」の段階である職員又はいずれかが「不十分」の段階である職員

二　基準期間において、停職若しくは減給の処分又は戒告の処分（その対象となった事実の勤務成績に及ぼす影響の程度が著しいと認められるものに限る。）を受けた職員

三　基準期間において、前号に規定する処分を受けることが相当とされる行為をした職員

四　特定期間において、前二号に掲げる職員となり、給与法第八条第六項後段の規定の適用を受けることとなった職員

6　第四項第二号又は前項第二号に掲げる職員で、前年以前の昇給日においてこれらの規定に掲げる処分の直接の対象となった事実に基づき昇給区分を決定された職員（次項に掲げる者を除く。）について、相当と認めるときは、これらの規定に掲げる職員に該当しないものとして取り扱うことができる。

7　第四項第二号から第四号まで又は第五項第二号若しくは第三号に掲げる職員で、前年の昇給日において給与法第八条第六項後段の規定に基づき昇給区分を決定された職員につい

て、相当と認めるときは、これらの規定に掲げる職員に該当しないものとして取り扱うことができる。

8　第四項第一号に掲げる職員のうち、次の各号のいずれかに該当する職員については、同項の規定にかかわらず、考慮事項を勘案し、当該各号に定める昇給区分に決定することができる。

一　直近の能力評価の全体評語が「優良」の段階以上であり、かつ、直近の連続した二回の業績評価の全体評語のいずれかが「良好」の段階以上である職員　C

二　直近の能力評価の全体評語が「良好」の段階であり、かつ、直近の連続した二回の業績評価の全体評語のいずれかが「優良」の段階以上である職員　C

三　直近の能力評価の全体評語が「やや不十分」の段階であり、かつ、直近の連続した二回の業績評価のうち、一の業績評価の全体評語が「良好」の段階であり、かつ、他の業績評価の全体評語が「やや不十分」の段階である職員　E

9　第五項第一号に掲げる職員のうち、直近の能力評価の全体評語が「良好」の段階以上であり、かつ、直近の連続した二回の業績評価の全体評語のいずれかが「良好」の段階以上である職員については、同項の規定にかかわらず、考慮事項を勘案し、Dの昇給区分に決定することができる。

10　この条の第二項の規定によりこの条の第一項第三号イに掲げる職員をCの昇給区分に、同号ロに掲げる職員をC又はDの昇給区分に決定しようとする場合には、前二項の規定を適用する場合を除き、あらかじめ事務総長に協議するものとする。

11　この条の第三項の規定により職員を昇給させようとする場合には、当該職員の人事評価の結果及び勤務成績を判定するに足りると認められる事実に基づきこの条の第一項に掲げる要件を満たす職員に該当すると認められる職員を当該要件を満たす職員とみなして同項の規定を適用するものとする。

12　この条の第四項各号の「人事院の定める事由」は、次に掲げる事由とする。

(1)　一般職の職員の勤務時間、休暇等に関する法律（平成六年法律第三十三号。以下「勤務時間法」という。）第十三条の二第一項に規定する超勤代休時間

(2)　勤務時間法第十六条に規定する休暇のうち、年次休暇、公務上の負傷若しくは疾病若しくは国家公務員災害補償法（昭和二十六年法律第百九十一号。以下「補償法」という。）第一条の二に規定する通勤による負傷若しくは疾病（派遣法第三条に規定する派遣職員（以下「派遣職員」という。）の派遣先の業務上の負傷若しくは疾病又は補償法第一条の二に規定する通勤による負傷若しくは疾病を含む。⒂において同じ。）又は国と民間企業との間の人事交流に関する法律（平成十一年法律第二百二十四号。以下「官民人事交流法」という。）第十六条、法科大学院への裁判官及び検察官その他の一般職の国家公務員の派遣に関する法律（平成十五年法律第四十号。以下「法科大学院派遣法」という。）第九条（法科大学院派遣法第十八条において準用する場合を含む。）、福島復興再生特別措置法（平成二十四年法律第二十五号）第四十八条の九若しくは第八十九条の九、令和三年東京オリンピック競技大会・東京パラリンピック競技大会特別措置法（平成二十七年法律第三十三号。以下「令和三年オリンピック・パラリンピック特措法」という。）第二十三条、平成三十一年ラグビーワールドカップ大会特別措置法（平成二十七年法律第三十四号。以下「平成三十一年ラグビーワールドカップ特措法」という。）第十条、令和七年に開催される国際博覧会の準備及び運営のために必要な特別措置に関する法律（平成三十一年法律第十八号。以下「令和七年国際博覧会特措法」という。）第二十一条若しくは令和九年に開催される国際園芸博覧会の準備及び運営のために必要な特別措置に関する法律（令和四年法律第十五号。以下「令和九年国際園芸博覧会特措法」という。）第二十一条の規定（以下この項において「特定規定」という。）により給与法第二十三条第一項及び附則第六項の規定の適用に関し公務とみなされる業務に係る業務上の負傷若しくは疾病若しくは特定規定に規定する通勤による負傷若しくは疾病に係る病気休暇及び特別休暇

(3)　人事院規則一〇—四（職員の保健及び安全保持）第二十一条の二第一項又は第二十四条の三第一項の規定による勤務しないことの承認

(4)　人事院規則一〇—六（職員のレクリエーションの根本基準）第五条の規定による勤務しないことの承認

(5)　人事院規則一〇—七（女子職員及び年少職員の健康、安全及び福祉）第五条、第六条第二項又は第七条の規定による勤務しないことの承認

(6)　消防団を中核とした地域防災力の充実強化に関する法律第十条第一項の規定による国家公務員の消防団員との兼職等に係る職務専念義務の免除に関する政令（平成二十六年政令第二百六号）第一項の規定により割り振られた正規の勤務時間の一部を割くことの承認

(7)　学校教育法第一条に規定する大学の教員の業務を行うことについての国家公務員法（昭和二十二年法律第百二十号）第百四条の規定による許可

(8)　国家公務員の育児休業等に関する法律（平成三年法律第百九号。以下「育児休業法」という。）第三条第一項に規定する育児休業

(9)　育児休業法第二十六条第一項に規定する育児時間

(10)　勤務時間法第十六条に規定する介護休暇

(11)　勤務時間法第十六条に規定する介護時間

(12)　出入国管理及び難民認定法（昭和二十六年政令第三百十九号）第五十五条の十七第一項第一号に該当する場合における同項の規定による承認

(13)　科学技術・イノベーション創出の活性化に関する法律（平成二十年法律第六十三号）第十八条の規定による研究集会への参加の承認

(14)　ハンセン病問題の解決の促進に関する法律（平成二十年法律第八十二号）第十一条の二第一項第一号に該当する場合における同項の規定による承認

(15)　矯正医官の兼業の特例等に関する法律（平成二十七年法律第六十二号）第四条第一項第一号に該当する場合における同項の規定による承認

(16)　人事院規則一一—四第三条第一項の規定に係る休職（同項第五号の規定に係る休職にあっては、当該休職に係る生死不明又は所在不明の原因である災害により、職員が公務上の災害若しくは補償法第一条の二に規定する通勤による災害（派遣職員の派遣先の業務上の災害又は補償法第一条の二に規定する通勤による災害を含む。）又は特定規定により給与法第二十三条第一項及び附則第六項の規定の適用に関し公務とみなされる業務に係る業務上の災害若しくは特定規定に規定する通勤による災害を受けたと認められる場合に限る。）及び公務上の負傷若しくは疾病若しくは補償法第一条の二に規定する通勤による負傷若しくは疾病又は特定規定により給与法第二十三条第一項及び附則第六項の規定の適用に関し公務とみなされる業務に係る業務上の負傷若しくは疾病若しくは特定規定に規定する通勤による負傷若しくは疾病に係る休職

(17)　派遣職員の派遣

(18)　交流派遣（官民人事交流法第二条第三項に規定する交流派遣をいう。）

(19)　法科大学院派遣法第四条第三項の規定による派遣

(20)　法科大学院派遣法第十一条第一項の規定による派遣

(21)　福島復興再生特別措置法第四十八条の三第一項の規定による派遣

(22)　福島復興再生特別措置法第八十九条の三第一項の規定による派遣

(23)　令和七年国際博覧会特措法第二十五条第一項の規定による派遣

(24)　令和九年国際園芸博覧会特措法第十五条第一項の規定による派遣

(25)　生理日の就業が著しく困難であることによる病気休暇（人事院規則一〇—七（女子職員及び年少職員の健康、安全及び福祉）の運用について（昭和六十一年三月十五日職福—一二一）第二条関係後段に定める期間に係るものに限る。）

(26)　地震、水害、火災その他の災害の被害に伴う職員の職務に専念する義務の免除に関する臨時措置による勤務しないことの承認

13　この条の第四項第一号の基準期間の六分の一に相当する期間の日数及び同項第二号の基準期間の二分の一に相当する期間の日数は、

勤務時間法第六条第一項に規定する週休日、同条第三項及び勤務時間法第八条第二項において読み替えて準用する同条第一項の規定に基づく勤務時間を割り振らない日並びに給与法第十五条に規定する祝日法による休日等及び年末年始の休日等を除いた現日数の六分の一又は二分の一の日数（その日数に一日未満の端数があるときは、これを一日に切り上げた日数）とする。また、職員の勤務しなかった時間のうち一時間を単位とする病気休暇等の時間を日に換算するときは、七時間四十五分をもって一日とし、換算の結果を合計した後に一日未満の端数を生じたときは、これを切り捨てる。

なお、勤務時間法第六条第二項の規定により勤務時間が一日につき七時間四十五分となるように割り振られた日又はこれに相当する日以外の勤務時間法第十条に規定する勤務日等については、日を単位とせず、時間を単位として取り扱い、それを日に換算するときは、七時間四十五分をもって一日とするものとする。

14 この条の第六項の「人事院の定める場合」は、第一項各号に掲げる職員の数が少数である場合とする。

15 この条の第六項の「人事院の定める割合」は、次の各号に掲げる職員の区分に応じ、当該各号に定める割合とする。

一 次号から第四号までに掲げる職員以外の職員 Aの昇給区分に係る割合については百分の五、Bの昇給区分に係る割合については百分の二十

二 海㈠六級以上職員等又は専門スタッフ職俸給表の適用を受ける職員でその職務の級が二級以上であるもの Aの昇給区分に係る割合については百分の十、Bの昇給区分に係る割合については百分の三十

三 行㈠八級以上職員等 Aの昇給区分に係る割合については百分の十、Bの昇給区分に係る割合については百分の三十

四 次に掲げる職員（(5)及び(9)から(14)までに掲げる職員にあっては、職務の複雑、困難及び責任の度等を考慮して(1)に掲げる職員に相当するものに限る。） 百分の二十五（そのうちAの昇給区分に係る割合については、百分の五以内）

(1) 行政職俸給表㈠の適用を受ける職員でその職務の級が二級以下であるもの

(2) 行政職俸給表㈡の適用を受ける職員でその職務の級が一級であるもの

(3) 専門行政職俸給表の適用を受ける職員でその職務の級が一級であるもの

(4) 税務職俸給表の適用を受ける職員でその職務の級が二級以下であるもの

(5) 公安職俸給表㈠の適用を受ける職員でその職務の級が三級以下であるもの

(6) 公安職俸給表㈡の適用を受ける職員でその職務の級が二級以下であるもの

(7) 海事職俸給表㈠の適用を受ける職員でその職務の級が二級以下であるもの

(8) 海事職俸給表㈡の適用を受ける職員でその職務の級が一級であるもの

(9) 教育職俸給表㈠の適用を受ける職員でその職務の級が一級であるもの

(10) 教育職俸給表㈡の適用を受ける職員でその職務の級が二級以下であるもの

(11) 研究職俸給表の適用を受ける職員でその職務の級が二級以下であるもの

(12) 医療職俸給表㈠の適用を受ける職員でその職務の級が一級であるもの

(13) 医療職俸給表㈡の適用を受ける職員でその職務の級が二級以下であるもの

(14) 医療職俸給表㈢の適用を受ける職員でその職務の級が二級以下であるもの

(15) 福祉職俸給表の適用を受ける職員でその職務の級が一級であるもの

16 各庁の長は、前項第一号に定める割合におおむね合致するようこの条の第一項第一号イ又はロに掲げる職員に該当するか否かの判断を行う場合に、必要と認める範囲内で、前項第一号に掲げる職員の区分について、俸給表（行政職俸給表㈠、専門行政職俸給表、税務職俸給表、公安職俸給表㈠、公安職俸給表㈡又は医療職俸給表㈠に限る。）及び当該俸給表の適用を受ける職員の職務の級の別により細分化することができる。この場合における同号の規定の適用については、同号中「Aの昇給区分」とあるのは、「次項の規定により細分化された区分ごとにそれぞれAの昇給区分」とする。

17 この条の第一項から第五項までの規定により昇給区分を決定する行㈠八級以上職員等の総数に占める当該行㈠八級以上職員等であっ

てこの第三十七条関係第一項各号に掲げる職員又は第二項に規定する職員であるものの数の割合が百分の四十を超える場合であって、勤務成績に基づきCの昇給区分に決定することが著しく不適当であってBの昇給区分に決定する必要があると認められる職員がいるときにおける第十五項第三号の規定の適用については、同号中「百分の三十」とあるのは「百分の三十を超え百分の四十以下の範囲内において必要と認められる割合」とする。

18　この条の第八項の「人事院の定める数」は、昇給号俸数表のC欄に定める号俸数に相当する数とする。

19　この条の第八項の「人事院の定める職員」は、前年の昇給日後に、新たに職員となり初任給の号俸を決定された職員又は第二十三条第三項、第二十六条第二項（第二十八条において準用する場合を含む。）若しくは第四十三条の規定により号俸を決定された職員であって、当該号俸の決定に係る事情等を考慮した場合に、その者の昇給の号俸数をこの条の第八項に規定する「相当する号俸数」とすることが部内の他の職員との均衡を著しく失すると認められる職員とし、これらの職員についての「人事院の定める号俸数」は、この条の第一項から第七項までの規定を適用した場合に得られる号俸数を超えない範囲内で、部内の他の職員との均衡を考慮して各庁の長が定める号俸数とする。

20　職員の昇給については、その実施状況を適切に記録しておくものとする。また、職員の昇給区分をD又はEに決定した場合には、その根拠となる規定を職員に文書で通知するものとする。

第三十九条関係

1　この条の第一号の規定による昇給に関し、その対象となる研修、対象職員の範囲、実施方法その他必要な事項については、研修の目的、内容、成績判定の要領等を考慮して、事務総長が別に定める。ただし、特別の事情によりこれにより難い場合には、あらかじめ個別に事務総長の承認を得て、別段の取扱いをすることができる。

2　この条の第二号の規定による昇給に関し、その対象となる表彰又は顕彰、実施方法その他必要な事項については、表彰事由、表彰者等（顕彰にあっては、これらに準じた事項）を考慮して、事務総長が別に定める。ただし、特別の事情によりこれにより難い場合には、あらかじめ個別に事務総長の承認を得て、別段の取扱いをすることができる。

3　この条の第三号の規定による昇給の号俸数は、二号俸（行㈠八級以上職員等又は退職の日においてその者が属する職務の級の最高の号俸の一号俸下位の号俸を受ける職員にあっては、一号俸）とする。また、同号の「退職」は、国家公務員法第七十八条第四号の規定による免職又は国家公務員退職手当法第五条第一項第三号の規定に該当する退職（官署又は事務所の移転に係るものを除く。）をいう。

第四十条関係

この条の「人事院の定める日」は、次の各号に掲げる場合に応じ、当該各号に定める日とする。

一　勤務成績が良好である職員が生命をとして職務を遂行し、そのために危篤となり、又は著しい障害の状態となった場合　当該危篤又は当該著しい障害の状態となった日

二　前号に掲げる場合以外の場合　あらかじめ事務総長の承認を得て定める日

第四十一条関係

この条の「職務の級の最高の号俸を受ける職員」とは、各昇給日（第三十九条又は第四十条に定めるところにより行う昇給については、当該規定に定める日）において現に当該号俸を受けている職員をいう。

第四十三条関係

1　「上位の号俸を取得した場合」とは、職員が採用試験の結果に基づき任用された場合及び学歴免許等の資格その他職務の遂行に必要な免許等の資格を取得した場合をいい、単に職員の経験年数が上位の号俸を初任給として受けることができる年数に達した場合を含まない。

2　「人事院が定めるこれに準ずる場合」は、初任給基準表その他規則若しくはこの通達に定める初任給の基準が改正された場合又は第十四条第一項の表、学歴免許等資格区分表若しくは経験年数調整表が改正された場合（これらの表の規定に基づくこの通達の定めが改正された場合を含む。）のうち、当該改正に伴い職員の号俸を調整する必要があると認め

られる場合とする。

3　「人事院の定めるところ」は、別段の定めをした場合を除き、次の各号に定めるとおりとする。

一　職員が現に受ける号俸より上位の号俸を初任給として受けるべき資格を取得するに至った場合においては、その者の号俸を当該初任給として受けるべき号俸に決定することができるものとし、この場合の当該初任給として受けるべき号俸については、第二十三条関係第二項の例による。

二　初任給基準表が改正された場合又は第十四条第一項の表、学歴免許等資格区分表若しくは経験年数調整表が改正された場合（これらの表の規定に基づくこの通達の定めが改正された場合を含む。）で、改正後の当該基準の適用を受ける者との均衡上必要があると認められるときは、職員の号俸を改正後の当該基準並びに第十二条及び第十四条の規定を適用したものとした場合に得られる号俸に決定することができる。

第四十四条関係

1　この条の第二項の「人事院が定めるこれに準ずる場合」については、第二十二条関係第一項の規定の例による。

2　この条の規定の適用については、給実甲第一九二号（復職時等における号俸の調整の運用について）に定めるところによる。

第四十四条の二関係

「退職」には死亡が含まれる。

第四十五条関係

この条の規定により俸給の訂正について人事院の承認を得ようとする場合には、次の(1)から(5)までに掲げる事項を記載の上(6)に掲げる資料を添付して、その承認を求めるものとする。

(1)　俸給の訂正を要する職員の所属官署、所属部課、氏名及び級別定数上の職名

(2)　現在の職務の級及び号俸並びにその発令年月日

(3)　訂正後の職務の級及び号俸

(4)　訂正予定年月日

(5)　俸給の決定について誤りのあった事情、誤りの内容及び将来に向って俸給の訂正を行う理由

(6)　添付資料

イ　人事記録の写

ロ　訂正に当たっての基礎となる再計算調書（部内の他の職員との均衡上問題がある場合等にはその比較調書を含む。）

ハ　その他の参考資料

第四十六条関係

1　この条の第一項の規定による報告は、初任給基準表の試験欄の「I種」又は「A種」の区分の適用後遅滞なく、第十三条関係第四項の(1)から(6)までに掲げる事項について行うものとする。

2　この条の第三項の規定により読み替えられた第十六条の「その者に適用される初任給基準表の試験欄の区分より初任給欄の号俸が下位である試験欄の区分（「その他」の区分を含み、当該適用される試験欄の区分が「一般職（大卒）」、「専門職（大卒二群）」又は「II種」の区分である場合は「B種」の区分は含まないものとする。）を用い、又はその者の有する学歴免許等の資格のうちの下位の資格のみを有するものとしてこれらの規定を適用した場合」には、当該下位の区分を用い、かつ、当該下位の資格のみを有するものとして第十四条又は第十五条の規定を適用した場合（例えば試験欄の「B種」の区分の適用を受ける者で「短大卒」の区分に属する学歴免許等の資格を有するものについて、「III種」の区分を用い、かつ、「高校卒」の区分に属する学歴免許等の資格のみを有するものとして同条の規定を適用した場合）を含むものとし、この場合には、これにより得られる号俸をもって、同項の規定により読み替えられた第十六条の規定による号俸とすることができる。

初任給基準表関係

1　次の表の無線従事者の資格欄に掲げる資格を有する無線従事者（第十一条第四項の規定の適用に当たって行政職俸給表(一)在級期間表の備考第四項又は第七項の規定の適用を受けた者に限る。）の職務の級を一級以外の職務の級に決定する場合には、その者の経験年数は、その者の現に有する経験年数に同欄に掲げるその者の有する資格の区分に応じて、同表の調整年数欄に定める年数を加減した年数とする。

無線従事者の資格	調整年数
第2級総合無線通信士 第2級海上無線通信士	＋1年

第２級陸上無線技術士 第１級陸上特殊無線技士	
航空無線通信士	＋0.5年
第４級海上無線通信士 第１級海上特殊無線技士	－１年
その他の資格	－３年

注
(1) 調整年数欄の「＋」の年数は加える年数を、「－」の年数は減ずる年数を示す。
(2) 「その他の資格」は、行政職俸給表(一)初任給基準表の備考第２項に定めるところによる。

2 第三級総合無線通信士、第三級海上無線通信士、国内電信級陸上特殊無線技士又は次の表の無線従事者の資格欄の「その他の資格」に該当する資格を有する航空無線従事者（第十一条第四項の規定の適用に当たって専門行政職俸給表在級期間表の備考第四項又は第七項の規定の適用を受けた者に限る。以下同じ。）を職務の級一級に決定する場合には、その者の経験年数はその者の現に有する経験年数から一年を減じた年数とし、次の表の無線従事者の資格欄の「その他の資格」に該当する資格を有する航空無線従事者を一級以外の職務の級に決定する場合又は同欄に掲げる資格（同欄の「その他の資格」に該当する資格を除く。）を有する航空無線従事者の職務の級を決定する場合には、その者の経験年数は、その者の現に有する経験年数に同欄に掲げるその者の有する資格の区分に応じて、同表の調整年数欄に定める年数を加減した年数とする。

無線従事者の資格	調整年数
第２級総合無線通信士 第２級海上無線通信士 第２級陸上無線技術士 第１級陸上特殊無線技士	＋１年
航空無線通信士	＋0.5年
第４級海上無線通信士 第１級海上特殊無線技士	－１年
その他の資格	－３年

注
(1) 調整年数欄の「＋」の年数は加える年数を、「－」の年数は減ずる年数を示す。
(2) 「その他の資格」は、電波法施行令（平成13年政令第245号）に定める海上特殊無線技士、航空特殊無線技士及び陸上特殊無線技士の資格のうち、第１級陸上特殊無線技士、国内電信級陸上特殊無線技士及び第１級海上特殊無線技士以外のものを示す。

3 次に掲げる規定の「人事院が別段の定めをした場合」については、前二項に定めるもののほか、給実甲第三二七号（免許所有者の経験年数の取扱いについて）に定めるところによる。
(1) 行政職俸給表(一)初任給基準表の備考第三項の規定
(2) 行政職俸給表(二)初任給基準表の備考第三項の規定
(3) 専門行政職俸給表初任給基準表の備考第二項の規定
(4) 医療職俸給表(一)初任給基準表の備考の規定
(5) 医療職俸給表(二)初任給基準表の備考第一項の規定
(6) 医療職俸給表(三)初任給基準表の備考第二項の規定

4 行政職俸給表(一)初任給基準表の備考第五項及び第七項、専門行政職俸給表初任給基準表の備考第五項及び第七項、税務職俸給表初任給基準表の備考第二項及び第四項、公安職俸給表(一)初任給基準表の備考第二項及び第六項、公安職俸給表(二)初任給基準表の備考第三項及び第六項、教育職俸給表(一)初任給基準表の学歴免許等欄、教育職俸給表(二)初任給基準表の学歴免許等欄及び同表の備考並びに研究職俸給表初任給基準表の学歴免許等欄並びに同表の備考第一項、第三項及び第六項の「専門職学位課程」については、第十四条関係第三項の例による。

5 福祉職俸給表初任給基準表の職種欄の「生活支援員」、「職業指導員」、「就労支援員」、「心理判定員」、「精神障害者社会復帰指導員」、「医療社会事業専門員」及び「介護員」については、それぞれ次に定めるところによる。
(1) 「生活支援員」とは、入所者の社会適応に必要な生活指導及び訓練の業務に従事する職員をいう。

(2) 「職業指導員」とは、入所者の職業的更生のための職能指導及び訓練の業務に従事する職員をいう。

(3) 「就労支援員」とは、入所者の職能的評価判定並びに求職活動及び就職後の職場への定着に必要な助言及び指導の業務に従事する職員をいう。

(4) 「心理判定員」とは、入所者に対する心理的評価判定及び心理的更生指導の業務に従事する職員をいう。

(5) 「精神障害者社会復帰指導員」とは、精神障害を有する入所者の社会適応に必要な生活指導及び訓練の業務に従事する職員をいう。

(6) 「医療社会事業専門員」とは、入院患者の療養、退院又は社会復帰に伴う問題に関する助言又は指導の業務に従事する職員をいう。

(7) 「介護員」とは、入所者の介護及び介護に関する指導の業務に従事する職員をいう。

学歴免許等資格区分表関係

1 学歴免許等資格区分表の「学歴免許等の資格」欄の「上記に相当すると人事院が認める学歴免許等の資格」は、同表の「学歴免許等の区分」欄の区分に応じ、別表に定めるとおりとする。

2 学歴免許等資格区分表の大学卒の欄第三号の「専門職大学院専門職学位課程」については、第十四条関係第三項の例による。

3 学校教育法による高等学校若しくは中等教育学校の定時制の課程若しくは大学に置かれる夜間の学部に修学した者又は通信教育等を受講した者については、その者の実際に修学した年数にかかわらず、同種の学校の通常の課程を卒業し、又は修了したものとみなし、それぞれその者の学歴免許等の資格は当該通常の課程の卒業又は修了と同じに取り扱うものとする。したがって、例えば定時制の高等学校の卒業（修学年数四年）は三年制の高等学校の卒業と、大学の通信教育の課程の修了は、四年制の大学の卒業として取り扱う。

4 次の各号に該当する者の学歴免許等の資格の取扱いについては、それぞれ当該各号に定めるところによる。

一 学校教育法による大学の二年制の課程を修了した者及び同法による大学に二年以上在学して六十二単位以上修得した者については、「短大二卒」の区分に属する学歴免許等の資格を有する者に準じて取り扱うことができる。

二 次に掲げる者については、それぞれ次に定める学校の卒業者又は修了者に準じて取り扱うことができる。

(1) 学校教育法第五十七条、第九十条第一項（平成十三年法律第百五号による改正前の学校教育法第五十六条を含む。）又は第九十一条第二項の規定により同法による中学校、義務教育学校、高等学校、中等教育学校又は大学の卒業者又は修了者と同等の資格を有すると認められている者（(2)に該当する者を除く。） それぞれ当該学校

(2) 学校教育法第九十条第二項に規定する大学が同項の規定により当該大学に入学させた者 高等学校

三 学校教育法による専修学校の卒業の資格（学歴免許等資格区分表に掲げられている学歴免許等の資格及び別表の甲表に定める学歴免許等の資格を除く。）を有する者については、次によりそれぞれの区分に属する学歴免許等の資格を有する者に準じて取り扱うことができる。ただし、それぞれの課程の年間授業時数が、(1)、(2)、(4)又は(5)にあっては六百八十時間以上、(3)又は(6)にあっては八百時間以上のものに限る。

(1) 修業年限三年以上の専門課程の卒業者
「短大三卒」の区分

(2) 修業年限二年以上の専門課程の卒業者
「短大二卒」の区分

(3) 修業年限一年以上の専門課程の卒業者
「高校専攻科卒」の区分

(4) 修業年限三年以上の高等課程の卒業者
「高校三卒」の区分

(5) 修業年限二年以上の高等課程の卒業者
「高校二卒」の区分

(6) 修業年限一年以上の高等課程の卒業者
「中学卒」の区分

四 学校教育法による各種学校の卒業の資格（学歴免許等資格区分表に掲げられている学歴免許等の資格及び別表の甲表に定める学歴免許等の資格を除く。）を有する者については、次によりそれぞれの区分に属す

る学歴免許等の資格を有する者に準じて取り扱うことができる。

(1)　「高校三卒」を入学資格とする修業年限二年以上の課程の卒業者　「短大二卒」の区分

(2)　「中学卒」を入学資格とする修業年限三年以上の課程の卒業者　「高校三卒」の区分

(3)　「中学卒」を入学資格とする修業年限二年以上の課程の卒業者　「高校二卒」の区分

五　旧茨城総合高等職業訓練校原子力科（旧茨城総合職業訓練所原子力工業科を含むものとし、「高校三卒」を入学資格とする修業年限二年の課程に限る。）の卒業者については、前号の(1)に該当する者に準じて取り扱うことができる。

5　学歴免許等資格区分表に掲げられている学歴免許等の資格（別表の甲表に定める学歴免許等の資格を含む。）以外の資格を有する者（前項に定める者を除く。）について、他の学歴免許等の資格を有する者との均衡上特に必要があると認められるときは、あらかじめ事務総長の承認を得て当該資格を同表に定める学歴免許等の資格として取り扱うことができる。

6　別表の乙表に掲げる初任給基準表の適用を受ける職員のうち、別表の乙表の「学歴免許等の資格」欄に掲げる学歴免許等の資格を有する者に当該初任給基準表の学歴免許等欄の学歴免許等の区分を適用する場合における当該学歴免許等の資格の属する区分は別表の乙表の「基準学歴区分」欄に定める区分とすることができる。

経験年数換算表関係

1　経験年数換算表の経歴欄の左欄の「国、地方公共団体、旧公共企業体、政府関係機関、外国政府又は民間における企業体、団体等の職員等としての在職期間」の区分中「職員としての職務にその経験が直接役立つと認められる職務に従事した期間（常時勤務に服する者として職務に従事した期間又はこれに準ずる期間に限る。）」の区分又は「その他の期間」の区分中「職員としての職務にその経験が直接役立つと認められる職務に従事した期間」の区分の適用を受ける期間には、各府省の特定の所掌事務において必要とされる専門的知識や経験を活用する職務に従事した期間だけでなく、各府省に共通する職務に役立つ汎用的な能力（例えば、説明能力、調整能力、企画能力等が該当するものとする。）を活用して職務に従事した期間も含まれる。

2　経験年数換算表の経歴欄の左欄の「国、地方公共団体、旧公共企業体、政府関係機関、外国政府又は民間における企業体、団体等の職員等としての在職期間」の区分中「職員としての職務にその経験が直接役立つと認められる職務に従事した期間（常時勤務に服する者として職務に従事した期間又はこれに準ずる期間に限る。）」の「これに準ずる期間」とは、常時勤務に服する者以外の者であって勤務形態等が常時勤務に服する者と類似するものとして職務に従事した期間をいう。

3　経験年数換算表の経歴欄の左欄の「その他の期間」の区分中「職員としての職務にその経験が直接役立つと認められる職務に従事した期間」の区分の適用を受ける期間には、司法修習生の修習期間など、職員としての職務に直接役立つ知識及び能力を習得するための研修等を受けた期間も含まれる。

4　学校教育法による大学の一の学部の課程を修了した後に他の学部の課程を重複して修了した場合等同等の学校の課程を重複して修了した場合には、その重複して在学した期間は、経験年数換算表の「学校又は学校に準ずる教育機関における在学期間」として取り扱うことができる。

5　学校教育法による高等学校若しくは中等教育学校の定時制の課程若しくは大学に置かれる夜間の学部に在学した期間又は通信教育（学校又は学校に準ずる教育機関が行うものに限る。）を受講した期間に経験年数換算表を適用する場合には、同表の「学校又は学校に準ずる教育機関における在学期間」の区分によるものとし、この場合の換算率は、その修学の実態に応じて定めるものとする。

6　昭和四十三年法律第四十七号による改正前の医師法に規定する実地修練を経て医師国家試験に合格した職員については、経験年数調整表関係第二項第一号に調整年数の特例が定められているので、当該実地修練の期間のうちの一年については、経験年数換算表を適用することができない。

経験年数調整表関係

1 経験年数調整表の学歴区分（甲）欄及び学歴区分（乙）欄の「専門職学位課程」については、第十四条関係第三項の例による。

2 経験年数調整表の備考第四項の「人事院が別段の定めをした者」及び「経験年数に係る調整年数」は、次に定めるとおりとする。ただし、別段の定めをする必要があると認められる者として事務総長が定める者については、事務総長の定めるところによるものとする。

一 昭和四十三年法律第四十七号による改正前の医師法に規定する実地修練を経て医師国家試験に合格した者については、その者に適用される経験年数調整表の学歴区分（甲）欄の区分に対応する調整年数に一年を加えた年数をもって、経験年数調整表の調整年数とする。

二 昭和五十年度以前に入学した商船大学の卒業者又は高等専門学校の商船に関する学科の卒業者については、その者に適用される経験年数調整表の学歴区分（甲）欄の区分に対応する通算修学年数をその者の有する学歴免許等の資格の正規の在学年数の和の年数から減じ、その年数が正となるときはその年数を加える年数として、その年数が負となるときはその年数を減ずる年数として、その者に適用される経験年数調整表の学歴区分（甲）欄の区分に対応する調整年数に加減した年数をもって、経験年数調整表の調整年数とする。

三 医療職俸給表㈢初任給基準表の備考第三項の規定の適用を受ける者のうち、「短大三卒」の区分以上の区分に属する学歴免許等の資格を有する者については、その者に適用される経験年数調整表の学歴区分（甲）欄の区分に対応する調整年数から一年を減じた年数をもって、経験年数調整表の調整年数とする。

四 次に掲げる者については、その者に適用される経験年数調整表の学歴区分（甲）欄の区分に対応する調整年数に一年を加えた年数をもって、経験年数調整表の調整年数とすることができる。

(1) 学校教育法による大学の二年制の専攻科の卒業者

(2) 学校教育法による三年制の短期大学（昼間課程に相当する単位を三年間に修得する夜間課程を除く。）の専攻科の卒業者（独立行政法人大学改革支援・学位授与機構から学士の学位を授与された者を除く。）

(3) 学校教育法による二年制の短期大学の二年制の専攻科の卒業者（独立行政法人大学改革支援・学位授与機構から学士の学位を授与された者を除く。）

(4) 学校教育法による高等専門学校の二年制の専攻科の卒業者（独立行政法人大学改革支援・学位授与機構から学士の学位を授与された者を除く。）

(5) 学歴免許等資格区分表関係第四項第三号(6)の規定の適用を受ける者

(6) 旧独立行政法人海員学校司ちゅう・事務科の卒業者

(7) 旧海員学校の専修科（「高校三卒」を入学資格とする修業年限一年のものに限る。）、専科又は司ちゅう科の卒業者

(8) 旧海技大学校本科の卒業者

五 旧海員学校高等科の卒業者については、その者に適用される経験年数調整表の学歴区分（甲）欄の区分に対応する調整年数に二年を加えた年数をもって、経験年数調整表の調整年数とすることができる。

六 次の表の第一欄に掲げる者については、その者に適用される初任給基準表の学歴免許等欄に掲げる学歴免許等の区分に対応する経験年数調整表の基準学歴区分欄又は学歴区分（乙）欄の区分の調整年数に、次の表の第一欄に掲げる者及び第二欄に掲げるその者に適用される初任給基準表の学歴免許等の区分の区分に応じ、次の表の第三欄に定める年数を加減した年数（その者に適用される初任給基準表の学歴免許等欄に掲げる学歴免許等の区分に対応する経験年数調整表の基準学歴区分欄又は学歴区分（乙）欄の区分に調整年数が掲げられていない場合にあっては、次の表の第三欄に定める年数）をもって、経験年数調整表の調整年数とする。この場合において、当該加減した年数が零年となるときは、その者に適用される初任給基準表の学歴免許等欄に掲げる学歴免許等の区分に対応する経験年数調整表の基準学歴区分欄又は学歴区分（乙）欄の区分に調整年数が掲げられてい

ないものとして取り扱うものとする。

行政職俸給表(一)、税務職俸給表又は公安職俸給表(二)の適用を受ける者のうち、その職務の級を１級に決定する者	短大卒	＋0.5年
公安職俸給表(一)の適用を受ける者のうち、その職務の級を２級又は３級に決定する者	短大卒	＋0.5年
海事職俸給表(一)の適用を受ける者（大型船舶（一種）、大型船舶（二種）又は大型船舶（三種）（以下この表において「大型船舶」という。）の船長又は機関長のうち、その職務の級を４級に決定する者、大型船舶の１等航海士、１等機関士若しくは通信長又は中型船舶（一種）若しくは中型船舶（二種）（以下この表において「中型船舶」という。）の船長若しくは機関長のうち、その職務の級を３級又は４級に決定する者及び大型船舶の事務長、２等航海士、２等機関士若しくは２等通信士又は中型船舶の１等航海士、１等機関士若しくは通信長のうち、その職務の級を３級に決定する者を除く。）	短大卒	＋0.5年
海事職俸給表(一)の適用を受ける大型船舶の船長又は機関長のうち、その職務の級を４級に決定する者	大学卒	−５年
	短大卒	−7.5年
海事職俸給表(一)の適用を受ける大型船舶の１等航海士、１等機関士若しくは通信長又は中型船舶の船長若しくは機関長のうち、その職務の級を３級又は４級に決定する者	短大卒	−2.5年
教育職俸給表(一)の適用を受ける教授のうち、その職務の級を３級に決定する者	大学卒	−６年
教育職俸給表(二)の適用を受ける専修学校の教員のうち、その職務の級を２級に決定する者	大学卒	−１年
教育職俸給表(二)の適用を受ける専修学校の補助教員	短大卒	＋0.5年
研究職俸給表の適用を受ける者	短大卒	＋0.5年
医療職俸給表(二)の適用を受ける者のうち、その職務の級を１級又は２級に決定する者	短大卒	＋0.5年
	短大２卒	＋0.5年
医療職俸給表(三)の適用を受ける看護師のうち、その職務の級を２級又は３級に決定する者	短大２卒	＋0.5年
福祉職俸給表の適用を受ける者のうち、その職務の級を１級又は２級に決定する者	短大卒	＋0.5年

注　第３欄の「＋」の年数は加える年数を、「−」の年数は減ずる年数を示す。

3　第十三条第二項各号に掲げる者、同条第三項の規定の適用を受ける者、医療職俸給表(二)の適用を受ける言語聴覚士、義肢装具士及びあん摩マッサージ指圧師並びに福祉職俸給表の適用を受ける者のうち、第十五条の二第二項の規定を適用したものとした場合にその者の経験年数が負となる者の経験年数については、その者の経験年数からその者の経験年数に相当する年数を調整年数として減ずるものとする。

在級期間表関係

1　在級期間表において別に定めることとされている要件は、別に定めるもののほか、次に掲げる通達に定めるところによるものとする。ただし、特別の事情によりこれらにより難い場合には、あらかじめ個別に事務総長の承認を得て、別段の取扱いをすることができる。

なお、当該要件がこれらに定められていない場合において、当該要件が定められるまでの間の当該要件による職務の級の決定については、第四十八条の規定により個別に人事院の承認を得なければならない。

(1)　給実甲第二五四号（初任給基準又は俸給表の適用を異にして異動した場合の職務の級及び号俸の決定等について）

(2)　給実甲第四四二号（人事交流による採用者等の職務の級及び号俸の決定について）

(3)　給実甲第四七〇号（行政職俸給表(二)在級期間表において別に定めることとされている要件による職務の級の決定について）

2　研究職俸給表在級期間表の備考第三項に規定する者を二級に昇格させる場合及び医療職俸給表(一)在級期間表の備考第二項に規定する者の職務の級を二級に決定する場合には、あらかじめ事務総長の承認を得なければならない。

3　福祉職俸給表在級期間表の職種欄の「生活支援員」、「職業指導員」、「就労支援員」、「心理判定員」、「精神障害者社会復帰指導員」、「医療社会事業専門員」及び「介護員」については、初任給基準表関係第五項の例による。

その他の事項

1　各庁の長は、この規則の規定により職員の俸給を決定した場合において、当該決定に関する事項を通知するときには、当該職員に人事院規則八—一二第五十三条に規定する通知書（以下「通知書」という。）を用いて通知するものとする。ただし、通知書の交付によらないことを適当と認める場合には、通知書に代わる文書の交付その他適当な方法をもって通知書の交付に代えることができる。

2　通知書の様式及び記載事項等は、人事異動通知書の様式及び記載事項等について（昭和二十七年六月一日一三—七九九）に定めるところによる。

3　外務公務員法（昭和二十七年法律第四十一号）第二条第五項に規定する外務職員として人事評価が実施された職員に対する第二十条、第二十五条（第二十七条において準用する場合を含む。以下同じ。）及び第三十七条並びに第二十条関係及び第三十七条関係の規定の適用については、外務職員の人事評価の基準、方法等に関する省令（平成二十一年外務省令第六号）第六条第一項に規定する全体評語を第二十条、第二十五条及び第三十七条並びに第二十条関係及び第三十七条関係に規定する全体評語と、同令第六条第二項第一号に規定する職員を人事評価政令第六条第二項第一号に掲げる職員と、外務職員の人事評価の基準、方法等に関する省令第六条第二項第二号に規定する職員を人事評価政令第六条第二項第二号に掲げる職員と、外務職員の人事評価の基準、方法等に関する省令第五条第三項に規定する評価期間を人事評価政令第五条第三項に規定する評価期間と、外務職員の人事評価の基準、方法等に関する省令第五条第四項に規定する評価期間を人事評価政令第五条第四項に規定する評価期間と、外務職員の人事評価の基準、方法等に関する省令第四条第三項に規定する評価項目を第二十条関係に規定する評価項目と、同条第四項に規定する果たすべき役割を同条関係に規定する果たすべき役割と、同令第七条第二項に規定する調整者を第三十七条関係に規定する調整者と、同条第一項に規定する評価者を同条関係に規定する評価者と、同令第六条第一項に規定する個別評語を同条関係に規定する個別評語と、同条第四項に規定する個別評語及び全体評語を付した理由その他参考となるべき事項を同条関係に規定する個別評語及び全体評語を付した理由その他参考となるべき事項とみなす。

以　上

別表　学歴免許等資格区分表

イ　甲表

<table>
<tr><th colspan="2">学歴免許等の区分</th><th rowspan="2">学歴免許等の資格</th></tr>
<tr><th>基準学歴区分</th><th>学歴区分</th></tr>
<tr><td>1　大学卒</td><td>一　博士課程修了</td><td>外国における大学院博士課程等（大学院における修業年限３年以上となるものに限る。）の修了（通算修学年数が19年以上となり、かつ、博士の学位を取得した場合に限る。）</td></tr>
<tr><td></td><td>二　修士課程修了</td><td>外国における大学院修士課程等（大学院における修業年限１年以上となるものに限る。）の修了（通算修学年数が17年以上となり、かつ、修士の学位を取得した場合に限る。）</td></tr>
<tr><td></td><td>三　専門職学位課程修了</td><td>司法試験法による司法試験予備試験の合格</td></tr>
<tr><td></td><td>四　大学６卒</td><td>防衛医科大学校医学教育部医学科の卒業</td></tr>
<tr><td></td><td>五　大学専攻科卒</td><td>⑴　国立研究開発法人水産研究・教育機構水産大学校（旧独立行政法人水産大学校及び旧水産大学校を含む。以下同じ。）専攻科（「大学４卒」を入学資格とする修業年限１年以上のものに限る。）の卒業
⑵　旧図書館職員養成所（「大学４卒」を入学資格とする修業年限１年以上のものに限る。）の卒業</td></tr>
<tr><td></td><td>六　大学４卒</td><td>⑴　独立行政法人大学改革支援・学位授与機構からの学士の学位の取得
⑵　防衛大学校の卒業
⑶　防衛医科大学校医学教育部看護学科の卒業
⑷　筑波大学理療科教員養成施設（旧東京教育大学附属の特殊教育教員養成施設及び理療科教員養成施設を含むものとし、短期大学又は特別支援学校（平成18年法律第80号による改正前の学校教育法による盲学校又は聾学校を含む。）の専攻科卒業後の２年制の課程に限る。）の卒業
⑸　国立健康危機管理研究機構国立看護大学校（旧国立研究開発法人国立国際医療研究センター国立看護大学校、旧独立行政法人国立国際医療研究センター国立看護大学校及び旧国立看護大学校を含む。）看護学部の卒業
⑹　国立研究開発法人水産研究・教育機構水産大学校（「高校３卒」を入学資格とする４年制のものに限る。）の卒業
⑺　独立行政法人航空大学校（旧航空大学校を含むものとし、昭和62年８月以降の「短大２卒」を入学資格とする修業年限２年以上のものに限る。）の卒業
⑻　外国における大学等の卒業（通算修学年数が16年以上となるものに限る。）
⑼　旧琉球教育法による大学の４年課程の卒業
⑽　旧司法試験（平成14年法律第138号附則第７条第１項の規定による司法試験及び同法による改正前の司法試験法による司法試験をいう。以下同じ。）の第２次試験の合格
⑾　公認会計士法による公認会計士試験の合格
⑿　平成15年法律第67号による改正前の公認会計士法による公認会計士試験の第２次試験の合格
⒀　保健師助産師看護師法による保健師学校、保健師養成所、助産師学校又は助産師養成所（同法による看護師学校の卒業又は看護師養成所の卒業を入学資格とする修業年限１年以上のものに限る。）の卒業
⒁　職業能力開発促進法（昭和44年法律第64号）による職業能力開発大学校の応用課程（「短大２卒」を入学資格とする修業年限２年以上のものに限る。）又は職業能力開発総合大学校の特定応用課程（旧応用課程）（「短大２卒」を入学資格とする修業年限２年以上のものに限る。）を含む。）若しくは旧長期課程（旧職業能力開発大学校の長期課程並びに旧職業訓練大学校の長期課程及び長期指導員訓練課程を含む。）の卒業</td></tr>
</table>

		⒂　農業改良助長法施行令第３条第１号に基づき農林水産大臣の指定する都道府県立農業者研修教育施設（以下「都道府県立農業者研修教育施設」という。）の研究課程（「短大２卒」を入学資格とする修業年限２年のものに限る。）の卒業 ⒃　都道府県立農業講習施設（「短大２卒」を入学資格とする修業年限２年のものに限る。）の卒業 ⒄　森林法施行令第９条の規定に基づき農林水産大臣の指定する教育機関（「短大２卒」を入学資格とする修業年限２年のものに限る。）の卒業 ⒅　旧鯉淵学園専門課程（修業年限４年のものに限る。）の卒業 ⒆　旧電気事業主任技術者資格検定規則による第１種資格検定試験の合格
２　短大卒	一　短大３卒	⑴　外国における大学、専門学校等の卒業（通算修学年数が15年以上となるものに限る。） ⑵　診療放射線技師法による診療放射線技師学校又は診療放射線技師養成所（いずれも「高校３卒」を入学資格とする修業年限３年以上のものに限る。）の卒業 ⑶　臨床検査技師等に関する法律による臨床検査技師学校又は臨床検査技師養成所（平成17年法律第39号による改正前の臨床検査技師、衛生検査技師等に関する法律による臨床検査技師学校又は臨床検査技師養成所を含むものとし、いずれも「高校３卒」を入学資格とする修業年限３年以上のものに限る。）の卒業 ⑷　臨床工学技士法による臨床工学技士学校又は臨床工学技士養成所（いずれも「高校３卒」を入学資格とする修業年限３年以上のものに限る。）の卒業 ⑸　理学療法士及び作業療法士法による理学療法士学校、理学療法士養成施設、作業療法士学校又は作業療法士養成施設（いずれも「高校３卒」を入学資格とする修業年限３年以上のものに限る。）の卒業 ⑹　視能訓練士法による視能訓練士学校又は視能訓練士養成所（いずれも「高校３卒」を入学資格とする修業年限３年以上のもの又は「短大２卒」を入学資格とする修業年限１年以上のものに限る。）の卒業 ⑺　言語聴覚士法による言語聴覚士学校又は言語聴覚士養成所（いずれも「高校３卒」を入学資格とする修業年限３年以上のもの又は学校教育法に基づく大学若しくは高等専門学校、旧大学令に基づく大学若しくは言語聴覚士法第33条第３号の規定に基づき厚生労働省令で定める学校、文教研修施設若しくは養成所における１年（高等専門学校にあっては、４年）以上の修業を入学資格とする修業年限２年以上のものに限る。）の卒業 ⑻　義肢装具士法による義肢装具士学校又は義肢装具士養成所（いずれも「高校３卒」を入学資格とする修業年限３年以上のものに限る。）の卒業 ⑼　歯科衛生士法による歯科衛生士学校又は歯科衛生士養成所（いずれも修業年限３年以上のものに限る。）の卒業 ⑽　歯科技工士法第14条第２号の規定に基づき都道府県知事が指定した歯科技工士養成所の昼間課程（平成26年法律第51号による改正前の同号の規定に基づき厚生労働大臣が指定した歯科技工士養成所の昼間課程を含むものとし、「高校３卒」を入学資格とする修業年限３年以上のものに限る。）の卒業 ⑾　あん摩マツサージ指圧師、はり師、きゆう師等に関する法律（以下「あん摩マツサージ指圧師法」という。）による学校又は養成施設（いずれも「高校３卒」を入学資格とする修業年限３年のものに限る。）の卒業 ⑿　柔道整復師法による柔道整復師学校又は柔道整復師養成施設（いずれも「高校３卒」を入学資格とする修業年限３年のものに限る。）の卒業 ⒀　保健師助産師看護師法による看護師学校又は看護師養成所（いずれも「高校３卒」を入学資格とする修業年限３年以上のものに限る。）の卒業 ⒁　都道府県立農業者研修教育施設の研究課程（「短大２卒」を入学資格とする修業年限１年のものに限る。）の卒業 ⒂　旧鯉淵学園本科（修業年限３年のものに限る。）の卒業 ⒃　旧海技大学校本科の卒業

		⒄　旧国立養護教諭養成所設置法による国立養護教諭養成所の卒業 ⒅　旧国立工業教員養成所の設置等に関する臨時措置法による国立工業教員養成所の卒業 ⒆　旧図書館短期大学別科又は旧図書館職員養成所（いずれも「短大２卒」を入学資格とする修業年限１年以上のものに限る。）の卒業
	二　短大２卒	⑴　国立研究開発法人農業・食品産業技術総合研究機構（旧独立行政法人農業・食品産業技術総合研究機構、旧独立行政法人農業・生物系特定産業技術研究機構及び旧独立行政法人農業技術研究機構を含む。）の農業技術研修課程（農林水産省（省名変更前の農林省を含む。）の旧野菜・茶業試験場、旧果樹試験場、旧園芸試験場、旧野菜試験場又は旧茶業試験場の農業技術研修課程を含むものとし、いずれも「高校３卒」を入学資格とする修業年限２年以上のものに限る。）の卒業 ⑵　独立行政法人海技教育機構海技士教育科の海技課程専修科若しくは航海専科又は海技専攻課程（海上技術コース（航海）及び同コース（機関）に限る。）（旧独立行政法人海技大学校海上技術科、旧独立行政法人海技大学校又は旧海技大学校の海技士科及び旧独立行政法人海員学校専修科を含むものとし、「高校３卒」を入学資格とする修業年限２年のものに限る。）の卒業 ⑶　外国における大学、専門学校等の卒業（通算修学年数が14年以上となるものに限る。） ⑷　旧琉球教育法による大学の２年課程の修了 ⑸　旧司法試験の第１次試験の合格 ⑹　平成15年法律第67号による改正前の公認会計士法による公認会計士試験の第１次試験の合格 ⑺　栄養士法第２条第１項の規定による栄養士の養成施設（「高校３卒」を入学資格とする修業年限２年以上のものに限る。）の卒業 ⑻　昭和60年法律第73号による改正前の栄養士法による栄養士試験の合格 ⑼　平成16年文部科学省厚生労働省令第５号による改正前の歯科衛生士学校養成所指定規則による歯科衛生士学校又は歯科衛生士養成所（いずれも修業年限２年以上のものに限る。）の卒業 ⑽　歯科技工士法による歯科技工士学校又は歯科技工士養成所の課程（いずれも「高校３卒」を入学資格とする修業年限２年以上のものに限る。）の卒業（短大卒の欄第１号⑾に規定するものを除く。） ⑾　あん摩マツサージ指圧師法による学校又は養成施設（いずれも「中学卒」を入学資格とする修業年限５年のものに限る。）の卒業 ⑿　昭和63年法律第71号による改正前のあん摩マツサージ指圧師法（以下「改正前のあん摩マツサージ指圧師法」という。）による学校又は養成施設（いずれも「高校３卒」を入学資格とする修業年限２年のもの又は「中学卒」を入学資格とする修業年限５年のものに限る。）の卒業 ⒀　昭和63年法律第72号による改正前の柔道整復師法（以下「改正前の柔道整復師法」という。）による柔道整復師学校又は柔道整復師養成施設（いずれも「高校３卒」を入学資格とする修業年限２年のものに限る。）の卒業 ⒁　保健師助産師看護師法による看護師学校又は看護師養成所の進学課程（同法第21条第４号に該当する者に係る課程をいう。）の卒業 ⒂　職業能力開発促進法による職業能力開発短期大学校若しくは職業能力開発大学校の専門課程又は職業能力開発総合大学校の特定専門課程（旧職業訓練短期大学校の専門課程、専門訓練課程及び特別高等訓練課程並びに職業能力開発総合大学校の旧専門課程を含むものとし、「高校３卒」を入学資格とする修業年限２年以上のものに限る。）の卒業 ⒃　児童福祉法第18条の６第１号に規定する保育士を養成する学校その他の施設（平成14年政令第256号による改正前の児童福祉法施行令第13条第１項第１号に規定する保育士（名称変更前の保母を含む。）を養成する学校その他の施設を含むものとし、「高校３卒」を入学資格とする修業年限２年以上のものに限る。）の卒業

		⒄ 都道府県立農業者研修教育施設の養成課程（「高校３卒」を入学資格とする修業年限２年以上のものに限る。）の卒業 ⒅ 都道府県農業講習所（「高校３卒」を入学資格とする修業年限２年以上のものに限る。）の卒業 ⒆ 森林法施行令第９条の規定に基づき農林水産大臣の指定する教育機関（昭和59年度以降指定されたもので「高校３卒」を入学資格とする修業年限２年以上のものに限る。）の卒業 ⒇ 旧都道府県蚕業講習所（「高校３卒」を入学資格とする修業年限２年以上のものに限る。）の卒業 (21) 旧農民研修教育施設（農林水産大臣と協議して昭和56年度以降設置された平成６年法律第87号による改正前の農業改良助長法第14条第１項第３号に掲げる事業等を行う施設で「高校３卒」を入学資格とする修業年限２年以上のものに限る。）の卒業 (22) 旧都道府県林業講習所（「高校３卒」を入学資格とする修業年限２年以上のものに限る。）の卒業 (23) 旧航空大学校本科（「高校３卒」を入学資格とする修業年限２年以上のものに限る。）の卒業 (24) 海上保安学校灯台科（「高校３卒」を入学資格とする修業年限２年のものに限る。）の卒業 (25) 旧航空保安職員研修所本科（「高校３卒」を入学資格とする修業年限２年のものに限る。）の卒業 (26) 昭和45年法律第83号による改正前の衛生検査技師法による衛生検査技師学校又は衛生検査技師養成所の卒業 (27) 旧商船高等学校（席上課程及び実習課程を含む。）の卒業 (28) 旧電気事業主任技術者資格検定規則による第２種資格検定試験の合格 (29) 気象大学校大学部（昭和37年３月31日以前の気象庁研修所高等部を含むものとし、修業年限２年のものに限る。）の卒業 (30) 旧図書館職員養成所（「高校３卒」を入学資格とする修業年限２年以上のものに限る。）の卒業
	三 短大１卒	⑴ 外国における専門学校等の卒業（通算修学年数が13年以上となるものに限る。） ⑵ 海上保安学校の灯台科又は水路科（いずれも「高校３卒」を入学資格とする修業年限１年のものに限る。）の卒業
３ 高校卒	一 高校専攻科卒	⑴ 改正前のあん摩マツサージ指圧師法による学校又は養成施設（いずれも「中学卒」を入学資格とする修業年限４年のものに限る。）の卒業 ⑵ 改正前の柔道整復師法による柔道整復師学校又は柔道整復師養成施設（いずれも「中学卒」を入学資格とする修業年限４年のものに限る。）の卒業 ⑶ 昭和58年文部省厚生省令第１号による改正前の歯科衛生士学校養成所指定規則による歯科衛生士学校又は歯科衛生士養成所の卒業
	二 高校３卒	⑴ 高等学校通信教育規程による通信教育により高等学校卒業と同等の単位の修得 ⑵ 高等学校卒業程度認定試験規則による高等学校卒業程度認定試験の合格（旧大学入学資格検定規程による大学入学資格検定の合格を含む。） ⑶ 独立行政法人海技教育機構海技士教育科海技課程本科（旧独立行政法人海員学校本科を含むものとし、「中学卒」を入学資格とする修業年限３年のものに限る。）の卒業 ⑷ 外国における高等学校等の卒業（通算修学年数が12年以上となるものに限る。） ⑸ 旧琉球教育法又は旧教育法による高等学校の卒業 ⑹ あん摩マツサージ指圧師法による学校又は養成施設（いずれも「中学卒」を入学資格とする修業年限３年のものに限る。）の卒業
	三 高校２卒	⑴ 改正前のあん摩マツサージ指圧師法による学校又は養成施設（いずれも「中学卒」を入学資格とする修業年限２年のものに限る。）の卒業 ⑵ 旧電気事業主任技術者資格検定規則による第３種資格検定試験の合格

4　中学卒	中学卒	(1)　外国における中学校の卒業（通算修学年数が９年以上となるものに限る。） (2)　旧琉球教育法又は旧教育法による中学校又は盲学校若しくは聾（ろう）学校の中学部の卒業 (3)　旧海員学校（「中学卒」を入学資格とする修業年限１年又は２年のものに限る。）の卒業

備考

この表の「保健師学校」、「保健師養成所」、「助産師学校」、「助産師養成所」、「看護師学校」及び「看護師養成所」は、それぞれ平成13年法律第153号による改正前の保健婦助産婦看護婦法による保健婦学校、保健婦養成所、助産婦学校、助産婦養成所、看護婦学校及び看護婦養成所を含む。

ロ　乙表

初任給基準表	学歴免許等の資格	基準学歴区分
公安職俸給表㈡初任給基準表 海事職俸給表㈠初任給基準表	(1)　旧海技大学校本科の卒業 (2)　上記に相当すると事務総長が認める学歴免許等の資格	大学卒

備考

公安職俸給表㈡初任給基準表の適用を受ける職員に対するこの表の適用については、海上保安庁に勤務する船員、通信員、航空員及びこれら以外の海上保安官に限るものとする。

○給実甲第一二九〇号（給実甲第三二六号の一部改正について）の施行に伴う経過措置について（通知）

令三・一二・二四
給実甲一二九一

給実甲第一二九〇号（給実甲第三二六号の一部改正について）の施行に伴う経過措置について下記のとおり定めたので、令和四年十月一日以降は、これによってください。

記

人事院規則九―八―九〇（人事院規則九―八（初任給、昇格、昇給等の基準）の一部を改正する人事院規則）附則第二条及び第三条の規定によりなお従前の例によることとされる場合における職員の昇格及び昇給については、なお従前の例による。この場合において、給実甲第一二九〇号（給実甲第三二六号の一部改正について）による改正前の給実甲第三二六号（人事院規則九―八（初任給、昇格、昇給等の基準）の運用について）第二十条関係の規定の適用については、次の表の上欄に掲げる同条関係の規定中同表の中欄に掲げる字句は、それぞれ同表の下欄に掲げる字句とする。

第三項第一号	上位又は中位の段階	上位若しくは中位の段階又は人事院規則一―二―四（人事院規則一―二（用語の定義）の一部を改正する人事院規則）による改正後の人事院規則一―二（用語の定義）（次号、第五項第一号イ及び第九項第二号において「改正後の規則一―二」という。）第三十七号に規定する「良好」の段階以上
第三項第二号	上位の段階であり、かつ、他の全体評語が中位	上位の段階若しくは改正後の規則一―二第三十六号に規定する「優良」の段階以上であり、かつ、他の全体評語が中位若しくは改正後の規則一―二第三十七号に規定する「良好」
第五項第一号イ及び第九項第二号(1)イ	中位	中位又は改正後の規則一―二第三十七号に規定する「良好」
第五項第一号ロ及び第九項第二号(1)ロ	行動は通常求められる程度である	行動は通常求められる程度であること若しくは当該職員に求められる能力の発揮の程度に達している
	業績は通常求められる程度である	業績は通常求められる程度であること若しくは当該職員に求められる役割を果たした程度に達している
第九項第二号	上位の段階であり、かつ、他の全体評語が上位又は中位の段階	上位の段階又は改正後の規則一―二第三十六号に規定する「優良」の段階以上であり、かつ、他の全体評語が上位若しくは中位の段階又は改正後の規則一―二第三十七号に規定する「良好」の段階以上

以上

○人事院規則一—二四（公務の活性化のために民間の人材を採用する場合の特例）

平一〇・三・二六制定
平一〇・四・一施行

最終改正　平二七・三・一八規則一—六三

（趣旨）

第一条　この規則は、公務の活性化のために民間の人材を採用する場合（任期を定めて採用する場合を除く。）の任用及び給与の特例に関し必要な事項を定めるものとする。

本条—平二二・一一・二七施行

（採用の方法等）

第二条　任命権者は、次に掲げる場合には、人事院の定める基準に従い、選考により、職員（給与法第六条第一項に規定する行政職俸給表㈠、専門行政職俸給表、税務職俸給表、公安職俸給表㈠又は公安職俸給表㈡の適用を受ける職員（以下この項において「行政職俸給表㈠等適用職員」という。）及び行政執行法人の職員のうち行政職俸給表㈠等適用職員の職務とその種類が類似する職務に従事する職員に限る。）を採用することができる。

一　公務外における専門的な実務の経験等により高度の専門的な知識経験を有すると認められる者を採用する場合で、採用以外の任用の方法により当該知識経験を必要とする職務に従事させる人材を確保することが困難であるとき。

二　前号に掲げる場合のほか、次のいずれかに該当する場合

イ　行政の新たな需要に対応するため、公務外における実務の経験等を通じて公務に有用な資質等を有すると認められる者を採用する場合で、採用以外の任用の方法により当該需要に対応するための職務に従事させる人材を確保することが困難であるとき、又は十分に得ることができないとき。

ロ　公務と異なる分野における多様な活動、経験等を通じて公務に有用な資質等を有すると認められる者を採用する場合で、その者を職務に従事させることが公務の能率的運営に資すると認められるとき。

2　任命権者は、前項の規定により採用を行った場合には、その旨を人事院に報告しなければならない。

一項—平二七・四・一施行
二項—平一五・四・一施行

（規則九—八第四章から第六章までの規定の適用の特例）

第三条　前条第一項の規定により採用された職員に対する規則九—八（初任給、昇格、昇給等の基準）第四章から第六章までの規定の適用については、規則八—一八（採用試験）第三条第四項に規定する経験者採用試験の結果に基づいて職員となった者として取り扱うものとする。

本条—平二六・五・三〇施行

（雑則）

第四条　この規則に定めるもののほか、公務の活性化のために民間の人材を採用する場合の特例に関し必要な事項は、人事院が定める。

本条—平二四・二・一施行

附　則

この規則は、平成十年四月一日から施行する。

附　則（平二七・三・一八規則一—六三）（抄）

（施行期日）

第一条　この規則は、平成二十七年四月一日から施行する。

○人事院規則一―二四（公務の活性化のために民間の人材を採用する場合の特例）の運用について（通知）

平一〇・三・二六
管総一八〇

最終改正 平二六・五・二九事企法―二七七

標記について下記のとおり定めたので、平成十年四月一日以降は、これによってください。

記

第二条関係

1 この条の第一項の規定により採用を行う場合には、次に掲げる基準に従わなければならない。

一 選考の対象者の募集が、公募又はこれに準ずる方法により行われていること。

二 選考が、人事院規則八―一二（職員の任免）第十九条に規定する官職に係る能力及び適性の有無を的確に判定し得る複数の者によって構成される選考委員会の審査を経て行われていること。

2 前項第一号の公募を行う場合には、十分な期間を設けて周知するとともに、可能な限り多様な方法によるよう努めなければならない。

3 この条の第二項の規定による報告は、採用を行った後遅滞なく、次に掲げる事項を掲載した文書により行うものとする。

一 採用官職（職務の級及び所属部課名）

二 当該官職に係る職務の内容

三 採用者の氏名

四 採用者の資格、実務の経験等の内容

五 採用年月日

六 募集の時期、公募等の方法及び範囲

七 選考委員会の構成及び選考の経緯

八 その他参考となる事項

4 この条の規定による採用について人事院規則八―一二第十八条第三項の規定による協議を要する場合にあっては、当該協議に係る「任用関係の承認申請等の手続について（平成二十一年三月十八日人企―五三七）」第四項の特定官職への採用協議書に、人事院規則一―二四に基づく採用である旨並びに前項第六号及び第七号に掲げる事項を併せて記載することにより、この条の第二項の規定による報告を省略することができる。

○民間企業等からの採用時の給与決定及び職員の昇格の柔軟な運用について（通知）

令七・二・一二
給二―一五
給三―一六 給与局長

改正 令七・四・一給二―三九

民間企業等から職員を採用するに当たっては、各府省において採用される者の専門性や業績等を適切に評価し民間企業等における経験を十分に考慮して給与を決定することが求められます。

また、採用後の職員の処遇については、昇格に必要な在級期間の短縮を含め、職員の能力・実績に応じて柔軟に給与を決定することも可能となっています。

このため、民間企業等からの採用時の給与決定及び職員の昇格の柔軟な運用について別紙及び参考資料のとおり取りまとめましたので、令和七年四月一日以降は、これらの内容を参考にしつつ、適切な給与決定を行うための仕組みを更に積極的に活用してください。

なお、これに伴い、「民間企業等からの採用時の給与決定及び職員の昇格の柔軟な運用について（令和四年九月一二日給二―一四八・給三―一四九）」は、廃止します。

別紙

民間企業等からの採用時の給与決定及び職員の昇格の柔軟な運用について

Ⅰ　民間企業等からの採用時の給与決定

1　民間における企業体、団体等の職員等としての在職期間について

経験年数換算表（人事院規則九—八（初任給、昇格、昇給等の基準）（以下「規則」という。）別表第四）の「国、地方公共団体、旧公共企業体、政府関係機関、外国政府又は民間における企業体、団体等の職員等としての在職期間」欄のうち、「職員としての職務にその経験が直接役立つと認められる職務に従事した期間（常時勤務に服する者として職務に従事した期間又はこれに準ずる期間に限る。）」欄を適用する場合は、百分の百の換算率で換算することとされている。

この場合において、「職員としての職務にその経験が直接役立つと認められる職務に従事した期間」には、各府省の特定の所掌事務において必要とされる専門的知識や経験を活用する職務に従事した期間だけでなく、各府省に共通する職務に役立つ汎用的な能力（説明能力、調整能力、企画能力等）を活用して職務に従事した期間も含まれる。【別添「参考資料」問1参照】

2　自営業・フリーランス等の期間について

自営業・フリーランス等の期間については、経験年数換算表の経歴欄の左欄の「その他の期間」欄が適用され、当該期間が「職員としての職務にその経験が直接役立つと認められる職務に従事した期間」に該当すると認められる場合には百分の百以下の換算率で換算することができる。

この場合において、「職員としての職務にその経験が直接役立つと認められる職務に従事した期間」に、各府省に共通する職務に役立つ汎用的な能力を活用して職務に従事していた期間も含まれることは上記1と同様であることから、自営業・フリーランス等の期間についても、この点を踏まえた上で、職員としての職務にその経験が直接役立つと認められる職務に従事し、民間企業等における常時勤務に服する者として職務に従事した期間に相当すると認められる場合には、「その他の期間」欄の「職員としての職務にその経験が直接役立つと認められる職務に従事した期間」の区分を適用した上で、当然に百分の百の換算率で換算することとなる。

3　経験者採用試験の結果に基づいて新たに職員となった者の職務の級及び号俸の決定について

①　経験者採用試験の結果に基づいて新たに職員となった者（以下「経験者試験採用者」という。）の職務の級は、その者の占めることとなる官職の職務とその複雑、困難及び責任の度が同程度の職務に従事する部内の他の職員の職務の級を踏まえ、当該経験者試験採用者の有する知識経験、免許等を考慮して決定することとされている（規則第十一条第三項）。したがって、経験者試験採用者の職務の級を決定するに当たっては、その者の有する経験年数にかかわらず、その者の従事することとなる職務に応じて決定することができる。

②　経験者試験採用者の号俸は、その者の有する経験年数に相応する経験年数を有する部内の他の職員の号俸を踏まえ、当該経験者試験採用者の有する能力等を考慮して決定する（規則第十二条第一項第二号）こととされている。

したがって、当該経験者試験採用者の能力等を考慮し、当該経験者試験採用者の有する経験年数に相応する経験年数を有する部内の他の職員の号俸を踏まえた上で、それを超える号俸に決定することも可能である。

なお、経験者試験採用者の有する「能力等」には、当該経験者試験採用者の有する「実績等」も含まれることとされている（給実甲第三二六号（人事院規則九—八（初任給、昇格、昇給等の基準）の運用について）（以下「事務総長通達」という。）第十二条関係第四項）ことから、経験者試験採用者の号俸を決定するに当たっては、民間企業での実績等に対する社会における一般的な報酬、給与等の評価額及び前職の給与等を考慮することができる。【別添「参考資料」問3参照】

4　経験者採用試験の結果に相当すると各庁の長が認める選考の結果に基づいて新たに職員となった者の職務の級及び号俸の決定につい

て

人事院規則一—二四（公務の活性化のために民間の人材を採用する場合の特例）第三条の規定により経験者採用試験の結果に基づいて新たに職員となった者として取り扱われてきた者等（※）に加え、経験者採用試験の結果に相当すると各庁の長が認める選考の結果に基づいて新たに職員となった者についても規則第十一条第三項及び第十二条第一項第二号の規定が適用され、上記3と同様に職務の級及び号俸を決定することができる。

（※）人事院規則二一—〇（国と民間企業との間の人事交流）第四十七条又は人事院規則二三—〇（任期付職員の採用及び給与の特例）第七条の規定により経験者採用試験の結果に基づいて新たに職員となった者として取り扱われる者を含む。

5 特定任期付職員に係る号俸決定等について

特定任期付職員（一般職の任期付職員の採用及び給与の特例に関する法律（平成十二年法律第百二十五号）第七条第一項に規定する特定任期付職員をいう。以下同じ。）は、高度の専門的な知識経験又は優れた識見を一定の期間活用して遂行することが特に必要とされる業務に従事させる場合に採用することができるものである。

具体的には、一定の業務経験や活動実績を有する、弁護士若しくは公認会計士、大学の教員若しくは研究所の研究員又は高度のデジタル人材のほか、アクチュアリー（保険数理士）、不動産鑑定士、税理士、専門分野のコンサルタント業務経験者、航空機の操縦士等が採用されている。

特定任期付職員の号俸は、その者の専門的な知識経験又は識見の度並びにその者が従事する業務の困難及び重要の度に応じて決定することとされている（人事院規則二三—〇（任期付職員の採用及び給与の特例）第六条）が、号俸決定に当たっては、採用予定者の専門的な知識経験等に基づく民間企業での実績等に対する社会における一般的な報酬、給与等の評価額等を考慮するものとされている（平成十二年任企—五九〇「任期付職員の採用及び給与の特例の運用について」任期付職員法第七条第二項及び第三項並びに規則第六条関係第一項）。

したがって、採用予定者の専門的な知識経験やその知識経験等を活用して業務に従事することにより期待される成果等を考慮し、その者にふさわしい給与を確保する必要性に応じて号俸決定を行うことが可能である。【別添「参考資料」問5参照】

また、特定任期付職員の任期の中途において、その者の専門的な知識経験等又はその者が従事する業務の困難及び重要の度がより高度なものとなることに伴い、新たに号俸を決定することが必要であると認められる場合には、その者の号俸を新たに決定することができる（平成十二年任企—五九〇「任期付職員の採用及び給与の特例の運用について」任期付職員法第七条第二項及び第三項並びに規則第六条関係第三項）。【別添「参考資料」問7参照】

なお、令和七年四月から、特定任期付職員のボーナス制度を見直し、勤務成績を適時に反映できる勤勉手当を支給する。これにより、成績優秀者へはこれまで以上に高い水準のボーナス支給が可能になる。

Ⅱ 職員の昇格の柔軟な運用

1 昇格に必要な在級期間の短縮について

中途採用者を含む職員を一級上位の職務の級に昇格させる場合、原則として在級期間表（規則別表第六）に定める在級期間（職員を昇格させる場合に必要な一級下位の職務の級に在級した年数をいう。以下同じ。）を満たすことが必要（規則第二十条第四項）となるが、昇格させようとする日以前における直近の能力評価及び業績評価の全体評語が同項に定める要件を満たすときその他勤務成績が特に良好であるときは、在級期間を最大百分の五十まで短縮することができる（同項後段）。

このとき、人事評価の結果が同項に定める要件を満たしていない場合であっても、「その他勤務成績が特に良好であるとき」は、在級期間を短縮することが可能である。この場合、上記の人事評価の要件に相当する勤務成績が必要となるが、それを判定するに当たっては、人事評価の結果に表れにくい勤務実績等を考慮することができる。【別添「参考資料」問8参照】

2 規則第二十条第六項に基づく最短昇格期間の適用について

経験者試験等採用者（経験者試験採用者及

び上記Ⅰの4の対象となる職員をいう。以下同じ。）以外の職員を昇格させる場合において、在級期間表に定める在級期間によることとしたときに部内の他の職員との均衡を失すると認められる職員に対する規則第二十条第四項の規定の適用については、昇格させようとする日に新たに職員となったものとした場合のその者の経験年数がその者の属する職務の級の一級上位の職務の級をその者の属する職務の級とみなした場合の最短昇格期間（初任給基準表（規則別表第二）の級を基礎とし、同種の職務に引き続き在職したものとして、その者の職務の級に決定できる最短の期間をいう。）以上であるときは、その者の属する職務の級を一級上位の職務の級に決定することができる（規則第二十条第六項、事務総長通達第二十条関係第七項第一号）。

すなわち、民間企業等を含めた経験が十分にあるなど、在級期間表の在級期間によることが適当でない場合において、昇格させようとする日時点での経験年数が、一級上位の職務の級までの在級期間を合算した期間以上であるときは、現に属する職務の級に一年以上在級することでその一級上位の級に決定することが可能である。また、勤務成績が特に良好であるときは、前記1の場合と同様に、当該最短昇格期間についても最大百分の五十まで短縮することも可能である。

最短昇格期間については、規則第十七条各号に掲げる者から人事交流等により引き続いて職員となった者に限らず、各府省において在級期間表に定める在級期間によることが適当でない場合には適用することができる。

3　本府省の課長及び室長等への昇格について【別添「参考資料」問9参照】

本府省の課長及び室長等の官職を占める職員は、その者が属している職務の級及び当該職務の級に在級している期間にかかわらず、当該課長等の官職を占める場合には、行政職俸給表㈠の八級から十級までの職務の級、当該室長等の官職を占める場合には、行政職俸給表㈠の七級又は八級の職務の級など官職に相応する職務の級に決定することができる（規則別表第六在級期間表イ行政職俸給表㈠在級期間表備考第二項、事務総長通達在級期間表関係第一項及び給実乙「行政職俸給表㈠の適用を受ける職員の職務の級の決定等について（通知）」）。

したがって、この場合においては、その者の属する職務の級を二級以上上位の職務の級に決定することも可能である。

以　上

別添　「参考資料」〔略〕

○人事院規則九―八―一八（人事院規則九―八（初任給、昇格、昇給等の基準）の一部を改正する人事院規則）の運用等について（通知）

平四・二・六
給実甲七〇三

最終改正　平一三・一・一九総総三六

人事院規則九―八―一八（人事院規則九―八（初任給、昇格、昇給等の基準）の一部を改正する人事院規則）附則（以下「附則」という。）の規定の運用等について下記のように定めたので、これによって実施してください。

なお、附則の規定及びこの通達の規定の運用に当たっては、別紙第一の参考例を参考にしてください。

記

第一　用語の定義

この通達において、次の各号に掲げる用語の意義は、それぞれ当該各号に定めるところによる。

一　給与法　一般職の職員の給与に関する法律（昭和二十五年法律第九十五号）をいう。

二　規則　人事院規則九―八（初任給、昇格、昇給等の基準）をいう。

三　改正規則　人事院規則九―八―一八（人

事院規則九—八（初任給、昇格、昇給等の基準）の一部を改正する人事院規則）をいう。

四　改正前の規則　改正規則による改正前の規則をいう。

五　改正後の規則　改正規則による改正後の規則をいう。

六　昇給期間　給与法第八条第六項又は第八項ただし書の規定による昇給に必要とされる期間のそれぞれの最短の期間をいう。

七　対象級　改正後の規則別表第七の特定級表に定める職務の級以上の職務の級をいう。

八　各調整日　平成四年四月一日、平成五年四月一日、平成六年四月一日又は平成七年四月一日をいう。

九　調整期間　平成四年四月一日から平成八年三月三十一日までの間をいう。

十　最高号俸等　職務の級の最高の号俸又は最高の号俸を超える俸給月額をいう。

十一　休職等職員　休職中の職員、国家公務員法（昭和二十二年法律第百二十号）第百八条の六第一項ただし書に規定する許可の有効期間中の職員、国際機関等に派遣される一般職の国家公務員の処遇等に関する法律（昭和四十五年法律第百十七号）に定める派遣職員及び国家公務員の育児休業等に関する法律（平成三年法律第百九号）第三条の規定により育児休業をしている職員をいう。

十二　昇格等の異動等　昇格、初任給基準を異にする異動（給実甲第二五四号（初任給基準又は俸給表の適用を異にして異動した場合の職務の級及び俸給月額の決定等について）第二の第一項に定める異動で昇格又は降格を伴わないものを除く。）、俸給表の適用を異にする異動、新たに職員となった場合の職務の級の決定及び職務の級の切替えをいう。

十三　仮計算過程に対象級への昇格がある異動等　規則第十七条（人事交流等により異動した場合の俸給月額）、第十八条（特殊の官職に採用する場合等の俸給月額）、第十九条（特定の職員についての俸給月額）、第二十六条（初任給基準を異にする異動をした職員の俸給月額）、第二十八条（俸給表の適用を異にする異動をした職員の俸給月額）、人事院規則一一—一二（日本国有鉄道退職希望職員及び日本国有鉄道清算事業団職員を採用する場合の任用、給与等の特例等）第四条（俸給月額の決定等）第一項、給実甲第七四〇号（経験年数を有する者の俸給月額の調整基準の改正に伴う在職者の号俸等の決定について）又は給実甲第七四一号（経験年数を有する者の俸給月額の調整基準の改正に伴う行政職俸給表㈡の適用を受ける在職者の号俸等の決定について）の規定に基づき俸給月額を決定されることとなる異動等で、当該異動等の日の俸給月額を決定する際の計算の過程（以下「仮計算過程」という。）において対象級への昇格をしたこととなるもの（規則第十七条から第十九条までの規定に基づき号俸を決定されることとなる採用で当該採用時の初任給を採用時の職務の級よりも下位の級で採用されたものとして得られる号俸を基礎として規則第二十三条又は附則第二項の規定を適用したものとした場合に得られる号俸に決定されることとなるもの及び個別に人事院の承認を得て俸給月額を決定されることとなる異動等を除く。）をいう。

十四　初任給決定の特例職員　対象級に採用され、当該採用時の初任給を規則第十七条から第十九条までの規定に基づき決定された職員（前号に定める異動等をした職員及び個別に人事院の承認を得て決定された職員を除く。）及び給実甲第四七〇号（行政職俸給表㈡級別資格基準表中「別に定める」の承認について）の表の備考第三項の規定により職務の級を行政職俸給表㈡の二級に決定された職員をいう。

第二　各調整日における在職者の俸給月額の調整

（附則第五項関係）

1　平成四年四月一日における調整

平成四年四月一日前に昇格等の異動等によりその者の属する職務の級を対象級に決定され、引き続き当該決定された職務の級に在職する職員（同日に最高号俸等を受けている職員を除く。）の同日における号俸及びこれを受けることとなる期間については、附則第五項の規定に基づき、次項に定めるところにより必要な調整を行うことができる。

2　平成四年四月一日における調整の要領

次の各号に掲げる職員の区分に応じ、それ

ぞれ当該各号に定める俸給月額及び当該俸給月額に係る次期昇給予定の時期を基礎とし、かつ、その者の従前の勤務成績を考慮しつつ、昇給等の規定を適用して再計算し、平成四年四月一日にその者が現に受けている職務の級に昇格したものとして附則第二項の規定を適用した場合に得られる号俸又は当該号俸からの昇給に係る昇給期間を短縮する期間がその者の同日において現に受けている号俸又はこれを受けることとなる期間より有利な職員については、当該附則第二項の規定を適用して得られる号俸及び当該号俸からの昇給に係る昇給期間を短縮する期間をもって、その者の同日における号俸及びこれを受けることとなる期間とすることができる。

一　昇格又は仮計算過程に対象級への昇格がある異動等により対象級に決定され、引き続き当該決定された職務の級に在職する職員　平成四年四月一日の直前に行われた昇格（仮計算過程における昇格を含む。以下この号において同じ。）がないものとした場合に当該昇格の日に受けることとなる俸給月額（同日の直前に行われた昇格が二級以上上位の職務の級への昇格の場合にあっては、その者が現に受けている職務の級の一級下位の職務の級に昇格したものとした場合に得られる号俸）

二　初任給決定の特例職員のうち、引き続き当該決定された職務の級に在職する職員　その者が現に受けている職務の級より一級下位の職務の級に採用されたものとした場合に得られる号俸

三　一般職の職員の給与等に関する法律の一部を改正する法律（平成三年法律第百二号）附則第三項の規定により職務の級を医療職俸給表㈢の七級に切り替えられた職員　同法による七級への切替えがないものとした場合に受けることとなる俸給月額

四　一般職の職員の給与に関する法律の一部を改正する法律（昭和六十年法律第九十七号）附則第三項又は第四項の規定によりその者の属する職務の級を対象級に切り替えられた職員（仮計算過程において対象級に切り替えられたこととなる職員を含む。）のうち、引き続き当該切り替えられた職務の級に在職する職員　同法により切り替えられた職務の級の一級下位の職務の級（以下この号において「一級下位級」という。）にその者の切り替えられた号俸と同じ額の号俸があるときは当該号俸、同じ額の号俸がないときは直近下位の額の号俸。ただし、当該一級下位級の号俸が昭和六十年七月一日における規則別表第七の特定号俸表に定める号俸以上の号俸である場合にあっては、当該一級下位級にその者の切り替えられた号俸の一号俸下位の号俸と同じ額の号俸があるときは当該号俸、同じ額の号俸がないときは直近下位の額の号俸（その号俸が同表に定める号俸の二号俸下位の号俸となるときは、同表に定める号俸の一号俸下位の号俸）。この場合において、当該号俸に係る次期昇給予定の時期は、切り替えられた号俸に係る次期昇給予定の時期とする。

3　平成五年四月一日における調整

平成五年四月一日前に昇格等の異動等によりその者の属する職務の級を対象級に決定され、引き続き当該決定された職務の級に在職する職員（附則第九項の規定の適用を受けた職員及び同日に最高号俸等を受けている職員を除く。）の同日における号俸及びこれを受けることとなる期間については、附則第五項の規定に基づき、次項に定めるところにより必要な調整を行うことができる。

4　平成五年四月一日における調整の要領

第二項各号に掲げる職員の区分に応じ、それぞれ当該各号の規定を準用して得られる俸給月額及び当該俸給月額に係る次期昇給予定の時期を基礎とし、かつ、その者の従前の勤務成績を考慮しつつ、昇給等の規定（附則第五項の規定を除く。）を適用して再計算し、平成五年四月一日にその者が現に受けている職務の級に昇格したものとして附則第二項の規定を適用した場合に得られる号俸又は当該号俸からの昇給に係る昇給期間を短縮する期間がその者の同日において現に受けている号俸又はこれを受けることとなる期間より有利な職員については、当該附則第二項の規定を適用して得られる号俸及び当該号俸からの昇給に係る昇給期間を短縮する期間をもって、その者の同日における号俸及びこれを受けることとなる期間とすることができる。

この場合において、第二項第一号中「平成

四年四月一日」とあるのは「平成五年四月一日」と読み替えるものとし、同号及び同項第二号に掲げる職員のうち、平成四年四月一日以後職務の級に異動を生じた職員（同日以後採用された職員を含む。）の再計算の基礎となる俸給月額及び当該俸給月額に係る次期昇給予定の時期は、平成四年四月一日から平成五年三月三十一日までの間、附則第二項、第五項及び第十項の規定並びに改正後の規則第二十三条及び第三十一条の規定の適用がなく、かつ、改正前の規則第二十三条及び第三十一条の規定の適用があるものとして算出するものとする。

5　平成六年四月一日における調整
　平成六年四月一日前に昇格等の異動等によりその者の属する職務の級を対象級に決定され、引き続き当該決定された職務の級に在職する職員（附則第九項の規定の適用を受けた職員及び同日に最高号俸等を受けている職員を除く。）の同日における号俸及びこれを受けることとなる期間については、附則第五項の規定に基づき、前項中「平成五年四月一日」とあるのは「平成六年四月一日」と、「平成五年三月三十一日」とあるのは「平成六年三月三十一日」と読み替えて同項の規定を準用することにより必要な調整を行うことができる。

6　平成七年四月一日における調整
　平成七年四月一日前に昇格等の異動等によりその者の属する職務の級を対象級に決定され、引き続き当該決定された職務の級に在職する職員（附則第九項の規定の適用を受けた職員及び同日に最高号俸等を受けている職員を除く。）の同日における号俸及びこれを受けることとなる期間については、附則第五項の規定に基づき、第四項中「平成五年四月一日」とあるのは「平成七年四月一日」と、「附則第二項の」とあるのは「改正後の規則第二十三条及び第三十一条の」と、「平成五年三月三十一日」とあるのは「平成七年三月三十一日」と読み替えて同項の規定を準用することにより必要な調整を行うことができる。

7　その他の調整等
一　前項までの規定の適用の際の再計算は、給実甲第二五四号第二の第一項に定める異動をした場合には、当該異動の日に給実甲第二五四号別表第一に定める調整号数を加減して行うものとする。
二　各調整日において休職等職員である者については、前項までの規定は適用しない。
三　各調整日において最高号俸等を受けている職員、平成七年四月一日以前に対象級に降格し、引き続き当該降格後の職務の級に在職する職員、規則第十七条から第十九条まで、第二十六条若しくは第二十八条の規定又は附則第九項の規定に基づき個別に人事院の承認を得て俸給月額を決定された職員その他の職員のうち、部内の他の職員との均衡を考慮して特に調整する必要があると認められる職員の各調整日における俸給月額及びこれを受けることとなる期間の調整については、あらかじめ事務総長の承認を得て行うものとする。

第三　平成八年四月一日における号俸の調整（附則第七項関係）

1　調整期間中に対象級に二回以上昇格した職員及び次項に定めるこれに準ずる職員（附則第九項の規定の適用を受けた職員及び平成八年四月一日に最高号俸等を受けている職員を除く。）のうち、平成八年四月一日における号俸（同日に昇格している場合は、当該昇格がないものとした場合の号俸）及びこれを受けることとなる期間に関し、部内の他の職員との均衡を考慮して特に調整する必要があると認められる職員については、附則第七項の規定に基づき、第三項に定めるところにより必要な調整を行うことができる。

2　附則第七項の「人事院の定めるこれに準ずる職員」は、次に掲げる職員とする。
一　調整期間中に二級以上上位の職務の級への昇格（改正後の規則別表第七の特定級表に定める職務の級の一級以上上位の職務の級への昇格に限る。）により職務の級が決定された職員
二　仮計算過程に対象級への昇格がある異動等をした職員のうち、調整期間中に仮計算過程における昇格があり、当該昇格を含め対象級に二回以上昇格したこととなる職員

3　調整の要領
　次の各号に掲げる職員の区分に応じ、それぞれ当該各号に定める俸給月額及び当該俸給月額に係る次期昇給予定の時期を基礎とし、かつ、その者の従前の勤務成績を考慮しつつ、

昇給等の規定を適用して再計算し、平成八年四月一日にその者が現に受けている職務の級（同日に昇格している場合は、当該昇格がないものとした場合の職務の級をいう。以下この項において同じ。）に昇格したものとして改正後の規則第二十三条及び第三十一条の規定を適用した場合に得られる号俸（次項において「調整後の号俸」という。）又は当該号俸からの昇給に係る昇給期間を短縮する期間がその者の同日において現に受けている号俸又はこれを受けることとなる期間より有利な職員については、当該改正後の規則第二十三条及び第三十一条の規定を適用して得られる号俸及び当該号俸からの昇給に係る昇給期間を短縮する期間をもって、その者の同日における号俸及びこれを受けることとなる期間とすることができる。

　この場合において、平成八年四月一日に昇格したものとする場合の基礎となる俸給月額及びこれを受けたとみなす期間を算出する際の再計算は、平成四年四月一日以後附則第二項、第五項若しくは第十項の規定又は改正後の規則第二十三条及び第三十一条の規定の適用を受けた職員にあっては、これらの規定の適用後の俸給月額及び当該俸給月額に係る次期昇給予定の時期を基礎として行うものとし、平成八年四月一日にその者が現に受けている職務の級への昇格がないものとした場合等の再計算の過程において当該昇格の日以後に附則第五項の規定の適用を受けることとなる職員にあっては、同項の規定の適用を受けたものとして再計算を行うものとする。

一　次号に掲げる職員以外の職員　平成八年四月一日の直前に行われた昇格（仮計算過程における昇格を含む。）がないものとした場合に当該昇格の日に受けることとなる俸給月額

二　前項第一号に定める職員　当該二級以上上位の職務の級への昇格をした日にその者が現に受けている職務の級の一級下位の職務の級に決定されたものとした場合に得られる号俸

4　その他の調整等

一　前項までの規定の適用については、第二の第七項第一号及び第二号の規定を準用する。この場合において、第二の第七項第二号中「各調整日」とあるのは「平成八年四月一日」と読み替えるものとする。

二　平成八年四月一日において最高号俸等を受けている職員（同日に昇格した職員で、当該昇格がないものとした場合に最高号俸等を受けることとなるものを含む。）及び規則第十七条から第十九条まで、第二十六条若しくは第二十八条の規定又は附則第九項の規定に基づき個別に人事院の承認を得て俸給月額を決定された職員のうち、調整期間中に対象級に二回以上昇格等をした職員で部内の他の職員との均衡を考慮して特に調整する必要があると認められるものの同日における俸給月額及びこれを受けることとなる期間の調整については、あらかじめ事務総長の承認を得て行うものとする。

三　第三項の規定の適用を受けた職員が平成八年四月一日に昇格した場合は、調整後の号俸を同日の前日に受けていたものとみなして改正後の規則の規定を適用するものとする。

第四　人事院の定めるこれに準ずる職員等（附則第三項、第四項、第六項、第八項、第十項及び第十二項並びに附則別表関係）

1　附則第三項関係

　附則第三項の「人事院の定めるこれに準ずる職員」は、仮計算過程において附則第二項若しくは第五項の規定又は改正後の規則第二十三条第一項の規定の適用を受けたこととなる職員、平成四年四月一日以後に初任給決定の特例職員となり、引き続き当該決定された職務の級に在職する職員及び給実甲第七〇四号（人事院規則九―八の改正に伴う復職時等における俸給月額の取扱いについて）第一の各項の規定により俸給月額の調整及び昇給期間の短縮を行われた職員とする。

（注）当該適用の日における規則別表第七の二の特定号俸表を改正前の規則別表第七として改正前の規則第二十三条及び第三十一条の規定を適用するものとする。（附則第四項及び第六項の規定の適用について同じ。）

2　附則第四項関係

　給与法第八条第九項の規定により昇給しないこととされている職員を平成四年四月一日から平成七年三月三十一日までの間に対象級

に昇格させる場合の当該昇格後の俸給月額は、当該昇格の日の前日にその者が現に受けている俸給月額を基礎として、改正前の規則第二十三条の規定を適用して得られる俸給月額とする。

（注） 給与法第八条第九項の規定により昇給しないこととされている職員のうち、附則第三項又は第八項に規定する職員を平成七年四月一日から平成十四年三月三十一日までの間に対象級に昇格させる場合の当該昇格後の俸給月額は、当該各項に定めるところによる。

3 附則第六項関係

附則第六項の「人事院の定めるこれに準ずるもの」は、五十六歳に達した日後平成七年四月一日を除く各調整日において附則第五項の規定の適用を受けた職員で、当該適用後の号俸が当該適用の日の前日に受けていた号俸の一号俸上位の号俸となるものとする。

4 附則第八項関係

附則第八項の「人事院の定めるこれに準ずる職員」は、仮計算過程において附則第五項の規定の適用を受けた職員及び給実甲第七〇四号第一の各項の規定により俸給月額の調整及び昇給期間の短縮を行われた職員のうち、調整期間中に昇格（仮計算過程における昇格を含む。）がない職員とする。

5 附則第十項関係

平成四年四月一日から平成十四年三月三十一日までの間に改正後の規則第二十六条第一項第三号に該当する異動をした際に対象級への昇格（以下この項において「調整号数昇格」という。）をした職員の当該調整号数昇格後の俸給月額及び当該調整号数昇格後の最初の昇給に係る昇給期間を短縮することができる期間については、附則第十項の規定に基づき、次の各号に掲げる職員の区分に応じ当該各号に定めるところによる。

一 平成四年四月一日から平成七年三月三十一日までの間に調整号数昇格をした職員（第四号に掲げる職員を除く。） 次に掲げる職員の区分に応じそれぞれ次に定める俸給月額及び期間

(1) 平成四年四月一日から当該調整号数昇格の日の前日までの間において附則第二項、第五項、第九項及び第十項の規定並びに改正後の規則第二十三条及び第三十一条の規定の適用がなく、かつ、改正前の規則第二十三条及び第三十一条の規定の適用があるものとして昇給等の規定を適用した場合に当該調整号数昇格の日の前日にその者が受けることとなる俸給月額（以下この項において「再計算上の俸給月額」という。）を基礎として給実甲第二五四号第二の第二項から第四項までの規定により得られる「調整後の号俸等」又は「調整後の俸給月額」（以下この項において「調整俸給月額」という。）が、規則別表第七の二の特定号俸表に定める号俸（以下この号において「特定号俸」という。）より下位の号俸である職員 当該調整俸給月額及び再計算上の俸給月額を受けたとみなす期間を基礎として附則第二項の規定を適用した場合に得られる号俸及び期間

(2) 調整俸給月額が、特定号俸以上の号俸又は職務の級の最高の号俸を超える俸給月額である職員（(3)に掲げる職員を除く。） 当該調整俸給月額及び再計算上の俸給月額を受けたとみなす期間を基礎とし、その者が附則別表の対象職員欄の「第三号等職員」の区分に該当するものとして附則第二項の規定を適用した場合に得られる号俸及び期間

(3) 調整俸給月額が、当該調整号数昇格後の職務の級の最高の号俸の二号俸下位の号俸を超える額の俸給月額である職員 あらかじめ事務総長の承認を得て定める俸給月額及び期間

二 平成七年四月一日から平成八年三月三十一日までの間に調整号数昇格をした職員（第四号に掲げる職員を除く。） 調整俸給月額を基礎として改正後の規則第二十三条第一項の規定を適用した場合に得られる俸給月額及び再計算上の俸給月額を受けたとみなす期間に相当する期間

三 平成八年四月一日から平成十四年三月三十一日までの間に調整号数昇格をした職員（次号に掲げる職員を除く。） 次に掲げる職員の区分に応じそれぞれ次に定める俸給月額及び期間

(1) (2)に掲げる職員以外の職員 給実甲第二五四号第二の第二項から第四項までの

規定を適用した場合に得られる俸給月額及び当該調整号数昇格の日の前日における俸給月額を受けていた期間に相当する期間

(2)　平成四年四月一日から当該調整号数昇格の日の前日までの間に対象級への昇格（仮計算過程における昇格を含む。）のない職員　調整俸給月額を基礎として改正後の規則第二十三条第一項の規定を適用した場合に得られる俸給月額及び再計算上の俸給月額を受けたとみなす期間に相当する期間

四　降格後に調整号数昇格（当該降格の日の前日においてその者が属していた職務の級の一級上位の職務の級までの調整号数昇格に限る。）をした職員　あらかじめ事務総長の承認を得て定める俸給月額及び期間

6　附則第十二項関係

平成十四年四月一日から平成十六年一月一日までの間の改正後の規則第三十一条第二項又は第四十一条第二項の規定の適用については、附則第十二項の規定に基づき、これらの規定中「又は第四十五条」とあるのは「若しくは第四十五条の規定又は人事院規則九―八―一八附則第九項若しくは第十項」とする。

7　附則別表関係

附則別表の対象職員欄の「その他の職員」のうち、次の各号に掲げる職員については、当該昇格後の号俸は、その者の昇格する時期及び昇格した日の前日における俸給月額を受けていた期間の別により、当該各号に掲げる職員の区分に応じ当該各号に定める附則別表の対象職員欄の区分に対応する同表の昇格後の号俸等欄に定める号俸とし、当該昇格後の最初の昇給に係る昇給期間について当該昇格後の号俸等欄に対応する短縮期間欄に定める期間短縮するときは、附則別表の規定に基づく人事院の承認があったものとして取り扱うことができる。

この場合において、附則別表のイからハまでの表の経過期間欄の区分中「六月を超えるとき」とあるのは「昇格した日の前日における俸給月額に係る昇給期間の二分の一に相当する期間を超えるとき」と、「六月以下のとき」とあるのは「昇格した日の前日における俸給月額に係る昇給期間の二分の一に相当する期間以下のとき」と読み替えるものとする。

一　昇格した日の前日における俸給月額が、改正後の規則第二十三条第一項第三号又は第四号の規定により当該昇格後の俸給月額に決定されることとなる俸給月額（以下この項において「昇格対応俸給月額」という。）が一である場合の俸給月額である職員、昇格対応俸給月額が二ある場合の上位の俸給月額である職員及び昇格対応俸給月額が三又は四ある場合の最上位の俸給月額である職員　附則別表の対象職員欄の「第三号等職員」の区分

二　昇格した日の前日における俸給月額が、昇格対応俸給月額が二ある場合の下位の俸給月額である職員及び昇格対応俸給月額が四ある場合の最下位の俸給月額の直近上位の俸給月額である職員　附則別表の対象職員欄の「第五号職員」の区分

三　昇格した日の前日における俸給月額が、昇格対応俸給月額が三ある場合の中位の俸給月額である職員及び昇格対応俸給月額が四ある場合の最上位の俸給月額の直近下位の俸給月額である職員　附則別表の対象職員欄の「第六号職員」の区分

四　昇格した日の前日における俸給月額が昇格対応俸給月額が三又は四ある場合の最下位の俸給月額である職員　附則別表の対象職員欄の「第三十一条適用外職員」の区分

第五　勤務成績の判定期間

附則第二項、第五項、第七項、第九項又は第十項（以下この項において「附則第二項等」という。）の規定の適用を受けた職員の勤務成績の判定は、次に定めるところにより行うものとする。

一　附則第二項等の規定の適用を受けた職員の当該適用後の最初の昇給に係る勤務成績の判定期間

附則第二項等の規定の適用を受けて俸給月額を決定された職員（次号に定める職員及び附則別表の対象職員欄の「初号等職員」となる者を除く。）の当該適用後の最初の昇給に係る勤務成績の判定は、当該適用を受けた日の前日における俸給月額を規則第三十四条（昇給についての勤務成績の証明）第二項の「これに相当する俸給月額」として当該俸給月額を受けた日から良好な成績で勤務したものとした場合に当該

附則第二項等の規定により得られるその者の次期昇給予定の時期の前日までの期間について行うこととする。ただし、職員に著しく公平を欠くこととなる等の理由によってこれにより難い場合には、規則第三十四条の規定の趣旨に従って行うものとする。

二　附則第二項等の規定の適用後に俸給月額の異動を生じた職員の当該異動後の最初の昇給に係る勤務成績の判定期間

附則第二項等の規定の適用を受けた職員が当該規定の適用後の次期昇給予定の時期以前に昇格、降格、初任給基準を異にする異動、俸給表の適用を異にする異動又は附則第五項若しくは第七項の規定による俸給月額の異動（以下この号において「俸給月額の異動」という。）を生じた場合の当該俸給月額の異動後の最初の昇給に係る勤務成績の判定は、当該附則第二項等の規定の適用を受けた日の前日における俸給月額を規則第三十四条第二項の「これに相当する俸給月額」として当該俸給月額を受けた日から良好な成績で勤務したものとした場合に当該俸給月額の異動により得られるその者の次期昇給予定の時期の前日までの期間について行うこととする。ただし、職員に著しく公平を欠くこととなる等の理由によってこれにより難い場合には、規則第三十四条の規定の趣旨に従って行うものとする。

第六　昇格方式により初任給が決定される職員の昇給期間の短縮

附則第十一項の規定により読み替えられた規則第十二条第一項に定める昇格方式により初任給としての号俸を決定される職員の当該号俸は、附則第二項の規定を適用して得られる号俸とし、その者の職員となった後の最初の昇給に係る昇給期間については、同項の規定により得られる期間短縮することができる。

第七　規則第三十八条等の運用の特例

附則第二項、第五項、第九項又は第十項の規定の適用を受けた職員（仮計算過程においてこれらの規定の適用を受けたこととなる職員を含む。）に対し、規則第二十八条（特別昇給の適用除外）又は第三十九条（研修、表彰等による特別昇給）の規定を適用するに当たっては、給実甲第三二六号（人事院規則九―八（初任給、昇格、昇給等の基準）の運用について）の第三十八条関係第三項中「第二十三条第一項第一号（第三十一条第一項第一号に該当する場合に限る。）若しくは第二号から第五号まで若しくは第二項第二号から第五号まで」とあるのは「人事院規則九―八―一八附則第二項（同規則附則別表の対象職員欄の「初号等職員」の区分に該当する場合及び同項の規定により決定された俸給月額が同規則による改正前の第二十三条の規定を適用したものとした場合に得られる俸給月額を超える場合を除く。）、第九項若しくは第十項」とし、第三十九条関係第三項中「第三十一条第一項」とあるのは「人事院規則九―八―一八附則第二項又は第九項」とし、同第五項第四号及び第六項中「第二十三条第一項第一号（第三十一条第一項第一号に該当する場合を除く。）又は第二項第一号に該当する昇格」とあるのは「人事院規則九―八―一八附則第二項に該当する昇格のうち、同規則附則別表の対象職員欄の「初号等職員」の区分に該当する昇格」とする。

第八　職員に対する通知及び俸給の調整の計算の過程等

1　職員に対する通知

附則第二項から第五項まで又は第七項から第十項までの規定により俸給月額に異動を生じた職員に対しては、人事異動通知書若しくはこれに代わる文書又はその他適当な方法により通知するものとし、その記入方法は、次に定めるところによるものとする。

一　附則第二項、第三項又は第四項の規定の適用を受けた職員

平成　年　月　日　人事院規則九―八―一八附則第○項の規定により○号俸を給する（又は特に○円を給する）

二　附則第五項の規定の適用を受けた職員

平成　年四月一日　人事院規則九―八―一八附則第五項の規定により○号俸を給する（又は特に○円を給する）

三　附則第七項の規定の適用を受けた職員

平成八年四月一日　人事院規則九―八―一八附則第七項の規定により○号俸を給する（又は特に○円

（例）を給する）

四　附則第八項、第九項又は第十項の規定の適用を受けた職員

平成　年　月　日　人事院規則九―八―一八附則第○項の規定により○号俸を給する（又は特に○円を給する）

2　俸給の調整の計算の過程等

附則第二項から第五項まで、第七項、第八項又は第十項の規定の適用については、その計算の過程等を明確にして行うとともに、その内容を適切に把握しておくものとする。

第九　調整等に関する特例

昇格後の俸給月額の決定の基準の改正に伴う調整等に関し、この通達により難い場合は、あらかじめ事務総長の承認を得て別に定めることができる。

以　上

別紙第１

昇格制度の改正による調整等の参考例

（参考例については、平成３年給与法改正後の俸給表によるものとする。）

附則第２項関係

例（１） 平成４年４月１日に対象級に昇格した例

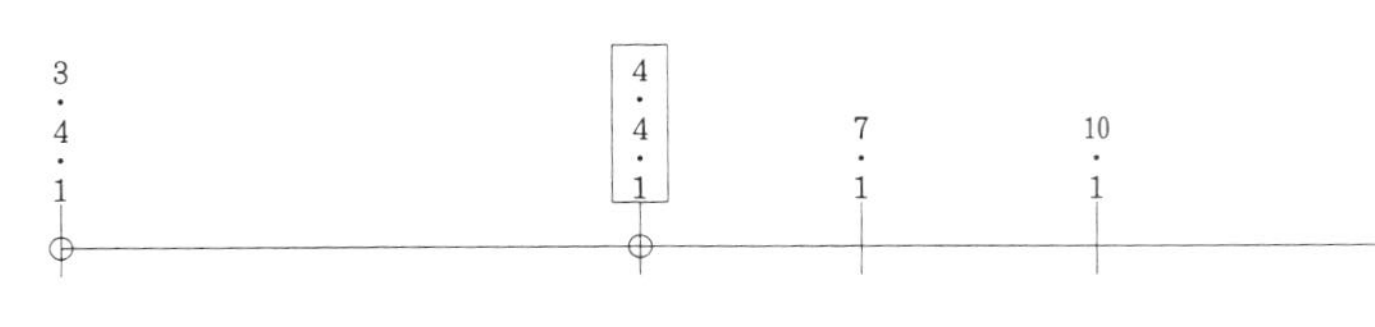

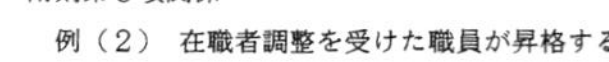

附則第３項関係

例（２）　在職者調整を受けた職員が昇格する場合の例

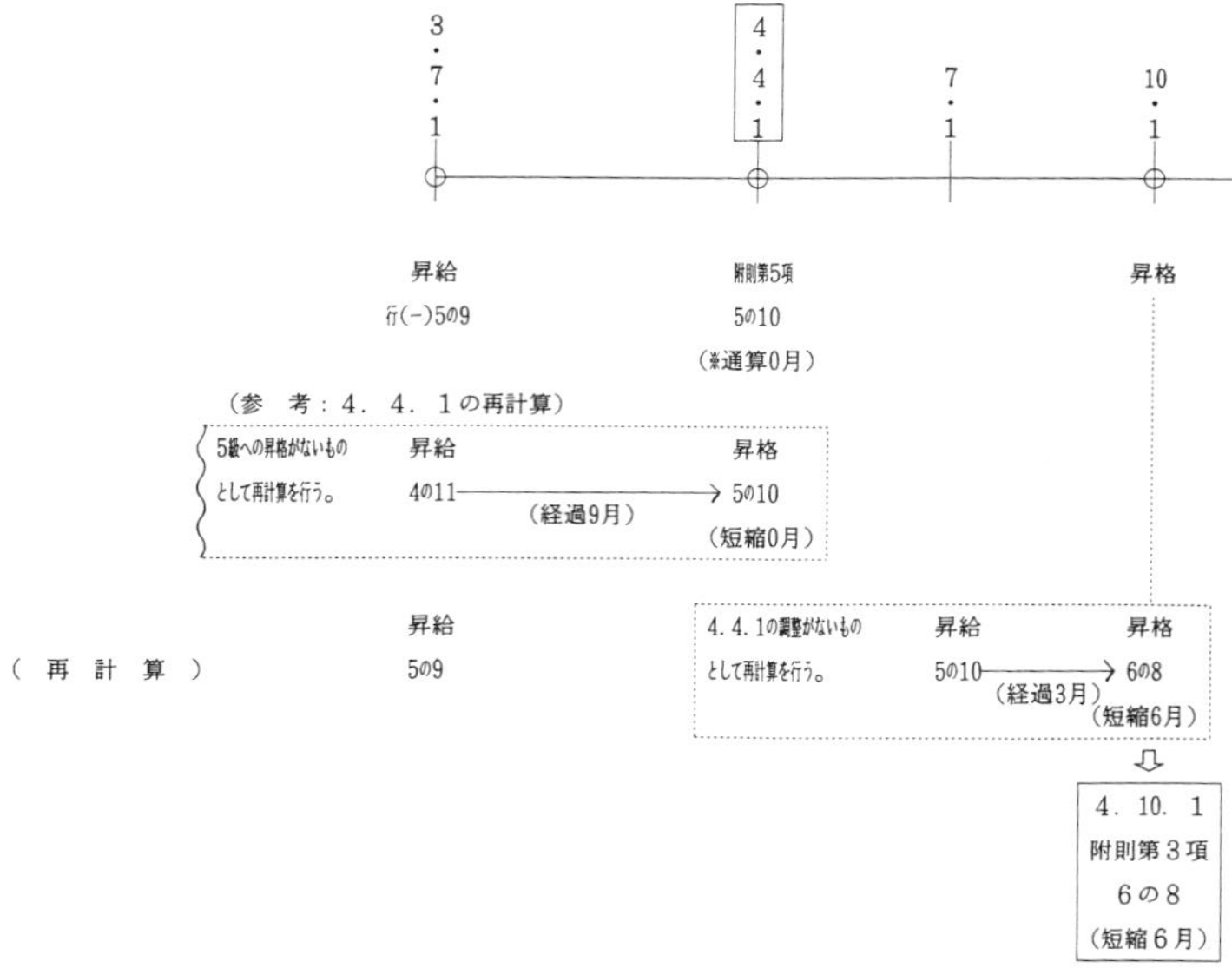

3・7・1	4・4・1	7・1	10・1	5・1・1	5・4・1
昇給 行(一)5の9	附則第5項 5の10 （※通算0月）		昇格		

（参　考：４．４．１の再計算）

5級への昇格がないものとして再計算を行う。　昇給 4の11 ――（経過9月）――→ 昇格 5の10（短縮0月）

（　再　計　算　）　昇給 5の9

4.4.1の調整がないものとして再計算を行う。　昇給 5の10 ――（経過3月）――→ 昇格 6の8（短縮6月）

⇩

４．10．１
附則第３項
６の８
（短縮６月）

（注）１　「４．４．１」、「５．４．１」及び「６．４．１」に昇格を置き換えた場合の昇格は附則第２項の規定を、「７．４．１」の場合は改正後の規則の規定を適用する。以下同じ。

２　再計算の過程は、附則第５項の規定の適用がないものとして昇給等の規定を適用する。

３　以下の「※通算」とは、「これを受けることとなる期間」をいう。

例（３） 調整期間中に２回昇格する場合の例

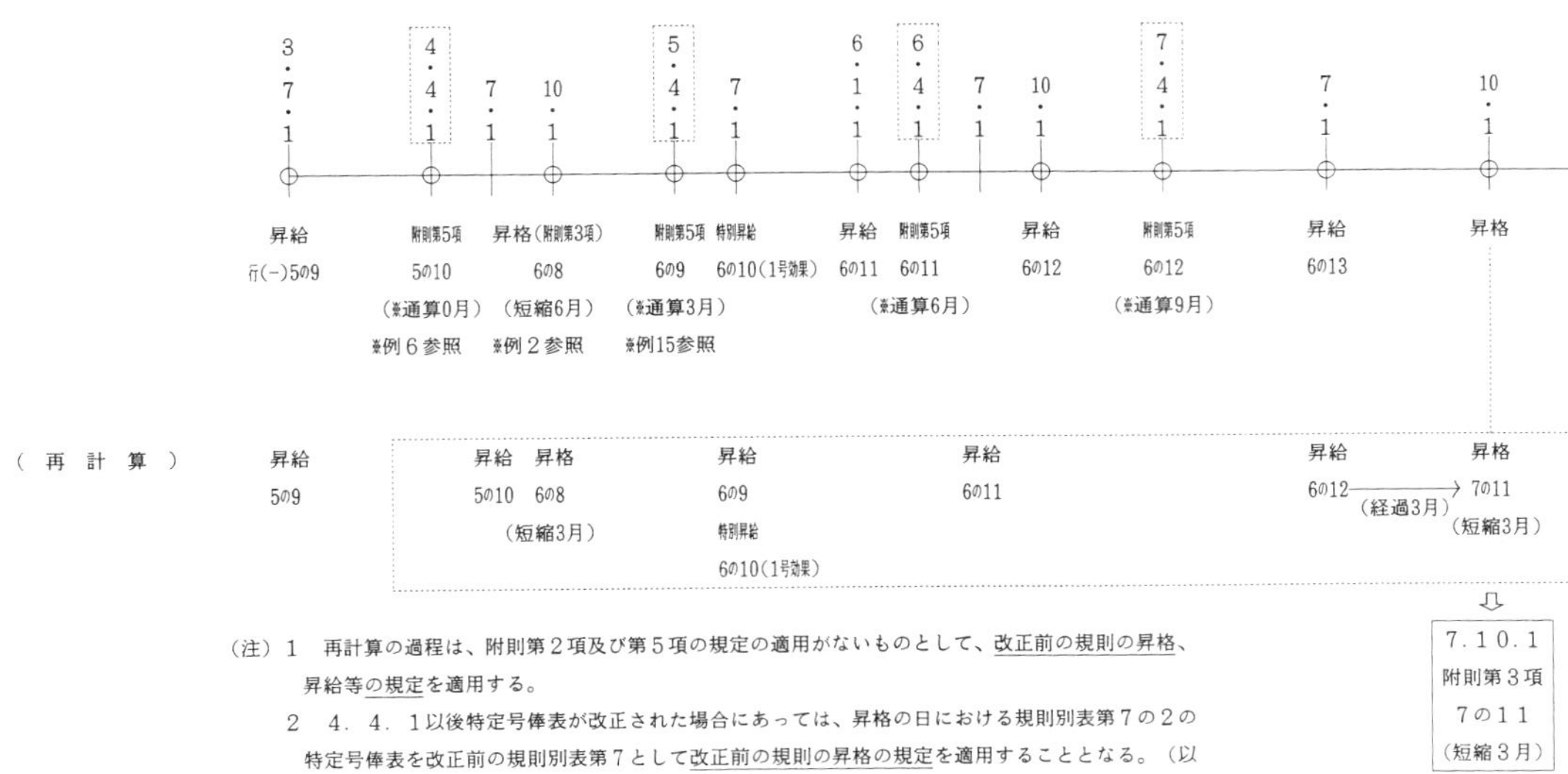

（注）１ 再計算の過程は、附則第２項及び第５項の規定の適用がないものとして、改正前の規則の昇格、昇給等の規定を適用する。

２ ４．４．１以後特定号俸表が改正された場合にあっては、昇格の日における規則別表第７の２の特定号俸表を改正前の規則別表第７として改正前の規則の昇格の規定を適用することとなる。（以下の例において同じ。）

例（4）　昇給停止職員が昇格する例（附則第3項に規定する職員が平成7年4月1日以後に昇格した場合）

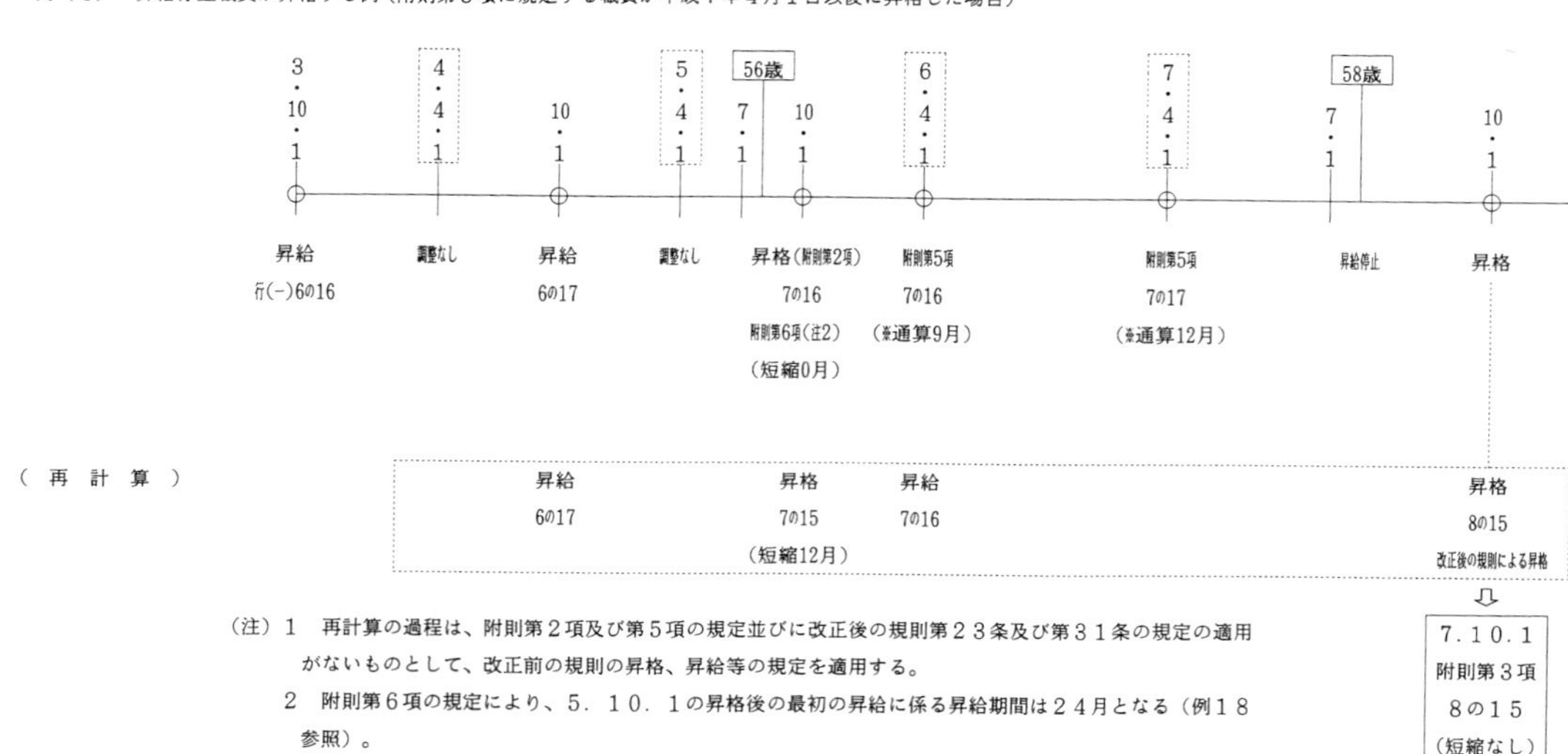

（注）1　再計算の過程は、附則第2項及び第5項の規定並びに改正後の規則第23条及び第31条の規定の適用がないものとして、改正前の規則の昇格、昇給等の規定を適用する。

2　附則第6項の規定により、5．10．1の昇格後の最初の昇給に係る昇給期間は24月となる（例18参照）。

附則第４項関係

例（５） 昇給停止職員が昇格する場合の例（附則第５項の規定の適用を受けた職員が昇格した場合）

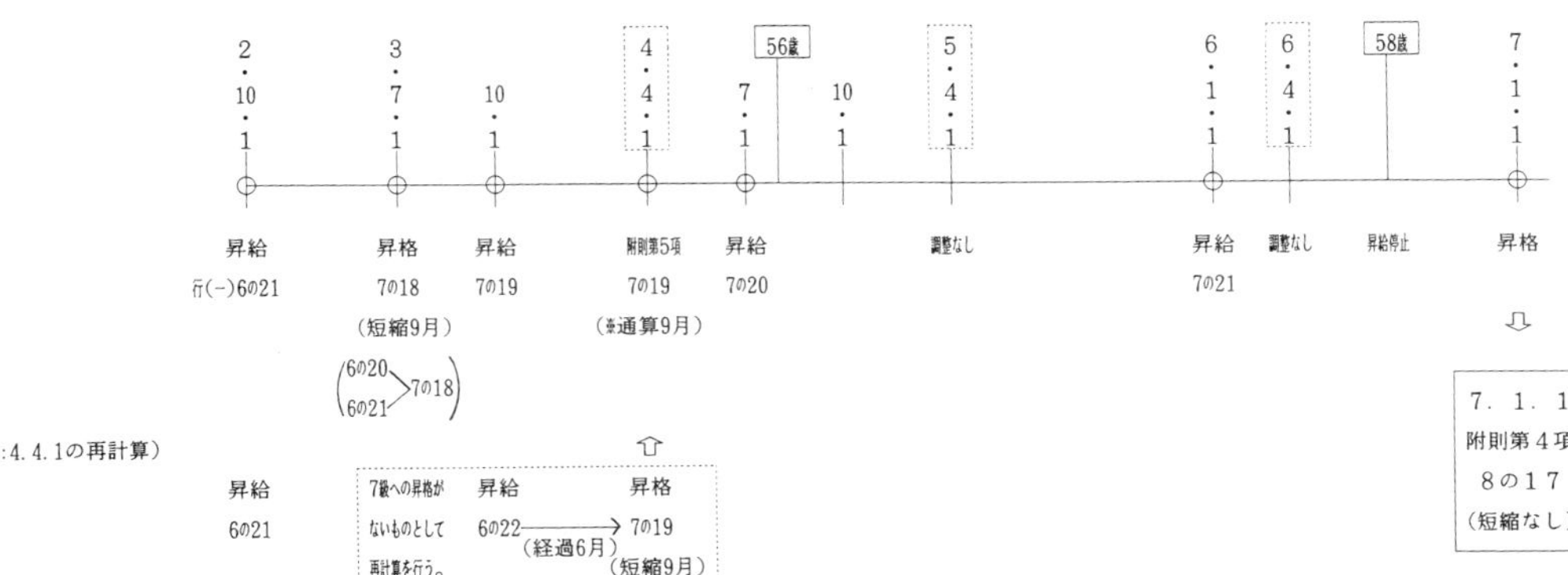

（注） ７．１．１の昇格は、前日の号俸７の２１を基礎とし、改正前の規則第２３条の規定を適用して８の１７に決定する。

附則第５項関係

例（６）　平成４年４月１日の調整日における調整の例①（調整日前に昇格により対象級に在職する場合）

2.7.1　10.1　3.7.1　4.4.1　7.1　10.1　5.1.1　4.1

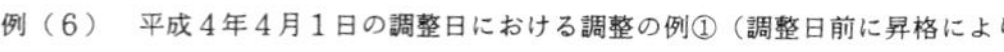

調整を行わない場合

昇給　行(一)4の10　／　昇格　5の8（短縮3月）（4の10－5の8）　／　昇給　5の9 ——（経過9月）→ 5の9………①

（再　計　算）

昇給　4の10　／　5級への昇格がないものとして再計算を行う。　昇給　4の11 ——（経過9月）→ 昇格　5の10（短縮0月）……②

⇩

4．4．1
附則第５項
５の１０
（※通算０月）

（注）　①と②を比較すると②が有利であるため、行(一)5の10（※通算0月）に決定することができる。

例（7） 平成4年4月1日の調整日における調整の例②（調整日前の仮計算過程に対象級への昇格がある場合）

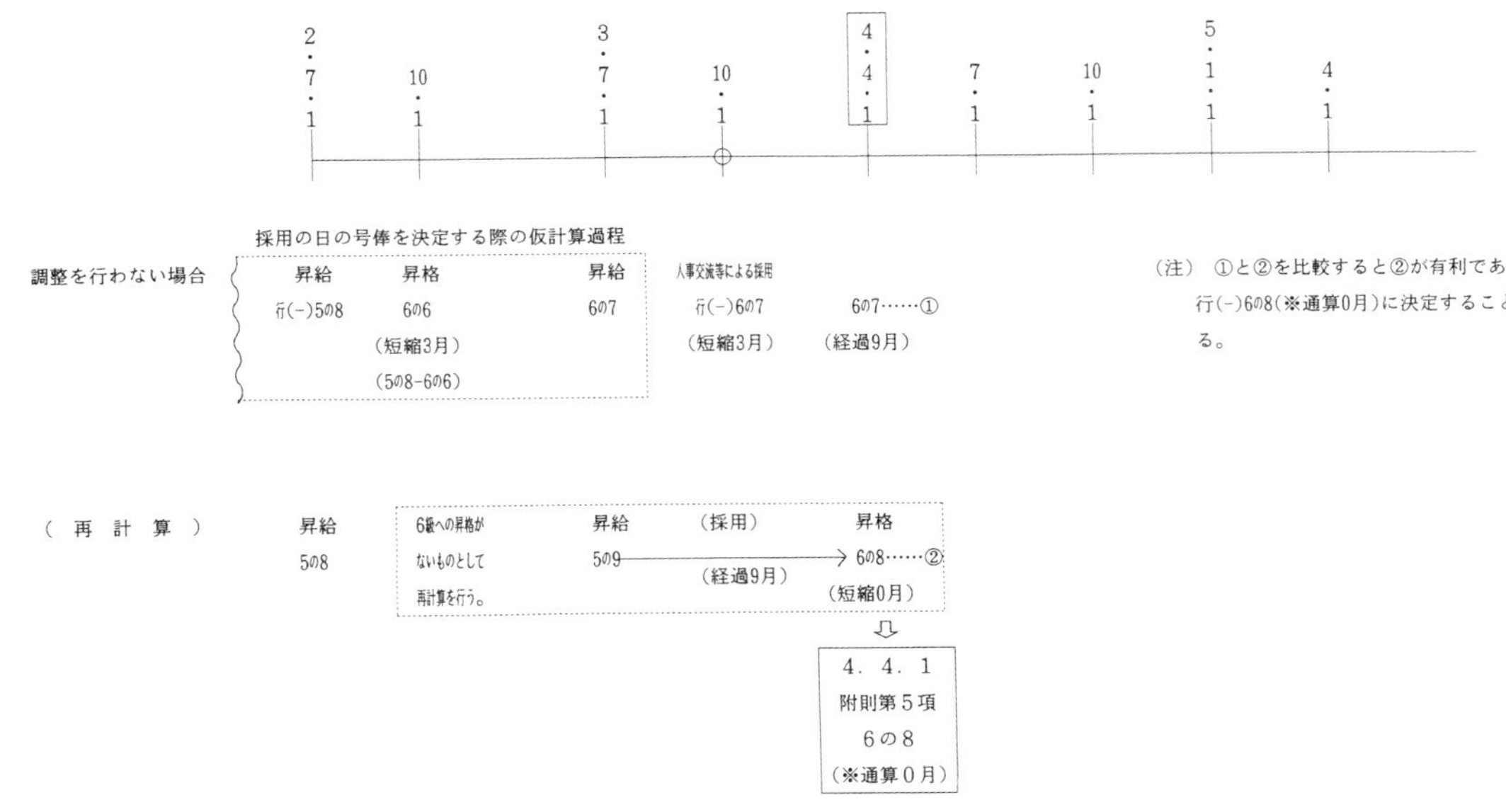

（注） ①と②を比較すると②が有利であるため、行(-)6の8(※通算0月)に決定することができる。

例（8）　平成4年4月1日の調整日における調整の例③（調整日前に俸給表の適用を異にして異動した場合）

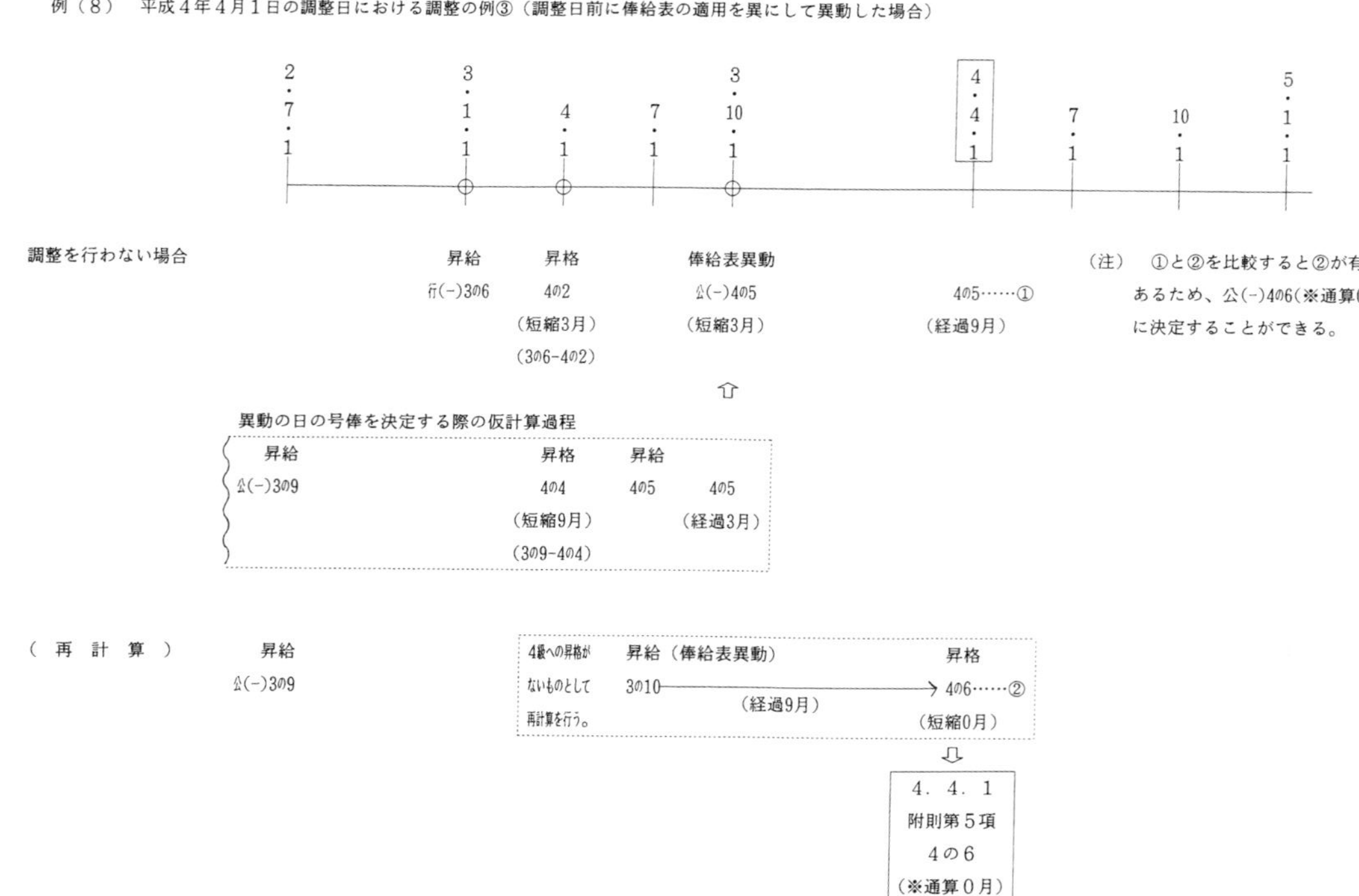

例（9） 平成4年4月1日の調整日における調整の例④（調整日前に対象級に採用された場合）

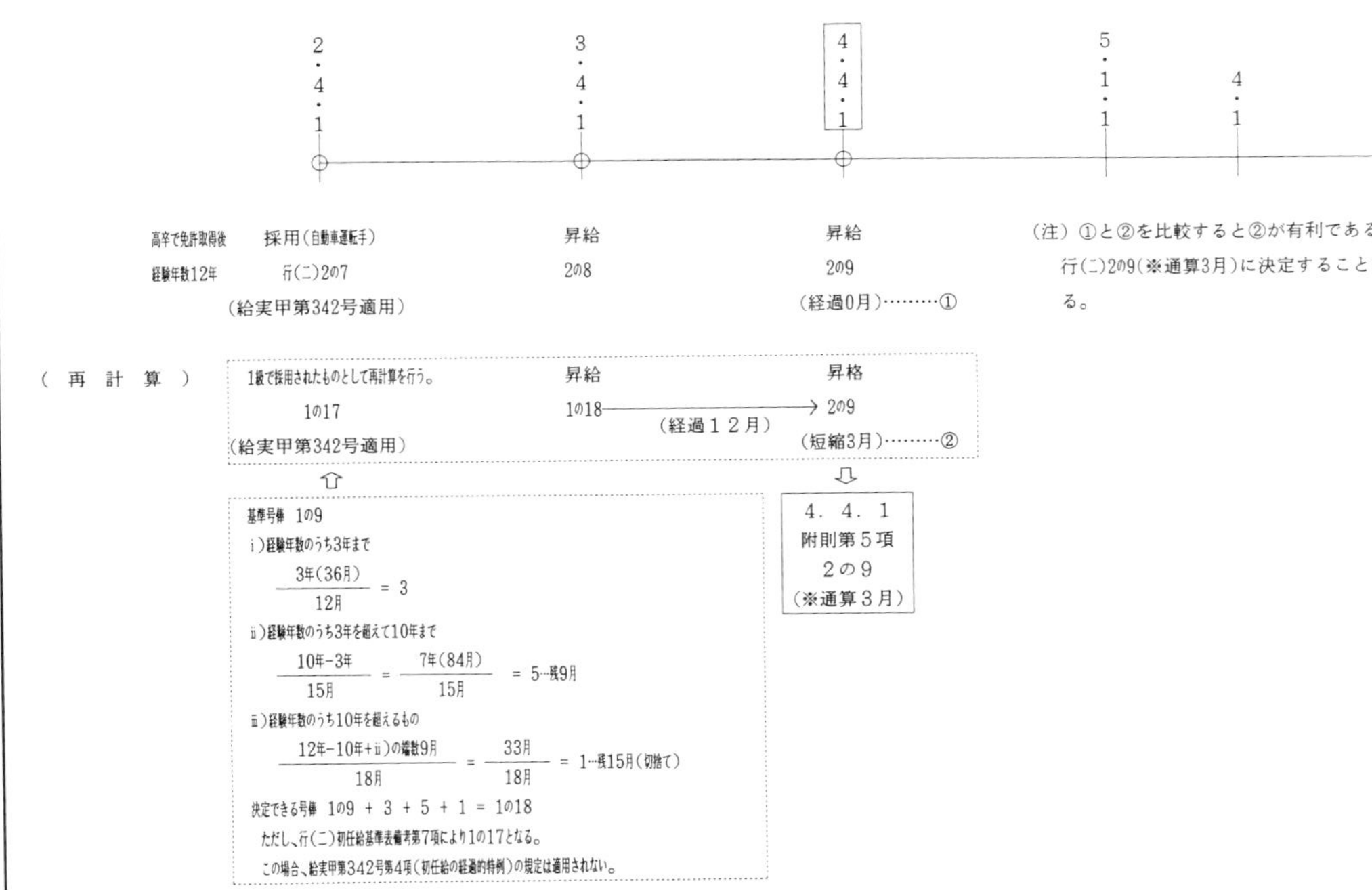

（注）①と②を比較すると②が有利であるため、行(二)2の9（※通算3月）に決定することができる。

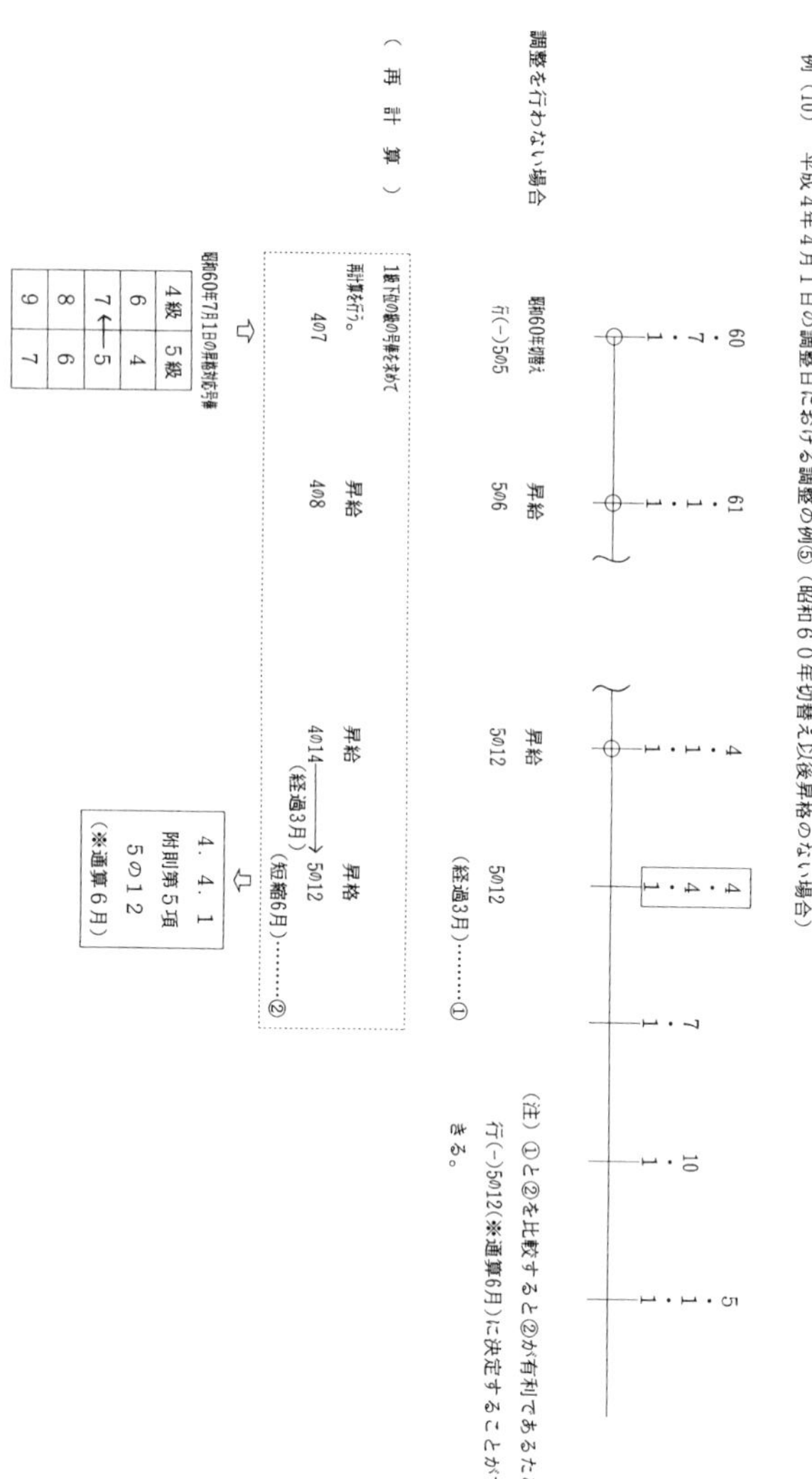
例（10）　平成４年４月１日の調整日における調整の例⑤（昭和６０年切替え以後昇格のない場合）
調整を行わない場合
（再計算）
60・7・1
61・1・1
4・1・1
4・4・1
7・1
10・1
5・1・1
昭和60年切替え
行(一)5の5
昇給
5の6
昇給
5の12
5の12
（経過3月）……①
1級下位の級の号俸を求めて再計算を行う。
4の7
昇給
4の8
昇給
4の14
（経過3月）
昇格
5の12
（短縮6月）……②
昭和60年7月1日の昇格対応号俸
4級
5級
6
4
7
5
8
6
9
7
4．4．1
附則第5項
5の12
（※通算6月）
（注）①と②を比較すると②が有利であるため、行(一)5の12(※通算6月)に決定することができる。

例（11） 平成４年４月１日の調整日における調整の例⑥（医(三)７級に切替えられた職員の場合）

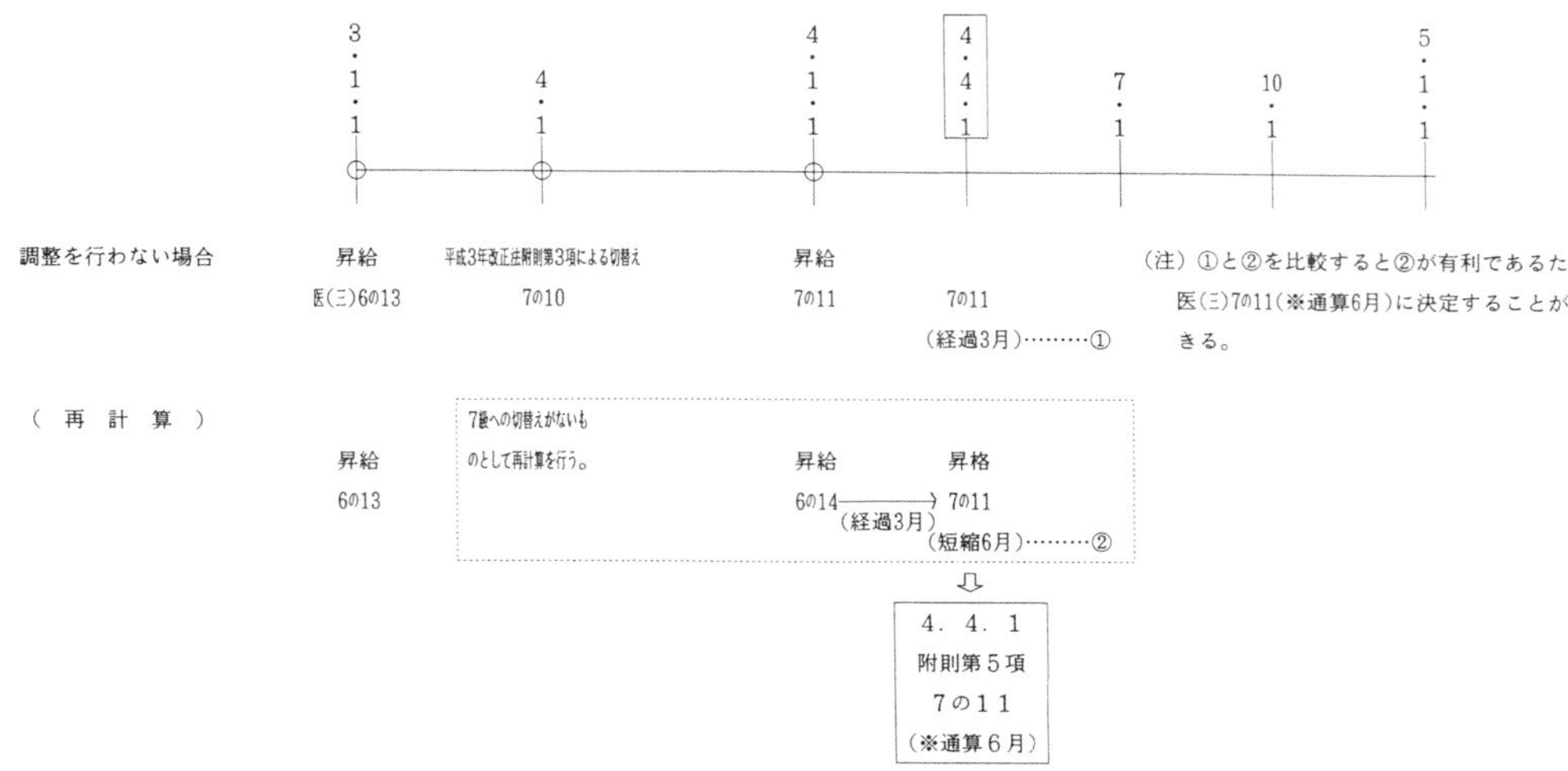

（注）①と②を比較すると②が有利であるため、医(三)7の11（※通算6月）に決定することができる。

例（12）　平成４年４月１日の調整日における調整の例⑦（調整日前に２級以上上位の職務の級に昇格した場合）

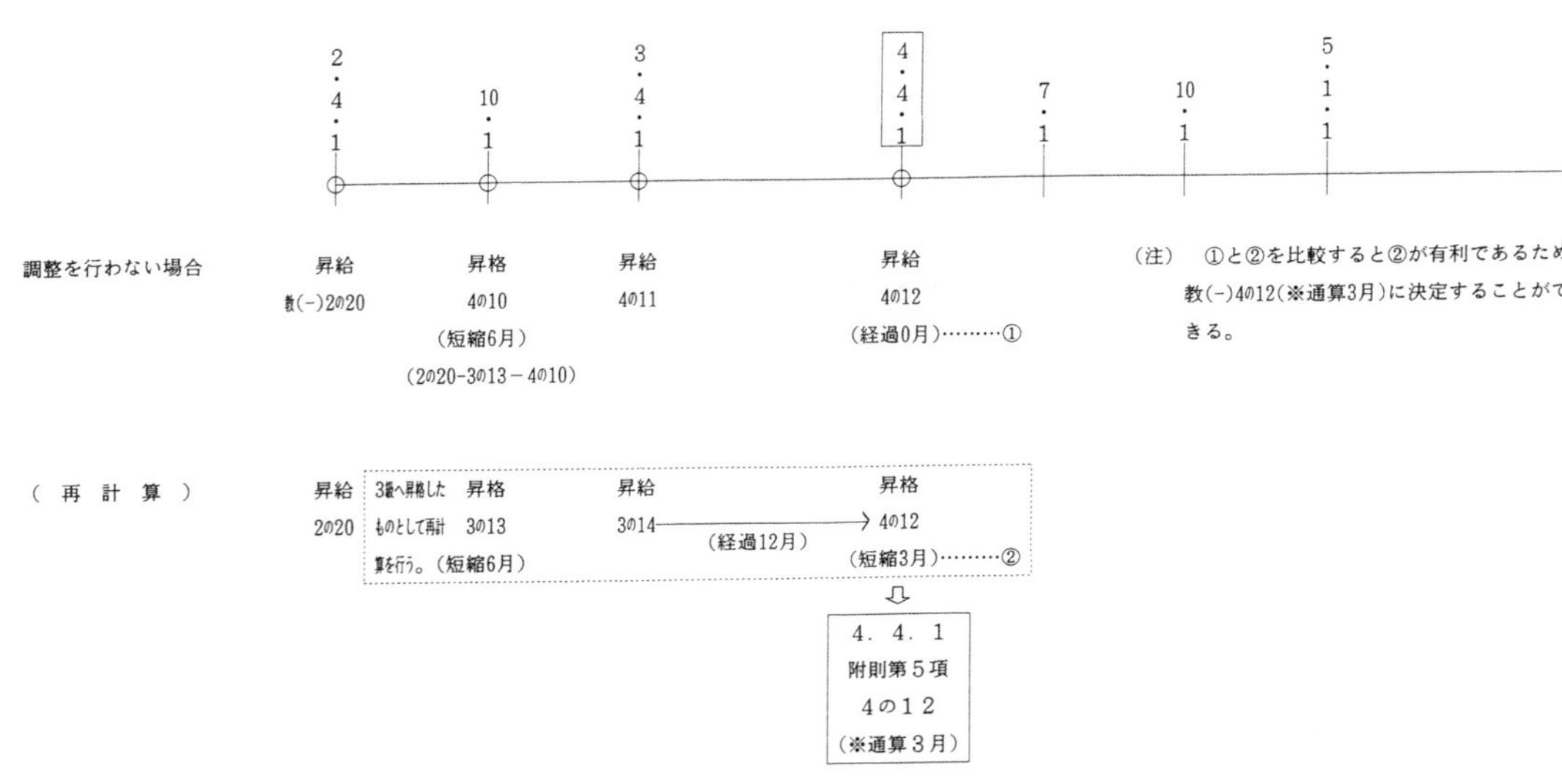

（注）　①と②を比較すると②が有利であるため、教(-)4の12(※通算3月)に決定することができる。

例（13） 平成4年4月1日の調整日における調整の例⑧（調整号数による初任給基準を異にする異動をした場合）

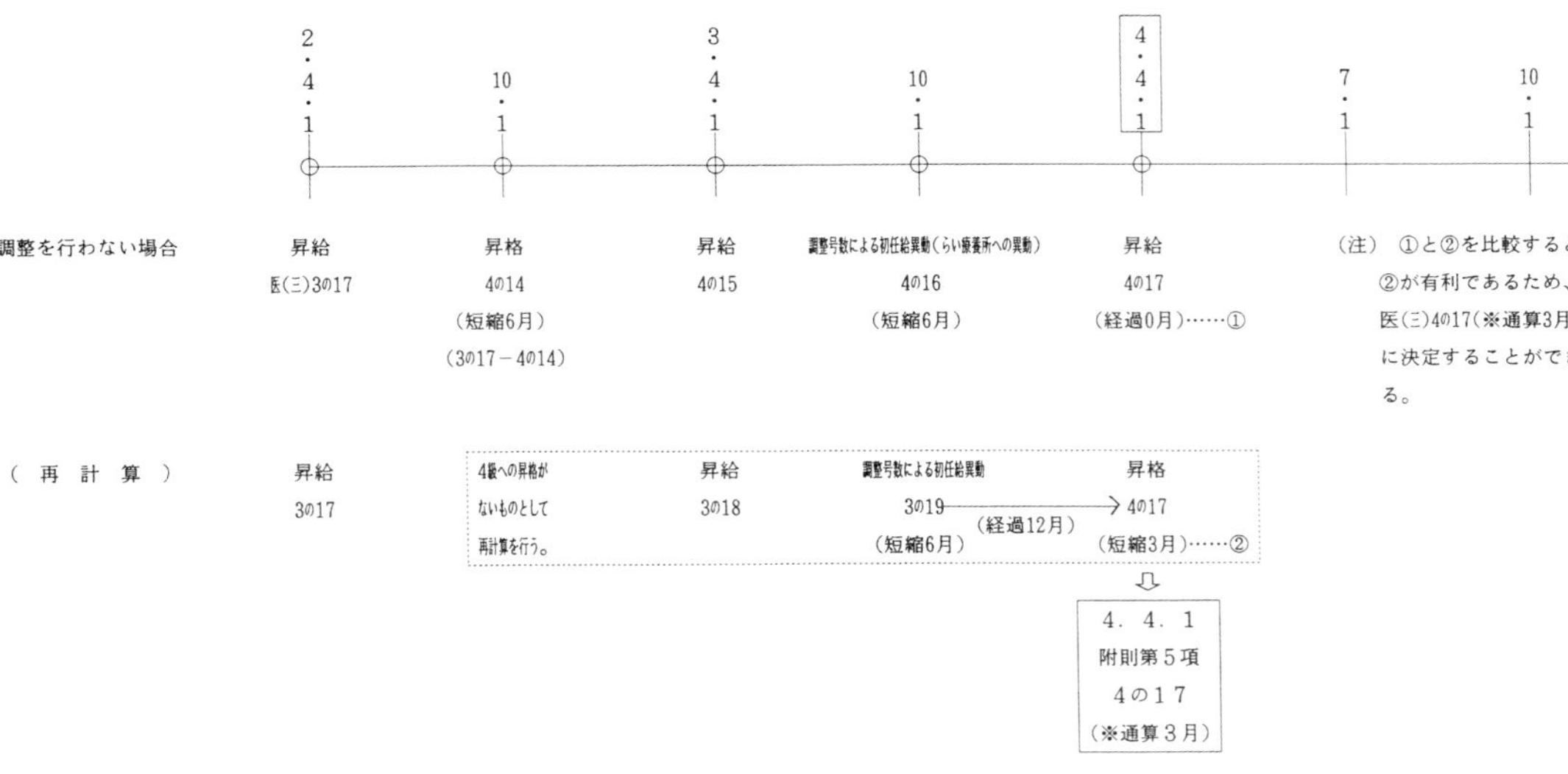

例（14）　平成４年４月１日の調整日における調整の例⑨（昇給延伸中の職員の場合）

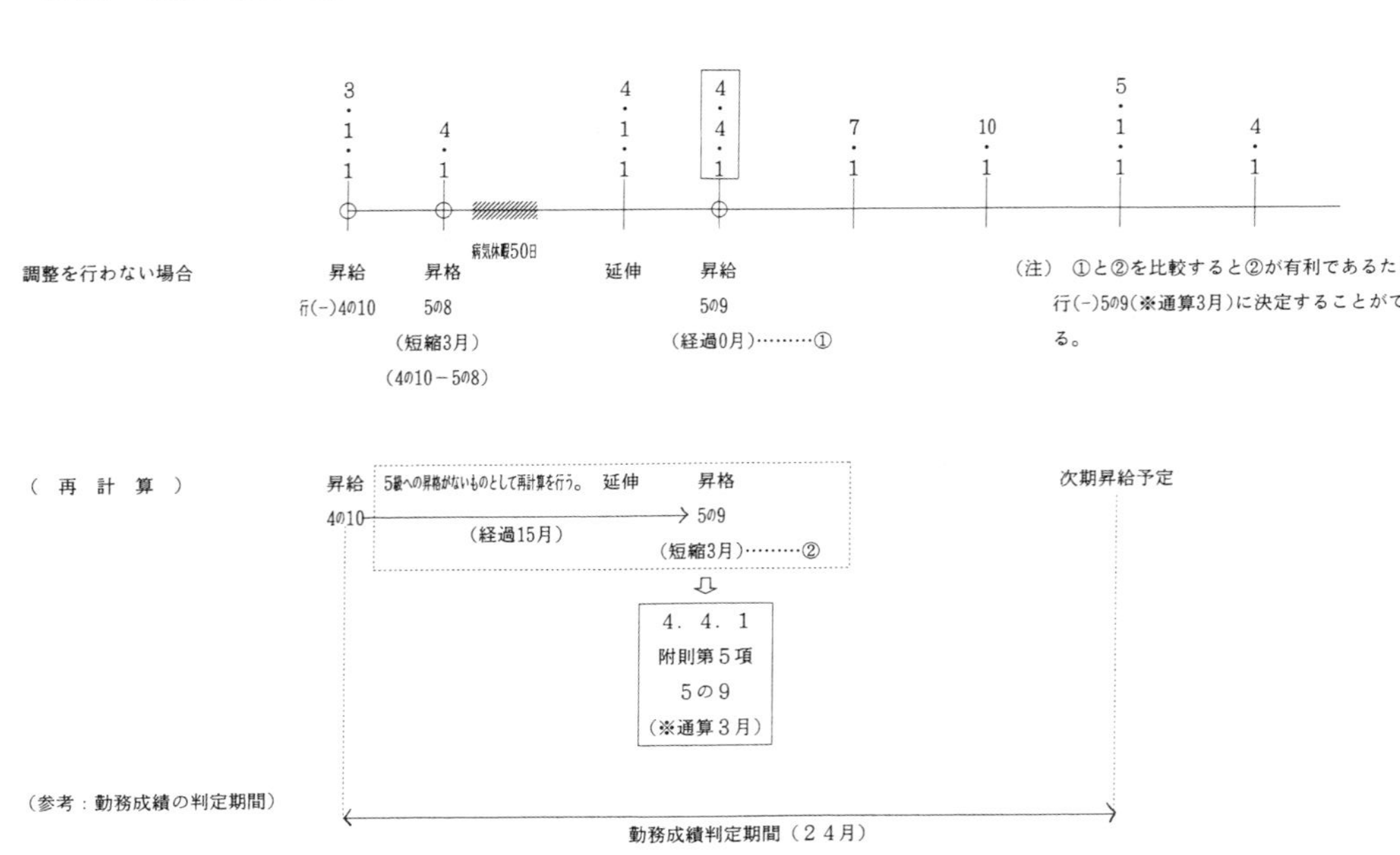

（注）①と②を比較すると②が有利であるため、行(-)5の9(※通算3月)に決定することができる。

例（15） 平成5年4月1日の調整日における調整の例①（附則第5項適用職員が対象級に昇格した場合）

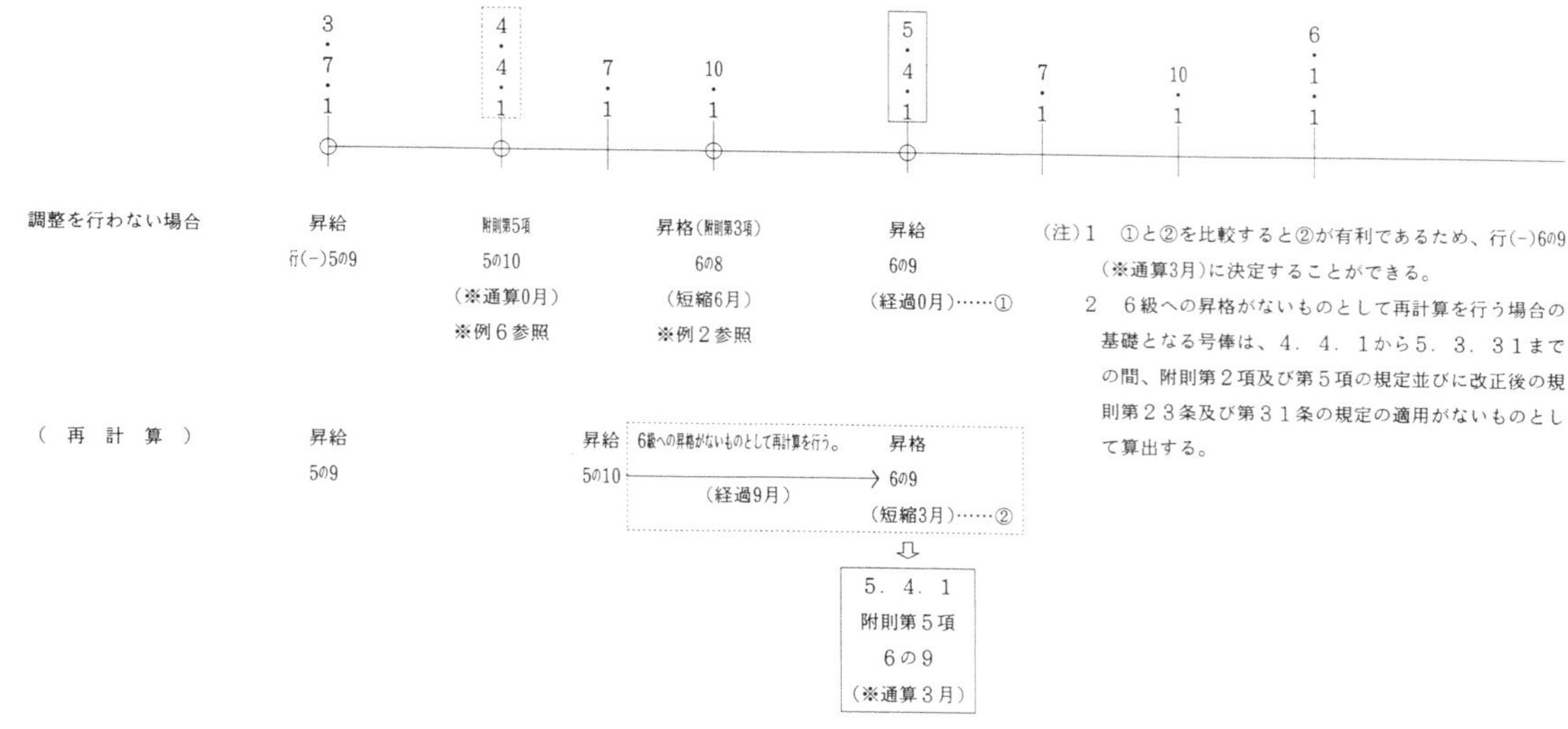

（注）1 ①と②を比較すると②が有利であるため、行(一)6の9（※通算3月）に決定することができる。

2 6級への昇格がないものとして再計算を行う場合の基礎となる号俸は、4．4．1から5．3．31までの間、附則第2項及び第5項の規定並びに改正後の規則第23条及び第31条の規定の適用がないものとして算出する。

例（16）　平成５年４月１日の調整日における調整の例②（平成４年４月１日に調整を受けなかった職員が調整を受ける場合）

	2・4・1	3・4・1	4・1・1	4・4・1	5・1・1	5・4・1	7・1	10・1	6・1・1	4・1
5.4.1の調整を行わない場合	昇給 行(－)3の12	昇格 4の8 （短縮3月） （3の12、3の13＞4の8）	昇給 4の9	調整なし	昇給 4の10	4の10 （経過3月）………①				
（再計算）	昇給 3の12	4級への昇格がないものとして再計算を行う。 昇給 3の13	昇給 3の14		昇格 4の10 （経過12月） （短縮6月）………②					

⇩

5．4．1
附則第５項
４の１０
（※通算６月）

（注）　①と②を比較すると②が有利であるため、行(－)4の10(※通算6月)に決定することができる。

（参考：4.4.1の再計算）昇給 3の12　→　昇給 3の13 ―（経過12月）→ 昇格 4の9（短縮3月）（有利不利なし）

例（17） 平成５年４月１日の調整日における調整の例③（とび昇格をした場合）

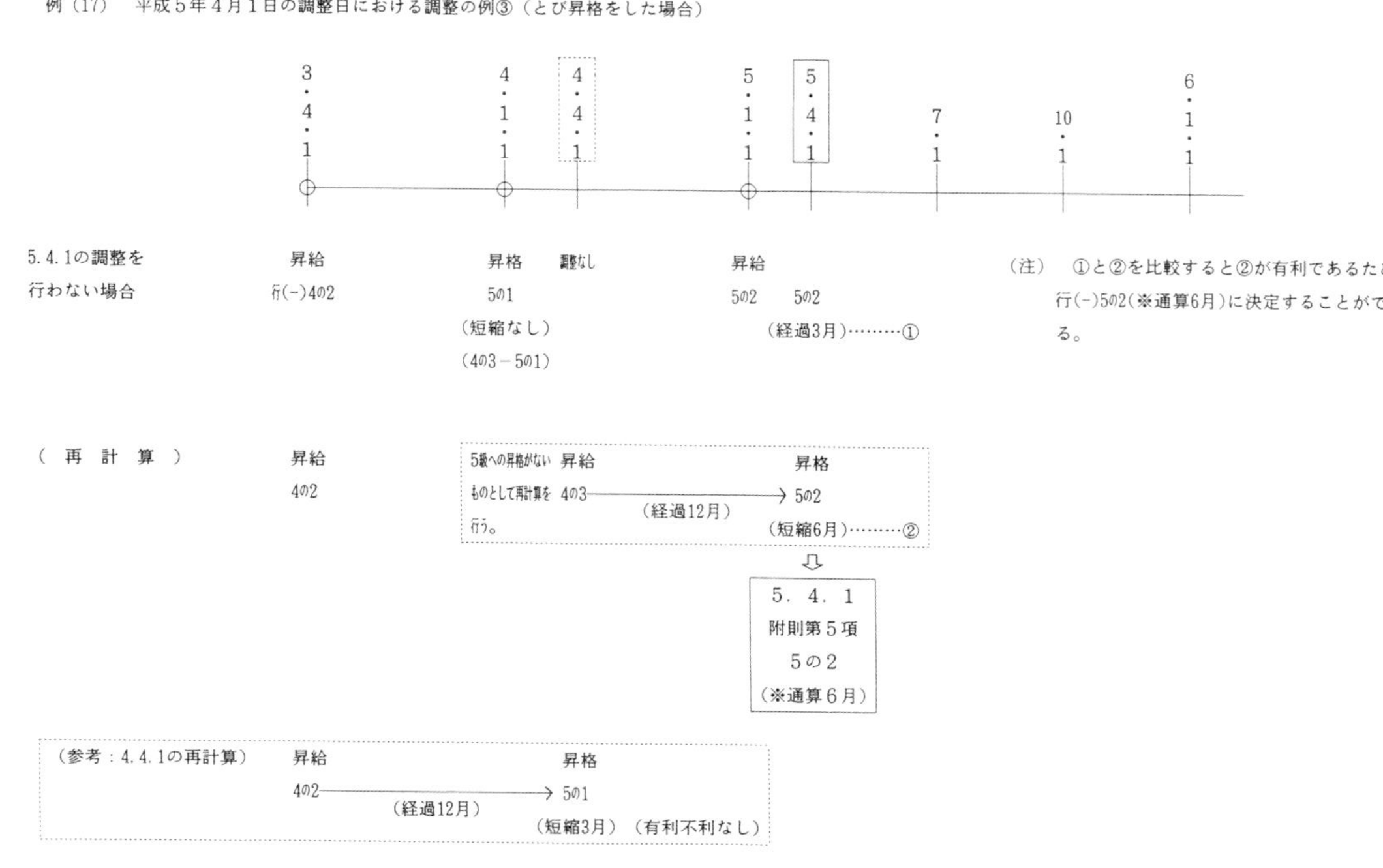

（注） ①と②を比較すると②が有利であるため、行(-)5の2(※通算6月)に決定することができる。

附則第６項関係

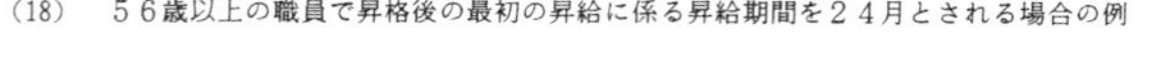

例（18）　５６歳以上の職員で昇格後の最初の昇給に係る昇給期間を２４月とされる場合の例

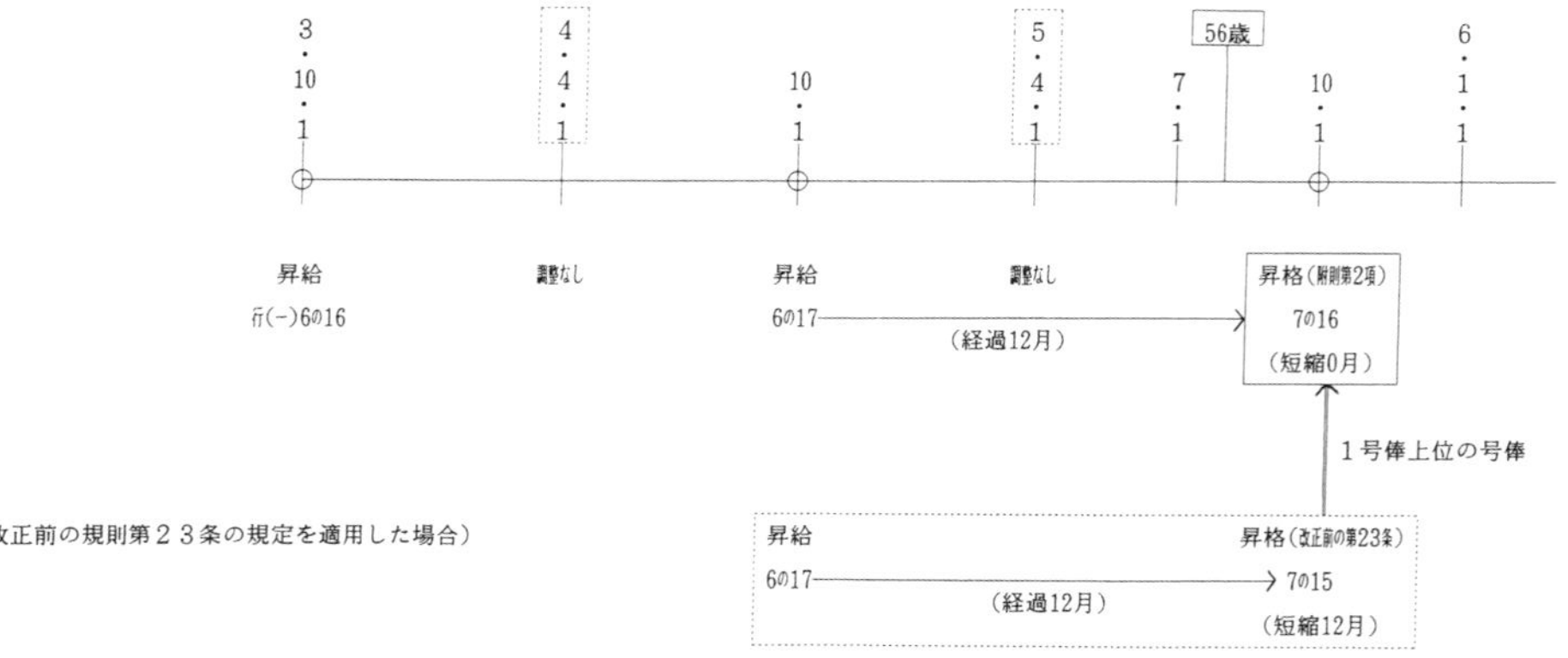

（注）１　この者の５．１０．１昇格後の昇給期間は「２４月」となり、次期昇給予定の時期は７．１０．１となるが、それ以前に５８歳に達することから昇給はしないこととなる。

２　この場合の６．４．１及び７．４．１の附則第５項の規定の適用については、例４参照。

附則第７項関係

例（19） 平成８年４月１日における調整の例①（調整期間中に対象級に２回昇格した場合）

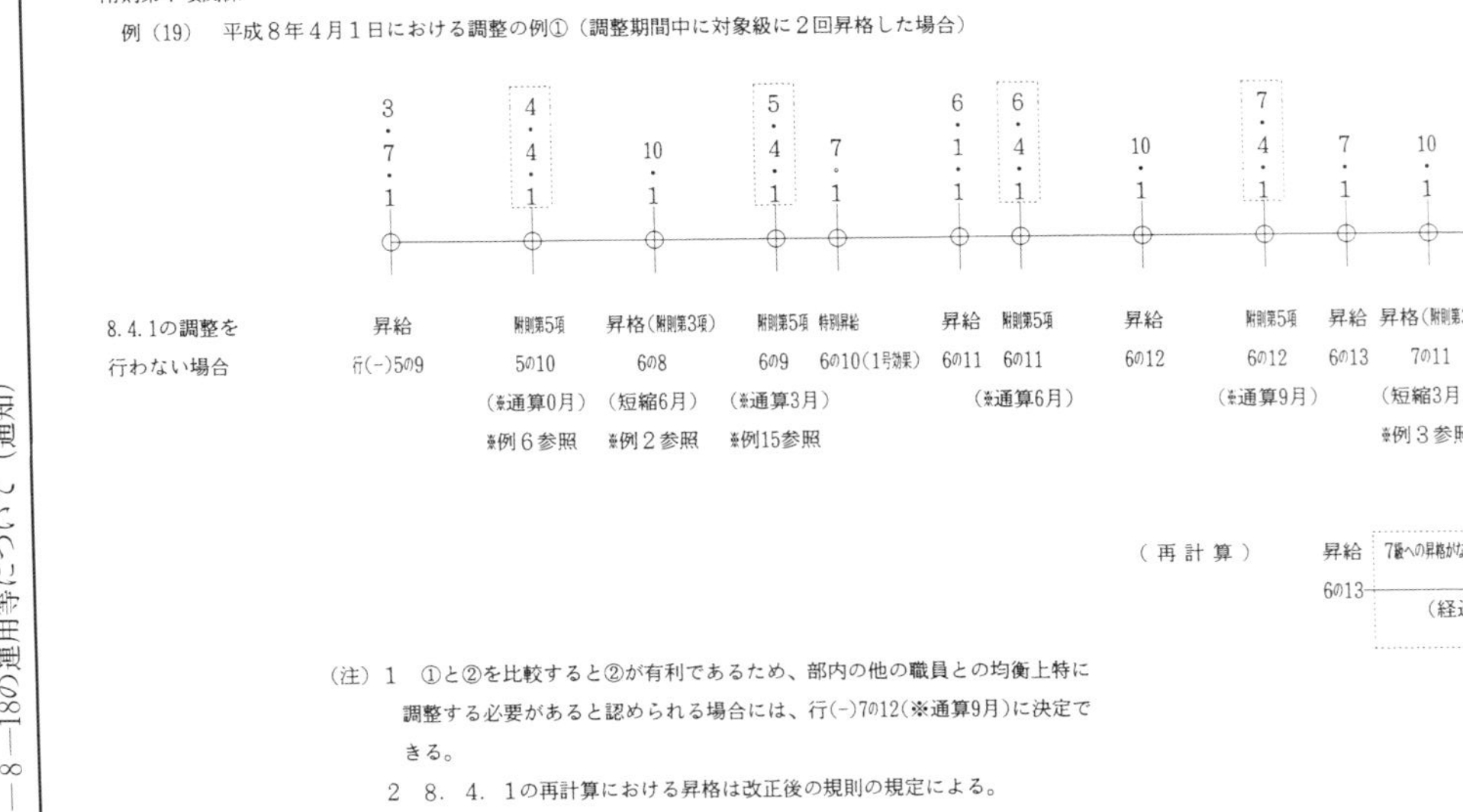

（注）1 ①と②を比較すると②が有利であるため、部内の他の職員との均衡上特に調整する必要があると認められる場合には、行(−)7の12（※通算9月）に決定できる。

2 8．4．1の再計算における昇格は改正後の規則の規定による。

例（20）　平成８年４月１日における調整の例②（昇格がないものとした再計算の過程において附則第５項の規定の適用を受けることとなる場合）

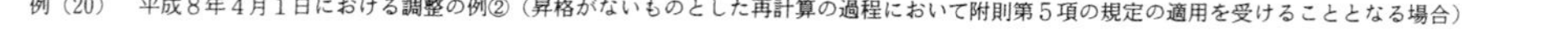

	3.7.1	4.4.1	5.4.1	6.1.1	6.4.1	10.1	7.4.1	7.1	8.4.1
8.4.1の調整を行わない場合	昇給	昇格（附則第2項）	附則第5項	昇給	附則第5項	昇格（附則第3項）	附則第5項	昇給	
	行(-)3の8	4の5	4の6	4の7	4の7	5の6	5の6	5の7	5の7……①
		（短縮0月）	（※通算3月）		（※通算6月）	（短縮0月）	（※通算9月）		（経過9月）

（再計算）

5級への昇格がないものとして再計算を行う。

昇給	附則第5項	昇給		
4の8	4の8	4の9	――（経過9月）→	5の8……②
	（※通算9月）			（短縮9月）

⇩

8．4．1
附則第７項
５の８
（※通算9月）

（注）１　①と②を比較すると②が有利であるため、部内の他の職員との均衡上特に調整する必要があると認められる場合には、行(-)5の8（※通算9月）に決定できる。

２　８．４．１の再計算過程における昇格は改正後の規則の規定による。

<参　考>　再計算過程における平成７年４月１日の附則第５項による調整

昇給	昇給	昇給	昇給		昇格	
3の8	3の9	3の10	3の11	――（経過9月）→	4の8	調整を行わない場合よりも有利となる。
					（※短縮9月）	

附則第８項関係

例（21）　調整期間中に昇格がなかった者が平成８年４月１日以後昇格した場合の例

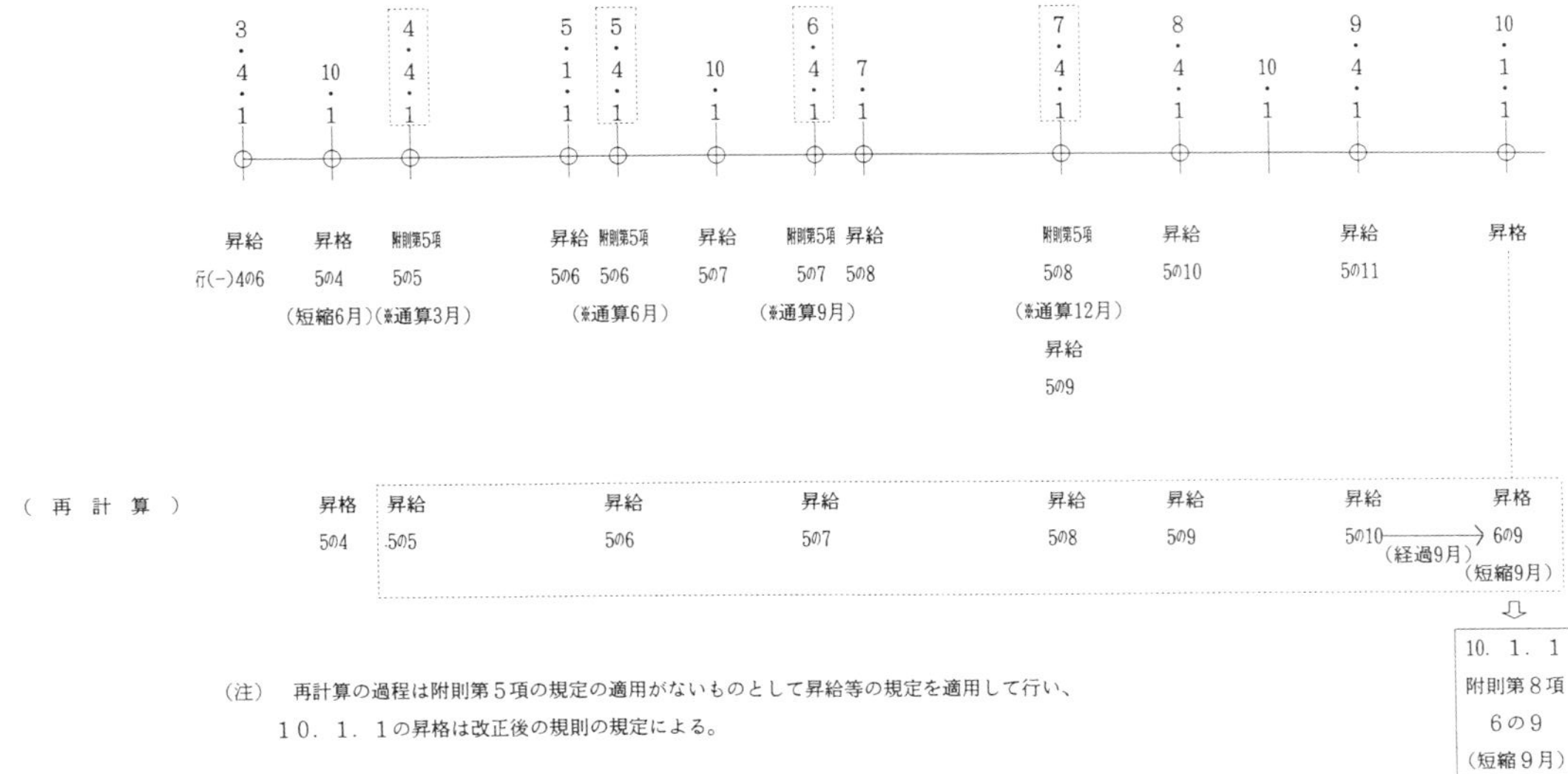

（注）　再計算の過程は附則第５項の規定の適用がないものとして昇給等の規定を適用して行い、１０．１．１の昇格は改正後の規則の規定による。

例（22）　昇給停止職員で調整期間中に昇格のなかった者が平成８年４月１日以後に昇格した場合の例

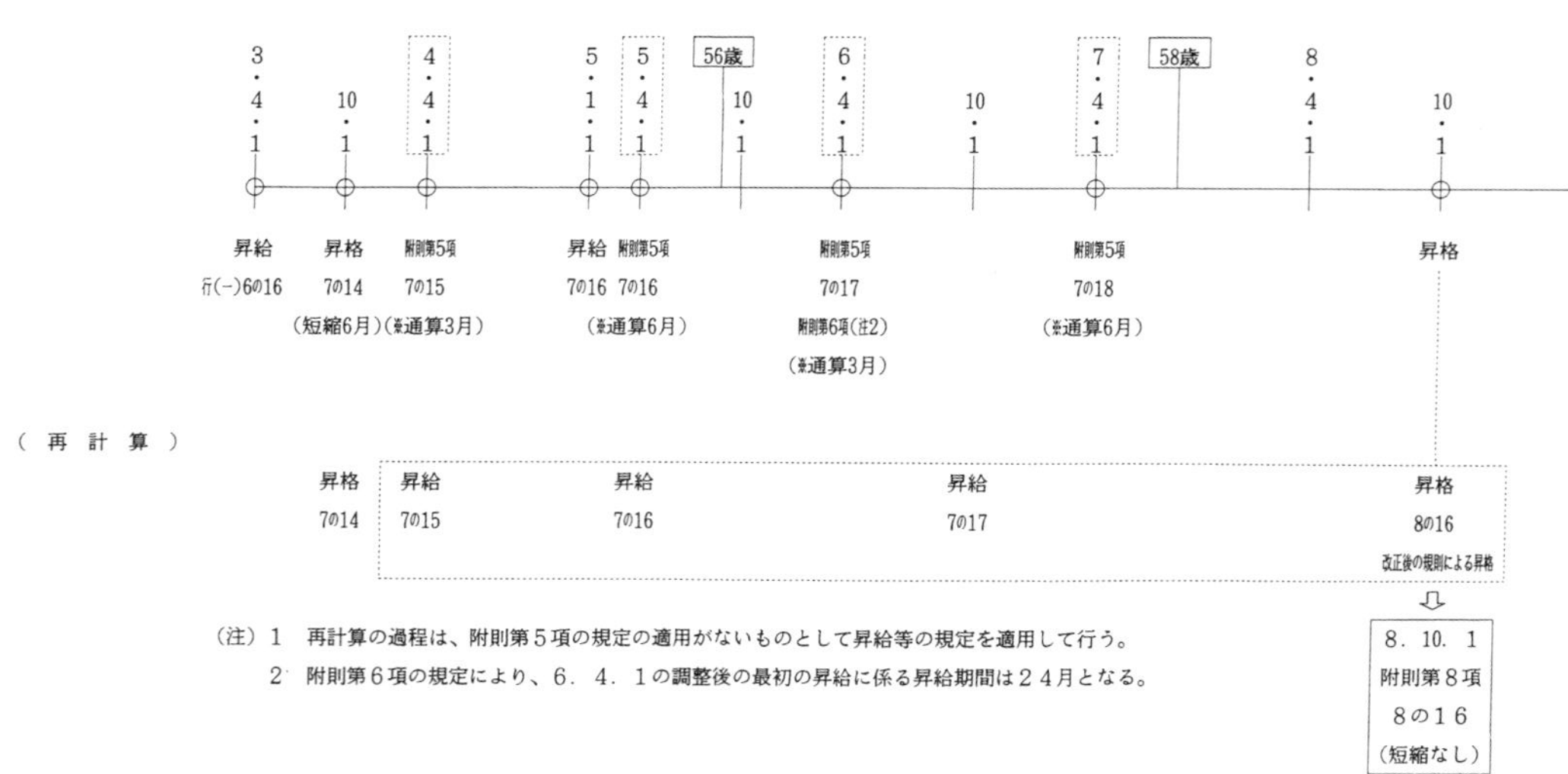

（注）１　再計算の過程は、附則第５項の規定の適用がないものとして昇給等の規定を適用して行う。
２　附則第６項の規定により、６．４．１の調整後の最初の昇給に係る昇給期間は２４月となる。

動務成績の判定期間関係

例（23） 附則第２項の規定の適用を受けた職員の勤務成績判定期間の例①（勤務成績判定期間が１２月より短くなる場合）

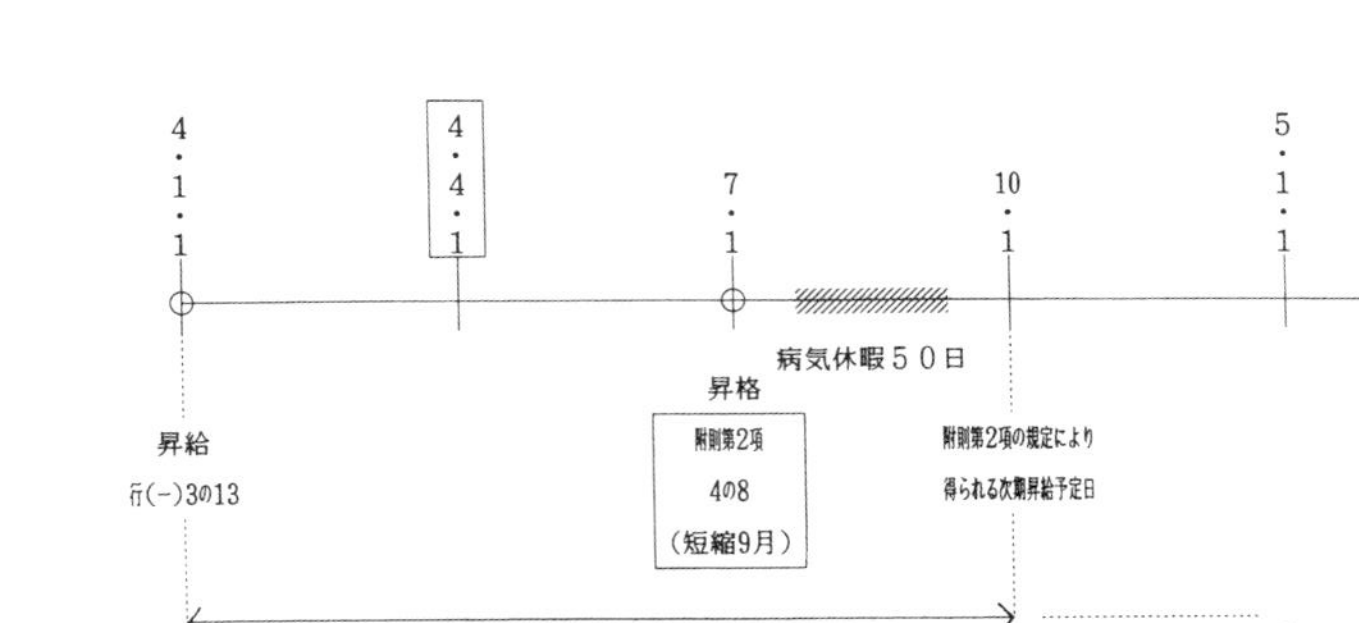

（昇格した日の前日における号俸を受けた日から附則第２項の規定により得られる次期昇給予定日までの９月間の5／6以上を勤務している場合に昇給できる。）

例（24）　附則第２項の規定の適用を受けた職員の勤務成績判定期間の例②（昇給延伸の事由に該当していない場合）

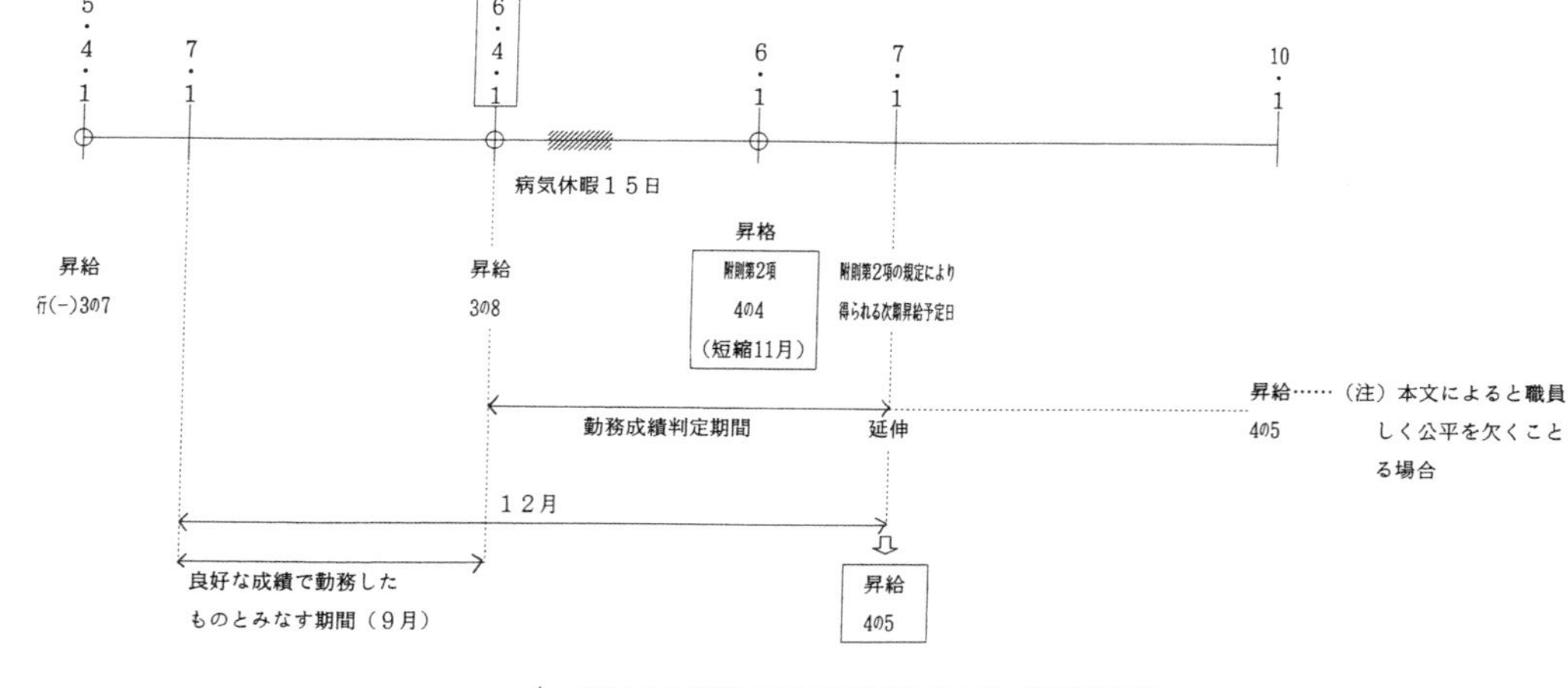

例（25） 附則第２項の規定の適用を受けた職員の勤務成績判定期間の例③（当該規定の適用を受けた後附則第５項の規定の適用を受けた場合）

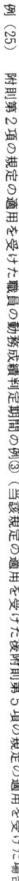

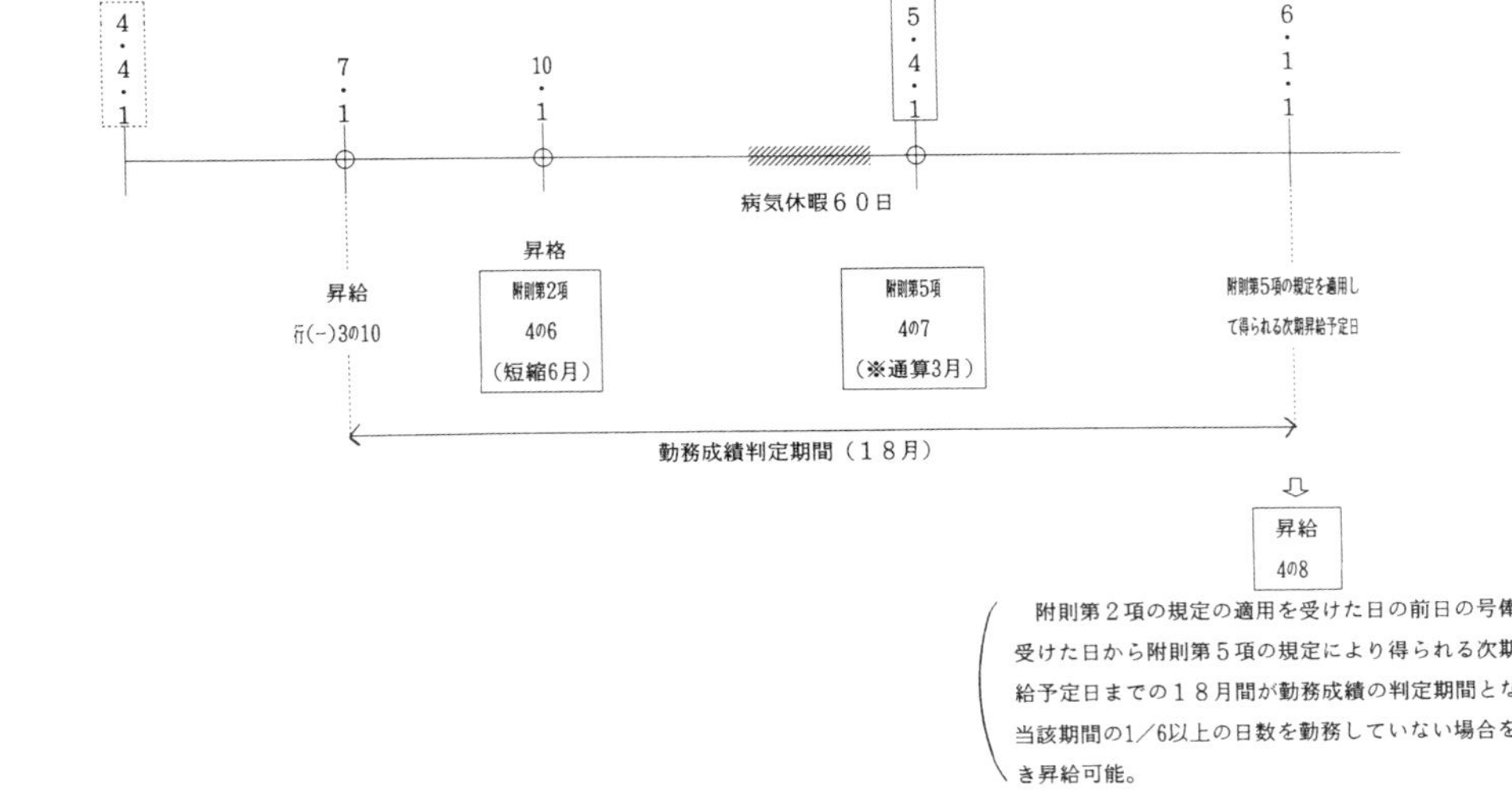

例（26）　附則第５項の規定の適用を受けた職員の勤務成績判定期間の例（勤務成績判定期間が１２月より長くなる場合）

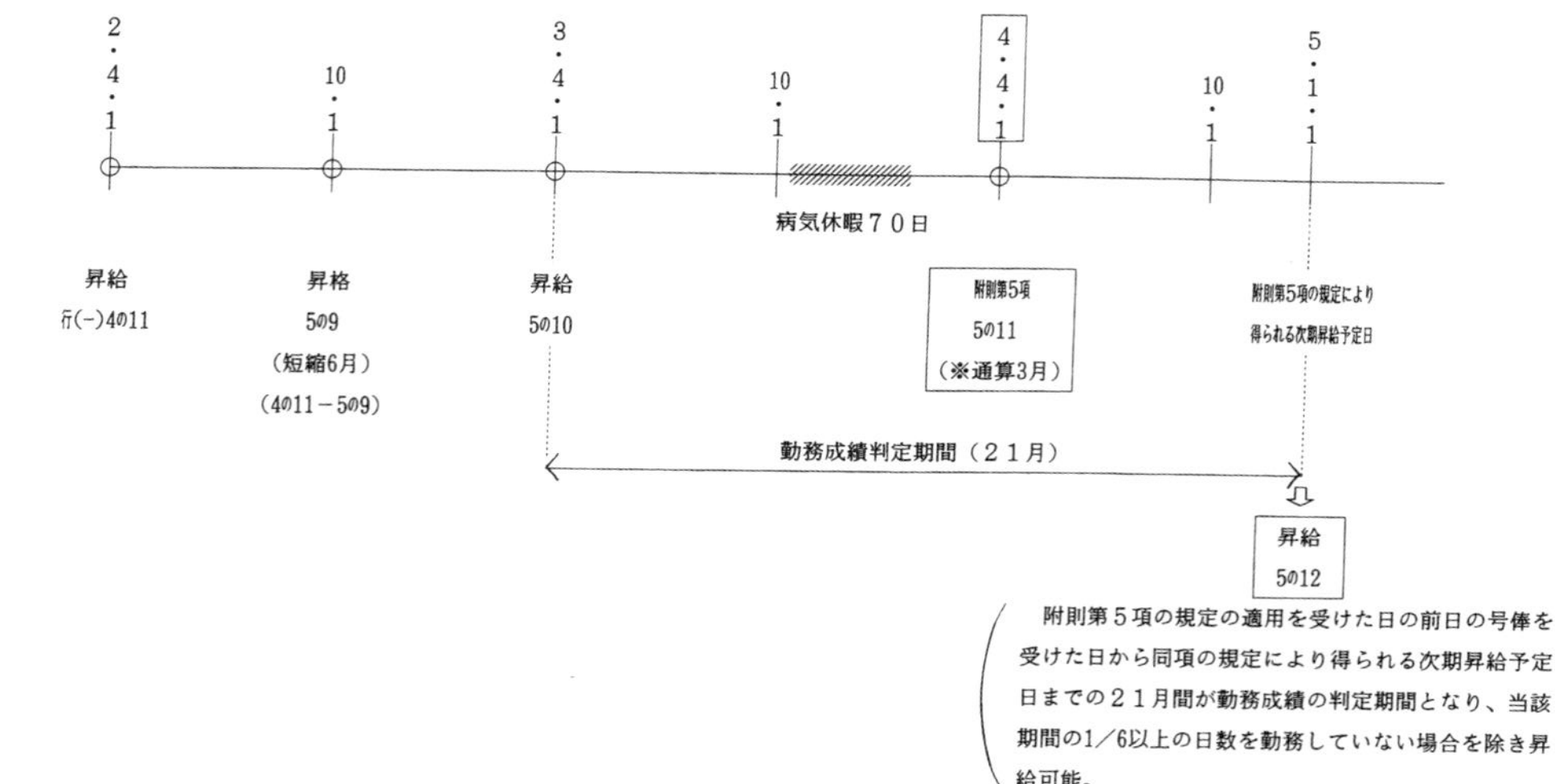

○免許所有者の経験年数の取扱いについて（通知）

昭四四・五・一
給実甲三二七

最終改正 令七・四・一給実甲一三五四

人事院規則九―八（初任給、昇格、昇給等の基準）別表第二の初任給基準表の備考に規定する経験年数の取扱いについての「別段の定め」を下記のように定めたので、通知します。

記

1 免許取得の時期が遅延した者についての取扱い

初任給基準表の備考の規定により初任給基準表を適用する場合における経験年数が免許を取得した時以後のものとされている者（以下「免許所有者」という。）で、当該免許の取得に当たつて施行された資格試験に合格した後において、免許の付与の手続の遅延等やむを得ない事情によつて正式の免許の取得の時期が遅れたものについては、その試験に合格した時をもつて、当該免許を取得した時とみなすことができる。

2 免許取得前の経歴についての取扱い

免許所有者のうち、次の各号に掲げる者で免許取得前に免許を必要とする業務に関係のある業務に従事した経歴を有するものについて、部内の他の職員との均衡上特に必要があると認められるときは、それぞれ当該各号に定める年数を免許取得後の経験年数として取り扱うことができる。

一 給実甲第三二六号（人事院規則九―八（初任給、昇格、昇給等の基準）の運用について）初任給基準表関係の規定の適用を受ける無線従事者及び航空無線従事者　軍用無線の操作等に従事した期間その他これに類似する期間で事務総長の承認を得たものの年数

二 行政職俸給表㈡初任給基準表の備考第二項各号に掲げる者　次の表の経歴欄に掲げる経歴に係る年数で高校卒後（修学年数が高校卒に達しない者にあつては、その者の最終学歴取得時からその修学年数の差の期間を経過した日以後）のものについて、同表の換算率欄に定める換算率を乗じた年数

経歴	換算率
自動車の助手、軍用自動車の運転又は自動車に類する機器の運転、操作、整備等当該免許を必要とする業務に準ずる業務に従事した経歴	十割以下
技能、労務等の業務で、当該免許を必要とする業務に役立つと認められる業務に従事した経歴	五割以下

三 医療職俸給表㈡又は医療職俸給表㈢の適用を受ける職員のうち、次の表の職員欄に掲げる者　次の表の経歴欄に掲げる経歴に係る年数の八割以下の年数（部内の他の職員との均衡を著しく失する場合は、十割以下の年数で事務総長の承認を得たもの）

職員	経歴
歯科衛生士	口腔衛生業務の補助に従事した経歴
歯科技工士	歯科技工に関する業務に従事した経歴
あん摩マッサージ指圧師、はり師、きゅう師及び柔道整復師	それぞれあん摩、マッサージ若しくは指圧、はり、きゅう又は柔道整復に直接関係ある業務に従事した経歴
診療放射線技師	診療放射線技師の業務に直接関係ある業務に従事した経歴
臨床検査技師	衛生検査技師の業務等臨床検査技師の業務に直接関係ある業務に従事した経歴
衛生検査技師	衛生検査の業務に従事した経歴
臨床工学技士	生命維持管理装置の操作及び保守点検に直接関係ある業務に従事した経歴
理学療法士及び作業療法士	理学療法又は作業療法の業務に従事した経歴
視能訓練士	視能訓練の業務に従事した経歴
言語聴覚士	言語訓練、聴能訓練等に直接関係ある業務に従事した経歴
義肢装具士	義肢及び装具の製作及び

	適合等に直接関係ある業務に従事した経歴（医療職俸給表(二)初任給基準表の備考第二項の規定の適用を受ける者にあっては、事務総長の承認を得たものに限る。）
看護師並びに看護師の免許を有する保健師及び助産師	准看護師の業務に従事した経歴（医療職俸給表(三)初任給基準表の備考第三項の規定の適用を受ける者にあっては、准看護師の業務に従事した経歴のうち三年を超える経歴）

以上

○人事交流による採用者等の職務の級及び号俸の決定について（通知）

昭五〇・四・一
給実甲四四二

最終改正　平二七・三・一八事企法—一二〇

標記について、下記により実施することができることとしたので通知します。

なお、これに伴い、給実甲第二二九号（人事院規則九—八第十七条の規定による職員の俸給月額の決定等について）は、廃止します。

記

1　人事院規則九—八（初任給、昇格、昇給等の基準）（以下「規則」という。）別表第六の在級期間表（以下「在級期間表」という。）において要件を別に定めることとされている職務の級に、かつて属していた職員のうち、人事交流等により、異動し、又は退職し、引き続いて次に掲げる者（非常勤である者を除く。以下「地方公務員等」という。）となり、かつ、地方公務員等として引き続き在職した後引き続いて再び職員となった者の職務の級については、在級期間表に定める要件に従ったものとして、規則第十一条第一項の規定により当該異動又は退職前に属していた職務の級に決定することができる。一般職の職員の給与に関する法律等の一部を改正する法律（平成十六年法律第百三十六号。以下「平成十六年改正法」という。）第一条の規定による改正前の一般職の職員の給与に関する法律（昭和二十五年法律第九十五号）の教育職俸給表(一)の五級にかつて属していた職員のうち、平成十六年改正法の施行の日の前日以前において人事交流等により、異動し、又は退職し、引き続いて地方公務員等となり、かつ、地方公務員等として引き続き在職した後引き続いて平成十六年改正法の施行の日以降再び同条の規定による改正後の一般職の職員の給与に関する法律の教育職俸給表(一)の適用を受ける職員となった者の職務の級を四級に決定するときも、同様とする。

一　特別職の国家公務員

二　独立行政法人通則法（平成十一年法律第百三号）第二条第四項に規定する行政執行法人の職員

三　地方公務員

四　沖縄振興開発金融公庫又は国家公務員退職手当法施行令（昭和二十八年政令第二百十五号）第九条の二各号に掲げる法人の職員及び特別の法律の規定により国家公務員退職手当法（昭和二十八年法律第百八十二号）第七条の二第一項に規定する公庫等職員とみなされる者

五　独立行政法人通則法第二条第一項に規定する独立行政法人（同条第四項に規定する行政執行法人を除く。）又は国家公務員退職手当法施行令第九条の四各号に掲げる法人の役員（第一号に掲げる者を除く。）

2　人事院規則九—八—五七（人事院規則九—八（初任給、昇格、昇給等の基準）の一部を改正

する人事院規則）による改正前の規則別表第二の級別資格基準表において「別に定める」こととされている職務の級に属していた職員のうち、平成十八年三月三十一日以前において人事交流等により、異動し、又は退職し、引き続いて地方公務員等となり、かつ、地方公務員等として引き続き在職した後引き続いて同年四月一日以降再び職員となった者の職務の級については、級別資格基準表に定める資格基準に従ったものとして、規則第十一条第一項の規定により当該異動又は退職前に属していた職務の級に対応する一般職の職員の給与に関する法律等の一部を改正する法律（平成十七年法律第百十三号）附則別表第一の新級欄に掲げる職務の級（同欄に二の職務の級が掲げられている場合にあっては、その上段の職務の級）に決定することができる。

3　人事院規則九―八―六九（人事院規則九―八（初任給、昇格、昇給等の基準）の一部を改正する人事院規則）による改正前の規則別表第二の級別資格基準表において「別に定める」こととされている職務の級にかつて属していた職員のうち、平成二十一年六月三十日以前において人事交流等により、異動し、又は退職し、引き続いて地方公務員等となり、かつ、地方公務員等として引き続き在職した後引き続いて同年七月一日以降再び職員となった者の職務の級については、在級期間表に定める要件に従ったものとして、規則第十一条第一項の規定により当該異動又は退職前に属していた職務の級に決定することができる。

4　かつて職員であった者のうち、人事交流等により、異動し、又は退職し、引き続いて地方公務員等となり、かつ、地方公務員等として引き続き在職した後引き続いて再び職員となった者の号俸については、規則第十七条の規定により、当該異動又は退職がなく継続して職員であったものとして、当該異動又は退職の直前に受けていた号俸（当該異動又は退職の日が平成十八年三月三十一日以前である者にあっては、その直前に受けていた号俸又は俸給月額及び当該号俸又は俸給月額に係る次期昇給予定の時期）を基礎とし、かつ、部内の他の職員との均衡及びその者の従前の勤務成績を考慮しつつ昇格、昇給等の規定を適用して再計算した場合に、その者が再び職員となった日に受けることとなる号俸を超えない範囲内で決定することができる。この場合において、その者が当該異動又は退職の直前に適用されていた俸給表と異なる俸給表を適用される職員となったときは、当該異動又は退職の直前に再び職員となった日に適用を受ける俸給表への異動があったものとして取り扱うものとする。

5　前項の規定により号俸を決定された職員（規則第十一条第三項の規定により職務の級を決定された職員を除く。）の当該号俸決定の日後の最初の昇格について、昇格させようとする日に新たに職員となったものとした場合のその者の経験年数がその者を昇格させようとする職務の級をその者の属する職務の級とみなした場合の給実甲第三二六号（人事院規則九―八（初任給、昇格、昇給等の基準）の運用について）第十五条関係第五項に規定する最短昇格期間（ただし、規則第二十条第四項後段の規定に該当するときは、当該最短昇格期間に百分の五十以上百分の百未満の割合を乗じて得た期間とすることができる。）以上であり、かつ、その者が昇格前の職務の級に在級している期間と規則第十七条の規定を適用して号俸を決定する際の計算の過程において当該職務の級に決定されるとみなされた日以後の期間（異動又は退職前の当該職務の級に在級した期間を含む。）とを合算した期間が一年以上あるときは、規則第二十条第七項ただし書の規定によりその者を昇格させることができる。

6　第四項の規定により号俸を決定された職員（規則第十一条第三項の規定により職務の級を決定された職員に限る。）の当該号俸決定の日後の最初の昇格について、その者が昇格前の職務の級に在級している期間と規則第十七条の規定を適用して号俸を決定する際の計算の過程において当該職務の級に決定されるとみなされた日以後の期間（異動又は退職前の当該職務の級に在級した期間を含む。）とを合算した期間が在級期間表に定める在級期間（ただし、規則第二十条第四項後段の規定に該当するときは、当該在級期間に百分の五十以上百分の百未満の割合を乗じて得た期間とすることができる。）以上あるときは、規則第二十条第七項ただし書の規定によりその者を昇格させることができる。

7　第四項前段及び第五項の規定は、地方公務員等（かつて職員であった者で、人事交流等により、異動し、又は退職し、引き続いて地方公務員等となったものを除く。）から人事交流等により、引き続いて職員となった者の号俸の決定等について準用する。この場合において、第四項前段中「かつて職員であった者のうち、人事交流等により、異動し、又は退職し、引き続いて地方公務員等となり、かつ、地方公務員等として引き続き在職した後引き続いて再び職員となった者」とあるのは「地方公務員等（かつて職員であった者で、人事交流等により、異動し、又は退職し、引き続いて地方公務員等となったものを除く。）から人事交流等により、引き続いて職員となった者」と、「当該異動又は退職がなく継続して職員であったものとして、当該異動又は退職の直前に受けていた号俸（当該異動又は退職の日が平成十八年三月三十一日以前である者にあっては、その直前に受けていた号俸又は俸給月額及び当該号俸又は俸給月額に係る次期昇給予定の時期）」とあるのは「新たに地方公務員等となった時から新たに職員となった時の職務と同種の職務に引き続き在職したものとみなして、新たに地方公務員等となった時に新たに職員となったものとした場合に受けることとなる初任給（規則第十三条第三項の規定の適用を受ける職員にあっては、同項の規定による初任給基準表の区分と同一の初任給基準表の試験欄の区分を適用して得られる初任給）」と、「適用して再計算」とあるのは「適用」と、「が再び」とあるのは「が新たに」と、第五項中「期間（異動又は退職前の当該職務の級に在級した期間を含む。）」とあるのは、「期間」と読み替えるものとする。

8　第四項から前項までの規定による職員の号俸の決定又は昇格については、その計算の過程等を明確にして行うとともに、その内容を適切に把握しておくものとする。

以　上

○初任給基準又は俸給表の適用を異にして異動した場合の職務の級及び号俸の決定等について（通知）

昭四〇・四・一
給実甲二一五四

最終改正　令四・二・一八事企法―三七

標記について、下記のとおり通知します。

なお、これに伴い、給実甲第一五二号（初任給基準または俸給表の適用を異にして異動した場合の俸給月額の決定および次期昇給の昇給期間の短縮の基準の承認について）は、廃止します。

記

第一　俸給表の適用を異にして異動した場合の職務の級の決定について

人事院規則九―八（初任給、昇格、昇給等の基準）（以下「規則」という。）別表第六の在級期間表（以下「在級期間表」という。）において要件を別に定めることとされている職務の級に、かつて属していた職員が俸給表の適用を異にする異動（以下「俸給表の異動」という。）をした後、再び俸給表の異動をし、従前と同一の俸給表の適用を受けることとなった場合には、在級期間表に定める要件に従ったものとして、規則第二十七条第一項又は第三項の規定によりその者の職務の級を従前属していた職務の級に決定することができる。一般職の職員の給与に関する法律等の一部を改正する法律（平成十六年法律第百三十六号。以下「平成十六年改正法」という。）第一条の規定による改正前の一般職の職員の給与に関する法律（昭和二十五年法律第九十五号）の教育職俸給表㈠の五級にかつて属していた職員が平成十六年改正法の施行の日の前日以前において俸給表の異動をした後、平成十六年改正法の施行の日以降再び俸給表の異動をし、同条の規定による改正後の一般職の職員の給与に関する法律の教育職俸給表㈠の適用を受けることとなった場合において、その者の職務の級を四級に決定するとき、人事院規則九―八―五七（人事院規則九―八（初任給、昇格、昇給等の基準）の一部を改正する人事院規則）による改正前の規則（以下「平成十八年改正前の規則」という。）別表第二の級別資格基準表において「別に定める」こととされている職務の級にかつて属していた職員が平成十八年三月三十一日以前において俸給表の異動をした後、同年四月一日以降再び俸給表の異動をし、従前と同一の俸給表の適用を受けることとなった場合において、その者の職務の級を従前属していた職務の級に対応する一般職の職員の給与に関する法律等の一部を改正する法律（平成十七年法律第百十三号）附則別表第一の新級欄に掲げる職務の級（同欄に二の職務の級が掲げられている場合にあっては、その上段の職務の級）に決定するとき及び人事院規則九―八―六九（人事院規則九―八（初任給、昇格、昇給等の基準）の一部を改正する人事院規則）による改正前の規則別表第二の級別資格基準表において「別に定める」こととされている職務の級にかつて属していた職員が平成二十一年六月三十日以前において俸給表の異動をした後、同年七月一日以降再び俸給表の異動をし、従前と同一の俸給表の適用を受けることとなった場合において、その者の職務の級を従前属していた職務の級に決定するときも、同様とする。

第一の二　規則第二十六条第一項第二号の「人事院の定める者」について

規則第二十六条第一項第二号の「人事院の定める者」は、福祉職俸給表の適用を受ける職員とする。

第二　規則第二十六条第一項第三号の「人事院の定める異動」及び当該異動に該当する異動後の号俸について

1　規則第二十六条第一項第三号の「人事院の定める異動」は、別表第一の「初任給基準の異動」欄に掲げる職種相互間の異動とする。ただし、次に掲げる異動を除く。

一　平成二年三月三十一日における号俸が別表第二の号俸欄のイ欄に掲げる号俸である職員の同年四月一日以後における別表第一の「初任給基準の異動」欄中左欄の職種から右欄の職種への異動

二　平成二年三月三十一日における号俸が別表第二の号俸欄のロ欄に掲げる号俸である職員の同年四月一日以後における別表第一の「初任給基準の異動」欄中右欄の職種から左欄の職種への異動

2　前項に定める異動に該当する異動をした職員の当該異動後の号俸は、異動前の職務の級と異動後の職務の級が同一の職務の級であるときは、その者の異動の日の前日における号俸の号数にその者の異動に係る別表第一の「調整号数」欄の号数を加減して得られる号数の号俸（当該号数が当該職務の級の最高の号俸の号数を超える号数となるときは、当該号俸。以下「調整後の号俸」という。）とし、異動前の職務の級と異動後の職務の級が異なる職務の級であるときは、異動前の職務の級と異動後の職務の級が同一の職務の級であるとした場合の調整後の号俸を当該異動の日の前日において受けていたものとして規則第二十三条第一項又は第二十四条の二第一項の規定を適用した場合に得られる号俸とする。

3　前項の規定により異動後の号俸を決定する場合において、その者の異動の日の前日における号俸に関して俸給の切替えが行われ、その者の異動の日における号俸が定められたときは、その定められた号俸を異動の日の前日において受けていたものとみなして同項の規定を適用する。

第三　初任給基準を異にして異動した場合の号俸の決定の基準について

初任給基準を異にする異動（以下「初任給基準の異動」という。）をした職員の規則第二十六条第一項第二号の規定による号俸の決定について次のような基準を定めた場合は、同号の規定に基づく人事院の承認があったものとして取り扱うことができる。

1　規則第十七条又は第十八条の規定の適用を受けた職員

規則第十七条又は第十八条の規定の適用を受けてその初任給を決定された職員（福祉職俸給表の適用を受ける職員を除く。）が初任給基準の異動をした場合（規則第二十六条第一項第三号に該当する場合を除く。）にはあらかじめ事務総長の承認を得てその者の異動の日に受けることとなる号俸を決定する。

ただし、規則第十七条又は第十八条の規定の適用がないものとして規則第二十六条第一項第一号の規定の例により再計算した場合にその異動の日に受けることとなる号俸を限度として、その者の異動の日に受けることとなる号俸を決定するとき及び規則第十七条又は第十八条の規定に基づく号俸の決定について人事院の定める基準、人事院の承認を得て定める基準又は人事院の承認があったものとして取り扱うことができることとされている場合の当該取扱いに係る基準に従って得られる初任給の号俸（平成十八年三月三十一日から引き続き在職する職員にあっては、平成十八年改正前の規則第十七条若しくは第十八条又は第三十条の規定に基づく俸給月額の決定又は昇給期間の短縮について人事院の定める基準、人事院の承認を得て定める基準又は人事院の承認があったものとして取り扱うことができることとされている場合の当該取扱いに係る基準に従って得られる初任給の号俸又は俸給月額及び当該号俸又は俸給月額に係る次期昇給予定の時期）を基礎として規則第二十六条第一項第一号の規定の例により再計算を行い、その者の異動の日に受けることとなる号俸を決定するときは、これによることができる。

2　福祉職俸給表の適用を受ける職員

福祉職俸給表の適用を受ける職員が初任給基準の異動をした場合の当該異動の日に受けることとなる号俸は、あらかじめ事務総長の承認を得て定める。

第四　規則第二十八条の「人事院の定める者」について

規則第二十八条後段の規定により読み替えられた規則第二十六条第一項第二号の「人事院の定める者」は、専門行政職俸給表又は福祉職俸給表の適用を受けることとなった職員とする。

第五　俸給表の異動をした場合の号俸の決定の基準について

俸給表の異動をした職員の規則第二十八条において準用する規則第二十六条第一項第二号の規定による号俸の決定について次のような基準を定めた場合は、同号の規定に基づく人事院の承認があったものとして取り扱うことができる。

1　規則第十七条又は第十八条の規定の適用を受けた職員

規則第十七条又は第十八条の規定の適用を受けてその初任給を決定された職員（専門行政職俸給表又は福祉職俸給表の適用を受けることとなった職員を除く。）が俸給表の異動をした場合の当該異動の日に受けることとなる号俸の決定については、第三の第一項の規定を準用する。

2　専門行政職俸給表又は福祉職俸給表の適用を受けることとなった職員

俸給表の異動により専門行政職俸給表又は福祉職俸給表の適用を受けることとなった職員の当該異動の日に受けることとなる号俸は、あらかじめ事務総長の承認を得て定める。

第六　昇格に係る特例

1　規則第二十六条（第二十八条において準用する場合を含む。）の規定により号俸を決定された者（規則第十一条第三項の規定により職務の級を決定された者を除く。）の当該号俸決定の日後の最初の昇格について、昇格させようとする日に新たに職員となったものとした場合のその者の経験年数がその者を昇格させようとする職務の級をその者の属する職務の級とみなした場合の給実甲第三二六号（人事院規則九―八（初任給、昇格、昇給等の基準）の運用について）第十五条関係第五項に規定する最短昇格期間（ただし、規則第二十条第四項後段の規定に該当するときは、当該最短昇格期間に百分の五十以上百分の百未満の割合を乗じて得た期間とすることができる。）以上であり、かつ、その者が昇格前の職務の級に在級している期間が六月（規則第二十八条の規定による場合にあっては、当該職務の級に在級している期間と同条の規定を適用して号俸を決定する際の計算の過程において当該職務の級に決定されるとみなされた日以後の期間（従前当該職務の級に在級していた期間を含む。）とを合算した期間が一年）以上あるときは、規則第二十条第七項ただし書の規定によりその者を昇格させることができる。

2　規則第二十八条の規定により号俸を決定された者（規則第十一条第三項の規定により職務の級を決定された者に限る。）の当該号俸決定の日後の最初の昇格について、その者が昇格前の職務の級に在級している期間と規則第二十八条の規定を適用して号俸を決定する際の計算の過程において当該職務の級に決定されるとみなされた日以後の期間（従前当該職務の級に在級していた期間を含む。）とを合算した期間が在級期間表に定める在級期間（ただし、規則第二十条第四項後段の規定に該当するときは、当該在級期間に百分の五十以上百分の百未満の割合を乗じて得た期間とすることができる。）以上あるときは、規則第二十条第七項ただし書の規定によりその者を昇格させることができる。

第七　規則第二十九条の「人事院の定める号俸」について

規則第二十九条の「人事院の定める号俸」は、専門スタッフ職俸給表の適用を受けることとなった職員について、次の各号に掲げる職員の区分に応じ、当該各号に定める号俸とする。

一　専門スタッフ職俸給表の適用を受けることとなった日の前日に行政職俸給表㈠以外の俸給表の適用を受けていた職員であって、同日に行政職俸給表㈠の適用を受けることとなったものとして規則第二十九条の規定を適用した場合に専門スタッフ職俸給表異動時号俸対応表に定める異動をした職員に該当するもの　同日に行政職俸給表㈠の適用を受けることとなったものとした場合に受けることとなる号俸に対応する専門スタッフ職俸給表異動時号俸対応表の異動後の号俸欄に定める号俸

二　前号に掲げる職員以外の職員　あらかじめ事務総長の承認を得て定める号俸

第八　指定職俸給表の適用を受ける職員が俸給表の異動をした場合の号俸の決定の基準について

指定職俸給表の適用を受ける職員の規則第三十条の規定による異動後の号俸の決定について、当該職員が次に掲げる俸給表の異動をした場合において、当該俸給表の異動後の職務の級における最高の号俸に決定するときは、同条の規定に基づく人事院の承認があったものとして取り扱うことができる。

一　国家公務員法（昭和二十二年法律第百二十号。以下「法」という。）第八十一条の二第一項に規定する管理監督職（以下「管理監督職」という。）以外の官職への同項本文に規定する降任に伴い指定職俸給表以外の俸給表の適用を受けることとなった場合

二　管理監督職以外の官職への法第八十一条の二第一項ただし書に規定する転任に伴い専門スタッフ職俸給表の適用を受けることとなった場合

三　管理監督職以外の官職への人事院規則一一—一一（管理監督職勤務上限年齢による降任等）第五条の規定による降任に伴い指定職俸給表以外の俸給表の適用を受けることとなった場合

四　人事院規則一一—一一第五条第二号又は第三号に掲げる場合において同条第二号に定める日又は同条第三号に定める期間における管理監督職以外の官職への降任（職員の同意を得て行うものに限る。）又は転任に伴い指定職俸給表以外の俸給表の適用を受けることとなった場合

以　上

別表第一　調整号数表

俸給表	初任給基準の異動		調整号数
公安㈡	船員　通信員　航空員	海上保安官	0
海事㈡	小型船舶の船員	大型船舶の船員　中型船舶の船員	4
教育㈡	専修学校の補助教員	専修学校の教員	0

備考

1　この表中「公安㈡」などとあるのは「公安職俸給表㈡」などを示す。

2　「初任給基準の異動」欄中左欄の職種から右欄の職種に異動した場合には、その異動に係る「調整号数」欄の号数を加え、右欄の職種から左欄の職種に異動した場合には、その異動に係る「調整号数」欄の号数を減ずるものとする。

別表第二

俸給表	職務の級	号俸	
		イ	ロ
海　事㈡	1　　級	7から9まで	8から10まで
	2　　級	1から3まで	2から4まで

備考　この表中「海事㈡」とあるのは「海事職俸給表㈡」を示す。

○令和七年四月一日における給実甲第二五四号（初任給基準又は俸給表の適用を異にして異動した場合の職務の級及び号俸の決定等について）の適用の特例について（通知）

令七・二・一二
給実甲一三三四

標記について下記のとおり定めたので、令和七年四月一日以降は、これによってください。

記

令和七年四月一日における給実甲第二五四号（初任給基準又は俸給表の適用を異にして異動した場合の職務の級及び号俸の決定等について）第七の第一号の規定の適用については、同号中「同日に行政職俸給表㈠の適用を受けることとなったものとした場合に受けることとなる号俸」とあるのは、「同日に行政職俸給表㈠の適用を受けることとなったものとして、令和七年四月一日に一般職の職員の給与に関する法律等の一部を改正する法律（令和六年法律第七十二号）附則第四条及び第五条の規定を適用した場合に同日に受けることとなる号俸を令和七年三月三十一日に受けていたものとした場合における同日の号俸」とする。

以　上

○人事院規則九―八―四〇（人事院規則九―八（初任給、昇格、昇給等の基準）の一部を改正する人事院規則）の運用等について（通知）

平一一・一一・二五
給実甲八五一

人事院規則九―八―四〇（人事院規則九―八（初任給、昇格、昇給等の基準）の一部を改正する人事院規則）附則（以下「附則」という。）第十項及び第十三項の規定の運用等について下記のように定めたので、これによって実施してください。

記

第一　調整日における福祉職俸給表の適用を受ける者の俸給月額の調整

1　調整日における調整

平成十二年一月一日（以下「切替日」という。）から同年四月一日（以下「調整日」という。）の前日までの間に福祉職俸給表の二級に昇格した職員（昇格した日の前日に受けていた俸給月額が福祉職俸給表の一級六号俸以下の号俸である職員を除く。以下「昇格職員」という。）又は一般職の職員の給与に関する法律等の一部を改正する法律（平成十一年法律第百四十一号）附則第七項の規定により切替日におけるその者の職務の級を定められた職員のうち切替日の前日においてその者が属していた職務の級が行政職俸給表㈠の三級であった職員（以下「切替職員」という。）の調整日における俸給月額及びこれを受けることとなる期間については、附則第十項の規定に基づき、次項に定めるところにより必要な調整を行うことができる。ただし、調整日において休職中の職員、国家公務員法（昭和二十二年法律第百二十号）第百八条の六第一項ただし書に規定する許可の有効期間中の職員、国際機関等に派遣される一般職の国家公務員の処遇等に関する法律（昭和四十五年法律第百十七号）に定める派遣職員及び国家公務員の育児休業等に関する法律（平成三年法律第百九号）第三条の規定により育児休業をしている職員にあっては、この限りでない。

2　調整日における調整の要領

次の各号に掲げる職員の区分に応じ、当該各号に定める俸給月額及び当該俸給月額に係る次期昇給予定の時期を基礎とし、かつ、その者の従前の勤務成績を考慮しつつ、昇給等の規定を適用して再計算し、調整日に福祉職俸給表の二級に昇格したものとして人事院規則九―八（初任給、昇格、昇給等の基準）（以下「規則九―八」という。）第二十三条（昇格の場合の俸給月額）及び第三十一条（昇格又は降格した職員の昇給期間の短縮）の規定を適用した場合に得られる俸給月額及び当該俸給月額からの昇給に係る昇給期間を短縮する期間がその者の調整日において現に受けている俸給月額及びこれを受けることとなる期間より有利な職員については、これらの規定を適用して得られる俸給月額及び当該俸給月額からの昇給に係る昇給期間を短縮する期間をもって、その者の調整日における俸給月額及びこれを受けることとなる期間とすることができる。

一　昇格職員　福祉職俸給表の二級への昇格がないものとした場合に当該昇格の日に受けることとなる俸給月額及び当該俸給月額に係る次期昇給予定の時期

二　切替職員　行政職俸給表㈠の三級への昇格がないものとした場合に当該昇格の日に受けることとなる俸給月額及び当該俸給月額に係る次期昇給予定の時期

（別紙例⑴及び例⑵参照）

第二　勤務成績の判定期間

附則第十項の規定の適用を受けて俸給月額を決定された職員のうち、切替日に昇給（規則九―八第三十七条若しくは第三十七条の二（特別昇給定数内の特別昇給）、第三十九条（研修、表彰等による特別昇給）又は第四十二条（特別の場合の特別昇給）の規定による特別昇給を除く。）した職員の調整日以後の最初の昇給に係る勤務成績の判定は、調整日の前日における俸給月額を受けた日以後の期間について行うものとする。ただし、職員に著しく公平を欠くこととなる等の理由によってこれにより難い場合には、規則九―八第三十四条（昇給についての勤務成績の証明）の規定の趣旨に従って行うものとする。

第三　附則第十三項関係

附則第十一項又は第十二項の規定の適用を受けた職員に対する平成十四年四月一日から平成十六年一月一日までの間の規則九―八第三十一条第二項又は第四十一条（特別昇給をした職員の昇給期間の短縮）第二項の規定の適用については、附則第十三項の規定に基づき、これらの規定中「又は第四十五条」とあるのは「若しくは第四十五条の規定又は人事院規則九―八―四〇附則第十一項若しくは第十二項」とする。

以　上

別紙

例（１） 切替日（平成12年１月１日）から調整日（平成12年４月１日）の前日までの間に福祉職俸給表の２級に昇格した職員の場合

例（２） 改正法附則第７項の規定の適用を受けた職員のうち、切替日の前日に行政職俸給表（一）の３級であった職員の場合

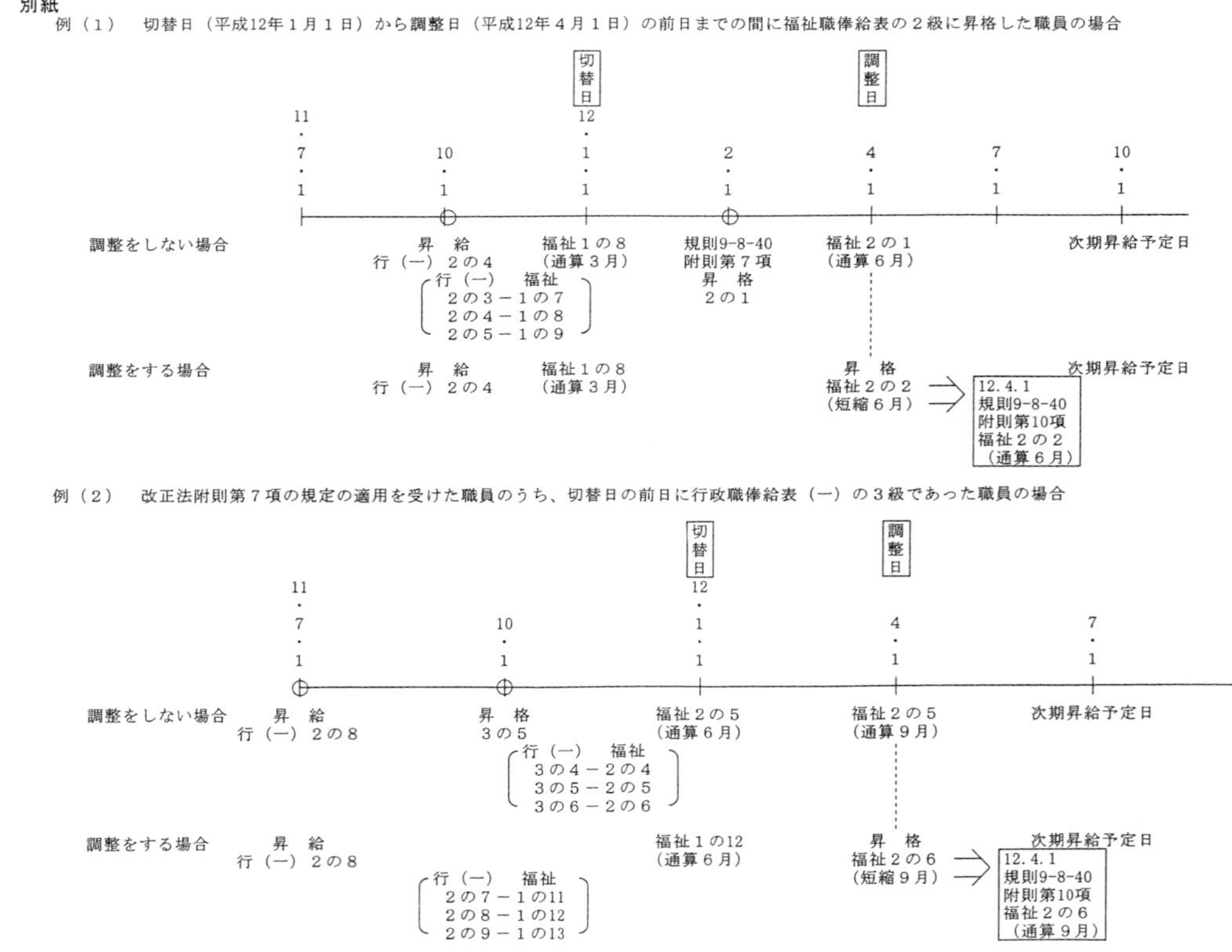

○人事院規則九―八―五七（人事院規則九―八（初任給、昇格、昇給等の基準）の一部を改正する人事院規則）の運用について（通知）

平一八・二・一
給実甲一〇一三

人事院規則九―八―五七（人事院規則九―八（初任給、昇格、昇給等の基準）の一部を改正する人事院規則）附則第八項から第十二項までの規定の運用について下記のとおり定めたので、平成十八年四月一日以降は、これによって実施してください。

記

附則第八項関係

１　「人事院の定める一般職員」及び「人事院の定める号俸数」については、給実甲第三二六号（人事院規則九―八（初任給、昇格、昇給等の基準）の運用について）第三十七条関係第八項の規定の例による。

２　この項の第三号に掲げる一般職員に該当するか否かの判断は、人事院規則九―八―五七による改正前の人事院規則九―八（初任給、昇格、昇給等の基準）（以下「改正前の規則」という。）第三十四条第二項の規定の趣旨に照らして行うものとする。

附則第九項関係

１　この項の第一号に掲げる一般職員に該当するか否かの判断は、改正前の規則第三十七条又は第三十七条の二の規定による特別昇給の基準に照らして行うものとする。

２　この項の第三号に掲げる一般職員に該当するか否かの判断及び該当する場合の基準号俸数の決定は、改正前の規則第三十四条第二項の規定の趣旨に照らして行うものとする。

附則第十項関係

１　「人事院の定める事由」は、給実甲第三二六号第三十七条関係第五項に掲げる事由とする。

２　「切替日から平成十八年十二月三十一日までの期間（当該期間の中途において新たに職員となった一般職員にあっては、新たに職員となった日から同月三十一日までの期間）の六分の一に相当する期間の日数」については、給実甲第三二六号第三十七条関係第六項の規定の例による。

３　「人事院の定める一般職員」は、平成十八年四月一日から同年十二月三十一日までの間に、停職、減給又は戒告の処分を受けた一般職員とする。ただし、同年四月一日前において当該処分の直接の原因となった事実に基づき昇給を延伸された職員又は同日における俸給の切替えにおいて当該事実を考慮して号俸を決定された職員について、相当と認めるときは、「人事院の定める一般職員」に該当しないものとして取り扱うことができる。

その他

一般職員の昇給については、その実施状況を適切に記録しておくものとする。また、昇給日において一般職員を昇給させなかった場合又は附則第九項第三号に掲げる勤務成績が良好であると認められない一般職員に該当するものとして昇給の号俸数を決定した場合には、その根拠となる規定を職員に文書で通知するものとする。

以上

○復職時等における号俸の調整の運用について（通知）

昭三七・四・一
給実甲一九二

最終改正　令七・二・一二給実甲一三三六

人事院規則九―八（初任給、昇格、昇給等の基準）（第一において「規則」という。）第四十四条の規定又は国家公務員の育児休業等に関する法律（平成三年法律第百九号。以下「育児休業法」という。）第九条及び人事院規則一九―〇（職員の育児休業等）第十六条、国と民間企業との間の人事交流に関する法律（平成十一年法律第二百二十四号。以下「官民人事交流法」という。）第十八条及び人事院規則二一―〇（国と民間企業との間の人事交流）第四十一条、法科大学院への裁判官及び検察官その他の一般職の国家公務員の派遣に関する法律（平成十五年法律第四十号。以下「法科大学院派遣法」という。）第二十条及び人事院規則二四―〇（検察官その他の職員の法科大学院への派遣）第十五条、国家公務員の自己啓発等休業に関する法律（平成十九年法律第四十五号。以下「自己啓発等休業法」という。）第七条及び人事院規則二五―〇（職員の自己啓発等休業）第十三条、福島復興再生特別措置法（平成二十四年法律第二十五号）第四十八条の十一及び人事院規則一―六九（職員の公益社団法人福島相双復興推進機構への派遣）第十二条、同法第八十九条の十一及び人事院規則一―七四（職員の公益財団法人福島イノベーション・コースト構想推進機構への派遣）第十二条、国家公務員の配偶者同行休業に関する法律（平成二十五年法律第七十八号。以下「配偶者同行休業法」という。）第八条及び人事院規則二六―〇（職員の配偶者同行休業）第十五条、令和三年東京オリンピック競技大会・東京パラリンピック競技大会特別措置法（平成二十七年法律第三十三号。以下「令和三年オリンピック・パラリンピック特措法」という。）第二十五条及び人事院規則一―六四（職員の公益財団法人東京オリンピック・パラリンピック競技大会組織委員会への派遣）第十二条、平成三十一年ラグビーワールドカップ大会特別措置法（平成二十七年法律第三十四号。以下「平成三十一年ラグビーワールドカップ特措法」という。）第十二条及び人事院規則一―六五（職員の公益財団法人ラグビーワールドカップ二千十九組織委員会への派遣）第十二条、令和七年に開催される国際博覧会の準備及び運営のために必要な特別措置に関する法律（平成三十一年法律第十八号。以下「令和七年国際博覧会特措法」という。）第三十三条及び人事院規則一―七二（職員の令和七年国際博覧会特措法第十四条第一項の規定により指定された博覧会協会への派遣）第十二条若しくは令和九年に開催される国際園芸博覧会の準備及び運営のために必要な特別措置に関する法律（令和四年法律第十五号。以下「令和九年国際園芸博覧会特措法」という。）第二十三条及び人事院規則一―八〇（職員の令和九年国際園芸博覧会特措法第二条第一項の規定により指定された国際園芸博覧会協会への派遣）第十二条の規定による号俸の調整（以下「復職時調整」という。）については、下記に定めるところにより実施してください。

記

第一　規則第四十四条関係

1　用語の定義

第一において、次の各号に掲げる用語の意義は、それぞれ当該各号に定めるところによる。

一　給与法　一般職の職員の給与に関する法律（昭和二十五年法律第九十五号）をいう。

二　昇給日　規則第三十四条に規定する昇給日をいう。

三　休職等　国家公務員法（昭和二十二年法律第百二十号）第七十九条若しくは人事院規則一一―四（職員の身分保障）第三条の規定による休職、同法第百八条の六第一項ただし書に規定する許可を受けたこと、国際機関等に派遣される一般職の国家公務員の処遇等に関する法律（昭和四十五年法律第百十七号）第二条第一項の規定による派遣又は一般職の職員の勤務時間、休暇等に関する法律（平成六年法律第三十三号）第十六条に規定する病気休暇若しくは介護休暇をいう。

四　復職等　休職等をしていた職員が復職し、職務に復帰し、又は再び勤務するに至ることをいう。

五　算定期間　評価終了日（規則第三十四条に規定する評価終了日をいう。以下同じ。）以前一年間の期間（当該期間の中途において新たに職員となった者又は規則第二十三条第三項、第二十六条第二項（第二十八条において準用する場合を含む。）若しくは第四十三条の規定により号俸を決定された者（以下「新たに職員となった者等」という。）にあっては、新たに職員となった日又は当該号俸を決定された日（以下「採用等の日」という。）から当該採用等の日以後の最初の評価終了日までの期間）をいう。

六　基準号俸　休職等の期間の初日において受けていた号俸（同日が昇給日前三月以内にある場合にあっては、当該昇給日において受けていた号俸）をいう。

七　基準日　休職等の期間の初日の属する算定期間の初日をいう。

八　調整期間　各算定期間における休職等の期間を規則別表第八に定める休職期間等換算表に定めるところにより換算して得た期間をいう。

九　合算期間　各算定期間における休職等の期間以外の期間と調整期間とを合算した期間をいう。

2　復職時調整の要領について

一　復職等の日における復職時調整は、基準号俸の号数に、基準日から復職等の日の直前の昇給日の直前の評価終了日（復職等の日が昇給日である場合にあっては、その直前の評価終了日）までの各算定期間に係る次号の規定による調整数の合計数（一未満の端数があるときは、これを切り捨てた数）を加えて得た数を号数とする号俸（休職等の期間の初日から復職時調整を行う日の前日までの間において、規則第三十九条若しくは第四十条の規定による昇給又は人事院規則一一―一〇（職員の降給）第五条若しくは第六条第二項の規定による降号（当該初日が昇給日前三月以内にある場合にあっては、当該初日から当該昇給日までの期間における当該昇給又は当該降号を除く。次項第一号(1)及び第七項第一号において「昇給等」という。）をしたときは、当該号俸の号数に当該昇給の号俸数に相当する数を加えて得た数又は当該号俸の号数から当該降号の号俸数に相当する数を減じて得た数を号数とする号俸。以下この号において同じ。）を超えない範囲内で行うものとし、復職等の日後の最初の昇給日における復職時調整は、基準号俸の号数に、基準日から復職等の日後の最初の昇給日の直前の評価終了日までの各算定期間に係る次号の規定による調整数の合計数（一未満の端数があるときは、これを切り捨てた数）を加えて得た数を号数とする号俸を超えない範囲内で行うものとし、当該昇給日の次の昇給日における復職時調整は、基準号俸の号数に、基準日から当該次の昇給日の直前の評価終了日までの各算定期間に係る次号の規定による調整数の合計数（一未満の端数があるときは、これを切り捨てた数）を加えて得た数を号数とする号俸を超えない範囲内で行うものとする。

二　調整数は、算定期間ごとに、標準号俸数（給与法第八条第七項に規定する人事院規則で定める基準において当該職員に係る標準となる号俸数をいう。以下同じ。）の号数に当該算定期間における合算期間（当該算定期間の全てが休職等の期間である場合にあっては、調整期間）の月数を十二月で除した数を乗じて得た数（当該数が当該算定期間後の最初の昇給日における昇給（規則第三十九条又は第四十条に定めるところにより行うものを除く。）の号俸数に相当する数に達しない場合にあっては、当該昇給の号俸数に相当する数）とする。

三　休職等の期間以外の勤務しなかった日数（給実甲第三二六号（人事院規則九―八（初任給、昇格、昇給等の基準）の運用について）第三十七条関係第十二項に掲げる事由により勤務しなかった日数を除く。）が合算期間の六分の一に相当する期間の日数以上となる算定期間又は規則第三十七条第一項第三号に掲げる職員に該当した算定期間等に係る調整数の算定に当たっては、当該算定期間においてこれらの事実に該当した場合における昇給の取扱いに準じ、標準号俸数の号数に達しない範囲内の号数をその算定の基礎となる号数とするものとする。

四　第一号の規定にかかわらず、復職等の後再び休職等のため勤務しない職員及び勤務しないこととなる職員については復職時調整の時期を延期することができる。この場合において、復職時調整の時期を延期した当該休職等の期間については、その後の休職等の期間と合わせて復職時調整を行うことができるものとする。

五　新たに職員となった者等について、採用等の日から当該採用等の日以後の最初の評価終了日までの期間の一部又は全部を含む休職等の期間がある場合の復職時調整については、当該採用等の日における号俸の決定に係る事情等を考慮した場合に、前項第五号に規定する算定期間を基礎として復職時調整を行うことが部内の他の職員との均衡を著しく失すると認められるときは、当該採用等の日の直前の評価終了日の翌日以後において当該事情等を考慮して各庁の長が定める日から当該採用等の日以後の最初の評価終了日までの期間をもって当該算定期間とみなす。

3　昇格、降格、異動との関係について

一　休職等の期間中又は復職等の日から復職等の日後の最初の昇給日の次の昇給日までの期間中に規則第二十三条第一項に該当する昇格をした職員の昇格の日以後に行う復職時調整は、次に定めるところにより、基準日から昇格の日の直前の昇給日の直前の評価終了日までの期間に係る復職時調整及び当該評価終了日の翌日以後の期間に係る復職時調整を順次行ったものとした場合に得られるところによる。この場合において、(1)による調整の過程において前項第二号に規定する「乗じて得た数」の合計数に一未満の端数が生じたときは、これを(2)による調整の過程における同号に規定する「乗じて得た数」の合計数に合算することができる。

(1)　昇格の日を復職等の日とみなし、かつ、休職等の期間の初日から昇格の日の前日までの間において昇給等がなかったものとみなして、前項の規定に基づき、基準日から昇格の日の直前の昇給日の直前の評価終了日までの期間に係る復職時調整を行う。

(2)　(1)により得られる号俸を昇格の日の前日に受けていたものとみなして規則第二十三条第一項の規定を適用した場合に得られる昇格直後の号俸を基礎とし、前項の規定に基づき、昇格の日の直前の昇給日の直前の評価終了日の翌日以後の期間に係る復職時調整を行う。

二　休職等の期間中又は復職等の日から復職等の日後の最初の昇給日の次の昇給日までの期間中に規則第二十四条の二第一項に該当する降格をした職員の降格の日以後に行う復職時調整については、前号に準じて取り扱う。

三　休職等の期間中又は復職等の日以後復職時調整の日以前の期間中に規則第二十五条第一項又は第二十七条第一項若しくは第三項に規定する異動があった場合は、規則第二十六条又は第二十八条の規定を適用して再計算した場合に休職等の期間の初日に受けることとなる号俸を基礎として、基準日に相当する日以後の期間について復職時調整を行う。この場合において前各号に該当することとなるときは、それぞれそれらに準じて取り扱うものとする。

4　期間計算について

一　休職等の期間は暦に従って月および日を単位として計算し、それぞれの換算率を乗じて調整期間を算出する。

二　換算により生じた二分の一月は十五日、三分の一月は十日として取り扱い、各期間の一月未満の部分を合算するときは、三十日をもって一月とする。

5　復職時調整の計算の過程等について

規則第四十四条に基づく復職時調整については、その計算の過程等を明確にして行うとともに、その内容を適切に把握しておくものとする。

6　平成二十九年改正法附則第三条第一項の規定により号俸を一号俸上位の号俸とされた職員等に係る復職時調整の特例

一　一般職の職員の給与に関する法律等の一部を改正する法律（平成二十九年法律第七十七号）附則第三条第一項の規定により号俸を一号俸上位の号俸とされた職員（次号において「平成三十年調整対象職員」という。）の休職等の期間であって、その初日が平成二十六年十月一日から平成三十年三月三十一日までの間にあるものに係る同年四月一日以後の復職時調整における第一の第二項第一号の規定の適用については、同号中「基準号俸の号数」とあるのは、「基準号俸の号数に一を加えて得た数」とする。

二　平成三十年調整対象職員又はこの項の規定の適用がないものとした場合の復職時調整ができる日における号俸の号数が、平成二十五年十月一日から平成二十六年九月三十日までの期間に係る第一の第二項第二号に規定する調整数について標準号俸数の号数及び号俸数に相当する数並びに同項第三号に規定する算定の基礎となる号数（当該号数が零となる場合を除く。）がこれらの号数及び数にそれぞれ一を加えて得た数であったものとして調整された号俸の号数を下回ることとなる職員（平成三十年四月一日において三十七歳に満たない職員（同日において、専門スタッフ職俸給表の適用を受ける職員でその職務の級が二級以上であるもの及び当該職員以外の職員でその職務の級における最高の号俸を受けるものを除く。）に限る。）の休職等の期間であって、その一部又は全部が平成二十五年十月一日から平成二十六年九月三十日までの間にあるものに係る平成三十年四月一日以後の復職時調整における第一の第二項の規定の適用については、同項第二号中「号数」とあるのは「号数（当該算定期間に係る評価終了日が平成二十六年九月三十日である場合にあっては、当該標準号俸数の号数に一を加えて得た数）」と、「相当する数」とあるのは「相当する数（当該算定期間に係る評価終了日が平成二十六年九月三十日である場合にあっては、当該相当する数に一を加えて得た数）」と、同項第三号中「算定の基礎となる号数」とあるのは「算定の基礎となる号数（当該算定期間に係る評価終了日が平成二十六年九月三十日である場合（当該号数が零となる場合を除く。）にあっては、当該号数に一を加えて得た数）」とする。

7　令和六年改正法附則第四条及び第五条の規定により号俸の切替え等が行われた職員に係る復職時調整の特例

一　一般職の職員の給与に関する法律等の一部を改正する法律（令和六年法律第七十二号。以下この項において「令和六年改正法」という。）附則第四条及び第五条の規定により号俸の切替え等が行われた職員（以下この項において「切替等職員」という。）の休職等であってその期間の初日が令和七年四月一日（以下この項において「切替日」という。）前にあるもの（以下この項において「切替日前休職等」という。）に係る切替日以後の復職時調整は、次に定めるところにより、基準日から令和六年九月三十日までの期間に係る復職時調整及び同年十月一日以後の期間に係る復職時調整を順次行ったものとした場合に得られるところによる。この場合において、調整の過程において第一の第二項第二号に規定する「乗じて得た数」の合計数に一未満の端数が生じたときは、これを当該調整の過程に引き続く調整の過程における同号に規定する「乗じて得た数」の合計数に合算することができる。

(1)　切替日を復職等の日とみなし、かつ、切替日の前日までの間において昇給等がなかったものとみなして、第一の第二項の規定に基づき、基準日から令和六年九月三十日までの期間に係る復職時調整を行う。

(2)　(1)により得られる号俸を切替日の前日に受けていたものとみなして令和六年改正法附則第四条及び第五条の規定を適用した場合に得られる号俸を基礎とし、第一の第二項の規定に基づき、令和六年十月一日以後の期間に係る復職時調整を行う。

二　切替等職員のうち切替日前休職等の期間の初日から切替日の前日までの期間中に規則第二十三条第一項に該当する昇格をしたものに対する前号(1)の規定の適用については、同号(1)中「切替日を」とあるのは「昇格の日を復職等の日とみなし、かつ、切替日前休職等の期間の初日から昇格の日の前日までの間において昇給等がなかったものとみなして、第一の第二項の規定に基づき、基準日から昇格の日の直前の昇給日の直前の評価終了日までの期間に係る復職時調整を行った場合に得られる号俸を昇格の日の前日に受けていたものとみなして規則第二十三条第一項の規定を適用した場合に得られる昇格直後の号俸を基礎とし、切替日を」と、「切替日前休職等の期間の初日」とあるのは「昇格の日」と、「基準日から」とあるのは「昇格の日の直前の昇給日の直前の評価終了日の翌日から」とする。

三　切替等職員のうち切替日から復職等の日後の最初の昇給日の次の昇給日までの期間中に規則第二十三条第一項に該当する昇格をしたものに対する第一号(2)の規定の適用については、同号(2)中「第一の第二項の規定に基づき、令和六年十月一日以後」とあるのは、「昇格の日を復職等の日とみなし、かつ、切替日から昇格の日の前日までの間において昇給等がなかったものとみなして、第一の第二項の規定に基づき、令和六年十月一日から昇格の日の直前の昇給日の直前の評価終了日までの期間に係る復職時調整を行った場合に得られる号俸を昇格の日の前日に受けていたものとみなして、規則第二十三条第一項の規定を適用した場合に得られる昇格直後の号俸を基礎とし、第一の第二項の規定に基づき、昇格の日の直前の昇給日の直前の評価終了日の翌日以後」とする。

四　切替等職員のうち切替日前休職等の期間中又は復職等の日から復職等の日後の最初の昇給日の次の昇給日までの期間中に規則第二十四条の二第一項に該当する降格をした場合の切替日以後に行う復職時調整については、前二号に準じて取り扱う。

五　切替等職員のうち切替日前休職等の期間中又は復職等の日以後復職時調整の日以前の期間中に規則第二十五条第一項又は第二十七条第一項若しくは第三項に規定する異動があった場合は、規則第二十六条又は第二十八条の規定を適用して再計算した場合に切替日前休職等の期間の初日に受けることとなる号俸を基礎として、基準日に相当する日以後の期間について第一号に定めるところにより復職時調整を行う。この場合において前三号に該当することとなるときは、それぞれそれらに準じて取り扱うものとする。

第二　その他の復職時調整に係る規定関係

1　育児休業をした職員等の復職時調整について

育児休業をした職員、交流派遣（官民人事交流法第二条第三項に規定する交流派遣をいう。以下同じ。）をされた職員、法科大学院派遣法第十一条第一項の規定による派遣（以下「法科大学院派遣」という。）をされた職員、自己啓発等休業法第二条第五項に規定する自己啓発等休業（以下「自己啓発等休業」という。）をした職員、福島復興再生特別措置法第四十八条の三第一項の規定による派遣（以下「福島相双復興推進機構派遣」という。）をされた職員、同法第八十九条の三第一項の規定による派遣（以下「福島イノベーション・コースト構想推進機構派遣」という。）をされた職員、配偶者同行休業法第二条第四項に規定する配偶者同行休業（以下「配偶者同行休業」という。）をした職員、令和三年オリンピック・パラリンピック特措法第十七条第一項の規定による派遣（以下「令和三年オリンピック・パラリンピック組織委員会派遣」という。）をされた職員、平成三十一年ラグビーワールドカップ特措法第四条第一項の規定による派遣（以下「平成三十一年ラグビーワールドカップ組織委員会派遣」という。）をされた職員、令和七年国際博覧会特措法第二十五条第一項の規定による派遣（以下「令和七年日本国際博覧会協会派遣」という。）をされた職員又は令和九年国際園芸博覧会特措法第十五条第一項の規定による派遣（以下「令和九年国際園芸博覧会協会派遣」という。）をされた職員が職務に復帰した場合の復職時調整の要領、期間計算等については、第一の例により取り扱うものとする。

2　育児休業と休職等の期間がある職員等の取扱いについて

育児休業の終了により職務に復帰した職員、交流派遣後職務に復帰した職員、法科大学院派遣後職務に復帰した職員、自己啓発等休業の終了により職務に復帰した職員、福島相双復興推進機構派遣後職務に復帰した職員、福島イノベーション・コースト構想推進機構派遣後職務に復帰した職員、配偶者同行休業の終了により職務に復帰した職員、令和三年オリンピック・パラリンピック組織委員会派遣後職務に復帰した職員、平成三十一年ラグビーワールドカップ組織委員会派遣後職務に復帰した職員、令和七年日本国際博覧会協会派遣後職務に復帰した職員、令和九年国際園芸博覧会協会派遣後職務に復帰した職員又は第一の第一項第四号に規定する復職等をした職員のうち、育児休業の期間、交流派遣の期間、法科大学院派遣の期間、自己啓発等休業の期間、福島相双復興推進機構派遣の期間、福島イノベーション・コースト構想推進機構派遣の期間、配偶者同行休業の期間、令和三年オリンピック・パラリンピック組織委員会派遣の期間、平成三十一年ラグビーワールドカップ組織委員会派遣の期間、令和七年日本国際博覧会協会派遣の期間、令和九年国際園芸博覧会協会派遣の期間又は同項第三号に規定する休職等の期間が二以上ある職員については、それぞれの期間を合わせて復職時調整を行うことができるものとする。

第三　復職時調整に関する特例

　復職時調整に関し、この通達により難い場合は、あらかじめ事務総長の承認を得て別段の取扱いをすることができる。

以　上

※給実甲第一〇八二号（平成二十一年三月十八日）により、平成二十年十二月三十一日以前の期間に係る復職時調整における基準号俸及び調整数の算定については、なお従前の例によることとされている。

（注）第一の第九項第二号による読替後の同第二項第一号の規定

2　復職時調整の要領について

一　復職等の日における復職時調整は、基準号俸の号数（一般職の職員の給与に関する法律等の一部を改正する法律（平成二十二年法律第五十三号）附則第五条第一項の規定により一号俸上位の号俸とされた職員のうち当該復職時調整に係る休職等の期間の初日が平成二十一年十月一日から平成二十三年三月三十一日までの間にあるものにあっては、基準号俸の号数に一を加えて得た数。以下この号において「特定基準号数」という。）（国家公務員の給与の改定及び臨時特例に関する法律（平成二十四年法律第二号）附則第八条第一項の規定により一号俸上位の号俸とされた職員（以下この号において「平成二十四年一号俸調整職員」という。）のうち当該復職時調整に係る休職等の期間の初日が平成二十四年三月三十一日までの間にあるものにあっては、特定基準号数に一を加えて得た数）に、基準日から復職等の日の直前の昇給日の直前の評価終了日（復職等の日が昇給日である場合にあっては、その直前の評価終了日）までの各算定期間に係る次号の規定による調整数の合計数（一未満の端数があるときは、これを切り捨てた数）を加えて得た数を号数とする号俸（休職等の期間の初日から復職時調整を行う日の前日までの間において、規則第三十九条若しくは第四十条の規定による昇給又は人事院規則一一―一〇（職員の降給）第五条若しくは第六条第二項の規定による降号（当該初日が昇給日前三月以内にある場合にあっては、当該初日から当該昇給日までの期間における当該昇給又は当該降号を除く。次項第一号⑴において「昇給等」という。）をしたときは、当該号俸の号数に当該昇給の号俸数に相当する数を加えて得た数又は当該号俸の号数から当該降号の号俸数に相当する数を減じて得た数を号数とする号俸。以下この号において同じ。）を超えない範囲内で行うものとし、復職等の日後の最初の昇給日における復職時調整は、特定基準号数（平成二十四年一号俸調整職員のうち当該復職時調整に係る休職等の期間の初日が平成二十四年三月三十一日までの間にあるものにあっては、特定基準号数に一を加えて得た数）に、基準日から復職等の日後の最初の昇給日の直前の評価終了日までの各算定期間に係る次号の規定による調整数の合計数（一未満の端数があるときは、これを切り捨てた数）を加えて得た数を号数とする号俸を超えない範囲内で行うものとし、当該昇給日の次の昇給日における復職時調整は、特定基準号数（平成二十四年一号俸調整職員のうち当該復職時調整に係る休職等の期間の初日が平成二十四年三月三十一日までの間にあるものにあっては、特定基準号数に一を加えて得た数に、基準日から当該次の昇給日の直前の評価終了日までの各算定期間に係る次号の規定による調整数の合計数（一未満の端数があるときは、これを切り捨てた数）を加えて得た数を号数とする号俸を超えない範囲内で行うものとする。

（注）第一の第九項第三号による読替後の同第二項第一号の規定

2　復職時調整の要領について

一　復職等の日における復職時調整は、基準号俸の号数（一般職の職員の給与に関する法律等の一部を改正する法律（平成二十二年法律第五十三号）附則第五条第一項の規定により一号俸上位の号俸とされた職員のうち当該復職時調整に係る休職等の期間の初日が平成二十一年十月一日から平成二十三年三月三十一日までの間にあるものにあっては、基準号俸の号数に一を加えて得た数。以下この号において「平成二十三年特定基準号数」という。）（国家公務員の給与の改定及び臨時特例に関する法律（平成二十四年法律第二号）附則第八条第一項の規定により号俸を上位の号俸とされた職員（以下この号において「平成二十四年調整職員」という。）のうち当該復職時調整に係る休職等の期間の初日が平成二十四年三月三十一日までの間にあるものにあっては、平成二十三年特定基準号数に一（同項の規定により号俸を二号俸上位の号俸とされた職員のうち当該期間の初日が平成二十四年三月三十一日までの間にあるものにあっては、二）を加えて得た数。以下この号において「平成二十四年特定基準号数」という。）（同条第二項の規定により一号俸上位とされた職員（以下この号において「平成二十五年調整職員」という。）のうち当該復職時調整に係る休職等の期間の初日が平成二十五年三月三十一日までの間にあるものにあっては、平成二十四年特定基準号数に一を加えて得た数）に一を加えて得た数に、基準日から復職等の日の直前の昇給日の直前の評価終了日（復職等の日が昇給日である場合にあっては、その直前の評価終了日）までの各算定期間に係る次号の規定による調整数の合計数（一未満の端数があるときは、これを切り捨てた数）を加えて得た数を号数とする号俸（休職等の期間の初日から復職時調整を行う日の前日までの間において、規則第三十九条若しくは第四十条の規定による昇給又は人事院規則一一―一〇（職員の降給）第五条若しくは第六条第二項の規定による降号（当該初日が昇給日前三月以内にある場合にあっては、当該初日から当該昇給日までの期間における当該昇給又は当該降号を除く。次項第一号(1)において「昇給等」という。）をしたときは、当該号俸の号数に当該昇給の号俸数に相当する数を加えて得た数又は当該号俸の号数から当該降号の号俸数に相当する数を減じて得た数を号数とする号俸。以下この号において同じ。）を超えない範囲内で行うものとし、復職等の日後の最初の昇給日における復職時調整は、平成二十三年特定基準号数（平成二十四年調整職員のうち当該復職時調整に係る休職等の期間の初日が平成二十四年三月三十一日までの間にあるものにあっては、平成二十四年特定基準号数）（平成二十五年調整職員のうち当該復職時調整に係る休職等の期間の初日が平成二十五年三月三十一日までの間にあるものにあっては、平成二十四年特定基準号数に一を加えて得た数）に一を加えて得た数に、基準日から復職等の日後の最初の昇給日の直前の評価終了日までの各算定期間に係る次号の規定による調整数の合計数（一未満の端数があるときは、これを切り捨てた数）を加えて得た数を号数とする号俸を超えない範囲内で行うものとし、当該昇給日の次の昇給日における復職時調整は、平成二十三年特定基準号数（平成二十四年調整職員のうち当該復職時調整に係る休職等の期間の初日が平成二十四年三月三十一日までの間にあるものにあっては、平成二十四年特定基準号数）（平成二十五年調整職員のうち当該復職時調整に係る休職等の期間の初日が平成二十五年三月三十一日までの間にあるものにあっては、平成二十四年特定基準号数に一を加えて得た数）に一を加えて得た数に、基準日から当該次の昇給日の直前の評価終了日までの各算定期間に係る次号の規定による調整数の合計数（一未満の端数があるときは、これを切り捨てた数）を加えて得た数を号数とする号俸を超えない範囲内で行うものとする。

○切替日の前日から引き続き休職等をしていた職員が切替日以後に復職等をした場合等の復職時調整について（通知）

平一八・二・一
給実甲一〇一一

平成十八年四月一日（以下「切替日」という。）の前日から引き続き休職等をしていた職員が切替日以後に復職等をした場合等の復職時調整（給実甲第一九二号（復職時等における号俸の調整の運用について）（以下「給実甲第一九二号」という。）前書きに規定する復職時調整をいう。）は、給実甲第一九二号によるほか、下記に定めるところにより実施してください。

記

1　調整の要領

切替日前の休職等の期間を含む期間に係る復職時調整は、次に定めるところにより、切替日の前日までの期間に係る旧制度による俸給月額の調整等、一般職の職員の給与に関する法律等の一部を改正する法律（平成十七年法律第百十三号。以下「改正法」という。）附則第六条から第九条までの規定による俸給の切替え等及び切替日以後の期間に係る復職時調整を順次行ったものとした場合に得られるところによる。

一　切替日の前日に復職等をしたものとみなし、給実甲第一〇一〇号（給実甲第一九二号の一部改正について）（以下「給実甲第一〇一〇号」という。）による改正前の給実甲第一九二号の定めるところに従い、切替日前の昇給相当期間（給実甲第一九二号第一の第一項第一号(1)に規定する昇給相当期間をいう。）を基礎として切替日前の同号(1)に規定する合算期間又は調整期間に係る俸給月額の調整等を行う。なお、当該合算期間又は調整期間が昇給相当期間を超えないこととなる職員にあっては、昇給期間の短縮を行う。

二　切替日の前日において復職等をし、前号の規定により得られる俸給月額等を同日に受けていたものとみなして改正法附則第六条から第九条までの規定による俸給の切替え等を行う。

三　前号により得られる号俸を基礎として、給実甲第一〇一〇号による改正後の給実甲第一九二号に定めるところに従い切替日以後の期間に係る復職時調整を行う。

2　切替日前の期間を復職時調整の対象としない場合

切替日前に復職等をして、切替日における号俸を決定するに当たり、給実甲第一〇一五号（平成十七年改正法の施行に伴う平成十八年四月一日における俸給の切替え等）第三の第二項第五号の規定の適用を受けた職員及び給実甲第一〇一四号（経験年数を有する者の初任給の号俸の調整基準の改正に伴う在職者の号俸の決定について）第三項の規定により号俸を決定された職員にあっては、切替日前の期間に係る復職時調整は行わない。

以　上

○初任給の基準の改正に伴う在職者の昇給期間の短縮等について（通知）

昭六三・五・一三
給　実　甲　六　三　三

人事院規則九―八（初任給、昇格、昇給等の基準）（以下「規則」という。）別表第六初任給基準表の改正に伴い、昭和六十三年四月一日（以下「適用日」という。）の前日から引き続き在職する職員の昇給期間の短縮等について、下記のとおり定めたので通知します。

記

1　適用日の前日から引き続き在職するⅠ種区分適用職員（規則別表第二に定める級別資格基準表の試験欄の「Ⅰ種」の区分の適用を受ける職員をいう。以下同じ。）のうち、その初任給を規則別表第六初任給基準表の正規の試験欄の「Ⅰ種」の区分の適用を受けて決定された者（規則第十四条又は第十五条の規定の適用を受けた者を除く。）で次の各号に掲げるものについては、適用日後の最初の昇給に係る昇給期間を当該各号に定める期間短縮することができる。

一　昭和六十年四月一日に新たに職員となった者で、適用日における俸給月額が行政職俸給表㈠三級三号俸、税務職俸給表三級三号俸又は公安職俸給表㈡三級三号俸であるもの　三月

二　昭和六十一年四月一日に新たに職員となった者で、適用日における俸給月額が行政職俸

給表㈠三級二号俸、税務職俸給表三級二号俸又は公安職俸給表㈡三級二号俸であるもの
六月

三　昭和六十二年四月一日に新たに職員となつた者で、適用日における俸給月額が行政職俸給表㈠三級一号俸、税務職俸給表三級一号俸又は公安職俸給表㈡三級一号俸であるもの
九月

2　適用日の前日から引き続き在職するⅠ種区分適用職員のうち、前項の職員以外の職員で部内の他の職員との均衡上必要があると認められるものについては、あらかじめ事務総長の承認を得て、適用日における号俸を決定し、又は適用日後の最初の昇給に係る昇給期間を事務総長の承認を得た期間短縮することができる。

3　前二項の規定により昇給期間を短縮されている職員は、規則第三十四条第二項の「人事院の定める職員」とし、これらの職員についての同項の「人事院の定める期間」は、現に受ける号俸を受けるに至つた日からその日以降を良好な成績で勤務したものとした場合に前二項の規定により得られるその者の次期昇給の予定の時期の前日までの期間に相当する期間とする。

以　上

○経験年数を有するⅠ種区分適用職員の昇給期間の短縮等について（通知）

平元・四・一
給実甲六四九

標記について、下記のとおり定めたので通知します。

記

1　人事院規則九―八―八（人事院規則九―八（初任給、昇格、昇給等の基準）の一部を改正する人事院規則）（以下「規則九―八―八」という。）附則第二項の規定により読み替えられた人事院規則九―八（初任給、昇格、昇給等の基準）（以下「規則九―八」という。）第十五条第一項ただし書の規定の適用を受けたⅠ種区分適用職員（規則九―八別表第二に定める級別資格基準表の試験欄の「Ⅰ種」の区分の適用を受ける職員をいう。以下同じ。）のうち、次の各号に掲げる者については、規則九―八―八附則第三項の規定により、当該職員の俸給月額決定後の最初の昇給に係る昇給期間を当該各号に定める期間短縮することができる。

一　平成元年四月一日及び平成三年四月一日に新たにⅠ種区分適用職員となつた者　六月

二　昭和六十三年十月二日から平成元年三月三十一日まで、平成元年四月二日から平成二年三月三十一日まで、平成二年十月二日から平成三年三月三十一日まで及び平成三年四月二日から平成四年三月三十一日までの間において新たにⅠ種区分適用職員となつた者　事務総長の承認を得た期間

2　前項の規定により昇給期間を短縮されている職員は、規則九―八第三十四条第二項の「人事院の定める職員」とし、これらの職員についての同項の「人事院の定める期間」は、現に受ける俸給月額を受けるに至つた日からその日以降を良好な成績で勤務したものとした場合に前項の規定により得られるその者の次期昇給の予定の時期の前日までの期間に相当する期間とする。

以　上

○博士課程修了者等の初任給基準の改正に伴う在職者の号俸の決定等について（通知）

平二・一二・二六
給実甲六七三

人事院規則九―八（初任給、昇格、昇給等の基準）（以下「規則」という。）の平成二年十二月二十六日の一部改正により規則別表第六初任給基準表が改められたことに伴い、同表の適用を受ける職員のうち、平成二年四月一日（以下「適用日」という。）の前日から引き続き在職する職員で、同表の学歴免許等欄の「博士課程修了（新大六卒後の課程に限る。）」、「博士課程修了」、「修士課程修了新大六卒」若しくは「修士課程修了」の区分を適用して俸給月額を決定されたもの、研究職俸給表初任給基準表の試験欄の「I種」の区分の適用を受けた者のうちその者の有する学歴免許等の資格が修士課程修了若しくは新大六卒であることにより規則第十四条の規定により俸給月額を決定された者で相当高度の研究業績を有する者をもって充てる必要のある官職にあるもの又は医療職俸給表㈠初任給基準表備考第三項の規定により俸給月額を決定されたもの（以下「博士課程修了の区分等適用者」という。）の適用日における号俸の決定及び昇給期間の短縮について下記の基準により実施するときは、規則第三十三条又は第四十三条の規定に基づきあらかじめ人事院の承認があったものとして取り扱うことができることとしたので通知します。

記

1　適用日の前日から引き続き在職する博士課程修了の区分等適用者のうち、適用日の前日における号俸（以下「旧号俸」という。）が別表のイからへまでの表（以下「別表」という。）のその者の有する学歴免許等の資格に対応する号俸欄のイ欄からハ欄までに掲げられている職員（次項に規定する職員を除く。）については、適用日以後における最初の昇給に係る昇給期間を同表のその者の旧号俸に対応する短縮期間欄に定める期間（以下この項において「短縮期間」という。）の範囲内で短縮することができる。この場合において、適用日においてその者が旧号俸を受けていた期間が三月未満である場合にはこれを三月とし、旧号俸からの昇給に係る昇給期間を短縮されている場合には、旧号俸を受けていた期間（その期間が三月未満である場合には三月）に当該短縮されている期間を加算した期間を適用日においてその者が当該旧号俸を受けていた期間とすることができることとし、旧号俸を受けていた期間と短縮期間とを合算した期間（以下「合算期間」という。）が、旧号俸からの昇給に係る昇給期間に相当する期間以上となるときには、適用日においてその者の号俸を旧号俸の一号俸上位の号俸に決定し、適用日以後における最初の昇給に係る昇給期間を、合算期間から旧号俸からの昇給に係る昇給期間に相当する期間を減じた期間短縮することができることとする。

2　適用日の前日から引き続き在職する博士課程修了の区分等適用者で給実甲第一八九号（研究職俸給表の適用を受ける国家公務員採用I種試験採用者等の昇給期間の短縮について）又は給実甲第二八〇号（教育職俸給表の適用を受ける博士課程修了者の昇給期間の短縮について）の規定の適用を受けたもの（旧号俸が新たに職員となった日に決定された号俸の一号俸以上上位の号俸であるものに限る。）のうち、その者の適用日前に行われた給実甲第一八九号又は給実甲第二八〇号の規定の適用がないものとして昇格、昇給等の規定を適用して得られる適用日の前日における号俸（以下「仮旧号俸」という。）が別表のその者の有する学歴免許等の資格に対応する号俸欄のイ欄からハ欄までに掲げられている職員については、適用日における号俸を仮旧号俸とし、適用日以後における最初の昇給に係る昇給期間を同表のその者の仮旧号俸に対応する短縮期間欄に定める期間（以下この項において「短縮期間」という。）の範囲内で短縮することができる。この場合において、適用日においてその者が仮旧号俸を受けていた期間は、仮旧号俸を受けたとみなす日（給実甲第一八九号又は給実甲第二八〇号の規定の適用がないものとした場合におけるその者の適用日以後の最初の昇給の予定の時期から仮旧号俸からの昇給に係る昇給期間に相当する期間をさかのぼった日をいう。）から適用日の前日までの期間に相当する期間（旧号俸からの昇給期間を短縮されている場合には当該相当する期間に当該短縮されている期間を加算した期間）に給実甲第一八九号又は給実甲第二八〇号に定める昇給期間を短縮する期間を加算した期間とすることができる。ただし、当該仮旧号俸を受けていた期間と短縮期間とを合算した期間（以下「合算期間」という。）が仮旧号俸からの昇給に係る昇給期間に相当する期間以上となるときには、適用日においてその者の号俸を仮旧号俸の一号俸上位（合算期間が仮旧号俸からの昇給に係る昇給期間に相当する期間と仮旧号俸の一号俸上位の号俸からの昇給に係る昇給期間に相当する期間とを合計した期間（以下「合計昇給相当期間」という。）以上となるときは仮旧号俸の二号俸上位）の号俸に決定し、適用日以後における最初の昇給に係る昇給期間を合算期間から仮旧号俸からの昇給に係る昇給期間に相当する期間を減じた期間（合算期間が合計昇給相当期間以上となるときは合算期間から合計昇給相当期間を減じた期間）短縮することができることとする。

3　前二項の規定の適用がないものとした場合における適用日以後の最初の昇給について適用日前に昇給延伸の事由に該当した職員に係る前二項の規定の適用については、第一項中「旧号俸を受けていた期間」とあるのは「旧号俸を受けたとみなす日（この項の規定の適用がないものとし、かつ、適用日以後良好な成績で勤務したものとした場合におけるその者の適用日以後の最初の昇給の予定の時期から旧号俸からの昇給に係る昇給期間に相当する期間をさかのぼった日をいう。）から適用日の前日までの期間に相当する期間」とし、第二項中「仮旧号俸を受けたとみなす日（給実甲第一八九号又は給実甲第二八〇号の規定の適用がないものとした場合におけるその者の適用日以後の最初の昇給の予定の時期から仮旧号俸からの昇給に係る昇給期間に相当する期間をさかのぼった日をいう。）」とあるのは「仮旧号俸を受けたとみなす日（給実甲第一八九号又は給実甲第二八〇号の規定の適用がないものとし、かつ、適用日以後良好な成績で勤務したものとした場合におけるその者の適用日以後の最初の昇給の予定の時期から旧号俸からの昇給に係る昇給期間に相当する期間をさかのぼった日をいう。）」とする。

4　第一項及び第二項の場合において、適用日に昇格した職員については、当該昇格がないものとした場合に第一項又は第二項の規定により決定されるその者の適用日における号俸を適用日の前日に受けていたものとみなして規則第二十三条の規定を適用するものとする。

5　適用日の前日から引き続き在職する博士課程修了の区分等適用者で、旧号俸が別表の号俸欄の二欄に掲げられているもののうち、旧号俸を受けていた期間が三月未満である者については、適用日以後における最初の昇給に係る昇給期間を三月（旧号俸からの昇給に係る昇給期間を短縮されている場合には、三月に当該短縮されている期間を加算した期間）の範囲内で短縮することができる。

6　第一項、第二項又は前項の規定の適用を受けた職員の適用日後の最初の昇給に係る勤務成績の判定は、適用日における号俸を旧号俸の一号俸上位の号俸又は二号俸上位の号俸とされた者にあっては、旧号俸を規則第三十四条第二項の「これに相当する俸給月額」として当該号俸を受けた日から適用日以降良好な成績で勤務したものとした場合に第一項、第二項又は前項の規定により得られるその者の次期昇給予定の時期の前日までの期間について行うこととし、適用日における号俸が旧号俸と同一の号俸である者にあっては、規則第三十四条第二項及び給実甲第三二六号（人事院規則九—八（初任給、昇格、昇給等の基準）の運用について）第三十四条関係第二項第三号(2)の規定により当該号俸を受けた日から適用日以降良好な成績で勤務したものとした場合に第一項、第二項又は前項の規定により得られるその者の次期昇給予定の時期の前日までの期間について行うこととなる。ただし、職員に著しく公平を欠くこととなる等の理由によってこれにより難い場合には、規則第三十四条の規定の趣旨に従って行うものとする。

7　適用日の前日から引き続き在職する博士課程修了の区分等適用者のうち、部内の他の職員との均衡上必要と認められるものについては、あらかじめ事務総長の承認を得て適用日における号俸を決定し、又は適用日以後の最初の昇給に係る昇給期間を事務総長の承認を得た期間短縮することができる。

8　第一項から第五項までの規定を適用して号俸の決定等を行った職員については、当該号俸等の算出の過程等を明確にしておくものとする。

以　上

別表

イ 教育職俸給表(一)

職種	学歴免許等	職務の級	号俸 イ	短縮期間	ロ	短縮期間	ハ	短縮期間	ニ
助手 教務職員	博士課程修了（新大6卒後の課程に限る。）	1級	13	9月	14	6月	15	3月	16
		2級	10	9	11	6	12	3	13
		3級	4	9	5	6	6	3	7
		4級	1	9	2	6	3	3	4
	博士課程修了	1級	11	9	12	6	13	3	14
		2級	8	9	9	6	10	3	11
		3級	2	9	3	6	4	3	5
		4級					1	3	2
	修士課程修了 新大6卒	1級	7	9	8	6	9	3	10
		2級	4	9	5	6	6	3	7
		3級							1

備　考　職種欄に掲げる職種は新たに俸給表の適用を受けることとなった時の職種の区分を示す。

ロ 教育職俸給表(二)

職種	学歴免許等	職務の級	号俸 イ	短縮期間	ロ	短縮期間	ハ	短縮期間	ニ
教諭 養護教諭 専修学校の教員 各種学校の教員	博士課程修了	2級	8	9月	9	6月	10	3月	11
	修士課程修了	2級	4	9	5	6	6	3	7

ハ 教育職俸給表(三)

職種	学歴免許等	職務の級	号俸 イ	短縮期間	ロ	短縮期間	ハ	短縮期間	ニ
教諭 養護教諭	博士課程修了	2級	11	9月	12	6月	13	3月	14
	修士課程修了	2級	7	9	8	6	9	3	10

ニ 教育職俸給表(四)

職種	学歴免許等	職務の級	号俸 イ	短縮期間	ロ	短縮期間	ハ	短縮期間	ニ
講師 専修学校の教員 各種学校の教員	博士課程修了	2級	7	9月	8	6月	9	3月	10
		3級	2	9	3	6	4	3	5
	修士課程修了	2級	3	9	4	6	5	3	6

助手 専修学校の補助教員 各種学校の補助教員	博士課程修了	1 級	11	9	12	6	13	3	14
		2 級	7	9	8	6	9	3	10
		3 級	2	9	3	6	4	3	5
	修士課程修了	1 級	7	9	8	6	9	3	10
		2 級	3	9	4	6	5	3	6

備　考　職種欄に掲げる職種は新たに俸給表の適用を受けることとなった時の職種の区分を示す。

ホ　研究職俸給表

試験		学歴免許等	職務の級	号俸						
				イ	短縮期間	ロ	短縮期間	ハ	短縮期間	ニ
正規の試験	Ⅰ種	修士課程修了 新大6卒	2 級	5	9月	6	6月	7	3月	8
その他		博士課程修了（新大6卒後の課程に限る。）	2 級	10	9	11	6	12	3	13
			3 級	1	9	2	6	3	3	4
		博士課程修了	2 級	9	9	10	6	11	3	12
			3 級			1	6	2	3	3
		修士課程修了 新大6卒	2 級	4	9	5	6	6	3	7

備　考

1　試験欄の「Ⅰ種」区分に対応する学歴免許等欄の「修士課程修了新大6卒」の区分は、研究職俸給表初任給基準表の試験欄の「Ⅰ種」の区分の適用を受けた者のうち、その者の有する学歴免許等の資格が修士課程修了又は新大6卒であることにより規則第14条の規定により俸給月額を決定された者で相当高度の研究業績を有する者をもって充てる必要のある官職にあるものに限り適用する。

2　試験欄の「その他」区分に対応する学歴免許等欄の「博士課程修了（新大6卒後の課程に限る。）」及び「博士課程修了」の区分は研究職俸給表初任給基準表の試験欄の「Ⅰ種」の区分の適用を受けた者で人事院の承認により俸給月額を決定された者についても適用する。

ヘ　医療職俸給表(一)

職種	学歴免許等	職務の級	号俸						
			イ	短縮期間	ロ	短縮期間	ハ	短縮期間	ニ
国立らい療養所以外の医師・歯科医師	博士課程修了	1 級	7	9月	8	6月	9	3月	10
		2 級	1	9	2	6	3	3	4
国立らい療養所の医師・歯科医師	博士課程修了	1 級	8	9	9	6	10	3	11
		2 級	2	9	3	6	4	3	5
	新大6卒	1 級	2	9	3	6	4	3	5

備　考　職種欄の「国立らい療養所の医師・歯科医師」の区分は初任給基準表備考第3項の適用を受けた職員を示す。

○初任給基準の改正に伴う在職者の号俸の決定等について（通知）

平四・二・六
給実甲六九八

平成四年四月一日（以下「適用日」という。）の人事院規則九―八（初任給、昇格、昇給等の基準）（以下「規則」という。）別表第六初任給基準表の改正に伴い、適用日の前日から引き続き在職する職員の適用日における号俸の決定については、規則第四十三条の規定により、下記第一項の基準により行うことができることとしたので通知します。また、その者の昇給期間の短縮について下記第二項による場合には、規則第三十三条の規定に基づきあらかじめ人事院の承認があったものとして取り扱うことができることとしたので通知します。

記

1　適用日前に規則別表第二の行政職俸給表㈠級別資格基準表、税務職俸給表級別資格基準表、公安職俸給表㈠級別資格基準表、公安職俸給表㈡級別資格基準表又は研究職俸給表級別資格基準表の試験欄の「Ⅱ種」又は「A種」の区分の適用を受けた職員で適用日において同表に定める必要経験年数が零とされている職務の級に在職するもののうち、当該職員の適用日における号俸が、適用日においてその者が新たに職員となったものとして規則別表第六の行政職俸給表㈠初任給基準表の備考第五項、税務職俸給表初任給基準表の備考第二項、公安職俸給表㈠初任給基準表の備考第二項、公安職俸給表㈡初任給基準表の備考第三項又は研究職俸給表初任給基準表の備考第三項の規定を適用した場合に得られる号俸（この項において「初任給の号俸」という。）を超えない職員については、部内の他の職員との均衡を考慮して、その者の適用日における号俸を初任給の号俸の範囲内で決定することができる。

2　前項の規定の適用を受けた職員のうち、規則第三十条第一項又は人事院規則九―八―一四（人事院規則九―八（初任給、昇格、昇給等の基準）の一部を改正する人事院規則）附則第七項に該当することとなる職員については、その者の号俸決定後の最初の昇給に係る昇給期間をこれらの規定の例により得られる期間の範囲内で短縮することができる。

以　上

○博士課程修了者等の初任給基準の改正に伴う在職者等の号俸の決定について（通知）

令四・一一・一八
給実甲一三〇六

改正　令七・二・一二給実甲一三四一

人事院規則九―八―九一（人事院規則九―八（初任給、昇格、昇給等の基準）の一部を改正する人事院規則）の施行により、博士課程修了者等の初任給基準が改められることに伴い、令和五年四月一日（以下「適用日」という。）の前日から引き続き在職する職員で、適用日に人事院規則九―八（初任給、昇格、昇給等の基準）（以下「規則」という。）別表第二の行政職俸給表㈠初任給基準表の備考第五項若しくは第七項、専門行政職俸給表初任給基準表の備考第二項若しくは税務職俸給表初任給基準表の備考第二項若しくは第四項、公安職俸給表㈠初任給基準表の備考第二項若しくは第六項又は公安職俸給表㈡初任給基準表の備考第三項若しくは第六項の規定（以下「行政職俸給表㈠初任給基準表備考第五項等の規定」という。）の適用を受けることとなった職員等の号俸の決定について、規則第四十三条の規定により、下記の第一及び第三に従って行うことができることとしたので通知します。

また、適用日後に行政職俸給表㈠初任給基準表備考第五項等の規定の適用を受けることとなった職員の号俸の決定について、規則第二十六条第一項、第二十八条及び第四十八条の規定により、下記の第二及び第三のとおり定めたので通知します。

記

第一　適用日に行政職俸給表㈠初任給基準表備考第五項等の規定の適用を受けることとなった職員等の号俸の決定について

1　適用日の前日から引き続き在職する職員で、適用日に行政職俸給表㈠初任給基準表備考第五項等の規定の適用を受けることとなった職員の適用日における号俸は、次の各号に掲げる職員の区分に応じ、当該各号に定める号俸とすることができる。ただし、特別の事情によりこれにより難い場合には、あらかじめ個別に事務総長の承認を得て、別段の取扱いをすることができる。

一　初任給基準表の試験欄の「総合職（院卒）」の区分を適用して職務の級及び号俸を決定された職員で、適用日において博士課程修了（大学六卒後のものに限る。）の学歴免許等の資格を有する職員　適用日に行政職俸給表㈠初任給基準表備考第五項等の規定の適用がないものとした場合に受けることとなる号俸の四号俸上位の号俸

二　初任給基準表の試験欄の「総合職（院卒）」の区分を適用して職務の級及び号俸を決定された職員で、適用日において博士課程修了（大学六卒後のものを除く。）の学歴免許等の資格を有する職員　適用日に行政職俸給表㈠初任給基準表備考第五項等の規定の適用がないものとした場合に受けることとなる号俸の三号俸上位の号俸

三　初任給基準表の試験欄の「総合職（大卒）」又は「Ⅰ種」の区分を適用して職務の級及び号俸を決定された職員で、適用日において博士課程修了（大学六卒後のものに限る。）の学歴免許等の資格を有する職員　適用日に行政職俸給表㈠初任給基準表備考第五項等の規定の適用がないものとした場合に受けることとなる号俸の六号俸上位の号俸

四　初任給基準表の試験欄の「総合職（大卒）」又は「Ⅰ種」の区分を適用して職務の級及び号俸を決定された職員で、適用日において博士課程修了（大学六卒後のものを除く。）の学歴免許等の資格を有する職員　適用日に行政職俸給表㈠初任給基準表備考第五項等の規定の適用がないものとした場合に受けることとなる号俸の五号俸上位の号俸

五　初任給基準表の試験欄の「総合職（大卒）」又は「Ⅰ種」の区分を適用して職務の級及び号俸を決定された職員で、新たに職員となった日（以下「採用日」という。）後に修士課程修了、専門職学位課程修了又は大学六卒の学歴免許等の資格を取得し、適用日においてこれらの学歴免許等の資格を有する職員　適用日に行政職俸給表㈠初任給基準表備考第五項等の規定の適用がないものとした場合に受けることとなる号俸

2　適用日の前日から引き続き在職する職員で、適用日以後に行政職俸給表㈠初任給基準表備考第五項等の規定の適用を受けることとなり、かつ、当該適用を受けることとなった日後に当該適用を受けながら博士課程修了の学歴免許等の資格を取得した職員の号俸は、あらかじめ事務総長の承認を得て定める号俸とすることができる。

第二　適用日後に行政職俸給表㈠初任給基準表備考第五項等の規定の適用を受けることとなった職員の号俸の決定について

1　規則第二十六条第一項第三号の「人事院の定める異動」は、適用日後に職員が行政職俸給表㈠初任給基準表備考第五項等の規定の適用を受けることとなった場合の異動のうち、当該職員が採用日後に博士課程修了、修士課程修了、専門職学位課程修了又は大学六卒の学歴免許等の資格を取得しているときのものとする。

2　前項に定める異動に該当する異動をした職員（当該異動をした日（以下この第二において「異動日」という。）に昇格又は降格以外の事由によりその受ける号俸に異動のあった職員を除く。）の当該異動後の号俸は、次の各号に掲げる職員の区分に応じ、当該各号に定める号俸とする。ただし、特別の事情によりこれにより難い場合には、あらかじめ個別に事務総長の承認を得て、別段の取扱いをすることができる。

一　初任給基準表の試験欄の「総合職（院卒）」の区分を適用して職務の級及び号俸を決定された職員で、異動日において博士

課程修了（大学六卒後のものに限る。）の学歴免許等の資格を有する職員　異動日の前日において受けていた号俸（異動日に昇格又は降格をした職員にあっては、当該昇格又は降格後の号俸を異動日の前日において受けていたものとした場合の同日における号俸。以下この項において同じ。）の四号俸（行政職俸給表㈠の適用を受ける職員でその職務の級が八級以上であるもの又は規則第三十八条の二第一号から第四号までに掲げる職員（以下この項において「行㈠八級以上職員等」という。）にあっては、一号俸）上位の号俸

二　初任給基準表の試験欄の「総合職（院卒）」の区分を適用して職務の級及び号俸を決定された職員で、異動日において博士課程修了（大学六卒後のものを除く。）の学歴免許等の資格を有する職員　異動日の前日において受けていた号俸の三号俸（行㈠八級以上職員等にあっては、一号俸）上位の号俸

三　初任給基準表の試験欄の「総合職（大卒）」又は「Ｉ種」の区分を適用して職務の級及び号俸を決定された職員で、異動日において博士課程修了（大学六卒後のものに限る。）の学歴免許等の資格を有する職員　異動日の前日において受けていた号俸の六号俸（行㈠八級以上職員等にあっては、二号俸）上位の号俸

四　初任給基準表の試験欄の「総合職（大卒）」又は「Ｉ種」の区分を適用して職務の級及び号俸を決定された職員で、異動日において博士課程修了（大学六卒後のものを除く。）の学歴免許等の資格を有する職員　異動日の前日において受けていた号俸の五号俸（行㈠八級以上職員等にあっては、二号俸）上位の号俸

五　初任給基準表の試験欄の「総合職（大卒）」又は「Ｉ種」の区分を適用して職務の級及び号俸を決定された職員で、異動日において修士課程修了、専門職学位課程修了又は大学六卒の学歴免許等の資格を有する職員　異動日の前日において受けていた号俸

3　第一項に定める異動に該当する異動をした職員（異動日に昇格又は降格以外の事由によりその受ける号俸に異動のあった職員に限る。）の当該異動後の号俸は、あらかじめ事務総長の承認を得て定める号俸とする。

4　規則第二十八条後段の規定により読み替えられた規則第二十六条第一項第二号の「人事院の定める者」は、適用日後における俸給表の適用を異にする異動をした日に行政職俸給表㈠初任給基準表備考第五項等の規定の適用を受けることとなった職員のうち、採用日後に博士課程修了、修士課程修了、専門職学位課程修了又は大学六卒の学歴免許等の資格を取得した職員とする。

5　前項に定める職員の規則第二十八条において準用する規則第二十六条第一項第二号及び規則第四十八条の規定による号俸の決定は、あらかじめ個別に事務総長の承認を得て行うものとする。

第三　その他の事項

第一の第一項本文及び第二の第二項本文の規定による号俸の決定については、その過程等を明確にして行うとともに、その内容を適切に把握しておくものとする。

以　上

○人事院規則九―八（初任給、昇格、昇給等の基準）の「専門的な知識、技術又は経験を必要とする官職」について（通知）

令四・一一・一八
給二―一七四

標記について下記のとおりお知らせしますので、令和五年四月一日以降は、これによってください。

記

1　人事院規則九―八（初任給、昇格、昇給等の基準）（以下「規則」という。）別表第二の行政職俸給表㈠初任給基準表の備考第五項若しくは第七項、専門行政職俸給表初任給基準表の備考第五項若しくは第七項、税務職俸給表初任給基準表の備考第二項若しくは第四項、公安職俸給表㈠初任給基準表の備考第二項若しくは第六項又は公安職俸給表㈡初任給基準表の備考第三項若しくは第六項の規定（以下「行政職俸給表㈠初任給基準表備考第五項等の規定」という。）の「専門的な知識、技術又は経験」とは、大学院の博士課程及び修士課程等で得られる専門的な知識、技術及びこれらの課程において自ら研究課題を設定し研究活動を実施することにより創造力、自立力等を磨くなどの専門的な経験をいう。したがって、採用後の業務を通じて得た知識、技術又は経験は含まれない。

2　行政職俸給表㈠初任給基準表備考第五項等の規定の適用を受ける職員が異動する場合であっても、異動後の官職において専門的な知識、技術又は経験のいずれかを活用する職務に従事する場合は、当該職員は引き続き行政職俸給表㈠初任給基準表備考第五項等の規定の適用を受けることができる。したがって、専門的な知識、技術を必要としない官職に異動した場合であっても、専門的な経験を活用して職務に従事する場合には、引き続き行政職俸給表㈠初任給基準表備考第五項等の規定の適用を受けることができる。

3　職員が採用後に博士課程又は修士課程等を修了し、当該課程で得られる専門的な知識、技術又は経験を必要とする官職に就いて行政職俸給表㈠初任給基準表備考第五項等の規定の適用を受けることとなった場合は、規則第二十五条第一項の「初任給基準表に異なる初任給の定めがある他の職種に属する職務に異動させる場合」に該当する。

4　行政職俸給表㈠初任給基準表備考第五項等の規定の適用を受ける職員が引き続き臨時的に置かれる官職を占めることとなった場合であっても、任用の事情等を考慮して当該官職が行政職俸給表㈠初任給基準表備考第五項等の規定に定める官職に該当すると判断される場合には、当該職員は引き続き行政職俸給表㈠初任給基準表備考第五項等の規定の適用を受けることができる。

以上

○経験年数を有する者の俸給月額の調整基準の改正に伴う在職者の号俸等の決定について（通知）

平六・二・一六
給実甲七四〇

人事院規則九―八―二二（人事院規則九―八（初任給、昇格、昇給等の基準）の一部を改正する人事院規則）の施行により、経験年数を有する者の俸給月額の調整基準が改められることに伴い、平成六年四月一日（以下「適用日」という。）の前日から引き続き在職する職員の適用日における号俸の決定については、人事院規則九―八（初任給、昇格、昇給等の基準）（以下「規則」という。）第四十三条の規定により、下記に従って行うことができることとし、また、当該職員の次期昇給予定の時期の決定について下記による場合には、規則第三十三条の人事院の承認があったものとして取り扱うことができることとしたので通知します。

なお、行政職俸給表㈡の適用を受ける職員の号俸等の決定については、給実甲第七四一号（経験年数を有する者の俸給月額の調整基準の改正に伴う行政職俸給表㈡の適用を受ける在職者の号俸等の決定について）によることとなっています。

記

1　適用日において採用時の職務の級（規則別表第二の級別資格基準表に定める必要経験年数が五年以下の年数とされている職務の級に限

る。）に在職する職員のうち、当該職員が適用日において現に受けている号俸及び当該号俸に係る次期昇給予定の時期より、適用日においてその者が新たに職員となったものとして改正後の規則の規定を適用した場合に得られる初任給の号俸及び当該号俸に係る次期昇給予定の時期（この項において「初任給の号俸等」という。）が有利な職員については、部内の他の職員との均衡を考慮してその者の適用日における号俸及び当該号俸に係る次期昇給予定の時期を初任給の号俸等の範囲内で決定することができる。

2 適用日以前に採用時の職務の級より上位の職務の級（規則別表第二の級別資格基準表に定める必要経験年数が五年以下の年数とされている職務の級に限る。）に昇格し、引き続き当該職務の級に在職する職員のうち、当該職員が適用日において現に受けている号俸及び当該号俸に係る次期昇給予定の時期より、その者の適用日以前に行われた昇格がないものとみなして前項の規定を適用した後にその昇格が適用日に行われたものとした場合に得られる号俸及び当該号俸に係る次期昇給予定の時期（この項において「初任給の号俸等」という。）が有利な職員については、部内の他の職員との均衡を考慮してその者の適用日における号俸及び当該号俸に係る次期昇給予定の時期を初任給の号俸等の範囲内で決定することができる。

　ただし、規則別表第六の初任給基準表に号俸が定められている職務の級より上位の職務の級に新たに採用される職員（規則第六条第二項各号に掲げる職員を除く。）との均衡上必要と認められる場合には、適用日においてその者が当該職務の級に新たに採用されたものとして改正後の規則の規定を適用した場合に得られる号俸及び当該号俸に係る次期昇給予定の時期の範囲内で決定することができる。

3 適用日以前に特別昇給をした職員のうち、当該職員が適用日において現に受けている号俸及び当該号俸に係る次期昇給予定の時期より、その者の適用日以前に行われた特別昇給がないものとみなして前二項の規定を適用した後にその特別昇給が適用日に行われたものとした場合に得られる号俸及び当該号俸に係る次期昇給予定の時期（この項において「初任給の号俸等」という。）が有利な職員については、部内の他の職員との均衡を考慮してその者の適用日における号俸及び当該号俸に係る次期昇給予定の時期を初任給の号俸等の範囲内で決定することができる。

　ただし、適用日以前に昇格及び特別昇給をした職員のうち、当該昇格前に特別昇給をした職員については、当該昇格及び特別昇給がないものとみなして第一項の規定を適用し、適用日にその特別昇給を行った後に昇格したものとした場合に得られる号俸及び当該号俸に係る次期昇給予定の時期を初任給の号俸等とする。

4 適用日以前において休職等の期間のある職員（当該休職等から復職等した後に昇給（特別昇給を除く。）した職員又は給実甲第一九二号（復職時等における俸給月額の調整等の運用について）の規定による調整を受けた職員を除く。）のうち、当該職員が適用日において現に受けている号俸及び適用日以後良好な成績で勤務したものとした場合に規則第三十四条第二項の規定の趣旨により得られる次期昇給予定の時期並びに当該職員に対し給実甲第一九二号又は給実甲第七〇四号（人事院規則九―八の改正に伴う復職時等における俸給月額の取扱いについて）の規定による調整を適用日にいったん行ったものとした場合に得られる号俸及び適用日以後良好な成績で勤務したものとした場合に得られる次期昇給予定の時期（適用日において当該調整の時期に達していない場合には、当該職員が適用日に復職したものとみなしたときに給実甲第一九二号第一の第一項第一号の規定による調整を受けることとなる時期を含む。）より、適用日においてその者が新たに職員となったものとして前三項の規定を適用して得られる号俸及び当該号俸に係る次期昇給予定の時期（この項において「初任給の号俸等」という。）が有利な職員については、部内の他の職員との均衡を考慮してその者の適用日における号俸及び当該号俸に係る次期昇給予定の時期を初任給の号俸等の範囲内で決定することができる。

5 適用日前に規則第十七条から第十九条まで、第二十六条又は第二十八条の規定に基づき個別に人事院の承認を得て俸給月額を決定された職員その他の職員の適用日における号俸及び当該号俸に係る次期昇給予定の時期について、前四項の規定による場合には著しく部内の他の職員との均衡を失すると認められるときは、あらかじめ事務総長の承認を得て当該職員の適用日における号俸及び当該号俸に係る次期昇給予定の時期を決定することができる。

6 第一項から第四項までの規定を適用して号俸及び当該号俸に係る次期昇給予定の時期の決定を行った職員については、当該号俸及び当該号俸に係る次期昇給予定の時期の算出の過程等を明確にしておくものとする。

以　上

○経験年数を有する者の俸給月額の調整基準の改正に伴う行政職俸給表(二)の適用を受ける在職者の号俸等の決定について（通知）

平六・二・一六
給実甲七四一

人事院規則九―八―二二（人事院規則九―八（初任給、昇格、昇給等の基準）の一部を改正する人事院規則）の施行により、経験年数を有する者の俸給月額の調整基準が改められることに伴い、平成六年四月一日（以下「適用日」という。）の前日から引き続き在職する行政職俸給表(二)の適用を受ける職員の適用日における号俸の決定については、人事院規則九―八（初任給、昇格、昇給等の基準）（以下「規則」という。）第四十三条の規定により、下記に従って行うことができることとし、また、当該職員の次期昇給予定の時期の決定について下記による場合には、規則第三十三条の人事院の承認があったものとして取り扱うことができることとしたので通知します。

記

1 規則別表第二の行政職俸給表(二)級別資格基準表（以下「級別資格基準表」という。）の備考第一項第一号の(1)に該当する者（以下「電話交換手」という。）、同号の(2)から(4)まで若しくは(7)に該当する者（以下「一般技能職員」という。）又は同号の(5)若しくは(6)に該当する者（以下「技能免許所有職員」という。）として在職する職員のうち、当該職員が適用日において現に受けている号俸及び当該号俸に係る次期昇給予定の時期より、その者の有する学歴免許等及び適用日の前日における経験年数に応ずる電話交換手にあっては別表第一、一般技能職員にあっては別表第二、技能免許所有職員にあっては別表第三に掲げる「経験年数」の項の年数に対応する「級号俸」の項に定める号俸及び適用日に当該号俸に決定されたものとした場合の当該号俸決定後の最初の昇給に係る昇給期間を「短縮期間」の項に定める期間短縮したものとした場合の次期昇給予定の時期（この項において「初任給の号俸等」という。）が有利な職員については、部内の他の職員との均衡を考慮してその者の適用日における号俸及び当該号俸に係る次期昇給予定の時期を初任給の号俸等の範囲内で決定することができる。

2 級別資格基準表の備考第一項第二号に該当する者（以下「労務職員（甲）」という。）又は同項第三号に該当する者（以下「労務職員（乙）」という。）として在職する職員のうち、当該職員が適用日において現に受けている号俸より、その者の有する適用日の前日における経験年数に応ずる別表第四に掲げる「経験年数」の項の年数に対応する「級号俸」の項に定める号俸（この項において「初任給の号俸」という。）が有利な職員については、部内の他の職員との均衡を考慮してその者の適用日における号俸を初任給の号俸の範囲内で決定することができる。なお、適用日において職務の級が行政職俸給表㈡の一級より上位の職務の級に労務職員（甲）又は労務職員（乙）として在職する職員のうち、当該職員が適用日において現に受けている号俸及び当該号俸に係る次期昇給予定の時期より、その者の有する適用日の前日における経験年数に応ずる別表第四に掲げる「経験年数」の項の年数に対応する「級号俸」の項に定める号俸を基礎として、適用日にその者の属する職務の級に昇格が行われたものとした場合に得られる号俸及び当該号俸に係る次期昇給予定の時期（この項において「初任給の号俸等」という。）が有利な職員については、部内の他の職員との均衡を考慮してその者の適用日における号俸及び当該号俸に係る次期昇給予定の時期を初任給の号俸等の範囲内で決定することができる。

3　適用日以前に特別昇給をした職員の号俸及び当該号俸に係る次期昇給予定の時期の決定については、給実甲第七四〇号（経験年数を有する者の俸給月額の調整基準の改正に伴う在職者の号俸等の決定について）第三項の規定を準用する。

4　適用日以前において休職等の期間のある職員（当該休職等から復職等した後に昇給（特別昇給を除く。）した職員又は給実甲第一九二号（復職時等における俸給月額の調整等の運用について）の規定による調整を受けた職員を除く。）の号俸及び当該号俸に係る次期昇給予定の時期の決定については、給実甲第七四〇号第四項の規定を準用する。

5　適用日前に規則第十七条から第十九条まで、第二十六条又は第二十八条の規定に基づき個別に人事院の承認を得て俸給月額を決定された職員その他の職員の適用日における号俸及び当該号俸に係る次期昇給予定の時期について、前四項の規定による場合には著しく部内の他の職員との均衡を失すると認められるときは、あらかじめ事務総長の承認を得て当該職員の適用日における号俸及び当該号俸に係る次期昇給予定の時期を決定することができる。

6　第一項から第四項までの規定を適用して号俸及び当該号俸に係る次期昇給予定の時期の決定を行った職員については、当該号俸及び当該号俸に係る次期昇給予定の時期の算出の過程等を明確にしておくものとする。

以　上

別表第1

電話交換手の調整基準表

高校卒					
経験年数	職務の級				
	1級		2級		
			昇格方式		採用方式
	級号俸	短縮期間	級号俸	短縮期間	級号俸
0～ 1.0	1－6				
1.0～ 2.0	1－7				
2.0～ 3.0	1－8				
3.0～ 4.0	1－9				
4.0～ 5.0	1－10				
5.0～ 6.0	1－10	9			
6.0～ 6.6			2－1	6	
6.6～ 8.0	1－11	9	2－2	6	
8.0～ 9.6	1－12	9	2－3	6	
9.6～10.6	1－13		2－3	9	
10.6～12.0					2－4
12.0～13.6					2－5
13.6～					2－6

中学卒					
経験年数	職務の級				
	1級		2級		
			昇格方式		採用方式
	級号俸	短縮期間	級号俸	短縮期間	級号俸
0～ 1.0	1－4				
1.0～ 2.0	1－5				
2.0～ 3.0	1－6				
3.0～ 4.0	1－7				
4.0～ 5.0	1－8				
5.0～ 6.3	1－8	9			
6.3～ 7.6	1－9	9			
7.6～ 9.0	1－10	9			
9.0～10.6	1－11	9	2－2	6	
10.6～12.0	1－12	9	2－3	6	
12.0～13.6	1－13		2－3	9	
13.6～15.0					2－4
15.0～16.6					2－5
16.6～					2－6

備考1　経験年数の項中「6.0～6.6」等とあるのは「6年以上6年6月未満」等を示し、級号俸の項中「1－6」等とあるのは「行政職俸給表㈡1級6号俸」等を示す。

2　短縮期間の項中「9」等とあるのは「9月」等を示す。

3　職務の級の項の2級の項中「昇格方式」とあるのは、適用日において職務の級を1級に決定したもの（人事院規則9－8－14附則第6項の規定の適用を含む。）とした場合に得られる号俸を基礎とし、かつ、短縮期間を適用日の前日における当該号俸を受けていた期間として2級に昇格させたもの（人事院規則9－8－18附則第2項の規定の適用を含む。）とした場合に得られる号俸及び短縮期間を示す。また、同項中「採用方式」とあるのは、適用日において職務の級を2級に決定したものとした場合に得られる号俸で、「昇格方式」により得られる号俸より有利となるものを示す。

別表第2

一般技能職員の調整基準表

高校卒

経験年数	職務の級 1級 級号俸	1級 短縮期間	2級 昇格方式 級号俸	2級 昇格方式 短縮期間	2級 採用方式 級号俸
0〜 4.0	1−6〜9				
4.0〜 5.0	1 −10				
5.0〜 6.0	1 −11				
6.0〜 6.3			2 − 1	9	
6.3〜 7.6	1 −12		2 − 2	9	
7.6〜 8.9	1 −13		2 − 3	9	
8.9〜10.0	1 −13	9	2 − 4	6	
10.0〜11.6	1 −14	6	2 − 5	3	
11.6〜13.0	1 −15	3	2 − 6		
13.0〜13.9	1 −16		2 − 6	9	
13.9〜14.6					2 − 7
14.6〜15.3	1 −17		2 − 7	9	
15.3〜16.0					2 − 8
16.0〜16.9	1 −18		2 − 8	9	
16.9〜17.6					2 − 9
17.6〜18.3	1 −19		2 − 9	9	
18.3〜19.9					2 −10
19.9〜21.3					2 −11
21.3〜					2 −12

中学卒

経験年数	職務の級 1級 級号俸	1級 短縮期間	2級 昇格方式 級号俸	2級 昇格方式 短縮期間	2級 採用方式 級号俸
0〜 1.0	1 − 4				
1.0〜 2.0	1 − 5				
2.0〜 3.0	1 − 6				
3.0〜 4.0	1 − 7				
4.0〜 5.0	1 − 8				
5.0〜 6.3	1 − 8	9			
6.3〜 7.6	1 − 9	9			
7.6〜 8.9	1 −10	9			
8.9〜 9.0	1 −11	9			
9.0〜10.0			2 − 2	6	
10.0〜11.6	1 −12	9	2 − 3	6	
11.6〜13.0	1 −13	9	2 − 4	6	
13.0〜14.6	1 −14	6	2 − 5	3	
14.6〜16.0	1 −15	3	2 − 6		
16.0〜17.3	1 −16		2 − 6	9	
17.3〜17.6					2 − 7
17.6〜18.9	1 −17		2 − 7	9	
18.9〜19.0					2 − 8
19.0〜20.3	1 −18		2 − 8	9	
20.3〜20.6					2 − 9
20.6〜21.9	1 −19		2 − 9	9	
21.9〜23.3					2 −10
23.3〜24.9					2 −11
24.9〜					2 −12

備考1　経験年数の項中「6.0〜6.3」等とあるのは「6年以上6年3月未満」等を示し、級号俸の項中「1−6」等とあるのは「行政職俸給表(二)1級6号俸」等を示す。

2　短縮期間の項中「9」等とあるのは「9月」等を示す。

3　「級号俸」の項の「1−6〜9」の区分の適用については、当該号俸の範囲内で部内の他の職員との均衡を考慮して定める号俸をもつて、当該区分に掲げる号俸として取り扱うものとする。

4　職務の級の項の2級の項中「昇格方式」とあるのは、適用日において職務の級を1級に決定したもの（人事院規則9−8−14附則第6項の規定の適用を含む。）とした場合に得られる号俸を基礎とし、かつ、短縮期間を適用日の前日における当該号俸を受けていた期間として2級に昇格させたもの（人事院規則9−8−18附則第2項の規定の適用を含む。）とした場合に得られる号俸及び短縮期間を示す。また、同項中「採用方式」とあるのは、適用日において職務の級を2級に決定したものとした場合に得られる号俸で、「昇格方式」により得られる号俸より有利となるものを示す。

別表第３

技能免許所有職員の調整基準表

高校卒					
経験年数	職務の級				
	１級		２級		
			昇格方式		採用方式
	級号俸	短縮期間	級号俸	短縮期間	級号俸
0～ 1.0	1−6～9				
1.0～ 2.0	１−10				
2.0～ 3.0	１−11				
3.0～ 4.0	１−12				
4.0～ 5.0	１−13				
5.0～ 6.0	１−13	9			
6.0～ 6.3			２−４	6	
6.3～ 7.6	１−14	6	２−５	3	
7.6～ 8.9	１−15	3	２−６		
8.9～10.0	１−16		２−６	9	
10.0～11.6	１−17		２−７	9	
11.6～13.0	１−18		２−８	9	
13.0～15.3	１−19		２−９	9	
15.3～16.9					２−10
16.9～18.3					２−11
18.3～					２−12

中学卒					
経験年数	職務の級				
	１級		２級		
			昇格方式		採用方式
	級号俸	短縮期間	級号俸	短縮期間	級号俸
0～ 1.0	１−６				
1.0～ 2.0	１−７				
2.0～ 3.0	１−８				
3.0～ 4.0	１−９				
4.0～ 5.0	１−10				
5.0～ 6.0	１−10	9			
6.0～ 6.3					２−３
6.3～ 6.9	１−11	9			
6.9～ 7.6					２−４
7.6～ 8.0	１−12	9			
8.0～ 8.9					２−５
8.9～ 9.3	１−13	9			
9.3～10.0					２−６
10.0～10.9	１−14	6			
10.9～11.6					２−７
11.6～12.3	１−15	3			
12.3～13.0					２−８
13.0～13.9	１−16				
13.9～15.3					２−９
15.3～16.9					２−10
16.9～18.3					２−11
18.3～					２−12

備考１　この表における経験年数については、級別資格基準表備考第３項の規定を準用する。

２　経験年数の項中「6.0～6.3」等とあるのは「６年以上６年３月未満」等を示し、級号俸の項中「１−６」等とあるのは「行政職俸給表㈡１級６号俸」等を示す。

３　短縮期間の項中「９」等とあるのは「９月」等を示す。

４　「級号俸」の項の「１−６～９」の区分の適用については、当該号俸の範囲内で部内の他の職員との均衡を考慮して定める号俸をもつて、当該区分に掲げる号俸として取り扱うものとする。

５　職務の級の項の２級の項中「昇格方式」とあるのは、適用日において職務の級を１級に決定したもの（人事院規則９−８−14附則第６項の規定の適用を含む。）とした場合に得られる号俸を基礎とし、かつ、短縮期間を適用日の前日における当該号俸を受けていた期間として２級に昇格させたもの（人事院規則９−８−18附則第２項の規定の適用を含む。）とした場合に得られる号俸及び短縮期間を示す。また、同項中「採用方式」とあるのは、適用日において職務の級を２級に決定したものとした場合に得られる号俸で、「昇格方式」により得られる号俸より有利となるものを示す。

別表第4

労務職員（甲）及び労務職員（乙）の調整基準表

労務職員(甲)		労務職員(乙)			
		ア		イ	
経験年数	級号俸	経験年数	級号俸	経験年数	級号俸
0～ 1．0	1－6	0～ 1．0	1－2	0～ 1．0	1－2
1．0～ 2．0	1－7	1．0～ 2．0	1－3	1．0～ 2．0	1－3
2．0～ 3．0	1－8	2．0～ 3．0	1－4	2．0～ 3．0	1－4
3．0～ 4．0	1－9	3．0～ 4．0	1－5	3．0～ 4．0	1－5
4．0～ 5．0	1－10	4．0～ 5．0	1－6	4．0～ 5．0	1－6
5．0～ 6．6	1－11	5．0～ 6．0	1－7	5．0～ 6．0	1－7
6．6～ 8．0	1－12	6．0～ 7．0	1－8	6．0～ 7．0	1－8
8．0～ 9．6	1－13	7．0～ 8．0	1－9	7．0～ 8．0	1－9
9．6～11．0	1－14	8．0～ 9．6	1－10	8．0～ 9．0	1－10
11．0～12．6	1－15	9．6～11．0	1－11	9．0～10．6	1－11
12．6～14．0	1－16	11．0～12．6	1－12	10．6～12．0	1－12
14．0～15．6	1－17	12．6～14．0	1－13	12．0～13．6	1－13
15．6～17．0	1－18	14．0～15．6	1－14	13．6～15．0	1－14
17．0～18．6	1－19	15．6～17．0	1－15	15．0～16．6	1－15
18．6～20．0	1－20	17．0～	1－16	16．6～18．0	1－16
20．0～21．6	1－21			18．0～19．6	1－17
21．6～	1－22			19．6～21．0	1－18
				21．0～	1－19

備考1　この表における経験年数は、「中学卒」の区分に属する学歴免許等の資格を取得した時以後のものとする。

2　経験年数の項中「5.0～6.6」等とあるのは「5年以上6年6月未満」等を示し、級号俸の項中「1－6」等とあるのは「行政職俸給表㈡1級6号俸」等を示す。

3　労務職員（乙）の項中「ア」の項は規則別表第6の行政職俸給表㈡初任給基準表の備考第3項の規定の適用を受ける職員との均衡上必要があると認められる職員に、「イ」の項は同表の備考第4項の規定の適用を受ける職員との均衡上必要があると認められる職員に適用する。

○経験年数を有する者の俸給月額の調整基準の改正に伴う在職者調整の適用等について（通知）

平六・二・一六
給二―一五給与第二課長

経験年数を有する者の俸給月額の調整基準の改正に伴う在職者調整に当たっては、下記事項に留意のうえ実施してください。

記

1　規則九―八―一四附則第六項の規定との関係について

在職者調整の基礎となる適用日に採用されたものとした場合の初任給（以下「適用日の仮定初任給」という。）の決定に当たり、人事院規則九―八（初任給、昇格、昇給等の基準）（以下「規則」という。）第十四条から第十六条までの規定により五号俸以上調整する場合には、人事院規則九―八―一四附則第六項（初任給の経過的特例）の規定の適用を受けることとなること。

なお、平成六年四月一日以降に改正後の規定により初任給を決定される職員にも同項の規定が適用されることとなること。

2　規則九―八―一八附則の規定との関係について

(1)　在職者調整における計算過程上の昇格について

適用日の仮定初任給を決定する際に、対象級（給実甲第七〇三号（人事院規則九―八―一八の運用等について）の対象級をいう。以下同じ。）への昇格がある場合の当該昇格については、人事院規則九―八―一八附則第二項の規定を適用して行うこと。

また、適用日に休職等職員である職員についても、同様の取扱いとなること。

なお、在職者調整を受けた職員については、適用日における同規則附則第五項の規定は適用されないこと。

(2)　在職者の適用日における号俸及び次期昇給予定の時期について

適用日の前日から対象級に在職している職員の適用日における号俸及び次期昇給予定の時期は、人事院規則九―八―一八附則第五項の規定を適用して得られる号俸及び次期昇給予定の時期となること。

(3)　在職者調整を受けた職員の規則九―八―一八附則第五項の適用について

在職者調整を受けた職員のうち、適用日の仮定初任給の計算過程に対象級への昇格がある職員又は行政職俸給表(二)の適用を受ける職員で調整基準表の「昇格方式」の項により適用日の号俸を決定された職員の人事院規則九―八―一八附則の規定の適用に当たっては、給実甲第七〇三号第一の第十三号の「仮計算過程に対象級への昇格がある異動等」に該当することとなること。

3　個別承認により初任給を決定された職員等の取扱いについて

適用日前に規則第十八条の規定等により個別に人事院の承認を得て初任給を決定された職員のうち、適用日の仮定初任給が改正後の規則の規定を適用して決定できることとなる職員については、同規則の規定により適用日の仮定初任給を決定し、人事院の承認を得ることなしに適用日における号俸及び次期昇給予定の時期を決定することができること。

また、初任給決定の特例が包括的に認められている場合（いわゆる包括承認の行われている場合）については、適用日の仮定初任給の決定に当たり、当該包括承認基準の範囲内で仮定初任給を決定することができること。

4　在職者調整を受けた職員の勤務成績の判定期間について

在職者調整を受けた職員の勤務成績の判定に当たっては、適用日に採用され初任給を決定されたものとして勤務成績の判定を行うこと。

5　病気休暇の期間等の取扱いについて

適用日前の病気休暇、休職、欠勤、懲戒処分等により次期昇給予定の時期が延伸等される職員について、適用日の仮定初任給を決定するに当たっては、当該職員の経験年数の換算において特に部内の他の職員との均衡を考慮した運用を行うこと。

6　経験年数の換算の取扱いについて

採用者の初任給決定の際に行う異種業務等の経験を有する者の経験年数の換算に当たっては、部内の他の職員との均衡を考慮した運用を行うこと。

以　上

○経験年数を有する者の初任給の号俸の調整基準の改正に伴う在職者の号俸の決定について（通知）

平一八・二・一
給実甲一〇一四

人事院規則九―八―五七（人事院規則九―八（初任給、昇格、昇給等の基準）の一部を改正する人事院規則）（以下「規則九―八―五七」という。）の施行により、経験年数を有する者の初任給の号俸の調整基準が改められることに伴い、平成十八年四月一日（以下「適用日」という。）の前日から引き続き在職する職員の適用日における号俸の決定については、人事院規則九―八（初任給、昇格、昇給等の基準）（以下「規則」という。）第四十三条の規定により、下記に従って行うことができることとしたので通知します。

記

1　平成八年四月一日以後に採用された職員のうち、適用日において採用時の職務の級（規則九―八―五七による改正前の規則第二十六条又は第二十八条の規定に基づき採用日以後に号俸を決定された職員にあっては、当該号俸を決定する際の計算の過程における採用時の職務の級を含む。次項において同じ。）及び法律の規定に基づき職務の級の切替えが行われた場合におけるこれに相当する職務の級に在職する職員であって、当該職員が適用日において現に受けている号俸より、適用日においてその者が新たに職員となったものとして改正後の規則の規定を適用した場合に得られる初任給の号俸が有利な職員については、部内の他の職員との均衡上特に必要があると認められる場合に限り、その者の適用日における号俸を当該初任給の号俸を超えない範囲内で決定することができる。

2　平成八年四月一日以後に採用された職員のうち、適用日以前に採用時の職務の級（法律の規定に基づき職務の級の切替えが行われた場合におけるこれに相当する職務の級を含む。）より上位の職務の級（法律の規定に基づき職務の級の切替えが行われた場合におけるこれに相当する職務の級を含む。）に昇格し、引き続き当該職務の級に在職する職員であって、当該職員が適用日において現に受けている号俸より、その者の適用日以前に行われた昇格がないものとみなして前項の規定を適用した後にその昇格が適用日に行われたものとした場合に得られる号俸が有利な職員については、部内の他の職員との均衡上特に必要があると認められる場合に限り、その者の適用日における号俸を当該得られる号俸を超えない範囲内で決定することができる。

3　平成八年四月一日以後に採用され、適用日において休職等をしている職員のうち、当該職員が適用日において現に受けている号俸及び当該職員に対し給実甲第一九二号の規定による調整をいったん行ったものとした場合に得られる号俸より、適用日においてその者が新たに職員となったものとして前二項の規定を適用して得られる号俸が有利な職員については、部内の他の職員との均衡上特に必要があると認められる場合に限り、その者の適用日における号俸を当該得られる号俸を超えない範囲内で決定することができる。

4　平成八年四月一日以後に採用された職員のうち、適用日前に規則第十七条から第十九条まで、第二十六条又は第二十八条の規定に基づき個別に人事院又は事務総長の承認を得て号俸を決定された職員の適用日における号俸について、前三項の規定による場合には著しく部内の他の職員との均衡を失すると認められるときは、あらかじめ事務総長の承認を得て当該職員の適用日における号俸を決定することができる。

5　適用日以後に新たに経験年数を有する者を採用した場合においてその者との均衡上特に必要があると認められる場合その他第一項から第三項までの規定の趣旨に照らし相当と認められる場合には、あらかじめ事務総長の承認を得て適用日後の日における職員の号俸を決定することができる。

6　第一項から第三項までの規定を適用して号俸の決定を行った職員については、調書等を作成し、当該号俸の算出の過程等を明確にしておくものとする。

以　上

○行政職俸給表㈡在級期間表において別に定めることとされている要件による職務の級の決定について（通知）

昭五二・七・一
給実甲四七〇

最終改正　令七・二・一二給実甲一三三九

標記について、下記により実施することができることとしたので通知します。

なお、これに伴い、給実甲第二三二号（行政職俸給表㈡等級別資格基準表中「別に定める」の承認について）は廃止します。

記

人事院規則九―八（初任給、昇格、昇給等の基準）（以下「規則」という。）別表第六の行政職俸給表㈡在級期間表の適用を受ける職員のうち、次の表の職員欄に掲げる職員の職務の級をそれぞれ当該職員欄に対応する職務の級欄に掲げる職務の級に決定しようとする場合において、その者の経験年数（新たに職員となった者以外の者にあっては、その決定しようとする日に新たに職員となったものとした場合の経験年数をいう。以下同じ。）及び号俸等がそれぞれ当該職務の級欄に対応する要件欄に掲げる要件を満たすときは、行政職俸給表㈡在級期間表において別に定めることとされている要件に従ったものとして、規則第十一条第四項若しくは第五項、第二十条第四項前段（同条第六項の規定により読み替えられる場合を含む。）若しくは第五項、第二十五条第一項又は第二十七条第一項の規定により当該職務の級に決定することができる。

職員	職務の級	要件
電話交換手	行政職俸給表㈡三級	1　電話交換手を直接指揮監督する者であること。 2　中学卒後二十二年（数名の電話交換手を直接指揮監督する者にあっては、二十年）以上の経験年数を有していること。 3　行政職俸給表㈡二級四十九号俸（数名の電話交換手を直接指揮監督する者にあっては、二級四十一号俸）以上の号俸を受けていること。
自動車運転手等	行政職俸給表㈡三級	1　高度の技能又は経験を必要とする自動車運転手等であること。 2　自動車運転等の免許取得後十五年以上の経験年数を有していること。 3　行政職俸給表㈡二級四十一号俸以上の号俸を受けていること。
	行政職俸給表㈡四級	1　相当数の自動車運転手等を直接指揮監督する者であること。 2　自動車運転等の免許取得後二十五年以上の経験年数を有していること。 3　行政職俸給表㈡三級五十七号俸以上の号俸を受けていること。
守衛等	行政職俸給表㈡二級	1　中学卒後二十年（特に困難な業務に従事する守衛等にあっては、十八年）以上の経験年数を有していること。 2　行政職俸給表㈡一級四十五号俸以上の号俸を受けていること。
	行政職俸給表㈡三級	1　数名の守衛等を直接指揮監督する者であること。 2　中学卒後二十五年以上の経験年数を有していること。 3　行政職俸給表㈡二級五十七号俸以上の号俸を受けていること。
用務員等	行政職俸給表㈡二級	1　用務員等を直接指揮監督する者であること。 2　中学卒後二十五年以上の経験年数を有していること。 3　行政職俸給表㈡一級六十一号俸以上の号俸を受けていること。

備考1　この表に掲げる「自動車運転手等」とは、規則別表第二の行政職俸給表㈡初任給基準表の備考第二項各号に掲げる者を、「守衛等」とは、同表の備考第一項第二号に掲げる者を、「用務員等」とは、同項第三号に掲げる者をいう（第三項において同じ。）。

2　この表を適用する場合の職員の経験年数は、規則第十五条の二又は別表第二の行政職俸給表㈡初任給基準表の備考第三項の規定によって求められたものとし、号俸は、その者が昇格の日の前日に受けていた号俸（昇格がなかったならば昇格の日に受けることとなる号俸を含む。）を示すものとする。

3　新たに職員となった者の職務の級の決定（守衛等の職務の級を二級に決定しようとする場合に限る。）又は初任給基準を異にする異動若しくは俸給表の適用を異にする異動をした職員の職務の級の決定に当たってこの表を適用するときは、仮定計算によって得られる号俸を現に受ける号俸として取り扱うものとする。

○行政職俸給表㈡の適用を受ける技能職員の号俸の決定について（通知）

昭四五・一二・一七
給　実　甲　三　四　二

最終改正　令七・二・一二給実甲一三三八

人事院規則九―八（初任給、昇格、昇給等の基準）（以下「規則」という。）別表第二の行政職俸給表㈡初任給基準表の備考第一項第一号に該当する職員となった者の初任給の決定について、下記に掲げるような基準を定めた場合は、規則第十八条の規定に基づく人事院の承認があったものとして取り扱うことができることとしたので通知します。

なお、これに伴い、給実甲第二八一号（行政職俸給表㈡の適用を受ける技能免許所有職員の俸給月額の決定について）及び給実甲第二九五号（電話交換手の俸給月額の決定について）は廃止します。

記

1　一般技能職員

一　行政職俸給表㈡初任給基準表の備考第一項第一号の⑵、⑶、⑷又は⑺に該当する者（次項に該当する者を除く。以下「一般技能職員」という。）であって、同表の学歴免許等欄の「高校卒」の区分に属する学歴免許等の資格を有するもののうち職務の級を行政職俸給表㈡の一級に決定された者の初任給は、規則第十五条第一項中「その者の経験年数のうち五年を超える経験年数（第二号又は第四号に掲げる者で人事院の定める職務の級に決定されたものにあっては当該各号に定める経験年数とし、職員の職務にその経験が直接役立つと認められる職務であって人事院の定めるものに従事した期間のある職員の経験年数のうち部内の他の職員との均衡を考慮して各庁の長が相当と認める年数を除く。）の月数にあっては、十八月」とあるのは、「行政職俸給表㈡初任給基準表の学歴免許等欄の「高校卒」の区分に対応する初任給欄の号俸を受ける者（同表の備考第六項の規定の適用を受ける者を除く。）にあっては、その者の経験年数のうち五年を超え七年までの経験年数（職員の職務にその経験が直接役立つと認められる職務であって人事院の定めるものに従事した期間のある職員の経験年数のうち部内の他の職員との均衡を考慮して各庁の長が相当と認める年数を除く。）の月数については十五月、七年を超える経験年数（職員の職務にその経験が直接役立つと認められる職務であって人事院の定めるものに従事した期間のある職員の経験年数のうち部内の他の職員との均衡を考慮して各庁の長が相当と認める年数を除く。以下「七年超経験年数」という。）の月数については十八月、同表の備考第六項の規定の適用を受ける者にあっては、その者の経験年数のうち二年を超え七年までの経験年数（職員の職務にその経験が直接役立つと認められる職務であって人事院の定めるものに従事した期間のある職員の経験年数のうち部内の他の職員との均衡を考慮して各庁の長が相当と認める年数を除く。）の月数については十五月、七年超経験年数の月数については十八月」と読み替えて同項の規定を適用した場合に得られる号俸とすることができる。

二　一般技能職員であって、行政職俸給表㈡初任給基準表の学歴免許等欄の「高校卒」の区分に属する学歴免許等の資格を有するもののうち職務の級を行政職俸給表㈡の二級に決定された者の初任給は、規則第十五条第一項中「その者の経験年数のうち五年を超える経験年数（第二号又は第四号に掲げる者で人事院の定める職務の級に決定されたものにあっては当該各号に定める経験年数とし、職員の職務にその経験が直接役立つと認められる職務であって人事院の定めるものに従事した期間のある職員の経験年数のうち部内の他の職員との均衡を考慮して各庁の長が相当と認める年数を除く。）の月数にあっては、十八月」とあるのは「その者の経験年数のうち十年から、その職務の級についての給実甲第三二六号（人事院規則九―八（初任給、昇格、昇給等の基準）の運用について）第十五条関係第五項に規定する最短昇格期間から〇・五年を減じた年数を減じた年数（以下「基準年数」という。）を超えない年数（職員の職務にその経験が直接役立つと認められる職務であって人事院の定めるものに従事した期間のある職員の経験年数のうち部内の他の職員との均衡を考慮して各庁の長が相当と認める年数を除く。）の月数については十五月、基準年数を超える経験年数（職員の職務にその経験が直接役立つと認められる職務であつて人事院の定めるものに従事した期間のある職員の経験年数のうち部内の他の職員との均衡を考慮して各庁の長が相当と認める年数を除く。）の月数については十八月」と、同項第四号中「人事院の定める」とあるのは「その者の最短昇格期間から〇・五年を減じた年数を超える」と読み替えて同項の規定を適用した場合に得られる号俸とすることができる。

2　技能免許所有職員

一　行政職俸給表㈡初任給基準表の備考第二項各号に該当する者（以下「技能免許所有職員」という。）のうち職務の級を行政職俸給表㈡の一級に決定された者の初任給は、規則第十五条第一項中「その者の経験年数のうち五年を超える経験年数（第二号又は第四号に掲げる者で人事院の定める職務の級に決定されたものにあつては当該各号に定める経験年数とし、職員の職務にその経験が直接役立つと認められる職務であつて人事院の定めるものに従事した期間のある職員の経験年数のうち部内の他の職員との均衡を考慮して各庁の長が相当と認める年数を除く。）の月数にあつては、十八月」とあるのは、「その者の経験年数のうち、五年を超え十年までの経験年数（職員の職務にその経験が直接役立つと認められる職務であつて人事院の定めるものに従事した期間のある職員の経験年数のうち部内の他の職員との均衡を考慮して各庁の長が相当と認める年数を除く。）の月数については十五月、十年を超える経験年数（職員の職務にその経験が直接役立つと認められる職務であつて人事院の定めるものに従事した期間のある職員の経験年数のうち部内の他の職員との均衡を考慮して各庁の長が相当と認める年数を除く。）の月数については十八月」と読み替え、かつ、行政職俸給表㈡初任給基準表の備考第六項の規定の適用を受ける者にあつては、同表の備考第七項の規定の適用がないものとして同条第一項の規定を適用した場合に得られる号俸とすることができる。

二　技能免許所有職員のうち職務の級を行政職俸給表㈡の二級に決定された者の初任給は、規則第十五条第一項中「その者の経験年数のうち五年を超える経験年数（第二号又は第四号に掲げる者で人事院の定める職務の級に決定されたものにあつては当該各号に定める経験年数とし、職員の職務にその経験が直接役立つと認められる職務であつて人事院の定めるものに従事した期間のある職員の経験年数のうち部内の他の職員との均衡を考慮して各庁の長が相当と認める年数を除く。）の月数にあつては、十八月」とあるのは「その者の経験年数のうち十年から、その職務の級についての給実甲第三二六号（人事院規則九―八（初任給、昇格、昇給等の基準）の運用について）第十五条関係第五項に規定する最短昇格期間から三年を減じた年数を減じた年数（以下「基準年数」という。）を超えない年数（職員の職務にその経験が直接役立つと認められる職務であつて人事院の定めるものに従事した期間のある職員の経験年数のうち部内の他の職員との均衡を考慮して各庁の長が相当と認める年数を除く。）の月数については十五月、基準年数を超える年数（職員の職務にその経験が直接役立つと認められる職務であつて人事院の定めるものに従事した期間のある職員の経験年数のうち部内の他の職員との均衡を考慮して各庁の長が相当と認める年数を除く。）の月数については十八月」と、同項第四号中「人事院の定める」とあるのは「その者の最短昇格期間から三年を減じた年数を超える」と読み替えて同項の規定を適用した場合に得られる号俸とすることができる。

3　二級に決定された職員の初任給決定の特例

職務の級を行政職俸給表㈡の二級に決定された行政職俸給表㈡初任給基準表の備考第一項第一号の⑴に該当する者若しくは一般技能職員であつて、同表の学歴免許等欄の「高校卒」の区分に属する学歴免許等の資格を有するもの又は技能免許所有職員のうち、規則第十五条第一項、この通達の第一項第二号又は前項第二号の規定による号俸よりも、採用された日において同表の一級に決定されたものとして同条第一項、この通達の第一項第一号又は前項第一号の規定により得られる号俸を基礎として二級に昇格したものとした場合に規則第二十三条の規定により得られる号俸の方が有利な職員の初任給については、当該規則第二十三条の規定により得られる号俸をもつてその者の号俸とすることができる。

以　上

【参考】

○教育職俸給表の適用を受ける博士課程修了者の昇給期間の短縮について（通知）

昭四一・一二・二二
給実甲二一八〇

平一八・二・一 廃止

標記について、下記により実施することができることとしたので通知します。

記

教育職俸給表の適用を受ける職員のうち、人事院規則九—八（初任給、昇格、昇給等の基準）（以下「規則」という。）別表第六の教育職俸給表(一)初任給基準表又は教育職俸給表(二)初任給基準表の学歴免許等欄の「博士課程修了」の区分を適用して初任給の号俸を決定された職員（規則第十七条又は第十八条の規定の適用を受けた職員を除く。）については、規則第三十条第一項の規定により、六月の範囲内で、部内の他の職員との均衡を考慮して当該決定後の最初の昇給に係る昇給期間を短縮することができる。

以上

○民間の研究所等から採用された研究員の号俸の決定について（通知）

昭四五・一二・一七
給実甲三四三

最終改正　平二三・一二・二八事総五九一

昭和四十五年五月一日以降に新たに研究職俸給表の適用を受けることとなった職員のうち、人事院規則九—八（初任給、昇格、昇給等の基準）（以下「規則」という。）別表第二の初任給基準表の試験欄の「総合職（院卒）」、「総合職（大卒）」又は「I種」の区分の適用を受けることとなった者で、大学、研究所、試験所その他これらに準ずる機関の教授、研究員等から引き続いて職員となったものの初任給の決定について、下記に掲げるような基準を定めた場合は、規則第十八条の規定に基づく人事院の承認があったものとして取り扱うことができることとしたので通知します。

記

1　職務の級を研究職俸給表の二級に決定された者の初任給は、規則第十五条第一項中「十二月（その者の経験年数のうち五年を超える経験年数（第二号又は第四号に掲げる者で人事院の定める職務の級に決定されたものにあつては当該各号に定める経験年数とし、職員の職務にその経験が直接役立つと認められる職務であつて人事院の定めるものに従事した期間のある職員の経験年数のうち部内の他の職員との均衡を考慮して各庁の長が相当と認める年数を除く。）の月数にあつては、十八月）」とあるのは「十二月」と読み替えて同項の規定を適用した場合に得られる号俸とすることができる。

2　職務の級を研究職俸給表の三級に決定された職員の初任給については、採用日において職務の級を同表の二級に決定されたものとして前項の規定により得られる号俸を基礎として三級に昇格したものとした場合に得られる号俸をもってその者の号俸とすることができる。

以上

【参考】

○医療職俸給表㈢の適用を受ける保健師及び助産師の昇給期間の短縮について（通知）

昭四三・一二・二五
給実甲三一八

平一八・二・一　廃止

標記について、下記により実施することができることとしたので通知します。

記

新たに職員となり、その職務の級を医療職俸給表㈢の二級に決定された保健師又は助産師で、人事院規則九―八（初任給、昇格、昇給等の基準）（以下「規則」という。）別表第六の医療職俸給表㈢初任給基準表の学歴免許等欄の「大学卒」の区分を適用して初任給を決定されたもの（規則第十七条の規定の適用を受けた職員を除く。）については、規則第三十条第一項の規定により、六月の範囲内で、部内の他の職員との均衡を考慮して、当該決定後の最初の昇給に係る昇給期間を短縮することができる。

以上

【参考】

○試験採用者等の昇給期間の短縮について（通知）

昭四九・一二・二三
給実甲四三六

平二・三・三一　廃止

標記について、下記により実施することができることとしたので通知します。

記

昭和四十九年四月一日以降に新たに職員となった者のうち、人事院規則九―八（初任給、昇格、昇給等の基準）（以下「規則」という。）別表第六の初任給基準表の試験欄の「正規の試験」の区分（「Ⅰ種」及び「Ⅱ種」の区分を除く。）を適用して初任給としての号俸を決定された職員については、規則第三十条第一項の規定により、三月の範囲内で、部内の他の職員との均衡を考慮して、当該決定後の最初の昇給に係る昇給期間（規則第三十条第一項第一号の規定により昇給期間を短縮される場合は、当該短縮される期間を除算した期間をいう。）を短縮することができる。

以上

○指定職俸給表を適用する職員について（通知）

平二一・三・一八
給実甲一〇八〇

最終改正　令三・一二・二四給実甲一二九二

標記について下記のとおり定めたので、平成二十一年四月一日以降は、これによってください。

記

1　人事院規則九―二（俸給表の適用範囲）第十五条第七号から第九号までの規定による人事院指令により新たに指定職俸給表を適用する職員は、次の各号のいずれかに掲げる職員とする。ただし、特別の事情によりこれにより難い場合には、あらかじめ事務総長に協議して、別段の取扱いをすることができる。

一　指定職俸給表の適用を受ける職員として指定しようとする日（以下単に「指定しようとする日」という。）に次に掲げる要件を満たす職員

イ　人事院規則八―一二（職員の任免）第二十五条第三号に掲げる官職への昇任若しくは転任（同規則第二十六条第二項に規定する人事院が定める転任に限る。）又は同規則第十八条第三項に規定する特定幹部職への昇任若しくは転任をしたこと。

ロ　次に掲げる国家公務員法（昭和二十二年法律第百二十号）第八十二条の規定による懲戒処分又はこれに相当する処分（以下

「懲戒処分等」という。）の区分に応じ、指定しようとする日まで引き続く次に定める期間において懲戒処分等を受けていないこと及び指定しようとする日において職員から聴取した事項又は調査により判明した事実に基づき懲戒処分等を受けることが相当とされる行為をしていないこと。

(1) 停職又はこれに相当する処分　二年

(2) 減給又はこれに相当する処分　一年六月

(3) 戒告又はこれに相当する処分　一年

二 前号に掲げる職員以外の職員のうち、次のいずれかに掲げる職員

イ 指定しようとする日以前二年間における人事評価の結果及び勤務成績を判定するに足りると認められる事実に基づき、指定職俸給表の適用を受ける職員として指定することが適当であると認められる職員であって、次に掲げる要件を満たすもの

(1) 指定しようとする日以前における直近の連続した二回の能力評価（人事評価の基準、方法等に関する政令（平成二十一年政令第三十一号）第四条第一項に規定する能力評価をいう。以下同じ。）及び四回の業績評価（同項に規定する業績評価をいう。以下同じ。）の全体評語（同令第九条第三項（同令第十四条において準用する場合を含む。）に規定する確認が行われた同令第六条第一項に規定する全体評語をいう。以下同じ。）について、二の全体評語が人事院規則一―一二（用語の定義）第三十六号に規定する「優良」の段階以上であり、かつ、他の全体評語が同規則第三十七号に規定する「良好」の段階以上であること（指定しようとする日以前における直近の連続した二回の能力評価又は四回の業績評価の全体評語のいずれかを付された時において同令第六条第二項第二号に掲げる職員であった職員を指定する場合にあっては、当該職員の人事評価の結果及び勤務成績を判定するに足りると認められる事実に基づき、この要件に相当する要件を満たすと認められることを含む。）。

(2) 前号ロに掲げる要件

ロ 国際機関又は民間企業に派遣されていたこと等の事情により、イ(1)に規定する全体評語の全部又は一部がない職員のうち、イに掲げる職員との均衡を考慮して、人事評価の結果、勤務成績を判定するに足りると認められる事実、派遣されていた国際機関又は民間企業の業務への取組状況等を総合的に勘案して当該職員に相当すると認められる職員

2 外務公務員法（昭和二十七年法律第四十一号）第二条第五項に規定する外務職員として人事評価が実施された職員に対する前項の規定の適用については、外務職員の人事評価の基準、方法等に関する省令（平成二十一年外務省令第六号）第六条第一項に規定する全体評語を前項に規定する全体評語と、同令第六条第二項第二号に掲げる職員を人事評価の基準、方法等に関する政令第六条第二項第二号に掲げる職員とみなす。

以上

○給実甲第一二九二号（給実甲第一〇八〇号の一部改正について）の施行に伴う経過措置について（通知）

令三・一二・二四
給実甲一二九三

給実甲第一二九二号（給実甲第一〇八〇号の一部改正について）の施行に伴う経過措置について下記のとおり定めたので、令和四年十月一日以降は、これによってください。

記

1　職員を指定職俸給表の適用を受ける職員として指定しようとする日以前における直近の連続した二回の能力評価及び四回の業績評価の全体評語の全部が、令和四年九月三十日までのいずれかの評価期間（人事評価の基準、方法等に関する政令（平成二十一年政令第三十一号）第五条第三項又は第四項に規定する評価期間をいう。以下同じ。）に係る能力評価又は業績評価の全体評語となる間における給実甲第一二九二号（給実甲第一〇八〇号の一部改正について）による改正後の給実甲第一〇八〇号（指定職俸給表を適用する職員について）（以下「改正後の給実甲第一〇八〇号」という。）の規定の適用については、なお従前の例による。

2　職員を指定職俸給表の適用を受ける職員として指定しようとする日以前における直近の連続した二回の能力評価及び四回の業績評価の全体評語の一部が、令和四年九月三十日までのいずれかの評価期間に係る能力評価又は業績評価の全体評語となる間における改正後の給実甲第一〇八〇号第一項第二号イの規定の適用については、同号イ⑴中「人事院規則」とあるのは「上位の段階又は人事院規則」と、「同規則」とあるのは「上位若しくは中位の段階又は同規則」とする。

以上

○昇格及び昇給への人事評価の結果の活用に関する留意事項等について（通知）

平二一・三・三一
給二―三五給与局長

最終改正　令七・一二・二四給二―一四

今般、昇格及び昇給への人事評価制度の活用のための人事院規則及びその運用通知の改正を行ったことに伴い、「昇格制度に係る留意事項等について」を別紙1のとおり、「昇給制度に係る留意事項等について」を別紙2のとおり策定したので、平成二十一年四月一日以降は、これらを踏まえつつ、人事院規則及びその運用通知に従って、各制度の運用を適切に行ってください。

その際、人事評価の結果がないため人事評価の結果以外の事実に基づいて昇格及び昇給の勤務成績判定を行う必要がある場合には、具体的な事実の把握に基づく勤務成績の判定が求められることにも、留意してください。

なお、「給与における成績主義の推進について（平成十八年二月一日給二―六）」は、廃止します。

別紙1

昇格制度に係る留意事項等について

1　直近の連続した二回の能力評価及び四回の業績評価の全体評語の全部又は一部がない場合の取扱い

(1)　直近の連続した二回の能力評価及び四回の業績評価の全体評語の全部又は一部がない職員を昇格させようとするときは、人事院規則九—八（初任給、昇格、昇給等の基準）（以下「規則」という。）第二十条第三項の規定により昇格させようとする日以前二年間又は同日以前二年未満の期間における給実甲第三二六号（人事院規則九—八（初任給、昇格、昇給等の基準）の運用について）（以下「事務総長通達」という。）第二十条関係第五項に規定する人事評価の結果及び勤務成績を判定するに足りると認められる事実を総合的に勘案し、当該職員が規則第二十条第二項に掲げる要件を満たす職員に相当するものと認められるかを判定するものとする。

(2)　国際機関又は民間企業に派遣されていた等の事情により全体評語の全部又は一部がない職員を規則第二十条第三項の規定により昇格させようとするときには、必要に応じて部内の他の職員との均衡に配慮しつつ、昇格させようとする日以前二年間における次に掲げる事項等を総合的に勘案するものとする。なお、規則第二十条第三項の「国際機関若しくは民間企業に派遣されていたこと等の事情」には、国際機関又は民間企業に派遣されていたことのほか、例えば、国家公務員の育児休業等に関する法律（平成三年法律第百九号）第三条の規定による育児休業をしていたこと、休職にされていたこと、人事交流等により規則第十七条第一号から第四号まで及び第七号に掲げる者であったことなどを含むものとする。

ア　当該事情の発生前又は消滅後の人事評価の結果及び勤務成績を判定するに足りると認められる事実（勤務成績を判定するに足りる事実が十分得られない場合には、昇格させようとする職務の級への決定の判定に必要であると認められる範囲で、昇格させようとする日から二年以上前の人事評価の結果及び勤務成績を判定するに足りると認められる事実）

イ　当該事情により所属することとなった機関の業務への取組状況

(3)　各庁の長は、1(2)イに掲げる「業務への取組状況」の把握に努めなければならないこと。

2　Ⅱ・Ⅲ種登用等の場合の二級上位の職務の級への決定について

今般、採用年次や採用試験の種類にとらわれない給与決定を推進する観点から、事務総長通達第二十条関係第六項に規定するとおり、「Ⅱ種・Ⅲ種等採用職員の幹部職員への登用の推進に関する指針（平成十一年三月十九日任企—七三）」に基づき選抜された職員又はこれに準ずると認められる職員を選抜し育成する一環として昇任させた場合において、その者の職務がその昇任前に従事していた職務が分類されていた職務の級の二級上位の職務の級に分類されるべきものと評価することができるときには、各府省において二級上位の職務の級に決定するものとしているところ、同項の「これに準ずると認められる職員」とは、職員の選抜基準、育成方法などについて、同指針に定めるものに相当するものを各府省において定め、これに基づいて選抜された職員とする。

以　上

別紙2

昇給制度に係る留意事項等について

1　公務に対する貢献が顕著であると認められる職員について

　事務総長通達第三十七条関係第二項に規定する「公務に対する貢献が顕著であると認められる職員」としては、以下の例として掲げるような場合に該当する職員が挙げられる。この場合において、ウからキまでに該当するような場合には、具体的かつ客観的な事実に基づくことが求められることに留意されたい。

ア　遠隔の地その他生活の著しく不便な地に所在する官署に異動し、相当の期間勤務することとなったこと。

イ　住居の移転を必要とする異動が頻繁に行われること等により相当の負担が生じていると認められること。

ウ　次に掲げる事由に該当し、当該事由により所属することとなった機関での勤務又は当該事情の終了後において所属する組織への成果還元を通じた貢献が顕著であること。

(ア)　任命権者を異にする官職への異動が行われること。

(イ)　人事院規則一一—四（職員の身分保障）第三条第一項第一号から第四号までの規定により休職にされること。

(ウ)　国際機関等への派遣等法律の規定により派遣されること。

(エ)　人事交流等により規則第十七条第一号から第四号まで及び第七号に掲げる者となったこと。

エ　所属する組織の業務に関し知識・経験を幅広く習得し、これに基づき、上司・同僚に対して有用な助言等を行い、組織の業務運営に対する貢献が顕著であること。

オ　相当の期間にわたり繁忙度の高い業務や負担の大きい業務に精励し、組織の業務運営に対する貢献が顕著であること。

カ　相当の期間にわたってみた場合の職務遂行状況が、通常の期待水準を超えるものであり、組織の業務運営に対する貢献が顕著であること。

キ　特別な知識・経験等を必要とする業務を適切に遂行し、組織の業務運営に対する貢献が顕著であること。

2　D又はEの昇給区分の適用について

　D又はEの昇給区分の決定に当たっては、次に掲げる事項に留意することとされたい。

　なお、給与における成績主義を推進する観点からは、管理者と職員との間において日々の十分なコミュニケーションが図られていることが重要であり、とりわけ勤務成績が良好でないと認められる事実が見られる場合には、管理者は具体的な指導や注意を通じて、職員にあらかじめ自覚を促すなど十分な意思疎通を図ることが求められることにも、留意されたい。

(1)　事務総長通達第三十五条関係に基づき、Dの昇給区分の適用対象とならない矯正措置の対象となる事実をあらかじめ定めたときは、その内容を給与第二課長あてに報告すること。

(2)　規則第三十七条第二項の「その者の勤務成績を総合的に判断した場合に同号に定める昇給区分に決定することが著しく不適当であると認められるとき」及び第五項の「その者の勤務成績を総合的に判断した場合に当該昇給区分に決定することが著しく不適当であると認められるとき」とは、規則第三十七条第一項第三号若しくは第四項又は事務総長通達第三十七条関係第四項各号（第一号を除く。）若しくは第五項各号（第一号を除く。）に該当することとなる基礎となる事実がないものとした場合には、A又はBの昇給区分に決定されることとなる場合で、その者の昇給区分をD又はEに決定した場合には著しく公平を欠くこととなるときとすること。この場合において、「A又はBの昇給区分に決定されることとなる」具体的かつ客観的な事実及び「公平を欠くこととなる」理由を明示できる必要があること。

3　国際機関又は民間企業に派遣されていた等の事情により昇給評語の全部又は一部がない職員の取扱い

(1)　国際機関又は民間企業に派遣されていた等の事情により昇給評語の全部又は一部がない職員について、事務総長通達第三十七条関係第十一項の規定により人事評価の結果及び勤務成績を判定するに足りると認められる事実を総合的に勘案して昇給区分を決定しようとするときには、必要に応じて部内の他の職員との均衡に配慮しつつ、規則第三十四条に規定する評価終了日以前一年間における次に掲げる事項等を総合的に勘案し、規則第三十七条第一項各号に規定する職員のいずれに該当するものと認められるかを判定するものとする。その際、規則第三十七条第三項第一号の「国際機関又は民間企業に派遣されていたこと等の事情」には、国際機関又は民間企業に派遣されていたことのほか、例えば、国家公務員の育児休業等に関する法律第三条の規定による育児休業をしていたこと、休職にされていたこと、人事交流等により規則第十七条第一号から第四号まで及び第七号に掲げる者であったことなどを含むものとする。なお、規則第三十四条に規定する評価終了日以前一年間において職員としての身分を保有するが全く職務に従事しなかった場合等規則第三十七条第一項各号に規定する職員のいずれに該当するものと認められるかを判定することができない職員（同日後昇給日までの間に新たに採用された職員を除く。）については、事務総長通達第三十七条関係第十一項に規定する職員に該当しないことにより規則第三十七条第三項の適用がないことから昇給しない。

ア　当該事情の発生前又は終了後の人事評価の結果及び勤務成績を判定するに足りると認められる事実

イ　当該事情により所属することとなった機関の業務への取組状況

(2)　各庁の長は、3(1)イに掲げる「業務への取組状況」の把握に努めなければならないこと。

4　昇給評語を付された時において、人事評価政令第六条第二項第一号又は第二号に掲げる職員であった職員の取扱い

昇給評語を付された時において、人事評価政令第六条第二項第一号又は第二号に掲げる職員であった職員について、事務総長通達第三十七条関係第十一項の規定により昇給区分を決定しようとするときには、規則第三十四条に規定する評価終了日以前一年間における人事評価の結果及び勤務成績を判定するに足りると認められる事実を総合的に勘案して規則第三十七条第一項各号に規定する職員のいずれに該当するものと認められるかを判定するものとする。この場合において、同項第一号に規定する職員に該当するものと認められる職員として、例えば、昇給評語がいずれも上位の段階である職員が考えられる。

5　職員の区分を細分化して昇給区分を決定する場合の取扱いについて

事務総長通達第三十七条関係第十六項の規定により読み替えられた事務総長通達第三十七条関係第十五項第一号の規定により職員の区分を細分化して昇給区分を決定する場合は、あらかじめ細分化される職員の区分を俸給表及び当該俸給表の適用を受ける職員の職務の級の別を明らかにした上で定めておく必要がある。また、職員の区分は個々の職員の昇給区分の決定の基礎となるものであることから、職員の区分の細分化は十分な検討等を通じて行われる必要があるほか、細分化された職員の区分を頻繁に変更することは控えるよう留意されたい。

6　Aの昇給区分に決定された職員の昇給号俸数の取扱い

Aの昇給区分に決定された職員のうち、規則別表第七の四イに定める上段の号俸数を適用される職員の昇給号俸数を九号俸以上（同表に定める下段の号俸数を適用される職員にあっては三号俸以上、規則別表第七の四ハ又はニを適用される職員にあっては六号俸以上）とする場合には、具体的かつ客観的な事実に基づくことが求められることに留意する必要があるが、例えば、事務総長通達第三十七条関係第一項第一号の規定（いわゆる「第一順位グループ」）に該当し昇給評語のいずれかに「卓越して優秀」の段階がある勤務成績が顕著な職員であって、かつ、極めて負担の大きい業務又は他の職員では果たし得ない特別な知識・経験等を必要とする業務を遂行することによって組織の業務運営に対する貢献が顕著な職員であると認められる場合が考えられる。

7　その他

事務総長通達第三十七条関係第十五項第四号の「職務の複雑、困難及び責任の度等を考慮して(1)に掲げる職員に相当するもの」とは、一般職の職員の給与に関する法律第十九条の四第五項の規定により期末手当基礎額を決定されることとなる職員以外の職員をいう。

以　上

（令和三年一二月二四日給二―一三二）

経過措置（抄）

「昇格及び昇給への人事評価の結果の活用に関する留意事項等について（平成二十一年三月三十一日給二―三五）」の一部を下記のとおり

改正したので、令和四年十月一日以降は、これによってください。

なお、昇格させようとする日以前の直近の連続した二回の能力評価及び四回の業績評価の全体評語に人事院規則一―二―四（人事院規則一―二（用語の定義）の一部を改正する人事院規則）による改正後の人事院規則一―二（用語の定義）第三十四号から第三十九号までに規定する全体評語がある職員に対する給実甲第一二九一号（給実甲第一二九〇号（給実甲第三二六号の一部改正について）の施行に伴う経過措置について）の規定により読み替えられた給実甲第一二九〇号（給実甲第三二六号の一部改正について）による改正前の給実甲第三二六号（人事院規則九―八（初任給、昇格、昇給等の基準）の運用について）第二十条関係第三項及び第五項の規定の適用に当たっては、この通知による改正前の「昇格及び昇給への人事評価の結果の活用に関する留意事項等について」別紙1の1に掲げる留意事項等に準じて同条関係第三項及び第五項に掲げる要件を満たす職員と認められるかを判定してください。

（参考）改正前の別紙1の1

別紙一　昇格制度に係る留意事項等について

1　直近の連続した二回の能力評価及び四回の業績評価の全体評語を総合的に勘案して発揮した能力の程度及び役割を果たした程度が通常のものを超えるものと認められる場合等について

人事院規則九―八（初任給、昇格、昇給等の基準）（以下「規則」という。）第二十条第二項第三号ロに規定する全体評語については、成績主義に則した運用の統一性を確保するため、以下の取扱いによることとする（別添「参考資料」参照）。なお、同項に規定する要件を満たす者の中から実際の昇格者を決定する場合においても、成績主義にもとることのないよう留意されたい。

(1)　給実甲第三二六号（人事院規則九―八（初任給、昇格、昇給等の基準）の運用について）（以下「事務総長通達」という。）第二十条関係第三項第二号に規定する要件としての全体評語については、その組合せが昇格時全体評語表により得られる次のア又はイに掲げる全体評語の組合せのいずれかであること。

ア　「能力評価」の欄第一号から第六号までに規定する全体評語のいずれか並びに「直近以外の業績評価」の欄各号に規定する全体評語のいずれか及び「直近の業績評価」の欄各号に規定する全体評語のいずれかの組合せ（「直近以外の業績評価」の欄第二十五号から第二十八号までに規定する全体評語のいずれかと「直近の業績評価」の欄第二号又は第三号に規定する全体評語の組合せ及び「直近以外の業績評価」の欄第二十一号から第二十四号までに規定する全体評語のいずれかと「直近の業績評価」の欄第三号に規定する全体評語の組合せを除く。）

イ　「能力評価」の欄第七号から第九号までに規定する全体評語のいずれか並びに「直近以外の業績評価」の欄第一号から第二十四号までに規定する全体評語のいずれか及び「直近の業績評価」の欄各号に規定する全体評語のいずれかの組合せ（「直近以外の業績評価」の欄第二十一号から第二十四号までに規定する全体評語のいずれかと「直近の業績評価」の欄第二号又は第三号に規定する全体評語の組合せ及び「直近以外の業績評価」の欄第十六号から第二十号までに規定する全体評語のいずれかと「直近の業績評価」の欄第三号に規定する全体評語の組合せを除く。）

(2)　事務総長通達第二十条関係第五項第一号の「第三項の要件を満たした場合に準ずると認められること」とは、同号ロに掲げる要件を満たし、かつ、規則第二十条第二項第三号ロに規定する直近の連続する二回の能力評価及び四回の業績評価の全体評語の組合せが、昇格時全体評語表において、「能力評価」の欄第七号から第九号までに規定する全体評語のいずれかと次のア、イ又はウに掲げる全体評語の組合せのいずれかとの組合せであること。

ア　「直近以外の業績評価」の欄第十六号から第二十号までに規定する全体評語のいずれかと「直近の業績評価」の欄第三号に規定する全体評語の組合せ

イ　「直近以外の業績評価」の欄第二十一号から第二十四号までに規定する全体評語のいずれかと「直近の業績評価」の欄

第二号に規定する全体評語の組合せ

ウ 「直近以外の業績評価」の欄第二十五号から第二十八号までに規定する全体評語のいずれかと「直近の業績評価」の欄第一号に規定する全体評語の組合せ

(3) 事務総長通達第二十条関係第五項第二号に規定する要件としての全体評語については、その組合せが1(2)に掲げる全体評語の組合せのいずれかであること。

昇格時全体評語表

能力評価	直近以外の業績評価	直近の業績評価
一 いずれも最上位の段階	一 いずれも最上位の段階	一 最上位の段階
二 最上位及び上位の段階	二 二の最上位及び上位の段階	二 上位の段階
三 最上位及び中位の段階	三 二の最上位及び中位の段階	三 中位の段階
四 いずれも上位の段階	四 最上位及び二の上位の段階	
五 上位及び中位の段階	五 二の最上位及び下位の段階	
六 最上位（昇格させようとする日の直近の能力評価に係るものに限る。）及び下位の段階	六 最上位、上位及び中位の段階	
七 いずれも中位の段階	七 いずれも上位の段階	
八 上位（昇格させようとする日の直近の能力評価に係るものに限る。）及び下位の段階	八 二の最上位及び最下位の段階	
九 最上位（昇格させようとする日の直近の能力評価に係るものに限る。）及び最下位の段階	九 最上位、上位及び下位の段階	
	十 最上位及び二の中位の段階	
	十一 二の上位及び中位の段階	
	十二 最上位、上位及び最下位の段階	
	十三 最上位、中位及び下位の段階	
	十四 二の上位及び下位の段階	
	十五 上位及び二の中位の段階	
	十六 最上位、中位及び最下位の段階	
	十七 最上位及び二の下位の段階	
	十八 二の上位及び最下位の段階	
	十九 上位、中位及び下位の段階	
	二十 いずれも中位の段階	
	二十一 最上位、下位及び最下位の段階	
	二十二 上位、中位及び最下位の段階	
	二十三 上位及び二の下位の段階	
	二十四 二の中位及び下位の段階	
	二十五 最上位及び二の最下位の段階	
	二十六 上位、下位及び最下位の段階	
	二十七 二の中位及び最下位の段階	
	二十八 中位及び二の下位の段階	

備考 この表中「最上位」とあるのは人事評価政令第六条第二項第二号に掲げる職員にあっては「上位」とし、同表中「上位」とあるのは同号に掲げる職員に係るものを除き、同項第三号に掲げる職員については最上位の段階を除く。また、同表中「最下位」とあるのは同項第二号に掲げる職員にあっては「下位」とし、同表中「下位」とあるのは同号に掲げる職員に係るものを除き、同項第三号に掲げる職員については最下位の段階を除く。

㊟続き⇩四三六頁

参考資料

規則第二十条第二項第三号ロに規定する要件について

規則第二十条第二項第三号ロの規定により事務総長通達第二十条関係第三項及び同条関係第五項に規定する要件として用いる全体評語の組合せは、全体評語が最上位の段階（人事評価政令第六条第二項第二号に掲げる職員にあっては、上位の段階）であるものを「S」、上位の段階（同号に掲げる職員に係るものを除き、同項第三号に掲げる職員にあっては、最上位の段階を除く。）であるものを「A」、中位の段階であるものを「B」、下位の段階（同項第二号に掲げる職員に係るものを除き、同項第三号に掲げる職員にあっては、最下位の段階を除く。）であるものを「C」、最下位の段階（同項第二号に掲げる職員にあっては、下位の段階）であるものを「D」とした場合の、下表に示す組合せである。

業績評価 1回目から3回目まで（順不同）	SSS SSA SSB SAA SSC SAB AAA SSD SAC SBB AAB SAD SBC AAC ABB			SBD SCC AAD ABC BBB			SCD ABD ACC BBC		SDD ACD BBD BCC
4回目	S	A	B	S	A	B	S	A	S
能力評価 1回目・2回目									
SS									
SA　AS									
SB　AA　BS									
AB　BA　CS									
BB　CA　DS						■		■	■

「昇格・昇給への人事評価の結果の活用に関する留意事項等について（平成21年給２－35）」別紙１の１⑴ア、イに定める全体評語の組合せ

■ 同通知別紙１の１⑵本文に定める能力評価の全体評語と同ア、イ又はウに定める業績評価の全体評語の組合せ

㊟四三五頁の続き

○Ⅱ種・Ⅲ種等採用職員の幹部職員への登用の推進に関する指針（通知）

平一一・三・一九
任　企　七　三

「Ⅱ種・Ⅲ種等採用職員の幹部職員への登用の推進に関する指針」を別添のとおり定めましたので、通知します。

貴省庁においては、Ⅱ種・Ⅲ種等採用職員の幹部職員への登用の推進の必要性を十分にご理解いただき、この指針に基づいて、Ⅱ種・Ⅲ種等採用職員のうち意欲と能力のある優秀な者の早い時期からの選抜、計画的育成に努め、Ⅱ種・Ⅲ種等採用職員の幹部職員への登用を着実に推進していただくようお願いします。

別添

Ⅱ種・Ⅲ種等採用職員の幹部職員への登用の推進に関する指針

1　登用の基本的考え方

公務の一層の活性化を図るためには、能力・適性に基づく人事管理を徹底していく必要があり、その一環として、意欲と能力のある優秀なⅡ種・Ⅲ種等採用職員の幹部職員への登用を一層推進していくことが重要である。

Ⅱ種・Ⅲ種等採用職員の幹部職員への登用を着実に推進していくためには、各省庁において、Ⅱ種・Ⅲ種等採用職員のうち意欲と能力のある優秀な者を早い時期から選抜し、計画的に育成していくことが肝要である。

2　選抜の実施

各省庁は、その実情に応じ、次に掲げる評価の方法の中から各省庁がその実情に応じて選択した1又は2以上の方法により、Ⅱ種・Ⅲ種等採用職員のうち意欲と能力のある優秀な者で幹部登用に向けて計画的に育成しようとするもの（以下「計画的育成者」という。）の選抜を行うこと。

(1)　人物試験、論文試験等による競争的選考による評価

(2)　官房人事担当部局以外の局の課長等を含む委員により構成される評価委員会による評価

(3)　選抜に活用できる特定の研修の受講成績等に基づく評価

(4)　特定ポストにおける上司等による多角的な勤務実績等の評価

(5)　相当期間にわたる勤務評定その他これに準ずる客観的な能力評価手続による勤務実績等の評価の蓄積に基づく評価

(6)　上記(1)～(5)の方法以外の人事院と協議して定めた方法による評価

また、職員を選抜するための評価を行うに当たっては、必要に応じ、別紙「選抜のための共通の評価基準モデル」を参考とすること。

3　計画的な育成

(1)　多様な経験等を通じての育成

計画的育成者については、各省庁の実情に応じ、次のような多様なポスト経験や研修等を通じての計画的な育成に努めること。

①　特定分野の専門的ポストのみではなく、企画・立案的ポスト等への配置を含む幅広いポスト経験

②　他省庁、地方支分部局、地方公共団体、国際機関、民間企業等での勤務経験

③　人事院及び各省庁で実施している海外研修を含む研修

(2)　行政研修（係長級・課長補佐級特別課程）の受講等

①　行政研修（係長級・課長補佐級特別課程）の受講

人事院は、係長級段階及び課長補佐級段階における計画的育成者について、将来の幹部要員として必要な知識・能力等の向上を図る観点から、それぞれの段階における計画的育成者が受講する行政研修（係長級特別課程）及び行政研修（課長補佐級特別課程）を実施すること。各省庁は、計画的育成者について、その段階に応じた研修を受講させるよう努めること。

②　研修受講者の能力・適性に関する評価

各省庁は、人事院が①の研修を活用して省庁横断的な視点から行う当該研修受講者の能力・適性に関する評価を、当該研修受講者のその後の計画的育成に当たって参考にすること。

(3)　計画的育成に係る人事管理

(1)の計画的な育成を行うため、各省庁は、計画的育成者の人事管理について、官房人事担当部局等においてⅠ種採用職員の人事管理と調整しつつ、一元的に人事運用を行うこと。また、一元的な人事運用を直ちに実現することが困難な省庁においては、将来的には一元

的に人事運用を行う方向で、これらの職員の計画的な育成に支障がないような人事管理上の工夫をすること。

4 **着実な登用促進のための方策**

(1) 育成計画の基本方針の策定

各省庁は、この指針を踏まえ、登用の基本的考え方、選抜の実施（例えば、計画的育成者を選抜する際の評価の方法等）、計画的な育成方針（例えば、多様なポスト経験や研修を通じての計画的な育成についての方針等）その他必要な事項を盛り込んだ育成計画についての基本方針を策定すること。

(2) 研修受講後のフォローアップ

研修受講者については、その後の人事配置、昇任等の状況に関し、人事院において継続的な把握を行い、各省庁との間で緊密な連携を保ちつつ、登用の着実な推進を図っていくこと。

(3) 連絡協議会（仮称）による情報交換等

Ⅱ種・Ⅲ種等採用職員の幹部職員への登用状況、研修の受講状況等に関する情報交換等の場として連絡協議会（仮称）を定期的に開催すること。

(4) 登用状況の公表

Ⅱ種・Ⅲ種等採用職員の幹部職員への登用状況、登用に対する各省庁の取組み状況等については、人事院において、必要に応じ公表すること。

5 **その他**

各省庁は、年齢等によりこの指針による計画的育成者として行政研修（係長級・課長補佐級特別課程）を受講することができない職員についても、能力・適性についての評価を適切に行い、意欲と能力のある優秀な者の積極的な育成や幹部職員への登用の推進に努めること。

以　上

別紙〔略〕

○人事評価の基準、方法等に関する政令

平二一・三・六
政　令　三　一

最終改正　令四・三・三〇政令一二八

第一章　総則

（人事評価実施規程）

第一条　人事評価は、国家公務員法（以下「法」という。）第三章第四節の規定及びこの政令の規定並びにこれらの規定に基づき所轄庁の長が定めた人事評価の実施に関する規程（以下「人事評価実施規程」という。）に基づいて実施するものとする。

2　所轄庁の長は、人事評価実施規程を定めようとするときは、あらかじめ、内閣総理大臣と協議しなければならない。

3　前項の規定は、人事評価実施規程の変更について準用する。ただし、内閣官房令で定める軽微な変更については、内閣総理大臣に報告することをもって足りる。

（人事評価の実施権者）

第二条　人事評価は、所轄庁の長又はその指定した部内の上級の職員（以下「実施権者」と総称する。）が実施するものとする。

（人事評価の実施の除外）

第三条　人事評価は、次に掲げる職員については、実施しないことができる。

一　非常勤職員（法第六十条の二第一項に規定する短時間勤務の官職を占める職員を除く。）

二　法第六十条の規定により臨時的に任用された職員であって人事評価の結果を給与等へ反映する余地がないもの

三　検察庁法（昭和二十二年法律第六十一号）第十五条第一項に規定する職員

（人事評価の方法）

第四条　人事評価は、能力評価（職員がその職務を遂行するに当たり発揮した能力を把握した上で行われる勤務成績の評価をいう。以下同じ。）及び業績評価（職員がその職務を遂行するに当たり挙げた業績を把握した上で行われる勤務成績の評価をいう。以下同じ。）によるものとする。

2　法第五十九条の条件付採用又は条件付昇任を正式のものとするか否かについての判断のために行う人事評価は、前項の規定にかかわらず、能力評価のみによるものとする。

3　能力評価は、当該能力評価に係る評価期間において現実に職員が職務遂行の中でとった行動を、標準職務遂行能力の類型を示す項目として人事評価実施規程に定める項目（以下「評価項目」という。）ごとに、各評価項目に係る能力が具現されるべき行動として人事評価実施規程に定める行動に照らして、当該職員が発揮した能力の程度を評価することにより行うものとする。

4　業績評価は、当該業績評価に係る評価期間において職員が果たすべき役割について、業務に関する目標を定めることその他の方法により当該職員に対してあらかじめ示した上で、当該役割を果たした程度を評価することにより行うものとする。

第二章　定期評価

第一節　通則

（定期評価の実施）

第五条　前条第一項の規定による人事評価は、十月一日から翌年九月三十日までの期間を単位とし、毎年実施するものとする。

2　前項の規定により実施する人事評価は、定期評価という。

3　定期評価における能力評価は、十月一日から翌年九月三十日までの期間を評価期間とし、次条、第七条及び次節の規定により行うものとする。

4　定期評価における業績評価は、十月一日から翌年三月三十一日までの期間及び四月一日から九月三十日までの期間をそれぞれ評価期間とし、それぞれについて次条、第七条及び第三節の規定により行うものとする。

（定期評価における評語の付与等）

第六条　定期評価における能力評価に当たっては評価項目ごとに、定期評価における業績評価に当たっては第四条第四項に規定する役割（目標を定めることにより示されたものに限る。）ごとに、それぞれ評価の結果を表示する記号（以下「個別評語」という。）を付すほか、当該能力評価又は当該業績評価の結果をそれぞれ総括的に表示する記号（以下この章において「全体評語」という。）を付すものとする。

2　個別評語及び全体評語は、次の各号に掲げる職員の区分に応じ、当該各号に定める数の段階とする。ただし、内閣総理大臣は、第三号に掲げる職員の能力評価に係る評価項目のうち、個別評語を同号に定める数の段階とする必要がないと認めるものについては、当該数を下回る範囲内の数で個別評語の段階を別に定めることができる。

一　第十九条第一号に掲げる職員のうち、事務次官及びこれに準ずる職にある職員　二

二　第十九条第一号に掲げる職員のうち、前号に掲げる職員以外の職員　三

三　前二号に掲げる職員以外の職員　六

3　個別評語及び全体評語を付す場合において、能力評価にあっては第四条第三項の発揮した能力の程度が当該能力評価に係る職員に求められる能力の発揮の程度に達していると、業績評価にあっては同条第四項の役割を果たした程度が当該業績評価に係る職員に求められる当該役割を果たした程度に達していると認めるときは、次の各号に掲げる職員の区分に応じ、前項に定める段階のうち当該各号に定めるものを付すものとする。ただし、同項ただし書の規定により個別評語の段階を定めた場合には、当該個別評語については、内閣総理大臣が別に定める段階を付すものとする。

一　前項第一号に掲げる職員　上位の段階

二　前項第二号に掲げる職員　上位又は中位の段階

三　前項第三号に掲げる職員　最下位の段階よ

り二段階以上上位の段階

4　定期評価における能力評価及び業績評価に当たっては、個別評語及び全体評語を付した理由その他参考となるべき事項を記載するように努めるものとする。

（定期評価における評価者等の指定）

第七条　実施権者は、定期評価における能力評価及び業績評価を受ける職員（以下「被評価者」という。）の監督者の中から次節及び第三節（第九条第二項及び第三項並びに第十条（第十四条において準用する場合を含む。）を除く。）に定める手続を行う者を評価者として指定するものとする。

2　実施権者は、評価者の監督者の中から第九条第二項（第十四条において準用する場合を含む。）に定める手続を行う者を調整者として指定するものとする。ただし、任命権者が評価者である場合その他合理的な理由がある場合には、調整者を指定しないことができる。

3　実施権者は、評価者又は調整者を補助する者（以下「補助者」という。）を指定することができる。

第二節　能力評価の手続

（被評価者による自己申告）

第八条　評価者は、定期評価における能力評価を行うに際し、その参考とするため、被評価者に対し、あらかじめ、当該能力評価に係る評価期間において当該被評価者の発揮した能力に関する被評価者の自らの認識その他評価者による評価の参考となるべき事項について申告を行わせるものとする。

（評価、調整及び確認）

第九条　評価者は、被評価者について、個別評語及び評価者としての全体評語を付すことにより評価（次項及び第三項に規定する再評価を含む。）を行うものとする。

2　調整者は、評価者による評価について、不均衡があるかどうかという観点から審査を行い、調整者としての全体評語を付すことにより調整（次項に規定する再調整を含む。）を行うものとする。この場合において、調整者は、当該全体評語を付す前に、評価者に再評価を行わせることができる。

3　実施権者は、調整者による調整（第七条第二項ただし書の規定により調整者を指定しない場合においては、評価者による評価）について審査を行い、適当でないと認める場合には調整者に再調整を（同項ただし書の規定により調整者を指定しない場合においては、評価者に再評価を）行わせた上で、人事評価実施規程に定める方法により、定期評価における能力評価が適当である旨の確認を行うものとする。

（評価結果の開示）

第十条　実施権者は、前条第三項の確認を行った後に、被評価者の定期評価における能力評価の結果を、内閣官房令で定めるところにより、当該被評価者に開示するものとする。

（評価者による指導及び助言）

第十一条　評価者は、前条の開示が行われた後に、被評価者と面談（映像及び音声の送受信により相手の状態を相互に認識しながらする通話（次項において「特定通話」という。）を含む。同項及び次条において同じ。）を行い、定期評価における能力評価の結果及びその根拠となる事実に基づき指導及び助言を行うものとする。

2　評価者は、被評価者が遠隔の地に勤務し、かつ、特定通話を行うために必要な電気通信回線を利用することができないことその他の事情により前項の面談により難い場合には、電話その他の通信手段による交信（特定通話に該当するものを除く。）を行うことにより、同項の面談に代えることができる。

第三節　業績評価の手続

（果たすべき役割の確定）

第十二条　評価者は、定期評価における業績評価の評価期間の開始に際し、被評価者と面談を行い、業務に関する目標を定めることその他の方法により当該被評価者が当該評価期間において果たすべき役割を確定するものとする。

2　前条第二項の規定は、前項の面談について準用する。

（被評価者による自己申告）

第十三条　評価者は、定期評価における業績評価を行うに際し、その参考とするため、被評価者に対し、あらかじめ、当該業績評価に係る評価期間において当該被評価者の挙げた業績に関する被評価者の自らの認識その他評価者による評価の参考となるべき事項について申告を行わせるものとする。

（能力評価の手続に関する規定の準用）

第十四条　第九条から第十一条までの規定は、定期評価における業績評価の手続について準用する。

第三章 特別評価

（特別評価の実施）

第十五条 第四条第二項の規定による人事評価は、条件付任用期間（条件付採用期間及び条件付昇任期間をいう。以下同じ。）中の職員に対して実施するものとする。

2 前項の規定により実施する人事評価は、特別評価という。

3 特別評価は、条件付任用期間を評価期間とし、次条から第十八条までの規定により行うものとする。

（特別評価における評語の付与等）

第十六条 特別評価に当たっては、能力評価の結果を総括的に表示する記号（以下この章において「全体評語」という。）を付すものとする。

2 全体評語は、二段階とする。

3 全体評語を付す場合において、第四条第三項の発揮した能力の程度が同条第二項に規定する判断の対象となる官職に求められる能力の発揮の程度に達していると認めるときは、前項に定める段階のうち上位の段階を付すものとする。

4 特別評価に当たっては、全体評語を付した理由その他参考となるべき事項を記載するように努めるものとする。

（特別評価における評価者等の指定）

第十七条 実施権者は、特別評価の実施に当たり、当該条件付任用期間中の職員について、第七条第一項及び第二項の規定により定期評価の評価者及び調整者として指定した者を、それぞれ特別評価の評価者及び調整者として指定するものとする。

2 実施権者は、当該条件付任用期間中の職員について、第七条第三項の規定により定期評価の補助者として指定した者がいる場合には、当該指定した者を特別評価の補助者として指定することができる。

（定期評価の手続に関する規定の準用）

第十八条 特別評価の手続については、次の各号に掲げる職員の区分に応じ、当該各号に定める規定を準用する。

一 条件付採用期間中の職員 第九条（個別評語に係る部分を除く。）

二 条件付昇任期間中の職員 第九条（個別評語に係る部分を除く。）及び第十条

第四章 雑則

（定期評価についての特例）

第十九条 次に掲げる職員についての定期評価の実施に際しては、当該職員の職務と責任の特殊性に照らして、第八条、第九条第一項（個別評語に係る部分に限る。）及び第十一条（これらの規定を第十四条において準用する場合を含む。）、第十二条並びに第十三条の規定の特例を要する場合には、人事評価実施規程をもって、これを規定することができる。

一 国家行政組織法（昭和二十三年法律第百二十号）第六条に規定する長官、同法第十八条第一項に規定する事務次官、同法第二十一条第一項に規定する事務局長、局長若しくは部長の職又はこれらに準ずる職（行政の特定の分野における高度の専門的な知識経験に基づく調査、研究、情報の分析等を行うことによる政策の企画及び立案等の支援に関する事務をつかさどる職を除く。）にある職員

二 国家行政組織法第八条の二に規定する文教研修施設又はこれに類する施設において長期間の研修を受けている職員

三 留学（学校教育法（昭和二十二年法律第二十六号）に基づく大学の大学院の課程（同法第百四条第七項第二号の規定により大学院の課程に相当する教育を行うものとして認められたものを含む。）又はこれに相当する外国の大学（これに準ずる教育施設を含む。）の課程に在学してその課程を履修する研修であって、法第七十条の六の規定に基づき、国が実施するものをいう。）その他これに類する長期間の研修を受けている職員

（苦情への対応）

第二十条 実施権者は、第十条（第十四条及び第十八条第二号において準用する場合を含む。）の規定により職員に開示された定期評価における能力評価若しくは業績評価又は特別評価の結果に関する職員の苦情その他人事評価に関する職員の苦情について、内閣官房令で定めるところにより、適切に対応するものとする。

2 職員は、前項の苦情の申出をしたことを理由として、不利益な取扱いを受けない。

（人事評価の記録）

第二十一条 人事評価の記録は、内閣官房令で定めるところにより、人事評価記録書として作成しなければならない。

（内閣官房令への委任）

第二十二条　この政令に定めるもののほか、人事評価の基準及び方法その他人事評価に関し必要な事項は、内閣官房令で定める。

附　則

（施行期日）

第一条　この政令は、国家公務員法等の一部を改正する法律（平成十九年法律第百八号）附則第一条第三号に掲げる規定の施行の日（平成二十一年四月一日）から施行する。

（勤務成績の評定の手続及び記録に関する政令の廃止）

第二条　勤務成績の評定の手続及び記録に関する政令（昭和四十一年政令第十三号）は、廃止する。

（定期評価に関する経過措置）

第三条　法第三章第四節の規定により最初に実施される人事評価における定期評価における能力評価の評価期間は、第五条第三項の規定にかかわらず、人事評価を最初に開始する日（以下「開始日」という。）が平成二十一年九月三十日までの間にある場合においては開始日から平成二十一年九月三十日まで、開始日が平成二十一年十月一日以降にある場合においては開始日から平成二十二年九月三十日までとする。

2　法第三章第四節の規定により最初に実施される人事評価における定期評価における業績評価の評価期間は、第五条第四項の規定にかかわらず、開始日が平成二十一年九月三十日までの間にある場合においては開始日から平成二十一年九月三十日まで、開始日が平成二十一年十月一日から平成二十二年三月三十一日までの間にある場合においては開始日から平成二十二年三月三十一日まで、開始日が平成二十二年四月一日以降にある場合においては開始日から平成二十二年九月三十日までとする。

（特別評価に関する経過措置）

第四条　開始日前に条件付任用期間が開始された職員に対しては、第十五条第三項の規定にかかわらず、なお従前の例により、附則第二条の規定による廃止前の勤務成績の評定の手続及び記録に関する政令第一条に規定する勤務評定に係る同令第五条第一項に規定する特別評定を実施することができる。

附　則（平二九・九・一政令二三二）（抄）

（施行期日）

1　この政令は、平成三十一年四月一日から施行する。

（人事評価の基準、方法等に関する政令の一部改正に伴う経過措置）

2　第五条の規定による改正後の人事評価の基準、方法等に関する政令第十九条第三号に規定する学校教育法（昭和二十二年法律第二十六号）に基づく大学の大学院の課程には、学校教育法の一部を改正する法律による改正前の学校教育法第百四条第四項第二号の規定により大学院の課程に相当する教育を行う課程として認められていた課程を含むものとする。

附　則（令三・九・一〇政令二五一）

この政令は、令和四年十月一日から施行する。ただし、第十一条の改正規定は、公布の日から施行する。

附　則（令四・三・三〇政令一二八）（抄）

（施行期日）

第一条　この政令は、令和五年四月一日から施行する。

○給実甲第三二六号第十五条関係第七項第一号の取扱いについて（通知）

平一九・三・三〇
給二―三一給与第二課長

改正　平二二・七・一給二―七八

給実甲第三二六号（人事院規則九―八（初任給、昇格、昇給等の基準）の運用について）第十五条関係第七項第一号の規定は、いわゆる新卒で民間企業等に採用され、その後の期間を通じて職員の職務にその経験が直接役立つと認められる職務に従事していた者等を年度の途中で職員として採用しようとする場合において、その者と卒業年度が同一である新卒で職員として採用された部内の他の職員との均衡を考慮すると、十二月に満たない経験年数を初任給の号俸に反映することが適当であることがあり得ることから、これに対応することを目的として定められたものです。

つきましては、同号の「部内の他の職員との均衡上必要があると認められるもの」の判断に当たっては、下記の事項にご留意いただき、適切な運用をお願いします。

また、下記1の要件を満たさない者を採用する場合において、部内の他の職員との均衡上当該要件を満たす者と同様の取扱いをすることが特に必要と認められる事情があるときは、当課まで御相談ください。

記

1　給実甲第三二六号第十五条関係第七項第一号の「部内の他の職員との均衡上必要があると認められるもの」は、次の要件を満たす者を想定していること。

(1)　号俸の調整に用いるその者の経験年数のすべてが、次に掲げる期間を人事院規則九―八（初任給、昇格、昇給等の基準）別表第四の経験年数換算表に定めるところにより百分の百の換算率によって換算した場合における当該期間によるものであること。

ア　その者の職務と同種の職務（職員として在職したものに限る。）に在職した期間

イ　アに掲げる職務以外の職務に在職した期間

ウ　学校又は学校に準ずる教育機関に在学した期間

(2)　その者と卒業年度が同一である新卒で採用された職員が部内に在職している等の事情により、部内均衡上調整が必要であること。

2　給実甲第三二六号第十五条関係第七項第一号の「部内の他の職員」については主として1(2)に規定する職員を想定しており、これらの職員は四月に採用されることが一般的である。このため、同号の「端数の月数が九月以上となるもの」に該当する者は、各年の一月から三月までに採用される者であることが一般的であること。

以上

○人事異動通知書の様式及び記載事項等について（通知）（抄）

昭二七・六・一
一三―七九九事務総長

最終改正　令三・三・三一　人企四五七

人事異動通知書の様式及び記載事項等については、下記のとおり決定されたので通知します。

記

（通知書の様式）

1　人事院規則八―一二（職員の任免）（以下「規則」という。）第五十三条に規定する通知書（以下「通知書」という。）は、次の各号に掲げる場合の区分に応じ、当該各号に定める様式によるものとする。

一　次号に掲げる場合以外の場合　別紙第1

二　規則第五十四条各号に掲げる場合及び人事院規則一一―一〇（職員の降給）第七条本文に規定する場合　別紙第1の2

（通知書の記載事項及び記入要領）

2　通知書の記載事項及び記入要領については、次の各号に定めるところによる。ただし、これによっては特に支障のある場合には、これによらないことができる。

一　「氏名」欄には、規則第五十三条各号又は第五十四条各号に掲げる場合に該当する事実（以下「異動」という。）に係る者の氏名を記入する。

二　「現官職」欄には、職員である者について異動が生ずる際にその者の占めている官職の組織上の名称及び当該官職の属する所属部課（所属部課の表示の単位は任命権者が定めるものとする。以下同じ。）を記入する。

三　「異動内容」欄には、異動の内容を別紙第2により記入する。

四　「日付及び任命権者」の欄には、異動を発令した年月日又は異動が発生した年月日（以下「発令日」という。）並びに任命権者（任命権の委任が行われた場合には、その委任を受けた者とする。以下同じ。）の職の組織上の名称及び氏名を記入する。

（規則第五十五条第五号の規定による場合の事後処理）

3　規則第五十五条第五号の規定による場合において必要と認めるときは、発令後更に通知書を交付することができる。

（二以上の異動に係る通知書）

4　一の職員に係る発令日を同じくする二以上の異動については、一の通知書によることができる。この場合には、これらの異動の内容を「異動内容」欄に併せて記入するものとし、規則第五十四条各号に掲げる場合に該当する事実を含むときは、別紙第1の2に掲げる様式によるものとする。

（俸給の決定についての通知）

5　各庁の長（権限の委任が行われた場合には、その委任を受けた者とする。以下同じ。）が、給実甲第三二六号（人事院規則九―八（初任給、昇格、昇給等の基準）の運用について）その他

の事項第一項又は給実甲第六〇九号（俸給の調整額の運用について）その他の事項第一項の規定により職員の俸給の決定に関する事項を通知する場合の通知書の記載事項及び記入要領は、第二項の規定に準ずるものとする。この場合において、同項第三号中「別紙第2」とあるのは、「別紙第3」とする。

6　任命権者たる各庁の長が職員についての異動の発令日において、当該職員の俸給の決定に関する事項を通知する場合には、当該異動に係る通知書を用いることができる。この場合、俸給の決定に関する事項は前項の場合に準じて「異動内容」欄に記入するものとする。

（退職手当についての通知）

7　職員が退職した場合における国家公務員退職手当法（昭和二十八年法律第百八十二号）による退職手当の支給に関する事項の通知は、通知書により行うものとする。この場合の記載事項及び記入要領については第二項に準ずるものとするが、「異動内容」欄には、「退職手当として金　円を支給する（根拠法令の条項）」と記入し、退職手当を支給しない場合においては、「退職手当は支給しない（根拠法令の条項）」と記入するものとする。

別紙第1・第1の2・第2〔略〕

別紙第3

「異動内容」欄記入要領（俸給の決定関係）

職員の俸給の決定に関する事項を通知する場合の「異動内容」欄の記載事項及び記入要領については、次の各号による。

一　次号から第四号までに該当する場合以外の場合で俸給の決定を行うとき

「アイを給する（ウ）」と記入する。

二　昇格させる場合

「アに昇格させる。イを給する」と記入する。

三　人事院規則九―八（初任給、昇格、昇給等の基準）第二十四条の規定により降格させる場合

「アに降格させる。イを給する」と記入する。

四　一般職の職員の給与に関する法律（昭和二十五年法律第九十五号。以下「給与法」という。）第十条の規定により俸給の調整を行う場合

「エを給する」と記入する。

注1　「ア」の記号をもって表示する事項は、給与法に規定する職務の級とする。この場合には、「職務の級」の表示は「〇〇俸給表〇級」とする。

2　「イ」の記号をもって表示する事項は、給与法に規定する号俸とする。この場合には、「号俸」の表示は「〇号俸」とする。

3　「ウ」の記号をもって表示する事項は、その根拠となる条項とする。ただし、当該根拠が明らかである場合には、省略することができる。

4　指定職俸給表の適用を受ける職員等にあっては、「ア」及び「イ」の記号をもって表示する事項は、1及び2の規定の例によるものとする。

5　「エ」の記号をもって表示する事項は、給与法の規定による俸給の調整額とする。この場合には、「俸給の調整額」の表示は「調整数〇の俸給の調整額」又は「俸給の調整額〇〇円」とする。

○協議様式について（通知）

昭六〇・四・一
給実甲五五六

最終改正　令二・六・一七給実甲一二七五

職務の級又は号俸の決定等についてあらかじめ人事院に協議し、又は承認を求める場合は、下記によつてください。

なお、これに伴い、給実甲第一四〇号（協議様式について）は廃止します。

記

1　職務の級又は号俸の決定等について人事院に協議し、又は承認を求める場合は、別表に定める様式の「俸給関係審査協議書」によるものとする。

2　俸給関係審査協議書の記入については、別紙「俸給関係審査協議書記入要領」によるものとする。

3　俸給関係審査協議書には、人事記録の写し等必要な資料を添付するものとする。

なお、人事記録に記載されている学歴、免許等を証明する文書の添付は、省略して差し支えない。

別紙

俸給関係審査協議書記入要領

1　協議本文の協議事項以外の不用の文字は、抹消すること。

2　「みなし在級期間」欄には、人事院規則九―八（初任給、昇格、昇給等の基準）（以下「規則」という。）第二十条の二第四項の規定に基づき現級に在級した期間として取り扱う期間の決定について承認を求める場合に記入すること。

3　「官職名（級別定数上の職名）」欄には、異動を伴う場合は職員が新たに占めることとなる官職名を、それ以外の場合は現に占めている官職名を記入するものとし、括弧内には当該官職の属する級別定数上の職名を記入すること。

4　「学歴免許等・卒業等年月日」欄には、規則別表第三に定める学歴区分による学歴免許等及びその卒業等の年月日を記入すること。

なお、薬剤師その他特別の免許を有する者については、当該免許についても記入すること。

5　「経験年数」欄には、承認希望年月日において新たに職員となったものとした場合のその者の規則第十五条の二の規定による経験年数を記入すること。

なお、職員としての経歴以外の経歴を有している場合は、その経歴に係る経験年数を括弧を付して内数として記入すること。

6　「在級期間」欄には、現級に在級している期間を記入すること。

なお、この期間には規則第二十条の二第四項の規定に基づき現級に在級した期間として取り扱うことができることとされた期間を含むものとし、当該期間については括弧を付して内数として記入すること。

7　五十五歳以上の職員に係る号俸の決定について承認を求める場合は、「氏名」欄に生年月日を括弧を付して記入すること。

別表

俸給関係審査協議書

文書番号
令和　　年　　月　　日申請

人事院事務総長 殿

（協議する省庁の長）

下記により、職務の級の決定・号俸の決定について協議します。

協議事項				官職名（級別定数上の職名）	氏名	学歴免許等・卒業等年月日	現級及び号俸	経験年数	在級期間	承認希望年月日
俸給表名	職務の級	みなし在級期間	号俸							
職（ ）	級		号俸	（　）						
職（ ）	級		号俸	（　）						
職（ ）	級		号俸	（　）						
職（ ）	級		号俸	（　）						
職（ ）	級		号俸	（　）						
職（ ）	級		号俸	（　）						
職（ ）	級		号俸	（　）						
備考										

A4（210×297）

○平成十七年改正法の施行に伴う平成十八年四月一日における俸給の切替え等について（通知）

平一八・二・一
給実甲一〇一五

一般職の職員の給与に関する法律等の一部を改正する法律（平成十七年法律第百十三号）の施行に伴う平成十八年四月一日における俸給の切替え等については、法律及び人事院規則で定めるもののほか、下記に従って実施してください。

記

目　次

第一　用語の定義
第二　特定の職務の級の切替え（改正法附則第六条関係）
1　職務の級の切替え
2　旧級が二の職務の級に対応している場合の職務の級の切替え
第三　号俸等の切替え（改正法附則第七条及び第八条関係）
1　給与法別表第一から別表第九までの俸給表の適用を受けていた職員の号俸等の切替え
2　旧号俸等を受けていた期間の特例
3　指定職俸給表の適用を受けていた職員の号俸の切替え
4　任期付研究員法第六条第四項の規定による俸給月額の切替え
5　任期付職員法第七条第三項の規定による俸給月額の切替え
第四　切替日前の異動者の号俸の調整（改正法附則第九条関係）
1　切替日前に昇格等の異動をした職員の号俸の調整
2　改正法附則第九条の「人事院の定めるこれに準ずる職員」
3　調整の要領
第五　職員に対する通知等
1　職員に対する通知
2　俸給の切替え等についての職務の級又は号俸の算出の過程等の明確化
第六　切替え等に関する特例

第一　用語の定義

この通達において、次の各号に掲げる用語の意義は、それぞれ当該各号に定めるところによる。

一　給与法　一般職の職員の給与に関する法律（昭和二十五年法律第九十五号）をいう。

二　改正法　一般職の職員の給与に関する法律等の一部を改正する法律（平成十七年法律第百十三号）をいう。

三　改正前の給与法　改正法第二条の規定による改正前の給与法をいう。

四　改正後の給与法　改正法第二条の規定による改正後の給与法をいう。

五　平成十年改正法　一般職の職員の給与に関する法律及び一般職の任期付研究員の採用、給与及び勤務時間の特例に関する法律の一部を改正する法律（平成十年法律第百二十号）をいう。

六　任期付研究員法　一般職の任期付研究員の採用、給与及び勤務時間の特例に関する法律（平成九年法律第六十五号）をいう。

七　任期付職員法　一般職の任期付職員の採用及び給与の特例に関する法律（平成十二年法律第百二十五号）をいう。

八　改正前の規則九―八―八　人事院規則九―八―五七（人事院規則九―八（初任給、昇格、昇給等の基準）の一部を改正する人事院規則）による改正前の人事院規則九―八（初任給、昇格、昇給等の基準）をいう。

九　改正後の規則九―八　人事院規則九―八―五七による改正後の人事院規則九―八をいう。

十　規則九―一一九　人事院規則九―一一九（平成十七年改正法附則第八条の規定による職務の級における最高の号俸を超える俸給月額等を受ける職員の俸給の切替え）をいう。

十一　昇給　改正前の給与法第八条第六項若しくは第八項ただし書又は改正法附則第十七条の規定による改正前の平成十年改正法附則第十二項若しくは第十三項の規定による昇給（第十三号の特別昇給を除く。）をいう。

十二　昇給期間　前号の昇給に必要とされる期間のそれぞれの最短の期間をいう。

十三　特別昇給　改正前の規則九―八第三十七条若しくは第三十七条の二（特別昇給定数内の特別昇給）、第三十九条（研修、表彰等による特別昇給）又は第四十二条（特別の場合の特別昇給）の規定による特別昇給をいう。

十四　切替日　平成十八年四月一日をいう。

十五　旧級　切替日の前日においてその者が属していた職務の級をいう。

十六　号俸等　号俸又は俸給月額（改正前の給与法別表第一から別表第九までの俸給表に定める職務の級における最高の号俸を超える俸給月額に限る。）をいう。

十七　旧号俸等　切替日の前日においてその者が受けていた号俸等をいう。

十八　新号俸　切替日における号俸をいう。

十九　給与法の改正等　改正法第二条の規定による給与法の改正、改正法附則第十七条の規定による平成十年改正法の改正及びこれらに伴う人事院規則等の制定又は改廃をいう。

二十　旧号俸等を受けたとみなす日　給与法の改正等がないものとした場合におけるその者の切替日以後の最初の昇給の予定の時期から旧号俸等からの昇給に係る昇給期間に相当する期間をさかのぼった日をいう。

第二　特定の職務の級の切替え（改正法附則第六条関係）

1　職務の級の切替え

旧級が改正法附則別表第一に掲げられている職務の級であった職員の切替日における職務の級は、改正法附則第六条（特定の職務の級の切替え）及び次項に定めるところにより決定される。

2　旧級が二の職務の級に対応している場合の職務の級の切替え

旧級が改正法附則別表第一において二の職務の級に対応している職務の級であった職員の切替日における職務の級は、次に掲げる要件を満たす職員で級別定数の範囲内で各庁の長が定めるものにあっては、旧級に対応する同表の新級欄の下段に定める職務の級（以下「新設級」という。）とし、その他の職員にあっては、旧級に対応する同欄の上段に定める職務の級とする。

一　切替日の前日におけるその者の職務が、改正後の規則九―八別表第一のそれぞれの俸給表に係る級別標準職務表に掲げる当該新設級の職務（その複雑、困難及び責任の度がこれと同程度の職務を含む。）に該当するものであること。

二　職員の職務の級を当該新設級に決定する場合に必要な改正後の規則九―八第五条に規定する資格を満たすこと。

三　旧級に在級していた年数が切替日の前日において一年以上であること又は改正前の規則九―八第二十条第三項ただし書に規定する人事院の定めるところによるときに該当すること。

第三　号俸等の切替え（改正法附則第七条及び第八条関係）

1　給与法別表第一から別表第九までの俸給表の適用を受けていた職員の号俸等の切替え

切替日の前日において給与法別表第一から別表第九までの俸給表の適用を受けていた職員の新号俸は、改正法附則第七条第一項若しくは第二項又は規則九―一一九第一条（職務の級における最高の号俸を超える俸給月額の切替え）及び次項に定めるところにより決定される。

2　旧号俸等を受けていた期間の特例

改正法附則第七条第一項及び規則九―一一九第一条第一号の「人事院の定める職員」は、次の各号に掲げる職員とし、当該職員に係るこれらの規定の「人事院の定める期間」は、それぞれ当該各号に掲げる期間とする。

一　切替日前において特別昇給以外の事由により給与法の改正等がないものとした場合において旧号俸等からの昇給に係る昇給期間を短縮されていた職員（第四号及び第五号に掲げる職員を除く。）　旧号俸等を受けたとみなす日から切替日の前日までの期間に相当する期間（別紙の例⑴参照）

二　切替日前において特別昇給をした職員のうち、給与法の改正等がないものとした場合における特別昇給後の最初の昇給の予定の時期が切替日以後となる職員（第四号及び第五号に掲げる職員を除く。）　旧号俸等を受けたとみなす日から切替日の前日までの期間に相当する期間（旧号俸等を受けたとみなす日が切替日以後となる職員にあっては、零）（別紙の例⑵及び例⑶参照）

三　給与法の改正等がないものとした場合における切替日以後の最初の昇給について、切替日前において昇給延伸の事由に該当した職員（次号及び第五号に掲げる職員を除く。）　切替日以後良好な成績で勤務したものとした場合の旧号俸等を受けたとみなす日から切替日の前日までの期間に相当する期間（別紙の例⑷参照）

四　切替日の前日において次に掲げる職員であった者　零（別紙の例(5)参照）

イ　国家公務員法（昭和二十二年法律第百二十号）第七十九条の規定により休職にされていた職員

ロ　国家公務員法第百八条の六第一項ただし書に規定する許可を受けて勤務していなかった職員

ハ　国際機関等に派遣される一般職の国家公務員の処遇等に関する法律（昭和四十五年法律第百十七号）第二条第一項の規定により派遣されていた職員

ニ　国家公務員の育児休業等に関する法律（平成三年法律第百九号）第三条の規定により育児休業をしていた職員

ホ　国と民間企業との間の人事交流に関する法律（平成十一年法律第二百二十四号）第二条第三項に規定する交流派遣をされていた職員

ヘ　法科大学院への裁判官及び検察官その他の一般職の国家公務員の派遣に関する法律（平成十五年法律第四十号）第十一条第一項の規定により派遣されていた職員

五　前号イからヘまでに掲げる職員又は一般職の職員の勤務時間、休暇等に関する法律（平成六年法律第三十三号）第十六条に規定する病気休暇若しくは介護休暇のため引き続き勤務しない職員となった後、切替日前に復職し、職務に復帰し、又は再び勤務するに至った者で、切替日の前日において給実甲第一〇一〇号（給実甲第一九二号の一部改正について）による改正前の給実甲第一九二号（復職時等における俸給月額の調整等の運用について）第一の第一項第一号に定める調整の時期に達していなかったもの　特定起算日（給与法の改正等がないものとした場合におけるその者の当該調整の時期から旧号俸等からの昇給に係る昇給期間に相当する期間をさかのぼった日をいう。）から切替日の前日までの期間に相当する期間（同号(3)の規定により当該調整の時期を決定されることとなる職員にあっては、あらかじめ事務総長の承認を得て定める期間）（別紙の例(6)参照）

六　給与法の改正等がないものとした場合において改正前の給与法第八条第九項本文の規定により切替日以後の昇給がないこととなる職員（給与法の改正等がないものとした場合において切替日以後に改正法附則第十七条の規定による改正前の平成十年改正法附則第十二項又は第十三項の規定による昇給があることとなる職員及び前二号に掲げる職員を除く。）　零（別紙の例(7)参照）

3　指定職俸給表の適用を受けていた職員の号俸の切替え

切替日の前日において指定職俸給表の適用を受けていた職員の新号俸は、改正法附則第七条第三項に定めるところにより決定される。

4　任期付研究員法第六条第四項の規定による俸給月額の切替え

切替日の前日において任期付研究員法第六条第四項の規定による俸給月額を受けていた職員の切替日における俸給月額は、規則九―一一九第二条（任期付研究員法第六条第四項の規定による俸給月額の切替え）に定めるところにより決定される。

5　任期付職員法第七条第三項の規定による俸給月額の切替え

切替日の前日において任期付職員法第七条第三項の規定による俸給月額を受けていた職員の切替日における俸給月額は、規則九―一一九第三条（任期付職員法第七条第三項の規定による俸給月額の切替え）に定めるところにより決定される。

第四　切替日前の異動者の号俸の調整（改正法附則第九条関係）

1　切替日前に昇格等の異動をした職員の号俸の調整

切替日前（平成八年四月一日から切替日の前日までの間に限る。次項及び第三項において同じ。）において昇格又は俸給表の適用を異にする異動をした職員及び次項に定めるこれに準ずる職員の新号俸については、改正法附則第九条（切替日前の異動者の号俸の調整）の規定に基づき、第三項に定めるところにより必要な調整を行うことができる。

2　改正法附則第九条の「人事院の定めるこれに準ずる職員」

改正法附則第九条の「人事院の定めるこれに準ずる職員」は、切替日前において改正前の規則九―八第十七条（人事交流等により異動した場合の俸給月額）、第十八条（特殊の官職に採用する場合等の俸給月額）、第十九条（特定の職員についての俸給月額に関する規定の適用除外）又は第二十六条（初任給基準を異にする異動をした職員の俸給月額）の規定に基づき号俸等を決定された職員のうち、当該号俸等を決定する際の計算の過程において昇格をしたこととなる職員とする。

3 調整の要領

一 切替日前において昇格（俸給表の適用を異にする異動をした職員及び前項に定める職員にあっては、当該異動又は適用の日の号俸等を決定する際の計算の過程における昇格をいう。以下この項において同じ。）をした職員のうち、その者の切替日前に行われた昇格がなく、かつ、切替日に昇格をしたものとして改正後の給与法及び改正後の規則九―八の規定を適用した場合に得られる号俸がその者の新号俸より有利な職員については、当該改正後の給与法及び改正後の規則九―八の規定を適用した場合に得られる号俸をもって、その者の新号俸とすることができる。この場合において、調整の際の改正後の規則九―八第二十三条（昇格の場合の号俸）の規定の適用については、その者の切替日前に行われた昇格がないものとした場合にその者が切替日に受けることとなる号俸を切替日の前日に受けていたものとみなす。（別紙の例⑻参照）

二 前号の規定に該当する職員のうち、切替日前の昇格に係る号俸等について個別に人事院又は事務総長の承認を得て決定された職員にあっては、同号の規定にかかわらず、あらかじめ事務総長の承認を得てその者の新号俸を決定することができる。

第五 職員に対する通知等

1 職員に対する通知

改正法附則第六条から第九条までの規定の適用を受けた職員に対しては、人事異動通知書又はこれに代わる文書（以下「通知書等」という。）により通知するものとし、その記入の際の参考例を示せば、次のとおりである。ただし、通知書等の交付によらないことを適当と認める場合には、適当な方法をもって通知書等の交付に代えることができる。

一 改正法附則第六条から第八条までの規定の適用を受けた職員

イ 改正法附則第六条及び第七条（又は第八条）の規定の適用を受けた職員

平成十八年四月一日　平成十七年法律第百十三号附則第六条及び第七条（又は第八条）の規定により○職○級○号俸を給する

ロ 改正法附則第七条（又は第八条）の規定の適用を受けた職員

平成十八年四月一日　平成十七年法律第百十三号附則第七条（又は第八条）の規定により○○職○級○号俸を給する

二 改正法附則第九条の規定の適用を受けた職員

平成十八年四月一日　平成十七年法律第百十三号附則第九条の規定により○号俸を給する

2 俸給の切替え等に当たっての職務の級又は号俸の算出の過程等の明確化

俸給の切替え等に当たっては、改正法附則第六条から第九条までの規定の適用を受けた職員について、調書等を作成し、その職務の級又は号俸の算出の過程等を明確にしておくものとする。

第六 切替え等に関する特例

俸給の切替え等に関し、この通達により難い場合は、あらかじめ事務総長の承認を得て別に定めることができる。

以　上

別紙

俸給の切替え等の参考例

第3（号俸等の切替え）関係

例（1） 第2項（旧号俸等を受けていた期間の特例）第1号の例（昇給期間が短縮されている場合）

例（2） 第2項第2号本文の例（特別昇給の場合）

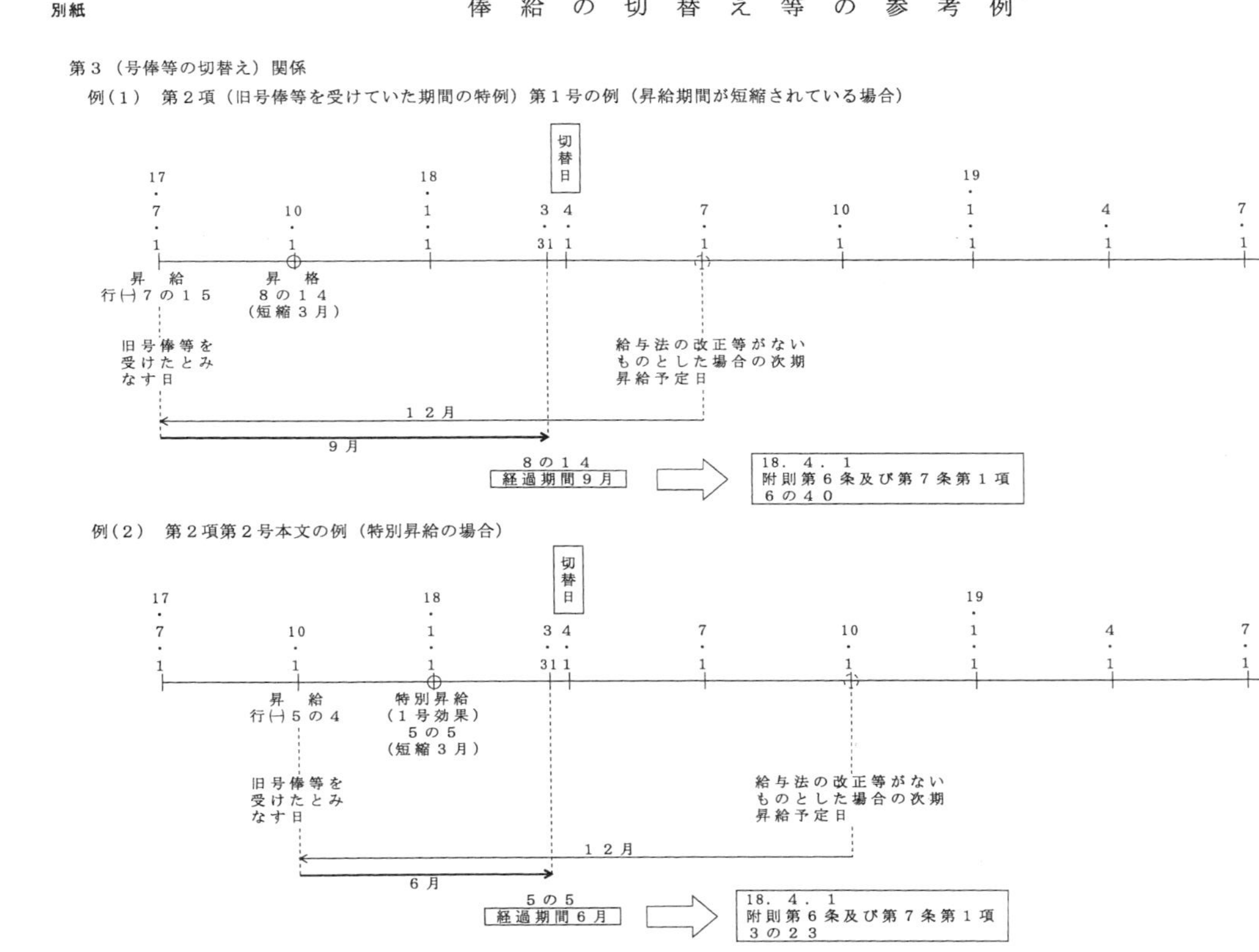

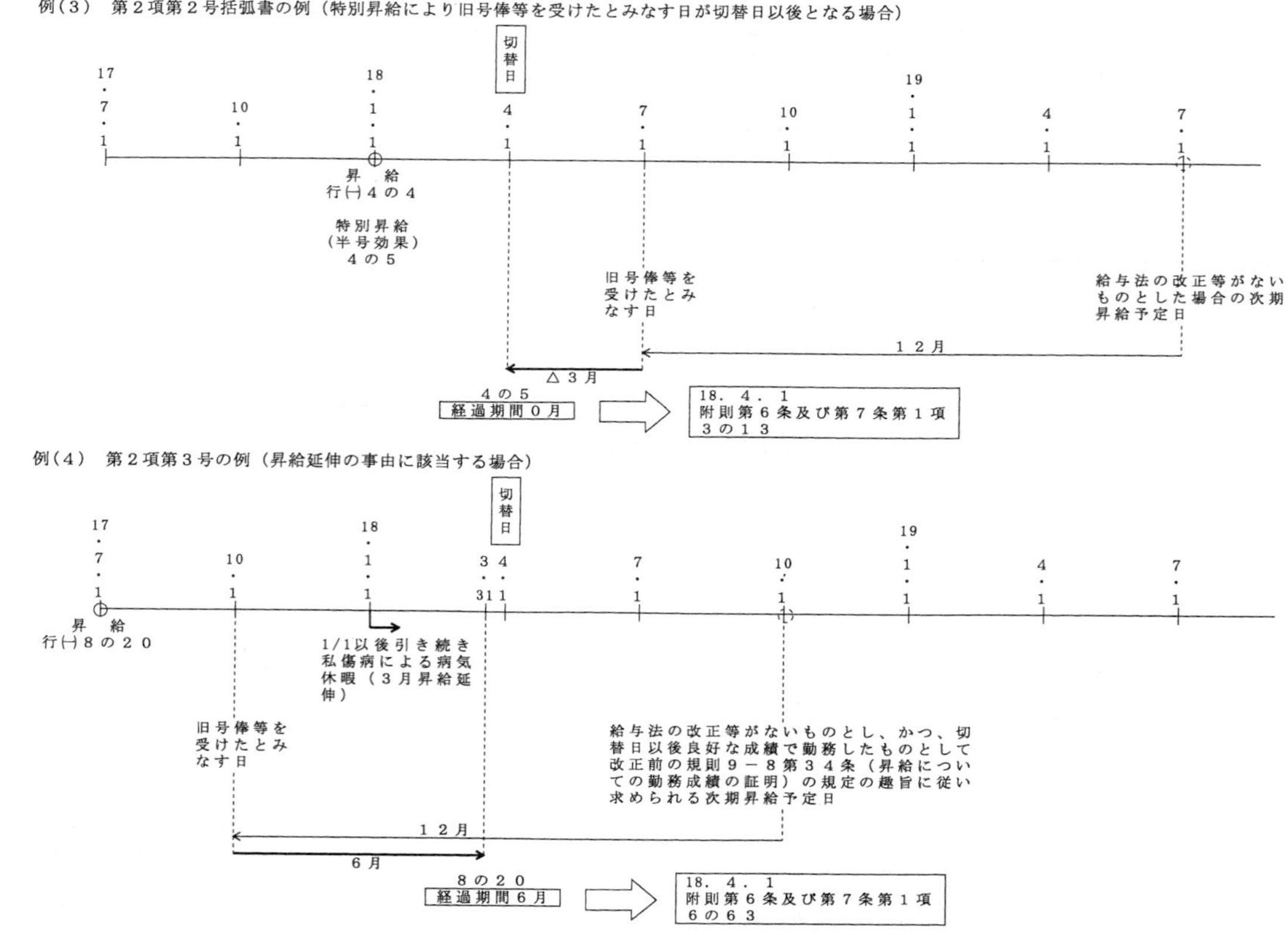
例(3)　第２項第２号括弧書の例（特別昇給により旧号俸等を受けたとみなす日が切替日以後となる場合）
切替日
17.7.1
10.1
18.1.1
4.1
7.1
10.1
19.1.1
4.1
7.1
昇給
行(一)４の４
特別昇給
（半号効果）
４の５
旧号俸等を受けたとみなす日
給与法の改正等がないものとした場合の次期昇給予定日
12月
△３月
４の５
経過期間０月
18.4.1
附則第６条及び第７条第１項
３の13
例(4)　第２項第３号の例（昇給延伸の事由に該当する場合）
切替日
17.7.1
10.1
18.1.1
3.31
4.1
7.1
10.1
19.1.1
4.1
7.1
昇給
行(一)８の20
1/1以後引き続き私傷病による病気休暇（３月昇給延伸）
旧号俸等を受けたとみなす日
給与法の改正等がないものとし、かつ、切替日以後良好な成績で勤務したものとして改正前の規則９－８第34条（昇給についての勤務成績の証明）の規定の趣旨に従い求められる次期昇給予定日
12月
６月
８の20
経過期間６月
18.4.1
附則第６条及び第７条第１項
６の63

例(５)　第２項第４号の例（切替日の前日において休職等にされている場合）

切替日

17・1・1　4・1　7・1　10・1　18・1・1　3・31　4・1　7・1　10・1　19・1・1

昇　給
行(一)９の１２

研究休職
（H19.7.1まで）

９の１２
経過期間０月

18．4．1
附則第６条及び第７条第１項
７の２５

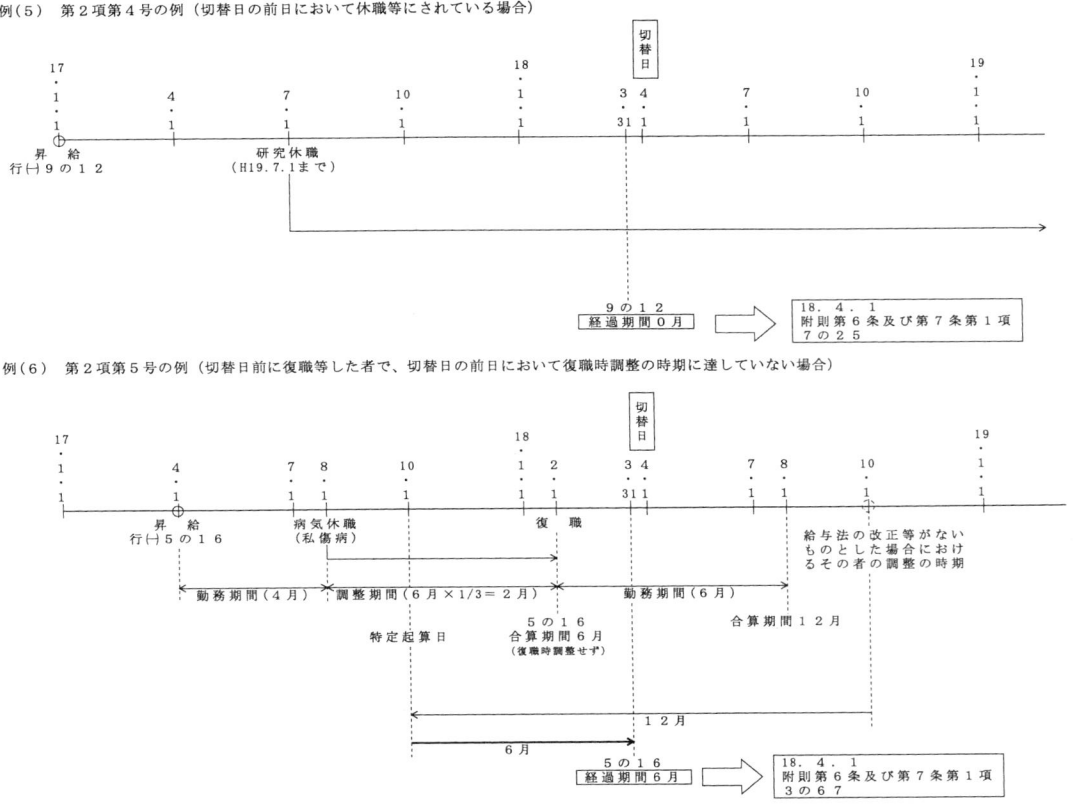

例(６)　第２項第５号の例（切替日前に復職等した者で、切替日の前日において復職時調整の時期に達していない場合）

切替日

17・1・1　4・1　7・1　8・1　10・1　18・1・1　2・1　3・31　4・1　7・1　8・1　10・1　19・1・1

昇　給
行(一)５の１６

病気休職
（私傷病）

復　職

給与法の改正等がないものとした場合におけるその者の調整の時期

勤務期間（４月）　調整期間（６月×1/3＝２月）　勤務期間（６月）

５の１６
合算期間６月
（復職時調整せず）

合算期間１２月

特定起算日

１２月

６月

５の１６
経過期間６月

18．4．1
附則第６条及び第７条第１項
３の６７

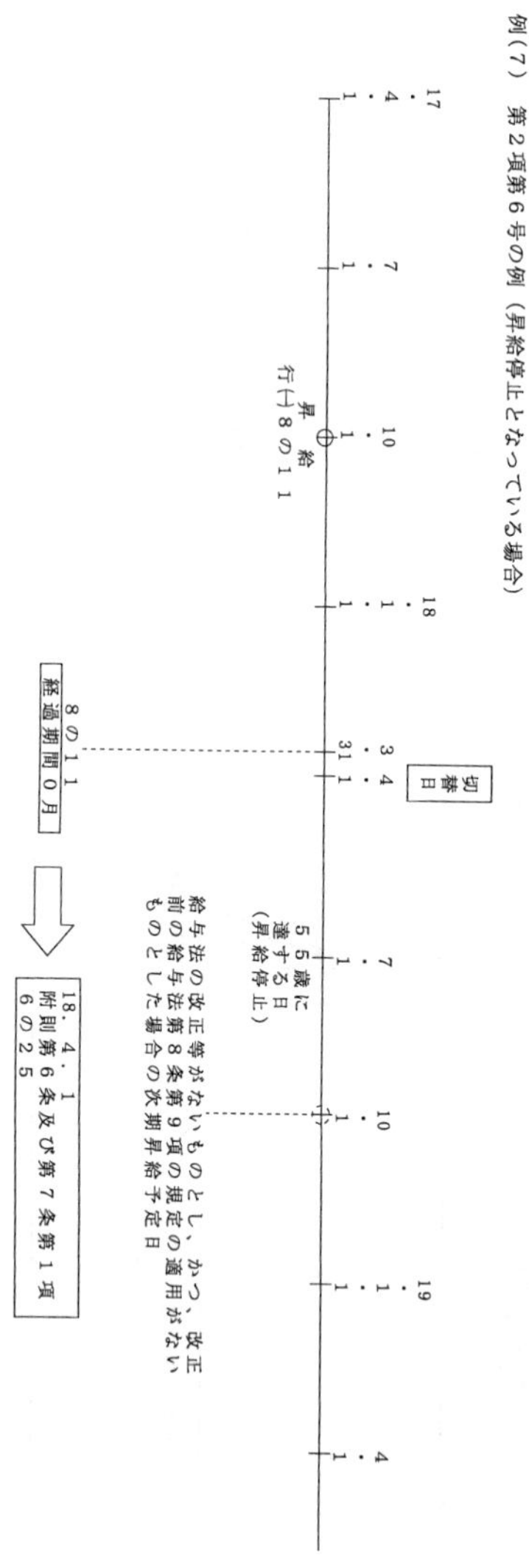
例（7） 第2項第6号の例（昇給停止となっている場合）
17.4.1
7.1
10.1
昇給
行(一)8の11
18.1.1
3.31
4.1
切替日
8の11
経過期間0月
7.1
55歳に達する日
（昇給停止）
10.1
給与法の改正等がないものとし、かつ、改正前の給与法第8条第9項の規定の適用がないものとした場合の次期昇給予定日
19.1.1
4.1
18.4.1
附則第6条及び第7条第1項
6の25

第４（切替日前の異動者の号俸の調整）関係

例(８) 第３項（調整の要領）第１号の例（改正後の給与法による号俸が有利な場合）

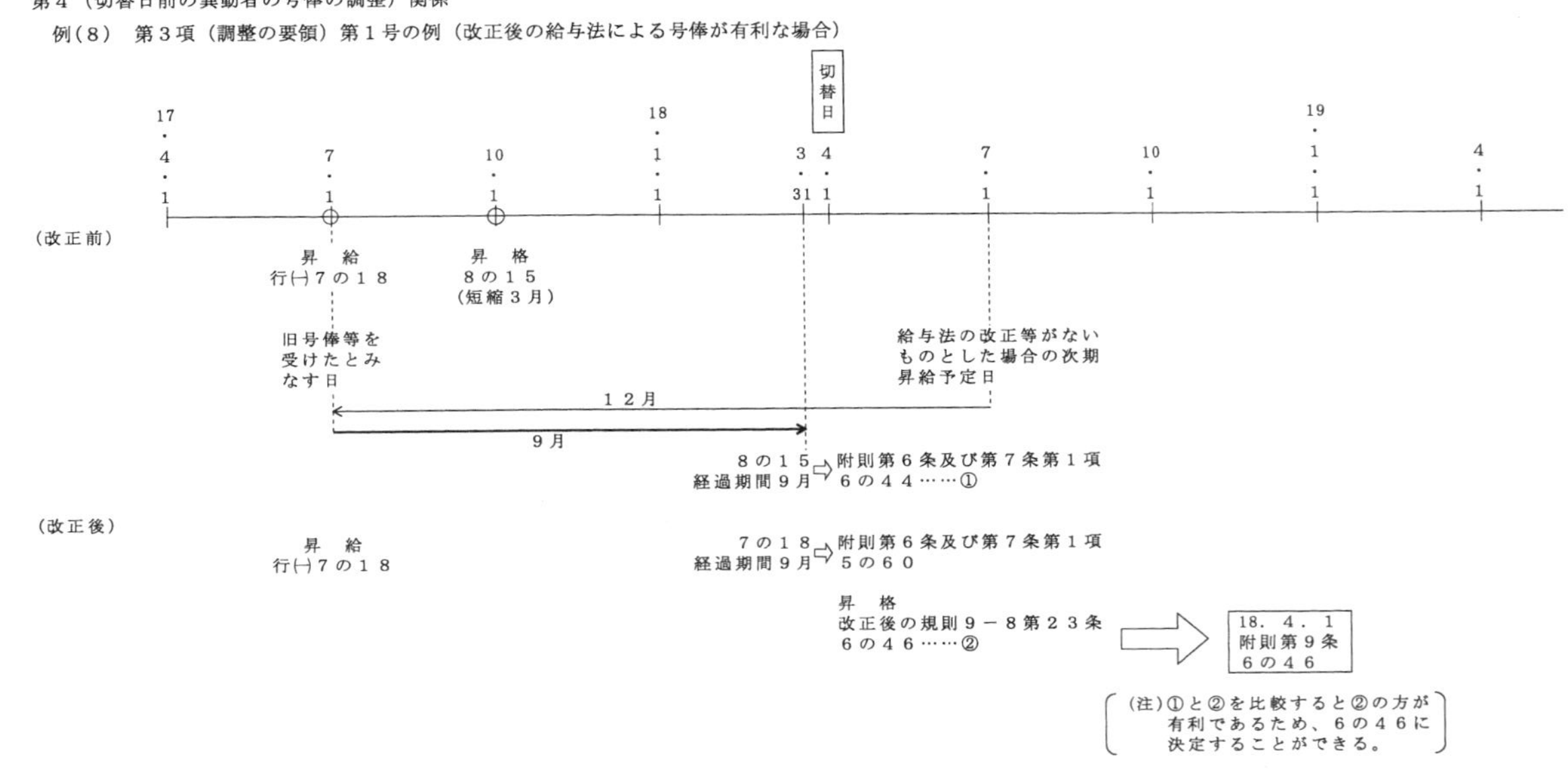

○令和六年改正法附則第四条及び第五条の規定に基づく号俸の切替え及び号俸の調整について（通知）

令七・二・一二
給実甲一三三三

一般職の職員の給与に関する法律等の一部を改正する法律（令和六年法律第七十二号）附則第四条及び第五条の規定に基づく令和七年四月一日における号俸の切替え及び号俸の調整については、下記に従って実施してください。

記

第一　用語の定義

この通達において、次の各号に掲げる用語の意義は、それぞれ当該各号に定めるところによる。

一　給与法　一般職の職員の給与に関する法律（昭和二十五年法律第九十五号）をいう。

二　改正法　一般職の職員の給与に関する法律等の一部を改正する法律（令和六年法律第七十二号）をいう。

三　規則九―八　人事院規則九―八（初任給、昇格、昇給等の基準）をいう。

四　切替日　令和七年四月一日をいう。

五　新号俸　切替日における号俸をいう。

第二　号俸の切替え（改正法附則第四条関係）

切替日の前日において給与法別表第一から別表第十までの俸給表の適用を受けていた職員の新号俸は、改正法附則第四条（号俸の切替え）に定めるところにより決定される。

第三　切替日前の異動者の号俸の調整（改正法附則第五条関係）

1　改正法附則第五条の「人事院の定めるこれに準ずるものをした職員」

改正法附則第五条の「人事院の定めるこれに準ずるものをした職員」は、切替日前において規則九―八第十七条（人事交流等により異動した場合の号俸）、第十八条（特殊の官職に採用する場合等の号俸）、第十九条（特定の職員についての号俸に関する規定の適用除外）又は第二十六条（初任給基準を異にする異動をした職員の号俸）の規定に基づき号俸を決定された職員のうち、当該号俸を決定する際の計算の過程において切替日前に昇格をしたこととなる職員とする。

2　切替日前に昇格等の異動又はこれに準ずるものをした職員の号俸の調整

切替日前において昇格をした職員及び俸給表異動職員等（切替日前において規則九―八第二十八条（俸給表の適用を異にする異動をした職員の号俸）の規定に基づき号俸を決定された職員であって当該号俸を決定する際の計算の過程において切替日前に昇格をしたこととなるもの及び前項に規定する職員をいう。以下この第三において同じ。）のうち、切替日において行政職俸給表㈠の適用を受ける職員でその職務の級が八級以上であるもの及び規則九―八第三十八条の二各号に掲げる職員（次項第一号において「行㈠八級以上職員等」という。）であるもの（切替日において昇格をした職員及び俸給表異動職員等であって号俸を決定する際の計算の過程において切替日に昇格をしたこととなるものを除く。）の新号俸については、改正法附則第五条（切替日前の異動者の号俸の調整）の規定に基づき、次項に定めるところにより必要な調整を行うことができる。

3　調整の要領

一　切替日前において昇格（行㈠八級以上職員等の職務の級への昇格に限り、俸給表異動職員等にあっては、号俸を決定する際の計算の過程における昇格をいう。以下この項において同じ。）をした職員のうち、その者の切替日前に行われた昇格がないものとし、かつ、切替日に昇格をしたもの（昇格が二回以上あった場合にあっては、切替日にそれらの昇格が順次あったもの）として規則九―八各条の規定を適用した場合に得られる号俸が改正法附則第四条に定めるところにより決定される新号俸より有利な職員については、当該得られる号俸をもって、その者の新号俸とすることができる。この場合において、調整の際の規則九―八第二十三条（昇格の場合の号俸）の規定の適用については、切替日前に行われた昇格がないものとした場合にその者が切替日に受けることとなる号俸を、切替日の前日に受けていたものとみなす。

二　前号の規定に該当する職員のうち、切替日前における号俸の決定について個別に人事院又は事務総長の承認を得て決定された職員にあっては、同号の規定にかかわらず、あらかじめ事務総長の承認を得てその者の新号俸を決定することができる。

第四　職員に対する通知等

1　職員に対する通知

改正法附則第四条及び第五条の規定の適用を受けた職員に対しては、その旨を人事異動通知書又はこれに代わる文書（以下この項において「通知書等」という。）により通知するものとし、その記入の際の参考例を示せば、次のとおりである。ただし、通知書等の交付によらないことを適当と認める場合には、適当な方法をもって通知書等の交付に代えることができる。

一　改正法附則第四条の規定の適用を受けた職員

令和七年四月一日　令和六年法律第七十二号附則第四条の規定により○号俸を給する

二　改正法附則第五条の規定の適用を受けた職員

令和七年四月一日　令和六年法律第七十二号附則第五条の規定により○号俸を給する

2　号俸の切替え等に当たっての号俸の算出の過程等の明確化

号俸の切替え等に当たっては、改正法附則第四条及び第五条の規定の適用を受けた職員について、調書等を作成し、その号俸の算出の過程等を明確にしておくものとする。

第五　号俸の切替え等に関する特例

号俸の切替え等に関し、この通達により難い場合は、あらかじめ事務総長の承認を得て別に定めることができる。

以上

【参考】

○人事院規則九—一四四（平成三十年四月一日における号俸の調整）

平三〇・二・一制定
平三〇・四・一施行
平三二・四・一　廃止

（定義）

第一条　この規則において、次の各号に掲げる用語の意義は、当該各号に定めるところによる。

一　上位資格取得等決定　規則九—八（初任給、昇格、昇給等の基準）第二十三条第三項、第二十六条第二項（同規則第二十八条において準用する場合を含む。以下同じ。）又は第四十三条の規定により号俸を決定されることをいう。

二　俸給表異動等　俸給表の適用を異にする異動又は俸給表の適用を異にしない規則九—八別表第二に定める初任給基準表（規則九—八—七九（人事院規則九—八（初任給、昇格、昇給等の基準）の一部を改正する人事院規則）による改正前の規則九—八別表第二に定める初任給基準表を含む。）に異なる初任給の定めがある他の職種に属する職務への異動（当該異動後の号俸が同規則第二十六条第一項第二号（同規則第二十八条において準用する場合を含む。）若しくは第三号又は第二項の規定により決定される場合を除く。）をすることをいう。

三　個別承認決定　人事院の承認を得てその号

俸を決定されること又はこれに準ずるものとして人事院の定める事由をいう。

四　特定休職等　平成二十五年十月一日から平成二十六年九月三十日までの間において、休職にされ、法第百八条の六第一項ただし書に規定する許可を受け、派遣法第二条第一項の規定により派遣され、休暇のため引き続いて勤務せず、育児休業法第三条の規定により育児休業をし、官民人事交流法第二条第三項に規定する交流派遣をされ、法科大学院派遣法第十一条第一項の規定により派遣され、自己啓発等休業法第二条第五項に規定する自己啓発等休業をし、又は配偶者同行休業法第二条第四項に規定する配偶者同行休業をしていたことをいう。

五　人事交流等異動　規則九―八第十七条第一号から第四号まで及び第七号に掲げる者から人事交流等により引き続いて職員となることをいう。

（調整対象昇給日に昇給した職員のうち調整の対象から除かれる職員）

第二条　一般職の職員の給与に関する法律等の一部を改正する法律（平成二十九年法律第七十七号。次条において「改正法」という。）附則第三条第一項の昇給の号俸数の決定の状況を考慮して人事院規則で定める職員は、次に掲げる職員とする。

一　平成二十七年一月一日（以下「調整対象昇給日」という。）に受けていた号俸と、規則九―一三七（平成二十七年一月一日における昇給に関する人事院規則九―八（初任給、昇格、昇給等の基準）の特例）の規定の適用がないものとした場合の調整対象昇給日に受けることとなる号俸とが等しくなる職員（調整対象昇給日から平成三十年四月一日（以下「調整日」という。）までの間に上位資格取得等決定をされ、俸給表異動等をし、又は個別承認決定をされた職員を除く。）

二　調整対象昇給日から調整日の前日までの間（以下「特定期間」という。）に上位資格取得等決定をされた職員（上位資格取得等決定をされた日の翌日から調整日の前日までの間に俸給表異動等をし、又は個別承認決定をされた職員を除く。）のうち、次に掲げるもの

イ　規則九―八第二十三条第三項又は第二十六条第二項の規定による初任給として受けるべき号俸の決定において、附則第四条の規定による改正前の規則九―一三七附則第二項の規定により号俸を決定された職員であって、同項に規定する採用日から同項に規定する調整年数を遡った日が平成二十六年十一月一日（同項に規定する特定職員にあっては同年十月一日）以後となる職員

ロ　規則九―八第四十三条の規定により号俸を決定された職員であって、人事院の定めるもの

三　特定期間における俸給表異動等をした職員のうち、調整対象昇給日の前日に俸給表異動等があったものとした場合（特定期間に俸給表異動等を二回以上したときは、同日にこれらの俸給表異動等が順次あったものとした場合。次条第四号イにおいて同じ。）に前二号に掲げる職員に該当することとなるもの（次に掲げる職員を除く。）

イ　俸給表異動等（特定期間に俸給表異動等を二回以上したときは、直近の俸給表異動等をいう。以下「特定俸給表異動等」という。）をした日の翌日から調整日までの間に上位資格取得等決定をされた職員

ロ　調整対象昇給日から調整日までの間に個別承認決定をされた職員

ハ　特定休職等をした職員（調整対象昇給日の翌日から特定俸給表異動等をした日の前日までの間に上位資格取得等決定をされた職員を除く。）

四　特定期間に個別承認決定をされた職員（個別承認決定をされた日の翌日から調整日の前日までの間に上位資格取得等決定をされた職員を除く。）のうち、人事院の定める職員

五　特定休職等をした職員（特定期間に上位資格取得等決定をされ、又は個別承認決定をされた職員を除く。）のうち、人事院の定める職員

六　調整日に人事交流等異動をし、上位資格取得等決定をされ、俸給表異動等をし、又は個別承認決定をされた職員

七　前各号に掲げる職員に相当するものとして人事院が定めるもの

（調整対象昇給日に昇給した職員との権衡上調整の対象となる職員）

第三条　改正法附則第三条第一項の昇給抑制職員との権衡上必要があると認められるものとして人事院規則で定める職員は、調整対象昇給日に

給与法第八条第六項の規定により昇給した職員以外の職員のうち、次に掲げるものとする。

一　特定期間に新たに職員となった者であって、次に掲げるもの（新たに職員となった日の翌日から調整日までの間に上位資格取得等決定をされ、俸給表異動等をし、又は個別承認決定をされた職員を除く。）

イ　附則第四条の規定による改正前の規則九―一三七附則第二項の規定により号俸を決定された職員であって、同項に規定する採用日から同項に規定する調整年数を遡った日が平成二十六年十一月一日（同項に規定する特定職員にあっては、同年十月一日）前となるもの

ロ　規則九―八第十二条第一項第二号の規定により号俸を決定された職員であって、改正法附則第三条第一項に規定する昇給抑制職員又はイ若しくは次号から第八号までに掲げる職員との均衡を考慮して号俸を決定されたもの

二　特定期間に人事交流等異動をした職員（人事交流等異動をした日の翌日から調整日までの間に上位資格取得等決定をされ、又は個別承認決定をされた職員を除く。）のうち、人事院の定めるもの

三　特定期間に上位資格取得等決定をされた職員（上位資格取得等決定をされた日の翌日から調整日までの間に俸給表異動等をし、又は個別承認決定をされた職員を除く。）のうち、次に掲げるもの

イ　規則九―八第二十三条第三項又は第二十六条第二項の規定による初任給として受けるべき号俸の決定において、附則第四条の規定による改正前の規則九―一三七附則第二項の規定により号俸を決定された職員であって、同項に規定する採用日から同項に規定する調整年数を遡った日が平成二十六年十一月一日（同項に規定する特定職員にあっては同年十月一日）前となる職員

ロ　規則九―八第四十三条の規定により号俸を決定された職員であって、人事院の定めるもの

四　特定期間における俸給表異動等をした職員であって、次に掲げるもの（前条第三号イからハまでに掲げる職員を除く。）

イ　調整対象昇給日から調整日の前々日までの間に新たに職員となった者以外の者であって、調整対象昇給日の前日に俸給表異動等があったものとした場合に、改正法附則第三条第一項に規定する昇給抑制職員又は前号、次号若しくは第七号に掲げる職員に該当することとなるもの

ロ　調整対象昇給日から調整日の前々日までの間に新たに職員となった者（人事交流等異動をした職員を除く。）であって、当該新たに職員となった日から特定俸給表異動等後の職務と同種の職務に引き続き在職していたものとした場合に、第一号に掲げる職員に該当することとなるもの

五　調整対象昇給日において規則九―八第三十七条及び規則九―一三七の規定により昇給しないこととなった職員であって、調整対象昇給日に受けていた号俸と同規則の規定の適用がないものとした場合の調整対象昇給日に受けることとなる号俸とが異なるもの（次に掲げる職員を除く。）

イ　調整日に人事交流等異動をした職員

ロ　調整対象昇給日から調整日までの間に上位資格取得等決定をされ、俸給表異動等をし、又は個別承認決定をされた職員

ハ　特定休職等をした職員のうち、人事院が定めるもの

六　特定期間に個別承認決定をされた職員（個別承認決定をされた日の翌日から調整日までの間に上位資格取得等決定をされた職員を除く。）のうち、人事院の定める職員

七　特定休職等をした職員（次に掲げる職員を除く。）のうち、人事院の定める職員

イ　調整日に人事交流等異動をし、又は俸給表異動等をした職員

ロ　調整対象昇給日から調整日までの間に上位資格取得等決定をされ、又は個別承認決定をされた職員

八　前各号に掲げるもののほか、部内の他の職員との均衡を考慮してあらかじめ人事院の承認を得て定める職員

（この規則により難い場合の措置）

第四条　特別の事情によりこの規則の規定によることが著しく不適当であると認められる場合には、あらかじめ人事院の承認を得て、別段の取扱いをすることができる。

附　則（抄）

（施行期日）

第一条　この規則は、平成三十年四月一日から施行する。

【参考】

○平成三十年四月一日における号俸の調整の運用について（通知）

平三〇・二・一
給実甲　一二四五

標記について、下記のとおり定めたので通知します。

記

改正法附則第三条関係

一般職の職員の給与に関する法律等の一部を改正する法律（平成二十九年法律第七十七号。以下「改正法」という。）附則第三条第一項の「平成三十年四月一日において三十七歳に満たない職員」とは、昭和五十六年四月二日以後に生まれた職員をいう。

規則九―一四四第一条関係

人事院規則九―一四四（平成三十年四月一日における号俸の調整）（以下「規則」という。）第一条第三号の「人事院の定める事由」は、事務総長の承認を得てその号俸を決定されること及び人事院又は事務総長の承認があったものとして取り扱うことができるとされて、その号俸を決定されることとする。

規則九―一四四第二条関係

1　規則第二条第二号ロの「人事院の定めるもの」は、給実甲第三二六号（人事院規則九―八（初任給、昇格、昇給等の基準）の運用について）第四十三条関係第三項第一号の規定による初任給として受けるべき号俸の決定において、規則附則第四条の規定による改正前の人事院規則九―一三七（平成二十七年一月一日における昇給に関する人事院規則九―八（初任給、昇格、昇給等の基準）の特例）附則第二項の規定により号俸を決定された職員であって、同項に規定する採用日から同項に規定する調整年数を遡った日が平成二十六年十一月一日（同項に規定する特定職員にあっては同年十月一日）以後となるものとする。

2　規則第二条第四号の「人事院の定める職員」は、規則第一条第三号に規定する個別承認決定（以下「個別承認決定」という。）をされる際の計算の過程における昇給その他の号俸の決定について、規則第二条第一号から第三号まで、第五号及び第六号の規定を適用したとしたならばこれらの規定に掲げる職員に該当することとなる職員並びに規則第三条第一号から第七号までの規定を適用したとしたならばこれらの規定に掲げる職員に該当しないこととなる職員とする。

3　規則第二条第五号の「人事院の定める職員」は、平成二十七年一月一日（以下「調整対象昇給日」という。）において、人事院規則九―八（初任給、昇格、昇給等の基準）第三十七条の規定によりＡ、Ｂ若しくはＣの昇給区分（同条第一項に規定する昇給区分をいう。以下同じ。）に決定された職員のうち調整対象昇給日から平成三十年四月一日（以下「調整日」という。）の前日までの間に規則第一条第二号に規定する俸給表異動等（以下「俸給表異動等」という。）をしたもの又は調整対象昇給日において人事院規則九―八第三十七条の規定によりＤの昇給区分に決定された職員であって、規則第一条第四号に規定する特定休職等をした期間に係る給実甲第一九二号（復職時等における号俸の調整の運用について）による号俸の調整ができた日のうち調整日に最も近い日（特定休職等をした期間に係る給実甲第一九二号による号俸の調整をされていない職員であって調整日において休職等（国家公務員法（昭和二十二年法律第百二十号）第七十九条の規定により休職にされ、同法第百八条の六第一項ただし書に規定する許可を受け、国際機関等に派遣される一般職の国家公務員の処遇等に関する法律（昭和四十五年法律第百十七号）第二条第一項の規定により派遣され、休暇のため引き続いて勤務せず、国家公務員の育児休業等に関する法律（平成三年法律第百九号）第三条の規定により育児休業をし、国と民間企業との間の人事交流に関する法律（平成十一年法律第二百二十四号）第二条第三項に規定する交流派遣をされ、法科大学院への裁判官及び検察官その他の一般職の国家公務員の派遣に関する法律（平成十五年法律第四十号）第十一条第一項の規定により派遣され、国家公務員の自己啓発等休業に関する法律（平成十九年法律第四十五号）第二条第五項に規定する自己啓発等休業をし、福島復興再生特別措置法（平成二十四年法律第二十五号）第四十八条の三第一項の規定により派遣され、国家公務員の配偶者同行休業に関する法律（平成二十五年法律第七十八号）第二条第四項に規定する配偶者同行休業をし、平成三十二年東京オリンピック競技大会・東京パラリンピック競技大会特別措置法（平成二十七年法律第三十三号）第十七条第一項の規定により派遣され、又は平成三十一年ラグビーワールドカップ大会特別措置法（平成二十七年法律第三十四号）第四条第一項の規定により派遣されていたことをいう。）をしているものにあっては、調整日の前日。以下「判定日」という。）における号俸（判定日に給実甲第一九二号の定めるところによる号俸の調整をされていない職員にあっては判定日に給実甲第一九二号の定めるところにより号俸の調整をされたものとした場合の号俸とし、判定日から調整日の前日までの間に俸給表異動等をした職員にあっては人事院規則九―八第二十六条第一項第一号（同規則第二十八条において準用する場合を含む。）の規定の例による再計算（以下「俸給表異動等再計算」という。）をした場合に判定日に受けることとなる号俸とする。以下この号において同じ。）の号数を、平成二十五年十月一日から平成二十六年九月三十日までの期間に係る給実甲第一九二号第一の第二項第二号に規定する調整数について同号に規定する標準号俸数の号数及び号俸数に相当する数並びに同項第三号に規定する算定の基礎となる号数（当該号数が零となる場合を除く。）がこれらの号数及び数にそれぞれ一を加えて得た数であったものとした場合の判定日における号俸の号数から減じた数（以下「復職時調整抑制数」という。）が零となるものとする。

規則九―一四四第三条関係

1　規則第三条第二号の「人事院の定めるもの」は、給実甲第四四二号（人事交流による採用者等の職務の級及び号俸の決定について）の定めるところにより号俸を決定された職員であって、給実甲第四四二号第四項（給実甲第四四二号第七項において準用する場合を含む。以下同じ。）の規定により再計算した場合（規則第一条第五号に規定する人事交流等異動をした日から調整日の前日までの間に俸給表異動等をした職員にあっては、俸給表異動等再計算をした場合）に、改正法附則第三条第一項に規定する昇給抑制職員又は規則第三条第一号、第三号、第五号若しくは第七号に掲げる職員に該当することとなるものとする。

2　規則第三条第三号ロの「人事院の定めるもの」は、給実甲第三二六号第四十三条関係第三項第一号の規定による初任給として受けるべき号俸の決定において、規則附則第四条の規定による改正前の人事院規則九―一三七附則第二項の規定により号俸を決定された職員であって、同項に規定する採用日から同項に規定する調整年数を遡った日が平成二十六年十一月一日（同項に規定する特定職員にあっては同年十月一日）前となるものとする。

3　規則第三条第五号ハの「人事院が定めるもの」は、調整対象昇給日において人事院規則九―八第三十七条の規定によりＤの昇給区分に決定された職員であって、復職時調整抑制数が零となるものとする。

4　規則第三条第六号の「人事院の定める職員」は、個別承認決定をされる際の計算の過程における昇給その他の号俸の決定について、規則第二条第一号から第六号までの規定を適用したとしたならば改正法附則第三条第一項に規定する昇給抑制職員に該当することとなる職員並びに規則第三条第一号から第五号まで及び第七号の規定を適用したとしたならばこれらの規定に掲げる職員に該当することとなる職員とする。

5　規則第三条第七号の「人事院の定める職員」は、調整対象昇給日において人事院規則九―八第三十七条の規定によりＤ若しくはＥの昇給区分に決定された職員又は昇給区分を決定されなかった職員であって、復職時調整抑制数が一となるものとする。

その他の事項

改正法附則第三条第一項の規定により号俸を一号俸上位の号俸とされた職員に対しては、その旨を調整日に人事異動通知書又はこれに代わる文書（以下「通知書等」という。）により通知するものとする。ただし、通知書等の交付によらないことを適当と認める場合には、適当な方法をもって通知書等の交付に代えることができる。

なお、通知書等の記入に当たっての参考例を示せば、次のとおりである。

平成三十年四月一日　一般職の職員の給与に関する法律等の一部を改正する法律（平成二十九年法律第七十七号）附則第三条第一項の規定により○○俸給表○級○号俸を給する

以　上

【参考】

○人事院規則九―一三七（平成二十七年一月一日における昇給に関する人事院規則九―八（初任給、昇格、昇給等の基準）の特例）

平二六・一一・一九制定
平二六・一一・一九施行

廃止　令七・四・一

平成二十七年一月一日における職員（専門スタッフ職俸給表の適用を受ける職員でその職務の級が二級又は三級であるものを除く。）の昇給に関する規則九―八（初任給、昇格、昇給等の基準）第三十七条第七項から第九項までの規定の適用については、同条第七項及び第八項中「定める号俸数」とあるのは「定める号俸数に相当する数から一を減じて得た数に相当する号俸数（当該号俸数が負となるときは、零）」と、同条第九項中「人事院の定める数」とあるのは「昇給号俸数表のＣ欄に定める号俸数に相当する数から一を減じて得た数（当該数が負となるときは、零）」とする。

附　則（抄）

（施行期日）

1　この規則は、公布の日から施行する。

（初任給に関する経過措置）

2　平成三十年四月一日（以下この項において「調整日」という。）以後に新たに職員となり、その者の号俸の決定について規則九―八第十四条から第十六条までの規定の適用を受けることとなる者（調整日において三十七歳に満たない職員を除く。）のうち、新たに職員となった日（以下この項において「採用日」という。）から、これらの規定による号俸（以下この項において「特定号俸」という。）の号数から同規則第十二条第一項の規定による号俸（同規則第十四条第一項の規定により初任給基準表の初任給欄の号俸とすることができることとされている号俸を除く。）の号数を減じた数を四（新たに職員となった者が特定職員（行政職俸給表㈠の適用を受ける職員でその職務の級が七級以上であるもの及び同規則第三十六条各号に掲げる職員をいう。以下同じ。）であるときは、三）で除して得た数の年数（一未満の端数があるときは、これを切り捨てた数。以下この項において「調整年数」という。）を遡った日が平成二十七年一月一日前となるものの採用日における号俸は、同規則第十四条から第十六条までの規定にかかわらず、採用日から調整年数を遡った日（当該遡った日が同日の属する年の十一月一日（特定職員にあっては、同年の十月一日）以後である場合にあっては、同年の翌年の一月一日）の翌日から採用日までの間における同規則第三十四条に規定する昇給日（次の各号に掲げる職員の区分に応じ、当該各号に定める年におけるものに限る。）の数に相当する号数を特定号俸の号数から減じて得た号数の号俸とする。

一　次号から第五号までに掲げる職員以外の職員　平成十九年から平成二十二年まで及び平成二十七年

二　調整日において五十歳に満たない職員（次号から第五号までに掲げる職員を除く。）　平成十九年から平成二十一年まで及び平成二十七年

三　調整日において四十九歳に満たない職員（次号及び第五号に掲げる職員を除く。）　平成十九年、平成二十年及び平成二十七年

四　調整日において四十四歳に満たない職員（次号に掲げる職員を除く。）　平成十九年及び平成二十七年

五　調整日において四十二歳に満たない職員　平成二十七年

附　則（平三〇・二・一規則九―一四四）（抄）

（施行期日）

第一条　この規則は、平成三十年四月一日から施行する。

【参考】

○平成二十六年改正法附則第六条の規定に基づく号俸の調整について（通知）

平二七・一・三〇
給実甲一一八〇

一般職の職員の給与に関する法律等の一部を改正する法律（平成二十六年法律第百五号）附則第六条の規定に基づく平成二十七年四月一日における号俸の調整については、下記に従って実施してください。

記

第一　用語の定義

この通達において、次の各号に掲げる用語の意義は、それぞれ当該各号に定めるところによる。

一　改正法　一般職の職員の給与に関する法律等の一部を改正する法律（平成二十六年法律第百五号）をいう。

二　規則九―八　人事院規則九―八（初任給、昇格、昇給等の基準）をいう。

三　改正前の規則九―八　人事院規則九―八―七九（人事院規則九―八（初任給、昇格、昇給等の基準）の一部を改正する人事院規則）による改正前の規則九―八をいう。

四　切替日　平成二十七年四月一日をいう。

第二　切替日前の異動者の号俸の調整

1　切替日前に昇格等の異動をした職員の号俸の調整

切替日前（平成十八年四月一日から切替日の前日までの間に限る。以下同じ。）において規則九―八第二十八条（俸給表の適用を異にする異動をした職員の号俸）の規定に基づき号俸を決定された職員であって当該号俸を決定する際の計算の過程において切替日前に昇格をしたこととなるもの並びに次項に定めるこれらに準ずる職員の切替日における号俸については、改正法附則第六条（切替日前の異動者の号俸の調整）の規定に基づき、第三項に定めるところにより必要な調整を行うことができる。

2　改正法附則第六条の「人事院の定めるこれに準ずる職員」

改正法附則第六条の「人事院の定めるこれに準ずる職員」は、切替日前において規則九―八第十七条（人事交流等により異動した場合の号俸）、第十八条（特殊の官職に採用する場合等の号俸）、第十九条（特定の職員についての号俸に関する規定の適用除外）又は第二十六条（初任給基準を異にする異動をした職員の号俸）の規定に基づき号俸を決定された職員のうち、当該号俸を決定する際の計算の過程において切替日前に昇格をしたこととなる職員とする。

3　調整の要領

一　次に掲げる職員の区分に応じ、それぞれ次に定める場合に決定されることとなる号俸が切替日における号俸より有利な職員については、当該決定されることとなる号俸をもって、その者の切替日における号俸と

することができる。この場合において、調整の際の規則九―八第二十三条（昇格の場合の号俸）の規定の適用については、その者の切替日前に行われた昇格（複数あるときは、切替日の直近のものに限る。）がないものとした場合にその者が切替日に受けることとなる号俸を切替日の前日に受けていたものとみなす。（別紙の例参照）

イ　切替日前において昇格をした職員　当該昇格（複数あるときは、切替日の直近のものに限る。以下同じ。）が切替日に行われたものとした場合

ロ　第一項に規定する職員（イに掲げる職員を除く。）　その者の前二項に規定する規則九―八各条の規定に基づく号俸の決定が切替日に行われたものとし、かつ、その号俸を決定する際の計算の過程における昇格が切替日に行われたものとした場合

二　切替日前における昇格（前二項に規定する計算の過程における切替日前の昇格を含む。）が二級以上上位の職務の級への昇格であった場合における前号の規定の適用については、同号中「切替日に行われたものとした」とあるのは、「行われた日に現に属する職務の級の一級下位の職務の級への昇格が行われたものとして改正前の規則九―八の規定を適用した後切替日に現に属する職務の級への昇格が行われたものとした」とする。

三　前二号の規定に該当する職員のうち、切替日前における号俸の決定について個別に人事院又は事務総長の承認を得て決定された職員にあっては、これらの規定にかかわらず、あらかじめ事務総長の承認を得てその者の切替日における号俸を決定することができる。

第三　職員に対する通知等

1　職員に対する通知

改正法附則第六条の規定の適用を受けた職員に対しては、人事異動通知書又はこれに代わる文書（以下「通知書等」という。）により通知するものとし、その記入の際の参考例を示せば、次のとおりである。ただし、通知書等の交付によらないことを適当と認める場合には、適当な方法をもって通知書等の交付に代えることができる。

平成二十七年四月一日　平成二十六年法律第百五号附則第六条の規定により○号俸を給する

2　号俸の調整に当たっての号俸の算出の過程等の明確化

改正法附則第六条の規定に基づく号俸の調整に当たっては、調書等を作成し、その号俸の算出の過程等を明確にしておくものとする。

第四　号俸の調整に関する特例

改正法附則第六条の規定に基づく号俸の調整に関し、この通達により難い場合は、あらかじめ事務総長の承認を得て別に定めることができる。

以　上

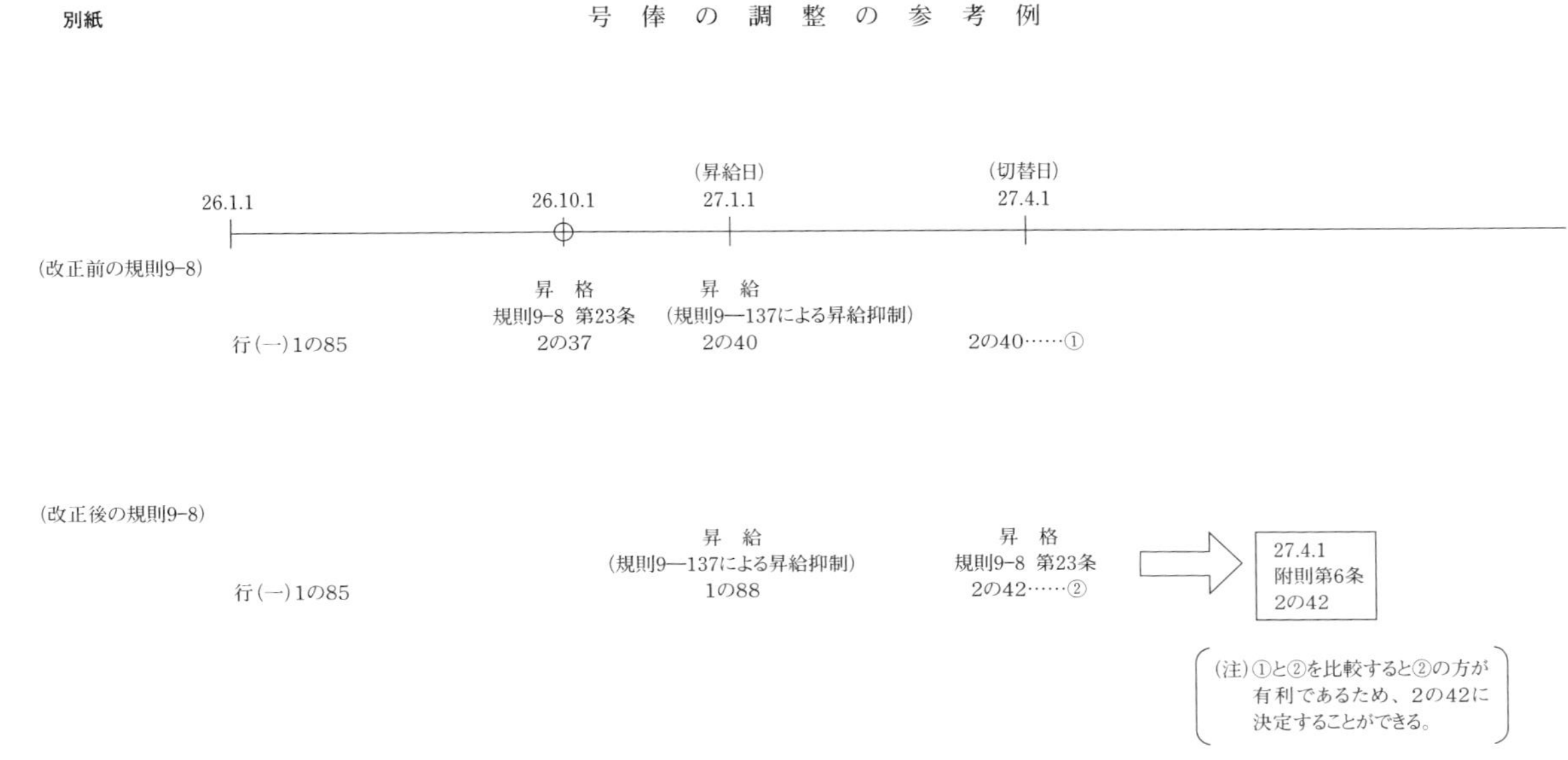
別紙
号俸の調整の参考例
26.1.1
26.10.1
(昇給日)
27.1.1
(切替日)
27.4.1
(改正前の規則9−8)
行(一)1の85
昇格
規則9−8 第23条
2の37
昇給
(規則9—137による昇給抑制)
2の40
2の40……①
(改正後の規則9−8)
行(一)1の85
昇給
(規則9—137による昇給抑制)
1の88
昇格
規則9−8 第23条
2の42……②
27.4.1
附則第6条
2の42
(注) ①と②を比較すると②の方が有利であるため、2の42に決定することができる。

【参考】

○人事院規則九―一三九（平成二十六年改正法附則第七条の規定による俸給）

平二七・一・三〇制定
平二七・四・一施行

平三〇・四・一　廃止

（趣旨）

第一条　この規則は、一般職の職員の給与に関する法律等の一部を改正する法律（平成二十六年法律第百五号。以下「平成二十六年改正法」という。）附則第七条の規定による俸給に関し必要な事項を定めるものとする。

（平成二十六年改正法附則第七条第一項の人事院規則で定める職員）

第二条　平成二十六年改正法附則第七条第一項の人事院規則で定める職員は、次に掲げる職員とする。

一　平成二十七年四月一日（以下「切替日」という。）以降に初任給基準異動（俸給表の適用を異にしない規則九―八（初任給、昇格、昇給等の基準）別表第二に定める初任給基準表に異なる初任給の定めがある他の職種に属する職務への異動をいう。次条第一項第一号において同じ。）をした職員

二　切替日以降に降格（職員の職務の級を同一の俸給表の下位の職務の級に変更することをいう。次条第一項第二号において同じ。）をした職員

三　切替日以降に降号（職員の号俸を同一の職務の級の下位の号俸に変更すること（指定職俸給表の適用を受ける職員の号俸を同表の下位の号俸に変更することを含む。）をいう。次条第一項第二号において同じ。）をした職員

四　切替日前に次に掲げる期間（この号及び次条第一項第三号において「休職等期間」という。）がある職員であって、切替日以降に当該休職等期間を含む期間に係る復職時調整（規則九―八第四十四条、育児休業法第九条、官民人事交流法第十八条第一項、法科大学院派遣法第二十条第一項、自己啓発等休業法第七条、福島復興再生特別措置法（平成二十四年法律第二十五号）第四十八条の十一第一項、配偶者同行休業法第八条、平成三十二年オリンピック・パラリンピック特措法第二十五条第一項又は平成三十一年ラグビーワールドカップ特措法第十二条第一項の規定による号俸の調整をいう。次条第一項第三号において同じ。）をされたもの

イ　法第七十九条の規定により休職にされていた期間

ロ　法第百八条の六第一項ただし書に規定する許可を受けていた期間

ハ　派遣法第二条第一項の規定により派遣されていた期間

ニ　育児休業法第三条第一項の規定により育児休業をしていた期間

ホ　勤務時間法第十六条に規定する病気休暇又は介護休暇の承認を受けていた期間

ヘ　官民人事交流法第二条第三項に規定する交流派遣をされていた期間

ト　法科大学院派遣法第十一条第一項の規定により派遣されていた期間

チ　自己啓発等休業法第二条第五項に規定する自己啓発等休業をしていた期間

リ　配偶者同行休業法第二条第四項に規定する配偶者同行休業をしていた期間

五　切替日以降に育児短時間勤務等（育児休業法第十二条第一項又は第二十二条の規定による勤務をいう。次条第一項第四号において同じ。）を開始し、又は終了した職員

六　切替日以降に再任用職員異動（法第八十一条の四第一項又は第八十一条の五第一項の規定により採用された職員について行う勤務時間法第五条の規定により定められた一週間当たりの勤務時間が異なる他の官職への異動をいう。次条第一項第五号において同じ。）をした職員

七　切替日以降に人事院の承認を得てその号俸を決定された職員（人事院の定めるこれに準ずる職員を含む。）

本条―平二九・五・一九施行

（平成二十六年改正法附則第七条第二項の規定による俸給の支給）

第三条　切替日の前日から引き続き俸給表の適用を受ける職員のうち、切替日以降に次の各号に掲げる場合に該当することとなった職員（当該各号の二以上の号に掲げる場合に該当することとなった職員（次項において「複数事由該当職

員」という。）を除く。）であって、その者の受ける俸給月額が当該各号の区分に応じ当該各号に定める額に達しないこととなるものには、その差額に相当する額（特定職員（平成二十六年改正法附則第七条第一項に規定する特定職員をいう。以下この条及び次条第一項において同じ。）にあっては、五十五歳に達した日後における最初の四月一日（特定職員以外の者が五十五歳に達した日後における最初の四月一日後に特定職員となった場合にあっては、特定職員となった日。次項及び次条第一項において同じ。）以後、当該額に百分の九十八・五を乗じて得た額）を、平成二十六年改正法附則第七条第二項の規定による俸給として支給する。

一　俸給表の適用を異にする異動又は初任給基準異動をした場合（指定職俸給表の適用を受けることとなった場合及び第六号に掲げる場合を除く。）　切替日の前日に当該異動があったものとした場合（切替日以降にこれらの異動が二回以上あった場合にあっては、切替日の前日にそれらの異動が順次あったものとした場合）に同日において受けることとなる俸給月額に相当する額

二　降格をした場合（第六号に掲げる場合を除く。）又は降号をした場合　切替日の前日においてその者が受けていた俸給月額に相当する額から、当該降格又は降号をした日に当該降格又は降号がないものとした場合に同日に受けることとなる号俸に対応する俸給月額に相当する額と当該降格又は降号後に受けることとなる号俸に対応する俸給月額との差額に相当する額（降格又は降号を二回以上した場合にあっては、それぞれの当該差額に相当する額を合算した額）を減じた額

三　切替日前における休職等期間を含む期間に係る復職時調整をされた場合（第六号に掲げる場合を除く。）　切替日の前日に復職時調整をされたものとした場合に同日において受けることとなる俸給月額に相当する額

四　育児短時間勤務等を開始し、又は終了した場合　次に掲げる職員の区分に応じ、次に定める額

イ　育児短時間勤務等をしている職員　平成二十六年改正法第二条の規定による改正前の給与法（次号において「改正前の給与法」という。）別表第一から別表第十一までの俸給表、平成二十六年改正法第五条の規定による改正前の任期付研究員法第六条第一項若しくは第二項の俸給表又は平成二十六年改正法第七条の規定による改正前の任期付職員法第七条第一項の俸給表に掲げる俸給月額のうち、切替日の前日にその者が受けていた号俸に応じた額（同日に任期付研究員法第六条第四項又は任期付職員法第七条第三項の規定の適用を受けていた職員にあっては、同日にその者が受けていたこれらの規定による俸給月額。ロにおいて「切替前俸給表による俸給月額」という。）に、育児休業法第十七条（育児休業法第二十二条において準用する場合を含む。）の規定により読み替えられた勤務時間法第五条第一項ただし書の規定により定められたその者の勤務時間を同項本文に規定する勤務時間で除して得た数を乗じて得た額（その額に一円未満の端数があるときは、その端数を切り捨てた額）

ロ　育児短時間勤務等を終了した職員（イに掲げる職員を除く。）　切替前俸給表による俸給月額

五　再任用職員異動をした場合　次に掲げる職員の区分に応じ、次に定める額

イ　当該再任用職員異動後において常時勤務を要する官職を占める職員　改正前の給与法別表第一から別表第十までの俸給表の再任用職員の欄に掲げる俸給月額のうち、切替日の前日にその者が属していた職務の級に応じた額（ロにおいて「切替前の再任用俸給月額」という。）

ロ　当該再任用職員異動後において法第八十一条の五第一項に規定する短時間勤務の官職を占める職員　切替前の再任用俸給月額に、勤務時間法第五条第二項の規定により定められたその者の当該再任用職員異動後における勤務時間を同条第一項に規定する勤務時間で除して得た数を乗じて得た額（その額に一円未満の端数があるときは、その端数を切り捨てた額）

六　人事院の承認を得てその号俸を決定された場合又は人事院の定めるこれに準ずる場合　人事院の定める額

２　切替日の前日から引き続き俸給表の適用を受ける職員のうち、複数事由該当職員であって、その者の受ける俸給月額が人事院の定める額に

達しないこととなるものには、その差額に相当する額（特定職員にあっては、五十五歳に達した日後における最初の四月一日以後、当該額に百分の九十八・五を乗じて得た額）を、平成二十六年改正法附則第七条第二項の規定による俸給として支給する。

（平成二十六年改正法附則第七条第三項の規定による俸給の支給）

第四条　人事交流等職員（切替日以降に、俸給表の適用を受けない国家公務員、地方公務員、沖縄振興開発金融公庫に勤務する者その他人事院の定めるこれらに準ずる者であった者から人事交流等により引き続き新たに俸給表の適用を受ける職員となった者をいう。以下この条において同じ。）（当該人事交流等職員となった日以降に前条第一項各号に掲げる場合に該当することとなった職員を除く。）であって、その者の受ける俸給月額がその者が切替日の前日に人事交流等職員となったものとした場合に同日において受けることとなる俸給月額に相当する額（人事院の定める職員にあっては、人事院の定める額）に達しないこととなるもの（人事交流等職員となる前に俸給表の適用を受ける職員として在職していた者であって、切替日以降に平成二十六年改正法附則第七条の規定による俸給を支給される職員でなくなったものを除く。）には、その差額に相当する額（特定職員にあっては、五十五歳に達した日後における最初の四月一日以後、当該額に百分の九十八・五を乗じて得た額）を、平成二十六年改正法附則第七条第三項の規定による俸給として支給する。

2　人事交流等職員であって、当該人事交流等職員となった日以降に前条第一項各号に掲げる場合に該当することとなったものに対しては、その者が切替日の前日に人事交流等職員となり同日から引き続き俸給表の適用を受けていたものとみなして前条の規定を適用したとしたならば支給されることとなる平成二十六年改正法附則第七条第二項の規定による俸給の額に相当する額を、同条第三項の規定による俸給として支給する。

（端数計算）

第五条　平成二十六年改正法附則第七条の規定による俸給の額に一円未満の端数があるときは、その端数を切り捨てた額をもって当該俸給の額とする。

（この規則により難い場合の措置）

第六条　平成二十六年改正法附則第七条の規定による俸給の支給について、この規則の規定による場合には部内の他の職員との均衡を著しく失すると認められるときその他の特別の事情があるときは、あらかじめ人事院の承認を得て、別段の取扱いをすることができる。

附　則（抄）

（施行期日）

1　この規則は、平成二十七年四月一日から施行する。

【参考】

○人事院規則九―一三九（平成二十六年改正法附則第七条の規定による俸給）の運用について（通知）

平二七・一・三〇
給実甲一一八一

人事院規則九―一三九（平成二十六年改正法附則第七条の規定による俸給）の運用について下記のとおり定めたので、平成二十七年四月一日以降は、これによってください。

記

第二条関係

1　この条の第一号の「規則九―八（初任給、昇格、昇給等の基準）別表第二に定める初任給基準表に異なる初任給の定めがある他の職種に属する職務への異動」には、人事院規則九―八（初任給、昇格、昇給等の基準）別表第二に定める初任給基準表の備考に異なる初任給の定めのある職務への異動が含まれる。

2　この条の第六号に規定する「再任用職員異動」には、国家公務員法（昭和二十二年法律第百二十号）第八十一条の四第一項又は第八十一条の五第一項の規定により採用された職員が一旦退職し、引き続いてこれらの規定により採用された場合は含まれない。

3　この条の第七号の「人事院の定めるこれに準ずる職員」は、平成二十七年四月一日（以下「切替日」という。）以降に事務総長の承認を得てその号俸を決定された職員とする。

第三条関係

1　この条の第一項第六号の「人事院の定めるこれに準ずる場合」は、事務総長の承認を得てその号俸を決定された場合とする。

2　この条の第一項第六号の「人事院の定める額」は、あらかじめ事務総長の承認を得て定める額とする。

3　この条の第二項の「人事院の定める額」は、次の各号に掲げる職員の区分に応じ、当該各号に定める額とする。

一　この条の第一項第一号及び第三号に掲げる場合に該当することとなった職員（次号又は第四号に掲げる職員を除く。）　同項第一号及び第三号に掲げる場合に、切替日の前日に該当することとなったものとした場合に同日に受けることとなる俸給月額に相当する額

二　この条の第一項第四号に掲げる場合に該当することとなった職員（次号又は第四号に掲げる職員を除く。）　次に掲げる職員の区分に応じ、次に定める額

イ　この条の第一項第四号イに掲げる職員　その者が該当することとなった同項第一号又は第三号に掲げる場合に、切替日の前日に該当することとなったものとした場合に同日に受けることとなる俸給月額に相当する額（ロにおいて「第二号複数事由相当額」という。）に国家公務員の育児休業等に関する法律（平成三年法律第百九号）第十七条（同法第二十二条において準用する場合を含む。）の規定により読み替えられた勤務時間法（一般職の職員の勤務時間、休暇等に関する法律（平成六年法律第三十三号）をいう。次号において同じ。）第五条第一項ただし書の規定により定められたその者の勤務時間を同項本文に規定する勤務時間で除して得た数を乗じて得た額（その額に一円未満の端数があるときは、その端数を切り捨てた額）

ロ　この条の第一項第四号ロに掲げる職員　第二号複数事由相当額

三　この条の第一項第五号に掲げる場合に該当することとなった職員（次号に掲げる職員を除く。）　次に掲げる職員の区分に応じ、次に定める額

イ　この条の第一項第五号イに掲げる職員　その者が該当することとなった同項第一号に掲げる場合に、切替日の前日に該当することとなったものとした場合に同日に受けることとなる俸給月額に相当する額（ロにおいて「第三号複数事由相当額」という。）

ロ　この条の第一項第五号ロに掲げる職員　第三号複数事由相当額に当該職員となったことに伴い勤務時間法第五条第二項の規定により定められたその者の勤務時間を同条第一項に規定する勤務時間で除して得た数を乗じて得た額（その額に一円未満の端数があるときは、その端数を切り捨てた額）

四　この条の第一項第二号若しくは第六号に掲げる場合に該当することとなった職員又は同項第四号及び第五号に掲げる場合に該当することとなった職員　あらかじめ事務総長の承認を得て定める額

第四条関係

1　この条の第一項の「その他人事院の定めるこれらに準ずる者」は、国家公務員退職手当法施行令（昭和二十八年政令第二百十五号）第九条の二各号に掲げる法人の職員及び特別の法律の規定により国家公務員退職手当法（昭和二十八年法律第百八十二号）第七条の二第一項に規定する公庫等職員とみなされる者並びに独立行政法人通則法（平成十一年法律第百三号）第二条第一項に規定する独立行政法人（同条第四項に規定する行政執行法人を除く。）又は同令第九条の四各号に掲げる法人の役員（沖縄振興開発金融公庫の役員を除く。）とする。

2　この条の第一項の「人事院の定める職員」は、新たに俸給表の適用を受けることとなった日における号俸について人事院又は事務総長の承認を得て決定された職員とし、これらの職員についての「人事院の定める額」は、あらかじめ事務総長の承認を得て定める額とする。

その他の事項

1　一般職の職員の給与に関する法律等の一部を改正する法律（平成二十六年法律第百五号。次項において「改正法」という。）附則第七条の規定による俸給を支給されることとなる職員又はその額若しくはその算定に係る俸給

月額に変動がある職員に対しては、人事異動通知書又はこれに代わる文書（以下「通知書等」という。）により、それらの場合に支給されることとなる同条の規定による俸給の額を通知するものとする。ただし、通知書等の交付によらないことを適当と認める場合には、適当な方法をもって通知書等の交付に代えることができる。

なお、通知書等の記入に当たっての参考例を示せば、次のとおりである。

「平成二十六年法律第百五号附則第七条の規定による俸給○円を給する」

2　改正法附則第七条の規定による俸給の額の算定については、調書等を作成し、その計算の過程等を明確にしておくものとする。

以　上

【行政実例】

○試験または職種欄の適用について

〔問〕　大学卒の者が初級試験に合格し、その後昇格して、正規の試験の対象官職の属する職務の等級以外の職務の等級に決定された場合、次期昇格の際は大学卒の欄を適用してよいか。（昭三二・七・二五　名地一—五〇四　人事院名古屋地方事務所長）

〔答〕　細則九—八—二に定める等級別資格基準表の試験欄の正規の試験の区分に掲げる各区分の適用は、その者の学歴免許等の資格にかかわらず当該試験の区分に従つて取扱う。したがつて御設問の場合は常に「初級」の区分によることになる。（昭三二・一〇・四　給二—二〇八　人事院給与局給与第二課長）

（注）　答中の「細則九—八—二に定める等級別資格基準表」については、その後の改正により昭和六〇年七月一日以降は「規則九—八に定める級別資格基準表」を、平成二一年七月一日以降は「規則九—八に定める在級期間表」を参照のこと。

○初任給基準表の学歴免許欄について

〔問〕　初任給基準表は等級別資格基準表と異なり、試験欄に対する学歴免許欄が空白となり、同表の備考に基準学歴が定められているが、これを学歴免許等の資格とした場合と関係条項の適用についていかなる差異を生ずるか。（昭三二・七・一二事務連絡　人事院高松地方事務所長）

〔答〕　初任給基準表の試験欄に対応する学歴免許欄に記載がないのは、学歴のいかんをとわず正規の試験に合格していれば初任給欄の金額を最低保障するとの意です。もし学歴等の規定がある場合は当該学歴に達しない職員の初任給の決定が不可能になります。（昭三二・一〇・五　給二—一九九　人事院給与局給与第二課長）

（注）　問および答中の「学歴免許欄」については、その後の改正により昭和四四年五月一日以降は、「学歴免許等欄」に改められている。

○無線従事者の初任給について

〔問〕　細則九—八—二別表第一のA表備考第四項の規定は、「……の区分によることができる」というわゆる任意規定であると思われるが、例えば無線従事者の官職に職員を採用しようとする場合でも、一般の技術職員（無線従事者ではない）として初任給を決定する方が有利な場合には必らずしもこの規定によらなくてもよいものと解してよいか。

なお、この場合の初任給基準表の適用については、無線従事者の欄以外の欄を適用してさしつかえないか。（昭四〇・四・一〇　名地一—二七九　人事院名古屋地方事務所長）

〔答〕　無線従事者に関する等級別資格基準表の適用については、その職務の特殊性から細則九—八—二別表第一のA表の備考第四項に定めるとおり、その者の資格の区分によることとされていますので、御質問のように無線従事者を一般技術職員として取り扱うことはできません。

なお、上記備考第四項で「……によることができる」旨定めているのは、上記の趣旨から無線従事者についてはその者の学歴区分のいかんにかかわらず、資格の種類によつてそれぞれ該当する学歴免許欄を適用することができることを規定したものにすぎません。（昭四〇・五・一〇　給二—七三　人事院給与局給与第二課長）

（注）　問および答中の「細則九—八—二別表第一のA表の備考第四項」については、その後の改正により昭和四四年五月一日以降は「規則九—八別表第二のイの備考第一項」を参照のこと。

○昇給予定日の昇格について

〔問〕　昇格を昇給予定日に行つた場合、昇格後の俸給月額を、その日に昇給を行つた後、その昇給後の俸給月額を基礎として決定することは、昇格の場合の号俸の決定が、「昇格の日の前日に受けていた俸給月額を基礎として」行うものであるからできないものと解するがどうか。（昭三六・五・二　青人職第七一　青森県人事委員会事務局長）

〔答〕　貴見のとおり。（昭三六・五・一六　給二―二三七　人事院給与局給与第二課長）

○試験の結果に基づいて異動する場合について

〔問〕　細則九―八―二第一九条第一項第一号の適用については、次のとおり解してさしつかえないか。

一　試験の結果に基づいて試験対象官職に異動する結果、初任給基準又は俸給表の適用を異にして異動することとなる職員については同条同項を適用することはできない。

（例）　中卒後行㈡労務職員として勤務していた職員が、初級試験に合格したため、この者を行㈠八等級に配置転換しようとする場合。

なおこのような場合同条同項を適用することができるとすれば異動後の俸給月額の決定の具体的方法はどうか。

二　試験の結果に基づかず、試験対象官職に異動する結果初任給基準又は俸給表の適用を異にして異動する場合は、同条同項によることとし、例えば無線通信士を同一俸給表の試験対象官職に配置換する場合「異動後の職務と同種の職務に引き続き在職したものとみなす」起算日は無線通信士として採用した日とし起算日における俸給月額は初任給基準表「その他」の区分を適用して求められる俸給月額とする。（昭三四・一・二七　福地一―五三　人事院福岡地方事務所長）

〔答〕　一　お尋ねの場合は細則九―八―二第一九条第一項の規定が適用になり、その時は「免許等を必要とする官職に異動した者については、その免許等を取得した時」の等に含まれるものとして再計算するものと解する。

なお、このような場合で再計算の結果その者の現に受ける俸給月額より低い俸給月額に決定されることとなるため、人事管理に著しい困難を生ずるおそれがあるときには、同細則第二八条の規定により個別に事務総長の承認を受けて異動後の俸給月額を決定するようにされたい。

二　貴見のとおりと解する。（昭三四・三・九　給二―八〇　人事院給与局給与第二課長）

（注）　その後の改正により、昭和四四年五月一日以降は問および答中「細則九―八―二第一九条第一号」については、「規則九―八第二六条第一項第一号または第二八条」を、「細則二八条」については、「規則第四九条」を参照のこと。

○人事院細則第一九条第一項第一号および給実甲第二五四号について

標記について、別紙甲のように照会があり、これに対して別紙乙のように回答したので通知します。

（昭四〇・六・一七　給二―八五　人事院給与局給与第二課長）

別紙甲

〔問〕　俸給表を異にする異動等を行なつたことにより、細則九―八―二（初任給・昇格・昇給等の実施細則）第一九条第一項第一号または給実甲第二五四号第二の第一項から第五項までの規定により異動後の俸給月額を再計算する場合において、異動後の官職が初任給、昇格等の基準について規則九―八（初任給・昇格・昇給等の基準）第六条第一号、第八条、第一三条第一項もしくは第一四条第一項または前記細則第一四条もしくは第一五条等の適用について、あらかじめ人事院または事務総長の承認があつたものとして取り扱うことができることとされているもの（いわゆる包括承認の行なわれているもの）であるときは、計算上のそれぞれの時点においてそれらのその当時の基準の適用を受けたものとして当該再計算を行なうことができると解してよいか。（昭四〇・六・一四　東地一―七二五　人事院東京地方事務所長）

別紙乙

〔答〕　照会のありました標記については貴見のとおり解してさしつかえありません。（昭四〇・六・一七　給二―八四　人事院給与局給与第二課長）

（注）　問中の規則、細則の規定については、その後の改正により昭和四四年五月一日以降は左記規定を参照のこと。

○細則九―八―二第一九条第一項第一号→規則九―八第二六条第一項第一号および第二八条

○規則九―八第六条第一号、第八条、第一三条第一項および第一四条第一項→規則九―八第一一条第一項第一号、第二〇条、第二五条第一項および第二七条第一項

○細則第一四条および第一五条→規則九―八第一七条および第一八条

○給実甲第二五四号第二については、昭和六〇年七月一日以降は、同号第三および第五を参照のこと。

○復職時等における俸給月額の調整について

〔問〕　規則九―八第二〇条の二及び細則九―八―二第二七条の二の運用方針等について次のことをご教示下さい。

(1)　調整の対象とならない休暇

休職期間等調整換算表中「引き続き勤務しない期間についての換算率」とあるのは、次のものは調整の対象とはならないものと解してよろしいか。

職員の休暇が断続的に行われその合計日数が勤務を要する日数の六分の一をこえることとなつたため、その職員が受けている号給に係る最短昇給期間による昇給ができない職員

(2)　休職期間等調整換算表の係数の根拠

私傷病による休暇（休職）者に適用される$1/3$もしくは$1/2$（結核性によるもの）が適切な係数とし

て算出されるに至つた根拠並びに考え方（例えば休暇等を行わなかつた職員との対比において最も望ましい均衡保持とか、あるいは現に勤務しなかつたことにより当然におこり得るその職員の能力の停止又は減少、もしくはその期間勤務箇所に対して欠けた貢献の度合等々の趣旨と解する場合、それぞれの評価の基準となつた資料等）をお教え下さい。（昭三六・五・一七　新公職発一五九〇　新居浜市長）

〔答〕(1)について

細則九―八―二別表第三二の「引き続き勤務しない期間についての換算率」の「引き続き」が具体的に何月または何日以上であるか特に基準を示しておりません。各任命権者において常識的に妥当な線で決定することを期待しています。したがつて、御照会の場合でも調整の対象となる期間がないとは申せませんが、仮に調整を行なつたとしても最短昇給期間に到達した時点で一号俸上位の号俸に調整することはできませんから、格別有利になるものとは考えられません。

(2)について

私傷病による休職および休暇の期間の換算率は採用前の経歴の評価基準である経験年数換算率との比較考量等からして最高限を⅓にするのが妥当という結論に達しました。また、結核性疾患は国の政策として特別の配慮が講じられており、これまでも給与上においても有利な取扱いがなされて来ておりそれらを勘案して普通の私傷病よりも有利な½以下という換算率に決定した次第です。（昭三六・六・一五　給二―二五七　人事院給与局給与第二課長）

（注）問中の「規則九―八第二〇条の二及び細則九―八―二第二七条の二」については、その後の改正により「規則九―八第四四条」を、「休職期間等調整換算表」および答中の「細則九―八―二別表第三二」については「規則九―八別表第八」をそれぞれ参照のこと。

○各種学校卒業者の学歴区分の取扱について

〔問〕新高卒を入学資格とする各種学校の本科一年の課程を修了し、さらに研究科一年（本科一年修了を入学資格とする）を修了した者については、本科、研究科は継続した二年課程と考えられるので、給実甲第一四五号第二、第九項の適用については、その者の学歴を短大二卒相当として取扱つてよいか。（昭三七・四・二　東地一―四二六　人事院東京地方事務所長）

〔答〕標記のことについては、設問の研究科が本科修了をもつて入学資格とするとともに、その教科内容においても実質的に継続する限り、貴見のとおり取り扱つてさしつかえないものと解します。

なお、同項は「取り扱うことができる」旨を定めたに過ぎないものであり、その適用に当たつては他の職員との均衡、採用しようとする職務と課程の教科内容との関連性等を十分考慮することが適当であると思いますので、この点十分の指導をされるようお願いします。（昭三七・四・一〇　給二―一一二　人事院給与局給与第二課長）

（注）問中の「給実甲第一四五号第二、第九項」については、その後の改正により平成一七年四月一日以降は「給実甲第三二六号の学歴免許等資格区分表関係第四項第四号」を参照のこと。

○通信教育により六二単位を修得した者の取扱について

〔問〕給実甲第一四五号第二第三項においては大学に二年以上在学し、六二単位以上修得した者については短大二卒の者に準じて取り扱うことができることになつているが、通信教育により六二単位以上を修得した者についても同様の取扱ができないものと解してよいか。（昭三四・二・一三　福地一―一〇　人事院福岡地方事務所長）

〔答〕大学通信教育は、学校教育法により通常の課程と並んで正規の大学の課程として行なわれるものでありますから、給実甲第一四五号第二第三項の規定は大学通信教育の学生にも適用されるものと解します。

ただし、通信教育の実態等を考慮し、修得した単位が大学の前期二年分としてふさわしいものであるか否かの認定については特に慎重に扱つてください。（昭三五・三・二四　給二―一〇八　人事院給与局給与第二課長）

（注）問および答中の「給実甲第一四五号第二第三項」についてはその後の改正により平成一七年四月一日以降は「給実甲第三二六号の学歴免許等資格区分表関係第四項第一号」を参照のこと。

○学歴または資格を取得した月の取扱いについて

〔問〕(1)経験年数および在級年数の計算に際しては、最終学歴または資格を取得した月は経験年数計算に際し算入できるか。

(2)略

(3)在職中上級学校を卒業した場合、新たに取得した上級学歴を基礎として在級年数を計算するにあたつては、卒業月日の属する月より起算するものとするか。（昭三一・一二・一五　名地一―六八四　人事院名古屋地方事務所長）

〔答〕(1)経験年数の計算に際して、最終学歴または資格を取得した月は経験年数の計算に算入して取扱うことができる。なお、同一月が重複して計算される場合は給実甲第一四五号第三の第一項（経験年数の計算方法について）によつて処理されたい。

(2)略

(3)在職中、上級学校を卒業した場合における細則九―八―二第二条第三号の在級年数の計算にあたつては、貴見のとおりであるが、規則九―八第八条第二項の在級年数については当該職務の等級に決定された日をもつて起算点とする。（昭三二・二・二八 給二一—三二 人事院給与局給与第二課長）

（注） 答(1)中の「給実甲第一四五号第三の第一項（経験年数の計算方法について）」については、その後の改正により平成一七年四月一日以降は「給実甲第三二六号の第一五条の二関係の第二項及び第三項」を、答(3)中「細則九—八—二第二条第三号の在級年数」についてはその後の改正により平成二一年七月一日以降は「規則九—八第二十条第四項に規定する在級期間」を、「規則九—八第八条第二項」についてはその後の改正により平成二一年七月一日以降は「規則九—八第二十条第七項」を参照のこと。

○一日付で昇格等を行う場合の当該日の取扱いについて

〔問〕 各月の一日付で昇格等を行う場合は、当該月を経験年数又は在級年数に算入しない。したがつてこの場合における経験年数又は在級年数計算の際の終期は、昇格日の前月となるか。

なお、二日以降の日付で昇格を行う場合は当該月を経験年数又は在級年数に算入してよいか。（昭三一・一二・一五 名地一—六八四 人事院名古屋地方事務所長）

〔答〕 貴見のとおり。（昭三二・二・二八 給二一—三一 人事院給与局給与第二課長）

○「学校又は学校に準ずる教育機関」に関する疑義について

〔問〕 一 細則九—八—二別表第一六中「学校又は学校に準ずる教育機関」には学校教育法（昭和二二年法律第二六号）第八三条に規定する各種学校を含むと解してよいか。ただし、各種学校規程（昭和三一年文部省令第三一号）第三条ただし書の規定により修業期間が一年未満とされているもの及び洋裁学校、技芸学校、予備校等は含まない。

二 大学院、研究科、専攻科、補修科、別科、選科、特設科等に在籍した期間は正規の修学年数として取扱うことができると解してよいか。（昭三二・七・一二 名地一—四七一 人事院名古屋地方事務所長）

〔答〕 一 貴見のとおり。

二 貴見のとおり。

（昭三二・九・一三 給二一—二五三 人事院給与局給与第二課長）

（注） 問中の「細則九—八—二別表第一六」については、その後の改正により昭和四四年五月一日以降は「規則九—八別表第四」を参照のこと。

○大学院の在学期間の取扱について

〔問〕 学位規則（昭和二八年文部省令第九号）第五条の規定により、大学院において五年以上（ただし、医学又は歯学の研究科にあつては四年以上。以下同じ。）在学した者の細則九—八—二別表第一六に規定する経験年数の換算に当つては、当該課程が五年と定められている場合、五年をこえる期間についても「学校又は学校に準ずる教育機関における在学期間」として一〇割に換算してよいか。

ただし、本人の責に帰する理由がある場合（例えば休学等）を除く。（昭三四・一一・一六 名地一—一九五 人事院名古屋地方事務所長）

〔答〕 大学院に五年以上在学した者に細則九—八—二別表第一六経験年数換算表を適用する場合、五年をこえる期間は「学校又は学校に準ずる教育機関における在学期間」としてではなく、「その他の期間」として取扱つてください。（昭三四・一二・二五 給二一—五五五 人事院給与局給与第二課長）

（注） 問および答中「細則九—八—二別表第一六」については、その後の改正により昭和四四年五月一日以降は、「規則九—八別表第四」を参照のこと。

第三　六〇歳に達した職員の俸給月額等の特例

【参照】
●一般職給与法附則八～十六
●同運用方針十九関係、二十三関係、附則八及び九関係

○人事院規則九―一四七（給与法附則第八項の規定による俸給月額）

令四・一二・一八制定
令五・四・一施行

改正　令五・三・三一規則九―一四七―一

（趣旨）
第一条　この規則は、給与法附則第八項の規定による俸給月額に関し必要な事項を定めるものとする。

（給与法附則第八項第一号の人事院規則で定める職員）
第二条　給与法附則第八項第一号の人事院規則で定める職員は、次に掲げる職員であって行政職俸給表㈡の適用を受ける職員とする。
一　守衛、巡視等の監視、警備等の業務に従事する職員
二　用務員、労務作業員等の庁務又は労務に従事する職員

（給与法附則第八項第二号の人事院規則で定める職員及び年齢）
第三条　給与法附則第八項第二号の人事院規則で定める職員は、次の各号に掲げる職員とし、同項第二号の人事院規則で定める年齢は、当該各号に掲げる職員の区分に応じ当該各号に定める年齢とする。
一　次に掲げる職員　六十二歳
イ　事務次官（外交領事事務に従事する職員で人事院が定めるものを除く。ハにおいて同じ。）、会計検査院事務総長、人事院事務総長及び内閣法制次長
ロ　外局（国家行政組織法（昭和二十三年法律第百二十号）第三条第三項の庁に限る。ハにおいて同じ。）の長官、警察庁長官、消費者庁長官及びこども家庭庁長官
ハ　会計検査院事務総局次長、内閣衛星情報センター所長、内閣審議官のうちその職務と責任が事務次官又は外局の長官に相当するものとして人事院が定めるもの、内閣府審議官、地方創生推進事務局長、知的財産戦略推進事務局長、科学技術・イノベーション推進事務局長、公正取引委員会事務総長、警察庁次長、警視総監、カジノ管理委員会事務局長、金融国際審議官、デジタル審議官、総務審議官、外務審議官（外交領事事務に従事する職員で人事院が定めるものを除く。）、財務官、文部科学審議官、厚生労働審議官、医務技監、農林水産審議官、経済産業審議官、技監、国土交通審議官、地球環境審議官及び原子力規制庁長官
ニ　イからハまでに掲げる職員に相当する職員として人事院が定めるもの
二　次に掲げる職員　六十三歳
イ　研究所、試験所等の副所長（これに相当する職員を含む。）で人事院が定めるもの
ロ　宮内庁の職員のうち、次に掲げる職員
(1)　内舎人、上皇内舎人及び東宮内舎人
(2)　式部副長（人事院が定めるものを除く。）及び式部官
(3)　鷹師長及び鷹師
(4)　主膳長及び副主膳長
ハ　皇宮警察学校教育主事
ニ　在外公館に勤務する職員（行政職俸給表㈠又は指定職俸給表の適用を受ける職員に限る。）及び外務省本省に勤務し、外交領事事務に従事する職員で人事院が定めるもの
ホ　海技試験官
ヘ　原子力規制委員会の職員のうち、次に掲げる職員
(1)　上席原子力防災専門官
(2)　原子力防災専門官
(3)　原子力艦放射能調査専門官
(4)　上席放射線防災専門官
(5)　統括核物質防護対策官
(6)　主任安全審査官
(7)　主任監視指導官
(8)　原子力運転検査官

(9) 主任原子力専門検査官

(10) 原子力専門検査官

ト イからへまでに掲げる職員に相当する職員として人事院が定めるもの

本条―令五・四・一施行

（指定職俸給表の適用を受ける職員に対する給与法附則第八項の規定の適用）

第四条 指定職俸給表の適用を受ける職員に対する給与法附則第八項の規定の適用については、同項中「第八条第三項の規定により当該職員の属する職務の級並びに同条第四項、第五項、第七項及び第八項」とあるのは「第六条の二」と、「五十円」とあるのは「五百円」と、「百円」とあるのは「千円」とする。

（給与法附則第九項第二号の人事院規則で定める職員）

第五条 給与法附則第九項第二号の令和五年旧国家公務員法第八十一条の二第二項第一号に掲げる職員に相当する職員として人事院規則で定める職員は、病院、療養所、診療所その他の国の部局又は機関に勤務し、医療業務に従事する医師及び歯科医師（法第八十一条の六第二項ただし書に規定する職員を除く。）並びにこれらの職員に相当する職員として人事院が定めるものとする。

2 給与法附則第九項第二号の令和五年旧国家公務員法第八十一条の二第二項第三号に掲げる職員に相当する職員のうち人事院規則で定める職員は、次に掲げる職員とする。

一 研究所、試験所等の長で人事院が定めるもの

二 迎賓館長

三 宮内庁の職員のうち、次に掲げる職員

イ 宮内庁次長

ロ 女孺、上皇女孺及び東宮女孺

ハ 式部副長（人事院が定めるものに限る。）

ニ 首席楽長、楽長及び楽長補

ホ 修補師長及び修補師長補

ヘ 主厨長及び副主厨長

四 金融庁長官

五 国税不服審判所長

六 海難審判所の審判官及び理事官

七 運輸安全委員会事務局の船舶事故及びその兆候に関する調査に従事する事故調査官で人事院が定めるもの

八 原子力規制委員会の職員のうち、次に掲げる職員

イ 地域原子力規制総括調整官

ロ 上席安全審査官

ハ 安全規制調整官

ニ 首席原子力専門検査官

ホ 統括監視指導官

ヘ 上席原子力専門検査官

ト 上席監視指導官

チ 統括原子力運転検査官

リ 教官

ヌ 上席指導官

九 前各号に掲げる職員に相当する職員として人事院が定めるもの

（雑則）

第六条 給与法第七条に規定する各庁の長又はその委任を受けた者は、給与法附則第八項又は第九項の規定の適用により職員の俸給月額が異動することとなった場合には、人事院の定めるところにより、当該職員にその旨を通知するものとする。

第七条 この規則に定めるもののほか、給与法附則第八項の規定による俸給月額その他同項及び給与法附則第九項並びにこの規則の規定の施行に関し必要な事項は、人事院が定める。

附　則（抄）

（施行期日）

第一条 この規則は、令和五年四月一日から施行する。

附　則（令五・三・三一規則九―一四七―一）

この規則は、令和五年四月一日から施行する。

○給与法附則第八項の規定による俸給月額の運用について（通知）

令四・二・一八
給実甲一二九五

最終改正　令七・四・一給実甲一三五六

一般職の職員の給与に関する法律（昭和二十五年法律第九十五号。以下「給与法」という。）附則第八項及び第九項並びに人事院規則九―一四七（給与法附則第八項の規定による俸給月額）（以下「規則」という。）の運用について下記のとおり定めたので、令和五年四月一日以降は、これによってください。

記

給与法附則第八項関係

この項の「六十歳（次の各号に掲げる職員にあっては、当該各号に定める年齢）に達した日」とは、その職員の六十歳（給与法附則第八項各号に掲げる職員にあっては、当該各号に定める年齢）の誕生日の前日をいう。

給与法附則第九項関係

1　この項の第一号に定める「臨時的職員その他の法律により任期を定めて任用される職員」には、人事院規則八―一二（職員の任免）第四十二条第二項の規定により任期を定めて任用される職員その他の国家公務員法（昭和二十二年法律第百二十号）第八十一条の六第一項及び第二項の規定の適用を受ける職員は含まれない。

2　この項の第三号に掲げる職員には、給与法附則第八項に規定する特定日において国家公務員法第八十一条の五第一項の規定により同法第八十一条の二第一項に規定する異動期間を延長されることとなる同項に規定する管理監督職を占める職員も含まれる。

規則第二条関係

この条に定める職員は、人事院規則九―八（初任給、昇格、昇給等の基準）別表第二の行政職俸給表(二)初任給基準表の備考第一項第二号に掲げる労務職員(甲)の区分及び同項第三号に掲げる労務職員(乙)の区分に属する職員である。

規則第三条関係

1　この条の第一号ニの「人事院が定めるもの」は、次に掲げる職員とする。

一　六十歳に達した日後における最初の四月一日以後、この条の第一号イからハまでに掲げるいずれかの職員に該当していた職員から引き続き人事管理上の必要性に鑑み退職の日に限り臨時的に置かれる官職を占める職員となった職員

二　前号に掲げるもののほか、あらかじめ事務総長の承認を得て定める職員

2　この条の第二号イの「人事院が定めるもの」は、次に掲げる職員とする。

一　国立医薬品食品衛生研究所副所長

二　国立保健医療科学院次長

3　この条の第二号トの「人事院が定めるもの」は、次に掲げる職員とする。

一　六十歳に達した日後における最初の四月一日以後、この条の第二号イからヘまでに掲げるいずれかの職員に該当していた職員から引き続き人事管理上の必要性に鑑み退職の日に限り臨時的に置かれる官職を占める職員となった職員

二　前号に掲げるもののほか、あらかじめ事務総長の承認を得て定める職員

規則第五条関係

1　この条の第一項及び第二項第九号の「人事院が定めるもの」は、次に掲げる職員とする。

一　六十歳に達した日後における最初の四月一日以後、給与法附則第九項第二号に掲げる職員に該当していた職員から引き続き人事管理上の必要性に鑑み退職の日に限り臨時的に置かれる官職を占める職員となった職員

二　前号に掲げるもののほか、あらかじめ事務総長の承認を得て定める職員

2　この条の第二項第一号の「人事院が定めるもの」は、次に掲げる職員とする。

一　科学警察研究所長

二　消防大学校消防研究センター所長

三　国立医薬品食品衛生研究所の所長及び安全性生物試験研究センター長

四　国立保健医療科学院長

五　国立社会保障・人口問題研究所長

六　国立障害者リハビリテーションセンターの総長、自立支援局長及び研究所長

七　環境調査研修所国立水俣病総合研究センター所長

規則第六条関係

　給与法附則第八項又は第九項の規定の適用により俸給月額が異動することとなった職員に対しては、人事異動通知書又はこれに代わる文書（以下「通知書等」という。）によりその旨を通知するものとする。ただし、通知書等の交付によらないことを適当と認める場合には、適当な方法をもって通知書等の交付に代えることができる。

　なお、通知書等の記入に当たっての参考例を示せば、次のとおりである。

(1) 給与法附則第八項の規定の適用を受けることとなった場合

「俸給月額は、　年　月　日以後、一般職の職員の給与に関する法律（昭和二十五年法律第九十五号）附則第八項の規定により算定される額とする」

(2) 給与法附則第八項各号又は第九項各号に掲げるいずれかの職員に該当することとなり、給与法附則第八項の規定の適用を受けないこととなった場合

「アに掲げる職員に該当することとなり、　年　月　日以後、同法附則第八項の規定の適用を受けないこととなった」

注　「ア」の記号をもって表示する事項は、給与法附則第八項各号又は第九項各号の条項のうち該当する条項とする。

規則第七条関係

1　六十歳に達した日後における最初の四月一日以後、給与法附則第九項第三号から第五号までに掲げるいずれかの職員に該当していた職員から引き続き人事管理上の必要性に鑑み退職の日に限り臨時的に置かれる官職を占める職員となった職員については、当該職員を当該該当していた職員とみなして同項の規定を適用する。

2　前項に規定するもののほか、給与法附則第九項第三号から第五号までに掲げるいずれかの職員に相当するものとしてあらかじめ事務総長の承認を得た職員については、当該各号に掲げるいずれかの職員とみなして同項の規定を適用する。

その他の事項

1　給与法附則第八項及び第九項、規則並びにこの通知の規定は、本務に係る官職に基づき適用する。

2　職員が規則第三条関係第一項第一号、同条関係第三項第一号、規則第五条関係第一項第一号又は規則第七条関係第一項に規定するいずれかの職員に該当することとなり給与法附則第八項の規定の適用を受けないこととなった場合は、速やかに、次に掲げる事項について事務総長に報告するものとする。

(1) 職員の氏名及び生年月日

(2) 職員が該当することとなった職員に係る規定

(3) 当該規定により職員が給与法附則第八項の規定の適用を受けないこととなった日

(4) 退職の日

(5) 職員が退職の日に占める臨時的に置かれる官職（職務の級及び号俸並びに所属部課名を含む。(7)において同じ。）

(6) (5)の官職への異動の発令日

(7) (6)の異動前に占めていた官職

以　上

○人事院規則一一—一一（管理監督職勤務上限年齢による降任等）

令四・二・一八制定
令五・四・一施行

最終改正　令七・四・一規則一一—一一—四

（総則）

第一条　法第八十一条の二から第八十一条の五までに規定する管理監督職勤務上限年齢による降任等については、別に定める場合を除き、この規則の定めるところによる。

（管理監督職に含まれる官職）

第二条　法第八十一条の二第一項に規定する給与法第十条の二第一項に規定する官職（以下この条において「俸給の特別調整額支給官職」という。）に準ずる官職として人事院規則で定める官職は、次に掲げる官職とする。

一　内閣官房の室長に準ずる官職として人事院が定める官職

二　総務省の内部部局の室長に準ずる官職として人事院が定める官職

三　刑務所又は拘置所の看護課長、看護第一課長及び看護第二課長

四　大使館又は政府代表部の参事官並びに総領事館の総領事及び領事のうち、行政職俸給表㈠の適用を受ける職員でその職務の級が八級以上であるものの官職

五　税関又は沖縄地区税関の課長に準ずる官職として人事院が定める官職

六　国税局又は沖縄国税事務所の課長に準ずる官職として人事院が定める官職

七　植物防疫所若しくは那覇植物防疫事務所の統括植物検疫官又は動物検疫所若しくは動物検疫所支所の課長に準ずる官職として人事院が定める官職

八　国土交通省の内部部局の次席航空情報管理管制運航情報官、航空保安大学校若しくは航空保安大学校岩沼研修センターの科長、国土地理院、地方整備局事務所、北海道開発局若しくは北海道開発局開発建設部の課長、地方航空局空港事務所の次席航空管制官、地方航空局空港出張所若しくは地方航空局空港・航空路監視レーダー事務所の次席航空管制技術官又は航空交通管制部の次席航空管制官に準ずる官職として人事院が定める官職並びに地方運輸局運輸支局の首席運輸企画専門官及び首席海事技術専門官並びに地方運輸局、運輸監理部又は地方運輸局運輸支局の海事事務所の首席運輸企画専門官及び首席海事技術専門官

九　海上保安大学校又は海上保安学校の部長に準ずる官職として人事院が定める官職

十　行政職俸給表㈠の適用を受ける職員でその職務の級が七級であるものの官職のうち人事院が定める官職

十一　専門行政職俸給表の適用を受ける職員でその職務の級が五級であるものの官職のうち人事院が定める官職

十二　公安職俸給表㈠の適用を受ける職員でその職務の級が八級であるものの官職のうち人事院が定める官職

十三　公安職俸給表㈡の適用を受ける職員でその職務の級が七級であるものの官職のうち人事院が定める官職

十四　次に掲げる職員が占める官職であって、臨時的に置かれる官職（人事管理上の必要性に鑑み、当該職員の退職の日に限り臨時的に置かれる官職及び附則第二条の規定により読み替えられた次条各号列記以外の部分に規定する官職若しくは同条第一号から第十号までに掲げる官職若しくは管理監督職勤務上限年齢が当該職員の年齢を超える第四条第一項各号若しくは第二項各号に掲げる官職への昇任若しくは転任が予定されている職員又は任命権者の要請に応じ特別職に属する国家公務員となることが予定されている職員を引き続き任用するため、人事管理上特に必要と認める場合は必要と認める期間内（十四日を超えない期間内）において臨時的に置かれる官職を除く。）

イ　行政職俸給表㈠の適用を受ける職員でその職務の級が七級以上であるもの

ロ　専門行政職俸給表の適用を受ける職員でその職務の級が五級以上であるもの

ハ　税務職俸給表の適用を受ける職員でその職務の級が七級以上であるもの

ニ　公安職俸給表㈠の適用を受ける職員でその職務の級が八級以上であるもの

ホ　公安職俸給表㈡の適用を受ける職員でそ

の職務の級が七級以上であるもの
ヘ　海事職俸給表㈠の適用を受ける職員でその職務の級が六級以上であるもの
ト　教育職俸給表㈠の適用を受ける職員でその職務の級が四級以上であるもの
チ　研究職俸給表の適用を受ける職員でその職務の級が五級以上であるもの
リ　医療職俸給表㈡の適用を受ける職員でその職務の級が七級以上であるもの
ヌ　医療職俸給表㈢の適用を受ける職員でその職務の級が六級以上であるもの
ル　福祉職俸給表の適用を受ける職員でその職務の級が六級であるもの

十五　行政執行法人の官職のうち、俸給の特別調整額支給官職に相当する官職として人事院が定める官職

十六　前各号に掲げる官職のほか、これらに相当する官職として人事院が定める官職

本条―令五・四・一施行

（管理監督職から除かれる官職）

第三条　法第八十一条の二第一項に規定する同条の規定を適用することが著しく不適当と認められる官職として人事院規則で定める官職は、次に掲げる官職とする。

一　法第八十一条の六第二項ただし書に規定する人事院規則で定める職員が占める官職

二　病院、療養所、診療所その他の国の部局又は機関に勤務し、医療業務に従事する医師及び歯科医師が占める官職（前号に掲げる官職を除く。）

三　研究所、試験所等の長で人事院が定める官職

四　迎賓館長

五　宮内庁次長

六　金融庁長官

七　国税不服審判所長

八　海難審判所の審判官及び理事官

九　運輸安全委員会事務局の船舶事故及びその兆候に関する調査をその職務の内容とする事故調査官で人事院が定める官職

十　地方環境事務所の国立公園調整官

十一　研究職俸給表の適用を受ける職員でその職務の級が三級であるものの官職

十二　法第七十九条の規定により休職にされた職員若しくは法第百八条の六第一項ただし書に規定する許可を受けた職員が復職する日、法第八十二条の規定により停職にされた職員、派遣法第二条第一項の規定により派遣された職員、育児休業法第三条第一項の規定により育児休業をした職員、官民人事交流法第八条第二項に規定する交流派遣職員、法科大学院派遣法第十一条第一項の規定により派遣された職員、自己啓発等休業法第二条第五項に規定する自己啓発等休業をした職員、福島復興再生特別措置法（平成二十四年法律第二十五号）第四十八条の三第七項若しくは第八十九条の三第七項に規定する派遣職員、配偶者同行休業法第二条第四項に規定する配偶者同行休業をした職員、令和七年国際博覧会特措法第二十五条第七項に規定する派遣職員若しくは令和九年国際園芸博覧会特措法第十五条第七項に規定する派遣職員が職務に復帰する日又は判事補及び検事の弁護士職務経験に関する法律（平成十六年法律第百二十一号）第二条第四項の規定により弁護士となってその職務を行う職員が同条第七項に規定する弁護士職務経験（第五条第二号において「弁護士職務経験」という。）を終了する日までの間に占める官職

十三　指定職俸給表の適用を受ける職員が占める官職であって、次に掲げるもの（前号に掲げる官職を除く。）
イ　人事管理上の必要性に鑑み、当該職員の退職の日に限り臨時的に置かれる官職
ロ　附則第二条の規定により読み替えられた各号列記以外の部分に規定する官職若しくは第一号から第七号までに掲げる官職若しくは管理監督職勤務上限年齢が当該職員の年齢を超える次条第一項各号若しくは第二項各号に掲げる官職への昇任若しくは転任が予定されている職員又は任命権者の要請に応じ特別職に属する国家公務員となることが予定されている職員を引き続き任用するため、人事管理上の必要性に鑑み、十四日を超えない期間内（人事管理上特に必要と認める場合は必要と認める期間内）において臨時的に置かれる官職

十四　前各号に掲げる官職のほか、職務と責任の特殊性により法第八十一条の二の規定を適用することが著しく不適当と認められる官職として人事院が定める官職

本条―令四・七・一施行

（管理監督職勤務上限年齢を年齢六十年としな

い管理監督職等）

第四条　法第八十一条の二第二項第一号の人事院規則で定める管理監督職は、次に掲げる官職とする。

一　事務次官（外交領事事務に従事する職員で人事院が定めるものが占める場合を除く。第三号において同じ。）、会計検査院事務総長、人事院事務総長及び内閣法制次長

二　外局（国家行政組織法（昭和二十三年法律第百二十号）第三条第三項の庁に限る。次号において同じ。）の長官、警察庁長官、消費者庁長官及びこども家庭庁長官

三　会計検査院事務総局次長、内閣衛星情報センター所長、内閣審議官のうちその職務と責任が事務次官又は外局の長官に相当するものとして人事院が定める官職、内閣府審議官、地方創生推進事務局長、知的財産戦略推進事務局長、科学技術・イノベーション推進事務局長、公正取引委員会事務総長、警察庁次長、警視総監、カジノ管理委員会事務局長、金融国際審議官、デジタル審議官、総務審議官、外務審議官（外交領事事務に従事する職員で人事院が定めるものが占める場合を除く。）、財務官、文部科学審議官、厚生労働審議官、医務技監、農林水産審議官、経済産業審議官、技監、国土交通審議官、地球環境審議官及び原子力規制庁長官

2　法第八十一条の二第二項第二号の人事院規則で定める管理監督職は、次に掲げる官職とする。

一　研究所、試験所等の副所長（これに相当する官職を含む。）で人事院が定める官職

二　宮内庁の内部部局の官職のうち、次に掲げる官職

イ　式部副長及び式部官

ロ　首席楽長、楽長及び楽長補

ハ　主膳長

ニ　主厨長

三　在外公館に勤務する職員及び外務省本省に勤務し、外交領事事務に従事する職員で人事院が定めるものが占める官職

四　海技試験官

3　法第八十一条の二第二項第三号の人事院規則で定める年齢は、年齢六十三年とする。

一項―令五・四・一施行

（本人の意に反する降任）

第五条　任命権者は、職員が次の各号に掲げる場合のいずれかに該当するときは、当該職員の意に反して、当該各号に定める日又は期間に、管理監督職（法第八十一条の二第一項に規定する管理監督職をいう。以下同じ。）以外の官職又は管理監督職勤務上限年齢が当該職員の年齢を超える管理監督職への降任を行うことができる。

一　第二条第十四号イからルまでに掲げる職員であって同号括弧書に規定する臨時的に置かれる官職を占めるものが、当該官職が管理監督職であるものとした場合の法第八十一条の二第一項に規定する異動期間（以下「異動期間」という。）の末日を超えて当該官職を占める場合　同号括弧書に規定する期間

二　第三条第十二号に規定する職員が、同号に規定する官職が管理監督職であるものとした場合の異動期間の末日を超えて当該官職を占める場合　同号に規定する復職する日、職務に復帰する日又は弁護士職務経験を終了する日

三　第三条第十三号ロに規定する職員が、同号ロに掲げる官職が管理監督職であるものとした場合の異動期間の末日を超えて当該官職を占める場合　同号ロに規定する期間

（他の官職への降任等を行うに当たって遵守すべき基準）

第六条　任命権者は、法第八十一条の二第三項に規定する他の官職への降任等（以下「他の官職への降任等」という。）を行うに当たっては、法第二十七条に定める平等取扱いの原則、法第二十七条の二に定める人事管理の原則、法第三十三条に定める任免の根本基準及び法第七十四条に定める分限の根本基準並びに法第五十五条第三項及び第百八条の七の規定に違反してはならないほか、次に掲げる基準を遵守しなければならない。

一　当該職員の人事評価の結果又は勤務の状況及び職務経験等に基づき、降任又は転任（降給を伴う転任に限る。）（以下この項及び第十五条において「降任等」という。）をしようとする官職の属する職制上の段階の標準的な官職に係る法第三十四条第一項第五号に規定する標準職務遂行能力（第十三条において「標準職務遂行能力」という。）及び当該降任等をしようとする官職についての適性を有すると認められる官職に、降任等をすること。

二　人事の計画その他の事情を考慮した上で、法第八十一条の二第一項に規定する他の官職

のうちできる限り上位の職制上の段階に属する官職に、降任等をすること。

三　当該職員の他の官職への降任等をする際に、当該職員が占めていた管理監督職が属する職制上の段階より上位の職制上の段階に属する管理監督職を占める職員（以下この号において「上位職職員」という。）の他の官職への降任等もする場合には、第一号に掲げる基準に従った上での状況その他の事情を考慮してやむを得ないと認められる場合を除き、上位職職員の降任等をした官職が属する職制上の段階と同じ職制上の段階又は当該職制上の段階より下位の職制上の段階に属する官職に、降任等をすること。

2　任命権者は、前条の規定による降任又は規則一一―一〇（職員の降給）第四条（各号列記以外の部分に限る。）の規定による降格を伴う転任を行うに当たっては、前項の基準による他の官職への降任等に準じて行わなければならない。

（管理監督職への併任の制限）

第七条　法第八十一条の三の規定は、併任について準用する。ただし、検察官を管理監督職に併任する場合は、この限りでない。

本条―令五・四・一施行

（他の管理監督職の併任の解除）

第八条　職員が他の管理監督職に併任されている場合において、当該職員が他の官職への降任等をされたとき（第十七条の規定により他の官職への降任等をされたときを含む。）又は併任されている他の管理監督職の異動期間の末日が到来したときは、任命権者は、当該併任を解除しなければならない。

本条―令五・四・一施行

（異動期間の延長に係る任命権者）

第九条　法第八十一条の五第一項から第四項までに規定する任命権者には、併任に係る官職の任命権者は含まれないものとする。

（法第八十一条の五第一項の異動期間の延長ができる事由）

第十条　法第八十一条の五第一項第一号の人事院規則で定める事由は、業務の性質上、当該職員の他の官職への降任等による担当者の交替により当該業務の継続的遂行に重大な障害が生ずることとする。

2　法第八十一条の五第一項第二号の人事院規則で定める事由は、職務が高度の専門的な知識、熟達した技能若しくは豊富な経験を必要とするものであるため、又は勤務環境その他の勤務条件に特殊性があるため、当該職員の他の官職への降任等により生ずる欠員を容易に補充することができず業務の遂行に重大な障害が生ずることとする。

（異動期間が延長された管理監督職に組織の変更等があった場合）

第十一条　法第八十一条の五第一項又は第二項の規定により異動期間が延長された管理監督職を占める職員が、法令の改廃による組織の変更等により当該管理監督職の業務と同一の業務を行うことをその職務の主たる内容とする他の管理監督職を占める職員となる場合は、当該他の管理監督職を占める職員は、当該異動期間が延長された管理監督職を引き続き占めているものとみなす。

（特定管理監督職群を構成する管理監督職）

第十二条　法第八十一条の五第三項に規定する人事院規則で定める管理監督職は、次の各号に掲げる区分ごとに、当該各号に定める官職とする。

一　管区行政評価局等の特定管理監督職群　管区行政評価局の部長、地域総括評価官、主任業務管理官及び主任行政相談官並びに沖縄行政評価事務所の所長並びに行政評価支局の総務行政相談管理官、地域総括評価官、部長、主任業務管理官及び主任行政相談官並びに行政評価事務所の所長

二　総合通信局等の特定管理監督職群　総務省の内部部局の室長、企画官及び調査官（いずれも人事院が定める官職に限る。）並びに情報通信政策研究所の部長、総合企画推進官、課長及び研修管理官並びに総合通信局の部長、総合通信調整官、次長、課長及び室長並びに沖縄総合通信事務所の次長、総合通信調整官及び課長

三　矯正管区等の特定管理監督職群　刑務所、少年刑務所又は拘置所の支所長、課長（公安職俸給表㈠の適用を受ける職員が占める官職（支所に属する官職を除く。）に限る。）及び上席統括矯正処遇官並びに少年院の庶務課長及び統括専門官並びに少年鑑別所の庶務課長、地域非行防止調整官及び統括専門官並びに矯正管区の管区監査官、矯正就労支援情報センター室長、課長、管区調査官、成人矯正調整官及び少年矯正調整官

四　国税局等の特定管理監督職群　国税局の部

長、統括国税管理官、主任国税管理官、鑑定官室長、統括国税調査官、酒類業調整官、統括国税徴収官及び統括国税査察官並びに沖縄国税事務所の統括国税管理官、統括国税徴収官、酒類業調整官及び主任国税管理官並びに税務署の署長、副署長、税務広報広聴官、特別国税徴収官、特別国税調査官、統括国税徴収官、統括国税調査官及び酒類指導官並びに人事院が定める官職

五　都道府県労働局の特定管理監督職群　都道府県労働局の雇用環境・均等部長、雇用環境・均等室長、労働基準部長並びに総務部、雇用環境・均等部、雇用環境・均等室、労働基準部又は職業安定部の課長及び室長（雇用環境・均等室長を除く。）並びに労働基準監督署の署長並びに労働基準監督署支署の支署長並びに公共職業安定所の所長並びに人事院が定める官職

六　北海道運輸局の特定管理監督職群　北海道運輸局の技術・防災課長、安全指導課長、首席自動車監査官、整備・保安課長及び保安・環境調整官並びに北海道運輸局運輸支局の首席陸運技術専門官

七　四国運輸局の特定管理監督職群　四国運輸局の総務部長、鉄道部長、自動車交通部長、自動車技術安全部長、海事振興部長、技術・防災課長、安全指導推進官、首席鉄道安全監査官、整備・保安課長、技術課長及び保安・環境調整官並びに四国運輸局運輸支局の支局長及び次長並びに四国運輸局運輸支局の事務所の所長

七の二　九州運輸局の特定管理監督職群　九州運輸局の交通政策部次長、観光部次長、自動車交通部次長、安全防災・危機管理調整官、計画調整官、調整官及び離島航路活性化調整官並びに九州運輸局の事務所の首席運輸企画専門官（人事院が定める官職に限る。）並びに九州運輸局運輸支局の次長及び首席運輸企画専門官（いずれも人事院が定める官職に限る。）並びに九州運輸局運輸支局の事務所の所長及び首席運輸企画専門官（人事院が定める官職に限る。）

八　地方航空局等の特定管理監督職群　国土交通省の内部部局の首席運航審査官、首席航空従事者試験官及び次席飛行検査官並びに地方航空局の先任運航審査官及び先任航空従事者試験官

九　管区海上保安本部等の特定管理監督職群　海上保安学校分校の分校長並びに管区海上保安本部の情報管理官、会計管理官、部次長、技術管理官、企画調整官、課長、海洋情報企画調整官及び交通企画調整官並びに海上保安監部の部長並びに海上保安部の部長並びに海上保安航空基地の基地長並びに海上保安署の署長並びに海上交通センターの所長並びに航空基地の基地長並びに人事院が定める官職

十　環境省の内部部局等の特定管理監督職群　環境省の内部部局の千鳥ケ淵戦没者墓苑管理事務所長並びに環境調査研修所の庶務課長及び国立水俣病総合研究センター総務課長並びに地方環境事務所の総務課長、資源循環課長及び環境対策課長並びに人事院が定める官職

十一　福島地方環境事務所の特定管理監督職群　福島地方環境事務所の廃棄物対策課長及び調整官（人事院が定める官職に限る。）並びに支所長

十二　地方環境事務所の特定管理監督職群　地方環境事務所の国立公園課長、野生生物課長、自然環境整備課長及び統括自然保護企画官

本条…令七・四・一施行

（法第八十一条の五第三項の異動期間の延長ができる事由）

第十三条　法第八十一条の五第三項の人事院規則で定める事由は、特定管理監督職群（法第八十一条の五第三項に規定する特定管理監督職群をいう。次条において同じ。）に属する管理監督職の属する職制上の段階の標準的な官職に係る標準職務遂行能力及び当該管理監督職についての適性を有すると認められる職員（当該管理監督職に係る管理監督職勤務上限年齢に達した職員を除く。）の数が当該管理監督職の数に満たない等の事情があるため、管理監督職を現に占める職員の他の官職への降任等により当該管理監督職に生ずる欠員を容易に補充することができず業務の遂行に重大な障害が生ずることとする。

（法第八十一条の五第三項又は第四項の規定による任用）

第十四条　法第八十一条の五第三項又は第四項の規定により特定管理監督職群に属する管理監督職を占める職員のうちいずれかをその異動期間を延長し、引き続き当該管理監督職を占めたまま勤務をさせ、又は当該管理監督職が属する特定

管理監督職群の他の管理監督職に降任し、若しくは転任するかは、任命権者が、人事評価の結果、人事の計画その他の事情を考慮した上で、最も適任と認められる職員を、公正に判断して定めるものとする。

（異動期間の延長等に係る職員の同意）

第十五条　任命権者は、法第八十一条の五第一項から第四項までの規定により異動期間を延長する場合及び同条第三項の規定により他の管理監督職に降任等をする場合には、あらかじめ職員の同意を得なければならない。

旧第十六条削除により旧第十七条～旧第十九条まで一項ずつ繰上―令五・四・一施行

（延長した異動期間の期限の繰上げ）

第十六条　任命権者は、法第八十一条の五第一項又は第二項の規定により異動期間を延長した場合において、当該異動期間の末日の到来前に同条第四項の規定を適用しようとするときは、当該異動期間の期限を繰り上げることができる。

（異動期間の延長事由が消滅した場合の措置）

第十七条　任命権者は、法第八十一条の五第一項から第四項までの規定により異動期間を延長した場合において、当該異動期間の末日の到来前に当該異動期間の延長の事由が消滅したときは、他の官職への降任等をするものとする。

（異動期間の延長に係る他の任命権者に対する通知）

第十八条　任命権者は、法第八十一条の五第一項から第四項までの規定により異動期間を延長する場合、異動期間の期限を繰り上げる場合及び異動期間の延長の事由の消滅により他の官職への降任等をする場合において、職員が任命権者を異にする官職に併任されているときは、当該併任に係る官職の任命権者にその旨を通知しなければならない。

（管理監督職への併任の特例）

第十九条　任命権者は、次に掲げる職員が従事している職務の遂行に支障がないと認められる場合に限り、第七条本文の規定にかかわらず、当該職員を、管理監督職に併任することができる。

一　法第八十一条の五第一項から第四項までの規定により延長された異動期間に係る管理監督職を占める職員

二　法第八十一条の七第一項又は第二項の規定により勤務している管理監督職を占める職員

三　第三条第一号から第十号までに掲げる官職を占める職員

四　第四条第一項各号又は第二項各号に掲げる官職を占める職員

本条―令五・四・一施行

（人事異動通知書の交付）

第二十条　任命権者は、他の官職への降任等又は第五条の規定による職員の意に反する降任をする場合には、職員に規則八―一二（職員の任免）第五十八条の規定による人事異動通知書（次項において「人事異動通知書」という。）を交付して行わなければならない。

2　任命権者は、次の各号のいずれかに該当する場合には、職員に人事異動通知書を交付しなければならない。

一　法第八十一条の五第一項から第四項までの規定により異動期間を延長する場合

二　異動期間の期限を繰り上げる場合

三　法第八十一条の五第一項から第四項までの規定により異動期間を延長した後、管理監督職勤務上限年齢が当該職員の年齢を超える管理監督職に異動し、当該管理監督職に係る管理監督職勤務上限年齢に達していない職員となった場合

（処分説明書の写しの提出）

第二十一条　任命権者は、職員をその意に反して降任させたときは、法第八十九条第一項に規定する説明書の写し一通を人事院に提出しなければならない。

（報告）

第二十二条　任命権者（法第五十五条第一項に規定する任命権者及び法律で別に定められた任命権者に限る。）は、毎年五月末日までに、前年の四月二日からその年の四月一日までの間に法第八十一条の五第一項から第四項までの規定により異動期間が延長された管理監督職を占める職員に係る当該異動期間の延長の状況を人事院に報告しなければならない。

（雑則）

第二十三条　この規則に定めるもののほか、管理監督職勤務上限年齢による降任等の実施に関し必要な事項は、人事院が定める。

附　則（抄）

（施行期日）

第一条　この規則は、令和五年四月一日から施行する。

見出し―令五・四・一施行

（経過措置）

第二条　当分の間、第三条、第四条第二項第二号及び第十九条第三号の規定の適用については、第三条中「次に掲

げる官職」とあるのは「次に掲げる官職、宮内庁の内部部局の官職で人事院が定める官職並びに原子力規制委員会の地域原子力規制総括調整官、安全規制調整官、首席原子力専門検査官及び統括監視指導官」と、第四条第二項第二号中「次に掲げる官職」とあるのは「次に掲げる官職（人事院が定める官職を除く。）」と、第十九条第三号中「第三条第一号から第十号までに掲げる官職」とあるのは「第三条に規定する官職（同条第十一号から第十四号までに掲げる官職を除く。）」とする。

本条―令五・四・一施行

第三条　国家公務員法等の一部を改正する法律（令和三年法律第六十一号）附則第三条第五項に規定する旧国家公務員法勤務延長職員に対する第十九条の規定の適用については、同条第二号中「又は第二項」とあるのは、「若しくは第二項又は国家公務員法等の一部を改正する法律（令和三年法律第六十一号）附則第三条第五項若しくは第六項」とする。

本条―令五・四・一施行

附　則（令四・六・二四規則一―八二）

この規則は、公布の日から施行する。

附　則（令四・七・一規則一―一二一）

この規則は、公布の日から施行する。

附　則（令五・三・三一規則一―一―一二）（抄）

（施行期日）

第一条　この規則は、令和五年四月一日から施行する。

附　則（令六・三・二九規則一―一―一三）

この規則は、令和六年四月一日から施行する。

附　則（令七・四・一規則一―一―一四）

この規則は、公布の日から施行する。

○管理監督職勤務上限年齢による降任等の運用について（通知）

令四・二・一八
給生―一六

最終改正　令七・四・一給生―四一

国家公務員法（昭和二十二年法律第百二十号。以下「法」という。）第八十一条の二から第八十一条の五まで及び人事院規則一一―一一（管理監督職勤務上限年齢による降任等）（以下「規則」という。）の運用について下記のとおり定めたので、令和五年四月一日以降は、これによってください。

記

第一　管理監督職勤務上限年齢による降任等関係

1　法第八十一条の二第一項の「管理監督職勤務上限年齢に達した日」とは、当該職員が占める管理監督職に係る管理監督職勤務上限年齢の誕生日の前日をいう。

2　併任されている職員の管理監督職勤務上限年齢に達した場合の降任等は、本務に係る官職に基づき行うものとする。

3　規則第三条第三号の「人事院が定める官職」は、次に掲げる官職とする。

一　科学警察研究所長

二　消防大学校消防研究センター所長

三　国立医薬品食品衛生研究所の所長及び安全性生物試験研究センター長

四　国立保健医療科学院長

五　国立社会保障・人口問題研究所長

六　国立障害者リハビリテーションセンターの総長、自立支援局長及び研究所長

七　環境調査研修所国立水俣病総合研究センター所長

4　規則第四条第二項第一号の「人事院が定める官職」は、次に掲げる官職とする。

一　国立医薬品食品衛生研究所副所長

二　国立保健医療科学院次長

5　任命権者は、規則第五条各号に掲げる場合に該当する職員について、当該職員の同意を得て降任させることができない場合は、当該各号に定める日又は期間に、同条の規定により当該職員の意に反する降任を行うか、人事院規則一一―一〇（職員の降給）第四条の規定による降格を伴う転任を行うか、管理監督職以外の官職又は管理監督職勤務上限年齢が当該職員の年齢を超える管理監督職への転任を行うかを判断するものとする。

6　規則第六条第一項第二号及び第三号の「その他の事情」には、例えば、当該職員が占めていた管理監督職と職務内容が相互に類似する官職群の範囲や、当該職員が有する他の官職への降任等についての意向、勤務地、職務内容等を勘案した上で降任等を行うべき官職の状況が含まれ、同項第二号の「できる限り上位の職制上の段階に属する官職に、降任等をすること」には、同項第三号において上位職職員の降任等をした官職が属する職制上の

段階より下位の職制上の段階に属する官職に降任等をする場合に、当該下位の職制上の段階のうちできる限り上位の職制上の段階に属する官職に当該職員を降任等をすることが含まれる。

7 法第八十一条の四の「臨時的職員その他の法律により任期を定めて任用される職員」には、人事院規則八―一二（職員の任免）第四十二条第二項の規定により任期を定めて任用される職員は含まれない。

第二 管理監督職勤務上限年齢による降任等の特例関係

1 規則第十条各項又は第十三条に規定する事由があるか否かの判断は、本務に係る官職について行うものとする。

2 異動期間を延長する場合の延長する期間は、当該異動期間を延長する事由に応じた必要最小限のものでなければならない。

3 規則第十条第一項で定める事由には、例えば、次に掲げるような場合が該当する。

一 他の官職への降任等をすべき管理監督職を占める職員が担当している重要な案件に係る国会対応、各種審議会対応、外部との折衝、外交交渉等の業務の継続性を確保するため、その職員を引き続き任用する特別の必要性が認められる場合

二 他の官職への降任等をすべき管理監督職を占める職員が大規模な研究プロジェクトにおいて重要な役割を果たしているため、その職員の他の官職への降任等により当該研究の完成が著しく遅延するなどの重大な障害が生ずる場合

4 規則第十条第二項で定める事由には、例えば、次に掲げるような場合が該当する。

一 他の官職への降任等をすべき管理監督職を占める職員が習得に相当の期間を要する熟練した技能等を要する職務に従事しているため、その職員の後任を容易に得ることができず、業務の遂行に重大な支障が生ずる場合

二 他の官職への降任等をすべき管理監督職を占める職員が離島その他のへき地にある官署等に勤務しているため、その職員の他の官職への降任等による欠員を容易に補充することができず、業務の遂行に重大な支障が生ずる場合

5 規則第十一条の規定を適用した場合は、その際の異動の内容を人事院に報告するものとする。

6 法第八十一条の五第二項又は第四項の人事院の承認を得ようとする場合には、次に掲げる事項を記載した申請書及び異動期間を更に延長しようとする職員の人事記録の写しを提出するものとする。この場合において、当該申請書については、別紙を参考に、適宜の様式によるものとする。

一 異動期間を更に延長しようとする職員の氏名及び年齢

二 異動期間を更に延長しようとする職員の所属部局、官職、職務の級及び号俸

三 異動期間を更に延長しようとする職員が占めている管理監督職に係る管理監督職勤務上限年齢及び異動期間の末日

四 異動期間を更に延長しようとする職員が現に従事している職務の内容

五 既に延長された異動期間の延長理由及びその延長の根拠条項

六 異動期間を更に延長しようとする理由、その延長の根拠条項及び更に延長した場合の異動期間の末日

七 その他参考となる事項

7 異動期間を延長する場合の規則第十五条の規定による職員の同意では、当該異動期間の延長の事由が消滅した場合には他の官職への降任等をする旨の同意も得ることとする。

8 規則第十五条の規定による職員の同意を得る手続は、書面により（書面によらないことを適当と認める場合には、これに代わる適当な方法により）、適切な時期に行うものとする。

第三 その他の事項

1 規則第二十条第一項に規定する異動は、人事異動通知書を交付した時にその効力が発生する。

2 規則第二十条各項の規定により人事異動通知書を交付する場合の「異動内容」欄の記入要領は、次のとおりとする。ただし、これによっては特に支障のある場合には、これによらないことができる。

一 法第八十一条の二第一項本文の規定による他の官職への降任をする場合

「国家公務員法第八十一条の二第一項本文の規定によりアに降任させる」

と記入する。

二　法第八十一条の二第一項本文の規定による他の官職への転任（次号に規定する転任を除く。）をする場合

「国家公務員法第八十一条の二第一項本文の規定によりアに転任させる」

と記入する。

三　法第八十一条の二第一項本文の規定による他の官職への転任（人事院規則八―一二第四条第五号に規定する配置換である場合に限る。）をする場合

「国家公務員法第八十一条の二第一項本文の規定によりアに配置換する」

と記入する。

四　規則第五条の規定による降任をする場合

「国家公務員法第七十五条第一項及び人事院規則一一―一一第五条の規定によりアに降任させる」

と記入する。

五　法第八十一条の五第一項から第四項までの規定により異動期間を延長する場合

「国家公務員法第八十一条の五イの規定により　年　月　日まで異動期間を延長する」

と記入する。

六　異動期間の期限を繰り上げる場合

「異動期間の期限を　年　月　日に繰り上げる」

と記入する。

七　法第八十一条の五第一項から第四項までの規定により異動期間を延長した後、管理監督職勤務上限年齢が職員の年齢を超える管理監督職に異動し、当該管理監督職に係る管理監督職勤務上限年齢に達していない職員となった場合

「異動期間を延長されていない職員となった」

と記入する。

注1　「ア」の記号をもって表示する事項は、官職の組織上の名称及び当該官職の属する所属部課（所属部課の表示の単位は任命権者が定めるものとする。）とする。

2　「イ」の記号をもって表示する事項は、根拠となる条項とする。

3　前項に定めるもののほか、規則第二十条各項の規定により交付する人事異動通知書の様式、記載事項等については、「人事異動通知書の様式及び記載事項等について（昭和二十七年六月一日一三―七九九）」の規定によるものとする。

4　規則第二十一条に規定する処分説明書の写しの提出は、当該処分の発令の日から一月以内に行うものとする。

5　法第八十一条の五第二項又は第四項の規定による人事院の承認があった場合は、当該承認を得て異動期間が延長された管理監督職を占める職員に係る当該異動期間の延長の状況について、規則第二十二条の規定による報告があったものとみなす。

以　上

別紙

異動期間の延長承認申請書

文書番号

年　　月　　日

人事院事務総長　殿

申請者＿＿＿＿＿＿＿＿＿＿＿

国家公務員法第８１条の５第２項又は第４項の規定に基づき、異動期間の延長について下記のとおり申請します。

記

1　異動期間を更に延長しようとする職員の氏名及び年齢
2　異動期間を更に延長しようとする職員の所属部局、官職、職務の級及び号俸
3　異動期間を更に延長しようとする職員が占めている管理監督職に係る管理監督職勤務上限年齢及び異動期間の末日
4　異動期間を更に延長しようとする職員が現に従事している職務の内容
5　既に延長された異動期間の延長理由及びその延長の根拠条項
6　異動期間を更に延長しようとする理由、その延長の根拠条項及び更に延長した場合の異動期間の末日
7　その他参考となる事項

○併任されている管理監督職を占める職員の取扱いについて（通知）

令四・二・一八
給　生　―　六九

改正　令五・三・三一給生―五四

標記については、人事院規則一一―一一（管理監督職勤務上限年齢による降任等）（以下「規則」という。）及び管理監督職勤務上限年齢による降任等の運用について（通知）（令和四年二月十八日給生―一六）に定めるもののほか、令和五年四月一日以降は、これによってください。

記

1　併任されている管理監督職の業務に引き続き一月以上専ら従事することが予定されている職員については、当該併任されている管理監督職について規則第十条各項又は第十三条に規定する事由があるか否かの判断を行うものとする。

2　併任されている管理監督職の業務に引き続き一月以上専ら従事することが予定されている職員については、当該併任されている管理監督職の職務の遂行に支障がない場合に、規則第十九条の規定により他の管理監督職に併任することができる。

以　上

○人事院規則九―一四八（給与法附則第十項、第十二項又は第十三項の規定による俸給）

令四・二・一八制定
令五・四・一施行

（趣旨）

第一条　この規則は、給与法附則第十項、第十二項又は第十三項の規定による俸給に関し必要な事項を定めるものとする。

（定義）

第二条　この規則において、次の各号に掲げる用語の意義は、当該各号に定めるところによる。

一　管理監督職　法第八十一条の二第一項に規定する管理監督職をいう。

二　異動期間　法第八十一条の二第一項に規定する異動期間（法第八十一条の五第一項から第四項までの規定により延長された期間を含む。）をいう。

三　特例任用後降任等職員　法第八十一条の二第三項に規定する他の官職への降任等をされた職員であって、給与法附則第十項に規定する異動日（以下「異動日」という。）の前日において第一項特例任用職員（法第八十一条の五第一項又は第二項の規定により異動期間を延長された管理監督職を占める職員をいう。以下同じ。）又は第三項特例任用職員（同条第三項又は第四項の規定により異動期間を延長された管理監督職を占める職員をいう。以下同じ。）であったものをいう。

四　特定日　給与法附則第八項に規定する特定日をいう。

五　降格　規則九―八（初任給、昇格、昇給等の基準）第二条第三号に規定する降格のうち、法第八十一条の二第三項に規定する他の官職への降任等に伴うものを除いたものをいう。

六　初任給基準異動　給与法第六条第一項の俸給表（以下「俸給表」という。）の適用を異にしない規則九―八別表第二に定める初任給基準表（第六条第一項第一号において「初任給基準表」という。）に異なる初任給の定めがある他の職種に属する職務への異動をいう。

七　俸給表異動　俸給表の適用を異にする異動をいう。

八　降号　規則九―八第二条第四号に規定する降号をいう。

九　上限額　給与法第八条第三項の規定により職員が属する職務の級における最高の号俸の俸給月額（育児休業法第十二条第一項又は第二十二条の規定による勤務（以下「育児短時間勤務等」という。）をしている職員にあっては、当該俸給月額に育児休業法第十七条（育児休業法第二十二条において準用する場合を含む。）の規定により読み替えられた勤務時間法第五条第一項ただし書の規定により定められた当該職員の勤務時間を同項本文に規定する勤務時間で除して得た数（以下「算出率」という。）を乗じて得た額（その額に一円未満の端数があるときは、その端数を切り捨てた額）をいう。

十　その者の号俸等　当該職員に適用される俸給表並びにその職務の級及び号俸（指定職俸給表の適用を受ける職員にあっては、当該職員の受ける号俸）をいう。

（給与法附則第十項の人事院規則で定める職員）

第三条　給与法附則第十項の人事院規則で定める職員は、次に掲げる職員とする。

一　法第八十一条の二第三項に規定する他の官職への降任等をされた職員（特例任用後降任等職員を除く。）のうち、次に掲げる職員

イ　異動日以後に初任給基準異動をした職員

ロ　異動日から特定日までの間に降格又は降号をした職員

ハ　異動日の前日以後に育児短時間勤務等をした職員（異動日以後に育児短時間勤務等を開始し、特定日前に当該育児短時間勤務等を終了した職員を除く。）

ニ　異動日以後に人事院の承認を得てその号俸を決定された職員又は人事院の定めるこれに準ずる職員

二　異動日の前日から特定日までの間の俸給表の俸給月額が増額改定又は減額改定（俸給月額の改定をする法令が制定された場合において、当該法令による改定により当該改定前に受けていた俸給月額が増額又は減額されることをいう。以下同じ。）をされた職員

（他の官職への降任等をされた職員に対する給与法附則第十二項の規定による俸給の支給）

第四条　法第八十一条の二第三項に規定する他の官職への降任等をされた職員（特例任用後降任等職員を除く。）であって、異動日の前日から引き続き俸給表の適用を受ける職員のうち、次の各号に掲げる職員となり、特定日に給与法附則第八項の規定により当該職員が受ける俸給月額（特定日後に第一号、第二号、第四号又は第五号に掲げる職員となったものにあっては、特定日に当該各号に掲げる職員になったものとした場合に特定日に同項の規定により当該職員が受けることとなる俸給月額に相当する額。以下この項において「特定日俸給月額」という。）が当該各号の区分に応じ当該各号に定める額（第二号及び第四号イに掲げる職員以外の職員にあっては、当該額に、五十円未満の端数を生じたときはこれを切り捨て、五十円以上百円未満の端数を生じたときはこれを百円に切り上げた額。以下この条において「第四条基礎俸給月額」という。）に達しないこととなる職員（次の各号のうち二以上の号に掲げる職員に該当する職員（第三項の規定の適用を受ける職員を除く。）には、特定日以後の当該各号に掲げる職員となった日以後、第四条基礎俸給月額と特定日俸給月額との差額に相当する額を、給与法附則第十二項の規定による俸給として支給する。

一　異動日以後に俸給表異動又は初任給基準異動（以下「俸給表異動等」という。）をした職員（次号及び第五号に掲げる職員を除く。）　異動日の前日に当該俸給表異動等があったものとした場合（俸給表異動等が二回以上あった場合にあっては、同日にそれらの俸給表異動等が順次あったものとした場合）に同日において当該職員が受けることとなる俸給月額に相当する額に百分の七十を乗じて得た額

二　異動日の前日において指定職俸給表の適用を受けていた職員であって、異動日以後に俸給表異動をした職員　異動日の前日に当該職員が受けていた俸給月額に百分の七十を乗じて得た額（当該額に、五百円未満の端数を生じたときはこれを切り捨て、五百円以上千円未満の端数を生じたときはこれを千円に切り上げた額）

三　異動日から特定日までの間に降格又は降号をした職員（第五号に掲げる職員を除く。）　異動日の前日に当該職員が受けていた俸給月額から、当該降格又は降号をした日に当該降格又は降号がないものとした場合の同日のその者の号俸等に対応する俸給月額に相当する額と当該降格又は降号後のその者の号俸等に対応する俸給月額との差額（降格又は降号を二回以上した場合にあっては、それぞれの当該差額を合算した額）に相当する額を減じた額に百分の七十を乗じて得た額

四　異動日の前日以後に育児短時間勤務等をした職員（異動日以後に育児短時間勤務等を開始し、特定日前に当該育児短時間勤務等を終了した職員を除く。）　次に掲げる職員の区分に応じ、次に定める額

イ　特定日以後に現に育児短時間勤務等をしている職員　異動日の前日のその者の号俸等に対応する俸給月額に百分の七十を乗じ

て得た額（当該額に、五十円未満の端数を生じたときはこれを切り捨て、五十円以上百円未満の端数を生じたときはこれを百円に切り上げた額）に算出率を乗じて得た額（その額に一円未満の端数があるときは、その端数を切り捨てた額）

ロ　イに掲げる職員以外の職員　異動日の前日のその者の号俸等に対応する俸給月額に百分の七十を乗じて得た額

五　異動日以後に人事院の承認を得てその号俸を決定された職員又は人事院の定めるこれに準ずる職員（第二号に掲げる職員を除く。）

人事院の定める額

六　異動日の前日から特定日までの間の俸給表の俸給月額が増額改定又は減額改定をされた職員　異動日の前日のその者の号俸等に対応する特定日の俸給表の俸給月額欄に掲げる俸給月額に百分の七十を乗じて得た額

2　前項の規定による俸給の額と当該俸給を支給される職員の受ける俸給月額との合計額が上限額を超える場合における同項の規定の適用については、同項中「第四条基礎俸給月額と特定日俸給月額との差額」とあるのは、「上限額と当該職員の受ける俸給月額との差額」とする。

3　第一項第一号から第四号までのいずれかに該当する職員であって同項第六号に掲げる職員に該当する職員に対する前二項の規定の適用については、当該職員は第一項第一号から第四号までのいずれかに該当する職員であるものとし、当該職員について適用される第四条基礎俸給月額は、同項第一号から第四号までに規定する俸給月額について特定日の俸給表の俸給月額欄に掲げる俸給月額を用いて、算出するものとする。

4　第一項第一号から第六号までのうち二以上の号に掲げる職員に該当する職員（前項の規定の適用を受ける職員を除く。）には、人事院の定める日以後、人事院の定める額を、給与法附則第十二項の規定による俸給として支給する。

（特例任用後降任等職員に対する給与法附則第十二項の規定による俸給の支給）

第五条　特例任用後降任等職員であって、仮定異動期間末日（法第八十一条の五第一項から第四項までの規定による異動期間の延長がないものとした場合における異動期間の末日をいう。以下同じ。）の前日から引き続き同一の俸給表の適用を受ける職員のうち、異動日に給与法附則第八項の規定により当該職員が受ける俸給月額（以下この項において「異動日俸給月額」という。）が異動日の前日のその者の号俸等に対応する俸給月額（仮定異動期間末日の前日から異動日の前々日までの間のその者の号俸等に対応する俸給月額に、これよりも多い俸給月額がある場合は、そのうち最も多い俸給月額に相当する額）に百分の七十を乗じて得た額（当該額に、五十円未満の端数を生じたときはこれを切り捨て、五十円以上百円未満の端数を生じたときはこれを百円に切り上げた額。以下この項において「第五条基礎俸給月額」という。）に達しないこととなる職員（次条第一項第一号及び第四号から第七号まで、第三項並びに第四項に該当する職員を除く。）には、異動日以後、第五条基礎俸給月額と異動日俸給月額との差額に相当する額を、給与法附則第十二項の規定による俸給として支給する。

2　前項の規定による俸給の額と当該俸給を支給される職員の受ける俸給月額との合計額が上限額を超える場合における同項の規定の適用については、同項中「第五条基礎俸給月額と異動日俸給月額との差額」とあるのは、「上限額と当該職員の受ける俸給月額との差額」とする。

第六条　特例任用後降任等職員であって、仮定異動期間末日の前日から引き続き俸給表の適用を受ける職員のうち、次の各号に掲げる職員となり、異動日に給与法附則第八項の規定により当該職員が受ける俸給月額（異動日後に第一号から第三号まで、第五号又は第六号に掲げる職員となったものにあっては、異動日に当該各号に掲げる職員になったものとした場合に異動日に同項の規定により当該職員が受けることとなる俸給月額に相当する額。以下この項において「異動日俸給月額」という。）が当該各号の区分に応じ当該各号に定める額（第三号及び第五号イに掲げる職員以外の職員にあっては、当該額に、五十円未満の端数を生じたときはこれを切り捨て、五十円以上百円未満の端数を生じたときはこれを百円に切り上げた額。以下この条において「第六条基礎俸給月額」という。）に達しないこととなる職員（次の各号のうち二以上の号に掲げる職員に該当する職員（第三項の規定の適用を受ける職員を除く。）を除く。）には、異動日以後の当該各号に掲げる職員となった日以後、第六条基礎俸給月額と異動日俸給月額との差額に相当する額を、給与法附則第十二項の規定による俸給として支給する。

一　仮定異動期間末日以後に俸給表異動等をした職員（次号、第三号及び第六号に掲げる職員を除く。）　仮定異動期間末日の前日に当該俸給表異動等があり、同日から異動日の前日まで当該俸給表異動等後に適用されている俸給表及び初任給基準表における初任給の定めが引き続き適用されているものとした場合（俸給表異動等が二回以上あった場合にあっては、仮定異動期間末日の前日にそれらの俸給表異動等が順次あり、同日から異動日の前日までこれらの俸給表異動等後に適用されている俸給表及び初任給基準表における初任給の定めが引き続き適用されているものとした場合）の同日のその者の号俸等に対応する俸給月額に相当する額（これらの場合において、仮定異動期間末日の前日から異動日の前々日までの間のその者の号俸等に対応する俸給月額に、これよりも多い俸給月額があるときは、そのうち最も多い俸給月額に相当する額）に百分の七十を乗じて得た額

二　異動日以後に他の俸給表の適用を受ける職員から専門スタッフ職俸給表の適用を受ける職員に俸給表異動をし、現に専門スタッフ職俸給表の適用を受けている職員（次号及び第六号に掲げる職員を除く。）　異動日の前日に当該俸給表異動があったものとした場合の同日のその者の号俸等に対応する俸給月額に相当する額（仮定異動期間末日の前日から異動日の前々日までのいずれかの日において当該俸給表異動があったものとした場合のその者の号俸等に対応する俸給月額に、これよりも多い俸給月額があるときは、そのうち最も多い俸給月額に相当する額）に百分の七十を乗じて得た額

三　仮定異動期間末日の前日以後に指定職俸給表の適用を受けていた職員であって、同日後に俸給表異動をした職員　異動日の前日のその者の号俸等に対応する俸給月額（仮定異動期間末日の前日から異動日の前々日までの間のその者の号俸等に対応する俸給月額に、これよりも多い俸給月額がある場合は、そのうち最も多い俸給月額に相当する額）に百分の七十を乗じて得た額（当該額に、五百円未満の端数を生じたときはこれを切り捨て、五百円以上千円未満の端数を生じたときはこれを千円に切り上げた額）

四　仮定異動期間末日から異動日までの間に降格（規則九―八第二十四条第三項に該当するものを除く。以下この号において同じ。）又は降号をした職員（第六号に掲げる職員を除く。）　異動日の前日のその者の号俸等に対応する俸給月額（仮定異動期間末日の前日から異動日の前々日までの間のその者の号俸等に対応する俸給月額に、これよりも多い俸給月額がある場合は、そのうち最も多い俸給月額に相当する額）から、当該降格又は降号をした日に当該降格又は降号がないものとした場合の同日のその者の号俸等に対応する俸給月額に相当する額と当該降格又は降号後のその者の号俸等に対応する俸給月額との差額（降格又は降号を二回以上した場合にあっては、それぞれの当該差額を合算した額）に相当する額を減じた額に百分の七十を乗じて得た額

五　仮定異動期間末日の前日以後に育児短時間勤務等をした職員　次に掲げる職員の区分に応じ、次に定める額

イ　異動日以後に現に育児短時間勤務等をしている職員　異動日の前日のその者の号俸等に対応する俸給月額（仮定異動期間末日の前日から異動日の前々日までの間のその者の号俸等に対応する俸給月額に、これよりも多い俸給月額がある場合は、そのうち最も多い俸給月額に相当する額）に百分の七十を乗じて得た額（当該額に、五十円未満の端数を生じたときはこれを切り捨て、五十円以上百円未満の端数を生じたときはこれを百円に切り上げた額）に算出率を乗じて得た額（その額に一円未満の端数があるときは、その端数を切り捨てた額）

ロ　イに掲げる職員以外の職員　異動日の前日のその者の号俸等に対応する俸給月額（仮定異動期間末日の前日から異動日の前々日までの間のその者の号俸等に対応する俸給月額に、これよりも多い俸給月額がある場合は、そのうち最も多い俸給月額に相当する額）に百分の七十を乗じて得た額

六　仮定異動期間末日以後に人事院の承認を得てその号俸を決定された職員又は人事院の定めるこれに準ずる職員（第三号に掲げる職員を除く。）　人事院の定める額

七　仮定異動期間末日の前日から異動日までの

間の俸給表の俸給月額が増額改定又は減額改定をされた職員　異動日の前日のその者の号俸等に対応する異動日の俸給表の俸給月額欄に掲げる俸給月額（仮定異動期間末日の前日から異動日の前々日までの間のその者の号俸等に対応する異動日の俸給表の俸給月額欄に掲げる俸給月額に、これよりも多い俸給月額がある場合は、そのうち最も多い俸給月額に相当する額）に百分の七十を乗じて得た額

2　前項の規定による俸給の額と当該俸給を支給される職員の受ける俸給月額との合計額が上限額を超える場合における同項の規定の適用については、同項中「第六条基礎俸給月額と異動日俸給月額との差額」とあるのは、「上限額と当該職員の受ける俸給月額との差額」とする。

3　第一項第一号から第五号までのいずれかに該当する職員であって、第七号に掲げる職員に該当する職員に対する前二項の規定の適用については、当該職員は第一項第一号から第五号までのいずれかに該当する職員であるものとし、当該職員について適用される第六条基礎俸給月額は、同項第一号から第五号までに規定する俸給月額について異動日の俸給表の俸給月額欄に掲げる俸給月額を用いて、算出するものとする。

4　第一項第一号から第七号までのうち二以上の号に掲げる職員に該当する職員（前項の規定の適用を受ける職員を除く。）には、人事院の定める日以後、人事院の定める額を、給与法附則第十二項の規定による俸給として支給する。

（降任等相当俸給表異動をした職員に対する給与法附則第十三項の規定による俸給の支給）

第七条　降任等相当俸給表異動（法第八十一条の二第一項ただし書に規定する他の官職への転任に伴う俸給表異動のうち、当該俸給表異動後の職員の職務の級が当該俸給表異動の前日に俸給表異動があったものとした場合の職員の職務の級より下位の職務の級となる場合のもの及び指定職俸給表の適用を受ける職員から専門スタッフ職俸給表の適用を受ける職員に俸給表異動をすることとなるものをいう。以下この条及び次条において同じ。）をした職員（第一項特例任用職員又は第三項特例任用職員から降任等相当俸給表異動をした職員を除く。第四項において同じ。）であって、降任等相当転任日（当該降任等相当俸給表異動をした日をいう。以下この条及び次条において同じ。）の前日から引き続き俸給表の適用を受ける職員（第四項各号に掲げる職員を除く。）のうち、特定日に給与法附則第八項の規定により当該職員が受ける俸給月額（以下この項において「特定日俸給月額」という。）が降任等相当転任日の前日に降任等相当転任日において適用される俸給表の適用を受けるものとした場合に当該職員が受けることとなる俸給月額に相当する額（降任等相当転任日の前日に指定職俸給表の適用を受けていた職員にあっては、同日に当該職員が受けていた俸給月額）に百分の七十を乗じて得た額（同日に指定職俸給表の適用を受けていた職員以外の職員にあっては当該額に五十円未満の端数を生じたときはこれを切り捨て、五十円以上百円未満の端数を生じたときはこれを百円に切り上げた額、同日に指定職俸給表の適用を受けていた職員にあっては当該額に五百円未満の端数を生じたときはこれを切り捨て、五百円以上千円未満の端数を生じたときはこれを千円に切り上げた額。以下この条において「第七条基礎俸給月額」という。）に達しないこととなる職員には、特定日以後、第七条基礎俸給月額と特定日俸給月額との差額に相当する額を、給与法附則第十三項の規定による俸給として支給する。

2　前項の規定による俸給の額と当該俸給を支給される職員の受ける俸給月額との合計額が上限額を超える場合における同項の規定の適用については、同項中「第七条基礎俸給月額と特定日俸給月額との差額」とあるのは、「上限額と当該職員の受ける俸給月額との差額」とする。

3　降任等相当転任日の前日から特定日までの間の俸給表の俸給月額が増額改定又は減額改定をされた職員に対する前二項の規定の適用については、当該職員について適用される第七条基礎俸給月額は、第一項に規定する俸給月額について特定日の俸給表の俸給月額欄に掲げる俸給月額を用いて、算出するものとする。

4　降任等相当俸給表異動をした職員であって、降任等相当転任日の前日から引き続き俸給表の適用を受ける職員のうち、給与法附則第八項の規定の適用を受ける職員であって、次に掲げる職員には、人事院の定める日以後、人事院の定める額を、給与法附則第十三項の規定による俸給として支給する。

一　降任等相当転任日後に俸給表異動等をした職員

二　降任等相当転任日から特定日までの間に降

格又は降号をした職員

三　降任等相当転任日の前日以後に育児短時間勤務等をした職員（降任等相当転任日以後に育児短時間勤務等を開始し、特定日前に当該育児短時間勤務等を終了した職員を除く。）

四　降任等相当転任日以後に人事院の承認を得てその号俸を決定された職員又は人事院の定めるこれに準ずる職員（降任等相当転任日の前日に指定職俸給表の適用を受けていた職員を除く。）

第八条　第一項特例任用職員又は第三項特例任用職員から降任等相当俸給表異動をした職員であって、降任等相当転任日の前日から引き続き俸給表の適用を受ける職員（第四項各号に掲げる職員を除く。）のうち、降任等相当転任日に給与法附則第八項の規定により当該職員が受ける俸給月額（以下この項において「転任日俸給月額」という。）が次の各号に掲げる区分に応じ当該各号に定める額（第三号に掲げる職員以外の職員にあっては、当該額に、五十円未満の端数を生じたときはこれを切り捨て、五十円以上百円未満の端数を生じたときはこれを百円に切り上げた額。以下この条において「第八条基礎俸給月額」という。）に達しないこととなる職員には、降任等相当転任日以後、第八条基礎俸給月額と転任日俸給月額との差額に相当する額を、給与法附則第十三項の規定による俸給として支給する。

一　次号及び第三号に掲げる職員以外の職員　降任等相当転任日の前日に降任等相当転任日において適用される俸給表の適用を受けるものとした場合の降任等相当転任日の前日のその者の号俸等に対応する俸給月額に相当する額（仮定異動期間末日の前日に当該俸給表の適用を受け、同日から降任等相当転任日の前日まで当該俸給表が引き続き適用されているものとした場合に、仮定異動期間末日の前日から降任等相当転任日の前々日までの間のその者の号俸等に対応する俸給月額に、これよりも多い俸給月額があるときは、そのうち最も多い俸給月額に相当する額）に百分の七十を乗じて得た額

二　降任等相当転任日において専門スタッフ職俸給表の適用を受ける職員（次号に掲げる職員を除く。）　降任等相当転任日の前日に専門スタッフ職俸給表の適用を受ける職員への俸給表異動があったものとした場合の同日のその者の号俸等に対応する俸給月額に相当する額（仮定異動期間末日の前日から降任等相当転任日の前々日までのいずれかの日において専門スタッフ職俸給表の適用を受ける職員への俸給表異動があったものとした場合のその者の号俸等に対応する俸給月額に、これよりも多い俸給月額があるときは、そのうち最も多い俸給月額に相当する額）に百分の七十を乗じて得た額

三　仮定異動期間末日の前日以後に指定職俸給表の適用を受けていた職員　降任等相当転任日の前日のその者の号俸等に対応する俸給月額（仮定異動期間末日の前日から降任等相当転任日の前々日までの間のその者の号俸等に対応する俸給月額に、これよりも多い俸給月額があるときは、そのうち最も多い俸給月額に相当する額）に百分の七十を乗じて得た額（当該額に五百円未満の端数を生じたときはこれを切り捨て、五百円以上千円未満の端数を生じたときはこれを千円に切り上げた額）

2　前項の規定による俸給の額と当該俸給を支給される職員の受ける俸給月額との合計額が上限額を超える場合における同項の規定の適用については、同項中「第八条基礎俸給月額と転任日俸給月額との差額」とあるのは、「上限額と当該職員の受ける俸給月額との差額」とする。

3　仮定異動期間末日の前日から降任等相当転任日までの間の俸給表の俸給月額が増額改定又は減額改定をされた職員に対する前二項の規定の適用については、当該職員について適用される第八条基礎俸給月額は、第一項各号に規定する俸給月額について降任等相当転任日の俸給表の俸給月額欄に掲げる俸給月額を用いて、算出するものとする。

4　第一項特例任用職員又は第三項特例任用職員から降任等相当俸給表異動をした職員であって、降任等相当転任日の前日から引き続き俸給表の適用を受ける職員のうち、給与法附則第八項の規定の適用を受ける職員であって、次に掲げる職員には、人事院の定める日以後、人事院の定める額を、給与法附則第十三項の規定による俸給として支給する。

一　降任等相当転任日後に俸給表異動等をした職員

二　仮定異動期間末日から降任等相当転任日までの間に降格（規則九―八第二十四条第三項

に該当するものを除く。）又は降号をした職員

三　仮定異動期間末日の前日以後に育児短時間勤務等をした職員

四　仮定異動期間末日以後に人事院の承認を得てその号俸を決定された職員又は人事院の定めるこれに準ずる職員（仮定異動期間末日の前日以後に指定職俸給表の適用を受けていた職員を除く。）

（特例任用期間降格等職員に対する給与法附則第十三項の規定による俸給の支給）

第九条　特例任用期間降格等職員（第三項特例任用職員のうち、仮定異動期間末日から法第八十一条の二第一項に規定する他の官職への昇任、降任又は転任をされる日の前日までの間において、降格（規則九—八第二十四条第三項の規定によるものに限る。）をされた職員、俸給表異動により当該俸給表異動後の職員の職務の級が当該俸給表異動の前日に俸給表異動があったものとした場合の職員の職務の級より下位の職務の級となった職員又は指定職俸給表の適用を受ける職員から他の俸給表の適用を受ける職員に俸給表異動をした職員をいう。以下この条において同じ。）であって、仮定異動期間末日の前日から引き続き俸給表の適用を受ける職員（第四項各号に掲げる職員を除く。）のうち、特例任用期間降格等職員となった日（当該日が二以上あるときは、当該日のうち最も遅い日。以下この条において同じ。）に給与法附則第八項の規定により当該職員が受ける俸給月額（以下この項において「降格等相当日俸給月額」という。）が、次の各号に掲げる区分に応じ当該各号に定める額（仮定異動期間末日の前日以後に指定職俸給表の適用を受けていた職員以外の職員にあっては当該額に五十円未満の端数を生じたときはこれを切り捨て、五十円以上百円未満の端数を生じたときはこれを百円に切り上げた額、仮定異動期間末日の前日以後に指定職俸給表の適用を受けていた職員にあっては当該額に五百円未満の端数を生じたときはこれを切り捨て、五百円以上千円未満の端数を生じたときはこれを千円に切り上げた額。以下この条において「第九条基礎俸給月額」という。）に達しないこととなる職員には、特例任用期間降格等職員となった日から法第八十一条の二第一項に規定する他の官職への昇任、降任又は転任をされる日の前日までの間、第九条基礎俸給月額と降格等相当日俸給月額との差額に相当する額を、給与法附則第十三項の規定による俸給として支給する。

一　次号に掲げる職員以外の職員　特例任用期間降格等職員となった日の前日のその者の号俸等に対応する俸給月額（仮定異動期間末日の前日から特例任用期間降格等職員となった日の前々日までの間のその者の号俸等に対応する俸給月額に、これより多い俸給月額がある場合は、そのうち最も多い俸給月額に相当する額）に百分の七十を乗じて得た額

二　仮定異動期間末日以後に俸給表異動（当該俸給表異動後の職員の職務の級が当該俸給表異動の前日に俸給表異動があったものとした場合の職員の職務の級より下位の職務の級となるものに限る。）をした職員（仮定異動期間末日の前日以後に指定職俸給表の適用を受けていた職員を除く。）　特例任用期間降格等職員となった日の前日において適用される俸給表の適用を受ける職員への俸給表異動があったものとした場合の特例任用期間降格等職員となった日の前日のその者の号俸等に対応する俸給月額に相当する額（仮定異動期間末日の前日に当該俸給表異動があり、同日から特例任用期間降格等職員となった日の前日まで当該俸給表異動後に適用されている俸給表が引き続き適用されているものとした場合に、仮定異動期間末日の前日から特例任用期間降格等職員となった日の前々日までの間のその者の号俸等に対応する俸給月額に、これよりも多い俸給月額があるときは、そのうち最も多い俸給月額に相当する額）に百分の七十を乗じて得た額

2　前項の規定による俸給の額と当該俸給を支給される職員の受ける俸給月額との合計額が上限額を超える場合における同項の規定の適用については、同項中「第九条基礎俸給月額と降格等相当日俸給月額との差額」とあるのは、「上限額と当該職員の受ける俸給月額との差額」とする。

3　仮定異動期間末日の前日から特例任用期間降格等職員となった日までの間の俸給表の俸給月額が増額改定又は減額改定をされた職員に対する前二項の規定の適用については、当該職員について適用される第九条基礎俸給月額は、第一

項各号に規定する俸給月額について特例任用期間降格等職員となった日の俸給表の俸給月額欄に掲げる俸給月額を用いて、算出するものとする。

4 特例任用期間降格等職員であって、仮定異動期間末日の前日から引き続き俸給表の適用を受ける職員のうち、給与法附則第八項の規定の適用を受ける職員であって、次に掲げる職員には、人事院の定める日から法第八十一条の二第一項に規定する他の官職への昇任、降任又は転任をされる日の前日までの間、人事院の定める額を、給与法附則第十三項の規定による俸給として支給する。

一 特例任用期間降格等職員となった日の翌日から法第八十一条の二第一項に規定する他の官職への昇任、降任又は転任をされる日の前日までの間に規則九—八第二条第二号に規定する昇格をした職員

二 特例任用期間降格等職員となった日以後に俸給表異動等（俸給表異動のうち、当該俸給表異動後の職員の職務の級が当該俸給表異動の前日に俸給表異動があったものとした場合の職員の職務の級より下位の職務の級となる場合のもの及び指定職俸給表の適用を受ける職員から他の俸給表の適用を受ける職員に俸給表異動をすることとなるものを除く。）をした職員

三 仮定異動期間末日から特例任用期間降格等職員となった日までの間に降格（規則九—八第二十四条第三項に該当するものを除く。）又は降号をした職員

四 仮定異動期間末日の前日以後に育児短時間勤務等をした職員

五 仮定異動期間末日以後に人事院の承認を得てその号俸を決定された職員又は人事院の定めるこれに準ずる職員（仮定異動期間末日の前日以後に指定職俸給表の適用を受けていた職員を除く。）

（人事交流等職員に対する給与法附則第十三項の規定による俸給の支給）

第十条 規則九—八第十七条各号に掲げる者から人事交流等により引き続いて管理監督職以外の官職に採用された職員（以下この条において「人事交流等職員」という。）のうち人事交流等職員となった日（当該日が二以上あるときは、当該日のうち最も遅い日。以下この条において同じ。）前に職員であったものとした場合に異動日とみなされる日（以下この条において「みなし異動日」という。）がある者であって、人事交流等職員となった日から引き続き俸給表の適用を受ける職員（第四項各号に掲げる職員を除く。）のうち、特定日に給与法附則第八項の規定により当該職員が受ける俸給月額（人事交流等職員となった日が六十歳（給与法附則第八項各号に掲げる職員にあっては、当該各号に定める年齢）に達した日後における最初の四月一日（以下この条において「仮定特定日」という。）後であるときは、仮定特定日に職員であったものとして給与法附則第八項の規定が適用された場合に仮定特定日に当該職員が受けることとなる俸給月額に相当する額。以下この項において「特定日俸給月額」という。）がみなし異動日の前日に職員となったものとした場合に当該職員が受けることとなる俸給月額に相当する額に百分の七十を乗じて得た額（当該額に、五十円未満の端数を生じたときはこれを切り捨て、五十円以上百円未満の端数を生じたときはこれを百円に切り上げた額。以下この条において「第十条基礎俸給月額」という。）に達しないこととなる職員には、人事交流等職員となった日（特定日前に人事交流等職員となった場合にあっては特定日）以後、第十条基礎俸給月額と特定日俸給月額との差額に相当する額を、給与法附則第十三項の規定による俸給として支給する。

2 前項の規定による俸給の額と当該俸給を支給される職員の受ける俸給月額との合計額が上限額を超える場合における同項の規定の適用については、同項中「第十条基礎俸給月額と特定日俸給月額との差額」とあるのは、「上限額と当該職員の受ける俸給月額との差額」とする。

3 俸給月額の改定をする法令の制定により、みなし異動日の前日から特定日（人事交流等職員となった日が仮定特定日後であるときは、仮定特定日。以下この項において同じ。）までの間の俸給表の俸給月額が改定された場合における前二項の規定の適用については、人事交流等職員について適用される第十条基礎俸給月額は、第一項に規定する俸給月額について特定日の俸給表の俸給月額欄に掲げる俸給月額を用いて、算出するものとする。

4 人事交流等職員のうちみなし異動日がある者であって、人事交流等職員となった日から引き

続き俸給表の適用を受ける職員のうち、給与法附則第八項の規定の適用を受ける職員であって、次に掲げる職員には、人事院の定める日以後、人事院の定める額を、給与法附則第十三項の規定による俸給として支給する。

一　かつて第一項特例任用職員又は第三項特例任用職員として勤務していた者で、人事交流等により引き続いて規則九—八第十七条各号に掲げる者となり引き続いて人事交流等職員となったもの及びこれに準ずるもの

二　かつて指定職俸給表の適用を受けていた職員であった者で、人事交流等により引き続いて規則九—八第十七条各号に掲げる者となり引き続いて人事交流等職員となったもの

三　人事交流等職員となった日後に俸給表異動等をした職員

四　人事交流等職員となった日から特定日までの間に降格又は降号をした職員

五　人事交流等職員となった日（特定日前に人事交流等職員となった場合にあっては特定日）以後に育児短時間勤務等をした職員

六　人事交流等職員となった日以後に人事院の承認を得てその号俸を決定された職員又は人事院の定めるこれに準ずる職員

（異動期間の末日を経過して規則一一—一一第六条第二項に規定する降任又は転任等をした職員に対する給与法附則第十三項の規定による俸給の支給）

第十一条　規則一一—一一（管理監督職勤務上限年齢による降任等）第六条第二項に規定する降任又は転任をした職員（以下この条において「第一項職員」という。）であって、当該降任又は転任をした日（以下この条において「第一項異動日」という。）の前日から引き続き俸給表の適用を受ける職員（第六項各号に掲げる職員を除く。）のうち、第一項異動日に給与法附則第八項の規定により当該職員が受ける俸給月額（以下この項において「第一項異動日俸給月額」という。）が第一項異動日の前日のその者の号俸等に対応する俸給月額に相当する額（当該額とした場合に部内の他の職員との均衡を著しく失すると認められるときは人事院の定める額）に百分の七十を乗じて得た額（同日に指定職俸給表の適用を受けていた職員以外の職員にあっては当該額に五十円未満の端数を生じたときはこれを切り捨て、五十円以上百円未満の端数を生じたときはこれを百円に切り上げた額、同日に指定職俸給表の適用を受けていた職員にあっては当該額に五百円未満の端数を生じたときはこれを切り捨て、五百円以上千円未満の端数を生じたときはこれを千円に切り上げた額。以下この条において「第十一条第一項基礎俸給月額」という。）に達しないこととなる職員には、第一項異動日以後、第十一条第一項基礎俸給月額と第一項異動日俸給月額との差額に相当する額を給与法附則第十三項の規定による俸給として支給する。

2　規則一一—一一第五条第一号又は第二号に掲げる場合において同条第一号に定める期間又は同条第二号に定める日に降格（規則九—八第二十四条第三項の規定によるものに限る。）をした職員（以下この条において「第二項職員」という。）であって、当該降格をした日（以下この条において「第二項異動日」という。）の前日から引き続き俸給表の適用を受ける職員（第六項各号に掲げる職員を除く。）のうち、第二項異動日に給与法附則第八項の規定により当該職員が受ける俸給月額（以下この項において「第二項異動日俸給月額」という。）が第二項異動日の前日のその者の号俸等に対応する俸給月額に相当する額（当該額とした場合に部内の他の職員との均衡を著しく失すると認められるときは人事院の定める額）に百分の七十を乗じて得た額（当該額に五十円未満の端数を生じたときはこれを切り捨て、五十円以上百円未満の端数を生じたときはこれを百円に切り上げた額。以下この条において「第十一条第二項基礎俸給月額」という。）に達しないこととなる職員には、第二項異動日以後、第十一条第二項基礎俸給月額と第二項異動日俸給月額との差額に相当する額を給与法附則第十三項の規定による俸給として支給する。

3　規則一一—一一第五条各号に掲げる場合において当該各号に定める日又は期間に降任等相当俸給表異動（管理監督職以外の官職への降任（職員の同意を得て行うものに限る。）又は転任に伴う俸給表異動のうち、当該俸給表異動後の職員の職務の級が当該俸給表異動の前日に俸給表異動があったものとした場合の職員の職務の級より下位の職務の級となる場合のもの及び指定職俸給表の適用を受ける職員から他の俸給表の適用を受ける職員に俸給表異動をすることとなるものをいう。）をした職員（以下この条

において「第三項職員」という。）であって、当該降任等相当俸給表異動をした日（以下この条において「第三項異動日」という。）の前日から引き続き俸給表の適用を受ける職員（第六項各号に掲げる職員を除く。）のうち、第三項異動日に給与法附則第八項の規定により当該職員が受ける俸給月額（以下この項において「第三項異動日俸給月額」という。）が第三項異動日の前日に第三項異動日において適用される俸給表の適用を受ける職員への俸給表異動があったものとした場合の第三項異動日の前日のその者の号俸等に対応する俸給月額に相当する額（同日に指定職俸給表の適用を受けていた職員にあっては、同日のその者の号俸等に対応する俸給月額）（当該額とした場合に部内の他の職員との均衡を著しく失すると認められるときは人事院の定める額）に百分の七十を乗じて得た額（同日に指定職俸給表の適用を受けていた職員以外の職員にあっては当該額に五十円未満の端数を生じたときはこれを切り捨て、五十円以上百円未満の端数を生じたときはこれを百円に切り上げた額、同日に指定職俸給表の適用を受けていた職員にあっては当該額に五百円未満の端数を生じたときはこれを切り捨て、五百円以上千円未満の端数を生じたときはこれを千円に切り上げた額。以下この条において「第十一条第三項基礎俸給月額」という。）に達しないこととなる職員には、第三項異動日以後、第十一条第三項基礎俸給月額と第三項異動日俸給月額との差額に相当する額を、給与法附則第十三項の規定による俸給として支給する。

4　前三項の規定による俸給の額と当該俸給を支給される職員の受ける俸給月額との合計額が上限額を超える場合におけるこれらの規定の適用については、第一項中「第十一条第一項基礎俸給月額と第一項異動日俸給月額との差額」とあり、第二項中「第十一条第二項基礎俸給月額と第二項異動日俸給月額との差額」とあり、及び前項中「第十一条第三項基礎俸給月額と第三項異動日俸給月額との差額」とあるのは「上限額と当該職員の受ける俸給月額との差額」とする。

5　第一項異動日、第二項異動日若しくは第三項異動日（以下この条において「第十一条異動日」という。）の前日又は第十一条異動日の俸給表の俸給月額が増額改定又は減額改定をされた職員に対する前各項の規定の適用については、当該職員について適用される第十一条第一項基礎俸給月額、第十一条第二項基礎俸給月額又は第十一条第三項基礎俸給月額は、第一項から第三項までに規定する俸給月額について第十一条異動日の俸給表の俸給月額欄に掲げる俸給月額を用いて、算出するものとする。

6　第一項職員、第二項職員又は第三項職員であって、第十一条異動日の前日から引き続き俸給表の適用を受ける職員のうち、給与法附則第八項の規定の適用を受ける職員であって、次に掲げる職員には、人事院の定める日以後、人事院の定める額を、給与法附則第十三項の規定による俸給として支給する。

一　第一項特例任用職員又は第三項特例任用職員として勤務したことがある職員

二　第十一条異動日以後（第三項職員にあっては、第三項異動日後）に俸給表異動等（俸給表異動のうち、規則一一―一一第五条の規定による降任に伴うものであって、指定職俸給表の適用を受ける職員から他の俸給表の適用を受ける職員に俸給表異動をすることとなるものを除く。）をした職員

三　第十一条異動日の前日以後に育児短時間勤務等をした職員

四　第十一条異動日以後に人事院の承認を得てその号俸を決定された職員又は人事院の定めるこれに準ずる職員（第一項異動日又は第三項異動日の前日に指定職俸給表の適用を受けていた職員を除く。）

（この規則により難い場合の措置）

第十二条　給与法附則第十項、第十二項又は第十三項の規定による俸給の支給について、六十歳に達した日後の最初の四月一日後に給与法附則第八項第二号に掲げる職員が同項各号に掲げる職員以外の職員となったとき、この規則の規定による場合には部内の他の職員との均衡を著しく失すると認められるときその他の特別の事情があるときは、あらかじめ人事院の承認を得て、別段の取扱いをすることができる。

（雑則）

第十三条　この規則に定めるもののほか、給与法附則第十項、第十二項又は第十三項の規定による俸給の支給に関し必要な事項は人事院が定める。

附　則（抄）

（施行期日）

第一条　この規則は、令和五年四月一日から施行する。

○人事院規則九―一四八（給与法附則第十項、第十二項又は第十三項の規定による俸給）の運用について（通知）

令四・二・一八
給実甲一二九六

改正　令七・二・一二給実甲一三四〇

人事院規則九―一四八（給与法附則第十項、第十二項又は第十三項の規定による俸給）（以下「規則」という。）の運用について下記のとおり定めたので、令和五年四月一日以降は、これによってください。

記

第二条関係

この条の第六号の「初任給基準異動」には、人事院規則九―八（初任給、昇格、昇給等の基準）別表第二に定める初任給基準表の備考に異なる初任給の定めのある職務への異動が含まれる。

第三条関係

この条の第一号ニの「人事院の定めるこれに準ずる職員」は、異動日以後に事務総長の承認を得てその号俸を決定された職員とする。

第四条関係

１　この条の第一項第五号の「人事院の定めるこれに準ずる職員」は、異動日以後に事務総長の承認を得てその号俸を決定された職員とする。

２　この条の第一項第五号の「人事院の定める額」は、あらかじめ事務総長の承認を得て定める額とする。

３　この条の第四項の「人事院の定める日」は、あらかじめ事務総長の承認を得て定める日とする。

４　この条の第四項の「人事院の定める額」は、あらかじめ事務総長の承認を得て定める額とする。

第六条関係

１　この条の第一項第六号の「人事院の定めるこれに準ずる職員」は、仮定異動期間末日以後に事務総長の承認を得てその号俸を決定された職員とする。

２　この条の第一項第六号の「人事院の定める額」は、あらかじめ事務総長の承認を得て定める額とする。

３　この条の第四項の「人事院の定める日」は、あらかじめ事務総長の承認を得て定める日とする。

４　この条の第四項の「人事院の定める額」は、あらかじめ事務総長の承認を得て定める額とする。

第七条関係

１　この条の第四項の「人事院の定める日」は、次の各号に掲げる職員の区分に応じ、当該各号に定める日とする。

一　この条の第四項第一号に掲げる職員のうち、俸給表異動をした職員（初任給基準異動をした職員又は同項各号のうち二以上の号に掲げる職員に該当する職員を除く。）　降任等相当転任日後における俸給表異動をした日（当該日が二以上あるときは、当該日のうち最も遅い日。以下「転任後俸給表異動日」という。）

二　前号に掲げる職員以外の職員　あらかじめ事務総長の承認を得て定める日

２　この条の第四項の「人事院の定める額」は、次の各号に掲げる職員の区分に応じ、当該各号に定める額とする。

一　前項第一号に掲げる職員　降任等相当転任日の前日に転任後俸給表異動日において適用される俸給表の適用を受けるものとした場合に当該職員が受けることとなる俸給月額に相当する額（降任等相当転任日の前日に指定職俸給表の適用を受けていた職員にあっては、同日に当該職員が受けていた俸給月額）に百分の七十を乗じて得た額（同日に指定職俸給表の適用を受けていた職員以外の職員にあっては当該額に五十円未満の端数を生じたときはこれを切り捨て、五十円以上百円未満の端数を生じたときはこれを百円に切り上げた額、同日に指定職俸給表の適用を受けていた職員にあっては当該額に五百円未満の端数を生じたときはこれを切り捨て、五百円以上千円未満の端数を生じたときはこれを千円に切り上げた額。第四項において「第七条関係基礎俸給月額」という。）と特定日に一般職の職員の給与に関する法律（昭和二十五年法律第九十五号。以下「給与法」という。）附則第八項の規定により当該職員が受ける俸給月額（特定日後に同号に掲げる職員となったものにあっては、特定日に転任後俸給表異動日において適用される俸給表の適用を受けるものとした場合に特定日に同項の規定により当該職員が受けることとなる俸給月額に相当する額）との差額に相当する額（当該額が零を下回るときは、零）

二　前項第二号に掲げる職員　あらかじめ事務総長の承認を得て定める額

3　前項第一号の規定による俸給の額と当該俸給を支給される職員の受ける俸給月額との合計額が上限額を超える場合における同号に定める額は、上限額と当該職員の受ける俸給月額との差額に相当する額とする。

4　降任等相当転任日の前日から特定日までの間の俸給表の俸給月額が増額改定又は減額改定をされた職員に対する第二項第一号及び前項の規定の適用については、当該職員について適用される第七条関係基礎俸給月額は、同号に規定する俸給月額について特定日の俸給表の俸給月額欄に掲げる俸給月額を用いて、算出するものとする。

5　この条の第四項第四号の「人事院の定めるこれに準ずる職員」は、降任等相当転任日以後に事務総長の承認を得てその号俸を決定された職員とする。

第八条関係

1　この条の第四項の「人事院の定める日」は、次の各号に掲げる職員の区分に応じ、当該各号に定める日とする。

一　この条の第四項第一号に掲げる職員のうち、俸給表異動をした職員（初任給基準異動をした職員又は同項各号のうち二以上の号に掲げる職員に該当する職員を除く。）　転任後俸給表異動日

二　前号に掲げる職員以外の職員　あらかじめ事務総長の承認を得て定める日

2　この条の第四項の「人事院の定める額」は、次の各号に掲げる職員の区分に応じ、当該各号に定める額とする。

一　前項第一号に掲げる職員　次に掲げる区分に応じ、それぞれ次に定める額（ハに掲げる職員以外の職員にあっては、当該額に、五十円未満の端数を生じたときはこれを切り捨て、五十円以上百円未満の端数を生じたときはこれを百円に切り上げた額。第四項において「第八条関係基礎俸給月額」という。）と降任等相当転任日に転任後俸給表異動日において適用される俸給表の適用を受けるものとした場合に降任等相当転任日に給与法附則第八項の規定により当該職員が受けることとなる俸給月額に相当する額との差額に相当する額（当該額が零を下回るときは、零）

イ　ロ及びハに掲げる職員以外の職員　降任等相当転任日の前日に転任後俸給表異動日において適用される俸給表の適用を受けるものとした場合の降任等相当転任日の前日のその者の号俸等に対応する俸給月額に相当する額（仮定異動期間末日の前日に当該俸給表の適用を受け、同日から降任等相当転任日の前日まで当該俸給表が引き続き適用されているものとした場合に、仮定異動期間末日の前日から降任等相当転任日の前々日までの間のその者の号俸等に対応する俸給月額に、これよりも多い俸給月額があるときは、そのうち最も多い俸給月額に相当する額）に百分の七十を乗じて得た額

ロ　転任後俸給表異動日において専門スタッフ職俸給表の適用を受ける職員（ハに掲げる職員を除く。）　降任等相当転任日の前日に専門スタッフ職俸給表の適用を受ける職員への俸給表異動があったものとした場合の同日のその者の号俸等に対応する俸給月額に相当する額（仮定異動期間末日の前日から降任等相当転任日の前々日までのいずれかの日において専門スタッフ職俸給表の適用を受ける職員への俸給表異動があったものとした場合のその者の号俸等に対応する俸給月額に、これよりも多い俸給月額があるときは、そのうち最も多い俸給月額に相当する額）に百分の七十を乗じて得た額

ハ　仮定異動期間末日の前日以後に指定職俸給表の適用を受けていた職員　降任等相当転任日の前日のその者の号俸等に対応する俸給月額（仮定異動期間末日の前日から降任等相当転任日の前々日までの間のその者の号俸等に対応する俸給月額に、これよりも多い俸給月額があるとき

は、そのうち最も多い俸給月額に相当する額）に百分の七十を乗じて得た額（当該額に五百円未満の端数を生じたときはこれを切り捨て、五百円以上千円未満の端数を生じたときはこれを千円に切り上げた額）

二　前項第二号に掲げる職員　あらかじめ事務総長の承認を得て定める額

3　前項第一号の規定による俸給の額と当該俸給を支給される職員の受ける俸給月額との合計額が上限額を超える場合における同号に定める額は、上限額と当該職員の受ける俸給月額との差額に相当する額とする。

4　仮定異動期間末日の前日から降任等相当転任日までの間の俸給表の俸給月額が増額改定又は減額改定をされた職員に対する第二項第一号及び前項の規定の適用については、当該職員について適用される第八条関係基礎俸給月額は、同号に規定する俸給月額について降任等相当転任日の俸給表の俸給月額欄に掲げる俸給月額を用いて、算出するものとする。

5　この条の第四項第四号の「人事院の定めるこれに準ずる職員」は、仮定異動期間末日以後に事務総長の承認を得てその号俸を決定された職員とする。

第九条関係

1　この条の第一項の「第三項特例任用職員」には、仮定異動期間末日において国家公務員法（昭和二十二年法律第百二十号。第十二条関係において「法」という。）第八十一条の五第三項の規定により異動期間を延長されることとなる管理監督職を占める職員も含まれる。

2　この条の第四項の「人事院の定める日」は、あらかじめ事務総長の承認を得て定める日とする。

3　この条の第四項の「人事院の定める額」は、あらかじめ事務総長の承認を得て定める額とする。

4　この条の第四項第五号の「人事院の定めるこれに準ずる職員」は、仮定異動期間末日以後に事務総長の承認を得てその号俸を決定された職員とする。

第十条関係

1　この条の第四項の「人事院の定める日」は、あらかじめ事務総長の承認を得て定める日とする。

2　この条の第四項の「人事院の定める額」は、あらかじめ事務総長の承認を得て定める額とする。

3　この条の第四項第六号の「人事院の定めるこれに準ずる職員」は、人事交流等職員となった日以後に事務総長の承認を得てその号俸を決定された職員とする。

第十一条関係

1　この条の第一項から第三項までの規定の「人事院の定める額」は、あらかじめ事務総長の承認を得て定める額とする。

2　この条の第六項の「人事院の定める日」は、あらかじめ事務総長の承認を得て定める日とする。

3　この条の第六項の「人事院の定める額」は、あらかじめ事務総長の承認を得て定める額とする。

4　この条の第六項第四号の「人事院の定めるこれに準ずる職員」は、第十一条異動日以後に事務総長の承認を得てその号俸を決定された職員とする。

第十二条関係

1　この条の「六十歳に達した日後の最初の四月一日後に給与法附則第八項第二号に掲げる職員が同項各号に掲げる職員以外の職員となったとき」について、次に定めるところによるときは、あらかじめ人事院の承認があったものとして取り扱うことができる。

一　法第八十一条の二第三項に規定する他の官職への降任等をされた職員であって、異動日の前日から引き続き俸給表の適用を受ける職員のうち、異動日に人事院規則九―一四七（給与法附則第八項の規定による俸給月額）第三条第一号に掲げる職員（指定職俸給表の適用を受ける職員であって、同表六号俸の俸給月額以上の俸給を受けるものに限る。次号において同じ。）から給与法附則第八項各号に掲げる職員以外の職員（指定職俸給表の適用を受ける職員を除く。）となり、異動日に同項の規定の適用を受ける職員には、異動日以後、上限額と当該職員の受ける俸給月額との差額に相当する額を給与法附則第十二項の規定による俸給として支給する。

二　法第八十一条の二第一項ただし書に規定する他の官職への転任をされた職員であっ

て、当該転任をした日の前日から引き続き俸給表の適用を受ける職員のうち、当該転任をした日に人事院規則九—一四七第三条第一号に掲げる職員から給与法附則第八項各号に掲げる職員以外の職員となり、同日に同項の規定の適用を受ける職員には、同日以後、上限額と当該職員の受ける俸給月額との差額に相当する額を給与法附則第十三項の規定による俸給として支給する。

2 令和七年四月一日以後に新たに給与法附則第十項、第十二項又は第十三項に規定する俸給を受けることとなる職員のうち、当該俸給を算出する場合におけるこの規定の適用がないものとしたときの基礎俸給月額等（給与法附則第十項に規定する基礎俸給月額、規則第四条に規定する第四条基礎俸給月額、規則第五条に規定する第五条基礎俸給月額、規則第六条に規定する第六条基礎俸給月額、規則第七条に規定する第七条基礎俸給月額、規則第八条に規定する第八条基礎俸給月額、規則第九条に規定する第九条基礎俸給月額若しくは規則第十条に規定する第十条基礎俸給月額又は第七条関係に規定する第七条関係基礎俸給月額若しくは第八条関係に規定する第八条関係基礎俸給月額をいう。以下同じ。）の基礎となる俸給月額が一般職の職員の給与に関する法律等の一部を改正する法律（令和六年法律第七十二号。以下「令和六年改正法」という。）第二条の規定による改正前の俸給表（指定職俸給表を除く。）の俸給月額欄に掲げる俸給月額となる職員の基礎俸給月額等について、次の各号に掲げる職員の区分に応じ当該各号に定める額とするときは、あらかじめ人事院の承認があったものとして取り扱うことができる。

一 基礎俸給月額等の基礎となる俸給月額が令和七年三月三十一日の俸給表の俸給月額欄に掲げる俸給月額となる職員（次号に掲げる職員を除く。） 令和七年三月三十一日に基礎俸給月額等の基礎となる俸給月額に対応するその者の号俸等を受けていたものとして、同年四月一日に令和六年改正法附則第四条及び第五条の規定を適用した場合に同日に受けることとなるその者の号俸等に対応する特定日（規則第五条又は第六条の規定の適用を受ける職員にあっては異動日、規則第八条の規定の適用を受ける職員にあっては降任等相当転任日、規則第九条の規定の適用を受ける職員にあっては特例任用期間降格等職員となった日、第七条関係の規定の適用を受ける職員のうち特定日後に第七条関係第一項第一号に掲げる職員となった職員又は第八条関係の規定の適用を受ける職員にあっては転任後俸給表異動日。次号及び第三号において「特定日等」という。）の俸給表の俸給月額欄に掲げる俸給月額を基礎として算出した基礎俸給月額等

二 基礎俸給月額等の基礎となる俸給月額が令和七年三月三十一日の専門スタッフ職俸給表の俸給月額欄に掲げる俸給月額となる専門スタッフ職俸給表の適用を受ける職員 令和七年三月三十一日に基礎俸給月額等の基礎となる俸給月額に対応するその者の号俸等を受けていたものとして、同日に専門スタッフ職俸給表への異動がないものとし、かつ、同年四月一日に令和六年改正法附則第四条及び第五条、人事院規則九—八—第二十九条並びに人事院規則九—八—九四（人事院規則九—八（初任給、昇格、昇給等の基準）の一部を改正する人事院規則）附則第二条の規定を適用した場合に同日に受けることとなるその者の号俸等に対応する特定日等の専門スタッフ職俸給表の俸給月額欄に掲げる俸給月額を基礎として算出した基礎俸給月額等

三 前二号に掲げる職員以外の職員 令和七年三月三十一日に基礎俸給月額等の基礎となる俸給月額に対応するその者の号俸等を受けていたものとして、同年四月一日に令和六年改正法附則第四条の規定を適用した場合に同日に受けることとなるその者の号俸等に対応する特定日等の俸給表の俸給月額欄に掲げる俸給月額を基礎として算出した基礎俸給月額等

その他の事項

1 給与法附則第十項、第十二項又は第十三項の規定による俸給を支給されることとなる職員又はその額に変動がある職員に対しては、人事異動通知書又はこれに代わる文書（以下「通知書等」という。）により、それらの場合に支給されることとなるこれらの項の規定による俸給の額を通知するものとする。ただ

し、通知書等の交付によらないことを適当と認める場合には、適当な方法をもって通知書等の交付に代えることができる。

なお、通知書等の記入に当たっての参考例を示せば、次のとおりである。

「一般職の職員の給与に関する法律（昭和二十五年法律第九十五号）アの規定による俸給イ円を給する」

注1　「ア」の記号をもって表示する事項は、給与法附則第十項、第十二項又は第十三項の条項のうち該当する条項とする。

2　「イ」の記号をもって表示する額は、給与法附則第十項、第十二項又は第十三項の規定による俸給の額とする。

2　給与法附則第十項、第十二項又は第十三項の規定による俸給の額の算定については、調書等を作成し、その計算の過程等を明確にしておくものとする。

以　上

第四　定年前再任用短時間勤務職員等の俸給月額

【参照】
●一般職給与法八12
●同運用方針八関係2

○人事院規則九―一〇七（定年前再任用短時間勤務職員等の俸給月額の端数計算）

平一一・一〇・二五制定
平一三・四・一施行
最終改正　令四・二・一八規則一―七九

次の各号に掲げる職員について、当該各号に定める規定による俸給月額に一円未満の端数があるときは、その端数を切り捨てた額をもって当該職員の俸給月額とする。

一　法第六十条の二第二項に規定する定年前再任用短時間勤務職員　給与法第八条第十二項

二　育児休業法第十三条第一項に規定する育児短時間勤務職員及び育児休業法第二十二条の規定による短時間勤務をしている職員（附則第二項において「育児短時間勤務職員等」という。）　育児休業法第十六条（育児休業法第二十二条において準用する場合を含む。）の規定により読み替えられた給与法第六条の二第一項若しくは第二項若しくは第八条第四項、第五項、第七項若しくは第八項、育児休業法第十八条の規定により読み替えられた任期付研究員法第六条第三項若しくは第四項又は育児休業法第十九条の規定により読み替えられた任期付職員法第七条第二項若しくは第三項

三　育児休業法第二十三条第二項に規定する任期付短時間勤務職員　育児休業法第二十四条の規定により読み替えられた給与法第六条の二第一項若しくは第二項又は第八条第四項、第五項、第七項若しくは第八項

附　則

（施行期日）
1　この規則は、平成十三年四月一日から施行する。

（給与法附則第八項の規定の適用を受ける育児短時間勤務職員等の俸給月額の端数計算）
2　育児休業法附則第二条第一項（同条第二項の規定により読み替えられた育児休業法第二十二条において準用する場合を含む。）の規定により読み替えられた給与法附則第八項の規定の適用を受ける育児短時間勤務職員等について、同項の規定による俸給月額に一円未満の端数があるときは、その端数を切り捨てた額をもって当該育児短時間勤務職員等の俸給月額とする。

附　則（平三〇・二・一規則一―七一）（抄）

この規則は、平成三十年四月一日から施行する。〔ただし書略〕

附　則（平三〇・二・一規則九―一四四）（抄）

（施行期日）
第一条　この規則は、平成三十年四月一日から施行する。

附　則（令四・二・一八規則一―七九）（抄）

（施行期日）
第一条　この規則は、令和五年四月一日から施行する。

第五　降給

【参照】
●国公法七五2
●規　則（九―八）二四・二四の二・四二

○人事院規則一一―一〇（職員の降給）

平二一・三・一八制定
平二一・四・一施行
最終改正　令四・二・一八規則一―七九

（総則）

第一条　職員（給与法第六条第一項の俸給表（以下「俸給表」という。）のうちいずれかの俸給表（指定職俸給表を除く。）の適用を受ける者をいう。以下同じ。）の降給については、別に定める場合を除き、この規則の定めるところによる。

第二条　いかなる場合においても、法第二十七条に定める平等取扱の原則、法第七十四条に定める分限の根本基準及び法第百八条の七の規定に違反して、職員を降給させてはならない。

（降給の種類）

第三条　降給の種類は、降格（職員の意に反して、当該職員の職務の級を同一の俸給表の下位の職務の級に変更することをいう。以下同じ。）及び降号（職員の意に反して、当該職員の号俸を同一の職務の級の下位の号俸に変更することをいう。以下同じ。）並びに法第八十一条の二第一項に規定する降給（同項本文の規定による他の官職への転任により現に属する職務の級より同一の俸給表の下位の職務の級に分類されている職務を遂行することとなった場合において、降格することをいう。）とする。

（降格の事由）

第四条　各庁の長（給与法第七条に規定する各庁の長又はその委任を受けた者をいう。以下同じ。）は、職員が降任又は転任（規則一一―一一（管理監督職勤務上限年齢による降任等）第五条第一号又は第二号に掲げる場合における法第八十一条の二第一項に規定する他の官職への転任に限る。第六条第一項において同じ。）により現に属する職務の級より同一の俸給表の下位の職務の級に分類されている職務を遂行することとなった場合のほか、次の各号のいずれかに掲げる事由に該当し、必要があると認める場合は、当該職員を降格するものとする。この場合において、第二号の規定により職員のうちいずれを降格させるかは、各庁の長が、勤務成績、勤務年数その他の事実に基づき、公正に判断して定めるものとする。

一　次に掲げる事由のいずれかに該当する場合（職員が降任された場合を除く。）

イ　職員の能力評価又は業績評価（次条並びに第六条第一項第一号イ及び第二項において「定期評価」という。）の全体評語が下位又は「不十分」の段階である場合その他勤務の状況を示す事実に基づき勤務実績がよくないと認められる場合において、指導その他の人事院が定める措置を行ったにもかかわらず、なお勤務実績がよくない状態が改善されないときであって、当該職員がその職務の級に分類されている職務を遂行することが困難であると認められるとき。

ロ　各庁の長が指定する医師二名によって、心身の故障があると診断され、その故障のため職務の遂行に支障があり、又はこれに堪えないことが明らかな場合

ハ　職員がその職務の級に分類されている職務を遂行することについての適格性を判断するに足りると認められる事実に基づき、当該適格性を欠くと認められる場合において、指導その他の人事院が定める措置を行ったにもかかわらず、当該適格性を欠く状態がなお改善されないとき。

二　官制若しくは定員の改廃又は予算の減少により職員の属する職務の級の給与法第八条第一項又は第二項の規定による定数に不足が生じた場合

（降号の事由）

第五条　各庁の長は、職員の定期評価の全体評語が下位又は「不十分」の段階である場合その他勤務の状況を示す事実に基づき勤務実績がよくないと認められる場合であり、かつ、その職務の級に分類されている職務を遂行することが可能であると認められる場合であって、指導その

他の人事院が定める措置を行ったにもかかわらず、なお勤務実績がよくない状態が改善されない場合において、必要があると認めるときは、当該職員を降号するものとする。

（臨時的職員又は条件付採用期間中の職員の特例）

第六条 各庁の長は、臨時的職員が降任により、又は条件付採用期間中の職員が降任又は転任により、現に属する職務の級より同一の俸給表の下位の職務の級に分類されている職務を遂行することとなった場合のほか、次の各号のいずれかに掲げる事由に該当し、必要があると認める場合は、いつでもこれらの職員を降格することができる。

一 次に掲げる事由のいずれかに該当する場合（職員が降任された場合を除く。）

イ 職員の定期評価の全体評語が下位又は「不十分」の段階である場合（条件付採用期間中の職員にあっては、当該職員の特別評価の人事評価政令第十八条において準用する人事評価政令第九条第三項に規定する確認が行われた人事評価政令第十六条第一項に規定する全体評語が下位の段階である場合。次項において同じ。）その他勤務の状況を示す事実に基づき勤務実績がよくないと認められる場合であって、当該職員がその職務の級に分類されている職務を遂行することが困難であると認められるとき。

ロ 心身の故障のため、職務の遂行に支障があり、又はこれに堪えないことが明らかである場合

ハ イ又はロに掲げる場合のほか、客観的事実に基づいてその職務の級に分類されている職務を遂行することが困難であると認められるとき。

二 第四条第二号に掲げる事由

2 各庁の長は、臨時的職員又は条件付採用期間中の職員の定期評価の全体評語が下位又は「不十分」の段階である場合その他勤務の状況を示す事実に基づき勤務実績がよくないと認められる場合であり、かつ、その職務の級に分類されている職務を遂行することが可能であると認められる場合であって、必要があると認めるときは、いつでもこれらの職員を降号することができる。

（通知書の交付）

第七条 各庁の長は、職員を降給させる場合には、職員に規則八―一二（職員の任免）第五十三条に規定する通知書（以下「通知書」という。）を交付して行わなければならない。ただし、通知書の交付によることができない緊急の場合においては、通知書に代わる文書の交付その他適当な方法をもって通知書の交付に代えることができる。

（処分説明書の写しの提出）

第八条 各庁の長は、降給（法第八十一条の二第三項に規定する他の官職への降任等に伴う降給を除く。）をしたときは、法第八十九条第一項に規定する説明書の写し一通を人事院に提出しなければならない。

（受診命令に従う義務）

第九条 職員は、第四条第一号ロに規定する診断を受けるよう命ぜられた場合には、これに従わなければならない。

（雑則）

第十条 この規則の実施に関し必要な事項は、人事院が定める。

附 則

（施行期日）

1 この規則は、平成二十一年四月一日から施行する。

（給与法附則第八項の規定の適用を受ける職員に対する規定の適用）

2 給与法附則第八項の規定の適用を受ける職員に対する第三条及び第八条の規定の適用については、当分の間、第三条中「とする」とあるのは「並びに給与法附則第八項の規定による降給とする」と、第八条中「を除く」とあるのは「及び給与法附則第八項の規定による降給を除く」とする。

3 第七条の規定は、給与法附則第八項の規定による降給の場合には、適用しない。この場合において、同項の規定の適用を受ける職員には、規則九―一四七（給与法附則第八項の規定による俸給月額）第六条の規定により、同項の規定の適用により俸給月額が異動することとなった旨の通知を行うものとする。

附 則（令三・一二・二四規則一一―一〇―一）

（施行期日）

1 この規則は、令和四年十月一日から施行する。

（経過措置）

2 令和四年九月三十日までのいずれかの評価期間（人事評価政令第五条第三項又は第四項に規定する評価期間をいう。）に係る能力評価又は業績評価の全体評語による場合におけるこの規則による改正後の規則一一―一〇第四条から第六条までの規定の適用については、なお従前の例による。

附 則（令四・一二・一八規則一―七九）（抄）

（施行期日）

第一条 この規則は、令和五年四月一日から施行する。

○人事院規則一一—一〇（職員の降給）の運用について（通知）

平二一・三・一八
給二—二六事務総長

最終改正　令四・二・一八事企法—三七

人事院規則一一—一〇（職員の降給）の運用について下記のとおり定めたので、平成二十一年四月一日以降は、これによってください。

記

第四条及び第五条関係

1　第四条第一号イ及び第五条の「人事院が定める措置」は、次に掲げるいずれかの措置とする。

(1)　職員の上司等が、注意又は指導を繰り返し行うこと。

(2)　職員の転任その他の当該職員が従事する職務を見直すこと。

(3)　職員の矯正を目的とした研修の受講を命ずること。

(4)　その他職員の矯正のために必要と認める措置をとること。

2　第四条第一号イ若しくはハ又は第五条の勤務実績又は適格性を判断するに当たっては、例えば次に掲げる客観的な資料によるものとする。

(1)　職員の人事評価の結果その他職員の勤務実績を判断するに足りると認められる事実を記録した文書

(2)　職員の勤務実績が他の職員と比較して明らかに劣る事実を示す記録

(3)　職員の職務上の過誤、当該職員についての苦情等に関する記録

(4)　職員に対する指導等に関する記録

(5)　職員に対する分限処分、懲戒処分その他服務等に関する記録

(6)　職員の身上申告書又は職務状況に関する報告

3　第四条第一号ロの医師の「診断」は、職員が次のいずれかに該当する場合に行うものとする。

(1)　三年間の病気休職（国家公務員法（昭和二十二年法律第百二十号）第七十九条第一号の規定による休職をいう。以下同じ。）の期間が満了するにもかかわらず、心身の故障の回復が不十分で、職務を遂行することが困難であると考えられる場合

(2)　病気休職中であって、今後、職務を遂行することが可能となる見込みがないと判断される場合

(3)　病気休暇又は病気休職を繰り返してそれらの期間の累計が三年を超え、そのような状態が今後も継続して、職務の遂行に支障があると見込まれる場合

(4)　勤務実績がよくない職員又はその職務の級に分類されている職務を遂行することについての適格性を欠くと認められる職員について、それらが心身の故障に起因すると思料される場合

4　第四条第一号ロの医師の「診断」を命ずるに当たり、文書を交付して行う場合は、当該文書には次に掲げる文言を記載するものとし、別紙1を参考に、適宜の様式によるものとする。

(1)　各庁の長が指定する医師二名の診断を受け、診断書を提出するよう命ずる旨

(2)　受診命令が第四条第一号ロに該当する可能性があるか否かを確認することを目的とするものである旨

(3)　正当な理由なくこの受診命令に従わない場合には、国家公務員法第七十八条第三号の規定による免職が行われる可能性がある旨

5　第四条第一号ハの「適格性を欠く」場合とは、当該職員の容易に矯正することができない持続性を有する素質、能力、性格等に基因してその職務の円滑な遂行に支障があり、又は支障を生ずる高度の蓋然性が認められる場合とする。

6　第四条第一号ハの「人事院が定める措置」は、第一項に掲げるいずれかの措置のほか、職員が行方不明の場合における当該職員の所在が明らかでないことの確認等適格性を欠いた状態が改善されないことを確認するために必要と認められる措置とする。

7　第四条第一号イ若しくはハ又は第五条の規定により職員を降格させ、又は降号するに当たっては、各庁の長は、警告書を交付した後、弁明の機会を与えるものとする。ただし、職

員の勤務実績不良の程度、業務への影響等を考慮して、速やかに処分を行う必要があると認められる場合は、この限りでない。

8　前項の警告書には、次に掲げる文言を記載するものとし、別紙2を参考に、適宜の様式によるものとする。

(1)　勤務実績の不良又は適格性の欠如と評価することができる具体的事実及びその状態の改善を求める旨

(2)　(1)の状態が改善されない場合には、降格又は降号が行われることがある旨

9　各庁の長は、第四条第一号イ又は第五条の「全体評語が下位又は「不十分」の段階である場合」に該当するときは、職員に対して、人事評価の基準、方法等に関する政令（平成二十一年政令第三十一号）第十条又は第十一条（同令第十四条及び第十八条第二号において準用する場合を含む。）に規定する評価結果の開示又は指導及び助言に当たり、勤務実績不良の状態が改善されない場合には降格又は降号の可能性があることを伝達するものとする。

第六条関係

1　臨時的職員及び条件付採用期間中の職員については、第四条及び第五条の規定は適用されない。

2　この条の第一項第一号イ又は第二項の勤務実績を判断するに当たっては、例えば第四条及び第五条関係第二項に掲げる客観的な資料によるものとする。

第七条関係

1　職員の降給は、この条に規定する通知書（以下「通知書」という。）を交付した時（この条のただし書に該当する場合には通知書の交付に代わる方法による通知が到達した時）にその効力が発生する。

2　この条の規定により交付する通知書の「異動内容」欄の記入要領は、次のとおりとする。ただし、これによっては特に支障がある場合には、これによらないことができる。

(1)　降格させる場合

「国家公務員法第七十五条第二項及びアの規定によりイに降格させる。ウを給する。」と記入する。

注1　「ア」の記号をもって表示する事項は、根拠となる条項とする。この場合には、第四条に定める事由により降格させるときは、同条に定める事由のうち該当する事由を規定する条項を記入し、国家公務員法第八十一条の二第一項に規定する降給をさせるときは、「第八十一条の二第一項」と記入する。

2　「イ」の記号をもって表示する事項は、一般職の職員の給与に関する法律（昭和二十五年法律第九十五号。以下「給与法」という。）に規定する職務の級とする。この場合には、「職務の級」の表示は「○○俸給表○級」とする。

3　「ウ」の記号をもって表示する事項は、給与法に規定する号俸とする。この場合には、「号俸」の表示は「○号俸」とする。

(2)　降号する場合

「国家公務員法第七十五条第二項及び人事院規則一一—一〇第五条の規定により降号する。アを給する。」と記入する。

注　「ア」の記号をもって表示する事項は、給与法に規定する職務の級及び号俸とする。この場合には、「職務の級」の表示は「○○俸給表○級」と、「号俸」の表示は「○号俸」とする。

3　各庁の長は、職員を降給させる場合（国家公務員法第八十一条の二第三項に規定する他の官職への降任等に伴う降給の場合を除く。）においては、当該職員が現に任命されている官職の任命権者（人事院規則八—一二（職員の任免）第四条第十二号に規定する任命権者をいう。ただし、当該各庁の長である任命権者を除く。）にその旨を通知するものとする。

第八条関係

この条に規定する説明書の写しの提出は、職員を降給させた日から一月以内に行うものとする。

その他の事項

1　第四条及び第五条関係第四項の文書又は同関係第七項の警告書の交付は、「人事院規則一一—四（職員の身分保障）の運用について（昭和五十四年十二月二十八日任企—五四八）」第七条関係第六項の文書又は同条関係第九項の警告書の交付と同時に行う場合であって、これらの文書に第四条及び第五条関

係第四項又は第八項に掲げる文言を適宜記載するときは、省略することができる。

2　外務公務員法第二条第五項に規定する外務職員として人事評価が実施された職員に対する第四条第一号イ、第五条、第六条第一項第一号イ及び第二項並びに第四条及び第五条関係第九項の規定の適用については、外務職員の人事評価の基準、方法等に関する省令（平成二十一年外務省令第六号）第六条第一項に規定する全体評語を第四条第一号イに規定する全体評語と、同令第十六条第一項に規定する特別評価の全体評語を第六条第一項第一号イに規定する特別評価の全体評語と、同令第十条及び第十一条に規定する評価結果の開示又は指導及び助言を第四条及び第五条関係第九項に規定する評価結果の開示又は指導及び助言とみなす。

以　上

別紙１

受 診 命 令 書

（氏名）	（現官職）

（内容）

１　あなたに対し、　　　年　　月　　日までに、次の医師２名の診断を受け、診断書を提出するよう命じます。

指定医師①＿＿＿＿＿＿＿＿＿＿＿＿＿＿＿＿＿＿＿＿

指定医師②＿＿＿＿＿＿＿＿＿＿＿＿＿＿＿＿＿＿＿＿

２　これは、人事院規則11―10第４条第１号ロに該当する可能性があるか否かを確認することを目的とするものです。

３　あなたが正当な理由なくこの受診命令に従わない場合は、国家公務員法第78条第３号に該当するものとして、分限免職が行われる可能性があります。

年　月　日

各 庁 の 長

別紙 2

警 告 書

（氏名）	（現官職）
（内容） 1　あなたには、次のとおり、勤務実績の不良又は適格性の欠如と評価することができる事実が認められますので、その改善を求めます。 2　今後、これらの状態が改善されない場合は、アが行われる可能性があります。	
（勤務実績の不良又は適格性の欠如と評価することができる具体的事実）	
年　月　日 各 庁 の 長	

（記入要領）

「ア」の記号をもって表示する事項は、次のとおりとする。

⑴　降格の場合

国家公務員法第75条第２項及び人事院規則11—10第４条第１号イ又はハに基づいて降格

⑵　降号の場合

国家公務員法第75条第２項及び人事院規則11—10第５条に基づいて降号

○降給に当たっての留意点等について（通知）

平二一・三・二七
給二―三二給与局長

改正 令四・二・一八給二―七三

職員の降給については、国家公務員法（昭和二十二年法律第百二十号。以下「法」という。）第七十五条第二項及び第八十一条の二第一項、一般職の職員の給与に関する法律（昭和二十五年法律第九十五号。以下「給与法」という。）附則第八項並びに人事院規則一一―一〇（職員の降給）（以下「規則」という。）並びに「人事院規則一一―一〇（職員の降給）の運用について（平成二十一年三月十八日給二―二六）」（以下「運用通知」という。）のほか、下記のとおり、留意点等について整理しましたので、平成二十一年四月一日以降、これによってください。各府省等におかれては、これを参考として、降給制度の趣旨に則った対処に努めていただき、公務の適正かつ能率的な運営のより一層の確保をお願いいたします。

記

I 勤務実績不良又は適格性欠如の場合の留意点（規則第四条第一号イ若しくはハ又は第五条関係）

1 規則第四条第一号イ又はハの規定による降格

規則第四条第一号イ又はハの規定による降格は、例えば次項(1)から(3)までに掲げるような状態が著しい場合において、運用通知第四条及び第五条関係第一項又は第六項に掲げる措置を行ったにもかかわらず、なおその状態が改善されないときであって、公務能率に具体的な支障を及ぼすに至ったときに行うものとする。

なお、個々の例が規則第四条第一号イ又はハの勤務実績不良又は適格性欠如のいずれに該当するかについては、諸般の要素を総合的に検討して判断する必要がある。

2 規則第五条の規定による降号

規則第五条の規定による降号は、勤務実績がよくないと認められる場合であり、かつ、その職務の級に分類されている職務を遂行することが可能であると認められる場合であって、運用通知第四条及び第五条関係第一項に掲げる措置を行ったにもかかわらず、例えば次の(1)から(3)までに掲げるような場合に該当する状態がなお改善されない場合において、公務能率に具体的な支障を及ぼすに至ったときに行うものとする。

(1) 職責を十分に果さず、本来行うべき業務の処理を怠ったり他者に押しつけたりするなどの勤務懈怠の状況がしばしば見られ、そのフォローのために他者の作業が滞るなど組織としての成果の達成を著しく阻害した場合

(2) 職務遂行上必要な判断を行わなかったこと若しくはその判断に関して軽微でない誤りを犯したことにより、又は通常の職務遂行上求められる作業を行わずに、単純な思い込みで業務を遂行したりするなど不適切な職務遂行をしばしば行ったことにより、関係者に損害を与え、組織の信用を著しく傷つけた場合

(3) 上司、部下、同僚との関係において必要な報告、指示、連絡等を怠り又は誤った報告等を行うこと、優先すべき業務と無関係な作業や不適切な判断を行うこと、部内・部外の関係者に対し情報提供を怠り又は誤解を招く情報提供を行うこと等がしばしばあり、業務を混乱させ、行政サービスに著しい支障を生じさせた場合

3 規則第四条第一号イ若しくはハ又は第五条の勤務実績不良又は適格性欠如と評価することができる具体的事実の例

(1) 勤務を欠くことにより職務を遂行しなかった。

① 長期にわたり又は繰り返し勤務を欠いたり、勤務時間の始め又は終わりに繰り返し勤務を欠いた。

[例]

ア 連絡なしに出勤しなかったり、遅刻・早退をした。

イ 病気休暇や年次休暇が不承認となっているにもかかわらず、病気等を理由に出勤しなかった。

ウ 上司の指示を無視し、資料整理に従事するなどと称して出勤しなかった。

② 業務と関係ない用事で度々無断で長時

間席を離れた（欠勤処理がなされていない場合でも勤務実績不良と評価され得る。）。

［例］

ア　事務室内を目的もなく歩き回り、自席に座っていることがほとんどなかった。

イ　勤務時間中に自席で又は席を外して職場外に長時間私用電話をした。

(2)　割り当てられた特定の業務を行わなかった。

［例］　所属する係の所掌業務のうち、自分の好む業務のみを行い、他の命ぜられた業務を処理しなかった。

(3)　不完全な業務処理により職務遂行の実績があがらなかった。

①　業務のレベルや作業能率が著しく低かった。

［例］

ア　業務の成果物が著しく拙劣であった。

イ　事務処理数が職員の一般的な水準に比べ著しく劣った。

②　業務ミスを繰り返した。

［例］　計算業務を行うに当たって初歩的な計算誤りを繰り返した。

③　業務を一人では完結できなかった。

［例］　他の職員と比べて窓口対応等でトラブルが多く、他の職員が処理せざるを得なかった。

④　所定の業務処理を行わなかった。

［例］

ア　上司への業務報告を怠った。

イ　書類の提出期限を守らなかった。

ウ　業務日誌を作成しなかった。

(4)　業務上の重大な失策を犯した。

(5)　職務命令に違反したり、職務命令（規則第九条の受診命令を含む。）を拒否した。

(6)　上司等に対する暴力、暴言、誹謗中傷を繰り返した。

(7)　協調性に欠け、他の職員と度々トラブルを起こした。

なお、個々の例が規則第四条第一号イ若しくはハ又は第五条の勤務実績不良又は適格性欠如のいずれに該当するかについては、諸般の要素を総合的に検討して判断する必要がある。

4　資料収集

(1)　規則第四条第一号イ若しくはハ又は第五条の勤務実績不良又は適格性欠如に該当するか否かの判断は、単一の事実や行動のみをもって判断するのではなく、一連の行動等を相互に有機的に関連付けて行うものであるので、運用通知第四条及び第五条関係第二項に掲げる客観的な資料を収集した上で行う必要がある。

（参考）運用通知第四条及び第五条関係第二項に掲げる資料

①　職員の人事評価の結果その他職員の勤務実績を判断するに足りると認められる事実を記録した文書

②　職員の勤務実績が他の職員と比較して明らかに劣る事実を示す記録

③　職員の職務上の過誤、当該職員についての苦情等に関する記録

④　職員に対する指導等に関する記録

⑤　職員に対する分限処分、懲戒処分その他服務等に関する記録

⑥　職員の身上申告書又は職務状況に関する報告

(2)　特に、職員の職務上の過誤や当該職員についての苦情等の具体的な事実が発生した場合には、その都度、詳細に記録を作成しておく。

(3)　また、運用通知第四条及び第五条関係第一項(1)の指導や同項(4)の措置を行った場合は、その内容を記録しておく。

5　問題行動が心の不健康に起因すると思われる場合の対応

問題行動が心の不健康に起因すると思われる場合には、管理監督者は、職員に積極的に話しかけて事情を聞くほか、必要に応じ同僚等に職員の状況の変化の有無を聞き、また、健康管理者、健康管理医、専門家等と対応を相談するものとする（「職員の心の健康づくりのための指針について（平成十六年三月三十日勤職—七五）」参照）。

6　懲戒処分との関係

問題行動の中には懲戒処分の対象となる事

実も含まれている場合もあることから、分限処分と懲戒処分の目的や性格に照らし、総合的な判断に基づいてそれぞれ処分を行うなど厳正に対応する必要がある。

Ⅱ 心身の故障の場合の留意点（規則第四条第一号ロ関係）

1 心身の故障があるとの診断がなされなかった場合の取扱い

規則第四条第一号ロの規定により各庁の長が指定する医師二名のうち、少なくとも一名が心身の故障があると診断をしなかった場合には、同規定に該当すると判断することはできない。

2 医師による適切な診断を求める努力

職員の心身の故障の回復の可能性及び職務遂行の可否を判断するための医師の専門的診断は、職場の実態や職員の職場における実情等に基づく必要がある。そのため、診断する医師にその実情を十分に伝え、適切な診断を求めていくことが必要である。

3 病気休職期間満了前からの準備

三年間の病気休職の期間が満了する場合には、その期間満了前から、当該職員や主治医と緊密に連絡を取って病状の把握に努め、運用通知第四条及び第五条関係第三項⑴により医師二名の診断を求める必要があるかどうか検討しておく。

4 病気休暇又は病気休職の累計が三年を超える場合の対応

運用通知第四条及び第五条関係第三項⑶に該当する場合（病気休暇又は病気休職を繰返してそれらの期間の累計が三年を超え、そのような状態が今後も継続して、職務の遂行に支障が有ると見込まれる場合）には、規則第四条第一号ロの医師の診断を求めることとなるが、当該病気休暇や病気休職の原因である心身の故障の内容が明らかに異なるときには、これには該当しないものとして取り扱う。

［例］ 精神疾患の病状が回復し、職場復帰した後に、交通事故による外傷によって病気休職等とされた場合

Ⅲ 人事院への報告

規則第八条及び運用通知第八条関係に基づき、各庁の長が、降給（法第八十一条の二第三項に規定する他の官職への降任等に伴う降給及び給与法附則第八項の規定による降給を除く。）をしたときは、当該処分の発令の日から一月以内に、法第八十九条第一項に規定する説明書の写し一通を人事院に提出することとされているが、このほか職員が規則第四条から第六条に該当するとして、規則、運用通知及びこの通知に基づき降給（法第八十一条の二第三項に規定する他の官職への降任等に伴う降給及び人事院規則一一—一一（管理監督職勤務上限年齢による降任等）第五条第一号又は第二号に掲げる場合における法第八十一条の二第一項に規定する他の官職への転任に伴う降給を除く。）の処分に係る対応や手続を行っていたところ、当該職員から辞職の申し出がありこれを承認した場合又は当該職員の同意に基づき降格を行った場合は、その旨を人事院へ報告するものとする。

以上

○人事院規則一一—一〇（職員の降給）第四条第一号イ、第五条並びに第六条第一項第一号イ及び第二項の「勤務実績がよくないと認められる場合」について（通知）

令二・七・二〇
給二—九三

改正 令四・一・一三給二—四

標記について、能力評価又は業績評価の全体評語が「やや不十分」の段階である場合の扱いについて、改めて下記のとおりお知らせしますので、御留意の上、適切に対応ください。

記

人事院規則一一—一〇（職員の降給）第四条第一号イ、第五条並びに第六条第一項第一号イ及び第二項の「勤務実績がよくないと認められる場合」に該当するか否かを判断するに当たっては、職員の人事評価の結果その他職員の勤務実績を判断するに足ると認められる事実等の要素を総合的に検討し行うこととしており、能力評価又は業績評価の全体評語が「やや不十分」の段階である場合については、総合的に検討する要素に含まれるものであること。

以上

第三編　調整額及び諸手当

第一　俸給の調整額

【参照】
●一般職給与法一〇
●同運用方針一〇関係

○人事院規則九―六（俸給の調整額）

昭三二・八・一全改
昭三二・八・一施行
最終改正　令七・四・一規則九―六―九三

（支給官職及び支給額）

第一条　給与法第十条の規定により俸給の調整を行う官職は、別表第一の勤務箇所欄に掲げる勤務箇所に勤務する同表の職員欄に掲げる職員の占める官職とする。

2　職員（次項に掲げる職員を除く。）の俸給の調整額は、調整基本額にその者に係る別表第一の調整数欄に掲げる調整数を乗じて得た額とする。

3　次の各号に掲げる職員の俸給の調整額は、調整基本額にその者に係る別表第一の調整数欄に掲げる調整数を乗じて得た額に、当該各号に定める数を乗じて得た額とする。

一　法第六十条の二第二項に規定する定年前再任用短時間勤務職員　勤務時間法第五条第二項の規定により定められたその者の勤務時間を同条第一項に規定する勤務時間で除して得た数

二　育児休業法第十三条第一項に規定する育児短時間勤務職員及び育児休業法第二十二条の規定による短時間勤務をしている職員　育児休業法第十七条（育児休業法第二十二条において準用する場合を含む。）の規定により読み替えられた勤務時間法第五条第一項ただし書の規定により定められたその者の勤務時間を同項本文に規定する勤務時間で除して得た数

三　育児休業法第二十三条第二項に規定する任期付短時間勤務職員　育児休業法第二十五条の規定により読み替えられた勤務時間法第五条第一項ただし書の規定により定められたその者の勤務時間を同項本文に規定する勤務時間で除して得た数

4　前二項に規定する調整基本額は、次の各号に掲げる職員の区分に応じ、当該各号に定める額（その額が俸給月額（前項各号に掲げる職員にあっては、その者に適用される俸給表並びにその職務の級及び号俸に応じた額。以下この項において同じ。）の百分の四・五を超えるときは、俸給月額の百分の四・五に相当する額）とする。

一　次号に掲げる職員以外の職員　当該職員に適用される俸給表及び職務の級に応じた別表第二に掲げる額

二　前項第一号に掲げる職員　当該職員に適用される俸給表及び職務の級に応じた別表第三に掲げる額

5　第二項及び第三項の規定にかかわらず、これらの規定による俸給の調整額が俸給月額の百分の二十五を超えるときは、俸給月額の百分の二十五に相当する額を俸給の調整額とする。

本条―令五・四・一施行

（端数計算）

第二条　前条第二項、第三項及び第五項の規定による俸給の調整額並びに同条第四項に規定する調整基本額に一円未満の端数があるときは、それぞれその端数を切り捨てた額をもって、これらの規定の額とする。

本条―令五・四・一施行

（報告）

第三条　各庁の長又はその委任を受けた者は、人事院の定めるところにより、第一条第一項の俸給の調整を行う官職の職務の内容及び勤労条件について人事院に報告するものとする。

本条―令五・四・一施行

（給与法附則第八項の規定の適用を受ける職員の俸給の調整額）

第四条　給与法附則第八項の規定の適用を受ける職員に対する第一条第四項の規定の適用については、当分の間、同項各号列記以外の部分中「応じた額」とあるのは「応じた額に百分の七十を乗じて得た額（その額に、五十円未満の端数を生じたときはこれを切り捨て、五十円以上百円未満の端数を生じたときはこれを百円に切り上げた額）」と、同項第一号中「掲げる額」とあるのは「掲げる額に百分の七十を乗じて得た額（その額に、五十円未満の端数を生じたときはこれを切り捨て、五十円以上百円未満の端数を生じたときはこれを百円に切り上げた

額）」とする。

本条—令五・四・一施行

附　則（昭六一・一二・二七規則九—六—六）

1　この規則は、昭和六十二年四月一日から施行する。

2　この規則による改正後の人事院規則九—六（以下「改正後の規則」という。）別表第一の職員欄のうちこの規則による改正前の人事院規則九—六（以下「改正前の規則」という。）においてその占める官職を俸給の調整を行う官職としていた職員が掲げられないこととなつたものに掲げる職員には、当該掲げる職員と同一の勤務箇所に勤務する職員で職務の複雑、困難若しくは責任の度又は勤労の強度、勤務時間、勤労環境その他の勤労条件が当該掲げる職員に準ずると人事院が認めるものが含まれるものとする。

3　改正後の規則別表第一の職員欄のうち改正前の規則別表第一における調整数（改正前の規則第二条の規定の適用がある場合にあつては、当該調整数に一を加えた数。以下「改正前の調整数」という。）に満たない数が対応する調整数欄に掲げられているものに掲げる職員（前項の規定により人事院が準ずると認める職員を含む。）について特別の事情があると人事院が認める場合における改正後の規則第一条第二項の規定の適用については、同項中「掲げる調整数」とあるのは、「掲げる調整数に一を加えた数」とする。

4　改正後の規則別表第一の調整数欄に掲げる調整数（前項の規定の適用がある場合にあつては、当該調整数に一を加えた数。以下「改正後の調整数」という。）が改正前の調整数に満たない官職（以下「調整数の減じた官職」という。）をこの規則の施行の日（以下「施行日」という。）の前日から引き続き占める職員の俸給の調整額は、改正後の規則第一条第二項の規定にかかわらず、昭和七十年三月三十一日までの間において引き続き当該官職を占める間、同項の規定による額に、当該職員の施行日の前日における俸給月額に百分の三を乗じて得た額と改正後の規則別表第二に掲げる当該俸給月額に係る俸給表及び職務の級に応じた額で同日において適用される額との合計額に当該官職に係る改正前の調整数から改正後の調整数を減じた数及び附則別表の上欄に掲げる期間の区分に応じ同表の下欄に掲げる割合を乗じて得た額（その額に一円未満の端数があるときは、その端数を切り捨てた額）を加算して得た額とする。当該職員が当該官職と同種の官職で改正前の調整数及び改正後の調整数がそれぞれ当該官職と同一である他の官職に異動した場合における俸給の調整額についても、同様とする。

5　前項の規定は、調整数の減じた官職を施行日以後占めることとなつた職員のうちかつて当該官職と同種の官職を占めていた職員その他の職員で同項の規定により俸給の調整額を算定される職員との権衡を考慮して人事院の定めるものの俸給の調整額について準用する。この場合において、同項中「施行日の前日における俸給月額」とあるのは、「施行日の前日における俸給月額（施行日以後俸給表を異にする異動をした職員その他の人事院の定める職員にあつては、人事院の定める俸給月額）」と読み替えるものとする。

6　改正後の規則において俸給の調整を行う官職（附則第二項の規定により人事院が準ずると認める職員の占める官職を含む。）に該当しない官職で改正前の規則において俸給の調整を行う官職に該当していたもの（以下「非調整官職となつた官職」という。）を施行日の前日から引き続き占める場合には、改正後の規則第一条の規定にかかわらず、昭和七十年三月三十一日までの間において引き続き当該官職を占める間、当該職員に対し、当該職員の施行日の前日における俸給月額に百分の三を乗じて得た額と改正後の規則別表第二に掲げる当該俸給月額に係る俸給表及び職務の級に応じた額で同日において適用される額との合計額に当該官職に係る改正前の調整数及び附則別表の上欄に掲げる期間の区分に応じ同表の下欄に掲げる割合を乗じて得た額（その額に一円未満の端数があるときは、その端数を切り捨てた額）を俸給の調整額として支給する。当該職員が当該官職と同種の非調整官職となつた官職で改正前の調整数が当該官職と同一である他の官職に異動した場合についても、同様とする。

7　前項の規定は、非調整官職となつた官職を施行日以後占めることとなつた場合で当該職員がかつて当該官職と同種の官職を占めていた職員その他の職員で同項の規定により俸給の調整額を支給される職員との権衡を考慮して人事院の定めるものであるときについて準用する。この場合において、同項中「施行日の前日における俸給月額」とあるのは、「施行日の前日における俸給月額（施行日以後俸給表を異にする異動をした職員その他の人事院の定める職員にあつては、人事院の定める俸給月額）」と読み替えるものとする。

8　附則第二項から前項までに規定するもののほか、この規則の施行に関し必要な経過措置は、人事院が定める。

附則別表

期間	割合
昭和六十二年四月一日から昭和六十七年三月三十一日まで	百分の百
昭和六十七年四月一日から昭和六十八年三月三十一日まで	百分の七十五
昭和六十八年四月一日から昭和六十九年三月三十一日まで	百分の五十
昭和六十九年四月一日から昭和七十年三月三十一日まで	百分の二十五

附　則（平一八・二・一規則九—六—五八）
最終改正　平二一・一・三〇規則九—六—六八

（施行期日）

1　この規則は、平成十八年四月一日から施行する。

（経過措置）

2　給与法第十条の規定により俸給の調整を行う官職を占める職員（次項において「俸給の調整額適用職員」という。）のうち、その者に係る調整基本額が経過措置基準額に達しないこととなる職員には、この規則による改正後の規則九—六第一条第二項の規定による俸給の調整額のほか、その差額に相当する額に次の各号に掲げる期間の区分に応じ当該各号に定める割合を乗じて得た額に当該職員に係る調整数を乗じて得た額（法第八十一条の四第一項又は第八十一条の五第一項の規定により採用された職員で同項に規定する短時間勤務の官職を占めるものにあってはその額に勤務時間法第五条第二項の規定により定められたその者の勤務時間を同条第一項に規定する勤務時間で除して得た数を、育児休業法第十三条第一項に規定する育児短時間勤務職員及び育児休業法第二十二条の規定による短時間勤務をしている職員にあってはその額に育児休業法第十七条（育児休業法第二十二条において準用する場合を含む。）の規定により読み替えられた勤務時間法第五条第一項ただし書の規定により定められたその者の勤務時間を同項本文に規定する勤務時間で除して得た数をそれぞれ乗じて得た額）（その額に一円未満の端数があるときは、その端数を切り捨てた額）を俸給の調整額として支給する。
一　平成十八年四月一日から平成十九年三月三十一日まで　百分の百
二　平成十九年四月一日から平成二十年三月三十一日まで　百分の七十五
三　平成二十年四月一日から平成二十一年三月三十一日まで　百分の五十
四　平成二十一年四月一日から平成二十二年三月三十一日まで　百分の二十五
3　前項に規定する経過措置基準額とは、次の各号に掲げる職員の区分に応じ、当該各号に定める額をいう。
一　この規則の施行の日（以下この項において「施行日」という。）の前日から引き続き俸給の調整額適用職員（第三号に該当する職員を除く。）である職員　同日にその者に適用されていた調整基本額（一般職の職員の給与に関する法律等の一部を改正する法律（平成二十一年法律第八十六号）の施行の日（以下この項において「基準日」という。）において同法附則第三条第一項第一号に規定する減額改定対象職員（以下この項において「減額改定対象職員」という。）である者にあっては、当該調整基本額に百分の九十九・七六を乗じて得た額）
二　施行日以後に新たに俸給の調整額適用職員となった職員（次号に該当する職員及び施行日以後に新たに俸給表の適用を受けることとなった職員を除く。）　施行日の前日に新たに俸給の調整額適用職員になったとした場合に一般職の職員の給与に関する法律等の一部を改正する法律（平成十七年法律第百十三号）第二条の規定による改正前の給与法及びこれに基づく人事院規則等の規定により同日にその者に適用されることとなる俸給表、職務の級及び号俸を基礎としてこの規則による改正前の規則九—六（次号において「改正前の規則」という。）第一条第二項の規定を適用したとしたならばその者に適用されることとなる調整基本額（基準日において減額改定対象職員である者にあっては、当該調整基本額に百分の九十九・七六を乗じて得た額）
三　施行日以後に次に掲げる場合に該当することとなった職員（施行日以後に新たに俸給表の適用を受けることとなった職員を除く。）　施行日の前日に当該場合に該当することとなったとした場合（次に掲げる場合に該当することとなった日以後に新たに俸給の調整額適用職員となった者にあっては、施行日の前日に新たに俸給の調整額適用職員となり、同日に次に掲げる場合に該当することとなったとした場合。以下この号において同じ。）に同日にその者に適用されることとなる俸給表、職務の級及び号俸を基礎として改正前の規則第一条第二項の規定を適用したとしたならばその者に適用されることとなる調整基本額（基準日において減額改定対象職員である者（施行日の前日に次に掲げる場合に該当することとなったとした場合に基準日において減額改定対象職員である者となることとなる者を含む。）にあっては、当該調整基本額に百分の九十九・七六を乗じて得た額）。ただし、施行日以後に規則九—一二〇（平成十七年改正法附則第十一条の規定による俸給）第四条第一項第七号に掲げる場合に該当することとなった職員にあっては、人事院の定める額
イ　俸給表の適用を異にする異動をした場合
ロ　規則九—一二〇第四条第一項各号に掲げる場合に該当することとなった職員
四　施行日以後に、俸給表の適用を受けない国家公務員、地方公務員、沖縄振興開発金融公庫に勤務する者その他人事院の定めるこれらに準ずる者であった者から人事交流等により新たに俸給表の適用を受けることとなった職員　当該職員が施行日の前日に俸給表の適用を受ける職員であったものとみなして前二号の規定を適用した場合の額
4　前二項に規定するもののほか、この規則の施行に関し必要な経過措置は、人事院が定める。

附　則（平一八・三・三一規則九—六—五九）

この規則は、平成十八年四月一日から施行する。

附　則（平一八・九・二九規則九—六—六〇）

この規則は、平成十八年十月一日から施行する。

附　則（平一九・三・三〇規則九—六—六一）

（施行期日）
1　この規則は、平成十九年四月一日から施行する。
（経過措置）
2　この規則の施行の日（以下「施行日」という。）の前日にこの規則による改正前の規則九—六（以下「改正前の規則」という。）別表第一第十号の職員欄に掲げる職員であった者のうち、当該職員が占める官職を同日から引き続き占めるものの調整数は、平成十九年四月一日から平成二十三年三月三十一日までの間、この規則による改正後の規則九—六（以下「改正後の規則」という。）第一条第二項の規定にかかわらず、同日に占めていた官職（以下「施行日前の官職」という。）に係る改正後の規則別表第一の調整数欄に掲げる調整数（以下「改正後の調整数」という。）に、施行日前の官職に係る改正前の規則別表第一の調整数欄に掲げる調整数（以下「改正前の調整数」という。）と施行日前の官職に係る改正後の調整数との差の数に附則別表の上欄に掲げる期間の区分に応じ同表の下欄に掲げる割合を乗じて得た数を加えて得た数とする。当該職員であった者が施行日以後に施行日前の官職と同種であり、かつ、改正前の調整数及び改正後の調整数がそれぞれ施行日前の官職と同一である他の官職に異動した場合における調整数についても、同様とする。
3　施行日の前日に改正前の規則別表第一第十号又は第十八号の職員欄に掲げる職員であった者のうち、改正後の規則において給与法第十条の規定による俸給の調整を行う官職に該当しなくなった官職（以下この項において「非調整官職となった官職」という。）を同日から引き続き占めるものについては、平成十九年四月一日から平成二十三年三月三十一日までの間、改正後の規則第一条第二項の規定にかかわらず、その者を給与法第十条の規定による俸給の調整を行う官職を占める職員と、非調整官職となった官職に係る改正前の調整数に附則別表の上欄に掲げる期間の区分に応じ同表の下欄に掲げる割合を乗じて得た数をその者に係る調整数とそれぞれみなして改正後の規則の規定を適用する。当該職員であった者が施行日以後に施行日前の官職と同種であり、かつ、改正前の調整数が施行日前の官職と同一である他の非調整官

職となった官職に異動した場合における俸給の調整額についても、同様とする。

附則別表

平成十九年四月一日から平成二十年三月三十一日まで	百分の百
平成二十年四月一日から平成二十一年三月三十一日まで	百分の七十五
平成二十一年四月一日から平成二十二年三月三十一日まで	百分の五十
平成二十二年四月一日から平成二十三年三月三十一日まで	百分の二十五

附　則（平一九・七・二〇規則一―四八）（抄）

（施行期日）

1　この規則は、平成十九年八月一日から施行する。

附　則（平一九・一〇・一規則九―六―六二）

この規則は、公布の日から施行する。

附　則（平一九・一一・三〇規則九―六―六三）

この規則は、公布の日から施行し、改正後の規則九―六の規定は、平成十九年四月一日から適用する。

附　則（平二〇・四・一規則九―六―六四）

この規則は、公布の日から施行し、この規則（別表第一第九号の改正規定（「武蔵病院」を「病院」に改める部分に限る。）を除く。）による改正後の規則九―六別表第一第九号の規定は、平成十九年十月一日から適用する。

附　則（平二〇・一〇・一規則九―六―六五）

この規則は、公布の日から施行する。

附　則（平二一・四・一規則九―六―六六）

この規則は、公布の日から施行する。

附　則（平二一・一〇・一規則九―六―六七）

この規則は、公布の日から施行する。

附　則（平二一・一一・三〇規則九―六―六八）

この規則は、平成二十一年十二月一日から施行する。

附　則（平二二・四・一規則九―六―六九）

この規則は、公布の日から施行する。

附　則（平二二・一一・三〇規則九―六―七〇）

この規則は、平成二十二年十二月一日から施行する。

附　則（平二三・四・一規則九―六―七一）

この規則は、公布の日から施行する。

附　則（平二三・九・三〇規則九―六―七二）

この規則は、平成二十三年十月一日から施行する。

附　則（平二四・二・二九規則九―六―七三）

この規則は、平成二十四年三月一日から施行する。

附　則（平二四・三・三〇規則九―六―七四）

この規則は、平成二十四年四月一日から施行する。

附　則（平二四・九・一九規則一―五八）（抄）

（施行期日）

1　この規則は、公布の日から施行する。

附　則（平二五・四・一規則九―六―七五）

この規則は、公布の日から施行する。

附　則（平二六・二・二八規則一―六一）

この規則は、平成二十六年三月一日から施行する。

附　則（平二六・四・一規則九―六―七六）

この規則は、公布の日から施行する。

附　則（平二六・一一・一九規則九―六―七七）

この規則は、公布の日から施行し、改正後の規則九―六の規定は、平成二十六年四月一日から適用する。

附　則（平二七・四・一〇規則九―六―七八）

この規則は、公布の日から施行する。

附　則（平二八・四・一規則九―六―七九）

この規則は、公布の日から施行する。

附　則（平二八・七・一規則九―六―八〇）

この規則は、公布の日から施行する。

附　則（平二九・三・三一規則九―六―八一）

この規則は、平成二十九年四月一日から施行する。

附　則（平二九・六・三〇規則九―六―八二）

この規則は、平成二十九年七月一日から施行する。

附　則（平二九・九・二九規則九―六―八三）

この規則は、平成二十九年十月一日から施行する。

附　則（平三〇・三・三〇規則九―六―八四）

この規則は、平成三十年四月一日から施行する。

附　則（平三一・四・一規則九―六―八五）

この規則は、公布の日から施行する。

附　則（令元・一二・二五規則九―六―八六）

この規則は、公布の日から施行し、この規則による改正後の規則九―六の規定は、平成三十一年四月一日から適用する。

附　則（令二・四・一規則九―六―八七）

この規則は、公布の日から施行する。

附　則（令三・四・一規則九―六―八八）

この規則は、公布の日から施行する。

附　則（令三・九・一規則一―七七）

この規則は、公布の日から施行する。

附　則（令三・一〇・一規則九―六―八九）

この規則は、公布の日から施行する。

附　則（令四・二・一八規則一―七九）（抄）

（施行期日）

第一条　この規則は、令和五年四月一日から施行する。

（改正後の人事院規則九―六における暫定再任用職員に関する経過措置）

第六条　暫定再任用職員（暫定再任用短時間勤務職員を除く。）は、定年前再任用短時間勤務職員とみなして、第十一条の規定による改正後の規則九―六（次項及び次条第一項において「改正後の規則九―六」という。）第一条第四項の規定を適用する。

2　暫定再任用短時間勤務職員は、定年前再任用短時間勤務職員とみなして、改正後の規則九―六第一条第三項及び第四項の規定を適用する。

第七条　給与法第十条の規定により俸給の調整を行う官職（次項において「俸給の調整額適用官職」という。）を占める令和三年改正法附則第四条第一項又は第五条第一項の規定により採用された職員（次項において「特定暫定再任用職員」という。）のうち、当該官職に係る令和五年旧法第八十一条の二第二項に規定する年齢（規則一一―一二（定年退職者等の暫定再任用）第三条第一項各号に規定する官職にあっては、同条第二項に規定する年齢）に達した日が施行日の前日以前である職員であって、その者に係る調整基本額が経過措置基準額に達しないこととなるものには、改正後の規則九―六第一条及び第二条並びに前条の規定による俸給の調整額のほか、その差額に相当する額に当該職員に係る調整数を乗じて得た額（暫定再任用短時間勤務職員にあってはその額に改正後の規則九―六第一条第三項第一号に定める数を、同項第二号に掲げる職員にあってはその額に同号に定める数をそれぞれ乗じて得た額）（その額に一円未満の端数があるときは、その端数を切り捨てた額）を俸給の調整額として支給する。ただし、これらの額の合計が俸給月額の百分の二十五を超えるときは、俸給月額の百分の二十五に相当する額（その額に一円未満の端数があるときは、その端数を切り捨てた額）を俸給の調整額として支給する。

2　前項に規定する経過措置基準額とは、次の各号に掲げる職員の区分に応じ、当該各号に定める額をいう。

一　施行日の前日において、俸給の調整額適用官職を占める旧法再任用職員であった職員であって、施行日において引き続き俸給の調整額適用官職を占める特定暫定再任用職員となり、かつ、施行日から引き続き俸給の調整額適用官職を占める特定暫定再任用職員（第三号に掲げる職員を除く。）　施行日の前日にその者に適用されていた調整基本額

二　施行日以後に新たに俸給の調整額適用官職を占めることとなった特定暫定再任用職員（次号に掲げる職員を除く。）　施行日の前日に俸給の調整額適用官職を占める旧法再任用職員になったとした場合に令和三年改正法第二条の規定による改正前の給与法（次号において「令和五年旧給与法」という。）及びこれに基づく人事院規則等の規定により同日にその者に適用されることとなる俸給表及び職務の級を基礎として第十一条の規定による改正前の規則九―六第一条第二項の規定を適用したとしたならばその者に適用されることとなる調整基本額

三　施行日以後に次に掲げる場合に該当することとなった特定暫定再任用職員（俸給の調整額適用官職以外の官職を占める職員として次に掲げる場合に該当することとなった日以後に新たに俸給の調整額適用官職を占める職員となったものを含む。）　施行日の前日において、俸給の調整額適用官職を占める旧法再任用職員になったとし、かつ、同日に当該場合に該当することとなったとした場合（次に掲げる場合に二回以上該当することとなった場合にあっては、同日において次に掲げる場合に順次該当することとなったとした場合）に、令和五年旧給与法及びこれに基づく人事院規則等の規定により同日にその者に適用されることとなる俸給表及び職務の級を基礎として第十一条の規定による改正前の規則九―六第一条第二項の規定を適用したとしたならばその者に適用されることとなる調整基本額

イ　俸給表の適用を異にする異動をした場合

ロ　職員の職務の級を施行日の前日にその者に適用されていた職務の級より下位の同一の俸給表の職務の級に変更した場合（同日に旧法再任用職員でなかった者にあっては同日に旧法再任用職員になったとした場合に、同日後にイに掲げる場合に該当した者にあっては同日にイに掲げる場合に該当することとなったとした場合に、それぞれ令和五年旧給与法及びこれに基づく人事院規則等の規定により同日にその者に適用されることとなる俸給表及び職務の級より下位の同一の俸給表の職務の級に変更した場合）

（雑則）

第二十五条　附則第三条から前条までに規定するもののほか、この規則の施行に関し必要な経過措置は、人事院が定める。

附　則（令四・四・一規則九―六―九〇）

この規則は、公布の日から施行する。

附　則（令五・三・三一規則九―六―九一）

この規則は、令和五年四月一日から施行する。

附　則（令六・四・一規則九―六―九二）

この規則は、公布の日から施行し、この規則による改正後の規則九―六別表第一第三号の規定は、令和五年四月一日から適用する。

附　則（令七・四・一規則九―六―九三）

この規則は、公布の日から施行する。

別表第一　適用区分表（第一条第一項―第三項関係）

勤務箇所	職員	調整数
一　会計検査院、人事院、内閣官房（内閣サイバーセキュリティセンターを除く。）、内閣府、宮内庁、公正取引委員会、警察庁、カジノ管理委員会、金融庁、消費者庁、デジタル庁、総務省、法務省、出入国在留管理庁、外務省、財務省、国税庁、文部科学省、厚生労働省、農林水産省、林野庁、経済産業省、国土交通省、環境省及び原子力規制委員会	サイバーセキュリティの確保、情報システムの整備若しくは管理又はこれらと併せて行われる事務の運営の改善及び効率化に関する業務に直接従事することを本務とする職員（人事院の定める者に限る。）	一
一の二　内閣	(1)　サイバーセキュリティ	二

官房内閣サイバーセキュリティセンター	運用専門官（人事院の定める者に限る。）	
	(2) 上席情報システム専門官及び情報システム専門官（人事院の定める者に限る。）	一
一の三　内閣官房国際テロ情報集約室	国際テロ情報収集指導・支援連絡調整官（人事院の定める者に限る。）	二
一の四　国立児童自立支援施設	(1) 寮長として児童と起居を共にする職員（(2)に掲げる者を除く。）	四
	(2) 寮長として児童と起居を共にする職員（課長に限る。） (3) 教育及び指導に直接従事することを本務とする職員（(1)、(2)及び(6)に掲げる者を除く。） (4) 医師（(1)、(2)及び(8)に掲げる者を除く。）	三
	(5) 副寮長 (6) 調査課長、教務課長、研修課長及び養成課長（(2)に掲げる者を除く。） (7) 教育及び指導に直接従事することを常例とする職員（人事院の定める者に限る。） (8) 医師（(2)に掲げる者以外の課長に限る。） (9) 心理療法士	二
	(10) 看護師	一

二　刑務所、少年刑務所、拘置所、少年院及び少年鑑別所	(1) 医師及び歯科医師 (2) 病理細菌技術者及び診療放射線技術者	四
	(3) 理学療法技術職員及び作業療法技術職員 (4) 臨床工学技士 (5) 薬剤師 (6) 栄養士及び管理栄養士 (7) 看護師長、看護師及び准看護師（医療刑務所、医務部を有する刑務所若しくは拘置所又は医療少年院に勤務する者に限る。）	三
	(8) 看護師長、看護師及び准看護師（(7)に掲げる者を除く。）	二
	(9) 患者輸送用自動車運転手（人事院の定める者に限る。）	一
三　区検察庁	検察庁法（昭和二十二年法律第六十一号）附則第二条の規定に基づき検察官の事務を取り扱うことを命ぜられた検察事務官（人事院の定める者に限る。）	一
四　地方更生保護委員会事務局	(1) 保護観察官（更生保護管理官、調整指導官、指導監査官、統括審査官、首席審査官、分室長及び総務課に勤務する者を除く。）	二
	(2) 保護観察官（更生保護管理官、調整指導官、指導監査官、首席審査官、	一

	統括審査官及び分室長に限る。）	
五　保護観察所	(1) 保護観察官（所長、次長、支部長、課長、民間活動支援専門官、首席保護観察官、社会復帰対策官及び統括保護観察官を除く。） (2) 社会復帰調整官（(4)に掲げる者を除く。）	二
	(3) 保護観察官（支部長、課長、首席保護観察官、社会復帰対策官及び統括保護観察官に限る。） (4) 首席社会復帰調整官及び統括社会復帰調整官	一
五の二　入国者収容所及び地方出入国在留管理局	(1) 医師	三
	(2) 薬剤師 (3) 看護師	一
六　外務省総合外交政策局	国際テロ情報収集指導・支援官（人事院の定める者に限る。）	二
六の二　在外公館	国際テロ情報収集担当官（人事院の定める者に限る。）	三
七　国立ハンセン病療養所	(1) 医師及び歯科医師（所長及び副所長を除く。）	四
	(2) 病理細菌技術者及び診療放射線技術者 (3) 看護助手（総看護師長室に勤務する者を除く。）	三

	(4)　看護師長（一看護単位のみを担当している者及び手術室に勤務する者に限る。）並びに看護師及び准看護師（総看護師長室に勤務する看護師及び准看護師を除く。） (5)　所長及び副所長（人事院の定める者に限る。） (6)　理学療法技術職員、作業療法技術職員及びマッサージ師 (7)　言語聴覚士 (8)　臨床工学技士 (9)　栄養士及び管理栄養士 (10)　義肢工、洗濯員、調理師、電気士、営繕手及び入所者輸送用自動車運転手	二
	(11)　看護師長（(4)に掲げる者を除く。） (12)　入所者係事務職員	一
八　国立医薬品食品衛生研究所	(1)　感染症の予防及び感染症の患者に対する医療に関する法律（平成十年法律第百十四号）第六条に定める感染症の病原体その他の危険な病原体（以下「危険な病原体」という。）又は危険な病原体に汚染された病変組織その他の物件を直接取り扱う業務に従事することを常例とする病理細菌技術者	一
	(2)　(1)に掲げる業務に従事することを主たる職務内容とする職員（人事院の定める者に限る。）	
九　削除		
十　国立障害者リハビリテーションセンター（自立支援局の国立光明寮、国立保養所及び国立福祉型障害児入所施設を除く。）及び人事院の定める病院	(1)　介護員（人事院の定める者に限る。）	四
	(2)　看護師及び准看護師（(6)に掲げる者以外の者で人事院の定めるものに限る。） (3)　医師（人事院の定める者に限る。） (4)　理学療法技術職員及び作業療法技術職員（人事院の定める者に限る。）	三
	(5)　生活支援員、職業指導員、心理判定員、精神保健福祉士、精神障害者社会復帰指導員及び就労支援員（(14)に掲げる者を除く。） (6)　看護師長（肢体不自由者を専ら入院させるための病棟（人事院の定めるものに限る。）に勤務する者及び人事院の定める者に限る。）並びに当該病棟に勤務する看護師及び准看護師 (7)　医師及び歯科医師（(3)に掲げる者並びに院長、副院長及び部長並びに人事院の定める者を除く。） (8)　危険な病原体に汚染された検体を直接取り扱うことを常例とし、入院患者及び外来患者に直接接する病理細菌技術者 (9)　放射線による治療その他の放射線の照射の業務を入院患者及び外来患者に直接接して行うことを常例とする診療放射線技術者 (10)　理学療法技術職員及び作業療法技術職員（(4)に掲げる者を除く。） (11)　言語聴覚士及び視能技術職員 (12)　心理療法士（人事院の定める者を除く。）	二
	(13)　理療教育・就労支援部に属し、教育に直接従事することを本務とする職員 (14)　総合相談課長、総合支援課長、視覚機能訓練課長、生活訓練課長、肢体機能訓練課長及び就労移行支援課長 (15)　看護師長、看護師及び准看護師（(2)及び(6)に掲げる者を除く。） (16)　調理の実習指導のため入所者に直接接することを常例とする栄養士及び管理栄養士 (17)　入所者の援護の業務に直接従事することを本務	一

	とする職員（人事院の定める者に限る。）	
十一 国立障害者リハビリテーションセンター自立支援局国立光明寮	(1) 生活支援員及び心理判定員（(3)に掲げる者を除く。）	二
	(2) 教育に直接従事することを本務とする職員（課長を除く。） (3) 支援課長 (4) 看護師及び准看護師 (5) 調理の実習指導のため入所者に直接接することを常例とする栄養士及び管理栄養士 (6) 入所者の援護の業務に直接従事することを本務とする職員（人事院の定める者に限る。）	一
十二 国立障害者リハビリテーションセンター自立支援局国立保養所	(1) 介護員	四
	(2) 看護師及び准看護師 (3) 医師（(7)に掲げる者を除く。） (4) 理学療法技術職員及び作業療法技術職員	三
	(5) 生活支援員、職業指導員、心理判定員及び就労支援員（(8)に掲げる者を除く。） (6) 看護師長 (7) 医師（課長に限る。）	二
	(8) 支援課長 (9) 調理の実習指導のため入所者に直接接することを常例とする栄養士及び管理栄養士 (10) 入所者の援護の業務に直接従事することを本務とする職員（人事院の定める者に限る。）	一
十三 国立障害者リハビリテーションセンター自立支援局国立福祉型障害児入所施設	(1) 重度知的障害児の保護及び指導に直接従事することを本務とする児童指導員及び保育士（交替制により勤務する者に限る。）	五
	(2) 重度知的障害児の保護及び指導に直接従事することを本務とする児童指導員及び保育士（(1)及び(5)に掲げる者を除く。） (3) 重度知的障害児の看護に直接従事することを本務とする看護師及び准看護師（交替制により勤務する者に限る。）	四
	(4) 医師 (5) 療育支援課長 (6) 重度知的障害児の保護及び指導に直接従事することを常例とする児童指導員 (7) 看護師及び准看護師（(3)に掲げる者を除く。） (8) 保健師 (9) 作業療法技術職員 (10) 言語聴覚士 (11) 心理療法士	三
	(12) 重度知的障害児の輸送に従事する自動車運転手（人事院の定める者に限る。）	一
十四 地方厚生局及び地方厚生支局の麻薬取締部並びに地方麻薬取締支所	(1) 麻薬取締官（(2)に掲げる者を除く。）	三
	(2) 部長、部次長、密輸・広域事犯管理官及び支所長	二
十五 公共職業安定所	(1) 就職が困難な者に対する職業紹介又は職業指導の業務に常時従事する職員（人事院の定める者に限る。） (2) 日雇労働者に対する職業紹介又は失業給付を主として行う公共職業安定所（人事院の定めるものに限る。）に勤務する職員	一
十六 水産庁、地方整備局及び気象庁	遠洋区域又は近海区域を航行区域とする船舶（乗組員の航行中における一週間の勤務時間その他の勤務条件が特別なものとして人事院の定める船舶に限る。）に乗り組む職員で海事職俸給表(二)の適用を受けるもの	二
十七 特許庁	(1) 審査官（(3)に掲げる者以外の者で人事院の定めるものに限る。） (2) 審判官（(4)に掲げる者以外の者で人事院の定めるものに限る。）	二
	(3) 先任上席審査官	一

	(4) 先任審判官 (5) 審査官補	
十八　国土交通省航空局、地方航空局、海上保安学校宮城分校並びに管区海上保安本部の海上保安航空基地及び航空基地	(1) 航空法（昭和二十七年法律第二百三十一号）別表に定める定期運送用操縦士又は事業用操縦士の資格を有する者が行う業務で人事院の定めるものに従事することを本務とする職員	三
	(2) 航空法別表に定める一等航空士、二等航空士又は航空機関士としての業務に従事することを本務とする職員	二
十九　地方航空局の空港事務所、空港出張所及び空港・航空路監視レーダー事務所並びに航空交通管制部	(1) 航空管制官（(3)に掲げる者以外の者で航空交通管制業務に直接従事することを本務とするものに限る。）	二
	(2) 航空交通管理管制官（(4)に掲げる者以外の者で航空交通管理管制業務に直接従事することを本務とするものに限る。）	二
	(3) 先任航空管制官 (4) 先任航空交通管理管制官 (5) 航空管制運航情報官（先任航空管制運航情報官以外の者で対空援助業務に直接従事することを本務とするものに限る。） (6) 航空管制通信官（先任航空管制通信官以外の者で国際管制通信業務に直接従事することを本務とするものに限る。）	一
二十　海上保安庁	(1) 巡視船、全長二十メートル以上の巡視艇その他全長二十メートル以上の船舶で人事院の定めるものに乗り組む職員 (2) 特殊警備隊に属し、特殊警備業務に直接従事することを本務とする職員 (3) 特殊救難隊に属し、特殊救難業務に直接従事することを本務とする職員	五
	(4) 全長二十メートル以上の灯台見回り船に乗り組む職員（(1)に掲げる者を除く。）	四
	(5) 巡視艇又は特殊警備救難艇で全長二十メートル未満のもの（特殊警備救難艇にあっては、人事院の定めるものに限る。）に乗り組む職員 (6) 海上警備隊に属し、海上警備業務に直接従事することを本務とする職員 (7) 海上保安航空基地又は航空基地に属し、機動救難業務に直接従事することを本務とする職員	三
	(8) 全長二十メートル未満の灯台見回り船に乗り組む職員 (9) 機動防除基地に属し、防除措置業務に直接従事することを本務とする職員	二
二十一　原子力規制庁原子力規制部	原子力専門検査官（人事院の定める者に限る。）	二
二十二　原子力規制庁（人事院の定める事務所に限る。）	(1) 原子力防災専門官（人事院の定める者に限る。） (2) 原子力運転検査官	二

本表―令七・四・一施行

ニ　公安職俸給表㈡

職務の級	調　整　基　本　額
1　級	7,300円
2　級	8,900円
3　級	10,200円
4　級	11,300円
5　級	11,600円
6　級	12,000円
7　級	12,400円
8　級	13,100円
9　級	14,300円
10　級	15,900円

本表―平26・４・１適用

ホ　海事職俸給表㈠

職務の級	調　整　基　本　額
1　級	7,000円
2　級	8,600円
3　級	10,600円
4　級	12,200円
5　級	12,800円
6　級	14,100円
7　級	15,200円

本表―平26・４・１適用

ヘ　海事職俸給表㈡

職務の級	調　整　基　本　額
1　級	6,200円
2　級	7,800円
3　級	9,200円
4　級	9,500円
5　級	9,900円
6　級	10,800円

本表―平26・４・１適用

別表第二　調整基本額表（第一条第四項第一号関係）

イ　行政職俸給表㈠

職務の級	調　整　基　本　額
1　級	6,600円
2　級	8,500円
3　級	9,600円
4　級	10,200円
5　級	10,600円
6　級	11,200円
7　級	12,100円
8　級	12,700円
9　級	14,300円
10　級	15,900円

本表―平26・４・１適用

ロ　行政職俸給表㈡

職務の級	調　整　基　本　額
1　級	6,000円
2　級	7,400円
3　級	8,500円
4　級	8,700円
5　級	9,600円

本表―平26・４・１適用

ハ　専門行政職俸給表

職務の級	調　整　基　本　額
1　級	8,500円
2　級	9,600円
3　級	10,600円
4　級	11,300円
5　級	12,100円
6　級	12,700円
7　級	14,300円
8　級	15,900円

本表―平26・４・１適用

ル　医療職俸給表(二)

職務の級	調　整　基　本　額
1　級	6,200円
2　級	8,000円
3　級	9,100円
4　級	9,700円
5　級	10,500円
6　級	11,300円
7　級	12,200円
8　級	13,800円

本表―平26・４・１適用

ヲ　医療職俸給表(三)

職務の級	調　整　基　本　額
1　級	8,100円
2　級	9,400円
3　級	9,700円
4　級	10,000円
5　級	10,400円
6　級	11,600円
7　級	12,500円

本表―平26・４・１適用

ワ　福祉職俸給表

職務の級	調　整　基　本　額
1　級	7,800円
2　級	9,300円
3　級	9,600円
4　級	10,600円
5　級	11,200円
6　級	12,100円

本表―平26・４・１適用

ト　教育職俸給表(一)

職務の級	調　整　基　本　額
1　級	10,500円
2　級	11,900円
3　級	12,700円
4　級	15,000円
5　級	16,300円

本表―平26・４・１適用

チ　教育職俸給表(二)

職務の級	調　整　基　本　額
1　級	9,200円
2　級	11,300円
3　級	12,200円

本表―平26・４・１適用

リ　研究職俸給表

職務の級	調　整　基　本　額
1　級	8,000円
2　級	9,300円
3　級	10,900円
4　級	11,700円
5　級	14,500円
6　級	15,900円

本表―平26・４・１適用

ヌ　医療職俸給表(一)

職務の級	調　整　基　本　額
1　級	10,800円
2　級	13,100円
3　級	14,500円
4　級	15,600円
5　級	16,900円

本表―平26・４・１適用

ニ 公安職俸給表(二)

職務の級	調整基本額
1 級	6,400円
2 級	7,200円
3 級	8,500円
4 級	9,200円
5 級	9,600円
6 級	10,300円
7 級	11,300円
8 級	12,300円
9 級	13,600円
10 級	15,600円

本表―令５・４・１施行

ホ 海事職俸給表(一)

職務の級	調整基本額
1 級	6,600円
2 級	7,500円
3 級	8,400円
4 級	9,600円
5 級	10,500円
6 級	11,900円
7 級	13,900円

本表―令５・４・１施行

ヘ 海事職俸給表(二)

職務の級	調整基本額
1 級	6,500円
2 級	6,900円
3 級	7,000円
4 級	7,600円
5 級	8,500円
6 級	9,400円

本表―令５・４・１施行

別表第三 調整基本額表（第一条第四項第二号関係）

イ 行政職俸給表(一)

職務の級	調整基本額
1 級	5,600円
2 級	6,500円
3 級	7,700円
4 級	8,200円
5 級	8,700円
6 級	9,500円
7 級	10,700円
8 級	11,700円
9 級	13,200円
10 級	15,600円

本表―令５・４・１施行

ロ 行政職俸給表(二)

職務の級	調整基本額
1 級	5,800円
2 級	6,100円
3 級	6,700円
4 級	7,300円
5 級	8,200円

本表―令５・４・１施行

ハ 専門行政職俸給表

職務の級	調整基本額
1 級	6,300円
2 級	7,200円
3 級	8,500円
4 級	9,500円
5 級	10,700円
6 級	11,700円
7 級	13,200円
8 級	15,600円

本表―令５・４・１施行

ル　医療職俸給表(二)

職務の級	調　整　基　本　額
1　級	5,700円
2　級	6,500円
3　級	7,300円
4　級	7,700円
5　級	8,500円
6　級	9,700円
7　級	11,000円
8　級	12,800円

本表―令５・４・１施行

ヲ　医療職俸給表(三)

職務の級	調　整　基　本　額
1　級	7,100円
2　級	7,700円
3　級	7,900円
4　級	8,200円
5　級	8,700円
6　級	9,800円
7　級	11,100円

本表―令５・４・１施行

ワ　福祉職俸給表

職務の級	調　整　基　本　額
1　級	6,000円
2　級	7,200円
3　級	7,700円
4　級	8,700円
5　級	9,500円
6　級	10,700円

本表―令５・４・１施行

ト　教育職俸給表(一)

職務の級	調　整　基　本　額
1　級	8,500円
2　級	8,800円
3　級	9,500円
4　級	12,000円
5　級	16,000円

本表―令５・４・１施行

チ　教育職俸給表(二)

職務の級	調　整　基　本　額
1　級	7,400円
2　級	8,800円
3　級	9,300円

本表―令５・４・１施行

リ　研究職俸給表

職務の級	調　整　基　本　額
1　級	6,500円
2　級	7,800円
3　級	8,500円
4　級	9,800円
5　級	11,500円
6　級	15,700円

本表―令５・４・１施行

ヌ　医療職俸給表(一)

職務の級	調　整　基　本　額
1　級	8,900円
2　級	10,200円
3　級	11,800円
4　級	14,000円
5　級	17,000円

本表―令５・４・１施行

○俸給の調整額の運用について（通知）

昭六二・三・二〇
給実甲六〇九

最終改正 令七・四・一給実甲一三五五

俸給の調整額の運用について下記のとおり定めたので、昭和六十二年四月一日以降の俸給の調整額については、これによって運用してください。

なお、これに伴い、給実甲第一三八号（人事院規則九―六（俸給の調整額）の運用について）は廃止します。

記

規則第一条関係

人事院規則九―六（俸給の調整額）（以下「規則」という。）第一条第一項の「別表第一の勤務箇所欄に掲げる勤務箇所に勤務する」とは、規則別表第一の勤務箇所欄に掲げる勤務箇所に所属し、かつ、現に当該勤務箇所をその職員の主たる勤務の場所としていることをいう。

規則別表第一関係

1 職員欄中「○○の業務に直接従事することを本務とする」とは、当該業務に直接従事することを本務として命ぜられ、かつ、現に当該業務に直接従事することをその職員の主たる職務内容としていることをいう。

2 職員欄中「○○（病棟等）に勤務する」とは、当該病棟等に所属し、かつ、現に当該病棟等をその職員の主たる勤務の場所としていることをいう。

3 職員欄中職名の掲げられている職員は、当該職名に係る業務に従事することを本務として命ぜられ、かつ、現に当該業務に従事することをその者の主たる職務内容としている職員をいう。

規則別表第一第一号の四関係

1 「教育及び指導に直接従事することを本務とする職員」とは、児童自立支援専門員の資格を有し、学習指導及び職業指導を行うことを本務とする職員をいう。

2 「教育及び指導に直接従事することを常例とする職員」とは、児童自立支援専門員の資格を有し、学習指導及び職業指導を行うことを常例とする職員並びに栄養士、管理栄養士又は調理師の資格を有し、調理実習の指導を行うことを常例とする職員をいう。

3 「心理療法士」とは、大学において心理学を専修する学科を修めた職員又はその知識及び経験が当該職員に準ずる職員で、児童の心理を判定し、カウンセリング、暗示療法その他の心理療法を行うものをいう。

規則別表第一第二号関係

1 「病理細菌技術者」とは、医療職俸給表㈡の適用を受ける病理細菌技術職員及びこれと同様の業務に従事することを主たる職務内容とする職員で、臨床検査技師又は衛生検査技師の免許を有し、かつ、行政職俸給表㈠の適用を受けるものをいう。

2 「診療放射線技術者」とは、診療放射線技師又は診療エックス線技師の免許を有し、放射線を人体に対して照射すること（撮影することを含む。）を主たる職務内容とする職員をいう。

3 「理学療法技術職員」とは、理学療法士の免許を有する職員又はその知識及び経験が当該職員に準ずる職員で、主として基本的動作能力の回復を図るため、治療体操その他の運動を行わせ、及び電気刺激、マッサージ、温熱その他の物理的手段を加えるものをいう。

4 「作業療法技術職員」とは、作業療法士の免許を有する職員又はその知識及び経験が当該職員に準ずる職員で、主として応用的動作能力又は社会的適応能力の回復を図るため、手芸、工作その他の作業を行わせるものをいう。

5 「臨床工学技士」とは、臨床工学技士の免許を有し、生命維持管理装置の操作（生命維持管理装置の先端部の身体への接続又は身体からの除去を含む。）及び保守点検を行う職員をいう。

6 「患者輸送用自動車運転手」とは、患者のみを輸送する自動車を専ら運転する職員をいう。

規則別表第一第七号関係

1 「病理細菌技術者」及び「診療放射線技術者」については、規則別表第一第二号関係第一項及び第二項の例による。

2 「看護助手」とは、看護師又は准看護師の免許を有しない職員で、看護の補助的業務に従事するものをいう。

3 「総看護師長室」には、看護部長室を含む。

4 「看護師長」には、看護師長心得を含む。

5 「看護師」には、副看護師長及び主任看護師を含む。

6 「理学療法技術職員」及び「作業療法技術職員」については、規則別表第一第二号関係第三項及び第四項の例による。

7 「マッサージ師」とは、あん摩マッサージ指圧師の免許を有し、マッサージを行う職員で、理学療法技術職員以外のものをいう。

8 「言語聴覚士」とは、言語聴覚士の免許を有し、音声機能、言語機能又は聴覚に障害のある者に対し、言語訓練その他の訓練、これに必要な検査及び助言、指導その他の援助を行う職員をいう。

9 「臨床工学技士」については、規則別表第一第二号関係第五項の例による。

10 「義肢工」とは、義肢その他の補装具の製作及び修理を行う職員をいう。

11 「洗濯員」とは、診療用及び患者用の衣類等の洗濯を行う職員をいう。

12 「調理師」とは、調理師の免許を有し、調理、食器の洗浄及び不自由者棟又は一般舎の入所者に対する配膳等を行う職員をいい、これには助手を含む。

13 「電気士」とは、電気工事士又は電気主任技術者の免状を有し、電気器具の取付け及び修理、配線等を行う職員をいい、これには助手を含む。

14 「営繕手」とは、建造物、家具及び調度品の建築及び修理を行う職員をいう。

15 「入所者輸送用自動車運転手」とは、入所者のみを輸送する自動車を専ら運転する職員をいう。

16 「入所者係事務職員」とは、入所者に対し、診療の受付、物品の受渡し、生活相談等の業務を行う職員をいう。

規則別表第一第八号関係

1 「感染症の病原体その他の危険な病原体」とは、感染症の予防及び感染症の患者に対する医療に関する法律（平成十年法律第百十四号）第六条に定める感染症の病原体のほか、世界保健機関（ＷＨＯ）の示す「感染性微生物の危険群分類基準」の危険群Ⅱ以上に該当する病原体をいい、これには同等の危険性を有する寄生虫等を含む。

2 「病変組織その他の物件」とは、病変した臓器組織、血液、尿、ふん便、食品、薬品等をいう。

3 「病理細菌技術者」については、規則別表第一第二号関係第一項の例による。

規則別表第一第十号関係

1 「人事院の定める病院」は、宮内庁病院とする。

2 「介護員」とは、介護福祉士の資格を有する職員又はその知識及び経験が当該職員に準ずる職員で、身体障害者の介護及び介護に関する指導を行うものをいう。

3 「看護師」には、副看護師長を含む。

4 「理学療法技術職員」及び「作業療法技術職員」については、規則別表第一第二号関係第三項及び第四項の例による。

5 「生活支援員」とは、身体障害者福祉司又は児童福祉司の資格を有する職員又はその知識及び経験が当該職員に準ずる職員で、障害者に対し、身上相談その他の生活指導並びに更生に必要な基礎的訓練及び技能訓練を行うものをいう。

6 「職業指導員」とは、職業訓練指導員の免許を有する職員又はその知識及び経験が当該職員に準ずる職員で、障害者に対し、その選定する職業を行うのに必要な基礎的知識の付与及び技術の指導を行うものをいう。

7 「心理判定員」とは、大学において心理学を専修する学科を修めた職員又はその知識及び経験が当該職員に準ずる職員で、障害者の心理を判定し、必要な助言及び指導を行うものをいう。

8 「精神保健福祉士」とは、精神保健福祉士の資格を有し、精神障害を有する者に対し、その者の社会適応に必要な相談及び支援業務を行う職員をいう。

9 「精神障害者社会復帰指導員」とは、精神保健福祉士の資格を有し、精神障害を有する者に対し、その者の社会適応に必要な生活指導及び訓練を行う職員をいう。

10 「就労支援員」とは、大学において心理学を専修する学科を修めた職員若しくはその知識及び経験が当該職員に準ずる職員又は社会福祉士の資格を有する職員で、障害者に対し、求職活動及び就職後の職場への定着に必要な支援業務を行うものをいう。

11 「看護師長」については、規則別表第一第七号関係第四項の例による。

12 「危険な病原体に汚染された検体」とは、危険な病原体に汚染され、又は汚染されたおそれのある喀痰、血液、尿、ふん便等をいう。

13 「病理細菌技術者」、「診療放射線技術者」及び「言語聴覚士」については、規則別表第一第二号関係第一項及び第二項並びに規則別表第一第七号関係第八項の例による。

14 「視能技術職員」とは、視能訓練士の免許を有し、視覚障害者に対し、視機能の回復のための矯正訓練を行う職員をいう。

15 「心理療法士」とは、大学において心理学を専修する学科を修めた職員又はその知識及び経験が当該職員に準ずる職員で、神経症、心身症等の疾患を有する患者に対し、ガイダンス、カウンセリング、暗示療法その他の心理療法を行うものをいう。

16 「教育に直接従事することを本務とする職員」とは、あん摩マツサージ指圧師、はり師、きゆう師等に関する法律（昭和二十二年法律第二百十七号）に定める養成施設の教員として、授業を行うことを本務とする職員をいう。

17 「入所者の援護の業務に直接従事することを本務とする職員」とは、入所者に対する日常生活の介助その他の援護業務を行うことを本務とする事務職員をいう。

規則別表第一第十一号関係

「生活支援員」、「心理判定員」、「教育に直接従事することを本務とする職員」及び「入所者の援護の業務に直接従事することを本務とする職員」については、規則別表第一第十号関係第五項、第七項、第十六項及び第十七項の例による。この場合において、同号関係第五項及び第七項中「で、障害者」とあるのは、「で、身体障害者」と読み替えるものとする。

規則別表第一第十二号関係

「介護員」、「理学療法技術職員」、「作業療法技術職員」、「生活支援員」、「職業指導員」、「心理判定員」、「就労支援員」、「看護師長」及び「入所者の援護の業務に直接従事することを本務とする職員」については、規則別表第一第二号関係第三項及び第四項、規則別表第一第七号関係第四項並びに規則別表第一第十号関係第二項、第五項から第七項まで、第十項及び第十七項の例による。この場合において、同号関係第五項から第七項まで及び第十項中「で、障害者」とあるのは、「で、身体障害者」と読み替えるものとする。

規則別表第一第十三号関係

1 「重度知的障害児」とは、知的障害の程度が著しい児童又は盲（強度の弱視を含む。）若しくはろうあ（強度の難聴を含む。）と知的障害が重複している児童をいい、満十八歳以上でこれらと同一の障害を有する者を含む。

2 「重度知的障害児の保護及び指導に直接従事することを本務とする児童指導員及び保育士」とは、児童指導員又は保育士の資格を有し、基本的な生活習慣等の指導を行う職員をいう。

3 「重度知的障害児の看護に直接従事することを本務とする看護師及び准看護師」とは、重度知的障害児と日常生活を共にし、てんかんの発作、異常行動等に対する必要な処置を随時行う看護師及び准看護師をいう。

4 「看護師」については、規則別表第一第十号関係第三項の例による。

5 「重度知的障害児の保護及び指導に直接従事することを常例とする児童指導員」とは、児童指導員の資格を有し、重度知的障害児と直接接して言語療法、音楽療法その他の治療教育及び国立福祉型障害児入所施設における実習生の指導を行う職員をいう。

6 「作業療法技術職員」及び「言語聴覚士」については、規則別表第一第二号関係第四項及び規則別表第一第七号関係第八項の例による。

7 「心理療法士」とは、大学において心理学を専修する学科を修めた職員又はその知識及び経験が当該職員に準ずる職員で、重度知的障害児の心理を判定し、指導方針の指示及び助言を行うものをいう。

8 「重度知的障害児の輸送に従事する自動車運転手」とは、施設外の医療機関で行う治療、無断外出児の引取り等のため重度知的障害児の輸送を行う自動車運転手をいう。

規則別表第一第十六号関係

1 「遠洋区域又は近海区域を航行区域とする船舶」には、船舶職員及び小型船舶操縦者法施行令（昭和五十八年政令第十三号）の規定による甲区域又は乙区域において従業する漁船を含む。

2 「乗り組む職員」とは、船舶に乗り組むことを命ぜられ、かつ、当該船舶の船務に現に従事する職員をいう。

規則別表第一第十九号関係

1　「航空交通管制業務」とは、航空法施行規則（昭和二十七年運輸省令第五十六号）第百九十九条第一項に定める管制業務をいう。

2　「航空交通管理管制業務」とは、航空交通管制部組織規則（平成十三年国土交通省令第二十六号）第三条第二項に定める業務をいう。

3　「対空援助業務」とは、航空管制運航情報職員試験規則（平成十三年国土交通省訓令第百五十号）第二条第四項に定める業務をいう。

4　「国際管制通信業務」とは、航空交通管制通信職員試験規則（平成十三年国土交通省訓令第九十九号）第一条に定める業務をいう。

規則別表第一第二十号関係

「乗り組む職員」とは、公安職俸給表(二)の適用を受ける職員であって、海上保安庁船舶職員職制（昭和六十年海上保安庁訓令第十二号）に定める職名を有する職員で、船舶に乗り組むことを命ぜられ、かつ、現に船舶に乗り組んでいるもの及びソマリア周辺海域派遣捜査隊に所属するものをいう。

その他の事項

1　各庁の長又はその委任を受けた者は、職員に俸給の調整額を支給するときには、当該職員に人事院規則八―一二（職員の任免）第五十三条に規定する通知書（以下「通知書」という。）を用いて通知するものとする。ただし、通知書の交付によらないことを適当と認める場合には、通知書に代わる文書の交付その他適当な方法をもって通知書の交付に代えることができる。

2　通知書の様式及び記載事項等は、「人事異動通知書の様式及び記載事項等について（昭和二十七年六月一日一三―七九九）」に定めるところによる。

3　この通達により難い事情があり、その取扱いについて別の定めを行う必要があると認めるとき又は規則及びこの通達の解釈について疑義が生じたときは、その都度人事院事務総長と協議するものとする。

以　上

○人事院規則九―六（俸給の調整額）の調整基本額について

令六・一二・二五
事務連絡　給与第三課長補佐

人事院規則九―六（俸給の調整額）第一条第四項及び第二条において、調整基本額については、その額が俸給月額の百分の四・五を超えるときは、俸給月額の百分の四・五に相当する額（一円未満の端数があるときは、その端数を切り捨てた額）とするとされておりますが、令和六年四月一日以降、調整基本額で俸給月額の百分の四・五を超えるものはありませんので、念のためご連絡いたします。

以　上

第二　扶養手当

【参照】
●一般職給与法一一
●同運用方針一一関係
●規則（九―七）八・一三

○人事院規則九―八〇（扶養手当）

昭六〇・一二・二一制定
昭六〇・一二・二一施行
最終改正　令七・二・五規則九―八〇―七

（総則）
第一条　扶養手当の支給については、別に定める場合を除き、この規則の定めるところによる。

（行政職俸給表(一)の九級以上の職員に相当する職員）
第一条の二　給与法第十一条第一項の人事院規則で定める職員は、次に掲げる職員とする。
一　専門行政職俸給表の適用を受ける職員でその職務の級が七級以上であるもの
二　税務職俸給表の適用を受ける職員でその職務の級が九級以上であるもの
三　公安職俸給表(一)の適用を受ける職員でその職務の級が十級以上であるもの
四　公安職俸給表(二)の適用を受ける職員でその職務の級が九級以上であるもの
五　教育職俸給表(一)の適用を受ける職員でその職務の級が五級であるもの
六　研究職俸給表の適用を受ける職員でその職務の級が六級であるもの
七　医療職俸給表(一)の適用を受ける職員でその職務の級が四級以上であるもの
八　専門スタッフ職俸給表の適用を受ける職員でその職務の級が三級以上であるもの

本条―平二九・四・一施行

（扶養親族の範囲）
第二条　給与法第十一条第二項に規定する他に生計の途がなく主としてその職員の扶養を受けている者には、次に掲げる者は含まれないものとする。
一　職員の配偶者（届出をしないが事実上婚姻関係と同様の事情にある者を含む。）、兄弟姉妹等が受ける扶養手当又は民間事業所その他のこれに相当する手当の支給の基礎となっている者
二　年額百三十万円以上の恒常的な所得があると見込まれる者

本条―令七・四・一施行

（行政職俸給表(一)の八級の職員に相当する職員）
第二条の二　給与法第十一条第三項の人事院規則で定める職員は、次に掲げる職員とする。
一　専門行政職俸給表の適用を受ける職員でその職務の級が六級であるもの
二　税務職俸給表の適用を受ける職員でその職務の級が八級であるもの
三　公安職俸給表(一)の適用を受ける職員でその職務の級が九級であるもの
四　公安職俸給表(二)の適用を受ける職員でその職務の級が八級であるもの
五　海事職俸給表(一)の適用を受ける職員でその職務の級が七級であるもの
六　教育職俸給表(一)の適用を受ける職員でその職務の級が四級であるもの
七　研究職俸給表の適用を受ける職員でその職務の級が五級であるもの
八　医療職俸給表(二)の適用を受ける職員でその職務の級が八級であるもの
九　専門スタッフ職俸給表の適用を受ける職員でその職務の級が二級であるもの

本条―平二九・四・一施行

（届出）
第三条　新たに給与法第十一条第一項の職員たる要件を具備するに至った職員は、事務総長が定める様式の扶養親族届により、その旨を速やかに各庁の長（給与法第七条に規定する各庁の長又はその委任を受けた者をいう。次項及び次条において同じ。）に届け出なければならない。扶養手当を受けている職員の届出に係る扶養親族の恒常的な所得の年間の見込額その他の扶養の事実等に変更があった場合についても、同様とする。
2　前項の規定にかかわらず、各庁の長において扶養の事実等を認定することができる場合として人事院が定める場合には、同項の規定による届出を要しない。

本条―令七・四・一施行

（認定）

第四条　各庁の長は、前条第一項に規定する届出があったときは、その届出に係る事実及び扶養手当の月額を認定しなければならない。同条第二項に規定する場合においても、同様とする。

2　各庁の長は、前項の規定により認定した職員の扶養親族に係る事項その他の扶養手当の支給に関する事項を事務総長が定める様式の扶養手当認定簿に記載するものとする。

3　各庁の長は、第一項の認定を行う場合において必要と認めるときは、職員に対し扶養の事実等を証明するに足る書類の提出を求めることができる。

一・二項―令七・四・一施行

（支給の始期及び終期）

第五条　扶養手当の支給は、職員が新たに給与法第十一条第一項の職員たる要件を具備するに至った日の属する月の翌月（その日が月の初日であるときは、その日の属する月）から開始し、職員が同項に規定する要件を欠くに至った日（人事院が定める場合にあっては、当該要件を欠くに至った日以降の日で人事院が定める日）の属する月（その日が月の初日であるときは、その日の属する月の前月）をもって終わる。ただし、扶養手当の支給の開始については、第三条第一項の規定による届出が、これに係る事実の生じた日から十五日を経過した後にされたときは、その届出を受理した日の属する月の翌月（その日が月の初日であるときは、その日の属する月）から行うものとする。

2　扶養手当を受けている職員にその月額を変更すべき事実が生じたときは、その事実の生じた日の属する月の翌月（その日が月の初日であるときは、その日の属する月）からその支給額を改定する。前項ただし書の規定は、扶養手当の月額を増額して改定する場合について準用する。

本条―令七・四・一施行

（雑則）

第六条　この規則の実施に関し必要な事項は、人事院が定める。

本条―令五・四・一施行

附　則

（施行期日）

1　この規則は、公布の日から施行する。

（令和六年改正法附則第六条の規定が適用される間の読替え）

2　令和七年四月一日から令和八年三月三十一日までの間は、第一条の二中「給与法第十一条第一項の」とあるのは「一般職の職員の給与に関する法律等の一部を改正する法律（令和六年法律第七十二号）附則第六条の規定により読み替えられた給与法（以下「読替え後の給与法」という。）第十一条第一項に規定する職務の級が行政職俸給表㈠の九級以上に相当する職員として」と、第二条及び第二条の二中「給与法」とあるのは「読替え後の給与法」と、第三条第一項中「新たに給与法」とあるのは「新たに読替え後の給与法」と、第五条第一項中「給与法」とあるのは「読替え後の給与法」とする。

（行政職俸給表㈠の八級以上の職員に相当する職員）

3　一般職の職員の給与に関する法律等の一部を改正する法律（令和六年法律第七十二号）附則第六条の規定により読み替えられた給与法第十一条第一項に規定する職務の級が行政職俸給表㈠の八級以上に相当する職員として人事院規則で定める職員は、第一条の二及び第二条の二に規定する職員とする。

附　則（令五・二・二八規則九―八〇―六）（抄）

（施行期日）

第一条　この規則は、令和五年四月一日から施行する。

附　則（令七・二・二・五規則九―八〇―七）（抄）

（施行期日）

第一条　この規則は、令和七年四月一日から施行する。

○扶養手当の運用について（通知）

昭六〇・一二・二一
給実甲五八〇

最終改正　令七・二・一二給実甲一三四八

扶養手当の運用について下記のとおり定めたので、昭和六十年十二月二十一日以降の扶養手当については、これによって運用してください。

なお、これに伴い給実甲第九一号（扶養手当の支給について）は廃止します。

記

給与法第十一条及び規則第二条関係

1　職員が配偶者（届出をしないが事実上婚姻関係と同様の事情にある者を含む。）、兄弟姉妹等と共同して同一人を扶養している場合には、その扶養を受けている者（人事院規則九―八〇（扶養手当）（以下「規則」という。）附則第二項の規定により読み替えられた規則（以下「読替え後の規則」という。）第二条各号に掲げる者に該当する者を除く。）については、主として職員の扶養を受けている場合に限り、扶養親族として認定することができる。

2　読替え後の給与法（読替え後の規則第一条の二に規定する読替え後の給与法をいう。以下同じ。）第十一条第二項第一号、第二号及び第四号並びに同条第四項並びに規則第三条関係第四項第六号の「満二十二歳に達する日」並びに読替え後の給与法第十一条第四項及び規則第三条関係第四項第六号の「満十五歳に達する日」とはそれぞれ満二十二歳及び満十五歳の誕生日の前日をいい、読替え後の給与法第十一条第二項第三号の「満六十歳以上」とは満六十歳の誕生日以後であることをいう。

3　読替え後の給与法第十一条第二項第五号の「重度心身障害者」とは、心身の障害の程度が終身労務に服することができない程度である者をいう。

4　読替え後の規則第二条第一号の「これに相当する手当」とは、名称のいかんにかかわらず扶養手当と同様の趣旨で支給される手当をいう。

5　読替え後の規則第二条第二号の「恒常的な所得」とは、給与所得、事業所得、不動産所得等の継続的に収入のある所得をいい、退職所得、一時所得等一時的な収入による所得はこれに含まれない。

6　所得の金額の算定は、課税上の所得の金額の計算に関係なく、扶養親族として認定しようとする者の年間における総収入金額によるものとする。ただし、事業所得、不動産所得等で、当該所得を得るために人件費、修理費、管理費等の経費の支出を要するものについては、社会通念上明らかに当該所得を得るために必要と認められる経費の実額を控除した額によるものとする。

規則第三条関係

1　読替え後の規則第三条第一項の「新たに読替え後の給与法第十一条第一項の職員たる要件を具備するに至った職員」には、例えば、次に掲げるような職員が該当する。

一　新たに職員になった者又は新たに読替え後の給与法第十一条の規定の適用の対象となった者で扶養親族（行政職俸給表㈠の適用を受ける職員でその職務の級が九級以上であるもの及び読替え後の規則第一条の二に掲げる職員（以下この規則第三条関係において「行㈠九級以上職員等」という。）にあっては扶養親族たる子（読替え後の給与法第十一条第三項に規定する扶養親族たる子をいう。以下この規則第三条関係において同じ。）に限り、行政職俸給表㈠の適用を受ける職員でその職務の級が八級であるもの及び読替え後の規則第二条の二に掲げる職員（以下この規則第三条関係において「行㈠八級職員等」という。）にあっては読替え後の給与法第十一条第二項第六号に該当する扶養親族（以下この規則第三条関係において「扶養親族たる配偶者」という。）を除く。）があるもの

二　行㈠九級以上職員等から行㈠九級以上職員等以外の職員となった者で、扶養親族たる父母等（読替え後の給与法第十一条第一項に規定する扶養親族たる父母等をいう。以下この規則第三条関係において同じ。）又は扶養親族たる配偶者があり、かつ、扶養親族たる子でこの条（規則附則第二項の規定により読み替えて適用する場合を含む。以下この規則第三条関係において同じ。）

の第一項の規定による届出に係るものがない者（行㈠九級以上職員等から行㈠八級職員等となった職員で、扶養親族たる父母等がない者を除く。）

三　行㈠八級職員等から行政職俸給表㈠の適用を受ける職員でその職務の級が八級以上であるもの及び規則附則第三項に規定する職員（以下この規則第三条関係において「行㈠八級以上職員等」という。）以外の職員となった者で、扶養親族たる配偶者があり、かつ、扶養親族たる子及び扶養親族たる父母等でこの条の第一項の規定による届出に係るもののいずれもない者

四　この条の第一項の規定による届出に係る扶養親族がない職員で新たに扶養親族たる要件を具備するに至った者があるもの（行㈠八級職員等にあっては扶養親族たる配偶者たる要件を具備するに至った者があるものを、行㈠九級以上職員等にあっては扶養親族たる父母等又は扶養親族たる配偶者たる要件を具備するに至った者があるものをそれぞれ除く。）

2　扶養親族届の様式は、別紙第1のとおりとする。ただし、各庁の長（一般職の職員の給与に関する法律（昭和二十五年法律第九十五号）第七条に規定する各庁の長又はその委任を受けた者をいう。以下同じ。）は、扶養手当の支給に関し支障のない範囲内で、様式中の各欄の配列を変更し又は各欄以外の欄を設定する等当該様式を変更し、これによることができる。

3　この条の第一項の「扶養の事実等に変更があった場合」には、次に掲げるような場合も含まれる。

一　扶養親族たる子でこの条の第一項の規定による届出に係るものがあり、かつ、扶養親族たる父母等又は扶養親族たる配偶者がある行㈠九級以上職員等以外の職員となった場合（扶養親族たる父母等がない行㈠九級以上職員等が行㈠八級職員等となった場合を除く。）

二　扶養親族たる配偶者があり、かつ、扶養親族たる子又は扶養親族たる父母等でこの条の第一項の規定による届出に係るものがある行㈠八級職員等が行㈠八級以上職員等以外の職員となった場合

三　扶養手当を受けている職員に更に新たに扶養親族たる要件を具備するに至った者がある場合（行㈠八級職員等に扶養親族たる配偶者たる要件を具備するに至った者がある場合及び行㈠九級以上職員等に扶養親族たる父母等又は扶養親族たる配偶者たる要件を具備するに至った者がある場合を除く。）

四　扶養手当を受けている職員の扶養親族（行㈠八級職員等にあっては扶養親族たる配偶者を除き、行㈠九級以上職員等にあっては扶養親族たる子に限る。）でこの条の第一項の規定による届出に係るものの全部又は一部が扶養親族たる要件を欠くに至った場合

4　この条の第二項の「人事院が定める場合」は、次の各号のいずれかに掲げる事実が生じた場合とする。

一　扶養手当を受けている職員が離職し、若しくは死亡した場合又は読替え後の給与法第十一条の規定の適用の対象から除外される職員となった場合

二　扶養親族たる子又は読替え後の給与法第十一条第二項第二号若しくは第四号に該当する扶養親族が、満二十二歳に達した日（満二十二歳の誕生日の前日をいう。）以後の最初の三月三十一日の経過により、扶養親族たる要件を欠くに至った場合

三　扶養親族たる父母等でこの条の第一項の規定による届出に係るものがあり、かつ、扶養親族たる配偶者がない行㈠八級職員等が行㈠八級以上職員等以外の職員となった場合

四　扶養親族たる父母等若しくは扶養親族たる配偶者でこの条の第一項の規定による届出に係るものがある職員で行㈠八級以上職員等以外のもの又は扶養親族たる父母等でこの条の第一項の規定による届出に係るものがある行㈠八級職員等が行㈠九級以上職員等となった場合

五　扶養親族たる父母等又は扶養親族たる配偶者でこの条の第一項の規定による届出に係るものがある職員で行㈠八級以上職員等以外のものが行㈠八級職員等となった場合

六　職員の扶養親族たる子でこの条の第一項の規定による届出に係るもののうち特定期間（満十五歳に達する日後の最初の四月一

日から満二十二歳に達する日以後の最初の三月三十一日までの間をいう。以下この号において同じ。）にある子でなかった者が特定期間にある子となった場合

七　規則第五条関係第二項の規定の適用を受ける職員が引き続き俸給表の適用を受けることとなる場合（各庁の長を異にして俸給表の適用を受けることとなる場合を除く。）

5　扶養親族に関する届出は、職員が併任されている場合には、本務庁に届け出るものとする。

6　第四項第二号又は第六号に掲げる場合については、扶養手当認定簿に記載された当該扶養親族の生年月日によって当該事実を確認し、読替後の規則第五条の規定に従い、扶養手当の月額を認定するものとする。この認定に係る扶養手当の支給に関する事項は、当該扶養手当認定簿に記載するものとする。

7　各庁の長は、職員に対し、少なくとも毎年度一回、この条の第一項の規定による届出に関し注意を喚起するものとする。

規則第四条関係

1　扶養手当認定簿の様式は、別紙第2のとおりとする。ただし、各庁の長は、扶養手当の支給に関し支障のない範囲内で、様式中の各欄の配列を変更し又は各欄以外の欄を設定する等当該様式を変更し、これによることができる。

2　扶養手当を受けている職員が、各庁の長を異にして異動した場合には、異動前の各庁の長は当該職員に係る扶養手当認定簿を当該職員から既に提出された扶養親族届及び証明書類と共に異動後の各庁の長に送付するものとする。

規則第五条関係

1　職員の扶養親族として認定されている者が、遡及して読替後の規則第二条各号に該当することとなったために扶養親族たる要件を欠くに至る場合の、この条（規則附則第二項の規定により読み替えて適用する場合を含む。以下この規則第五条関係において同じ。）の第一項の「要件を欠くに至った日」及びこの条の第二項の「事実の生じた日」とは、職員又は当該扶養親族が扶養親族たる要件を欠くに至る事実の生じたことを了知し得べきこととなった日（年金の額を遡及して改定する旨の通知を同居の家族が受領した日等を含む。）をいう。

2　この条の第一項の「人事院が定める場合」は、扶養手当を受けている職員で離職の日又はその翌日（当該翌日が行政機関の休日（行政機関の休日に関する法律（昭和六十三年法律第九十一号）第一条に規定する行政機関の休日をいう。以下この項において同じ。）に当たるときは、当該翌日後において当該翌日に最も近い行政機関の休日でない日を含む。）に引き続き俸給表の適用を受けることとなる職員（当該適用の時点で、読替え後の給与法第十一条第一項の職員たる要件を具備している職員に限る。）が当該離職のみを理由として、読替え後の給与法第十一条第一項の職員たる要件を欠くに至る場合とし、この条の第一項の「人事院が定める日」は、当該職員が俸給表の適用を受けることとなった日とする。

3　災害その他職員の責めに帰することができない事由により、職員が読替え後の規則第三条第一項の規定による届出を行うことができないと認められる期間は、この条の第一項ただし書（この条の第二項において準用する場合を含む。次項において同じ。）の「十五日」の期間に含まれないものとする。

4　この条の第一項ただし書の「届出を受理した日」とは、届出を受け付けた日をいう。ただし、職員が遠隔又は交通不便の地にあるため届出書類の送達に時日を要する場合にあっては、職員が届出書類を実際に発送した日を「届出を受理した日」とみなして取り扱うことができる。

規則第六条関係

扶養親族届及び扶養手当認定簿は、当分の間、従前の様式のもの又は扶養親族簿によることができる。この場合において、扶養手当認定簿に記入すべき事項のうち扶養親族簿には該当欄が設けられていない事項については、適宜の方法により記入するものとする。

以　上

別紙第１

扶　養　親　族　届

令和　　年　　月　　日提出

各庁の長	勤務官署名			
殿	官職		氏名	

人事院規則９―80（扶養手当）第３条第１項の規定に基づき次のとおり届け出ます。

届出の理由

□１　新たに職員となった又は新たに給与法第11条の規定の適用の対象となった

□２　行㈠９級以上職員等又は行㈠８級職員等から降格等となった

□３　新たに扶養親族たる要件を具備するに至った者がある

□４　扶養親族たる要件を欠くに至った者がある

※　１・３・４については、行㈠９級以上職員等にあっては子に係る事由が生じた場合に、行㈠８級職員等にあっては配偶者以外の扶養親族に係る事由が生じた場合に、それぞれ限る。

扶養親族の氏名	続柄	生年月日	同居・別居の別（別居の場合は住所）	所得の年額		届出事実の発生年月日	届出の事由
				所得の種類	金　額		

記入上の注意

１　「続柄」欄には、職員との続柄を（重度心身障害者として届け出る場合は、その旨を併せて）記入する。

２　「同居・別居の別」欄で、別居の場合の住所は市区町村名まで記入する。

３　「所得の年額」欄には、給与所得、事業所得、不動産所得、年金所得等恒常的な所得がある場合に、これらの種類ごとにその年額（見込額）を記入する。

４　「届出の事由」欄には、届出の理由の２又は３に該当する場合にその事由（例えば婚姻、離婚、出生、死亡、就職、離職、満60歳以上等）をそれぞれ記入する。

参　考〈上記扶養親族を職員と共同して扶養している者がいることその他認定上参考になると思われる事項があれば記入する。〉

別紙第2

扶養手当認定簿

職員番号	
氏　名	

1　扶養親族の状況

扶養親族の氏名	続柄	生年月日（加算開始時期）	届出年月日（受理年月日）	届出事実の発生年月日	届出の事由	支給の始期・終期（満22歳年度末）

2　扶養手当の月額の認定（支給額の改定）

支給開始（終了）・支給額改定時期	認定扶養親族（子以外）	認定扶養親族（子）	うち加算措置対象	扶養手当の月額	認定等の事由・俸給表及び級	各庁の長の認定（確認） 認定年月日（確認年月日）	各庁の長の認定（確認） 官職・氏名
	人	人	人	円			

3　備　考

〈記入上の注意〉

1 「生年月日（加算開始時期）」欄には、加算措置の対象となる子について、加算開始の時期を（　）書で記入する。
2 「届出年月日（受理年月日）」欄には、届出提出日を記入し、その日が届出受理日と異なる場合にあっては、届出受理日を（　）書で記入する。
3 「支給の始期・終期（満22歳年度末）」欄には、子・孫・弟妹が満22歳年度末により支給要件を喪失する時期を（　）書で記入する。
4 子・孫・弟妹が満22歳年度末により支給要件を喪失した場合は、「届出年月日（受理年月日）」欄及び「届出事実の発生年月日」欄の記入は要しない。なお、「届出の事由」欄には、「満22歳年度末」と記入する。
5 「備考」欄は、扶養親族及び扶養手当額の認定上、特に必要な事項を記入する。

○扶養親族の認定について（通知）（抄）

平七・六・二
給三―八〇給与第三課長

別居している父母等（配偶者及び子以外の者をいう。以下同じ。）を扶養親族として認定する際における「主としてその職員の扶養を受けているもの」（一般職の職員の給与に関する法律第十一条第二項）の取扱いについては、下記によることが適当と考えるので、〔略〕扶養手当の支給に係る当該認定についてはこれによって下さい。

〔略〕

記

1　職員が別居している父母等を送金等によって扶養している場合の当該父母等に係る扶養親族の認定に当たっては、職員の送金等の負担額が、当該父母等の所得以下の額であっても、当該父母等の全収入（父母等の所得及び職員その他の者の送金等による収入の合計）の三分の一以上の額であるときには、当該父母等を「職員の扶養を受けているもの」として取り扱うものとする。

ただし、職員が兄弟姉妹等と共同して父母等を扶養している場合には、職員の送金等の負担額が兄弟姉妹等の送金等の負担額のいずれをも上回っているときに限り、「主として」職員の扶養を受けているものとして取り扱うものとする。

2　官署を異にする異動等に伴い、職員が同居していた扶養親族である父母等と一時的に別居することとなった場合の当該父母等（職員の配偶者又は子と同居している父母等に限る。）に係る扶養親族の認定に当たっては、別居後も扶養の実態等に特段の変化がない限り、引き続き職員と同居しているものとして取り扱うものとする。

以　上

【行政実例】

○扶養手当支給について

〔照会〕　一、職員の内縁の妻が連れ孫をして職員に扶養されております。この場合、妻に支給できますが、その孫（籍入らず）には手当を支給できるでしょうか。

二、妻の実父（六十歳以上）が職員に扶養されております。その父は養父ではありません。この場合その父には支給できるでしょうか。（昭二五・七・二五　上士幌営林署長）

〔回答〕　一、職員の妻の連れ孫は、養子縁組をしない限り扶養手当は支給されません。

二、妻の実父は、一と同様扶養手当は支給されません。（昭二五・八・四　給実発三三一　給与局実施課長）

○扶養家族認定上の疑義について

〔照会〕　標記について、左記の疑義が生じたので、至急御回答願います。

記

国家公務員たる職員が扶養している家族のうち、戦傷病者戦没者遺族等援護法（昭和二七年法律第一二七号）第二三条による遺族年金を支給される者が居る場合、当該年金は社会保障的な非課税給付（所得税法第六条第二号）である点から、未帰還者留守家族等援護法（昭和二八年法律第一六一号）第七条および第八条により支給される留守家族手当と同様とみなして、当該公務員に対する扶養手当の支給をさまたげるものではないと解して差しつかえないか。

（昭三二・七・二　仙地一―一三三　人事院仙台地方事務所長）

〔回答〕　標記について、左記のように回答します。

記

戦傷病者戦没者遺族等援護法（昭和二七年法律第一二七号）第二三条の規定に基づいて支給される遺族年金は、貴見のとおりと解するが、未帰還者留守家族等援護法（昭和二八年法律第一六一号）第七条の規定に基づいて支給される留守家族手当と同様細則九―七―一第三項第二号の所得に含まれるものであることを念のため申し添える。（昭三二・七・二六　給三―一七三　人事院給与局給与第三課長）

（注）細則九―七―一（扶養手当の支給手続）は廃止され、現在は規則九―八〇（扶養手当）及び給実甲第五八〇号（扶養手当の運用について）にそれぞれ同旨の内容が規定されている。

○扶養親族認定の疑義について

〔照会〕　従前所得税法上の給与所得と農業所得（年間四万五千円以上）があつた職員について、別記国税庁長官通達に基づき、昭和三十二年にさかのぼつて、その農業所得を給与法上の扶養親族たる妻の収入として取扱うこととした場合、妻に対する扶養手当の取扱は下記のとおりと解してよろしいか至急御回答ください。

記

給与法上の扶養親族の認定に当つては、所得税法は関係なく、各庁の長が被扶養者の所得が年間四万五千円程度以上になると認定した時以降被扶養親族とはしない。

なお、上述において被扶養者の所得に関する証明が、国税庁のみによつてなされる場合においても同一の取扱とする。

別記　昭和三十三年二月十七日付国税庁長官通達直所一―一五

（例規）

生計を一にしている親族間における農業の経営者の判定について

（昭三三・五・二一　名地一―二八四　名古屋地方事務所長）

〔回答〕　扶養親族の認定にあたつては、貴見のとおり所得税法上の所得の取扱をまつまでもなく、年間四万五千円程度以上の所得が見込まれる状態にある限りは、その者を扶養親族として認定することはできないものと解する。

なお、その認定に際しては、御照会にかかる昭和三十三年二月十七日付国税庁長官通達（直所一―一五（例規））による取扱を参考として考慮することは差しつかえない。（昭三三・七・一　給三―二八〇　給与第三課長）

（注）細則九―七―一（扶養手当の支給手続）は廃止され、現在は規則九―八〇（扶養手当）及び給実甲第五八〇号（扶養手当の運用について）にそれぞれ同旨の内容が規定されている。

（所得限度額は平五・四・一から年額百二十万円以上と改められている。）

○職員の配偶者が農業に従事している場合の扶養親族の認定について

〔照会〕

一　職員とその配偶者が生計を一にして農業に従事しており、その状況は次のとおりである。

イ　農業による年所得は七万円程度である。

ロ　農業に従事する労働の程度は職員二、配偶者八の割合である。したがつて労働の対価として評価される額は、職員一万四千円程度、配偶者五万六千円程度である。

ハ　所得税法における名義人は職員である。

以上の状況においては、次のうちどの取扱が正当であるか。

(1)　所得税法上の名義人に所得は帰属するものであり、労働の実態もまたそのようなものとして取り扱うことが至当であるので、配偶者については扶養親族として認定する。（三〇・一・六付三四―二給与局長回答の趣旨からはこのように考えられる。）

(2)　配偶者は労働の対価として評価される額が現実に賃金として支払われなくても四万五千円以上と認められるので扶養親族としては認定できない。（三一・三・一九付三四―七〇給与局長回答の趣旨からはこのように考えられる。）

(3)　配偶者の労働の対価として評価される額は名義人の支払能力も考慮して決定されるべきであるので職員に四万五千円以上の支払能力があると認められる場合を除き扶養親族として認定する。（二六・一二・二一付二三―一四五実施課長回答の趣旨からはこのように考えられる。）

二　上記質問の事例において(1)又は(3)の取扱が可能であるとした場合、従来配偶者を扶養親族としていたが三三・二・一七付国税庁通ちよう「生計を一にしている親族間における農業の経営者の判定について」（直所一―一五（例規））第一項第二号に該当し配偶者を名義人とすることとなつた場合は、配偶者を扶養親族とすることはできないものと解されるが、その始期は所得税法上の始期即ち三十二年一月一日と解すべきであるか、又は通ちようが発せられた日（三十三年二月十七日）と解すべきであるか。（昭三三・六・一九　福地―四二五　人事院福岡地方事務所長）

〔回答〕　一　設例のように生計を一にする職員とその配偶者とが共同して一の事業に従事して所得を得ている場合は、その所得の名義人が職員であるとその配偶者であるとを問わず、現にその配偶者たる者の貢献の度合等に応じて評価される分が年間四万五千円程度以上に及んでいると認められる場合には、他に生計の途があるものとし、その配偶者を扶養親族とすることはできないものと解する。

二　給与法上、扶養親族として取り扱われていた者が所得税法上所得の名義人となつた場合における取扱については、昭和三十三年七月一日付給三―二八〇「扶養親族認定の疑義について（回答）」を参照されたい。（昭三三・七・二九　給三―三一八　給与局長）

（注）　細則九―七―一（扶養手当の支給手続）は廃止され、現在は規則九―八〇（扶養手当）及び給実甲第五八〇号（扶養手当の運用について）にそれぞれ同旨の内容が規定されている。
（所得限度額は平五・四・一から年額百三十万円以上と改められている。）

○扶養手当支給の扶養親族の認定について

〔照会〕　上記のことについて人事院細則九―七―一によつておりますが、下記の場合の明示がないので国家公務員の場合の取扱いについて至急ご教示ありたい。

記

職員の同一生計の実父母が満六十歳に達し父は年額七万円の所得があるが、母は無所得なので母の扶養親族認定申請の提出があつた。

この場合父は人事院細則九―七―一第三項第二号に定める額をこえているから父が扶養すべきもの（他に生計の途があるもの）として、認定できないと解してよいか。（昭三六・一一・一七　津市秘六二　津市長）

〔回答〕　前記について、一般職の職員の給与に関する法律における取扱いとして、下記のとおり回答します。

記

設例の場合、単に父の所得が人事院細則九―七―一第三項第二号に定める額をこえていることのみをもつて、認定の基準とすべきではなく、母が現に主として職員の扶養を受けているかどうかによつて認定すべきものと解する。なお、母が主として職員の扶養を受けているかどうかは、家計の実態および社会常識等（職員および父のそれぞれの所得額等も考慮の対象となろう。）を根拠として判断することとなる。（昭三六・一二・二　給三―四四八　給与第三課長）

（注）　細則九―七―一（扶養手当の支給手続）は廃止され、現在は規則九―八〇（扶養手当）及び給実甲第五八〇号（扶養手当の運用について）にそれぞれ同旨の内容が規定されている。

○扶養手当に関する疑義について

〔照会〕　職員の配偶者が九カ月の育児休業の許可を受けたが、育児休業を開始してから三カ月を経過した後に扶養手当の届出がなされた。この場合、扶養親族の認定要件である年間所得の確認は、育児休業を開始した時点の見込みで行うのか、それとも届出がなされた時点の見込みで行うのか御教示願います。

なお、この事例では、将来一年間の所得見込みは、育児休業開始時点では、扶養親族の認定要件である人事院規則九―八〇第二条第二号に定める額を下回り、他方、届出がなされた時点では、育児休業終了後、職務に復帰し六カ月分の給与が対象となるので同号に定める額を上回っている。（平五・三・二六　人関一―一三九　関東事務局長）

〔回答〕　育児休業中の配偶者の扶養認定に当たっては、育児休業開始時から十五日以内に届出がされている場合、育児休業開始時における所得見込みが人事院規則九―八〇第二条第二号に定める額を下回っていれば、育児休業の全期間について扶養親族として認定し、その後、職務復帰の時期が近づいたとしても、改めて年間所得の確認を行う必要はない。この取扱いとの均衡から、照会の事例のように届出が遅延した場合であっても、育児休業開始時点で見込まれる年間所得について確認を行い、同号に定める額以下であれば扶養親族として認定することが適当である。ただし、この場合、届出が遅延していることから、手当の支給は、届出を受理した日の属する月の翌月（その日が月の初日であるときは、その日の属する月）から行うものとする。（平五・三・二九　給三―三六　給与第三課長）

第三　地域手当

【参照】
●一般職給与法一一の三～一一の七・一九の九
●同運用方針一一の三から一一の七まで関係・一九の九関係
●規則（九―七）七の二

○人事院規則九―四九（地域手当）

平一八・二・一全改
平一八・四・一施行
最終改正　令七・二・五規則九―四九―五七

（趣旨）
第一条　地域手当の支給については、別に定める場合を除き、この規則の定めるところによる。

（給与法第十一条の三の規定による地域手当）
第二条　給与法第十一条の三第一項の人事院規則で定める地域は別表第一に掲げる地域とし、同項の人事院規則で定める官署は別表第二に掲げる官署とする。

第三条　給与法第十一条の三第二項の地域手当の級地は、別表第一及び別表第二に定めるとおりとする。

（給与法第十一条の四の規定による地域手当）
第四条　給与法第十一条の四の人事院規則で定める空港の区域は、次の各号に掲げる空港の区域とし、同条の人事院規則で定める割合は、当該空港の区域の区分に応じ当該各号に定める割合とする。
一　成田国際空港の区域　百分の十六
二　中部国際空港の区域　百分の十二
三　関西国際空港の区域　百分の十二

本条―平二七・四・一施行

（給与法第十一条の六の規定による地域手当）
第五条　給与法第十一条の六第一項の人事院規則で定める移転は、まち・ひと・しごと創生法（平成二十六年法律第百三十六号）第八条に規定するまち・ひと・しごと創生総合戦略に基づく官署の移転及び当該官署の移転と一体的に行われるものと認められる官署の移転とする。

本条―令元・一〇・一施行

第六条　給与法第十一条の六第一項及び第二項の人事院規則で定める官署は、別表第三に掲げる官署とする。

本条―平二九・七・一四施行

第七条　給与法第十一条の六第一項の人事院規則で定める職員は、別表第三第三号に定める起算日（以下この条において「起算日」という。）の前日まで引き続き文化庁地域文化創生本部に在勤していた職員であって、引き続き起算日から同号に掲げる官署に在勤する職員（当該前日まで在勤していた期間が相当の期間を超えないことを考慮して人事院が定める職員を除く。）とする。

本条―令五・三・二七施行

第八条　給与法第十一条の六第一項又は第二項の規定により地域手当を支給される職員（以下この条において「支給職員」という。）に係る地域手当の支給割合は、次の各号に掲げる期間の区分に応じて、当該各号に定める割合とする。ただし、当該支給職員の在勤する官署の移転の日の前日に給与法第十一条の三第二項第一号の一級地に係る地域に引き続き六箇月を超えて在勤していた職員で当該移転の日に当該官署に在勤していたものその他人事院の定める職員以外の支給職員にあっては、当該割合が百分の十六を超える間は、百分の十六とする。
一　支給職員の在勤する官署に係る別表第三に定める起算日から一年を経過するまでの間　百分の二十
二　前号に掲げる期間を経過した日からこの号の規定による割合が支給職員の在勤する官署の所在する地域に係る給与法第十一条の三第二項各号に定める割合以下となるまでの間　百分の二十から、百分の二の割合に当該官署に係る別表第三に定める起算日からの経過年数（当該年数に一年未満の端数があるときは、これを切り捨てた年数）を乗じて得た割合を減じて得た割合

本条―令五・三・二七施行

第九条　給与法第十一条の六第三項の人事院規則で定める移転は、第五条に定める移転以外の官署の移転で、当該移転に伴う職員の異動等に特別の事情があると認められる官署の移転とする。

本条―令五・三・二七施行

第十条　削除

本条―令五・三・二七施行

（給与法第十一条の七の規定による地域手当）

第十一条　給与法第十一条の七第一項の人事院規則で定める場合は、次に掲げる場合とする。

一　職員がその在勤する地域、官署若しくは空港の区域を異にする異動又はその在勤する官署の移転の日の前日に在勤していた第二条に規定する地域若しくは官署又は第四条に規定する空港の区域（以下この条、次条及び第十四条第一項第二号において「地域手当支給地域等」という。）に引き続き六箇月を超えて在勤していない場合であって、地域手当支給地域等又は第六条に規定する官署（以下この条及び次条において「特別移転官署」という。）に引き続き六箇月を超えて在勤していたとき（法第六十条の二第二項に規定する定年前再任用短時間勤務職員（以下「定年前再任用短時間勤務職員」という。）であって同条第一項の規定による採用の前日に地域手当支給地域等又は特別移転官署に在勤をしていたものにあっては、当該在勤をしていた期間と当該採用の直後に地域手当支給地域等又は特別移転官署に在勤していた期間とを合算した期間が六箇月を超えることとなるときを含む。）。

二　検察官であった者、給与法第十一条の七第三項に規定する行政執行法人職員等（以下「行政執行法人職員等」という。）であった者又は港湾法（昭和二十五年法律第二百十八号）第四十三条の二十九第一項若しくは民間資金等の活用による公共施設等の整備等の促進に関する法律（平成十一年法律第百十七号）第七十八条第一項に規定する国派遣職員（以下「国派遣職員」という。）であった者から人事交流等により引き続き俸給表の適用を受ける職員となった者がその在勤する地域、官署若しくは空港の区域を異にする異動又はその在勤する官署の移転の日の前日に在勤していた地域手当支給地域等に俸給表の適用を受ける職員として引き続き六箇月を超えて在勤していない場合であって、俸給表の適用を受けることとなった日（以下「適用日」という。）前の検察官、行政執行法人職員等又は国派遣職員として勤務していた期間（常時勤務に服する者として適用日の前日まで引き続き勤務していた期間に限る。以下この条及び次条において同じ。）を俸給表の適用を受ける職員として勤務していたものとしたときに、地域手当支給地域等又は特別移転官署に引き続き六箇月を超えて在勤していたこととなるとき（定年前再任用短時間勤務職員であって法第六十条の二第一項の規定による採用の前日に俸給表の適用を受ける職員（当該地域、官署若しくは空港の区域を異にする異動又は当該在勤する官署の移転の日前六箇月以内に検察官、行政執行法人職員等若しくは国派遣職員から人事交流等により引き続き当該俸給表の適用を受ける職員となったものに限る。）として勤務していたものにあっては、適用日前の検察官、行政執行法人職員等又は国派遣職員として勤務していた期間及び当該期間に引き続いて職員として勤務していた期間を同項の採用の日前から引き続き定年前再任用短時間勤務職員として勤務していたものとした場合に、地域手当支給地域等又は特別移転官署に引き続き六箇月を超えて在勤していたこととなるときを含む。）。

三　前二号に掲げるもののほか、前二号に掲げるものとの権衡上必要がある場合として人事院が定める場合

2　給与法第十一条の七第一項の人事院規則で定める割合は、次の各号に掲げる場合の区分に応じ、当該各号に定める割合とする。

一　前項第一号に掲げる場合　当該異動若しくは移転の日の前日に在勤していた地域手当支給地域等又は同日から六箇月を遡った日の前日から当該異動若しくは移転の日の前日までの間（次号において「対象期間」という。）に在勤していた当該地域手当支給地域等以外の地域手当支給地域等（特別移転官署を除く。）若しくは特別移転官署（同日に在勤していたものを除く。）に係る給与法第十一条の三第二項各号に定める割合若しくは第四条各号に定める割合又はみなし特例支給割合（給与法第十一条の七第二項第一号に規定するみなし特例支給割合をいう。次号及び次条において同じ。）のうち最も低い割合

二　前項第二号に掲げる場合　適用日前の検察官、行政執行法人職員等又は国派遣職員として勤務していた期間を俸給表の適用を受ける職員として勤務していたものとした場合に、当該異動若しくは移転の日の前日に在勤して

いた地域手当支給地域等又は対象期間に在勤していたこととなる当該地域手当支給地域等以外の地域手当支給地域等（特別移転官署を除く。）若しくは特別移転官署（同日に在勤していたものを除く。）に係る給与法第十一条の三第二項各号に定める割合若しくは第四条各号に定める割合又はみなし特例支給割合のうち最も低い割合

三　前項第三号に掲げる場合　別に人事院が定める割合

本条…令七・四・一施行

第十二条　給与法第十一条の七第二項の人事院規則で定める場合は、次に掲げる場合とする。

一　職員がその在勤する官署を異にする異動又はその在勤する官署の移転の日の前日に在勤していた特別移転官署に引き続き六箇月を超えて在勤していない場合であって、当該特別移転官署又は当該特別移転官署以外の特別移転官署若しくは地域手当支給地域等（当該異動又は移転の日から一年を経過するまでの間においてみなし特例支給割合又は給与法第十一条の三第二項各号に定める割合若しくは第四条各号に定める割合が同日の前日に在勤していた特別移転官署に係るみなし特例支給割合以上となる特別移転官署又は地域手当支給地域等に限る。以下この号において同じ。）に引き続き六箇月を超えて在勤していたとき（定年前再任用短時間勤務職員であって法第六十条の二第一項の規定による採用の前日に当該特別移転官署又は当該特別移転官署以外の特別移転官署若しくは地域手当支給地域等に在勤をしていたものにあっては、当該在勤をしていた期間と当該採用の直後に当該特別移転官署又は当該特別移転官署以外の特別移転官署若しくは地域手当支給地域等に在勤していた期間とを合算した期間が六箇月を超えることとなるときを含む。）。

二　検察官であった者、行政執行法人職員等であった者又は国派遣職員であった者から人事交流等により引き続き俸給表の適用を受ける職員となった者がその在勤する官署を異にする異動又はその在勤する官署の移転の日の前日に在勤していた特別移転官署に俸給表の適用を受ける職員として引き続き六箇月を超えて在勤していない場合であって、適用日前の検察官、行政執行法人職員等又は国派遣職員として勤務していた期間を俸給表の適用を受ける職員として勤務していたものとしたときに、当該特別移転官署又は当該特別移転官署以外の特別移転官署若しくは地域手当支給地域等（当該異動又は移転の日から一年を経過するまでの間においてみなし特例支給割合又は給与法第十一条の三第二項各号に定める割合若しくは第四条各号に定める割合が同日の前日に在勤していた特別移転官署に係るみなし特例支給割合以上となる特別移転官署又は地域手当支給地域等に限る。以下この号において同じ。）に引き続き六箇月を超えて在勤していたこととなるとき（定年前再任用短時間勤務職員であって法第六十条の二第一項の規定による採用の前日に俸給表の適用を受ける職員（当該官署を異にする異動又は当該在勤する官署の移転の日前六箇月以内に検察官、行政執行法人職員等若しくは国派遣職員から人事交流等により引き続き当該俸給表の適用を受ける職員となったものに限る。）として勤務していたものにあっては、適用日前の検察官、行政執行法人職員等又は国派遣職員として勤務していた期間及び当該期間に引き続いて職員として勤務していた期間を同項の採用の日前から引き続き定年前再任用短時間勤務職員として勤務していたものとした場合に、当該特別移転官署又は当該特別移転官署以外の特別移転官署若しくは地域手当支給地域等に引き続き六箇月を超えて在勤していたこととなるときを含む。）。

三　前二号に掲げるもののほか、前二号に掲げるものとの権衡上必要がある場合として人事院が定める場合

本条…令七・四・一施行

第十三条　給与法第十一条の七第三項の人事院規則で定める法人は、沖縄振興開発金融公庫のほか、次に掲げる法人とする。

一　国家公務員退職手当法施行令（昭和二十八年政令第二百十五号）第九条の二各号に掲げる法人

二　国家公務員退職手当法施行令第九条の四各号に掲げる法人（沖縄振興開発金融公庫及び前号に掲げる法人を除く。）

三　前二号に掲げる法人のほか、人事院がこれらに準ずる法人であると認めるもの

2　給与法第十一条の七第三項の異動等に準ずるものとして人事院規則で定めるものは、次に掲

げるものとする。

一　法第六十条の二第一項の規定による採用（法の規定により退職した日の翌日におけるものに限る。）をされること。

二　前号に掲げるもののほか、人事院が定めるもの

一項—平二〇・一〇・一施行
二項—令七・四・一施行

第十四条　給与法第十一条の七第三項の規定により同条第一項の規定による地域手当を支給される職員との権衡上必要があると認められる職員とは、次の各号のいずれかに該当する職員をいうものとする。

一　人事交流等により俸給表の適用を受ける職員となった者であり、かつ、適用日前三年以内の検察官又は行政執行法人職員等として勤務していた期間に第二条に規定する地域において勤務していた職員（適用日前三年以内の期間において、かつて俸給表の適用を受ける職員として勤務していた者で人事交流等により引き続き検察官又は行政執行法人職員等となったものにあっては、当該期間に同条に規定する地域又は官署において勤務していた者）のうち、適用日前三年以内の検察官又は行政執行法人職員等として勤務していた期間（常時勤務に服する者として適用日の前日まで引き続き勤務していた期間に限る。）を俸給表の適用を受ける職員として勤務していたものとした場合に給与法第十一条の七第一項に規定する地域手当の支給要件を具備することとなる者

二　前条第二項第一号に掲げる異動等に準ずるものがあった職員のうち、当該異動等に準ずるものがあった日の前日に地域手当支給地域等において勤務していた者で、当該異動等に準ずるものを給与法第十一条の七第一項に規定する異動等とみなした場合に同項に規定する地域手当の支給要件を具備することとなる者

三　前条第二項第一号に掲げる異動等に準ずるものがあった職員で、当該異動等に準ずるものがあった日の前日に給与法第十一条の七第一項の規定による地域手当を支給されていたもの又は前号に掲げる職員として同条第三項の規定による地域手当を支給されていたもののうち、当該異動等に準ずるものがあった日前から引き続き勤務していたものとした場合に、これらの項の規定による地域手当の支給要件を具備することとなる者

四　前条第二項第二号に掲げる異動等に準ずるものがあった職員のうち、前三号に規定する職員との権衡上必要がある職員として人事院が認める者

2　前項第一号から第三号までに規定する職員に支給する地域手当の額及び支給期間は、同項第一号から第三号までの場合に具備することとなる給与法第十一条の七第一項の支給要件に基づき、同項の規定により支給されることとなる額及び期間とし、前項第四号に規定する職員に支給する地域手当の額及び支給期間については、別に人事院が定める。

3　給与法第十一条の七第三項の規定により同条第二項の規定による地域手当を支給される職員との権衡上必要があると認められる職員に対する地域手当については、別に人事院が定める。

一・二項—令七・四・一施行

（端数計算）

第十五条　給与法第十一条の三第二項又は第十一条の四から第十一条の七までの規定による地域手当の月額に一円未満の端数があるときは、その端数を切り捨てた額をもって当該地域手当の月額とする。給与法第十九条、第十九条の四第四項及び第五項並びに第十九条の七第三項に規定する地域手当の月額に一円未満の端数があるときも、同様とする。

本条—平二一・五・二九施行

（雑則）

第十六条　各庁の長は、別表第二又は別表第三に掲げる官署が移転する場合には、あらかじめ人事院に報告するものとする。

本条—令七・四・一施行

第十七条　この規則に定めるもののほか、地域手当に関し必要な事項は、人事院が定める。

本条—令七・四・一施行

附　則

（施行期日）

第一条　この規則は、平成十八年四月一日から施行する。

附　則（令二・一・二九規則九—四九—五三）

この規則は、令和二年二月十四日から施行する。

附　則（令二・七・三〇規則九—四九—五四）

この規則は、公布の日から施行する。

附　則（令四・四・一規則九—四九—五五）

この規則は、公布の日から施行する。

附　則（令五・三・二七規則九—四九—五六）

この規則は、公布の日から施行する。

附　則（令七・二・五規則九―四九―五七）（抄）

改正　令七・四・一規則九―四九―五七―一

（施行期日）

第一条　この規則は、令和七年四月一日から施行する。

（令和十年三月三十一日までの間における地域手当）

第二条　令和十年三月三十一日までの間における給与法第十一条の三第一項の人事院規則で定める地域は、この規則による改正後の規則九―四九第二条の規定にかかわらず、附則別表第一に掲げる地域とし、同項の人事院規則で定める官署は、同条の規定にかかわらず、附則別表第二に掲げる官署とする。

第三条　一般職の職員の給与に関する法律等の一部を改正する法律（令和六年法律第七十二号。次条において「令和六年改正法」という。）附則第七条第一項の人事院規則で定める地域手当の級地の区分は次に掲げる区分とし、同項の人事院規則で定める割合は当該各号に掲げる級地の区分に応じ当該各号に定める割合とする。

一　二十パーセント級地　百分の二十
二　十六パーセント級地　百分の十六
三　十五パーセント級地　百分の十五
四　十四パーセント級地　百分の十四
五　十三パーセント級地　百分の十三
六　十二パーセント級地　百分の十二
七　十一パーセント級地　百分の十一
八　十パーセント級地　百分の十
九　九パーセント級地　百分の九
十　八パーセント級地　百分の八
十一　七パーセント級地　百分の七
十二　六パーセント級地　百分の六
十三　五パーセント級地　百分の五
十四　四パーセント級地　百分の四
十五　三パーセント級地　百分の三
十六　二パーセント級地　百分の二
十七　一パーセント級地　百分の一

第四条　令和六年改正法附則第七条第一項後段の人事院規則で定める級地は、附則別表第一及び附則別表第二に定めるとおりとする。

（令和十年三月三十一日までの間における給与法第十一条の七の規定による地域手当に関する経過措置）

第五条　令和十年三月三十一日までの間におけるこの規則による改正後の規則九―四九第十一条及び第十二条の規定の適用については、同規則第十一条第一項中「次に」とあるのは「職員が異動等の日の前日に在勤していた地域、官署又は空港の区域に引き続き六箇月を超えて在勤していた場合であって、同日から六箇月を遡った日の前日から当該異動等の日までの間に当該地域、官署又は空港の区域に係る給与法第十一条の三第二項各号に定める割合又は給与法第十一条の四の人事院規則で定める割合が変更されたとき（次項第一号において「支給割合の変更の場合」という。）及び次に」と、同条第二項第一号中「前項第一号」とあるのは「支給割合の変更の場合及び前項第一号」と、「第四条各号に定める割合」とあるのは「第四条各号に定める割合（異動又は移転の日から六箇月を遡った日の前日から当該異動若しくは移転の日までの間においてこれらの割合が変更された場合にあっては、当該期間の支給割合のうち最も低い割合。次号及び次条において同じ。）」とする。

（改正後の人事院規則九―四九における暫定再任用職員に関する経過措置）

第六条　国家公務員法等の一部を改正する法律（令和三年法律第六十一号）附則第三条第四項に規定する暫定再任用職員は、法第六十条の二第二項に規定する定年前再任用短時間勤務職員とみなして、この規則による改正後の規則九―四九第十一条から第十四条までの規定を適用する。この場合において、同規則第十一条第一項第一号中「同条第一項」とあるのは「同条第一項又は国家公務員法等の一部を改正する法律（令和三年法律第六十一号。以下この条、次条及び第十三条において「令和三年改正法」という。）附則第四条第一項若しくは第二項若しくは第五条第一項若しくは第二項」と、同項第二号中「法第六十条の二第一項」とあるのは「法第六十条の二第一項又は令和三年改正法附則第四条第一項若しくは第二項若しくは第五条第一項若しくは第二項」と、「同項」とあるのは「法第六十条の二第一項又は令和三年改正法附則第四条第一項若しくは第二項若しくは第五条第一項若しくは第二項」と、第十二条第一号及び第二号中「法第六十条の二第一項」とあるのは「法第六十条の二第一項又は令和三年改正法附則第四条第一項若しくは第二項若しくは第五条第一項若しくは第二項」と、同条第二号中「同項」とあるのは「法第六十条の二第一項又は令和三年改正法附則第四条第一項若しくは第二項若しくは第五条第一項若しくは第二項」と、第十三条第二項第一号中「法第六十条の二第一項」とあるのは「法第六十条の二第一項又は令和三年改正法附則第四条第一項若しくは第二項若しくは第五条第一項若しくは第二項」と、「退職した日」とあるのは「退職した日又は令和三年改正法附則第四条第一項若しくは第二項若しくは第五条第一項若しくは第二項の規定による採用に係る任期が満了した日」とする。

（雑則）

第九条　附則第二条から前条までに規定するもののほか、この規則の施行に関し必要な経過措置は、人事院が定める。

附則別表第一（附則第二条及び附則第四条関係）

都道府県	支給地域	級地
北海道	札幌市	三パーセント級地
宮城県	多賀城市	九パーセント級地
	仙台市	七パーセント級地
	名取市	二パーセント級地
茨城県	つくば市	十六パーセント級地
	取手市	十五パーセント級地
	守谷市	十四パーセント級地
	牛久市	十一パーセント級地
	水戸市　日立市　土浦市　龍ケ崎市	九パーセント級地
	古河市　ひたちなか市　神栖市	五パーセント級地
	笠間市　鹿嶋市　筑西市	三パーセント級地
	石岡市　下妻市　常総市　常陸太田市　高萩市　北茨城市　潮来市　常陸大宮市　桜川	二パーセント級地

	市　行方市　鉾田市　小美玉市　東茨城郡茨城町　東茨城郡城里町　那珂郡東海村　久慈郡大子町　稲敷郡河内町	
栃木県	宇都宮市　大田原市　下野市	五パーセント級地
	栃木市　鹿沼市　小山市　真岡市	三パーセント級地
	足利市　佐野市　日光市　矢板市　那須塩原市　さくら市　那須烏山市　芳賀郡益子町　塩谷郡高根沢町　那須郡那須町　那須郡那珂川町	二パーセント級地
群馬県	高崎市	五パーセント級地
	前橋市　太田市	三パーセント級地
	渋川市	二パーセント級地
埼玉県	和光市	十五パーセント級地
	さいたま市　志木市	十四パーセント級地
	東松山市　朝霞市	十一パーセント級地
	坂戸市	九パーセント級地
	川越市　上尾市	七パーセント級地
	川口市　行田市　所沢市　飯能市　加須市　春日部市　羽生市　鴻巣市　深谷市　草加市　越谷市　戸田市　入間市　久喜市　三郷市　幸手市　比企郡滑川町　北葛飾郡杉戸町	五パーセント級地
	熊谷市	三パーセント級地
	秩父市　本庄市	二パーセント級地
千葉県	袖ケ浦市　印西市	十五パーセント級地
	千葉市　成田市	十四パーセント級地
	船橋市　浦安市	十一パーセント級地
	市川市　松戸市　佐倉市　市原市　富津市	九パーセント級地
	柏市	七パーセント級地
	野田市　茂原市　東金市　流山市　印旛郡酒々井町　印旛郡栄町	五パーセント級地
	木更津市　君津市　八街市	三パーセント級地
	銚子市　館山市　旭市　勝浦市　匝瑳市　香取市　いすみ市　山武郡芝山町　長生郡一宮町	二パーセント級地
東京都	特別区	二十パーセント級地
	武蔵野市　調布市　町田市　小平市　日野市　国分寺市　狛江市　清瀬市　多摩市	十六パーセント級地
	八王子市　青梅市　府中市　昭島市　東村山市　国立市　福生市　稲城市　西東京市	十五パーセント級地
	立川市　三鷹市　東大和市　あきる野市	十四パーセント級地
	東久留米市	十パーセント級地
	武蔵村山市	七パーセント級地
	西多摩郡瑞穂町　西多摩郡奥多摩町　大島町　新島村　三宅村　八丈町　小笠原村	四パーセント級地
神奈川県	横浜市　川崎市　厚木市	十六パーセント級地
	鎌倉市　藤沢市	十四パーセント級地
	相模原市	十二パーセント級地
	横須賀市　平塚市　小田原市　茅ケ崎市　大和市	十一パーセント級地
	三浦市　秦野市　三浦郡葉山町　中郡二宮町	十パーセント級地
	足柄上郡松田町　足柄下郡箱根町　愛甲郡愛川町	四パーセント級地
新潟県	新潟市	二パーセント級地
富山県	富山市	三パーセント級地
石川県	金沢市	三パーセント級地
	河北郡内灘町	二パーセント級地
福井県	福井市	二パーセント級地
山梨県	甲府市	五パーセント級地
	南アルプス市	二パーセント級地
長野県	塩尻市	五パーセント級地
	長野市　松本市	三パーセント級地
	諏訪市　伊那市	二パーセント級地
岐阜県	岐阜市	五パーセント級地
	大垣市　多治見市　美濃加茂市　各務原市　可児市	二パーセント級地
静岡県	裾野市	十四パーセント級地
	静岡市	七パーセント級地
	沼津市　磐田市　御殿場市	五パーセント級地
	浜松市　三島市　富士宮市　富士市　焼津市　掛川市　藤枝市　袋井市	三パーセント級地
	熱海市　伊東市　島田市　下田市　伊豆市　御前崎市　菊川市　伊豆の国市　牧之原市　賀茂郡河津町　賀茂郡松崎町　駿東郡長泉町　駿東郡小山町　榛原郡吉田町　榛原郡川根本町	二パーセント級地

愛知県	刈谷市　豊田市	十五パーセント級地
	名古屋市　豊明市	十四パーセント級地
	西尾市　知多市　みよし市	九パーセント級地
	岡崎市　瀬戸市　春日井市　豊川市　津島市　碧南市　安城市　犬山市　江南市　田原市　弥富市　西春日井郡豊山町	七パーセント級地
	豊橋市　一宮市　半田市　常滑市　小牧市　海部郡飛島村	六パーセント級地
	蒲郡市　新城市　額田郡幸田町　北設楽郡設楽町　北設楽郡東栄町　北設楽郡豊根村	四パーセント級地
三重県	鈴鹿市	十一パーセント級地
	四日市市	九パーセント級地
	津市　桑名市　亀山市	五パーセント級地
	名張市　伊賀市	三パーセント級地
	伊勢市　松阪市　尾鷲市　鳥羽市　熊野市　志摩市　多気郡大台町　北牟婁郡紀北町	二パーセント級地
滋賀県	大津市　草津市　栗東市	九パーセント級地
	彦根市　守山市　甲賀市	五パーセント級地
	長浜市　東近江市	三パーセント級地
	近江八幡市　高島市	二パーセント級地
京都府	京田辺市	十一パーセント級地
	京都市	九パーセント級地
	宇治市　亀岡市　向日市　木津川市	七パーセント級地
	福知山市　舞鶴市　綾部市　宮津市　京丹後市　南丹市　久世郡久御山町	四パーセント級地
大阪府	大阪市	十六パーセント級地
	守口市	十五パーセント級地
	池田市　吹田市　高槻市　大東市　門真市	十四パーセント級地
	豊中市　寝屋川市　箕面市　羽曳野市	十二パーセント級地
	堺市　枚方市　茨木市　八尾市　柏原市　東大阪市　交野市	十一パーセント級地
	岸和田市　泉大津市　泉佐野市　富田林市　河内長野市　和泉市　藤井寺市　泉南市　阪南市　泉南郡熊取町　泉南郡田尻町　泉南郡岬町　南河内郡太子町	十パーセント級地
兵庫県	西宮市　芦屋市　宝塚市	十四パーセント級地
	神戸市	十一パーセント級地
	尼崎市　伊丹市　川西市　三田市	九パーセント級地
	明石市	七パーセント級地
	赤穂市	五パーセント級地
	姫路市　加古川市　三木市	三パーセント級地
	洲本市　相生市　豊岡市　西脇市　小野市　丹波篠山市　養父市　丹波市　朝来市　宍粟市　加東市　たつの市　多可郡多可町　美方郡香美町　美方郡新温泉町	二パーセント級地
奈良県	天理市	十一パーセント級地
	奈良市　大和郡山市	九パーセント級地
	大和高田市　橿原市　香芝市　北葛城郡王寺町	五パーセント級地
	桜井市	三パーセント級地
	五條市　高市郡明日香村　吉野郡吉野町　吉野郡大淀町　吉野郡下市町　吉野郡十津川村　吉野郡下北山村　吉野郡川上村	二パーセント級地
和歌山県	和歌山市　橋本市	五パーセント級地
岡山県	岡山市	三パーセント級地
	倉敷市	二パーセント級地
広島県	広島市	九パーセント級地
	三原市　東広島市　廿日市市　安芸郡海田町　安芸郡坂町	三パーセント級地
	呉市　竹原市　尾道市　福山市　府中市　三次市　庄原市　大竹市　安芸高田市　山県郡安芸太田町　豊田郡大崎上島町　世羅郡世羅町　神石郡神石高原町	二パーセント級地
山口県	周南市	二パーセント級地
徳島県	徳島市　鳴門市　阿南市	二パーセント級地
香川県	高松市	五パーセント級地
	坂出市	二パーセント級地
福岡県	福岡市　春日市　福津市	九パーセント級地
	太宰府市　糸島市　糟屋郡新宮町　糟屋郡粕屋町	五パーセント級地
	北九州市　筑紫野市　糟屋郡宇美町	三パーセント級地
	大牟田市　久留米市　直方市　飯塚市　田川市　柳川市　八女市　大川市　行橋市　豊前市　中間市　小郡市　宗像	二パーセント級地

	市　うきは市　宮若市　朝倉市　みやま市　遠賀郡水巻町　朝倉郡東峰村　田川郡添田町　京都郡苅田町	
長崎県	長崎市	二パーセント級地

備考　この表の支給地域欄に掲げる名称は、令和七年四月一日においてそれらの名称を有する市町村又は特別区の同日における区域によって示された地域を示し、その後におけるそれらの名称の変更又はそれらの名称を有するものの区域の変更によって影響されるものではない。

附則別表第二（附則第二条及び附則第四条関係）

附則第二条の官署は民間の賃金水準及び物価等に関する事情を考慮して、人事院が適当であると認める官署とし、附則第四条の級地は当該官署ごとに人事院が定める級地とする。

別表第一（第二条、第三条関係）

支給地域		級地
北海道	札幌市	五級地
宮城県	仙台市　多賀城市	四級地
茨城県	一　次の各号に掲げる地域以外の地域	五級地
	二　つくば市	二級地
	三　取手市　守谷市	三級地
	四　水戸市　日立市　土浦市　龍ケ崎市　牛久市	四級地
栃木県		五級地
群馬県	前橋市　高崎市　太田市	五級地
埼玉県	一　次の各号に掲げる地域以外の地域	五級地
	二　さいたま市　志木市　和光市	三級地
	三　川越市　東松山市　上尾市　朝霞市　坂戸市	四級地
千葉県	一　次の各号に掲げる地域以外の地域	五級地
	二　千葉市　成田市　袖ケ浦市　印西市	三級地
	三　市川市　船橋市　松戸市　佐倉市　柏市　市原市　富津市　浦安市	四級地
東京都	一　次号に掲げる地域以外の地域	二級地
	二　特別区	一級地
神奈川県	一　次号に掲げる地域以外の地域	三級地
	二　横浜市　川崎市　藤沢市　厚木市	二級地
富山県	富山市	五級地
石川県	金沢市	五級地
山梨県	甲府市	五級地
長野県	長野市　松本市　塩尻市	五級地
岐阜県	岐阜市	五級地
静岡県	一　次の各号に掲げる地域以外の地域	五級地
	二　裾野市	三級地
	三　静岡市	四級地
愛知県	一　次号に掲げる地域以外の地域	四級地
	二　名古屋市　刈谷市　豊田市　豊明市	三級地
三重県	一　次号に掲げる地域以外の地域	五級地
	二　四日市市　鈴鹿市	四級地
滋賀県	一　次号に掲げる地域以外の地域	五級地
	二　大津市　草津市　栗東市	四級地
京都府		四級地
大阪府	一　次号に掲げる地域以外の地域	三級地
	二　大阪市　吹田市	二級地
兵庫県	一　次の各号に掲げる地域以外の地域	五級地
	二　西宮市　芦屋市　宝塚市	三級地
	三　神戸市　尼崎市　明石市　伊丹市　川西市　三田市	四級地

奈良県	一 次号に掲げる地域以外の地域	五級地
	二 奈良市 大和郡山市 天理市	四級地
和歌山県	和歌山市 橋本市	五級地
岡山県	岡山市 倉敷市	五級地
広島県	一 次号に掲げる地域以外の地域	五級地
	二 広島市	四級地
香川県	高松市	五級地
福岡県	一 次号に掲げる地域以外の地域	五級地
	二 福岡市 春日市 福津市	四級地

備考 この表の支給地域欄に掲げる名称は、令和七年四月一日においてそれらの名称を有する市又は特別区の同日における区域によって示された地域を示し、その後におけるそれらの名称の変更又はそれらの名称を有するものの区域の変更によって影響されるものではない。

本表―令七・四・一施行

別表第二（第二条、第三条関係）

第二条の官署は民間の賃金水準及び物価等に関する事情を考慮して、人事院が適当であると認める官署とし、第三条の級地は当該官署ごとに人事院が定める級地とする。

本表―令七・四・一施行

別表第三（第六条、第八条関係）

第六条の官署は次の各号に掲げる官署とし、第八条の起算日は当該官署の区分に応じ当該各号に定める日とする。

一 消費者庁新未来創造戦略本部 平成二十九年七月十四日

二 総務省統計局統計データ利活用センター 平成三十年四月一日

三 文化庁（特別区に所在する官署を除く。） 令和五年三月二十七日

本表―令五・三・二七施行

○地域手当の運用について（通知）

平一八・二・一
給実甲一〇一九

最終改正 令七・二・二一給実甲一三五二

地域手当の運用について下記のとおり定めたので、平成十八年四月一日以降は、これによってください。

なお、これに伴い、給実甲第五〇五号（調整手当の運用について）は廃止します。

記

給与法第十一条の三、第十一条の四、第十一条の六及び第十一条の七関係

1 これらの条の「在勤する」とは、本務として在勤することをいう。ただし、併任されている官職の業務に引き続き一箇月以上専ら従事することが予定されている場合にあっては、当該業務（当該官職の業務に引き続き専ら従事する期間の延長により当該業務に引き続き一箇月以上専ら従事することが予定されている場合にあっては、当該延長前の期間に係る当該業務を除く。）に専ら従事するために在勤することをいう。

2 前項ただし書の場合においては、地域手当を支給され、又は支給されないこととなる職員に対して、その支給の有無を人事異動通知書又はこれに代わる文書により通知するものとする。ただし、当該職員の併任が解除され、

又は終了したことに伴い、地域手当を支給され、又は支給されないこととなる場合は、この限りでない。

給与法第十一条の三関係

1　この条の第一項の「当該地域における民間の賃金水準を基礎とし、当該地域における物価等を考慮して人事院規則で定める地域」の判断は、厚生労働省その他の政府機関の調査による資料を用いて作成する当該地域の民間賃金の指数が全国平均の指数の百分の九十三・〇以上であることを基本として行うこととする。

2　官署の分室、分場その他これに類するもので当該官署とその所在地を異にするもの（以下この項において「分室等」という。）に在勤する職員に対する地域手当の支給は、当該分室等の所在する地域の級地及び割合によるものとする。

給与法第十一条の五関係

この条（一般職の任期付職員の採用及び給与の特例に関する法律（平成十二年法律第百二十五号。以下「任期付職員法」という。）第八条第二項の規定により読み替えられる場合を含む。）の「人事院の定めるもの」は、次に掲げる職員とする。

一　指定職俸給表の適用を受ける職員で、国立ハンセン病療養所に勤務する医師又は歯科医師であるもの

二　任期付職員法第七条第一項に規定する特定任期付職員で、医療職俸給表(一)の適用を受ける職員又は前号に掲げる職員に相当する職員として人事院事務総長が認めるもの

給与法第十一条の七第一項関係

1　この条の第一項の「地域、官署若しくは空港の区域を異にして異動」とは、異なる地域、官署又は空港の区域に在勤することとなることをいう。この場合において、「在勤する」については、一般職の職員の給与に関する法律（昭和二十五年法律第九十五号。以下「給与法」という。）第十一条の三、第十一条の四、第十一条の六及び第十一条の七関係の規定の例による。

2　この条の第一項ただし書の「人事院の定める場合」は、次に掲げる場合とする。

一　この条の第一項本文に規定する異動等の日から三年を経過するまでの間に職員の在勤する官署が移転したとき及び当該期間内に職員の在勤する地域若しくは官署に係る給与法第十一条の三の規定による地域手当の支給割合（以下「第十一条の三支給割合」という。）又は空港の区域に係る給与法第十一条の四の規定による地域手当の支給割合（以下「第十一条の四支給割合」という。）が給与法第十一条の三第二項の人事院規則で定める級地、給与法第十一条の四の人事院規則で定める空港の区域又は同条の人事院規則で定める割合の変更（以下「級地等の変更」という。）により、この条の第一項本文に規定する異動等前の支給割合（級地等の変更により、同項本文に規定する異動等の日の前日の異動等前の支給割合を超える場合にあっては、当該異動等の日の前日の異動等前の支給割合。次項第五号において同じ。）を下回る支給割合となったとき。

二　この条の第一項本文に規定する異動等の日から三年を経過するまでの間に職員が特別移転官署（人事院規則九―四九（地域手当）（以下「規則九―四九」という。）第十一条第一項第一号に規定する特別移転官署をいう。以下同じ。）から当該特別移転官署の所在する地域に所在する他の官署に異動したとき又は当該官署から当該特別移転官署に異動したとき。

三　規則九―四九第十一条第一項第一号の規定の適用を受けた職員のうち特別移転官署に在勤していたことにより同号に掲げる場合に該当することとなった職員又は同項第二号の規定の適用を受けた職員のうち特別移転官署に在勤していたこととなることにより同号に掲げる場合に該当することとなった職員に係るこれらの特別移転官署に係るみなし特例支給割合（同条第二項第一号に規定するみなし特例支給割合をいう。以下同じ。）が、この条の第一項本文に規定する異動等の日後において同日から三年を経過するまでの間に同日における当該みなし特例支給割合と異なる支給割合となった場合であって、当該支給割合が同日の前日に在勤していた地域手当支給地域等（規則九―四九第十一条第一項第一号に規定する地域手当支給地域等をいう。以下同じ。）又は同日から六箇月を遡った日の前

日から当該異動等の日の前日までの間に在勤していた当該地域手当支給地域等以外の地域手当支給地域等（特別移転官署を除く。）に係る第十一条の三支給割合又は第十一条の四支給割合以下となるとき。

3　この条の第一項ただし書の規定による地域手当の支給については、前項第三号に掲げる場合を除き、次に定めるところによる。この場合において、職員が一の日に在勤する地域、官署又は空港の区域を異にして二回異動したときは、先の異動の直前の地域、官署又は空港の区域から後の異動の直後の地域、官署又は空港の区域に直接異動したものとして取り扱うものとする。

一　この条の第一項本文の規定又はこの号、次号若しくは第四号から第六号までの規定により地域手当を支給されている職員に関し、次に掲げる事由が生じた場合は、当該職員には、当該事由が生じた日以後、給与法第十一条の三から第十一条の六までの規定又は次号若しくは第五号の規定により同項本文に規定する異動等に係る同項本文の規定による地域手当の支給割合（以下「第十一条の七第一項支給割合」という。）以上の支給割合による地域手当を支給される期間を除き、同項本文に規定する職員たる要件を具備するに至った日（以下この項において「要件具備の日」という。）から三年を経過するまでの間、給与法第十一条の三から第十一条の六までの規定にかかわらず、当該異動等に係る第十一条の七第一項支給割合による地域手当を支給する。ただし、第三号の規定に該当することとなる場合は、この限りでない。

イ　当該職員がその在勤する地域、官署又は空港の区域を異にして異動すること。

ロ　当該職員の在勤する官署が異なる地域又は空港の区域へ移転すること。

二　この条の第一項本文の規定又は前号、この号若しくは第四号から第六号までの規定により地域手当を支給されている職員（地域手当支給地域等又は特別移転官署に在勤する職員に限る。）に関し、次に掲げる事由が生じた場合で当該事由が生じた日（以下この号及び次号において「事由発生日」という。）の前日に在勤していた地域手当支給地域等又は特別移転官署に引き続き六箇月を超えて在勤していたとき（要件具備の日又は事由発生日前の異動若しくは移転に係るこの号本文に規定する職員たる要件を具備するに至った日から起算して六箇月を超えている場合であって、規則九―四九第十一条第一項第一号又は第十二条第一号に掲げる場合に準ずるときを含む。）は、当該職員には、事由発生日以後、給与法第十一条の三から第十一条の六までの規定若しくは前号若しくは第五号の規定又は事由発生日以外の異動若しくは移転に係るこの号の規定により事由発生日の異動又は移転に係る第十一条の七第二項支給割合又はこの条の第二項本文の規定による地域手当の支給割合（以下「第十一条の七第二項支給割合」という。）以上の支給割合による地域手当を支給される期間を除き、事由発生日から三年を経過するまでの間、給与法第十一条の三から第十一条の六までの規定にかかわらず、当該異動又は移転に係る第十一条の七第一項支給割合又は第十一条の七第二項支給割合による地域手当を支給する。ただし、次号の規定に該当することとなる場合は、この限りでない。

イ　当該職員が、事由発生日の支給割合（事由発生日の前日に在勤していた地域手当支給地域等又は特別移転官署に係る事由発生日における第十一条の三支給割合若しくは第十一条の四支給割合又はみなし特例支給割合（要件具備の日又は事由発生日前の異動若しくは移転に係るこの号本文に規定する職員たる要件を具備するに至った日から起算して六箇月を超えている場合であって、規則九―四九第十一条第一項第一号に掲げる場合に準ずるときにあっては、同条第二項第一号の規定の例による割合）をいう。以下この号において同じ。）より第十一条の三支給割合の低い地域若しくは官署若しくは第十一条の四支給割合の低い空港の区域又は給与法第十一条の三の規定による地域手当が支給されない地域に異動すること（事由発生日の支給割合以上の第十一条の三支給割合による地域手当が支給される官署に異動することを除く。）。

ロ　当該職員の在勤する官署が、事由発生

日の支給割合より第十一条の三支給割合の低い地域若しくは第十一条の四支給割合の低い空港の区域又は給与法第十一条の三の規定による地域手当が支給されない地域へ移転すること（事由発生日の支給割合以上の第十一条の三支給割合による地域手当が支給される官署となることを除く。）。

三　前二号又は次号から第六号までの規定により地域手当を支給されている職員に関し、次に掲げる事由が生じた場合は、当該職員には、当該事由が生じた日以後、前二号又は次号から第六号までの規定による地域手当は支給しない。

イ　当該職員が、地域手当支給地域等又は特別移転官署に異動し、当該異動後の地域手当支給地域等又は特別移転官署に係る第十一条の三支給割合若しくは第十一条の四支給割合又はみなし特例支給割合が要件具備の日の異動若しくは移転に係る第十一条の七第一項支給割合又は事由発生日の異動若しくは移転に係る第十一条の七第一項支給割合若しくは第十一条の七第二項支給割合（以下この号において「異動保障支給割合」という。）以上となる場合であって、当該地域手当支給地域等若しくは特別移転官署又は第十一条の三支給割合若しくは第十一条の四支給割合若しくはみなし特例支給割合が異動保障支給割合以上である地域手当支給地域等若しくは特別移転官署に引き続き六箇月を超えて在勤するとき。

ロ　当該職員の在勤する官署が地域手当支給地域等に移転し、当該移転後の地域手当支給地域等に係る第十一条の三支給割合又は第十一条の四支給割合が異動保障支給割合以上となる場合であって、当該地域手当支給地域等又は第十一条の三支給割合若しくは第十一条の四支給割合若しくはみなし特例支給割合が異動保障支給割合以上である地域手当支給地域等若しくは特別移転官署に引き続き六箇月を超えて在勤するとき（当該職員の在勤する官署が異動保障支給割合以上の第十一条の三支給割合による地域手当が支給される官署となる場合であって、それ以後当該官署又は第十一条の三支給割合若しくは第十一条の四支給割合若しくはみなし特例支給割合が異動保障支給割合以上である地域手当支給地域等若しくは特別移転官署に引き続き六箇月を超えて在勤するときを含む。）。

ハ　当該職員の在勤する地域若しくは官署に係る第十一条の三支給割合又は空港の区域に係る第十一条の四支給割合が級地等の変更により変更され、当該変更後の第十一条の三支給割合又は第十一条の四支給割合が異動保障支給割合以上となる場合であって、当該変更以後当該地域、官署若しくは空港の区域又は第十一条の三支給割合若しくは第十一条の四支給割合若しくはみなし特例支給割合が異動保障支給割合以上である地域手当支給地域等若しくは特別移転官署に引き続き六箇月を超えて在勤するとき。

四　給与法第十一条の三から第十一条の六までの規定により地域手当を支給されている職員で、三年以内にこの条の第一項本文に基づく地域手当又は第二号に基づく地域手当を支給されていた者のうち、現に在勤する地域、官署又は空港の区域に六箇月を超えて在勤していないものに関し、第一号イ若しくはロ又は第二号イ若しくはロに掲げる事由が生じた場合は、当該職員には、これらの事由が生じた日以後、第一号に掲げる事由が生じた場合（第二号に掲げる事由に該当する場合を除く。）にあっては第一号の規定の例により、第二号に掲げる事由が生じた場合にあっては第一号及び第二号の規定の例により、それぞれ地域手当を支給する。

五　この条の第一項本文に規定する異動等のあった職員であって、給与法第十一条の三から第十一条の六までの規定により地域手当を支給されているものについて、同項本文に規定する異動等の日から三年以内に職員の在勤する地域若しくは官署に係る第十一条の三支給割合又は空港の区域に係る第十一条の四支給割合が級地等の変更により、同項本文に規定する異動等前の支給割合を下回る支給割合となったことに伴い、同項本文に規定する異動等前の支給割合が職員の在勤する地域若しくは官署に係る第十一条の三支給割合又は空港の区域に係る第十一条の四支給割合を超えることとなった場合は、当該職員には、同項本文に規定する異動等前の支給割合が職員の在勤する地域若しくは官署に係る第十一条の三支給割合又は空港の区域に係る第十一条の四支給割合を超えることとなった日以後、第十一条の七第一項支給割合以上の支給割合による地域手当を支給される期間を除き、当該異動等の日から三年を経過するまでの間、給与法第十一条の三から第十一条の六までの規定にかかわらず、当該異動等に係る第十一条の七第一項支給割合による地域手当を支給する。この条の第一項本文に規定する異動等（以下この号において「第一次異動等」という。）のあった職員であって、給与法第十一条の三から第十一条の六までの規定により地域手当を支給されているものが、更に同項本文に規定する異動等（以下この号において「第二次異動等」という。）のあったことに伴い、同項本文の規定による地域手当が支給されている場合に、第二次異動等の前に在勤していた地域、官署又は空港の区域に係る第十一条の三支給割合又は空港の区域に係る第十一条の四支給割合が級地等の変更により変更され、第一次異動等に係る同項本文に規定する異動等前の支給割合を下回る支給割合となったときも同様とする。ただし、第三号の規定に該当することとなる場合は、この限りでない。

六　人事院規則九―一〇二（研究員調整手当）（以下「規則九―一〇二」という。）第四条の規定により地域手当を支給されない職員でこの条の第一項本文又は第二号に規定する職員たる要件を具備するものに関し、第一号イに掲げる事由が生じた場合は、当該職員には、前号の規定の例により、地域手当を支給する。この場合において、引き続き研究員調整手当を支給される職員については、再び規則九―一〇二第四条の規定が適用される。

4　第二項第三号に掲げる場合におけるこの条の第一項ただし書の規定による地域手当の支給については、同号に掲げる場合となった日以後、この条の第二項の規定の例によるものとする。

5　国と民間企業との間の人事交流に関する法律（平成十一年法律第二百二十四号。以下「官民人事交流法」という。）第二条第三項に規定する交流派遣から職務に復帰した職員に対するこの条の第一項の規定の適用については、当該交流派遣の期間中、官民人事交流法第七条第三項に規定する派遣先企業における勤務先の所在する地域に在勤していたものとし、判事補及び検事の弁護士職務経験に関する法律（平成十六年法律第百二十一号）第二条第四項の規定により弁護士となってその職務を経験すること（以下「弁護士職務経験」という。）が終了して職員となった者に対するこの条の第一項の規定の適用については、弁護士職務経験の期間中、同法第二条第七項に規定する受入先弁護士法人等における勤務先の所在する地域に在勤していたものとして取り扱うものとする。

給与法第十一条の七第二項関係

1　この条の第二項の「官署を異にして異動」とは、異なる官署に在勤することとなることをいう。この場合において、「在勤する」については、給与法第十一条の三、第十一条の四、第十一条の六及び第十一条の七関係の規定の例による。

2　この条の第二項ただし書の「人事院の定める場合」は、次に掲げる場合とする。

一　この条の第二項本文に規定する異動等の日から三年を経過するまでの間に職員の在勤する官署が移転した場合及び当該期間内に職員の在勤する地域若しくは官署に係る第十一条の三支給割合又は空港の区域に係る第十一条の四支給割合が級地等の変更により、この条の第二項第一号に規定するみなし特例支給割合を下回る支給割合となった場合

二　この条の第二項本文に規定する異動等の日から三年を経過するまでの間に職員が特別移転官署から当該特別移転官署の所在する地域に所在する他の官署に異動した場合又は当該官署から当該特別移転官署に異動した場合

三　この条の第二項本文の規定により地域手当を支給されている職員でこの条の第一項本文に規定する職員たる要件を具備するものに関し、当該要件を具備するに至った日

から三年を経過するまでの間に当該職員に係るみなし特例支給割合が同項本文に規定する異動等前の支給割合に至ることとなった場合

3　この条の第二項ただし書の規定による地域手当の支給については、前項第三号に掲げる場合を除き、次に定めるところによる。この場合において、職員が一の日に在勤する地域、官署又は空港の区域を異にして二回異動した場合の取扱いは、給与法第十一条の七第一項関係第三項の規定の例による。

一　この条の第二項本文の規定又はこの号、次号若しくは第四号から第六号までの規定により地域手当を支給されている職員に関し、次に掲げる事由が生じた場合は、当該職員には、当該事由が生じた日以後、給与法第十一条の三から第十一条の六までの規定又は次号若しくは第五号の規定により同項本文に規定する異動等に係る第十一条の七第二項支給割合以上の支給割合による地域手当を支給される期間を除き、同項本文に規定する職員たる要件を具備するに至った日（以下この項において「要件具備の日」という。）から三年を経過するまでの間、給与法第十一条の三から第十一条の六まで又は第十一条の七第一項の規定にかかわらず、当該異動等に係る第十一条の七第二項支給割合による地域手当を支給する。ただし、第三号の規定に該当することとなる場合は、この限りでない。

イ　当該職員がその在勤する地域、官署又は空港の区域を異にして異動すること。

ロ　当該職員の在勤する官署が異なる地域又は空港の区域へ移転すること。

二　この条の第二項本文の規定又は前号、この号若しくは第四号から第六号までの規定により地域手当を支給されている職員（地域手当支給地域等又は特別移転官署に在勤する職員に限る。）に関し、次に掲げる事由が生じた場合で当該事由が生じた日（以下この号及び次号において「事由発生日」という。）の前日に在勤していた地域手当支給地域等又は特別移転官署に引き続き六箇月を超えて在勤していたとき（要件具備の日又は事由発生日前の異動若しくは移転に係るこの号本文に規定する職員たる要件を具備するに至った日から起算して六箇月を超えている場合であって、規則九―四九第十一条第一項第一号又は第十二条第一号に掲げる場合に準ずるときを含む。）は、当該職員には、事由発生日以後、給与法第十一条の三から第十一条の六までの規定若しくは前号若しくは第五号の規定又は事由発生日以外の異動若しくは移転に係るこの号の規定により事由発生日の異動又は移転に係る第十一条の七第一項支給割合又は第十一条の七第二項支給割合以上の支給割合による地域手当を支給される期間を除き、事由発生日から三年を経過するまでの間、給与法第十一条の三から第十一条の六まで又は第十一条の七第一項の規定にかかわらず、当該異動又は移転に係る第十一条の七第一項支給割合又は第十一条の七第二項支給割合による地域手当を支給する。ただし、次号の規定に該当することとなる場合は、この限りでない。

イ　当該職員が、事由発生日の支給割合（事由発生日の前日に在勤していた地域手当支給地域等又は特別移転官署に係る事由発生日における第十一条の三支給割合若しくは第十一条の四支給割合又はみなし特例支給割合（要件具備の日又は事由発生日前の異動若しくは移転に係るこの号本文に規定する職員たる要件を具備するに至った日から起算して六箇月を超えている場合であって、規則九―四九第十一条第一項第一号に掲げる場合に準ずるときにあっては、同条第二項第一号の規定の例による割合）をいう。以下この号において同じ。）より第十一条の三支給割合の低い地域若しくは官署若しくは第十一条の四支給割合の低い空港の区域又は給与法第十一条の三の規定による地域手当が支給されない地域に異動すること（事由発生日の支給割合以上の第十一条の三支給割合による地域手当が支給される官署に異動することを除く。）。

ロ　当該職員の在勤する官署が、事由発生日の支給割合より第十一条の三支給割合の低い地域若しくは第十一条の四支給割合の低い空港の区域又は給与法第十一条の三の規定による地域手当が支給されない地域へ移転すること（事由発生日の支給割合以上の第十一条の三支給割合による地域手当が支給される官署となることを除く。）。

三　前二号又は次号から第六号までの規定により地域手当を支給されている職員に関し、次に掲げる事由が生じた場合は、当該職員には、当該事由が生じた日以後、前二号又は次号から第六号までの規定による地域手当は支給しない。

イ　当該職員が、地域手当支給地域等又は特別移転官署に異動し、当該異動後の地域手当支給地域等又は特別移転官署に係る第十一条の三支給割合若しくは第十一条の四支給割合又はみなし特例支給割合が要件具備の日の異動若しくは移転に係る第十一条の七第二項支給割合又は事由発生日の異動若しくは移転に係る第十一条の七第一項支給割合若しくは第十一条の七第二項支給割合（以下この号において「異動保障支給割合」という。）以上となる場合であって、当該地域手当支給地域等若しくは特別移転官署又は第十一条の三支給割合若しくは第十一条の四支給割合若しくはみなし特例支給割合が異動保障支給割合以上である地域手当支給地域等若しくは特別移転官署に引き続き六箇月を超えて在勤するとき。

ロ　当該職員の在勤する官署が地域手当支給地域等に移転し、当該移転後の地域手当支給地域等に係る第十一条の三支給割合又は第十一条の四支給割合が異動保障支給割合以上となる場合であって、当該地域手当支給地域等又は第十一条の三支給割合若しくは第十一条の四支給割合若しくはみなし特例支給割合が異動保障支給割合以上である地域手当支給地域等若しくは特別移転官署に引き続き六箇月を超えて在勤するとき（当該職員の在勤する官署が異動保障支給割合以上の第十一条の三支給割合による地域手当が支給される官署となる場合であって、それ以後当該官署又は第十一条の三支給割合若しくは第十一条の四支給割合若しくはみなし特例支給割合が異動保障支給割合以上である地域手当支給地域等若しくは特別移転官署に引き続き六箇月を超えて在勤するときを含む。）。

ハ　当該職員の在勤する地域若しくは官署に係る第十一条の三支給割合又は空港の区域に係る第十一条の四支給割合が級地等の変更により変更され、当該変更後の第十一条の三支給割合又は第十一条の四支給割合が異動保障支給割合以上となる場合であって、当該変更以後当該地域、官署若しくは空港の区域又は第十一条の三支給割合若しくは第十一条の四支給割合若しくはみなし特例支給割合が異動保障支給割合以上である地域手当支給地域等若しくは特別移転官署に引き続き六箇月を超えて在勤するとき。

四　給与法第十一条の三から第十一条の六までの規定により地域手当を支給されている職員で三年以内にこの条の第二項本文に基づく地域手当又は第二号に基づく地域手当を支給されていた者のうち、現に在勤する地域、官署又は空港の区域に六箇月を超えて在勤していないものに関し、第一号イ若しくはロ又は第二号イ若しくはロに掲げる事由が生じた場合は、当該職員には、これらの事由が生じた日以後、第一号に掲げる事由が生じた場合（第二号に掲げる事由に該当する場合を除く。）にあっては第一号の規定の例により、第二号に掲げる事由が生じた場合にあっては第一号及び第二号の規定の例により、それぞれ地域手当を支給する。

五　この条の第二項本文に規定する異動等のあった職員であって、給与法第十一条の三から第十一条の六までの規定により地域手当を支給されているものについて、同項本文に規定する異動等の日から三年以内に職員の在勤する地域若しくは官署に係る第十一条の三支給割合又は空港の区域に係る第十一条の四支給割合が級地等の変更により、みなし特例支給割合を下回る支給割合となったことに伴い、みなし特例支給割合が同項本文に規定する異動等後の支給割合を超えることとなった場合は、当該職員には、みなし特例支給割合が同項本文に規定する異動等後の支給割合を超えることとなった日以後、第十一条の七第二項支給割合以上の支給割合による地域手当を支給される期間を除き、当該異動等の日から三年を経過するまでの間、給与法第十一条の三から第十一条の六まで又は第十一条の七第一項の規定にかかわらず、当該異動等に係る第十一条の七第二項支給割合による地域手当を支給する。この条の第二項本文に規定する異動等（以下この号において「第一次異動等」という。）のあった職員であって、給与法第十一条の三から第十一条の六までの規定により地域手当を支給されているものが、更にこの条の第一項本文に規定する異動等（以下この号において「第二次異動等」という。）のあったことに伴い、同項本文の規定による地域手当が支給されている場合に、第二次異動等の前に在勤していた地域、官署又は空港の区域に係る第十一条の三支給割合又は空港の区域に係る第十一条の四支給割合が級地等の変更により変更され、第一次異動等に係るみなし特例支給割合を下回る支給割合となったときも同様とする。ただし、第三号の規定に該当することとなる場合は、この限りでない。

六　規則九―一〇二第四条の規定により地域手当を支給されない職員でこの条の第二項本文又は第二号に規定する職員たる要件を具備するものに関し、第一号イに掲げる事由が生じた場合は、当該職員には、前号の規定の例により、地域手当を支給する。この場合において、引き続き研究員調整手当を支給される職員については、再び規則九―一〇二第四条の規定が適用される。

4　第二項第三号に掲げる場合におけるこの条の第二項ただし書の規定による地域手当の支給については、同号に掲げる場合となった日以後、この条の第一項の規定の例によるものとする。

規則九―四九第十一条関係

この条の第一項第三号に該当すると思料される場合が生じたときは、人事院事務総長と協議するものとする。

規則九―四九第十二条関係

この条の第三号に該当すると思料される場合が生じたときは、人事院事務総長と協議するものとする。

規則九―四九第十三条関係

1　この条の第一項第三号の人事院が定める法人は、特別の法律の規定により、国家公務員退職手当法（昭和二十八年法律第百八十二号）第七条の二の規定の適用について、同条第一項に規定する公庫等職員とみなされる者を使用する法人とする。

2　この条の第二項第二号の「人事院が定めるもの」は、同項第一号に掲げる異動等に準ずるものとの権衡上必要があるものとして人事院事務総長が認めるものとする。

3　前項に規定するものに該当すると思料されるものが生じたときは、人事院事務総長と協議するものとする。

規則九―四九第十四条関係

この条の第一項第四号に該当すると思料される者が生じたときは、人事院事務総長と協議するものとする。

規則九―四九第十七条関係

この通達により難い事情があり、その取扱いについて別の定めを行う必要があると認められるとき又は規則九―四九及びこの通達の解釈について疑義が生じたときは、その都度人事院事務総長と協議するものとする。

以　上

経過措置（抄）

（令和七年二月一二日給実甲一三五二）

給実甲第一〇一九号（地域手当の運用について）の一部を下記のとおり改正したので、令和七年四月一日以降は、これによってください。なお、この通知の施行に伴う経過措置については、次に定めるところによってください。

一　令和十年三月三十一日までの間におけるこの通知による改正後の給実甲第一〇一九号（以下「改正後の給実甲第一〇一九号」という。）給与法第十一条の七第一項関係第二項第一号及び第三項第一号、第二号、第四号及び第五号並びに給与法第十一条の七第二項関係第三項第一号、第二号、第四号及び第五号の規定の適用については、改正後の給実甲第一〇一九号給与法第十一条の七第一項関係第二項第一号中「給与法第十一条の三の規定による地域手当の支給割合」とあるのは「給与法第十一条の三の規定による地域手当の支給割合若しくは一般職の職員の給与に関する法律等の一部を改正する法律（令和六年法律第七十二号。以下「令和六年改正法」という。）附則第七条第一項の人事院規則で定める割合」と、

「給与法第十一条の三第三項の人事院規則で定める級地」とあるのは「給与法第十一条の三第三項の人事院規則で定める級地若しくは令和六年改正法附則第七条第一項の人事院規則で定める級地」と、改正後の給実甲第一〇一九号給与法第十一条の七第一項関係第三項第一号中「第十一条の六までの規定又は」とあるのは「第十一条の六まで若しくは令和六年改正法附則第七条第一項の規定又は」と、「第十一条の六までの規定にかかわらず」とあるのは「第十一条の六まで又は令和六年改正法附則第七条第一項の規定にかかわらず」と、同項第二号中「第十一条の六までの規定若しくは」とあるのは「第十一条の六まで若しくは令和六年改正法附則第七条第一項の規定若しくは」と、「第十一条の六までの規定にかかわらず」とあるのは「第十一条の六まで又は令和六年改正法附則第七条第一項の規定にかかわらず」と、同項第四号及び第五号中「第十一条の六まで」とあるのは「第十一条の六まで又は令和六年改正法附則第七条第一項」と、改正後の給実甲第一〇一九号給与法第十一条の七第二項関係第三項第一号及び第二号中「第十一条の六までの規定」とあるのは「第十一条の六まで若しくは令和六年改正法附則第七条第一項の規定」と、「又は第十一条の七第一項」とあるのは「若しくは第十一条の七第一項又は令和六年改正法附則第七条第一項」と、同項第四号中「第十一条の六まで」とあるのは「第十一条の六まで又は令和六年改正法附則第七条第一項」と、同項第五号中「第十一条の六までの規定」とあるのは「第十一条の六まで又は令和六年改正法附則第七条第一項の規定」と、「又は第十一条の七第一項」とあるのは「若しくは第十一条の七第一項又は令和六年改正法附則第七条第一項」とする。

二　令和七年三月三十一日までの間に一般職の職員の給与に関する法律等の一部を改正する法律（令和六年法律第七十二号）第二条の規定による改正前の給与法第十一条の七第一項又は第二項に規定する異動等のあった職員に対する改正後の給実甲第一〇一九号給与法第十一条の七第一項関係第二項各号並びに第三項第二号（第四号の規定により第二号の規定の例によることとされる場合を含む。）及び第五号並びに給与法第十一条の七第二項関係第二項各号並びに第三項第二号（第四号の規定により第二号の規定の例によることとされる場合を含む。）及び第五号の規定の適用については、これらの規定中「三年」とあるのは、「二年」とする。

三　改正後の給実甲第一〇一九号給与法第十一条の七第一項関係第三項第一号に規定する要件具備の日が令和七年四月一日前である職員に対する同号（第四号の規定により第一号の規定の例によることとされる場合を含む。）の規定の適用については、これらの規定中「三年」とあるのは、「二年」とする。

四　改正後の給実甲第一〇一九号給与法第十一条の七第二項関係第三項第一号に規定する要件具備の日が令和七年四月一日前である職員に対する同号（第四号の規定により第一号の規定の例によることとされる場合を含む。）の規定の適用については、これらの規定中「三年」とあるのは、「二年」とする。

○併任制度の適正な運用について（通知）

平二一・三・一八
人企―五七五人材局企画課長
給三―二八給与局給与第三課長

改正　平三〇・三・一　人企―一四三　給三―二五

今般、併任制度の運用の適正化及び併任に係る諸手当の取扱いについて、次の規則及び運用通知の整備を行いました。

○人事院規則八―一二（職員の任免）
○人事院規則八―一二（職員の任免）の運用について（平成二十一年三月十八日人企―五三二）
○給実甲第一八〇号（初任給調整手当の運用について）
○給実甲第三五一号（特地勤務手当等の運用について）
○給実甲第七九七号（研究員調整手当の運用について）
○給実甲第一〇一九号（地域手当の運用について）
○給実甲第一〇三三号（広域異動手当の運用について）
○給実甲第一〇七八号（本府省業務調整手当の運用について）

ついては、平成二十一年四月一日以降、下記の事項に留意のうえ、適正な運用を図ってください。

記

一　併任

併任は、人事院規則八―一二第三十五条及び第四十九条に定める場合に行うことができるものです。人事院規則八―一二（職員の任免）の運用について第三十五条関係第三項及び第四項に規定するとおり、本務官署から遠隔地にある官署（本務官署からおおむね六十キロメートル以上離れた官署をいう。）に属する官職への併任については真にやむを得ないものに限るようにするなど適正な運用に努めてください。

二　手当の取扱い

本府省業務調整手当、地域手当、広域異動手当等に関し、併任されている官職の業務に引き続き一箇月以上専ら従事（広域異動手当にあっては六箇月を超えて専ら従事）することが予定されている職員については、これらの職員の職務従事の実態に鑑み、当該併任官職に基づきこれらの手当を支給することとしたところですが、この取扱いは職員に不利益のないよう行うものであり、各府省におかれては、引き続き長期にわたって併任官職の業務に専ら従事させるような形態の併任をできる限り解消していくよう努めてください。

三　報告

併任される官職の業務に引き続き三箇月を超えて専ら従事することが予定される職員について、年度ごとに、当該職員に係る任用状況を別紙様式により当該専ら従事することとなった日の属する年度の翌年度の五月末日までに、企画課長宛て報告ください。

別紙　〔略〕

以　上

第四 広域異動手当

【参照】
- ●一般職給与法一一の八
- ●同運用方針一一の八関係
- ●規則（九―七）七の二

○人事院規則九―一二一（広域異動手当）

平一八・一二・一五制定
平一九・四・一施行

最終改正 令四・六・二四規則一―八一

（趣旨）

第一条 広域異動手当の支給については、別に定める場合を除き、この規則の定めるところによる。

（官署間の距離等の算定）

第二条 給与法第十一条の八第一項に規定する官署間の距離及び住居と官署との間の距離は、人事院の定めるところにより、同項に規定する異動等（以下「異動等」という。）の日の前日に職員が在勤していた官署の所在地及び当該異動等の直前の当該職員の住居から当該異動等の直後に当該職員が在勤する官署の所在地までの最も経済的かつ合理的と認められる通常の経路及び方法により算定するものとする。

（住居と官署との間の距離が六十キロメートル以上である場合に相当すると認められる場合）

第三条 給与法第十一条の八第一項の住居と官署との間の距離が六十キロメートル以上である場合に相当すると認められる場合は、異動等の直前の住居と当該異動等の直後に在勤する官署との間を通勤するものとした場合における通勤方法、通勤時間、交通機関の状況等から当該相当すると認められる場合に該当すると人事院が認める場合とする。

（広域異動手当を支給することが適当と認められない場合）

第四条 給与法第十一条の八第一項ただし書の広域異動手当を支給することが適当と認められない場合は、職員が研修（六箇月以内の期間を定めて行うものに限る。）に伴いその在勤する官署を異にして異動した場合であって、次の各号のいずれかに該当するときとする。

一 当該研修の受講の直前に在勤した官署（以下この条において「異動前の官署」という。）から異動した場合（新たに採用された職員を対象とする研修（次号において「初任研修」という。）以外の研修の場合にあっては、当該異動に当たり当該研修の受講の直後に異動前の官署への異動が予定されている場合に限る。）

二 当該研修の受講の直後に異動した場合（初任研修以外の研修の場合にあっては、異動前の官署への異動の場合に限る。）

（給与法第十一条の八第三項の規定による広域異動手当）

第五条 給与法第十一条の八第三項の人事院規則で定める者は、次に掲げる者とする。

一 検察官であった者又は給与法第十一条の七第三項に規定する行政執行法人職員等（以下「行政執行法人職員等」という。）であった者から人事交流等により引き続き俸給表の適用を受ける職員（以下「俸給表適用職員」という。）となった者

二 官民人事交流法第二条第四項に規定する交流採用により引き続き俸給表適用職員となった者

三 前二号に掲げるもののほか、人事院の定める者から引き続き俸給表適用職員となった者（任用の事情等を考慮して人事院が定める者に限る。）

2 給与法第十一条の八第三項の異動等に準ずるものとして人事院規則で定めるものは、次に掲げるものとする。

一 法第六十条の二第一項の規定による採用（法の規定により退職した日の翌日におけるものに限る。）をされること。

二 在外公館に勤務していた外務公務員法（昭和二十七年法律第四十一号）第二条第五項に規定する外務職員が異動により引き続き職員として本邦において勤務すること。

三 派遣法第二条第一項の規定による派遣から職務に復帰すること。

四 官民人事交流法第二条第三項に規定する交流派遣から職務に復帰すること。

五 法科大学院派遣法第十一条第一項の規定による派遣から職務に復帰すること。

六 福島復興再生特別措置法（平成二十四年法

律第二十五号）第四十八条の三第一項又は第八十九条の三第一項の規定による派遣から職務に復帰すること。

七　令和三年オリンピック・パラリンピック特措法第十七条第一項の規定による派遣から職務に復帰すること。

八　平成三十一年ラグビーワールドカップ特措法第四条第一項の規定による派遣から職務に復帰すること。

九　令和七年国際博覧会特措法第二十五条第一項の規定による派遣から職務に復帰すること。

十　令和九年国際園芸博覧会特措法第十五条第一項の規定による派遣から職務に復帰すること。

十一　規則一一―四（職員の身分保障）第三条第一項第一号から第四号までの規定による休職から復職すること。

十二　前各号に掲げるもののほか、給与法第十一条の八第一項に規定する異動等に準ずるものとして人事院が定めるもの

3　第一項各号に掲げる者のうち、俸給表適用職員となったことに伴い勤務場所に変更があったものには、当該俸給表適用職員となった日前三年以内の検察官若しくは行政執行法人職員等として勤務していた期間（常時勤務に服する者として同日の前日まで引き続き勤務していた期間に限り、俸給表適用職員となった日前三年以内の期間において、かつて俸給表適用職員として勤務していた職員であって当該俸給表適用職員から人事交流等により引き続き検察官又は行政執行法人職員等となった者の当該俸給表適用職員として勤務していた期間を含む。）又は官民人事交流法第二条第四項に規定する民間企業に雇用されている者として当該俸給表適用職員となった日の前日まで引き続き勤務していた期間を俸給表適用職員として勤務していたものとした場合に給与法第十一条の八第一項に規定する広域異動手当の支給要件を具備することとなるとき（第一項第三号に掲げる者のうち、俸給表適用職員となったことに伴い勤務場所に変更があったものにあっては、人事院が定める要件を満たすとき）は、同条の規定により支給されることとなる期間及び月額の広域異動手当を支給する。

4　第二項各号に掲げる異動等に準ずるものがあった職員のうち、これに伴い勤務場所に変更があったものには、次の各号に掲げる場合に該当するときは、当該各号に定める広域異動手当を支給する。

一　第二項第一号に掲げる異動等に準ずるものがあった日以前三年の期間（人事院が定める期間を除く。）を俸給表適用職員として引き続き勤務していたものとした場合に給与法第十一条の八第一項に規定する広域異動手当の支給要件を具備することとなる場合　同条の規定により支給されることとなる期間及び月額の広域異動手当

二　次に掲げる場合　第二項第二号から第十二号までに掲げる異動等に準ずるものがあった日から三年を経過する日までの期間及び給与法第十一条の八の規定により支給されることとなる月額の広域異動手当

イ　第二項第二号から第十一号までに掲げる異動等に準ずるものがあった日の前日における勤務場所と当該異動等に準ずるものの直後に在勤する官署の所在地との間の距離を給与法第十一条の八第一項に規定する官署間の距離と、当該異動等に準ずるものの直前の住居と当該異動等に準ずるものの直後に在勤する官署の所在地との間の距離を同項に規定する住居と官署との間の距離とした場合に同項に規定する広域異動手当の支給要件を具備することとなるとき。

ロ　第二項第十二号に掲げる異動等に準ずるものがあった場合において、人事院が定める要件を満たすとき。

5　前二項の規定により広域異動手当を支給されることとなる職員のうち、第三項の規定の適用を受ける職員については俸給表適用職員となった日から、前項の規定の適用を受ける職員については異動等に準ずるものがあった日から、引き続き広域異動手当が支給されることとなる間の異動等により給与法第十一条の八第一項の規定により更に広域異動手当が支給されることとなるものに対する広域異動手当については、同条第二項の規定を準用する。

一・三項―平二七・四・一施行
二項―令五・四・一施行
四項―令四・六・二四施行

（再異動等の後に引き続き広域異動手当が支給されることとなる間の異動等に係る広域異動手当）

第六条　給与法第十一条の八第二項、前条第五項

又はこの条に規定する職員のうち、引き続き広域異動手当が支給されることとなる間の異動等によって給与法第十一条の八第一項の規定により更に広域異動手当が支給されることとなるものについては、当該異動等に係る広域異動手当の支給割合が現に支給されることとされている広域異動手当（以下この条において「現給広域異動手当」という。）の支給割合を上回るとき又は現給広域異動手当の支給割合と同一の割合となるときにあっては当該異動等の日以後は現給広域異動手当を支給せず、当該異動等に係る広域異動手当の支給割合が現給広域異動手当の支給割合を下回るときにあっては現給広域異動手当が支給されることとなる期間は当該広域異動手当は支給せず、当該広域異動手当の支給割合が当該期間は支給しない広域異動手当の支給割合を上回るとき又は当該広域異動手当の支給割合と同一の割合となるときにあっては同日以後は当該期間の終了後も当該広域異動手当を支給しない。

2　前項の規定の適用を受ける職員が、給与法第十一条の三から第十一条の七までの規定により地域手当を支給される職員である場合における広域異動手当の支給割合については、給与法第十一条の八第四項の規定を準用する。

（端数計算）

第七条　給与法第十一条の八の規定による広域異動手当の月額に一円未満の端数があるときは、その端数を切り捨てた額をもって当該広域異動手当の月額とする。給与法第十九条、第十九条の四第四項及び第五項並びに第十九条の七第三項に規定する広域異動手当の月額に一円未満の端数があるときも、同様とする。

本条―平二一・五・二九施行

（確認）

第八条　各庁の長（その委任を受けた者を含む。次項において同じ。）は、広域異動手当を支給する場合において必要と認めるときは、異動等の直前の職員の住居、第二条に規定する距離その他の給与法第十一条の八に規定する広域異動手当の支給要件を具備するかどうかを確認するものとする。

2　各庁の長は、前項の確認を行う場合において必要と認めるときは、職員に対し異動等の直前の当該職員の住居等を明らかにする書類の提出を求めるものとする。

（雑則）

第九条　この規則に定めるもののほか、広域異動手当に関し必要な事項は、人事院が定める。

附　則

この規則は、平成十九年四月一日から施行する。

第二項削除―平三〇・四・一施行

附　則（平二五・四・一規則一―五九）（抄）

改正　平二七・三・一八規則一―六三

（施行期日）

第一条　この規則は、公布の日から施行する。

（人事院規則九―一二一の一部改正に伴う経過措置）

第八条　みなし行政執行法人職員等（次条の規定の適用を受けることとなる者を除く。）及び措置対象職員については、旧給与特例法適用職員を規則九―一二一第五条第一項第一号及び第三項に規定する行政執行法人職員等であるものとみなして、これらの規定を適用する。

第九条　みなし行政執行法人職員等（施行日に俸給表適用職員となったことに伴い勤務場所に変更がなかった職員に限る。）に係る広域異動手当については、俸給表適用職員となったことに伴い勤務場所に変更があったものとみなして、規則九―一二一第五条及び第六条の規定を適用する。この場合において、第五条第一項第一号中「行政執行法人職員等」とあるのは、「行政執行法人職員等（国有林野の有する公益的機能の維持増進を図るための国有林野の管理経営に関する法律等の一部を改正する等の法律（平成二十四年法律第四十二号）第五条第一号の規定による廃止前の国有林野事業を行う国の経営する企業に勤務する職員の給与等に関する特例法（昭和二十九年法律第百四十一号）第二条第二項に規定する職員を含む。」とする。

（雑則）

第十一条　附則第二条から前条までに規定するもののほか、この規則の施行に関し必要な経過措置は、人事院が定める。

附　則（平二七・一・三〇規則九―一二一―二）

最終改正　平二九・五・一九規則一―七〇

（施行期日）

1　この規則は、平成二十七年四月一日から施行する。

（経過措置）

2　この規則による改正後の規則九―一二一（以下「改正後の規則」という。）第五条第一項及び第三項の規定は、平成二十四年四月二日からこの規則の施行の日の前日までの間に同条第一項第三号に掲げる者に該当する者から引き続き俸給表の適用を受ける職員となった者に適用する。この場合において、同条第三項中「同条の規定により支給されることとなる期間」とあるのは、「平成二十七年四月一日以後の同条の規定により支給されることとなる期間」とする。

3　改正後の規則第五条第二項及び第四項の規定は、平成二十四年四月二日からこの規則の施行の日の前日までの間に同条第二項第一号又は第十号に掲げる給与法第十一条の八第三項に規定する異動等に準ずるものがあり、これに伴い勤務場所に変更があった職員に適用する。この場合において、改正後の規則第五条第四項第一号中「同条の規定により支給されることとなる期間」とあるのは「平成二十七年四月一日以後の同条の規定により支給されることとなる期間」とし、同項第二号中「第二項第二号から第十号までに掲げる異動等に準ずるものがあった日から」とあるのは「平成二十七年四月一日から第二項第二号から第十号までに掲げる異動等に準ずるものがあった日以後」とする。

4　前二項に定めるもののほか、前二項の適用を受ける職員に対する改正後の規則第五条第三項又は第四項の規定の適用に関し必要な事項は、人事院が定める。

附　則（平二七・三・一八規則一―六三）（抄）

（施行期日）

第一条　この規則は、平成二十七年四月一日から施行する。

（人事院規則九―一二一の一部改正に伴う経過措置）

第十二条　みなし行政執行法人職員等及び措置対象職員については、特定独立行政法人職員を第七条の規定による改正後の規則九―一二一第五条第一項第一号及び第三項に規定する行政執行法人職員等であるものとみなして、これらの規定を適用する。

（雑則）

第十五条　附則第二条から前条までに規定するもののほか、この規則の施行に関し必要な経過措置は、人事院が定める。

附　則（平三〇・二・一規則一―七一）（抄）

この規則は、平成三十年四月一日から施行する。〔ただし書略〕

附　則（令元・五・二三規則一―七三）

この規則は、公布の日から施行する。

附　則（令二・六・一二規則一―七五）（抄）

（施行期日）

1　この規則は、公布の日から施行する。

附　則（令二・一二・二八規則一―七六）（抄）

（施行期日）

1　この規則は、公布の日から施行する。

附　則（令三・九・一規則一―七七）

この規則は、公布の日から施行する。

附　則（令四・二・一八規則一―七九）（抄）

（施行期日）

第一条　この規則は、令和五年四月一日から施行する。

（改正後の人事院規則九―一二一における暫定再任用職員に関する経過措置）

第十八条　次に掲げる採用をされることは、給与法第十一条の八第三項の異動等に準ずるものとして人事院規則で定めるものとする。

一　令和三年改正法附則第四条第一項又は第五条第一項の規定による採用（令和五年旧法第八十一条の二第一項の規定により退職した日（令和五年旧法第八十一条の三又は令和三年改正法附則第三条第五項若しくは第六項の規定により勤務した後退職した日及び令和五年旧法第八十一条の四第一項若しくは第八十一条の五第一項又は令和三年改正法附則第四条第一項若しくは第五条第一項の規定による採用に係る任期が満了した日を含む。）の翌日におけるものに限る。）をされること。

二　令和三年改正法附則第四条第二項又は第五条第二項の規定による採用（法第八十一条の六第一項の規定により退職した日（法第八十一条の七第一項又は第二項の規定により勤務した後退職した日及び法第六十条の二第一項又は令和三年改正法附則第四条第二項若しくは第五条第二項の規定による採用に係る任期が満了した日を含む。）の翌日におけるものに限る。）をされること。

第十九条　令和三年改正法附則第四条第二項又は第五条第二項の規定により採用され勤務した後退職した日の翌日に法第六十条の二第一項の規定により採用される職員に対する第二十一条の規定による改正後の規則九―一二一第五条第二項の規定の適用については、同項第一号中「退職した日」とあるのは、「退職した日（国家公務員法等の一部を改正する法律（令和三年法律第六十一号）附則第四条第二項又は第五条第二項の規定により採用され勤務した後退職した日を含む。）」とする。

（雑則）

第二十五条　附則第三条から前条までに規定するもののほか、この規則の施行に関し必要な経過措置は、人事院が定める。

附　則（令四・六・二四規則一―八一）

この規則は、公布の日から施行する。

○広域異動手当の運用について（通知）

平一八・一二・一五
給実甲一〇三三

最終改正　令四・六・二四事企法―一八九

広域異動手当の運用について下記のとおり定めたので、平成十九年四月一日以降は、これによってください。

記

給与法第十一条の八関係

1　官署の分室、分場その他これに類するもので当該官署とその所在地を異にするもの（以下この項において「分室等」という。）に在勤する職員については、この条の適用に当たっては、当該分室等をこの条の官署として取り扱うものとする。

2　職員が一の日に在勤する官署を異にして二回以上異動したときは、最初の異動の直前の官署から最後の異動の直後の官署に直接異動したものとして取り扱うものとする。

3　この条の第一項の「在勤する」とは、本務として在勤することをいう。ただし、併任されている官職の業務に引き続き六箇月を超えて専ら従事することが予定されている場合にあっては、当該業務（当該官職の業務に引き続き専ら従事する期間の延長により当該業務に引き続き六箇月を超えて専ら従事することが予定されている場合にあっては、当該延長前の期間に係る当該業務を除く。）に専ら従事するために在勤することをいう。

4　前項ただし書の場合においては、広域異動手当を支給されることとなる職員に対して、その旨を人事異動通知書又はこれに代わる文書により通知するものとする。

5　この条の第一項の「官署を異にして異動」とは、異なる官署に在勤することとなることをいう。この場合において、「在勤する」については、前二項の規定の例による。

規則第二条関係

この条の規定による距離の算定は、最も経済的かつ合理的と認められる通常の経路及び方法（一般職の職員の給与に関する法律（昭和二十五年法律第九十五号。以下「給与法」という。）第十二条第一項第二号に規定する自動車等及び航空機を除く。）により移動するものとした場合の経路について、次の各号に掲げる交通方法の区分に応じた当該各号に定める距離を合算して行うものとする。

一　徒歩　国土地理院が提供する電子地図その他の地図又はこれらの地図に係る測量法（昭和二十四年法律第百八十八号）第二十九条若しくは第三十条第一項の規定に基づく国土地理院の長の承認を経て提供された電子地図その他の地図を用いて測定した距離

二　鉄道　鉄道事業法（昭和六十一年法律第九十二号）第十三条に規定する鉄道運送事業者の調べに係る鉄道旅客貨物運賃算出表に掲げる距離

三　船舶　海上保安庁の調べに係る距離表に掲げる距離

四　一般乗合旅客自動車その他の交通機関（前二号に掲げるものを除く。）　道路運送法（昭和二十六年法律第百八十三号）第五条第一項第三号に規定する事業計画に記載されている距離その他これに準ずるものに記載されている距離

規則第三条関係

この条の「人事院が認める場合」は、最も経済的かつ合理的と認められる通常の経路及び方法（航空機を除く。）により通勤するものとした場合において、給与法第十一条の八第一項に規定する異動等（以下「異動等」という。）の直後に職員が在勤する官署の始業の時刻前に当該官署に到着するために当該異動等の直前の当該職員の住居を出発することとなる時刻から当該始業の時刻までの時間が二時間以上である場合（これに準ずる場合であって人事院事務総長が認める場合を含む。）とする。

規則第四条関係

この条の第一号の「当該異動に当たり当該研修の受講の直後に異動前の官署への異動が予定されている場合」とは、同号に規定する異動前の官署からの異動に当たり各庁の長（その委任を受けた者を含む。以下同じ。）が当該異動の日以前にこの条の研修の受講の直後に当該異動前の官署への異動を予定している場合であって、職員に対しその旨を明らかにしているときをいう。

規則第五条関係

1　この条の第一項各号に掲げる者が同項に規定する俸給表適用職員となったこと又は職員がこの条の第二項各号に掲げる異動等に準ずるものがあったことに伴う勤務場所の変更があった日にその在勤する官署を異にして一回以上異動したときは、同日における勤務場所から最後の異動の直後の官署に直接勤務場所の変更があったものとして取り扱うものとする。

2　この条の第四項第一号の「人事院が定める期間」は、次に掲げる事由以外の事由により俸給表適用職員となった日前の期間とする。

一　この条の第一項第一号に掲げる者に該当し、同号に規定する俸給表適用職員となったこと。

二　この条の第一項第三号に掲げる者に該当し、同号に規定する俸給表適用職員となったこと。

三　この条の第二項第一号に規定する採用

四　この条の第二項第十二号に規定する異動等に準ずるものとして人事院が定める採用

3　この条の第四項の規定により広域異動手当が支給されることとなる職員のうち、当該支給に係るこの条の第二項各号に掲げる異動等に準ずるもの（以下「準異動等」という。）があった日が次の各号に掲げる期間にあるものに対する広域異動手当については、当該各号に定める規定を準用し、この条の第五項の規定は適用しない。

一　給与法第十一条の八第二項に規定する当初広域異動等の日から三年を経過する日まで　同項

二　給与法第十一条の八第二項に規定する再異動等（当該再異動等により同条第一項の規定により更に広域異動手当が支給されることとなる場合に限る。）の日から引き続き広域異動手当が支給されることとなる間
　人事院規則九―一二一（広域異動手当）（以下「規則」という。）第六条第一項

4　前項に規定する職員のうち、準異動等があった日から引き続き広域異動手当が支給されることとなる間の異動等によって給与法第十一条の八第一項の規定により更に広域異動手当が支給されることとなるものについては、規則第六条第一項の規定を適用する。

5　この条の第五項の「前二項の規定により広域異動手当を支給されることとなる職員」には、給与法第十一条の八第四項又は規則第六条第二項の規定により広域異動手当が支給されない職員が含まれる。

規則第九条関係

1　給与法第十一条の八の規定の適用を受ける職員については、職員ごとに広域異動手当支給調書を作成し、広域異動手当の支給に係る異動等又は俸給表の適用若しくは準異動等ごとに記入の上、保管するものとする。

2　広域異動手当支給調書の様式は、別紙のとおりとする。ただし、各庁の長は、広域異動手当の支給に関し支障のない範囲内で、様式中の各欄の配列を変更し又は各欄以外の欄を設定する等当該様式を変更し、これによることができる。

3　広域異動手当支給調書は、当分の間、従前の様式のものによることができる。

4　この通達により難い事情があり、別段の取扱いを行う必要があると認められるとき又は規則及びこの通達の解釈について疑義が生じたときは、その都度人事院事務総長と協議するものとする。

以　上

別紙

広域異動手当支給調書

組織・所属	

官　職	

職員番号		氏　名	

1．異動等の年月日　　令和　　年　　月　　日

2．異動等の日の前日及び直後に在勤していた官署及びその所在地

	官署の名称	所在地
異動等前の官署		
異動等後の官署		

3．異動等の直前の住居の所在地

所在地	

4．規則第2条及び第3条に規定する交通方法、経路等

(1)「異動等前の官署」から「異動等後の官署」までの交通方法、経路等

順路	交通方法	経　　路	距　離
1		から（　　　　経由）　　まで	km
2		から（　　　　経由）　　まで	km
3		から（　　　　経由）　　まで	km
4		から（　　　　経由）　　まで	km
5		から（　　　　経由）　　まで	km
6		から（　　　　経由）　　まで	km
7		から（　　　　経由）　　まで	km
		合　計	km

(2)「異動等前の住居」から「異動等後の官署」までの交通方法、経路等

順路	交通方法	経　　路	距　離
1		から（　　　　経由）　　まで	km
2		から（　　　　経由）　　まで	km
3		から（　　　　経由）　　まで	km
4		から（　　　　経由）　　まで	km
5		から（　　　　経由）　　まで	km
6		から（　　　　経由）　　まで	km
7		から（　　　　経由）　　まで	km
		合　計	km

所要時間	時間　　分

※距離の合計が60km 未満の場合で、始業の時刻前までに到着するための時間が2時間以上であるとき

5．併給調整等必要事項

支給期間	広域異動手当支給割合(1)(2)	−	地域手当支給割合(3)	＝	実支給割合
令和　年　月　日から 令和　年　月　日まで		−		＝	％
令和　年　月　日から 令和　年　月　日まで		−		＝	％
令和　年　月　日から 令和　年　月　日まで		−		＝	％
令和　年　月　日から 令和　年　月　日まで		−		＝	％

(1)異動等の日から受ける広域異動手当（調整前）

支給割合	支給の終期
％	令和　年　月　日まで
％	令和　年　月　日まで

(2)異動等の日の前官署にて受ける広域異動手当(調整前)

支給割合	支給の終期
％	令和　年　月　日まで
％	令和　年　月　日まで

(3)地域手当（異動保障含む）

支給割合	支給の終期
％	令和　年　月　日まで
％	令和　年　月　日まで
％	令和　年　月　日まで
％	令和　年　月　日まで

6．備考

【記入上の注意】

1．「異動等」には官署の移転を含む。

2．「交通方法」欄には、交通の順路に従い徒歩、○○線、○○新幹線等の別を記入する。

3．「経路」欄には、距離が300km以上の経路がある場合は、当該経路を一つ記入すれば足りることとし、また、「合計」欄も記入しなくともよいこととする。

4．異動等の直前の住居と当該異動等の直後に在勤する官署との間の距離が60km未満であって、当該住居と当該官署との間を通勤するものとした場合に、始業の時刻前に当該官署に到着するために当該住居を出発することとなる時刻から当該始業の時刻までの時間が2時間以上であるときは、当該時間を「所要時間」欄に記入する。この場合において、自動車等の交通の用具を使用するときは、「交通方法」欄に当該交通の用具の名称（「自動車」、「自転車」等）を記入し、当該経路及び経路に係る通勤時間を記入した地図を添付する。

5．「実支給割合」には、調整後における実際に支給されることとなる割合を記入する。なお、調整の結果、支給されないこととなる場合には「0」と記入する。

6．「5．併給調整等必要事項」の(1)及び(2)の「支給割合」欄には、調整前における本来支給を受けることとなる割合を記入する。

7．俸給表の適用又は準異動等があった職員にあっては、各欄の事項に相当する事項を記入するものとする。

第五 研究員調整手当

【参照】
- 一般職給与法一一の九
- 同運用方針一一の九関係
- 規則（九—七）七の二

○人事院規則九—一〇二（研究員調整手当）

平九・一・三一制定
平九・四・一施行

最終改正 平三〇・二・一規則一—七一

（趣旨）

第一条 研究員調整手当の支給については、別に定める場合を除き、この規則の定めるところによる。

（適用除外職員）

第二条 給与法第十一条の九第一項の人事院規則で定める職員は、その属する職務の級が一級の職員とする。

本条—平一九・四・一施行

第三条 削除

本条—平二二・四・一施行

（研究員調整手当と地域手当との調整）

第四条 研究員調整手当を支給される職員のうち給与法第十一条の四、第十一条の六又は第十一条の七の規定により地域手当を支給されることとなる職員の当該地域手当の月額は、当該職員の俸給、俸給の特別調整額及び扶養手当の月額の合計額に、次の各号に掲げるこれらの規定により支給されることとなる地域手当の支給割合の区分に応じ、当該各号に定める割合を乗じて得た額とする。この場合において、当該割合が零となる職員には、当該地域手当は支給しない。

一 百分の十を超える支給割合 当該支給割合から研究員調整手当の支給割合を減じた割合

二 百分の十以下の支給割合 百分の十から研究員調整手当の支給割合（給与法第十一条の八の規定により広域異動手当を支給される職員にあっては、当該支給割合に同条の規定による広域異動手当の支給割合を加えて得た割合）を減じた割合

本条—平一九・四・一施行

（端数計算）

第五条 給与法第十一条の九第二項の規定による研究員調整手当の月額に一円未満の端数があるときは、その端数を切り捨てた額をもって当該研究員調整手当の月額とする。給与法第十九条、第十九条の四第四項及び第五項並びに第十九条の七第三項に規定する研究員調整手当の月額に一円未満の端数があるときも、同様とする。

本条—平二二・五・二九施行

（給与法第十一条の九第一項の人事院規則で定める機関の見直し）

第六条 給与法第十一条の九第一項の人事院規則で定める機関については、五年ごとに見直すことを例とする。

本条—平一九・四・一施行

（雑則）

第七条 この規則に定めるもののほか、研究員調整手当に関し必要な事項は、人事院が定める。

本条—平一六・一〇・二八施行

附 則

この規則は、平成九年四月一日から施行する。

附 則（平三〇・二・一規則一—七一）（抄）

第二項削除—平三〇・四・一施行

この規則は、平成三十年四月一日から施行する。〔ただし書略〕

○研究員調整手当の運用について（通知）

平九・一・三一
給実甲七九七

最終改正　平二二・二・二二給実甲一〇七五

研究員調整手当の運用について下記のとおり定めたので、平成九年四月一日以降は、これによってください。

記

1　一般職の職員の給与に関する法律（昭和二十五年法律第九十五号。以下「給与法」という。）第十一条の九第一項の「特別の事情」の判断は、次に掲げる事項その他の試験研究機関（同項に規定する科学技術に関する試験研究を行う機関をいう。以下この項において同じ。）の実態に基づいて行うこととする。

一　試験研究機関の成果に関する事項

(1)　研究論文の発表数

(2)　研究論文の被引用数

(3)　特許権、実用新案権等の取得数

(4)　研究業績に対する外国政府機関等からの表彰数

(5)　研究業績に対する学会等からの表彰数

(6)　中核的研究拠点育成制度の対象の有無

二　試験研究機関の活動状況に関する事項

(1)　外国人研究者の受入れ状況

(2)　ポストドクトラル研究者の受入れ状況

(3)　大学、民間研究所等への研究員の派遣状況

(4)　大学、民間研究所等との共同研究の実施状況

(5)　政府関係法人等により実施される提案公募型研究における被採択状況

(6)　国際会議等の開催状況

(7)　学会役員、審議会委員等への就任状況

三　試験研究機関と大学、民間研究所等との間の人材競合の状況に関する事項

(1)　大学、民間研究所等からの採用状況

(2)　外国の研究所等からの採用状況

(3)　大学、民間研究所等への転出状況

(4)　採用者及び在職者に占める学位取得者の割合

四　試験研究機関の所在地域の状況に関する事項

(1)　地域手当の支給割合が百分の十以上とされている地域からの採用状況

(2)　試験研究機関の所在する地域及び近隣地域に係る地域手当の支給割合

(3)　地域手当の支給割合が百分の十以上とされている地域に所在する試験研究機関、大学等との研究員の人事交流の状況

2　給与法第十一条の九第一項の「勤務する」とは、本務として勤務することをいう。ただし、併任されている官職の業務に引き続き一月以上専ら従事することが予定されている場合にあっては、当該業務（当該官職の業務に引き続き専ら従事する期間の延長により当該業務に引き続き一月以上専ら従事することが予定されている場合にあっては、当該延長前の期間に係る当該業務を除く。）に専ら従事するために勤務することをいう。

3　前項ただし書の場合においては、研究員調整手当を支給され、又は支給されないこととなる職員に対して、その支給の有無を人事異動通知書又はこれに代わる文書により通知するものとする。ただし、当該職員の併任が解除され、又は終了したことに伴い、研究員調整手当を支給され、又は支給されないこととなる場合は、この限りでない。

以　上

第六　住居手当

【参照】
●一般職給与法一一の一〇
●同運用方針一一の一〇関係
●規則（九―七）八

○人事院規則九―五四（住居手当）

昭四九・一二・二三全改
昭四九・四・一適用
最終改正　令七・二・二五規則九―五四―一一

（総則）
第一条　住居手当の支給については、別に定める場合を除き、この規則の定めるところによる。

（適用除外職員）
第二条　給与法第十一条の十第一項第一号の人事院規則で定める職員は、次に掲げる職員とする。
一　次に掲げる法人から貸与された職員宿舎に居住している職員
イ　独立行政法人造幣局及び独立行政法人国立印刷局
ロ　地方公共団体
ハ　沖縄振興開発金融公庫
ニ　国家公務員退職手当法施行令（昭和二十八年政令第二百十五号）第九条の二各号に掲げる法人
ホ　国家公務員退職手当法施行令第九条の四各号に掲げる法人（ハ又はニに掲げる法人を除く。）
ヘ　その他人事院が定める法人
二　職員の扶養親族たる者（職員の配偶者（届出をしないが事実上婚姻関係と同様の事情にある者を含む。以下この号において同じ。）で他に生計の途がなく主として当該職員の扶養を受けているもの及び給与法第十一条第二項に規定する扶養親族をいう。以下この号において同じ。）が所有する住宅及び職員の配偶者、父母又は配偶者の父母で、職員の扶養親族たる者以外のものが所有し、又は借り受け、居住している住宅並びに人事院がこれらに準ずると認める住宅の全部又は一部を借り受けて当該住宅に居住している職員

本条―令七・四・一施行

（配偶者が居住するための住宅から除く住宅）
第三条　給与法第十一条の十第一項第二号の人事院規則で定める住宅は、第二条第一号に規定する職員宿舎及び同条第二号に規定する住宅とする。

本条―平二一・一二・一施行

（権衡職員の範囲）
第四条　給与法第十一条の十第一項第二号の人事院規則で定める職員は、規則九―八九（単身赴任手当）第五条第二項に該当する職員で、規則九―八九第五条第二項第三号に規定する満十八歳に達する日以後の最初の三月三十一日までの間にある子が居住するための住宅として、同号に規定する異動又は官署の移転（新たに俸給表の適用を受ける職員となつた者にあつては当該適用、派遣法第二条第一項の規定による派遣、官民人事交流法第二条第三項に規定する交流派遣、法科大学院派遣法第十一条第一項の規定による派遣、福島復興再生特別措置法（平成二十四年法律第二十五号）第四十八条の三第一項若しくは第八十九条の三第一項の規定による派遣、令和三年オリンピック・パラリンピック特措法第十七条第一項の規定による派遣、平成三十一年ラグビーワールドカップ特措法第四条第一項の規定による派遣、令和七年国際博覧会特措法第二十五条第一項の規定による派遣若しくは令和九年国際園芸博覧会特措法第十五条第一項の規定による派遣から職務に復帰した職員又は規則一一―四（職員の身分保障）第三条第一項第一号から第四号までの規定による休職から復職した職員にあつては当該復帰又は復職）の直前の住居であつた住宅（国家公務員宿舎法（昭和二十四年法律第百十七号）第十三条の規定による有料宿舎並びに前条に規定する職員宿舎及び住宅を除く。）又はこれに準ずるものとして人事院の定める住宅を借り受け、月額一万六千円を超える家賃を支払つているものとする。

本条―令七・四・一施行

（届出）
第五条　新たに給与法第十一条の十第一項の職員たる要件を具備するに至つた職員は、当該要件を具備していることを証明する書類を添付して、人事院が定める様式の住居届により、その居住の実情を速やかに各庁の長（給与法第七条に規定する各庁の長又はその委任を受けた者をいう。

以下同じ。）に届け出なければならない。住居手当を受けている職員の居住する住宅、家賃の額等に変更があつた場合についても、同様とする。

２　前項の場合において、やむを得ない事情があると認められるときは、添付すべき書類は、届出後速やかに提出することをもつて足りるものとする。

３　第一項の規定にかかわらず、各庁の長において居住の実情を認定することができる場合として人事院が定める場合には、同項の規定による届出を要しない。

一・三項―令七・四・一施行
二項―平二一・一二・一施行

（確認及び決定）

第六条　各庁の長は、職員から前条第一項の規定による届出があつたときは、その届出に係る事実を確認し、その者が給与法第十一条の十第一項の職員たる要件を具備するときは、その者に支給すべき住居手当の月額を決定し、又は改定しなければならない。前条第三項に規定する場合においても、同様とする。

２　各庁の長は、前項の規定により住居手当の月額を決定し、又は改定したときは、その決定又は改定に係る事項を人事院が定める様式の住居手当認定簿に記載するものとする。

一項―令七・四・一施行
二項―平二一・一二・一施行

（家賃の算定の基準）

第七条　第五条第一項の規定による届出に係る職員が家賃と食費等を併せ支払つている場合において、家賃の額が明確でないときは、各庁の長は、人事院の定める基準に従い、家賃の額に相当する額を算定するものとする。

本条―平二一・一二・一施行

（支給の始期及び終期）

第八条　住居手当の支給は、職員が新たに給与法第十一条の十第一項の職員たる要件を具備するに至つた日の属する月の翌月（その日が月の初日であるときは、その日の属する月）から開始し、職員が同項に規定する要件を欠くに至つた日（人事院が定める場合にあつては、当該要件を欠くに至つた日以降の日で人事院が定める日）の属する月（その日が月の初日であるときは、その日の属する月の前月）をもつて終わる。ただし、住居手当の支給の開始については、第五条第一項の規定による届出がこれに係る事実の生じた日から十五日を経過した後にされたときは、その届出を受理した日の属する月の翌月（その日が月の初日であるときは、その日の属する月）から行うものとする。

２　住居手当を受けている職員にその月額を変更すべき事実が生じたときは、その事実の生じた日の属する月の翌月（その日が月の初日であるときは、その日の属する月）からその支給額を改定する。前項ただし書の規定は、住居手当の月額を増額して改定する場合について準用する。

一項―令七・四・一施行
二項―平二一・一二・一施行

（雑則）

第九条　この規則の実施に関し必要な事項は、人事院が定める。

本条―令五・四・一施行

附　則（平二五・四・一規則一―五九）（抄）

改正　平二七・三・一八規則一―六三

（施行期日）

第一条　この規則は、公布の日から施行する。

（人事院規則九―五四の一部改正に伴う経過措置）

第六条　旧給与特例法適用職員であった者から引き続き俸給表適用職員となった者については、旧給与特例法適用職員を規則九―五四第四条に規定する行政執行法人職員等であるものとみなして、同条の規定を適用する。

（雑則）

第十一条　附則第二条から前条までに規定するもののほか、この規則の施行に関し必要な経過措置は、人事院が定める。

附　則（平二七・三・一八規則一―六三）（抄）

（施行期日）

第一条　この規則は、平成二十七年四月一日から施行する。

（人事院規則九―五四の一部改正に伴う経過措置）

第九条　特定独立行政法人職員であった者から引き続き俸給表適用職員となった者については、特定独立行政法人職員を第七条の規定による改正後の規則九―五四第四条に規定する行政執行法人職員等であるものとみなして、同条の規定を適用する。

（雑則）

第十五条　附則第二条から前条までに規定するもののほか、この規則の施行に関し必要な経過措置は、人事院が定める。

附　則（令二・二・三規則九―五四―八）

この規則は、令和二年四月一日から施行する。

附　則（令二・六・一二規則一―七五）（抄）

（施行期日）

１　この規則は、公布の日から施行する。

附　則（令二・一二・二八規則一―七六）（抄）

（施行期日）

１　この規則は、公布の日から施行する。

附　則（令三・四・一規則九―五四―九）（抄）

（施行期日）

第一条　この規則は、令和三年四月二日から施行する。

附　則（令三・九・一規則一―七七）

この規則は、公布の日から施行する。

附　則（令四・二・一八規則一―七九）（抄）

（施行期日）

第一条　この規則は、令和五年四月一日から施行する。

附　則（令四・六・二四規則一―八一）

この規則は、公布の日から施行する。

附　則（令五・二・二八規則九―五四―一〇）

この規則は、令和五年四月一日から施行する。

附　則（令七・二・五規則九―五四―一一）

この規則は、令和七年四月一日から施行する。

○住居手当の運用について（通知）

昭四九・一二・二三
給実甲四三四

最終改正　令七・二・一二給実甲一三四六

一般職の職員の給与に関する法律（昭和二十五年法律第九十五号）第十一条の六の改正に伴い、住居手当の運用について下記のとおり定めたので、昭和四十九年四月一日以降の住居手当については、これによって運用してください。

なお、これに伴い、給実甲第三五〇号（住居手当の運用について）は、廃止します。

記

給与法第十一条の十関係

1　第一項第一号に規定する住宅は職員が居住している住宅であって、当該職員の生活の本拠となつているもの、同項第二号の「配偶者（届出をしないが事実上婚姻関係と同様の事情にある者を含む。同条において同じ。）が居住するための住宅」は配偶者（届出をしないが事実上婚姻関係と同様の事情にある者を含む。以下同じ。）が居住している住宅であつて、配偶者の生活の本拠となつているものに限るものとする。

2　第一項第一号に掲げる職員については、次に掲げるところによる。

一　第一項第一号に掲げる職員には、職員の扶養親族たる者（規則第二条第二号に規定する扶養親族たる者をいう。以下同じ。）が借り受けた住宅に居住し、家賃を支払っている職員を含むものとし、職員が職員又はその扶養親族たる者と次に掲げる者（以下「配偶者等」という。）とが共同して借り受けている住宅に当該配偶者等と同居し、家賃を支払っている場合においては、その生計を主として支えている職員に限り同号に掲げる職員に含まれるものとする。

ア　職員の配偶者

イ　職員の一親等の血族又は姻族である者

二　一に定める場合を除き、住宅を借り受けた者と共にその借受けに係る住宅に居住している職員は、家賃を事実上負担している場合においても、この条の第一項第一号に掲げる職員たる要件を具備している職員には該当しない。

3　この条に規定する家賃については、次に掲げるところによる。

一　次に掲げるものは、家賃には含まれない。

ア　権利金、敷金、礼金、保証金その他これらに類するもの

イ　電気、ガス、水道等の料金

ウ　団地内の児童遊園、外燈その他の共同利用施設に係る負担金（共益費）

エ　店舗付住宅の店舗部分その他これに類するものに係る借料

二　職員がその借り受けた住宅の一部を他に転貸している場合には、自己の居住部分と当該転貸部分との割合等を基準として算定した場合における自己の居住部分に係る家

賃に相当する額を当該職員の支払っている「家賃の額」として取り扱うものとする。

三　職員の扶養親族たる者が借り受けている住宅を職員に転貸している場合には、当該扶養親族たる者と貸主との間の契約に係る家賃をもって住居手当の額の算定の基礎とするものとする。

4　第一項第二号に掲げる職員については、次に掲げるところによる。

一　第一項第二号に掲げる配偶者が居住するための住宅を借り受けている職員には、職員の扶養親族たる者が借り受けた住宅に居住する配偶者がある職員で、その住宅の家賃を支払つているものを含むものとし、職員が配偶者の居住する住宅で次に掲げるものに係る家賃を支払つている場合においては、その生計を主として支えている職員に限り同号に掲げる職員に含まれるものとする。

ア　職員又はその扶養親族たる者と職員の一親等の血族又は姻族である者とが共同して借り受け、当該一親等の血族又は姻族である者が居住している住宅

イ　職員又はその扶養親族たる者と職員の扶養親族でない配偶者とが共同して借り受けている住宅

二　一に定める場合を除き、住宅を借り受けた者と共にその借受けに係る住宅に居住する配偶者がある職員は、家賃を事実上負担している場合においても、この条の第一項第二号に掲げる職員たる要件を具備している職員には該当しない。

規則第二条関係

1　第一号への「人事院が定める法人」は、次に掲げる法人とする。

一　特別の法律の規定により、国家公務員退職手当法（昭和二十八年法律第百八十二号）第七条の二の規定の適用について、同条第一項に規定する公庫等職員とみなされる者を使用する法人

二　官民人事交流法第二十条に規定する交流元企業

三　地方独立行政法人法（平成十五年法律第百十八号）第二条第一項に規定する地方独立行政法人

2　第二号の「給与法第十一条第二項に規定する扶養親族」には、給実甲第五八〇号（扶養手当の運用について）規則第三条関係第一項第一号に規定する行㈠九級以上職員等の扶養親族たる父母等（給与法第十一条第一項に規定する扶養親族たる父母等をいう。）その他人事院規則九―八〇（扶養手当）第三条第一項の規定による届出がされていない扶養親族を含む。

3　第二号の「他に生計の途がなく主として当該職員の扶養を受けているもの」には、人事院規則九―八〇第二条各号に掲げる者は含まれないものとする。

4　第二号の「人事院がこれらに準ずると認める住宅」は、次に掲げる住宅とする。

一　職員の扶養親族たる者が所有権の移転を一定期間留保する契約（以下「所有権留保契約」という。）により購入した住宅又は譲渡担保の目的で債権者にその所有権の一時的な移転（以下「譲渡担保のための移転」という。）をしている住宅

二　配偶者、父母又は配偶者の父母で、職員の扶養親族たる者以外のものが所有権留保契約により購入した住宅又は譲渡担保のための移転をしている住宅で、これらの者が居住している住宅

三　職員と同居しているその配偶者（職員である者に限る。）の扶養親族たる者が所有する住宅、所有権留保契約により購入した住宅又は譲渡担保のための移転をしている住宅

規則第四条関係

1　「満十八歳に達する日以後の最初の三月三十一日までの間にある子が居住するための住宅」は、当該子が居住している住宅であつて、当該子の生活の本拠となつているものに限るものとする。

2　この条に規定する職員には、職員の扶養親族たる者が借り受けた住宅に居住する人事院規則九―八九（単身赴任手当）第五条第二項第三号に規定する満十八歳に達する日以後の最初の三月三十一日までの間にある子（以下「単身赴任手当の支給要件に係る子」という。）がある職員で、その住宅の家賃を支払つているものを含むものとし、単身赴任手当の支給要件に係る子が職員又はその扶養親族たる者と職員の一親等の血族又は姻族である者とが共同して借り受けている住宅に当該一

親等の血族又は姻族である者と同居し、職員がその家賃を支払つている場合においては、その生計を主として支えている職員に限りこの条に規定する職員に含まれるものとする。

3　2に定める場合を除き、住宅を借り受けた者と共にその借受けに係る住宅に居住する単身赴任手当の支給要件に係る子がある職員は、家賃を事実上負担している場合においても、この条に規定する職員たる要件を具備している職員には該当しない。

4　この条に規定する家賃は、給与法第十一条の十関係の3に定めるところと同様とする。

5　「人事院の定める住宅」は、次に掲げる住宅で、学生寮等単身赴任手当の支給要件に係る子が職員と同居して生活を営むための住宅でないと明らかに認められる住宅以外のもの（国家公務員宿舎法（昭和二十四年法律第百十七号）第十三条の規定による有料宿舎並びに規則第三条に規定する職員宿舎及び住宅を除く。）とする。ただし、単身赴任手当の支給要件に係る子が二人以上ある場合において、そのうちのいずれかの子が官署を異にする異動又は在勤する官署の移転（新たに俸給表の適用を受ける職員となつた者にあつては当該適用、派遣法第二条第一項の規定による派遣、官民人事交流法第二条第三項に規定する交流派遣、法科大学院派遣法第十一条第一項の規定による派遣、福島復興再生特別措置法（平成二十四年法律第二十五号）第四十八条の三第一項若しくは第八十九条の三第一項の規定による派遣、令和三年オリンピック・パラリンピック特措法第十七条第一項の規定による派遣、平成三十一年ラグビーワールドカップ特措法第四条第一項の規定による派遣、令和七年国際博覧会特措法第二十五条第一項の規定による派遣若しくは令和九年国際園芸博覧会特措法第十五条第一項の規定による派遣から職務に復帰した職員又は人事院規則一一—四（職員の身分保障）第三条第一項第一号から第四号までの規定による休職から復職した職員にあつては当該復帰又は復職。以下同じ。）の直前の住居であつた住宅に居住しているときは、この限りでない。

一　官署を異にする異動又は在勤する官署の移転の直前の住居であつた住宅から単身赴任手当の支給要件に係る子が転居した場合における転居後の住宅（更に転居した場合における転居後の住宅を含む。二及び三において同じ。）

二　人事院規則九—八九第五条第二項第四号に規定する別居の直後の配偶者等の住居である住宅

三　給実甲第六六〇号（単身赴任手当の運用について）規則第五条関係第六項第四号、第五号又は第五号の二の規定により単身赴任手当を支給されることとなる職員の単身赴任手当の支給要件に係る子が居住する住宅

規則第五条関係

1　住居届の様式は、別紙第一のとおりとする。ただし、各庁の長（給与法第七条に規定する各庁の長又はその委任を受けた者をいう。以下同じ。）は、住居手当の支給に関し支障のない範囲内で、様式中の各欄の配列を変更し又は各欄以外の欄を設定する等当該様式を変更し、これによることができる。

2　第一項の「当該要件を具備していることを証明する書類」とは、契約書（契約書が作成されていない場合には、契約に関する当該住宅の貸主の証明書）、領収書等当該住宅に係る契約関係を明らかにする書類又はこれらの書類の写しとする。

3　第一項の「職員の居住する住宅、家賃の額等」とは、住居届に記入することとされている事項をいう。

4　第三項の「人事院が定める場合」は、規則第八条関係の二の規定の適用を受ける職員が引き続き俸給表の適用を受けることとなる場合（各庁の長を異にして俸給表の適用を受けることとなる場合を除く。）とする。

5　住居届は、職員が併任されている場合には、本務庁に届け出るものとする。

6　各庁の長は、職員に対し、少なくとも毎年度一回、第一項の規定による届出に関し注意を喚起するものとする。

規則第六条関係

1　職員の扶養親族たる者が他に生計の途がなく主として当該職員の扶養を受けていることの確認については、給与法第十一条第二項に規定する扶養親族に係る扶養の事実の認定の例によるものとする。

2　住居手当認定簿の様式は、別紙第二のとおりとする。ただし、各庁の長は、住居手当の

支給に関し支障のない範囲内で、様式中の各欄の配列を変更し又は各欄以外の欄を設定する等当該様式を変更し、これによることができる。

3　住居手当を受けている職員が各庁の長を異にして異動した場合には、異動前の各庁の長は当該職員に係る住居手当認定簿を当該職員から既に提出された住居届及び証明書類と共に異動後の各庁の長に送付するものとする。

規則第七条関係

家賃の額が明確でない場合における家賃の額に相当する額は、次に掲げる場合の区分に応じて、それぞれ次に定めるとおりとする。

一　居住に関する支払額に食費等が含まれている場合　その支払額の一〇〇分の四〇に相当する額

二　居住に関する支払額に電気、ガス又は水道の料金が含まれている場合　その支払額の一〇〇分の九〇に相当する額

規則第八条関係

1　第一項の「給与法第十一条の十第一項の職員たる要件を具備するに至った日」とは、その要件のすべてを満たすに至った日をいう。なお、新たに俸給表の適用を受ける職員となった者又は官署を異にして異動した職員が当該適用又は当該異動に伴い転居した場合において、当該適用の日又は当該異動の発令日以前に当該転居前の住宅を退去し、当該適用の日又は当該異動の発令日から当該適用又は当該異動の直後に在勤する官署への勤務を開始すべきこととされる日の前日までの間に当該転居後の住宅に入居したときは、当該適用の日又は当該異動の発令日を居住に係る要件を具備した日として取り扱うものとする。

2　第一項の「人事院が定める場合」は、住居手当を受けている職員で離職の日又はその翌日（当該翌日が行政機関の休日（行政機関の休日に関する法律（昭和六十三年法律第九十一号）第一条に規定する行政機関の休日をいう。以下同じ。）に当たるときは、当該翌日後において当該翌日に最も近い行政機関の休日でない日を含む。）に引き続き俸給表の適用を受けることとなる職員（当該適用の時点で、給与法第十一条の十第一項の職員たる要件を具備している職員に限る。）が当該離職のみを理由として、給与法第十一条の十第一項の職員たる要件を欠くに至る場合とし、第一項の「人事院が定める日」は、当該職員が俸給表の適用を受けることとなった日とする。

3　第一項ただし書（第二項において準用する場合を含む。）の「十五日」の期間及び「届出を受理した日」の取扱いについては、給実甲第五八〇号（扶養手当の運用について）規則第五条関係第三項及び第四項の規定の例によるものとする。

規則第九条関係

住居届及び住居手当認定簿は、当分の間、従前の様式のものによることができる。

以　上

（平成二五年四月一日事企法一三一　経過措置（抄））

改正　平二七・三・一八事企法一二〇

国有林野の有する公益的機能の維持増進を図るための国有林野の管理経営に関する法律等の一部を改正する等の法律（平成二十四年法律第四十二号。以下「改正法」という。）の施行に伴い、下記に掲げる人事院事務総長通知の一部をそれぞれ次のとおり改正したので、平成二十五年四月一日以降は、これによってください。

なお、この通知による人事院事務総長通知の改正に伴う経過措置については、次の各号に定めるところによってください。

一　改正法第五条第一号の規定による廃止前の国有林野事業を行う国の経営する企業に勤務する職員の給与等に関する特例法（昭和二十九年法律第百四十一号）第二条第二項に規定する職員（以下「旧給与特例法適用職員」という。）であった者から引き続き一般職の職員の給与に関する法律（昭和二十五年法律第九十五号）第六条第一項の俸給表の適用を受ける職員（以下「俸給表適用職員」という。）となった者の次に掲げる人事院事務総長通知における取扱いについては、それぞれ次に定めるところによる。

イ　〔略〕

ロ　給実甲第四三四号（住居手当の運用について）　旧給与特例法適用職員を給実甲第四三四号規則第四条関係の五に規定する行政執行法人職員等であるものとみ

なして、同条関係の五を適用する。

ハ　〔略〕

（平成二七年三月一八日事企法一二〇）
経過措置（抄）

独立行政法人通則法の一部を改正する法律（平成二十六年法律第六十六号）及び独立行政法人通則法の一部を改正する法律の施行に伴う関係法律の整備に関する法律（平成二十六年法律第六十七号）の施行に伴い、下記に掲げる関係人事院事務総長通知の一部をそれぞれ下記のとおり改正したので、平成二十七年四月一日以降は、これによってください。

なお、この通知による人事院事務総長通知の改正に伴う経過措置については、次に定めるところによってください。

三　独立行政法人通則法の一部を改正する法律の施行に伴う関係法律の整備に関する法律（以下「整備法」という。）の施行の日において、特定独立行政法人の職員であった者から引き続き一般職の職員の給与に関する法律（昭和二十五年法律第九十五号）第六条第一項の俸給表のうちいずれかの俸給表の適用を受ける職員となった者については、当該特定独立行政法人の職員をこの通知による改正後の給実甲第四三四号（住居手当の運用について）規則第四条関係の五に規定する行政執行法人職員等であるものとみなして、同条関係の五の規定を適用する。

別紙第１

住　居　届

令和　　年　　月　　日提出

各庁の長　　　殿	勤務官署名			
	官職		氏名	

人事院規則９－５４（住居手当）第５条の規定に基づき、居住の実情を届け出ます。

（届出の理由が生じた日）
令和　　年　　月　　日

職員が居住する借家・借間				
届出の理由	□１ 新 規　□２ 支給要件の喪失　□３ 転 居（１又は２に該当する場合を除く） □４ 契約関係の変更　□５ 家賃額の改定　□６ その他（　　）			
契約開始日	令和　年　月　日から	住宅への入居日	令和　年　月　日	
住宅の所在地				
住宅所有者	続柄（　　）	住所		
住宅の貸主	続柄（　　）	住所		
住宅の借主	□ 本 人 □ 扶養親族　続柄（　　）	共同名義人が □ いない □ いる　続柄（　　） （　　）		
家賃等	月 額　　円 （令和　年　月　日から）	左記家賃等には □電気、ガス又は水道の料金が含まれている。（光熱費込みの下宿代） □食費等が含まれている。（まかない付下宿代）		

（届出の理由が生じた日）
令和　　年　　月　　日

配偶者等が居住する借家・借間				
届出の理由	□１ 新 規　□２ 支給要件の喪失　□３ 転 居（１又は２に該当する場合を除く） □４ 契約関係の変更　□５ 家賃額の改定　□６ その他（　　）			
契約開始日	令和　年　月　日から	住宅への入居日	令和　年　月　日	
住宅の所在地				
住宅所有者	続柄（　　）	住所		
住宅の貸主	続柄（　　）	住所		
住宅の借主	□ 本 人 □ 扶養親族　続柄（　　）	共同名義人が □ いない □ いる　続柄（　　） （　　）		
家賃等	月 額　　円 （令和　年　月　日から）	左記家賃等には □電気、ガス又は水道の料金が含まれている。（光熱費込みの下宿代） □食費等が含まれている。（まかない付下宿代）		

記入上の注意

1　「家賃等」欄には、権利金、敷金、食費、電気代、ガス代、水道代、共益費若しくは店舗付住宅の店舗部分その他これに類するものに係る借料又は借り受けた住宅を他に転貸している場合の転貸部分に係る家賃等を含まない額を記入する。ただし、居住に関する支払額に電気、ガス若しくは水道の料金が含まれている場合（例：光熱費込みの下宿代）又は居住に関する支払額に食費等が含まれている場合（例：まかない付下宿代）で家賃に相当する額の算出が困難なときは、光熱費、食費等を含めた額（光熱費込みの下宿代又はまかない付下宿代）を記入して差し支えない。なお、この場合には該当するものにｖ印を付するものとする。

2　家賃額の改定等居住の実情の一部に変更がある場合は、変更内容に関係のない事項の記入を省略することができる。

3　「配偶者等が居住する借家・借間」欄は、単身赴任手当を支給される職員が届け出る場合のみ記入する。

備考

別紙第２

住居手当認定簿

職員番号	
氏　名	

届出の理由		届出年月日（受理年月日）	該当条文	決定家賃等	支給の始期等	住居手当の月額	各庁の長の確認決定（改定）	備考
事実発生年月日	内容							
			□ 給与法第11条の10第1項第1号	円		円	令和　年　月　日 官職 氏名	
			□ 給与法第11条の10第1項第2号	円				
備　考								

記入上の注意

「届出年月日（受理年月日）」欄には、届出提出日を記入し、その日が届出受理日と異なる場合にあっては、届出受理日を（　）書で記入する。

【行政実例】

○住居手当の支給について

〔照会〕　住居手当の支給に関し、下記のような疑義が生じたので御回答ください。

記

1　借家あるいは自宅に居住し、住居手当を支給されている職員が、次に掲げる場合に該当して一時的に当該住宅に居住しないこととなる場合においても引き続き住居手当を支給してよいか。

(イ)　出張（研修を含む。）の場合

(ロ)　公務のため船舶に乗り組んだ場合

(ハ)　病気療養のため病院、療養所等に入院した場合又は転地療養の場合

(ニ)　海外派遣の場合

2　〔略〕

3　借家・借間居住の場合の「適用除外職員」については、規則第二条及び給実甲第四三四号規則第二条関係に定められているが、次に掲げる者から職員が「別棟」の住宅を借り受けた場合においては、必ずしも明らかでないので、どのように取り扱つたらよいか。

（住宅の貸主）

(イ)　職員の扶養親族

(ロ)　職員たる配偶者の扶養親族

(ハ)　配偶者（扶養親族とはなつていない。）

(ニ)　父母（扶養親族とはなつていない。）

(ホ)　配偶者の父母（職員たる配偶者の扶養親族とはなつていない。）

4　職員が、職員又はその扶養親族たる者と給実甲第四三四号給与法第十一条の六関係の2の二に規定する「配偶者等」以外の者とが共同して住宅を借り受けて居住している場合（例えば、兄弟どうしの共同名義借り受け住宅）においては、当該職員が世帯主であるかどうかにかかわらず、住居手当の支給対象としてよいか。

なお、住居手当を支給できるものとした場合における当該職員が負担する家賃の相当額は、実態的負担の程度にかかわらず、当該住宅に係る家賃の月額を共同名義人の人数で除して得た額であるものとしてよいか。

5　職員の共有に係る住宅を、共有者の一方から職員が賃借しているとして、契約書・領収書を添付して住居届を提出してきたが、この場合においては、住居手当上どのように考えるべきか。

6　家賃を年額一二〇、〇〇〇円で契約している場合は、十二か月で除して得た額一〇、〇〇〇円を給与法第十一条の六に規定する月額の家賃としてよいか。（昭五〇・二・三　人関一―四八　関東事務局長）

〔回答〕　標記について、下記のように回答します。

なお、これに伴い、昭和四十六年一月二十六日付給三―一六は廃止します。

記

1　当該住宅について、職員が居住し得る状態が引き続く限りにおいて貴見のとおり支給して差し支えない。

なお、当該住宅を他人に賃貸している場合は支給できないものとする。

2　〔略〕

3　職員と(イ)から(ホ)までの者との間における賃貸借関係は、社会通念上認めることは適当ではない。しかしながら、職員と(イ)から(ホ)までのそれぞれの者との関係には、緊密度に差が認められるので、職員が(ニ)及び(ホ)に掲げる者から別むねの住宅を借り受けている場合で、調査の結果、その事実を十分確認できるときに限つて、給与法第十一条の六第一項第一号適用職員として取り扱つて差し支えない。

4　貴見のとおり取り扱つて差し支えない。

なお、具体的認定に当つては、賃貸借契約書の借主が連名の場合であつても、実際には契約者と同居人の氏名を併記したにすぎない場合が見受けられるので、その点をも含めて貸主に問い合わせる等、慎重に事実の確認を行われたい。

5　共有住宅については、所有の権利は持分割合にかかわらず当該住宅のすべてに及ぶので、当該住宅は自宅として認定する（給与法第十一条の六第一項第二号該当）ものとする。

6　貴見のとおりと解する。（昭五〇・二・一〇　給三―二二　給与第三課長）

（注）　その後の改正により平成一九年四月一日以降は、問及び答中の「給与法第十一条の六」については、「給与法第十一条の十」を参照のこと。

第七 通勤手当

【参照】
●一般職給与法一二
●同運用方針一二関係

○人事院規則九—二四（通勤手当）

昭三三・四・二五制定
昭三三・四・一適用

最終改正 令七・二・五規則九—二四—二二

（総則）

第一条 給与法第十二条の規定による通勤手当の支給については、別に定める場合を除き、この規則の定めるところによる。

第二条 給与法第十二条及びこの規則に規定する「通勤」とは、職員が勤務のため、その者の住居と勤務官署（官署に支所、分室その他これらに類するものが設置されているときは、それらに勤務する職員については、それらをもつて勤務官署とする。以下同じ。）との間を往復することをいう。

2 給与法第十二条に規定する徒歩により通勤するものとした場合の通勤距離並びに同条及びこの規則に規定する自動車等の使用距離は、一般に利用しうる最短の経路の長さによるものとする。

（届出）

二項—平元・四・一適用

第三条 職員は、新たに給与法第十二条第一項の職員たる要件を具備するに至つた場合には、人事院が定める様式の通勤届により、その通勤の実情を速やかに各庁の長（その委任を受けた者を含む。以下同じ。）に届け出なければならない。同項の職員が次の各号の一に該当する場合についても同様とする。

一 各庁の長を異にして異動した場合

二 住居、通勤経路若しくは通勤方法を変更し、又は通勤のため負担する運賃等の額に変更があつた場合

三 第十五条第一項第三号又は第四号の職員たる要件を欠くに至つた場合

本条—令七・四・一施行

（確認及び決定）

第四条 各庁の長は、職員から前条の規定による届出があつたときは、その届出に係る事実を通勤用定期乗車券（これに準ずるものを含む。）（以下「定期券」という。）の提示又は第十五条第一項第三号若しくは第四号の職員たる要件を具備していることを証明する書類の提出を求める等の方法により確認し、その者が給与法第十二条第一項の職員たる要件を具備するときは、その者に支給すべき通勤手当の額を決定し、又は改定しなければならない。

2 各庁の長は、前項の規定により通勤手当の額を決定し、又は改定したときは、その決定又は改定に係る事項を人事院が定める様式の通勤手当認定簿に記載するものとする。

（支給範囲の特例）

一項—令七・四・一施行
二項—平一六・四・一施行

第五条 給与法第十二条第一項各号に規定する通勤することが著しく困難である職員は、次の各号のいずれかに該当する職員で、交通機関等を利用し、又は自動車等を使用しなければ通勤することが著しく困難であると各庁の長が認めるものとする。

一 住居又は勤務官署のいずれかの一が離島等にある職員

二 規則一六—〇（職員の災害補償）別表第五に定める程度の障害のため歩行することが著しく困難な職員

本条—平一八・四・一施行

（普通交通機関等に係る通勤手当の額の算出の基準）

第六条 普通交通機関等（給与法第十二条第三項に規定する新幹線鉄道等（以下「新幹線鉄道等」という。）以外の交通機関等をいう。以下同じ。）に係る通勤手当の額は、運賃、時間、距離等の事情に照らし最も経済的かつ合理的と認められる通常の通勤の経路及び方法により算出するものとする。

本条—令七・四・一施行

第七条 前条の通勤の経路又は方法は、往路と帰路とを異にし、又は往路と帰路とにおけるそれぞれの通勤の方法を異にするものであつてはならない。ただし、勤務時間法第十三条第一項に規定する正規の勤務時間が深夜に及ぶためこれにより難い場合等正当な事由がある場合は、こ

の限りでない。

本条—平六・九・二二施行

第八条　給与法第十二条第二項第一号に規定する運賃等相当額（次項及び第八条の三第二号において「運賃等相当額」という。）は、次項に該当する場合を除くほか、次の各号に掲げる普通交通機関等の区分に応じ、当該各号に定める額（その額に一円未満の端数があるときは、その端数を切り捨てた額）とする。

一　定期券を使用することが最も経済的かつ合理的であると認められる普通交通機関等　次に掲げる場合の区分に応じ、それぞれ次に定める額

イ　ロに掲げる場合以外の場合　通用期間を支給単位期間（給与法第十二条第八項に規定する支給単位期間をいう。以下同じ。）と同じくする定期券の価額

ロ　使用する定期券の通用期間が六箇月を超える場合　人事院の定める額

二　回数乗車券等を使用することが最も経済的かつ合理的であると認められる普通交通機関等　当該回数乗車券等の通勤二十一回分（在宅勤務等手当を支給される職員、交替制勤務に従事する職員その他の職員にあつては、一箇月当たりの平均通勤所要回数分）の運賃等の額

三　人事院の定める普通交通機関等　人事院の定める額

2　前条ただし書に該当する場合の運賃等相当額は、往路及び帰路において利用するそれぞれの普通交通機関等について、前項各号に定める額との均衡を考慮し、それらの算出方法に準じて算出した額（その額に一円未満の端数があるときは、その端数を切り捨てた額）とする。

一項—令七・四・一施行

（定年前再任用短時間勤務職員等に係る通勤手当の減額）

第八条の二　給与法第十二条第二項第二号（育児休業法第十六条（育児休業法第二十二条において準用する場合を含む。）又は第二十四条の規定により読み替えて適用する場合を含む。次項において同じ。）の人事院規則で定める職員は、一箇月当たりの平均通勤所要回数が十回に満たない職員とする。

2　給与法第十二条第二項第二号の人事院規則で定める割合は、百分の五十とする。

本条—令六・四・一施行

（併用者の区分及び支給額）

第八条の三　給与法第十二条第二項第三号に規定する同条第一項第三号に掲げる職員の区分及びこれに対応する同条第二項第三号に規定する通勤手当の額は、次の各号に掲げるとおりとする。

一　給与法第十二条第一項第三号に掲げる職員（普通交通機関等を利用しなければ通勤することが著しく困難である職員以外の職員であつて、その利用する普通交通機関等が通常徒歩によることを例とする距離内においてのみ利用しているものであるものを除く。）のうち、自動車等の使用距離が片道二キロメートル以上である職員及び自動車等の使用距離が片道二キロメートル未満であるが自動車等を使用しなければ通勤することが著しく困難である職員　同条第二項第一号及び第二号に定める額

二　給与法第十二条第一項第三号に掲げる職員のうち、運賃等相当額をその支給単位期間の月数で除して得た額（普通交通機関等が二以上ある場合においては、その合計額。以下「一箇月当たりの運賃等相当額等」という。）が同条第二項第二号に定める額以上である職員（前号に掲げる職員を除く。）　同項第一号に定める額

三　給与法第十二条第一項第三号に掲げる職員のうち、一箇月当たりの運賃等相当額等が同条第二項第二号に定める額未満である職員（第一号に掲げる職員を除く。）　同項第二号に定める額

本条—令七・四・一施行

（交通の用具）

第九条　給与法第十二条第一項第二号に規定する交通の用具は、自動車その他の原動機付の交通用具及び自転車とする。ただし、国又は地方公共団体の所有に属するものを除く。

本条—平一九・四・一施行

（通勤の実情に変更を生ずる職員）

第十条　給与法第十二条第三項の人事院規則で定める職員は、通勤の実情に変更を生ずる職員で、新幹線鉄道等を利用しないで通勤するものとした場合における通勤距離が六十キロメートル以上若しくは通勤時間が九十分以上であるもの（新幹線鉄道等の利用により通勤事情の改善が認められるものに限る。）又は交通事情等に照らして通勤が困難であると人事院が認めるもの

とする。

本条―令七・四・一施行

（異動等の直前の住居に相当する住居）

第十一条　給与法第十二条第三項の人事院規則で定める住居は、官署を異にする異動又は在勤する官署の移転の日以後に転居する場合における次に掲げる住居とする。

一　通勤のため利用する新幹線鉄道等に係る経路に変更が生じないときの当該転居後の住居

二　通勤のため利用する新幹線鉄道等に係る経路に変更が生じるときの当該転居後の住居であつて次に掲げるもの

イ　給与法第十二条第三項本文に規定する直前の住居から通勤する場合に利用する新幹線鉄道等に係る経路の起点となる駅等（ロにおいて「旧最寄り駅等」という。）と、当該転居後の住居から通勤する場合に利用する新幹線鉄道等に係る経路の起点となる駅等（ロにおいて「新最寄り駅等」という。）とが、新幹線鉄道等に係る経路において隣接している場合における当該転居後の住居

ロ　イに掲げるもののほか、旧最寄り駅等と新最寄り駅等との間の新幹線鉄道等に係る経路の距離が六十キロメートルの範囲内にある場合における当該転居後の住居

三　前二号に掲げる住居のほか、人事院がこれらに準ずる住居であると認めるもの

本条―令七・四・一施行

（新幹線鉄道等の利用に係る特別料金等に係る通勤手当の額の算出の基準）

第十二条　新幹線鉄道等の利用に係る特別料金等に係る通勤手当の額は、運賃等、時間、距離等の事情に照らし最も経済的かつ合理的と認められる新幹線鉄道等を利用する場合における通勤の経路及び方法により算出するものとする。

２　第七条の規定は、新幹線鉄道等の利用に係る特別料金等に係る通勤手当の額の算出について準用する。

３　第八条（第一項第三号を除く。）の規定は、給与法第十二条第三項第一号に規定する特別料金等相当額（第十六条第四項において「特別料金等相当額」という。）の算出について準用する。この場合において、第八条第一項中「普通交通機関等の」とあるのは「新幹線鉄道等の」と、同項第一号及び第二号中「普通交通機関等」とあるのは「新幹線鉄道等」と、同項第二号中「運賃等」とあるのは「特別料金等」と、同条第二項中「普通交通機関等」とあるのは「新幹線鉄道等」と読み替えるものとする。

本条―令七・四・一施行

（俸給表適用の直前の住居に相当する住居）

第十三条　給与法第十二条第四項の人事院規則で定める住居は、俸給表の適用を受ける職員となつた日以後に転居する場合における次に掲げる住居とする。

一　通勤のため利用する新幹線鉄道等に係る経路に変更が生じないときの当該転居後の住居

二　通勤のため利用する新幹線鉄道等に係る経路に変更が生じるときの当該転居後の住居であつて次に掲げるもの

イ　給与法第十二条第四項に規定する直前の住居から通勤する場合に利用する新幹線鉄道等に係る経路の起点となる駅等（ロにおいて「旧最寄り駅等」という。）と、当該転居後の住居から通勤する場合に利用する新幹線鉄道等に係る経路の起点となる駅等（ロにおいて「新最寄り駅等」という。）とが、新幹線鉄道等に係る経路において隣接している場合における当該転居後の住居

ロ　イに掲げるもののほか、旧最寄り駅等と新最寄り駅等との間の新幹線鉄道等に係る経路の距離が六十キロメートルの範囲内にある場合における当該転居後の住居

三　前二号に掲げる住居のほか、人事院がこれらに準ずる住居であると認めるもの

本条―令七・四・一施行

（権衡職員等の範囲）

第十四条　給与法第十二条第四項の任用の事情等を考慮して人事院規則で定める職員は、次に掲げる職員で、新幹線鉄道等を利用しないで通勤するものとした場合における通勤距離が六十キロメートル以上若しくは通勤時間が九十分以上であるもの（新幹線鉄道等の利用により通勤事情の改善が認められるものに限る。）又は交通事情等に照らして通勤が困難であると人事院が認めるものとする。

一　新たに俸給表の適用を受ける職員となつた者（検察官であつた者又は給与法第十一条の七第三項に規定する行政執行法人職員等であつた者から人事交流等により俸給表の適用を受ける職員となつた者（次号において「人事交流等職員」という。）のうち、当

該適用の直前の住居と所在する地域を異にする官署に在勤することとなつた者

二　人事交流等職員のうち、当該適用の直前の勤務地と所在する地域を異にする官署に在勤することとなつたことに伴い、通勤の実情に変更を生ずる職員

本条…令七・四・一施行

第十五条　給与法第十二条第四項の同条第三項の規定による通勤手当を支給される職員との権衡上必要があると認められるものとして人事院規則で定める職員は、次に掲げる職員（新幹線鉄道等の利用により通勤事情の改善が認められるものに限る。）とする。

一　次に掲げる事由が生じた職員のうち、給与法第十二条第一項第一号又は第三号に掲げる職員で、当該事由の発生に伴い、当該事由の発生の直前の住居（特定住居を含む。）からの通勤のため、新幹線鉄道等を利用し、その利用に係る特別料金等を負担することを常例とするもの（当該事由の発生の直前の勤務地と所在する地域を異にする官署に在勤することとなつたことに伴い、通勤の実情に変更を生ずる職員で、新幹線鉄道等を利用しないで通勤するものとした場合における通勤距離が六十キロメートル以上若しくは通勤時間が九十分以上であるもの又は交通事情等に照らして通勤が困難であると人事院が認めるものに限る。）

イ　派遣法第二条第一項の規定による派遣、官民人事交流法第二条第三項に規定する交流派遣（以下「交流派遣」という。）、法科大学院派遣法第十一条第一項の規定による派遣、福島復興再生特別措置法（平成二十四年法律第二十五号）第四十八条の三第一項若しくは第八十九条の三第一項の規定による派遣、令和三年オリンピック・パラリンピック特措法第十七条第一項の規定による派遣、平成三十一年ラグビーワールドカップ特措法第四条第一項の規定による派遣、令和七年国際博覧会特措法第二十五条第一項の規定による派遣又は令和九年国際園芸博覧会特措法第十五条第一項の規定による派遣から職務に復帰したこと。

ロ　規則一一—四（職員の身分保障）第三条第一項第一号から第四号までの規定による休職から復職したこと。

二　配偶者（届出をしないが事実上婚姻関係と同様の事情にある者を含む。以下この項において同じ。）（配偶者のない職員にあつては、満十八歳に達する日以後の最初の三月三十一日までの間にある子）の住居に転居したことに伴い単身赴任手当が支給されないこととなつた職員で、当該転居後の住居（特定住居を含む。）からの通勤のため、新幹線鉄道等を利用し、その利用に係る特別料金等を負担することを常例とするもの

三　職員又は配偶者の官署を異にする異動又は在勤する官署の移転（配偶者が職員でない場合にあつては、これらに相当するものを含む。）に伴い、配偶者と同居して満十八歳に達する日以後の最初の三月三十一日までの間にある子を養育するため、職員及び配偶者の通勤を考慮した地域の住居に転居した職員で、当該転居後の住居（当該転居の日以後に当該地域へ転居する場合における当該日以後の転居後の住居を含む。）からの通勤のため、新幹線鉄道等を利用し、その利用に係る特別料金等を負担することを常例とするもの（新幹線鉄道等を利用しないで通勤するものとした場合における通勤距離が六十キロメートル以上又は通勤時間が九十分以上であり、かつ、当該子の養育を行つているものに限る。）

四　職員又は配偶者の父母（介護保険法（平成九年法律第百二十三号）第十九条第一項に規定する要介護認定を受けている者に限る。）の介護に伴い、当該父母の住居又はその近隣の住居に転居した職員で、当該転居後の住居（当該転居の日以後に当該父母の住居又はその近隣の住居を転居する場合における当該日以後の転居後の住居を含む。）からの通勤のため、新幹線鉄道等を利用し、その利用に係る特別料金等を負担することを常例とするもの（新幹線鉄道等を利用しないで通勤するものとした場合における通勤距離が六十キロメートル以上又は通勤時間が九十分以上であり、かつ、当該父母の介護を行つているものに限る。）

五　その他給与法第十二条第三項の規定による通勤手当を支給される職員との権衡上必要があると認められるものとして人事院の定める職員

2　前項第一号及び第二号において「特定住居」とは、同項第一号イ若しくはロに掲げる事由の

発生又は同項第二号に規定する転居（以下この項において「事由の発生等」という。）の日以後に転居する場合における当該事由の発生等の日以後の転居後の住居（以下この項において「転居後の住居」という。）であつて次に掲げるものをいう。

一　通勤のため利用する新幹線鉄道等に係る経路に変更が生じないときの当該転居後の住居

二　通勤のため利用する新幹線鉄道等に係る経路に変更が生じたときの当該転居後の住居であつて次に掲げるもの

イ　当該事由の発生等の直前の住居から通勤する場合に利用する新幹線鉄道等に係る経路の起点となる駅等（ロにおいて「旧最寄り駅等」という。）と、当該転居後の住居から通勤する場合に利用する新幹線鉄道等に係る経路の起点となる駅等（ロにおいて「新最寄り駅等」という。）とが、新幹線鉄道等に係る経路において隣接している場合における当該転居後の住居

ロ　イに掲げるもののほか、旧最寄り駅等と新最寄り駅等との間の新幹線鉄道等に係る経路の距離が六十キロメートルの範囲内にある場合における当該転居後の住居

三　前二号に掲げる住居のほか、人事院がこれらに準ずる住居であると認めるもの

本条―令七・四・一施行

（支給日等）

第十六条　通勤手当は、支給単位期間（第四項に規定する通勤手当に係るものを除く。）又は同項に定める期間（以下この条、第十八条第二項第二号及び第二十一条において「支給単位期間等」という。）に係る最初の月の俸給の支給定日（その月が俸給の月額の半額ずつを月二回に支給する月である場合にあつては、先の俸給の支給定日。以下この条において「支給日」という。）に支給する。ただし、支給日までに第三条の規定による届出に係る事実が確認できない等のため、支給日に支給することができないときは、支給日後に支給することができる。

2　支給単位期間等に係る通勤手当の支給日前において離職（職員が離職の日又はその翌日（当該翌日が行政機関の休日に関する法律（昭和六十三年法律第九十一号）第一条第一項に規定する行政機関の休日に当たるときは、当該翌日後において当該翌日に最も近い行政機関の休日でない日を含む。）に新たに俸給表の適用を受けることとなる場合の離職を除く。以下同じ。）をし、又は死亡した職員には、当該通勤手当をその際支給する。

3　職員がその所属する俸給の支給義務者を異にして異動した場合であつて、その異動した日が支給単位期間等に係る最初の月であるときにおける当該支給単位期間等に係る通勤手当は、その月の初日に職員が所属する俸給の支給義務者において支給する。この場合において、職員の異動が当該通勤手当の支給日前であるときは、その際支給するものとする。

4　給与法第十二条第六項の人事院規則で定める通勤手当は、一箇月当たりの運賃等相当額等（第八条の三第三号に掲げる職員に係るものを除く。）、給与法第十二条第二項第二号に定める額（第八条の三第二号に掲げる職員に係るものを除く。）及び特別料金等相当額をその支給単位期間の月数で除して得た額（新幹線鉄道等が二以上ある場合においては、その合計額）の合計額（第十八条第二項において「一箇月当たりの通勤手当算出基礎額」という。）が十五万円を超えるときにおける通勤手当とし、給与法第十二条第六項の人事院規則で定める期間は、その者の当該通勤手当に係る支給単位期間のうち最も長い支給単位期間とする。

一・二・四項―令七・四・一施行
三項―平一六・四・一施行

（支給の始期及び終期）

第十七条　通勤手当の支給は、職員に新たに給与法第十二条第一項の職員たる要件が具備されるに至つた場合においてはその日の属する月の翌月（その日が月の初日であるときは、その日の属する月）から開始し、通勤手当を支給されている職員が離職し、又は死亡した場合においてはそれぞれその者が離職し、又は死亡した日、通勤手当を支給されている職員が同項の職員たる要件を欠くに至つた場合においてはその事実の生じた日の属する月（これらの日が月の初日であるときは、その日の属する月の前月）をもつて終わる。ただし、通勤手当の支給の開始については、第三条の規定による届出が、これに係る事実の生じた日から十五日を経過した後にされたときは、その届出を受理した日の属する月の翌月（その日が月の初日であるときは、その日の属する月）から行うものとする。

2　通勤手当は、これを受けている職員にその額

を変更すべき事実が生ずるに至つた場合においては、その事実の生じた日の属する月の翌月（その日が月の初日であるときは、その日の属する月）から支給額を改定する。前項ただし書の規定は、通勤手当の額を増額して改定する場合における支給額の改定について準用する。

本条—令七・四・一施行

（返納の事由及び額等）

第十八条　給与法第十二条第七項の人事院規則で定める事由は、通勤手当（一箇月の支給単位期間に係るものを除く。）を支給される職員について生じた次の各号のいずれかに掲げる事由とする。

一　離職し、若しくは死亡した場合又は給与法第十二条第一項の職員たる要件を欠くに至つた場合

二　通勤経路若しくは通勤方法を変更し、又は通勤のため負担する運賃等の額に変更があつたことにより、通勤手当の額が改定される場合

三　月の中途において法第七十九条の規定により休職にされ、法第百八条の六第一項ただし書に規定する許可を受け、派遣法第二条第一項の規定により派遣され、育児休業法第三条の規定により育児休業をし、交流派遣をされ、法科大学院派遣法第十一条第一項の規定により派遣され、自己啓発等休業法第二条第五項に規定する自己啓発等休業をし、福島復興再生特別措置法第四十八条の三第一項若しくは第八十九条の三第一項の規定により派遣され、配偶者同行休業法第二条第四項に規定する配偶者同行休業をし、令和七年国際博覧会特措法第二十五条第一項の規定により派遣され、令和九年国際園芸博覧会特措法第十五条第一項の規定により派遣され、又は法第八十二条の規定により停職にされた場合（これらの期間の初日の属する月又はその翌月に復職し、又は職務に復帰することとなる場合を除く。第二十条第二項において「派遣等となつた場合」という。）

四　出張、休暇、欠勤その他の事由により、月の初日から末日までの期間の全日数にわたつて通勤しないこととなる場合

2　給与法第十二条第七項の人事院規則で定める額は、次の各号に掲げる場合の区分に応じ、当該各号に定める額とする。

一　一箇月当たりの通勤手当算出基礎額が十五万円以下であつた場合　次に掲げる場合の区分に応じ、それぞれ次に定める額

イ　ロに掲げる場合以外の場合　前項第二号に掲げる事由が生じた場合にあつては当該事由に係る普通交通機関等又は新幹線鉄道等（同号の改定後に一箇月当たりの通勤手当算出基礎額が十五万円を超えることとなるときは、その者の利用する全ての普通交通機関等及び新幹線鉄道等）、同項第一号、第三号又は第四号に掲げる事由が生じた場合にあつてはその者の利用する全ての普通交通機関等及び新幹線鉄道等につき、使用されるべき通用期間の定期券の運賃等及び特別料金等の払戻しを、人事院の定める月（以下この条において「事由発生月」という。）の末日にしたものとして得られる額（次号において「払戻金相当額」という。）

ロ　使用している定期券に通用期間が六箇月を超えるものがある場合　人事院の定める額

二　一箇月当たりの通勤手当算出基礎額が十五万円を超えていた場合　次に掲げる場合の区分に応じ、それぞれ次に定める額

イ　ロに掲げる場合以外の場合　十五万円に事由発生月の翌月から支給単位期間等に係る最後の月までの月数を乗じて得た額又は前項各号に掲げる事由に係る普通交通機関等及び新幹線鉄道等についての払戻金相当額の合計額並びに人事院の定める額の合計額のいずれか低い額（事由発生月が支給単位期間に係る最後の月である場合にあつては、零）

ロ　前号ロに掲げる場合　人事院の定める額

3　給与法第十二条第七項の規定により職員に前項に定める額を返納させる場合において、返納に係る通勤手当の俸給の支給義務者と事由発生月の翌月以降に支給される給与の俸給の支給義務者が同一であるときは、人事院の定めるところにより当該給与から当該額を差し引くことができる。

本条—令七・四・一施行

（支給単位期間）

第十九条　給与法第十二条第八項に規定する人事院規則で定める期間は、次の各号に掲げる普通交通機関等又は新幹線鉄道等の区分に応じ、当

該各号に定める期間とする。

一　定期券を使用することが最も経済的かつ合理的であると認められる普通交通機関等又は新幹線鉄道等　次に掲げる場合の区分に応じ、それぞれ次に定める期間

イ　ロに掲げる場合以外の場合　普通交通機関等又は新幹線鉄道等における定期券の通用期間のうちそれぞれ最も長いものに相当する期間。ただし、新幹線鉄道等の利用に係る特別料金等に係る通勤手当を支給されている場合であつて、普通交通機関等に係る定期券及び新幹線鉄道等に係る定期券が一体として発行されているときにおける当該普通交通機関等にあつては、当該新幹線鉄道等の利用に係る特別料金等に係る通勤手当に係る支給単位期間に相当する期間

ロ　使用する定期券の通用期間が六箇月を超える場合　人事院の定める期間

二　回数乗車券等を使用することが最も経済的かつ合理的であると認められる普通交通機関等若しくは新幹線鉄道等又は第八条第一項第三号の人事院の定める普通交通機関等　一箇月

2　前項第一号に掲げる普通交通機関等又は新幹線鉄道等について、次の各号のいずれかに掲げる事由（前条第一項各号に掲げる事由に該当する事由に限る。）が前項第一号に定める期間に係る最後の月の前月以前に生ずることが当該期間に係る最初の月の初日において明らかである場合には、当該事由が生ずることとなる日の属する月（その日が月の初日である場合にあつては、その日の属する月の前月）までの期間について、同項の規定にかかわらず、同項の規定に準じて支給単位期間を定めることができる。

一　法第八十一条の六第一項の規定による退職その他の離職をすること。

二　法第百八条の六第一項ただし書に規定する許可を受け、派遣法第二条第一項の規定により派遣され、育児休業法第三条の規定により育児休業をし、交流派遣をされ、法科大学院派遣法第十一条第一項の規定により派遣され、自己啓発等休業法第二条第五項に規定する自己啓発等休業をし、福島復興再生特別措置法第四十八条の三第一項若しくは第八十九条の三第一項の規定により派遣され、配偶者同行休業法第二条第四項に規定する配偶者同行休業をし、令和七年国際博覧会特措法第二十五条第一項の規定により派遣され、令和九年国際園芸博覧会特措法第十五条第一項の規定により派遣され、規則一一—四第三条第一項第一号から第四号までの規定により休職にされ、研修等のために旅行をし、又は休暇により通勤しないこととなること。

三　勤務場所を異にする異動又は在勤する官署の移転に伴い通勤経路又は通勤方法に変更があること。

四　勤務態様の変更により通勤のため負担する運賃等の額に変更があること。

五　その他人事院の定める事由が生ずること。

本条―令七・四・一施行

第二十条　支給単位期間は、第十七条第一項の規定により通勤手当の支給が開始される月又は同条第二項の規定により通勤手当の額が改定される月から開始する。

2　月の中途において派遣等となつた場合（次項に規定する場合に該当しているときを除く。）には、支給単位期間は、その後復職し、又は職務に復帰した日の属する月の翌月（その日が月の初日である場合にあつては、その日の属する月）から開始する。

3　出張、休暇、欠勤その他の事由により、月の初日から末日までの期間の全日数にわたつて通勤しないこととなつた場合（前項に規定するときから復職等をしないで引き続き当該期間の全日数にわたつて通勤しないこととなつた場合を除く。）には、支給単位期間は、その後再び通勤することとなつた日の属する月から開始する。

本条―令七・四・一施行

（支給できない場合）

第二十一条　給与法第十二条第一項の職員が、出張、休暇、欠勤その他の事由により、支給単位期間等に係る最初の月の初日から末日までの期間の全日数にわたつて通勤しないこととなるときは、当該支給単位期間等に係る通勤手当は、支給することができない。

本条―令七・四・一施行

（雑則）

第二十二条　この規則に定めるもののほか、通勤手当に関し必要な事項は、人事院が定める。

本条―令七・四・一施行

附　則（令二・四・一規則九—二四—一六）

（施行期日）

1　この規則は、公布の日から施行する。

（支給単位期間に係る経過措置）

2　この規則の施行の日前にこの規則による改正前の規則九―二四第十九条の二第一項第三号に規定する派遣等となった場合に該当した職員の支給単位期間の開始については、なお従前の例による。

附　則（令二・六・一二規則一―七五）（抄）

（施行期日）

1　この規則は、公布の日から施行する。

附　則（令二・一二・二八規則一―七六）（抄）

（施行期日）

1　この規則は、公布の日から施行する。

附　則（令三・九・一規則一―七七）

この規則は、公布の日から施行する。

附　則（令四・二・一八規則一―七九）（抄）

（施行期日）

第一条　この規則は、令和五年四月一日から施行する。

（改正後の人事院規則九―二四における暫定再任用職員に関する経過措置）

第九条　次に掲げる事由が生じた暫定再任用職員のうち、給与法第十二条第一項第一号又は第三号に掲げる職員であって、規則九―二四第十六条第一号に規定する常例にあるものは、給与法第十二条第四項の同条第三項の規定による通勤手当を支給される職員との権衡上必要があると認められるものとして人事院規則で定める職員とする。

一　令和三年改正法附則第四条第一項又は第五条第一項の規定による採用（令和五年旧法第八十一条の二第一項の規定により退職した日（令和五年旧法第八十一条の三又は令和三年改正法附則第三条第五項若しくは第六項の規定により勤務した後退職した日及び令和五年旧法第八十一条の四第一項若しくは第八十一条の五第一項又は令和三年改正法附則第四条第一項若しくは第五条第一項の規定による採用に係る任期が満了した日を含む。）の翌日におけるものに限る。）をされたこと。

二　令和三年改正法附則第四条第二項又は第五条第二項の規定による採用（法第八十一条の六第一項の規定により退職した日（法第八十一条の七第一項又は第二項の規定により勤務した後退職した日及び法第六十条の二第一項又は令和三年改正法附則第四条第二項若しくは第五条第二項の規定による採用に係る任期が満了した日を含む。）の翌日におけるものに限る。）をされたこと。

第十条　令和三年改正法附則第四条第二項又は第五条第二項の規定により採用され勤務した後退職した日の翌日に法第六十条の二第一項の規定により採用された職員に対する第十三条の規定による改正後の規則九―二四第十六条の規定の適用については、同条第一号イ中「退職した日」とあるのは、「退職した日（国家公務員法等の一部を改正する法律（令和三年法律第六十一号）附則第四条第二項又は第五条第二項の規定により採用され勤務した後退職した日を含む。）」とする。

附　則（令四・二・二八規則九―二四―一七）

（施行期日）

1　この規則は、令和四年四月一日から施行する。

（経過措置）

2　この規則の施行の際に六箇月を超える通用期間である通勤用定期乗車券（これに準ずるものを含む。）に係る通勤手当を支給されている職員の当該通勤手当の額の改定、返納及び支給単位期間については、規則九―二四第十九条第二項、第十九条の二第一項（第二号に係る部分に限る。）及び第十九条の四第一項の規定にかかわらず、当該通用期間が終了するまでの間、なお従前の例によることができる。

附　則（令四・六・二四規則一―八一）

この規則は、公布の日から施行する。

附　則（令四・七・一規則九―二四―一八）

この規則は、公布の日から施行する。

附　則（令五・二・二八規則九―二四―一九）

この規則は、令和五年四月一日から施行する。

附　則（令六・一・二三規則九―二四―二〇）

この規則は、令和六年四月一日から施行する。

附　則（令七・二・五規則九―二四―二一）（抄）

（施行期日）

第一条　この規則は、令和七年四月一日から施行する。

（施行日前から引き続き支給されている通勤手当に関する経過措置）

第二条　この規則の施行の日（以下「施行日」という。）前から引き続き職員（一般職の職員の給与に関する法律等の一部を改正する法律（令和六年法律第七十二号）第二条の規定による改正前の給与法（以下この項において「改正前の給与法」という。）第十二条第二項第一号に規定する一箇月当たりの運賃等相当額（この規則による改正前の規則九―二四（以下この項において「改正前の規則九―二四」という。）第八条の三第三号に掲げる職員に係るものを除き、二以上の普通交通機関等（改正前の規則九―二四第六条に規定する普通交通機関等をいう。以下この項において同じ。）を利用するものとして通勤手当を支給される場合にあっては、その合計額。以下この条において「改正前の一箇月当たりの運賃等相当額」という。）、同項第二号に規定する額（改正前の規則九―二四第八条の三第二号に掲げる職員に係るものを除く。以下この条において「改正前の自動車等の利用に係る額」という。）及び改正前の給与法第十二条第三項第一号に規定する特別料金等の額をその支給単位期間（同条第八項に規定する支給単位期間をいう。次項において同じ。）の月数で除して得た額（二以上の新幹線鉄道等（同条第三項に規定する新幹線鉄道等をいう。）を利用するものとして通勤手当を支給される場合にあっては、その合計額。次項第二号において「改正前の一箇月当たりの特別料金等相当額」という。）の合計額が十五万円を超えている職員を除く。）に支給されている通勤手当のうち次の各号に掲げるもの（施行日の前日及び施行日を含む支給単位期間等（改正前の規則九―二四第十八条の二第一項に規定する支給単位期間等をいう。）に係るものに限る。）については、なお従前の例による。

一　普通交通機関等及び改正前の給与法第十二条第一項第二号に規定する自動車等に係る通勤手当（改正前の一箇月当たりの運賃等相当額及び改正前の自動車等の利用に係る額の合計額が五万五千円を超える場合のものに限る。）

二　改正前の給与法第十二条第三項第一号に規定する新幹線鉄道等に係る通勤手当

三　改正前の給与法第十二条第五項第一号に規定する橋等に係る通勤手当

2　前項の規定によりなお従前の例によることとされた通勤手当（同項第三号に掲げる通勤手当を除く。）を支給されている職員には、当該通勤手当が支給されている間、次の各号に掲げる場合の区分に応じ、各月における当該各号に定める額（一円未満の端数がある場合にあっては、その端数を切り捨てた額とし、当該各号に掲げる場合のいずれにも該当する場合にあっては当該各号に定める額の合計額とする。）を、支給単位期間を一箇月とする通勤手当として支給する。

一　前項第一号に掲げる通勤手当を支給されている場合　改正前の一箇月当たりの運賃等相当額及び改正前の自動車等の利用に係る額の合計額から五万五千円を減じて得た額

二　前項第二号に掲げる通勤手当を支給されている場合　改正前の一箇月当たりの特別料金等相当額から当該一箇月当たりの特別料金等相当額の二分の一に相当する額（その額が二万円を超える場合にあっては、二万円）を減じて得た額

（権衡職員等に関する経過措置）

第三条　この規則による改正後の規則九―二四（次条及び附則第五条において「改正後の規則九―二四」という。）第十二条の規定は、施行日以後にされた転居について適用する。

第四条　改正後の規則九―二四第十四条の規定は、施行日前に新たに俸給表の適用を受ける職員となった者にも適用する。

第五条　改正後の規則九―二四第十五条第一項第三号及び第四号の規定は、施行日前にこれらの号に掲げる職員となった者（これらの号に規定する当該日以降の転居をしたものを除く。）にも適用する。

○通勤手当の運用について

昭三二・四・三〇
給実甲一五一

最終改正　令七・二・一二給実甲一三四三

通勤手当の運用について下記のとおり定めたので、これによつてください。

記

給与法第十二条関係

1　この条の第五項の「運賃等相当額」には、人事院規則九―二四（通勤手当）（以下「規則九―二四」という。）第八条の三第三号に掲げる職員に係るものは含まないものとする。

2　この条の第五項の「第二項第二号に定める額」には、規則九―二四第八条の三第二号に掲げる職員に係るものは含まないものとする。

規則第二条関係

1　この条の第一項の「勤務官署」には、職員が長期間の研修等のための旅行をする場合であって、当該研修等及び行政機関の休日に関する法律（昭和六十三年法律第九十一号）第一条第一項に規定する行政機関の休日（規則第四条関係第三項及び規則第十九条関係第二項において「行政機関の休日」という。）により月の初日から末日までの期間の全日数にわたり当該月に通常の勤務官署に勤務しないこととなるときにおける当該研修等に係る施設を含むものとする。ただし、当該職員が当該施設に宿泊している場合等であって、通勤していると認められないときは、この限りでない。

2　この条の第二項の「経路の長さ」の測定に当たっては、便宜、国土地理院が提供する電子地図その他の地図又はこれらの地図に係る測量法（昭和二十四年法律第百八十八号）第二十九条若しくは第三十条第一項の規定に基づく国土地理院の長の承認を経て提供された電子地図その他の地図（いずれも縮尺五万分の一以上のものに限る。）を用いて行うことができるものとする。ただし、この測定は、実測に優先するものと解してはならない。

規則第三条関係

1　職員の併任により二以上の勤務官署に通勤している場合は、本務庁にそれらの通勤の実情を届け出るものとする。

2　通勤経路の変更には、勤務官署の所在地が変更したことによる通勤経路の変更を含むものとする。

3　負担する運賃等の額の変更には、職員が交替制勤務から普通勤務に変わる等の勤務態様の変更によるものを含むものとする。

4　通勤届の様式は、別紙第一のとおりとする。ただし、各庁の長（一般職の職員の給与に関する法律（昭和二十五年法律第九十五号。以下「給与法」という。）第七条に規定する各庁の長又はその委任を受けた者をいう。以下同じ。）は、通勤手当の支給に関し支障のない範囲内で、様式中の各欄の配列を変更し又は各欄以外の欄を設定する等当該様式を変更し、これによることができる。

5　各庁の長は、職員に対し、少なくとも毎年度一回、この条の規定による届出に関し注意を喚起するものとする。

規則第四条関係

1　通勤手当認定簿の様式は、別紙第二のとおりとする。

2　前項に規定する通勤手当認定簿の様式については、規則第三条関係第四項ただし書に規定する通勤届の様式の例に準じて取り扱うものとする。

3　給与法第十二条第一項の職員が各庁の長を異にして異動した場合には、異動前の各庁の長は当該職員の通勤手当認定簿の写しを異動後の各庁の長に送付するものとする。離職の日又はその翌日（当該翌日が行政機関の休日に当たるときは、当該翌日後において当該翌日に最も近い行政機関の休日でない日を含む。）に各庁の長を異にして新たに俸給表の適用を受けることとなる場合についても、同様とする。

規則第六条関係

二以上の種類を異にする普通交通機関等（この条に規定する普通交通機関等をいう。以下同じ。）を乗り継いで通勤する職員の普通交通機関等のうち、その者の住居又は勤務官署から通常徒歩によることを例とする距離内においてのみ利用する普通交通機関等は、原則として、通常の通勤の経路及び方法に係る普通交通機関等に含まれないものとする。

規則第八条関係

1　この条の第一項第一号ロの「人事院の定める額」は、定期券（規則九—二四第四条第一項に規定する定期券をいう。以下同じ。）の価額を当該定期券の通用期間の月数で除して得た額（その額に一円未満の端数があるときは、その端数を切り捨てた額）に支給単位期間（給与法第十二条第八項に規定する支給単位期間をいう。以下同じ。）の月数を乗じて得た額（以下この項及び規則第十八条関係第八項において「六箇月超定期券支給基本額」という。）とする。ただし、当該定期券の通用期間に対応する各支給単位期間における六箇月超定期券支給基本額の合計額が当該定期券の価額に達しない場合は、当該各支給単位期間のうち最初の支給単位期間に係る同号ロの「人事院の定める額」は、当該定期券の価額から当該定期券の通用期間に対応する他の支給単位期間における六箇月超定期券支給基本額の合計額を差し引いて得た額とする。

2　この条の第一項第二号の「その他の職員」には、例えば、次に掲げる職員が含まれるものとする。

一　二の勤務官署に隔日で通勤する職員

二　各月において比較的長期間にわたり引き続き出張し、その残余の期間についてのみ勤務官署に通勤することが常例であると認められる職員

三　計画的に在宅勤務を行う予定がある職員で通勤所要回数が二箇月以上継続して少ないことが見込まれるもの

3　この条の第一項第二号の「一箇月当たりの平均通勤所要回数」は、年間を通じて通勤に要することとなる回数を十二で除して得た数とする。この場合において一位未満の端数があるときは、その端数は切り上げるものとする。

4　この条の第一項第三号の「人事院の定める普通交通機関等」は、通勤に利用し得る普通交通機関等がタクシー（タクシー業務適正化特別措置法（昭和四十五年法律第七十五号）第二条第一項に規定するタクシーをいう。以下この項において同じ。）又はハイヤー（同法第二条第二項に規定するハイヤーをいう。以下この項において同じ。）以外にない場合において、これらを利用して通勤することを常例とするとき（通常徒歩によることを例とする距離内においてのみ利用するときを除く。）におけるタクシー又はハイヤーとし、同号の「人事院の定める額」は、原則として、これらの利用距離に応じた給与法第十二条第二項第二号の規定の例による額とする。

規則第八条の二関係

この条の第一項の「一箇月当たりの平均通勤所要回数」は、年間を通じて通勤に要することとなる回数を十二で除して得た数とする。この場合において一位未満の端数があるときは、その端数は切り上げるものとする。

規則第十条関係

1　この条の「通勤の実情に変更を生ずる」とは、例えば、通常の通勤の経路及び方法によることとなる場合には官署を異にする異動又は在勤する官署の移転（規則第十一条関係第二項及び規則第十五条関係第七項において「異動等」と

いう。）の前よりも通勤時間、通勤距離又は利用する交通機関等の数が増加することとなることなどが含まれる。

2　この条の「通勤事情の改善」には、新幹線鉄道等を利用しないで通勤するものとした場合に比べて、新幹線鉄道等を利用して通勤するものとした場合の通勤時間が長くなるときは含まれないものとする。

規則第十一条関係

1　この条の第二号の「駅等」には、新幹線鉄道等の特別急行列車の停車駅及び高速自動車国道のインターチェンジ（高速自動車国道と交通の用に供する施設を連結させるための高速自動車国道の施設をいう。）などが含まれる。

2　この条の第三号の「人事院がこれらに準ずる住居であると認めるもの」は、異動等の直前の勤務官署において、人事院規則九―八九（単身赴任手当）第五条第二項第二号の職務の遂行上住居を移転せざるを得ないと人事院が認める職員であった者が、当該異動又は官署の移転に伴い、職務の遂行上住居を移転する直前の居住地に転居した場合における当該転居後の住居その他これに類する住居として事務総長が認める住居とする。

規則第十二条関係

1　この条の第三項において準用する規則九―二四第八条第一項第一号ロの「人事院の定める額」は、新幹線鉄道等に係る定期券の価額を当該定期券の通用期間の月数で除して得た額（その額に一円未満の端数があるときは、その端数を切り捨てた額）に支給単位期間の月数を乗じて得た額（以下この項及び規則第十八条関係第八項において「六箇月超新幹線等定期券支給基本額」という。）とする。ただし、当該定期券の通用期間に対応する各支給単位期間における六箇月超新幹線等定期券支給基本額の合計額が当該定期券の価額に達しない場合は、当該各支給単位期間のうち最初の支給単位期間に係る同号ロの「人事院の定める額」は、当該定期券の価額から当該定期券の通用期間に対応する他の支給単位期間における六箇月超新幹線等定期券支給基本額の合計額を差し引いて得た額とする。

2　新幹線鉄道等の利用に係る特別料金等に係る通勤手当を支給されている場合であって、普通交通機関等に係る定期券及び新幹線鉄道等に係る定期券が六箇月を超えない通用期間で一体として発行されているとき（規則第十八条関係第三項において「通用期間が六箇月を超えない一体定期券が発行されている場合」という。）における給与法第十二条第三項第一号に規定する特別料金等相当額（次項、規則第十七条関係第三項及び規則第十八条関係第八項において「特別料金等相当額」という。）は、通用期間を支給単位期間と同じくする特別料金等の額が含まれた定期券の価額と当該定期券と同じ通用期間の距離制等による通常の定期券の価額との差額又は特別料金等の額が含まれた通勤二十一回分（在宅勤務等手当を支給される職員、交替制勤務に従事する職員その他の職員にあっては、一箇月当たりの平均通勤所要回数分。以下この項並びに規則第十八条関係第七項及び第八項において同じ。）の運賃等の額と距離制等による通常の通勤二十一回分の運賃等の額との差額とする。

3　新幹線鉄道等の利用に係る特別料金等に係る通勤手当を支給されている場合であって、普通交通機関等に係る定期券及び新幹線鉄道等に係る定期券が六箇月を超える通用期間で一体として発行されているとき（規則第十八条関係第五項及び第六項において「通用期間が六箇月を超える一体定期券が発行されている場合」という。）における特別料金等相当額（以下この項において「六箇月超特別料金等相当額」という。）は、特別料金等の額が含まれた定期券（以下この項及び規則第十八条関係第六項において「六箇月超特別料金等定期券」という。）の価額を当該六箇月超特別料金等定期券の通用期間の月数で除して得た額（その額に一円未満の端数があるときは、その端数を切り捨てた額）に支給単位期間の月数を乗じて得た額と当該六箇月超特別料金等定期券と同じ通用期間の距離制等による通常の定期券の価額を当該通常の定期券の通用期間の月数で除して得た額（その額に一円未満の端数があるときは、その端数を切り捨てた額）に支給単位期間の月数を乗じて得た額との差額（以下この項において「六箇月超特別料金等相当額支給基本額」という。）とする。ただし、六箇月超特別料金等定期券の通用期間に対応する各支給単位期間における六箇月超特別料金等相当額支給基本額の合計額が当該六箇月超特別料金等定期券の価額と当該六箇月超特別料金等定期券と同じ通用期間の距離制等による通常の定期券の価額との差額（以下この項において「六箇月超特別料金等差額相当額」という。）を超え、又はこれに達しない場合は、当該各支給単位期間のうち最初の支給単位期間に係る六箇月超特別料金等相当額は、六箇月超特別料金等差額相当額から当該六箇月超特別料金等定期券の通用期間に対応する他の支給単位期間における六箇月超特別料金等相当額支給基本額の合計額を差し引いて得た額とする。

規則第十三条関係

この条の第二号の「駅等」は、規則第十一条関係第一項に定めるところと同様とする。

規則第十四条関係

1　この条の「通勤事情の改善」は、規則第十条関係第二項に定めるところと同様とする。

2　この条の第二号の「通勤の実情に変更を生ずる」は、規則第十条関係第一項に定めるところと同様とする。

規則第十五条関係

1　この条の第一項の「通勤事情の改善」は、規則第十条関係第二項に定めるところと同様とする。

2　この条の第一項第一号の「通勤の実情に変更を生ずる」は、規則第十条関係第一項に定めるところと同様とする。

3　この条の第一項第二号及び第三号の「満十八歳に達する日」とは、満十八歳の誕生日の前日をいう。

4　この条の第一項第三号の「これらに相当するもの」には、民間企業等に勤務する配偶者が勤務地を異にする異動又は配偶者が在勤する民間企業等の事業所等の移転を含み、配偶者の転職により異なる民間企業等に勤務することに伴い、勤務地を異にする事業所等に勤務することとなることは含まないものとする。

5　この条の第一項第三号の「職員及び配偶者の通勤を考慮した地域」には、例えば、職員の勤務官署と配偶者の勤務官署との中間地点に当たる地域や、職員及び配偶者のそれぞれの通勤距離又は通勤時間が同等程度となる地域並びに職員又は配偶者の勤務官署が所在する地域を含み、転居により職員及び配偶者の勤務官署等のいずれかからも離れることとなるような地域は含まないものとする。

6　この条の第一項第四号の「近隣の住居」は、職員又は配偶者の父母の住居から徒歩により移動するものとした場合の距離が二キロメートル未満の範囲内にある住居をいう。

7　この条の第一項第五号の「人事院の定める職員」は、次に掲げる職員とする。

一　異動等に伴い転居したことのある職員で、過去六年以内において当該異動等の直前に居住していた住居（規則九―二四第十一条に規定する住居を含む。）に再び転居したもののうち、給与法第十二条第一項第一号又は第三号に掲げる職員で、当該居住していた住居からの通勤のため、新幹線鉄道等を利用し、その利用に係る特別料金等を負担することを常例とするもの（新幹線鉄道等を利用しないで通勤するものとした場合における通勤距離が六十キロメートル以上若しくは通勤時間が九十分以上であるもの又は交通事情等に照らして通勤が困難であると事務総長が認めるものに限る。）及びこれに準ずる職員として事務総長が定める職員

二　検察官であった者又は給与法第十一条の七第三項に規定する行政執行法人職員等であった者から人事交流等により俸給表の適用を受ける職員となった者のうち、検察官又は行政執行法人職員等としての在職を俸給表の適用を受ける職員としての在職と、その間の勤務箇所を給与法第十二条第三項又は前号の官署とみなした場合に、当該人事交流等により俸給表の適用を受ける前から引き続き同項若しくは同号に規定する職員たる要件に該当することとなる職員又は当該適用以後に同号に規定する職員たる要件に該当することとなる職員

三　派遣法第二条第一項の規定による派遣、官民人事交流法第二条第三項に規定する交流派遣、法科大学院派遣法第十一条第一項の規定による派遣、福島復興再生特別措置法（平成二十四年法律第二十五号）第四十八条の三第一項若しくは第八十九条の三第一項の規定による派遣、令和三年オリンピック・パラリンピック特措法第十七条第一項の規定による派遣、平成三十一年ラグビーワールドカップ特措法第四条第一項の

規定による派遣、令和七年国際博覧会特措法第二十五条第一項の規定による派遣若しくは令和九年国際園芸博覧会特措法第十五条第一項の規定による派遣（以下この号において「国際機関等派遣等」という。）から職務に復帰した職員又は人事院規則一一―四（職員の身分保障）第三条第一項第一号から第四号までの規定による休職（以下この号において単に「休職」という。）から復職した職員のうち、国際機関等派遣等の期間中の勤務箇所又は休職の期間中の勤務箇所を給与法第十二条第三項又は第一号の官署とみなした場合に、当該職務への復帰若しくは休職からの復職前から引き続き同項若しくは同号に規定する職員たる要件に該当することとなる職員又は当該職務への復帰若しくは休職からの復職以後に同号に規定する職員たる要件に該当することとなる職員

四　給与法第十二条第三項第一号に規定する新幹線鉄道等の利用に係る特別料金等に係る通勤手当を支給される職員から引き続いてこの条の第一項第四号に規定する職員となった者で、同号に規定する介護の終了等に伴い、同号の規定が適用される直前に居住していた住居に再び転居したもののうち、同法第十二条第一項第一号又は第三号に掲げる職員で、当該転居後の住居からの通勤のため、新幹線鉄道等を利用し、その利用に係る特別料金等を負担することを常例とするもの（新幹線鉄道等を利用しないで通勤するものとした場合における通勤距離が六十キロメートル以上若しくは通勤時間が九十分以上であるもの又は交通事情等に照らして通勤が困難であると事務総長が認めるものに限る。）

8　この条の第二項第二号の「駅等」は、規則第十一条関係第一項に定めるところと同様とする。

規則第十六条関係

この条の第二項又は第三項の規定により「その際支給する」場合には、その日以後において計理上処理できる限り速やかに支給するものとする。

規則第十七条関係

1　新たに俸給表の適用を受ける職員となった者又は官署を異にして異動した職員が当該適用又は当該異動の直後に在勤する官署への勤務を開始すべきこととされる日に給与法第十二条第一項の職員たる要件を具備するときは、当該適用の日又は当該異動の発令日を同項の職員たる要件が具備されるに至った日として取り扱い、この条の第一項の規定による支給の開始又はこの条の第二項の規定による支給額の改定を行うものとする。

2　この条の第一項ただし書（この条の第二項において準用する場合を含む。）の「十五日」の期間及び「届出を受理した日」の取扱いについては、給実甲第五八〇号（扶養手当の運用について）規則第五条関係第三項及び第四項の規定の例によるものとする。

3　この条の第二項の「その額を変更すべき事実が生ずるに至った場合」とは、通勤経路若しくは通勤方法を変更し、又は通勤のため負担する運賃等の額に変更があったことにより、普通交通機関等に係る通勤手当にあっては給与法第十二条第二項第一号に規定する運賃等相当額をその支給単位期間の月数で除して得た額、新幹線鉄道等の利用に係る特別料金等に係る通勤手当にあっては特別料金等相当額をその支給単位期間の月数で除して得た額が改定されることとなった場合等をいう。

4　定期券を使用することが最も経済的かつ合理的であると認められる普通交通機関等又は新幹線鉄道等を利用するものとして通勤手当（次項の通勤手当を除く。）を支給されている場合において、支給単位期間に対応する当該定期券の通用期間中に当該定期券の価額が改定されたときは、当該支給単位期間に係る最後の月の末日（通用期間が六箇月を超える定期券の価額の改定にあっては、当該定期券の通用期間に対応する各支給単位期間のうち最後の支給単位期間に係る最後の月の末日）を、当該改定に係るこの条の第二項の通勤手当の額を変更すべき事実の生じた日とみなすものとする。

5　規則九―二四第十六条第四項に規定する通勤手当を支給されている場合において、同項に規定する期間（以下この項並びに規則第十八条関係第七項及び第八項において「最長支給単位期間」という。）中に当該通勤手当に係る普通交通機関等又は新幹線鉄道等に係る運賃等又は特別料金等の額が改定されたとき

は、最長支給単位期間に係る最後の月の末日を、当該改定に係るこの条の第二項の通勤手当の額を変更すべき事実の生じた日とみなすものとする。

第十八条関係

1　この条の第二項第一号イに規定する事由発生月（以下この規則第十八条関係において「事由発生月」という。）が支給単位期間に係る最後の月であること等により、同号イに規定する払戻金相当額（第三項において「払戻金相当額」という。）、規則第十八条関係第四項第一号イに規定する支給単位期間における残価額、同号ロに規定する支給単位期間における特別料金等残価額が零となる場合におけるこれらの規定に定める額は、零となる。

2　この条の第二項第一号イの「人事院の定める月」は、次の各号に掲げる事由の区分に応じ、当該各号に定める月とする。

一　この条の第一項第一号に掲げる事由　当該事由が生じた日の属する月（その日が月の初日である場合にあっては、その日の属する月の前月）

二　この条の第一項第二号に掲げる事由　通勤手当の額が改定される月の前月

三　この条の第一項第三号に掲げる事由　同号の期間の開始した日の属する月

四　この条の第一項第四号に掲げる事由　当該通勤しないこととなる月の前月（病気休暇等の期間が当該通勤しないこととなる月の中途までの期間とされていた場合であって、その後の事情の変更によりやむを得ず当該病気休暇等の期間がその月の初日から末日までの期間の全日数にわたることとなるとき等、その月の初日から末日までの期間の全日数にわたって通勤しないこととなることについてその月の前月の末日において予見し難いことが相当と認められる場合にあっては、当該通勤しないこととなる月）

3　通用期間が六箇月を超えない一体定期券が発行されている場合における払戻金相当額は、次の各号に掲げる定期券の区分に応じ、当該各号に定める額の合計額とする。

一　普通交通機関等に係る定期券　距離制等による通常の定期券の運賃等の払戻しを事由発生月の末日にしたものとして得られる額（次号及び次項において「普通交通機関等払戻金相当額」という。）

二　新幹線鉄道等に係る定期券　特別料金等が含まれた定期券の運賃等の払戻しを事由発生月の末日にしたものとして得られる額と普通交通機関等払戻金相当額との差額（次項において「特別料金等払戻金相当額」という。）

4　この条の第二項第一号ロの「人事院の定める額」は、次の各号に掲げる場合の区分に応じ、当該各号に定める額とする。

一　通用期間が六箇月を超える定期券のみを使用している場合　この条の第一項第二号に掲げる事由が生じた場合にあっては当該事由に係る普通交通機関等又は新幹線鉄道等（同号に規定する改定がなされた後に一箇月当たりの通勤手当算出基礎額（規則九―二四第十六条第四項に規定する一箇月当たりの通勤手当算出基礎額をいう。以下この項において同じ。）が十五万円を超えることとなるときは、その者の利用する全ての普通交通機関等及び新幹線鉄道等）、同項第一号、第三号又は第四号に掲げる事由が生じた場合にあってはその者の利用する全ての普通交通機関等及び新幹線鉄道等につき、次に掲げる定期券の区分に応じ、それぞれ次に定める額の合計額

イ　普通交通機関等に係る定期券　定期券の価額を当該定期券の通用期間の月数で除して得た額（その額に一円未満の端数があるときは、その端数を切り捨てた額）に事由発生月の翌月から支給単位期間に係る最後の月までの月数を乗じて得られる額（以下この項、第五項及び第八項において「支給単位期間における残価額」という。）

ロ　新幹線鉄道等に係る定期券　定期券の特別料金等の価額を当該定期券の通用期間の月数で除して得た額（その額に一円未満の端数があるときは、その端数を切り捨てた額）に事由発生月の翌月から支給単位期間に係る最後の月までの月数を乗じて得られる額（以下この項、第六項及び第八項において「支給単位期間における特別料金等残価額」という。）

二　通用期間が六箇月を超える定期券と通用期間を支給単位期間と同じくする定期券と

を併用している場合　次に掲げる場合の区分に応じ、それぞれ次に定める額

イ　この条の第一項第二号に掲げる事由が生じた場合　当該事由に係る普通交通機関等又は新幹線鉄道等につき、次に掲げる定期券の区分に応じ、それぞれ次に定める額（同号に規定する改定がなされた後に一箇月当たりの通勤手当算出基礎額が十五万円を超えることとなるときは、その者の利用する全ての普通交通機関等及び新幹線鉄道等につき、次に掲げる定期券の区分に応じ、それぞれ次に定める額の合計額）

(1)　通用期間が六箇月を超える定期券　普通交通機関等に係る定期券に係る支給単位期間における残価額及び新幹線鉄道等に係る定期券に係る支給単位期間における特別料金等残価額の合計額

(2)　通用期間を支給単位期間と同じくする定期券　普通交通機関等払戻金相当額及び特別料金等払戻金相当額の合計額

ロ　この条の第一項第一号、第三号又は第四号に掲げる事由が生じた場合　その者の利用する全ての普通交通機関等及び新幹線鉄道等につき、イ(1)及び(2)に掲げる定期券の区分に応じ、それぞれイ(1)又は(2)に定める額の合計額

5　通用期間が六箇月を超える一体定期券が発行されている場合における支給単位期間における残価額は、距離制等による通常の定期券の価額を当該通常の定期券の通用期間の月数で除して得た額（その額に一円未満の端数があるときは、その端数を切り捨てた額）に事由発生月の翌月から支給単位期間に係る最後の月までの月数を乗じて得られる額とする。

6　通用期間が六箇月を超える一体定期券が発行されている場合における支給単位期間における特別料金等残価額は、六箇月超特別料金等定期券の価額を当該六箇月超特別料金等定期券の通用期間の月数で除して得た額（その額に一円未満の端数があるときは、その端数を切り捨てた額）に事由発生月の翌月から支給単位期間に係る最後の月までの月数を乗じて得られる額と当該六箇月超特別料金等定期券と同じ通用期間の距離制等による通常の定期券の価額を当該通常の定期券の通用期間の月数で除して得た額（その額に一円未満の端数があるときは、その端数を切り捨てた額）に事由発生月の翌月から支給単位期間に係る最後の月までの月数を乗じて得られる額との差額とする。

7　この条の第二項第二号イの「人事院の定める額」は、次に掲げる額の合計額とする。

一　最長支給単位期間において使用されるべき普通交通機関等及び新幹線鉄道等に係る定期券のうちその通用期間の始期が事由発生月の翌月以後であるものの価額

二　最長支給単位期間において使用されるべき普通交通機関等及び新幹線鉄道等に係る回数乗車券等の通勤二十一回分の運賃等の額にこの条の第二項第二号イに規定する月数（次号及び次項において「残月数」という。）を乗じて得た額

三　最長支給単位期間において使用されるべき自動車等に係る給与法第十二条第二項第二号に定める額に残月数を乗じて得た額

8　この条の第二項第二号ロの「人事院の定める額」は、十五万円に事由発生月の翌月から支給単位期間に係る最後の月までの月数を乗じて得た額又はこの条の第一項各号に掲げる事由に係る支給単位期間における残価額及び支給単位期間における特別料金等残価額の合計額のいずれか低い額（事由発生月が支給単位期間に係る最後の月である場合にあっては、零）とする。ただし、規則九―二四第十六条第四項に規定する通勤手当を支給されている場合にあっては、次に掲げるいずれか低い額（事由発生月が最長支給単位期間に係る最後の月である場合にあっては、零）とする。

一　十五万円に事由発生月の翌月から最長支給単位期間に係る最後の月までの月数を乗じて得た額

二　その者の利用する全ての普通交通機関等及び新幹線鉄道等につき、第四項第二号イ(1)及び(2)に掲げる定期券の区分に応じ、それぞれ同号イ(1)又は(2)に定める額の合計額及び次に掲げる額の合計額

イ　最長支給単位期間において使用されるべき次に掲げる普通交通機関等及び新幹線鉄道等に係る定期券の区分に応じ、それぞれ次に定める額の合計額

(1)　通用期間が六箇月を超える定期券

当該定期券に係る支給単位期間の始期が事由発生月の翌月以後であるものの当該支給単位期間に係る六箇月超定期券支給基本額及び六箇月超新幹線等定期券支給基本額の合計額

(2)　通用期間を支給単位期間と同じくする定期券　その通用期間の始期が事由発生月の翌月以後であるものの価額及び特別料金等相当額の合計額

ロ　最長支給単位期間において使用されるべき普通交通機関等に係る回数乗車券等の通勤二十一回分の運賃等の額に残月数を乗じて得た額及び新幹線鉄道等に係る回数乗車券等の通勤二十一回分の特別料金等相当額に残月数を乗じて得た額の合計額

ハ　最長支給単位期間において使用されるべき自動車等に係る給与法第十二条第二項第二号に定める額に残月数を乗じて得た額

9　この条の第三項の規定により事由発生月の翌月以降に支給される給与からこの条の第二項に定める額を差し引く場合には、返納に係る通勤手当が支給された日の属する年度内においてその日の属する月の翌月以降に支給される通勤手当から一時に差し引くものとする。ただし、当該通勤手当の額がこの条の第二項に定める額に満たない場合には、当該年度内においてその日の属する月の翌月以降に支給される通勤手当その他の給与から一時に差し引くものとする。

10　この条の第二項に定める額は、返納に係る通勤手当を支給した俸給の支給義務者に対して返納させるものとする。

規則第十九条関係

1　この条の第一項第一号ロの「人事院の定める期間」は、使用する定期券の通用期間ごとにその通用期間に応じて、六箇月の整数倍の期間で同号ロに規定する定期券の通用期間の月数に満たない最大の月数を経過するまでは六箇月とし、当該最大の月数を経過した後は、通用期間の月数から当該最大の月数を減じて得た月数とする。

2　この条の第二項第五号の「人事院の定める事由」は、次の各号のいずれかに掲げる事由とする。

一　長期間の研修等のための旅行をしている場合であって、当該研修等及び行政機関の休日により月の初日月の初日から末日までの期間の全日数にわたり当該月に通常の勤務官署に勤務しないこととなることにより当該研修等に係る施設が規則九―二四第二条第一項の「勤務官署」とされている期間の終了

二　地震、水害、火災その他の災害の被害により運行を休止している交通機関等の運行再開（これにより通勤経路が変更されることとなるものに限る。）

三　この条の第二項第一号から第四号まで又は前号の事由に準ずるものとして事務総長が定める事由

3　前項第一号又は第二号に掲げる事由が生ずることが明らかである場合におけるこの条の第二項の「当該事由が生ずることとなる日の属する月」は、次の各号の区分に応じ、当該各号に掲げる月とする。

一　前項第一号に掲げる事由　当該研修等に係る施設が規則九―二四第二条第一項の「勤務官署」とされている期間の終了する日の属する月

二　前項第二号に掲げる事由　運行を休止している交通機関等の運行を再開する日の属する月の前月（その日が月の末日である場合にあっては、その日の属する月）

規則第二十二条関係

通勤届及び通勤手当認定簿は、当分の間、従前の様式のものによることができる。

別紙第1

通　勤　届

令和　　年　　月　　日提出

各庁の長 殿		勤務官署名	
		所在地	
官職		氏名	
住居			

人事院規則９―２４（通勤手当）第３条の規定に基づき通勤の実情を届け出ます。

届出の理由
□１ 新規 （□ 異動等に伴う通勤経路又は方法の変更の場合）
□２ 住居の変更（転居日の通勤 □有 □無）
□３ 通勤経路又は方法の変更
□４ 運賃等の負担額の変更
□５ その他（　　　　　　　　　　）

□ 直前の届出の区間と同一の区間がある
（該当する区間に係る順路欄の□にレ印を付する。）

届出の理由が生じた日　令和　　年　　月　　日

順路	通勤方法の別	区間	距離	所要時間	乗車券等の種類	左欄の乗車券等の額	備考
1□		住居 から（　　経由）　まで	.　km	分		円	
2□		から（　　経由）　まで	.　km	分		円	
3□		から（　　経由）　まで	.　km	分		円	
4□		から（　　経由）　まで	.　km	分		円	
5□		から（　　経由）　まで	.　km	分		円	
6□		から（　　経由）　まで	.　km	分		円	
7□		から（　　経由）　まで	.　km	分		円	
			総通勤距離	.　km	総所要時間	分	

記入上の注意

1 「届出の理由」欄中「３ 通勤経路又は方法の変更」には勤務官署の所在地が変更したことによる通勤経路の変更を含み、「４ 運賃等の負担額の変更」には勤務態様の変更（交替制勤務から普通勤務への変更等）による負担額の変更を含む。
2 「通勤方法の別」欄には、通勤の順路に従い徒歩、自転車、自動車、○○線、○○新幹線等の別を記入する。
3 「乗車券等の種類」欄には、通勤に使用する乗車券等（定期券（○箇月）、○枚綴回数券、優待乗車券等の別）を記入する。
4 「左欄の乗車券等の額」欄には、通勤に使用する乗車券等（定期券（○箇月）、○枚綴回数券、優待乗車券等）の額を記入する。
5 往路と復路が異なる場合は、「備考」欄にその旨と理由を記入する。
6 通勤の実情の一部に変更がある場合は、変更内容に関係のない事項の記入を省略することができる。

給与法第12条第３項又は第４項の規定の適用を受ける職員（新幹線鉄道等利用者）
□１ 異動等に伴い、通勤が困難となったことにより新幹線鉄道等を利用することとなった職員
□２ 単身赴任手当を受給していた職員で、配偶者と同居し通勤が困難となったことにより新幹線鉄道等を利用することとなった職員
□３ 配偶者と同居して子を養育するために転居し、通勤が困難となったことにより新幹線鉄道等を利用することとなった職員
□４ 介護のために父母の住居等に転居し、通勤が困難となったことにより新幹線鉄道等を利用することとなった職員
□５ 上記３又は４たる職員の要件を欠くに至った職員
□６ その他（　　　　　　　　　　）

※ 現官署への異動発令年月日	令和　年　月　日	※ 異動等前の住居への入居年月日	令和　年　月　日
※ 異動等の直前の住居		※ 現住所への入居年月日	令和　年　月　日

新幹線鉄道等利用者の新幹線鉄道等を利用しない場合の通勤の経路及び方法等

順路	通勤方法の別	区間	距離	所要時間	備考
1		住居 から（　　経由）　まで	.　km	分	
2		から（　　経由）　まで	.　km	分	
3		から（　　経由）　まで	.　km	分	
4		から（　　経由）　まで	.　km	分	
5		から（　　経由）　まで	.　km	分	
6		から（　　経由）　まで	.　km	分	
		総通勤距離	.　km	総所要時間	分

記入上の注意

1 ※欄は□１にレ印を付した職員のみ記入すること。
2 「通勤方法の別」欄には、通勤の順路に従い徒歩、自転車、自動車、○○線等の別を記入する。

別紙第２

通勤手当認定簿

氏名	職員番号	組織・所属	事実発生年月日	令和　年　月　日
□ 回数券等を使用して利用する交通機関等がある職員（交替制勤務等）		〔算出式　〕	届出年月日	令和　年　月　日
1箇月当たりの平均通勤所要回数　回			受理年月日	令和　年　月　日

	順路	算出の基礎となる普通交通機関等 普通交通機関等の名称	算出の基礎となる普通交通機関等 利用区間	定期券回数券その他の別	運賃等の額の算出基礎 回数券その他	運賃等の額の算出基礎 定期券	運賃等相当額 回数券その他	運賃等相当額 定期券	1箇月当たりの運賃等相当額	普通交通機関等の認定期間	支給月	備考
普通交通機関等利用者	1											
	2											
	3											
	4											
	5											
	6											
	7											
	8											
1箇月当たりの運賃等相当額の合計額												
自動車等の額（法第１２条第２項第２号の額）（自動車等の使用距離　km）												
普通交通機関等と自動車等の併用者 規則第８条の３ □ 第１号 □ 第２号 □ 第３号	1箇月当たりの運賃等相当額と自動車等の額の合計額											

	順路	算出の基礎となる新幹線鉄道等 新幹線鉄道等の名称	算出の基礎となる新幹線鉄道等 利用区間	定期券回数券その他の別	特別料金等の額の算出基礎 回数券その他	特別料金等の額の算出基礎 定期券	特別料金等相当額 回数券その他	特別料金等相当額 定期券	1箇月当たりの特別料金等相当額	新幹線鉄道等の認定期間	支給月	備考
新幹線鉄道等利用者	1											
	2											
	3											
	4											
	1箇月当たりの特別料金等相当額の合計額											

1箇月当たりの運賃等相当額の合計額、自動車等の額及び1箇月当たりの特別料金等相当額の合計額の合計額が150,000円を超えるとき	150,000円 × [　　箇月] ＝　　円

	4月	5月	6月	7月	8月	9月	10月	11月	12月	1月	2月	3月	各庁の長の確認・決定欄	備考
支給額	円	円	円	円	円	円	円	円	円	円	円	円	令和　年　月　日 官職 氏名	

決定事項

法第12条第1項　該当・非該当

□ 該当　（□ 規則第5条）

□ 非該当

理由〔　　　〕

手当額の決定

法第12条第2項　□ 第1号　□ 第2号　□ 第3号

□ 規則第8条の2

（通勤所要回数　　回）

□ 規則第8条の3　□ 第1号　□ 第2号　□ 第3号

法第12条　□第3項　□第4項（□規則第15条第1項第3号）

（□規則第15条第1項第4号）

	返納事由 規則第18条第1項	返納事由発生年月	返納対象普通交通機関等及び新幹線鉄道等	払戻金相当額の算出基礎	払戻金相当額	備考
1	□ 第1号　□ 第3号 □ 第2号　□ 第4号				円	
2	□ 第1号　□ 第3号 □ 第2号　□ 第4号				円	
3	□ 第1号　□ 第3号 □ 第2号　□ 第4号				円	
1箇月当たりの運賃等相当額等及び1箇月当たりの特別料金等相当額の合計額が150,000円を超えていた場合 規則第18条第2項第2号の月数と人事院の定める額（算出基礎）			月	（算出基礎）	円	

○運賃等の値上げ等、在宅勤務等手当の支給又は通勤所要回数の変動に伴う通勤手当に係る届出の取扱いについて（通知）

平一五・一・七
給実甲九三四

最終改正　令七・一二・一二給実甲一三五一

標記について下記のとおり定めたので、平成十五年一月七日以降は、これによってください。

なお、これに伴い、給実甲第一五八号（運賃の値上げに伴なう通勤手当の取扱について）は廃止します。

記

各庁の長（一般職の職員の給与に関する法律（昭和二十五年法律第九十五号。以下「給与法」という。）第七条に規定する各庁の長又はその委任を受けた者をいう。第四号において同じ。）は、次の各号のいずれかに該当する場合で、職員の勤務官署に変更が生じないときは、人事院規則九―二四（通勤手当）（以下「規則」という。）第三条の規定による届出（以下「届出」という。）に代わる適宜の措置をもって届出があったものとして取り扱うことができるものとする。

一　職員が利用するものとされている交通機関等の運賃等の値上げ又は値下げ（以下「値上げ等」という。）が行われた場合で、当該値上げ等の後も引き続き当該交通機関等を利用することとなる職員について、次に掲げる通勤手当の区分に応じ、それぞれ次に定める月から値上げ等の後の運賃等の額を基礎として通勤手当の額を算出することとなるとき。

イ　定期券（規則第四条第一項に規定する定期券をいう。）を使用することが最も経済的かつ合理的であると認められる交通機関等に係る通勤手当（ハに掲げるものを除く。）　当該通勤手当に係る支給単位期間（一般職の職員の給与に関する法律（昭和二十五年法律第九十五号。以下「給与法」という。）第十二条第八項に規定する支給単位期間をいう。）に係る最後の月の翌月

ロ　回数乗車券等を使用することが最も経済的かつ合理的であると認められる交通機関等に係る通勤手当（ハに掲げるものを除く。）　当該交通機関等の運賃等の値上げ等の日の属する月の翌月（その日が月の初日であるときは、その日の属する月）

ハ　規則第十六条第四項に掲げる通勤手当　同項に定める期間に係る最後の月の翌月

二　在宅勤務等手当の支給の開始又は終了があった職員が引き続き当該開始又は終了の前と同一の交通機関等（自動車等を使用する場合にあっては、引き続き当該開始又は終了の前と同一の使用距離）を利用することとなる場合で、当該開始又は終了の前と同一の交通機関等によって通勤手当の額を算出することとなるとき。

三　一箇月当たりの平均通勤所要回数の変動に伴い給与法第十二条第二項第一号に規定する運賃等相当額をその支給単位期間の月数で除して得た額又は同条第三項第一号に規定する特別料金等相当額をその支給単位期間の月数で除して得た額に変更が生じた在宅勤務等手当を支給される職員、交替制勤務に従事する職員その他の職員が、引き続き当該変動前と同一の交通機関等を利用し、当該変動前と同一の交通機関等によって通勤手当の額を算出することとなる場合で、当該変動があった日の属する月の翌月（その日が月の初日であるときは、その日の属する月）から当該変動後の一箇月当たりの平均通勤所要回数を基礎として算出することとなるとき。

四　前三号に掲げる場合のほか、これらの場合に準ずる場合として各庁の長が認める場合（職員が利用するものとされている交通機関等と同一の交通機関等（自動車等を使用する場合にあっては、職員が利用するものとされている使用距離と同一の使用距離）を利用することとなる場合で、当該利用するものとされている交通機関等と同一の交通機関等によって通勤手当の額を算出することとなる場合に限る。）

以上

○人事院規則九―二四―二一（人事院規則九―二四（通勤手当）の一部を改正する人事院規則）の運用について（通知）

令七・二・一二
給実甲一三四二

人事院規則九―二四―二一（人事院規則九―二四（通勤手当）の一部を改正する人事院規則）（以下「改正規則」という。）附則第二条の規定の運用について下記のとおり定めたので、令和七年四月一日以降は、これによってください。

記

1　改正規則附則第二条第二項に規定する通勤手当（次項において「経過措置額」という。）を支給する場合には、職員ごとに通勤手当経過措置支給調書を作成し、保管するものとする。

2　通勤手当経過措置支給調書の様式は、別紙のとおりとする。ただし、各庁の長（一般職の職員の給与に関する法律（昭和二十五年法律第九十五号）第七条に規定する各庁の長又はその委任を受けた者をいう。）は、経過措置額の支給に関し支障のない範囲内で、様式中の各欄の配列を変更し又は各欄以外の欄を設定する等当該様式を変更し、これによることができる。

以　上

別紙

通勤手当経過措置支給調書

氏名		職員番号		組織・所属	

人事院規則９―２４―２１附則第２条第２項第１号の額（普通交通機関等）

令和７年４月１日の１箇月当たりの運賃等相当額と自動車等の額の合計額　円

令和７年４月１日前の１箇月当たりの運賃等相当額と自動車等の額の合計額　55,000　円　（支給単位期間に係る最初の月：令和　年　月）

経過措置額　円　（支給期間：令和　年　月　～　令和　年　月）

人事院規則９―２４―２１附則第２条第２項第２号の額（新幹線鉄道等）（令和７年４月以降）

令和７年４月１日の１箇月当たりの特別料金等相当額の合計額　円

令和７年４月１日前の１箇月当たりの特別料金等２分の１相当額の合計額　円
※ 上限額：２万円

経過措置額　円　（支給期間：令和　年　月　～　令和　年　月）

人事院規則９―２４―２１附則第２条第２項第２号の額の変更後の額（新幹線鉄道等）（令和７年　月以降）

令和７年４月１日の１箇月当たりの特別料金等相当額の合計額　円

令和７年４月１日前の１箇月当たりの特別料金等２分の１相当額の合計額　円
※ 上限額：２万円

経過措置額　円　（支給期間：令和　年　月　～　令和　年　月）

人事院規則９―２４―２１附則第２条第２項第２号の額の変更後の額（新幹線鉄道等）（令和７年　月以降）

令和７年４月１日の１箇月当たりの特別料金等相当額の合計額　円

令和７年４月１日前の１箇月当たりの特別料金等２分の１相当額の合計額　円
※ 上限額：２万円

経過措置額　円　（支給期間：令和　年　月　～　令和　年　月）

○通勤手当の所得税法上の取扱いについて

○所得税法（昭四〇・三・三一法三三）

第九条　（非課税所得）

五　給与所得を有する者で通勤するもの（以下この号において「通勤者」という。）がその通勤に必要な交通機関の利用又は交通用具の使用のために支出する費用に充てるものとして通常の給与に加算して受ける通勤手当（これに類するものを含む。）のうち、一般の通勤者につき通常必要であると認められる部分として政令で定めるもの

○所得税法施行令（昭四〇・三・三一政令九六）

（非課税とされる通勤手当）

第二十条の二　法第九条第一項第五号（非課税所得）に規定する政令で定めるものは、次の各号に掲げる通勤手当（これに類するものを含む。）の区分に応じ当該各号に定める金額に相当する部分とする。

一　通勤のため交通機関又は有料の道路を利用し、かつ、その運賃又は料金（以下この条において「運賃等」という。）を負担することを常例とする者（第四号に規定する者を除く。）が受ける通勤手当（これに類する手当を含む。以下この条において同じ。）　その者の通勤に係る運賃、時間、距離等の事情に照らし最も経済的かつ合理的と認められる通常の通勤の経路及び方法による運賃等の額（一月当たりの金額が十五万円を超えるときは、一月当たり十五万円）

二　通勤のため自動車その他の交通用具を使用することを常例とする者（その通勤の距離が片道二キロメートル未満である者及び第四号に規定する者を除く。）が受ける通勤手当　次に掲げる場合の区分に応じそれぞれ次に定める金額

イ　その通勤の距離が片道十キロメートル未満である場合　一月当たり四千二百円

ロ　その通勤の距離が片道十キロメートル以上十五キロメートル未満である場合　一月当たり七千百円

ハ　その通勤の距離が片道十五キロメートル以上二十五キロメートル未満である場合　一月当たり一万二千九百円

ニ　その通勤の距離が片道二十五キロメートル以上三十五キロメートル未満である場合　一月当たり一万八千七百円

ホ　その通勤の距離が片道三十五キロメートル以上四十五キロメートル未満である場合　一月当たり二万四千四百円

ヘ　その通勤の距離が片道四十五キロメートル以上五十五キロメートル未満である場合　一月当たり二万八千円

ト　その通勤の距離が片道五十五キロメートル以上である場合　一月当たり三万千六百円

三　通勤のため交通機関を利用することを常例とする者（第一号に掲げる通勤手当の支給を受ける者及び次号に規定する者を除く。）が受ける通勤用定期乗車券（これに類する乗車券を含む。以下この条において同じ。）　その者の通勤に係る運賃、時間、距離等の事情に照らし最も経済的かつ合理的と認められる通常の通勤の経路及び方法による定期乗車券の価額（一月当たりの金額が十五万円を超えるときは、一月当たり十五万円）

四　通勤のため交通機関又は有料の道路を利用するほか、併せて自動車その他の交通用具を使用することを常例とする者（当該交通用具を使用する距離が片道二キロメートル未満である者を除く。）が受ける通勤手当又は通勤用定期乗車券　その者の通勤に係る運賃、時間、距離等の事情に照らし最も経済的かつ合理的と認められる通常の通勤の経路及び方法による運賃等の額又は定期乗車券の価額と当該交通用具を使用する距離につき第二号イからトまでに定める金額との合計額（一月当たりの金額が十五万円を超えるときは、一月当たり十五万円）

○新幹線鉄道等に係る通勤手当について（通知）

平二一・三・一八

給三―二九給与第三課長

新幹線鉄道等に係る通勤手当の運用について、平成二十一年四月一日以降、下記のとおり取り扱うこととしますので、通知します。

記

1　一般職の職員の給与に関する法律第十二条第三項の規定の運用に当たって、これまで、所在する地域を異にする官署に属する官職に併任された場合は、同項の規定の適用対象としていなかったところですが、今般、併任の取扱いについての整理が行われたことに伴い、併任官職の業務に引き続き一箇月以上専ら従事する場合は、同項の規定の適用対象とすることとします。

なお、「人事院規則八―一二（職員の任免）の運用について」（平成二十一年三月十八日人企―五三二）及び「併任の適正な運用について」（平成二十一年三月十八日任企―五七五及び給三―二八）において、本務官署から遠隔地にある官署に属する官職への併任については真にやむを得ないものに限るものとすると規定していることに御留意ください。

2　併任されている官職の業務に専ら従事し、新幹線鉄道等に係る通勤手当を支給され、又は支給されないこととなる職員に対しては、その支給の有無を人事異動通知書又はこれに代わる文書により通知するものとします。ただし、当該職員の併任が解除され、又は終了したことに伴い、新幹線鉄道等に係る通勤手当を支給され、又は支給されないこととなる場合は、この限りではありません。

以　上

【行政実例】

○通勤手当について

〔照会〕　通勤手当に関する人事院規則等について、さし当り下記のとおりの疑義がありますので、至急御指示願います。

記

一　用語の意義について

1　「運賃等」には株主優待乗車券等、その乗車券を取得するために間接的に負担したものを含むか。また、株主優待券等を直接購入した場合はどうか。

2　法第十二条第一項で「料金等を負担する者」ではなく、「料金等を負担することを常例とする者」となっているが、具体的にどの程度から「常例とする」ことになるか。

3　〔略〕

二　通勤距離の算定について

通勤距離が二キロ以上であるか否かは、通勤手当に関する受給要件の具備に重要な判断基準となるから、通勤距離の算定方法等について具体的に明示されたい。

三　兼務庁勤務、研修の場合の取扱いについて

1　兼務庁勤務、研修の場合の勤務官署は、兼務庁、研修所をいうのか、又は本務庁をいうのか。

2　兼務庁勤務又は研修の期間が一カ月をこえる場合の手当額の算定及び一カ月をこえない場合の手当額の算定はどうか。

3　自宅から兼務庁又は研修所に通勤している場合であつて、日額旅費を支給されている場合の通勤手当についてはどう取扱うか。

4　次の様な事例について、通勤手当は具体的にどの様に取扱うか。

(イ)　自宅から兼務庁に通勤している場合であつ

て、旅費法の調整規定によつて旅費が支給されていない場合。

(ロ) 税講普通科研修生は大蔵省訓令により日額旅費が支給されていないが、税務講習所仙台支所の様に寮から研修所まで二キロメートル以上の距離があつて、職員は通常有料交通機関を利用して通学している場合。

(ハ) 自宅から高等税務講習所に通学する場合には日額旅費四五円が支給され、この中二二円五〇銭（大蔵省主計局の算定による。）が交通費相当分となつているが、日額旅費は一カ月二十五日分で計算されるため、通勤実費六六〇円以上を要する職員は通勤手当相当分が支給されていないこととなる。この場合の取扱いはどうするか。

四 〔略〕

五 運賃等相当額の算定について

1 通学用定期乗車券又は通学用三角定期乗車券を利用している職員については、

(イ) 計算の基礎となる区間は自宅から勤務官署までとするか。

(ロ) 〔略〕

2 下図に示す職員については、どの区間について通勤手当を支給するのか。

有料交通機関利用　往路のみ官用自動車利用
帰路は有料交通機関利用

A 自宅　B 駅（中途）　C 勤務官署

（本人はA、C間の定期券を所有）

六 〔略〕

七 規則九—二四第十一条について

月の一日又は末日が祝祭日等になつている場合の下図の事例については、通勤手当の取扱いはどうなるか。

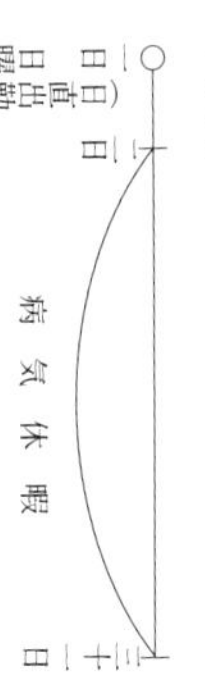

（昭三三・五・一 官人五—七四 国税庁長官官房人事課長）

〔回答〕 一

1 株主優待乗車券（これに準ずるものを含む。）によつて通勤する場合は、その費用を直接に負担していると否とにかかわらず、通勤のために必要な交通機関等の運賃等を負担しているものとは解しない。

2 給与法第十二条第一項の「運賃等を負担することを常例とする職員」となるか否かは、一般的には、運賃等を負担している職員で、その者が通勤する限り、原則として、同様の状態が継続するものと一般に認められるものをいうものと解するが、具体的には、法律・規則等の趣旨にてらし個々の事例につき判断すべきである。

3 〔略〕

二 通勤距離の測定にあたつては、住居の出入口から勤務官署において出勤が確認される場所（出勤が確認される場所が二以上あるときは、勤務官署の出入口から最も離れた場所にあるものとする。）までの間について、人事院規則九—二四（通勤手当）第二条第二項および給実甲第一五一号（通勤手当の運用について）第二条関係の規定により行うべきものと解する。

三 1〜4

(1) 兼務および研修の場合は、それらが出張によつて行われる場合を除き、次によつて取り扱われたい。

イ 兼務の場合は、兼務庁および本務庁のそれぞれを勤務官署とする。

ロ 研修の場合は、その期間が月の初日から末日までの全日数にわたる場合に限り、当該研修所を勤務官署とみなす。

(2) 出張の場合には次によつて取り扱われたい。

イ 出張によつては原則として、職員の住居および勤務官署には、変更を生じないものとする。

ロ 出張先において月の初日から末日までの全日数にわたつて通勤類似の行為があり、かつ、その間に宿泊料を含む旅費が支給されていない場合は、前記イにかかわらずその月については、その出張先の官署等を勤務官署とみなす。

四 〔略〕

五 1 (イ)および(ロ)

貴見のとおり取り扱つてさしつかえない。

2 AB間についての往復、BC間についての片道について支給する。ただし、AC間の定期券による額が、AB間の定期券による額にBC間の片道分の回数券による額（定期券による額の方が、低廉となるときは、定期券による額）を加えた額よりも低廉となる場合には、AC間の定期券による額によるべきものと考える。

六 〔略〕

七 月の一日または末日が祝祭日等となつている場合においても、その日において通勤しているときは、その月の分を全額支給するべきものと解する。

（昭三三・五・二三 給三—一六三 人事院事務総局給与局給与第三課長）

（注） 規則九—二四第一一条は、平七・一〇・二五規則九—二四—八により第一〇条に改正された。

○人事院規則九―二四、第七条について

〔照会〕 家畜衛生試験場より下記事例における、通勤手当の取扱について照会があつたがこのような場合には規則九―二四第七条ただし書きの「正当な事由」として認められると解してよろしいか。

記

職員が通勤のため利用しうる交通機関は、国鉄とバスとがあるが、定時までに出勤するためには国鉄を利用すると、その運行の関係上、官署所在地A駅に六時五十五分着の列車だけしか利用できないので、出勤時間より一時間以上も早く勤務官署に到着する。このため職員は、往路にはバスを利用して通勤し、帰路は国鉄（A駅発十七時四十二分の列車）を利用している。（昭三三・六・二六　東地一―四九〇　東京地方事務所長）

〔回答〕 貴見のとおりと解する。（昭三三・七・一一　給三―三〇〇　給与第三課長）

○人事院規則九―二四（通勤手当）等について

〔照会〕 一、第六条関係

下例の場合、同条の「……最も経済的かつ合理的と認められる通常の通勤の経路及び方法……」とは次のいずれか。

	コース	運賃等	法第十二条の額	備考
(ア)	A～B～D	六〇〇円	五〇〇円	金額的
(イ)	A～C～D	八〇〇円	六〇〇円	時間的

(例)

(1) 経路

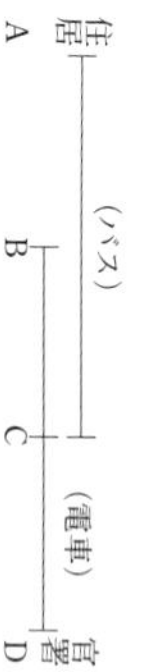

住居A ―（バス）― B ― C　（バス：A～C）

B ―（電車）― C ― 官署D　（電車：B～D）

距離はA～B、B～C、C～Dとも二キロメートル以上

(2) 運賃等（一カ月）

交通機関等	区間	運賃等（円）	備考
バス	A～B	二〇〇	
	A～C	四〇〇	
電車	B～D	四〇〇	距離に関係なく一律　四〇〇円
	C～D	四〇〇	

(3) 全てのバスはA～Cまで運行されているが、電車はB～Dは二〇分間かく、C～Dは五分間かくで運行されている。

(4) 多数の者が、時間的に便利なA～C～Dを利用している。

二、第八条関係　〔略〕

三、給実甲第一五一号第六条関係

(例) 経路

住居A ―0.8km― B ―0.5km 乗りつぎ（徒歩）― C ―0.8km― 官署D

(1) 上例の場合「二以上の種類を異にする交通機関」とは次のいずれか。

	A～B（会社名）	C～D（会社名）
(ア)	バス(A)	バス(A)
(イ)	バス(A)	電車(A)
(ウ)	電車(A)	電車(A)
(エ)	バス(A)	バス(B)
(オ)	バス(A)	電車(B)
(カ)	電車(A)	電車(B)

(2) 上例の場合で「二以上の種類を異にする交通機関等」の場合は、同文中の「交通機関等とすることができないもの……」は次のいずれか。

(ア) 高額運賃の区間の交通機関等

(イ) 低額運賃の区間の交通機関等

(ウ) 官署に近い区間の交通機関等

(エ) 住居に近い区間の交通機関等

（昭三三・五・二四　札地一―二六一　札幌地方事務所長）

〔回答〕 一、A～C～Dの路線が、大多数の職員が通勤のために利用している経路および方法であると認められるときは、当該路線を利用している職員について、当該路線を規則九―二四（通勤手当）第六条にいう運賃等の算出の基準となる通勤の経路および方法として認めてさしつかえないものと解する。

二、〔略〕

三、(1) 設例の場合のように二以上の交通機関を利用している場合には、それらの交通機関について共通の定期券が発行されている場合を除き、それらの交通機関は異種の交通機関として取り扱うべきものと解する。

(2) 当該区間における交通の事情（利用区間の長さ、地理的条件、交通機関の運賃の額の多寡等）に伴い、一般の交通手段として徒歩によることを例としていると認められる場合は、その区間が官署または住居のいずれに近いかということに関係なくその区間における交通機関（設例のように二以上のいずれの区間についても同様の事情にあるときは、それらのうち徒歩による利用の度合がより多いと認められる区間における交通機関）をもつて給実甲第一五一号第六条関係にいう「交通機関等とすることができないもの」として扱うべきものと解する。（昭三三・七・一五　給三―三〇〇　給与第三課長）

○通勤手当の支給について

〔照会〕 通勤手当の支給について、下記のとおり疑

義がありますので照会いたします。

記

1　次の図のように常例として交通機関等と自転車等を併用して通勤している場合の職員は、人事院規則九—二四（通勤手当）第八条の二第一号にいう「自転車等を使用する距離が片道二キロメートル以上である職員」に該当するものと解されるので、運賃等相当額三、〇〇〇円と自転車等の場合の六〇〇円との合計額三、六〇〇円を基礎として算定した三、〇〇〇円を当該職員の通勤手当として支給してよいか。

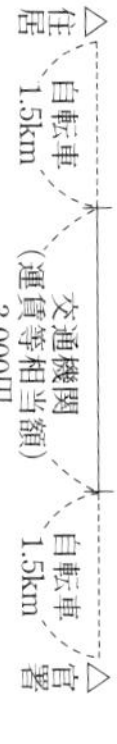

△住居　自転車 1.5km　交通機関（運賃等相当額）3,000円　自転車 1.5km　官署△

2　〔略〕
3　〔略〕

〔回答〕　御照会のありました標記については、いずれの場合も貴見のとおり解してさしつかえありません。（昭四四・三・五　給三—三一　給与第三課長）

（注）　規則九—二四第八条の二は、平一一・一〇・二五規則一—二六により第八条の三に改正された。また、現在は手当額についても改正されている。

第八　単身赴任手当

【参照】
●一般職給与法一二の二
●同運用方針一二の二関係
●規則（九―七）八

○人事院規則九―八九（単身赴任手当）

平二・二・一五制定
平二・四・一施行

最終改正　令七・二・五規則九―八九―七

（趣旨）
第一条　単身赴任手当の支給については、別に定める場合を除き、この規則の定めるところによる。

（やむを得ない事情）
第二条　給与法第十二条の二第一項の人事院規則で定めるやむを得ない事情は、次に掲げる事情とする。
一　配偶者（届出をしないが事実上婚姻関係と同様の事情にある者を含む。以下同じ。）が疾病等により介護を必要とする状態にある職員若しくは配偶者の父母又は同居の親族を介護すること。
二　配偶者が学校教育法（昭和二十二年法律第二十六号）第一条に規定する学校その他の教育施設に在学している同居の子を養育すること。
三　配偶者が引き続き就業すること。
四　配偶者が職員又は配偶者の所有に係る住宅（人事院の定めるこれに準ずる住宅を含む。）を管理するため、引き続き当該住宅に居住すること。
五　配偶者が職員と同居できないと認められる前各号に類する事情

本条―令七・四・一施行

（通勤困難の基準）
第三条　給与法第十二条の二第一項本文及びただし書並びに第三項の人事院規則で定める基準は、次の各号のいずれかに該当することとする。
一　人事院の定めるところにより算定した通勤距離が六十キロメートル以上であること。
二　人事院の定めるところにより算定した通勤距離が六十キロメートル未満である場合で、通勤方法、通勤時間、交通機関の状況等から前号に相当する程度に通勤が困難であると認められること。

（加算額等）
第四条　給与法第十二条の二第二項に規定する交通距離の算定は、最も経済的かつ合理的と認められる通常の交通の経路及び方法による職員の住居から配偶者の住居までの経路の長さについて、人事院の定めるところにより行うものとする。
2　給与法第十二条の二第二項の人事院規則で定める距離は、百キロメートルとする。
3　給与法第十二条の二第二項の人事院規則で定める額は、次の各号に掲げる交通距離の区分に応じ、当該各号に定める額とする。
一　百キロメートル以上三百キロメートル未満　八千円
二　三百キロメートル以上五百キロメートル未満　一万六千円
三　五百キロメートル以上七百キロメートル未満　二万四千円
四　七百キロメートル以上九百キロメートル未満　三万二千円
五　九百キロメートル以上千百キロメートル未満　四万円
六　千百キロメートル以上千三百キロメートル未満　四万六千円
七　千三百キロメートル以上千五百キロメートル未満　五万二千円
八　千五百キロメートル以上二千キロメートル未満　五万八千円
九　二千キロメートル以上二千五百キロメートル未満　六万四千円
十　二千五百キロメートル以上　七万円

三項―平二八・四・一施行

（権衡職員の範囲等）
第五条　給与法第十二条の二第三項の人事院規則で定めるやむを得ない事情は、第二条に規定するやむを得ない事情とする。
2　給与法第十二条の二第三項の同条第一項の規定による単身赴任手当を支給される職員との権衡上必要があると認められるものとして人事院規則で定める職員は、次に掲げる職員とする。
一　次に掲げる事由の発生（以下「事由発生」

という。）に伴い、住居を移転し、第二条に規定するやむを得ない事情により、同居していた配偶者と別居することとなった職員で、当該事由発生の直前の住居から当該事由発生の直後に在勤する官署に通勤することが第三条に規定する基準に照らして困難であると認められるもののうち、単身で生活することを常況とする職員

イ　派遣法第二条第一項の規定による派遣、官民人事交流法第二条第三項に規定する交流派遣、法科大学院派遣法第十一条第一項の規定による派遣、福島復興再生特別措置法（平成二十四年法律第二十五号）第四十八条の三第一項若しくは第八十九条の三第一項の規定による派遣、令和三年オリンピック・パラリンピック特措法第十七条第一項の規定による派遣、平成三十一年ラグビーワールドカップ特措法第四条第一項の規定による派遣、令和七年国際博覧会特措法第二十五条第一項の規定による派遣又は令和九年国際園芸博覧会特措法第十五条第一項の規定による派遣から職務に復帰したこと。

ロ　規則一一—四（職員の身分保障）第三条第一項第一号から第四号までの規定による休職から復職したこと。

二　官署を異にする異動又は在勤する官署の移転に伴い、住居を移転し、第二条に規定するやむを得ない事情により、同居していた配偶者と別居することとなった職員であって、当該異動又は官署の移転の直前の住居から当該異動又は官署の移転の直後に在勤する官署に通勤することが第三条に規定する基準に照らして困難であると認められる職員以外の職員で当該異動又は官署の移転の直後に在勤する官署における職務の遂行上住居を移転せざるを得ないと人事院が認めるもののうち、単身で生活することを常況とする職員

三　官署を異にする異動又は在勤する官署の移転に伴い、住居を移転し、第二条に規定するやむを得ない事情に準じて人事院の定める事情（以下単に「人事院の定める事情」という。）により、同居していた満十八歳に達する日以後の最初の三月三十一日までの間にある子と別居することとなった職員（配偶者のない職員に限る。）で、当該異動又は官署の移転の直前の住居から当該異動又は官署の移転の直後に在勤する官署に通勤することが第三条に規定する基準に照らして困難であると認められるもの（当該異動又は官署の移転の直後に在勤する官署における職務の遂行上住居を移転せざるを得ないと人事院が認めるものを含む。）のうち、単身で生活することを常況とする職員

四　官署を異にする異動又は在勤する官署の移転に伴い、住居を移転した後、人事院の定める特別の事情により、当該異動又は官署の移転の直前に同居していた配偶者（配偶者のない職員にあっては、満十八歳に達する日以後の最初の三月三十一日までの間にある子。以下「配偶者等」という。）と別居することとなった職員（当該別居が当該異動又は官署の移転の日から起算して三年以内に生じた職員に限る。）で、当該別居の直後の配偶者等の住居から当該別居の直後に在勤する官署に通勤することが第三条に規定する基準に照らして困難であると認められるもの（当該別居の直後に在勤する官署における職務の遂行上住居を移転して配偶者等と同居することができないと人事院が認めるものを含む。）のうち、単身で生活することを常況とする職員

五　官署を異にする異動又は在勤する官署の移転に伴い、住居を移転し、第二条に規定するやむを得ない事情（配偶者のない職員にあっては、人事院の定める事情）により、同居していた配偶者等と別居することとなった職員で、当該異動又は官署の移転の直前の住居から当該異動又は官署の移転の直後に在勤する官署に通勤することが第三条に規定する基準に照らして困難であると認められるもの（当該異動又は官署の移転の直後に在勤する官署における職務の遂行上住居を移転せざるを得ないと人事院が認めるものを含む。）のうち、満十五歳に達する日以後の最初の三月三十一日までの間にある子のみと同居して生活することを常況とする職員

六　官署を異にする異動又は在勤する官署の移転に伴い、住居を移転した後、人事院の定める特別の事情により、当該異動又は官署の移転の直前に同居していた配偶者等と別居することとなった職員（当該別居が当該異動又は官署の移転の日から起算して三年以内に生じた職員に限る。）で、当該別居の直後の配偶

者等の住居から当該別居の直後に在勤する官署に通勤することが第三条に規定する基準に照らして困難であると認められるもの（当該別居の直後に在勤する官署における職務の遂行上住居を移転して配偶者等と同居することができないと人事院が認めるものを含む。）のうち、満十五歳に達する日以後の最初の三月三十一日までの間にある子のみと同居して生活することを常況とする職員

七　第二号から前号までの規定中「官署を異にする異動又は在勤する官署の移転に伴い」とあるのを「新たに俸給表の適用を受ける職員となったこと又は事由発生に伴い」と、「第二条」とあるのを「前項」と、「異動又は官署の移転」とあるのを「適用又は事由発生」と読み替えた場合に、当該各号に掲げる職員たる要件に該当することとなる職員

八　その他給与法第十二条の二第一項の規定による単身赴任手当を支給される職員との権衡上必要があると認められるものとして人事院の定める職員

本条―令七・四・一施行

（支給の調整）

第六条　職員の配偶者が単身赴任手当又は国、地方公共団体その他のこれに相当する手当の支給を受ける場合には、その間、当該職員には単身赴任手当は支給しない。

（届出）

第七条　新たに給与法第十二条の二第一項又は第三項の職員たる要件を具備するに至った職員は、当該要件を具備していることを証明する書類を添付して、人事院が定める様式の単身赴任届により、配偶者等との別居の状況等を速やかに各庁の長（給与法第七条に規定する各庁の長又はその委任を受けた者をいう。第三項及び次条において同じ。）に届け出なければならない。単身赴任手当を受けている職員の住居、同居者、配偶者等の住居等に変更があった場合についても、同様とする。

2　前項の場合において、やむを得ない事情があると認められるときは、添付すべき書類は、届出後速やかに提出することをもって足りるものとする。

3　第一項の規定にかかわらず、各庁の長において配偶者等との別居の状況等を認定することができる場合として人事院が定める場合には、同項の規定による届出を要しない。

一・三項―令七・四・一施行

（確認及び決定）

第八条　各庁の長は、職員から前条第一項の規定による届出があったときは、その届出に係る事実を確認し、その者が給与法第十二条の二第一項又は第三項の職員たる要件を具備するときは、その者に支給すべき単身赴任手当の月額を決定し、又は改定しなければならない。前条第三項に規定する場合においても、同様とする。

2　各庁の長は、前項の規定により単身赴任手当の月額を決定し、又は改定したときは、その決定又は改定に係る事項を人事院が定める様式の単身赴任手当認定簿に記載するものとする。

一項―令七・四・一施行

（支給の始期及び終期）

第九条　単身赴任手当の支給は、職員が新たに給与法第十二条の二第一項又は第三項の職員たる要件を具備するに至った日の属する月の翌月（その日が月の初日であるときは、その日の属する月）から開始し、職員が同条第一項又は第三項に規定する要件を欠くに至った日（人事院が定める場合にあっては、当該要件を欠くに至った日以降の日で人事院が定める日）の属する月（その日が月の初日であるときは、その日の属する月の前月）をもって終わる。ただし、単身赴任手当の支給の開始については、第七条第一項の規定による届出がこれに係る事実の生じた日から十五日を経過した後にされたときは、その届出を受理した日の属する月の翌月（その日が月の初日であるときは、その日の属する月）から行うものとする。

2　単身赴任手当を受けている職員にその月額を変更すべき事実が生じたときは、その事実の生じた日の属する月の翌月（その日が月の初日であるときは、その日の属する月）からその支給額を改定する。前項ただし書の規定は、単身赴任手当の月額を増額して改定する場合について準用する。

一項―令七・四・一施行

（雑則）

第十条　この規則の実施に関し必要な事項は、人事院が定める。

本条―令五・四・一施行

附　則（抄）

（施行期日）

1　この規則は、平成二年四月一日から施行する。

（平成三十年三月三十一日までの間における単身赴任手当の月額に関する特例）
2　一般職の職員の給与に関する法律等の一部を改正する法律（平成二十六年法律第百五号）附則第十条の規定により読み替えられた給与法第十二条の二第二項に規定する三万円を超えない範囲内で人事院規則で定める額は、三万円とする。

附　則（平二五・四・一規則一―五九）（抄）
改正　平二七・三・一八規則一―六三

（施行期日）
第一条　この規則は、公布の日から施行する。

（人事院規則九―八九の一部改正に伴う経過措置）
第七条　旧給与特例法適用職員であった者から引き続き俸給表適用職員となった者については、旧給与特例法適用職員を規則九―八九第五条第二項第七号に規定する行政執行法人職員等であるものとみなして、同号の規定を適用する。

（雑則）
第十一条　附則第二条から前条までに規定するもののほか、この規則の施行に関し必要な経過措置は、人事院が定める。

附　則（平二七・三・一八規則一―六三）（抄）

（施行期日）
第一条　この規則は、平成二十七年四月一日から施行する。

（人事院規則九―八九の一部改正に伴う経過措置）
第十一条　特定独立行政法人職員であった者から引き続き俸給表適用職員となった者については、特定独立行政法人職員を第七条の規定による改正後の規則九―八九第五条第二項第七号に規定する行政執行法人職員等であるものとみなして、同号の規定を適用する。

（雑則）
第十五条　附則第二条から前条までに規定するもののほか、この規則の施行に関し必要な経過措置は、人事院が定める。

附　則（令二・六・一二規則一―七五）（抄）

（施行期日）
1　この規則は、公布の日から施行する。

附　則（令二・一二・二八規則一―七六）（抄）

（施行期日）
1　この規則は、公布の日から施行する。

附　則（令三・九・一規則一―七七）

この規則は、公布の日から施行する。

附　則（令四・二・一八規則一―七九）（抄）
改正　令七・二・五規則九―八九―七

（施行期日）
第一条　この規則は、令和五年四月一日から施行する。

（雑則）
第十二条から第十四条まで　削除
第二十五条　附則第三条から前条までに規定するもののほか、この規則の施行に関し必要な経過措置は、人事院が定める。

附　則（令四・六・二四規則一―八一）

この規則は、公布の日から施行する。

附　則（令五・二・二八規則九―八九―六）（抄）

（施行期日）
第一条　この規則は、令和五年四月一日から施行する。

附　則（令七・二・五規則九―八九―七）（抄）

（施行期日）
第一条　この規則は、令和七年四月一日から施行する。

（経過措置）
第二条　この規則による改正後の規則九―八九第五条第二項第七号の規定は、この規則の施行の日前に新たに俸給表の適用を受ける職員となった者にも適用する。

○単身赴任手当の運用について（通知）

平二・一二・一五
給実甲六六〇

最終改正　令七・一一・一二給実甲一三四九

単身赴任手当の運用について下記のとおり定めたので、これによってください。

記

給与法第十二条の二関係

1　一般職の職員の給与に関する法律（昭和二十五年法律第九十五号。以下「給与法」という。）第十二条の二第一項の規定により単身赴任手当を支給される職員は、住居の移転を伴う直近の官署を異にする異動又は在勤する官署の移転（次項において「官署異動等」という。）に際して同居していた配偶者（届出をしないが事実上婚姻関係と同様の事情にある者を含む。以下同じ。）が転居しない職員又はこれに準ずる職員に限られるものとする。

2　前項の配偶者が転居しない職員に準ずる職員は、住居の移転を伴う直近の官署異動等に際して同居していた配偶者が転居した職員のうち次に掲げるものとする。

一　配偶者が住居の移転を伴う直近の官署異動等の直前に在勤していた官署の通勤圏（規則第三条関係第一項の規定の例に準じて算定した当該官署から住宅までの距離が六十キロメートル未満の範囲をいう。以下同じ。）内又は直近の官署異動等の直前の住居と同一の市町村（特別区を含むものとする。以下同じ。）内に所在する住宅に転居する職員

二　人事院規則九―八九（単身赴任手当）（以下「規則」という。）第二条第三号に掲げる事情があると認められる職員（前号に掲げる職員を除く。）

三　規則第五条関係第四項第一号から第三号まで、第五号、第六号、第八号又は第九号に掲げる事情があると認められる職員（この項第一号に掲げる職員を除く。）

四　その他前各号に類する事情があると認められる職員

規則第二条関係

1　規則第二条第四号の「人事院の定めるこれに準ずる住宅」は、次に掲げる住宅とする。

一　職員又は配偶者が所有権の移転を一定期間留保する契約（次号において「所有権留保契約」という。）により購入した住宅又は譲渡担保の目的で債権者にその所有権の一時的な移転（次号において「譲渡担保のための移転」という。）をしている住宅

二　職員又は配偶者の扶養親族たる者（給与法第十一条第二項に規定する扶養親族をいう。）が所有する住宅、所有権留保契約により購入した住宅又は譲渡担保のための移転をしている住宅

2　規則第二条第五号の「前各号に類する事情」は、次に掲げる事情とする。

一　配偶者が疾病等により介護を必要とする状態にある別居の親族（職員又は配偶者の父母を除く。）を介護している場合に限る。ただし、配偶者が主として介護する場合に限る。

二　配偶者が児童福祉法（昭和二十二年法律第百六十四号）第六条の三第九項に規定する家庭的保育事業、同条第十項に規定する小規模保育事業、同条第十一項に規定する居宅訪問型保育事業若しくは同条第十二項に規定する事業所内保育事業を行う施設、同法第三十九条第一項に規定する保育所、同法第五十九条第一項に規定する施設のうち同法第六条の三第九項から第十二項まで若しくは第三十九条第一項に規定する業務を目的とするもの又は就学前の子どもに関する教育、保育等の総合的な提供の推進に関する法律（平成十八年法律第七十七号）第二条第六項に規定する認定こども園（以下「保育所等」という。）に在所している同居の子を養育すること。

三　配偶者が特定の医療機関等において疾病等の治療等を受けている同居の子（学校教育法（昭和二十二年法律第二十六号）第一条に規定する学校その他の教育施設（以下「学校等」という。）に在学している子及び前号に規定する子を除く。）を養育すること。

四　配偶者が特定の医療機関等において疾病等の治療等を受けていること。

五　配偶者が学校等に在学していること。

六　配偶者が職員又は配偶者の所有に係る住宅（前項各号に掲げる住宅を含み、職員がかつて在勤していた官署（検察官であった者、給与法第十一条の七第三項に規定する行政執行法人職員等（以下「行政執行法人職員等」という。）であった者又は港湾法（昭和二十五年法律第二百十八号）第四十三条の二十九第一項若しくは民間資金等の活用による公共施設等の整備等の促進に関する法律（平成十一年法律第百十七号）第七十八条第一項に規定する国派遣職員（以下この号において「国派遣職員」という。）であった者から人事交流等により引き続き俸給表の適用を受ける職員となった者にあっては、検察官、行政執行法人職員等又は国派遣職員としての在職の間の勤務箇所を含む。以下この号及び次号において同じ。）の通勤圏内に所在する住宅又は職員が当該官署に在勤していた間に居住していた住宅であって通勤圏内に所在しないものに限る。）を管理するため、当該住宅に転居すること。ただし、配偶者以外に当該住宅を管理する者がいない場合に限る。

七　職員又は配偶者が住居の移転を伴う直近の官署を異にする異動又は在勤する官署の移転（検察官であった者又は行政執行法人職員等であった者から人事交流等により引き続き俸給表の適用を受ける職員となった場合の当該適用を含む。以下この号において「人事交流等による異動等」という。）の前日までに住宅（職員が当該人事交流等による異動等の直前に在勤していた官署の通勤圏内に所在する住宅に限る。）を購入

する契約又は新築する建築工事についての請負契約を締結した場合において、配偶者が当該住宅の管理等を行うため、当該人事交流等による異動等の直前の住居に引き続き居住すること又は当該人事交流等による異動等の直前に在勤していた官署の通勤圏内若しくは当該人事交流等による異動等の直前の住居と同一の市町村内に所在する住宅に転居すること。ただし、配偶者以外に当該管理等を行う者がいる場合及び規則第二条第四号に該当する場合を除く。

八　その他配偶者が職員と同居できないと認められる前各号に類する事情

規則第三条関係

1　規則第三条第一号及び第二号の通勤距離の算定は、最も経済的かつ合理的と認められる通常の経路及び方法（給与法第十二条第一項第二号に規定する自動車等及び航空機を除く。）により通勤するものとした場合の経路について、次の各号に掲げる交通方法の区分に応じた当該各号に定める距離を合算するものとする。

一　徒歩　国土地理院が提供する電子地図その他の地図又はこれらの地図に係る測量法（昭和二十四年法律第百八十八号）第二十九条若しくは第三十条第一項の規定に基づく国土地理院の長の承認を経て提供された電子地図その他の地図を用いて測定した距離

二　鉄道　鉄道事業法（昭和六十一年法律第九十二号）第十三条に規定する鉄道運送事業者の調べに係る鉄道旅客貨物運賃算出表に掲げる距離

三　船舶　海上保安庁の調べに係る距離表に掲げる距離

四　一般乗合旅客自動車その他の交通機関（前二号に掲げるものを除く。）　道路運送法（昭和二十六年法律第百八十三号）第五条第一項第三号に規定する事業計画に記載されている距離その他これに準ずるものに記載されている距離

2　規則第三条第二号の「前号に相当する程度に通勤が困難であると認められる」場合は、次の各号のいずれかに該当する場合とする。

一　前項に規定する最も経済的かつ合理的と認められる通常の経路及び方法による通勤が不可能である場合（通勤のため自動車を使用することを常例とする場合であって、住居の移転を伴う直近の官署を異にする異動又は在勤する官署の移転（新たに俸給表の適用を受ける職員となった場合の当該適用及び規則第五条第二項第一号に規定する事由発生を含む。以下「異動等」という。）の直前の住居又は配偶者の住居から自動車により通勤するものとした場合の通勤時間が一時間以内となるときを除く。次号において同じ。）

二　前項に規定する最も経済的かつ合理的と認められる通常の経路及び方法により通勤するものとした場合において次のいずれかに該当するとき。

イ　住居の移転を伴う直近の異動等の直後に在勤する官署の始業の時刻（ロにおいて「始業時刻」という。）前に当該官署に到着するために当該異動等の直前の住居又は配偶者の住居を出発することとなる時刻から始業時刻までの時間（以下この号において「実通勤時間」という。）が二時間以上である場合

ロ　実通勤時間が一時間三十分以上二時間未満である場合であって、始業時刻前一時間以内に住居の移転を伴う直近の異動等の直後に在勤する官署に到着するために利用する交通機関の運行回数（二以上の交通機関を乗り継ぐこととなる場合にあっては最も少ない交通機関の運行回数。ハにおいて同じ。）が一回以内のとき。

ハ　実通勤時間が一時間三十分以上二時間未満である場合であって、住居の移転を伴う直近の異動等の直後に在勤する官署から当該異動等の直前の住居又は配偶者の住居への帰宅に当たって当該官署の終業の時刻後一時間以内に利用する交通機関の運行回数が一回以内のとき。

三　その他通勤が困難であると認められる場合

3　前項の通勤時間又は実通勤時間は、次の各号に定める時間により算定するものとする。

一　徒歩の区間　五キロメートルを六十分に換算した時間（当該区間を自転車で通勤することが適当と認められる場合は、十キロメートルを六十分に換算した時間）

二　交通機関を用いる区間　定められた運行

時間

三　自動車を用いる区間　三十七キロメートルを六十分に換算した時間

規則第四条関係

規則第四条第一項の交通距離の算定は、規則第三条関係第一項の例に準じて行うものとする。ただし、最も経済的かつ合理的と認められる通常の交通の経路及び方法の一部が別表に掲げる航空機による経路のいずれかに該当する場合の同条第一項の交通距離は、規則第三条関係第一項の例に準じて算定した距離に二百キロメートル（当該距離が千五百キロメートル以上である場合にあっては、五百キロメートル）を加算した距離とする。

規則第五条関係

1　次の各号に掲げる事由が発生した職員については、当該各号に定める勤務箇所を規則第二条関係第二項第六号及び第七号並びにこの規則第五条関係第四項第一号及び第十号の官署と、当該事由を規則第二条関係第二項第七号の人事交流等による異動等とみなして、規則第二条関係第二項第六号及び第七号並びにこの規則第五条関係第四項第一号及び第十号の規定を適用する。

一　国家公務員法（昭和二十二年法律第百二十号）第六十条の二第一項の規定による採用（同法の規定により退職した日の翌日におけるものに限る。以下「定年前再任用」という。）をされたこと　当該定年前再任用の直前の職員としての引き続く在職期間中の勤務箇所

二　国際機関等に派遣される一般職の国家公務員の処遇等に関する法律（昭和四十五年法律第百十七号）第二条第一項の規定による派遣、国と民間企業との間の人事交流に関する法律（平成十一年法律第二百二十四号）第二条第三項に規定する交流派遣、法科大学院への裁判官及び検察官その他の一般職の国家公務員の派遣に関する法律（平成十五年法律第四十号）第十一条第一項の規定による派遣、福島復興再生特別措置法（平成二十四年法律第二十五号）第四十八条の三第一項若しくは第八十九条の三第一項の規定による派遣、令和三年東京オリンピック競技大会・東京パラリンピック競技大会特別措置法（平成二十七年法律第三十三号）第十七条第一項の規定による派遣、平成三十一年ラグビーワールドカップ大会特別措置法（平成二十七年法律第三十四号）第四条第一項の規定による派遣、令和七年に開催される国際博覧会の準備及び運営のために必要な特別措置に関する法律（平成三十一年法律第十八号）第二十五条第一項の規定による派遣又は令和九年に開催される国際園芸博覧会の準備及び運営のために必要な特別措置に関する法律（令和四年法律第十五号）第十五条第一項の規定による派遣（以下「国際機関等派遣等」という。）から職務に復帰したこと　当該国際機関等派遣等の期間中の勤務箇所

三　国と民間企業との間の人事交流に関する法律第二条第四項に規定する交流採用（以下この号において「交流採用」という。）をされたこと　当該交流採用の直前に雇用されていた民間企業における在職期間中の勤務箇所

四　人事院規則一一―四（職員の身分保障）第三条第一項第一号から第四号までの規定による休職（以下単に「休職」という。）から復職したこと　当該休職の期間中の勤務箇所

2　規則第五条第二項第二号から第六号までの「人事院が認めるもの」並びに第六項第一号、第二号及び第六号の「事務総長が認めるもの」は、国家公務員宿舎法施行令（昭和三十三年政令第三百四十一号）第九条第二号に規定する職員とする。

3　規則第五条第二項第三号の「人事院の定める事情」は、次に掲げる事情とする。

一　満十八歳に達する日以後の最初の三月三十一日までの間にある子が学校等に在学し、又は保育所等に在所すること。

二　その他満十八歳に達する日以後の最初の三月三十一日までの間にある子が職員と同居できないと認められる前号に類する事情

4　規則第五条第二項第四号、第六号及び第七号に掲げる職員のうち、配偶者のある職員に係る「人事院の定める特別の事情」は、次に掲げる事情とする。

一　配偶者が疾病等により介護を必要とする状態にある職員又は配偶者の父母を介護するため、旧勤務地住宅（住居の移転を伴う直近の異動等の直前の住居（当該住居と同

一の市町村内に所在する住宅を含む。以下この号において「異動直前住居」という。）又は職員がかつて在勤していた官署（検察官であった者又は行政執行法人職員等であった者から人事交流等により引き続き俸給表の適用を受ける職員となった者にあっては検察官又は行政執行法人職員等としての在職の間の勤務箇所を含む。以下この号及び第十号において同じ。）の通勤圏内に所在する住宅（異動直前住居を除く。）若しくは職員が当該官署に在勤していた間に居住していた住宅であって通勤圏内に所在しないもの（異動直前住居を除く。）をいう。以下この項及び次項において同じ。）に転居すること。

二　配偶者が学校等に入学、転学若しくは在学する子又は保育所等に入所、転所若しくは在所する子を養育するため、転居（所在する地域を異にする三以上の官署に勤務したことにより二回以上住居を移転した職員（以下「転々異動職員」という。）以外の職員にあっては、旧勤務地住宅への転居に限る。）すること。

三　配偶者が特定の医療機関等（当該配偶者の子がかつて疾病等の治療等を受けたことのある医療機関等に限る。）において疾病等の治療等を受ける子（学校等に入学又は転学するため旧勤務地住宅に転居する子及び保育所等に入所又は転所するため旧勤務地住宅に転居する子を除く。）を養育するため、旧勤務地住宅に転居すること。

四　子が住居の移転を伴う直近の異動等の日以後に疾病等を発症し、かつ、当該異動等に伴う転居後の住居に引き続き居住した場合には当該疾病等について適切な治療等を受けることができないと認められるときに、配偶者が当該子を養育するため、転居すること。

五　育児休業をした配偶者が職務に復帰するため、旧勤務地住宅に転居すること。

六　配偶者が特定の医療機関等（当該配偶者がかつて疾病等の治療等を受けたことのある医療機関等に限る。）において疾病等の治療等を受けるため、旧勤務地住宅に転居すること。

七　配偶者が住居の移転を伴う直近の異動等の日以後に疾病等を発症し、かつ、当該異動等に伴う転居後の住居に引き続き居住した場合には当該疾病等について適切な治療等を受けることができないと認められるときに、当該疾病等の治療等を受けるため、転居すること。

八　出産又は育児のため休学をした配偶者が復学するため、旧勤務地住宅に転居すること。

九　配偶者が職員又は配偶者の所有に係る住宅（規則第二条関係第一項各号に掲げる住宅を含み、住居の移転を伴う直近の異動等の日の前日以前から所有している住宅であって旧勤務地住宅であるものに限る。）を管理するため、当該住宅に転居すること。ただし、配偶者以外に当該住宅を管理する者がいない場合に限る。

十　配偶者が職員又は配偶者の所有に係る住宅（規則第二条関係第一項各号に掲げる住宅を含み、転々異動職員又は当該職員の配偶者が住居の移転を伴う直近の異動等の日以後に所有することとなった住宅であってかつて在勤していた官署の通勤圏内に所在するものに限る。）を管理するため、当該住宅に転居すること。ただし、配偶者以外に当該住宅を管理する者がいない場合に限る。

十一　その他配偶者が職員と同居できないと認められる前各号に類する事情

5　規則第五条第二項第四号、第六号及び第七号に掲げる職員のうち、配偶者のない職員に係る「人事院の定める特別の事情」は、次に掲げる事情とする。

一　満十八歳に達する日以後の最初の三月三十一日までの間にある子が学校等に入学若しくは転学するため、又は保育所等に入所若しくは転所するため、転居（転々異動職員以外の職員にあっては、旧勤務地住宅への転居に限る。）すること。

二　その他満十八歳に達する日以後の最初の三月三十一日までの間にある子が職員と同居できないと認められる前号に類する事情

6　規則第五条第二項第八号の「人事院の定める職員」は、次に掲げる職員とする。

一　同一官署内における異動又は職務内容の変更等に伴い、職務の遂行上住居を移転し、規則第二条に規定するやむを得ない事情

（配偶者のない職員にあっては、規則第五条第二項第三号に規定する人事院の定める事情）により、同居していた配偶者等（同項第四号に規定する配偶者等をいう。以下同じ。）と別居することとなった職員で、当該異動又は職務内容の変更等の直後の職務の遂行上住居を移転せざるを得ないと事務総長が認めるもののうち、次のいずれかに掲げる職員

イ　単身で生活することを常況とする職員

ロ　満十五歳に達する日以後の最初の三月三十一日までの間にある子のみと同居して生活することを常況とする職員

二　同一官署内における異動又は職務内容の変更等に伴い、職務の遂行上住居を移転した後、人事院の定める特別の事情（第四項中「異動等」とあるのを「同一官署内における異動又は職務内容の変更等」と読み替えた場合の同項又は前項に規定する人事院の定める特別の事情をいう。）により、当該異動又は職務内容の変更等の直前に同居していた配偶者等と別居することとなった職員（当該別居が当該異動又は職務内容の変更等の日から起算して三年以内に生じた職員に限る。）で、当該別居の直後の職務の遂行上住居を移転して配偶者等と同居することができないと事務総長が認めるもののうち、次のいずれかに掲げる職員

イ　単身で生活することを常況とする職員

ロ　満十五歳に達する日以後の最初の三月三十一日までの間にある子のみと同居して生活することを常況とする職員

三　配偶者のある職員で給与法第十二条の二第一項又は第三項の単身赴任手当を支給される職員たる要件に該当しているものが配偶者を欠くこととなった場合において、当該配偶者を欠くこととなった職員のうち、住居の移転を伴う直近の異動若しくは同一官署内における異動等又は職務内容の変更等の直前に配偶者のない職員であったものとした場合に規則第五条第二項第三号から第六号まで（これらの規定を同項第七号の規定により読み替えて適用する場合を含む。）又は前二号に掲げる職員たる要件に該当することとなる職員

四　検察官であった者又は行政執行法人職員等であった者から人事交流等により引き続き俸給表の適用を受ける職員となった者のうち、検察官又は行政執行法人職員等としての在職を俸給表の適用を受ける職員としての在職と、その間の勤務箇所を給与法第十二条の二第一項若しくは第三項、規則第五条第二項第二号から第六号まで（これらの規定を同項第七号の規定により読み替えて適用する場合を含む。以下この項において同じ。）又は前三号の官署とみなした場合に、当該人事交流等により俸給表の適用を受ける前から引き続き給与法第十二条の二第一項若しくは第三項（同項に規定する人事院規則で定める職員に係る部分を除く。）、規則第五条第二項第二号から第六号まで又は前三号に規定する職員たる要件に該当することとなる職員

五　定年前再任用をされた職員、国際機関等派遣等から職務に復帰した職員又は休職から復職した職員のうち、定年前再任用の直前の職員としての引き続く在職期間中の勤務箇所、国際機関等派遣等の期間中の勤務箇所又は休職の期間中の勤務箇所を給与法第十二条の二第一項若しくは第三項、規則第五条第二項第二号から第六号まで又は第一号から第三号までの官署とみなした場合に、定年前再任用（直近のものに限る。）又は当該職務への復帰若しくは休職からの復職前から引き続き給与法第十二条の二第一項若しくは第三項（同項に規定する人事院規則で定める職員に係る部分を除く。）、規則第五条第二項第二号から第六号まで又は第一号から第三号までに規定する職員たる要件に該当することとなる職員

五の二　人事院規則八―一二（職員の任免）第四十二条第二項の規定により同項第三号に掲げる官職に任期を定めて採用された職員が、その任期の満了後に引き続いて国家公務員の育児休業等に関する法律（平成三年法律第百九号。次号において「育児休業法」という。）第七条第一項の規定により任期を定めて採用された場合（当該採用により処理する同項に規定する業務が当該職員の同号に規定する業務と同一である場合に限る。）において、当該任期の満了前の職員としての引き続く在職期間中の勤務箇所を給与法第十二条の二第一項若しくは第

三項、規則第五条第二項第二号から第六号まで又は第一号から第三号までの官署とみなした場合に、当該任期の満了前から引き続き給与法第十二条の二第一項若しくは第三項（同項に規定する人事院規則で定める職員に係る部分を除く。）、規則第五条第二項第二号から第六号まで又は第一号から第三号までに規定する職員たる要件に該当することとなる職員

六　単身赴任手当の支給を受けている配偶者（検察官であった者又は行政執行法人職員等であった者から人事交流等により引き続き俸給表の適用を受ける職員となった配偶者で第四号に掲げる職員に該当するもの、定年前再任用をされた配偶者、国際機関等派遣等から職務に復帰した配偶者又は休職から復職した配偶者で第五号に掲げる職員に該当するもの及び育児休業法第七条第一項の規定により任期を定めて採用された配偶者で前号に掲げる職員に該当するものを含む。以下この号において同じ。）が官署を異にする異動又は在勤する官署の移転（検察官であった者又は行政執行法人職員等であった者から人事交流等により引き続き俸給表の適用を受ける職員となった配偶者で第四号に掲げる職員に該当するものにあっては当該適用、定年前再任用をされた配偶者、国際機関等派遣等から職務に復帰した配偶者又は休職から復職した配偶者で第五号に掲げる職員に該当するものにあっては当該定年前再任用、復帰又は復職、育児休業法第七条第一項の規定により任期を定めて採用された配偶者で前号に掲げる職員に該当するものにあっては当該採用。以下この号において同じ。）に伴い職員が居住する住居に転居した日（その日が当該異動又は官署の移転の日から当該異動又は官署の移転の直後に在勤する官署への勤務を開始すべきこととされる日までの間にある場合に限る。）と同日の異動等に伴い住居を移転することにより引き続き当該配偶者と別居することとなった職員で、当該異動等の直前の住居から当該異動等の直後に在勤する官署に通勤することが規則第三条に規定する基準に照らして困難であると認められるもの（規則第五条第二項第二号又は第五号（これらの規定を同項第七号の規定により読み替えて適用する場合を含む。）の人事院が認める職員を含む。）（当該日の同一官署内における異動又は職務内容の変更等に伴い職務の遂行上住居を移転することにより引き続き当該配偶者と別居することとなった職員で、当該異動又は職務内容の変更等の直後の職務の遂行上住居を移転せざるを得ないと事務総長が認めるものを含む。）のうち、単身で生活することを常況とする職員又は満十五歳に達する日以後の最初の三月三十一日までの間にある子のみと同居して生活することを常況とする職員。ただし、当該配偶者が単身赴任手当の支給を受ける場合を除く。

規則第六条関係

「国、地方公共団体その他のこれに相当する手当」とは、検察官又は行政執行法人職員等が受ける給与法第十二条の二第一項又は第三項に基づく単身赴任手当に相当する手当をいう。

規則第七条関係

1　単身赴任届の様式は、別紙第一のとおりとする。ただし、各庁の長（給与法第七条に規定する各庁の長又はその委任を受けた者をいう。以下同じ。）は、単身赴任手当の支給に関し支障のない範囲内で、様式中の各欄の配列を変更し又は各欄以外の欄を設定する等当該様式を変更し、これによることができる。

2　規則第七条第一項の「当該要件を具備していることを証明する書類」とは、次に掲げる書類（これらの書類の写しを含む。）とする。

一　住民票等配偶者等との別居の状況等を明らかにする書類

二　診断書、在学証明書、就業証明書等職員が配偶者等と別居することとなった事情を明らかにする書類

3　規則第七条第一項の「配偶者等との別居の状況等」とは、単身赴任届に記入することとされている事項をいう。

4　第三項の「人事院が定める場合」は、規則第九条関係第三項の規定の適用を受ける職員が引き続き俸給表の適用を受けることとなる場合（各庁の長を異にして俸給表の適用を受けることとなる場合を除く。）とする。

5　単身赴任届は、職員が併任されている場合には、本務庁に届け出るものとする。

6　各庁の長は、職員に対し、少なくとも毎年

度一回、規則第七条第一項の規定による届出に関し注意を喚起するものとする。

規則第八条関係

1　単身赴任手当認定簿の様式は、別紙第二のとおりとする。ただし、各庁の長は、単身赴任手当の支給に関し支障のない範囲内で、様式中の各欄の配列を変更し又は各欄以外の欄を設定する等当該様式を変更し、これによることができる。

2　単身赴任手当を受けている職員が各庁の長を異にする異動（定年前再任用前の各庁の長と定年前再任用後の各庁の長が異なる場合の当該定年前再任用を含む。以下この項において同じ。）をした場合には、異動前の各庁の長は当該職員に係る単身赴任手当認定簿を当該職員から既に提出された単身赴任届及び証明書類と共に異動後の各庁の長に送付するものとする。

3　各庁の長は、職員に給与法第十二条の二関係第二項第四号、規則第二条関係第二項第八号若しくは規則第五条関係第三項第二号、第四項第十一号若しくは第五項第二号に掲げる事情があると認め、又は職員が規則第三条関係第二項第三号に掲げる場合に該当すると認めるに当たっては、あらかじめ事務総長に協議するものとする。

規則第九条関係

1　規則第九条第一項の「給与法第十二条の二第一項又は第三項の職員たる要件を具備するに至った日」とは、その要件のすべてを満たすに至った日をいう。

2　職員が異動等の直後の官署への勤務を開始すべきこととされる日の前日までの間に給与法第十二条の二第一項又は第三項の職員たる要件を具備するときは、当該異動等の発令日等をこれらの規定の職員たる要件が具備されるに至った日として取り扱い、この条の第一項の規定により支給を開始するものとする。

3　規則第九条第一項の「人事院が定める場合」は、単身赴任手当を受けている職員で離職の日又はその翌日（当該翌日が行政機関の休日（行政機関の休日に関する法律（昭和六十三年法律第九十一号）第一条に規定する行政機関の休日をいう。以下この項において同じ。）に当たるときは、当該翌日後において当該翌日に最も近い行政機関の休日でない日を含む。）に引き続き俸給表の適用を受けることとなる職員（当該適用の時点で、給与法第十二条の二第一項又は第三項の職員たる要件を具備している職員に限る。）が当該離職のみを理由として、給与法第十二条の二第一項又は第三項の職員たる要件を欠くに至る場合とし、規則第九条第一項の「人事院が定める日」は、当該職員が俸給表の適用を受けることとなった日とする。

4　規則第九条第一項ただし書（同条第二項において準用する場合を含む。）の「十五日」の期間及び「届出を受理した日」の取扱いについては、給実甲第五八〇号（扶養手当の運用について）規則第五条関係第三項及び第四項の規定の例によるものとする。

規則第十条関係

単身赴任届及び単身赴任手当認定簿は、当分の間、従前の様式のものによることができる。

以上

別表

函館空港～奥尻空港
東京国際空港～八丈島空港
大阪国際空港～隠岐空港
大阪国際空港～種子島空港
出雲空港～隠岐空港
福岡空港～対馬空港
福岡空港～福江空港
長崎空港～対馬空港
長崎空港～壱岐空港
熊本空港～那覇空港
宮崎空港～那覇空港
鹿児島空港～種子島空港
鹿児島空港～屋久島空港
鹿児島空港～奄美空港
鹿児島空港～徳之島空港
鹿児島空港～沖永良部空港
鹿児島空港～那覇空港
奄美空港～徳之島空港
奄美空港～沖永良部空港
那覇空港～奄美空港
那覇空港～南大東空港
那覇空港～宮古空港
那覇空港～新石垣空港

備考　規則第四条第一項に規定する通常の交通の経路及び方法の一部がこの表に掲げる航空機による経路のいずれかに該当する職員との均衡を考慮して事務総長が特に必要と認める職員については、当該職員の航空機による経路がこの表に掲げられているものとする。

（平成二五年四月一日事企法一三一）
経過措置（抄）

改正　平二七・三・一八事企法一二〇

国有林野の有する公益的機能の維持増進を図るための国有林野の管理経営に関する法律等の一部を改正する等の法律（平成二十四年法律第四十二号。以下「改正法」という。）の施行に伴い、下記に掲げる人事院事務総長通知の一部をそれぞれ次のとおり改正したので、平成二十五年四月一日以降は、これによってください。

なお、この通知による人事院事務総長通知の改正に伴う経過措置については、次の各号に定めるところによってください。

一　改正法第五条第一号の規定による廃止前の国有林野事業を行う国の経営する企業に勤務する職員の給与等に関する特例法（昭和二十九年法律第百四十一号）第二条第二項に規定する職員（以下「旧給与特例法適用職員」という。）であった者から引き続き一般職の職員の給与に関する法律（昭和二十五年法律第九十五号）第六条第一項の俸給表の適用を受ける職員（以下「俸給表適用職員」という。）となった者の次に掲げる人事院事務総長通知における取扱いについては、それぞれ次に定めるところによる。

イ・ロ　〔略〕

ハ　給実甲第六六〇号（単身赴任手当の運用について）　旧給与特例法適用職員は給実甲第六六〇号に規定する行政執行法人職員等に含まれるものとみなして、当該通知を適用する。

（平成二七年三月一八日事企法一二〇）
経過措置（抄）

独立行政法人通則法の一部を改正する法律（平成二十六年法律第六十六号）及び独立行政法人通則法の一部を改正する法律の施行に伴う関係法律の整備に関する法律（平成二十六年法律第六十七号）の施行に伴い、下記に掲げる関係人事院事務総長通知の一部をそれぞれ下記のとおり改正したので、平成二十七年四月一日以降は、これによってください。

なお、この通知による人事院事務総長通知の改正に伴う経過措置については、次に定めるところによってください。

五　この通知による改正後の給実甲第六六〇号（単身赴任手当の運用について）の規定の適用については、当該通知の規定に規定する行政執行法人職員等には、特定独立行政法人の職員を含むものとする。

（令和七年二月一二日給実甲一三四九）
経過措置（抄）

給実甲第六六〇号（単身赴任手当の運用について）の一部を下記のとおり改正したので、令和七年四月一日以降は、これによってください。

なお、この通知の施行に伴う経過措置については、次に定めるところによってください。

一　この通知による改正後の規定の適用については、当該規定に規定する異動等には、この通知の施行の日前に新たに俸給表の適用を受ける職員となった場合の当該適用を含むものとする。

二　次に掲げる職員については、それぞれ次に定める採用をこの通知による改正後の給実甲第六六〇号規則第五条関係第一項第一号に規定する定年前再任用とみなして、同項、同条関係第六項及び規則第八条関係第二項の規定を適用する。

イ　国家公務員法等の一部を改正する法律（令和三年法律第六十一号）（以下「令和三年改正法」という。）附則第四条第一項若しくは第五条第一項の規定による採用（令和三年改正法第一条の規定による改正前の国家公務員法（昭和二十二年法律第百二十号）（以下「令和五年旧法」という。）第八十一条の二第一項の規定により退職した日（令和五年旧法第八十一条の三又は令和三年改正法附則第三条第五項若しくは第六項の規定により勤務した後退職した日及び令和五年旧法第八十一条の四第一項若しくは第八十一条の五第一項又は令和三年改正法附則第四条第一項若しくは第五条第一項の規定による採用に係る任期が満了した日を含む。）の翌日におけるものに限る。）をされた職員又は令和三年改正法附則第四条第二項若しくは第五条第二項の規定による採用（国家公務員法第八十一条の六第一項の規定により退職した日（同法第八十一条の七第一項又は第二項の規定により勤務した後退職した日及び同法第六十条の二第一項又は令和三年改正法附則第四条第二項若しくは第五条第二項の規定による採用に係る任期が満了した日を含む。）の翌日におけるものに限る。）をされた職員　当該令和三年改正法附則第四条第一項若しくは第五条第一項の規定による採用、当該令和三年改正法附則第四条第二項若しくは第五条第二項の規定による採用又は国家公務員法第六十条の二第一項の規定による採用（同法の規定により退職した日の翌日におけるものに限る。）

ロ　令和三年改正法附則第四条第二項又は第五条第二項の規定により採用され勤務した後退職した日の翌日に国家公務員法第六十条の二第一項の規定による採用をされた職員　当該国家公務員法第六十条の二第一項の規定による採用

ハ　「国家公務員法等の一部を改正する法律の施行に伴う関係人事院事務総長通知の一部改正について（令和四年二月十八日事企法—三七）」（以下「令和四年事企法—三七」という。）の施行の日前に、令和四年事企法—三七第十七項の規定による改正前の給実甲第六六〇号規則第五条関係第一項に規定する再任用をされた職員　当該再任用

別紙第１

単　身　赴　任　届

令和　　年　　月　　日提出

各庁の長　　　殿	官職		氏名	
勤務官署名		所在地		
届出の理由	□１新規　□２異動　□３転居（□本人　□配偶者）※４に該当する場合を除く □４配偶者と同居　□５その他（　　　） 上記事実の発生年月日　　　年　　月　　日			

人事院規則９―８９（単身赴任手当）第７条の規定に基づき次のとおり配偶者等との別居の状況等を届け出ます。

1　異動直前の居住状況等（届出の理由が「１新規」以外の場合は記入不要）

異動の発令年月日	年　　月　　日
本人の住居	
同居者	□配偶者　□子（生年月日　　　）　□子（生年月日　　　） □子（生年月日　　　）　□子（生年月日　　　）

2　現在の居住状況等（届出の理由が「４配偶者と同居」の場合は記入不要）

配偶者と別居した年月日	年　　月　　日		
配偶者と別居した事情	□配偶者が父母、義父母又は同居の親族を介護　□配偶者が在学する同居の子を養育 □配偶者が引き続き就業　□配偶者が自宅を管理　□その他（　　　）		
本人の住居		入居年月日	年　　月　　日
本人の住居における同居者	□子（生年月日　　　）□子（生年月日　　　）□子（生年月日　　　） □その他（続柄　　）□その他（続柄　　）□その他（続柄　　）□その他（続柄　　）		
配偶者の住居	異動直前の本人の住居と｛□同じ。□異なる。（配偶者の住居及び入居年月日を記入） 配偶者の住居： 入居年月日：　　年　　月　　日		

(1)　異動直前の住居から勤務官署までの通勤経路及び方法
（異動に伴って配偶者とともに住居を移転し、その後に配偶者と別居した場合は記入不要）

	順路	通勤方法の別	区間
職員記入欄	1		住居　から（　　　経由）　　まで
	2		から（　　　経由）　　まで
	3		から（　　　経由）　　まで
	4		から（　　　経由）　　まで
	5		から（　　　経由）　　まで

	順路	通勤方法の別	区間	距離
各庁の長記入欄	1		住居　から（　　　経由）　　まで	.　km
	2		から（　　　経由）　　まで	.　km
	3		から（　　　経由）　　まで	.　km
	4		から（　　　経由）　　まで	.　km
	5		から（　　　経由）　　まで	.　km
			計（規則第３条の規定による通勤距離）	.　km

(2) 配偶者の住居から勤務官署までの通勤経路及び方法
（異動に伴い配偶者と別居した場合で、配偶者の住居が異動直前の本人の住居と同じときは記入不要）

	順路	通勤方法の別	区間
職員記入欄	1		住居 から（ 経由） まで
	2		から（ 経由） まで
	3		から（ 経由） まで
	4		から（ 経由） まで
	5		から（ 経由） まで

	順路	通勤方法の別	区間	距離
各庁の長記入欄	1		住居 から（ 経由） まで	. km
	2		から（ 経由） まで	. km
	3		から（ 経由） まで	. km
	4		から（ 経由） まで	. km
	5		から（ 経由） まで	. km
			計（規則第３条の規定による通勤距離）	. km

(3) 配偶者の住居から本人の住居までの交通経路及び方法

	順路	交通方法の別	区間
職員記入欄	1		住居 から（ 経由） まで
	2		から（ 経由） まで
	3		から（ 経由） まで
	4		から（ 経由） まで
	5		から（ 経由） まで

		順路	交通方法の別	区間	距離
各庁の長記入欄	規則第４条関係本文の規定による経路及び方法	1		住居 から（ 経由） まで	. km
		2		から（ 経由） まで	. km
		3		から（ 経由） まで	. km
		4		から（ 経由） まで	. km
		5		から（ 経由） まで	. km
				計	① . km
		順路	交通方法の別	区間	距離
	規則第４条関係ただし書の規定による経路及び方法 ※該当者のみ記入	1		住居 から（ 経由） まで	規則第４条関係ただし書の規定により加算する距離
		2		から（ 経由） まで	
		3		から（ 経由） まで	
		4		から（ 経由） まで	
		5		から（ 経由） まで	② . km
				計（給与法第12条の２第２項の規定による交通距離）	①＋② . km

記入上の注意

1　「届出の理由」欄中「２異動」とは、既に単身赴任手当の支給を受けている者が、官署を異にする異動をした場合の当該異動をいい、「３転居」とは、既に単身赴任手当の支給を受けている者又は当該者の配偶者が、住居を移転した場合の当該転居をいう。
2　配偶者のない者にあっては、「配偶者」とあるのを「異動直前に同居していた満18歳に達する日以後の最初の３月31日までの間にある子」と読み替えて記入する。
3　「１　異動直前の居住状況等」及び「２　現在の居住状況等」において「異動」とは、別居の原因となった官署を異にする異動又は同一官署内における異動若しくは職務内容の変更等をいう。
4　在勤する官署が移転した者にあっては、「異動」とあるのを「移転」と読み替えて記入する。
5　新たに俸給表の適用を受けることとなった者又は国際機関等派遣等から職務に復帰した者若しくは休職から復職した者にあっては、「異動」とあるのをそれぞれ「適用」又は「復帰」若しくは「復職」と読み替えて記入する。
6　「通勤方法の別」欄及び「交通方法の別」欄には、通勤等の順路に従い、徒歩、○○線等の別を記入する。
7　別居後に配偶者を欠くこととなった場合は、異動直前に配偶者がないものとした場合について記入する。

別紙第２

単身赴任手当認定簿

職員番号	
氏　名	

届出の理由等		届出提出年月日（受理年月日）	支給の始期（終期）・支給額の改定時期	交通距離	基礎額	加算額	単身赴任手当の月額	各庁の長の確認決定（改定）	備考
事実発生年月日	内　容								
令和　年　月　日		令和　年　月　日	令和　年　月分 から 令和　年　月分 まで	km	円	円	円	令和　年　月　日 官職　　　氏名	

記入上の注意

1．「届出提出年月日（受理年月日）欄には、届出提出日を記入し、その日が届出受理日と異なる場合にあっては、届出受理日を（　）書で記入する。

2．「内容」欄には、単身赴任届の「届出の理由」のうち該当するものを記入し、「その他」に該当する場合は（　）内の内容を記入する。

○単身赴任手当における異動等に伴う転居の取扱いについて（通知）

平二一・三・一八
給三—二七給与第三課長

単身赴任手当の取扱いに関し、異動又は官署の移転（以下「異動等」という。）の日から一月経過した後の転居であっても、当該異動等の日から三年以内の転居であって、次に掲げる要件を満たす場合は、平成二十一年四月一日以降、異動等に伴う転居として取り扱うこととしたので通知します。

ただし、当該異動等後の官署への通勤が従来より困難になる住居への移転等、明らかに当該異動等に伴う転居とは認められない場合については、この限りではありません。

一　当該異動等の時に一般職の職員の給与に関する法律第十二条の二第一項に規定する単身赴任手当の支給要件である父母の疾病その他人事院規則で定めるやむを得ない事情（以下単に「やむを得ない事情」という。）があったこと。

二　当該異動等の時から当該転居の時までの間やむを得ない事情が引き続いていること。

三　当該転居が当該異動等の直前の住居からの転居であること。

以　上

第九　在宅勤務等手当

【参照】
●一般職給与法一二の三
●同運用方針一二の三関係

○人事院規則九―一五一（在宅勤務等手当）

令六・一・二三制定
令六・四・一施行

（趣旨）

第一条　在宅勤務等手当の支給については、別に定める場合を除き、この規則の定めるところによる。

本条―令六・四・一施行

（在宅勤務等の場所）

第二条　給与法第十二条の三第一項の人事院規則で定める場所は、次に掲げる場所とする。

一　職員の配偶者（届出をしないが事実上婚姻関係と同様の事情にある者を含む。）又は二親等内の親族の住居

二　宿泊施設の客室（職員が当該客室の利用に係る料金を負担する場合に限る。）

三　前二号に掲げる場所に準ずる場所として給与法第七条に規定する各庁の長又はその委任を受けた者（第五条において「各庁の長」という。）が認めるもの

本条―令六・四・一施行

（正規の勤務時間から除かれる時間）

第三条　給与法第十二条の三第一項の人事院規則で定める時間は、次に掲げる時間とする。

一　勤務時間法第十三条の二第一項に規定する超勤代休時間又は給与法第十五条に規定する祝日法による休日等若しくは年末年始の休日等に割り振られた勤務時間（いずれも特に勤務することを命ぜられた時間を除く。）

二　休暇により勤務しない時間及び前号に掲げる時間のほか、勤務しないことにつき特に承認があった時間

本条―令六・四・一施行

（一箇月当たりの在宅勤務等の平均日数を算出するための基礎となる期間）

第四条　給与法第十二条の三第一項の人事院規則で定める期間は、三箇月とする。

本条―令六・四・一施行

（確認）

第五条　各庁の長は、在宅勤務等手当を支給する場合において必要と認めるときは、給与法第十二条の三第一項に規定する勤務（以下この条において「在宅勤務等」という。）を行う場所、在宅勤務等を命ぜられた日数その他同項の職員たる要件を具備するかどうかの判断に必要な事項を確認するものとする。

2　各庁の長は、前項の確認を行う場合において必要と認めるときは、職員に対し在宅勤務等を行う場所等を明らかにする書類の提出等を求めるものとする。

本条―令六・四・一施行

（支給日等）

第六条　在宅勤務等手当は、俸給の支給定日（その月が俸給の月額の半額ずつを月二回に支給する月である場合にあっては、先の俸給の支給定日）に支給する。

2　在宅勤務等手当の支給日前において離職し、又は死亡した職員には、当該在宅勤務等手当をその際支給する。

3　職員がその所属する俸給の支給義務者を異にして異動した場合におけるその異動した日の属する月の在宅勤務等手当は、その月の初日に職員が所属する俸給の支給義務者において支給する。この場合において、職員の異動が当該在宅勤務等手当の支給日前であるときは、その際支給するものとする。

本条―令六・四・一施行

（支給期間等）

第七条　職員が新たに給与法第十二条の三第一項の職員たる要件を具備すると認められた場合には、同項に規定する人事院規則で定める期間以上の期間、在宅勤務等手当を支給する。ただし、在宅勤務等手当を支給されている職員が同項の職員たる要件を欠くこととなったと認められた場合においては、当該要件を欠くこととなったと認められた月以後、在宅勤務等手当を支給しない。

本条―令六・四・一施行

（雑則）

第八条　この規則に定めるもののほか、在宅勤務等手当に関し必要な事項は、人事院が定める。

本条―令六・四・一施行

附　則（抄）

（施行期日）

第一条　この規則は、令和六年四月一日から施行する。

○在宅勤務等手当の運用について（通知）

令六・一・二三
給実甲一三一九

在宅勤務等手当の運用について下記のとおり定めたので、令和六年四月一日以降は、これによってください。

記

給与法第十二条の三関係

1　この条の第一項の「人事院規則で定める期間以上の期間」とは、月を単位とし、同項に規定する勤務（以下この項及び第三項において「在宅勤務等」という。）をあらかじめ命ぜられた日の属する月の翌月（その日が月の初日であるときは、その日の属する月）以降の月から人事院規則九―一五一（在宅勤務等手当）第四条に規定する期間以上の期間連続する一の期間（以下「一の期間」という。）をいう。この場合において、一の期間中に命ぜられた在宅勤務等の状況に変更が生じた場合であっても、当該一の期間の始期又は終期が変更されることはない。

2　前項の規定にかかわらず、職員が府省等（会計検査院、人事院、内閣官房、内閣法制局、各府省、デジタル庁及び復興庁、宮内庁並びに内閣府設置法（平成十一年法律第八十九号）第四十九条第一項及び第二項に規定する各機関並びに各外局（同条第一項に規定する機関を除く。）をいう。）を異にする異動をした場合の一の期間は、当該異動をした日の属する月（その日が月の初日であるときは、その日の属する月の前月）をもって終了するものとする。

3　この条の第一項の一箇月当たりの在宅勤務等の平均日数に係る要件を具備するかどうかの判断は、一の期間において在宅勤務等を命ぜられた日数を当該一の期間の月数で除して得た数に相当する日数が十日を超えるかどうかにより行うものとする。ただし、在宅勤務等手当の支給開始後に在宅勤務等を命ぜられた日数に変更が生じた場合については、一の期間内の各月の初日において、当該一の期間中既に在宅勤務等を行った日数と、同日以降の在宅勤務等を命ぜられた日数を合算した日数を当該一の期間の月数で除して得た数に相当する日数が十日を超えるかどうかにより行うものとする。

規則第二条関係

この条の第三号の「前二号に掲げる場所に準ずる場所」には、国の施設又は国が職員に無償で使用させる施設等は含まれないものとする。

規則第六条関係

この条の第二項又は第三項の規定により「その際支給する」場合には、その日以後において計理上処理できる限り速やかに支給するものとする。

規則第八条関係

1　在宅勤務等手当を支給する場合には、職員ごとに在宅勤務等手当支給調書を作成し、保管するものとする。

2　在宅勤務等手当支給調書の様式は、別紙のとおりとする。ただし、一般職の職員の給与に関する法律（昭和二十五年法律第九十五号）第七条に規定する各庁の長又はその委任を受けた者は、在宅勤務等手当の支給に関し支障のない範囲内で、様式中の各欄の配列を変更し又は各欄以外の欄を設定する等当該様式を変更し、これによることができる。

以　上

別紙

在宅勤務等手当支給調書

勤務官署		官職	
氏名			

3箇月以上の期間について1箇月当たり平均10日を超えて在宅勤務等を命ぜられた期間	令和　　年　　月　から 令和　　年　　月　まで

支給開始月の初日の状況

月数	1箇月目	2箇月目	3箇月目	4箇月目	5箇月目	6箇月目	7箇月目	8箇月目	9箇月目	10箇月目	11箇月目	12箇月目	月平均日数	支給可否
年月	月	月	月	月	月	月	月	月	月	月	月	月		
在宅勤務等の日数														
	計画日数	計画日数	計画日数	計画日数	計画日数	計画日数	計画日数	計画日数	計画日数	計画日数	計画日数	計画日数		

2箇月目の初日の状況

月数	1箇月目	2箇月目	3箇月目	4箇月目	5箇月目	6箇月目	7箇月目	8箇月目	9箇月目	10箇月目	11箇月目	12箇月目	月平均日数	支給可否
在宅勤務等の日数														
	実績日数	計画日数	計画日数	計画日数	計画日数	計画日数	計画日数	計画日数	計画日数	計画日数	計画日数	計画日数		

3箇月目の初日の状況

月数	1箇月目	2箇月目	3箇月目	4箇月目	5箇月目	6箇月目	7箇月目	8箇月目	9箇月目	10箇月目	11箇月目	12箇月目	月平均日数	支給可否
在宅勤務等の日数														
	実績日数	実績日数	計画日数	計画日数	計画日数	計画日数	計画日数	計画日数	計画日数	計画日数	計画日数	計画日数		

4箇月目の初日の状況

月数	1箇月目	2箇月目	3箇月目	4箇月目	5箇月目	6箇月目	7箇月目	8箇月目	9箇月目	10箇月目	11箇月目	12箇月目	月平均日数	支給可否
在宅勤務等の日数														
	実績日数	実績日数	実績日数	計画日数	計画日数	計画日数	計画日数	計画日数	計画日数	計画日数	計画日数	計画日数		

5箇月目の初日の状況

月数	1箇月目	2箇月目	3箇月目	4箇月目	5箇月目	6箇月目	7箇月目	8箇月目	9箇月目	10箇月目	11箇月目	12箇月目	月平均日数	支給可否
在宅勤務等の日数														
	実績日数	実績日数	実績日数	実績日数	計画日数	計画日数	計画日数	計画日数	計画日数	計画日数	計画日数	計画日数		

6箇月目の初日の状況

月数	1箇月目	2箇月目	3箇月目	4箇月目	5箇月目	6箇月目	7箇月目	8箇月目	9箇月目	10箇月目	11箇月目	12箇月目	月平均日数	支給可否
在宅勤務等の日数														
	実績日数	実績日数	実績日数	実績日数	実績日数	計画日数	計画日数	計画日数	計画日数	計画日数	計画日数	計画日数		

7箇月目の初日の状況

月数	1箇月目	2箇月目	3箇月目	4箇月目	5箇月目	6箇月目	7箇月目	8箇月目	9箇月目	10箇月目	11箇月目	12箇月目	月平均日数	支給可否
在宅勤務等の日数														
	実績日数	実績日数	実績日数	実績日数	実績日数	実績日数	計画日数	計画日数	計画日数	計画日数	計画日数	計画日数		

8箇月目の初日の状況

月数	1箇月目	2箇月目	3箇月目	4箇月目	5箇月目	6箇月目	7箇月目	8箇月目	9箇月目	10箇月目	11箇月目	12箇月目	月平均日数	支給可否
在宅勤務等の日数														
	実績日数	実績日数	実績日数	実績日数	実績日数	実績日数	実績日数	計画日数	計画日数	計画日数	計画日数	計画日数		

9箇月目の初日の状況

月数	1箇月目	2箇月目	3箇月目	4箇月目	5箇月目	6箇月目	7箇月目	8箇月目	9箇月目	10箇月目	11箇月目	12箇月目	月平均日数	支給可否
在宅勤務等の日数														
	実績日数	実績日数	実績日数	実績日数	実績日数	実績日数	実績日数	実績日数	計画日数	計画日数	計画日数	計画日数		

10箇月目の初日の状況

月数	1箇月目	2箇月目	3箇月目	4箇月目	5箇月目	6箇月目	7箇月目	8箇月目	9箇月目	10箇月目	11箇月目	12箇月目	月平均日数	支給可否
在宅勤務等の日数														
	実績日数	実績日数	実績日数	実績日数	実績日数	実績日数	実績日数	実績日数	実績日数	計画日数	計画日数	計画日数		

11箇月目の初日の状況

月数	1箇月目	2箇月目	3箇月目	4箇月目	5箇月目	6箇月目	7箇月目	8箇月目	9箇月目	10箇月目	11箇月目	12箇月目	月平均日数	支給可否
在宅勤務等の日数														
	実績日数	実績日数	実績日数	実績日数	実績日数	実績日数	実績日数	実績日数	実績日数	実績日数	計画日数	計画日数		

12箇月目の初日の状況

月数	1箇月目	2箇月目	3箇月目	4箇月目	5箇月目	6箇月目	7箇月目	8箇月目	9箇月目	10箇月目	11箇月目	12箇月目	月平均日数	支給可否
在宅勤務等の日数														
	実績日数	実績日数	実績日数	実績日数	実績日数	実績日数	実績日数	実績日数	実績日数	実績日数	実績日数	計画日数		

備考

記入上の注意

「月平均日数」の算出は、「３箇月以上の期間について１箇月当たり平均10日を超えて在宅勤務等を命ぜられた期間」の各月の在宅勤務等の日数を合算した日数を、当該期間の月数で除して得た日数（少数点以下１位未満は切り上げる。）とする。

第一〇　初任給調整手当

【参照】
●一般職給与法一〇の四
●同運用方針一〇の四関係
●規則（九—七）七の二・一三

○人事院規則九—三四（初任給調整手当）

昭三六・三・三一制定
昭三六・四・一　施行
最終改正　令七・二・五規則九—三四—三四

（趣旨）

第一条　初任給調整手当の支給については、別に定める場合を除き、この規則の定めるところによる。

（支給官職）

第二条　給与法第十条の四第一項第一号に規定する官職は、医療職俸給表㈠の適用を受ける職員の官職で次の各号に掲げるものとする。

本条—平二二・四・一施行

一　離島その他のへき地及び沖縄県に所在する官署に置かれる官職で採用による欠員の補充が著しく困難であると人事院が認めるもの

二　人口が少ない市及び町村に所在する官署に置かれる官職で採用による欠員の補充が相当困難であると人事院が認めるもの

三　前二号に掲げる官職以外の官職で規則九—四九—五七（人事院規則九—四九（地域手当）の一部を改正する人事院規則）による改正前の規則九—四九（地域手当）（以下この項において「旧規則九—四九」という。）別表第一に掲げる地域以外の地域に所在する官署（旧規則九—四九別表第二に掲げる官署を除く。）に置かれるもの又は旧規則九—四九第三条の規定により地域手当の級地が五級地、六級地若しくは七級地とされていた地域に所在する官署（当該級地が一級地、二級地、三級地又は四級地とされていた官署を除く。）若しくは当該級地が五級地、六級地若しくは七級地とされていた官署に置かれる官職

四　旧規則九—四九第三条の規定により地域手当の級地が四級地とされていた地域に所在する官署（当該級地が一級地、二級地又は三級地とされていた官署を除く。）又は当該級地が四級地とされていた官署に置かれる官職

五　旧規則九—四九第三条の規定により地域手当の級地が一級地、二級地若しくは三級地とされていた地域に所在する官署又は当該級地が一級地、二級地若しくは三級地とされていた官署に置かれる官職

2　給与法第十条の四第一項第二号に規定する官職は、行政職俸給表㈠、専門行政職俸給表、教育職俸給表㈠、教育職俸給表㈡及び研究職俸給表の適用を受ける職員の官職で医学又は歯学に関する専門的知識を必要とすると人事院が認めるものとする。ただし、給与法第十条の二第一項の規定に基づき規則九—一七（俸給の特別調整額）で指定する官職で同規則の規定による俸給の特別調整額に係る区分が一種のものを除く。

3　給与法第十条の四第一項第三号に規定する官職は、研究職俸給表の職務の級三級以上の職員の官職のうち科学技術に関する高度な専門的知識を必要とする官職（前項に規定する官職を除く。）で、顕著な業績等を有する者をもつて充てる必要があり、かつ、採用による欠員の補充が著しく困難であると人事院が認めるものとする。

一項—令七・四・一施行
二項—平二二・四・一施行
三項—令三・四・一施行

（職員の範囲）

第三条　給与法第十条の四第一項の規定により初任給調整手当を支給される職員は、次に掲げる職員とする。

一　前条第一項に規定する官職に採用された職員であつて、その採用が、学校教育法（昭和二十二年法律第二十六号）に規定する大学（以下「大学」という。）卒業の日から三十七年（医師法（昭和二十三年法律第二百一号）に規定する臨床研修（第六条において「臨床研修」という。）を経た者にあつては三十九年、医師法の一部を改正する法律（昭和四十三年法律第四十七号）による改正前の医師法に規定する実地修練（第六条において「実地修練」という。）を経た者にあつては三十八年）を経過するまでの期間（以下「経過期間」という。）内に行われたもの

二　前条第二項に規定する官職に採用された職員（医師法に規定する医師免許証又は歯科医師法（昭和二十三年法律第二百二号）に規定する歯科医師免許証を有する者に限る。）であつて、その採用が経過期間内に行われたもの

三　前条第三項に規定する官職に採用された職員であつて、規則九―八（初任給、昇格、昇給等の基準）の規定により、その採用の著しく困難な事情を考慮して、あらかじめ人事院の承認を得て定める基準に従い、又はあらかじめ人事院の承認を得てその号俸が決定されたもの

本条―平二七・六・二五施行

第四条　給与法第十条の四第二項の規定により初任給調整手当を支給される職員は、第九条の職員のほか、次の各号に掲げる職員とする。

一　第二条第一項に規定する官職に同項各号に掲げる官職の区分を異にして異動し、又は同条第二項に規定する官職から異動した職員及び同項に規定する官職に同条第一項に規定する官職から異動した職員

二　前号に掲げる職員以外の職員のうち、前条に規定する経過期間内に新たに第二条第一項に規定する官職を占めることとなつた職員及び当該経過期間内に新たに同条第二項に規定する官職を占めることとなつた職員で医師法に規定する医師免許証又は歯科医師法に規定する歯科医師免許証を有するもの

本条―平二一・四・一施行

第五条　前二条の規定にかかわらず、初任給調整手当を支給されていた期間が通算して三十五年に達している職員には、初任給調整手当は支給しない。

本条―昭五四・一・一施行

（支給期間及び支給額）

第六条　初任給調整手当の支給期間は、第二条第一項又は第二項に規定する官職を占める職員にあつては三十五年、同条第三項に規定する官職を占める職員にあつては十年とし、その月額は職員の区分及び採用の日又は第四条に規定する職員となつた日以後の期間の区分に応じた別表第一に掲げる額（育児短時間勤務職員及び育児休業法第二十二条の規定による短時間勤務をしている職員にあつてはその額に育児休業法第十七条（育児休業法第二十二条において準用する場合を含む。）の規定により読み替えられた勤務時間法第五条第一項ただし書の規定により定められたその者の勤務時間を同項本文に規定する勤務時間で除して得た数を、育児休業法第二十三条第二項に規定する任期付短時間勤務職員にあつてはその額に育児休業法第二十五条の規定により読み替えられた勤務時間法第五条第一項ただし書の規定により定められたその者の勤務時間を同項本文に規定する勤務時間で除して得た数をそれぞれ乗じて得た額とし、その額に一円未満の端数があるときは、その端数を切り捨てた額とする。）とする。この場合において、大学卒業の日からそれぞれ採用の日又は第四条に規定する職員となつた日までの期間が四年（臨床研修を経た場合にあつては六年、実地修練を経た場合にあつては五年）を超えることとなる第二条第一項又は第二項に規定する官職を占める職員（学校教育法に規定する大学院の博士課程の所定の単位を修得し、かつ、同課程の所定の期間を経過した日から三年内の職員を除く。）に対する同表の適用については、採用の日又は第四条に規定する職員となつた日からその超えることとなる期間（一年に満たない期間があるときは、その期間を一年として算定した期間）に相当する期間初任給調整手当が支給されていたものとする。

2　初任給調整手当を支給されている職員が次の各号に掲げる場合に該当するときにおける当該職員に対する別表第一の適用については、当該各号に定める期間は、同表の期間の区分欄に掲げる期間に算入しない。

一　休職にされた場合　その休職の期間（給与法第二十三条第一項又は教育公務員特例法（昭和二十四年法律第一号）第十四条第二項の規定により給与の全額を支給される休職の期間を含まないものとし、規則一八―〇（職員の国際機関等への派遣）第十条第一項の職員にあつては、休職の期間に引き続く派遣の期間を含むものとする。）

二　派遣法第二条第一項の規定により派遣された場合　その派遣の期間

三　官民人事交流法第二条第三項に規定する交流派遣をされた場合　その交流派遣の期間

四　法科大学院派遣法第十一条第一項の規定により派遣された場合　その派遣の期間

五　福島復興再生特別措置法（平成二十四年法

律第二十五号）第四十八条の三第一項又は第八十九条の三第一項の規定により派遣された場合　その派遣の期間

六　令和七年国際博覧会特措法第二十五条第一項の規定により派遣された場合　その派遣の期間

七　令和九年国際園芸博覧会特措法第十五条第一項の規定により派遣された場合　その派遣の期間

3　第二条第三項に規定する官職を占める職員のうち、採用による当該官職の欠員の補充についてその困難の程度等を考慮して人事院が定める職員に支給する初任給調整手当の支給期間及び月額は、第一項前段の規定にかかわらず、同項前段に規定する支給期間及び月額を超えない範囲内で人事院が別に定めるところによる。

4　第一項後段に規定する職員のうち同項後段の規定の適用により初任給調整手当の月額が別表第一に掲げられていないこととなつた職員で特別の事情があると認められるものについて各庁の長（その委任を受けた者を含む。）があらかじめ人事院の承認を得た場合の当該職員に支給する初任給調整手当の支給期間及び月額は、同項の規定にかかわらず、人事院が別に定めるところによる。

一・二・四項―令五・四・一施行
三項―平九・四・一施行

第七条　第三条第一号若しくは第二号又は第四条に規定する職員となつた者（第五条に規定する職員を除く。）のうち、これらの職員となつた日前に初任給調整手当を支給されていたことのある者で前条第一項の規定による初任給調整手当の支給期間に既に初任給調整手当を支給されていた期間に相当する期間を加えた期間が三十五年を超えることとなるものに係る初任給調整手当の支給期間及び支給額は、同項の規定による支給期間のうち、その超えることとなる期間に相当する期間初任給調整手当が支給されていたものとした場合における期間及び額とする。

本条―平九・四・一施行

（給与法附則第八項の規定の適用を受ける職員の支給期間及び支給額）

第七条の二　給与法附則第八項の規定の適用を受ける職員に対する第六条の規定の適用については、当分の間、同条中「別表第一」とあるのは、「別表第二」とする。

本条―令五・四・一施行

（支給の終了）

第八条　初任給調整手当を支給されている職員が次に掲げる異動をした場合には、第四条第二号に掲げる職員となる場合を除き、当該異動の日から初任給調整手当は支給しない。

一　第二条第一項又は第二項に規定する官職から当該官職以外の官職への異動

二　第二条第三項に規定する官職から当該官職以外の官職への異動

本条―平九・四・一施行

（支給要件の改正の場合の措置）

第九条　第二条に規定する官職又は第三条に規定する職員の要件が改正された場合において、当該改正の日（以下この条において「改正の日」という。）の前日から引き続き在職している職員のうち、改正の日前に改正の日における規定が適用されていたものとした場合に初任給調整手当が支給されることとなる職員でその者の初任給調整手当の支給期間及び経過期間が改正の日の前日までに満了しないこととなるものについては、改正の日以降、人事院の定めるところにより、初任給調整手当を支給する。

本条―昭五四・一・一施行

（雑則）

第十条　この規則に定めるもののほか、初任給調整手当に関し必要な事項は、人事院が定める。

本条―平一八・四・一施行

附　則（平一八・二・一　規則九―三四―一二）

（施行期日）

1　この規則は、平成十八年四月一日から施行する。

（経過措置）

2　一般職の職員の給与に関する法律等の一部を改正する法律（平成十七年法律第百十三号）第二条の規定による改正前の給与法第十一条の三第一項の人事院規則で定める地域以外の地域であつて給与法第十一条の三第一項の人事院規則で定める地域であるものに所在する官署のうち人事院の定めるものに置かれる官職（医療職俸給表㈠の適用を受ける職員の官職に限る。）を平成十八年三月三十一日から引き続き占める職員（規則九―三四（初任給調整手当）第六条（第四項を除く。）及び第七条の規定による初任給調整手当の支給期間内であるものに限る。）の初任給調整手当の月額は、同規則第六条第一項の規定にかかわらず、当該職員が平成二十三年三月三十一日までの間において当該官職を引き続き占める間、同項の規定による額に、人事院の定める額を加算して得た額とする。この場合において、当該加算して得た額は、当該職員が占める官職が同規則第二条第三号に掲げる官職（当該職員が占める官職がこの規則による改正前の規則九―三四第二条第二号に掲げる官職に該当するものであった場合には、規則九―三四第二条第二号に掲げる官職）に該当するものとした場合に同規則第六条第一項の規定により支給されることとなる額を超えることができない。

附　則（平一九・七・二〇規則一―四八）（抄）

（施行期日）

1　この規則は、平成十九年八月一日から施行する。

附　則（平二一・二・二規則九―三四―二二）

この規則は、平成二十一年四月一日から施行する。

附　則（平二二・四・一規則九―三四―二三）

この規則は、公布の日から施行する。

附　則（平二六・一一・一九規則九―三四―二四）

この規則は、公布の日から施行し、改正後の規則九―三四の規定は、平成二十六年四月一日から適用する。

附　則（平二七・一・三〇規則九―三四―二五）

（施行期日）

1　この規則は、平成二十七年四月一日（以下「施行日」という。）から施行する。

（経過措置）

2　施行日の前日においてこの規則による改正前の規則九―三四第二条第一項第三号又は規則九―三四第二条第一項第四号に掲げる官職に該当していた官職であって、施行日においてそれぞれ同号又は同項第五号に掲げる官職に該当することとなったもの（医療職俸給表㈠の適用を受ける職員の官職であるものに限る。）を施行日の前日から引き続き占める職員（同規則第六条（第四項を除く。）及び第七条の規定による初任給調整手当の月支給期間内であるものに限る。）の初任給調整手当の月額は、同規則第六条第一項の規定にかかわらず、当該職員が平成三十年三月三十一日までの間において当該官職を引き続き占める間、同項の規定による額に、人事院の定める額を加算して得た額とする。この場合において、当該加算して得た額は、当該職員が占める官職が同規則第二条第一項第四号に掲げる官職（当該職員が占める官職がこの規則による改正前の規則九―三四第二条第一項第三号に掲げる官職に該当するものであった場合には、規則九―三四第二条第一項第三号に掲げる官職）に該当するものとした場合に同規則第六条第一項の規定により支給されることとなる額を超えることができない。

附　則（平二七・六・二四規則一―六六）

この規則は、平成二十七年六月二十五日から施行する。

附　則（平二八・一・二六規則九―三四―二六）

この規則は、公布の日から施行し、改正後の規則九―三四の規定は、平成二十七年四月一日から適用する。

附　則（平二八・一一・二四規則九―三四―二七）

この規則は、公布の日から施行し、改正後の規則九―三四の規定は、平成二十八年四月一日から適用する。

附　則（平二九・五・一九規則一―七〇）（抄）

（施行期日）

1　この規則は、公布の日から施行する。

附　則（平二九・一二・一五規則九―三四―二八）

この規則は、公布の日から施行し、改正後の規則九―三四の規定は、平成二十九年四月一日から適用する。

附　則（平三〇・一一・三〇規則九―三四―二九）

この規則は、公布の日から施行し、この規則による改正後の規則九―三四の規定は、平成三十年四月一日から適用する。

附　則（令元・五・二三規則一―七三）

この規則は、公布の日から施行する。

附　則（令二・六・一二規則一―七五）（抄）

（施行期日）

1　この規則は、公布の日から施行する。

附　則（令二・一二・二八規則一―七六）（抄）

（施行期日）

1　この規則は、公布の日から施行する。

附　則（令三・四・一規則九―三四―三〇）

この規則は、公布の日から施行する。

附　則（令三・九・一規則一―七七）

この規則は、公布の日から施行する。

附　則（令四・二・一八規則一―七九）（抄）

（施行期日）

第一条　この規則は、令和五年四月一日から施行する。

附　則（令四・六・二四規則一―八一）

この規則は、公布の日から施行する。

附　則（令四・七・一規則九―三四―三一）

この規則は、公布の日から施行する。

附　則（令五・一一・二四規則九―三四―三二）

この規則は、公布の日から施行し、この規則による改正後の規則九―三四の規定は、令和五年四月一日から適用する。

附　則（令六・一二・二五規則九―三四―三三）

この規則は、公布の日から施行し、この規則による改正後の規則九―三四の規定は、令和六年四月一日から適用する。

附　則（令七・二・五規則九―三四―三四）

この規則は、令和七年四月一日から適用する。

別表第一（第六条関係）

期間の区分＼職員の区分	１項職員					２項職員	３項職員
	１　種	２　種	３　種	４　種	５　種		
１年未満	円 416,600	円 370,400	円 310,000	円 252,400	円 185,500	円 51,600	円 100,000
１年以上２年未満	416,600	370,400	310,000	252,400	185,500	51,600	100,000
２年以上３年未満	416,600	370,400	310,000	252,400	185,500	51,600	100,000
３年以上４年未満	416,600	370,400	310,000	252,400	185,500	51,600	100,000
４年以上５年未満	416,600	370,400	310,000	252,400	185,500	51,600	100,000
５年以上６年未満	416,600	370,400	310,000	252,400	185,500	51,600	90,000
６年以上７年未満	416,600	370,400	310,000	252,400	185,500	49,800	80,000
７年以上８年未満	416,600	370,400	310,000	252,400	185,500	48,000	60,000
８年以上９年未満	416,600	370,400	310,000	252,400	185,500	46,200	40,000
９年以上10年未満	416,600	370,400	310,000	252,400	185,500	44,400	20,000
10年以上11年未満	416,600	370,400	310,000	252,400	185,500	42,600	
11年以上12年未満	416,600	370,400	310,000	252,400	185,500	40,800	
12年以上13年未満	416,600	370,400	310,000	252,400	185,500	39,000	
13年以上14年未満	416,600	370,400	310,000	252,400	185,500	37,200	
14年以上15年未満	416,600	370,400	310,000	252,400	185,500	35,800	
15年以上16年未満	416,600	370,400	310,000	252,400	185,500	34,400	
16年以上17年未満	412,200	366,400	306,700	249,800	183,900	33,000	
17年以上18年未満	407,800	362,400	303,400	247,200	182,300	31,600	
18年以上19年未満	403,400	358,400	300,100	244,600	180,700	30,200	
19年以上20年未満	399,000	354,400	296,800	242,000	179,100	28,800	
20年以上21年未満	394,600	350,400	293,500	239,400	177,500	27,400	
21年以上22年未満	378,600	336,400	281,500	228,700	169,500	26,800	
22年以上23年未満	360,100	320,400	268,000	217,200	160,400	26,200	
23年以上24年未満	341,100	303,900	254,500	205,700	151,300	25,200	
24年以上25年未満	322,100	287,400	241,000	194,200	142,100	24,600	
25年以上26年未満	302,600	270,900	227,500	182,700	132,900	24,000	
26年以上27年未満	281,600	251,400	210,500	168,700	122,600	23,400	
27年以上28年未満	260,600	231,900	193,500	154,700	112,300	22,800	
28年以上29年未満	239,600	212,400	176,500	140,700	102,000	22,000	
29年以上30年未満	217,600	192,900	159,500	126,400	91,600	21,700	
30年以上31年未満	195,600	172,400	142,000	111,900	81,200	21,300	
31年以上32年未満	173,600	151,900	124,500	97,400	70,800	20,700	
32年以上33年未満	150,600	131,400	107,000	82,200	60,400	19,800	
33年以上34年未満	127,600	109,900	87,000	64,200	47,400	18,900	
34年以上35年未満	104,600	88,400	67,000	46,200	34,400	18,200	

備考

１　この表において期間の区分欄に掲げる年数は、採用の日又は第４条各号の職員となつた日以後の期間を示す。

２　この表において、「１項職員」とは第２条第１項の官職を占める職員を、「２項職員」とは同条第２項の官職を占める職員を、「３項職員」とは同条第３項の官職を占める職員をいう。

３　この表において、「１種」とは第２条第１項第１号の官職を占める職員を、「２種」とは同項第２号の官職を占める職員を、「３種」とは同項第３号の官職を占める職員を、「４種」とは同項第４号の官職を占める職員を、「５種」とは同項第５号の官職を占める職員をいう。

本表―令６・12・25施行

別表第二（第七条の二関係）

期間の区分＼職員の区分	２項職員	３項職員
	円	円
１年未満	36,100	70,000
１年以上２年未満	36,100	70,000
２年以上３年未満	36,100	70,000
３年以上４年未満	36,100	70,000
４年以上５年未満	36,100	70,000
５年以上６年未満	36,100	63,000
６年以上７年未満	34,900	56,000
７年以上８年未満	33,600	42,000
８年以上９年未満	32,300	28,000
９年以上10年未満	31,100	14,000
10年以上11年未満	29,800	
11年以上12年未満	28,600	
12年以上13年未満	27,300	
13年以上14年未満	26,000	
14年以上15年未満	25,100	
15年以上16年未満	24,100	
16年以上17年未満	23,100	
17年以上18年未満	22,100	
18年以上19年未満	21,100	
19年以上20年未満	20,200	
20年以上21年未満	19,200	
21年以上22年未満	18,800	
22年以上23年未満	18,300	
23年以上24年未満	17,600	
24年以上25年未満	17,200	
25年以上26年未満	16,800	
26年以上27年未満	16,400	
27年以上28年未満	16,000	
28年以上29年未満	15,400	
29年以上30年未満	15,200	
30年以上31年未満	14,900	
31年以上32年未満	14,500	
32年以上33年未満	13,900	
33年以上34年未満	13,200	
34年以上35年未満	12,700	

備考

１　この表において期間の区分欄に掲げる年数は、採用の日又は第４条各号の職員となつた日以後の期間を示す。

２　この表において、「２項職員」とは第２条第２項の官職を占める職員を、「３項職員」とは同条第３項の官職を占める職員をいう。

本表―令６・12・25施行

○初任給調整手当の運用について（通知）

昭三六・四・一
給実甲一八〇

最終改正　令元・五・一七事企法—一六

人事院規則九—三四（初任給調整手当）（以下「規則」という。）の運用については、下記に定めるところによって実施してください。

記

第二条関係

1　この条の第一項の「官職」とは、当該官職の業務を本務とする場合の当該官職をいう。ただし、併任されている官職の業務に引き続き一月以上専ら従事することが予定されている場合にあっては、当該官職（併任されている官職の業務に引き続き専ら従事する期間の延長により当該業務に引き続き一月以上専ら従事することが予定されている場合にあっては、当該延長前の期間に係る当該官職を除く。）をいう。

2　前項ただし書の場合においては、初任給調整手当を支給され、又は支給されないこととなる職員に対して、その支給の有無を人事異動通知書又はこれに代わる文書により通知するものとする。ただし、当該職員の併任が解除され、又は終了したことに伴い、初任給調整手当を支給され、又は支給されないこととなる場合は、この限りでない。

第九条関係

この条の「人事院の定めるところ」とは、当該職員に対して改正の日前に改正の日における規定が適用されていたものとして初任給調整手当を支給されることとなる日から初任給調整手当を支給されていたものとした場合に改正の日以降においてなお支給されることとなる支給期間及び支給額とする。

その他の事項

1　初任給調整手当を支給する場合には、一般職の職員の給与に関する法律（昭和二十五年法律第九十五号）第十条の四第一項各号の官職の区分ごとに初任給調整手当支給調書を作成し、保管するものとする。

2　初任給調整手当支給調書の様式は、別紙のとおりとする。ただし、各庁の長（その委任を受けた者を含む。）は、初任給調整手当の支給に関し支障のない範囲内で、様式中の各欄の配列を変更し又は各欄以外の欄を設定する等当該様式を変更し、これによることができる。

3　初任給調整手当支給調書は、当分の間、従前の様式のものによることができる。

4　この通達により難い事情があり、その取扱いについて別の定めを行う必要があると認めるとき又は規則及びこの通達の解釈について疑義が生じたときは、その都度人事院事務総長と協議するものとする。

以　上

別紙

初任給調整手当支給調書

組織・所属		支給根拠規定	法第１０条の４第１項　□第１号　□第２号　□第３号　□第４号		
職員番号		勤務地：			
氏　名					
発令事項等	官　職		採用又は異動時の俸　給　表	級	
	学　歴		（昭和・平成・令和　年　月 卒業・修了等）		
			（昭和・平成・令和　年　月 卒業・修了等）		
	免許の種類	（昭和・平成・令和　年　月　日取得）			
	採用又は異動年月日	昭和・平成・令和　年　月　日　採用・異動			
	試験の種類（区分）				
	人事院の承認事項				
支給額、支給期間及び備考	円	年　月　日～　年　月　日	（　年以上　年未満）		
	円	年　月　日～　年　月　日	（　年以上　年未満）		
	円	年　月　日～　年　月　日	（　年以上　年未満）		
	円	年　月　日～　年　月　日	（　年以上　年未満）		
	円	年　月　日～　年　月　日	（　年以上　年未満）		
	円	年　月　日～　年　月　日	（　年以上　年未満）		
	円	年　月　日～　年　月　日	（　年以上　年未満）		
	円	年　月　日～　年　月　日	（　年以上　年未満）		
	円	年　月　日～　年　月　日	（　年以上　年未満）		
	円	年　月　日～　年　月　日	（　年以上　年未満）		
	円	年　月　日～　年　月　日	（　年以上　年未満）		
	円	年　月　日～　年　月　日	（　年以上　年未満）		
	円	年　月　日～　年　月　日	（　年以上　年未満）		
	円	年　月　日～　年　月　日	（　年以上　年未満）		
	円	年　月　日～　年　月　日	（　年以上　年未満）		
	円	年　月　日～　年　月　日	（　年以上　年未満）		
	円	年　月　日～　年　月　日	（　年以上　年未満）		
	円	年　月　日～　年　月　日	（　年以上　年未満）		
	円	年　月　日～　年　月　日	（　年以上　年未満）		
	円	年　月　日～　年　月　日	（　年以上　年未満）		
	円	年　月　日～　年　月　日	（　年以上　年未満）		
	円	年　月　日～　年　月　日	（　年以上　年未満）		
	円	年　月　日～　年　月　日	（　年以上　年未満）		
	円	年　月　日～　年　月　日	（　年以上　年未満）		
	円	年　月　日～　年　月　日	（　年以上　年未満）		
休職等によって支給されなかった期間		年　月　日～　年　月　日			
支給されなくなった時期及び理由		年　月　日			
参　考					

※　規則第７条の規定の適用を受ける職員については、既に初任給調整手当が支給されていた期間及び額を「参考」欄に記入する。

○人事院規則九―三四（初任給調整手当）において規定する初任給調整手当の種別について（通知）

令七・二・一二
給三―一八給与第三課長

人事院規則九―三四（初任給調整手当）において規定する医療職俸給表㈠の適用を受ける職員の官職に係る初任給調整手当の種別については、当面、人事院規則九―四九―五七（人事院規則九―四九（地域手当）の一部を改正する人事院規則）による改正前の規則九―四九（地域手当）（以下「旧規則九―四九」という。）の規定に基づく種別によることとし、今般の地域手当の見直しに伴う手当額の変動が生じないようにすることとしております。

旧規則九―四九別表第一及び別表第二を以下に掲げますので、令和七年四月一日以降の運用に当たって参考にしていただきますようお願いします。

別表第一（第二条、第三条関係）

都道府県	支給地域	級地
北海道	札幌市	七級地
宮城県	多賀城市	五級地
	仙台市	六級地
	名取市	七級地
茨城県	取手市　つくば市	二級地
	守谷市	三級地
	牛久市	四級地
	水戸市　日立市　土浦市　龍ケ崎市	五級地
	古河市　ひたちなか市　神栖市	六級地
	笠間市　鹿嶋市　筑西市	七級地
栃木県	宇都宮市　大田原市　下野市	六級地
	栃木市　鹿沼市　小山市　真岡市	七級地
群馬県	高崎市	六級地
	前橋市　太田市　渋川市	七級地
埼玉県	和光市	二級地
	さいたま市　志木市	三級地
	東松山市　朝霞市	四級地
	坂戸市	五級地
	川越市　川口市　行田市　所沢市　飯能市　加須市　春日部市　羽生市　鴻巣市　深谷市　上尾市　草加市　越谷市　戸田市　入間市　久喜市　三郷市　幸手市　比企郡滑川町　比企郡鳩山町　北葛飾郡杉戸町	六級地
	熊谷市	七級地
千葉県	袖ケ浦市　印西市	二級地
	千葉市　成田市	三級地
	船橋市　浦安市	四級地
	市川市　松戸市　佐倉市　市原市　富津市	五級地
	野田市　茂原市　東金市　柏市　流山市　印旛郡酒々井町　印旛郡栄町	六級地
	木更津市　君津市　八街市	七級地
東京都	特別区	一級地
	武蔵野市　調布市　町田市　小平市　日野市　国分寺市　狛江市　清瀬市　多摩市	二級地
	八王子市　青梅市　府中市　昭島市　東村山市　国立市　福生市　稲城市　西東京市	三級地
	立川市　東大和市	四級地
	三鷹市　あきる野市	五級地
	東久留米市	六級地
	武蔵村山市	七級地
神奈川県	横浜市　川崎市　厚木市	二級地
	鎌倉市	三級地
	相模原市　藤沢市	四級地
	横須賀市　平塚市　小田原市　茅ケ崎市　大和市	五級地
	三浦市　秦野市　三浦郡葉山町　中郡二宮町	六級地
新潟県	新潟市	七級地
富山県	富山市	七級地
石川県	金沢市　河北郡内灘町	七級地
福井県	福井市	七級地
山梨県	甲府市	六級地
	南アルプス市	七級地
長野県	塩尻市	六級地
	長野市　松本市　諏訪市　伊那市	七級地
岐阜県	岐阜市	六級地

	大垣市 多治見市 美濃加茂市 各務原市 可児市	七級地
静岡県	静岡市 沼津市 磐田市 御殿場市	六級地
	浜松市 三島市 富士宮市 富士市 焼津市 掛川市 藤枝市 袋井市	七級地
愛知県	刈谷市 豊田市	二級地
	名古屋市 豊明市	三級地
	西尾市 知多市 みよし市	五級地
	岡崎市 瀬戸市 春日井市 豊川市 津島市 碧南市 安城市 犬山市 江南市 田原市 弥富市 西春日井郡豊山町	六級地
	豊橋市 一宮市 半田市 常滑市 小牧市 海部郡飛島村	七級地
三重県	鈴鹿市	四級地
	四日市市	五級地
	津市 桑名市 亀山市	六級地
	名張市 伊賀市	七級地
滋賀県	大津市 草津市 栗東市	五級地
	彦根市 守山市 甲賀市	六級地
	長浜市 東近江市	七級地
京都府	京田辺市	四級地
	京都市	五級地
	宇治市 亀岡市 向日市 木津川市	六級地
大阪府	大阪市 守口市	二級地
	池田市 高槻市 大東市 門真市	三級地
	豊中市 吹田市 寝屋川市 箕面市 羽曳野市	四級地
	堺市 枚方市 茨木市 八尾市 柏原市 東大阪市 交野市	五級地
	岸和田市 泉大津市 泉佐野市 富田林市 河内長野市 和泉市 藤井寺市 泉南市 阪南市 泉南郡熊取町 泉南郡田尻町 泉南郡岬町 南河内郡太子町	六級地
兵庫県	西宮市 芦屋市 宝塚市	三級地
	神戸市	四級地
	尼崎市 伊丹市 川西市 三田市	五級地
	明石市 赤穂市	六級地
	姫路市 加古川市 三木市	七級地
奈良県	天理市	四級地
	奈良市 大和郡山市	五級地
	大和高田市 橿原市 香芝市 北葛城郡王寺町	六級地
	桜井市 宇陀市	七級地
和歌山県	和歌山市 橋本市	六級地
岡山県	岡山市	七級地
広島県	広島市	五級地
	三原市 東広島市 廿日市市 安芸郡海田町 安芸郡坂町	七級地
山口県	周南市	七級地
徳島県	徳島市 鳴門市 阿南市	七級地
香川県	高松市	六級地
	坂出市	七級地
福岡県	福岡市 春日市 福津市	五級地
	太宰府市 糸島市 糟屋郡新宮町 糟屋郡粕屋町	六級地
	北九州市 筑紫野市 糟屋郡宇美町	七級地
長崎県	長崎市	七級地

備考 この表の支給地域欄に掲げる名称は、平成二十七年四月一日においてそれらの名称を有する市町村又は特別区の同日における区域によって示された地域を示し、その後におけるそれらの名称の変更又はそれらの名称を有するものの区域の変更によって影響されるものではない。

別表第二（第二条、第三条関係）

第二条の官署は次の各号に掲げる官署とし、第三条の級地は当該官署の区分に応じ当該各号に定める級地とする。

一　総務省関東総合通信局電波監理部　五級地

二　前号に掲げる官署と同様に取り扱うことが適当であると人事院が認める官署　官署ごとに人事院が定める級地

以　上

第一一　特殊勤務手当

【参照】
●一般職給与法一三
●同運用方針一三関係
●規則（九―七）一一・一二・一三

○人事院規則九―三〇（特殊勤務手当）

昭三五・六・九制定
昭三五・六・九施行
最終改正　令七・四・一規則九―三〇―一一二

（目的）
第一条　給与法第十三条に規定する特殊勤務手当の種類、支給される職員の範囲、支給額その他特殊勤務手当の支給に関し必要な事項は、別に定める場合を除き、この規則の定めるところによる。

（特殊勤務手当の種類）
第二条　特殊勤務手当の種類は、次のとおりとする。
一　高所作業手当（第三条）
二　坑内作業手当（第四条）
三　爆発物取扱等作業手当（第五条）
四　水上等作業手当（第六条）
五　航空手当（第七条）
六　死刑執行手当（第十条）
七　死体処理手当（第十一条）
八　防疫等作業手当（第十二条）
九　有害物取扱手当（第十三条）
十　放射線取扱手当（第十四条）
十一　異常圧力内作業手当（第十五条）
十二　狭あい箇所内等検査作業手当（第十七条）
十三　道路上作業手当（第十八条）
十四　災害応急作業等手当（第十九条）
十五　山上等作業手当（第二十条）
十六　移動通信等作業手当（第二十一条）
十七　航空管制手当（第二十三条）
十八　夜間特殊業務手当（第二十三条の二）
十九　夜間看護等手当（第二十四条）
二十　用地交渉等手当（第二十七条の二）
二十一　鑑識作業手当（第二十八条）
二十二　刑務作業監督等手当（第二十八条の二）
二十三　護衛等手当（第二十八条の三）
二十四　犯則取締等手当（第二十八条の五）
二十五　極地観測等手当（第二十九条）
二十六　国際緊急援助等手当（第三十条）
二十七　小笠原業務手当（第三十一条）
二十八　船員作業手当（第三十一条の二）

本条―令七・四・一施行

（高所作業手当）
第三条　高所作業手当は、次に掲げる場合に支給する。
一　警察庁に所属する職員が空中線柱の地上十メートル以上の箇所で行う作業に従事したとき。
二　厚生労働省都道府県労働局に所属する職員が次に掲げる作業に従事したとき。
(1)　揚重機の地上十メートル以上の箇所で行う落成検査又は変更検査
(2)　地上又は水面上十メートル以上の足場の不安定な箇所で行う高層建築物、ダム、橋りよう等の工事現場又は造船現場における監督
三　内閣府沖縄総合事務局、農林水産省地方農政局、林野庁森林管理局又は国土交通省地方整備局若しくは北海道開発局に所属する職員が地上又は水面上十メートル以上の足場の不安定な箇所で行うダム、橋りよう、水門、機場等の建設又は改修の作業に従事したとき。
四　内閣府沖縄総合事務局又は国土交通省地方整備局若しくは北海道開発局に所属する職員が地上又は水面上十メートル以上の足場の不安定な箇所で行うかん塊製造作業又は港湾工事用の鋼矢板、鋼管若しくは基礎くいの打込作業に従事したとき。
五　内閣府沖縄総合事務局、財務省財務局、文部科学省大臣官房文教施設企画・防災部、林野庁森林管理局又は国土交通省大臣官房官庁営繕部、地方整備局若しくは北海道開発局に所属する職員が地上十五メートル以上の足場の不安定な箇所で営繕工事の監督に従事したとき。
六　前各号に掲げる場合のほか、人事院がこれらに相当すると認める場合
2　前項の手当の額は、作業に従事した日一日に

つき、次の各号に掲げる作業の区分に応じ、当該各号に定める額とする。

一 前項第一号から第四号までの作業 二百二十円（当該作業が地上又は水面上二十メートル以上の箇所で行われたときは、三百二十円）

二 前項第五号の作業 二百円（当該作業が地上三十メートル以上の箇所で行われたときは、三百円）

三 前項第六号に係る作業 三百七十円（当該作業が地上又は水面上三十メートル以上の箇所で行われたときは、五百二十円）の範囲内において、それぞれの作業に応じて人事院が定める額

一項—令三・四・一施行
二項—平一六・一〇・一施行

（坑内作業手当）

第四条 坑内作業手当は、次に掲げる場合に支給する。

一 内閣府沖縄総合事務局、農林水産省地方農政局又は国土交通省地方整備局若しくは北海道開発局に所属する職員がトンネルの坑内でトンネル掘り作業（第十五条第一項第一号の作業を除く。）に従事したとき。

二 内閣府沖縄総合事務局、農林水産省地方農政局又は国土交通省地方整備局若しくは北海道開発局に所属する職員がダム建設工事における調査坑の坑内で掘削作業の監督、地質の調査等の作業に従事したとき。

三 農林水産省地方農政局、林野庁森林管理局又は国土交通省地方整備局若しくは北海道開発局に所属する職員が人事院の定めるたて坑の坑内で掘削作業の監督又は地質の調査に従事したとき。

四 経済産業省産業保安監督部又は那覇産業保安監督事務所に所属する職員が鉱山の坑内で次に掲げる作業に従事したとき。

(1) 巡回検査又は災害検査（(2)に掲げる災害検査を除く。）

(2) ガス爆発、火災、出水若しくは落盤又はこれらに類する災害があつた場合に行う著しい危険を伴う災害検査

五 厚生労働省都道府県労働局に所属する職員が次に掲げる作業に従事したとき。

(1) 鉱山、土石採取場又は掘削中のトンネルの坑内で行う労働者の災害補償に関する調査（(2)に掲げる調査を除く。）

(2) 鉱山、土石採取場又は掘削中のトンネルの坑内で災害のあつたときに行う労働者の災害補償に関する調査

(3) 土石採取場の坑内又は掘削中のトンネルの坑内で行う監督（(4)及び(5)に掲げる監督を除く。）

(4) 鉱山又は人事院が定める土石採取場の坑内で行う監督（(5)に掲げる監督を除く。）

(5) 鉱山、土石採取場又は掘削中のトンネルの坑内でガス爆発、火災、出水若しくは落盤又はこれらに類する災害があつた場合に行う著しい危険を伴う監督

2 前項の手当の額は、作業に従事した日一日につき、次の各号に掲げる作業の区分に応じ、当該各号に定める額とする。

一 前項第一号から第三号までの作業 五百六十円

二 前項第四号の作業 職員の種類に応じて次の表に定める額（作業環境が著しく劣悪な坑内の作業で人事院が定めるものにあつては、同表に定める額の百分の百七十五に相当する額を超えない範囲内において人事院が定める額）

職員の種類／前項第四号の作業	鉱務監督官	鉱務監督官を直接補助する職員
(1)の作業	九百九十円	七百五十円
(2)の作業	二千六百円	千九百円

三 前項第五号の作業 次に掲げる額

(1) (1)の作業 四百五十円

(2) (2)及び(3)の作業 五百六十円

(3) (4)の作業 六百七十円

(4) (5)の作業 千九百円

一項—平二五・四・一施行
二項—平一七・四・一施行

（爆発物取扱等作業手当）

第五条 爆発物取扱等作業手当は、次に掲げる場合に支給する。

一 気象庁に所属する職員のうち行政職俸給表の適用を受ける職員が高層気象観測用気球で人事院が定めるものに水素ガスを充てんし、当該気球を飛揚させる作業に従事したとき。

二 経済産業省大臣官房、産業保安監督部又は那覇産業保安監督事務所に所属する職員が火薬類又は高圧ガスの製造施設の災害調査の作

業に従事したとき。

三　内閣府本府又は外務省に所属する職員が他国の領域内において次に掲げる作業に従事したとき。

(1)　化学砲弾等（サリン（メチルホスホノフルオリド酸イソプロピルをいう。(1)において同じ。）及びサリン以上の又はサリンに準ずる強い毒性を有する物質が充てんされた砲弾等をいう。(2)において同じ。）に対して行う鑑定又は移動等の作業

(2)　化学砲弾等による被害の危険がある区域内において行う作業（(1)に掲げる作業を除く。）

四　税関若しくは沖縄地区税関又は海上保安庁に所属する職員が国際連合安全保障理事会決議第千八百七十四号等を踏まえ我が国が実施する貨物検査等に関する特別措置法（平成二十二年法律第四十三号。(1)において「貨物検査法」という。）の規定に基づく検査等の業務のうち次に掲げる作業に従事したとき。

(1)　貨物検査法第二条第一号に規定する北朝鮮特定貨物のうち核燃料物質、核原料物質その他の人事院が定める物質（(2)において「危険物質」という。）を含む貨物又は当該貨物である疑いのある貨物に対して行う検査、陸揚げ、積替え、識別、運搬又は処分の作業

(2)　危険物質による被害の危険がある区域内において行う作業（(1)に掲げる作業を除く。）

五　前各号に掲げる場合のほか、人事院がこれらに相当すると認める場合

2　前項の手当の額は、作業に従事した日一日につき、次の各号に掲げる作業の区分に応じ、当該各号に定める額とする。

一　前項第一号の作業　三百円

二　前項第二号の作業　七百五十円

三　前項第三号(1)及び第四号(1)の作業　二千六百円

四　前項第三号(2)及び第四号(2)の作業　二百五十円

五　前項第五号に係る作業　二千六百円を超えない範囲内において、それぞれの作業に応じて人事院が定める額

3　同一の日において、第一項第三号(1)の作業及び同号(2)の作業に従事した場合にあつては同号(2)の作業に係る手当を、同項第四号(1)の作業及び同号(2)の作業に従事した場合にあつては同号(2)の作業に係る手当を支給しない。

一項―令六・七・一施行
二・三項―平二二・九・一〇施行

（水上等作業手当）

第六条　水上等作業手当は、海上保安庁に所属する職員が次に掲げる作業又は業務に従事したときに支給する。

一　灯標上又は灯浮標上で行う大型蓄電池及び灯具の交換作業

二　停船命令に従わず逃走する動力船の捜査等を行うために当該動力船に飛び移る作業

三　船舶等において救急救命士の資格を有する職員が救急救命士法（平成三年法律第三十六号）第二条第一項に規定する救急救命処置を行う業務（次号において「救急救命業務」という。）で人事院が定めるもの

四　船舶等において消防法施行令（昭和三十六年政令第三十七号）第四十四条第五項各号のいずれかに該当する職員が行う救急救命業務に準ずる業務で人事院が定めるもの

2　前項の手当の額は、次の各号に掲げる作業又は業務の区分に応じ、当該各号に定める額とする。

一　前項第一号の作業　作業一回につき四百五十円

二　前項第二号の作業　作業一回につき三千九百円（作業が日没時から日出時までの間において行われた場合にあつては、当該額にその百分の五十に相当する額を加算した額）

三　前項第三号の業務　業務に従事した日一日につき二千円

四　前項第四号の業務　業務に従事した日一日につき千円

一項―令三・一〇・一施行
二項―令三・四・一施行

（航空手当）

第七条　航空手当は、職員が航空機に搭乗し、次に掲げる業務に従事したときに支給する。

一　航空機乗組員として行う業務

二　操縦練習又は教育訓練

三　航空従事者の技能証明のために行う実地試験又は操縦技能審査員の認定のために行う実技試験

四　航空機の検査

五　航空無線設備の検査

六　気象、地象又は水象の観測又は調査（路線を定めて一定の日時により航行する航空機に搭乗して行うものを除く。）
七　水路又は陸地の測量
八　航空法（昭和二十七年法律第二百三十一号）第三十七条の規定による航空路の指定に関する調査等航空機の航行の安全を図るために行う調査
九　航路標識の巡察
十　航空法第七十六条第一項各号に掲げる事故の原因を究明するための調査
十一　捜索救難、犯罪の捜査若しくは鎮圧、警備又は交通の取締り
十二　漁業法（昭和二十四年法律第二百六十七号）第百二十八条に規定する漁業監督官として行う業務
十三　大気、海洋等の汚染状況の観測又は調査
十四　災害が発生し、又は発生するおそれがある場合における災害発生状況等の調査

2　前項の手当の額は、搭乗した時間一時間につき、職員の職務の級及び職員の種類に応じて次の表に定める額（任期付研究員法第三条第一項の規定により任期を定めて採用された職員（以下「任期付研究員」という。）にあつては、千九百円。以下この項及び次項において同じ。）とする。ただし、一の月の総額は、同表に定める額に八十を乗じて得た額を超えることができない。

㊟　次の表→下段の表参照

3　前項の規定にかかわらず、次に掲げる業務に従事した時間がある場合の第一項の手当の額は、

㊟　上段の第7条第2項の表

職務の級＼職員の種類	航空法第二十四条の規定による操縦士の資格を有する職員	航空法第二十四条の規定による航空士又は航空機関士の資格を有する職員	航空法第二十四条の規定による航空通信士若しくは航空整備士又は電波法（昭和二十五年法律第百三十一号）第四十条の規定による無線通信士若しくは無線技術士の資格を有する職員で、国土交通省航空局交通管制部運用課又は海上保安庁管区海上保安本部の海上保安部、海上保安航空基地若しくは航空基地に所属するもの	その他の職員
行政職俸給表㈠四級以上の級 専門行政職俸給表三級以上の級 公安職俸給表㈠五級以上の級 公安職俸給表㈡四級以上の級 研究職俸給表三級以上の級 専門スタッフ職俸給表の全ての級	五千百円	二千四百円	二千二百円	千九百円
行政職俸給表㈠三級及び二級 専門行政職俸給表二級 公安職俸給表㈠四級及び三級 公安職俸給表㈡三級及び二級 研究職俸給表二級	三千六百円			
専門行政職俸給表一級	三千六百円（十六号俸以下の号俸を受ける者にあつては、二千四百円）	二千四百円（十六号俸以下の号俸を受ける者にあつては、千九百円）	二千二百円（十六号俸以下の号俸を受ける者にあつては、千五百円）	千九百円（十六号俸以下の号俸を受ける者にあつては、千二百円）
行政職俸給表㈠一級 公安職俸給表㈠二級以下の級 公安職俸給表㈡一級 研究職俸給表一級	二千四百円	千九百円	千五百円	千二百円

前項に定める手当額に、第一号から第五号までに掲げる業務にあつては当該業務に従事した時間一時間につき同項の表に定める額の百分の三十（第四号に掲げる業務（人事院の定めるものに限る。）が日没時から日出時までの間において行われた場合にあつては、百分の四十五）に相当する額を、第六号に掲げる業務にあつては当該業務に従事した時間一時間につき同項の表に定める額の百分の十に相当する額を加算した額とする。ただし、一の月の加算額の総額は、同表に定める額に八十を乗じて得た額に、第一号から第五号までに掲げる業務について加算する場合にあつては百分の三十、第六号に掲げる業務のみについて加算する場合にあつては百分の十をそれぞれ乗じて得た額を超えることができない。

一　新造の航空機の検査

二　気密装置を有しない航空機によつて高度五千メートル以上の高空を三十分以上飛行して行う業務

三　百キロメートル以上にわたる海上捜索

四　回転翼航空機による高度百メートル以下の低空を三十分以上飛行して行う海上捜索、ホバリングをして行う吊り上げ救助業務その他人事院がこれらに準ずると認める業務（前号に掲げる業務を除く。）

五　特別の危険空域を飛行して行う業務で人事院が前三号の業務に準ずると認めるもの

六　ジェット機に搭乗して行う業務のうち、第一項第五号に掲げる業務又は同項第十一号若しくは第十三号に掲げる業務（第三号に掲げる業務を除く。）で人事院が定めるもの

4　第一項の業務のために、船舶を発着の場として回転翼航空機に搭乗した日がある場合又は同項第十一号の捜索救難、犯罪の捜査若しくは鎮圧の業務その他人事院がこれらに準ずると認める業務のために、飛行中の回転翼航空機から降下した日がある場合におけるその日の属する月の航空手当の総額は、前三項の規定により得られる額にその搭乗した日又は降下した日一日につきそれぞれ八百七十円（日没時から日出時までの間において船舶を発着の場として回転翼航空機に搭乗した場合にあつては、千三百円）を加算した額とする。

一項—令二・一二・一施行
二項—平二三・七・一施行
三・四項—平二〇・四・一施行

第八条及び第九条　削除

八条—平一六・四・一施行
九条—平四・四・一施行

（死刑執行手当）

第十条　死刑執行手当は、刑務所又は拘置所に所属する副看守長以下の階級にある職員が死刑を執行する作業又は死刑の執行を直接補助する作業に従事したときに、それぞれの作業一回につき五人以内に限つて支給する。

2　前項の手当の額は、作業一回につき二万円とする。ただし、同一人の手当の額は、一日につき二万円を超えることができない。

一項—昭五九・四・一適用
二項—平三・四・一適用

（死体処理手当）

第十一条　死体処理手当は、警察庁若しくは海上保安庁に所属する職員又は検察庁に所属する検察事務官が次に掲げる作業に従事したときに支給する。

一　死体の収容等

二　検視

2　前項の手当の額は、作業に従事した日一日につき、次の各号に掲げる作業の区分に応じ、当該各号に定める額（心身に著しい負担を与えると人事院が認める作業に従事した場合にあつては、当該各号に定める額にその百分の百に相当する額を加算した額）とする。

一　前項第一号の作業　千円

二　前項第二号の作業　千六百円

3　同一の日において、第一項各号の作業に従事した場合には、同項第一号の作業に係る手当は支給しない。

一項—平一七・四・一施行
二・三項—平一六・四・一施行

（防疫等作業手当）

第十二条　防疫等作業手当は、次に掲げる場合に支給する。

一　感染症の予防及び感染症の患者に対する医療に関する法律（平成十年法律第百十四号）第六条第二項及び第三項に定める感染症並びに人事院がこれらに相当すると認める感染症（以下「感染症」という。）の患者を入院させるための感染症病棟又は感染症病室に配置されている職員のうち医療職俸給表㈠の適用を受ける職員以外の職員が感染症の病原体に汚染されている区域において患者の看護又は

当該病原体の付着した物件若しくは付着の疑いのある物件の処理作業に従事したとき。

二 厚生労働省検疫所に所属する職員が検疫法（昭和二十六年法律第二百一号）に定める検疫の作業のうち次に掲げる作業に従事したとき。

(1) 外国を発航し、又は外国に寄港して来航した船舶又は航空機（以下この項において「船舶等」という。）及び航行中に外国を発航し、又は外国に寄港した他の船舶等から人を乗り移らせ、又は物を運び込んだ船舶等のうち、検疫法第二条に規定する検疫感染症に汚染し、又は汚染したおそれがあると人事院が認める船舶等について、同法に基づき検疫済証又は仮検疫済証を交付するまでの間に行う作業（人事院が定めるものに限る。）

(2) 検疫法第二十四条又は第二十七条第二項の規定による診察、消毒等の作業

三 内閣府沖縄総合事務局又は農林水産省に所属する職員が家畜伝染病予防法（昭和二十六年法律第百六十六号）第二条に定める家畜伝染病（口蹄疫、高病原性鳥インフルエンザ、低病原性鳥インフルエンザその他人事院の定める家畜伝染病に限る。次号において単に「家畜伝染病」という。）のまん延を防止するために行う家畜のと殺、家畜の死体の焼却若しくは埋却又は畜舎等の消毒の作業に従事したとき。

四 農林水産省又は林野庁に所属する職員が家畜伝染病のまん延を防止するために行う作業（前号の作業を除く。）で人事院が定めるものに従事したとき。

五 農林水産省動物検疫所に所属する職員又は同省動物医薬品検査所に所属する職員のうち行政職俸給表の適用を受ける職員が家畜伝染病予防法第二条に定める家畜伝染病（流行性脳炎、狂犬病、炭疽、ブルセラ症及び鼻疽に限る。）又は感染症の予防及び感染症の患者に対する医療に関する法律施行令（平成十年政令第四百二十号）第十四条に定める感染症の病原体に汚染されている区域において患畜の飼育、当該病原体に汚染され、若しくは汚染されているおそれがあると認められる輸入動物その他の物の検疫又は当該病原体の付着した物件若しくは付着の疑いのある物件の処理作業に従事したとき。

2 前項の手当の額は、作業に従事した日一日につき、次の各号に掲げる作業の区分に応じ、当該各号に定める額とする。

一 前項第一号、第二号、第四号及び第五号の作業 二百九十円（同項第一号又は第二号の作業のうち心身に著しい負担を与えると人事院が認める作業に従事した場合にあつては、当該額にその百分の百に相当する額を加算した額）

二 前項第三号の作業 三百八十円（著しく危険であると人事院が認める作業に従事した場合にあつては、当該額にその百分の百に相当する額を加算した額）

一項―令二・七・一施行
二項―令三・四・一施行

（有害物取扱手当）

第十三条 有害物取扱手当は、農林水産省植物防疫所又は那覇植物防疫事務所に所属する職員が、青酸ガス、臭化メチル又は燐化アルミニウムを使用して行う輸出入植物若しくは移動制限植物のくん蒸作業（くん蒸箱によるものを除く。）又は人事院がこれに準ずると認める作業に従事したときに支給する。

2 前項の手当の額は、作業に従事した日一日につき二百九十円とする。

本条―平二五・四・一施行

（放射線取扱手当）

第十四条 放射線取扱手当は、次に掲げる場合（人事院が定める場合に限る。）に支給する。

一 診療放射線技師又は診療エックス線技師若しくはこれに準ずる勤務を命ぜられているエックス線助手が、エックス線その他の放射線を人体に対して照射する作業に従事したとき。

二 前号のほか、職員が規則一〇―五（職員の放射線障害の防止）第三条第三項に規定する管理区域内において、同条第五項各号に掲げる業務に従事したとき。

2 前項の手当の額は、同項に規定する場合に該当することとなつた月一月につき七千円とする。

本条―平一七・四・一施行

（異常圧力内作業手当）

第十五条 異常圧力内作業手当は、次に掲げる場合に支給する。

一 内閣府沖縄総合事務局又は国土交通省地方整備局若しくは北海道開発局に所属する職員が圧搾空気内で行う作業に従事したとき。

二　職員が潜水器具を着用して潜水作業に従事したとき。

2　前項の手当の額は、次の各号に掲げる作業の区分に応じ、当該各号に定める額とする。

一　前項第一号の作業　作業に従事した時間一時間につき、気圧の区分に応じて次の表に定める額

気圧の区分	手当額
○・二メガパスカルまで	二百十円
○・三メガパスカルまで	五百六十円
○・三メガパスカルを超えるとき	千円

二　前項第二号の作業　作業に従事した時間一時間につき、潜水深度の区分に応じて次の表に定める額（特に困難な作業で心身に著しい負担を与えると人事院が認めるものに従事した場合にあつては、当該額にその百分の五十に相当する額を加算した額）

潜水深度の区分	手当額
二十メートルまで	三百十円
三十メートルまで	七百八十円
三十メートルを超えるとき	千五百円

一項―平二二・四・一施行
二項―平一九・四・一施行

第十六条　削除（平二二・四・一施行）

（狭あい箇所内等検査作業手当）

第十七条　狭あい箇所内等検査作業手当は、次に掲げる場合に支給する。

一　内閣府沖縄総合事務局又は国土交通省海事局、地方運輸局若しくは運輸監理部に所属する職員が船舶安全法（昭和八年法律第十一号）第五条、第六条又は第十二条（同法第二十九条の七の規定に基づく政令において準用する場合に限る。）の規定に基づく船舶の検査の業務のうち人事院が定める作業に従事したとき。

二　厚生労働省都道府県労働局に所属する職員がボイラ又は第一種圧力容器の内部に入つて行う困難な構造検査又は使用再開検査の作業に従事したとき。

2　前項の手当の額は、作業に従事した日一日につき、次の各号に掲げる作業の区分に応じ、当該各号に定める額とする。

一　前項第一号の作業　二百五十円

二　前項第二号の作業　三百二十円

本条―平一九・四・一施行

（道路上作業手当）

第十八条　道路上作業手当は、次に掲げる場合に支給する。

一　内閣府沖縄総合事務局又は国土交通省地方整備局若しくは北海道開発局に所属する職員が交通を遮断することなく行う道路の維持修繕の作業その他の作業で人事院の定めるもの（正規の勤務時間（勤務時間法第十三条第一項に規定する正規の勤務時間をいう。以下同じ。）による勤務の一部又は全部が深夜（午後十時後翌日の午前五時前の間をいう。以下同じ。）において行われるものを除く。）に従事したとき。

二　国土交通省地方整備局又は北海道開発局に所属する職員が積雪寒冷特別地域における道路交通の確保に関する特別措置法（昭和三十一年法律第七十二号）第三条第一項の規定により指定された道路（次号において「指定道路」という。）において行う除雪車による除雪作業及びこれに伴う排雪等の作業で暴風雪警報又は大雪警報発令下において行うものに従事したとき。

三　国土交通省北海道開発局に所属する職員が指定道路において降雪等により生じた交通の危険を防止するために行う道路法（昭和二十七年法律第百八十号）第四十六条第一項（第二号を除く。）の規定に基づく通行の禁止に必要な通行車両の誘導等の作業に従事したとき。

2　前項の手当の額は、作業に従事した日一日につき、次の各号に掲げる作業の区分に応じ、当該各号に定める額とする。

一　前項第一号の作業　三百円

二　前項第二号及び第三号の作業　四百五十円

3　同一の日において、第一項第一号の作業及び同項第二号の作業に従事した場合には、同項第一号の作業に係る手当は支給しない。

一・二項―平二三・四・一施行
三項―昭五七・四・一適用

（災害応急作業等手当）

第十九条　災害応急作業等手当は、職員が次に掲げる作業に従事したときに支給する。

一　異常な自然現象により重大な災害が発生し、若しくは発生するおそれがある次に掲げる現

場において行う巡回監視又は当該現場における重大な災害の発生した箇所若しくは発生するおそれの著しい箇所で行う応急作業若しくは応急作業のための災害状況の調査（次項において「応急作業等」という。）

(1) 河川の堤防等

(2) 道路法第四十六条第一項（第二号を除く。）の規定に基づき通行が禁止されている区間内の道路又はその周辺

(3) 港湾施設又は鉄道施設等

二 噴火により重大な災害が発生し、又は発生するおそれがある場合において災害対策基本法（昭和三十六年法律第二百二十三号）第六十条第一項の規定に基づき居住者等が避難のための立退きを指示された地域又は同法第六十三条第一項の規定に基づき設定された警戒区域で行う災害状況の調査、巡回監視、工事の監督又は測量若しくは測量の監督等の作業

三 異常な自然現象若しくは大規模な事故により重大な災害が発生した箇所又はその周辺において行う災害警備、遭難救助又は通信施設の臨時設置、運用若しくは保守の作業

四 異常な自然現象により重大な災害が発生し、又は発生するおそれがある場合において、災害対策基本法第二十三条第一項又は第二十三条の二第一項の規定に基づき災害対策本部が設置された地方公共団体の区域に派遣されて行う関係行政機関等との災害応急対策に係る連絡調整の作業

五 前各号に掲げる作業に相当すると人事院が認める作業

2 前項の手当の額は、作業に従事した日一日につき、次の各号に掲げる作業の区分に応じ、当該各号に定める額（大規模な災害として人事院が定める災害に係る作業に従事した場合にあつては、千八十円）とする。

一 前項第一号の作業 作業の種類に応じて次に掲げる額

(1) 巡回監視 七百十円

(2) 応急作業等 千八十円

二 前項第二号の作業 千八十円

三 前項第三号の作業 八百四十円

四 前項第四号の作業 七百十円

五 前項第五号の作業 千八十円を超えない範囲内において、それぞれの作業に応じて人事院が定める額

3 前項の規定にかかわらず、次の各号に掲げる場合の第一項の手当の額は、それぞれ当該各号に定める額（同一の日において当該各号に掲げる場合の二以上に該当するときは、当該各号に定める額のうち最も高い額）とする。

一 第一項第一号から第三号までの作業又は同項第五号の作業（同項第四号に掲げる作業に相当する作業を除く。）が日没時から日出時までの間において行われた場合 前項に定める額にその百分の五十に相当する額を加算した額

二 第一項第三号の作業又は同項第五号の作業のうち同項第三号に掲げる作業に相当する作業が著しく危険であると人事院が認める場合 前項に定める額にその百分の百に相当する額を加算した額

三 第一項第一号から第三号までの作業又は同項第五号の作業（同項第四号に掲げる作業に相当する作業を除く。）が人事院が著しく危険であると認める区域で行われた場合 前項に定める額にその百分の百に相当する額を加算した額

四 第一項第四号の作業又は同項第五号の作業のうち同項第四号に掲げる作業に相当する作業が深夜において行われた場合 前項に定める額にその百分の五十に相当する額を加算した額

本条―令六・一・一適用

（山上等作業手当）

第二十条 山上等作業手当は、次に掲げる場合に支給する。

一 警察庁、国土交通省、気象庁又は海上保安庁に所属する職員が、勤務環境の劣悪な山上の無線中継所等として人事院が指定するものにおいて、無線通信施設等の運用又は保守の作業に従事したとき。

二 気象庁に所属する職員が、勤務環境の劣悪な山上の観測点の所在する場所として人事院が指定するものにおいて、火山現象に関する現地観測の作業に従事したとき。

三 国土交通省国土地理院に所属する職員が、勤務環境の劣悪な山上の測地基準点の所在する場所として人事院が指定するものにおいて、測量法（昭和二十四年法律第百八十八号）第四条に規定する基本測量として行われる測量（人事院が定めるものに限る。）の作業に従事したとき。

四　林野庁森林管理局に所属する職員が、国有林において、次に掲げる作業に従事したとき。

(1)　境界標の設置箇所等を巡回して行う境界標の設置状況の調査等（人事院が定めるものに限る。）

(2)　立木の売払いのために行う当該立木に係る樹高、胸高直径等の調査（人事院が定めるものに限る。）

(3)　チェーンソーを使用して行う伐採又は刈払機を使用して行う刈払い

(4)　鳥獣の保護及び管理並びに狩猟の適正化に関する法律（平成十四年法律第八十八号）第九条第一項の規定による許可を受けて捕獲をした哺乳類に属する野生動物の殺処分及び死体の埋却

2　前項の手当の額は、作業に従事した日一日につき、次の各号に掲げる作業の区分に応じ、当該各号に定める額とする。

一　前項第一号、第三号及び第四号(1)から(3)までの作業　二百六十円（同項第一号の作業のうち、特に勤務環境が劣悪であると人事院が認める山上の無線中継所等における作業に従事した場合にあつては、四百十円）

二　前項第二号の作業　四百十円

三　前項第四号(4)の作業　三百八十円

一項―平二七・五・二九施行
二項―平二五・四・一施行

（移動通信等作業手当）

第二十一条　移動通信等作業手当は、次に掲げる場合に支給する。

一　警察庁に所属する職員のうち人事院の定める行政職俸給表の適用を受ける職員が災害警備、犯罪捜査、遭難救助等に際し現場に出動して行う通信施設の臨時設置、運用若しくは保守の作業又は通信技術を用いた犯罪情報の収集及び分析等の作業で人事院が認めるものに従事したとき。

二　総務省総合通信局又は沖縄総合通信事務所に所属する職員が監視車その他の電波監視のための装置を搭載した車両によつて行う混信の原因となつている電波の発射源又は不法に開設された無線局の探査の作業に従事したとき。

2　前項の手当の額は、作業に従事した日一日につき五百六十円とする。

3　前項の規定にかかわらず、次の各号に掲げる作業に従事した場合の第一項の手当の額は、当該作業に従事した日一日につき、前項に定める手当の額にそれぞれ当該各号に定める額を加算した額とする。ただし、同一の日において、当該作業のいずれにも従事した場合にあつては、同項に定める手当の額に当該各号に定める額の合計額を加算した額を第一項の手当の額とする。

一　第一項各号の作業のうち、特に困難で心身に著しい負担を与えると人事院が認めるもの　前項に定める額の百分の五十に相当する額

二　第一項第一号の作業のうち、著しく危険であると人事院が認めるもの　前項に定める額の百分の百に相当する額を超えない範囲内において人事院が定める額

一項―平二〇・四・一施行
二項―平二五・四・一適用
三項―令六・四・一施行

第二十二条　削除

（航空管制手当）

本条―平一九・一〇・一施行

第二十三条　航空管制手当は、国土交通省航空局、地方航空局の空港事務所、空港出張所若しくは空港・航空路監視レーダー事務所又は航空交通管制部に所属する職員のうち、国土交通大臣の定めるところにより航空交通管制技能証明書、航空交通管制通信技能証明書、航空管制運航情報技能証明書又は航空交通管制技術業務技能証明書を交付された職員が、次に掲げる業務に従事したときに支給する。

一　航空交通管制部における航空路管制業務又は福岡航空交通管制部における航空交通管理管制業務（それぞれ管制指示を主として行うものに限る。）

二　新千歳空港事務所、函館空港事務所、仙台空港事務所、東京空港事務所、新潟空港事務所、中部空港事務所、関西空港事務所、広島空港事務所、福岡空港事務所、長崎空港事務所、熊本空港事務所、大分空港事務所、鹿児島空港事務所又は那覇空港事務所における進入管制業務、ターミナル・レーダー管制業務又は着陸誘導管制業務（それぞれ管制指示を主として行うものに限る。）

三　前号の空港事務所（新千歳空港事務所を除く。）、釧路空港事務所、成田空港事務所、大阪空港事務所、八尾空港事務所、高松空港事務所、高知空港事務所、松山空港事務所、北九州空港事務所若しくは宮崎空港事務所又は

人事院の定める空港出張所若しくは空港・航空路監視レーダー事務所における飛行場管制業務（管制指示を主として行うものに限る。）

四　成田空港事務所における無線電話機による国際管制通信業務

五　新千歳空港事務所、稚内空港事務所、大阪空港事務所、福岡空港事務所、鹿児島空港事務所若しくは那覇空港事務所又は人事院の定める空港出張所における無線電話機による対空援助業務

六　空港事務所における運航援助情報業務又は飛行場情報業務

七　福岡航空交通管制部における航空交通管理管制運航情報業務

八　航空局における航空情報管理管制運航情報業務

九　航空局における技術管理航空管制技術業務若しくは性能評価航空管制技術業務、空港事務所、空港出張所、空港・航空路監視レーダー事務所若しくは航空交通管制部における管制技術業務又は福岡航空交通管制部における航空交通管理管制技術業務

2　前項の手当の額は、業務に従事した日一日につき、業務の種類及び勤務官署に応じて次の表に定める額とする。

業務の種類		勤務官署	手当額
前項第一号の業務		東京航空交通管制部	千三百八十円
		その他の航空交通管制部	八百四十円
前項第二号の業務		東京空港事務所	千三百八十円
		関西空港事務所	八百四十円
		新千歳空港事務所、中部空港事務所、福岡空港事務所又は那覇空港事務所	七百七十円
		その他の空港事務所	六百円
前項第三号の業務		成田空港事務所又は東京空港事務所	九百九十円
		那覇空港事務所	七百七十円
		中部空港事務所、大阪空港事務所、関西空港事務所又は福岡空港事務所	六百円
		函館空港事務所、仙台空港事務所、新潟空港事務所、八尾空港事務所、広島空港事務所、高松空港事務所、松山空港事務所、高知空港事務所、北九州空港事務所、長崎空港事務所、熊本空港事務所、大分空港事務所、宮崎空港事務所若しくは鹿児島空港事務所又は人事院の定める空港出張所若しくは空港・航空路監視レーダー事務所	三百六十円
		釧路空港事務所又はその他の空港出張所若しくは空港・航空路監視レーダー事務所	二百四十円
前項第四号の業務		成田空港事務所	六百円
前項第五号の業務	広域対空援助業務	新千歳空港事務所、大阪空港事務所、福岡空港事務所、鹿児島空港事務所又は那覇空港事務所	三百六十円
	飛行場対空援助業務	空港事務所又は空港出張所	三百四十円
前項第六号の業務		空港事務所	二百四十円
前項第七号の業務		福岡航空交通管制部	二百四十円
前項第八号の業務		航空局	二百四十円

前項第九号の業務	航空局、空港事務所、空港出張所、空港・航空路監視レーダー事務所又は航空交通管制部	二百四十円

3　同一の日に、前項の表の業務の種類又は勤務官署を異にする二以上の業務に従事した場合において、当該二以上の業務に係る手当の額が同額のときにあつては当該手当のいずれか一の手当、当該二以上の業務に係る手当の額が異なるときにあつては当該手当の額が最も高いもの（その額が同額の場合にあつては、その手当のいずれか一の手当）以外の手当は支給しない。

一・二項―令六・四・一施行
三項―平一九・八・一施行

（夜間特殊業務手当）

第二十三条の二　夜間特殊業務手当は、次の各号に掲げる職員が正規の勤務時間による勤務の一部又は全部が深夜において行われる業務で当該各号に定めるものに従事したときに支給する。

一　警察庁、総務省総合通信局若しくは沖縄総合通信事務所、外務省、国土交通省航空局、地方航空局若しくは航空交通管制部又は気象庁に所属する職員のうち行政職俸給表又は専門行政職俸給表の適用を受ける職員　有線電気通信設備又は無線設備の運用又は保守の業務で人事院の定めるもの

二　警察庁皇宮警察本部に所属する職員　警備、災害の防止又は護衛の業務

三　国土交通省地方整備局に所属する職員　道路の維持修繕の業務その他の業務で人事院の定めるもの

四　税関又は沖縄地区税関に所属する職員　関税等の賦課徴収、関税法規による輸出入貨物等の取締り又は保税地域の取締り等の業務

五　入国者収容所又は地方出入国在留管理局に所属する職員　出入国の審査又は警備等の業務

六　刑務所、少年刑務所、拘置所、少年院又は少年鑑別所に所属する職員　警備若しくは保安又は被収容者の戒護等の業務

七　厚生労働省検疫所に所属する職員　空港における検疫法に定める検疫の業務

八　農林水産省植物防疫所、那覇植物防疫事務所又は動物検疫所に所属する職員　空港における輸出入動植物の検疫の業務

九　国土交通省航空局又は地方航空局に所属する職員　航空情報の提供に関する業務又は飛行場若しくは航空保安施設の管理の業務その他の業務で人事院の定めるもの

十　海上保安庁に所属する職員のうち人事院の定める職員　警備救難、水路通報又は通信施設若しくは航路標識の運用若しくは保守の業務

十一　気象庁に所属する職員のうち行政職俸給表の適用を受ける職員　気象、地象又は水象の観測、予報等の業務で人事院の定めるもの

十二　内閣衛星情報センターに所属する職員　情報収集衛星（内閣官房組織令（昭和三十二年政令第二百十九号）第四条の三第二項第一号に規定する情報収集衛星をいう。）に関する業務で人事院の定めるもの

十三　厚生労働省に所属する職員のうち人事院の定める職員　介護の業務その他の業務で人事院の定めるもの

十四　その他人事院の定める職員　人事院の定める前各号の業務に相当する業務

2　前項の手当の額は、その勤務一回につき、次の各号に掲げる区分に応じ、当該各号に定める額とする。

一　前項第一号から第十二号まで及び第十四号の業務　次に掲げる場合に応じ、それぞれ次に定める額

イ　その勤務時間が深夜の全部を含む勤務である場合　千百円

ロ　その勤務時間が深夜の一部を含む勤務である場合　七百三十円（深夜における勤務時間が二時間に満たない場合にあつては、四百十円）

二　前項第十三号の業務　次に掲げる場合に応じ、それぞれ次に定める額

イ　その勤務時間が深夜の全部を含む勤務である場合　千六百円

ロ　その勤務時間が深夜の一部を含む勤務である場合　千六十円（深夜における勤務時間が二時間に満たない場合にあつては、六百円）

一項―令六・四・一施行
二項―平三一・四・一施行

（夜間看護等手当）

第二十四条　夜間看護等手当は、次に掲げる場合に支給する。

一　病院、療養所、診療所等に勤務する助産師、看護師又は准看護師が、正規の勤務時間による勤務の一部又は全部が深夜において行われる看護等の業務に従事したとき。

二　病院、療養所、診療所等に勤務する医療職俸給表の適用を受ける職員のうち人事院の定める職員が、正規の勤務時間以外の時間において、勤務の時間帯その他に関し人事院が定める特別な事情の下で救急医療等の業務に従事したとき。

2　前項の手当の額は、その勤務一回につき、次の各号に掲げる区分に応じ、当該各号に定める額とする。

一　前項第一号の業務　次に掲げる場合に応じ、次に掲げる額

イ　その勤務時間が深夜の全部を含む勤務である場合　七千三百円

ロ　その勤務時間が深夜の一部を含む勤務である場合　次に掲げる場合に応じ、次に掲げる額

(1)　深夜における勤務時間が四時間以上である場合　三千五百五十円

(2)　深夜における勤務時間が二時間以上四時間未満である場合　三千百円

(3)　深夜における勤務時間が二時間未満である場合　二千百五十円

二　前項第二号の業務　千六百二十円

3　勤務の交替に伴う事情について特別の考慮を必要とすると人事院が認める場合における第一項第一号の業務に係る手当額については、当分の間、前項第一号の規定にかかわらず、同号に定める額に千百四十円の範囲内で当該事情に応じて人事院が定める額を加算した額とする。

一・三項―平一四・三・一施行
二項―平三〇・四・一施行

第二十五条から第二十七条まで　削除

二十五・二十六条―平一六・四・一施行
二十七条―平一三・四・一施行

（用地交渉等手当）

第二十七条の二　用地交渉等手当は、次の各号に掲げる職員が当該各号に定める事業に必要な土地の取得等に係る交渉又はその事業の施行により生ずる損失の補償に係る交渉（土地の取得等に係る交渉に該当するものを除く。）の業務で人事院が困難であると認めるものに従事したときに支給する。

一　内閣府沖縄総合事務局、農林水産省地方農政局の事務所若しくは事業所、国土交通省地方整備局、北海道開発局開発建設部若しくは地方航空局又は環境省福島地方環境事務所に所属する職員（人事院の定める職員を除く。）　土地収用法（昭和二十六年法律第二百十九号）第三条第一号から第三号の二まで、第十号、第十号の二、第十二号若しくは第二十七号の二に掲げる道路、ダム、飛行場等若しくは都市公園法（昭和三十一年法律第七十九号）第二条第一項の都市公園に関する事業又はこれらの事業に関連する事業（同号に掲げる施設に関する事業又はこの事業に関連する事業にあつては、人事院の定めるものに限る。）

二　内閣府沖縄総合事務局、農林水産省地方農政局の事務所若しくは事業所又は国土交通省北海道開発局開発建設部に所属する職員（人事院の定める職員を除く。）　土地改良法（昭和二十四年法律第百九十五号）第二条第二項第一号若しくは第三号から第五号までの事業又はこれらの事業に関連する事業

2　前項の手当の額は、業務に従事した日一日につき千円（業務が深夜において行われた場合にあつては、当該額にその百分の五十に相当する額を加算した額）とする。

一項―平二九・七・一四施行
二項―平一九・一〇・一施行

（鑑識作業手当）

第二十八条　鑑識作業手当は、警察庁に所属する職員（警察官にあつては、警部補以下の階級にある警察官に限る。）が次に掲げる作業に従事したときに支給する。

一　指紋、手口又は写真を利用して行う犯罪鑑識の作業（人事院が定めるものに限る。）

二　理化学、法医学又は銃器弾薬類の知識を利用して行う鑑定又は実験（人事院が定めるものに限る。）の作業

2　前項の手当の額は、作業に従事した日一日につき四百五十円とする。

一項―平一七・四・一施行
二項―平一九・八・一施行

（刑務作業監督等手当）

第二十八条の二　刑務作業監督等手当は、次に掲げる場合に支給する。

一　刑務所、少年刑務所又は拘置所に所属する副看守長以下の階級にある職員のうち工場、

農場又は居室棟の担当を命ぜられている職員が被収容者の行う刑務作業の監督の業務及びこれに伴う戒護等の業務で、困難なものに従事したとき。

二　刑務所、少年刑務所、拘置所、少年院、少年鑑別所、入国者収容所又は地方出入国在留管理局に所属する職員のうち公安職俸給表の適用を受ける職員（人事院の定める職員を除く。）が次に掲げる業務に従事したとき。

(1)　その生命が危険な状態にある被収容者に対するその生命の危険を回避するために緊急に必要な処置

(2)　被収容者の排せつ物、おう吐物その他の汚物の処理（次号の業務に従事した職員が当該業務の一環として行つたものを除く。）

三　刑務所、少年刑務所、拘置所、少年院又は少年鑑別所に所属する職員のうち公安職俸給表の適用を受ける職員が被収容者の死体の検視の業務に従事したとき。

四　刑務所、少年刑務所、拘置所、少年院、少年鑑別所、入国者収容所又は地方出入国在留管理局に所属する職員のうち公安職俸給表の適用を受ける職員（人事院の定める職員を除く。）が正規の勤務時間以外の時間において勤務の時間帯その他に関し人事院が定める特別な事情の下で被収容者の戒護又は施設の警備の業務に従事したとき。

2　前項の手当の額は、次の各号に掲げる業務の区分に応じ、当該各号に定める額とする。

一　前項第一号の業務　業務に従事した日一日につき千四百円を超えない範囲内において、従事した刑務作業の監督の業務及びこれに伴う戒護等の業務の困難の程度に応じて人事院が定める額

二　前項第二号の業務　業務に従事した日一日につき六百円（同号(2)の業務のうち心身に著しい負担を与えると人事院が認める業務に従事した場合にあつては、当該額にその百分の百に相当する額を加算した額）

三　前項第三号の業務　業務に従事した日一日につき九百円

四　前項第四号の業務　勤務一回につき六百二十円（心身に著しい負担を与えると人事院が認める業務に従事した場合にあつては、当該額にその百分の百に相当する額を加算した額）

一項―令六・四・一施行
二項―令五・四・一施行

（護衛等手当）

第二十八条の三　護衛等手当は、次に掲げる場合に支給する。

一　警察庁皇宮警察本部に所属する皇宮護衛官のうち人事院の定める職員が次に掲げる業務に従事したとき。

(1)　天皇又は皇后、上皇、上皇后、皇太子、皇太子妃、皇嗣若しくは皇嗣妃の護衛

(2)　(1)に掲げる皇族以外の皇族の護衛

(3)　特命全権大使若しくは特命全権公使の信任状の奉呈式又は国賓の皇居参内の送迎の際における護衛

(4)　正規の勤務時間以外の時間において勤務の時間帯その他に関し人事院が定める特別な事情の下で行う皇居、御用邸等の警備

二　海上保安庁に所属する職員のうち人事院の定める職員が自衛艦等に乗り組んで海賊行為の処罰及び海賊行為への対処に関する法律（平成二十一年法律第五十五号）第二条に規定する海賊行為（以下「海賊行為」という。）から船舶を護衛するための業務に従事したとき。

三　海上保安庁に所属する職員が輸送船等に乗り組んで次に掲げる業務（人事院の定めるものに限る。）に従事したとき。

(1)　プルトニウムその他の核燃料物質（原子力基本法（昭和三十年法律第百八十六号）第三条第二号に規定する核燃料物質をいう。(2)において同じ。）を積載した輸送船の護衛

(2)　プルトニウムその他の核燃料物質を積載する予定の輸送船の護衛

2　前項の手当の額は、次の各号に掲げる業務の区分に応じ、当該各号に定める額とする。

一　前項第一号(1)の業務　業務に従事した日一日につき三百二十円（心身に著しい負担を与えると人事院が認める業務に従事した場合にあつては、千百五十円）

二　前項第一号(2)及び(3)の業務　業務に従事した日一日につき三百二十円（心身に著しい負担を与えると人事院が認める業務に従事した場合にあつては、当該額にその百分の百に相当する額（同号(2)の業務のうち、人事院の定めるものにあつては、八百三十円）を加算し

た額）

三　前項第一号(4)の業務　勤務一回につき千二百四十円

四　前項第二号の業務　業務に従事した日一日につき二千円

五　前項第三号(1)の業務　業務に従事した日一日につき二千円を超えない範囲内において、それぞれの業務に応じて人事院が定める額

六　前項第三号(2)の業務　業務に従事した日一日につき千円を超えない範囲内において、それぞれの業務に応じて人事院が定める額

一項—平三一・五・一施行
二項—平二九・三・二四施行

第二十八条の四　削除

本条—平一九・四・一施行

（犯則取締等手当）

第二十八条の五　犯則取締等手当は、次に掲げる場合に支給する。

一　内閣府沖縄総合事務局又は水産庁に所属する職員が漁業法その他の漁業関係法規に違反した疑いのある船舶について海上で行う漁具等の検査、証拠物件の押収若しくは被疑者の検挙の業務又はこれらの船舶の追跡の業務に従事したとき。

一の二　警察庁関東管区警察局に所属する職員のうち人事院の定める職員が警察法（昭和二十九年法律第百六十二号）第五条第四項第六号ハに規定する重大サイバー事案に係る犯罪の捜査に関して、被疑者等の住居又は事務所等において刑事訴訟法（昭和二十三年法律第百三十一号）の規定に基づく次に掲げる業務に従事したとき。

(1)　逮捕

(2)　差押え又は捜索（身体の拘束を受けていない被疑者等がその場に居合わせた場合に限る。）

二　入国者収容所又は地方出入国在留管理局に所属する職員が出入国管理及び難民認定法（昭和二十六年政令第三百十九号）に違反した疑いのある外国人について、違反調査の取調べ又は収容のため、住居等に立入つて身柄を確保する業務で人事院の定めるものに従事したとき。

二の二　入国者収容所又は地方出入国在留管理局に所属する職員が出入国管理及び難民認定法第五十二条の規定に基づく退去強制令書の執行の業務のうち退去強制令書の発付を受けた者を送還先に護送する業務に従事したとき。

三　検察庁に所属する検察事務官が刑事訴訟法の規定に基づく逮捕若しくは収容、差押え又は捜索の業務で人事院が困難であると認めるものに従事したとき。

三の二　公安調査庁に所属する公安調査官が無差別大量殺人行為を行った団体の規制に関する法律（平成十一年法律第百四十七号）第七条第二項の規定に基づく立入検査の業務で人事院が困難であると認めるものに従事したとき。

四　税関又は沖縄地区税関に所属する職員のうち人事院の定める職員が関税法（昭和二十九年法律第六十一号）第百二十一条又は第百二十四条の規定に基づく臨検、捜索又は差押えの業務（以下この号において「臨検等」という。）のうち次に掲げる業務（次号に掲げる業務を除く。）に従事したとき。

(1)　外国貿易船等の船内において行う臨検等

(2)　麻薬、拳銃その他の人事院の定める物件に係る犯則事件の調査等を行うため犯則嫌疑者の居宅又は事務所等において行う臨検等

五　税関又は沖縄地区税関に所属する職員のうち人事院の定める職員が麻薬探知犬を使用して行う関税法第百五条、第百十九条、第百二十一条又は第百二十四条の規定に基づく検査、臨検又は捜索の業務に従事したとき。

六　国税庁の各部、国税局又は沖縄国税事務所に所属する国税実査官、国税調査官又は国税査察官が国税通則法（昭和三十七年法律第六十六号）第十一章の規定に基づく犯則事件の調査に関する業務で人事院の定めるものに従事したとき。

七　厚生労働省都道府県労働局に所属する職員が労働基準法（昭和二十二年法律第四十九号）その他の労働基準関係法規に基づく重大な労働災害の立入調査、逮捕、差押え、捜索、作業の停止命令の執行その他の業務で人事院の定めるものに従事したとき。

八　厚生労働省都道府県労働局に所属する職員が労働者災害補償保険法（昭和二十二年法律第五十号）の規定に基づく保険給付の不正受給に係る立入調査の業務で人事院の定めるものに従事したとき。

九　警察庁に所属する職員が日本国外において

犯罪の捜査に関する情報収集業務で人事院の定めるものに従事したとき。

十　海上保安庁に所属する職員のうち人事院の定める職員が我が国周辺の海域を航行する船舶であつて重大かつ凶悪な犯罪に関与している外国船舶であると疑われる不審なものに対する海上保安庁法（昭和二十三年法律第二十八号）の規定に基づく検査等又は停船に係る業務で次に掲げるものに従事したとき。

(1)　強制的な検査等に係る業務

(2)　(1)に掲げる業務以外の検査等に係る業務

(3)　強制的な停船に係る業務

十一　海上保安庁に所属する職員のうち人事院の定める職員で自衛艦等に乗り組むものが行う犯罪の捜査における証拠の収集に関する業務のうち、海賊行為を行うために使用された船舶又は海賊行為の被害を受けた船舶に移乗して行うものその他人事院の定めるものに従事したとき。

十二　人事院の定める職員が第一号から第八号までに掲げる検査、捜索、取締り等の業務に相当すると人事院が認める業務に従事したとき。

2　前項の手当の額は、業務に従事した日一日につき、次の各号に掲げる業務の区分に応じ、当該各号に定める額とする。

一　前項第一号から第八号までの業務　五百五十円（同項第一号の業務のうち心身に著しい負担を与えると人事院が認める業務又は同項第七号の業務のうち著しく危険であると人事院が認める業務に従事した場合にあつては、当該額にその百分の百に相当する額を加算した額）

二　前項第九号の業務　千百円

三　前項第十号(1)の業務　七千七百円（心身に著しい負担を与えると人事院が認める業務に従事した場合にあつては、当該額にその百分の五十に相当する額を超えない範囲内において人事院が定める額を加算した額）

四　前項第十号(2)及び(3)並びに第十一号の業務　二千円（心身に著しい負担を与えると人事院が認める業務に従事した場合にあつては、当該額にその百分の五十に相当する額を超えない範囲内において人事院が定める額を加算した額）

五　前項第十二号の業務　千百円を超えない範囲内において、それぞれの業務に応じて人事院が定める額（特に困難で心身に著しい負担を与えると人事院が認める業務に従事した場合にあつては、当該額にその百分の五十に相当する額を加算した額）

3　同一の日において、第一項第十号(1)から(3)までの業務のうち同号(1)の業務を含む二以上の業務に従事した場合にあつては同号(2)の業務に係る手当及び同号(3)の業務に係る手当を、同号(2)の業務及び同号(3)の業務に従事した場合にあつては同号(2)の業務に係る手当又は同号(3)の業務に係る手当のうち手当の額が少ないもの（これらの手当の額が同額の場合にあつては、これらの手当のいずれか）を支給しない。

一項―令七・四・一施行
二項―令四・四・一施行
三項―平一四・四・一施行

（極地観測等手当）

第二十九条　極地観測等手当は、職員が南緯五十五度以南の区域において、南極地域観測に関する業務又は人事院がこれに相当すると認める業務に従事したときに支給する。

2　前項の手当の額は、業務に従事した日一日につき、職員の職務の級（任期付研究員にあつては、適用される俸給表）に応じて次の表に定める額（越冬して行う業務に従事した場合にあつては、当該額にその百分の三十に相当する額を加算した額）とする。

職務の級等	手当額
行政職俸給表(一)七級以上の級 公安職俸給表(二)七級以上の級 海事職俸給表(一)六級以上の級 教育職俸給表(一)四級以上の級 研究職俸給表五級以上の級 医療職俸給表(一)四級以上の級	四千百円
任期付研究員法第六条第一項の俸給表	四千百円（二号俸以下の号俸を受ける者にあつては、三千百円）
行政職俸給表(一)六級、五級及び四級 公安職俸給表(二)六級、五級及び四級 海事職俸給表(一)五級及び四級 海事職俸給表(二)六級 教育職俸給表(一)三級及び二級	三千百円

研究職俸給表四級及び三級 医療職俸給表㈠三級及び二級 行政職俸給表㈠三級 公安職俸給表㈡三級 海事職俸給表㈠三級 海事職俸給表㈡五級 教育職俸給表㈠一級 研究職俸給表二級 医療職俸給表㈠一級 任期付研究員法第六条第二項の俸給表	二千四百円
行政職俸給表㈠二級 公安職俸給表㈡二級 海事職俸給表㈠二級 海事職俸給表㈡四級及び三級 研究職俸給表一級	二千円
行政職俸給表㈠一級 公安職俸給表㈡一級 海事職俸給表㈠一級 海事職俸給表㈡二級	千九百円
海事職俸給表㈡一級	千八百円

一項―平二五・四・一適用
二項―令六・一二・二施行

（国際緊急援助等手当）

第三十条 国際緊急援助等手当は、次に掲げる場合に支給する。

一 職員が国際緊急援助隊の派遣に関する法律（昭和六十二年法律第九十三号。以下この号において「国際緊急援助隊法」という。）の規定に基づく国際緊急援助隊の活動が行われる海外の地域において次に掲げる業務に従事したとき。

⑴ 国際緊急援助隊法第二条に規定する国際緊急援助活動（⑵に掲げる業務を除く。）

⑵ 国際緊急援助隊法第二条第三号に掲げる活動として行う調査又は助言（災害の現場において行う業務を除く。）

⑶ 国際緊急援助隊法第三条第三項において準用する同条第二項第二号に掲げる輸送

二 海上保安庁に所属する職員が海上保安庁法第五条第十九号の規定に基づく協力として、同庁の船舶又は航空機により行う外国における災害、騒乱その他の緊急事態に際して生命又は身体の保護を要する邦人等の輸送に従事したとき。

2 前項の手当の額は、業務に従事した日一日につき、次の各号に掲げる業務の区分に応じ、当該各号に定める額とする。

一 前項第一号⑴の業務 四千円（心身に著しい負担を与えると人事院が認める業務に従事した場合にあつては、当該額にその百分の五十（現地の治安の状況等により、当該業務が心身に著しい緊張を与えると人事院が認める場合にあつては、百分の百）に相当する額を超えない範囲内において人事院が定める額を加算した額）

二 前項第一号⑵の業務 三千円（心身に著しい負担を与えると人事院が認める業務に従事した場合にあつては、当該額にその百分の五十（現地の治安の状況等により、当該業務が心身に著しい緊張を与えると人事院が認める場合にあつては、百分の百）に相当する額を超えない範囲内において人事院が定める額を加算した額）

三 前項第一号⑶の業務 千四百円

四 前項第二号の業務 七千五百円（心身に著しい負担を与えると人事院が認める業務に従事した場合にあつては、当該額にその百分の五十に相当する額を超えない範囲内において人事院が定める額を加算した額）

3 同一の日において、第一項第一号⑴の業務及び同号⑵の業務に従事した場合にあつては同号⑵の業務に係る手当を、同号⑴の業務及び同号⑶の業務に従事した場合にあつては同号⑶の業務に係る手当を支給しない。

一項―平二四・九・二五施行
二項―平二二・九・一〇施行
三項―平一七・四・一施行

（小笠原業務手当）

第三十一条 小笠原業務手当は、令和十一年三月三十一日までの間、小笠原諸島（孀婦岩の南の南方諸島（小笠原群島、西之島及び火山列島を含む。）並びに沖の鳥島及び南鳥島をいう。以下同じ。）に置かれる官署に所属する職員が、当該官署の所掌する業務（小笠原諸島以外の地域における業務を除く。）に従事したときに支給する。

2 前項の手当の額は、業務に従事した日一日につき、職員の職務の級に応じて次の表に定める額とする。

職務の級	手当額
行政職俸給表㈠四級以上の級 行政職俸給表㈡五級	七百円

専門行政職俸給表三級以上の級 公安職俸給表㈡四級以上の級	
行政職俸給表㈠三級及び二級 行政職俸給表㈡四級及び三級 専門行政職俸給表二級 公安職俸給表㈡三級及び二級	五百円
専門行政職俸給表一級	五百円（十六号俸以下の号俸を受ける者にあつては、三百円）
行政職俸給表㈠一級 行政職俸給表㈡二級以下の級 公安職俸給表㈡一級	三百円

3　人事院の認める特別な環境の下において第一項に規定する業務に従事する者については、その従事した日一日につき、前項の表に定める額にその百分の八十に相当する額を加算する。

一項―令六・四・一施行
二項―平一八・四・一施行
三項―平一一・四・一施行

（船員作業手当）

第三十一条の二　船員作業手当は、財務省、水産庁、国土交通省、気象庁又は海上保安庁に所属する船員が、航海中の船舶において行う業務で人事院が定めるもの又は人事院がこれに相当すると認める業務に従事したときに支給する。

2　前項の手当の額は、業務に従事した日一日につき、職員の職務の級に応じて次の表に定める額を超えない範囲内において人事院が定める額とする。

職務の級	手当額
公安職俸給表㈡七級以上の級 海事職俸給表㈠六級以上の級 医療職俸給表㈠四級以上の級	三千九百八十円
公安職俸給表㈡六級、五級及び四級 海事職俸給表㈠五級及び四級 海事職俸給表㈡六級 医療職俸給表㈠三級及び二級	三千八十円
公安職俸給表㈡三級 海事職俸給表㈠三級 海事職俸給表㈡五級 医療職俸給表㈠一級	二千五百七十円
公安職俸給表㈡二級 海事職俸給表㈠二級 海事職俸給表㈡四級及び三級	二千百二十円
公安職俸給表㈡一級 海事職俸給表㈠一級 海事職俸給表㈡二級及び一級	千六百七十円

本条―令七・四・一施行

（併給禁止）

第三十二条　給与法第十条の規定により俸給の調整額を受ける職員には、次に掲げる特殊勤務手当は支給しない。

一　防疫等作業手当（第十二条第一項第一号の作業に係るものに限る。）

二　放射線取扱手当（規則九―六（俸給の調整額）別表第一第二十一号及び第二十二号に掲げる勤務箇所における業務に係るものに限る。）

2　次の表の上欄に掲げる特殊勤務手当を支給される日については、当該手当に対応する同表の下欄に掲げる特殊勤務手当は支給しない。ただし、この規定により支給されないこととなる同表の下欄に掲げる特殊勤務手当の額が当該手当に対応する同表の上欄に掲げる特殊勤務手当の額を超えるときは、その同表の下欄に掲げる一の特殊勤務手当を支給し、当該手当に対応する同表の上欄に掲げる特殊勤務手当は支給しない。

高所作業手当	爆発物取扱等作業手当 狭あい箇所内等検査作業手当（第十七条第一項第二号の作業に係るものに限る。以下この表において同じ。） 犯則取締等手当（第二十八条の五第一項第七号の業務のうち人事院が定める業務に係るものに限る。以下この表において同じ。）
坑内作業手当	高所作業手当 爆発物取扱等作業手当 狭あい箇所内等検査作業手当 犯則取締等手当
災害応急作業等手当	道路上作業手当 山上等作業手当（第二十条第一項第二号の作業に係るものに限る。） 移動通信等作業手当

	(第二十一条第一項第一号の作業に係るものに限る。)
移動通信等作業手当	夜間特殊業務手当 犯則取締等手当(第二十八条の五第一項第十二号の業務のうち人事院が定める業務に係るものに限る。)
夜間特殊業務手当	道路上作業手当

一項―平二六・三・一施行
二項―令六・四・一施行

(手当額の特例)

第三十三条 次に掲げる特殊勤務手当を支給される作業に従事した時間が一日について四時間に満たない場合におけるその日の当該手当の額は、この規則の規定により受けるべき額に百分の六十を乗じて得た額とする。

一 高所作業手当

二 坑内作業手当

三 爆発物取扱等作業手当(第五条第一項第二号、第三号(1)及び第四号(1)の作業並びに同項第五号に係る作業のうち同項第二号、第三号(1)又は第四号(1)の作業に相当する作業に係るものを除く。)

四 狭あい箇所内等検査作業手当

五 道路上作業手当(第十八条第一項第二号及び第三号の作業に係るものを除く。)

六 災害応急作業等手当(第十九条第一項第一号の作業及び同項第五号の作業のうち同項第一号に掲げる作業に相当する作業に係るものに限る。)

七 航空管制手当

八 鑑識作業手当

九 刑務作業監督等手当(第二十八条の二第一項第一号の作業に係るものに限る。)

本条―令三・四・一施行

(特殊勤務実績簿及び特殊勤務手当整理簿)

第三十四条 各庁の長(その委任を受けた者を含む。次項において同じ。)は、事務総長が定めるところにより、特殊勤務実績簿及び特殊勤務手当整理簿を作成し、所要事項を記入し、かつ、これを保管しなければならない。

2 各庁の長は、任期付研究員法第八条の規定の適用を受ける任期付研究員に対し、毎月一回、前項の特殊勤務実績簿及び特殊勤務手当整理簿に記入する事項について報告を求めることができる。

本条―平九・六・四施行

(作業日数等の計算方法)

第三十五条 作業日数は暦日によつて計算する。

2 一給与期間の異常圧力内作業手当の額を算定する場合において、当該期間における第十五条第一項各号の作業に従事した同条第二項に規定する手当の額の区分ごとの合計時間に十分に満たない端数があるとき又は当該合計時間が十分に満たないときは、当該端数時間又は当該合計時間を十分に切り上げる。

3 一の月の航空手当の額を算定する場合において、その月における第七条第一項に掲げる業務に従事した合計時間又は同条第三項に掲げる業務に従事した合計時間に一分に満たない端数があるときは、これを切り捨てる。

一項―昭三七・四・一適用
二項―平一六・四・一施行
三項―昭五七・四・一施行

附 則(令二・二・二八規則九―三〇―九八)

この規則は、公布の日から施行し、この規則による改正後の規則九―三〇の規定は、令和二年一月十日から適用する。

附 則(令二・四・一規則九―三〇―九九)

この規則は、公布の日から施行する。

附 則(令二・七・一規則九―三〇―一〇〇)

この規則は、公布の日から施行する。

附 則(令二・一二・一規則九―三〇―一〇一)

この規則は、公布の日から施行する。

附 則(令三・四・一規則九―三〇―一〇二)

この規則は、公布の日から施行する。

附 則(令三・五・二〇規則九―三〇―一〇三)

(施行期日)

1 この規則は、公布の日から施行する。

(経過措置)

2 災害対策基本法等の一部を改正する法律(令和三年法律第三十号)第一条の規定による改正前の災害対策基本法(昭和三十六年法律第二百二十三号)第六十条第一項の規定に基づき居住者等が避難のための立退きを勧告され、又は指示された地域で行う規則九―三〇第十九条第一項第二号の作業に従事した職員に対する同条の規定の適用については、なお従前の例による。

附 則(令三・一〇・一規則九―三〇―一〇四)

この規則は、公布の日から施行する。

附 則(令四・四・一規則九―三〇―一〇五)

この規則は、公布の日から施行する。

附 則(令四・九・三〇規則九―三〇―一〇六)

この規則は、令和四年十月一日から施行する。

附 則(令五・三・三一規則九―三〇―一〇七)

この規則は、令和五年四月一日から施行する。

附 則(令六・二・一五規則九―三〇―一〇八)(抄)

(施行期日等)

1　この規則は、公布の日から施行し、この規則による改正後の規則九—三〇の規定は、令和六年一月一日から適用する。

附　則（令六・四・一規則九—三〇—一〇九）

この規則は、公布の日から施行する。

附　則（令六・六・二八規則九—三〇—一一〇）

この規則は、令和六年七月一日から施行する。

附　則（令六・一二・二規則九—三〇—一一一）

この規則は、公布の日から施行する。

附　則（令七・四・一規則九—三〇—一一二）

この規則は、公布の日から施行し、この規則による改正後の規則九—三〇の規定は、令和七年四月一日から適用する。

○特殊勤務手当の運用について（通知）

昭三七・六・一四
給実甲一九七

最終改正　令七・四・一給実甲一三五七

人事院規則九—三〇（特殊勤務手当）（以下「規則」という。）の一部改正に伴い特殊勤務手当の運用について下記のように定めたので、昭和三十七年四月一日以降これによって実施してください。なお、これに伴い給実甲第百七十二号は廃止します。

記

目　次

一　高所作業手当（規則第三条）関係
二　坑内作業手当（規則第四条）関係
三　削除
四　航空手当（規則第七条）関係
五　削除
六　放射線取扱手当（規則第十四条）関係
七　異常圧力内作業手当（規則第十五条）関係
八　狭あい箇所内等検査作業手当（規則第十七条）関係
八の二　道路上作業手当（規則第十八条）関係
八の三　災害応急作業等手当（規則第十九条）関係
九　山上等作業手当（規則第二十条）関係
十　削除
十一　航空管制手当（規則第二十三条）関係
十一の二　夜間特殊業務手当（規則第二十三条の二）関係
十二　夜間看護等手当（規則第二十四条）関係
十三　用地交渉等手当（規則第二十七条の二）関係
十四　刑務作業監督等手当（規則第二十八条の二）関係
十四の二　犯則取締等手当（規則第二十八条の五）関係
十四の三　国際緊急援助等手当（規則第三十条）関係
十四の四　船員作業手当（規則第三十一条の二）関係
十五　併給禁止（規則第三十二条）関係
十六　手当額の特例（規則第三十三条）関係
十七　特殊勤務実績簿及び特殊勤務手当整理簿（規則第三十四条）関係

一　高所作業手当（規則第三条）関係

1　規則第三条中「地上十メートル以上」、「地上十五メートル以上」、「地上三十メートル以上」、「地上又は水面上十メートル以上」、「地上又は水面上二十メートル以上」及び「地上又は水面上三十メートル以上」とは、それぞれ予想される落下地点からの高さをいう。

2　規則第三条第一項中「足場の不安定な箇所」とは、次に掲げる箇所をいう。

(1)　建築物又は構築物上の墜落の危険が特に著しい箇所

(2)　山、谷又は崖等の四十度以上の斜面上で命綱等の使用が必要とされる墜落の危険が特に著しい箇所

3　規則第三条第二項の「当該作業が地上又は水面上二十メートル以上の箇所で行われたとき」には、同一の日における作業の一部が地上又は水面上二十メートル以上の箇所で行われた場合を含むものとし、同項の「当該作業が地上三十メートル以上の箇所で行われたとき」及び「当該作業が地上又は水面上三十メートル以上の箇所で行われたとき」には、同一の日における作業の一部が地上又は水面上三十メートル以上の箇所で行われた場合を含むものとする。

二　坑内作業手当（規則第四条）関係

1　規則第四条第一項の「鉱山」には、休坑、廃坑、旧坑、盗掘箇所及び侵掘箇所を含むものとする。

2　規則第四条第一項第四号(2)及び第五号(5)の「これらに類する災害」とは、次に掲げる災害をいう。

(1)　炭じんの爆発

(2)　自然発火

(3)　ガス突出

(4)　ガス中毒

(5)　ガス窒息

(6)　火薬類、発破又は鉱車による災害で落盤、ガス突出又は出水を伴うもの

三　削除

四　航空手当（規則第七条）関係

1　規則第七条第一項第五号の業務には、電波法（昭和二十五年法律第百三十一号）第三十七条又は第三十八条の十八に規定する検定、審査等の業務、航空法（昭和二十七年法律第二百三十一号）第四十二条（同法第四十三条第二項において準用する場合を含む。）に規定する検査を行う場合の航空保安無線施設の定格通達距離の測定業務及び航空保安無線施設又は航空無線施設の調査又は実験の業務を含むものとする。

2　規則第七条第二項の「搭乗した時間」とは、航空交通管制の行われている飛行場にあっては機長が航空管制官と連絡のうえ発進した時から着陸終了を航空管制官に通報した時までの時間をいい、その他の発着の場にあっては航空機が離陸等の目的で発進した時から着陸等をして停止した時までの時間をいう。

五　削除

六　放射線取扱手当（規則第十四条）関係

規則第十四条第一項の「人事院が定める場合」とは、職員が月の初日から末日までの間に外部放射線を被ばくし、その実効線量が一〇〇マイクロシーベルト以上であったことが医療法施行規則（昭和二十三年厚生省令第五十号）第三十条の十八第二項に定める測定（同項第一号ただし書によるものを除く。）又は人事院規則一〇―五（職員の放射線障害の防止）第五条第二項に定める測定（同項第二号ただし書によるものを除く。）により認められた場合とする。

七　異常圧力内作業手当（規則第十五条）関係

規則第十五条第一項第二号の「潜水器具」とは、ヘルメット式潜水器又はスキューバ式潜水器その他の潜水器具で、空気圧縮機若しくは手押ポンプによる送気又はボンベからの給気を受けるものをいう。

八　狭あい箇所内等検査作業手当（規則第十七条）関係

規則第十七条第一項第二号の「困難な構造検査又は使用再開検査」とは、職員がボイラ又は第一種圧力容器（内部にだ管又はかくはん器等の取付物のない蒸煮器、精練管及び消毒器等で内容積二立方メートル未満のものを除く。）の本体内部、煙道又は燃焼室に全身を入れて行う検査をいう。

八の二　道路上作業手当（規則第十八条）関係

規則第十八条第一項第三号の次に掲げる事項については、それぞれに定めるところによるものとする。

(1)　「降雪等」には、地表に降り積もった雪が強風で吹き飛ばされる状態を含む。

(2)　「通行の禁止に必要な通行車両の誘導等の作業」とは、通行止め区間内の通行車両の有無の確認及び誘導、放置車両の引出し、交通遮断機による道路封鎖並びに通行車両に対する迂回路の指示等をいう。

八の三　災害応急作業等手当（規則第十九条）関係

1　規則第十九条第一項各号の次に掲げる事項については、それぞれに定めるところによるものとする。

(1)　「異常な自然現象」とは、暴風、豪雨、豪雪、洪水、高潮、地震、津波、噴火その他その及ぼす被害の程度においてこれらに類する自然現象をいう。

(2)　「重大な災害」とは、大規模な土砂崩壊、決壊、冠水、雪崩、落石、盛土法面崩壊その他その及ぼす被害の程度においてこれらに類する災害をいう。

(3)　「応急作業」とは、災害を防止し、又は災

害による被害を軽減するため応急的に行う仮道、仮橋、仮締切工、決壊防止工等の工事の施行又はその監督をいう。

(4)　「河川の堤防等」とは、河川の堤防、せき、水門又は護岸をいい、「重大な災害が発生し、若しくは発生するおそれがある」河川の堤防等には、水防法（昭和二十四年法律第百九十三号）第十二条第二項の規定に基づき定められた警戒水位を超えている当該水位の観測地点の周辺の河川の堤防等を含むものとする。

(5)　「通行が禁止されている区間」とは、次に掲げる区分に応じ、道路法（昭和二十七年法律第百八十号）第十八条第一項に規定する道路管理者（以下この項において「道路管理者」という。）が通行を禁止しているそれぞれ次に掲げる道路の区間をいう。

ア　道路管理者が定める異常気象時通行規制区間に係る道路通行規制基準に規定する降雨量等があった場合　当該異常気象時通行規制区間

イ　災害が発生し、又は発生するおそれがあるため道路の通行に危険が急迫している場合　アに掲げる区間以外の区間

(6)　「事故」とは、火事、爆発、石油等の漏洩若しくは流出、船舶の沈没、建築物等の崩壊その他これらに類するものをいう。

(7)　「災害応急対策に係る連絡調整」とは、災害対策基本法（昭和三十六年法律第二百二十三号）第七十四条の四の規定に基づく応援又は災害応急対策の実施、同法第七十七条第一項の規定に基づく応急措置又は施策の実施その他の同法第五十条に規定する災害応急対策の実施のために行う連絡調整をいう。

2　規則第十九条第二項の「人事院が定める災害」は、災害対策基本法に基づく災害対策本部若しくは石油コンビナート等災害防止法（昭和五十年法律第八十四号）に基づく石油コンビナート等現地防災本部が設置され又は災害救助法（昭和二十二年法律第百十八号）が適用された災害のうち暴風、豪雨、豪雪、洪水、地震、津波、火山爆発又は大規模な火事による災害、原子力災害対策特別措置法（平成十一年法律第百五十六号）に基づく原子力災害対策本部が設置された災害その他人事院事務総長が定める災害とする。

3　規則第十九条第三項第三号の次に掲げる事項については、それぞれに定めるところによるものとする。

(1)　「人事院が著しく危険であると認める区域」は、災害対策基本法、大規模地震対策特別措置法（昭和五十三年法律第七十三号）その他の法令等に基づき設定され、立入禁止、退去命令等の措置がなされた区域（当該区域が設定又は拡大された場合において、その設定又は拡大がなされた時までの間における当該区域と同一地域を含む。(2)において「立入禁止区域等」という。）であって人事院事務総長が認めるものとする。

(2)　上記(1)の「人事院事務総長が認めるもの」の認定を受けようとするときは、次に掲げる事項を明らかにした資料を添えて申請するものとする。

ア　災害の内容

イ　災害発生地点及び被災地域

ウ　作業の具体的内容及び該当人員

エ　通行が禁止又は制限されている区間

オ　作業実施区域、イ及びエの事項並びに周辺地域を明らかにした地図

カ　立入禁止区域等が設定又は拡大されるに当たり根拠とされた法令又は告示若しくは発令等（キにおいて「告示等」という。）

キ　立入禁止区域等が拡大された場合には、拡大前における立入禁止区域等に係る告示等

ク　その他認定に必要な関係資料

九　山上等作業手当（規則第二十条）関係

規則第二十条第一項第一号から第三号までの指定を受けようとするときは、次に掲げる事項を明らかにした資料を添えて申請するものとする。

(1)　名称

(2)　所在地及びその標高（地図を添付すること。）

(3)　所属官署等からの距離（交通機関利用区間、徒歩区間別の通常の経路における距離をいう。以下同じ。）、交通状況（利用交通機関の種類別、所要時間及び往復回数をいう。以下同じ。）並びに通常の経路における徒歩区間の道路等の概況及び所要時間（地図を添付すること。）

(4)　勤務態様（出張発令の有無等）

(5)　職務の級別手当受給予定職員数

(6)　手当受給予定職員別の年間従事予定日数

(7)　山上等作業手当として計上されている予算

額及び所要経費見込額
(8)　その他指定に必要な事項

十　削除

十一　航空管制手当（規則第二十三条）関係

1　規則第二十三条第一項の次に掲げる事項については、それぞれに定めるところによるものとする。

(1)　「航空交通管制技能証明書」は、平成十三年一月六日において航空交通管制職員試験規則（平成十三年国土交通省訓令第九十七号）第六条に定められている技能証明書をいう。

(2)　「航空交通管制通信技能証明書」は、平成十三年一月六日において航空交通管制通信職員試験規則（平成十三年国土交通省訓令第九十九号）第七条に定められている技能証明書をいう。

(3)　「航空管制運航情報技能証明書」は、平成十三年六月五日において航空管制運航情報職員試験規則（平成十三年国土交通省訓令第百五十号）第八条に定められている技能証明書をいう。

(4)　「航空交通管制技術業務技能証明書」は、平成十三年一月六日において航空交通管制技術職員試験規則（平成十三年国土交通省訓令第百号）第六条に定められている技能証明書をいう。

(5)　「航空路管制業務」は、航空法施行規則（昭和二十七年運輸省令第五十六号）第百九十九条第一項第一号に定められている業務をいう。

(6)　「航空交通管理管制業務」は、航空交通管制部組織規則（平成十三年国土交通省令第二十六号）第三条第二項に定められている業務をいう。

(7)　「進入管制業務」、「ターミナル・レーダー管制業務」、「着陸誘導管制業務」及び「飛行場管制業務」は、航空法施行規則第百九十九条第一項（第一号を除く。）に定められているそれぞれの業務をいう。

(8)　「国際管制通信業務」は、平成十六年十月一日において航空交通管制通信職員試験規則第一条に定められている業務をいう。

(9)　「対空援助業務」、「運航援助情報業務」及び「飛行場情報業務」は、平成十三年六月五日において航空管制運航情報職員試験規則第二条に定められているそれぞれの業務をいう。

(10)　「航空交通管理管制運航情報業務」は、航空交通管制部組織規則第四条第二項に定められている業務をいう。

(11)　「航空情報管理管制運航情報業務」は、国土交通省組織規則（平成十三年国土交通省令第一号）第百三十条第九項に定められている業務をいう。

(12)　「技術管理航空管制技術業務」は、国土交通省組織規則第百三十一条第十項に定められている業務をいう。

(13)　「性能評価航空管制技術業務」は、国土交通省組織規則第百三十一条第二十五項に定められている業務をいう。

(14)　「航空交通管理管制技術業務」は、航空交通管制部組織規則第五条第二項に定められている業務をいう。

(15)　「管制技術業務」は、平成十三年一月六日において航空交通管制技術職員試験規則第二条に定められている業務をいう。

2　規則第二十三条第二項の「広域対空援助業務」及び「飛行場対空援助業務」は、令和五年四月一日において航空保安業務処理規程（昭和四十二年空総第百三十号）の「第四　運航情報業務処理規程」に定められているそれぞれの業務をいう。

十一の二　夜間特殊業務手当（規則第二十三条の二）関係

規則第二十三条の二第一項第一号中次の各号に掲げる事項については、当該各号に定めるところによるものとする。

(1)　「有線電気通信設備」とは、有線電気通信法（昭和二十八年法律第九十六号）第二条第二項に規定する有線電気通信設備をいう。

(2)　「無線設備」とは、電波法第二条第一項第四号に規定する無線設備をいう。

(3)　「運用」とは、当該電気的設備を利用して行なう送信、受信等の通信操作をいう。

(4)　「保守」とは、当該電気的設備の試験、調整、故障の修理等の技術操作をいう。

十二　夜間看護等手当（規則第二十四条）関係

規則第二十四条第三項の「人事院が認める場合」は、助産師、看護師又は准看護師（徒歩により通勤するものとした場合の通勤距離が片道二キロメートル未満である職員及び給与法第十二条第一項第二号の規定に該当し、同条の規定による手当の支給を受ける職員を除く。）が深夜における勤務の交替に伴う通勤を行う場合（当該通勤のため勤務官署の所有又は借上げに係る自動車等を利用する場合（料金等の一部又は全部を勤務官署が負担するタクシー等を利用する場合を含む。）以外の場合に限る。）とし、この場合の規則第二十四条第三項の「人事院が定める額」は、次の各号に掲げる職員の区分に応じ、当該各号に定める額とする。

一　通勤距離（通勤手当の認定に係る総通勤距離をいう。以下同じ。）が片道五キロメートル未満の職員　三百八十円

二　通勤距離が片道五キロメートル以上十キロメートル未満の職員　七百六十円

三　通勤距離が片道十キロメートル以上の職員　千百四十円

十三　用地交渉等手当（規則第二十七条の二関係）

規則第二十七条の二第一項中次に掲げる事項については、それぞれに定めるところによるものとする。

(1)　「土地の取得等」とは、土地、土地収用法（昭和二十六年法律第二百十九号）第五条に掲げる権利、土地の上にある立木、建物その他土地に定着する物件又は土地に属する土石砂れきの収用又は使用をいう。

(2)　「土地の取得等に係る交渉」とは、次に掲げる事項について、その土地等の権利者と面接して行うものをいう。

ア　土地の取得等

イ　土地の取得等のために必要な測量又は調査のための土地等への立入り

ウ　土地の取得等を伴う事業におけるその土地等の権利者に影響を及ぼす施設等の設計

(3)　「損失の補償に係る交渉」とは、次に掲げる事項について、その被補償者等と面接して行うものをいう。

ア　損失の補償

イ　損失の補償のために必要な測量又は調査のための土地等への立入り

ウ　損失の補償を伴う事業におけるその被補償者等に影響を及ぼす施設等の設計

(4)　「人事院が困難であると認めるもの」は、(2)及び(3)に掲げる各事項についてその土地等の権利者、被補償者等に対してそれぞれ最初の説明を行った日以後継続的に行われ、当該説明の日から起算して一月を経過した日においてなお終了していない一連の交渉業務のうち、当該一月を経過した日以後に行われる交渉業務で職員の心身に著しい負担を与えるものとする。

十四　刑務作業監督等手当（規則第二十八条の二）関係

1　規則第二十八条の二第一項第一号の「工場」には炊事作業場及び構内における営繕の作業場を、「農場」には構外における営繕等の作業場を、それぞれ含むものとする。

2　規則第二十八条の二第一項第一号の「困難なもの」とは、担当を命ぜられている職員一人につき被収容者二十人以上（犯罪傾向が進んでいるとされた被収容者にあっては、十五人以上）が就業する工場又は居室棟において行う業務及び担当を命ぜられている職員一人につき被収容者十四人以上（犯罪傾向が進んでいるとされた被収容者にあっては、十人以上）が就業する農場において行う業務をいう。

3　規則第二十八条の二第一項第二号の次に掲げる事項については、それぞれに定めるところによるものとする。

(1)　「その生命の危険を回避するために緊急に必要な処置」とは、気道確保、異物除去、人工呼吸、心臓マッサージ、止血等をいう。

(2)　「排せつ物処理」とは、排せつ物、おう吐物その他の汚物の処理若しくは多量の血液の付着した居室、廊下等の施設若しくは被収容者の衣類の洗浄、清掃若しくは消毒又はこれらの付着した被収容者の身体の洗浄等の業務であって、職員が直接従事するものをいう。

十四の二　犯則取締等手当（規則第二十八条の五）関係

1　規則第二十八条の五第一項第一号の二の「被疑者等」には、被疑者と密接な関係にある者を含み、同号の「住居又は事務所等」には、被疑者等がその犯罪に係るサーバその他の機器を管理する倉庫を含むものとする。

2　規則第二十八条の五第一項第四号の「犯則嫌疑者の居宅又は事務所等」には、犯則嫌疑者の工場及び倉庫を含むほか、犯則嫌疑者と密接な関係にある者の居宅、事務所等を含むものとする。

3　規則第二十八条の五第一項第十号の次に掲げる事項については、それぞれに定めるところによるものとする。

(1)　「重大かつ凶悪な犯罪」とは、死刑又は無

期若しくは長期三年以上の懲役若しくは禁錮に当たる凶悪な罪をいう。

(2)　「強制的な検査等に係る業務」とは、規則第二十八条の五第一項第十号の船舶に移乗して行う検査又は犯罪の捜査等に係る業務で当該船舶の乗組員の抵抗を抑止することにより当該検査又は犯罪の捜査等の安全の確保を図ることを伴うものをいう。

(3)　「(1)に掲げる業務以外の検査等に係る業務」とは、規則第二十八条の五第一項第十号の船舶に移乗して行う検査又は犯罪の捜査等に係る業務のうち前記(2)の検査又は犯罪の捜査等に係る業務以外のものをいう。

(4)　「強制的な停船に係る業務」とは、停船命令に従わない規則第二十八条の五第一項第十号の船舶に対して行う停船に係る措置であって、船舶又は航空機による包囲、挟撃及び進路妨害や海上保安庁法（昭和二十三年法律第二十八号）第二十条第一項又は第二項の規定による武器の使用等の強制的なものをいう。

十四の三　国際緊急援助等手当（規則第三十条）関係

1　規則第三十条第一項第二号の「邦人等」とは、邦人及び輸送に使用される船舶又は航空機に同乗することが認められた外国人をいう。

2　規則第三十条第一項第一号(1)又は(2)の業務について、同条第二項第一号又は第二号の「人事院が認める業務」又は「人事院が認める場合」の認定を受けようとするときは、次に掲げる事項を明らかにした資料を添えて申請するものとする。

(1)　業務の具体的内容
(2)　災害の状況、自然条件等の勤務環境
(3)　業務を行う場所と宿泊施設との距離及び交通状況
(4)　宿泊施設、飲料水、食事等の生活環境
(5)　伝染病のまん延等の状況
(6)　治安の状況等
(7)　その他特殊な事情

3　規則第三十条第一項第二号の業務について、同条第二項第四号の「人事院が認める業務」の認定を受けようとするときは、業務の具体的内容を明らかにした資料を添えて申請するものとする。

十四の四　船員作業手当（規則第三十一条の二）関係

1　規則第三十一条の二第一項の「船員」とは、海事職俸給表(一)若しくは海事職俸給表(二)の適用を受ける職員又は公安職俸給表(二)若しくは医療職俸給表(一)の適用を受ける職員で船舶に乗り組むものをいう。

2　規則第三十一条の二第一項の「航海中の船舶において行う業務で人事院が定めるもの」は、船長業務、船舶の運航業務、主機関の運転業務、無線通信業務、船上作業に付随する庶務関係業務、乗組員の医療業務その他これらに類するものとする。

十五　併給禁止（規則第三十二条）関係

規則第三十二条第二項ただし書の規定に該当する場合において、同項の表の上欄に掲げる特殊勤務手当の額を超えるものが二以上あるときは、そのうちの最も額の多い特殊勤務手当（その特殊勤務手当が二以上あるときは、そのうちのいずれか一の特殊勤務手当）を支給するものとする。

十六　手当額の特例（規則第三十三条）関係

規則第三十三条の「作業に従事した時間」には、規則第三十二条第二項の規定により支給されないこととなる手当に係る作業に従事した時間を含むものとする。

十七　特殊勤務実績簿及び特殊勤務手当整理簿（規則第三十四条）関係

特殊勤務実績簿には、作業に従事した年月日、作業に従事した職員の氏名、作業の内容、手当の支給割合別の時間数等を記入し、特殊勤務手当整理簿には、一の給与期間（航空手当及び放射線取扱手当にあっては、月の初日から末日までの期間）ごとに職員別に特殊勤務実績簿に記録された事項を集録するものとする。

【行政実例】

○併任官職に係る休日給、夜勤手当および特殊勤務手当の支給について

〔照会〕　標記について、下記のとおり照会します。

記

職員が、その者の正規の勤務時間内に、命ぜられて併任官職に係る職務に従事した場合において、それが休日における勤務である場合、午後十時から翌日の午前五時までの間の勤務である場合または人事院規則九—三〇（特殊勤務手当）に規定する勤務である場合には、それぞれ休日給、夜勤手当または特殊勤務手当を支給することとしてさしつかえないか。

この件に関し、国家公務員法第百一条後段の規定（職員は、官職を兼ねる場合においても、それに対して給与を受けてはならない。）は、併任官職について、休日給、夜勤手当および特殊勤務手当の支給をまで禁止する趣旨のものでないと解されるがどうか。（昭四四・一二・二五　人関一—一八六三　関東事務局長）

〔回答〕　標記については、貴見のとおりと解します。（昭四四・一二・二六　給三—一七〇　給与第三課長）

○人事院規則九—一二九（東日本大震災及び東日本大震災以外の特定大規模災害等並びに特定新型インフルエンザ等に対処するための人事院規則九—三〇（特殊勤務手当）の特例）

平二三・六・二九制定
平二三・六・二九施行
最終改正　令六・一二・一五規則九—三〇—一〇八

第一章　東日本大震災に対処するための人事院規則九—三〇の特例

（死体処理手当の特例）

第一条　職員（警察庁若しくは海上保安庁に所属する職員又は検察庁に所属する検察事務官を除く。第四条第一項において同じ。）が東日本大震災に対処するため死体を取り扱う作業等に従事したときは、死体処理手当を支給する。

2　前項の手当の額は、作業に従事した日一日につき、千円（人事院が定める場合にあっては、二千円）（心身に著しい負担を与えると人事院が認める作業に従事した場合にあっては、その百分の百に相当する額を加算した額）とする。

3　警察庁若しくは海上保安庁に所属する職員又は検察庁に所属する検察事務官が東日本大震災に対処するため業務を行う場合における規則九—三〇（特殊勤務手当）第十一条の適用については、同条第一項第一号中「死体の収容等」とあるのは「死体を取り扱う作業等（次号に掲げる作業を除く。）」と、同条第二項第一号中「千円」とあるのは「千円（人事院が定める場合にあっては、二千円）」と、同項第二号中「千六百円」とあるのは「千六百円（人事院が定める場合にあっては、三千二百円）」とする。

一項—平二九・五・一六施行

（災害応急作業等手当の特例）

第二条　職員が次に掲げる作業に従事したときは、災害応急作業等手当を支給する。

一　東京電力株式会社福島第一原子力発電所の敷地内において行う作業

二　原子力災害対策特別措置法（平成十一年法律第百五十六号）第二十条第二項の規定に基づく原子力災害対策本部長の地方公共団体の長に対する指示（以下「本部長指示」という。）により、帰還困難区域に設定することとされた区域において行う作業（前号に掲げるものを除く。）

三　本部長指示により、居住制限区域に設定することとされた区域において行う作業（前二号に掲げるものを除く。）

2　前項の手当の額は、作業に従事した日一日につき、次の各号に掲げる作業の区分に応じ、当該各号に定める額とする。

一　前項第一号の作業のうち原子炉建屋（人事院が定めるものに限る。）内において行うも

の　四万円

二　前項第一号の作業のうち前号及び第四号に掲げるもの以外のものであって、故障した設備等を現場において確認するもの（人事院が定めるものに限る。）　二万円

三　前項第一号の作業のうち前二号及び次号に掲げるもの以外のもの　一万三千三百円

四　前項第一号の作業のうち人事院が定める施設内において行うもの　三千三百円

五　前項第二号の作業のうち屋外において行うもの　六千六百円

六　前項第二号の作業のうち屋内において行うもの　千三百三十円

七　前項第三号の作業のうち屋外において行うもの　三千三百円

八　前項第三号の作業のうち屋内において行うもの　六百六十円

3　同一の日において、前項各号の作業のうち二以上の作業に従事した場合においては、当該二以上の作業に係る手当の額が同額のときにあっては当該手当のいずれか一の手当、当該二以上の作業に係る手当の額が異なるときにあっては当該手当の額が最も高いもの（その額が同額の場合にあっては、その手当のいずれか一の手当）以外の手当は支給しない。

4　第二項第五号又は第七号の作業に従事した時間が一日について四時間に満たない場合におけるその日の当該作業に係る災害応急作業等手当の額は、前二項の規定により受けるべき額に百分の六十を乗じて得た額とする。

一項―平二四・九・一九施行

第三条　職員が東日本大震災に対処するため規則九―三〇第十九条第一項各号（第二号を除く。）に掲げる作業に引き続き五日以上従事した場合の災害応急作業等手当の額は、同条第二項及び第三項の規定にかかわらず、これらの規定による額に、当該作業の区分に応じ同条第二項に定める額の百分の百に相当する額を加算した額とする。

本条―令六・二・一五施行

第二章　東日本大震災以外の特定大規模災害等に対処するための人事院規則九―三〇の特例

（死体処理手当の特例）

第四条　職員が、著しく異常かつ激甚な非常災害であって、当該非常災害に係る災害対策基本法（昭和三十六年法律第二百二十三号）第二十八条の二第一項に規定する緊急災害対策本部が設置されたもの（東日本大震災を除く。以下「特定大規模災害」という。）に対処するため死体の取扱いに関する作業で人事院が定めるものに従事したときは、死体処理手当を支給する。

2　前項の手当の額は、作業に従事した日一日につき、千円（人事院が定める場合にあっては、二千円）を超えない範囲内において人事院が定める額（心身に著しい負担を与えると人事院が認める作業に従事した場合にあっては、当該額にその百分の百に相当する額を超えない範囲内において人事院が定める額を加算した額）とする。

3　警察庁若しくは海上保安庁に所属する職員又は検察庁に所属する検察事務官が特定大規模災害に対処するための業務を行う場合における規則九―三〇第十一条の規定の適用については、同条第一項中「二　検視」とあるのは「二　検視
三　前二号に掲げる作業のほか、死体の取扱いに関する作業で人事院が定めるもの」と、同条第二項中「一　前項第一号の作業　千円
二　前項第二号の作業　千六百円」とあるのは「一　前項第一号の作業　千円（人事院が定める場合にあつては、二千円を超えない範囲内において人事院が定める額）
二　前項第二号の作業　千六百円（人事院が定める場合にあつては、三千二百円を超えない範囲内において人事院が定める額）
三　前項第三号の作業　千円（人事院が定める場合にあつては、二千円）を超えない範囲内において人事院が定める額」と、同条第三項中「第一項各号の作業に従事した場合には、同項第一号の作業に係る手当は支給しない」とあるのは「前項各号の作業のうち二以上の作業に従事した場合における当該二以上の作業に係る手当の調整に関し必要な事項は、人事院が定める」とする。

本条―平二九・五・一六施行

（災害応急作業等手当の特例）

第五条　原子力災害対策特別措置法第十五条第二項の規定による原子力緊急事態宣言があった場合で、職員が次に掲げる作業に従事したときは、災害応急作業等手当を支給する。

一　原子力災害対策特別措置法第十七条第九項に規定する緊急事態応急対策実施区域に所在する原子力事業所のうち人事院が定めるもの（次号において「特定原子力事業所」という。）の敷地内において行う作業

二　特定原子力事業所に係る本部長指示に基づき設定された区域等を考慮して人事院が定める区域において行う作業（前号に掲げるものを除く。）

2　前項の手当の額は、作業に従事した日一日につき、次の各号に掲げる作業の区分に応じ、当該各号に定める額とする。

一　前項第一号の作業のうち原子炉建屋（人事院が定めるものに限る。）内において行うもの　四万円を超えない範囲内において人事院が定める額

二　前項第一号の作業のうち前号に掲げるもの以外のもの　二万円を超えない範囲内において人事院が定める額

三　前項第二号の作業　一万円を超えない範囲内において人事院が定める額（心身に著しい負担を与えると人事院が認める作業に従事した場合にあっては、当該額にその百分の百を超えない範囲内において人事院が定める額を加算した額）

3　同一の日において、前項各号の作業のうち二以上の作業に従事した場合における当該二以上の作業に係る手当の調整に関し必要な事項は、人事院が定める。

本条―平二九・五・一六施行

第六条　職員が特定大規模災害に対処するため規則九―三〇第十九条第一項各号に掲げる作業に引き続き五日を下らない範囲内において人事院が定める期間以上従事した場合の災害応急作業等手当の額は、同条第二項及び第三項の規定にかかわらず、これらの規定による額に、当該作業の区分に応じ同条第二項に定める額の百分の百に相当する額を超えない範囲内において人事院が定める額を加算した額とする。

本条―令六・二・一五施行

第三章　特定新型インフルエンザ等により生じた事態に対処するための人事院規則九―三〇の特例

（防疫等作業手当の特例）

第七条　職員が、特定新型インフルエンザ等（新型インフルエンザ等対策特別措置法（平成二十四年法律第三十一号）第二条第一号に規定する新型インフルエンザ等で、当該新型インフルエンザ等に係る同法第十五条第一項に規定する政府対策本部が設置されたもの（人事院が定めるものに限る。）をいう。）から国民の生命及び健康を保護するために行われた措置に係る作業であって人事院が定めるものに従事したときは、規則九―三〇第十二条の規定は適用しない。この場合において、防疫等作業手当を支給する。

2　前項の手当の額は、作業に従事した日一日につき、千五百円（緊急に行われた措置に係る作業であって、心身に著しい負担を与えると人事院が認めるものに従事した場合にあっては、四千円）を超えない範囲内において、それぞれの作業に応じて人事院が定める額とする。

本条―令五・五・八施行

附　則

（施行期日等）

1　この規則は、公布の日から施行し、平成二十三年三月十一日から適用する。

（検討）

2　第二条に規定する災害応急作業等手当の特例については、東京電力株式会社福島第一原子力発電所の事故による災害の状況の変化等を踏まえ、その在り方を検討するものとする。

附　則（令二・三・一八規則九―一二九―三）

この規則は、公布の日から施行し、この規則による改正後の規則九―一二九の規定は、令和二年一月二十七日から適用する。

附　則（令二・一一・二七規則九―一二九―四）

この規則は、公布の日から施行し、この規則による改正後の規則九―一二九の規定は、令和二年四月三日から適用する。

附　則（令四・四・一規則九―一二九―五）

この規則は、公布の日から施行する。

附　則（令五・五・八規則九―一二九―六）

この規則は、公布の日から施行する。

附　則（令六・二・一五規則九―三〇―一〇八）（抄）

（施行期日等）

1　この規則は、公布の日から施行〔中略〕する。

○人事院規則九―一二九（東日本大震災及び東日本大震災以外の特定大規模災害等並びに特定新型インフルエンザ等に対処するための人事院規則九―三〇（特殊勤務手当）の特例）の運用等について（通知）

平二三・六・二九
給実甲一一四四

最終改正　令五・五・八給実甲一三三六

人事院規則九―一二九（東日本大震災及び東日本大震災以外の特定大規模災害等並びに特定新型インフルエンザ等に対処するための人事院規則九―三〇（特殊勤務手当）の特例）の運用及び人事院規則九―三〇（特殊勤務手当）の運用の特例について下記のとおり定めたので、平成二十三年三月十一日以降は、これによってください。

記

一　死体処理手当の特例（規則九―一二九第一条）関係

1　人事院規則九―一二九（東日本大震災及び東日本大震災以外の特定大規模災害等並びに特定新型インフルエンザ等に対処するための人事院規則九―三〇（特殊勤務手当）の特例）（以下「規則九―一二九」という。）第一条第一項及び同条第三項の規定により読み替えられた人事院規則九―三〇（特殊勤務手当）（以下「規則九―三〇」という。）第十一条第一項第一号の「死体を取り扱う作業等」とは、規則九―三〇第十一条第一項第一号に規定する死体の収容等の作業及び死体を収容している施設において死体又は死体が納められているものを取り扱う作業をいう。

2　規則九―一二九第一条第二項及び同条第三項の規定により読み替えられた規則九―三〇第十一条第二項各号の「人事院が定める場合」は、一日に十人以上の死体の収容等又は検視の作業に従事した場合とする。

二　災害応急作業等手当の特例（規則九―一二九第二条）関係

1　規則九―一二九第二条第二項第一号の「人事院が定めるもの」は、東京電力株式会社福島第一原子力発電所一号機から四号機までの原子炉建屋とする。

2　規則九―一二九第二条第二項第四号の「人事院が定める施設」は、免震重要棟その他の放射線による人体への影響を防止するように設計された施設（事務総長が定める施設を除く。）とする。

3　規則九―一二九第二条第四項の「作業に従事した時間」には、同条第三項の規定により支給されないこととなる手当に係る作業に従事した時間を含むものとする。

三　放射線取扱手当（規則九―三〇第十四条）の運用の特例

規則九―一二九第二条の規定に基づき災害応急作業等手当が支給される場合における規則九―三〇第十四条第一項の「人事院が定める場合」については、給実甲第一九七号（特殊勤務手当の運用について）の放射線取扱手当（規則第十四条）関係中「月の初日から末日までの間」とあるのは、「月の初日から末日までの間（人事院規則九―一二九第二条の規定に基づき災害応急作業等手当が支給される日を除く。）」とする。

以上

○人事院規則一〇—五（職員の放射線障害の防止）（抄）

昭三八・九・二五制定
昭三八・一〇・一施行

最終改正　令二・四・一規則一〇—五—一一

（定義）

第三条　この規則で「放射線」とは、直接又は間接に空気を電離する能力をもつ粒子線又は電磁波で、次に掲げるものをいう。

一　アルファ線、重陽子線、陽子線その他の重荷電粒子線

二　ベータ線及び電子線

三　中性子線

四　ガンマ線及びエックス線

2　この規則で「放射性物質」とは、放射線を放出する同位元素（以下「放射性同位元素」という。）、その化合物及びこれらの含有物で、次の各号のいずれかに該当するものをいう。

一　放射性同位元素が一種類であり、かつ、別表第一の第一欄に掲げるものにあつては、同欄に掲げる種類に応じ、同表の第二欄に掲げる数量及び同表の第三欄に掲げる濃度を超えるもの

二　放射性同位元素が一種類であり、かつ、別表第二の第一欄に掲げるものにあつては、同欄に掲げる種類に応じ、同表の第二欄に掲げる数量を超えるもの。ただし、その数量が三・七メガベクレル以下の密封されたもの及びその濃度が七十四ベクレル毎グラム以下の固体のものを除く。

三　放射性同位元素が二種類以上であり、かつ、そのいずれもが別表第一の第一欄に掲げるものにあつては、次のいずれにも該当するもの

イ　別表第一の第一欄に掲げる放射性同位元素のそれぞれの数量の同表の第二欄に掲げる数量に対する割合の和が一を超えるもの

ロ　別表第一の第一欄に掲げる放射性同位元素のそれぞれの濃度の同表の第三欄に掲げる濃度に対する割合の和が一を超えるもの

四　放射性同位元素が二種類以上であり、かつ、前号に掲げるもの以外のものにあつては、別表第一の第一欄又は別表第二の第一欄に掲げる放射性同位元素のそれぞれの数量の別表第一の第二欄又は別表第二の第二欄に掲げる数量に対する割合の和が一を超えるもの。ただし、その数量が三・七メガベクレル以下の密封されたもの及びその濃度が七十四ベクレル毎グラム以下の固体のものを除く。

3　この規則で「管理区域」とは、次の各号の一に該当する区域をいう。

一　外部放射線による実効線量が、三月間につき一・三ミリシーベルトを超えるおそれのある区域

二　空気中の放射性物質の濃度が、人事院の定める濃度を超えるおそれのある区域

三　放射性物質によつて汚染される物の表面の放射性物質の密度が、人事院の定める密度を超えるおそれのある区域

四　三月間についての外部放射線による実効線量の第一号に掲げる線量に対する割合と空気中の放射性物質の濃度の第二号に掲げる濃度に対する割合の和が、一を超えるおそれのある区域

4　前項及び第十四条に規定する実効線量の算定については、人事院の定めるところにより行うものとする。

5　この規則で「放射線業務」とは、次の各号のいずれかに該当する業務（規則一〇—一三第一条に規定する除染等関連業務及び特定線量下業務を除く。）をいう。

一　エックス線を発生させる装置（次号の装置を除く。以下「エックス線装置」という。）の使用又はエックス線の発生を伴う当該装置の検査

二　サイクロトロン、ベータトロンその他の荷電粒子を加速する装置（以下「荷電粒子加速装置」という。）の使用又は放射線の発生を伴う当該装置の検査

三　エックス線管又はケノトロンのガス抜き又はエックス線の発生を伴うこれらの検査

四　ガンマ線照射装置その他の放射性物質を装備している機器（以下「放射性物質装備機器」という。）の取扱い

五　放射性物質又は当該放射性物質若しくは荷電粒子加速装置から発生した放射線により汚染された物の取扱い

六　原子炉の運転

七　前各号に掲げる業務に付随する業務で管理区域に立ち入つて行うもの

八　管理区域内において行う立入検査等（法令に基づくものに限る。）の業務で人事院が定めるもの

（職員の実効線量及び等価線量の限度）
第四条　各省各庁の長は、管理区域内において放射線業務に従事する職員（以下「放射線業務従事職員」という。）の実効線量が、次に掲げる限度を超えないようにしなければならない。
一　五年ごとに区分した各期間の実効線量の限度　百ミリシーベルト
二　一の年度（四月一日から翌年の三月三十一日までをいう。以下同じ。）の実効線量の限度　五十ミリシーベルト
三　四月一日、七月一日、十月一日及び一月一日を初日とする各三月間の女子（妊娠する可能性がないと診断された女子及び妊娠と診断された時から出産までの間（以下「妊娠中」という。）の女子を除く。）の実効線量の限度　五ミリシーベルト
四　妊娠中の女子の体内に摂取した放射性物質からの放射線に被ばくすること（以下「内部被ばく」という。）による実効線量の限度　一ミリシーベルト
2　各省各庁の長は、管理区域内において業務を行う放射線業務従事職員の等価線量が、次の各号に掲げる組織等の区分に応じ、当該各号に定める限度を超えないようにしなければならない。
一　眼の水晶体　前項第一号に規定する五年ごとに区分した各期間につき百ミリシーベルト及び一の年度につき五十ミリシーベルト
二　皮膚　一の年度につき五百ミリシーベルト
三　妊娠中の女子の腹部表面　二ミリシーベルト

（緊急作業における被ばく限度）
第四条の二　第二十条第一項各号のいずれかに該当する場合における放射線障害を防止するための緊急を要する作業（以下「緊急作業」という。）に従事する男子職員及び妊娠する可能性がないと診断された女子職員の当該緊急作業の期間中の線量の限度は、前条第一項各号及び第二項各号の規定にかかわらず、次の各号に掲げる区分ごとに当該各号に定めるものとする。
一　実効線量　百ミリシーベルト
二　等価線量　眼の水晶体については三百ミリシーベルト、皮膚については一シーベルト

（特例緊急被ばく限度）
第四条の三　男子職員又は妊娠する可能性がないと診断された女子職員であつて、統括原子力運転検査官又は原子力運転検査官であるもの（原子力規制委員会委員長が指名する者に限る。第四項において「統括原子力運転検査官等」という。）が緊急作業に従事する場合であつて、その事故の状況その他の事情を勘案し、実効線量の限度について前条第一号の規定によることが困難であると人事院が認めるときは、同号の規定にかかわらず、当該緊急作業の期間中の実効線量の限度（以下この条において「特例緊急被ばく限度」という。）は、百ミリシーベルトを超え二百五十ミリシーベルトを超えない範囲内で人事院が定めることができる。
2　前項の場合において、次の各号のいずれかに該当するときは、人事院は、直ちに、特例緊急被ばく限度を二百五十ミリシーベルトと定める。
一　原子力災害対策特別措置法（平成十一年法律第百五十六号）第十条に規定する政令で定める事象のうち人事院が定めるものが発生した場合
二　原子力災害対策特別措置法第十五条第一項各号に掲げる場合
3　前二項の規定により特例緊急被ばく限度に係る緊急作業に従事させる場合には、その従事させる間に受ける実効線量については、当該特例緊急被ばく限度を超えないようにしなければならず、かつ、放射線については、当該緊急作業に係る事故の状況に応じ、これを受けることをできるだけ少なくするように努めなければならない。
4　特例緊急被ばく限度に係る緊急作業については、統括原子力運転検査官等以外の者に従事させてはならない。
5　人事院は、第一項又は第二項の規定により特例緊急被ばく限度を定めた場合には、その適用に係る職員が受けた線量、事故の収束のために必要となる作業の内容その他の事情を勘案し、これを変更し、かつ、できるだけ速やかにこれを廃止するものとする。

（職員の線量の測定）
第五条　各省各庁の長は、業務上管理区域に立ち入る職員の外部放射線に被ばくすること（以下「外部被ばく」という。）による線量及び内部被ばくによる線量を測定しなければならない。
2　前項の外部被ばくによる線量の測定は、職員が管理区域に立ち入つている間、継続して、次

に定めるところにより行わなければならない。

一　測定は、一センチメートル線量当量、三ミリメートル線量当量及び七十マイクロメートル線量当量のうち、実効線量及び等価線量の別に応じて、放射線の種類及びその有するエネルギーの値に基づき、適切と認められるものについて行うものとすること。ただし、中性子線については一センチメートル線量当量を、次号ハに掲げる部位については七十マイクロメートル線量当量を測定すること。

二　前号の測定は、次に掲げる部位に放射線測定器を装着させて行うものとすること。ただし、放射線測定器によることが著しく困難な場合には、計算によつて算出すること。

イ　胸部（女子（妊娠する可能性がないと診断された女子を除く。以下同じ。）にあつては、腹部）

ロ　頭部・頸部、胸部・上腕部及び腹部・大腿部のうち、外部被ばくによる線量が最大となるおそれのある部位が胸部・上腕部以外（女子にあつては、腹部・大腿部以外）の部位であるときは、当該部位

ハ　人体部位のうち、外部被ばくによる線量が最大となるおそれのある部位が頭部・頸部、胸部・上腕部及び腹部・大腿部以外の部位であるときは、当該部位（中性子線の場合を除く。）

3　前項の規定にかかわらず、眼の水晶体の等価線量を算定するための線量の測定は、眼の近傍その他の適切な部位について三ミリメートル線量当量を測定することにより行うことができる。

4　第一項の内部被ばくによる線量の測定は、密封されていない放射性物質若しくはこれにより汚染された物を取り扱う室（以下「作業室」という。）その他放射性物質を吸入摂取し、又は経口摂取するおそれのある場所に立ち入る職員について、三月（緊急作業に従事する男子職員及び妊娠する可能性がないと診断された女子職員、及び一月に受ける実効線量が一・七ミリシーベルトを超えるおそれのある女子職員（妊娠する可能性がないと診断された女子職員及び妊娠中の女子職員を除く。）並びに妊娠中の女子職員（第二十四条第二項において「一月測定職員」という。）にあつては、一月）を超えない期間ごと及び放射性物質を誤つて吸入摂取し、又は経口摂取したときに行わなければならない。

5　前各項に規定する測定並びにこれらの測定の結果に基づく実効線量及び等価線量の算定は、放射性同位元素等の規制に関する法律（昭和三十二年法律第百六十七号。以下「放射性同位元素等規制法」という。）第二十条の規定に基づいて定められる技術上の基準によつて行うものとする。

（調整）

第二十八条　管理区域内において業務を行う放射線業務従事職員のうち規則一〇―一三第一条に規定する除染等関連業務又は特定線量下業務に従事する又は従事していた職員がこれらの業務への従事の際に受ける又は受けた線量については、放射線業務に従事する際に受ける線量とみなす。

○人事院規則一〇―一三（東日本大震災により生じた放射性物質により汚染された土壌等の除染等のための業務等に係る職員の放射線障害の防止）

平二三・一二・二八制定

平二四・一・一施行

改正　平二四・六・二九規則一〇―一三―一

（趣旨）

第一条　除染等関連業務又は特定線量下業務に従事する職員その他の職員の放射線障害の防止について必要な事項は、規則一〇―四（職員の保健及び安全保持）に定めるもののほか、この規則の定めるところによる。

（基本原則）

第二条　各省各庁の長は、除染等関連業務又は特定線量下業務に従事する職員その他の職員が放射線（規則一〇―五（職員の放射線障害の防止）第三条第一項の放射線をいう。）を受けることをできるだけ少なくするように努めなければならない。

（定義）

第二条の二　この規則において、次の各号に掲げる用語の意義は、当該各号に定めるところによる。

一　除染特別地域等　平成二十三年三月十一日に発生した東北地方太平洋沖地震に伴う原子

力発電所の事故により放出された放射性物質による環境の汚染への対処に関する特別措置法（平成二十三年法律第百十号）第二十五条第一項に規定する除染特別地域又は同法第三十二条第一項に規定する汚染状況重点調査地域をいう。

二　除染等関連業務　除染特別地域等内において平成二十三年三月十一日に発生した東北地方太平洋沖地震に伴う原子力発電所の事故により当該原子力発電所から放出された放射性物質（規則一〇―五第三条第二項の放射性物質に限る。次号において「事故由来放射性物質」という。）により汚染された物を取り扱う業務で人事院の定めるもの及びこれに関連する業務で当該人事院の定める業務に係る作業場所に立ち入って行うものをいう。

三　特定線量下業務　除染特別地域等内における人事院の定める方法によって求める平均空間線量率が事故由来放射性物質により二・五マイクロシーベルト毎時を超える場所において行う業務（前号の業務を除く。）をいう。

（職員の被ばく限度及び線量の測定等）

第三条　各省各庁の長は、除染等関連業務又は特定線量下業務に従事する職員の受ける線量が、人事院の定める限度を超えないようにしなければならない。

2　各省各庁の長は、人事院の定めるところにより、除染等関連業務又は特定線量下業務に従事する職員のそれぞれの業務により受ける線量の測定等を行わなければならない。

3　各省各庁の長は、前項の規定による線量の測定の結果等について、規則一〇―五第二十四条（第一項第五号を除く。）の規定の例により、記録を作成し、及び当該職員に知らせなければならない。

4　各省各庁の長は、特定線量下業務に職員を従事させるときは、被ばく歴の有無（被ばく歴を有する職員にあっては、業務の場所、内容及び期間その他放射線による被ばくに関する事項）の調査を行い、これを記録しなければならない。

（放射線障害を防止するための措置）

第四条　各省各庁の長は、職員を除染等関連業務又は特定線量下業務に従事させるときは、人事院の定める放射線障害を防止するための措置を講じなければならない。

（教育の実施）

第五条　各省各庁の長は、職員を除染等関連業務又は特定線量下業務に従事させるときは、あらかじめ人事院の定めるところにより放射線障害の防止のための教育を行わなければならない。

（健康診断）

第六条　除染等関連業務（人事院の定めるものを除く。次条第一項第六号において同じ。）に従事する職員に係る規則一〇―四別表第三第二号に掲げる業務に係る規則一〇―四第十九条第一項の健康診断及び規則一〇―四第二十条第二項第二号の特別定期健康診断の検査の項目及び実施時期については、規則一〇―五第二十六条の規定の例による。

（除染等関連業務等管理規程）

第七条　各省各庁の長は、除染等関連業務又は特定線量下業務に従事する職員その他の職員の放射線障害を防止するため、次に掲げる事項について、除染等関連業務又は特定線量下業務を行う官署ごとに除染等関連業務等管理規程を作成し、職員に周知させなければならない。

一　除染等関連業務又は特定線量下業務に係る放射線障害の防止に関する事務を処理する官職の名称及び当該官職の当該放射線障害の防止に係る職務内容

二　除染等関連業務又は特定線量下業務に係る測定用の器具等の使用、取扱い及び保守に関すること。

三　除染等関連業務又は特定線量下業務に従事する職員の範囲に関すること。

四　除染等関連業務又は特定線量下業務に従事する職員その他の職員の放射線障害を防止するための措置に関すること。

五　除染等関連業務又は特定線量下業務に従事する職員その他の職員に対する教育及び訓練に関すること。

六　除染等関連業務に従事する職員の健康診断に関すること。

七　放射線障害を受けた職員又は受けたおそれのある職員に対する保健上必要な措置に関すること。

八　除染等関連業務又は特定線量下業務に従事する職員の受ける線量の測定並びにその記録及びその保管に関すること。

九　緊急時の措置に関すること。

十　その他放射線障害の防止に関し必要な事項

2　各省各庁の長は、除染等関連業務等管理規程を作成し、又は変更したときは、速やかに人事院に報告しなければならない。

（調整）

第八条　除染等関連業務又は特定線量下業務に従事する職員のうち、業務（除染等関連業務及び特定線量下業務を除く。）上規則一〇—五第三条第三項の管理区域に立ち入る職員又は立ち入る職員であったものがこれらの職員として当該業務への従事の際に受ける又は受けた線量については、除染等関連業務又は特定線量下業務に従事する際に受ける線量とみなす。

2　除染等関連業務に従事する職員のうち、特定線量下業務に従事する職員又は特定線量下業務に従事する職員であったものがこれらの職員として当該特定線量下業務への従事の際に受ける又は受けた線量については、特定線量下業務に従事する際に受ける線量とみなす。

3　特定線量下業務に従事する職員のうち、除染等関連業務に従事する職員又は除染等関連業務に従事する職員であったものがこれらの職員として当該除染等関連業務への従事の際に受ける又は受けた線量については、特定線量下業務に従事する際に受ける線量とみなす。

附　則（抄）

（施行期日）

第一条　この規則は、平成二十四年一月一日から施行する。

附　則（平二四・六・二九規則一〇—一三—一）（抄）

（施行期日）

第一条　この規則は、平成二十四年七月一日から施行する。

第一二　特地勤務手当等

【参照】
●一般職給与法一三の二・一四・一九の九
●同運用方針一三の二及び一四関係・一九の九関係
●規則（九—七）七の二

○人事院規則九—五五（特地勤務手当等）

昭四五・一二・一七制定
昭四五・五・一　適用
最終改正　令七・四・一規則九—五五—一五二

（特地官署）
第一条　給与法第十三条の二第一項に規定する官署（以下「特地官署」という。）は、別表に掲げる官署及び臨時的に置かれる官署で別に人事院が定めるものとする。

本条—昭五四・四・一施行

（特地勤務手当の月額）
第二条　特地勤務手当の月額は、特地勤務手当基礎額に、別表の級別区分（前条の人事院が定める官署にあつては、人事院が定める当該官署の級別区分）に応じ、次に定める支給割合を乗じて得た額（その額が現に受ける俸給及び扶養手当の月額の合計額に百分の二十五を乗じて得た額を超えるときは、当該額）とする。

六級地　百分の二十五
五級地　百分の二十
四級地　百分の十六
三級地　百分の十二
二級地　百分の八
一級地　百分の四

2　前項の特地勤務手当基礎額は、次の各号に掲げる場合の区分に応じ当該各号に定める日に受けていた俸給及び扶養手当の月額の合計額の二分の一に相当する額と現に受ける俸給及び扶養手当の月額の合計額の二分の一に相当する額を合算した額（法第六十条の二第二項に規定する定年前再任用短時間勤務職員（以下「定年前再任用短時間勤務職員」という。）にあつては、現に受ける俸給の月額）とする。

一　職員が特地官署に勤務することとなつた場合　その勤務することとなつた日（職員がその日前一年以内に当該官署に勤務していた場合（人事院が定める場合に限る。）には、その日前の人事院が定める日）

二　職員が特地官署以外の官署に勤務することとなつた場合において、その勤務することとなつた日後に当該官署が特地官署に該当することとなつたとき　その該当することとなつた日

三　第一号、前号又はこの号の規定の適用を受けていた職員がその勤務する特地官署の移転に伴つて住居を移転した場合において、当該官署が当該移転後も引き続き特地官署に該当するとき　当該官署の移転の日

3　次の各号に掲げる職員（定年前再任用短時間勤務職員を除く。）に対する前項の規定の適用については、当該各号に定めるところによる。

一　前項各号に定める日が平成十四年四月一日から同年十一月三十日までの間にある職員　同項中「に受けていた」とあるのは、「に係る俸給及び扶養手当について一般職の職員の給与に関する法律等の一部を改正する法律（平成十四年法律第百六号）の施行の日における同法第一条の規定による改正後の給与法の規定によるものとした場合の」とする。

二　前項各号に定める日が平成十五年四月一日から同年十月三十一日までの間にある職員　同項中「に受けていた」とあるのは、「に係る俸給及び扶養手当について一般職の職員の給与に関する法律等の一部を改正する法律（平成十五年法律第百四十一号）の施行の日における同法第一条の規定による改正後の給与法の規定によるものとした場合の」とする。

三　前項各号に定める日が平成十七年四月一日から同年十一月三十日までの間にある職員　同項中「に受けていた」とあるのは、「に係る俸給及び扶養手当について一般職の職員の給与に関する法律等の一部を改正する法律（平成十七年法律第百十三号）の施行の日における同法第一条の規定による改正後の給与法の規定によるものとした場合の」とする。

四　前項各号に定める日が平成二十一年四月一日から同年十一月三十日までの間にある職員（その日に平成二十一年度減額改定対象職員（一般職の職員の給与に関する法律等の一部

を改正する法律（平成二十一年法律第八十六号）附則第三条第一項第一号に規定する減額改定対象職員をいう。）であつた者に限る。）　前項中「受けていた俸給及び」とあるのは、「係る俸給について一般職の職員の給与に関する法律等の一部を改正する法律（平成二十一年法律第八十六号。以下この項において「平成二十一年改正法」という。）の施行の日における平成二十一年改正法第一条の規定による改正後の給与法の規定及び平成二十一年改正法第八条の規定による改正後の一般職の職員の給与に関する法律等の一部を改正する法律（平成十七年法律第百十三号）附則第十一条の規定によるものとした場合の俸給の月額並びに当該定める日に受けていた」とする。

五　前項各号に定める日が平成二十二年四月一日から同年十一月三十日までの間にある職員（その日に平成二十二年度減額改定対象職員（一般職の職員の給与に関する法律等の一部を改正する法律（平成二十二年法律第五十三号）附則第三条第一項第一号に規定する減額改定対象職員をいう。）であつた者に限る。）　前項中「受けていた俸給及び」とあるのは、「係る俸給について一般職の職員の給与に関する法律等の一部を改正する法律（平成二十二年法律第五十三号。以下この項において「平成二十二年改正法」という。）の施行の日における平成二十二年改正法第一条の規定による改正後の給与法の規定及び平成二十二年改正法第七条の規定による改正後の一般職の職員の給与に関する法律等の一部を改正する法律（平成十七年法律第百十三号）附則第十一条の規定によるものとした場合の俸給の月額並びに当該定める日に受けていた」とする。

六　前項各号に定める日が平成二十三年四月一日から平成二十四年二月二十九日までの間にある職員（その日に平成二十三年度減額改定対象職員（国家公務員の給与の改定及び臨時特例に関する法律（平成二十四年法律第二号）附則第六条第一項第一号に規定する減額改定対象職員をいう。）であつた者に限る。）　前項中「受けていた俸給及び」とあるのは、「係る俸給について国家公務員の給与の改定及び臨時特例に関する法律（平成二十四年法律第二号。以下この項において「給与改定特例法」という。）の施行の日における給与改定特例法第二条の規定による改正後の給与法の規定及び給与改定特例法第五条の規定による改正後の一般職の職員の給与に関する法律等の一部を改正する法律（平成十七年法律第百十三号）附則第十一条の規定によるものとした場合の俸給の月額並びに当該定める日に受けていた」とする。

4　次の各号に掲げる職員（定年前再任用短時間勤務職員を除く。）に対する第二項（前項各号の規定により読み替えて適用する場合を含む。）の規定の適用については、当該各号に定めるところによる。

一　育児休業法第十三条第一項に規定する育児短時間勤務職員及び育児休業法第二十二条の規定による短時間勤務をしている職員（以下「育児短時間勤務職員等」という。）以外の職員であつて、第二項各号に定める日において育児短時間勤務職員等であつたもの　同項中「受けていた俸給及び」とあるのは「受けていた俸給の月額を同日における育児休業法第十七条（育児休業法第二十二条において準用する場合を含む。）の規定により読み替えられた勤務時間法第五条第一項ただし書の規定により定められたその者の勤務時間を同項本文に規定する勤務時間で除して得た数で除して得た額及び同日に受けていた」と、前項第四号から第六号までの規定により読み替えて適用する第二項中「並びに当該定める日」とあるのは「を当該定める日における育児休業法第十七条（育児休業法第二十二条において準用する場合を含む。）の規定により読み替えられた勤務時間法第五条第一項ただし書の規定により定められたその者の勤務時間を同項本文に規定する勤務時間で除して得た数で除して得た額並びに同日」とする。

二　育児短時間勤務職員等であつて、第二項各号に定める日において育児短時間勤務職員等以外の職員であつたもの　同項（前項第一号から第三号までの規定により読み替えて適用する場合を含む。）中「俸給及び扶養手当の月額の合計額の二分の一に相当する額と」とあるのは「、俸給の月額に育児休業法第十七条（育児休業法第二十二条において準用する場合を含む。）の規定により読み替えられた勤務時間法第五条第一項ただし書の規定により定められたその者の勤務時間を同項本文に規定する勤務時間で除して得た数を乗じて得た額及び扶養手当の月額の合計額の二分の一に相当する額と」と、前項第四号から第六号までの規定により読み替えて適用する第二項中「並びに」とあるのは「に育児休業法第十七条（育児休業法第二十二条において準用する場合を含む。）の規定により読み替えられた勤務時間法第五条第一項ただし書の規定により定められたその者の勤務時間を同項本文に規定する勤務時間で除して得た数を乗じて得た額並びに」とする。

三　育児短時間勤務職員等であつて、第二項各号に定める日において育児短時間勤務職員等であつたもの　同項中「受けていた俸給及び」とあるのは「受けていた俸給の月額を同日における育児休業法第十七条（育児休業法第二十二条において準用する場合を含む。以下この項において同じ。）の規定により読み替えられた勤務時間法第五条第一項ただし書の規定により定められたその者の勤務時間を同項本文に規定する勤務時間で除して得た数で除して得た額に育児休業法第十七条の規定により読み替えられた勤務時間法第五条第一項ただし書の規定により定められたその者の勤務時間を同項本文に規定する勤務時間で除して得た数を乗じて得た額及び同日に受けていた」と、前項第四号から第六号までの規定により読み替えて適用する第二項中「並びに当該定める日」とあるのは「を当該定める日における育児休業法第十七条（育児休業法第二十二条において準用する場合を含む。以下この項において同じ。）の規定により読み替えられた勤務時間法第五条第一項ただし書の規定により定められたその者の勤務時間を同項本文に規定する勤務時間で除して得た数で除して得た額に育児休業法第十七条の規定により読み替えられた勤務時間法第五条第一項ただし書の規定により定められたその者の勤務時間を同項本文に規定する勤務時間で除して得た数を乗じて得た額並びに同日」とする。

四　育児休業法第二十三条第二項に規定する任期付短時間勤務職員（以下「任期付短時間勤務職員」という。）　第二項中「受けていた俸給及び」とあるのは「受けていた俸給の月額を同日における育児休業法第二十五条の規定により読み替えられた勤務時間法第五条第一項ただし書の規定により定められたその者の勤務時間を同項本文に規定する勤務時間で除して得た数で除して得た額に育児休業法第二十五条の規定により読み替えられた勤務時間法第五条第一項ただし書の規定により定められたその者の勤務時間を同項本文に規定する勤務時間で除して得た数を乗じて得た額及び同日に受けていた」と、前項第四号から第六号までの規定により読み替えて適用する第二項中「並びに当該定める日」とあるのは「を当該定める日における育児休業法第二十五条の規定により読み替えられた勤務時間法第五条第一項ただし書の規定により定められたその者の勤務時間を同項本文に規定する勤務時間で除して得た数で除して得た額に育児休業法第二十五条の規定により読み替えられた勤務時間法第五条第一項ただし書の規定により定められたその者の勤務時間を同項本文に規定する勤務時間で除して得た数を乗じて得た額並びに同日」とする。

一項—平一〇・四・一施行
二～四項—令七・四・一施行

（特地勤務手当を支給しない期間）

第二条の二　次に掲げる官署に勤務する職員には、毎年十一月一日から翌年三月三十一日までの期間（以下「冬期」という。）以外の期間は、特地勤務手当を支給しない。

一　別表の二の表に掲げる官署

二　第一条の人事院が定める官署のうち人事院が定めるもの

本条—平二二・四・一施行

（特地勤務手当と地域手当との調整）

第三条　規則九—四九（地域手当）別表第一に掲げる地域に所在する特地官署に勤務する職員（前条の規定により特地勤務手当を支給されない職員を除く。）には、給与法第十一条の三の規定による地域手当の額の限度において、特地勤務手当は支給しない。

本条—平二二・四・一施行

（特地勤務手当に準ずる手当）

第四条　給与法第十四条第一項の規定による特地勤務手当に準ずる手当の支給は、職員が官署を異にする異動又は官署の移転（以下「異動等」という。）に伴つて住居を移転した日から開始し、当該異動等の日から起算して三年（当該異動等の日から起算して三年を経過する際人事院の定める条件に該当する者にあつては、六年）に達する日をもつて終わる。ただし、当該職員に次の各号に掲げる事由が生じた場合には、当該各号に定める日をもつてその支給は終わる。

一　職員が特地官署若しくは人事院が指定するこれらに準ずる官署（以下「準特地官署」という。）以外の官署に異動した場合又は職員の在勤する官署が移転等のため、特地官署若しくは準特地官署に該当しないこととなつた場合　当該異動又は移転等の日の前日

二　職員が他の特地官署若しくは準特地官署に異動し、当該異動に伴つて住居を移転した場合又は職員の在勤する官署が移転し、当該移転に伴つて職員が住居を移転した場合（当該官署が引き続き特地官署又は準特地官署に該当する場合に限る。）　住居の移転の日の前日

2　給与法第十四条第一項の規定による特地勤務手当に準ずる手当の月額は、同項に規定する異動又は官署の移転の日（職員が当該異動によりその日前一年以内に在勤していた官署に勤務することとなつた場合（人事院が定める場合に限る。）には、その日前の人事院が定める日。以下この条及び第十一条において同じ。）に受けていた俸給及び扶養手当の月額の合計額（定年前再任用短時間勤務職員にあつては、現に受ける俸給の月額。第六条において「異動等の日の俸給等の合計額」という。）に、次の表の上欄に掲げる期間等の区分に応じ、同表の下欄に掲げる支給割合を乗じて得た額（その額が現に受ける俸給及び扶養手当の月額の合計額に百分の六を乗じて得た額（同条において「上限額」という。）を超えるときは、当該額）とする。

期間等の区分			支給割合
異動等の日から起算して四年に達するまでの間	特地官署	六級地から三級地まで	百分の六
		二級地又は一級地	百分の五
	準特地官署		百分の四
異動等の日から起算して四年に達した後から五年に達するまでの間			百分の四
異動等の日から起算して五年に達した後			百分の二

備考　第二条の二各号に掲げる官署のうち第四項第一号に掲げる官署以外の官署に在勤する職員に対する冬期以外の期間におけるこの表の適用については、当該官署を準特地官署とみなす。

3　次の各号に掲げる職員（定年前再任用短時間勤務職員を除く。）に対する前項の規定の適用については、当該各号に定めるところによる。

一　育児短時間勤務職員等以外の職員であつて、給与法第十四条第一項に規定する異動又は官署の移転の日において育児短時間勤務職員等であつたもの　前項中「受けていた俸給及び」とあるのは「受けていた俸給の月額を同項に規定する異動又は官署の移転の日における育児休業法第十七条（育児休業法第二十二条において準用する場合を含む。）の規定により読み替えられた勤務時間法第五条第一項ただし書の規定により定められたその者の勤務時間を同項本文に規定する勤務時間で除して得た数で除して得た額及び同日に受けていた」とする。

二　育児短時間勤務職員等であつて、給与法第十四条第一項に規定する異動又は官署の移転の日において育児短時間勤務職員等以外の職員であつたもの　前項中「俸給及び扶養手当の月額の合計額（」とあるのは「、俸給の月額に育児休業法第十七条（育児休業法第二十二条において準用する場合を含む。）の規定により読み替えられた勤務時間法第五条第一項ただし書の規定により定められたその者の勤務時間を同項本文に規定する勤務時間で除して得た数を乗じて得た額及び扶養手当の月額の合計額（」とする。

三　育児短時間勤務職員等であつて、給与法第十四条第一項に規定する異動又は官署の移転の日において育児短時間勤務職員等であつたもの　前項中「受けていた俸給及び」とあるのは「受けていた俸給の月額を同項に規定する異動又は官署の移転の日における育児休業法第十七条（育児休業法第二十二条において準用する場合を含む。以下この項において同じ。）の規定により読み替えられた勤務時間法第五条第一項ただし書の規定により定められたその者の勤務時間を同項本文に規定する勤務時間で除して得た数で除して得た額に育児休業法第十七条の規定により読み替えられた勤務時間法第五条第一項ただし書の規定により定められたその者の勤務時間を同項本文

に規定する勤務時間で除して得た数を乗じて得た額及び同日に受けていた」とする。

四　任期付短時間勤務職員　前項中「受けていた俸給及び」とあるのは「受けていた俸給の月額を同項に規定する異動又は官署の移転の日における育児休業法第二十五条の規定により読み替えられた勤務時間法第五条第一項ただし書の規定により定められたその者の勤務時間を同項本文に規定する勤務時間で除して得た数で除して得た額に育児休業法第二十五条の規定により読み替えられた勤務時間法第五条第一項ただし書の規定により定められたその者の勤務時間を同項本文に規定する勤務時間で除して得た数を乗じて得た額及び同日に受けていた」とする。

4　第一項の規定にかかわらず、次に掲げる官署に在勤する職員には、冬期以外の期間は、給与法第十四条第一項の規定による特地勤務手当に準ずる手当を支給しない。

一　第二条の二各号に掲げる官署のうち人事院が定めるもの

二　準特地官署のうち人事院が定めるもの

一項―平一六・一〇・二八施行
二・三項―令七・四・一施行
四項―平三〇・四・一施行

第五条　給与法第十四条第二項の任用の事情等を考慮して人事院規則で定める職員は、人事交流等により俸給表の適用を受けることとなつた職員とする。

2　給与法第十四条第二項の規定により同条第一項の規定による手当を支給される職員との権衡上必要があると認められるものとして人事院規則で定める職員は、次に掲げる職員とする。

一　交流採用（官民人事交流法第二条第四項に規定する交流採用をいう。以下この条において同じ。）又は法第六十条の二第一項の規定による採用（法の規定により退職した日の翌日におけるものに限る。以下この条において同じ。）をされ、特地官署又は準特地官署に在勤することとなつた職員で、当該官署に在勤することとなつたことに伴つて住居を移転したもの

二　新たに特地官署又は準特地官署に該当することとなつた官署に在勤する職員でその特地官署又は準特地官署に該当することとなつた日（以下この条において「指定日」という。）前三年以内に、検察官であつた者若しくは給与法第十一条の七第三項に規定する行政執行法人職員等（以下「行政執行法人職員等」という。）であつた者から人事交流等により引き続き俸給表の適用を受ける職員となり、又は交流採用若しくは法第六十条の二第一項の規定による採用をされ、当該官署に在勤することとなつたことに伴つて住居を移転したもの

三　法第六十条の二第一項の規定による採用をされ、かつ、当該採用の日の前日に在勤していた官署に引き続き在勤することとなつた職員のうち、当該採用の日前から引き続き勤務していたものとした場合に、給与法第十四条第二項に規定する新たに特地官署又は準特地官署に該当することとなつた官署に在勤する職員で、指定日前三年以内に当該官署に異動し、当該異動に伴つて住居を移転したものとなるもの

四　法第六十条の二第一項の規定による採用をされた職員で、当該採用の日の前日に給与法第十四条第一項又は第二項の規定による特地勤務手当に準ずる手当を支給されていたもののうち、当該採用の日前から引き続き勤務していたものとした場合に、これらの項の規定による特地勤務手当に準ずる手当の支給要件を具備することとなるもの

五　前各号に掲げるもののほか、前各号に規定する職員との権衡上必要がある職員として人事院が認めるもの

3　給与法第十四条第二項の規定による特地勤務手当に準ずる手当の支給期間及び額は、次の各号に掲げる職員の区分に応じ、当該各号に定めるところによる。

一　検察官であつた者又は行政執行法人職員等であつた者から人事交流等により引き続き俸給表の適用を受ける職員となつて特地官署又は準特地官署に在勤することとなつたことに伴つて住居を移転した職員又は前項第一号に規定する職員　当該職員が俸給表の適用を受けることとなつた日、交流採用をされた日又は法第六十条の二第一項の規定による採用をされた日に特地官署又は準特地官署に異動したものとした場合に前条第一項及び第二項（同条第三項及び第十一条第一項の規定により読み替えて適用する場合を含む。次号から第五号までにおいて同じ。）並びに第十一条

第二項の規定により支給されることとなる期間及び額

二　新たに特地官署又は準特地官署に該当することとなつた官署に在勤する職員で指定日前三年以内に当該官署に異動し、当該異動に伴つて住居を移転したもの　当該職員の指定日に在勤する官署が当該異動の日前に特地官署又は準特地官署に該当していたものとした場合に前条第一項及び第二項並びに第十一条第二項の規定により指定日以降支給されることとなる期間及び額

三　前項第二号に規定する職員　当該職員の指定日に在勤する官署が、当該職員の俸給表の適用を受けることとなつた日、交流採用をされた日又は法第六十条の二第一項の規定による採用をされた日前に特地官署又は準特地官署に該当していたものとし、かつ、当該職員がその日に当該官署に異動したものとした場合に前条第一項及び第二項並びに第十一条第二項の規定により指定日以降支給されることとなる期間及び額

四　前項第三号に規定する職員　当該職員が同号の採用の日前から定年前再任用短時間勤務職員として引き続き勤務していたものとした場合に前条第一項及び第二項の規定により指定日以降支給されることとなる期間及び額

五　前項第四号に規定する職員　当該職員が同号の採用の日前から定年前再任用短時間勤務職員として引き続き勤務していたものとした場合に前条第一項及び第二項又はこの項の規定により当該採用の日以降支給されることとなる期間及び額

六　前項第五号に規定する職員　別に人事院が定める期間及び額

4　前項の規定にかかわらず、前条第四項各号に掲げる官署に在勤する職員には、冬期以外の期間は、給与法第十四条第二項の規定による特地勤務手当に準ずる手当を支給しない。

一項―平一六・一〇・二八施行
二・三項―令七・四・一施行
四項―平三〇・四・一施行

（特地勤務手当に準ずる手当と広域異動手当との調整）

第六条　給与法第十四条の規定により特地勤務手当に準ずる手当を支給される職員のうち給与法第十一条の八の規定により広域異動手当（その支給割合が百分の一を超えるものに限る。）を支給される職員の当該特地勤務手当に準ずる手当の月額は、異動等の日の俸給等の合計額に、次の各号に掲げる当該広域異動手当の支給割合の区分に応じ、第四条第二項の規定による支給割合からそれぞれ当該各号に定める割合を減じた割合を乗じて得た額（その額が上限額を超えるときは、当該上限額）とする。

一　百分の二を超える支給割合　百分の二

二　百分の一を超え百分の二以下の支給割合　百分の一

本条―平一九・四・一施行

第六条の二～第六条の四削除―平三〇・四・一施行

（端数計算）

第七条　第二条の規定による特地勤務手当の月額又は第四条第二項若しくは前条の規定による特地勤務手当に準ずる手当の月額に一円未満の端数があるときは、それぞれその端数を切り捨てた額をもつて、これらの給与の月額とする。

本条―平三〇・四・一施行

（報告）

第八条　各庁の長は、特地官署又は準特地官署（以下この条において「特地官署等」という。）が移転する場合、特地官署等の名称が変更される場合その他人事院の定める場合には、速やかに、その旨及びその内容を人事院に報告するものとする。

2　前項に定める場合のほか、各庁の長は、人事院の定めるところにより、特地官署等の所在地における生活環境等の実情について人事院に報告するものとする。

本条―平一九・四・一施行

（特地官署等の見直し）

第八条の二　特地官署及び準特地官署並びに級別区分については、五年ごとに見直すのを例とする。

本条―平二二・四・一施行

（雑則）

第九条　この規則に定めるもののほか、特地勤務手当及び特地勤務手当に準ずる手当に関し必要な事項は、人事院が定める。

本条―平一九・四・一施行

（給与法附則第八項の規定の適用を受ける職員の特地勤務手当基礎額）

第十条　給与法附則第八項の規定の適用を受ける職員であつて、第二条第二項各号に定める日において当該職員以外の職員であつたものに対す

る同項の規定の適用については、当分の間、同項中「受けていた俸給及び」とあるのは、「受けていた俸給の月額に百分の七十を乗じて得た額及び同日に受けていた」とする。

2　給与法附則第八項の規定の適用を受ける職員のうち、第二条第三項各号又は第四項各号に掲げる職員であるものの同条第一項の特地勤務手当基礎額は、前項並びに同条第三項及び第四項の規定にかかわらず、これらの規定に準じて人事院の定めるところにより算出した額とする。

本条—令五・四・一施行

（給与法附則第八項の規定の適用を受ける職員の特地勤務手当に準ずる手当の月額）

第十一条　給与法附則第八項の規定の適用を受ける職員であつて、給与法第十四条第一項に規定する異動又は官署の移転の日において当該職員以外の職員であつたものに対する第四条第二項の規定の適用については、当分の間、同項中「受けていた俸給及び」とあるのは、「受けていた俸給の月額に百分の七十を乗じて得た額及び同日に受けていた」とする。

2　給与法附則第八項の規定の適用を受ける職員のうち、第四条第三項各号に掲げる職員であるものの特地勤務手当に準ずる手当の月額は、前項及び同条第三項の規定にかかわらず、これらの規定に準じて人事院の定めるところにより算出した額とする。

本条—令五・四・一施行

附　則（平二八・九・一規則九—五五—一二五）

改正　平三〇・一二・一規則一—七一

（施行期日）

第一条　この規則は、平成二十九年四月一日から施行する。

（特地官署とされていた官署に勤務する職員の特地勤務手当の月額等に関する経過措置）

第二条　この規則による改正後の規則九—五五（以下「改正後の規則」という。）第一条に定めるもののほか、この規則の施行の日（以下「施行日」という。）の前日において給与法第十三条の二第一項に規定する特地官署（以下「特地官署」という。）とされていた官署のうち人事院の定める官署は、平成三十一年三月三十一日までの間、特地官署とする。

2　前項の規定に基づき特地官署とされた官署に勤務する職員の給与法第十三条の二第一項及び第二項の規定による特地勤務手当の月額は、改正後の規則第二条の規定にかかわらず、施行日の前日から引き続き当該官署に勤務している職員にあっては特地勤務手当経過措置基礎額にこの規則による改正前の規則九—五五（以下「改正前の規則」という。）による当該官署の級別区分に係る支給割合を乗じて得た額に、施行日から平成三十年三月三十一日までの間にあっては百分の七十を、同年四月一日から平成三十一年三月三十一日までの間にあっては百分の四十を乗じて得た額（その額に一円未満の端数があるときは、その端数を切り捨てた額）、当該職員以外の者にあっては当該職員との権衡を考慮して別に人事院が定める額とする。

3　前項の特地勤務手当経過措置基礎額は、改正後の規則第二条第二項各号に定める日に受けていた俸給及び扶養手当の月額の合計額の二分の一に相当する額（以下この条において「勤務することとなった日等に係る基礎額」という。）と施行日の前日に受けていた俸給及び扶養手当の月額の合計額の二分の一に相当する額（第五項第二号において「施行日の前日に係る基礎額」という。）を合算した額（その額が勤務することとなった日等に係る基礎額と現に受ける俸給及び扶養手当の月額の合計額の二分の一に相当する額を合算した額（以下この項において「特地勤務手当経過措置特例基礎額」という。）を超えることとなる期間については、当該特地勤務手当経過措置特例基礎額）とする。

4　改正後の規則第二条第三項各号に掲げる職員に対する前項の規定の適用については、勤務することとなった日等に係る基礎額は、当該各号の規定により読み替えられた同条第二項の規定の例による勤務することとなった日等に係る基礎額とする。

5　育児休業法第十三条第一項に規定する育児短時間勤務職員若しくは育児休業法第二十二条の規定による短時間勤務をしている職員（以下「育児短時間勤務職員等」という。）若しくは育児休業法第二十三条第二項に規定する任期付短時間勤務職員（以下「任期付短時間勤務職員」という。）又は改正後の規則第二条第二項各号に定める日若しくは施行日の前日において育児短時間勤務職員等であったものに係る前二項の規定による特地勤務手当経過措置基礎額の算定については、次の各号に掲げる額は、当該各号に定める額とする。

一　勤務することとなった日等に係る基礎額に係る俸給の月額　次に掲げる職員の区分に応じ、それぞれ次に定める額

イ　育児短時間勤務職員等以外の職員であって、改正後の規則第二条第二項各号に定める日において育児短時間勤務職員等であったもの　その日に係る俸給の月額を同日における育児休業法第十七条（育児休業法第二十二条において準用する場合を含む。）の規定により読み替えられた勤務時間法第五条第一項ただし書の規定により定められたその者の勤務時間を同項本文に規定する勤務時間で除して得た数（以下この条において「育児短時間算出率」という。）で除して得た額

ロ　育児短時間勤務職員等であって、改正後の規則第二条第二項各号に定める日において育児短時間勤務職員等以外の職員であったもの　その日に係る俸給の月額に育児短時間算出率を乗じて得た額

ハ　育児短時間勤務職員等であって、改正後の規則第二条第二項各号に定める日において育児短時間勤務職員等であったもの　その日に係る俸給の月額を同日における育児短時間算出率で除して得た額に育児短時間算出率を乗じて得た額

ニ　任期付短時間勤務職員　改正後の規則第二条第二項各号に定める日に係る俸給の月額を同日における育児休業法第二十五条の規定により読み替えられた勤務時間法第五条第一項ただし書の規定により定められたその者の勤務時間を同項本文に規定する勤務

時間で除して得た数（以下この条において「任期付短時間算出率」という。）で除して得た額に任期付短時間算出率を乗じて得た額

二　施行日の前日に係る基礎額に係る俸給の月額　次に掲げる職員の区分に応じ、それぞれ次に定める額

イ　育児短時間勤務職員等以外の職員であって、施行日の前日において育児短時間勤務職員等であったもの　その日に受けていた俸給の月額を同日における育児短時間算出率で除して得た額

ロ　育児短時間勤務職員等であって、施行日の前日において育児短時間勤務職員等以外の職員であったもの　その日に受けていた俸給の月額に育児短時間算出率を乗じて得た額

ハ　育児短時間勤務職員等であって、施行日の前日において育児短時間勤務職員等であったもの　その日に受けていた俸給の月額を同日における育児短時間算出率で除して得た額に育児短時間算出率を乗じて得た額

ニ　任期付短時間勤務職員　施行日の前日に受けていた俸給の月額を同日における任期付短時間算出率で除して得た額に任期付短時間算出率を乗じて得た額

6　第一項の規定に基づき特地官署とされた官署に勤務する職員のうち、改正前の規則第二条の二各号に掲げる官署であった官署（次項において「改正前の特定特地官署」という。）に勤務する職員には、平成二十九年十一月一日から平成三十年三月三十一日まで及び同年十一月一日から平成三十一年三月三十一日までの期間（以下「冬期」という。）以外の期間は、特地勤務手当を支給しない。

7　第一項の規定に基づき特地官署とされた官署に在勤する職員の給与法第十四条第一項又は第二項の規定による特地勤務手当に準ずる手当（第五号に掲げる職員にあっては、冬期に支給するものに限る。）の月額は、改正後の規則第四条第二項及び第三項、第五条第三項並びに第十一条第一項の規定にかかわらず、施行日の前日から引き続き当該官署に在勤している職員にあっては次の各号に掲げる職員の区分に応じ当該各号に定める額、同日から引き続き当該官署に在勤している職員以外の者にあっては当該職員との権衡を考慮して別に人事院が定める額とする。

一　施行日において給与法第十四条第一項に規定する準特地官署（以下「準特地官署」という。）に該当することとなった官署以外の官署に在勤する職員（次号に掲げる職員を除く。）　準ずる手当経過措置基礎額に百分の五（改正後の規則第四条第二項、第五条第三項又は第十一条第一項に規定する日（以下「異動の日等」という。）から起算して四年に達した日後から五年に達する日までの間については百分の四、異動の日等から起算して五年に達した日後については百分の二）を乗じて得た額に、施行日から平成三十年三月三十一日までの間にあっては百分の七十を、同年四月一日から平成三十一年三月三十一日までの間にあっては百分の四十を乗じて得た額（その額に一円未満の端数があるときは、その端数を切り捨てた額）

二　施行日において準特地官署に該当することとなった官署以外の官署であって、改正前の特定特地官署であった官署に在勤する職員　次に掲げる期間の区分に応じ、それぞれ次に定める額

イ　冬期以外の期間　準ずる手当経過措置基礎額に百分の四（異動の日等から起算して五年に達した日後については、百分の二）を乗じて得た額に、施行日から平成二十九年十月三十一日までの間にあっては百分の七十を、平成三十年四月一日から同年十月三十一日までの間にあっては百分の四十を乗じて得た額（その額に一円未満の端数があるときは、その端数を切り捨てた額）

ロ　冬期　準ずる手当経過措置基礎額に百分の五（異動の日等から起算して四年に達した日後から五年に達する日までの間については百分の四、異動の日等から起算して五年に達した日後については百分の二）を乗じて得た額に、平成二十九年十一月一日から平成三十年三月三十一日までの間にあっては百分の七十を、同年十一月一日から平成三十一年三月三十一日までの間にあっては百分の四十を乗じて得た額（その額に一円未満の端数があるときは、その端数を切り捨てた額）

三　施行日において改正後の規則第四条第四項第二号に掲げる準特地官署に該当することとなった官署であって、改正前の特定特地官署であった官署に在勤する職員　次に掲げる期間の区分に応じ、それぞれ次に定める額

イ　冬期以外の期間　前号イに定める額

ロ　冬期　当該官署を準特地官署とみなした場合における改正後の規則第四条第二項若しくは第三項、第五条第三項又は第十一条第一項の規定による特地勤務手当に準ずる手当の月額に、準ずる手当経過措置基礎額に百分の一（異動の日等から起算して四年に達した職員にあっては、零）を乗じて得た額に、平成二十九年十一月一日から平成三十年三月三十一日までの間にあっては百分の七十を、同年十一月一日から平成三十一年三月三十一日までの間にあっては百分の四十を乗じて得た額を加算して得た額（その額に一円未満の端数があるときは、その端数を切り捨てた額）

四　施行日において準特地官署に該当することとなった官署に在勤する職員（前号及び次号に掲げる職員を除く。）　当該官署を準特地官署とみなした場合における改正後の規則第四条第二項若しくは第三項、第五条第三項又は第十一条第一項の規定による特地勤務手当に準ずる手当の月額に、準ずる手当経過措置基礎額に百分の一（異動の日等から起算して四年に達した職員にあっては、零）を乗じて得た額に、施行日から平成三十年三月三十一日までの間にあっては百分の七十を、同年四月一日から平成三十一年三月三十一日までの間にあっては百分の四十を乗じて得た額を加算して得た額（その額に一円未満の端数があるときは、その端数を切り捨てた額）

五　施行日において準特地官署に該当することとなった官署であって、改正前の特定特地官署であった官署に在勤する職員（第三号に掲げる職員を除く。）　第三号ロに定める額

8　前項の準ずる手当経過措置基礎額は、異動の日等に受けていた俸給及び扶養手当の月額の合計額（その額が現に受ける俸給及び扶養手当の月額の合計額（以下この項において「準ずる手当経過措置特例基礎額」という。）を超えることとなる期間については、当該準ずる手当経過措置特例基礎額）とする。

9　育児短時間勤務職員等若しくは任期付短時間勤務職員又は異動の日等において育児短時間勤務職員等であったものに係る前項の規定による準ずる手当経過措置基礎額の算定については、異動の日等に係る俸給の月額は、次の各号に掲げる職員の区分に応じ、当該各号に定める額とする。

一　育児短時間勤務職員等以外の職員であって、異動の日等において育児短時間勤務職員等であったもの　異動の日等に係る俸給の月額を異動の日等における育児短時間算出率で除して得た額

二　育児短時間勤務職員等であって、異動の日等において育児短時間勤務職員等以外の職員であったもの　異動の日等に係る俸給の月額に育児短時間算出率を乗じて得た額

三　育児短時間勤務職員等であって、異動の日等において育児短時間勤務職員等であったもの　異動の日等に係る俸給の月額を異動の日等における育児短時間算出率で除して得た額に育児短時間算出率を乗じて得た額

四　任期付短時間勤務職員　異動の日等に係る俸給の月額を異動の日等における任期付短時間算出率で除して得た額に任期付短時間算出率を乗じて得た額

10　第七項第二号に掲げる職員のうち、改正前の規則第四条第五項第一号に掲げる官署であった官署に在勤する職員には、冬期以外の期間は、特地勤務手当に準ずる手当を支給しない。

11　第七項第三号の規定の適用を受ける職員については、施行日から平成三十年十月三十一日までの間は、改正後の規則第四条第四項及び第五条第四項（改正後の規則第十一条第二項において読み替えて準用する場合を含む。附則第六条第二項において同じ。）の規定は、適用しない。

（特定特地官署に該当することとなった官署に勤務する職員の特地勤務手当の月額等に関する経過措置）

第三条　改正前の規則別表の一の表に掲げられていた官署のうち、施行日に改正後の規則第二条の二各号に掲げる官署（以下「特定特地官署」という。）に該当することとなった官署に勤務する職員の給与法第十三条の二第一項及び第二項の規定による特地勤務手当（第二号に掲げる職員にあっては、冬期以外の期間に支給するものに限る。）の月額は、平成三十一年三月三十一日までの間（その期間内に当該官署が特定特地官署に該当しないこととなった場合にあっては、その該当しないこととなった日の前日までの間）、施行日の前日から引き続き当該官署に勤務している職員にあっては次の各号に掲げる職員の区分に応じ当該各号に定める額、同日から引き続き当該官署に勤務している職員以外の者にあっては当該職員との権衡を考慮して別に人事院が定める額とする。

一　改正前の規則による級別区分が二級地であった官署に勤務する職員　次に掲げる期間の区分に応じ、それぞれ次に定める額

イ　冬期以外の期間　前条第三項から第五項までの規定による特地勤務手当経過措置基礎額に百分の八を乗じて得た額に、施行日から平成二十九年十月三十一日までの間にあっては百分の七十を、平成三十年四月一日から同年十月三十一日までの間にあっては百分の四十を乗じて得た額（その額に一円未満の端数があるときは、その端数を切り捨てた額）

ロ　冬期　改正後の規則第二条の規定による特地勤務手当の月額に、前条第三項から第五項までの規定による特地勤務手当経過措置基礎額に百分の四を乗じて得た額に、平成二十九年十一月一日から平成三十年三月三十一日までの間にあっては百分の七十を、同年十一月一日から平成三十一年三月三十一日までの間にあっては百分の四十を乗じて得た額を加算して得た額（その額に一円未満の端数があるときは、その端数を切り捨てた額）

二　改正前の規則による級別区分が一級地であった官署に勤務する職員　前条第三項から第五項までの規定による特地勤務手当経過措置基礎額に百分の四を乗じて得た額に、施行日から平成二十九年十月三十一日までの間にあっては百分の七十を、平成三十年四月一日から同年十月三十一日までの間にあっては百分の四十を乗じて得た額（その額に一円未満の端数があるときは、その端数を切り捨てた額）

2　前項の規定の適用を受ける職員については、施行日から平成三十年十月三十一日までの間は、改正後の規則第二条の二の規定は、適用しない。

3　改正前の規則別表の一の表に掲げられていた官署のうち、施行日に特定特地官署に該当することとなった官署に在勤する職員の給与法第十四条第一項又は第二項の規定による特地勤務手当に準ずる手当（冬期以外の期間に支給するものに限る。）の月額は、改正後の規則第四条第二項及び第三項、第五条第三項並びに第十一条第一項の規定にかかわらず、平成三十年十月三十一日までの間（その期間内に当該官署が特定特地官署に該当しないこととなった場合にあってはその該当しないこととなった日の前日までの間、改正後の規則第四条第四項第一号に掲げる官署に該当することとなった場合にあってはその該当することとなった日の前日までの間）、施行日の前日から引き続き当該施行日に特定特地官署に該当することとなった官署に在勤している職員にあっては改正後の規則第四条第二項若しくは第三項、第五条第三項又は第十一条第一項の規定による特地勤務手当に準ずる手当の月額に、前条第八項及び第九項の規定による準ずる手当経過措置基礎額に百分の一（異動の日等から起算して四年に達した職員にあっては、零）を乗じて得た額に、施行日から平成二十九年十月三十一日までの間にあっては百分の七十を、平成三十年四月一日から同年十月三十一日までの間にあっては百分の四十を乗じて得た額を加算して得た額（その額に一円未満の端数があるときは、その端数を切り捨てた額）、当該在勤している職員以外の者にあっては当該職員との権衡を考慮して別に人事院が定める額とする。

（級別区分が下位となった特地官署に勤務する職員の特地勤務手当の月額等に関する経過措置）

第四条　施行日における改正後の規則による級別区分が改正前の規則による級別区分より下位となった期間を有する官署（特定特地官署を除く。）に勤務する職員の給与法第十三条の二第一項及び第二項の規定による特地勤務手当（冬期以外の期間のみ級別区分が下位となった官署に勤務する職員にあっては冬期以外の期間に支給するものに限り、冬期のみ級別区分が下位となった官署に勤務する職員にあっては冬期に支給するものに限る。）の月額は、改正後の規則第二条の規定にかかわらず、平成三十一年三月三十一日までの間（その期間内に当該下位となった期間を有する官署が施行日における改正後の規則

による級別区分と異なる級別区分となった場合又は特地官署に該当しないこととなった場合にあっては、その級別区分が異なり、又は該当しないこととなった日の前日までの間）、施行日の前日から引き続き当該下位となった期間を有する官署に勤務している職員にあっては改正後の規則第二条の規定による特地勤務手当の月額に、附則第二条第三項から第五項までの規定による特地勤務手当経過措置基礎額に当該下位となった期間を有する官署の下位となった期間における改正前の規則による級別区分に係る支給割合から改正後の規則による級別区分に係る支給割合を減じた割合を乗じて得た額に、施行日から平成三十年三月三十一日までの間にあっては百分の七十を、同年四月一日から平成三十一年三月三十一日までの間にあっては百分の四十を乗じて得た額（その額に一円未満の端数があるときは、その端数を切り捨てた額）、当該職員以外の者にあっては当該職員との権衡を考慮して別に人事院が定める額とする。

2　施行日における改正後の規則による級別区分が改正前の規則による級別区分より下位となった期間を有する官署のうち、改正後の規則による級別区分が二級地又は一級地となる期間を有する官署であって、改正前の規則による級別区分が四級地又は三級地となる期間を有していた官署に在勤する職員の給与法第十四条第一項又は第二項の規定による特地勤務手当に準ずる手当（冬期以外の期間のみ級別区分が下位となった官署に在勤する職員にあっては冬期以外の期間に支給するものに限り、冬期のみ級別区分が下位となった官署に在勤する職員にあっては冬期に支給するものに限る。）の月額は、改正後の規則第四条第二項及び第三項、第五条第三項並びに第十一条第一項の規定にかかわらず、平成三十一年三月三十一日までの間（その期間内にその在勤する官署が施行日における改正後の規則による級別区分と異なる級別区分となった場合又は特地官署に該当しないこととなった場合にあっては、その級別区分が異なり、又は該当しないこととなった日の前日までの間）、施行日の前日から引き続きその在勤する官署に在勤している職員にあっては改正後の規則第四条第二項若しくは第三項、第五条第三項又は第十一条第一項の規定による特地勤務手当に準ずる手当の月額に、附則第二条第八項及び第九項の規定による準ずる手当経過措置基礎額に百分の一（異動の日等から起算して四年に達した職員にあっては、零）を乗じて得た額に、施行日から平成三十年三月三十一日までの間にあっては百分の七十を、同年四月一日から平成三十一年三月三十一日までの間にあっては百分の四十を乗じて得た額（その額に一円未満の端数があるときは、その端数を切り捨てた額とし、その額が給与法第十四条第一項に規定する俸給及び扶養手当の月額の合計額の百分の六を超えない範囲内の月額に相当しないこととなる職員として人事院が定める職員にあっては、人事院が定める額とする。）、施行日の前日から引き続きその在勤する官署に在勤している職員以外の者にあっては当該職員との権衡を考慮して別に人事院が定める額とする。

（準特地官署とされていた官署に在勤する職員の特地勤務手当に準ずる手当の月額等に関する経過措置）

第五条　施行日の前日において準特地官署とされていた官署のうち、平成三十一年三月三十一日までの間、準特地官署として人事院が指定する官署に在勤する職員の給与法第十四条第一項又は第二項の規定による特地勤務手当に準ずる手当の月額は、改正後の規則第四条第二項及び第三項、第五条第三項並びに第十一条第一項の規定にかかわらず、施行日の前日から引き続き当該官署に在勤している職員にあっては附則第二条第八項及び第九項の規定による準ずる手当経過措置基礎額に百分の四（異動の日等から起算して五年に達した日後については、百分の二）を乗じて得た額に、施行日から平成三十年三月三十一日までの間にあっては百分の七十を、同年四月一日から平成三十一年三月三十一日までの間にあっては百分の四十を乗じて得た額（その額に一円未満の端数があるときは、その端数を切り捨てた額）、当該職員以外の者にあっては当該職員との権衡を考慮して別に人事院が定める額とする。

2　前項に規定する準特地官署として人事院が指定する官署に在勤する職員のうち、改正前の規則第四条第五項第二号に掲げる準特地官署であった官署に在勤する職員には、冬期以外の期間は、特地勤務手当に準ずる手当を支給しない。

（改正後の規則第四条第四項第二号に掲げる官署に該当することとなった官署に在勤する職員の特地勤務手当に準ずる手当の月額等に関する経過措置）

第六条　施行日の前日において準特地官署とされていた官署（改正前の規則第四条第五項第二号に掲げる準特地官署であった官署を除く。）のうち、施行日に改正後の規則第四条第四項第二号に掲げる準特地官署に該当することとなった官署に在勤する職員の給与法第十四条第一項又は第二項の規定による特地勤務手当に準ずる手当（冬期以外の期間に支給するものに限る。）の月額は、改正後の規則第四条第二項及び第三項、第五条第三項並びに第十一条第一項の規定にかかわらず、平成三十年十月三十一日までの間（その期間内に当該官署が同号に掲げる準特地官署に該当しないこととなった場合にあっては、その該当しないこととなった日の前日までの間）、施行日の前日から引き続き当該官署に在勤している職員にあっては附則第二条第八項及び第九項の規定による準ずる手当経過措置基礎額に百分の四（異動の日等から起算して五年に達した日後については、百分の二）を乗じて得た額に、施行日から平成二十九年十月三十一日までの間にあっては百分の七十を、平成三十年四月一日から同年十月三十一日までの間にあっては百分の四十を乗じて得た額（その額に一円未満の端数があるときは、その端数を切り捨てた額）、当該職員以外の者にあっては当該職員との権衡を考慮して別に人事院が定める額とする。

2　前項の規定の適用を受ける職員については、施行日から平成三十年十月三十一日までの間は、改正後の規則第四条第四項及び第五条第四項の規定は、適用しない。

（特地勤務手当に準ずる手当と広域異動手当との調整）

第七条　給与法第十一条の八の規定により広域異動手当を支給される職員（その支給割合が百分の一を超えるものに限る。）に対する附則第二条第七項、第三条第三項、第四条第二項、第五条第一項及び前条第一項の規定の適用については、これらの規定中「給与法第十四条第一項又は第二項」とあるのは「給与法第十四条」と、「第三項、第五条第三項」とあるのは「第三項、第五条第三項、第六条」と、附則第二条第七項、第五条第一項及び前条第一項中「百分の二」とあるのは「百分の二から当該職員の給与法第十一条の八の規定による広域異動手当の支給割合が改正後の規則第六条各号に掲げる支給割合のいずれに該当するかに応じ当該各号に定める割合を減じた割合」とする。

（雑則）

第八条　附則第二条から前条までに規定するもののほか、この規則の施行に関し必要な経過措置は、人事院が定める。

附　則（令二・四・一規則九—五五—一三七）

この規則は、公布の日から施行する。

附　則（令二・一〇・一規則九—五五—一三八）

この規則は、公布の日から施行し、この規則による改正後の規則九—五五別表の二の表北海道の項の規定中大雪山国立公園管理事務所に係る部分は、令和二年四月一日から適用する。

附　則（令三・四・一規則九—五五—一三九）

この規則は、公布の日から施行する。

附　則（令三・七・一規則九—五五—一四〇）

この規則は、公布の日から施行する。

附　則（令三・一〇・一規則九—五五—一四一）

この規則は、公布の日から施行する。

附　則（令四・二・一八規則一—七九）（抄）

（施行期日）

第一条　この規則は、令和五年四月一日から施行する。

附　則（令四・四・一規則九—五五—一四二）

この規則は、公布の日から施行する。

附　則（令四・七・一規則九—五五—一四三）

この規則は、公布の日から施行する。

附　則（令五・三・三一規則九—五五—一四四）

この規則は、令和五年四月一日から施行する。

附　則（令五・五・一規則九—五五—一四五）

この規則は、公布の日から施行し、この規則による改正後の規則九—五五別表の一の表長野県の項及び同表備考第一項の規定は令和四年十月一日から、同表北海道の項及び岐阜県の項並びに同表備考第二項の規定は令和五年四月一日から適用する。

附　則（令五・六・三〇規則九—五五—一四六）

この規則は、令和五年七月一日から施行する。

附　則（令五・八・一規則九—五五—一四七）

この規則は、公布の日から施行する。

附　則（令六・七・一六規則九—五五—一四八）

この規則は、公布の日から施行し、この規則による改正後の規則九—五五の規定は、令和六年一月十五日から適用する。

附　則（令六・一〇・一規則九—五五—一四九）

この規則は、公布の日から施行する。

附　則（令六・一一・二八規則九—五五—一五〇）

この規則は、公布の日から施行する。ただし、次の各号に掲げる規定は、当該各号に定める日から施行する。

一　奄美海上保安部に係る改正規定　令和六年十二月十日

二　鹿児島財務事務所名瀬出張所に係る改正規定　令和七年一月十四日

附　則（令七・二・五規則九—五五—一五一）

（施行期日）

第一条　この規則は、令和七年四月一日から施行する。

（改正後の人事院規則九—五五における暫定再任用職員に関する経過措置）

第二条　国家公務員法等の一部を改正する法律（令和三年法律第六十一号。次条第一項において「令和三年改正法」という。）附則第三条第四項に規定する暫定再任用職員（次項及び次条において「暫定再任用職員」という。）は、法第六十条の二第二項に規定する定年前再任用短時間勤務職員（次条において「定年前再任用短時間勤務職員」という。）とみなして、この規則による改正後の規則九—五五（以下「改正後の規則九—五五」という。）第三条第二項から第四項まで並びに第四条第二項及び第三項の規定を適用する。

2　暫定再任用職員に対する改正後の規則九—五五第五条第二項及び第三項の規定の適用については、同条第二項第一号中「法第六十条の二第一項」とあるのは「国家公務員法等の一部を改正する法律（令和三年法律第六十一号。以下「令和三年改正法」という。）附則第四条第一項若しくは第二項若しくは第五条第一項若しくは第二項」と、「退職した日」とあるのは「退職した日又は令和三年改正法附則第四条第一項若しくは第二項若しくは第五条第一項若しくは第二項の規定による採用に係る任期が満了した日」と、「この条において同じ」とあるのは「この条において「暫定再任用」という」と、同項第二号から第四号まで並びに同条第三項第一号及び第三号中「法第六十条の二第一項の規定による採用」とあるのは「暫定再任用」と、同項第四号中「定年前再任用短時間勤務職員（令和三年改正法附則第三条第四項に規定する暫定再任用職員をいう。次号において同じ。）」と、同項第五号中「定年前再任用短時間勤務職員」とあるのは「暫定再任用職員」とする。

（定年前再任用短時間勤務職員及び暫定再任用職員への特地勤務手当に準ずる手当に関する経過措置）

第三条　改正後の規則九—五五第五条第二項第一号及び第二号の規定は、令和七年四月一日以後に法第六十条の二第一項又は令和三年改正法附則第四条第一項若しくは第二項若しくは第五条第一項若しくは第二項の規定（以下この条において「法第六十条の二第一項等の規定」という。）による採用をされた定年前再任用短時間勤務職員及び暫定再任用職員について適用する。

2　改正後の規則九—五五第五条第二項第三号の規定は、令和七年四月一日以後に法第六十条の二第一項等の規定による採用をされ、当該採用の日前から引き続き勤務していたものとした場合に、同号の規定する異動をした日が令和七年四月一日以後である定年前再任用短時間勤務職員及び暫定再任用職員について適用する。

3　改正後の規則九—五五第五条第二項第四号の規定は、令和七年四月一日以後に法第六十条の二第一項等の規定による採用をされ、当該採用の日の前日に支給されていた給与法第十四条第一項又は第二項の規定による特地勤務手当に準ずる手当の支給要件を具備するに至った日が令和七年四月一日以後である場合について適用する。

（令和十年三月三十一日までの間における特地勤務手当と地域手当との調整に関する経過措置）

第四条　令和七年四月一日から令和十年三月三十一日までの間における規則九—五五第三条の規定の適用については、同条中「規則九—四九（地域手当）別表第一」とあるのは「規則九—五七（人事院規則九—四九（地域手当）の一部を改正する人事院規則）附則別表第一」と、「給与法第十一条の三」とあるのは「一般職の職員の給与に関する法律等の一部を改正する法律（令和六年法律第七十二号）附則第七条第一項」とする。

附　則（令七・四・一規則九—五五—一五二）

この規則は、公布の日から施行する。

別表（第一条、第二条関係）

一　一年を通じて特地勤務手当が支給される官署

都道府県	所在地	官署	級別区分
北海道	奥尻郡奥尻町字奥尻四四四	檜山森林管理署奥尻森林事務所	三級地
	中川郡中川町字安川三一の四	上川北部森林管理署佐久森林事務所	
	中川郡中川町字安川三一の四	上川北部森林管理署共和森林事務所	
	礼文郡礼文町香深村字ヘウケトンナイ	宗谷森林管理署礼文森林事務所	
	利尻郡利尻富士町鴛泊字栄町一九五の一	宗谷森林管理署利尻森林事務所	
	沙流郡平取町振内町三一の三	日高北部森林管理署振内森林事務所	
	沙流郡平取町振内町三一の三	日高北部森林管理署幌尻森林事務所	
	沙流郡平取町振内町三一の三	日高北部森林管理署貫気別森林事務所	
	目梨郡羅臼町船見町一三六	根釧東部森林管理署羅臼森林事務所	
	目梨郡羅臼町船見町一三二	根室海上保安部羅臼海上保安署	
	目梨郡羅臼町湯ノ沢町六の二七	羅臼自然保護官事務所	
	釧路市阿寒町阿寒湖温泉一の一の一	阿寒湖管理官事務所	二級地
	石狩市浜益区柏木二〇四	石狩森林管理署浜益森林事務所	
	島牧郡島牧村字泊八三の二二	後志森林管理署永豊森林事務所	
	上川郡上川町字層雲峡	旭川開発建設部旭川河川事務所大雪ダム管理支所	
	勇払郡占冠村字中央	上川南部森林管理署占冠森林事務所	
	勇払郡占冠村字中央	上川南部森林管理署双珠別森林事務所	
	天塩郡幌延町宮園町一〇の四	留萌北部森林管理署幌延森林事務所	
	天塩郡幌延町字幌延一五三の二	留萌開発建設部幌延河川事務所	
	勇払郡むかわ町穂別八三の一	胆振東部森林管理署穂別森林事務所	
	勇払郡むかわ町穂別八三の一	胆振東部森林管理署稲里森林事務所	
	沙流郡日高町栄町東二の二五八の三	日高北部森林管理署	
	沙流郡日高町栄町東二の二五八の三	日高北部森林管理署日高森林事務所	
	沙流郡日高町栄町東二の二五八の三	日高北部森林管理署日勝森林事務所	
	沙流郡日高町松風町二の二五一の四	室蘭開発建設部日高道路事務所	
	沙流郡平取町字二風谷二四の四	室蘭開発建設部鵡川沙流川河川事務所	
	沙流郡平取町字二風谷二四の四	室蘭開発建設部鵡川沙流川河川事務所二風谷ダム管理支所	
	沙流郡平取町字芽生八四の七	室蘭開発建設部鵡川沙流川河川事務所平取ダム管理支所	
	空知郡南富良野町字幾寅	上川南部森林管理署	一級地
	空知郡南富良野町字幾寅	上川南部森林管理署幾寅森林事務所	
	空知郡南富良野町字幾寅	上川南部森林管理署落合森林事務所	
	空知郡南富良野町字幾寅	上川南部森林管理署金山森林事務所	
	雨竜郡幌加内町字清月	空知森林管理署北空知支署	

	雨竜郡幌加内町字清月	空知森林管理署北空知支署幌加内森林事務所	
	雨竜郡幌加内町字幌加内四六九九の三	札幌開発建設部雨竜川ダム建設事業所	
	斜里郡斜里町ウトロ東無番地	知床森林生態系保全センター	
	斜里郡斜里町ウトロ西一八六の一〇	ウトロ自然保護官事務所	
	常呂郡置戸町字常元	網走開発建設部北見河川事務所鹿ノ子ダム管理支所	
	河東郡上士幌町字ぬかびら源泉郷	十勝西部森林管理署東大雪支署糠平森林事務所	
	河東郡上士幌町字ぬかびら源泉郷	十勝西部森林管理署東大雪支署三股森林事務所	
	上川郡新得町字屈足トムラウシ	帯広開発建設部帯広河川事務所十勝ダム管理支所	
	河西郡中札内村南札内七三五の二	帯広開発建設部帯広河川事務所札内川ダム管理支所	
	川上郡弟子屈町川湯温泉二の二の二	阿寒摩周国立公園管理事務所	
青森県	十和田市大字奥瀬字十和田湖畔休屋四八六	十和田八幡平国立公園管理事務所	二級地
	東津軽郡今別町大字今別字西田二五八の六一三	青森森林管理署今別森林事務所	
	東津軽郡外ヶ浜町字三厩増川二五七の一	青森森林管理署三厩森林事務所	
	西津軽郡深浦町大字深浦字苗代沢三一の一	津軽森林管理署深浦森林事務所	
	西津軽郡深浦町大字正道尻字小礒四九の四	津軽森林管理署岩崎森林事務所	
	下北郡佐井村大字佐井字大佐井川目三九の四	下北森林管理署佐井森林事務所	
	五所川原市相内吉野一五の三三一	津軽森林管理署金木支署市浦森林事務所	一級地
	むつ市脇野沢渡向二九の七	下北森林管理署脇野沢森林事務所	
岩手県	下閉伊郡田野畑村菅窪二〇五の四	三陸北部森林管理署田野畑森林事務所	二級地
	八幡平市荒屋新町四一の八	岩手北部森林管理署	一級地
	八幡平市荒屋新町四一の八	岩手北部森林管理署新町森林事務所	
	下閉伊郡岩泉町安家字日蔭一四九の六一	三陸北部森林管理署久慈支署安家森林事務所	
秋田県	北秋田市阿仁幸屋渡字前野七の一	米代東部森林管理署上小阿仁支署比立内森林事務所	二級地
	男鹿市北浦北浦字五輪野一五六の八	米代西部森林管理署男鹿森林事務所	一級地
	北秋田市阿仁笑内字金倉五三の六	米代東部森林管理署上小阿仁支署笑内森林事務所	
	仙北市田沢湖玉川字下水無九二	東北地方整備局玉川ダム管理所	
	北秋田郡上小阿仁村南沢字箱渕岱一〇の一一	米代東部森林管理署上小阿仁支署南沢森林事務所	
山形県	西村山郡西川町大字大井沢字長トロ一一八二の一	山形森林管理署中村森林事務所	一級地
福島県	南会津郡檜枝岐村字下ノ原九六七の一	会津森林管理署南会津支署檜枝岐森林事務所	四級地
	南会津郡檜枝岐村字下ノ原八六七の一	檜枝岐自然保護官事務所	
	南会津郡南会津町山口字村上八六七	会津森林管理署南会津支署	三級地
	南会津郡南会津町松戸原二四	会津森林管理署南会津支署湯ノ花森林事務所	
	南会津郡只見町大字大倉字広田面一四六六	会津森林管理署南会津支署小林森林事務所	二級地
	南会津郡南会津町古町字東居平九	会津森林管理署南会津支署伊南森林事務所	

	大沼郡昭和村大字小中津川字石仏一八〇〇の二	会津森林管理署昭和森林事務所	一級地
	双葉郡川内村大字下川内字石崎三一の五	磐城森林管理署川内森林事務所	
茨城県	常陸太田市徳田町上宿三五六の三	茨城森林管理署徳田森林事務所	一級地
	常陸太田市小妻町三六七	茨城森林管理署折橋森林事務所	
栃木県	日光市中三依六四四	日光森林管理署三依森林事務所	一級地
	日光市川俣六四六の一	関東地方整備局鬼怒川ダム統合管理事務所川俣ダム管理支所	
	日光市西川四一六	関東地方整備局鬼怒川ダム統合管理事務所湯西川ダム管理支所	
群馬県	多野郡上野村大字勝山二一七	群馬森林管理署楢原森林事務所	二級地
	利根郡片品村大字鎌田字下半瀬三八八五の一	片品自然保護官事務所	一級地
東京都	小笠原村父島字東町一五二	小笠原諸島森林生態系保全センター	六級地
	小笠原村父島字東町一五二	小笠原総合事務所	
	小笠原村父島字西町	父島気象観測所	
	小笠原村父島字清瀬	横浜海上保安部小笠原海上保安署	
	小笠原村父島字西町	小笠原自然保護官事務所	
	小笠原村母島字静沢	母島自然保護官事務所	
	八丈町大賀郷二二六三	八丈島区検察庁	四級地
	大島町元町字家の上四四五の九	伊豆大島区検察庁	二級地

	大島町元町字家の上四四五の九	伊豆諸島管理官事務所	
石川県	白山市白峰ホ二五の一	白山自然保護官事務所	二級地
長野県	木曽郡王滝村二四七一の一	木曽森林管理署瀬戸川森林事務所	三級地
	木曽郡王滝村二四七一の一	木曽森林管理署南滝越森林事務所	
	木曽郡王滝村二四七一の一	木曽森林管理署氷ヶ瀬森林事務所	
	松本市安曇三九四二の四	中信森林管理署大野川森林事務所	二級地
	松本市安曇四四六八	上高地管理官事務所	
	南佐久郡川上村大字御所平一〇二七の一	東信森林管理署川上森林事務所	
	下伊那郡大鹿村大字大河原八八三の一	南信森林管理署大鹿森林事務所	
	木曽郡上松町正島町一の四の一	木曽森林管理署	
	木曽郡上松町正島町一の四の一	木曽森林管理署駒ヶ岳森林事務所	
	木曽郡木曽町開田高原末川二七三四の五	木曽森林管理署開田森林事務所	
	松本市奈川二四九二の二	中信森林管理署奈川森林事務所	一級地
	飯田市上村八五八の一〇	南信森林管理署上村森林事務所	
	木曽郡大桑村大字須原一〇五八の一	木曽森林管理署南木曽支署阿寺森林事務所	
	木曽郡大桑村大字野尻一二二三の一	木曽森林管理署南木曽支署須原森林事務所	
	木曽郡木曽町日義四七七四	中部地方整備局飯田国道事務所木曽維持出張所	

岐阜県	高山市荘川町新渕字ぼた下九二	飛騨森林管理署荘川森林事務所	一級地
	大野郡白川村大字鳩谷字北長四三三の一	飛騨森林管理署白川森林事務所	
	高山市高根町上ヶ洞字井ノ口三八三	飛騨森林管理署上ヶ洞森林事務所	一級地
静岡県	浜松市天竜区水窪町奥領家三二八一の五	天竜森林管理署水窪森林事務所	二級地
	静岡市葵区梅ヶ島五四〇五	中部地方整備局静岡河川事務所梅ヶ島出張所	一級地
	榛原郡川根本町千頭字付平九五〇の二	大井川治山センター	
	榛原郡川根本町千頭字八幡山九八〇の二	静岡森林管理署千頭森林事務所	
	榛原郡川根本町千頭字八幡山九八〇の二	静岡森林管理署南千頭森林事務所	
	榛原郡川根本町犬間五四一の三	中部地方整備局長島ダム管理所	
愛知県	豊田市閑羅瀬町東畑六七	中部地方整備局矢作ダム管理所	一級地
三重県	松阪市飯高町森一八一〇の一	中部地方整備局蓮ダム管理所	一級地
奈良県	吉野郡十津川村上野地二四一の四	奈良森林管理事務所十津川森林事務所	二級地
	吉野郡下北山村下池原一三六	奈良森林管理事務所下北山森林事務所	一級地
	吉野郡川上村大字北和田字長屋峯六一五の五	近畿農政局南近畿土地改良調査管理事務所大迫ダム管理所	
和歌山県	田辺市本宮町切畑田ノ元二一一の五	和歌山森林管理署本宮森林事務所	二級地
	田辺市龍神村東四九九の一	和歌山森林管理署龍神森林事務所	一級地
島根県	鹿足郡吉賀町柿木村柿木七六五の五	島根森林管理署柿木森林事務所	二級地
	隠岐郡隠岐の島町城北町五五	松江地方法務局西郷支局	
	隠岐郡隠岐の島町城北町五五	神戸税関境税関支署西郷監視署	
	隠岐郡隠岐の島町城北町五五	西郷税務署	
	隠岐郡隠岐の島町城北町五五	松江公共職業安定所隠岐の島出張所	
	隠岐郡隠岐の島町東町宇屋の下九九の二	境海上保安部隠岐海上保安署	
	隠岐郡隠岐の島町城北町五五	隠岐管理官事務所	
広島県	庄原市高野町新市一〇七八	広島北部森林管理署新市森林事務所	一級地
	安芸高田市美土里町生田一七七七の一	広島北部森林管理署生桑森林事務所	
徳島県	那賀郡那賀町長安字向イ一二二の一	四国地方整備局那賀川河川事務所事業計画課	一級地
香川県	高松市庵治町六〇三四の一	国立療養所大島青松園	一級地
高知県	高岡郡梼原町松原五六九の一	四万十森林管理署梼原森林事務所	三級地
	四万十市西土佐奥屋内八八九の四	四万十森林管理署黒尊森林事務所	二級地
	香美市物部町別府三七三の四	高知中部森林管理署別府森林事務所	
	安芸郡馬路村大字魚梁瀬一〇の一七	安芸森林管理署魚梁瀬・西川森林事務所	
	安芸郡馬路村大字魚梁瀬一〇の一七	安芸森林管理署東川森林事務所	
	高岡郡四万十町昭和字船戸ノ上り四二七の三	四万十森林管理署十和森林事務所	

	安芸郡馬路村馬路字天王堂三八八八の二	安芸森林管理署馬路森林事務所	一級地
	吾川郡いの町清水上分三八四の一	嶺北森林管理署吾北森林事務所	
	吾川郡いの町長沢三五の二	嶺北森林管理署寺川・長沢森林事務所	
	吾川郡仁淀川町高瀬三八一五	四国地方整備局大渡ダム管理所	
	高岡郡津野町芳生野字新田甲三八の八	四万十森林管理署東津野森林事務所	
	高岡郡四万十町大正字橋詰四六三の一	四万十森林管理署大正・下津井森林事務所	
長崎県	対馬市上対馬町比田勝ダラの木九五六の七	門司税関厳原税関支署比田勝出張所	三級地
	対馬市峰町三根二の八	長崎森林管理署三根森林事務所	
	対馬市上対馬町比田勝一〇〇〇の二三	対馬海上保安部比田勝海上保安署	
	対馬市上県町佐護西里二九五六の五	対馬自然保護官事務所	
	対馬市厳原町久田五八七の二	厳原拘置支所	二級地
	対馬市厳原町東里三四一の四二	長崎地方法務局対馬支局	
	対馬市厳原町中村六四三	長崎地方検察庁厳原支部	
	対馬市厳原町中村六四三	厳原区検察庁	
	対馬市厳原町東里三四一の四二	福岡出入国在留管理局対馬出張所	
	対馬市厳原町東里三四一の四二	門司税関厳原税関支署	
	対馬市厳原町桟原三八	厳原税務署	
	対馬市厳原町東里三四一の四二	福岡検疫所厳原・比田勝出張所	
	対馬市厳原町東里三四一の四二	対馬労働基準監督署	
	対馬市厳原町中村六四二の二	対馬公共職業安定所	
	対馬市厳原町日吉二九三の二	長崎森林管理署厳原森林事務所	
	対馬市厳原町久田六四五の八	厳原自動車検査登録事務所	
	対馬市厳原町東里三四一の四二	対馬海上保安部	
	壱岐市郷ノ浦町本村触六二四の二	長崎地方法務局壱岐支局	
	壱岐市郷ノ浦町本村触六二〇の四	長崎地方検察庁壱岐支部	
	壱岐市郷ノ浦町本村触六二〇の四	壱岐区検察庁	
	壱岐市郷ノ浦町本村触六二〇の四	壱岐税務署	
	壱岐市郷ノ浦町本村触六二〇の四	対馬公共職業安定所壱岐出張所	
	壱岐市郷ノ浦町郷ノ浦六四八の五	唐津海上保安部壱岐海上保安署	
	五島市栄町一の八	五島拘置支所	
	五島市紺屋町一の一	長崎地方法務局五島支局	
	五島市紺屋町一の一	長崎地方検察庁五島支部	
	五島市紺屋町一の一	五島区検察庁	
	五島市東浜町二の一の一	長崎税関五島監視署	
	五島市三尾野二の四の一二	福江税務署	
	五島市福江町七の三	五島公共職業安定所	
	五島市武家屋敷一の三の八	長崎森林管理署福江森林事務所	
	五島市東浜町二の一の一	長崎海上保安部五島海上保安署	
	五島市東浜町二の一の一	五島自然保護官事務所	

熊本県	八代市泉町椎原一の二	熊本南部森林管理署五家荘森林事務所	二級地
大分県	玖珠郡九重町大字田野二六〇の二	くじゅう管理官事務所	二級地
	玖珠郡九重町大字野上三四の一	大分西部森林管理署中村森林事務所	一級地
鹿児島県	大島郡徳之島町亀津五五三の一	名瀬公共職業安定所徳之島分室	五級地
	大島郡徳之島町亀津七一一一の二	鹿児島森林管理署徳之島森林事務所	
	大島郡天城町平土野二六九一の一	徳之島管理官事務所	
	熊毛郡屋久島町栗生一一四〇の四	屋久島森林管理署栗生森林事務所	四級地
	大島郡大和村思勝字腰ノ畑五五一	奄美群島国立公園管理事務所	
	大島郡瀬戸内町大字古仁屋字船津三五の一	奄美海上保安部古仁屋海上保安署	
	西之表市西之表一六三二一四の六	鹿児島地方法務局種子島出張所	三級地
	西之表市西之表一六三二一四の六	種子島税務署	
	西之表市西之表一六三二一四の六	鹿児島公共職業安定所熊毛出張所	
	西之表市西之表七六〇四	屋久島森林管理署西之表森林事務所	
	西之表市西之表一六三二一四の六	九州地方整備局西之表港湾事務所	
	西之表市西之表一六三二一四の六	鹿児島県海上保安部種子島海上保安署	
	奄美市名瀬矢之脇町二一の一	大島拘置支所	
	奄美市名瀬入舟町二三の一	鹿児島地方法務局奄美支局	
	奄美市名瀬矢之脇町一の二	鹿児島保護観察所奄美駐在官事務所	
	奄美市名瀬矢之脇町一の二	鹿児島地方検察庁名瀬支部	
	奄美市名瀬矢之脇町一の二	名瀬区検察庁	
	奄美市名瀬矢之脇町二六の一	鹿児島財務事務所名瀬出張所	
	奄美市名瀬長浜町一の一	長崎税関鹿児島税関支署名瀬監視署	
	奄美市名瀬長浜町一の一	大島税務署	
	奄美市名瀬和光町一七〇〇	国立療養所奄美和光園	
	奄美市名瀬長浜町一の一	名瀬労働基準監督署	
	奄美市名瀬長浜町一の一	名瀬公共職業安定所	
	奄美市名瀬長浜町一の一	門司植物防疫所名瀬支所	
	奄美市名瀬真名津町一の一七	鹿児島森林管理署名瀬森林事務所	
	奄美市名瀬和光町一二の一	奄美自動車検査登録事務所	
	奄美市名瀬矢之脇町二六の一	名瀬測候所	
	奄美市名瀬矢之脇町二六の一	奄美海上保安部	
	熊毛郡屋久島町宮之浦一五九三の二	鹿児島地方法務局屋久島出張所	
	熊毛郡屋久島町宮之浦一五七七の一	屋久島森林生態系保全センター	
	熊毛郡屋久島町安房一六六の五	屋久島森林管理署	
	熊毛郡屋久島町安房二三七二	屋久島森林管理署船行森林事務所	
	熊毛郡屋久島町安房二三七二	屋久島森林管理署春牧森林事務所	
	熊毛郡屋久島町宮之浦二三九五の一九	屋久島森林管理署宮之浦森林事務所	
	熊毛郡屋久島町宮之浦二三九五の一九	屋久島森林管理署小瀬田森林事務所	
	熊毛郡屋久島町安房前岳二七三九の三四三	屋久島自然保護官事務所	

沖縄県	島尻郡南大東村字在所三〇六	南大東島地方気象台	六級地
	八重山郡与那国町字与那国九九九の一	沖縄地区税関石垣税関支署与那国監視署	
	八重山郡竹富町字西表六八九	沖縄森林管理署租納森林事務所	五級地
	八重山郡竹富町字南風見二〇一	沖縄森林管理署大原森林事務所	
	八重山郡竹富町字古見	西表自然保護官事務所	
	宮古島市伊良部字佐和田一七三九の四	宮古空港・航空路監視レーダー事務所下地島空港分室	四級地
	石垣市字登野城五五の四	八重山財務出張所	三級地
	石垣市字登野城五五の四	石垣農林水産センター	
	石垣市美崎町一の一〇	石垣港湾事務所	
	石垣市字真栄里上原八六三の一五	八重山運輸事務所	
	石垣市字真栄里四一二	八重山刑務支所	
	石垣市字登野城五五の四	那覇地方法務局石垣支局	
	石垣市字登野城五五の四	那覇保護観察所石垣駐在官事務所	
	石垣市字登野城五五の一	那覇地方検察庁石垣支部	
	石垣市字登野城五五の一	石垣区検察庁	
	石垣市浜崎町一の一の八	福岡出入国在留管理局那覇支局石垣港出張所	
	石垣市字白保一九六〇の一〇四	動物検疫所沖縄支所検疫課石垣分室	
	石垣市浜崎町一の一の八	沖縄地区税関石垣税関支署	
	石垣市字白保一九六〇の一〇四	沖縄地区税関石垣税関支署石垣空港出張所	
	石垣市字登野城八	石垣税務署	
	石垣市浜崎町一の一の八	那覇検疫所石垣出張所	
	石垣市字白保一九六〇の一〇四	那覇検疫所石垣空港出張所	
	石垣市字登野城五五の四	八重山労働基準監督署	
	石垣市字登野城五五の四	八重山公共職業安定所	
	石垣市浜崎町一の一の八	那覇植物防疫事務所石垣出張所	
	石垣市字登野城五五の四	西表森林生態系保全センター	
	石垣市盛山二二二の七二	大阪航空局石垣空港出張所	
	石垣市字登野城四二八	石垣島地方気象台	
	石垣市浜崎町一の一の八	石垣海上保安部	
	石垣市盛山二二二の二八二	石垣航空基地	
	石垣市八島町二の二七	石垣自然保護官事務所	
	宮古島市平良字下里一〇一六	宮古財務出張所	
	宮古島市平良字下里一〇一六	宮古島農林水産センター	
	宮古島市平良字下里一〇八の一一	土地改良総合事務所宮古支所	
	宮古島市平良字下里一〇八の一一	宮古伊良部農業水利事業所	
	宮古島市平良字西里七の二一	平良港湾事務所	
	宮古島市平良字下里一〇三七の一	宮古運輸事務所	
	宮古島市平良字西里三四五の六	宮古拘置支所	
	宮古島市平良字下里一〇一六	那覇地方法務局宮古島支局	
	宮古島市平良字下里一〇一六	那覇保護観察所宮古島駐在官事務所	
	宮古島市平良字西里三四五	那覇地方検察庁平良支部	
	宮古島市平良字西里三四五	平良区検察庁	
	宮古島市平良字下里一〇八の一一	福岡出入国在留管理局那覇支局宮古島出張所	
	宮古島市平良字西里七の二一	沖縄地区税関宮古島税関支署	
	宮古島市平良字東仲宗根八〇七の七	宮古島税務署	
	宮古島市平良字下里一〇一六	那覇検疫所平良出張所	
	宮古島市平良字島尻八八八	国立療養所宮古南静園	

宮古島市平良字下里一〇一六	宮古労働基準監督署	
宮古島市平良字下里一〇二〇	宮古公共職業安定所	
宮古島市平良字西里七の二一	那覇植物防疫事務所平良出張所	
宮古島市平良字下里一〇二〇の一一	動物検疫所沖縄支所検疫課平良分室	
宮古島市平良字下里一六五七	宮古空港・航空路監視レーダー事務所	
宮古島市平良字下里一〇二〇の七	宮古島地方気象台	
宮古島市平良字西里七の二一	宮古島海上保安部	
国頭郡国頭村字安波二〇九	沖縄森林管理署安波森林事務所	
島尻郡座間味村字座間味一〇九	慶良間自然保護官事務所	
国頭郡国頭村字安波川瀬原一三〇一の二二	北部ダム統合管理事務所	二級地
国頭郡東村字高江四六六の一	沖縄森林管理署高江森林事務所	

本表―令七・四・一施行

備考１　この表の所在地欄に掲げる所在地の表示は、平成二十九年四月一日（沖縄地区税関石垣税関支署石垣空港出張所に係るものにあつては平成三十年七月一日、沖縄森林管理署安波森林事務所に係るものにあつては同年十月一日、那覇検疫所平良出張所に係るものにあつては平成三十一年四月一日、門司税関厳原税関支署比田勝出張所及び長崎税関鹿児島税関支署名瀬監視署に係るものにあつては令和二年四月一日、動物検疫所沖縄支所検疫課石垣分室及び動物検疫所沖縄支所検疫課平良分室に係るものにあつては同年十月一日、室蘭開発建設部鵡川沙流川河川事務所、室蘭開発建設部鵡川沙流川河川事務所平取ダム管理支所及び母島自然保護官事務所に係るものにあつては令和四年四月一日、九州地方整備局西之表港湾事務所に係るものにあつては同年七月一日、木曽森林管理署南木曽支署須原森林事務所に係るものにあつては同年十月一日、福岡出入国在留管理局那覇支局宮古島出張所に係るものにあつては令和六年一月十五日、名瀬測候所に係るものにあつては同年十一月二十八日、奄美海上保安部に係るものにあつては同年十二月十日、鹿児島財務事務所名瀬出張所に係るものにあつては令和七年一月十四日、札幌開発建設部雨竜川ダム建設事業所、三陸北部森林管理署久慈支署安家森林事務所、那覇検疫所石垣空港出張所及び北部ダム統合管理事務所に係るものにあつては同年四月一日）における区域を示し、その後における当該区域に係る表示の変更によつて影響されるものではない。

２　この表に掲げる官署のうち、石狩森林管理署浜益森林事務所、後志森林管理署永豊森林事務所、胆振東部森林管理署穂別森林事務所、胆振東部森林管理署稲里森林事務所、日高北部森林管理署、日高北部森林管理署日高森林事務所、日高北部森林管理署日勝森林事務所、室蘭開発建設部日高道路事務所、室蘭開発建設部鵡川沙流川河川事務所平取ダム管理支所、青森森林管理署三厩森林事務所、群馬森林管理署楢原森林事務所、木曽森林管理署開田森林事務所及び飛騨森林管理署白川森林事務所については、冬期は、級別区分が三級地である官署として同表に掲げられているものとし、上川南部森林管理署、上川南部森林管理署幾寅森林事務所、上川南部森林管理署落合森林事務所、上川南部森林管理署金山森林事務所、空知森林管理署北空知支署、空知森林管理署北空知支署幌加内森林事務所、札幌開発建設部雨竜川ダム建設事業所、知床森林生態系保全センター、ウトロ自然保護官事務所、阿寒摩周国立公園管理事務所、津軽森林管理署金木支署市浦森林事務所、下北森林管理署脇野沢森林事務所、岩手北部森林管理署、岩手北部森林管理署新町森林事務所、三陸北部森林管理署久慈支署安家森林事務所、米代東部森林管理署上小阿仁支署笑内森林事務所、山形森林管理署中村森林事務所、磐城森林管理署川内森林事務所、茨城森林管理署徳田森林事務所、関東地方整備局鬼怒川ダム統合管理事務所川俣ダム管理支所、片品自然保護官事務所、中信森林管理署奈川森林事務所、南信森林管理署上村森林事務所、木曽森林管理署南木曽支署阿寺森林事務所、木曽森林管理署南木曽支署須原森林事務所、飛騨森林管理署上ヶ洞森林事務所及び広島北部森林管理署新市森林事務所については、冬期は、級別区分が二級地である官署として同表に掲げられているものとする。

備考―令七・四・一施行

二　冬期に限り特地勤務手当が支給される官署

都道府県	所在地	官署	級別区分
北海道	夕張市南部青葉町五七三	札幌開発建設部夕張川ダム総合管理事務所	一級地
	伊達市大滝区本町一二の一	後志森林管理署大滝森林事務所	
	石狩市厚田区厚田一一九八の一	石狩森林管理署厚田森林事務所	
	瀬棚郡今金町字美利河	函館開発建設部今金河川事務所美利河ダム管理支所	
	上川郡上川町川端町九の一	上川中部森林管理署上川森林事務所	
	上川郡上川町川端町九の一	上川中部森林管理署清川森林事務所	
	上川郡上川町川端町九の三	上川中部森林管理署層雲峡森林事務所	
	上川郡上川町川端町九の三	上川中部森林管理署大函森林事務所	
	上川郡上川町旭町三九の一	旭川開発建設部旭川道路事務所第二工務課	
	上川郡上川町中央町六〇三	大雪山国立公園管理事務所	
	幌泉郡えりも町字新浜六一の一五	えりも自然保護官事務所	
	上川郡新得町屈足柏町五の一の三	十勝西部森林管理署東大雪支署新得森林事務所	
	上川郡新得町屈足柏町五の一の三	十勝西部森林管理署東大雪支署屈足森林事務所	
	上川郡新得町屈足柏町五の一の三	十勝西部森林管理署東大雪支署ニペソツ森林事務所	
	上川郡新得町屈足柏町五の一の三	十勝西部森林管理署東大雪支署トムラウシ森林事務所	
	足寄郡陸別町陸別基線三一八	十勝東部森林管理署宇遠別森林事務所	
	足寄郡陸別町陸別基線三一八	十勝東部森林管理署鹿山森林事務所	
	足寄郡陸別町陸別基線三一八	十勝東部森林管理署陸別森林事務所	
	足寄郡陸別町陸別基線三一八	十勝東部森林管理署勲禰別森林事務所	
	足寄郡陸別町陸別基線三一八	十勝東部森林管理署斗満森林事務所	
岩手県	久慈市山形町霜畑第六地割六六の一一	三陸北部森林管理署久慈支署山形森林事務所	一級地
秋田県	由利本荘市鳥海町上笹子字下野二の一五	由利森林管理署笹子森林事務所	一級地
	北秋田郡上小阿仁村沖田面字野中三七六の一三	米代東部森林管理署上小阿仁支署	
	北秋田郡上小阿仁村沖田面字野中三七六の一三	米代東部森林管理署上小阿仁支署小沢田森林事務所	
福島県	双葉郡葛尾村大字落合字西ノ内七の一	磐城森林管理署葛尾森林事務所	一級地
栃木県	日光市黒部二二一の三	日光森林管理署黒部森林事務所	一級地
群馬県	利根郡みなかみ町夜後二六	関東地方整備局利根川ダム統合管理事務所藤原ダム管理支所	一級地
新潟県	東蒲原郡阿賀町豊川甲四七三の二	下越森林管理署豊川森林事務所	一級地
石川県	白山市白峰ハ一五〇の一	石川森林管理署白峰森林事務所	一級地

福井県	大野市長野第三三号四番地の一	近畿地方整備局九頭竜川ダム統合管理事務所九頭竜ダム管理支所	一級地
長野県	塩尻市奈良井七九〇の一四	中信森林管理署奈良井森林事務所	一級地
	木曽郡南木曽町読書一九一二の一	木曽森林管理署南木曽支署柿其森林事務所	
	木曽郡木祖村大字薮原一一九一の二七	木曽森林管理署薮原森林事務所	
	北安曇郡白馬村大字北城五五九八の一	中信森林管理署白馬森林事務所	
岐阜県	高山市奥飛騨温泉郷平湯七六三の一二	平湯管理官事務所	一級地
	下呂市小坂町湯屋四	岐阜森林管理署大洞森林事務所	

本表—令五・八・一施行

備考　この表の所在地欄に掲げる所在地の表示は、平成二十九年四月一日（米代東部森林管理署上小阿仁支署及び米代東部森林管理署上小阿仁支署小沢田森林事務所に係るものにあつては同年九月四日、十勝西部森林管理署東大雪支署ニペソツ森林事務所及び十勝西部森林管理署東大雪支署トムラウシ森林事務所に係るものにあつては平成三十年四月一日、えりも自然保護官事務所に係るものにあつては同月二十四日、十勝東部森林管理署宇遠別森林事務所及び十勝東部森林管理署鹿山森林事務所に係るものにあつては同年九月一日、中信森林管理署白馬森林事務所に係るものにあつては令和五年八月一日）における区域を示し、その後における当該区域に係る表示の変更によつて影響されるものではない。

備考—令五・八・一施行

○特地勤務手当等の運用について（通知）

昭四五・一二・一七
給実甲三五一

最終改正 令七・二・一二給実甲一三四五

一般職の職員の給与に関する法律（昭和二十五年法律第九十五号）第十三条の二及び第十四条並びに人事院規則九―五五（特地勤務手当等）（以下「規則」という。）の運用について下記のとおり定めたので、これによってください。

記

給与法第十三条の二関係

1 この条の第一項の「勤務する」とは、本務として同項の特地官署（以下「特地官署」という。）に勤務することをいう。ただし、特地官署に置かれる官職に併任され、当該官職の業務に引き続き一月以上専ら従事することが予定されている場合にあっては、当該業務（当該官職の業務に引き続き専ら従事する期間の延長により当該業務に引き続き一月以上専ら従事することが予定されている場合にあっては、当該延長前の期間に係る当該業務を除く。）に専ら従事するために当該特地官署に勤務することをいう。

2 前項ただし書の場合においては、特地勤務手当を支給され、又は支給されないこととなる職員に対して、その支給の有無を人事異動通知書又はこれに代わる文書により通知するものとする。ただし、当該職員の併任が解除され、又は終了したことに伴い、特地勤務手当を支給され、又は支給されないこととなる場合は、この限りでない。

給与法第十四条関係

1 この条の第一項の「官署を異にして異動」とは、異なる官署に勤務することとなることをいう。この場合において、「勤務する」については、給与法第十三条の二関係の規定の例による。

2 この条の第一項の「当該異動に伴つて住居を移転した場合」又は「当該移転に伴つて職員が住居を移転した場合」とは、職員が官署を異にする異動又は官署の移転（以下「異動等」という。）を要因として当該異動等の直後の官署に勤務するため住居を移転した場合をいい、移転前の住居から通勤することが容易であるにもかかわらず、便宜、住居を移転した場合等は、これに該当しない。

3 この条の第一項又は第二項の「在勤する」については、給与法第十三条の二関係の規定の例による。

4 この条の第一項の「人事院の定める条件に該当する者」は、その有する技術、経験等に照らし、三年を超えて引き続き異動等の直後の官署に勤務させることが必要であると各庁の長（給与法第七条に規定する各庁の長又はその委任を受けた者をいう。以下同じ。）が認めた職員及び各庁の長が人事院事務総長と協議して定めるこれに準ずる職員とする。

規則第二条関係

この条の第二項第一号の「人事院が定める場合」は、職員が当該官署に勤務することとなった日前一年以内の当該官署が特地官署に該当していた期間の末日において当該官署に勤務していた場合とし、同号の「人事院が定める日」は、当該職員がその勤務することとなった日の直近に受けていた特地勤務手当（同日前の直近の特地官署に勤務していた期間の全期間において規則第二条の二の規定により特地勤務手当を受けていなかった場合にあっては、同条の規定の適用がないものとした場合に当該勤務していた期間に受けることとなる特地勤務手当）に係る同項各号に定める日とする。

規則第四条関係

1 特地勤務手当に準ずる手当を支給されている職員にこの条の第一項第二号に掲げる事由が生じた場合には、当該事由に関し新たに特地勤務手当に準ずる手当の支給が開始されるので、従前の異動等に係る支給は終了することとなる。

2 この条の第二項の「人事院が定める場合」は、職員が当該官署に勤務することとなった日前一年以内の当該官署に在勤していた期間の末日において当該官署が特地官署又は準特地官署に該当していた場合であって、同日において当該職員が特地勤務手当に準ずる手当を受けていたとき（同日において当該職員がこの条の第四項又は規則第五条第四項の規定により特地勤務手当に準ずる手当を受けていなかった場合にあっては、これらの規定の適用がないものとした場合に同日において特地勤務手当に準ずる手当を受けることとなるとき）とし、この条の第二項の「人事院が定める日」は、当該職員がその勤務することとなった日の直近に受けていた特地勤務手当に準ずる手当（同日前の直近の特地官署又は準特地官署に在勤していた期間（当該期間の全期間においてこの条の第一項又は規則第五条第三項の規定により特地勤務手当に準ずる手当を受けていなかった場合にあっては、当該在勤していた期間前の直近の特地官署又は準特地官署に在勤していた期間）の全期間においてこの条の第四項又は規則第五条第四項の規定により特地勤務手当に準ずる手当を受けていなかった場合にあっては、これらの規定の適用がないものとした場合に当該在勤していた期間に受けることとなる特地勤務手当に準ずる手当）に係るこの条の第二項に規定する日とする。

3　この条の第二項の表の「期間等の区分」については、特地官署の級別区分又は準特地官署（同表の備考により準特地官署とみなされる場合を含む。）のいずれかの区分のうち、その時点において該当する区分によるものとする。

規則第五条関係

この条の第二項第五号に該当すると思料される職員が生じたときは、人事院事務総長と協議するものとする。

規則第八条関係

1　この条の第一項の「人事院の定める場合」は、特地官署等が廃止される場合又は特地官署等の所在地の表示が変更される場合とする。

2　この条の第二項の特地官署等の所在地における生活環境等の実情の人事院への報告は、これらの実情に著しい変更があったと認められる場合は、別紙第一の様式により、速やかに、行うものとする。

3　前項に定める場合のほか、特地官署等の所在地における生活環境等の実情の人事院への報告は、五年ごとに、別紙第一の様式により行うものとする。

規則第九条関係

1　職員に特地勤務手当又は特地勤務手当に準ずる手当を支給するに当たっては、職員別に特地勤務手当及び特地勤務手当に準ずる手当支給調書を作成し、保管するものとする。

2　特地勤務手当及び特地勤務手当に準ずる手当支給調書の様式は、別紙第二のとおりとする。ただし、各庁の長は、特地勤務手当又は特地勤務手当に準ずる手当の支給に関し支障のない範囲内で、様式中の各欄の配列を変更し又は各欄以外の欄を設定する等当該様式を変更し、これによることができる。

3　特地勤務手当及び特地勤務手当に準ずる手当支給調書は、当分の間、従前の様式のものによることができる。

その他の事項

この通達により難い事情があり、その取扱いについて別の定めを行う必要があると認めるとき又は規則及びこの通達の解釈について疑義が生じたときは、その都度人事院事務総長と協議するものとする。

以上

別紙第１

特地官署等実態票（その１）

（令和　　年　　月　　日現在）

官署名＿＿＿＿＿＿＿＿＿＿　所在地＿＿＿＿＿＿＿＿＿＿

1　俸給表別級別職員数等

俸給表及び級												合計
職員数												人
特地勤務手当に準ずる手当受給者数												人

2　官署周辺の状況

（１）官署の最寄りの公共施設等の状況

公共施設等	名称	所在地	官署からの距離	備考		
小学校			km			
中学校			km			
郵便局			km			
役場			km			
スーパーマーケット			km			
金融機関			km			
病院			km	診療科名	病床数	

（２）官署の最寄りの人口集中地区又は準人口集中地区

人口集中地区又は準人口集中地区の設定市区町村名	

（３）官署から最寄りの人口集中地区又は準人口集中地区までの距離

区間（地点の名称）	路線名	累積距離	備考
1 （起点）官署　から　　まで		km	
2 　から　　まで		km	
3 　から　　まで		km	
4 　から　　まで		km	
5 　から（終点）　　まで		km	

3　宿舎周辺の状況

（１）職員の居住状況

宿舎名	所在地	入居職員数
		人

（２）宿舎の最寄りの人口集中地区又は準人口集中地区

人口集中地区又は準人口集中地区の設定市区町村名	

（３）宿舎から最寄りの人口集中地区又は準人口集中地区までの距離

区間（地点の名称）	路線名	累積距離	備考
1 （起点）宿舎　から　　まで		km	
2 　から　　まで		km	
3 　から　　まで		km	
4 　から　　まで		km	
5 　から（終点）　　まで		km	

4　特記事項

A4（210×297）

特地官署等実態票（その２）

（令和　　年　　月　　日現在）

官署名＿＿＿＿＿＿＿＿　所在地＿＿＿＿＿＿＿＿

1　俸給表別級別職員数等

俸給表及び級												合　計
職　員　数												人
特地勤務手当に準ずる手当受給者数												人

2　島と本土を結ぶ交通機関の状況

（1）船　便　（普　通　船）

定期船に乗下船する船着場名	航行距離及び運賃	月間往復航行回数	調査日前１年間の月別実績往復航行回数（対象期間　年　月～　年　月）						備　考
～	km 円	回	1月　回	2月　回	3月　回	4月　回	5月　回	6月　回	
			7月　回	8月　回	9月　回	10月　回	11月　回	12月　回	
～	km 円	回	1月　回	2月　回	3月　回	4月　回	5月　回	6月　回	
			7月　回	8月　回	9月　回	10月　回	11月　回	12月　回	

（2）船　便　（高　速　船）

定期船に乗下船する船着場名	航行距離及び運賃	月間往復航行回数	調査日前１年間の月別実績往復航行回数（対象期間　年　月～　年　月）						備　考
～	km 円	回	1月　回	2月　回	3月　回	4月　回	5月　回	6月　回	
			7月　回	8月　回	9月　回	10月　回	11月　回	12月　回	
～	km 円	回	1月　回	2月　回	3月　回	4月　回	5月　回	6月　回	
			7月　回	8月　回	9月　回	10月　回	11月　回	12月　回	

（3）航空便

定期航空便に搭乗降する空港名	運行距離及び運賃	月間往復運行回数	調査日前１年間の月別実績往復運行回数（対象期間　年　月～　年　月）						備　考
～	km 円	回	1月　回	2月　回	3月　回	4月　回	5月　回	6月　回	
			7月　回	8月　回	9月　回	10月　回	11月　回	12月　回	
～	km 円	回	1月　回	2月　回	3月　回	4月　回	5月　回	6月　回	
			7月　回	8月　回	9月　回	10月　回	11月　回	12月　回	

（4）所要時間

所要時間60分未満で東京都（島しょ部を除く。）に連絡する定期便	有　・　無

3　官署の最寄りの人口集中地区又は準人口集中地区

人口集中地区又は準人口集中地区の設定市区町村名	

4　特記事項

A4（210×297）

記　入　要　領

官署が北海道、本州、四国、九州及び沖縄の本島に所在する場合には特地官署等実態票（その１）を用い、それ以外の場合には特地官署等実態票（その２）を用いる。

第１　特地官署等実態票（その１）について

１　官署の最寄りの公共施設等の状況について

（１）　「小学校」及び「中学校」には、分校を含む。

（２）　「郵便局」には、分室、無集配局及び簡易局を含む。

（３）　「役場」には、支所、出張所等を含む。

（４）　「スーパーマーケット」については、日常生活に通常必要な衣食住に関する各種商品（耐久消費財を除く。）を販売する商店を記入する。

（５）　「金融機関」については、銀行、信用金庫、信用協同組合、農業協同組合等、預金、送金、公共料金の振替を取り扱う機関（郵便局を除く。）を記入する。

（６）　「病院」については、医療法（昭和２３年法律第２０５号）に定められているものを記入する。

（７）　「官署からの距離」については、自動車により移動するものとした場合の一般に利用しうる最短の経路の長さによるものとする。当該経路の長さの測定に当たっては、国土地理院が提供する電子地図その他の地図又はこれらの地図に係る測量法（昭和２４年法律第１８８号）第２９条若しくは第３０条第１項の規定に基づく国土地理院の長の承認を経て提供された電子地図その他の地図を用いて行うことができる。

２　官署の最寄りの人口集中地区又は準人口集中地区について

最近の国勢調査の結果による人口集中地区又は準人口集中地区が設定された市区町村名を記入し、準人口集中地区である場合には、当該市区町村名の末尾に「(準)」と付すものとする。

３　官署から最寄りの人口集中地区又は準人口集中地区までの距離について

（１）　「区間」、「路線名」及び「累積距離」については、官署を起点とし、官署の最寄りの人口集中地区又は準人口集中地区の外縁を終点とする区間を自動車により移動するものとした場合の一般に利用しうる最短の経路について、道路の路線ごとに記入する。距離の長さの測定に当たっては、１（７）後段の例により行うことができる。

（２）　「備考」については、隘路、危険箇所等により自動車を使用することが困難な区間がある場合には、その区間、距離及びその状況を記入する。

４　職員の居住状況について

最も多くの職員が居住する国家公務員宿舎法（昭和２４年法律第１１７号）に定められている宿舎（居住者数が同数である場合には、最も官署に近い宿舎。５及び６において「宿舎」という。）について、記入する。

５　宿舎の最寄りの人口集中地区又は準人口集中地区について

宿舎の最寄りの人口集中地区又は準人口集中地区ついて、２の例により記入する。

６　宿舎から最寄りの人口集中地区又は準人口集中地区までの距離について

宿舎を起点とし、宿舎の最寄りの人口集中地区又は準人口集中地区の外縁を終点とする区間について、３の例により記入する。

７　特記事項について

特地官署等実態票（その１）２及び３に掲げる事項のほか、官署の所在地における生活環境等の実情で特記すべき事項がある場合には、その内容を具体的に記入する。

第２　特地官署等実態票（その２）について

１　島と本土を結ぶ交通機関の状況について

（１）　本土とは北海道、本州、四国、九州及び沖縄の本島をいう。

（２）　島と本土を結ぶ船便の航路又は航空便の航空路が２以上ある場合には、利用度の高い順に記入する。

２　官署の最寄りの人口集中地区又は準人口集中地区について

島内に人口集中地区又は準人口集中地区が設定（人口３万人以上の市町村に設定されているものに限る。）されている場合には、官署の最寄りの人口集中地区又は準人口集中地区について、第１の２の例により記入する。

３　特記事項について

官署の所在地における生活環境等の実情で特記すべき事項がある場合には、第１の７の例により記入する。

別紙第2

特地勤務手当及び特地勤務手当に準ずる手当支給調書

勤務官署名		職名（官職）		氏名	
職員番号		級別区分		（冬期）	
異動年月日	令和　年　月　日	住居移転年月日		令和　年　月　日	

俸給

	俸給表	級	号俸	俸給月額	その他（俸給の調整額等）
令和　年　月　日				円	円
令和　年　月　日				円	円
令和　年　月　日				円	円
令和　年　月　日				円	円
令和　年　月　日				円	円
令和　年　月　日				円	円
令和　年　月　日				円	円
令和　年　月　日				円	円

扶養手当

	月額
令和　年　月　日	円
令和　年　月　日	円
令和　年　月　日	円
令和　年　月　日	円
令和　年　月　日	円
令和　年　月　日	円
令和　年　月　日	円
令和　年　月　日	円

1. 特地勤務手当

支給開始年月日		令和　年　月　日	支給終了年月日		令和　年　月　日
支給割合	支給額	支給期間	支給額（調整前）	地域手当の支給割合	地域手当の月額
%	円	令和　年　月　日から令和　年　月　日まで	円	%	円
%	円	令和　年　月　日から令和　年　月　日まで	円	%	円
%	円	令和　年　月　日から令和　年　月　日まで	円	%	円
%	円	令和　年　月　日から令和　年　月　日まで	円	%	円
%	円	令和　年　月　日から令和　年　月　日まで	円	%	円
%	円	令和　年　月　日から令和　年　月　日まで	円	%	円
%	円	令和　年　月　日から令和　年　月　日まで	円	%	円
%	円	令和　年　月　日から令和　年　月　日まで	円	%	円
%	円	令和　年　月　日から令和　年　月　日まで	円	%	円
%	円	令和　年　月　日から令和　年　月　日まで	円	%	円
%	円	令和　年　月　日から令和　年　月　日まで	円	%	円
%	円	令和　年　月　日から令和　年　月　日まで	円	%	円

2. 特地勤務手当に準ずる手当

支給開始年月日	令和　年　月　日	支給終了年月日	令和　年　月　日	
特地勤務手当等の運用について（給実甲第351号）給与法第14条関係第4項により、異動等の日から3年を超えて支給する職員に　□該当する　□該当しない				
支給割合	支給額	支給期間	支給割合（調整前）	広域異動手当の支給割合
%	円	令和　年　月　日から令和　年　月　日まで	%	%
%	円	令和　年　月　日から令和　年　月　日まで	%	%
%	円	令和　年　月　日から令和　年　月　日まで	%	%
%	円	令和　年　月　日から令和　年　月　日まで	%	%
%	円	令和　年　月　日から令和　年　月　日まで	%	%
%	円	令和　年　月　日から令和　年　月　日まで	%	%
%	円	令和　年　月　日から令和　年　月　日まで	%	%
%	円	令和　年　月　日から令和　年　月　日まで	%	%
%	円	令和　年　月　日から令和　年　月　日まで	%	%
%	円	令和　年　月　日から令和　年　月　日まで	%	%
%	円	令和　年　月　日から令和　年　月　日まで	%	%
%	円	令和　年　月　日から令和　年　月　日まで	%	%

備考

第一三　超過勤務手当・休日給・夜勤手当・宿日直手当

【参照】
●一般職給与法一六～一九の二・一九の九
●同運用方針一六関係～一九の二関係・一九の九関係
●規則（九—七）一一～一三
●一般職勤務時間法一三の二

○人事院規則九—九七（超過勤務手当）

平二二・二・一全改
平二二・四・一施行

改正　平二三・二・一規則九—九七—二

（趣旨）
第一条　超過勤務手当の支給については、別に定める場合を除き、この規則の定めるところによる。

（超過勤務手当の支給割合）
第二条　給与法第十六条第一項の人事院規則で定める割合は、次の各号に掲げる勤務の区分に応じ、当該各号に定める割合とする。
一　給与法第十六条第一項第一号に掲げる勤務　百分の百二十五
二　給与法第十六条第一項第二号に掲げる勤務　百分の百三十五

（雑則）
第三条　この規則に定めるもののほか、超過勤務手当に関し必要な事項は、人事院が定める。

本条—平二三・四・一施行

附　則（抄）

（施行期日）
第一条　この規則は、平成二十二年四月一日から施行する。

附　則（平二三・二・一規則九—九七—二）

この規則は、平成二十三年四月一日から施行する。

○人事院規則九—七（俸給等の支給）の運用について（抄）

昭二八・二・二三
給実甲六五

最終改正　令二・六・一七給実甲一二七三

第十三条関係
一　各庁の長又はその委任を受けた者は、超過勤務等命令簿を作成し、職員に超過勤務、超勤代休時間の勤務、休日給の支給される日の勤務、夜間勤務及び宿日直勤務（常直勤務（人事院規則九—一五（宿日直手当）第一条第三号に掲げる勤務及び同条第四号に掲げる勤務のうち同条第三号に掲げる勤務と同様の勤務をいう。以下同じ。）を除く。以下この号において同じ。）を命じた場合は、その都度勤務時間管理員にその年月日、職員の氏名、超過勤務、休日給の支給される日の勤務、夜間勤務又は宿日直勤務の区分別及びそれぞれの手当の支給割合（その割合が百分の百五十又は百分の百七十五である超過勤務手当の支給割合にあっては、一般職の職員の給与に関する法律（昭和二十五年法律第九十五号。以下この号において「給与法」という。）第十六条第一項第一号に掲げる勤務（国家公務員の育児休業等に関する法律（平成三年法律第百九号）第十六条（同法第二十二条において準用する場合を含む。）又は第二十四条の規定により読み替えられた給与法第十六条第一項ただし書又は第二項に規定する七時間四十五分に達するまでの間の勤務（以下この号において「七時間四十五分内勤務」という。）を除く。）、七時間四十五分内勤務及び給与法第十六条第一項第二号に掲げる勤務の別並びに同条第三項の規定の適用の有無の別の支給割合）別の時間数（宿日直勤務にあつては、その勤務一回の時間数）並びに超勤代休時間にした勤務の時間数及び当該勤務の給与法第十六条第四項に規定する減じた割合別の時間数をこれに記入させた上、自ら確認し、当該超過勤務等命令簿にその旨を示すものとする。

二　各庁の長又はその委任を受けた者は、職員に常直勤務を命じた場合には各月の末日（俸給の支給義務者を異にして移動した場合にはその移動の日の前日）に、超過勤務等命令簿にその月の勤務日数を勤務時間管理員に記入させた上、自ら確認し、当該超過勤務等命令簿にその旨を示すものとする。ただし、当該期間中において勤務しなかつた日がある場合は、その都度そのことを朱書するものとする。

三　勤務時間管理員は、勤務時間報告書に超過勤務、超勤代休時間にした勤務、休日給の支給される日の勤務及び夜間勤務の時間並びに宿日直勤務の支給額区分別の回数（常直勤務については勤務日数）を記入するに当たつては、超過勤務等命令簿に基づいて行わなければならない。

○超勤代休時間の指定及び超過勤務手当の支給の取扱いについて（通知）

平二二・二・一
職職—三七職員福祉課長
給三—二七給与第三課長

改正　平二三・二・一職職—二二
給三—一四

標記について、下記のとおり取り扱うこととしたので、平成二十二年四月一日以降は、これによってください。

記

一般職の職員の勤務時間、休暇等に関する法律（平成六年法律第三十三号。以下「勤務時間法」という。）第十三条第一項に規定する正規の勤務時間を超えてした勤務の時間が一箇月について六十時間を超えた日後に一般職の職員の給与に関する法律（昭和二十五年法律第九十五号。以下「給与法」という。）第十九条に規定する勤務一時間当たりの給与額に異動のあった職員に対して、勤務時間法第十三条の二第一項の規定により同項に規定する超勤代休時間（以下「超勤代休時間」という。）を指定する場合の超過勤務手当の額の算定に当たっては、給与法第十六条第四項に規定する超勤代休時間の指定に代えられた超過勤務手当の支給に係る時間については、給与法第十六条第三項の規定の適用を受ける時間のうち、当該異動前の時間から順次超勤代休時間の指定に代えられた超過勤務手当の支給に係る時間とされたものとする。この場合において、異動が二以上あったときは、同項の規定の適用を受ける時間のうち、先の異動前の時間から順次超勤代休時間の指定に代えられた超過勤務手当の支給に係る時間とされたものとする。

以　上

○併任先で超過勤務を行った場合の超過勤務手当等の取扱いについて（通知）

平二〇・四・一
給　三―四一

超過勤務手当の支給額の算定に用いる勤務一時間当たりの給与額（以下「時間単価」という。）については、俸給の月額並びにこれに対する地域手当、広域異動手当及び研究員調整手当の月額の合計額を基礎として算出することとされていますが、併任先で超過勤務を行った場合（併任されている官職の業務に引き続き一箇月以上専ら従事することが予定されている場合を除く。）において、本務に係る当該合計額を基礎として算出した時間単価が、俸給の月額並びにこれに対する併任先に係る地域手当（給与法第十一条の七の規定による地域手当を除く。）及び研究員調整手当の月額の合計額を基礎として算出した時間単価に達しないときは、後者の時間単価を用いることが適当と考えますので、今後はこれによってください。

また、休日給及び夜勤手当の支給額の算定についても、これと同様に取り扱ってください。

以　上

【行政実例】

○給実甲第二十八号第十六条第二項(1)関係の改正について

〔照会〕　今回、給実甲第二十八号（一般職の職員の給与に関する法律の運用方針）第十六条関係第二項の規定の一部が改正されたが、下記の事項についてご教示ください。

記

(1)　給実甲第二十八号第十六条関係第二項(1)のただし書の規定を削ることとした理由はなにか。

(2)　休日給および夜勤手当についても、超過勤務手当と同様に午前0時以降は、その日の勤務として取り扱うことになるか。（昭四八・四・二一　人関一―二二〇　関東事務局長）

〔回答〕　ご質問について下記のとおり回答します。

記

1　第十六条関係第二項の改正について

改正前の取扱いによれば、前日から引き続き翌日にわたる超過勤務を行なつた場合には、前日の勤務として取り扱うこととされていたが、当該翌日に昇給、昇格等が行なわれた場合には、超過勤務手当が別計算となり、俸給表等がそ及して改正された場合には、差額追給が会計法上過年度支出になる等、事務上煩雑となるので、第十六条関係第二項(1)のただし書の規定を削り、超過勤務日を午前0時をもつて区切るように改正したものである。

2　休日給等について

休日給および夜勤手当の取扱いについては、これらの手当が、時間給であることから、午前0時を境にして、昇給等によりその額が変わることがあるので、当然貴見のとおり取り扱うべきものと考える。

（昭四八・五・四　給三―六四　給与第三課長）

○人事院規則九―四三（休日給）

昭六〇・一二・二一全改
昭六一・一・一施行
最終改正　平二二・二・一規則九―四三―三

（休日給の支給される日）

第一条　給与法第十七条前段（育児休業法第十六条（育児休業法第二十二条において準用する場合を含む。）又は第二十四条の規定により読み替えて適用する場合を含む。）の人事院規則で定める日は、勤務時間法第六条第一項に規定する週休日に当たる勤務時間法第十四条に規定する祝日法による休日の直後の勤務日等（勤務時間法第十条に規定する勤務日等をいう。以下この条において同じ。）（当該勤務日等が給与法第十五条に規定する祝日法による休日等若しくは年末年始の休日等、勤務時間法第十三条の二第一項の規定により割り振られた勤務時間の全部について同項に規定する超勤代休時間を指定された日又は次条の人事院が指定する日（以下この条において「休日等」という。）に当たるときは、当該休日等の直後の勤務日等）とする。ただし、職員の勤務時間の割振りの事情により、各庁の長が他の日とすることについて人事院の承認を得たときは、その日とする。

本条―平二二・四・一施行

第二条　給与法第十七条後段の人事院規則で定める日は、国の行事の行われる日で人事院が指定する日とする。

（休日給の支給割合）

第三条 給与法第十七条の人事院規則で定める割合は、百分の百三十五とする。

本条―平六・四・一施行

附 則

この規則は、昭和六十一年一月一日から施行する。

附 則（平二二・二・一規則九―四三―三）

この規則は、平成二十二年四月一日から施行する。

○人事院規則九―四三（休日給）第一条ただし書の休日給の支給される日について（通知）

平一四・六・二〇
給実甲九二二

最終改正 令六・三・二九事企法―八七

標記について下記による場合には、平成十四年六月二十日以降、人事院規則九―四三（休日給）（以下「規則」という。）第一条ただし書の規定に基づく人事院の承認があったものとして取り扱うことができることとしたので通知します。

記

一般職の職員の勤務時間、休暇等に関する法律（平成六年法律第三十三号。以下「勤務時間法」という。）第十四条に規定する祝日法による休日が勤務時間法第七条（国家公務員の育児休業等に関する法律（平成三年法律第百九号）第十七条（同法第二十二条において準用する場合を含む。）又は第二十五条の規定により読み替えて適用する場合を含む。）及び第八条第一項の規定に基づく週休日に当たる日（以下「重複日」という。）に係る規則第一条本文の規定による休日給の支給される日（以下「支給対象日」という。）と他の重複日に係る支給対象日とが同一の日となる場合に、それらの重複日の日数から一を減じて得た数に相当する日数分の当該支給対象日の直後の勤務時間法第十条に規定する勤務日等（規則第一条に規定する休日等又は支給対象日を除く。）を、休日給の支給される日とする。

○人事院規則九―一五（宿日直手当）

昭三九・一二・一七全改
昭三九・九・一適用
最終改正　令六・三・二九規則一―八二

（宿日直手当の支給される勤務）

第一条　宿日直手当の支給される勤務は、次に掲げる勤務とする。

一　規則一五―一四（職員の勤務時間、休日及び休暇）第十三条第一項第一号に掲げる勤務

二　規則一五―一四第十三条第一項第三号に掲げる勤務

三　規則一五―一四第十三条第一項第二号に掲げる勤務

四　規則一五―一四第十三条第二項の規定により命ぜられる同条第一項各号に掲げる勤務と同様の勤務

本条―平六・九・一施行

（宿日直手当の額）

第二条　前条第一号及び第二号の勤務についての宿日直手当の額は、その勤務一回につき、次の各号に掲げる額とする。ただし、勤務時間が五時間未満の場合は、当該各号に掲げる額に百分の五十を乗じて得た額とする。

一　前条第一号の勤務については、四千四百円

二　前条第二号の勤務のうち次号及び第四号に規定する勤務以外の勤務については、五千三百円

三　前条第二号の勤務のうち規則一五―一四第十三条第一項第三号イ、ハ、ニ、ホ⑴、ヘ⑴、チ（⑴を除く。）、ヌ並びにル⑶及び⑸に掲げる勤務については、六千百円（人事院の定めるものにあつては、七千四百円）

四　前条第二号の勤務のうち規則一五―一四第十三条第一項第三号チ⑴に掲げる勤務については、二万千円

2　給与法第十九条の二第一項ただし書の人事院規則で定める日は、執務時間が午前八時三十分から午後零時三十分までと定められている日及びこれに相当する日とし、前条第一号及び第二号の勤務のうち当該人事院規則で定める日に退庁時から引き続いて行われる宿直勤務についての宿日直手当の額は、前項の規定にかかわらず、同項各号に掲げる額に百分の百五十を乗じて得た額とする。

3　前条第三号の勤務についての宿日直手当の額は、月の一日から末日までの期間において勤務した日数がその期間の二分の一を超える場合にあつては月額二万二千円とし、その期間において勤務した日数がその期間の二分の一以下の場合にあつては月額一万千円とする。

4　前条第四号の勤務についての宿日直手当の額については、前三項の規定を準用する。

一項―平三〇・一一・三〇施行
二項―平四・五・一施行
三項―令六・四・一施行
四項―平六・九・一施行

附　則（令六・三・二九規則一―八二）（抄）

（施行期日）

第一条　この規則は、令和七年四月一日から施行する。ただし、〔中略〕第五条の規定〔中略〕は令和六年四月一日から施行する。

（勤務時間法の一部改正に伴う経過措置）

第二条　各省各庁の長（勤務時間法第三条に規定する各省各庁の長をいう。）は、一般職の職員の給与に関する法律等の一部を改正する法律（令和五年法律第七十三号。附則第四条において「令和五年改正法」という。）第三条の規定の施行の日（以下この条において「施行日」という。）前に勤務時間法第六条第三項（育児休業法第十七条（育児休業法第二十二条において準用する場合を含む。）の規定により読み替えて適用する場合を除く。）の規定により勤務時間を割り振ろうとする場合又は勤務時間法第六条第四項の規定により週休日を設け、及び勤務時間を割り振ろうとする場合（規則一五―一四第四条の二の規定により職員が選択する期間（以下この条において「選択単位期間」という。）が一週間である場合を除く。）において、単位期間（勤務時間法第六条第三項に規定する単位期間をいう。以下同じ。）の初日としようとする日から起算して四週間（選択単位期間が二週間又は三週間である場合にあっては、それぞれ二週間又は三週間）を経過する日が、施行日以後に到来するときは、同規則第四条の二の規定にかかわらず、当該単位期間の末日を施行日の前日以前とするために必要な限度において、当該単位期間を一週間、二週間又は三週間とすることができる。

○常直勤務に対する宿日直手当の支給等について（通知）

昭三九・一二・一七
給実甲二四二

最終改正 平三〇・一一・三〇給実甲一二五〇

常直勤務（人事院規則九―一五（宿日直手当）第一条第三号に掲げる勤務及び同条第四号に掲げる勤務のうち同条第三号に掲げる勤務と同様の勤務をいう。以下同じ。）に対する宿日直手当の支給等について下記のとおり定めたので通知します。

記

1 常直勤務を命ぜられた職員が月の一日から末日までの期間（以下「期間」という。）の全日数にわたつて勤務しなかつた場合は、常直勤務に係る宿日直手当は支給できない。

2 常直勤務を命ぜられていた職員が月の中途において、その所属する俸給の支給義務者を異にして移動した場合には、次に定めるところにより宿日直手当を支給する。

一 移動後の所属庁（以下「後任庁」という。）において引き続き常直勤務に従事することが明らかな場合は、移動前の所属庁（以下「前任庁」という。）に係る常直勤務についての宿日直手当は、前任庁では支給せず後任庁で支給する。

なお、この場合における当該期間中の常直勤務の日数の計算については、前任庁において行つた常直勤務の日数を後任庁で行つた常直勤務の日数に加算するものとする。

二 後任庁において常直勤務に従事しないことが明らかな場合は、前任庁における移動日の前日までに行つた常直勤務の日数によつて前任庁において支給する。

三 同一期間中における移動で、断続的に常直勤務に従事する場合であつても、その期間中における常直勤務に対する宿日直手当の支給額の合計は、二万二千円を超えることはできない。

3 前任庁の長は、移動した職員の当該期間中に行つた常直勤務の日数及びその勤務に対して支給した宿日直手当の額を後任庁の長に通知する。

以上

【行政実例】

○土曜日の宿日直手当の支給について

（照会）(1) 規則九―一五第二条の規定で「宿直勤務が土曜日またはこれに相当する日の退庁時から引き続いて行なわれる場合にあつては」と定められているが、官署の特殊事情等のため通常の日の退庁時に相当する時刻を交替時刻として勤務を分けて日直勤務と宿直勤務を命じている場合で、かつ、やむを得ない理由のため同一人が日直勤務に引き続いて宿直勤務を命ぜられて行なつた場合における宿日直手当額はいくら支給すべきか。

(2) 「土曜日またはこれに相当する日」の退庁時から翌日の通常の日の登庁時に相当する時刻まで宿直勤務を命ぜられたものが、都合により五時間以上勤務した後に他のものと交替した場合における手当額は三百六十円となるか。（昭三八・三・一三 東地一―二六五 東京地方事務所長）

（回答）(1) 日直勤務または宿直勤務の命じ方のいかんにかかわらず、同一人が土曜日またはこれに相当する日の退庁時から翌日の登庁相当時まで引き続いて勤務した場合には、その勤務は給与法第十九条の二かつこ書の規定にいう宿直勤務に該当するので、その手当額は四百二十円とする。（昭三八・三・二八給三―一二六 給与局長）

(2) 貴見のとおりと解する。

（注） 問及び答中の「土曜日またはこれに相当する日」は、現在は規定されていない。ただし、当該規定の趣旨については、現行の人事院規則九―一五（宿日直手当）第二条第二項中「執務時間が午前八時三十分から午後零時三十分までと定められている日及びこれに相当する日」の規定が相当する。

第一四　俸給の特別調整額

【参照】
●一般職給与法一〇の二・一九の八・一九の九
●同運用方針一〇の二関係・一九の八関係・一九の九関係
●規則(九—七)六・七・一三

○人事院規則九—一七（俸給の特別調整額）

昭三九・一二・二六全改
昭四〇・一・一施行
最終改正　令七・四・一規則九—一七—一七三

（支給官職及び区分）

第一条　給与法第十条の二第一項の規定により俸給の特別調整を行う官職は、別表第一に掲げる官職及び人事院がこれに相当すると認める官職とする。

2　別表第一に掲げる官職に係る俸給の特別調整額の区分は、同表の官職欄の区分に応じ、同表の区分欄に定める区分とする。ただし、同表に掲げる官職（同表中その区分について人事院が別に定めることとされている官職を除く。）のうち人事院が別に定める官職にあつては、当該官職に対応する同表の区分欄に定める区分より一段高い区分とすることができる。

3　第一項に規定する人事院が別表第一に掲げる官職に相当すると認める官職に係る俸給の特別調整額の区分については、当該官職が当該別表第一に掲げる官職が掲げられている同表の官職欄に掲げられているものとして、前項の規定を適用する。

一・三項—平一二・四・一施行
二項—平一九・四・一施行

（支給額）

第二条　俸給の特別調整額は、次の各号に掲げる職員の区分に応じ、当該各号に定める額（その額に一円未満の端数があるときは、その端数を切り捨てた額）とする。

一　次号に掲げる職員以外の職員　当該職員に適用される俸給表の別並びに当該職員の属する職務の級及び当該職員の占める官職に係る俸給の特別調整額の区分に応じ、別表第二の俸給の特別調整額欄に定める額（育児休業法第十三条第一項に規定する育児短時間勤務職員及び育児休業法第二十二条の規定による短時間勤務をしている職員にあつては育児休業法第十七条（育児休業法第二十二条において準用する場合を含む。）の規定により読み替えられた勤務時間法第五条第一項ただし書の規定により定められたその者の勤務時間を同項本文に規定する勤務時間で除して得た数を、育児休業法第二十三条第二項に規定する任期付短時間勤務職員にあつては育児休業法第二十五条の規定により読み替えられた勤務時間法第五条第一項ただし書の規定により定められたその者の勤務時間を同項本文に規定する勤務時間で除して得た数をそれぞれその額に乗じて得た額）

二　法第六十条の二第二項に規定する定年前再任用短時間勤務職員　当該職員に適用される俸給表の別並びに当該職員の属する職務の級及び当該職員の占める官職に係る俸給の特別調整額の区分に応じ、別表第三の俸給の特別調整額欄に定める額に、勤務時間法第五条第二項の規定により定められたその者の勤務時間を同条第一項に規定する勤務時間で除して得た数を乗じて得た額

本条—令五・四・一施行

（給与法附則第八項の規定の適用を受ける職員の支給額）

第三条　給与法附則第八項の規定の適用を受ける職員に対する前条の規定の適用については、当分の間、同条第一号中「定める額」とあるのは、「定める額に百分の七十を乗じて得た額（その額に、五十円未満の端数を生じたときはこれを切り捨て、五十円以上百円未満の端数を生じたときはこれを百円に切り上げた額）」とする。

本条—令五・四・一施行

附　則（平一八・一二・一五規則九—一七—一〇九）

最終改正　平二二・一二・八規則九—一七—一二四

（施行期日）

1　この規則は、平成十九年四月一日から施行する。

（経過措置）

2　給与法第十条の二の規定により俸給の特別調整を行う官職を占める職員のうち、この規則による改正後の規則

九—一七（以下「新規則」という。）第二条の規定による俸給の特別調整額が経過措置基準額（育児休業法第十三条第一項に規定する育児短時間勤務職員及び育児休業法第二十二条の規定による短時間勤務をしている職員にあっては、当該経過措置基準額に育児休業法第十七条（育児休業法第二十二条において準用する場合を含む。）の規定により読み替えられた勤務時間法第五条第一項ただし書の規定により定められたその者の勤務時間を同項本文に規定する勤務時間で除して得た数を乗じて得た額）に達しないこととなる職員には、当該俸給の特別調整額（規則九—一七第三条の規定が適用される職員にあっては、同条の規定による俸給の特別調整額）のほか、新規則第二条の規定による俸給の特別調整額と経過措置基準額との差額に相当する額に次の各号に掲げる期間の区分に応じ当該各号に定める割合を乗じて得た額（規則九—一七第三条の規定が適用される職員にあっては、当該額に百分の九十八・五を乗じて得た額とし、それらの額に一円未満の端数があるときは、その端数を切り捨てた額）を俸給の特別調整額として支給する。

一　平成十九年四月一日から平成二十年三月三十一日まで　百分の百

二　平成二十年四月一日から平成二十一年三月三十一日まで　百分の七十五

三　平成二十一年四月一日から平成二十二年三月三十一日まで　百分の五十

四　平成二十二年四月一日から平成二十三年三月三十一日まで　百分の二十五

3　前項に規定する経過措置基準額とは、次の各号に掲げる職員の区分に応じ、当該各号に定める額をいう。

一　この規則の施行の日（以下「施行日」という。）の前日に適用されていた俸給表と同一の俸給表の適用を受ける職員（以下「同一俸給表適用職員」という。）であって、同日に属していた職務の級より下位の職務の級に属する職員以外のもののうち、相当区分等職員（同日において占めていたこの規則による改正前の規則九—一七第一条に規定する別表俸給の特別調整額表に掲げる官職に係る同表の区分欄に定める区分（以下「旧区分」という。）に相当する新規則別表第一の区分欄に掲げる区分に対応する新規則第一条第一項に規定する官職を占める職員をいう。第三号において同じ。）　次に掲げる職員の区分に応じ、それぞれ次に定める額

イ　医療職俸給表(一)の適用を受ける職員　施行日の前日にその者が受けていた俸給の特別調整額

ロ　一般職の職員の給与に関する法律等の一部を改正する法律（平成二十一年法律第八十六号）の施行の日において同法附則第三条第一項第一号に規定する減額改定対象職員である者（以下「平成二十一年度減額改定対象職員」という。）　施行日の前日にその者が受けていた俸給の特別調整額に百分の九十九・五九を乗じて得た額

ハ　イ及びロに掲げる職員以外の職員　施行日の前日にその者が受けていた俸給の特別調整額に百分の九十九・八三を乗じて得た額

二　同一俸給表適用職員であって、施行日の前日に属していた職務の級より下位の職務の級に属する職員以外のもののうち、下位区分等相当職員（旧区分より低い区分に相当する新規則別表第一の区分欄に掲げる区分に対応する新規則第一条第一項に規定する官職を占める職員をいう。第四号において同じ。）　次に掲げる職員の区分に応じ、それぞれ次に定める額

イ　医療職俸給表(一)の適用を受ける職員　施行日の前日に当該旧区分より低い区分に相当する新規則別表第一の区分欄に掲げる区分を適用したとしたならばその者が受けることとなる俸給の特別調整額（ロ及びハにおいて「下位区分仮定額」という。）

ロ　平成二十一年度減額改定対象職員　下位区分仮定額に百分の九十九・五九を乗じて得た額

ハ　イ及びロに掲げる職員以外の職員　下位区分仮定額に百分の九十九・八三を乗じて得た額

三　同一俸給表適用職員であって、施行日の前日に属していた職務の級より下位の職務の級に属するもののうち、相当区分等職員　次に掲げる職員の区分に応じ、それぞれ次に定める額

イ　医療職俸給表(一)の適用を受ける職員　施行日の前日にその者が当該下位の職務の級に降格したとしたならばその者が受けることとなる俸給の特別調整額（ロ及びハにおいて「降格後相当区分仮定額」という。）

ロ　平成二十一年度減額改定対象職員　降格後相当区分仮定額に百分の九十九・五九を乗じて得た額

ハ　イ及びロに掲げる職員以外の職員　降格後相当区分仮定額に百分の九十九・八三を乗じて得た額

四　同一俸給表適用職員であって、施行日の前日に属していた職務の級より下位の職務の級に属するもののうち、下位区分等相当職員　次に掲げる職員の区分に応じ、それぞれ次に定める額

イ　医療職俸給表(一)の適用を受ける職員　施行日の前日にその者が当該下位の職務の級に降格し、かつ、旧区分より低い区分に相当する新規則別表第一の区分欄に掲げる区分を適用したとしたならばその者が受けることとなる俸給の特別調整額（ロ及びハにおいて「降格後下位区分仮定額」という。）

ロ　平成二十一年度減額改定対象職員　降格後下位区分仮定額に百分の九十九・五九を乗じて得た額

ハ　イ及びロに掲げる職員以外の職員　降格後下位区分仮定額に百分の九十九・八三を乗じて得た額

五　施行日以後に俸給表の適用を異にする異動をした職員（施行日以後に新たに俸給表の適用を受けることとなった職員を除く。）　施行日の前日に当該異動をしたものとして前各号の規定によるものとした場合の額

六　前各号に掲げる職員のほか、施行日以後に給与法第十一条の七第三項に規定する給与特例法適用職員等から人事交流等により引き続き新たに俸給表の適用を受けることとなった職員その他特別の事情があると認められる職員のうち、部内の他の職員との均衡を考慮して前各号に掲げる職員に準ずるものとして人事院が定める職員　前各号の規定に準じて人事院が定める額

附　則（平一八・一二・二八規則九—一七—一〇）

この規則は、平成十九年一月一日から施行する。

附　則（平一九・一・九規則一—四七）（抄）

（施行期日）

1　この規則は、公布の日から施行する。

附　則（平一九・三・三〇規則九—一七—一一）

この規則は、平成十九年四月一日から施行する。

附　則（平一九・六・二九規則九—一七—一二）

この規則は、平成十九年七月一日から施行する。

附　則（平一九・七・二〇規則一—四八）（抄）

（施行期日）

1　この規則は、平成十九年八月一日から施行する。

附　則（平一九・八・三一規則九—一七—一一三）

この規則は、平成十九年九月一日から施行する。

附　則（平二〇・四・一規則九—一七—一一四）

この規則は、公布の日から施行する。

附　則（平二〇・七・一規則九—一七—一一五）

この規則は、公布の日から施行する。

附　則（平二〇・七・四規則九—一七—一一六）

この規則は、公布の日から施行する。

附　則（平二〇・一〇・一規則九—一七—一一七）

この規則は、公布の日から施行する。

附　則（平二〇・一二・二五規則九—一七—一一八）

この規則は、平成二十年十二月三十一日から施行する。

附　則（平二一・二・二規則九—一七—一一九）（抄）

最終改正　平二二・一一・三〇規則九—一七—一二三

（施行期日）

第一条　この規則は、平成二十一年四月一日から施行する。

（経過措置）

第二条　この規則の施行の日（以下「施行日」という。）の前日においてこの規則による改正前の規則九—一七第一条第一項に規定する内部部局等に置かれる同項に規定する課長補佐又は人事院が当該課長補佐に相当すると認める官職（以下この項及び次条において「課長補佐等の官職」という。）を占めていた職員であって、その官職を同日から引き続き占めるもの（本府省業務調整手当を支給されない者のうち、人事院が定めるものに限る。）には、経過措置基準額（法第八十一条の五第一項に規定する短時間勤務の官職を占める職員にあっては勤務時間法第五条第二項の規定により定められたその者の勤務時間を同条第一項に規定する勤務時間で除して得た数を、育児休業法第十三条第一項に規定する育児短時間勤務職員及び育児休業法第二十二条の規定による短時間勤務をしている職員にあっては育児休業法第十七条（育児休業法第二十二条において準用する場合を含む。）の規定により読み替えられた勤務時間法第五条第一項ただし書の規定により定められたその者の勤務時間を同項本文に規定する勤務時間で除して得た数を、育児休業法第二十三条第二項に規定する任期付短時間勤務職員にあっては育児休業法第二十五条の規定により読み替えられた勤務時間法第五条第一項ただし書の規定により定められたその者の勤務時間を同項本文に規定する勤務時間で除して得た数をそれぞれ当該経過措置基準額に乗じて得た額）に次の各号に掲げる期間の区分に応じ当該各号に定める割合を乗じて得た額（その額に一円未満の端数があるときは、その端数を切り捨てた額）を俸給の特別調整額として支給する。同日において課長補佐等の官職を占めていた職員のうち、これらの職員との均衡上必要があると認められる職員として人事院が定める職員についても、同様とする。

一　平成二十一年四月一日から平成二十二年三月三十一日まで　百分の百

二　平成二十二年四月一日から平成二十三年三月三十一日まで　百分の七十五

三　平成二十三年四月一日から平成二十四年三月三十一日まで　百分の五十

四　平成二十四年四月一日から平成二十五年三月三十一日まで　百分の二十五

2　前項に規定する経過措置基準額とは、次の各号に掲げる職員の区分に応じ、当該各号に定める額をいう。

一　施行日の前日に適用されていた俸給表と同一の俸給表の適用を受ける職員であって、同日に属していた職務の級より下位の職務の級に属する職員以外の職員　同日に当該職員に適用されていた俸給表の別及び当該職員の属していた職務の級に応じ、附則別表第一の俸給の特別調整額欄に掲げる額（法第八十一条の四第一項又は第八十一条の五第一項の規定により採用された職員にあっては、附則別表第二の俸給の特別調整額欄に掲げる額）

二　前号に掲げる職員以外の職員　前号に掲げる職員との均衡を考慮して人事院が定める額

第三条　前条の規定により俸給の特別調整額を支給される職員又は課長補佐等の官職を占める職員であって本府省業務調整手当を支給されるものに対する附則第五条の規定による改正前の規則九—一七—一〇九（人事院規則九—一七（俸給の特別調整額）の一部を改正する人事院規則）附則第二項及び第三項の規定の適用については、なお従前の例による。この場合において、同項第一号中「いた俸給の特別調整額」とあるのは「いた俸給の特別調整額に百分の九十九・五九を乗じて得た額」と、同項第二号中「いたとしたならばその者が受けることとなる俸給の特別調整額」とあるのは「いたとしたならばその者が受けることとなる俸給の特別調整額に百分の九十九・五九を乗じて得た額」と、同項第三号及び第四号中「俸給の特別調整額」とあるのは「俸給の特別調整額に百分の九十九・五九を乗じて得た額」と、同項第五号中「した場合に」とあるのは「して」と、「準じてその者が受けることとなる俸給の特別調整額」とあるのは「よるものとした場合の額」とする。

第四条　前二条の規定により俸給の特別調整額を支給される職員は、給与法第十条の三第一項及び第十九条の三第一項に規定する管理職員並びに給与法第十九条の八第二項に規定する管理職員等に含まれないものとする。

附則別表第一（附則第二条関係）

一　行政職俸給表㈠

職務の級	俸給の特別調整額
7　級	35,400円
6　級	33,200円
5　級	31,700円

二　税務職俸給表

職務の級	俸給の特別調整額
7　級	36,300円
6　級	35,800円
5　級	34,400円

附則別表第二（附則第二条関係）

一　行政職俸給表㈠

職務の級	俸給の特別調整額
7　級	29,200円
6　級	25,700円
5　級	23,600円

二　税務職俸給表

職務の級	俸給の特別調整額
7　級	30,900円
6　級	28,000円
5　級	26,000円

附　則（平二一・三・一八規則九―八―六八）（抄）

最終改正　平二二・一一・三〇規則九―八―七二

（施行期日）

第一条　この規則は、平成二十一年四月一日から施行する。

（施行日以降に降格した職員に関する経過措置）

第三条　施行日以降に降格した職員に関する規則九―一七―一〇九（人事院規則九―一七（俸給の特別調整額）の一部を改正する人事院規則）附則第三項及び規則九―一七―一一九（人事院規則九―一七（俸給の特別調整額）の一部を改正する人事院規則）附則第三条の規定の適用については、規則九―一七―一〇九附則第三項第三号イ中「当該下位の職務の級に降格したとしたならばその者が受けることとなる俸給の特別調整額（ロ及びハにおいて「降格後相当区分仮定額」という。）」とあるのは「受けていた俸給月額と一般職の職員の給与に関する法律等の一部を改正する法律（平成十七年法律第百十三号）附則第十一条の規定による俸給との合計額に相当する額（以下「合計相当額」という。）から、降格をした日の前日に受けていた号俸に対応する俸給月額と降格後に受けることとなる号俸に対応する俸給月額との差額に相当する額（降格を二回以上した場合にあっては、それぞれの当該差額に相当する額を合算した額。以下「差額相当額」という。）を減じた額に旧区分に応じた支給割合を乗じて得た額」と、同号ロ及びハ中「降格後相当区分仮定額」とあるのは「合計相当額」と、「得た額」とあるのは「得た額から差額相当額を減じた額に旧区分に応じた支給割合を乗じて得た額」と、同項第四号イ中「施行日の前日にその者が当該下位の職務の級に降格し、かつ、旧区分より低い区分に相当する新規則別表第一の区分欄に掲げる区分を適用したとしたならばその者が受けることとなる俸給の特別調整額（ロ及びハにおいて「降格後下位区分仮定額」という。）」とあるのは「合計相当額から差額相当額を減じた額に旧区分より低い区分に応じた支給割合を乗じて得た額」と、同号ロ及びハ中「降格後下位区分仮定額」とあるのは「合計相当額」と、「得た額」とあるのは「得た額から差額相当額を減じた額に旧区分より低い区分に応じた支給割合を乗じて得た額」と、規則九―一七―一一九附則第三条中「同項第一号中「いた俸給の特別調整額」とあるのは「いた俸給の特別調整額に百分の九十九・五九を乗じて得た額」と、同項第二号中「いたとしたならばその者が受けることとなる俸給の特別調整額」とあるのは「いたとしたならばその者が受けることとなる俸給の特別調整額に百分の九十九・五九を乗じて得た額」と、同項第三号及び第四号中「俸給の特別調整額」とあるのは「俸給の特別調整額に百分の九十九・五九」とあるのは「平成二十一年四月一日以降に降格した職員に関する同項の規定の適用については、同項第三号中「当該下位の職務の級に降格したとしたならばその者が受けることとなる俸給の特別調整額」とあり、及び同項第四号中「当該下位の職務の級に降格し、かつ、旧区分より低い区分に相当する新規則別表第一の区分欄に掲げる区分を適用したとしたならばその者が受けることとなる俸給の特別調整額」とあるのは「受けていた俸給月額と一般職の職員の給与に関する法律等の一部を改正する法律（平成十七年法律第百十三号）附則第十一条の規定による俸給との合計額に百分の九十九・五九を乗じて得た額から、降格をした日の前日に受けていた号俸に対応する俸給月額と降格後に受けることとなる号俸に対応する俸給月額との差額に相当する額（降格を二回以上した場合にあっては、それぞれの当該差額に相当する額を合算した額）を減じた額に百分の八」とする。

（降号した職員に関する経過措置）

第五条　降号した職員に関する規則九―一七―一〇九附則第三項及び規則九―一七―一一九附則第三条の規定の適用については、規則九―一七―一〇九附則第三項第一号イ中「俸給の特別調整額」とあるのは「俸給月額と一般職の職員の給与に関する法律等の一部を改正する法律（平成十七年法律第百十三号）附則第十一条の規定による俸給との合計額に相当する額（以下「合計相当額」という。）から、降号をした日の前日に受けていた号俸に対応する俸給月額と降号後に受けることとなる号俸に対応する俸給月額との差額に相当する額（降号を二回以上した場合にあっては、それぞれの当該差額に相当する額を合算した額。以下「差額相当額」という。）を減じた額に旧区分に応じた支給割合を乗じて得た額」と、同号ロ及びハ中「施行日の前日にその者が受けていた俸給の特別調整額」とあるのは「合計相当額」と、「得た額」とあるのは「得た額から差額相当額を減じた額に旧区分に応じた支給割合を乗じて得た額」と、同項第二号イ中「施行日の前日に当該旧区分より低い区分に相当する新規則別表第一の区分欄に掲げる区分を適用したとしたならばその者が受けることとなる俸給の特別調整額（ロ及びハにおいて「下位区分仮定額」という。）」とあるのは「合計相当額から差額相当額を減じた額に当該旧区分より低い区分に応じた支給割合を乗じて得た額」と、同号ロ及びハ中「下位区分仮定額」とあるのは「合計相当額」と、「得た額」とあるのは「得た額から差額相当額を減じた額に当該旧区分より低い区分に応じた支給割合を乗じて得た額」と、規則九―一七―一一九附則第三条中「同項第一号中「いた俸給の特別調整額」とあるのは「いた俸給の特別調整額に百分の九十九・五九を乗じて得た額」と、同項第二号中「いたとしたならばその者が受けることとなる俸給の特別調整額」とあるのは「いたとしたならばその者が受けることとなる俸給の特別調整額に百分の九十九・五九を乗じて得た額」と、同項第三号及び第四号中「俸給の特別調整額」とあるのは「俸給の特別調整額に百分の九十九・五九」とあるのは「降号した職員に関する同項の規定の適用については、同項第一号中「その者が受けていた俸給の特別調整額」とあり、及び同項第二号中「当該旧区分より低い区分に相当する新規則別表第一の区分欄に掲げる区分を適用したとしたならばその者が受けることとなる俸給の特別調整額又は同日において課長補佐等の官職を占めていたとしたならばその者が受けることとなる俸給の特別調整額」とあるのは「その者が受けていた俸給月額と一般職の職員の給与に関する法律等の一部を改正する法律（平成十七年法律第百十三号）附則第十一条の規定による俸給との合計額に百分の九十九・五九を乗じて得た額から、降号をした日の前日に受けていた号俸に対応する俸給月額と降号後に受けることとなる号俸に対応する俸給月額との差額に相当する額（降号を二回以上した場合にあっては、それぞれの当該差額に相当する額を合算した額）を減じた額に百分の八」とする。

附　則（平二一・四・一規則九—一七—一二〇）

この規則は、公布の日から施行する。

附　則（平二一・七・一四規則九—一七—一二一）

この規則は、公布の日から施行し、改正後の規則九—一七別表第一の三十五の表海上保安航空基地の項は、平成二十一年四月一日から適用する。

附　則（平二一・九・一規則一—五五）

この規則は、公布の日から施行する。

附　則（平二一・一一・三〇規則九—八—七〇）（抄）

改正　平二二・一一・三〇規則九—八—七二

（施行期日）

1　この規則は、平成二十一年十二月一日から施行する。

（人事院規則九—八—六八の一部改正に伴う経過措置）

3　平成十九年四月一日から平成二十一年三月三十一日までの間に降格をした職員であって一般職の職員の給与に関する法律等の一部を改正する法律（平成二十二年法律第五十三号）の施行の日（以下「施行日」という。）以降に降格又は降号をした職員及び平成二十一年四月一日から施行日の前日までの間に降格又は降号をした職員の規則九—一七—一〇九（人事院規則九—一七（俸給の特別調整額）の一部を改正する人事院規則）附則第二項に規定する経過措置基準額は、規則九—八—六八附則第三条及び第五条、規則九—一七—一〇九附則第三項並びに規則九—一七—一一九（人事院規則九—一七（俸給の特別調整額）の一部を改正する人事院規則）附則第三条の規定にかかわらず、人事院の定めるところによる。

附　則（平二一・一二・二八規則一—五六）（抄）

（施行期日）

1　この規則は、平成二十二年一月一日から施行する。

附　則（平二二・四・一規則九—一七—一二二）

この規則は、公布の日から施行する。

附　則（平二二・一一・三〇規則九—一七—一二三）

この規則は、平成二十二年十二月一日から施行する。

附　則（平二二・一二・八規則九—一七—一二四）（抄）

（施行期日）

第一条　この規則は、公布の日から施行する。

（平成二十二年四月一日前に五十五歳に達した職員に関する読替え）

第二条　平成二十二年四月一日前に五十五歳に達した職員に対する改正後の規則九—一七第三条の規定の適用については、同条中「五十五歳に達した日後における最初の四月一日（」とあるのは「規則九—一七—一二四（人事院規則九—一七（俸給の特別調整額）の一部を改正する人事院規則）の施行の日（」と、「五十五歳に達した日後における最初の四月一日後」とあるのは「同日後」とする。

附　則（平二三・四・一規則九—一七—一二五）

この規則は、公布の日から施行する。

附　則（平二三・六・三〇規則九—一七—一二六）

この規則は、公布の日から施行する。ただし、別表第一の十八の表の改正規定は、平成二十三年七月一日から施行する。

附　則（平二三・九・一規則九—一七—一二七）

この規則は、公布の日から施行する。

附　則（平二四・三・三〇規則九—一七—一二八）

この規則は、平成二十四年四月一日から施行する。

附　則（平二四・四・六規則九—一七—一二九）

この規則は、公布の日から施行する。

附　則（平二四・六・二九規則九—一七—一三〇）

この規則は、平成二十四年七月一日から施行する。

附　則（平二四・八・七規則九—一七—一三一）

この規則は、公布の日から施行する。

附　則（平二四・九・一九規則一—五八）（抄）

（施行期日）

1　この規則は、公布の日から施行する。

附　則（平二五・四・一規則一—五九）（抄）

（施行期日）

第一条　この規則は、公布の日から施行する。

附　則（平二五・四・一規則九—一七—一三二）

この規則は、公布の日から施行する。

附　則（平二五・五・一六規則九—一七—一三三）

この規則は、公布の日から施行する。

附　則（平二五・七・一規則九—一七—一三四）

この規則は、公布の日から施行する。

附　則（平二五・一〇・一規則九—一七—一三五）

この規則は、公布の日から施行する。

附　則（平二五・一二・二七規則九—一七—一三六）（抄）

（施行期日）

1　この規則は、平成二十六年一月一日から施行する。

附　則（平二六・二・二八規則一—六一）

この規則は、平成二十六年三月一日から施行する。

附　則（平二六・四・一規則九—一七—一三七）

この規則は、公布の日から施行する。

附　則（平二六・五・二九規則九—一七—一三八）

この規則は、平成二十六年五月三十日から施行する。

附　則（平二七・一・三〇規則九—一七—一三九）

この規則は、平成二十七年四月一日から施行する。

附　則（平二七・四・一規則九—一七—一四〇）

この規則は、公布の日から施行する。

附　則（平二七・四・一〇規則九—一七—一四一）

この規則は、公布の日から施行する。

附　則（平二七・五・一規則九—一七—一四二）

この規則は、公布の日から施行する。

附　則（平二七・九・一規則九—一七—一四三）

この規則は、公布の日から施行する。

附　則（平二七・一〇・一規則九—一七—一四四）

この規則は、公布の日から施行する。

附　則（平二七・一二・二八規則九―一七―一四五）

この規則は、平成二十八年一月一日から施行する。

附　則（平二八・一・二六規則九―一七―一四六）

この規則は、公布の日から施行し、改正後の規則九―一七の規定は、平成二十七年四月一日から適用する。

附　則（平二八・四・一規則九―一七―一四七）

この規則は、公布の日から施行する。

附　則（平二八・六・一〇規則九―一七―一四八）

この規則は、公布の日から施行し、改正後の規則九―一七の規定は、平成二十八年四月一日から適用する。

附　則（平二八・一二・二四規則九―一七―一四九）

この規則は、公布の日から施行し、改正後の規則九―一七の規定は、平成二十八年四月一日から適用する。

附　則（平二九・三・三一規則九―一七―一五〇）

この規則は、平成二十九年四月一日から施行する。

附　則（平二九・七・七規則九―一七―一五一）

この規則は、平成二十九年七月十一日から施行する。

附　則（平二九・七・一四規則九―一七―一五二）

この規則は、公布の日から施行する。

附　則（平二九・九・二九規則九―一七―一五三）

この規則は、平成二十九年十月一日から施行する。

附　則（平二九・一二・一五規則九―一七―一五四）

この規則は、公布の日から施行し、改正後の規則九―一七の規定は、平成二十九年四月一日から適用する。

附　則（平二九・一二・二八規則九―一七―一五五）

この規則は、平成三十年一月一日から施行する。

附　則（平三〇・二・一規則一―七二）（抄）

この規則は、平成三十年四月一日から施行する。〔ただし書略〕

附　則（平三〇・三・三〇規則九―一七―一五六）

この規則は、平成三十年四月一日から施行する。

附　則（平三〇・一〇・一規則九―一七―一五七）

この規則は、公布の日から施行する。

附　則（平三〇・一一・三〇規則九―一七―一五八）

この規則は、公布の日から施行し、この規則による改正後の規則九―一七の規定は、平成三十年四月一日から適用する。

附　則（平三一・四・一規則九―一七―一五九）

この規則は、公布の日から施行する。

附　則（平三一・四・二六規則九―一七―一六〇）

この規則は、平成三十一年五月一日から施行する。

附　則（令二・一・七規則九―一七―一六一）（抄）

（施行期日）

1　この規則は、公布の日から施行する。

附　則（令二・四・一規則九―一七―一六二）

この規則は、公布の日から施行する。

附　則（令二・一〇・一規則九―一七―一六三）

この規則は、公布の日から施行する。

附　則（令三・四・一規則九―一七―一六四）

この規則は、公布の日から施行する。

附　則（令三・七・一規則九―一七―一六五）

この規則は、公布の日から施行する。ただし、別表第一の二十二の表の改正規定は、令和三年七月十日から施行する。

附　則（令三・九・一規則一―七七）

この規則は、公布の日から施行する。

附　則（令三・一〇・一規則九―一七―一六六）

この規則は、公布の日から施行する。

附　則（令四・二・一八規則一―七九）（抄）

（施行期日）

第一条　この規則は、令和五年四月一日から施行する。

（改正後の人事院規則九―一七における暫定再任用職員に関する経過措置）

第八条　暫定再任用職員（暫定再任用短時間勤務職員を除く。）に対する第十二条の規定による改正後の規則九―一七第二条の規定の適用については、同条第一号中「別表第二」とあるのは、「別表第三」とする。

2　暫定再任用短時間勤務職員は、定年前再任用短時間勤務職員とみなして、第十二条の規定による改正後の規則九―一七第二条の規定を適用する。

附　則（令四・四・一規則九―一七―一六七）

この規則は、公布の日から施行する。

附　則（令五・三・三一規則九―一七―一六八）（抄）

（施行期日）

第一条　この規則は、令和五年四月一日から施行する。

附　則（令五・六・三〇規則九―一七―一六九）

この規則は、令和五年七月一日から施行する。

附　則（令六・四・一規則九―一七―一七〇）

この規則は、公布の日から施行する。

附　則（令六・一二・二五規則九―一七―一七一）

この規則は、公布の日から施行し、この規則による改正後の規則九―一七の規定は、令和六年四月一日から適用する。

附　則（令七・四・一規則九―一七―一七二）

この規則は、公布の日から施行する。

附　則（令七・四・一規則九―一七―一七三）

この規則は、公布の日から施行する。

別表第一（第一条関係）

一　会計検査院

組　織	官　職	区　分
事務総局	審議官 課長	一種
	室長（人事院の定めるものに限る。） 企画官（人事院の定めるものに限る。）	二種

二　人事院

組　織	官　職	区　分
事務総局	局次長 課長	一種
	室長（人事院の定めるものに限る。） 次席試験専門官（人事院の定めるものに限る。）	二種
公務員研修所	副所長	一種
	部長	二種
	課長	四種
地方事務局	局長	一種
	課長	四種（人事院が別に定める場合にあつては二種又は三種）
沖縄事務所	所長	二種
	課長	四種
国家公務員倫理審査会事務局	参事官	一種

三　内閣

組　織	官　職	区　分
内閣官房	内閣審議官 内閣参事官 総理大臣官邸事務所長	一種
	調査官	一種（人事院が別に定める場合にあつては二種）
	企画官（人事院の定めるものに限る。） 総理大臣官邸事務所副所長	二種
内閣衛星情報センター	部長 総括開発官 課長	一種
	主任分析官（人事院の定めるものに限る。） 副センター所長	二種
内閣法制局	参事官 課長	一種
	法令調査官（人事院の定めるものに限る。）	二種

四　内閣府

組　織	官　職	区　分
内部部局	審議官 課長	一種

	室長（人事院の定めるものに限る。） 調査官（人事院の定めるものに限る。）	二種
食品安全委員会事務局	事務局長 事務局次長 課長	一種
	室長（人事院の定めるものに限る。）	二種
公益認定等委員会事務局	事務局長 次長 課長	一種
	企画官（人事院の定めるものに限る。）	二種
再就職等監視委員会	再就職等監察官	一種
事務局	事務局長 参事官	一種
消費者委員会事務局	参事官	一種
	企画官（人事院の定めるものに限る。）	二種
経済社会総合研究所	総括政策研究官	一種
	部長 上席主任研究官	二種
	課長 研究交流官	三種
	主任研究官（人事院の定めるものに限る。）	四種（人事院が別に定める場合にあつては二種又は三種）
経済研修所	部長	二種
	研修企画官	三種
迎賓館	次長	一種
	課長	二種
京都事務所	所長	二種
	課長	四種
科学技術・イノベーション推進事務局	審議官 参事官	一種
	企画官（人事院の定めるものに限る。）	二種
宇宙開発戦略推進事務局	参事官	一種
	企画官（人事院の定めるものに限る。）	二種
北方対策本部	審議官	一種
	調査官（人事院の定めるものに限る。）	二種
国際平和協力本部事務局	事務局次長 参事官	一種
	調査官（人事院の定めるものに限る。）	二種
日本学術会議事務局	次長 課長	一種
官民人材交流センター	審議官 課長	一種
	主任調整官（人事院の定めるものに限る。）	二種
沖縄総合事務局	次長	一種
	部長	二種
	総務調整官	三種
	課長	四種（人事院が別に定める場合にあつては二種又は三種）

組織	官職	区分
	首席海事技術専門官 技術管理官	四種
	室長	五種（人事院が別に定める場合にあつては三種又は四種）
	上席国有財産管理官（人事院の定めるものに限る。）	五種
財務出張所	所長	五種
農林水産センター	センター長	五種
陸運事務所	所長	三種
	首席運輸企画専門官（人事院の定めるものに限る。）	四種
運輸事務所	所長	五種
事務所（陸運事務所及び運輸事務所を除く。）及び事業所	所長 副所長	三種
	課長	四種
事務所支所	支所長（人事院の定めるものに限る。）	四種
事務所出張所	出張所長（人事院の定めるものに限る。）	四種

五　宮内庁

組織	官職	区分
内部部局	審議官 課長	一種
	室長（人事院の定めるものに限る。）	二種
	首席楽長 衛生監 主厨長 調査官（人事院の定めるものに限る。）	三種
	主任研究官（人事院の定めるものに限る。）	四種
	楽長（人事院の定めるものに限る。）	五種（人事院が別に定める場合にあつては三種又は四種）
宮内庁病院	副院長	二種
	事務長 薬局長 総看護師長	四種
陵墓監区事務所	所長	四種
	副所長（人事院の定めるものに限る。）	五種
皇居東御苑管理事務所	所長	三種
御用邸管理事務所	所長	四種
正倉院事務所	所長	一種
	課長 室長（人事院の定めるものに限る。） 主任研究官（人事院の定めるものに限る。）	四種
御料牧場	場長	二種
	次長	三種
	課長	四種

組織	官職	区分
京都事務所	所長	一種
	次長	二種
	課長 主任研究官（人事院の定めるものに限る。）	四種

六　公正取引委員会

組織	官職	区分
事務総局	部長 課長	一種
	室長（人事院の定めるものに限る。） 上席審査専門官（人事院の定めるものに限る。）	二種
地方事務所	所長	二種
	審査統括官	三種
	課長 経済取引指導官	四種
支所	支所長	二種
	課長	四種

七　警察庁

組織	官職	区分
内部部局	部長 課長	一種
	室長（人事院の定めるものに限る。） 監察官（人事院の定めるものに限る。） 工場長	二種
警察大学校	副校長	一種
	部長	二種
	課長 主任教授（人事院の定めるものに限る。）	四種
特別捜査幹部研修所	所長	一種
	主任教授（人事院の定めるものに限る。）	四種
国際警察センター	所長	一種
	室長	四種
財務捜査研修センター	所長	三種
	主任教授（人事院の定めるものに限る。）	四種
取調べ技術総合研究・研修センター	所長	三種
警察政策研究センター	所長	一種
	主任教授（人事院の定めるものに限る。）	四種
警察情報通信研究センター	所長	二種
	室長	四種
サイバーセキュリティ対策研究センター	所長	三種
	室長	四種
附属警察情報通信学校	校長	一種
	部長	三種
科学警察研究所	所長 副所長	一種
	部長	二種

	課長 室長（人事院の定めるものに限る。） 主任研究官（人事院の定めるものに限る。）	四種
附属鑑定所	所長	二種
	主任研究官（人事院の定めるものに限る。）	四種
皇宮警察本部	副本部長	一種
	部長	二種
	首席監察官	三種
	課長 侍衛官	四種
護衛署	署長	三種
	副署長	四種
皇宮警察学校	校長	二種
	教頭	三種
管区警察局及び警察支局	局長 支局長	一種
	部長	二種
	首席監察官	三種
	課長 監察官（人事院の定めるものに限る。）	四種
管区警察学校	校長	二種
	部長	四種
	課長 室長（人事院の定めるものに限る。）	五種
府県情報通信部	部長	三種（人事院が別に定める場合にあつては一種又は二種）
	課長	四種
管区警察局、警察支局又は府県情報通信部の通信現業所	所長（人事院の定めるものに限る。）	五種
管区警察局又は府県情報通信部の通信支所	支所長（人事院の定めるものに限る。）	五種
東京都警察情報通信部	部長	二種
	課長	四種
多摩通信支部	支部長	四種
	課長	五種
東京都警察情報通信部通信現業所	所長（人事院の定めるものに限る。）	五種
北海道警察情報通信部	部長	二種
	課長	四種
方面情報通信部	部長	三種
	課長	五種
北海道警察情報通信部又は方面情報通信部の通信現業所	所長（人事院の定めるものに限る。）	五種
警視庁	部長	一種

組織	官職	区分
	方面本部長 警察機動隊長	二種
	運転免許本部長 首席監察官（人事院の定めるものに限る。）	三種
	課長	四種
警視庁警察学校	校長	二種
	副校長	三種
	部長	四種
道府県警察本部	本部長 副本部長	一種
	市警察部長	二種
	部長	三種（人事院が別に定める場合にあつては一種又は二種）
	参事官	三種
	課長	四種
北海道警察方面本部	方面本部長	二種
	参事官	三種
大阪府警察方面本部	方面本部長	二種
道府県警察学校	校長	二種
	副校長 部長	四種
都道府県警察署	署長	三種

八　個人情報保護委員会

組織	官職	区分
事務局	審議官 課長	一種
	企画官（人事院の定めるものに限る。）	二種

九　カジノ管理委員会

組織	官職	区分
事務局	部長 課長	一種
	室長（人事院の定めるものに限る。） 企画官（人事院の定めるものに限る。）	二種

十　金融庁

組織	官職	区分
内部部局	審議官 課長	一種
	室長（人事院の定めるものに限る。） 企画官（人事院の定めるものに限る。）	二種
証券取引等監視委員会事務局	次長 課長	一種
	室長（人事院の定めるものに限る。） 統括検査官（人事院の定めるものに限る。）	二種
公認会計士・監査審査会事務局	課長	一種
	室長（人事院の定めるものに限る。）	二種

十一　消費者庁

組織	官職	区分
内部部局	審議官 課長	一種
	室長（人事院の定めるものに限る。） 企画官（人事院の定めるものに限る。）	二種

十二　こども家庭庁

組織	官職	区分
内部部局	審議官 課長	一種
	室長（人事院の定めるものに限る。） 企画官（人事院の定めるものに限る。）	二種
国立児童自立支援施設	施設長	一種
	次長	二種
	課長	四種

十三　デジタル庁

組織	官職	区分
デジタル庁設置法（令和三年法律第三十六号）第十三条第一項に規定する職又は当該職のつかさどる職務の全部若しくは一部を助ける職に就いている職員で構成される組織	審議官 参事官	一種
	企画官（人事院の定めるものに限る。）	二種

（注）人事院規則一—五七（復興庁設置法の施行に伴う関係人事院規則の適用の特例等に関する人事院規則）により、別表第一の十三の二は次のようになる。

十三の二　復興庁

組織	官職	区分
復興庁設置法（平成二十三年法律第百二十五号）第十二条第一項に規定する職又は当該職のつかさどる職務の全部若しくは一部を助ける職に就いている職員で構成される組織	審議官 参事官	一種
	企画官（人事院の定めるものに限る。）	二種
復興局	局長	一種
	次長	二種
	参事官	四種

本表—令五・四・一施行

十四　総務省

組織	官職	区分
内部部局	局次長 部長 課長	一種
	室長（人事院の定めるものに限る。） 調査官（人事院の定めるものに限る。）	二種
行政不服審査会事務局	課長	一種
	審査官（人事院の定めるものに限る。）	二種

情報公開・個人情報保護審査会事務局	課長	一種
	審査官（人事院の定めるものに限る。）	二種
官民競争入札等監理委員会事務局	参事官	一種
	企画官（人事院の定めるものに限る。）	二種
電気通信紛争処理委員会事務局	参事官	一種
自治大学校	部長教授	二種
	部長	三種
	課長	四種
情報通信政策研究所	所長	一種
	部長	三種
	課長	四種
統計研究研修所	所長	一種
	部長	二種
	統括教授	三種
	課長	四種
政治資金適正化委員会事務局	事務局長 参事官	一種
管区行政評価局及び行政評価支局	局長 支局長	一種
	部長	二種
	部次長 地域総括評価官	三種
	課長 評価監視官	四種
行政評価事務所	所長	二種
	次長	三種
	課長 評価監視官	四種
沖縄行政評価事務所	所長	二種
	次長 課長 評価監視官	四種
総合通信局	局長	一種
	部長	二種
	部次長 総合通信調整官	三種
	課長	四種
	室長	五種
沖縄総合通信事務所	所長	一種
	次長	二種
	総合通信調整官	三種
	課長	四種

十五　公害等調整委員会

組織	官職	区分
事務局	事務局長 次長 課長 審査官	一種
	調査官（人事院の定めるものに限る。）	二種

十六　消防庁

組織	官職	区分
内部部局	部長 課長	一種
	室長（人事院の定めるものに限る。）	二種
	主任研究官（人事院の定めるものに限る。）	四種
消防大学校	校長	一種
	副校長	二種
	部長	三種
	課長	四種
消防研究センター	所長	一種
	研究統括官	二種
	部長	二種（人事院が別に定める場合にあつては三種）
	主任研究官（人事院の定めるものに限る。）	四種

十七　法務省

組織	官職	区分
内部部局	部長 課長	一種
	室長（人事院の定めるものに限る。） 企画調査官（人事院の定めるものに限る。）	二種
刑務所、少年刑務所及び拘置所	所長	二種
	部長	四種（人事院が別に定める場合にあつては二種又は三種）
	調査官 課長（人事院の定めるものに限る。） 首席矯正処遇官 統括矯正処遇官（人事院の定めるものに限る。）	四種
刑務所、少年刑務所又は拘置所の支所	支所長（人事院の定めるものに限る。）	四種（人事院が別に定める場合にあつては二種又は三種）
	次長（人事院の定めるものに限る。） 課長（人事院の定めるものに限る。） 首席矯正処遇官 統括矯正処遇官（人事院の定めるものに限る。）	五種
少年院	院長	二種
	次長 部長	四種（人事院が別に定める場合にあつては二種又は三種）
	課長（人事院の定めるものに限る。） 首席専門官 統括専門官（人事院の定めるものに限る。）	四種

分院	分院長	四種（人事院が別に定める場合にあつては二種又は三種）
	首席専門官 統括専門官（人事院の定めるものに限る。）	五種
少年鑑別所	所長	二種
	次長	四種（人事院が別に定める場合にあつては二種又は三種）
	課長（人事院の定めるものに限る。） 首席専門官 統括専門官（人事院の定めるものに限る。）	四種
分所	分所長	四種
	課長（人事院の定めるものに限る。） 首席専門官 統括専門官（人事院の定めるものに限る。）	五種
法務総合研究所	部長	二種
	課長 首席研究調査官 主任研究官（人事院の定めるものに限る。）	四種
矯正研修所	所長	一種
	副所長	二種
	部長	三種
	課長	四種
効果検証センター	センター長	三種
	効果検証官	四種
矯正研修所支所	教頭	三種
矯正管区	管区長	一種
	部長 部次長	二種
	首席管区監査官	三種
	課長 管区調査官	四種
地方更生保護委員会	委員長	一種
	委員 事務局長	二種
	事務局次長	三種
	課長 首席審査官 統括審査官 分室長	四種
法務局	局長	一種
	部長 部次長	二種
	民事行政調査官	三種

組織	官職	区分
	課長 首席登記官	四種（人事院が別に定める場合にあつては二種又は三種）
	統括登記官（人事院の定めるものに限る。）	五種
地方法務局	局長	二種
	次長	三種
	課長 首席登記官	四種
	統括登記官（人事院の定めるものに限る。）	五種
法務局又は地方法務局の支局	支局長	五種（人事院が別に定める場合にあつては三種又は四種）
	課長 統括登記官（人事院の定めるものに限る。）	五種
法務局、法務局支局、地方法務局又は地方法務局支局の出張所	出張所長（人事院の定めるものに限る。） 統括登記官（人事院の定めるものに限る。）	五種
保護観察所	所長	二種
	次長	三種
	課長 首席保護観察官 首席社会復帰調整官 統括保護観察官	四種
	統括社会復帰調整官	五種
支部	支部長	四種（人事院が別に定める場合にあつては二種又は三種）
	統括保護観察官	五種

十八　検察庁

組織	官職	区分
最高検察庁	事務局長	一種
	課長 検事総長秘書官室長（人事院の定めるものに限る。）	二種
高等検察庁	事務局長	二種
	事務局次長	三種
	課長 検察監査官	四種
高等検察庁支部	課長	四種
地方検察庁	事務局長	二種
	事務局次長	三種
	首席捜査官	四種（人事院が別に定める場合にあつては二種又は三種）
	課長 次席捜査官	四種
	統括捜査官	五種

地方検察庁支部	課長 首席捜査官	四種
	統括捜査官	五種
区検察庁	課長（人事院の定めるものに限る。） 統括捜査官	五種

十九　出入国在留管理庁

組織	官職	区分
内部部局	部長 課長	一種
	室長（人事院の定めるものに限る。） 在留審査調整官（人事院の定めるものに限る。）	二種
入国者収容所	所長	二種
	次長	三種
	課長 首席入国警備官	四種
	統括入国警備官（人事院の定めるものに限る。）	五種
地方出入国在留管理局	局長	一種
	次長	二種
	警備監理官	三種
	課長 首席審査官	四種
	統括審査官（人事院の定めるものに限る。）	五種
地方出入国在留管理局支局	支局長	二種
	次長	三種
	課長 首席審査官	四種
	統括審査官（人事院の定めるものに限る。）	五種
地方出入国在留管理局又は地方出入国在留管理局支局の出張所	出張所長（人事院の定めるものに限る。）	五種（人事院が別に定める場合にあつては二種、三種又は四種）
	統括審査官（人事院の定めるものに限る。）	五種

二十　公安審査委員会

組織	官職	区分
事務局	事務局長	一種

二十一　公安調査庁

組織	官職	区分
内部部局	部長 課長	一種
	渉外広報調整官（人事院の定めるものに限る。）	二種
公安調査庁研修所	所長	一種
	教頭	三種
	法務教官（人事院の定めるものに限る。）	四種

組織	官職	区分
公安調査局	局長	一種
	部長	二種
	部次長	三種
	首席調査官	四種
	統括調査官（人事院の定めるものに限る。）	四種（人事院が別に定める場合にあつては三種又は五種）
公安調査事務所	所長	二種
	首席調査官	四種
	統括調査官（人事院の定めるものに限る。）	五種

二十二　外務省

組織	官職	区分
内部部局	部長 課長	一種
	室長（人事院の定めるものに限る。） 企画官（人事院の定めるものに限る。）	二種
	外務省図書館長	三種
外務省研修所	副所長	一種
	総括指導官	二種
	指導官	四種
	主事（人事院の定めるものに限る。）	五種

二十三　財務省

組織	官職	区分
内部部局	局次長 課長	一種
	室長（人事院の定めるものに限る。） 企画官（人事院の定めるものに限る。）	二種
財務総合政策研究所	副所長	一種
	部長	二種
	総括主任研究官（人事院の定めるものに限る。）	三種
	課長	四種
研修支所	課長	四種
会計センター	次長 部長	二種
	室長	三種
	課長	四種
関税中央分析所	所長	一種
	首席分析官	二種
	主任研究官（人事院の定めるものに限る。）	三種
	課長	四種
税関研修所	副所長 部長	二種
	課長	四種
支所	課長	四種

財務局及び財務支局	局長 支局長	一種
	部長 部次長 金融商品取引所監理官 首席財務局監察官	二種
	特別国有財産監査官	三種
	課長	四種（人事院が別に定める場合にあつては二種又は三種）
	財務局監察官 首席国有財産鑑定官	四種
	室長	五種（人事院が別に定める場合にあつては三種又は四種）
財務事務所	所長	二種
	次長	三種
	課長	四種
財務局、財務支局又は財務事務所の出張所	出張所長	四種（人事院が別に定める場合にあつては二種又は三種）
	課長（人事院の定めるものに限る。）	五種
税関及び沖縄地区税関	税関長	一種
	部長 部次長 首席税関考査官 首席税関監察官	二種
	総括情報管理官	三種
	課長 税関考査官 税関監察官 統括監視官 統括審査官 統括分析官	四種
支署	支署長	四種（人事院が別に定める場合にあつては一種、二種又は三種）
	次長	三種
	課長 統括監視官（人事院の定めるものに限る。） 統括審査官	四種
税関、税関支署、沖縄地区税関又は沖縄地区税関支署の出張所	出張所長（人事院の定めるものに限る。）	五種（人事院が別に定める場合にあつては二種、三種又は四種）
	次長	三種
	課長 統括監視官（人事院の定めるものに限る。） 統括審査官	四種

二十四　国税庁

組織	官職	区分
内部部局	部長 課長	一種
	室長（人事院の定めるものに限る。） 企画官（人事院の定めるものに限る。）	二種
	国税庁監察官（人事院の定めるものに限る。） 監督評価官（人事院の定めるものに限る。）	四種
税務大学校	副校長	一種
	教頭 部長	二種
	課長 主任教授（人事院の定めるものに限る。）	四種
地方研修所	所長	二種
	幹事 総括教育官（人事院の定めるものに限る。）	四種
国税不服審判所	次長	一種
	室長	二種
	国税審判官	三種（人事院が別に定める場合にあつては一種又は二種）
	国税副審判官	四種
支部	首席国税審判官 次席国税審判官	一種
	国税審判官	三種
	課長 国税副審判官	四種
国税局及び沖縄国税事務所	局長 所長	一種
	部長 次長 部次長 酒類監理官 国税訟務官室長 鑑定官室長	二種
	課長	四種（人事院が別に定める場合にあつては二種又は三種）
	特別国税調査官 統括国税徴収官 統括国税調査官 統括国税査察官	四種
	主任国税管理官	五種
税務署	署長	四種（人事院が別に定める場合にあつては二種又は三種）
	副署長	四種
	課長 統括国税徴収官 統括国税調査官	五種

二十五 文部科学省

組織	官職	区分
内部部局	部長 課長	一種
	室長（人事院の定めるものに限る。） 企画官（人事院の定めるものに限る。）	二種
国立教育政策研究所	部長（教育課程研究センターに置かれるものを除く。） 教育課程研究センター長	二種
	部長（教育課程研究センターに置かれるものに限る。）	三種
	課長 総括研究官 主任研究官（人事院の定めるものに限る。）	四種
科学技術・学術政策研究所	総務研究官 総括主任研究官 総括上席研究官（人事院の定めるものに限る。） 科学技術予測・政策基盤調査研究センター長	二種
	課長 主任研究官（人事院の定めるものに限る。）	四種
日本学士院	事務長	四種

二十六 スポーツ庁

組織	官職	区分
内部部局	審議官 課長	一種
	室長（人事院の定めるものに限る。）	二種

二十七 文化庁

組織	官職	区分
内部部局	審議官 課長	一種
	室長（人事院の定めるものに限る。） 企画調整官（人事院の定めるものに限る。）	二種
	主任文化財調査官	三種
日本芸術院	事務長	四種

二十八 厚生労働省

組織	官職	区分
内部部局	部長 課長	一種
	室長（人事院の定めるものに限る。） 企画官（人事院の定めるものに限る。）	二種
検疫所	所長	二種
	次長	三種
	課長 輸入食品中央情報管理官	四種
	室長	五種
検疫所支所	支所長	四種（人事院が別に定める場合にあつては二種又は三種）

	課長 統括食品監視官	五種
検疫所出張所	出張所長（人事院の定めるものに限る。）	五種
国立ハンセン病療養所	所長	一種
	副所長 事務部長	二種
	薬剤科長（人事院の定めるものに限る。） 看護部長 総看護師長	三種
	事務長 課長 副看護部長（人事院の定めるものに限る。）	四種
国立医薬品食品衛生研究所	副所長	一種
	部長	二種
	課長 室長（人事院の定めるものに限る。） 主任研究官（人事院の定めるものに限る。）	四種
国立保健医療科学院	次長	一種
	部長 統括研究官	二種
	上席主任研究官（人事院の定めるものに限る。）	四種（人事院が別に定める場合にあつては二種又は三種）

	課長 主任研究官（人事院の定めるものに限る。）	四種
国立社会保障・人口問題研究所	所長 副所長	一種
	部長	二種
	課長 室長（人事院の定めるものに限る。） 主任研究官（人事院の定めるものに限る。）	四種
国立障害者リハビリテーションセンター	部長	二種
	課長	四種
国立障害者リハビリテーションセンター自立支援局	自立支援局長	一種
	部長	三種
	課長	四種
国立障害者リハビリテーションセンター自立支援局国立光明寮	寮長	二種
	課長	四種
国立障害者リハビリテーションセンター自立支援局国立保養所	所長	二種
	課長	四種
国立障害者リハビリテーションセンター自立支援局国立福祉型障害児入所施設	次長	三種
	課長	四種

国立障害者リハビリテーションセンター病院	院長	一種
	副院長	二種
	部長	三種
	看護部長	四種
国立障害者リハビリテーションセンター研究所	所長	二種
	部長	三種
	室長（人事院の定めるものに限る。） 主任研究官（人事院の定めるものに限る。）	四種
国立障害者リハビリテーションセンター学院	主幹	四種
地方厚生局	局長	一種
	部長 総務管理官	二種
	部次長 統括指導医療官（人事院の定めるものに限る。）	三種
	課長 分室長 指導医療官（人事院の定めるものに限る。）	四種
	情報官（人事院の定めるものに限る。）	五種
地方厚生局分室	分室長	四種
	課長（人事院の定めるものに限る。） 指導医療官（人事院の定めるものに限る。）	五種
地方厚生支局	支局長	一種
	部長 総務管理官	二種
	統括指導医療官（人事院の定めるものに限る。）	三種
	課長 指導医療官（人事院の定めるものに限る。）	四種
地方厚生支局分室	分室長	四種
沖縄麻薬取締支所	支所長	三種
	課長	五種
都道府県労働局	局長	二種
	部長 雇用環境・均等室長	三種（人事院が別に定める場合にあつては一種又は二種）
	総務調整官	四種（人事院が別に定める場合にあつては二種又は三種）
	課長 室長（雇用環境・均等室長以外の室長で人事院の定めるものに限る。）	四種
	人事計画官（人事院の定めるものに限る。）	五種

組織	官職	区分
労働基準監督署	署長	四種（人事院が別に定める場合にあつては二種又は三種）
	副署長	四種
	主任監督官（人事院の定めるものに限る。） 課長（人事院の定めるものに限る。）	五種
労働基準監督署支署	支署長	四種
	課長（人事院の定めるものに限る。）	五種
公共職業安定所	所長	四種（人事院が別に定める場合にあつては二種又は三種）
	次長	四種
	課長（人事院の定めるものに限る。） 統括職業指導官（人事院の定めるものに限る。）	五種
公共職業安定所出張所	出張所長（人事院の定めるものに限る。） 統括職業指導官（人事院の定めるものに限る。）	五種

二十九　中央労働委員会

組織	官職	区分
事務局	審議官 課長	一種
	室長（人事院の定めるものに限る。） 審査官（人事院の定めるものに限る。）	二種
地方事務所	所長	三種
	地方調査官	四種

三十　農林水産省

組織	官職	区分
内部部局	局次長 部長 課長	一種
	室長（人事院の定めるものに限る。） 管理官（人事院の定めるものに限る。）	二種
植物防疫所及び那覇植物防疫事務所	所長	二種
	部長	三種
	課長 統括植物検疫官	四種
植物防疫所支所	支所長	四種（人事院が別に定める場合にあつては二種又は三種）
	次長	五種（人事院が別に定める場合にあつては三種又は四種）
	課長 統括植物検疫官	五種

植物防疫所又は那覇植物防疫事務所の出張所	出張所長（人事院の定めるものに限る。）	五種
動物検疫所	所長	二種
	部長	三種
	課長	四種
動物検疫所支所	支所長	四種（人事院が別に定める場合にあつては二種又は三種）
	次長	五種（人事院が別に定める場合にあつては三種又は四種）
	課長	五種
動物検疫所出張所	出張所長	五種
動物医薬品検査所	所長 部長	二種
	総括上席研究官（人事院の定めるものに限る。）	三種
	課長 上席主任研究官（人事院の定めるものに限る。） 主任研究官（人事院の定めるものに限る。）	四種
農林水産研修所	所長	一種
	副所長	二種

	課長	四種
農林水産政策研究所	所長 次長	一種
	企画広報室長 総括上席研究官	二種
	科長 課長 上席主任研究官 主任研究官（人事院の定めるものに限る。）	四種
農林水産技術会議事務局	課長 研究総務官	一種
	室長（人事院の定めるものに限る。） 管理官（人事院の定めるものに限る。）	二種
筑波産学連携支援センター	センター長	三種
	課長	四種
地方農政局	局長 次長	一種
	部長	二種
	課長 消費・安全調整官	四種
	事業調整室長	五種
地方農政局の事務所及び事業所	所長	三種（人事院が別に定める場合にあつては一種又は二種）

組織	官職	区分
	次長	三種
	課長	四種
地方農政局の事務所又は事業所の建設所	所長	四種（人事院が別に定める場合にあつては二種又は三種）
	課長	五種
地方農政局の事務所又は事業所の支所及び管理所	支所長 管理所長	四種
北海道農政事務所	所長	一種
	次長	二種
	部長	三種
	課長	四種（人事院が別に定める場合にあつては三種又は五種）

三十一　林野庁

組織	官職	区分
内部部局	部長 課長	一種
	室長（人事院の定めるものに限る。） 管理官（人事院の定めるものに限る。）	二種
森林技術総合研修所	所長	一種
	首席教務指導官	三種
	課長	四種
林業機械化センター	所長	四種
森林管理局	局長 次長	一種
	部長 調査官	二種
	課長 所長（人事院の定めるものに限る。）	四種
	調整官（人事院の定めるものに限る。） 副所長（人事院の定めるものに限る。）	五種
森林管理署	署長	三種
	次長	四種
	総括事務管理官（人事院の定めるものに限る。）	五種
森林管理署支署	支署長	四種
	総括事務管理官（人事院の定めるものに限る。）	五種

三十二　水産庁

組織	官職	区分
内部部局	部長 課長	一種
	室長（人事院の定めるものに限る。） 管理官（人事院の定めるものに限る。）	二種

組織	官職	区分
	船長（人事院の定めるものに限る。）	三種（人事院が別に定める場合にあつては一種又は二種）
	機関長（人事院の定めるものに限る。）	四種（人事院が別に定める場合にあつては二種又は三種）
漁業調整事務所	所長	四種（人事院が別に定める場合にあつては一種、二種又は三種）
	次長	四種
	課長	五種

三十二 経済産業省

組織	官職	区分
内部部局	部長 課長	一種
	室長（人事院の定めるものに限る。） 企画官（人事院の定めるものに限る。）	二種
電力・ガス取引監視等委員会事務局	事務局長 課長	一種
	室長（人事院の定めるものに限る。） 統括ネットワーク事業管理官（人事院の定めるものに限る。）	二種
経済産業研修所	所長	一種
	課長	四種
経済産業局	局長	一種
	部長 部次長	二種
	課長	四種（人事院が別に定める場合にあつては二種又は三種）
支局	支局長	二種
	電源開発調整官	三種
	課長	四種
通商事務所	所長	三種
	課長	五種
産業保安監督部	部長	二種
	産業保安監督管理官	三種
	課長 企画調整官	四種
支部	支部長	二種
	課長	四種
産業保安監督署	署長	四種
那覇産業保安監督事務所	所長	三種
	課長	五種

三十四　資源エネルギー庁

組織	官職	区分
内部部局	部長 課長	一種
	室長（人事院の定めるものに限る。） 企画官（人事院の定めるものに限る。）	二種

三十五　特許庁

組織	官職	区分
内部部局	部長 課長 審査長 審判長	一種
	室長（人事院の定めるものに限る。） 調査官（人事院の定めるものに限る。） 審判官（人事院の定めるものに限る。）	二種
	審査官（人事院の定めるものに限る。）	二種（人事院が別に定める場合にあつては三種）

三十六　中小企業庁

組織	官職	区分
内部部局	部長 課長	一種
	室長（人事院の定めるものに限る。） 企画官（人事院の定めるものに限る。）	二種

三十七　国土交通省

組織	官職	区分
内部部局	局次長 部長 課長	一種
	室長（人事院の定めるものに限る。） 企画官（人事院の定めるものに限る。）	二種
	所長 首席開発評価管理官	四種（人事院が別に定める場合にあつては二種又は三種）
	先任航空情報管理管制運航情報官 次席航空情報管理管制運航情報官（人事院の定めるものに限る。）	四種
国土交通政策研究所	所長 副所長	一種
	総括主任研究官	三種
	課長 主任研究官	四種
国土技術政策総合研究所	副所長	一種
	研究総務官 部長	二種
	調査官	三種
	課長 室長 主任研究官（人事院の定めるものに限る。）	四種

国土交通大学校	副校長 部長 教授	二種
	課長 科長 主任教官	四種
柏研修センター	課長 主任研修指導官	四種
航空保安大学校	校長	一種
	教頭 事務局長	二種
	研修調整官 科長 課長	四種
岩沼研修センター	所長	二種
	首席教官	四種
	専門研修調整官 科長 課長	五種
国土地理院	部長 参事官	二種
	課長 調査官	三種
	監査官	四種
地理地殻活動研究センター	センター長	二種
	課長	三種
	室長 主任研究官（人事院の定めるものに限る。）	四種
地方測量部	部長	四種（人事院が別に定める場合にあつては二種又は三種）
	次長 課長	五種
沖縄支所	支所長	四種
小笠原総合事務所	所長	一種
	課長	四種
海難審判所	審判官 理事官	一種（人事院が別に定める場合にあつては二種）
	課長	二種
地方海難審判所	所長	一種
	審判官 理事官	二種（人事院が別に定める場合にあつては三種）
	書記官	四種
門司地方海難審判所那覇支所	支所長	二種
	理事官	二種（人事院が別に定める場合にあつては三種）

	書記官	四種
地方整備局	次長	一種
	部長	二種
	総括調整官	三種
	課長 財産管理官	四種
地方整備局事務所	所長	三種（人事院が別に定める場合にあつては一種又は二種）
	副所長 船長（人事院の定めるものに限る。） 機関長（人事院の定めるものに限る。）	三種
	課長 先任建設管理官（人事院の定めるものに限る。）	四種
	室長（人事院の定めるものに限る。）	五種
地方整備局事務所出張所	出張所長（人事院の定めるものに限る。）	四種
北海道開発局	次長 部長 部次長	一種
	監査官	二種
	課長	三種
	開発企画官	四種
開発建設部	部長	二種
	次長 調査官（人事院の定めるものに限る。）	三種
	課長 建設監督官（人事院の定めるものに限る。）	四種
開発建設部事務所	所長（人事院の定めるものに限る。） 副所長（人事院の定めるものに限る。）	三種
	課長（人事院の定めるものに限る。）	四種
地方運輸局及び運輸監理部	局長 運輸監理部長 次長	一種
	部長	二種
	部次長	二種（人事院が別に定める場合にあつては三種）
	首席海事技術専門官	三種（人事院が別に定める場合にあつては二種又は四種）
	課長 次席海事技術専門官（人事院の定めるものに限る。）	四種
	次席自動車監査官	五種
地方運輸局運輸支局	支局長	三種（人事院が別に定める場合にあつては一種又は二種）
	次長	三種

	首席運輸企画専門官（人事院の定めるものに限る。）	四種（人事院が別に定める場合にあつては三種又は五種）
	次席運輸企画専門官（人事院の定めるものに限る。）	五種
運輸監理部又は地方運輸局運輸支局の自動車検査登録事務所	所長	四種（人事院が別に定める場合にあつては三種又は五種）
	首席運輸企画専門官	四種
地方運輸局、運輸監理部又は地方運輸局運輸支局の海事事務所	所長	四種（人事院が別に定める場合にあつては二種又は三種）
	首席海事技術専門官（人事院の定めるものに限る。）	四種（人事院が別に定める場合にあつては三種又は五種）
	次長 次席海事技術専門官（人事院の定めるものに限る。）	五種
地方航空局	局長 次長	一種
	部長	二種
	部次長	二種（人事院が別に定める場合にあつては三種）

	先任航空機検査官 先任航空従事者試験官	三種
	課長 空港管理企画調整官 次席航空機検査官（人事院の定めるものに限る。）	四種
空港事務所	所長	三種（人事院が別に定める場合にあつては一種又は二種）
	次長 部長	三種
	課長 先任施設運用管理官 先任航空管制官 次席航空管制官（人事院の定めるものに限る。）	四種
空港出張所	出張所長 先任航空管制官 次席航空管制技術官（人事院の定めるものに限る。）	五種
空港・航空路監視レーダー事務所	所長	三種
	次長 課長 先任航空管制官 次席航空管制技術官（人事院の定めるものに限る。）	四種
航空交通管制部	部長	一種
	次長	二種

組織	官職	区分
	先任航空管制官	四種（人事院が別に定める場合にあつては二種又は三種）
	課長 先任施設運用管理官 次席航空管制官（人事院の定めるものに限る。）	四種

三十八　観光庁

組織	官職	区分
内部部局	部長 課長	一種
	室長（人事院の定めるものに限る。） 企画官（人事院の定めるものに限る。）	二種

三十九　気象庁

組織	官職	区分
内部部局	部長 課長 船長（人事院の定めるものに限る。）	一種
	室長（人事院の定めるものに限る。） 主任予報官（人事院の定めるものに限る。） 機関長（人事院の定めるものに限る。）	二種
航空交通気象センター	所長	四種
気象測器検定試験センター	所長	四種
気象研究所	研究総務官 部長	二種
	室長	四種（人事院が別に定める場合にあつては二種又は三種）
	課長 主任研究官（人事院の定めるものに限る。）	四種
気象衛星センター	所長	一種
	部長	二種
	課長	四種
高層気象台	台長	一種
	課長 主任研究官（人事院の定めるものに限る。）	四種
地磁気観測所	所長	一種
	課長 主任研究官（人事院の定めるものに限る。）	四種
気象大学校	教頭	三種
	課長（人事院の定めるものに限る。）	四種
管区気象台及び沖縄気象台	台長	一種
	次長	二種（人事院が別に定める場合にあつては一種又は三種）

組織	官職	区分
	部長	二種
	部次長	三種
	課長 地震情報官	四種
地方気象台	台長	二種
	次長	三種（人事院が別に定める場合にあつては二種又は四種）
	業務・危機管理官	四種
管区気象台、沖縄気象台又は地方気象台の測候所	所長	四種（人事院が別に定める場合にあつては二種又は三種）
	次長	四種
	業務管理官	五種

四十　運輸安全委員会

組織	官職	区分
事務局	審議官 課長 首席航空事故調査官	一種
	室長（人事院の定めるものに限る。） 企画官（人事院の定めるものに限る。） 次席航空事故調査官（人事院の定めるものに限る。）	二種
	事故調査調整官	三種（人事院が別に定める場合にあつては二種又は四種）
	統括地方事故調査官（人事院の定めるものに限る。）	三種

四十一　海上保安庁

組織	官職	区分
内部部局	部長 課長	一種
	室長（人事院の定めるものに限る。） 上席船舶工務官（人事院の定めるものに限る。）	二種
	船長（人事院の定めるものに限る。） 副所長（人事院の定めるものに限る。） 業務管理官（人事院の定めるものに限る。）	三種
	上席研究官（人事院の定めるものに限る。） 主任研究官（人事院の定めるものに限る。）	四種
海上保安大学校	事務局長	一種
	副校長	二種
	部長 課長（人事院の定めるものに限る。）	四種
海上保安学校	校長	一種
	副校長	二種

	事務部長	三種
	課長（人事院の定めるものに限る。）	四種
分校	分校長	三種
	課長（人事院の定めるものに限る。）	五種
管区海上保安本部	本部長 次長	一種
	部長	二種
	部次長	三種
	課長	四種
海上保安監部	部長	二種
	次長	四種
	課長	五種
海上保安部	部長	二種
	船長（人事院の定めるものに限る。）	三種（人事院が別に定める場合にあつては一種又は二種）
	業務管理官（人事院の定めるものに限る。）	四種（人事院が別に定める場合にあつては二種又は三種）
	次長	四種
	課長	五種
海上保安航空基地	基地長	三種（人事院が別に定める場合にあつては一種又は二種）
	次長（人事院の定めるものに限る。）	四種
	課長（人事院の定めるものに限る。）	五種
海上保安署	署長	四種（人事院が別に定める場合にあつては二種又は三種）
海上交通センター	所長	三種
	次長（人事院の定めるものに限る。）	四種
	課長（人事院の定めるものに限る。）	五種
航空基地	基地長	三種（人事院が別に定める場合にあつては一種又は二種）
	次長	四種
	課長	五種
国際組織犯罪対策基地	基地長	三種
	業務調整官（人事院の定めるものに限る。）	四種
特殊警備基地	基地長	三種
	次長（人事院の定めるものに限る。）	四種
特殊救難基地	基地長	三種
	次長（人事院の定めるものに限る。）	四種

組織	官職	区分
機動防除基地	基地長	三種
	業務調整官（人事院の定めるものに限る。）	四種
水路観測所	所長（人事院の定めるものに限る。）	五種

四十二　環境省

組織	官職	区分
内部部局	局次長 部長 課長	一種
	室長（人事院の定めるものに限る。） 調査官（人事院の定めるものに限る。）	二種
国民公園管理事務所	所長	三種
	次長 分室長	四種
墓苑管理事務所	所長	四種
生物多様性センター	センター長	四種
環境調査研修所	次長	二種
	課長 主任教官（人事院の定めるものに限る。）	四種
国立水俣病総合研究センター	所長	一種
	次長 部長	二種
	課長 室長（人事院の定めるものに限る。） 主任研究員（人事院の定めるものに限る。）	四種
地方環境事務所	所長 次長	二種
	保全統括官 部長	三種
	課長 統括自然保護企画官	四種
支所	支所長	四種

四十三　原子力規制委員会

組織	官職	区分
原子力規制庁	部長 課長	一種
	室長（人事院の定めるものに限る。） 企画官（人事院の定めるものに限る。）	二種
原子力安全人材育成センター	副所長	二種
	課長	四種

四十四　防衛省

組織	官職	区分
内部部局	課長	一種
	室長（人事院の定めるものに限る。） 企画官（人事院の定めるものに限る。）	二種

本表―令七・四・一施行

8　級	一　種	119,700円
	二　種	95,700円
	三　種	83,800円
7　級	二　種	90,900円
	三　種	79,500円
	四　種	68,100円
6　級	三　種	78,200円
	四　種	67,100円
	五　種	55,900円
5　級	四　種	64,600円
	五　種	53,800円
4　級	四　種	61,000円
	五　種	50,800円

四　公安職俸給表㈠

職務の級	区　分	俸給の特別調整額
11　級	一　種	139,300円
10　級	一　種	130,300円
	二　種	104,200円
9　級	一　種	119,700円
	二　種	95,700円
	三　種	83,800円
8　級	二　種	90,900円
	三　種	79,500円
	四　種	68,100円
7　級	三　種	78,200円
	四　種	67,100円
	五　種	55,900円
6　級	四　種	64,600円
	五　種	53,800円
5　級	四　種	61,000円
	五　種	50,800円

五　公安職俸給表㈡

職務の級	区　分	俸給の特別調整額
10　級	一　種	139,300円
9　級	一　種	130,300円
	二　種	104,200円
8　級	一　種	119,700円
	二　種	95,700円

別表第二（第二条関係）

一　行政職俸給表㈠

職務の級	区　分	俸給の特別調整額
10　級	一　種	139,300円
9　級	一　種	130,300円
	二　種	104,200円
8　級	一　種	117,500円
	二　種	94,000円
	三　種	82,200円
7　級	二　種	88,500円
	三　種	77,400円
	四　種	66,400円
6　級	三　種	72,700円
	四　種	62,300円
	五　種	51,900円
5　級	四　種	59,500円
	五　種	49,600円
4　級	四　種	55,500円
	五　種	46,300円

二　専門行政職俸給表

職務の級	区　分	俸給の特別調整額
8　級	一　種	139,300円
7　級	一　種	130,300円
	二　種	104,200円
6　級	一　種	117,500円
	二　種	94,000円
	三　種	82,200円
5　級	二　種	88,500円
	三　種	77,400円
	四　種	66,400円
4　級	三　種	72,700円
	四　種	62,300円
	五　種	51,900円
3　級	五　種	49,100円

三　税務職俸給表

職務の級	区　分	俸給の特別調整額
10　級	一　種	139,300円
9　級	一　種	130,300円
	二　種	104,200円

	四　種	77,600円
4　級	三　種	78,400円
	四　種	67,200円
3　級	四　種	60,900円

十　医療職俸給表㈠

職務の級	区　分	俸給の特別調整額
5　級	一　種	146,400円
4　級	一　種	137,700円
	二　種	110,100円
	三　種	96,400円
	四　種	82,600円
3　級	二　種	102,800円
	三　種	89,900円
	四　種	77,100円
2　級	四　種	71,600円
	五　種	59,700円

十一　医療職俸給表㈡

職務の級	区　分	俸給の特別調整額
8　級	二　種	96,800円
	三　種	84,700円
7　級	三　種	76,700円
6　級	三　種	72,700円
5　級	三　種	68,700円
	四　種	58,900円

十二　医療職俸給表㈢

職務の級	区　分	俸給の特別調整額
7　級	二　種	88,300円
6　級	三　種	75,800円
5　級	三　種	69,100円
	四　種	59,200円
4　級	四　種	53,700円

十三　福祉職俸給表

職務の級	区　分	俸給の特別調整額
6　級	三　種	77,400円
5　級	三　種	72,700円
	四　種	62,300円
4　級	四　種	59,500円

本表―令６・12・25施行

	三　種	83,800円
7　級	二　種	90,900円
	三　種	79,500円
	四　種	68,100円
6　級	三　種	78,200円
	四　種	67,100円
	五　種	55,900円
5　級	四　種	64,600円
	五　種	53,800円
4　級	四　種	61,000円
	五　種	50,800円

六　海事職俸給表㈠

職務の級	区　分	俸給の特別調整額
7　級	一　種	131,900円
	二　種	106,200円
6　級	一　種	124,300円
	二　種	99,400円
	三　種	87,000円
5　級	三　種	81,100円
	四　種	69,500円
4　級	三　種	74,900円
	四　種	64,200円

七　教育職俸給表㈠

職務の級	区　分	俸給の特別調整額
5　級	一　種	142,600円
4　級	二　種	106,900円
	三　種	93,500円
	四　種	80,200円

八　教育職俸給表㈡

職務の級	区　分	俸給の特別調整額
3　級	四　種	66,300円
2　級	四　種	64,100円

九　研究職俸給表

職務の級	区　分	俸給の特別調整額
6　級	一　種	139,700円
5　級	一　種	129,300円
	二　種	103,400円
	三　種	90,500円

	二　種	90,300円
6　級	一　種	99,800円
	二　種	79,800円
	三　種	69,800円
5　級	二　種	72,900円
	三　種	63,800円
	四　種	54,700円
4　級	三　種	56,200円
	四　種	48,200円
	五　種	40,200円
3　級	五　種	36,100円

三　税務職俸給表

職務の級	区　分	俸給の特別調整額
10　級	一　種	133,600円
9　級	一　種	115,600円
	二　種	92,500円
8　級	一　種	104,800円
	二　種	83,800円
	三　種	73,400円
7　級	二　種	77,300円
	三　種	67,600円
	四　種	57,900円
6　級	三　種	61,200円
	四　種	52,500円
	五　種	43,700円
5　級	四　種	48,800円
	五　種	40,700円
4　級	四　種	46,600円
	五　種	38,800円

四　公安職俸給表㈠

職務の級	区　分	俸給の特別調整額
11　級	一　種	133,600円
10　級	一　種	115,600円
	二　種	92,500円
9　級	一　種	104,800円
	二　種	83,800円
	三　種	73,400円
8　級	二　種	77,300円

備考

第一条第一項に規定する官職のうち、この表に掲げられていない俸給の特別調整額を定める特段の事情があると人事院が認める官職を占める職員に支給する俸給の特別調整額については、当該職員の属する職務の級及び当該官職の区分を考慮して、次の各号に掲げる額の範囲内で人事院が別に定める額とする。

一　当該職員の属する職務の級に対応する同表の職務の級欄に、当該官職の区分より一段高い区分があるときは、当該区分に係る俸給の特別調整額未満の額

二　当該職員の属する職務の級に対応する同表の職務の級欄に、当該官職の区分より一段低い区分があるときは、当該区分に係る俸給の特別調整額を超える額

三　当該職員の属する職務の級より上位の職務の級に対応する同表の職務の級欄に、当該官職の区分に係る俸給の特別調整額の区分があるときは、当該俸給の特別調整額未満の額

四　当該職員の属する職務の級より下位の職務の級に対応する同表の職務の級欄に、当該官職の区分に係る俸給の特別調整額の区分があるときは、当該俸給の特別調整額を超える額

備考―平21・４・１施行

別表第三（第二条関係）

一　行政職俸給表㈠

職務の級	区　分	俸給の特別調整額
10　級	一　種	133,600円
9　級	一　種	112,900円
	二　種	90,300円
8　級	一　種	99,800円
	二　種	79,800円
	三　種	69,800円
7　級	二　種	72,900円
	三　種	63,800円
	四　種	54,700円
6　級	三　種	56,200円
	四　種	48,200円
	五　種	40,100円
5　級	四　種	44,300円
	五　種	36,900円
4　級	四　種	41,900円
	五　種	34,900円

二　専門行政職俸給表

職務の級	区　分	俸給の特別調整額
8　級	一　種	133,600円
7　級	一　種	112,900円

七 教育職俸給表㈠

職務の級	区 分	俸給の特別調整額
5 級	一 種	136,900円
4 級	二 種	81,800円
	三 種	71,600円
	四 種	61,400円

八 教育職俸給表㈡

職務の級	区 分	俸給の特別調整額
3 級	四 種	47,600円
2 級	四 種	44,800円

九 研究職俸給表

職務の級	区 分	俸給の特別調整額
6 級	一 種	134,000円
5 級	一 種	98,300円
	二 種	78,700円
	三 種	68,800円
	四 種	59,000円
4 級	三 種	58,300円
	四 種	49,900円
3 級	四 種	43,300円

十 医療職俸給表㈠

職務の級	区 分	俸給の特別調整額
5 級	一 種	140,900円
4 級	一 種	115,900円
	二 種	92,700円
	三 種	81,100円
	四 種	69,600円
3 級	二 種	78,100円
	三 種	68,400円
	四 種	58,600円
2 級	四 種	50,400円
	五 種	42,000円

十一 医療職俸給表㈡

職務の級	区 分	俸給の特別調整額
8 級	二 種	87,300円
	三 種	76,400円
7 級	三 種	65,300円
6 級	三 種	57,600円

	三 種	67,600円
	四 種	57,900円
7 級	三 種	61,200円
	四 種	52,500円
	五 種	43,700円
6 級	四 種	48,800円
	五 種	40,700円
5 級	四 種	46,600円
	五 種	38,800円

五 公安職俸給表㈡

職務の級	区 分	俸給の特別調整額
10 級	一 種	133,600円
9 級	一 種	115,600円
	二 種	92,500円
8 級	一 種	104,800円
	二 種	83,800円
	三 種	73,400円
7 級	二 種	77,300円
	三 種	67,600円
	四 種	57,900円
6 級	三 種	61,200円
	四 種	52,500円
	五 種	43,700円
5 級	四 種	48,800円
	五 種	40,700円
4 級	四 種	46,600円
	五 種	38,800円

六 海事職俸給表㈠

職務の級	区 分	俸給の特別調整額
7 級	一 種	118,700円
	二 種	94,900円
6 級	一 種	101,100円
	二 種	80,900円
	三 種	70,800円
5 級	三 種	62,400円
	四 種	53,400円
4 級	三 種	57,100円
	四 種	49,000円

5　級	三　種	50,300円
	四　種	43,100円

十二　医療職俸給表(三)

職務の級	区　分	俸給の特別調整額
7　級	二　種	75,800円
6　級	三　種	58,200円
5　級	三　種	51,500円
	四　種	44,200円
4　級	四　種	41,600円

十三　福祉職俸給表

職務の級	区　分	俸給の特別調整額
6　級	三　種	63,800円
5　級	三　種	56,200円
	四　種	48,200円
4　級	四　種	44,100円

本表―平21・４・１施行

備考

第一条第一項に規定する官職のうち、この表に掲げられていない俸給の特別調整額を定める特段の事情があると人事院が認める官職を占める職員に支給する俸給の特別調整額については、当該職員の属する職務の級及び当該官職の区分を考慮して、次の各号に掲げる額の範囲内で人事院が別に定める額とする。

一　当該職員の属する職務の級に対応する同表の職務の級欄に、当該官職の区分より一段高い区分があるときは、当該区分に係る俸給の特別調整額未満の額

二　当該職員の属する職務の級に対応する同表の職務の級欄に、当該官職の区分より一段低い区分があるときは、当該区分に係る俸給の特別調整額を超える額

三　当該職員の属する職務の級より上位の職務の級に対応する同表の職務の級欄に、当該官職の区分に係る俸給の特別調整額の区分があるときは、当該俸給の特別調整額未満の額

四　当該職員の属する職務の級より下位の職務の級に対応する同表の職務の級欄に、当該官職の区分に係る俸給の特別調整額の区分があるときは、当該俸給の特別調整額を超える額

備考―平21・４・１施行

第一五 管理職員特別勤務手当

【参照】
●一般職給与法一九の三
●同運用方針一九の三関係
●規則（九—七）一一・一二

○人事院規則九—九三（管理職員特別勤務手当）

平二・一二・二四制定
平四・一・一施行

最終改正 令七・二・二五規則九—九三—四

（趣旨）

第一条 管理職員特別勤務手当の支給については、別に定める場合を除き、この規則の定めるところによる。

本条—平二二・四・一施行

（管理職員特別勤務手当の額等）

第二条 給与法第十九条の三第三項の人事院規則で定める勤務は、同条第一項（育児休業法第十六条（育児休業法第二十二条において準用する場合を含む。）又は第二十四条の規定により読み替えて適用する場合を含む。第四条において同じ。）の勤務に従事した時間が六時間を超える場合の勤務（次項に規定する職員がしたものを除く。）とする。

2 給与法第十九条の三第三項の人事院規則で定める職員は、任期付職員法第三条第一項の規定により任期を定めて採用された職員（次条において「特定任期付職員」という。）のうち規則九—二（俸給表の適用範囲）第十五条各号に掲げる職員とする。

本条—令七・四・一施行

第三条 給与法第十九条の三第三項第一号イの人事院規則で定める額は、次の各号に掲げる職員の区分に応じ、当該各号に定める額とする。

一 次号に掲げる職員以外の管理監督職員（給与法第十条の二第二項に規定する管理監督職員をいう。以下同じ。） 次に掲げる当該管理監督職員の占める官職に係る俸給の特別調整額の区分に応じ、それぞれ次に定める額

イ 一種 一万二千円

ロ 二種 一万円

ハ 三種 八千五百円

ニ 四種 七千円

ホ 五種 六千円

二 定年前再任用短時間勤務職員（法第六十条の二第二項に規定する定年前再任用短時間勤務職員をいう。以下同じ。）である管理監督職員 次に掲げる当該管理監督職員の占める官職に係る俸給の特別調整額の区分に応じ、それぞれ次に定める額

イ 一種 一万一千円

ロ 二種 九千円

ハ 三種 七千五百円

ニ 四種 六千円

ホ 五種 五千円

三 次号に掲げる職員以外の専門スタッフ職俸給表の適用を受ける職員でその職務の級が二級以上であるもの 次に掲げる当該職員の属する職務の級に応じ、それぞれ次に定める額

イ 三級及び四級 一万二千円

ロ 二級 一万円

四 定年前再任用短時間勤務職員である専門スタッフ職俸給表の適用を受ける職員でその職務の級が二級以上であるもの 次に掲げる当該職員の属する職務の級に応じ、それぞれ次に定める額

イ 三級及び四級 一万一千円

ロ 二級 九千円

五 特定任期付職員 次に掲げる当該職員が受ける任期付職員法第七条第一項の俸給表の号俸又は同条第三項（育児休業法第十九条（育児休業法第二十二条において準用する場合を含む。）の規定により読み替えて適用する場合を含む。以下この号及び次項第五号において同じ。）の規定による俸給月額に応じ、それぞれ次に定める額

イ 六号俸及び七号俸並びに任期付職員法第七条第三項の規定による俸給月額 一万二千円

ロ 五号俸 一万円

ハ 二号俸から四号俸まで 八千五百円

ニ 一号俸 七千円

六 任期付研究員法第三条第一項第一号の規定により任期を定めて採用された職員 次に掲げる当該職員が受ける任期付研究員法第六条第一項の俸給表の号俸又は同条第四項（育児

休業法第十八条（育児休業法第二十二条において準用する場合を含む。）の規定により読み替えて適用する場合を含む。以下この号及び次項第六号において同じ。）の規定による俸給月額に応じ、それぞれ次に定める額

イ　六号俸及び任期付研究員法第六条第四項の規定による俸給月額　一万二千円

ロ　四号俸及び五号俸　一万円

ハ　二号俸及び三号俸　八千五百円

ニ　一号俸　七千円

2　給与法第十九条の三第三項第二号イの人事院規則で定める額は、次の各号に掲げる職員の区分に応じ、当該各号に定める額とする。

一　次号に掲げる職員以外の管理監督職員　次に掲げる当該管理監督職員の占める官職に係る俸給の特別調整額の区分に応じ、それぞれ次に定める額

イ　一種　六千円

ロ　二種　五千円

ハ　三種　四千三百円

ニ　四種　三千五百円

ホ　五種　三千円

二　定年前再任用短時間勤務職員である管理監督職員　次に掲げる当該管理監督職員の占める官職に係る俸給の特別調整額の区分に応じ、それぞれ次に定める額

イ　一種　五千五百円

ロ　二種　四千五百円

ハ　三種　三千八百円

ニ　四種　三千円

ホ　五種　二千五百円

三　次号に掲げる職員以外の専門スタッフ職俸給表の適用を受ける職員でその職務の級が二級以上であるもの　次に掲げる当該職員の属する職務の級に応じ、それぞれ次に定める額

イ　三級及び四級　六千円

ロ　二級　五千円

四　定年前再任用短時間勤務職員である専門スタッフ職俸給表の適用を受ける職員でその職務の級が二級以上であるもの　次に掲げる当該職員の属する職務の級に応じ、それぞれ次に定める額

イ　三級及び四級　五千五百円

ロ　二級　四千五百円

五　特定任期付職員　次に掲げる当該職員が受ける任期付職員法第七条第一項の俸給表の号俸又は同条第三項の規定による俸給月額に応じ、それぞれ次に定める額

イ　六号俸及び七号俸並びに任期付職員法第七条第三項の規定による俸給月額　六千円

ロ　五号俸　五千円

ハ　二号俸から四号俸まで　四千三百円

ニ　一号俸　三千五百円

六　任期付研究員法第三条第一項第一号の規定により任期を定めて採用された職員　次に掲げる当該職員が受ける任期付研究員法第六条第一項の俸給表の号俸又は同条第四項の規定による俸給月額に応じ、それぞれ次に定める額

イ　六号俸及び任期付研究員法第六条第四項の規定による俸給月額　六千円

ロ　四号俸及び五号俸　五千円

ハ　二号俸及び三号俸　四千三百円

ニ　一号俸　三千五百円

本条―令七・四・一施行

第四条　次に掲げる場合には、給与法第十九条の三第二項の規定による管理職員特別勤務手当を支給しない。この場合において、職員がした同条第二項の勤務は、同条第一項の勤務とみなす。

一　給与法第十九条の三第一項の勤務をした後、引き続いて同条第二項の勤務をした場合

二　給与法第十九条の三第二項の勤務をした後、引き続いて同条第一項の勤務をした場合

本条―令七・四・一施行

（勤務実績簿等）

第五条　各庁の長（給与法第七条に規定する各庁の長又はその委任を受けた者をいう。）は、管理職員特別勤務実績簿及び管理職員特別勤務手当整理簿を作成し、これを保管しなければならない。

本条―令七・四・一施行

（雑則）

第六条　この規則の実施に関し必要な事項は、人事院が定める。

本条―令七・四・一施行

附　則

（施行期日）

1　この規則は、平成四年一月一日から施行する。

（給与法附則第八項の規定の適用を受ける職員の管理職員特別勤務手当の額）

2　給与法附則第八項の規定の適用を受ける職員に対する第三条の規定の適用については、当分の間、同条第一項第一号及び第三号並びに同条第二項第一号及び第三号中「定める額」とあるのは、「定める額に百分の七十を乗じて得た額（その額に、五十円未満の端数を生じたとき

はこれを切り捨て、五十円以上百円未満の端数を生じたときはこれを百円に切り上げた額）」とする。

本項―令七・四・一施行

附　則（令四・二・一八規則一―七九）（抄）

改正　令七・二・五規則九―九三―四

（施行期日）

第一条　この規則は、令和五年四月一日から施行する。

（改正後の人事院規則九―九三における暫定再任用職員に関する経過措置）

第十五条　暫定再任用職員は、定年前再任用短時間勤務職員とみなして、第十九条の規定による改正後の規則九―九三第三条の規定を適用する。

附　則（令七・二・五規則九―九三―四）（抄）

（施行期日）

第一条　この規則は、令和七年四月一日から施行する。

○管理職員特別勤務手当の運用について（通知）

平三・一二・二四
給実甲六八八

最終改正　令七・一二・一二給実甲一三五〇

管理職員特別勤務手当の運用について下記のとおり定めたので、これによってください。

記

給与法第十九条の三関係

1　この条の第一項の「臨時又は緊急の必要」による勤務とは、週休日等（同項に規定する週休日等をいう。以下同じ。）に処理することを要することが明白な臨時の又は緊急性を有する業務のための勤務をいい、「公務の運営の必要」による勤務には、休日等（一般職の職員の給与に関する法律（昭和二十五年法律第九十五号。規則第五条関係第一項において「給与法」という。）第十五条に規定する祝日法による休日等又は同条に規定する年末年始の休日等をいう。以下この項において同じ。）において公務の正常な運営を確保するため、交替制勤務に従事する管理監督職員等が当該休日等の正規の勤務時間中に行う勤務を含む。

2　この条の第二項の「臨時又は緊急の必要」による勤務とは、午後十時から翌日の午前五時までの間（週休日等に含まれる時間を除く。）であって正規の勤務時間以外の時間に処理することを要することが明白な臨時の又は緊急性を有する業務のための勤務をいう。

3　この条の第一項（国家公務員の育児休業等に関する法律（平成三年法律第百九号）第十六条（同法第二十二条において準用する場合を含む。）又は第二十四条の規定により読み替えて適用する場合を含む。）の勤務（人事院規則九―九三（管理職員特別勤務手当）（以下「規則」という。）第四条の規定により同項の勤務とみなされるものを含む。以下「第一項の勤務」という。）は、週休日等（規則第四条の規定により第一項の勤務とみなされる勤務については、午後十時から翌日の午前五時までの間（週休日等に含まれる時間を除き、正規の勤務時間以外の時間に限る。）の勤務であり、連続する勤務（二以上の週休日等にまたがる勤務及び週休日等と週休日等以外の日にまたがる勤務を含む。）の開始から終了までを一回として取り扱うものとする。ただし、次に掲げる場合は、それらの場合の第一項の勤務の全てを一回の連続する勤務として取り扱うものとする。

一　一の週休日等において第一項の勤務の開始が二以上ある場合（次号に掲げる場合を除く。）

二　週休日等以外の日からその翌日の週休日等に連続する勤務が行われ、当該週休日等以外の日及び当該週休日等において第一項の勤務の開始が二以上ある場合

4　この条の第二項の勤務（規則第四条の規定により第一項の勤務とみなされるものを除く。

規則第五条関係第一項において「第二項の勤務」という。）は、午後十時から翌日の午前五時までの間（週休日等に含まれる時間を除き、正規の勤務時間以外の時間に限る。）の勤務（第一項の勤務を除く。）であり、連続する勤務（二の週休日等以外の日にまたがる勤務を含む。）の開始から終了までを一回として取り扱うものとする。ただし、一の週休日等以外の日において勤務の開始が二以上ある場合は、当該週休日等以外の日に開始する勤務の全てを一回の連続する勤務として取り扱うものとする。

規則第二条関係

この条の第一項に規定する「六時間」は、実働時間による。

規則第五条関係

1　各庁の長（給与法第七条に規定する各庁の長又はその委任を受けた者をいう。）は、管理監督職員等又は指定職俸給表の適用を受ける職員が管理職員特別勤務（第一項の勤務又は第二項の勤務をいう。以下同じ。）を行った場合は、管理職員特別勤務に従事した職員の報告等に基づき、その都度勤務時間管理員に次に掲げる事項を管理職員特別勤務実績簿に記入させた上、自ら確認し、当該管理職員特別勤務実績簿にその旨を示すものとする。

一　勤務に従事した年月日（「週休日等」又は「週休日等以外の日」の別を含む。）

二　勤務に従事した職員の氏名

三　職員の占める官職及びその官職に係る俸給の特別調整額の区分

四　勤務の内容（「第一項の勤務」又は「第二項の勤務」の別を含む。）

五　勤務をすることが必要であった理由

六　勤務の開始時刻及び終了時刻

七　休憩等の時間

八　実働時間数

九　第一項の勤務にあっては、人事院規則一五―一四（職員の勤務時間、休日及び休暇）第六条第二項に規定する週休日の振替等が行えなかった理由

十　その他参考となる事項

2　管理職員特別勤務手当整理簿には、一給与期間ごとに職員別に管理職員特別勤務実績簿に記録された事項のうち管理職員特別勤務手当の計算に必要な事項を記載するものとする。

以　上

○管理職員特別勤務手当の支給等について（通知）

令七・二・一二
給三―二二給与第三課長

標記について、令和七年四月一日以降は、下記の事項に留意のうえ制度の趣旨に沿った適切な運用を図られるようお願いします。

なお、これに伴い「管理職員特別勤務手当の支給等について（平成二十七年一月三十日給三―一〇）」は廃止します。

記

1　管理職員特別勤務手当の支給対象勤務等について

管理職員特別勤務手当の支給対象となる勤務は、臨時又は緊急の必要等がある場合において、明示の指示により又は明示の指示が想定される状況下で、支給対象の職員が支給対象の時間帯にやむを得ず処理すべき業務のための勤務である。

その勤務の具体例としては、次に掲げる業務のための勤務が挙げられる。

(1)　国会関係業務
(2)　政策協議関係業務
(3)　法令協議関係業務
(4)　予算関係業務
(5)　国際交渉関係業務
(6)　災害対応関係業務
(7)　事件・事故対応関係業務
(8)　セキュリティインシデント対応関係業務

ただし、上記(1)～(8)に該当する業務のための勤務であっても、職員の自由意思に基づいて行うもの、軽微な案件について部下職員に単発的に指示を行えば足りるもの、直後の勤務日の始業時刻以降に行っても支障がないものなどについては、臨時又は緊急の必要等があるやむを得ないものとは認められないため、支給対象となる勤務としては取り扱わないものとする。

なお、資料整理、定期的なデータの計測、諸行事への儀礼的参加・出席などといった業務のための勤務は、一般的には臨時又は緊急の必要等がある場合におけるものと評価することは困難であるが、勤務内容を精査した結果、臨時又は緊急の必要等があるやむを得ないものと認められれば、支給対象となる勤務として取り扱うものとする。

2　勤務一回の取扱いについて

「管理職員特別勤務手当の運用について」の給与法第十九条の三関係第三項及び第四項の「連続する勤務」には、休憩等に要した時間を挟んで引き続く勤務が含まれるものとする。ただし、当該休憩等に要した時間が相当時間（三時間程度）以上である場合は、休憩等に要した時間終了後の勤務の復帰を新たな勤務の開始として取り扱うものとする。

3　管理職員特別勤務実績簿の記入について

勤務時間管理員は、手当の支給について疑義が生じないよう「勤務の内容」及び「勤務をすることが必要であった理由」を具体的に記入するものとする。

以　上

第一六　本府省業務調整手当

【参照】
●一般職給与法一〇の三
●同運用方針一〇の三関係
●規則（九―七）六・七

○人事院規則九―一二三（本府省業務調整手当）

平二一・二・二制定
平二一・四・一施行

最終改正　令七・四・一規則九―一二三―四四

（趣旨）

第一条　本府省業務調整手当の支給については、別に定める場合を除き、この規則の定めるところによる。

（国の行政機関の内部部局）

第二条　給与法第十条の三第一項第一号の人事院規則で定める国の行政機関の内部部局は、次に掲げる組織とする。

一　会計検査院事務総局
二　人事院事務総局の内部部局
三　国家公務員倫理審査会事務局
四　内閣官房
五　内閣法制局の内部部局
六　内閣府の内部部局及び本府に置かれる職
七　宮内庁の内部部局（宮内庁病院及び陵墓監区事務所を除く。）
八　公正取引委員会事務総局の内部部局
九　警察庁の内部部局
十　個人情報保護委員会事務局
十一　カジノ管理委員会事務局
十二　金融庁の内部部局
十三　消費者庁の内部部局
十四　こども家庭庁の内部部局
十五　デジタル庁に置かれる職
十六　総務省の内部部局及び本省に置かれる職
十七　公害等調整委員会事務局
十八　消防庁の内部部局
十九　法務省の内部部局
二十　最高検察庁
二十一　出入国在留管理庁の内部部局
二十二　公安審査委員会事務局
二十三　公安調査庁の内部部局
二十四　外務省の内部部局及び本省に置かれる職
二十五　財務省の内部部局
二十六　国税庁の内部部局（国税庁監察官、監督評価官その他の長官官房の職であって、人事院が定めるものを除く。）
二十七　文部科学省の内部部局及び本省に置かれる職
二十八　スポーツ庁の内部部局
二十九　文化庁の内部部局
三十　厚生労働省の内部部局及び本省に置かれる職
三十一　中央労働委員会事務局の内部部局
三十二　農林水産省の内部部局
三十三　林野庁の内部部局
三十四　水産庁の内部部局
三十五　経済産業省の内部部局
三十六　資源エネルギー庁の内部部局
三十七　特許庁の内部部局
三十八　中小企業庁の内部部局
三十九　国土交通省の内部部局及び本省に置かれる職
四十　観光庁の内部部局
四十一　気象庁の内部部局
四十二　運輸安全委員会事務局の内部部局
四十三　海上保安庁の内部部局
四十四　環境省の内部部局（国民公園管理事務所及び千鳥ケ淵戦没者墓苑管理事務所を除く。）及び本省に置かれる職
四十五　原子力規制庁
四十六　防衛省の内部部局

本条―令五・四・一施行

> **（注）人事院規則一―五七（復興庁設置法の施行に伴う関係人事院規則の適用の特例等に関する人事院規則）により、第二条は次のようになる。**
>
> （国の行政機関の内部部局）
>
> **第二条**　給与法第十条の三第一項第一号の人事院規則で定める国の行政機関の内部部局は、次に掲げる組織及び復興庁（復興局を除く。）に置かれる職とする。
>
> 一～四十六　〔略〕

（給与法第十条の三第一項第一号の人事院規則

で定める業務）

第三条　給与法第十条の三第一項第一号の人事院規則で定める業務は、次に掲げる業務とする。

一　会計検査院事務総局事務総長官房の研修に関する業務であって、人事院が定めるもの

二　内閣官房の業務であって、次に掲げるもの

イ　アイヌ総合政策室北海道分室の業務

ロ　沖縄連絡室沖縄分室の業務

ハ　内閣衛星情報センターの副センター及び受信管制局の業務

三　宮内庁の埼玉鴨場及び新浜鴨場並びに御用邸管理事務所の業務

四　警察庁の業務であって、次に掲げるもの

イ　長官官房技術企画課情報処理センターの業務であって、人事院が定めるもの

ロ　工場の業務

ハ　刑事局の犯罪鑑識に関する業務であって、人事院が定めるもの

五　消防庁総務課の専門的科学的知識と創意等をもって行われる試験研究又は調査研究業務

六　出入国在留管理庁総務課の研修に関する業務であって、人事院が定めるもの

七　文部科学省の業務であって、次に掲げるもの

イ　研究交流センターの業務

ロ　敦賀原子力事務所の業務であって、人事院が定めるもの

八　水産庁資源管理部の特定水産資源（漁業法（昭和二十四年法律第二百六十七号）第十一条第二項第三号に規定する特定水産資源をいう。）の漁獲の指導及び監督に関する業務であって、人事院が定めるもの

九　資源エネルギー庁電力・ガス事業部原子力立地・核燃料サイクル産業課の業務であって、人事院が定めるもの

十　国土交通省の業務であって、次に掲げるもの

イ　物流・自動車局安全政策課及び自動車情報課の業務であって、人事院が定めるもの

ロ　空港保安防災教育訓練センターの業務

ハ　航空局安全部航空機安全課航空機技術審査室の業務

ニ　航空機技術審査センターの業務

ホ　システム開発評価・危機管理センターの業務

ヘ　航空情報センターの業務

ト　飛行検査センターの業務

チ　技術管理センターの業務

リ　性能評価センターの業務

十一　気象庁の業務であって、次に掲げるもの

イ　情報基盤部情報通信基盤課システム運用室の業務

ロ　気象観測所の業務

ハ　航空交通気象センターの業務

ニ　気象測器検定試験センターの業務

十二　運輸安全委員会事務局の地方事務所の業務

十三　海上保安庁の業務であって、次に掲げるもの

イ　警備救難部及び海洋情報部の業務であって、船員法（昭和二十二年法律第百号）第一条に規定する船員である職員その他これに準ずるものとして人事院が定める職員が従事するもの

ロ　警備救難部管理課航空業務管理室の業務（イに掲げる業務を除く。）であって、人事院が定めるもの

十四　環境省の生物多様性センターの業務

十五　原子力規制庁の業務であって、次に掲げるもの

イ　地域原子力規制総括調整官事務所の業務であって、人事院が定めるもの

ロ　六ヶ所保障措置センターの業務であって、人事院が定めるもの

ハ　原子力艦モニタリングセンターの業務であって、人事院が定めるもの

ニ　原子力規制事務所の業務であって、人事院が定めるもの

本条…令七・四・一施行

（給与法第十条の三第一項第二号の人事院規則で定める業務）

第四条　給与法第十条の三第一項第二号の人事院規則で定める業務は、次に掲げる業務とする。

一　次に掲げる組織の業務

イ　食品安全委員会事務局

ロ　国会等移転審議会事務局

ハ　公益認定等委員会事務局

ニ　再就職等監視委員会事務局

ホ　消費者委員会事務局

ヘ　経済社会総合研究所（経済研修所を除く。）

ト　地方創生推進事務局（地方連絡室を除く。）

チ　知的財産戦略推進事務局
リ　科学技術・イノベーション推進事務局
ヌ　健康・医療戦略推進事務局
ル　宇宙開発戦略推進事務局
ヲ　北方対策本部
ワ　総合海洋政策推進事務局
カ　国際平和協力本部事務局
ヨ　日本学術会議事務局
タ　官民人材交流センター
レ　証券取引等監視委員会事務局
ソ　公認会計士・監査審査会事務局
ツ　行政不服審査会事務局
ネ　情報公開・個人情報保護審査会事務局
ナ　官民競争入札等監理委員会事務局
ラ　電気通信紛争処理委員会事務局
ム　情報通信政策研究所調査研究部
ウ　政治資金適正化委員会事務局
ヰ　財務総合政策研究所（研修部を除く。）
ノ　会計センター（研修部を除く。）
オ　国税不服審判所（支部を除く。）
ク　国立教育政策研究所
ヤ　科学技術・学術政策研究所
マ　中央駐留軍関係離職者等対策協議会事務局
ケ　農林水産政策研究所
フ　農林水産技術会議事務局（筑波産学連携支援センターを除く。）
コ　電力・ガス取引監視等委員会事務局
エ　国土交通政策研究所
テ　海難審判所（地方海難審判所を除く。）

二　法務総合研究所の総務企画部の業務（人事院が定めるものを除く。）及び研究部の業務

本条—令五・四・一施行

（給与法第十条の三第二項の人事院規則で定める職務の級）

第五条　給与法第十条の三第二項の人事院規則で定める職務の級は、別表の俸給表及び職務の級欄に掲げる職務の級（行政職俸給表㈠の職務の級を除く。）に応じ、別表の相当する職務の級欄に定める職務の級とする。

（本府省業務調整手当の月額）

第六条　給与法第十条の三第二項の人事院規則で定める額は、次の各号に掲げる職員の区分に応じ、当該各号に定める額（その額に一円未満の端数があるときは、その端数を切り捨てた額）とする。

一　次号に掲げる職員以外の職員　当該職員に適用される俸給表及び当該職員の属する職務の級に応じ、別表の定年前再任用短時間勤務職員以外の職員の月額欄に定める額（育児休業法第十三条第一項に規定する育児短時間勤務職員及び育児休業法第二十二条の規定による短時間勤務をしている職員にあっては育児休業法第十七条（育児休業法第二十二条において準用する場合を含む。）の規定により読み替えられた勤務時間法第五条第一項ただし書の規定により定められたその者の勤務時間を同項本文に規定する勤務時間で除して得た数を、育児休業法第二十三条第二項に規定する任期付短時間勤務職員にあっては育児休業法第二十五条の規定により読み替えられた勤務時間法第五条第一項ただし書の規定により定められたその者の勤務時間を同項本文に規定する勤務時間で除して得た数をそれぞれその額に乗じて得た額）

二　法第六十条の二第二項に規定する定年前再任用短時間勤務職員　当該職員に適用される俸給表及び当該職員の属する職務の級に応じ、別表の定年前再任用短時間勤務職員の基準月額欄に定める額に、勤務時間法第五条第二項の規定により定められたその者の勤務時間を同条第一項に規定する勤務時間で除して得た数を乗じて得た額

本条—令五・四・一施行

（雑則）

第七条　この規則に定めるもののほか、本府省業務調整手当に関し必要な事項は、人事院が定める。

附　則（抄）

（施行期日）

第一条　この規則は、平成二十一年四月一日から施行する。

（給与法附則第八項の規定の適用を受ける職員の本府省業務調整手当の月額）

第二条　給与法附則第八項の規定の適用を受ける職員に対する第六条の規定の適用については、当分の間、同条第一号中「別表の定年前再任用短時間勤務職員以外の職員の月額欄に定める額」とあるのは、「附則別表の月額欄に定める額」とする。

本条—令五・四・一施行

附則別表（附則第二条関係）

俸給表及び職務の級		月額
行政職俸給表㈠	一級	五、〇〇〇円
	二級	六、二〇〇円
	三級	一二、三〇〇円
	四級	一五、五〇〇円
	五級	二六、二〇〇円
	六級	二七、四〇〇円
	七級以上	二九、三〇〇円
専門行政職俸給表	一級	六、二〇〇円
	二級	一二、三〇〇円
	三級	一五、五〇〇円
	四級	二七、四〇〇円
	五級以上	二九、三〇〇円
税務職俸給表	一級	五、〇〇〇円
	二級	六、二〇〇円
	三級	一二、三〇〇円
	四級	一五、五〇〇円
	五級	二六、二〇〇円
	六級	二七、四〇〇円
	七級以上	二九、三〇〇円
公安職俸給表㈠	一級	五、〇〇〇円
	二級	五、〇〇〇円
	三級	六、二〇〇円
	四級	一二、三〇〇円
	五級	一五、五〇〇円
	六級	二六、二〇〇円
	七級	二七、四〇〇円
	八級以上	二九、三〇〇円
公安職俸給表㈡	一級	五、〇〇〇円
	二級	六、二〇〇円
	三級	一二、三〇〇円
	四級	一五、五〇〇円
	五級	二六、二〇〇円
	六級	二七、四〇〇円
	七級以上	二九、三〇〇円
研究職俸給表	一級	五、〇〇〇円
	二級	六、二〇〇円
	三級	一五、五〇〇円
	四級	二七、四〇〇円
	五級以上	二九、三〇〇円

附　則（令二・一・七規則九―一二三―二六）

この規則は、公布の日から施行する。

附　則（令二・四・一規則九―一二三―二七）

この規則は、公布の日から施行する。

附　則（令二・一〇・一規則九―一二三―二八）

この規則は、公布の日から施行する。

附　則（令三・四・一規則九―一二三―二九）

この規則は、公布の日から施行する。

附　則（令三・九・一規則一―七七）

この規則は、公布の日から施行する。

附　則（令四・二・一八規則一―七九）（抄）

（施行期日）

第一条　この規則は、令和五年四月一日から施行する。

（改正後の人事院規則九―一二三における暫定再任用職員に関する経過措置）

第二十条　暫定再任用職員（暫定再任用短時間勤務職員を除く。）に対する第二十二条の規定による改正後の規則九―一二三第六条の規定の適用については、同条第一号中「定年前再任用短時間勤務職員以外の職員の月額欄」とあるのは、「定年前再任用短時間勤務職員の基準月額欄」とする。

2　暫定再任用短時間勤務職員は、定年前再任用短時間勤務職員とみなして、第二十二条の規定による改正後の規則九―一二三第六条の規定を適用する。

附　則（令四・四・一規則九―一二三―四〇）

この規則は、公布の日から施行する。

附　則（令五・三・三一規則九―一二三―四一）

この規則は、令和五年四月一日から施行する。

附　則（令五・九・二九規則九―一二三―四二）

この規則は、令和五年十月一日から施行する。

附　則（令六・四・一規則九―一二三―四三）

この規則は、公布の日から施行する。

附　則（令七・四・一規則九―一二三―四四）

この規則は、公布の日から施行する。

別表（第五条、第六条関係）

俸給表	職務の級	相当する職務の級	定年前再任用短時間勤務職員以外の職員の月額	定年前再任用短時間勤務職員の基準月額
行政職俸給表㈠	一級		七、二〇〇円	七、二〇〇円
	二級		八、八〇〇円	八、六〇〇円
	三級		一七、五〇〇円	一五、五〇〇円
	四級		二二、一〇〇円	一六、八〇〇円
	五級		三七、四〇〇円	二七、八〇〇円
	六級		三九、二〇〇円	三〇、三〇〇円
	七級以上		四一、八〇〇円	三四、五〇〇円
専門行政職俸給表	一級	二級	八、八〇〇円	八、六〇〇円
	二級	三級	一七、五〇〇円	一五、五〇〇円
	三級	四級	二二、一〇〇円	一六、八〇〇円
	四級	六級	三九、二〇〇円	三〇、三〇〇円
	五級以上	七級以上	四一、八〇〇円	三四、五〇〇円
税務職俸給表	一級	一級	七、二〇〇円	七、二〇〇円
	二級	二級	八、八〇〇円	八、六〇〇円
	三級	三級	一七、五〇〇円	一五、五〇〇円
	四級	四級	二二、一〇〇円	一六、八〇〇円
	五級	五級	三七、四〇〇円	二七、八〇〇円
	六級	六級	三九、二〇〇円	三〇、三〇〇円
	七級以上	七級以上	四一、八〇〇円	三四、五〇〇円
公安職俸給表㈠	一級	一級	七、二〇〇円	七、二〇〇円
	二級	一級	七、二〇〇円	七、二〇〇円
	三級	二級	八、八〇〇円	八、六〇〇円
	四級	三級	一七、五〇〇円	一五、五〇〇円
	五級	四級	二二、一〇〇円	一六、八〇〇円
	六級	五級	三七、四〇〇円	二七、八〇〇円
	七級	六級	三九、二〇〇円	三〇、三〇〇円
	八級以上	七級以上	四一、八〇〇円	三四、五〇〇円
公安職俸給表㈡	一級	一級	七、二〇〇円	七、二〇〇円
	二級	二級	八、八〇〇円	八、六〇〇円
	三級	三級	一七、五〇〇円	一五、五〇〇円
	四級	四級	二二、一〇〇円	一六、八〇〇円
	五級	五級	三七、四〇〇円	二七、八〇〇円
	六級	六級	三九、二〇〇円	三〇、三〇〇円
	七級以上	七級以上	四一、八〇〇円	三四、五〇〇円
研究職俸給表	一級	一級	七、二〇〇円	七、二〇〇円
	二級	二級	八、八〇〇円	八、六〇〇円
	三級	四級	二二、一〇〇円	一六、八〇〇円
	四級	六級	三九、二〇〇円	三〇、三〇〇円
	五級以上	七級以上	四一、八〇〇円	三四、五〇〇円

本表—令五・四・一施行

○本府省業務調整手当の運用について（通知）

平二一・二・二
給実甲一〇七八

本府省業務調整手当の運用について下記のとおり定めたので、平成二十一年四月一日以降は、これによってください。

記

1　一般職の職員の給与に関する法律（昭和二十五年法律第九十五号）第十条の三第一項各号列記以外の部分の業務とは、本務として従事する業務をいう。ただし、併任されている官職の業務に引き続き一月以上専ら従事することが予定されている場合にあっては、当該業務をいう。

2　前項ただし書の場合においては、本府省業務調整手当を支給され、又は支給されないこととなる職員に対して、その支給の有無を人事異動通知書又はこれに代わる文書により通知するものとする。ただし、当該職員の併任が解除され、又は終了したことに伴い、本府省業務調整手当を支給され、又は支給されないこととなる場合は、この限りでない。

以　上

第一七　専門スタッフ職調整手当

【参照】
●一般職給与法一〇の五
●同運用方針一〇の五関係
●規則（九―七）六・七

○人事院規則九―一二二（専門スタッフ職調整手当）

平二〇・二・一制定
平二〇・四・一施行
最終改正　平三〇・二・一規則一―七一

（趣旨）
第一条　専門スタッフ職調整手当の支給については、別に定める場合を除き、この規則の定めるところによる。

（給与法第十条の五第一項の人事院規則で定める業務）
第二条　給与法第十条の五第一項の人事院規則で定める業務は、次に掲げる業務その他の業務（人事院が定めるものに限る。）とする。

一　行政の特定の分野における極めて高度の専門的な知識経験及び識見を活用して調査、研究、情報の分析等を行うことが必要とされる特に重要な政策の企画及び立案等を支援する業務で重要度及び困難度が特に高いもの

二　行政の特定の分野における極めて高度の専門的な知識経験及び識見を活用して調査、研究、情報の分析等を行うことが必要とされる特に重要な他国又は国際機関との交渉等を支援する業務で重要度及び困難度が特に高いもの

本条…平二二・四・一施行

（端数計算）
第三条　給与法第十条の五第二項の規定による専門スタッフ職調整手当の月額に一円未満の端数があるときは、その端数を切り捨てた額をもって当該専門スタッフ職調整手当の月額とする。

本条…平二二・四・一施行

（雑則）
第四条　この規則に定めるもののほか、専門スタッフ職調整手当に関し必要な事項は、人事院が定める。

附　則

この規則は、平成二十年四月一日から施行する。

附　則（平三〇・二・一規則一―七一）（抄）

この規則は、平成三十年四月一日から施行する。〔ただし書略〕

第一八　期末手当・勤勉手当

【参照】
●一般職給与法一九の四〜一九の七・一九の九
●同運用方針一九の四から一九の六まで関係・一九の七関係・一九の九関係

○人事院規則九―四〇（期末手当及び勤勉手当）

昭三八・一二・二〇制定
昭三八・一二・一適用

最終改正　令七・二・五規則九―四〇―六三

（期末手当の支給を受ける職員）

第一条　給与法第十九条の四第一項前段の規定により期末手当の支給を受ける職員は、同項に規定するそれぞれの基準日に在職する職員（給与法第十九条の五各号のいずれかに該当する者を除く。）のうち、次に掲げる職員以外の職員とする。

一　無給休職者（法第七十九条第一号又は規則一一―四（職員の身分保障）第三条の規定に該当して休職にされている職員のうち、給与の支給を受けていない職員をいう。）

二　刑事休職者（法第七十九条第二号の規定に該当して休職にされている職員をいう。）

三　停職者（法第八十二条の規定により停職にされている職員をいう。）

四　非常勤職員（給与法第二十二条（育児休業法第二十四条の規定により読み替えて適用する場合を含む。）の規定の適用を受ける職員をいう。）

五　専従休職者（法第百八条の六第一項ただし書に規定する許可を受けている職員をいう。）

六　無給派遣職員（派遣法第三条に規定する派遣職員（以下「派遣職員」という。）のうち、給与の支給を受けていない職員をいう。）

七　育児休業法第三条の規定により育児休業をしている職員のうち、育児休業法第八条第一項に規定する職員以外の職員

八　交流派遣職員（官民人事交流法第八条第二項に規定する交流派遣職員をいう。以下同じ。）

九　無給法科大学院派遣法第十一条派遣職員（法科大学院派遣法第十一条第一項の規定により派遣されている職員（以下「法科大学院派遣法第十一条派遣職員」という。）のうち、給与の支給を受けていない職員をいう。）

十　自己啓発等休業法第二条第五項に規定する自己啓発等休業（以下「自己啓発等休業」という。）をしている職員

十一　無給福島復興再生特措法派遣職員（福島復興再生特別措置法（平成二十四年法律第二十五号）第四十八条の三第一項又は第八十九条の三第一項の規定により派遣されている職員（以下「福島復興再生特措法派遣職員」という。）のうち、給与の支給を受けていない職員をいう。）

十二　配偶者同行休業法第二条第四項に規定する配偶者同行休業（以下「配偶者同行休業」という。）をしている職員

十三　無給令和七年国際博覧会特措法派遣職員（令和七年国際博覧会特措法第二十五条第一項の規定により派遣されている職員（以下「令和七年国際博覧会特措法派遣職員」という。）のうち、給与の支給を受けていない職員をいう。）

十四　無給令和九年国際園芸博覧会特措法派遣職員（令和九年国際園芸博覧会特措法第十五条第一項の規定により派遣されている職員（以下「令和九年国際園芸博覧会特措法派遣職員」という。）のうち、給与の支給を受けていない職員をいう。）

本条―令四・七・一施行

第二条　給与法第十九条の四第一項後段の規則で定める職員は、次に掲げる職員とし、これらの職員には、期末手当を支給しない。

一　その退職し、又は死亡した日において前条各号のいずれかに該当する職員であつた者

二　その退職の後基準日までの間において次に掲げる者（非常勤である者にあつては、法第六十条の二第二項に規定する定年前再任用短時間勤務職員（以下「定年前再任用短時間勤務職員」という。）、育児休業法第二十三条第

二項に規定する任期付短時間勤務職員（以下「任期付短時間勤務職員」という。）その他人事院の定める者に限る。）となつた者

イ 給与法の適用を受ける職員

ロ 検察官

ハ 行政執行法人の職員のうち人事院の定める者

二 特別職に属する国家公務員（行政執行法人の役員を除く。第六条第一項第一号ニにおいて同じ。）

三 その退職に引き続き次に掲げる者（非常勤である者にあつては、定年前再任用短時間勤務職員、任期付短時間勤務職員その他人事院の定める者に限る。）となつた者

イ 行政執行法人の職員（前号ハに掲げる者を除く。）のうち人事院の定める者

ロ 独立行政法人等役員（国家公務員退職手当法（昭和二十八年法律第百八十二号）第八条第一項に規定する独立行政法人等役員をいう。第六条第一項第二号ロにおいて同じ。）のうち人事院の定める者

ハ 公庫等職員（国家公務員退職手当法第七条の二第一項に規定する公庫等職員及び特別の法律の規定により同項に規定する公庫等職員とみなされる者をいう。第六条第一項第二号ハにおいて同じ。）のうち人事院の定める者

ニ 地方公務員（人事院の定める者に限る。）

本条—令五・四・一施行

第三条 給与法第二十三条第七項ただし書の規則で定める職員は、前条第二号及び第三号に掲げる職員とし、これらの職員には期末手当を支給しない。

本条—平二一・五・二九施行

第四条 基準日前一箇月以内において給与法の適用を受ける常勤の職員、定年前再任用短時間勤務職員又は任期付短時間勤務職員としての退職が二回以上ある者について前二条の規定を適用する場合には、基準日に最も近い日の退職のみをもつて、当該退職とする。

本条—令五・四・一施行

（特定管理職員としない職員）

第四条の二 給与法第十九条の四第二項の規則で定める職員は、次に掲げる職員（休職にされている職員のうち給与法第二十三条第一項に該当する職員以外の職員、派遣職員、法科大学院派遣法第十一条派遣職員、福島復興再生特措法派遣職員、令和七年国際博覧会特措法派遣職員及び令和九年国際園芸博覧会特措法派遣職員（第四条の四第一項において「派遣等職員」という。）を除く。）以外の職員とする。

一 規則九—一七（俸給の特別調整額）の規定による俸給の特別調整額に係る区分が一種又は二種の官職を占める職員のうち次に掲げる職員

イ 行政職俸給表㈠の適用を受ける職員のうち、職務の級が七級以上の職員

ロ 専門行政職俸給表の適用を受ける職員のうち、職務の級が五級以上の職員

ハ 税務職俸給表の適用を受ける職員のうち、職務の級が七級以上の職員

ニ 公安職俸給表㈠の適用を受ける職員のうち、職務の級が八級以上の職員

ホ 公安職俸給表㈡の適用を受ける職員のうち、職務の級が七級以上の職員

ヘ 海事職俸給表㈠の適用を受ける職員のうち、職務の級が六級以上の職員

ト 教育職俸給表㈠の適用を受ける職員のうち、職務の級が四級以上の職員

チ 研究職俸給表の適用を受ける職員のうち、職務の級が五級以上の職員

リ 医療職俸給表㈠の適用を受ける職員のうち、職務の級が三級以上の職員

ヌ 医療職俸給表㈡の適用を受ける職員のうち、職務の級が七級以上の職員

ル 医療職俸給表㈢の適用を受ける職員のうち、職務の級が六級以上の職員

ヲ 福祉職俸給表の適用を受ける職員のうち、職務の級が六級の職員

二 在外公館に勤務する総領事その他の職員で、職務の級が行政職俸給表㈠の八級以上であるもの

三 専門スタッフ職俸給表の適用を受ける職員のうち、職務の級が二級以上の職員

本条—令四・七・一施行

（期末手当基礎額等に係る加算を受ける職員及び加算割合）

第四条の三 給与法第十九条の四第五項（給与法第十九条の七第四項において準用する場合を含む。以下同じ。）の行政職俸給表㈠及び指定職俸給表以外の俸給表の適用を受ける職員で、行政職俸給表㈠の職務の級が三級以上の職員に相

当する職員として規則で定めるものは、別表第一の職員欄に掲げる職員（行政職俸給表㈠及び指定職俸給表の適用を受ける職員を除く。）とする。

2　給与法第十九条の四第五項の規則で定める職員の区分は、別表第一の職員欄に掲げる職員の区分とし、同項の百分の二十を超えない範囲内で規則で定める割合は、当該区分に対応する同表の加算割合欄に定める割合とする。

一項—平二一・五・二九施行
二項—平一三・四・一施行

第四条の四　給与法第十九条の四第五項の管理又は監督の地位にある職員は、次に掲げる職員（派遣等職員を除く。）とする。

一　第四条の二第一号及び第二号に掲げる職員

二　規則九—一七の規定による俸給の特別調整額に係る区分が三種の官職で人事院の定めるものを占める職員のうち第四条の二第一号イからヲまでに掲げる職員

三　指定職俸給表の適用を受ける職員

四　任期付職員法第七条第一項の俸給表の適用を受ける職員（四号俸以下の号俸を受ける職員を除く。）

五　任期付研究員法第六条第一項の俸給表の適用を受ける職員（三号俸以下の号俸を受ける職員を除く。）

2　給与法第十九条の四第五項の百分の二十五を超えない範囲内で規則で定める割合は、次の各号に掲げる職員の区分に応じて、当該各号に掲げる割合とする。

一　次に掲げる職員　百分の二十五

イ　第四条の二第一号に掲げる職員のうち俸給の特別調整額に係る区分が一種の官職を占める職員

ロ　第四条の二第二号に掲げる職員のうち人事院の定める職員

ハ　前項第三号に掲げる職員

ニ　前項第四号及び第五号に掲げる職員のうち人事院の定める職員

二　次に掲げる職員　百分の十五

イ　第四条の二第一号に掲げる職員のうち俸給の特別調整額に係る区分が二種の官職を占める職員

ロ　第四条の二第二号に掲げる職員（前号ロに掲げる職員を除く。）

ハ　前項第四号及び第五号に掲げる職員（前号ニに掲げる職員を除く。）

三　前二号に掲げる職員以外の職員　百分の十

一項—平二七・六・二五施行
二項—平二一・五・二九施行

（期末手当に係る在職期間）

第五条　給与法第十九条の四第二項に規定する在職期間は、給与法の適用を受ける職員として在職した期間とする。

2　前項の期間の算定については、次に掲げる期間を除算する。

一　第一条第三号から第五号までに掲げる職員（同条第四号に掲げる職員については、勤務日及び勤務時間が常勤の職員と同様である者を除く。）として在職した期間については、その全期間

二　育児休業法第三条の規定により育児休業（次に掲げる育児休業を除く。）をしている職員として在職した期間については、その二分の一の期間

イ　当該育児休業の承認に係る期間の全部が子の出生の日から規則一九—〇（職員の育児休業等）第四条の三に規定する期間内にある育児休業であつて、当該育児休業の承認に係る期間（当該期間が二以上あるときは、それぞれの期間を合算した期間）が一箇月以下である育児休業

ロ　当該育児休業の承認に係る期間の全部が子の出生の日から規則一九—〇第四条の三に規定する期間内にある育児休業以外の育児休業であつて、当該育児休業の承認に係る期間（当該期間が二以上あるときは、それぞれの期間を合算した期間）が一箇月以下である育児休業

三　自己啓発等休業をしている職員として在職した期間については、その二分の一の期間

四　配偶者同行休業をしている職員として在職した期間については、その二分の一の期間

五　休職にされていた期間（次に掲げる期間を除く。）については、その二分の一の期間

イ　給与法第二十三条第一項の規定の適用を受ける休職者であつた期間

ロ　人事院の定める公共的機関の業務に従事することによる休職の期間のうち人事院の定める期間

ハ　科学技術・イノベーション創出の活性化に関する法律（平成二十年法律第六十三号）第二条第十二項第一号の研究公務員の

国と共同して行われる研究又は国の委託を受けて行われる研究に係る業務に従事することによる休職の期間のうち人事院の定める期間

ニ　国立大学法人（国立大学法人法（平成十五年法律第百十二号）第二条第一項に規定する国立大学法人をいう。）その他の人事院の定める法人において、その職員の職務に密接な関連があると認められる学術研究その他の業務に従事することによる休職の期間のうち人事院の定める期間

六　育児休業法第十三条第一項に規定する育児短時間勤務職員又は育児休業法第二十二条の規定による短時間勤務をしている職員（以下「育児短時間勤務職員等」という。）として在職した期間については、当該期間から当該期間に算出率（育児休業法第十六条の規定により読み替えられた給与法第六条の二第一項に規定する算出率をいう。第十一条第二項第六号において同じ。）を乗じて得た期間を控除して得た期間の二分の一の期間

一項—平九・七・一施行
二項—令四・一〇・一施行

第六条　前条第一項の在職期間には、次に掲げる期間を算入する。

一　基準日以前六箇月以内の期間において、次に掲げる者が給与法の適用を受ける職員となつた場合は、その期間内においてそれらの者として在職した期間

イ　検察官

ロ　判事補及び検事の弁護士職務経験に関する法律（平成十六年法律第百二十一号）第二条第四項の規定により弁護士となつてその職務を行う者

ハ　行政執行法人の職員のうち人事院の定める者

ニ　特別職に属する国家公務員

二　基準日以前六箇月以内の期間において、次に掲げる者が引き続き給与法の適用を受ける職員となつた場合は、その期間内においてそれらの者として在職した期間

イ　行政執行法人の職員（前号ハに掲げる者を除く。）のうち人事院の定める者

ロ　独立行政法人等役員のうち人事院の定める者

ハ　公庫等職員のうち人事院の定める者

ニ　地方公務員（人事院の定める者に限る。）

2　前項の期間の算定については、前条第二項の規定を準用する。

一項—平二七・四・一施行
二項—昭四八・五・一適用

（一時差止処分に係る在職期間）

第六条の二　給与法第十九条の五及び第十九条の六（これらの規定を給与法第十九条の七第五項及び第二十三条第八項において準用する場合を含む。）に規定する在職期間は、給与法の適用を受ける職員として在職した期間とする。

2　前条第一項第一号イからニまでに掲げる者及び同項第二号イからニまでに掲げる者が引き続き給与法の適用を受ける職員となつた場合は、それらの者として在職した期間は、前項の在職期間とみなす。

一項—平二一・五・二九施行
二項—平二五・四・一施行

（一時差止処分の手続）

第六条の三　各庁の長（給与法第七条に規定する各庁の長又はその委任を受けた者をいう。以下同じ。）は、給与法第十九条の六第一項（給与法第十九条の七第五項及び第二十三条第八項において準用する場合を含む。）の規定による一時差止処分（以下「一時差止処分」という。）を行おうとする場合は、あらかじめその旨を書面で人事院に通知しなければならない。

本条—令七・四・一施行

第六条の四　各庁の長は、一時差止処分を行つた場合には、当該一時差止処分を受けた者に文書を交付しなければならない。

2　前項の文書の交付は、一時差止処分を受けた者の所在を知ることができない場合においては、その内容を官報に掲載することをもつてこれに代えることができるものとし、掲載された日から二週間を経過した時に文書の交付があつたものとみなす。

本条—平九・七・一施行

（一時差止処分の取消しの申立ての手続）

第六条の五　給与法第十九条の六第二項（給与法第十九条の七第五項及び第二十三条第八項において準用する場合を含む。）の規定による一時差止処分の取消しの申立ては、その理由を明示した書面で、各庁の長に対して行わなければならない。

本条—平二一・五・二九施行

（一時差止処分の取消しの通知）

第六条の六　各庁の長は、一時差止処分を取り消した場合は、当該一時差止処分を受けた者及び人事院に対し、速やかにその旨を書面で通知しなければならない。

本条―平一四・六・二〇施行

（審査請求の教示）

第六条の七　給与法第十九条の六第五項（給与法第十九条の七第五項及び第二十三条第八項において準用する場合を含む。）に規定する説明書には、一時差止処分について、人事院に対して審査請求をすることができる旨及び審査請求をすることができる期間を記載しなければならない。

本条―平二八・四・一施行

（一時差止処分に関するその他の事項）

第六条の八　第六条の二から前条までに定めるもののほか、一時差止処分に関し必要な事項は、人事院が定める。

本条―平一四・六・二〇施行

（勤勉手当の支給を受ける職員）

第七条　給与法第十九条の七第一項前段の規定により勤勉手当の支給を受ける職員は、同項に規定するそれぞれの基準日に在職する職員（給与法第十九条の七第五項において準用する給与法第十九条の五各号のいずれかに該当する者を除く。）のうち、次に掲げる職員以外の職員とする。

一　休職にされている者（第五条第二項第五号イの休職者を除く。）

二　第一条第三号から第五号まで、第八号、第十号及び第十二号のいずれかに該当する者

三　派遣職員

四　育児休業法第三条の規定により育児休業をしている職員のうち、育児休業法第八条第二項に規定する職員以外の職員

五　法科大学院派遣法第十一条派遣職員

六　福島復興再生特措法派遣職員

七　令和七年国際博覧会特措法派遣職員

八　令和九年国際園芸博覧会特措法派遣職員

本条―令四・七・一施行

第八条　給与法第十九条の七第一項後段の規則で定める職員は、次に掲げる職員とし、これらの職員には勤勉手当を支給しない。ただし、第二号に掲げる者のうち、勤勉手当に相当する手当が支給されない国家公務員については、この限りでない。

一　その退職し、又は死亡した日において前条各号のいずれかに該当する職員であつた者

二　第二条第二号及び第三号に掲げる者

2　第四条の規定は、前項の場合に準用する。

一項―令元・九・一四施行

（勤勉手当の支給割合）

第九条　給与法第十九条の七第二項に規定する勤勉手当の支給割合は、次条に規定する職員の勤務期間による割合（同条において「期間率」という。）に第十三条及び第十三条の二に規定する職員の勤務成績による割合（第十三条から第十三条の二の二までにおいて「成績率」という。）を乗じて得た割合とする。

本条―平二〇・四・一施行

（勤勉手当の期間率）

第十条　期間率は、基準日以前六箇月以内の期間における職員の勤務期間の区分に応じて、別表第二に定める割合とする。

本条―平二一・四・一適用

（勤勉手当に係る勤務期間）

第十一条　前条に規定する勤務期間は、給与法の適用を受ける職員として在職した期間とする。

2　前項の期間の算定については、次に掲げる期間を除算する。

一　第一条第三号から第五号までに掲げる職員（同条第四号に掲げる職員については、勤務日及び勤務時間が常勤の職員と同様である者を除く。）として在職した期間

二　育児休業法第三条の規定により育児休業（第五条第二項第二号イ及びロに掲げる育児休業を除く。）をしている職員として在職した期間

三　自己啓発等休業をしている職員として在職した期間

四　配偶者同行休業をしている職員として在職した期間

五　休職にされていた期間（第五条第二項第五号イに掲げる期間及び同号ロからニまでの休職の期間のうち人事院の定める期間を除く。）

六　育児短時間勤務職員等として在職した期間から当該期間に算出率を乗じて得た期間を控除して得た期間

七　給与法第十五条の規定により給与を減額された期間

八　法第百三条の規定による承認又は法第百四条の規定による許可を得て勤務しなかつたこ

と（学校教育法（昭和二十二年法律第二十六号）第一条に規定する大学の職員の業務を行うため勤務しなかつたことを除く。）により給与を減額された期間

九　負傷又は疾病（公務上の負傷若しくは疾病若しくは補償法第一条の二に規定する通勤による負傷若しくは疾病（派遣職員の派遣先の業務上の負傷若しくは疾病又は補償法第一条の二に規定する通勤による負傷若しくは疾病を含む。）又は官民人事交流法第十六条、法科大学院派遣法第九条（法科大学院派遣法第十八条において準用する場合を含む。）、福島復興再生特別措置法第四十八条の九若しくは第八十九条の九、令和三年オリンピック・パラリンピック特措法第二十三条、平成三十一年ラグビーワールドカップ特措法第十条、令和七年国際博覧会特措法第三十一条、令和九年国際園芸博覧会特措法第二十一条若しくは判事補及び検事の弁護士職務経験に関する法律第十条の規定（以下この号において「特定規定」という。）により給与法第二十三条第一項及び附則第六項の規定の適用に関し公務とみなされる業務に係る業務上の負傷若しくは疾病若しくは特定規定に規定する通勤による負傷若しくは疾病を除く。）により勤務しなかつた期間から勤務時間法第六条第一項に規定する週休日、同条第三項及び勤務時間法第八条第二項において読み替えて準用する同条第一項の規定に基づく勤務時間を割り振らない日、勤務時間法第十三条の二第一項の規定により割り振られた勤務時間の全部について同項に規定する超勤代休時間を指定された日並びに給与法第十五条に規定する祝日法による休日等及び年末年始の休日等（第一条第四号に掲げる職員として在職した期間にあつては、勤務日以外の日。次号において「週休日等」という。）を除いた日が三十日を超える場合には、その勤務しなかつた全期間。ただし、人事院の定める期間を除く。

十　勤務時間法第二十一条の規定による介護休暇の承認又は規則一五―一五（非常勤職員の勤務時間及び休暇）第四条第三項の規定による同条第二項第四号の休暇の承認を受けて勤務しなかつた期間から週休日等を除いた日が三十日を超える場合には、その勤務しなかつた全期間

十一　勤務時間法第二十一条の規定による介護時間の承認又は規則一五―一五第四条第三項の規定による同条第二項第五号の休暇の承認を受けて勤務しなかつた期間が三十日を超える場合には、その勤務しなかつた全期間

十二　育児休業法第二十六条第一項の規定による育児時間の承認を受けて勤務しなかつた期間が三十日を超える場合には、その勤務しなかつた全期間

十三　基準日以前六箇月の全期間にわたつて勤務した日がない場合には、前各号の規定にかかわらず、その全期間

一項―昭五六・三・二九施行
二項―令七・四・一施行

第十二条　第六条第一項の規定は、前条に規定する給与法の適用を受ける職員として在職した期間の算定について準用する。

2　前項の期間の算定については、前条第二項各号に掲げる期間に相当する期間を除算する。

一項―平一五・四・一施行

（勤勉手当の成績率）

第十三条　定年前再任用短時間勤務職員以外の職員の成績率は、次の各号に掲げる職員の区分に応じ、当該各号に定める割合の範囲内において、各庁の長が定めるものとする。ただし、各庁の長は、その所属の給与法第十九条の七第一項の職員が著しく少数であること等の事情により、第一号イ及びロ、第二号イ及びロ又は第三号イに定める成績率によることが著しく困難であると認める場合には、あらかじめ人事院と協議して、別段の取扱いをすることができる。

一　次号から第四号までに掲げる職員以外の職員　当該職員が次に掲げる職員の区分のいずれに該当するかに応じ、次に定める割合

イ　直近の業績評価（基準日以前における直近の業績評価をいう。以下同じ。）の全体評語が「非常に優秀」の段階以上である職員のうち、勤務成績が特に優秀な職員　百分の百二十四以上百分の三百十五以下（給与法第十九条の四第二項に規定する特定管理職員（以下この条及び次条において「特定管理職員」という。）にあつては、百分の百四十八以上百分の三百七十五以下）

ロ　直近の業績評価の全体評語が「優良」の段階以上である職員のうち、勤務成績が優秀な職員　百分の百十二・五以上百分の百二十四未満（特定管理職員にあつては、百

分の百三十三・五以上百分の百四十八未満）

ハ　直近の業績評価の全体評語が「優良」の段階以上である職員のうち勤務成績が良好な職員並びに直近の業績評価の全体評語が「良好」の段階である職員及び基準日以前における直近の人事評価の結果がない職員（ニの人事院の定める職員を除く。）　百分の百一（特定管理職員にあつては、百分の百二十一）

ニ　直近の業績評価の全体評語が「やや不十分」の段階以下である職員及び基準日以前六箇月以内の期間において懲戒処分を受けた職員その他の人事院の定める職員　百分の九十二・五以下（特定管理職員にあつては、百分の百十一・五以下）

二　専門スタッフ職俸給表の適用を受ける職員　当該職員が次に掲げる職員の区分のいずれに該当するかに応じ、次に定める割合

イ　前号イに掲げる職員　百分の百三十八以上百分の三百十五以下（特定管理職員にあつては、百分の百八十五以上百分の三百七十五以下）

ロ　前号ロに掲げる職員　百分の百十七以上百分の百三十八未満（特定管理職員にあつては、百分の百四十七以上百分の百八十五未満）

ハ　前号ハに掲げる職員　百分の九十六（特定管理職員にあつては、百分の百十一）

ニ　前号ニに掲げる職員　百分の八十七・五以下（特定管理職員にあつては、百分の百一・五以下）

三　指定職俸給表の適用を受ける職員　当該職員が次に掲げる職員の区分のいずれに該当するかに応じ、次に定める割合

イ　直近の業績評価の全体評語が上位の段階である職員のうち、勤務成績が優秀な職員　百分の百十三・七五以上百分の二百十二・五以下（事務次官、会計検査院事務総長、人事院事務総長、内閣法制次長、宮内庁次長、警察庁長官、金融庁長官、消費者庁長官及びこども家庭庁長官にあつては、百分の百六・二五）

ロ　直近の業績評価の全体評語が上位の段階である職員のうち勤務成績が良好な職員並びに直近の業績評価の全体評語が中位の段階である職員及び基準日以前における直近の人事評価の結果がない職員（ハの人事院の定める職員を除く。）　百分の百・二五

ハ　直近の業績評価の全体評語が下位の段階である職員及び基準日以前六箇月以内の期間において懲戒処分を受けた職員その他の人事院の定める職員　百分の九十一・七五以下

四　任期付職員法第七条第一項の俸給表の適用を受ける職員　当該職員が次に掲げる職員の区分のいずれに該当するかに応じ、次に定める割合

イ　直近の業績評価の全体評語が「優良」の段階以上である職員のうち、勤務成績が優秀な職員　百分の八十七・五以上百分の二百六十二・五以下

ロ　直近の業績評価の全体評語が「優良」の段階以上である職員のうち勤務成績が良好な職員並びに直近の業績評価の全体評語が「良好」の段階である職員及び基準日以前における直近の人事評価の結果がない職員（ハの人事院の定める職員を除く。）　百分の七十七・五

ハ　直近の業績評価の全体評語が「やや不十分」の段階以下である職員及び基準日以前六箇月以内の期間において懲戒処分を受けた職員その他の人事院の定める職員　百分の七十一以下

2　定年前再任用短時間勤務職員以外の職員であつて、次の各号に掲げる職員に対する前項の規定の適用については、当該各号に定めるところによる。

一　前項第一号又は第二号に掲げる職員のうち、直近の業績評価の全体評語を付された時において、人事評価政令第六条第二項第一号又は第二号に掲げる職員であつた職員　前項第一号イ中「「非常に優秀」の段階以上」とあり、並びに同号ロ及びハ中「「優良」の段階以上」とあるのは「上位の段階」と、同号ハ中「「良好」」とあるのは「中位」と、同号ニ中「「やや不十分」の段階以下」とあるのは「下位の段階」とする。

二　前項第三号に掲げる職員のうち、直近の業績評価の全体評語を付された時において、人事評価政令第六条第二項第三号に掲げる職員であつた職員　前項第三号イ及びロ中「上位の段階」とあるのは「「優良」の段階以上」

と、同号ロ中「中位」とあるのは「良好」と、同号ハ中「下位の段階」とあるのは「「やや不十分」の段階以下」とする。

三　前項第四号に掲げる職員のうち、直近の業績評価の全体評語を付された時において、人事評価政令第六条第二項第一号又は第二号に掲げる職員であつた職員　前項第四号イ及びロ中「「優良」の段階以上」とあるのは「上位の段階」と、同号ロ中「「良好」」とあるのは「中位」と、同号ハ中「「やや不十分」の段階以下」とあるのは「下位の段階」とする。

3　第一項の場合において、職員の成績率は、直近の業績評価の全体評語について、当該職員より上位である職員（当該職員の人事評価に係る人事評価政令第七条第二項に規定する調整者が成績率を定めようとする職員と同一である等の事情を考慮して、人事院の定める者に限る。）の成績率を超えてはならない。

4　第一項の場合において、直近の業績評価の全体評語が「優良」の段階以上又は上位の段階である職員のうち当該全体評語が同じ段階である職員について同項第一号イからハまで及び第二号イからハまで（当該全体評語が「優良」の段階である職員にあつては、同項第一号イ及び第二号イを除く。）、同項第三号イ又はロ並びに第四号イ又はロのいずれに該当するかを定めるとき並びに当該職員の成績率を定めるとき並びに直近の業績評価の全体評語が「やや不十分」の段階以下又は下位の段階である職員のうち当該全体評語が同じ段階である職員の成績率を定めるときは、これらの職員の直近の業績評価の全体評語が付された理由、人事評価政令第六条第一項に規定する個別評語及び当該個別評語が付された理由その他参考となる事項を考慮するものとする。

5　第一項第一号イ及びロ、第二号イ及びロ又は第三号イに掲げる職員として成績率を定める者の数について基準となる割合は、人事院が定める。

一・二・四項—令七・四・一施行
三・五項—令四・一〇・一施行

第十三条の二　定年前再任用短時間勤務職員の成績率は、次の各号に掲げる職員の区分に応じ、当該各号に定める割合の範囲内において、各庁の長が定めるものとする。ただし、各庁の長は、その所属の給与法第十九条の七第一項の職員が著しく少数であること等の事情により、第一号イ又は第二号イに定める成績率によることが著しく困難であると認める場合には、あらかじめ人事院と協議して、別段の取扱いをすることができる。

一　次号に掲げる職員以外の職員　当該職員が次に掲げる職員の区分のいずれに該当するかに応じ、次に定める割合

イ　直近の業績評価の全体評語が「優良」の段階以上である職員のうち、勤務成績が優秀な職員　百分の五十一・五以上（特定管理職員にあつては、百分の六十一・五以上）

ロ　直近の業績評価の全体評語が「優良」の段階以上である職員のうち勤務成績が良好な職員並びに直近の業績評価の全体評語が「良好」の段階である職員及び基準日以前における直近の人事評価の結果がない職員（ハの人事院の定める職員を除く。）　百分の四十八（特定管理職員にあつては、百分の五十八）

ハ　直近の業績評価の全体評語が「やや不十分」の段階以下である職員及び基準日以前六箇月以内の期間において懲戒処分を受けた職員その他の人事院の定める職員　百分の四十六以下（特定管理職員にあつては、百分の五十六以下）

二　専門スタッフ職俸給表の適用を受ける職員　当該職員が次に掲げる職員の区分のいずれに該当するかに応じ、次に定める割合

イ　前号イに掲げる職員　百分の五十四・五以上（特定管理職員にあつては、百分の六十九以上）

ロ　前号ロに掲げる職員　百分の四十六（特定管理職員にあつては、百分の五十三）

ハ　前号ハに掲げる職員　百分の四十四以下（特定管理職員にあつては、百分の五十一以下）

2　定年前再任用短時間勤務職員であつて、直近の業績評価の全体評語を付された時において人事評価政令第六条第二項第一号又は第二号に掲げる職員であつた職員に対する前項の規定の適用については、同項第一号イ及びロ中「「優良」の段階以上」とあるのは「上位の段階」と、同号ロ中「「良好」」とあるのは「中位」と、同号ハ中「「やや不十分」の段階以下」とあるのは「下位の段階」とする。

3　前条第三項及び第四項の規定は、第一項の場合に準用する。この場合において、同条第四項中「からハまで及び第二号イからハまで（当該全体評語が「優良」の段階である職員にあつては、同項第一号イ及び第二号イを除く。）、同項第三号イ又はロ並びに第四号イ又はロ」とあるのは、「又はロ及び第二号イ又はロ」と読み替えるものとする。

一・二項—令七・四・一施行
三項—令五・四・一施行

第十三条の二の二　前二条に定めるもののほか、職員の勤勉手当の成績率に関し必要な事項は、人事院が定める。

本条—平一八・四・一施行

（支給日）

第十四条　期末手当及び勤勉手当の支給日は、別表第三の基準日欄に掲げる基準日の別に応じて、それぞれ支給日欄に定める日とする。ただし、支給日欄に定める日が日曜日に当たるときは同欄に定める日の前々日とし、同欄に定める日が土曜日に当たるときは同欄に定める日の前日とする。

本条—平二一・五・二九施行

（端数計算）

第十五条　給与法第十九条の四第二項の期末手当基礎額又は給与法第十九条の七第二項前段の勤勉手当基礎額に一円未満の端数を生じたときは、これを切り捨てるものとする。

一項—平二一・五・二九施行
二項削除—平三〇・四・一施行

（雑則）

第十六条　この規則に定めるもののほか、期末手当及び勤勉手当に関し必要な事項は、人事院が定める。

本条—平二一・五・二九施行

附　則（平二五・四・一規則一—五九）（抄）

（施行期日）

第一条　この規則は、公布の日から施行する。

（人事院規則九—四〇の一部改正に伴う経過措置）

第三条　旧給与特例法適用職員として在職した後、給与法の適用を受ける職員となった者の平成二十五年六月に支給する期末手当及び勤勉手当に関する在職期間及び勤務期間（以下この条において「在職期間等」という。）の算定については、同月一日以前六箇月以内の期間内において旧給与特例法適用職員として在職した期間を第七条の規定による改正後の規則九—四〇（次項及び次条において「改正後の規則九—四〇」という。）第五条第一項及び第十一条第一項の在職期間等に算入する。

2　前項の規定に基づく在職期間等の算定については、改正後の規則九—四〇第五条第二項及び第十一条第二項の規定を準用する。

第四条　旧給与特例法適用職員として在職した後、この規則の施行の日（以下「施行日」という。）までの間に引き続き給与法の適用を受ける職員となった者及び旧給与特例法適用職員として在職していた者であって、施行日までの間において引き続き改正後の規則九—四〇第六条第一項第一号イからニまでに掲げる者又は同項第二号イからニまでに掲げる者となり、これらの者として在職した後引き続き給与法の適用を受ける職員となったものの給与法第十九条の五及び第十九条の六（これらの規定を給与法第十九条の七第五項及び第二十三条第八項において準用する場合を含む。）に規定する在職期間については、旧給与特例法適用職員として在職した期間を、改正後の規則九—四〇第六条の二第一項の在職期間とみなす。

（雑則）

第十一条　附則第二条から前条までに規定するもののほか、この規則の施行に関し必要な経過措置は、人事院が定める。

附　則（平二七・一・三〇規則九—四〇—四二）

（施行期日）

1　この規則は、平成二十七年四月一日から施行する。

（期末手当に関する経過措置）

2　一般職の職員の給与に関する法律等の一部を改正する法律（平成二十六年法律第百五号）附則第七条の規定による俸給を支給される職員に関する規則九—四〇第十五条第二項第一号の規定の適用については、同号中「給与法附則第八項第六号」とあるのは「一般職の職員の給与に関する法律等の一部を改正する法律（平成二十六年法律第百五号）附則第八条第一項の規定により読み替えられた給与法附則第八項第六号」と、「専門スタッフ職調整手当の月額」とあるのは「俸給月額に対する専門スタッフ職調整手当の月額」とする。

附　則（平二七・三・一八規則一—六三）（抄）

（施行期日）

第一条　この規則は、平成二十七年四月一日から施行する。

（人事院規則九—四〇の一部改正に伴う経過措置）

第四条　次の各号に掲げる者の平成二十七年六月に支給する期末手当及び勤勉手当に関する在職期間及び勤務期間（以下この条において「在職期間等」という。）の算定については、同月一日以前六箇月以内の期間内における当該各号に定める期間を規則九—四〇第五条第一項及び第十一条第一項の在職期間等に算入する。

一　第五条の規定による改正前の規則九—四〇（次号において「改正前の規則九—四〇」という。）第六条第一項第一号ハに掲げる者として在職した後、給与法の適用を受ける職員となった者　同号ハに掲げる者として在職した期間

二　改正前の規則九—四〇第六条第一項第二号イに掲げる者（以下この号及び次号において「旧第二号特定独立行政法人職員」という。）として在職した後、この規則の施行の日（以下「施行日」という。）までの間に引き続き給与法の適用を受ける職員となった者　その旧第二号特定独立行政法人職員として在職した期間

三　旧第二号特定独立行政法人職員として在職していた者であって、施行日までの間に引き続き規則九—四〇第六条第一項第一号イ、ロ若しくはニ若しくは同項第二号ロからニまで又は第五条の規定による改正

後の規則九―四〇第六条第一項第一号ハ若しくは同項第二号イに掲げる者（以下この号及び次条第二号において「特定第六条該当者」という。）となり、特定第六条該当者として在職した後引き続き給与法の適用を受ける職員となったもの　その旧第二号特定独立行政法人職員として在職した期間

2　前項の規定に基づく在職期間等の算定については、規則九―四〇第五条第二項及び第十一条第二項の規定を準用する。

第五条　次の各号に掲げる者の給与法第十九条の五及び第十九条の六（これらの規定を給与法第十九条の七第五項及び第二十三条第八項において準用する場合を含む。）に規定する在職期間については、当該各号に定める期間を、規則九―四〇第六条の二第一項の在職期間とみなす。

一　特定独立行政法人職員として在職した後、施行日までの間に引き続き給与法の適用を受ける職員となった者　その特定独立行政法人職員として在職した期間

二　特定独立行政法人職員として在職していた者であって、施行日までの間に引き続き特定第六条該当者となり、特定第六条該当者として在職した後引き続き給与法の適用を受ける職員となったもの　その特定独立行政法人職員として在職した期間

（雑則）

第十五条　附則第二条から前条までに規定するもののほか、この規則の施行に関し必要な経過措置は、人事院が定める。

附　則（平二七・六・二四規則一―六六）

この規則は、平成二十七年六月二十五日から施行する。

附　則（平二七・一一・二六規則一―六八）（抄）

（施行期日）

第一条　この規則は、平成二十八年四月一日から施行する。

附　則（平二八・一・二六規則九―四〇―四二）

この規則は、公布の日から施行し、改正後の規則九―四〇の規定は、平成二十七年四月一日から適用する。

附　則（平二八・二・一規則九―四〇―四四）

この規則は、平成二十八年四月一日から施行する。

附　則（平二八・三・九規則九―四〇―四五）

この規則は、平成二十八年四月一日から施行する。

附　則（平二八・一一・二四規則九―四〇―四六）

この規則は、公布の日から施行する。ただし、第二条の規定は、平成二十九年四月一日から施行する。

附　則（平二八・一二・一規則九―四〇―四七）

この規則は、平成二十九年一月一日から施行する。

附　則（平二九・五・一九規則一―七〇）（抄）

（施行期日）

1　この規則は、公布の日から施行する。

附　則（平二九・一二・一五規則九―四〇―四八）

この規則は、公布の日から施行し、改正後の規則九―四〇の規定は、平成二十九年四月一日から適用する。

附　則（平三〇・二・一規則九―四〇―四九）

この規則は、平成三十年四月一日から施行する。

附　則（平三〇・一一・三〇規則九―四〇―五〇）

1　この規則は、公布の日から施行する。ただし、第二条の規定は、平成三十一年四月一日から施行する。

2　第一条の規定による改正後の規則九―四〇の規定は、平成三十年四月一日から適用する。

附　則（平三一・一・一七規則九―四〇―五一）

この規則は、公布の日から施行する。

附　則（令元・五・二三規則一―七三）

この規則は、公布の日から施行する。

附　則（令元・九・一三規則九―四〇―五二）

この規則は、令和元年九月十四日から施行する。

附　則（令元・一一・二二規則九―四〇―五三）

この規則は、公布の日から施行する。

附　則（令二・四・一規則九―四〇―五四）（抄）

（施行期日）

1　この規則は、公布の日から施行する。ただし、第二条及び次項の規定は、令和二年十一月三十日から施行する。

附　則（令二・六・一二規則一―七五）（抄）

（施行期日）

1　この規則は、公布の日から施行する。

附　則（令二・一二・二八規則一―七六）（抄）

（施行期日）

1　この規則は、公布の日から施行する。

附　則（令三・四・一規則九―四〇―五五）

この規則は、公布の日から施行する。

附　則（令三・九・一規則一―七七）

この規則は、公布の日から施行する。

附　則（令三・一二・一規則一五―一五―一八）（抄）

第一条　この規則は、令和四年一月一日から施行する。

附　則（令三・一二・二四規則九―四〇―五六）

（施行期日）

1　この規則は、令和四年十月一日から施行する。

（令和四年十二月に支給する勤勉手当に関する経過措置）

2　令和四年十二月に支給する勤勉手当については、この規則による改正後の規則九―四〇第十三条第一項第一号イ中「「非常に優秀」の段階以上」とあり、並びに同号ロ及びハ並びに同規則第十三条の二第一項第一号イ及びロ中「「優良」の段階以上」とあるのは「上位の段階」と、同規則第十三条の二第一項第一号ハ及び第十三条の二第一項第一号ロ中「「良好」」とあるのは「中位」と、同規則第十三条第一項第一号ニ及び第十三条の二第一項第一号ハ中「「やや不十分」の段階以下」とあるのは「下位の段階」と読み替えて、これらの規定を適用し、同規則第十三条第二項及び第十三条の二第二項の規定は適用しない。

附　則（令四・二・一八規則一―七九）（抄）

（施行期日）

第一条　この規則は、令和五年四月一日から施行する。

（改正後の人事院規則九―四〇における暫定再任用職員に関する経過措置）

第十一条　暫定再任用短時間勤務職員は、定年前再任用短時間勤務職員とみなして、第十五条の規定による改正後の規則九―四〇第二条及び第四条の規定を適用する。

2　暫定再任用職員は、定年前再任用短時間勤務職員とみなして、第十五条の規定による改正後の規則九―四〇第十三条第一項及び第二項並びに第十三条の二第一項及び第二項の規定を適用する。

附　則（令四・六・一七規則九―四〇―五七）

この規則は、令和四年十月一日から施行する。

附　則（令四・六・二四規則一―八一）

この規則は、令和四年十月一日から施行する。

附　則（令四・七・一規則九―四〇―五八）

この規則は、公布の日から施行する。

この規則は、公布の日から施行する。

附　則（令四・一一・一八規則九―四〇―五九）（抄）

（施行期日）

第一条　この規則は、公布の日から施行する。ただし、第二条の規定は、令和五年四月一日から施行する。

附　則（令五・三・三一規則九―四〇―六〇）

この規則は、令和五年四月一日から施行する。

附　則（令五・一一・二四規則九―四〇―六一）

この規則は、公布の日から施行する。ただし、第二条の規定は、令和六年四月一日から施行する。

附　則（令六・三・二九規則一―八二）（抄）

（施行期日）

第一条　この規則は、令和七年四月一日から施行する。ただし、次条及び附則第四条の規定は公布の日から、第五条の規定並びに第十一条中規則一五―一四の目次の改正規定、同規則中第一条の二を第一条の三とし、第一条の次に一条を加える改正規定及び同規則第十三条第一項第三号の改正規定は令和六年四月一日から施行する。

附　則（令六・一二・二五規則九―四〇―六二）

この規則は、公布の日から施行し、この規則による改正後の規則九―四〇の規定は、令和六年四月一日から適用する。

附　則（令七・二・五規則九―四〇―六三）

この規則は、令和七年四月一日から施行する。

別表第一（第四条の三関係）

俸給表	職員	加算割合
行政職俸給表(一) 税務職俸給表 公安職俸給表(二)	職務の級八級以上の職員	百分の二十
	職務の級七級及び六級の職員	百分の十五
	職務の級五級及び四級の職員	百分の十
	職務の級三級の職員	百分の五
行政職俸給表(二)	職務の級五級の職員	百分の十
	職務の級四級の職員及び三級の職員（人事院が定める職員に限る。）	百分の五
専門行政職俸給表	職務の級六級以上の職員	百分の二十
	職務の級五級及び四級の職員	百分の十五
	職務の級三級の職員	百分の十
	職務の級二級の職員	百分の五
公安職俸給表(一)	職務の級九級以上の職員	百分の二十
	職務の級八級及び七級の職員	百分の十五
	職務の級六級及び五級の職員	百分の十
	職務の級四級の職員及び三級の職員（人事院が定める職員に限る。）	百分の五
海事職俸給表(一)	職務の級七級の職員	百分の二十
	職務の級六級の職員	百分の十五
	職務の級五級及び四級の職員	百分の十
	職務の級三級の職員	百分の五
海事職俸給表(二)	職務の級六級の職員	百分の十
	職務の級五級及び四級の職員	百分の五
	職務の級五級の職員	百分の二十

俸給表	職員	加算割合
教育職俸給表(一)	職務の級四級の職員	百分の十五（人事院が別に定める職員にあつては百分の二十）
	職務の級三級及び二級の職員	百分の十（職務の級三級の職員のうち人事院が別に定める職員にあつては百分の十五）
	職務の級一級の職員（人事院が定める職員に限る。）	百分の五
教育職俸給表(二)	職務の級三級の職員	百分の十
	職務の級二級の職員（人事院が定める職員に限る。）	百分の五
研究職俸給表	職務の級六級の職員	百分の二十
	職務の級五級の職員	百分の十五（人事院が別に定める職員にあつては百分の二十）
	職務の級四級及び三級の職員	百分の十
	職務の級二級の職員（人事院が定める職員に限る。）	百分の五
医療職俸給表(一)	職務の級五級の職員	百分の二十
	職務の級四級及び三級の職員	百分の十五（職務の級四級の職員のうち人事院が別に定める職員にあつては百分の二十）
	職務の級二級の職員	百分の十
	職務の級一級の職員（人事院が定める職員に限る。）	百分の五
医療職俸給表(二)	職務の級六級以上の職員	百分の十五
	職務の級五級の職員	百分の十
	職務の級四級及び三級の職員並びに二級の職員（人事院が	百分の五

	定める職員に限る。）	
医療職俸給表㈢	職務の級六級以上の職員	百分の十五
	職務の級五級及び四級の職員	百分の十
	職務の級三級の職員及び二級の職員（人事院が定める職員に限る。）	百分の五
福祉職俸給表	職務の級五級以上の職員	百分の十五
	職務の級四級の職員	百分の十
	職務の級三級及び二級の職員	百分の五
専門スタッフ職俸給表	職務の級二級以上の職員	百分の二十
	職務の級一級の職員	百分の十五
指定職俸給表	すべての職員	百分の二十
任期付職員法第七条第一項の俸給表	五号俸以上の号俸及び任期付職員法第七条第三項（育児休業法第十九条（育児休業法第二十二条において準用する場合を含む。）の規定により読み替えて適用する場合を含む。）の規定により決定された俸給月額を受ける職員	百分の二十
	四号俸及び三号俸を受ける職員	百分の十五
	二号俸及び一号俸を受ける職員	百分の十
任期付研究員法第六条第一項の俸給表	五号俸以上の号俸及び任期付研究員法第六条第四項（育児休業法第十八条（育児休業法第二十二条において準用する場合を含む。）の規定により読み替えて適用する場合を含む。）の規定により決定された俸給月額を受ける職員	百分の二十
	四号俸及び三号俸を受ける職員	百分の十五
	二号俸及び一号俸を受ける職員	百分の十
任期付研究員法第六条第二項の俸給表	すべての職員	百分の五

本表—平二九・四・一施行

備考１　この表の俸給表欄の俸給表（行政職俸給表㈠、教育職俸給表㈠、医療職俸給表㈠、専門スタッフ職俸給表、指定職俸給表、任期付職員法第七条第一項の俸給表、任期付研究員法第六条第一項の俸給表及び任期付研究員法第六条第二項の俸給表を除く。）に対応する職員欄に掲げる職員の属する職務の級のうちそれぞれ最下位の職務の級の一級下位の職務の級に属する職員で、職務の複雑、困難及び責任の度等を考慮して人事院が特に必要と認めるものについては、加算割合が百分の五と定められている職員の区分に属する職員としてこの表に掲げられているものとする。

２　俸給表の適用を異にして異動した職員（異動後においてこの表に掲げられている職員に限る。）で、異動後の加算割合が異動前の加算割合を下回ることとなるもののうち、他の職員との均衡及び任用における特別の事情を考慮して人事院が特に必要と認める職員については、当該異動後の加算割合に百分の五を加えた加算割合が定められている職員の区分に属する職員としてこの表に掲げられているものとする。

備考—平二一・五・二九施行

別表第二（第十条関係）

勤務期間	割合
六箇月	百分の百
五箇月十五日以上六箇月未満	百分の九十五
五箇月以上五箇月十五日未満	百分の九十
四箇月十五日以上五箇月未満	百分の八十
四箇月以上四箇月十五日未満	百分の七十
三箇月十五日以上四箇月未満	百分の六十
三箇月以上三箇月十五日未満	百分の五十
二箇月十五日以上三箇月未満	百分の四十
二箇月以上二箇月十五日未満	百分の三十
一箇月十五日以上二箇月未満	百分の二十
一箇月以上一箇月十五日未満	百分の十五
十五日以上一箇月未満	百分の十
十五日未満	百分の五
零	零

本表—平二一・四・一適用

別表第三（第十四条関係）

基準日	支給日
六月一日	六月三十日
十二月一日	十二月十日

本表—平一五・四・一施行

○期末手当及び勤勉手当の支給について（通知）

昭三八・一二・二〇
給実甲二二〇

最終改正 令七・二・一二給実甲一三四四

期末手当及び勤勉手当の支給について下記のように定めたので、通知します。

なお、これに伴い、給実甲第一〇〇号（勤勉手当の支給基準について）及び給実甲第一〇一号（期末手当および勤勉手当の支給について）は、廃止します。

記

1 基準日に離職し、又は死亡した職員及び同日に新たに職員となった者は、給与法第十九条の四第一項及び第十九条の七第一項の「それぞれ在職する」職員に含まれる。

2 期末手当及び勤勉手当の計算の基礎となる給与月額は、次に定めるところによる。

一 休職者の場合には、給与法第二十三条に規定する支給率を乗じない給与月額

二 給与法第十五条、出入国管理及び難民認定法（昭和二十六年政令第三百十九号）第五十五条の十七第四項、育児休業法第二十六条第二項、勤務時間法第二十条第三項若しくは第二十条の二第三項、法科大学院派遣法第七条第二項、ハンセン病問題の解決の促進に関する法律（平成二十年法律第八十二号）第十一条の二第四項、矯正医官の兼業の特例等に関する法律（平成二十七年法律第六十二号）第四条第四項、規則一—三九（構造改革特別区域における人事院規則の特例に関する措置）第二条第四項（同規則第三条第二項又は第四条第二項において準用する場合を含む。）、規則一四—八（営利企業の役員等との兼業）第五項又は規則一七—二（職員団体のための職員の行為）第六条第七項の規定に基づき給与が減額される場合には、減額前の給与月額

三 懲戒処分により給与を減ぜられた場合には、減ぜられない給与月額

四 派遣職員、法科大学院派遣法第十一条第一項の規定により派遣された職員、福島復興再生特別措置法（平成二十四年法律第二十五号）第四十八条の三第一項若しくは第八十九条の三第一項の規定により派遣された職員、令和七年国際博覧会特措法第二十五条第一項の規定により派遣された職員又は令和九年国際園芸博覧会特措法第十五条第一項の規定により派遣された職員の場合には、派遣法第五条、法科大学院派遣法第十三条、福島復興再生特別措置法第四十八条の五若しくは第八十九条の五、令和七年国際博覧会特措法第二十七条又は令和九年国際園芸博覧会特措法第十七条の規定により定められた支給割合を乗じない給与月額

五 給与法第十九条の四第四項の「これらに対する地域手当及び広域異動手当の月額」とは、俸給の月額（育児休業法第十三条第一項に規定する育児短時間勤務職員又は育児休業法第二十二条の規定による短時間勤務をしている

職員（以下「育児短時間勤務職員等」という。）にあっては、俸給の月額を算出率（育児休業法第十六条の規定により読み替えられた給与法第六条の二第一項に規定する算出率をいう。以下同じ。）で除して得た額。以下この項において同じ。）、専門スタッフ職調整手当の月額（育児短時間勤務職員等にあっては、専門スタッフ職調整手当の月額を算出率で除して得た額。第七号において同じ。）及び扶養手当の月額の合計額に、地域手当及び広域異動手当の支給割合（給与法第十一条の八第四項の規定の適用を受ける場合にあっては、当該規定を適用した場合に得られる支給割合。第七号において同じ。）をそれぞれ乗じて得た額（その額に一円未満の端数があるときは、規則九―四九（地域手当）第十五条又は規則九―一二一（広域異動手当）第七条の規定による額。第七号において同じ。）をいう。

六　給与法第十九条の四第四項の「俸給及び扶養手当の月額に対する研究員調整手当の月額」とは、俸給の月額及び扶養手当の月額の合計額に研究員調整手当の支給割合（給与法第十一条の九第二項又は第四項の規定の適用を受ける場合にあっては、当該規定を適用した場合に得られる支給割合。第八号において同じ。）を乗じて得た額（その額に一円未満の端数があるときは、規則九―一〇二（研究員調整手当）第五条の規定による額。第八号において同じ。）をいう。

七　給与法第十九条の四第五項及び第十九条の七第二項の「これらに対する地域手当及び広域異動手当の月額」とは、俸給の月額及び専門スタッフ職調整手当の月額の合計額に、地域手当及び広域異動手当の支給割合をそれぞれ乗じて得た額をいう。

八　給与法第十九条の四第五項及び第十九条の七第二項の「俸給の月額に対する研究員調整手当の月額」とは、俸給の月額に研究員調整手当の支給割合を乗じて得た額をいう。

九　給与法第十九条の七第二項の「これに対する地域手当、広域異動手当及び研究員調整手当の月額」とは、扶養手当の月額に、地域手当、広域異動手当及び研究員調整手当の支給割合（給与法第十一条の八第四項又は第十一条の九第二項若しくは第四項の規定の適用を受ける場合にあっては、当該規定を適用した場合に得られる支給割合）をそれぞれ乗じて得た額をいう。

3　給与法第十九条の六第一項第二号の「その者に対し期末手当を支給することが、公務に対する国民の信頼を確保し、期末手当に関する制度の適正かつ円滑な実施を維持する上で重大な支障を生ずると認めるとき」とは、離職した者の逮捕の理由となった犯罪又は離職した者が犯したと思料される犯罪（以下この項及び第六項において「逮捕の理由となった犯罪等」という。）に係る法定刑の上限が禁錮以上の刑に当たるものであるときをいう。ただし、例えば、離職した者が死亡した場合又は離職した者の逮捕の理由となった犯罪等について、犯罪後の法令により刑が廃止された場合若しくは大赦があった場合には、離職した者が当該逮捕の理由となった犯罪等に関し起訴される可能性がないため、一時差止処分を行わないものとする。

4　給与法第十九条の六第二項の規定に基づき、当該一時差止処分を受けた者から当該一時差止処分後の事情の変化を理由に、当該一時差止処分の取消しの申立てがあった場合には、各庁の長（給与法第七条に規定する各庁の長又はその委任を受けた者をいう。以下同じ。）は、当該事情の変化の有無を速やかに確認するものとする。

5　給与法第十九条の六第三項ただし書の「その他これを取り消すことが一時差止処分の目的に明らかに反すると認めるとき」とは、一時差止処分を受けた者が現に勾留されているとき等をいう。

6　給与法第十九条の六第四項の「期末手当の支給を差し止める必要がなくなつた」場合とは、例えば、離職した者が死亡した場合又は離職した者の逮捕の理由となった犯罪等について、犯罪後の法令により刑が廃止された場合若しくは大赦があった場合をいう。

7　給与法第十九条の七第二項各号の「前項の職員」、規則九―四〇（期末手当及び勤勉手当）（以下「規則」という。）第十三条第一項及び第十三条の二第一項の「給与法第十九条の七第一項の職員」並びに第四十項から第四十二項までの「給与法第十九条の七第一項の職員」には、規則第七条各号に掲げる職員を含まないものとする。

8　規則第二条第二号本文の「人事院の定める者」は、次に掲げる者とする。

一　国会職員法（昭和二十二年法律第八十五

号）第四条の二第二項に規定する定年前再任用短時間勤務職員

二　裁判所職員臨時措置法（昭和二十六年法律第二百九十九号）において準用する国家公務員法（昭和二十二年法律第百二十号）第六十条の二第二項に規定する定年前再任用短時間勤務職員又は育児休業法第二十三条第二項に規定する任期付短時間勤務職員

三　自衛隊法（昭和二十九年法律第百六十五号）第四十一条の二第二項に規定する定年前再任用短時間勤務隊員

四　国会職員の育児休業等に関する法律（平成三年法律第百八号）第十九条第一項の規定により任用された国会職員

五　国家公務員法第二条第三項第十六号に掲げる防衛省の職員のうち、育児休業法第二十七条第一項において準用する育児休業法第二十三条第二項に規定する任期付短時間勤務職員

9　規則第二条第二号ハの「人事院の定める者」は、行政執行法人（独立行政法人通則法（平成十一年法律第百三号）第二条第四項に規定する行政執行法人をいう。以下同じ。）のうち、期末手当及び勤勉手当に相当する給与の支給について、給与法の適用を受ける職員としての在職期間を当該行政執行法人の職員としての在職期間に通算することとしている行政執行法人の職員（第十一項の職員を除く。）とする。

10　規則第二条第三号本文の「人事院の定める者」は、地方公務員法（昭和二十五年法律第二百六十一号）第二十二条の四第三項に規定する定年前再任用短時間勤務職員とする。

11　規則第二条第三号イの「人事院の定める者」は、行政執行法人のうち、期末手当及び勤勉手当に相当する給与の支給について、給与法の適用を受ける職員が引き続き当該行政執行法人の職員となった場合に給与法の適用を受ける職員としての在職期間を当該行政執行法人の職員としての在職期間に通算することとしている行政執行法人の職員とする。

12　規則第二条第三号ロ及び第六条第一項第二号ロ（規則第十二条第一項において準用する場合を含む。）の「人事院の定める者」は、次に掲げる要件のいずれにも該当する独立行政法人等（独立行政法人通則法第二条第一項に規定する独立行政法人及び国家公務員退職手当法施行令（昭和二十八年政令第二百十五号）第九条の四各号に掲げる法人をいう。以下この項において同じ。）の役員とし、規則第二条第三号ハ及び第六条第一項第二号ハ（規則第十二条第一項において準用する場合を含む。）の「人事院の定める者」は、次に掲げる要件のいずれにも該当する公庫等（沖縄振興開発金融公庫、同令第九条の二各号に掲げる法人及び特別の法律の規定により国家公務員退職手当法（昭和二十八年法律第百八十二号）第七条の二の規定の適用について同条第一項に規定する公庫等職員とみなされる者を使用する法人をいう。以下この項において同じ。）の職員とする。ただし、独立行政法人等又は公庫等の業務及び各府省の業務の必要上両者の相互了解の下に行われる計画的な人事交流によらないで、独立行政法人等の役員若しくは公庫等の職員となり、又は給与法の適用を受ける職員となった者は、含まれないものとする。

一　期末手当及び勤勉手当に相当する給与（次号及び第三号において「期末手当等相当給与」という。）の支給について、給与法の適用を受ける職員としての在職期間を独立行政法人等の役員又は公庫等の職員としての在職期間に通算することとしている独立行政法人等又は公庫等であること。

二　期末手当等相当給与の支給について、基準日に相当する日前に独立行政法人等又は公庫等を退職し、その退職に引き続き給与法の適用を受ける職員となった場合に、当該職員に対して期末手当等相当給与を支給しないこととしている独立行政法人等又は公庫等であること。

三　期末手当等相当給与の基準日に相当する日が六月一日及び十二月一日である独立行政法人等若しくは公庫等であること又は当該基準日に相当する日がこれらの日と異なる場合において、給与法の適用を受ける職員から独立行政法人等の役員若しくは公庫等の職員となった場合の期末手当等相当給与の支給、給与法の適用を受ける職員としての在職期間の独立行政法人等の役員若しくは公庫等の職員としての在職期間への通算、独立行政法人等の役員若しくは公庫等の職員から給与法の適用を受ける職員となった場合の基準日に相当する日の取扱い等に関し、その異なることを調整するための措置を講じている独立行政法人等又は公庫等であること。

四　独立行政法人等又は公庫等の業務及び各府

省の業務の必要上両者の相互了解の下に計画的な人事交流が行われる独立行政法人等又は公庫等であること。

13 規則第二条第三号ニの人事院の定める地方公務員は、期末手当及び勤勉手当（これらに相当する給与を含む。）の支給について、給与法の適用を受ける職員としての在職期間を地方公務員としての在職期間に通算することを認めている地方公共団体（地方独立行政法人法（平成十五年法律第百十八号）第二条第二項に規定する特定地方独立行政法人を含む。第二十四項において同じ。）の公務員とする。

14 規則別表第一の職員欄の「人事院が定める職員」は、それぞれ次に掲げる職員とする。

一 行政職俸給表(二)の職務の級三級の職員のうち、基準日現在（基準日前一箇月以内に退職し、又は死亡した職員にあっては、退職し、又は死亡した日現在。以下この項及び第十六項において同じ。）において行政職俸給表(二)の職務の級三級に引き続き一年以上在職した職員で次に掲げるものその他これらに準ずるものとして事務総長が別に定める職員とする。

(1) 電話交換手のうち、基準日に新たに職員となったものとした場合のその者の人事院規則九—八（初任給、昇格、昇給等の基準）（以下「規則九—八」という。）第十五条の二第一項に規定する経験年数（同条第二項の規定に基づき経験年数の調整を受ける職員にあっては、同項の規定による調整前の経験年数）（以下この項及び第十六項において「経験年数」という。）が二十五年（中学卒）以上の職員で数名の電話交換手を直接指揮監督するもの

(2) 規則九—八別表第二行政職俸給表(二)初任給基準表の備考第一項第一号(3)、(4)又は(7)に掲げる職員（(2)において「一般技能職員」という。）のうち、経験年数が二十五年（中学卒）以上の職員で数名の一般技能職員を直接指揮監督するもの

(3) 規則九—八別表第二行政職俸給表(二)初任給基準表の備考第二項各号に掲げる職員（(3)において「自動車運転手等」という。）のうち、経験年数が自動車運転等の免許取得後二十年以上の職員で数名の自動車運転手等を直接指揮監督するもの

(4) 規則九—八別表第二行政職俸給表(二)初任給基準表の備考第一項第二号に規定する労務職員(甲)の区分に属する職員のうち、経験年数が三十年（中学卒）以上の職員で相当数の守衛等を直接指揮監督するもの

(5) 規則九—八別表第二行政職俸給表(二)初任給基準表の備考第一項第三号に規定する労務職員(乙)の区分に属する職員のうち、経験年数が四十年（中学卒）以上の職員又は経験年数が四十年（中学卒）未満の職員で職員となった日から基準日までの引き続いた在職期間が二十年以上のもの

二 教育職俸給表(一)の職務の級一級、教育職俸給表(二)の職務の級二級、研究職俸給表の職務の級二級、医療職俸給表(一)の職務の級一級、医療職俸給表(二)の職務の級二級又は医療職俸給表(三)の職務の級二級の職員で経験年数が、それぞれ次の表の職員欄に掲げる職員の区分に対応する同表の年数欄に定める年数以上であるもの

職員	年数
教育職俸給表(一)の職務の級１級の職員	５年（修士課程修了）
教育職俸給表(二)の職務の級２級の職員	５年（修士課程修了）
研究職俸給表の職務の級２級の職員	５年（修士課程修了）
医療職俸給表(一)の職務の級１級の職員	５年（大学６卒）
医療職俸給表(二)の職務の級２級の職員	15年（短大３卒）
医療職俸給表(三)の職務の級２級の職員	15年（短大３卒）

三 公安職俸給表(一)の職務の級三級に属する警部補、巡査部長、副看守長、主任看守部長、警備士補等の職員で、経験年数が次に掲げる者の区分に応じ、それぞれ次に定める年数以上であるもの

(1) 規則九—八第二条第六号に定める試験の結果に基づいて職員となった者　三年（修士課程修了、専門職学位課程修了又は大学六卒）

(2) 規則九—八第二条第七号又は第十三号に定める試験の結果に基づいて職員となった者　五年（大学四卒）

(3) 規則九―八第二条第八号、第十一号又は第十四号に定める試験の結果に基づいて職員となった者　七年（大学四卒）

(4) 規則九―八第二条第九号、第十二号又は第十五号に定める試験の結果に基づいて職員となった者　十二年（高校三卒）

(5) 規則九―八第二条第十号又は第十六号に定める試験の結果に基づいて職員となった者　七年（大学四卒）

(6) 規則九―八第二条第十七号に定める試験の結果に基づいて職員となった者　十年（短大二卒）

(7) 規則九―八第二条第五号に定める経験者採用試験の結果に基づいて職員となった者
当該者に係る規則九―八第十一条第三項に規定する部内の他の職員の(1)から(6)までに掲げる区分に応じ、それぞれ(1)から(6)までに定める年数

(8) 規則九―八第二条第五号に定める採用試験又は経験者採用試験の結果に基づいて職員となった者以外の者　十六年（中学卒）

15 規則別表第一の加算割合欄の「人事院が別に定める職員」は、それぞれ次に掲げる職員とする。

一 教育職俸給表㈠の職務の級四級の職員のうち、気象大学校の教頭その他事務総長が定める職員

二 教育職俸給表㈠の職務の級三級の職員のうち、海上保安大学校の教授その他事務総長が定める職員

三 研究職俸給表の職務の級五級の職員のうち、規則九―一七（俸給の特別調整額）の規定による俸給の特別調整額に係る区分が一種の官職を占める職員並びに同規則別表に定める俸給の特別調整額に係る区分が二種とされている官職（同規則第一条の規定によりこれに相当すると認められた官職を含む。）を占める職員及びこれに相当する職員として事務総長が定めるもの

四 医療職俸給表㈠の職務の級四級の職員のうち、検疫所の所長、国立ハンセン病療養所の所長及び副所長、国立障害者リハビリテーションセンターの病院長その他事務総長が定める職員

16 規則別表第一の備考第一項の「人事院が特に必要と認めるもの」は、次に掲げる職員とする。

一 公安職俸給表㈠の職務の級二級の看守部長、主任看守、警守長及び主任警守のうち、経験年数が事務総長が定める年数以上の職員

二 教育職俸給表㈡の職務の級一級の職員のうち、経験年数が二十年（大学四卒）以上の職員及び経験年数が七年（大学四卒）以上二十年（大学四卒）未満の職員（特別の知識、経験、技能等を有する職員に限る。）で事務総長が定めるもの

17 第十四項及び第十六項中括弧書を付して示される年数は、括弧書中に規定する学歴免許等の資格（規則九―八の規定の適用に係る学歴免許等の資格をいう。以下この項において同じ。）を有する者に係る年数を表すものとし、括弧書中に規定するそれぞれの学歴免許等の資格（以下この項において「基準となる学歴」という。）以外の学歴免許等の資格を有する者については、次の各号に掲げる区分に応じ、当該各号に掲げる年数をその者に係る年数とする。

一 基準日に新たに職員となったものとした場合にその者の有する学歴免許等の資格について、その者（第十四項第三号(7)に掲げる者にあっては、当該者に係る規則九―八第十一条第三項に規定する部内の他の職員）に適用される初任給基準表の学歴免許等欄に掲げる学歴免許等の区分のうち基準となる学歴に相当するもの（同号(8)に掲げる者にあっては、「中学卒」の区分）に対する経験年数調整表に規定する調整年数（以下この項において「調整年数」という。）が加える年数である者　基準となる学歴を有する者に係る年数から調整年数に相当する年数を減じた年数

二 調整年数が減ずる年数である者　基準となる学歴を有する者に係る年数に調整年数に相当する年数を加えた年数

三 調整年数が掲げられていない者　基準となる学歴を有する者に係る年数

18 規則第四条の四第二項第一号ニの「人事院の定める職員」のうち、同条第一項第四号に係るものは任期付職員法第七条第一項の俸給表の六号俸以上の号俸及び同条第三項（育児休業法第十九条（育児休業法第二十二条において準用する場合を含む。）の規定により読み替えて適用する場合を含む。）の規定により決定された俸給月額を受ける職員とし、規則第四条の四第一項第五号に係るものは任期付研究員法第六条第一項の俸給表の六号俸及び同条第四項（育児休業法第十八条（育児休業法第二十二条において

準用する場合を含む。）の規定により読み替えて適用する場合を含む。）の規定により決定された俸給月額を受ける職員とする。

19　規則第五条第二項第二号イ及びロの「育児休業の承認に係る期間」とは、基準日以前六箇月以内の期間とその一部又は全部が重複する育児休業の承認を受けた期間の初日から末日（育児休業の期間の延長の承認を受けた場合にあっては当該延長の承認を受けた期間の末日とし、育児休業の承認が効力を失い、又は取り消された場合にあっては当該承認が効力を失った日の前日又は当該承認が取り消された日の前日とする。）までの期間をいう。

20　規則第五条第二項第五号ロの「人事院の定める公共的機関」は、別表に掲げる機関（かつて同表に掲げられていた機関を含む。）のうち、同号ロの休職中の者が基準日に相当する日前に当該機関を退職し、国の職務に復帰することとなった場合において、その者に期末手当及び勤勉手当に相当する給与を支給しないこととしている機関とし、「人事院の定める期間」は、これらの機関における在職期間（復職後の最初の基準日（復職した日が基準日であるときは、当該基準日）以前六箇月以内の期間に限る。）のうち次に掲げる期間以外の期間とする。

一　規則第五条第二項第一号に掲げる期間に相当する期間

二　規則第五条第二項第二号に規定する在職した期間に相当する期間

三　自己啓発等休業の期間、配偶者同行休業の期間又は休職の期間（給与法第二十三条第一項の規定の適用を受ける休職者であった期間を除く。）に相当する期間

四　育児短時間勤務職員等として在職した期間から当該期間に算出率を乗じて得た期間を控除して得た期間に相当する期間

21　規則第五条第二項第五号ハの「人事院の定める期間」は、同号ハに掲げる休職であって当該休職にされた職員の当該共同研究等（国と共同して行われる研究又は国の委託を受けて行われる研究をいう。以下同じ。）に係る業務への従事が当該共同研究等の効率的実施に特に資するものであるもの（以下「共同研究等のための休職」という。）の期間（復職後の最初の基準日（復職した日が基準日であるときは、当該基準日）以前六箇月以内の期間に限る。）のうち前項各号に掲げる期間以外の期間（国以外の者から当該期間に係る期末手当に相当する給与が支給される場合の当該休職の期間を除く。）とし、同条第二項第五号ニの「人事院の定める法人」は、次に掲げる法人とし、同号ニの「人事院の定める期間」は、同号ニに掲げる休職であって当該休職にされた職員の職務に密接な関連があると認められる学術研究その他の業務への従事が公務の能率的な運営に特に資するものであるもの（以下「学術研究等のための休職」という。）の期間（復職後の最初の基準日（復職した日が基準日であるときは、当該基準日）以前六箇月以内の期間に限る。）のうち前項各号に掲げる期間以外の期間（国以外の者から当該期間に係る期末手当に相当する給与が支給される場合の当該休職の期間を除く。）とする。

一　国立大学法人（国立大学法人法（平成十五年法律第百十二号）第二条第一項に規定する国立大学法人をいう。）、大学共同利用機関法人（同条第三項に規定する大学共同利用機関法人をいう。）、公立大学法人（地方独立行政法人法第六十八条第一項に規定する公立大学法人をいう。）及び放送大学学園（放送大学学園法（平成十四年法律第百五十六号）第三条に規定する放送大学学園をいう。次号において同じ。）、沖縄科学技術大学院大学学園（沖縄科学技術大学院大学学園法（平成二十一年法律第七十六号）第二条に規定する沖縄科学技術大学院大学学園をいう。次号において同じ。）その他の学校教育法（昭和二十二年法律第二十六号）第一条に規定する大学を設置する学校法人（私立学校法（昭和二十四年法律第二百七十号）第三条に規定する学校法人をいう。）

二　行政執行法人以外の独立行政法人及び特殊法人（法律により直接に設立された法人又は特別の法律により特別の設立行為をもって設立された法人で総務省設置法（平成十一年法律第九十一号）第四条第一項第九号の規定の適用を受けるものをいい、放送大学学園及び沖縄科学技術大学院大学学園を除く。）

三　学術研究等のための休職の期間中、第一号又は前号に該当していたもの（第一号又は前号に掲げるものを除く。）

22　規則第六条第一項第一号ハ（規則第十二条第一項において準用する場合を含む。）の「人事院の定める者」は、行政執行法人のうち、期末

手当及び勤勉手当に相当する給与の支給について、当該行政執行法人の職員が給与法の適用を受ける職員となった場合に当該職員に対して期末手当及び勤勉手当に相当する給与を支給しないこととしている行政執行法人の職員（次項の職員を除く。）とする。

23 規則第六条第一項第二号イ（規則第十二条第一項において準用する場合を含む。）の「人事院の定める者」は、行政執行法人のうち、期末手当及び勤勉手当に相当する給与の支給について、当該行政執行法人の職員が引き続き給与法の適用を受ける職員となった場合に当該職員に対して期末手当及び勤勉手当に相当する給与を支給しないこととしている行政執行法人の職員とする。

24 規則第六条第一項第二号ニ（規則第十二条第一項において準用する場合を含む。）の人事院の定める地方公務員は、次に掲げる場合に該当する地方公務員とする。ただし、期末手当及び勤勉手当（これらに相当する給与を含む。）の支給について、給与法の適用を受ける職員としての在職期間を地方公務員としての在職期間に通算することを認めていない地方公共団体の公務員であった場合を除く。

一 地方公務員が地方公共団体の業務の国への移管により給与法の適用を受ける職員となった場合

二 地方公共団体の警察職員が、給与法の適用を受ける警察職員となった場合

三 前号に掲げる場合以外の場合であって、地方公務員が、地方公共団体の業務と密接な関連を有する各府省の業務の必要上、当該各府省と当該地方公共団体との相互了解の下に行われる計画的な人事交流により、給与法の適用を受ける職員となった場合

25 規則第六条の三の規定により人事院に通知する場合には、次に掲げる事項について行うものとする。

一 一時差止処分の対象とする者（以下「処分対象者」という。）の氏名、生年月日及び住所

二 処分対象者の採用年月日及び離職年月日

三 処分対象者の離職の日における所属部課及び官職

四 一時差止処分の根拠条項

五 被疑事実の要旨及び処分対象者が犯したと思料される犯罪に係る罰条

六 処分対象者から事情を聴取した場合又は被疑事実に関し調査した場合は、聴取した年月日及びその聴取した内容の要旨又は調査により判明した事項

七 処分対象者が逮捕又は起訴されている場合は、その旨及びその年月日

八 一時差止処分の対象となる期末手当又は勤勉手当の支給日及び支給額

九 一時差止処分の予定日

十 その他参考となる事項

26 規則第六条の四第一項に規定する文書（次項及び第二十九項において「一時差止処分書」という。）の様式は、各庁の長の定めるところによる。

27 一時差止処分書には、次に掲げる事項を記載するものとする。

一 「一時差止処分書」の文字

二 被処分者の氏名

三 一時差止処分の内容

四 一時差止処分を発令した日付

五 「一時差止処分者」の文字並びに一時差止処分者の組織上の名称及び氏名

六 文書番号

28 前項第三号の規定により一時差止処分の内容を記載するに当たっては、次の各号に掲げる場合の区分に応じて、当該各号に定める事項を記入するものとする。

一 期末手当を一時差し止める場合
「ア（根拠条項を表示する。次号において同じ。）により、期末手当の支給を一時差し止める。」

二 期末手当及び勤勉手当を一時差し止める場合
「アにより、期末手当及び勤勉手当の支給を一時差し止める。」

29 規則第六条の六の規定により一時差止処分を受けた者及び人事院に通知する場合には、次に掲げる事項について行うものとする。この場合において、人事院に通知するときは、一時差止処分書の写し及び給与法第十九条の六第五項（給与法第十九条の七第五項及び第二十三条第八項において準用する場合を含む。）に規定する説明書（次項において「処分説明書」という。）の写しを添付するものとする。

一 一時差止処分を受けた者の氏名

二 一時差止処分を行った年月日

三 一時差止処分を取り消した理由及び年月日

四 支給した期末手当又は勤勉手当のそれぞれの額及び支給年月日

五　その他参考となる事項

30　処分説明書は、別紙の様式によるものとする。

31　規則第十一条第二項第五号の規則第五条第二項第五号ロに係る「人事院の定める期間」は、第二十項の機関における在職期間（復職後の最初の基準日（復職した日が基準日であるときは、当該基準日）以前六箇月以内の期間に限る。）のうち次に掲げる期間以外の期間とする。

一　規則第十一条第二項第一号から第四号まで又は第六号から第十二号までに掲げる期間に相当する期間

二　休職の期間（給与法第二十三条第一項の規定の適用を受ける休職者であった期間を除く。）に相当する期間

32　規則第十一条第二項第五号の規則第五条第二項第五号ハに係る「人事院の定める期間」は、共同研究等のための休職の期間（復職後の最初の基準日（復職した日が基準日であるときは、当該基準日）以前六箇月以内の期間に限る。）のうち前項各号に掲げる期間以外の期間（国以外の者から当該期間に係る勤勉手当に相当する給与が支給される場合の当該休職の期間を除く。）とし、規則第十一条第二項第五号の規則第五条第二項第五号ニに係る「人事院の定める期間」は、学術研究等のための休職の期間（復職後の最初の基準日（復職した日が基準日であるときは、当該基準日）以前六箇月以内の期間に限る。）のうち前項各号に掲げる期間以外の期間（国以外の者から当該期間に係る勤勉手当に相当する給与が支給される場合の当該休職の期間を除く。）とする。

33　規則第十一条第二項第九号の「勤務しなかった期間」とは、病気休暇（公務上の負傷若しくは疾病若しくは補償法第一条の二に規定する通勤による負傷若しくは疾病（派遣職員の派遣先の業務上の負傷若しくは疾病又は補償法第一条の二に規定する通勤による負傷若しくは疾病を含む。）又は官民人事交流法第十六条、法科大学院派遣法第九条（法科大学院派遣法第十八条において準用する場合を含む。）、福島復興再生特別措置法第四十八条の九若しくは第八十九条の九、令和三年オリンピック・パラリンピック特措法第二十三条、平成三十一年ラグビーワールドカップ特措法第十条、令和七年国際博覧会特措法第三十一条、令和九年国際園芸博覧会特措法第二十一条若しくは判事補及び検事の弁護士職務経験に関する法律（平成十六年法律第百二十一号）第十条の規定（以下この項において「特定規定」という。）により給与法第二十三条第一項及び附則第六項の規定の適用に関し公務とみなされる業務に係る業務上の負傷若しくは疾病若しくは特定規定に規定する通勤による負傷若しくは疾病に起因する場合を除く。）を与えられた期間及び規則一〇―四（職員の保健及び安全保持）第二十四条第二項又は規則一〇―八（船員である職員に係る保健及び安全保持の特例）第七条第一項の規定に基づいて就業を禁ぜられたことにより勤務しなかった期間の全ての期間を合算したものをいい、規則一〇―四第二十四条第一項の規定に基づいて病気休暇（日単位のものを除く。）の方法により勤務を軽減された者についてのその病気休暇の時間及び生理日の就業が著しく困難なため病気休暇の承認を得て勤務しなかった者についてのその病気休暇の期間（「人事院規則一〇―七（女子職員及び年少職員の健康、安全及び福祉）の運用について（昭和六十一年三月十五日職福―一二一）」第二条関係後段に定める期間に限る。）は、これに含まない。

34　規則第五条、第六条、第十一条及び第十二条の期間の計算については、次に定めるところによる。

一　月により期間を計算する場合は、民法第百四十三条の例による。

二　一月に満たない期間が二以上ある場合は、これらの期間を合算するものとし、これらの期間の計算については、日を月に換算する場合は三十日をもって一月とし、時間を日に換算する場合は七時間四十五分（定年前再任用短時間勤務職員又は任期付短時間勤務職員であった期間にあっては、当該期間（当該期間において週その他の一定期間を周期として一定の勤務時間数が繰り返されていた場合にあっては、当該一定期間。以下この号において「算定期間」という。）における勤務時間数を算定期間における勤務時間法第六条第二項本文の規定の適用を受ける職員の勤務時間数で除して得た数に七・七五を乗じて得た時間）をもって一日とする。

三　前号の場合における負傷又は疾病により勤務しなかった期間（休職にされていた期間を除く。）及び介護休暇又は規則一五―一五（非常勤職員の勤務時間及び休暇）第四条第

二項第四号の休暇の承認を受けて勤務しなかった期間並びに規則第十一条第二項第九号及び第十号に定める三十日を計算する場合は、次による。

(1) 勤務時間法第六条第一項に規定する週休日、同条第三項及び勤務時間法第八条第二項において読み替えて準用する同条第一項の規定に基づく勤務時間を割り振らない日、勤務時間法第十三条の二第一項の規定により割り振られた勤務時間の全部について同項に規定する超勤代休時間を指定された日並びに給与法第十五条に規定する祝日法による休日等及び年末年始の休日等（規則第一条第四号に掲げる職員として在職した期間にあっては、勤務日以外の日。第五号において「週休日等」という。）を除く。

(2) 勤務時間法第六条第二項の規定により勤務時間が一日につき七時間四十五分（定年前再任用短時間勤務職員又は任期付短時間勤務職員であった期間にあっては、前号括弧書の規定により求めた時間）となるように割り振られた日又はこれに相当する日以外の勤務時間法第十条に規定する勤務日等については、日を単位とせず、時間を単位として取り扱うものとする。

四 前三号の規定にかかわらず、育児短時間勤務職員等として在職した期間における規則第十一条第二項第七号及び第八号に規定する期間を計算する場合は、日又は月を単位とせず、時間を単位として計算するものとし、計算して得た時間については、時間を日に換算するときは七時間四十五分をもって一日とし、日を月に換算するときは三十日をもって一月とする。

五 前各号の規定にかかわらず、育児短時間勤務職員等として在職した期間における負傷又は疾病により勤務しなかった期間及び介護休暇の承認を受けて勤務しなかった期間並びに規則第十一条第二項第九号及び第十号に定める三十日を計算する場合は、次による。

(1) 週休日等を除く。

(2) 日又は月を単位とせず、時間を単位として計算するものとし、計算して得た時間については、時間を日に換算するときは七時間四十五分をもって一日とし、日を月に換算するときは三十日をもって一月とする。

六 定年前再任用短時間勤務職員、育児短時間勤務職員等又は任期付短時間勤務職員であった期間のうち、第二号から前号までの規定により難い期間の計算については、あらかじめ事務総長に協議するものとする。

35

規則第十三条第一項第一号ニ、第三号ハ及び第四号ハ並びに第十三条の二第一項第一号ハの「人事院の定める職員」は、基準日以前六箇月以内の期間において次に掲げる場合に該当する職員とする。ただし、第一号に掲げる場合に該当する職員で、同号に該当することとなった懲戒処分を受けた日の直前の基準日以前において当該懲戒処分の直接の対象となった事実に基づき規則第十三条第一項第一号ニ、第二号ニ、第三号ハ若しくは第四号ハ又は第十三条の二第一項第一号ハ若しくは第二号ハに掲げる職員の区分に該当したもの（当該事実以外の事実に基づき基準日以前六箇月以内の期間において次に掲げる場合に該当したことがない職員に限る。）については、当該職員の区分に該当したことに応じて当該職員に支給した勤勉手当の額を考慮して、相当と認めるときは、当該職員の区分に該当しないものとして取り扱うことができる。

一 懲戒処分を受けた場合

二 訓告その他の矯正措置の対象となる事実があった場合

三 懲戒処分の対象となる事実があった場合（当該事実に基づき第一号に該当することとなった場合を除く。）

36

前項第一号に掲げる場合に該当する職員の成績率は、次の各号に掲げる職員の区分に応じて、当該各号に定める割合の範囲内で定めるものとする。ただし、同項ただし書に規定する職員のうち、同項ただし書の規定の適用を受けないものの成績率は、規則第十三条第一項第一号ニ、第二号ニ、第三号ハ若しくは第四号ハ又は第十三条の二第一項第一号ハ若しくは第二号ハに掲げる職員の区分に該当したことに応じて当該職員に支給した勤勉手当の成績率を考慮して、相当と認めるときは、次の各号に定める割合以外の割合で定めることができる。

一 定年前再任用短時間勤務職員以外の職員　次に掲げる職員の区分に応じて、それぞれ次に定める割合

(1) (2)から(4)までに掲げる職員以外の職員　次に掲げる職員の区分に応じて、それぞれ次に定める割合

ア　停職の処分を受けた職員　百分の四十以下（特定管理職員にあっては、百分の三十以下）
イ　減給の処分を受けた職員　百分の五十以下
ウ　戒告の処分を受けた職員　百分の六十以下（特定管理職員にあっては、百分の七十以下）
(2)　専門スタッフ職俸給表の適用を受ける職員　次に掲げる職員の区分に応じて、それぞれ次に定める割合
ア　停職の処分を受けた職員　百分の三十五以下（特定管理職員にあっては、百分の二十以下）
イ　減給の処分を受けた職員　百分の四十五以下（特定管理職員にあっては、百分の四十以下）
ウ　戒告の処分を受けた職員　百分の五十五以下（特定管理職員にあっては、百分の六十以下）
(3)　指定職俸給表の適用を受ける職員　次に掲げる職員の区分に応じて、それぞれ次に定める割合
ア　停職の処分を受けた職員　百分の二十以下
イ　減給の処分を受けた職員　百分の四十以下
ウ　戒告の処分を受けた職員　百分の六十以下
(4)　任期付職員法第七条第一項の俸給表の適用を受ける職員（以下「特定任期付職員」という。）　次に掲げる職員の区分に応じて、それぞれ次に定める割合
ア　停職の処分を受けた職員　百分の三十以下
イ　減給の処分を受けた職員　百分の四十以下
ウ　戒告の処分を受けた職員　百分の五十以下
二　定年前再任用短時間勤務職員　次に掲げる職員の区分に応じて、それぞれ次に定める割合
(1)　(2)に掲げる職員以外の職員　次に掲げる職員の区分に応じて、それぞれ次に定める割合
ア　停職の処分を受けた職員　百分の二十以下（特定管理職員にあっては、百分の十五以下）
イ　減給の処分を受けた職員　百分の二十五以下
ウ　戒告の処分を受けた職員　百分の三十以下（特定管理職員にあっては、百分の三十五以下）
(2)　専門スタッフ職俸給表の適用を受ける職員　次に掲げる職員の区分に応じて、それぞれ次に定める割合
ア　停職の処分を受けた職員　百分の十八以下（特定管理職員にあっては、百分の十以下）
イ　減給の処分を受けた職員　百分の二十三以下（特定管理職員にあっては、百分の二十以下）
ウ　戒告の処分を受けた職員　百分の二十八以下（特定管理職員にあっては、百分の三十以下）

37　第三十五項第二号に掲げる場合に該当する職員の成績率は、次の各号に掲げる職員の区分に応じて、当該各号に定める割合の範囲内で各庁の長があらかじめ定める割合によるものとする。
一　定年前再任用短時間勤務職員以外の職員　次に掲げる職員の区分に応じて、それぞれ次に定める割合
(1)　(2)から(4)までに掲げる職員以外の職員　百分の六十超百分の七十以下（特定管理職員にあっては、百分の七十超百分の九十以下）
(2)　専門スタッフ職俸給表の適用を受ける職員　百分の五十五超百分の六十五以下（特定管理職員にあっては、百分の六十超百分の八十以下）
(3)　指定職俸給表の適用を受ける職員　百分の六十超百分の七十五以下
(4)　特定任期付職員　百分の五十超百分の六十以下
二　定年前再任用短時間勤務職員　次に掲げる職員の区分に応じて、それぞれ次に定める割合
(1)　(2)に掲げる職員以外の職員　百分の三十超百分の三十五以下（特定管理職員にあっては、百分の三十五超百分の四十五以下）
(2)　専門スタッフ職俸給表の適用を受ける職員　百分の二十八超百分の三十三以下（特定管理職員にあっては、百分の三十超百分

の四十以下）

38　規則第十三条第三項（規則第十三条の二第三項において準用する場合を含む。以下この項において同じ。）の「人事院の定める者」は、次に掲げる職員の区分及び人事評価政令第七条第二項に規定する調整者（同項ただし書の規定により調整者を指定しない場合にあっては、同条第一項に規定する評価者）が、規則第十三条第三項に規定する成績率を定めようとする職員と同一である職員（第三十五項ただし書の規定の適用を受けない同項に規定する職員を除く。）とする。

一　特定管理職員以外の職員（専門スタッフ職俸給表又は指定職俸給表の適用を受ける職員及び特定任期付職員を除く。）

二　特定管理職員（専門スタッフ職俸給表の適用を受ける職員を除く。）

三　専門スタッフ職俸給表の適用を受ける職員のうち、特定管理職員以外の職員

四　専門スタッフ職俸給表の適用を受ける職員のうち、特定管理職員

五　指定職俸給表の適用を受ける職員

六　特定任期付職員

39　規則第十三条第五項の人事院が定める割合は、次の各号に掲げる職員の区分に応じて、当該各号に定める割合とする。ただし、これによることが著しく困難であると認められる特別の事情がある場合には、各庁の長は、あらかじめ事務総長と協議して、別段の取扱いをすることができる。

一　規則第十三条第一項第一号イ又は第二号イに掲げる職員　次に掲げる職員の区分に応じて、それぞれ各庁の長がその成績率を定める職員の総数に占める次に定める割合以上の割合

(1)　特定管理職員以外の職員　百分の三十（そのうち規則第十三条第一項第一号イに掲げる職員に係る割合については、百分の五）

(2)　特定管理職員　百分の二十八（そのうち規則第十三条第一項第一号イに掲げる職員に係る割合については、百分の三）

二　規則第十三条第一項第二号イ又はロに掲げる職員　次に掲げる職員の区分に応じて、それぞれ各庁の長がその成績率を定める職員の総数に占める次に定める割合以上の割合

(1)　特定管理職員以外の職員　百分の三十（そのうち規則第十三条第一項第二号イに掲げる職員に係る割合については、百分の五）

(2)　特定管理職員　百分の二十八（そのうち規則第十三条第一項第二号イに掲げる職員に係る割合については、百分の三）

三　規則第十三条第一項第三号イに掲げる職員　次に掲げる職員の区分に応じて、それぞれ各庁の長がその成績率を定める職員の総数に占める次に定める割合以上の割合

(1)　(2)に掲げる職員以外の職員　百分の三十

(2)　国家行政組織法（昭和二十三年法律第百二十号）第八条の二に規定する施設等機関及び同法第九条に規定する地方支分部局並びにこれらに相当する組織に勤務する職員　百分の三十

40　各庁の長は、規則第十三条第一項及び第十三条の二第一項の規定により職員（指定職俸給表の適用を受ける職員及び特定任期付職員を除く。）の成績率を定めるに当たっては、次の各号に掲げる職員の区分ごとの勤勉手当の額の総額が当該各号に定める額を超えない範囲内で定めるものとする。ただし、これによることが著しく困難であると認められる特別の事情がある場合には、各庁の長は、これらの規定及びこの項の規定の趣旨に照らし合理的に必要と認められる範囲内において、別段の取扱いをすることができる。

一　定年前再任用短時間勤務職員以外の職員　次に掲げる職員の区分に応じ、それぞれ次に定める額

(1)　特定管理職員以外の職員　次に掲げる各庁の長に所属する給与法第十九条の七第一項の職員（特定管理職員を除く。）の区分ごとに、それぞれ当該職員の勤勉手当基礎額に同条第二項第一号イに規定するそれぞれの月額の合計額を加算した額に百分の百五を乗じて得た額の総額

ア　イに掲げる職員以外の職員

イ　専門スタッフ職俸給表の適用を受ける職員

(2)　特定管理職員　次に掲げる各庁の長に所属する給与法第十九条の七第一項の職員（特定管理職員に限る。）の区分ごとに、それぞれ当該職員の勤勉手当基礎額に同条第二項第一号イに規定するそれぞれの月額の合計額を加算した額に百分の百二十五を乗じて得た額の総額

ア　イに掲げる職員以外の職員

イ　専門スタッフ職俸給表の適用を受ける職員

二　定年前再任用短時間勤務職員　次に掲げる職員の区分に応じ、それぞれ次に定める額

(1)　特定管理職員以外の職員　次に掲げる各庁の長に所属する給与法第十九条の七第一項の職員（特定管理職員を除く。）の区分ごとに、それぞれ当該職員の勤勉手当基礎額に百分の五十を乗じて得た額の総額

ア　イに掲げる職員以外の職員

イ　専門スタッフ職俸給表の適用を受ける職員

(2)　特定管理職員　次に掲げる各庁の長に所属する給与法第十九条の七第一項の職員（特定管理職員に限る。）の区分ごとに、それぞれ当該職員の勤勉手当基礎額に百分の六十を乗じて得た額の総額

ア　イに掲げる職員以外の職員

イ　専門スタッフ職俸給表の適用を受ける職員

41　各庁の長は、規則第十三条第一項の規定により指定職俸給表の適用を受ける職員の成績率を定めるに当たっては、勤勉手当の額の総額が次に掲げる各庁の長に所属する給与法第十九条の七第一項の職員の区分ごとに、それぞれ当該職員の勤勉手当基礎額に百分の百六・二五を乗じて得た額の総額を超えない範囲内で定めるものとする。ただし、各庁の長は、次の各号に掲げる職員のいずれかが著しく少数であること等の事情により、これによることが著しく困難であると認められる特別の事情がある場合には、これらの規定及びこの項の規定の趣旨に照らし合理的に必要と認められる範囲内において、別段の取扱いをすることができる。この場合において、各庁の長は、その内容を事務総長に報告するものとする。

一　次号に掲げる職員以外の職員

二　国家行政組織法第八条の二に規定する施設等機関及び同法第九条に規定する地方支分部局並びにこれらに相当する組織に勤務する職員

42　各庁の長は、規則第十三条第一項の規定により特定任期付職員の成績率を定めるに当たっては、各庁の長に所属する給与法第十九条の七第一項の職員の勤勉手当の額の総額が当該職員の勤勉手当基礎額に百分の八十七・五を乗じて得た額の総額を超えない範囲内で定めるものとする。

43　各庁の長は、期末手当及び勤勉手当の基準日前一箇月以内に採用した職員のうちに、基準日前一箇月の日以降採用の前日までの間において、給与法の適用を受ける常勤の職員、検察官、第二十二項の職員又は特別職に属する常勤の国家公務員（行政執行法人の役員を除く。）として在職した者がある場合は、その者が当該期間内に退職した前任の機関（その機関が二以上あるときはその全機関。以下この項において同じ。）に対し、速やかに通知することとする。ただし、当該職員を採用する際、前任の機関との間に、期末手当及び勤勉手当の支給に係る在職期間の取扱いについて、あらかじめ相互に了解がある場合は、この限りでない。

44　外務公務員法（昭和二十七年法律第四十一号）第二条第五項に規定する外務職員として人事評価が実施された職員に対する規則第十三条第一項から第四項まで及び第十三条の二並びに第三十八項の規定の適用については、外務職員の人事評価の基準、方法等に関する省令（平成二十一年外務省令第六号）第六条第一項に規定する全体評語を規則第十三条第一項から第四項まで並びに第十三条の二第一項及び第二項に規定する全体評語と、同令第七条第二項に規定する調整者を規則第十三条第三項及び第三十八項に規定する調整者と、同令第六条第一項に規定する個別評語を規則第十三条第四項に規定する個別評語と、同令第七条第一項に規定する評価者を第三十八項に規定する評価者とみなす。

（令和四年二月一八日事企法三八）

経過措置（抄）

改正　令七・二・一二事企法三三

4　給実甲第二二〇号（期末手当及び勤勉手当の支給について）

一　国会職員法及び国家公務員退職手当法の一部を改正する法律（令和三年法律第六十二号）附則第三条第四項に規定する暫定再任用職員で同条第二項に規定する短時間勤務の職を占めるものとなった者に対する令和四年事企法―三七第十一項の規定による改正後の給実甲第二二〇号（以下この項において「改正後の給実甲第二二〇号」とい

う。）第八項の規定の適用については、同項第一号中「定年前再任用短時間勤務職員」とあるのは「定年前再任用短時間勤務職員又は国会職員法及び国家公務員退職手当法の一部を改正する法律（令和三年法律第六十二号）附則第三条第四項に規定する暫定再任用職員で同条第二項に規定する短時間勤務の職を占めるもの」とし、裁判所職員臨時措置法（昭和二十六年法律第二百九十九号）において準用する令和三年改正法附則第七条第一項に規定する暫定再任用短時間勤務職員となった者に対する改正後の給実甲第二二〇号第八項の規定の適用については、同項第二号中「定年前再任用短時間勤務職員」とあるのは「定年前再任用短時間勤務職員、国家公務員法等の一部を改正する法律（令和三年法律第六十一号）附則第七条第一項に規定する暫定再任用短時間勤務職員」とし、令和三年改正法附則第十二条第一項に規定する暫定再任用短時間勤務隊員となった者に対する改正後の給実甲第二二〇号第八項の規定の適用については、同項第三号中「定年前再任用短時間勤務隊員」とあるのは「定年前再任用短時間勤務隊員又は国家公務員法等の一部を改正する法律（令和三年法律第六十一号）附則第十二条第一項に規定する暫定再任用短時間勤務隊員」とし、地方公務員法の一部を改正する法律（令和三年法律第六十三号）附則第六条第一項若しくは第二項又は第七条第一項から第四項までの規定により採用された職員となった者に対する改正後の給実甲第二二〇号第十項の規定の適用については、同項中「定年前再任用短時間勤務職員」とあるのは「定年前再任用短時間勤務職員又は地方公務員法の一部を改正する法律（令和三年法律第六十三号）附則第六条第一項若しくは第二項若しくは第七条第一項から第四項までの規定により採用された職員」とする。

二　暫定再任用短時間勤務職員は、定年前再任用短時間勤務職員とみなして、改正後の給実甲第二二〇号第三十四項の規定を適用する。

三　暫定再任用職員は、定年前再任用短時間勤務職員とみなして、改正後の給実甲第二二〇号第三十六項及び第三十七項の規定を適用する。

四　一般職の職員の給与に関する法律（昭和二十五年法律第九十五号）第十九条の七第一項の職員に暫定再任用職員が含まれる場合において、改正後の給実甲第二二〇号第四十項各号に掲げる職員の区分ごとの勤勉手当の額の総額が当該各号に定める額を超えない範囲内で成績率を定めるときにおける同項の規定の適用については、同項第一号中「定年前再任用短時間勤務職員」とあるのは「次号に掲げる職員」と、同項第二号中「定年前再任用短時間勤務職員」とあるのは「定年前再任用短時間勤務職員及び国家公務員法等の一部を改正する法律（令和三年法律第六十一号）附則第三条第四項に規定する暫定再任用職員」とする。

別表

一　規則一一―四（職員の身分保障）第三条第一項第四号の規定に基づき指定された機関

二　公益財団法人日本台湾交流協会

別紙

処　分　説　明　書

<table>
<tr><td colspan="2">文書番号</td></tr>
<tr><td colspan="2">1　処分者</td></tr>
<tr><td colspan="2">官　職＿＿＿＿＿＿＿＿＿＿＿＿＿＿＿＿＿＿　氏　名＿＿＿＿＿＿＿＿＿＿＿＿</td></tr>
<tr><td colspan="2">2　被処分者</td></tr>
<tr><td>離職時の所属部課</td><td>氏　名（ふりがな）＿＿＿＿＿＿＿＿＿＿＿＿＿＿＿</td></tr>
<tr><td>離職時の官職</td><td>離職時の級及び号俸</td></tr>
<tr><td>採用年月日　　年　　月　　日</td><td>離職年月日　　年　　月　　日</td></tr>
<tr><td colspan="2">3　処分の内容</td></tr>
<tr><td>処分発令日
年　　月　　日</td><td>処分説明書交付日
年　　月　　日</td></tr>
<tr><td>根拠条項</td><td>処分の対象となる手当（期末手当・期末手当及び勤勉手当）</td></tr>
<tr><td>刑事事件との関係
起　訴　日　　年　　月　　日</td><td>逮　捕　日　　年　　月　　日</td></tr>
<tr><td colspan="2">処分の理由＿＿＿＿＿＿＿＿＿＿＿＿＿＿＿＿＿＿＿＿＿＿＿＿＿＿＿＿＿＿
（思料される犯罪に係る罰条：　　　　　　　　　　　　　　　　　　　）</td></tr>
<tr><td colspan="2">（教示）
1　この処分についての審査請求及び処分の取消しの訴え
(1)　この処分についての審査請求は、国家公務員法第90条及び人事院規則13―1の規定により、この説明書を受領した日の翌日から起算して3箇月以内に、人事院に対して、することができます。
(2)　この処分についての処分の取消しの訴えは、国家公務員法第92条の2の規定により、審査請求に対する人事院の裁決を経た後でなければ提起することができません。ただし、次の①から③までのいずれかに該当するときは、人事院の裁決を経ないで、処分の取消しの訴えを提起することができます。
①　審査請求があった日から3箇月を経過しても、人事院の裁決がないとき。
②　処分、処分の執行又は手続の続行により生ずる著しい損害を避けるため緊急の必要があるとき。
③　その他裁決を経ないことにつき正当な理由があるとき。
この処分の取消しの訴えは、審査請求に対する人事院の裁決があったことを知った日の翌日から起算して6箇月以内に、国を被告として（訴訟において国を代表する者は法務大臣となります。）、提起しなければなりません。ただし、この期間内であっても、人事院の裁決があった日の翌日から起算して1年を経過した後は、提起することができません。

2　一般職の職員の給与に関する法律第19条の6第2項及び人事院規則9―40の規定により、この説明書を受領した日の翌日から起算して3箇月を経過した後においては、この処分が行われた後の事情の変化を理由に、処分者に対し、この処分の取消しを申し立てることができます。

3　この処分は、次の①から④までのいずれかに該当する場合には取り消され、一時差し止められている期末手当又は勤勉手当が支給されます。
①　この処分の理由となった行為に係る刑事事件に関し禁錮以上の刑に処せられなかった場合
②　この処分の理由となった行為に係る刑事事件につき公訴を提起しない処分があった場合
③　被処分者が在職期間中の行為に係る刑事事件に関し起訴をされることなくこの処分に係る期末手当又は勤勉手当の基準日から起算して1年を経過した場合（ただし、被処分者が在職期間中の行為に関し現に逮捕されているときその他これを取り消すことがこの処分の目的に明らかに反すると認めるときは、この限りでない。）
④　処分者が、この処分後に判明した事実又は生じた事情に基づき、期末手当又は勤勉手当の支給を差し止める必要がなくなったと認める場合</td></tr>
</table>

A 4 （210×297）

○指定職俸給表適用職員の勤勉手当の運用について（通知）

令七・二・一二
給三―二六

標記について、下記のとおり取り扱うこととしたので、令和五年四月一日以降は、これによってください。

なお、これに伴い、「指定職俸給表適用職員の勤勉手当の運用について（平成二十一年五月二十九日給三―六三）」は廃止します。

記

給実甲第二二〇号（期末手当及び勤勉手当の支給について）第四十一項の「次の各号に掲げる職員のいずれかが著しく少数であること等の事情により、これによることが著しく困難であると認められる特別の事情がある場合」とは、次に掲げる場合とします。

① 地方支分部局等に在勤する職員が著しく少数であり、人事運用上も本省に在勤する職員と一体として成績判定を行うことが適当と認められる場合

② 当該組織における人事運用、業務内容等を踏まえ、本省に在勤する職員と施設等機関に在勤する職員を一体として成績判定を行うことが適当と認められる場合

③ 当該組織における人事運用、業務内容等を踏まえ、同一の職種等に属する職員を一体として成績判定を行うことが適当と認められる場合

以上

○役職段階別加算措置における経験年数の取扱いについて（通知）

平二二・一一・三〇
給三―一三〇給与第三課長

標記について、下記のとおり取り扱うこととしたので、平成二十二年十二月一日以降は、これによってください。

なお、これに伴い、平成九年給三―一二は廃止します。

記

給実甲第二二〇号（期末手当及び勤勉手当の支給について）第十四項及び第十六項の「経験年数」は、基準日を含む期間について算定し、その期間に一月未満の端数が生じたときは、給実甲第三二六号（人事院規則九―八（初任給、昇格、昇給等の基準）の運用について）第十五条の二関係第三項の定めるところによる。

以上

○定年前再任用短時間勤務職員等の勤勉手当の成績率の決定に係る業績評価の取扱いについて(通知)

令四・二・一八
給三―七四給与第三課長

標記について、下記のとおり取り扱うこととしたので、令和五年四月一日以降は、これによってください。

なお、これに伴い、平成二十八年給三―一〇九は廃止します。

記

国家公務員法（昭和二十二年法律第百二十号）第六十条の二第二項又は国家公務員法等の一部を改正する法律（令和三年法律第六十一号）附則第四条第一項若しくは第二項若しくは第五条第一項若しくは第二項の規定により採用された職員（以下「定年前再任用短時間勤務職員等」という。）の採用された日以後における最初の勤勉手当の成績率を決定する場合において、当該職員の直近の業績評価（六月期の勤勉手当にあっては前年十月一日から当年三月三十一日までの期間を、十二月期の勤勉手当にあっては当年四月一日から九月三十日までの期間を評価期間とする業績評価のことをいう。）が、定年前再任用短時間勤務職員等以外の職員としての業績評価であるときも、当該業績評価の結果を活用する。

以　上

○学術研究等のための休職の取扱いについて(通知)

令二・四・一
給三―五六給与第三課長

標記について、下記のとおり取り扱うこととしたので、令和二年十一月三十日以降は、これによってください。

記

第一　給実甲第二二〇号（期末手当及び勤勉手当の支給について）第二十一項の「当該休職にされた職員の職務に密接な関連があると認められる学術研究その他の業務への従事が公務の能率的な運営に特に資するもの」とは、次の各項のいずれにも該当するものとする。

1　職員が、その休職の期間中、給実甲第二二〇号第二十一項各号に掲げる法人に使用される者（常時勤務に服することを要しない者を除く。）として学術の調査、研究又は指導に従事すること。

2　前項に掲げるもののほか、同項の学術の調査、研究又は指導への従事が、次のいずれにも該当すること。

(1)　学術の調査、研究又は指導への従事が、休職の期間の初日の前日（休職の期間が更新された場合にあっては、更新された休職の期間の初日の前日）において、次のいずれにも該当すること。

ア　相当程度高度な学術の調査、研究又は指導に従事するものであること。（法人において講義、学生に対する指導又はマネジメントを専ら行うものではなく、かつ、学術の調査、研究又は指導の補助業務ではないものであること。）

イ　その成果によって休職の期間の終了後においても公務の能率的な運営に特に資することが見込まれるものであること。（復職予定日から定年又は任期満了による退職予定日までの期間が一年以上（学術の調査、研究又は指導に従事した成果によって短い在職期間であっても公務の能率的な運営に特に資することができると考えられる特別な事情のある場合にあっては、六月以上）あるものであること。）

(2)　学術の調査、研究又は指導への従事が、法人の要請に基づき行われたものであること。

第二　第一の第二項に該当する学術の調査、研究又は指導に従事する職員については、休職の期間の初日（休職の期間が更新された場合にあっては、更新された期間の初日）以後速やかに次の各項に掲げる資料を添えて人事院事務総局給与局給与第三課へ公文により報告すること。

1　第一の第二項(1)に該当することの説明資料（当該職員の略歴が確認できる資料を含む。）

2　第一の第二項(2)に該当することが確認できる法人からの要請文書の写し

以　上

【行政実例】

○勤勉手当の支給について

〔照会〕 公務上の負傷または疾病により休職された職員で、支給日前六カ月以内の期間内において勤務期間が皆無であつた者の勤勉手当については給実甲第九十六号（期末手当および勤務手当の支給について）第三項第二号により支給されないこととなつたがこれは給与法第二十三条第一項および同法運用方針第二十三条関係第一項に給与（勤勉手当を含む。）の全額を支給する旨の規定にていしよくしないか。（昭二九・六・二五 ○六―四三二 広島地方事務所長）

〔回答〕 公務傷病を理由とする休職者の給与に勤勉手当が含まれることは、一般職の職員の給与に関する法律の運用方針第二十三条関係の規定から明らかでありますが、この場合においても、それは職員の現に勤務した実績に応じて支給されるべきであることは、勤勉手当の性質上当然であります。

給与法第二十三条第一項の趣旨は、勤勉手当については、公務傷病による休職者も当該手当支給日前に法に定める期間内において勤務期間を有する場合には、その期間の勤務に対して一般の支給基準に応ずる全金額を支給し、現に休職中であることを理由として、特別に不利に取り扱われることがないように配慮されたものと解することができます。したがつて勤務期間を全く有しない場合には、一般の支給基準に従つて勤勉手当を支給しなくても法第二十三条の規定には抵触しません。（昭二九・七・六 三四―二五二 給与局給与第三課長）

（注） 照会文中「給実甲第九十六号第三項第二号」は廃止され、現在は「人事院規則九―四〇第十一条第二項第十二号」に同旨のことが規定されている。

○勤勉手当に関する疑義について

〔照会〕 標記について下記の疑義を生じたので、折返し御回示願いたい。

記

一 給与法第十九条の五第二項後段の勤勉手当の総額の計算に当り、各庁の長はその所属する職員に対する給与の予算費目がいくつかに分れている場合は、個々の会計ごとにその所属する職員について同条同項の規定により計算するものと解してよいか。

なお、給与法第二十三条第一項の規定の適用を受ける者及び教育公務員特例法第十四条の規定の適用を受ける者については、上述と同様に取り扱う。

二 十二月十五日に支給される勤勉手当の計算に当つては次のとおり解してよいか。

給与法第十五条の規定により給与の減額の対象となる期間の累計が一時間以上になる場合においても現実に減額されていないとき――たとえば、二十分ずつの欠勤が三給与期間にそれぞれある場合――は給実甲第百号第三項第三号に該当しないものとして除算しない。

（昭三一・一二・一五 名地一―六八五 人事院名古屋地方事務所長）

〔回答〕 標記については、左記のように回答する。

記

一 勤勉手当の総額の計算にあたつては、各庁の長またはその委任を受けたものは会計区分または予算費目に関係なく、その所属する職員について給与法第十九条の五第二項後段の規定により計算するものと解する。

二 貴見のとおりと解する。

（昭三二・七・八 給三―一五二 人事院給与局給与第三課長）

（注） 照会文中「給与法第十九条の五第二項後段」は、現在の「給与法第十九条の七第二項後段」に相当。

「給実甲第百号第三項第三号」は、同給実甲の廃止により、現在は「人事院規則九―四〇第十一条第二項第七号」に規定されている。

○期末手当および勤勉手当の支給について

〔照会〕 期末手当および勤勉手当の基準日に離職し、または死亡した職員は、基準日に在職する職員として期末手当および勤勉手当が支給される。この場合、扶養手当は給与法第十一条の二第二項の規定により月の初日に離職し、または死亡した職員に対してはその月の扶養手当は支給されないこととなるので、職員が基準日に離職し、または死亡した場合、期末手当の算出および勤勉手当の総額の算出にあたつては、基準日に離職し、または死亡した職員の扶養手当相当額は含まれないものと解してよろしいか。

また、基準日前一月以内に退職し、または死亡した職員についても同様に取り扱つてさしつかえないか。（昭四一・一二・九 四一―秘七一 農林大臣官房秘書課長）

〔回答〕 標記について、左記のとおり回答します。

記

期末手当および勤勉手当の基準日に離職し、または死亡した職員については、貴見のとおり解してさしつかえないが、基準日前一月以内に退職し、または死亡した職員については、その退職し、または死亡した日が月の初日である職員を除き、給与法第十一条の二第二項の規定によりその月分の扶養手当は支給されるので、期末手当の支給額の算出および勤勉手当の総額の算出にあたつては当該職員の扶養手当の月額をそれぞれ基礎として取り扱われたい。

(昭四一・二・一九　給三—二五　人事院給与局給与第三課長)

○基準日の翌日以後に異動した職員の期末、勤勉手当の支給義務者について

〔照会〕　給与法第十九条の三および第十九条の四の規定によれば、期末手当および勤勉手当は、基準日に在職する職員に対して支給されることとなつており、人事院規則九—四〇第十四条に規定する支給日は、そのいわゆる支払日であると考えられる。

　したがつて、これら手当の支給義務は、職員が基準日に在職することとなる俸給の支給義務者に存すると思われるので、基準日に所属する職員について、その職員が基準日の翌日から支給日までの間において俸給の支給義務者を異にして異動した場合であつても、当該職員に対するこれらの手当は、基準日に所属する俸給の支給義務者において支給されるべきものと解してよろしいか。(昭四一・三・一五　東地一—二三三　人事院東京地方事務所長)

〔回答〕　標記については、貴見のとおりと解します。

(昭四一・四・七　給三—四一　人事院給与局長)

(注)　照会文中「給与法第十九条の三および第十九条の四」は、現在の「給与法第十九条の四および第十九条の七」に相当。

第一九　寒冷地手当

○国家公務員の寒冷地手当に関する法律

昭二四・六・八
法　二〇〇

最終改正　令六・一二・二五法七一

（寒冷地手当の支給）

第一条　国家公務員法（昭和二十二年法律第百二十号）第二条に規定する一般職に属する職員（以下この条及び次条において単に「職員」という。）のうち、毎年十一月から翌年三月までの各月の初日（次条において「基準日」という。）において次に掲げる職員のいずれかに該当する職員（常時勤務に服する職員及び同法第六十条の二第二項に規定する定年前再任用短時間勤務職員に限る。次条において「支給対象職員」という。）に対しては、一般職の職員の給与に関する法律（昭和二十五年法律第九十五号。次条において「一般職給与法」という。）に規定する給与のほか、予算の範囲内で寒冷地手当を支給する。

一　別表に掲げる地域に在勤する職員

二　別表に掲げる地域以外の地域に所在する官署のうちその所在する地域の寒冷及び積雪の度を考慮して同表に掲げる地域に所在する官署との権衡上必要があると認められる官署として内閣総理大臣が定めるものに在勤する職員

（寒冷地手当の額）

第二条　前条第一号に係る支給対象職員の寒冷地手当の額は、次の表に掲げる地域の区分及び基準日における職員の世帯等の区分に応じ、同表に掲げる額とする。

地域の区分	世帯等の区分：世帯主である職員：扶養親族のある職員	世帯主である職員：その他の世帯主である職員	その他の職員
一級地	二九、四〇〇円	一六、二〇〇円	一一、五〇〇円
二級地	二六、〇〇〇円	一四、五〇〇円	九、八〇〇円
三級地	二五、一〇〇円	一四、三〇〇円	九、六〇〇円
四級地	一九、八〇〇円	一一、四〇〇円	八、二〇〇円

備考　「扶養親族のある職員」には、扶養親族のある職員であつて別表に掲げる地域に居住する扶養親族のないもののうち、一般職給与法第十二条の二第一項の規定による単身赴任手当を支給されるもの（内閣総理大臣が定めるものに限る。）及びこれに準ずるものとして内閣総理大臣が定めるものを含まないものとする。

2　前条第二号に係る支給対象職員の寒冷地手当の額は、基準日における前項の表に掲げる職員の世帯等の区分に応じ、同表四級地の項に掲げる額とする。

3　次の各号に掲げる職員のいずれかに該当する支給対象職員の寒冷地手当の額は、前二項の規定にかかわらず、当該各号に定める額とする。

一　一般職給与法第二十三条第二項、第三項又は第五項の規定により給与の支給を受ける職員　前二項の規定による額にその者の俸給の支給について用いられた同条第二項、第三項又は第五項の規定による割合を乗じて得た額

二　一般職給与法附則第六項の規定の適用を受ける職員　前二項の規定による額からその半額を減じた額

三　前二号に掲げるもののほか、国家公務員法第八十二条の規定により停職にされている職員その他の内閣総理大臣が定める職員　零

4　支給対象職員が次に掲げる場合に該当するときは、当該支給対象職員の寒冷地手当の額は、前三項の規定にかかわらず、第一項又は第二項の規定による額を超えない範囲内で、内閣総理大臣が定める額とする。

一　基準日において前項各号に掲げる職員のいずれにも該当しない支給対象職員が、当該基準日の翌日から当該基準日の属する月の末日までの間に、同項各号に掲げる職員のいずれかに該当する支給対象職員となつた場合

二　基準日において前項各号に掲げる職員のいずれかに該当する支給対象職員が、当該基準日の翌日から当該基準日の属する月の末日までの間に、同項各号に掲げる職員のいずれにも該当しない支給対象職員となつた場合

三　前二号に掲げる場合に準ずる場合として内閣総理大臣が定める場合

5　第一項の表に掲げる地域の区分は、別表のとおりとする。

（内閣総理大臣への委任）

第三条　前条に規定するもののほか、寒冷地手当の支給日、支給方法その他支給に関し必要な事項は、内閣総理大臣が定める。

2　内閣総理大臣は、第一条、前条第一項、第三項及び第四項並びに前項に規定する定めをするについては、人事院の勧告に基づいてこれをしなければならない。

（人事院の勧告等）

第四条　人事院は、この法律に定める給与に関して調査研究し、必要と認めるときは、国会及び内閣に同時に勧告することができる。

（防衛省の職員への準用）

第五条　第一条、第二条（第三項第二号を除く。）及び第三条の規定は、国家公務員法第二条第三項第十六号に規定する職員について準用する。この場合において、これらの規定中「内閣総理大臣」とあるのは「防衛大臣」と読み替えるほか、次の表の上欄に掲げる規定中同表の中欄に掲げる字句は、それぞれ同表の下欄に掲げる字句に読み替えるものとする。

第一条	同法第六十条の二第二項に規定する定年前再任用短時間勤務職員	自衛隊法（昭和二十九年法律第百六十五号）第四十一条の二第二項に規定する定年前再任用短時間勤務隊員
第一条第一号	一般職の職員の給与に関する法律（昭和二十五年法律第九十五号。次条において「一般職給与法」という。）	防衛省の職員の給与等に関する法律（昭和二十七年法律第二百六十六号）
	在勤する職員	在勤する職員及び当該地域に防衛大臣の定める定係港を有する船舶に乗り組む職員
第二条第一項	掲げる額	掲げる額（政令で定める自衛官にあつては、同表に掲げる額の二分の一に相当する額を超えない範囲内で防衛大臣が定める額）
第二条第一項の表備考	一般職給与法	防衛省の職員の給与等に関する法律第十四条第二項において準用する一般職給与法
第二条第二項	掲げる額	掲げる額（政令で定める自衛官にあつては、同表四級地の項に掲げる額の二分の一に相当する額を超えない範囲内で防衛大臣が定める額）
第二条第三項第一号	一般職給与法第二十三条第二項、第三項又は第五項	防衛省の職員の給与等に関する法律第二十三条第二項、第三項又は第五項
第二条第三項第三号	国家公務員法第八十二条	自衛隊法第四十六条
第三条第二項	人事院の勧告に基づいて	一般職に属する国家公務員との均衡を考慮して

附　則（抄）

1　この法律は、公布の日から施行する。

附　則（平一六・一〇・二八法一三六）（抄）

最終改正　平一九・七・六法一〇八

（施行期日）

1　この法律は、公布の日から施行する。

（寒冷地手当に関する経過措置）

9　この項から附則第十八項までにおいて、次の各号に掲げる用語の意義は、当該各号に定めるところによる。

一　改正前の寒冷地手当法　第二条の規定による改正前の国家公務員の寒冷地手当に関する法律をいう。

二　改正後の寒冷地手当法　第二条の規定による改正後の国家公務員の寒冷地手当に関する法律をいう。

三　旧寒冷地　この法律の施行の際における改正前の寒冷地手当法第一条に規定する寒冷地をいう。

四　新寒冷地　改正後の寒冷地手当法別表に掲げる地域をいう。

五　経過措置対象職員　平成十六年十月二十九日（以下「旧基準日」という。）から引き続き次に掲げる職員（常時勤務に服する職員に限り、国家公務員法（昭和二十二年法律第百二十号）第八十一条の四第一項又は第八十一条の五第一項の規定により採用された職員を除く。）のいずれかに該当する職員をいう。

イ　旧寒冷地（新寒冷地に該当する地域を除く。）に在勤する職員（ハに掲げる職員を除く。）

ロ　新寒冷地（旧寒冷地に該当する地域に限る。）に

在勤する職員

ハ　改正後の寒冷地手当法第一条第二号の規定に基づき総務大臣が定める官署（旧寒冷地に所在するものに限る。）に在勤する職員であって新寒冷地又は同号の規定に基づき総務大臣が定める区域に居住するもの

六　基準在勤地域　経過措置対象職員が旧基準日以降において在勤したことのある旧寒冷地のうち、改正前の寒冷地手当法第二条第一項から第四項までの規定（この法律の施行の際における同条第二項及び第四項の規定に基づく総務大臣の定めを含む。以下この項において「旧算出規定」という。）を適用したとしたならば算出される同条第一項若しくは第二項の規定による加算額又は同条第四項の規定による基準額が最も少なくなる旧寒冷地をいう。

七　基準世帯等区分　経過措置対象職員の旧基準日以降における世帯等の区分（改正前の寒冷地手当法第二条第一項、第二項及び第四項に規定する世帯等の区分をいう。以下この項において同じ。）のうち、旧算出規定を適用したとしたならば算出される同条第一項若しくは第二項の規定による加算額又は同条第四項の規定による基準額が最も少なくなる世帯等の区分をいう。

八　みなし寒冷地手当基礎額　経過措置対象職員につき、改正後の寒冷地手当法第一条に規定する基準日（以下単に「基準日」という。）におけるその基準在勤地域をその在勤する地域と、その基準世帯等区分をその世帯等の区分とみなして、旧算出規定を適用したとしたならば算出される寒冷地手当の額を五で除して得た額をいう。この場合においては、一般職の職員の給与に関する法律附則第六項の規定の適用は、ないものとする。

10　基準日（その属する月が平成十八年三月までのものに限る。）において経過措置対象職員である者のうち旧基準日から引き続き前項第五号イに掲げる職員に該当するものに対しては、改正後の寒冷地手当法第一条及び第二条の規定にかかわらず、みなし寒冷地手当基礎額の寒冷地手当を支給する。

11　基準日（その属する月が平成十八年十一月から平成二十二年三月までのものに限る。）において経過措置対象職員である者のうち旧基準日から引き続き附則第九項第五号イに掲げる職員に該当するものに対しては、みなし寒冷地手当基礎額が、次の表の上欄に掲げる基準日の属する月の区分に応じ同表の下欄に掲げる額を超えることとなるときは、改正後の寒冷地手当法第一条及び第二条の規定にかかわらず、みなし寒冷地手当基礎額から同表の上欄に掲げる基準日の属する月の区分に応じ同表の下欄に掲げる額を減じた額の寒冷地手当を支給する。

平成十八年十一月から平成十九年三月まで	八千円
平成十九年十一月から平成二十年三月まで	一万四千円
平成二十年十一月から平成二十一年三月まで	二万円
平成二十一年十一月から平成二十二年三月まで	二万六千円

12　基準日（その属する月が平成二十一年三月までのものに限る。）において経過措置対象職員である者のうち旧基準日から引き続き附則第九項第五号ロ又はハに掲げる職員のいずれかに該当するものに対しては、みなし寒冷地手当基礎額から次の表の上欄に掲げる基準日の属する月の区分に応じ同表の下欄に掲げる額を減じた額（以下この項において「特例支給額」という。）が、その者につき改正後の寒冷地手当法第二条第一項又は第二項の規定を適用したとしたならば算出される寒冷地手当の額を超えることとなるときは、改正後の寒冷地手当法第一条及び第二条の規定にかかわらず、特例支給額の寒冷地手当を支給する。

平成十六年十一月から平成十七年三月まで	六千円
平成十七年十一月から平成十八年三月まで	一万円
平成十八年十一月から平成十九年三月まで	一万四千円
平成十九年十一月から平成二十年三月まで	一万八千円
平成二十年十一月から平成二十一年三月まで	二万二千円

13　改正後の寒冷地手当法第二条第三項及び第四項の規定は、前三項の規定により寒冷地手当を支給される経過措置対象職員である者について準用する。この場合において、同条第三項中「、前二項」とあるのは「、一般職の職員の給与に関する法律等の一部を改正する法律（平成十六年法律第百三十六号。以下「平成十六年改正法」という。）附則第十項から第十二項まで」と、同項第一号及び第二号中「前二項」とあるのは「平成十六年改正法附則第十項から第十二項まで」と、同条第四項中「前三項」とあるのは「平成十六年改正法附則第十項から第十二項まで及び平成十六年改正法附則第十三項において読み替えて準用する前項」と、「第一項又は第二項」とあるのは「平成十六年改正法附則第十項から第十二項まで」と、同項第一号及び第二号中「前項各号」とあるのは「平成十六年改正法附則第十三項において読み替えて準用する前項各号」と読み替えるものとする。

14　附則第十項から前項までの規定により寒冷地手当を支給される経過措置対象職員である者（以下この項において「支給対象職員」という。）との権衡上必要があると認められるときは、基準日において支給対象職員以外の経過措置対象職員である者に対しては、改正後の寒冷地手当法第一条及び第二条の規定にかかわらず、総務大臣の定めるところにより、附則第十項から前項までの規定に準じて、寒冷地手当を支給する。

15　検察官であった者又は一般職の職員の給与に関する法律第十一条の七第三項に規定する給与特例法適用職員等であった者が、旧基準日の翌日以降に引き続き同法の俸給表の適用を受ける職員となり、旧寒冷地に在勤することとなった場合において、任用の事情、旧基準

日から当該在勤することとなった日の前日までの間における勤務地等を考慮して附則第十項から前項までの規定により寒冷地手当を支給される経過措置対象職員である者との権衡上必要があると認められるときは、基準日において当該職員である者に対しては、改正後の寒冷地手当法第一条及び第二条の規定にかかわらず、総務大臣の定めるところにより、附則第十項から前項までの規定に準じて、寒冷地手当を支給する。

16　附則第十項から前項までの規定により寒冷地手当を支給する場合における改正後の寒冷地手当法第三条第一項の規定の適用については、同項中「前条」とあるのは、「一般職の職員の給与に関する法律等の一部を改正する法律（平成十六年法律第百三十六号）附則第十項から第十五項まで」とする。

17　附則第十四項及び第十五項の規定に基づく総務大臣の定めは、人事院の勧告に基づくものでなければならない。

（防衛省の職員への準用）

18　附則第九項から前項までの規定は、国家公務員法第二条第三項第十六号に規定する職員について準用する。この場合において、次の表の上欄に掲げる規定中同表の中欄に掲げる字句は、それぞれ同表の下欄に掲げる字句に読み替えるものとする。

附則第九項第三号	第一条	第七条第一項及び第二項において準用する改正前の寒冷地手当法第一条
附則第九項第五号	国家公務員法（昭和二十二年法律第百二十号）第八十一条の四第一項又は第八十一条の五第一項	自衛隊法（昭和二十九年法律第百六十五号）第四十四条の四第一項、第四十四条の五第一項又は第四十五条の二第一項
附則第九項第五号イ	在勤する職員	在勤する職員及び当該旧寒冷地に防衛庁長官の定める定係港を有する船舶に乗り組む職員
附則第九項第五号ロ	在勤する職員	在勤する職員及び当該新寒冷地に防衛大臣の定める定係港を有する船舶に乗り組む職員
附則第九項第五号ハ	第一条第二号	第五条において準用する改正後の寒冷地手当法第一条第二号
附則第九項第五号ハ、第十四項、第十五項及び前項	総務大臣	防衛大臣
附則第九項第六号及び第七号	第二条第一項	第七条第一項及び第二項において準用する改正前の寒冷地手当法第二条第一項
附則第九項第六号	総務大臣	内閣総理大臣
附則第九項第八号	寒冷地手当の額	寒冷地手当の額（自衛官にあっては、改正前の寒冷地手当法第七条第三項の規定に基づき内閣総理大臣が定める期間内の各月に分割して支給される寒冷地手当の額を合算した額）
附則第十項から第十二項まで、第十四項及び第十五項	第一条	第五条において準用する改正後の寒冷地手当法第一条
附則第十二項	第二条第一項	第五条において準用する改正後の寒冷地手当法第二条第一項
附則第十三項	第二条第三項	第五条において準用する改正後の寒冷地手当法第二条第三項（第二号を除く。）
	附則第十項	附則第十八項において準用する平成十六年改正法附則第十項
	同項第一号及び第二号中「前二項」	同項第一号中「前二項」
	附則第十三項	附則第十八項において準用する平成十六年改正法附則第十三項
	準用する前項各号	準用する前項第一号及び第三号」と、「同項各号」とあるのは「同項第一号及び第三号
附則第十五項	一般職の職員の給与に関する法律	防衛省の職員の給与等に関する法律（昭和二十七年法律第二百六十六号）第十四条第二項において準用する一般職の職員の給与に関する法律
	同法の	防衛省の職員の給与等に関する法律第四条第一項及び第四項に規定する

附則第十六項	第三条第一項	第五条において準用する改正後の寒冷地手当法第三条第一項
	）附則第十項	）附則第十八項において準用する同法附則第十項
前項	人事院の勧告に基づく	一般職の国家公務員との均衡を考慮した

附　則（平一八・一二・二二法一一八）（抄）

（施行期日）

第一条　この法律は、公布の日から起算して三月を超えない範囲内において政令で定める日〔平一九・一・九〕から施行する。〔ただし書略〕

附　則（平一九・七・六法一〇八）（抄）

（施行期日）

第一条　この法律は、平成二十年十二月三十一日までの間において政令で定める日〔平二〇・一二・三一〕から施行する。ただし、次の各号に掲げる規定は、当該各号に定める日から施行する。

一・二　〔略〕

三　〔前略〕附則〔中略〕第二十二条〔中略〕の規定　〔中略〕公布の日から起算して二年を超えない範囲内において政令で定める日〔平二一・四・一〕

附　則（平二六・四・一八法二二）（抄）

（施行期日）

第一条　この法律は、公布の日から起算して六月を超えない範囲内において、政令で定める日〔平二六・五・三〇〕から施行する。〔ただし書略〕

附　則（平二六・一一・一九法一〇五）（抄）

（施行期日等）

第一条　この法律は、公布の日から施行する。ただし、〔中略〕第三条〔中略〕及び第十六条から第十八条までの規定は、平成二十七年四月一日から施行する。

（寒冷地手当に関する経過措置）

第十六条　この条において、次の各号に掲げる用語の意義は、当該各号に定めるところによる。

一　旧寒冷地等在勤等職員　次に掲げる職員のいずれかに該当する職員（常時勤務に服する職員に限り、国家公務員法（昭和二十二年法律第百二十号）第八十一条の四第一項又は第八十一条の五第一項の規定により採用された職員（次号において「再任用職員」という。）を除く。）をいう。

イ　第三条の規定による改正前の国家公務員の寒冷地手当に関する法律別表に掲げる地域（ロにおいて「旧寒冷地」という。）に在勤する職員

ロ　第三条の規定の施行の日（以下「一部施行日」という。）の前日において国家公務員の寒冷地手当に関する法律（以下「寒冷地手当法」という。）第一条第二号の規定に基づき内閣総理大臣が定めていた官署に在勤し、かつ、旧寒冷地又は同日において同号の規定に基づき内閣総理大臣が定めていた区域に居住する職員

二　新寒冷地等在勤等職員　寒冷地手当法第一条各号に掲げる職員のいずれかに該当する職員（常時勤務に服する職員に限り、再任用職員を除く。）をいう。

三　特定旧寒冷地等在勤等職員　旧寒冷地等在勤等職員であって、新寒冷地等在勤等職員でないものをいう。

四　みなし寒冷地手当額　次項又は第三項に規定する者につき、寒冷地手当法別表に規定する四級地をその地域の区分（寒冷地手当法第二条第一項に規定する地域の区分をいう。）と、基準日（寒冷地手当法第一条に規定する基準日をいう。以下同じ。）におけるその基準世帯等区分（当該者の一部施行日の前日以降における世帯等の区分（寒冷地手当法第二条第一項に規定する世帯等の区分をいう。以下この号において同じ。）のうち、寒冷地手当法第二条第一項の表四級地の項に掲げる寒冷地手当の額が最も少ない世帯等の区分をいう。）をその世帯等の区分とそれぞれみなして、寒冷地手当法第二条第一項の規定を適用したとしたならば算出される寒冷地手当の額をいう。

2　基準日（その属する月が平成二十八年三月までのものに限る。）において特定旧寒冷地等在勤等職員である者のうち、一部施行日の前日から当該基準日の前日までの間、引き続き特定旧寒冷地等在勤等職員であった者に対しては、寒冷地手当法第一条及び第二条の規定にかかわらず、みなし寒冷地手当額の寒冷地手当を支給する。

3　基準日（その属する月が平成二十八年十一月から平成三十年三月までのものに限る。）において特定旧寒冷地等在勤等職員である者のうち、一部施行日の前日から当該基準日の前日までの間、引き続き特定旧寒冷地等在勤等職員であった者に対しては、みなし寒冷地手当額が、次の表の上欄に掲げる基準日の属する月の区分に応じ同表の下欄に掲げる額を超えることとなるときは、寒冷地手当法第一条及び第二条の規定にかかわらず、みなし寒冷地手当額から同表の上欄に掲げる基準日の属する月の区分に応じ同表の下欄に掲げる額を減じた額の寒冷地手当を支給する。

平成二十八年十一月から平成二十九年三月まで	六千円
平成二十九年十一月から平成三十年三月まで	一万二千円

4　寒冷地手当法第二条第三項及び第四項の規定は、前二項の規定により寒冷地手当を支給される者について準用する。この場合において、同条第三項中「、前二項」とあるのは「、一般職の職員の給与に関する法律等の一部を改正する法律（平成二十六年法律第百五号。以下「平成二十六年改正法」という。）附則第十六条第二項又は第三項」と、同項第一号中「前二項」とあるのは「平成二十六年改正法附則第十六条第二項又は第三項」と、「同条第二項」とあるのは「一般職給与法第二十三条第二項」と、同項第二号中「前二項」とあるのは「平成二十六年改正法附則第十六条第二項又は第三項」と、同条第四項中「前三項」とあるのは「平成二十六年改正法附則第十六条第二項又は第三項及び同条第四項において読み替えて準用する前項」と、「第一項又は第二項」とあるのは「同条第二項又は第三項」と、同項第一号及び第二号中「前項各号」とあるのは「平成二十六年改正法附則第十六条第四項において読み替えて準用する前項各号」と読み替えるものとする。

5　前三項の規定により寒冷地手当を支給される者との権衡上必要があると認められるときは、基準日において特定旧寒冷地等在勤等職員である者のうち、一部施行日の前日において旧寒冷地等在勤等職員であった者であって、

一部施行日から当該基準日の前日までの間、引き続き旧寒冷地等在勤等職員又は新寒冷地等在勤等職員であったもの（前三項の規定により寒冷地手当を支給される者を除く。）に対しては、寒冷地手当法第一条及び第二条の規定にかかわらず、内閣総理大臣の定めるところにより、前三項の規定に準じて、寒冷地手当を支給する。

6　検察官であった者又は給与法第十一条の七第三項に規定する行政執行法人職員等であった者が、一部施行日以降に引き続き給与法の俸給表の適用を受ける職員となり、特定旧寒冷地等在勤等職員となった場合（一部施行日の前日において独立行政法人通則法の一部を改正する法律の施行に伴う関係法律の整備に関する法律（平成二十六年法律第六十七号）第三条の規定による改正前の給与法第十一条の七第三項に規定する特定独立行政法人職員等であった者が、一部施行日に引き続き給与法の俸給表の適用を受ける職員となり、特定旧寒冷地等在勤等職員となった場合を含む。）において、任用の事情、一部施行日の前日から特定旧寒冷地等在勤等職員となった日の前日までの間における勤務地等を考慮して第二項から前項までの規定により寒冷地手当を支給される者との権衡上必要があると認められるときは、基準日において当該職員である者に対しては、寒冷地手当法第一条及び第二条の規定にかかわらず、内閣総理大臣の定めるところにより、第二項から前項までの規定に準じて、寒冷地手当を支給する。

7　第二項から前項までの規定により寒冷地手当を支給する場合における寒冷地手当法第三条第一項の規定の適用については、同項中「前条」とあるのは、「一般職の職員の給与に関する法律等の一部を改正する法律（平成二十六年法律第百五号）附則第十六条第二項から第六項まで」とする。

8　第五項及び第六項の規定に基づく内閣総理大臣の定めは、人事院の勧告に基づくものでなければならない。

（防衛省の職員への準用）

第十七条　前条の規定は、国家公務員法第二条第三項第十六号に規定する職員について準用する。この場合において、次の表の上欄に掲げる前条の規定中同表の中欄に掲げる字句は、それぞれ同表の下欄に掲げる字句に読み替えるものとする。

上欄	中欄	下欄
第一項第一号	国家公務員法（昭和二十二年法律第百二十号）第八十一条の四第一項又は第八十一条の五第一項	自衛隊法（昭和二十九年法律第百六十五号）第四十四条の四第一項、第四十四条の五第一項又は第四十五条の二第一項
第一項第一号イ	在勤する職員	在勤する職員及び当該地域に防衛大臣の定める定係港を有する船舶に乗り組む職員
第一項第一号ロ	第一条第二号	第五条において準用する寒冷地手当法第一条第二号
第一項第一号ロ、第五項、第六項及び第八項	内閣総理大臣	防衛大臣
第一項第二号	第一条各号	第五条において準用する寒冷地手当法第一条各号
第一項第四号	第二条第一項の規定	第五条において準用する寒冷地手当法第二条第一項の規定
第二項、第三項、第五項及び第六項	第一条	第五条において準用する寒冷地手当法第一条
第四項	第二条第三項	第五条において準用する寒冷地手当法第二条第三項（第二号を除く。）

という。）附則第十六条第二項	という。）附則第十七条において準用する平成二十六年改正法附則第十六条第二項
附則第十六条第二項又は第三項」と、「同条第二項	附則第十七条において準用する平成二十六年改正法附則第十六条第二項又は第三項」と、「同条第二項
一般職給与法	防衛省の職員の給与等に関する法律
同項第二号中「前二項」とあるのは「平成二十六年改正法附則第十六条第二項又は第三項」と、同条第四項	同条第四項
附則第十六条第二項又は第三項及び	附則第十七条において準用する平成二十六年改正法附則第十六条第二項又は第三項及び
附則第十六条第四項	附則第十七条において準用する平成二十六年改正法附則第十六条第四項
準用する前項各号	準用する前項第一号及び第三号」と、「同項各号」とある

		のは「同項第一号及び第三号
第六項	又は給与法	又は防衛省の職員の給与等に関する法律（昭和二十七年法律第二百六十六号）第十四条第二項において準用する給与法
	給与法の	防衛省の職員の給与等に関する法律第四条第一項及び第四項に規定する
第七項	前日において	前日において同法第十四条第二項において準用する
	第三条第一項	第五条において準用する寒冷地手当法第三条第一項
	附則第十六条第二項	附則第十七条において準用する同法附則第十六条第二項
第八項	人事院の勧告に基づく	一般職の国家公務員との均衡を考慮した

附　則（令三・六・一一法六一）（抄）

（施行期日）

第一条　この法律は、令和五年四月一日から施行する。〔ただし書略〕

〔注：国家公務員法の令三法六一の附則参照〕

附　則（令六・一二・二五法七二）（抄）

（施行期日等）

第一条　この法律は、公布の日から施行する。ただし、〔中略〕第四条〔中略〕の規定並びに附則第四条から第十二条まで〔中略〕の規定は、令和七年四月一日から施行する。

2　〔前略〕第三条の規定による改正後の国家公務員の寒冷地手当に関する法律（附則第三条において「第三条改正後寒冷地手当法」という。）の規定〔中略〕は、令和六年四月一日から適用する。

（寒冷地手当に関する経過措置）

第十一条　この条において、次の各号に掲げる用語の意義は、当該各号に定めるところによる。

一　旧寒冷地等在勤等職員　次に掲げる職員のいずれかに該当する職員であって、常時勤務に服する職員、定年前再任用短時間勤務職員又は暫定再任用短時間勤務職員（国家公務員法等の一部を改正する法律附則第七条第一項に規定する暫定再任用短時間勤務職員をいう。次号において同じ。）であるものをいう。

イ　第四条の規定による改正前の国家公務員の寒冷地手当に関する法律別表に掲げる地域に在勤する職員

ロ　切替日の前日において第四条の規定による改正前の国家公務員の寒冷地手当に関する法律第一条第二号の規定に基づき内閣総理大臣が定めていた官署に在勤し、かつ、同法別表に掲げる地域又は同日において同号の規定に基づき内閣総理大臣が定めていた区域に居住する職員

二　新寒冷地等在勤等職員　第四条の規定による改正後の国家公務員の寒冷地手当に関する法律（以下この条において「第四条改正後寒冷地手当法」という。）第一条各号に掲げる職員のいずれかに該当する職員であって、常時勤務に服する職員、定年前再任用短時間勤務職員又は暫定再任用短時間勤務職員であるものをいう。

三　特定旧寒冷地等在勤等職員　旧寒冷地等在勤等職員であって、新寒冷地等在勤等職員でないものをいう。

四　継続特定旧寒冷地等在勤等職員　基準日（第四条改正後寒冷地手当法第一条に規定する基準日をいい、その属する月が令和七年十一月から令和九年三月までのものに限る。以下この条において同じ。）において特定旧寒冷地等在勤等職員である者のうち、切替日の前日から当該基準日の前日までの間、引き続き特定旧寒冷地等在勤等職員であった者（再任用職員にあっては、切替日の前日に常時勤務に服する職員（暫定再任用職員を除く。第四項において同じ。）であった者に限る。）をいう。

五　みなし寒冷地手当額　継続特定旧寒冷地等在勤等職員につき、第四条改正後寒冷地手当法別表に規定する四級地をその地域の区分（第四条改正後寒冷地手当法第二条第一項に規定する地域の区分をいう。）と、基準日におけるその基準世帯等区分（当該者の切替日の前日以降における世帯等の区分（同項に規定する世帯等の区分をいう。以下この号において同じ。）のうち、同項の表四級地の項に掲げる寒冷地手当の額が最も少ない世帯等の区分をいう。）をその世帯等の区分とそれぞれみなして、同条第一項の規定を適用したならば算出される寒冷地手当の額をいう。

2　継続特定旧寒冷地等在勤等職員に対して、みなし寒冷地手当額が、次の表の上欄に掲げる基準日の属する月の区分に応じ同表の下欄に掲げる額を超えることとなるときは、第四条改正後寒冷地手当法第一条及び第二条の規定にかかわらず、みなし寒冷地手当額から同表の上欄に掲げる基準日の属する月の区分に応じ同表の下欄に掲げる額を減じた額の寒冷地手当を支給する。

令和七年十一月から令和八年三月まで	六、六〇〇円
令和八年十一月から令和九年三月まで	三、三〇〇円

3　国家公務員の寒冷地手当に関する法律第二条第三項及び第四項の規定は、前項の規定により寒冷地手当を支給される者について準用する。この場合において、同条第三項中「、前二項」とあるのは「、一般職の職員の給与に関する法律等の一部を改正する法律（令和六年法律第七十二号。以下「令和六年改正法」という。）附則第十一条第二項」と、同項第一号中「前二項」とあるのは「令和六年改正法附則第十一条第二項」と、「同条第二項」とあるのは「一般職給与法第二十三条第二項」と、同項第二号中「前二項」とあるのは「令和六年改正法附則第十一条第二項」と、同条第四項中「前三項」とあるのは「令和六年改正法附則第十一条第二項及び同条第三項において準用する前項」と、「第一項又は第二項」とあるのは「同条第二項」と、同項第一号及び第二号中「前項各号」とあるのは「令和六年改正法附則第十一条

第三項において準用する前項各号」と読み替えるものとする。

4　前二項の規定により寒冷地手当を支給される者との権衡上必要があると認められるときは、基準日において特定旧寒冷地等在勤等職員である者のうち、切替日の前日において旧寒冷地等在勤等職員であった者であって、切替日から当該基準日の前日までの間、引き続き新寒冷地等在勤等職員又は特定旧寒冷地等在勤等職員であったもの（前二項の規定により寒冷地手当を支給される者を除き、再任用職員にあっては、切替日の前日に常時勤務に服する職員であった者に限る。）に対しては、第四条改正後寒冷地手当法第一条及び第二条の規定にかかわらず、内閣総理大臣の定めるところにより、前二項の規定に準じて、寒冷地手当を支給する。

5　検察官であった者又は給与法第十一条の七第三項に規定する行政執行法人職員等であった者が、切替日以降に引き続き給与法の俸給表の適用を受ける職員となり、特定旧寒冷地等在勤等職員となった場合において、任用の事情、切替日の前日から特定旧寒冷地等在勤等職員となった日の前日までの間における勤務地等を考慮して前三項の規定により寒冷地手当を支給される者との権衡上必要があると認められるときは、基準日において特定旧寒冷地等在勤等職員である者に対しては、第四条改正後寒冷地手当法第一条及び第二条の規定にかかわらず、内閣総理大臣の定めるところにより、前三項の規定に準じて、寒冷地手当を支給する。

6　第二項から前項までの規定により寒冷地手当を支給する場合における国家公務員の寒冷地手当に関する法律第三条第一項の規定の適用については、同項中「前条」とあるのは、「一般職の職員の給与に関する法律等の一部を改正する法律（令和六年法律第七十二号）附則第十一条第二項から第五項まで」とする。

7　第四項及び第五項の規定に基づく内閣総理大臣の定めは、人事院の勧告に基づくものでなければならない。

（防衛省の職員への準用）

第十二条　前条の規定は、国家公務員法第二条第三項第十六号に規定する職員について準用する。この場合において、次の表の上欄に掲げる前条の規定中同表の中欄に掲げる字句は、それぞれ同表の下欄に掲げる字句に読み替えるものとする。

上欄	中欄	下欄
第一項第一号	定年前再任用短時間勤務職員又は暫定再任用短時間勤務職員（国家公務員法等の一部を改正する法律附則第七条第一項に規定する暫定再任用短時間勤務職員をいう。次号において同じ。）	自衛隊法（昭和二十九年法律第百六十五号）第四十一条の二第二項に規定する定年前再任用短時間勤務隊員（次号及び第四号において「定年前再任用短時間勤務隊員」という。）又は国家公務員法等の一部を改正する法律附則第十二条第一項に規定する暫定再任用短時間勤務隊員（次号において「暫定再任用短時間勤務隊員」という。）
第一項第一号イ	在勤する職員	在勤する職員及び当該地域に防衛大臣の定める定係港を有する船舶に乗り組む職員
第一項第一号ロ	第一条第二号	第五条において準用する同法第一条第二号
	内閣総理大臣	防衛大臣
第一項第二号	第一条各号	第五条において準用する第四条改正後寒冷地手当法第一条各号
	定年前再任用短時間勤務職員又は暫定再任用短時間勤務職員	定年前再任用短時間勤務隊員又は暫定再任用短時間勤務隊員
第一項第四号	（再任用職員	（再任用職員（定年前再任用短時間勤務隊員、自衛隊法第四十五条の二第一項の規定により採用された職員又は国家公務員法等の一部を改正する法律附則第八条第四項に規定する暫定再任用隊員（この号において「暫定再任用隊員」という。）をいう。第四項において同じ。）
第一項第五号	暫定再任用職員	自衛隊法第四十五条の二第一項の規定により採用された職員及び暫定再任用隊員
	同条第一項	第四条改正後寒冷地手当法第五条において準用する第四条改正後寒冷地手当法第二条第一項
第二項	第一条	第五条において準用する第四条改正後寒冷地手当法第一条
第三項	第二条第三項	第五条において準用する同法第二条第三項（第一号を除く。）
	という。）附則第十一条第	という。）附則第十二条において準用す

	二項	る令和六年改正法附則第十一条第二項
	附則第十一条第二項」と、「	附則第十二条において準用する令和六年改正法附則第十一条第二項」と、「
	一般職給与法	防衛省の職員の給与等に関する法律
	同項第二号中「前二項」とあるのは「令和六年改正法附則第十一条第二項」と、同条第四項	同条第四項
	附則第十一条第二項及び	附則第十二条において準用する令和六年改正法附則第十一条第二項及び
	附則第十一条第三項	附則第十二条において準用する令和六年改正法附則第十一条第三項
	準用する前項各号	準用する前項第一号及び第三号」と、「同項各号」とあるのは「同項第一号及び第三号
第四項	第一条	第五条において準用する第四条改正後寒冷地手当法第一条
	内閣総理大臣	防衛大臣

第五項	又は給与法	又は防衛省の職員の給与等に関する法律（昭和二十七年法律第二百六十六号）第十四条第二項において準用する給与法
	給与法の	防衛省の職員の給与等に関する法律第四条第一項及び第四項に規定する
	第一条	第五条において準用する第四条改正後寒冷地手当法第一条
	内閣総理大臣	防衛大臣
第六項	国家公務員の寒冷地手当に関する法律	第四条改正後寒冷地手当法第五条において準用する国家公務員の寒冷地手当に関する法律
	附則第十一条第二項	附則第十二条において準用する同法附則第十一条第二項
第七項	内閣総理大臣	防衛大臣
	人事院の勧告に基づく	一般職の国家公務員との均衡を考慮した

別表（第一条、第二条関係）

地域の区分	地域
一級地	北海道のうち 旭川市　帯広市　北見市　夕張市 赤平市　士別市　名寄市　歌志内市 深川市　富良野市 後志総合振興局管内のうち 虻田郡のうち京極町及び倶知安町 余市郡のうち赤井川村 空知総合振興局管内のうち 空知郡のうち上砂川町　雨竜郡のうち妹背牛町、秩父別町、北竜町及び沼田町 上川総合振興局管内 宗谷総合振興局管内のうち 枝幸郡のうち中頓別町 オホーツク総合振興局管内のうち 網走郡　常呂郡　紋別郡のうち遠軽町、湧別町、滝上町及び西興部村 十勝総合振興局管内のうち 河東郡　河西郡　広尾郡のうち大樹町　中川郡　足寄郡 釧路総合振興局管内のうち 川上郡　阿寒郡
二級地	北海道のうち 札幌市　小樽市　釧路市　岩見沢市 網走市　留萌市　稚内市　美唄市 芦別市　江別市　紋別市　三笠市 千歳市　滝川市　砂川市　恵庭市 北広島市　石狩市 石狩振興局管内 渡島総合振興局管内のうち

級地	地域
	松前郡　上磯郡のうち知内町　二海郡　山越郡 檜山振興局管内のうち 瀬棚郡　久遠郡 後志総合振興局管内のうち 島牧郡　寿都郡　磯谷郡　虻田郡のうちニセコ町、真狩村、留寿都村及び喜茂別町　岩内郡　古宇郡　積丹郡　古平郡　余市郡のうち仁木町及び余市町 空知総合振興局管内のうち 空知郡のうち南幌町及び奈井江町　夕張郡　樺戸郡　雨竜郡のうち雨竜町 留萌振興局管内 宗谷総合振興局管内のうち 宗谷郡　枝幸郡のうち浜頓別町及び枝幸町　天塩郡　礼文郡　利尻郡 オホーツク総合振興局管内のうち 斜里郡　紋別郡のうち興部町及び雄武町 胆振総合振興局管内のうち 虻田郡　有珠郡　勇払郡 日高振興局管内のうち 沙流郡 十勝総合振興局管内のうち 上川郡　広尾郡のうち広尾町　十勝郡 釧路総合振興局管内のうち 釧路郡　厚岸郡　白糠郡 根室振興局管内
三級地	北海道のうち 函館市　室蘭市　苫小牧市　根室市　登別市　伊達市　北斗市 渡島総合振興局管内のうち 上磯郡のうち木古内町　亀田郡　茅部郡 檜山振興局管内のうち 檜山郡　爾志郡　奥尻郡 胆振総合振興局管内のうち 白老郡 日高振興局管内のうち 新冠郡　浦河郡　様似郡　幌泉郡　日高郡
四級地	青森県のうち 青森市　弘前市　八戸市　黒石市　五所川原市　十和田市　三沢市　むつ市　つがる市　平川市　東津軽郡のうち今別町、蓬田村及び外ヶ浜町　西津軽郡のうち鰺ヶ沢町　中津軽郡　南津軽郡　北津軽郡　上北郡　下北郡　三戸郡 岩手県のうち 盛岡市　大船渡市　花巻市　北上市　久慈市　遠野市　一関市　二戸市　八幡平市　奥州市　滝沢市　岩手郡　紫波郡　和賀郡　胆沢郡　西磐井郡　気仙郡　下閉伊郡のうち岩泉町、田野畑村及び普代村　九戸郡　二戸郡 宮城県のうち 栗原市　大崎市　刈田郡のうち七ヶ宿町 秋田県のうち 横手市　大館市　湯沢市　鹿角市　大仙市　北秋田市　仙北市　鹿角郡　北秋田郡　山本郡のうち藤里町及び八峰町　南秋田郡のうち五城目町、八郎潟町及び井川町　仙北郡　雄勝郡 山形県のうち 山形市　米沢市　新庄市　寒河江市　上山市　村山市　長井市　天童市　東根市　尾花沢市　南陽市　東村山郡　西村山郡　北村山郡　最上郡　東置賜郡　西置賜郡 福島県のうち 会津若松市　喜多方市　田村市　南会津郡　耶麻郡　河沼郡　大沼郡　西白河郡のうち西郷村　東白川郡のうち鮫川村　石川郡のうち平田村及び古殿町　田村郡　双葉郡のうち川内村及び葛尾村　相馬郡のうち飯舘村 群馬県のうち 沼田市　多野郡のうち上野村　吾妻郡のうち長野原町、嬬恋村、草津町及び高山村　利根郡のうち片品村、川場村及びみなかみ町 新潟県のうち 長岡市　三条市　小千谷市　十日町市　見附市　糸魚川市　妙高市　佐渡市　魚沼市　南魚沼市　東蒲原郡　南魚沼郡　中魚沼郡　岩船郡 福井県のうち 勝山市　今立郡 山梨県のうち 富士吉田市　南都留郡のうち道志村、忍野村、山中湖村、鳴沢村及び富士河口湖町　北都留郡 長野県のうち 松本市　上田市　諏訪市　須坂市　小諸市　大町市　飯山市　茅野市　塩尻市　千曲市　東御市　安曇野市

	南佐久郡のうち小海町、川上村、南牧村、南相木村及び北相木村　北佐久郡　小県郡　諏訪郡　上伊那郡のうち辰野町　下伊那郡のうち平谷村、根羽村、売木村及び大鹿村　木曽郡のうち上松町、木祖村、王滝村、大桑村及び木曽町　東筑摩郡　北安曇郡　埴科郡　上高井郡のうち高山村　下高井郡　上水内郡　下水内郡 岐阜県のうち 高山市　飛騨市　大野郡 島根県のうち 飯石郡 岡山県のうち 真庭郡

備考　この表に掲げる名称は、令和六年四月一日における名称とし、同表に定める地域は、それらの名称を有するものの同日における区域を用いて示された地域とし、その後における それらの名称の変更又はそれらの名称を有するものの区域の変更によつて影響されないものとする。

○寒冷地手当支給規則

昭三九・八・一四
総府令三三

最終改正　令七・三・二八内閣官房令三

（法別表に掲げる地域に所在する官署との権衡上必要があると認められる官署）

第一条　国家公務員の寒冷地手当に関する法律（昭和二十四年法律第二百号。以下「法」という。）第一条第二号の内閣総理大臣が定める官署は、別表に掲げる官署とする。

（世帯主である職員）

第二条　法第二条第一項の表の「世帯主である職員」とは、主としてその収入によつて世帯の生計を支えている職員で次に掲げるものをいう。

一　扶養親族（職員の配偶者（届出をしないが事実上婚姻関係と同様の事情にある者を含む。）で他に生計の途がなく主として当該職員の扶養を受けているもの及び一般職の職員の給与に関する法律（昭和二十五年法律第九十五号。以下「一般職給与法」という。）第十一条第二項に規定する扶養親族をいう。以下同じ。）を有する者

二　扶養親族を有しないが、居住のため、一戸を構えている者又は下宿、寮等の一部屋を専用している者

（扶養親族のある職員に含まない職員）

第三条　法第二条第一項の表備考の「一般職給与法第十二条の二第一項の規定による単身赴任手当を支給されるもの（内閣総理大臣が定めるものに限る。）」は、一般職給与法第十二条の二第一項の規定による単身赴任手当を支給される職員であつて、職員の扶養親族が居住する住居（当該住居が二以上ある場合にあつては、すべての当該住居）と法別表に掲げる地域の市役所又は町村役場との間の距離のうち最も短いもの（次項及び第七条第一項第二号において「最短距離」という。）が六十キロメートル以上であるものとする。

2　法第二条第一項の表備考の「これに準ずるものとして内閣総理大臣が定めるもの」は、一般職給与法第十二条の二第一項の規定による単身赴任手当を支給される職員以外の職員であつて扶養親族と同居していないもののうち、最短距離が六十キロメートル以上であるものとする。

（支給額が零となる職員）

第四条　法第二条第三項第三号の内閣総理大臣が定める職員は、次に掲げる職員とする。

一　国家公務員法（昭和二十二年法律第百二十号）第七十九条第二号に掲げる事由に該当して休職にされている職員

二　国家公務員法第七十九条の規定により休職にされている職員（前号に掲げる職員を除く。）のうち、一般職給与法第二十三条の規定に基づく給与の支給を受けていない職員

三　国家公務員法第八十二条の規定により停職にされている職員

四　国家公務員法第百八条の六第一項ただし書の許可を受けている職員

五　国際機関等に派遣される一般職の国家公務

員の処遇等に関する法律（昭和四十五年法律第百十七号）第二条第一項の規定により派遣されている職員

六　国家公務員の育児休業等に関する法律（平成三年法律第百九号）第三条の規定により育児休業をしている職員

七　国と民間企業との間の人事交流に関する法律（平成十一年法律第二百二十四号）第八条第二項に規定する交流派遣職員

八　法科大学院への裁判官及び検察官その他の一般職の国家公務員の派遣に関する法律（平成十五年法律第四十号）第十一条第一項の規定により派遣されている職員

九　判事補及び検事の弁護士職務経験に関する法律（平成十六年法律第百二十一号）第二条第四項の規定により弁護士となつてその職務を行う職員

十　国家公務員の自己啓発等休業に関する法律（平成十九年法律第四十五号）第二条第五項に規定する自己啓発等休業をしている職員

十一　福島復興再生特別措置法（平成二十四年法律第二十五号）第四十八条の三第一項又は第八十九条の三第一項の規定により派遣されている職員

十二　国家公務員の配偶者同行休業に関する法律（平成二十五年法律第七十八号）第二条第四項に規定する配偶者同行休業をしている職員

十三　令和七年に開催される国際博覧会の準備及び運営のために必要な特別措置に関する法律（平成三十一年法律第十八号）第二十五条第一項の規定により派遣されている職員

十四　令和九年に開催される国際園芸博覧会の準備及び運営のために必要な特別措置に関する法律（令和四年法律第十五号）第十五条第一項の規定により派遣されている職員

十五　本邦外にある職員（第五号に掲げる職員及び法第二条第一項の表の「扶養親族のある職員」に該当する職員を除く。）

（日割計算の額等）

第五条　法第二条第四項の内閣総理大臣が定める額は、同条第一項又は第二項の規定による額を同条第四項各号に掲げる場合に該当した月の現日数から一般職の職員の勤務時間、休暇等に関する法律（平成六年法律第三十三号）第六条第一項に規定する週休日並びに同条第三項及び同法第八条第二項において読み替えて準用する同条第一項の規定に基づく勤務時間を割り振らない日の日数の合計日数を差し引いた日数を基礎として日割りによつて計算して得た額とする。

2　法第二条第四項第三号の内閣総理大臣が定める場合は、次に掲げる場合とする。

一　法第一条に規定する基準日（以下この項及び次条において「基準日」という。）において法第二条第三項各号に掲げる職員のいずれかに該当する支給対象職員（法第一条に規定する支給対象職員をいう。以下この項及び次条において同じ。）が、当該基準日の翌日から当該基準日の属する月の末日までの間に、他の同項各号に掲げる職員のいずれかに該当する支給対象職員となつた場合

二　基準日において法第二条第三項第一号に掲げる職員に該当する支給対象職員について、当該基準日の翌日から当該基準日の属する月の末日までの間に、一般職給与法第二十三条第二項、第三項又は第五項の規定による割合が変更された場合

（支給日等）

第六条　寒冷地手当は、基準日の属する月の一般職給与法第九条の人事院規則で定める日（以下この条において「支給日」という。）に支給する。ただし、支給日までに寒冷地手当に係る事実が確認できない等のため、支給日に支給することができないときは、支給日後に支給することができる。

2　基準日から支給日（一般職給与法第九条ただし書の規定により俸給を支給する場合にあつては、当該基準日の属する月における後の支給日。第四項において同じ。）の前日までの間において離職し、又は死亡した支給対象職員には、当該基準日に係る寒冷地手当をその際支給する。

3　基準日から引き続いて第四条各号に掲げる職員のいずれかに該当している支給対象職員が、支給日（一般職給与法第九条ただし書の規定により俸給を支給する場合にあつては、当該基準日の属する月における先の支給日）後に復職等をした場合には、当該基準日に係る寒冷地手当をその際支給する。

4　支給対象職員が基準日の属する月にその所属する一般職給与法の俸給の支給義務者を異にして異動した場合における当該基準日に係る寒冷地手当は、当該基準日に支給対象職員が所属する一般職給与法の俸給の支給義務者において支

給する。この場合において、支給対象職員の異動が支給日前であるときは、その際支給するものとする。

5　法及びこの規則に定めるもののほか、寒冷地手当は、一般職給与法の俸給の支給方法に準じて支給する。

（確認）

第七条　各庁の長（一般職給与法第七条に規定する各庁の長及びその委任を受けた者をいう。次項において同じ。）は、寒冷地手当を支給する場合において必要と認めるときは、職員の扶養親族の住居の所在地及び次の各号に掲げる場合の区分に応じ当該各号に定める事項を確認するものとする。

一　職員の扶養親族の住居の所在地が法別表に掲げる地域でない場合（次号に掲げる場合を除く。）　当該職員が扶養親族と同居していること。

二　職員の扶養親族の住居の所在地が法別表に掲げる地域でない場合であつて、当該職員が扶養親族と同居していないとき。　最短距離が六十キロメートル未満であること。

2　各庁の長は、前項の確認を行う場合において必要と認めるときは、職員に対し扶養親族の住居の所在地等を証明するに足る書類の提出を求めるものとする。

附　則

1　この府令は、公布の日から施行する。

2　国家公務員に対する寒冷地手当、石炭手当及び薪炭手当支給規程（昭和二十五年総理府令第三十一号）は、廃止する。

附　則（平一六・一〇・二八総務令一二九）

（施行期日）

1　この省令は、公布の日から施行する。

（改正法附則第十四項又は第十五項の規定による寒冷地手当に関する経過措置）

2　この項から附則第六項までにおいて、次の各号に掲げる用語の意義は、当該各号に定めるところによる。

一　改正法　一般職の職員の給与に関する法律等の一部を改正する法律（平成十六年法律第百三十六号）をいう。

二　改正後の法　改正法第二条の規定による改正後の国家公務員の寒冷地手当に関する法律をいう。

三　旧寒冷地　改正法附則第九項第三号に規定する旧寒冷地をいう。

四　経過措置対象職員　改正法附則第九項第五号に規定する経過措置対象職員をいう。

五　基準在勤地域　改正法附則第九項第六号に規定する基準在勤地域をいう。

六　基準世帯等区分　改正法附則第九項第七号に規定する基準世帯等区分をいう。

七　みなし寒冷地手当基礎額　改正法附則第九項第八号に規定するみなし寒冷地手当基礎額をいう。

八　支給対象職員　改正法附則第十四項に規定する支給対象職員をいう。

九　世帯等の区分　改正法第二条の規定による改正前の国家公務員の寒冷地手当に関する法律第二条第一項、第二項及び第四項に規定する世帯等の区分をいう。

十　基準日　改正後の法第一条に規定する基準日をいう。

3　改正法附則第十四項の規定による寒冷地手当の支給については、次に定めるところによる。

一　基準日（その属する月が平成十八年三月までのものに限る。）において支給対象職員以外の経過措置対象職員である者のうち改正法附則第九項第五号イに掲げる職員に該当するものに対しては、次に掲げる額のうちいずれか低い額の寒冷地手当を支給する。

イ　経過措置対象職員であつて改正法附則第九項第五号イに掲げる職員に該当するものである期間において在勤したことのある旧寒冷地及び平成十六年十月二十九日以降における世帯等の区分によつて基準在勤地域及び基準世帯等区分を定めるものとした場合におけるみなし寒冷地手当基礎額（以下「改正法附則第十項支給額」という。）

ロ　次に掲げる額のうちいずれか高い額

(1)　経過措置対象職員であつて改正法附則第九項第五号ロ又はハに掲げる職員のいずれかに該当するものである期間において在勤したことのある旧寒冷地及び平成十六年十月二十九日以降における世帯等の区分によつて基準在勤地域及び基準世帯等区分を定めるものとした場合におけるみなし寒冷地手当基礎額から改正法附則第十二項の表の上欄に掲げる基準日の属する月の区分に応じ同表の下欄に掲げる額を減じた額（以下「改正法附則第十二項支給額」という。）

(2)　(1)の基準在勤地域及び基準世帯等区分により改正後の法第二条第一項又は第二項の規定を適用したとしたならば算出される最も低い寒冷地手当の額（以下「最低新手当額」という。）

二　基準日（その属する月が平成十八年十一月から平成二十一年三月までのものに限る。）において支給対象職員以外の経過措置対象職員である者のうち改正法附則第九項第五号イに掲げる職員に該当するものに対しては、次に掲げる額のうちいずれか低い額が零を超えることとなるときは、当該いずれか低い額の寒冷地手当を支給する。

イ　経過措置対象職員であつて改正法附則第九項第五号イに掲げる職員に該当するものである期間において在勤したことのある旧寒冷地及び平成十六年十月二十九日以降における世帯等の区分によつて基準在勤地域及び基準世帯等区分を定めるものとした場合におけるみなし寒冷地手当基礎額から改正法附則第十一項の表の上欄に掲げる基準日の属する月の区分に応じ同表の下欄に掲げる額を減じた額（以下「改正法附則第十一項支給額」という。）

ロ　改正法附則第十二項支給額又は最低新手当額のいずれか高い額

三　基準日（その属する月が平成二十一年十一月から平成二十二年三月までのものに限る。）において支給対象職員以外の経過措置対象職員である者のうち改正法附則第九項第五号イに掲げる職員に該当するものに対しては、改正法附則第十一項支給額又は最低新手当額のいずれか低い額が零を超えることとなるときは、当該いずれか低い額の寒冷地手当を支給する。

四　基準日（その属する月が平成十八年三月までのものに限る。）において支給対象職員以外の経過措置対象職員である者のうち改正法附則第九項第五号ロ又はハに掲げる職員のいずれかに該当するものに対しては、次に掲げる額のうちいずれか低い額が、その者につき改正後の法第二条第一項又は第二項の規定を適用したとしたならば算出される寒冷地手当の額を超えることとなるときは、当該いずれか低い額の寒冷地手当を支給する。

イ　改正法附則第十項支給額

ロ　改正法附則第十二項支給額又は最低新手当額のいずれか高い額

五　基準日（その属する月が平成十八年十一月から平成二十一年三月までのものに限る。）において支給対象職員以外の経過措置対象職員である者のうち改正法附則第九項第五号ロ又はハに掲げる職員のいずれかに該当するものに対しては、次に掲げる額のうちいずれか低い額が、その者につき改正後の法第二条第一項又は第二項の規定を適用したとしたならば算出される寒冷地手当の額を超えることとなるときは、当該いずれか低い額の寒冷地手当を支給する。

イ　改正法附則第十一項支給額

ロ　改正法附則第十二項支給額又は最低新手当額のいずれか高い額

4　次の各号に掲げる職員のいずれかに該当する前項の規定により寒冷地手当を支給される経過措置対象職員である者の寒冷地手当の額は、同項の規定にかかわらず、当該各号に定める額とする。

一　改正後の法第二条第三項第一号に掲げる職員　同号の規定の例による額

二　改正後の法第二条第三項第二号に掲げる職員　同号の規定の例による額

三　この省令による改正後の寒冷地手当支給規則（次項において「改正後の支給規則」という。）第四条各号に掲げる職員　零

5　附則第三項の規定により寒冷地手当を支給される経過措置対象職員である者が、改正後の法第二条第四項及び改正後の支給規則第五条の規定の例によるものとした場合において同項第一号若しくは第二号に掲げる場合又は同条第二項各号に掲げる場合に該当することとなるときは、その者の寒冷地手当の額は、前二項の規定にかかわらず、同条第一項の規定の例による額とする。

6　人事交流等により一般職の職員の給与に関する法律（昭和二十五年法律第九十五号）の俸給表の適用を受ける職員となった者であって、平成十六年十月二十九日以降の検察官又は同法第十一条の七第三項に規定する給与特例法適用職員等として勤務していた期間を同法の俸給表の適用を受ける職員として勤務していたものとした場合に、基準日（その属する月が平成二十二年三月までのものに限る。）において経過措置対象職員である者となるものに対しては、この場合において改正法附則第十項から第十三項まで又は前三項の規定を適用したとしたならばこれらの規定による寒冷地手当を支給されることとなるときは、これらの規定の例による額の寒冷地手当を支給する。

附　則（平一七・一・一三総務令二）

この省令は、公布の日から施行し、改正後の寒冷地手当支給規則の規定は、平成十七年一月一日から適用する。

附　則（平一七・二・二五総務令一七）

この省令は、平成十七年四月一日から施行する。ただし、別表の改正規定は、同年二月二十八日から施行する。

附　則（平一七・六・六総務令九九）

この省令は、公布の日から施行し、改正後の寒冷地手当支給規則の規定は、平成十七年四月一日から適用する。

附　則（平一七・一一・一四総務令一五二）

この省令は、公布の日から施行し、改正後の寒冷地手当支給規則別表山形県の項中東北地方整備局酒田河川国道事務所月山国道維持出張所に係る部分及び東北地方環境事務所鳥海南麓自然保護官事務所に係る部分（官署名に係る部分に限る。）は平成十七年十月一日から、東北地方環境事務所鳥海南麓自然保護官事務所に係る部分（所在地に係る部分に限る。）及び東北地方整備局酒田河川国道事務所飽海出張所に係る部分は同年十一月一日から適用する。

附　則（平一九・七・二〇総務令八三）

この省令は、公布の日から施行する。ただし、改正後の寒冷地手当支給規則第四条第十号の規定は平成十九年八月一日から適用する。

附　則（平二〇・三・一三総務令二三）

この省令は、平成二十年三月十七日から施行する。

附　則（平二〇・八・一総務令八八）

この省令は、公布の日から施行する。

附　則（平二一・四・一総務令四一）

この省令は、公布の日から施行する。

附　則（平二一・一〇・三〇総務令一〇四）

この省令は、平成二十一年十月三十日から施行する。

附　則（平二二・三・三〇総務令二五）

この省令は、平成二十二年四月一日から施行する。

附　則（平二三・一〇・三総務令一三七）

この省令は、平成二十三年十月三日から施行する。

附　則（平二四・三・三〇総務令二二）

この省令は、平成二十四年四月一日から施行する。

附　則（平二四・一〇・一総務令八九）

この省令は、平成二十四年十月一日から施行する。

附　則（平二四・一一・一総務令九四）

この省令は、公布の日から施行する。

附　則（平二四・一一・一五総務令九六）

この省令は、公布の日から施行し、改正後の寒冷地手当支給規則の規定は、平成二十四年十一月一日から適用する。

附　則（平二五・五・一総務令四六）

この省令は、公布の日から施行する。

附　則（平二五・一〇・三一総務令九七）

この省令は、公布の日から施行する。

附　則（平二六・二・一八総務令七）

この省令は、平成二十六年二月二十一日から施行する。

附　則（平二六・四・一総務令四一）

この省令は、公布の日から施行する。

附　則（平二六・五・二九総務令五二）（抄）

（施行期日）

1　この省令は、国家公務員法等の一部を改正する法律（平成二十六年法律第二十二号）の施行の日（平成二十六年五月三十日）から施行する。

附　則（平二七・一・一三内閣官房令一）

（施行期日）

1　この内閣官房令は、平成二十七年四月一日から施行す

る。

（改正法附則第十六条第五項又は第六項の規定による寒冷地手当に関する経過措置）

2　この項から附則第四項までにおいて、次の各号に掲げる用語の意義は、当該各号に定めるところによる。

一　一般職給与法　一般職の職員の給与に関する法律（昭和二十五年法律第九十五号）をいう。

二　改正法　一般職の職員の給与に関する法律等の一部を改正する法律（平成二十六年法律第百五号）をいう。

三　旧寒冷地等在勤等職員　改正法附則第十六条第一項第一号に規定する旧寒冷地等在勤等職員をいう。

四　新寒冷地等在勤等職員　改正法附則第十六条第一項第二号に規定する新寒冷地等在勤等職員をいう。

五　特定旧寒冷地等在勤等職員　改正法附則第十六条第一項第三号に規定する特定旧寒冷地等在勤等職員をいう。

六　一部施行日　改正法第三条の規定の施行の日をいう。

七　基準日　国家公務員の寒冷地手当に関する法律（昭和二十四年法律第二百号）第一条に規定する基準日（その属する月が平成三十年三月までのものに限る。）をいう。

3　基準日において特定旧寒冷地等在勤等職員である者のうち、一部施行日の前日において旧寒冷地等在勤等職員であった者であって、一部施行日から当該基準日の前日までの間、引き続き旧寒冷地等在勤等職員又は新寒冷地等在勤等職員であったもの（改正法附則第十六条第二項から第四項までの規定により寒冷地手当を支給される者を除く。）に対しては、その旧寒冷地等在勤等職員又は新寒冷地等在勤等職員であった期間を特定旧寒冷地等在勤等職員として勤務していたものとみなして、同条第二項から第四項までの規定を適用したとしたならば算出される額の寒冷地手当を支給する。

4　人事交流等により検察官であった者又は一般職給与法第十一条の七第三項に規定する行政執行法人職員等であった者から一部施行日以降に引き続き一般職給与法の俸給表の適用を受ける職員（以下「俸給表適用職員」という。）となり、特定旧寒冷地等在勤等職員となった場合（一部施行日の前日において独立行政法人通則法の一部を改正する法律の施行に伴う関係法律の整備に関する法律（平成二十六年法律第六十七号）第三条の規定による改正前の一般職給与法第十一条の七第三項に規定する特定独立行政法人職員等であった者が、一部施行日に引き続き俸給表適用職員となり、特定旧寒冷地等在勤等職員となった場合を含む。）において、基準日において当該職員である者に対しては、一部施行日の前日から当該基準日の前日までの間におけるその俸給表適用職員でなかった期間を俸給表適用職員として勤務していたものとみなして、改正法附則第十六条第二項から第四項まで又は前項の規定を適用したとしたならば寒冷地手当を支給されることとなるときは、これらの規定を適用して算出される額の寒冷地手当を支給する。

附　則（平二七・六・二四内閣官房令五）

この内閣官房令は、平成三十二年東京オリンピック競技大会・東京パラリンピック競技大会特別措置法（平成二十七年法律第三十三号）及び平成三十一年ラグビーワールドカップ大会特別措置法（平成二十七年法律第三十四号）の施行の日（平成二十七年六月二十五日）から施行する。

附　則（平二七・九・三〇内閣官房令八）

この内閣官房令は、平成二十七年十月一日から施行する。

附　則（平二八・一〇・三一内閣官房令三）

この内閣官房令は、公布の日から施行する。

附　則（平二九・三・三一内閣官房令三）

この内閣官房令は、平成二十九年四月一日から施行する。

附　則（平二九・五・一九内閣官房令五）

この内閣官房令は、福島復興再生特別措置法の一部を改正する法律の施行の日〔平二九・五・一九〕から施行する。

附　則（平三〇・二・一九内閣官房令一）

この内閣官房令は、公布の日から施行する。

附　則（平三〇・二・二六内閣官房令二）

この内閣官房令は、公布の日から施行する。

附　則（平三〇・五・一〇内閣官房令三）

この内閣官房令は、公布の日から施行し、改正後の寒冷地手当支給規則の規定は、平成二十九年四月一日から適用する。

附　則（平三一・二・一四内閣官房令二）

この内閣官房令は、公布の日から施行し、改正後の寒冷地手当支給規則の規定は、平成三十一年一月二十一日から適用する。

附　則（平三一・四・一内閣官房令三）

この内閣官房令は、公布の日から施行する。

附　則（令元・五・二三内閣官房令一）

この内閣官房令は、公布の日から施行する。

附　則（令二・四・一内閣官房令三）

この内閣官房令は、公布の日から施行する。

附　則（令二・六・一二内閣官房令四）

この内閣官房令は、公布の日から施行する。

附　則（令二・一二・二一内閣官房令七）

この内閣官房令は、平成三十二年東京オリンピック競技大会・東京パラリンピック競技大会特別措置法等の一部を改正する法律の施行の日〔令二・一二・二八〕から施行する。

附　則（令三・四・一内閣官房令三）

この内閣官房令は、公布の日から施行する。

附　則（令三・七・一内閣官房令七）

この内閣官房令は、公布の日から施行し、改正後の寒冷地手当支給規則別表新潟県の項中北陸農政局関川用水土地改良建設事業所に係る部分は、令和三年四月一日から適用する。

附　則（令三・九・一内閣官房令一〇）

この内閣官房令は、公布の日から施行し、第一条の規定による改正後の寒冷地手当支給規則別表富山県の項中富山森林管理署常願寺川治山事業所に係る部分は、平成二十七年四月一日から、同表福島県の項中福島森林管理署白河支署表郷森林事務所に係る部分は、平成二十九年九月二十六日から適用する。

附　則（令四・四・一内閣官房令二）

この内閣官房令は、公布の日から施行する。

附　則（令四・六・二四内閣官房令六）

この内閣官房令は、公布の日から施行する。

附　則（令四・七・一内閣官房令七）

この内閣官房令は、公布の日から施行する。

附　則（令五・三・三一内閣官房令三）

この内閣官房令は、令和五年四月一日から施行する。

附　則（令六・三・二五内閣官房令一）

この内閣官房令は、令和七年四月一日から施行する。ただし、次の各号に掲げる規定は、当該各号に定める日から施行し、この内閣官房令による改正後の別表福島県の項の規定は、令和五年十二月一日から適用する。

一　別表岩手県の項及び栃木県の項の改正規定　令和六年四月一日

二　別表福島県の項の改正規定　公布の日

附　則（令七・三・二八内閣官房令三）

（施行期日）

1　この内閣官房令は、令和七年四月一日から施行する。

（改正法附則第十一条第四項又は第五項の規定による寒冷地手当に関する経過措置）

2　この項から附則第四項までにおいて、次の各号に掲げる用語の意義は、当該各号に定めるところによる。

一　一般職給与法　一般職の職員の給与に関する法律（昭和二十五年法律第九十五号）をいう。

二　改正法　一般職の職員の給与に関する法律等の一部を改正する法律（令和六年法律第七十二号）をいう。

三　新寒冷地等在勤等職員　改正法附則第十一条第一項第二号に規定する新寒冷地等在勤等職員をいう。

四　特定旧寒冷地等在勤等職員　改正法附則第十一条第一項第三号に規定する特定旧寒冷地等在勤等職員をいう。

五　継続特定旧寒冷地等在勤等職員　改正法附則第十一条第一項第四号に規定する継続特定旧寒冷地等在勤等職員をいう。

六　切替日　改正法第四条の規定の施行の日をいう。

七　基準日　改正法第四条による改正後の国家公務員の寒冷地手当に関する法律（昭和二十四年法律第二百号）第一条に規定する基準日（その属する月が令和七年十一月から令和九年三月までのものに限る。）をいう。

3　改正法附則第十一条第四項の適用を受ける特定旧寒冷地等在勤等職員に対しては、その新寒冷地等在勤等職員又は特定旧寒冷地等在勤等職員であった期間を継続特定旧寒冷地等在勤等職員として勤務していたものとみなして同条第二項及び第三項の規定を適用したとしたならば算出される額の寒冷地手当を支給する。

4　人事交流等により検察官であった者又は一般職給与法第十一条の七第三項に規定する行政執行法人職員等であった者から切替日以降に引き続き一般職給与法の俸給表の適用を受ける職員（以下「俸給表適用職員」という。）となり、特定旧寒冷地等在勤等職員となった場合であって、基準日において特定旧寒冷地等在勤等職員である者のうち、切替日の前日から当該基準日の前日までの間におけるその俸給表適用職員でなかった期間を俸給表適用職員として勤務していたものとみなして、改正法附則第十一条第二項及び第三項又は前項の規定を適用したとしたならば寒冷地手当を支給されることとなる者に対しては、これらの規定を適用して算出される額の寒冷地手当を支給する。

別表（第一条関係）

	所在地	官署
岩手県	宮古市川井第五地割一一六の三	三陸北部森林管理署川井森林事務所
	宮古市川井第五地割一一六の三	三陸北部森林管理署平津戸森林事務所
宮城県	登米市迫町新田字上葉ノ木沢一	国立療養所東北新生園
	登米市東和町米川字町五の三	宮城北部森林管理署米川森林事務所
秋田県	秋田市雄和椿川字山籠四八の三	秋田船川税関支署秋田空港出張所
	秋田市雄和椿川字山籠四八の三	仙台検疫所秋田空港出張所
	秋田市河辺和田字和田一五六の三	秋田森林管理署
	秋田市仁別字吉ヶ沢三七	秋田森林管理署仁別森林事務所
	秋田市河辺三内字野崎三五の二	秋田森林管理署鵜養森林事務所
	秋田市河辺三内字野崎三五の二	秋田森林管理署岱森林事務所
	秋田市雄和椿川字山籠四九	秋田空港・航空路監視レーダー事務所
	能代市二ツ井町仁鮒字川原田三の一	米代西部森林管理署仁鮒森林事務所
	能代市二ツ井町字沢口五七の一	米代西部森林管理署二ツ井森林事務所
	能代市鰄渕字一本柳九七の一	能代河川国道事務所
	能代市二ツ井町荷上場字中島二六	能代河川国道事務所二ツ井出張所
	能代市鰄渕字一本柳九七の一	能代河川国道事務所能代国道維持出張所
	由利本荘市矢島町立石字長泥七一の一	由利森林管理署矢島森林事務所
	由利本荘市鳥海町上笹子字下野二の一五	由利森林管理署笹子森林事務所
	山本郡三種町上岩川字小出六一の一	米代西部森林管理署上岩川森林事務所
	南秋田郡大潟村東一の一	八郎潟農業水利事業所
山形県	鶴岡市羽黒町十文字字十文字七〇	庄内森林管理署羽黒森林事務所
	鶴岡市本郷字水ノ上二の一	庄内森林管理署大鳥森林事務所
	鶴岡市木野俣字向田四二の一	庄内森林管理署温海森林事務所
	鶴岡市板井川字宮ノ下三二五の一	酒田河川国道事務所月山国道維持出張所
	鶴岡市下名川字落合二二七	新庄河川事務所赤川砂防出張所
	鶴岡市上名川字東山八の一一二	月山ダム管理所
	酒田市柏谷沢字内山四〇の一	酒田河川国道事務所飽海出張所
	酒田市草津字湯ノ台七一の一	東北地方環境事務所鳥海南麓自然保護官事務所
福島県	福島市飯坂町茂庭字蝉狩野山二五	摺上川ダム管理所
	白河市大信隈戸字宮前五	福島森林管理署白河支署大屋森林事務所
	岩瀬郡天栄村大字羽鳥字水上五の一	阿武隈土地改良調査管理事務所羽鳥ダム管理所
	岩瀬郡天栄村大字田良尾字鹿野七四	福島森林管理署白河支署大平森林事務所
	東白川郡塙町大字塙字桜木町三の一	棚倉森林管理署笹原森林事務所
茨城県	常陸太田市徳田町上宿三五六の三	茨城森林管理署徳田森林事務所
	常陸太田市小妻町三六七	茨城森林管理署折橋森林事務所
栃木県	日光市藤原三三四の一	日光森林管理署藤原森林事務所
	日光市藤原三三四の一	日光森林管理署川治森林事務所
	日光市中三依六四四	日光森林管理署三依森林事務所
	日光市黒部二二一の三	日光森林管理署黒部森林事務所
	日光市清滝安良沢町一七五〇	日光森林管理署日光森林事務所
	日光市足尾町三四八六	日光森林管理署餅ヶ瀬森林事務所
	日光市足尾町三四八六	日光森林管理署神子内森林事務所
	日光市足尾町三四八六	日光森林管理署足尾治山事業所
	日光市足尾町向原五の一七	渡良瀬川河川事務所足尾砂防出張所
	日光市藤原三三〇の二	日光砂防事務所藤原出張所
	日光市川俣六四六の一	鬼怒川ダム統合管理事務所川俣ダム管理支所
	日光市川治温泉川治二九五の一	鬼怒川ダム統合管理事務所五十里ダム管理支所
	日光市川治温泉川治三一九の六	鬼怒川ダム統合管理事務所川治ダム管理支所

	日光市西川四一六	鬼怒川ダム統合管理事務所湯西川ダム管理支所
	那須塩原市中塩原四の一六	塩那森林管理署中塩原森林事務所
	那須郡那須町大字湯本二〇七	管理部那須御用邸管理事務所
	那須郡那須町大字湯本二〇七	皇宮警察本部那須御用邸皇宮護衛官派出所
	那須郡那須町大字湯本二〇七の二	関東地方環境事務所日光国立公園管理事務所那須管理官事務所
群馬県	吾妻郡中之条町大字上沢渡字蛇野二七九四	吾妻森林管理署四万森林事務所
	吾妻郡中之条町大字上沢渡字蛇野二七九四	吾妻森林管理署上沢渡森林事務所
	吾妻郡中之条町大字小雨六〇四の三	吾妻森林管理署六合森林事務所
	吾妻郡東吾妻町大字大戸二二四の四	吾妻森林管理署大戸森林事務所
埼玉県	秩父市大滝三九三一の一	二瀬ダム管理所
新潟県	村上市塩野町字屋敷二八五の一	下越森林管理署村上支署塩野町森林事務所
	燕市大川津	信濃川河川事務所大河津出張所
	五泉市村松甲二六二七の一	下越森林管理署村松森林事務所
	上越市西城町二の九の二〇	新潟刑務所上越拘置支所
	上越市西城町二の九の二〇	新潟保護観察所上越駐在官事務所
	上越市西城町二の九の二〇	新潟地方検察庁高田支部
	上越市西城町二の九の二〇	高田区検察庁
	上越市西城町三の二の一八	高田税務署
	上越市稲田一の一の七	関川用水土地改良建設事業所
	上越市安塚区安塚二二九一の一	上越森林管理署安塚治山事業所
	上越市安塚区安塚二二九一の一	上越森林管理署松之山治山事業所
	上越市南新町三の五六	高田河川国道事務所
	阿賀野市村杉三九四六の一八一	下越森林管理署村杉森林事務所
富山県	富山市小見中段割二五五の一四	富山森林管理署常願寺川治山事業所
	黒部市宇奈月町舟見明日音沢字尾瀬場谷四の九	黒部河川事務所

	中新川郡立山町芦峅寺字横江割一四の三	富山森林管理署立山森林事務所
	中新川郡立山町芦峅寺字ブナ坂六一	立山砂防事務所
	中新川郡立山町芦峅寺字松尾三	立山砂防事務所水谷出張所
石川県	白山市白峰ハ一五〇の一	石川森林管理署白峰森林事務所
	白山市八幡町リ一一九の三	石川森林管理署丸石谷治山事業所
	白山市白峰ハ九二	石川森林管理署手取川治山事業所
	白山市白峰ツ四〇の一	金沢河川国道事務所白山砂防出張所
	白山市女原ソ一八の一	金沢河川国道事務所手取川ダム管理支所
	白山市白峰ホ二五の一	中部地方環境事務所白山自然保護官事務所
福井県	敦賀市鉄輪町一の七の三	敦賀税務署
	敦賀市鉄輪町一の七の三	敦賀労働基準監督署
		敦賀公共職業安定所
	敦賀市開町三の二八の一	福井河川国道事務所敦賀国道維持出張所
	大野市朝日一七の五	福井河川国道事務所大野油坂道路和泉連絡室
	大野市下若生子二五字水谷一の三六	九頭竜川ダム統合管理事務所真名川ダム管理支所
	大野市長野三三字長平四の一	九頭竜川ダム統合管理事務所九頭竜ダム管理支所
	南条郡南越前町今庄八四の二八の二	福井森林管理署今庄森林事務所
山梨県	南アルプス市芦安芦倉七七〇	関東森林管理局山梨森林管理事務所野呂川第一治山事業所
	南アルプス市芦安芦倉七七〇	関東森林管理局山梨森林管理事務所野呂川第二治山事業所
	南アルプス市芦安芦倉五一八	関東地方環境事務所南アルプス自然保護官事務所
	甲州市大和町初鹿野字日川原一六五五の三	甲府河川国道事務所大和国道出張所
長野県	長野市大字南長野字幅下六九二の二	関東管区警察局長野県情報通信部

長野市大字南長野字幅下六九二の二	長野県警察本部
長野市三輪一の六の一五	長野県長野中央警察署
長野市大字長野旭町一一〇八	関東管区行政評価局長野行政監視行政相談センター
長野市大字長野旭町一一〇八	信越総合通信局
長野市三輪五の四六の一四	長野少年鑑別所
長野市大字長野旭町一一〇八	長野地方法務局
長野市大字長野旭町一一〇八	長野保護観察所
長野市大字長野旭町一一〇八	長野地方検察庁
長野市大字長野旭町一一〇八	長野区検察庁
長野市大字長野旭町一一〇八	東京出入国在留管理局長野出張所
長野市大字長野旭町一一〇八	長野公安調査事務所
長野市大字長野旭町一一〇八	長野財務事務所
長野市大字長野旭町一一〇八	諏訪出張所長野地区方面事務所
長野市西後町六〇八の二	関東信越国税不服審判所長野支所
長野市西後町六〇八の二	長野税務署
長野市大字長野旭町一一〇八	関東信越厚生局長野事務所
長野市大字長野旭町一一〇八	長野労働局
長野市篠ノ井布施高田字佃八二六の一	篠ノ井公共職業安定所
長野市大字長野旭町一一〇八	関東農政局
長野市戸隠二二九九	北信森林管理署戸隠森林事務所
長野市信州新町新町九二七	長野国道事務所信州新町出張所
長野市大字稲葉二一三七の五	長野国道事務所長野出張所
長野市大字長野旭町一一〇八	長野営繕事務所
長野市松岡二の一の二六	千曲川河川事務所長野出張所
長野市箱清水一の八の一八	松代地震観測所連絡事務所
長野市箱清水一の八の一八	長野地方気象台
長野市大字長野旭町一一〇八	中部地方環境事務所信越自然環境事務所
長野市戸隠豊岡一五五四	中部地方環境事務所信越自然環境事務所戸隠自然保護官事務所
岡谷市大字小井川七七七七	長野国道事務所岡谷維持修繕出張所
飯田市上村八五八の一〇	南信森林管理署上村森林事務所

	伊那市長谷溝口一四〇二の三	南信森林管理署伊那里森林事務所
	伊那市長谷溝口一五二七	天竜川上流河川事務所伊那分室
	伊那市長谷溝口一二〇四の一	関東地方環境事務所伊那自然保護官事務所
	上伊那郡中川村大草六八八四の一九	天竜川ダム統合管理事務所
	木曽郡南木曽町吾妻三三九八の三	木曽森林管理署南木曽支署蘭森林事務所
岐阜県	郡上市白鳥町白鳥四一五の二	岐阜森林管理署白鳥森林事務所
	下呂市小坂町大島一六四三の二	岐阜森林管理署
	下呂市小坂町大島一六四三の二	岐阜森林管理署小坂森林事務所
	下呂市小坂町湯屋四	岐阜森林管理署濁河森林事務所
	下呂市小坂町湯屋四	岐阜森林管理署大洞森林事務所
静岡県	駿東郡小山町須走字大尾根一一二一の三三〇	静岡森林管理署小山第一治山事業所
	駿東郡小山町須走字大尾根一一二一の三三〇	静岡森林管理署小山第二治山事業所
京都府	京都市左京区大原勝林院町六一一の一	書陵部月輪陵墓監区事務所
鳥取県	鳥取市国府町殿二〇六の四	鳥取河川国道事務所殿ダム管理支所
	西伯郡大山町大山官有地	鳥取森林管理署大山治山事業所
岡山県	苫田郡鏡野町上齋原五一四の一	上齋原原子力規制事務所
広島県	庄原市高野町新市一〇七八	広島北部森林管理署新市森林事務所

○国家公務員の寒冷地手当に関する法律等の運用方針について

昭五五・一二・二三
総人局九五八

最終改正 令二・四・一閣人人一九五

国家公務員の寒冷地手当に関する法律（昭和二十四年法律第二百号。以下「法」という。）及び寒冷地手当支給規則（昭和三十九年総理府令第三十三号。以下「府令」という。）の改正に伴い、法及び府令の運用について下記のとおり定めたので、昭和五十五年八月三十日以降の運用に当たつては、下記に従つて取り扱つてください。

なお、これに伴い、「国家公務員の寒冷地手当に関する法律等の運用方針について」（昭和三十九年総公第百九号）は廃止します。

記

法第一条関係

1 異動等により、基準日に法第一条に規定する「支給対象職員」の要件を具備するに至つた者は、基準日において同条に規定する「支給対象職員」に該当するものとする。

2 異動等により、基準日に法第一条に規定する「支給対象職員」の要件を欠くに至つた者は、基準日において同条に規定する「支給対象職員」には該当しないものとして取り扱うものとする。

3 法第一条の「在勤する」とは、本務として在勤することをいう。ただし、併任されている官職の業務に引き続き一月以上専ら従事することが予定されている場合にあつては、当該業務（当該官職の業務に引き続き専ら従事する期間の延長により当該業務に引き続き一月以上専ら従事することが予定されている場合にあつては、当該延長前の期間に係る当該業務を除く。）に専ら従事するために在勤することをいう。

4 前項ただし書の場合においては、寒冷地手当を支給され、又は支給されないこととなる職員に対して、その支給の有無を人事異動通知書又はこれに代わる文書により通知するものとする。ただし、当該職員の併任が解除され、又は終了したことに伴い、寒冷地手当を支給され、又は支給されないこととなる場合は、この限りでない。

5 基準日において寒冷地手当の額の異なる地域に異動した職員は、基準日において異動後の地域に在勤する職員とする。

法第二条関係

寒冷地手当の額は、一般職の職員の給与に関する法律（昭和二十五年法律第九十五号。以下「一般職給与法」という。）第十五条、国家公務員の育児休業等に関する法律（平成三年法律第百九号）第二十六条第二項、一般職の職員の勤務時間、休暇等に関する法律（平成六年法律第三十三号）第二十条第三項若しくは第二十条の二第三項又は人事院規則一七―二（職員団体のための職員の行為）第六条第七項の規定に基づいて減額して給与が支給されている場合においても減額しないものとする。

府令第三条関係

府令第三条第一項の距離の算定は、最も経済的かつ合理的と認められる通常の経路及び方法（一般職給与法第十二条第一項第二号に規定する自動車等及び航空機を除く。）によるものとした場合の経路について、次の各号に掲げる交通方法の区分に応じた当該各号に定める距離を合算するものとする。

一 徒歩 国土地理院が提供する電子地図その他の地図又はこれらの地図に係る測量法（昭和二十四年法律第百八十八号）第二十九条若しくは第三十条第一項の規定に基づく国土地理院の長の承認を経て提供された電子地図その他の地図を用いて測定した距離

二 鉄道 鉄道事業法（昭和六十一年法律第九十二号）第十三条に規定する鉄道運送事業者の調べに係る鉄道旅客貨物運賃算出表に掲げる距離

三 船舶 海上保安庁の調べに係る距離表に掲げる距離

四 一般乗合旅客自動車その他の交通機関（前二号に掲げるものを除く。） 道路運送法（昭和二十六年法律第百八十三号）第五条第一項第三号に規定する事業計画に記載されている距離その他これに準ずるものに記載されている距離

扶養親族について

1 法及び府令中の「扶養親族」とは、一般職給与法第十一条に規定する扶養親族であつて、

かつ、一般職給与法第十一条の二の規定による届出がなされているものをいう。ただし、一般職給与法第十一条に規定する行㈠九級以上職員等（当該職員に扶養親族たる配偶者、父母等のみがある場合に限る。）、指定職俸給表の適用を受ける職員、一般職の任期付研究員の採用、給与及び勤務時間の特例に関する法律（平成九年法律第六十五号）第三条第一項の規定により任期を定めて採用された職員及び一般職の任期付職員の採用及び給与の特例に関する法律（平成十二年法律第百二十五号）第七条第一項に規定する特定任期付職員にあつては、当該届出は要しないものとする。

2　新たに職員となつた者に扶養親族があり、又は職員に一般職給与法第十一条の二第一項第一号に掲げる事実が生じ、その届出が職員となつた日又は基準日の後になされた場合で当該届出が職員となつた日又は当該事実の生じた日から十五日（災害その他職員の責めに帰することができない事由により、職員が当該届出を行うことができないと認められる期間は含まれないものとする。）以内になされたときは、当該届出に係る扶養親族は、職員となつた日又は当該事実の生じた日から扶養親族として取り扱うものとする。

以　上

第二〇 国際平和協力手当

○国際連合平和維持活動等に対する協力に関する法律（抄）

平四・六・一九
法　七　九

最終改正　令六・五・一七法二四

第一章　総則

（目的）

第一条　この法律は、国際連合平和維持活動、国際連携平和安全活動、人道的な国際救援活動及び国際的な選挙監視活動に対し適切かつ迅速な協力を行うため、国際平和協力業務実施計画及び国際平和協力業務実施要領の策定手続、国際平和協力隊の設置等について定めることにより、国際平和協力業務の実施体制を整備するとともに、これらの活動に対する物資協力のための措置等を講じ、もって我が国が国際連合を中心とした国際平和のための努力に積極的に寄与することを目的とする。

（国際連合平和維持活動等に対する協力の基本原則）

第二条　政府は、この法律に基づく国際平和協力業務の実施、物資協力、これらについての国以外の者の協力等（以下「国際平和協力業務の実施等」という。）を適切に組み合わせるとともに、国際平和協力業務の実施等に携わる者の創意と知見を活用することにより、国際連合平和維持活動、国際連携平和安全活動、人道的な国際救援活動及び国際的な選挙監視活動に効果的に協力するものとする。

2　国際平和協力業務の実施等は、武力による威嚇又は武力の行使に当たるものであってはならない。

3　内閣総理大臣は、国際平和協力業務の実施等に当たり、国際平和協力業務実施計画に基づいて、内閣を代表して行政各部を指揮監督する。

4　関係行政機関の長は、前条の目的を達成するため、国際平和協力業務の実施等に関し、国際平和協力本部長に協力するものとする。

（定義）

第三条　この法律において、次の各号に掲げる用語の意義は、それぞれ当該各号に定めるところによる。

一　国際連合平和維持活動　国際連合の総会又は安全保障理事会が行う決議に基づき、武力紛争の当事者（以下「紛争当事者」という。）間の武力紛争の再発の防止に関する合意の遵守の確保、紛争による混乱に伴う切迫した暴力の脅威からの住民の保護、武力紛争の終了後に行われる民主的な手段による統治組織の設立及び再建の援助その他紛争に対処して国際の平和及び安全を維持することを目的として、国際連合の統括の下に行われる活動であって、国際連合事務総長（以下「事務総長」という。）の要請に基づき参加する二以上の国及び国際連合によって実施されるもののうち、次に掲げるものをいう。

イ　武力紛争の停止及びこれを維持するとの紛争当事者間の合意があり、かつ、当該活動が行われる地域の属する国（当該国において国際連合の総会又は安全保障理事会が行う決議に従って施政を行う機関がある場合にあっては、当該機関。以下同じ。）及び紛争当事者の当該活動が行われることについての同意がある場合に、いずれの紛争当事者にも偏ることなく実施される活動

ロ　武力紛争が終了して紛争当事者が当該活動が行われる地域に存在しなくなった場合において、当該活動が行われる地域の属する国の当該活動が行われることについての同意がある場合に実施される活動

ハ　武力紛争がいまだ発生していない場合において、当該活動が行われる地域の属する国の当該活動が行われることについての同意がある場合に、武力紛争の発生を未然に防止することを主要な目的として、特定の立場に偏ることなく実施される活動

二　国際連携平和安全活動　国際連合の総会、安全保障理事会若しくは経済社会理事会が行う決議、別表第一に掲げる国際機関が行う要請又は当該活動が行われる地域の属する国の要請（国際連合憲章第七条1に規定する国際連合の主要機関のいずれかの支持を受けたものに限る。）に基づき、紛争当事者間の武力

紛争の再発の防止に関する合意の遵守の確保、紛争による混乱に伴う切迫した暴力の脅威からの住民の保護、武力紛争の終了後に行われる民主的な手段による統治組織の設立及び再建の援助その他紛争に対処して国際の平和及び安全を維持することを目的として行われる活動であって、二以上の国の連携により実施されるもののうち、次に掲げるもの（国際連合平和維持活動として実施される活動を除く。）をいう。

イ　武力紛争の停止及びこれを維持するとの紛争当事者間の合意があり、かつ、当該活動が行われる地域の属する国及び紛争当事者の当該活動が行われることについての同意がある場合に、いずれの紛争当事者にも偏ることなく実施される活動

ロ　武力紛争が終了して紛争当事者が当該活動が行われる地域に存在しなくなった場合において、当該活動が行われる地域の属する国の当該活動が行われることについての同意がある場合に実施される活動

ハ　武力紛争がいまだ発生していない場合において、当該活動が行われる地域の属する国の当該活動が行われることについての同意がある場合に、武力紛争の発生を未然に防止することを主要な目的として、特定の立場に偏ることなく実施される活動

三　人道的な国際救援活動　国際連合の総会、安全保障理事会若しくは経済社会理事会が行う決議又は別表第二に掲げる国際機関が行う要請に基づき、国際の平和及び安全の維持を危うくするおそれのある紛争（以下単に「紛争」という。）によって被害を受け若しくは受けるおそれがある住民その他の者（以下「被災民」という。）の救援のために又は紛争によって生じた被害の復旧のために人道的精神に基づいて行われる活動であって、当該活動が行われる地域の属する国の当該活動が行われることについての同意があり、かつ、当該活動が行われる地域の属する国が紛争当事者である場合においては武力紛争の停止及びこれを維持するとの紛争当事者間の合意がある場合に、国際連合その他の国際機関又は国際連合加盟国その他の国（次号及び第六号において「国際連合等」という。）によって実施されるもの（国際連合平和維持活動として実施される活動及び国際連携平和安全活動として実施される活動を除く。）をいう。

四　国際的な選挙監視活動　国際連合の総会若しくは安全保障理事会が行う決議又は別表第三に掲げる国際機関が行う要請に基づき、紛争によって混乱を生じた地域において民主的な手段により統治組織を設立しその他その混乱を解消する過程で行われる選挙又は投票の公正な執行を確保するために行われる活動であって、当該活動が行われる地域の属する国の当該活動が行われることについての同意があり、かつ、当該活動が行われる地域の属する国が紛争当事者である場合においては武力紛争の停止及びこれを維持するとの紛争当事者間の合意がある場合に、国際連合等によって実施されるもの（国際連合平和維持活動として実施される活動及び国際連携平和安全活動として実施される活動を除く。）をいう。

五　国際平和協力業務　国際連合平和維持活動のために実施される業務で次に掲げるもの、国際連携平和安全活動のために実施される業務で次に掲げるもの、人道的な国際救援活動のために実施される業務で次のワからツまで、ナ及びラに掲げるもの並びに国際的な選挙監視活動のために実施される業務で次のチ及びナに掲げるもの（これらの業務にそれぞれ附帯する業務を含む。以下同じ。）であって、海外で行われるものをいう。

イ　武力紛争の停止の遵守状況の監視又は紛争当事者間で合意された軍隊の再配置若しくは撤退若しくは武装解除の履行の監視

ロ　緩衝地帯その他の武力紛争の発生の防止のために設けられた地域における駐留及び巡回

ハ　車両その他の運搬手段又は通行人による武器（武器の部品及び弾薬を含む。ニにおいて同じ。）の搬入又は搬出の有無の検査又は確認

ニ　放棄された武器の収集、保管又は処分

ホ　紛争当事者が行う停戦線その他これに類する境界線の設定の援助

ヘ　紛争当事者間の捕虜の交換の援助

ト　防護を必要とする住民、被災民その他の者の生命、身体及び財産に対する危害の防止及び抑止その他特定の区域の保安のための監視、駐留、巡回、検問及び警護

チ　議会の議員の選挙、住民投票その他これ

らに類する選挙若しくは投票の公正な執行の監視又はこれらの管理

リ　警察行政事務に関する助言若しくは指導又は警察行政事務の監視

ヌ　矯正行政事務に関する助言若しくは指導又は矯正行政事務の監視

ル　リ及びヌに掲げるもののほか、立法、行政（ヲに規定する組織に係るものを除く。）又は司法に関する事務に関する助言又は指導

ヲ　国の防衛に関する組織その他のイからトまで又はワからネまでに掲げるものと同種の業務を行う組織の設立又は再建を援助するための次に掲げる業務

(1)　イからトまで又はワからネまでに掲げるものと同種の業務に関する助言又は指導

(2)　(1)に規定する業務の実施に必要な基礎的な知識及び技能を修得させるための教育訓練

ワ　医療（防疫上の措置を含む。）

カ　被災民の捜索若しくは救出又は帰還の援助

ヨ　被災民に対する食糧、衣料、医薬品その他の生活関連物資の配布

タ　被災民を収容するための施設又は設備の設置

レ　紛争によって被害を受けた施設又は設備であって被災民の生活上必要なものの復旧又は整備のための措置

ソ　紛争によって汚染その他の被害を受けた自然環境の復旧のための措置

ツ　イからソまでに掲げるもののほか、輸送、保管（備蓄を含む。）、通信、建設、機械器具の据付け、検査若しくは修理又は補給（武器の提供を行う補給を除く。）

ネ　国際連合平和維持活動又は国際連携平和安全活動を統括し、又は調整する組織において行うイからツまでに掲げる業務の実施に必要な企画及び立案並びに調整又は情報の収集整理

ナ　イからネまでに掲げる業務に類するものとして政令で定める業務

ラ　ヲからネまでに掲げる業務又はこれらの業務に類するものとしてナの政令で定める業務を行う場合であって、国際連合平和維持活動、国際連携平和安全活動若しくは人道的な国際救援活動に従事する者又はこれらの活動を支援する者（以下このラ及び第二十六条第二項において「活動関係者」という。）の生命又は身体に対する不測の侵害又は危難が生じ、又は生ずるおそれがある場合に、緊急の要請に対応して行う当該活動関係者の生命及び身体の保護

六　物資協力　次に掲げる活動を行っている国際連合等に対して、その活動に必要な物品を無償又は時価よりも低い対価で譲渡することをいう。

イ　国際連合平和維持活動

ロ　国際連携平和安全活動

ハ　人道的な国際救援活動（別表第四に掲げる国際機関によって実施される場合にあっては、第三号に規定する決議若しくは要請又は合意が存在しない場合における同号に規定する活動を含むものとする。第三十条第一項及び第三項において同じ。）

ニ　国際的な選挙監視活動

七　海外　我が国以外の領域（公海を含む。）をいう。

八　派遣先国　国際平和協力業務が行われる外国（公海を除く。）をいう。

九　関係行政機関　次に掲げる機関で政令で定めるものをいう。

イ　内閣府並びに内閣府設置法（平成十一年法律第八十九号）第四十九条第一項及び第二項に規定する機関、デジタル庁並びに国家行政組織法（昭和二十三年法律第百二十号）第三条第二項に規定する機関

ロ　内閣府設置法第四十条及び第五十六条並びに国家行政組織法第八条の三に規定する特別の機関

> **（注）平成二三年法律第一二五号により、第三条第九号は次のようになる。**
>
> 九　関係行政機関　次に掲げる機関で政令で定めるものをいう。
>
> イ　内閣府並びに内閣府設置法（平成十一年法律第八十九号）第四十九条第一項及び第二項に規定する機関、デジタル庁、復興庁並びに国家行政組織法（昭和二十三年法律第百二十号）第三条第二項に規定する機関
>
> ロ　内閣府設置法第四十条及び第五十六条

並びに国家行政組織法第八条の三に規定する特別の機関

第三章　国際平和協力業務等

（国家公務員法の適用除外）

第十五条　第十二条第一項の規定により採用される隊員については、隊員になる前に、国家公務員法第百三条第一項に規定する営利企業（以下この条において「営利企業」という。）を営むことを目的とする団体の役員、顧問若しくは評議員（以下この条において「役員等」という。）の職に就き、若しくは自ら営利企業を営み、又は報酬を得て、営利企業以外の事業の団体の役員等の職に就き、若しくは事業に従事し、若しくは事務を行っていた場合においても、同項及び同法第百四条の規定は、適用しない。

（研修）

第十六条　隊員は、本部長の定めるところにより行われる国際平和協力業務の適切かつ効果的な実施のための研修を受けなければならない。

（国際平和協力手当）

第十七条　国際平和協力業務に従事する者には、国際平和協力業務が行われる派遣先国の勤務環境及び国際平和協力業務の特質に鑑み、国際平和協力手当を支給することができる。

2　前項の国際平和協力手当に関し必要な事項は、政令で定める。

3　内閣総理大臣は、前項の政令の制定又は改廃に際しては、人事院の意見を聴かなければならない。

（服制等）

第十八条　隊員の服制は、政令で定める。

2　隊員には、政令で定めるところにより、その職務遂行上必要な被服を支給し、又は貸与することができる。

（国際平和協力業務に従事する者の総数の上限）

第十九条　国際平和協力業務に従事する者の総数は、二千人を超えないものとする。

（隊員の定員）

第二十条　隊員の定員は、実施計画に従って行われる国際平和協力業務の実施に必要な定員で個々の協力隊ごとに政令で定めるものとする。

附　則（抄）

（施行期日）

第一条　この法律は、公布の日から起算して三月を超えない範囲内において政令で定める日〔平四・八・一〇〕から施行する。

附　則（平三一・四・二六法一九）（抄）

（施行期日）

1　この法律は、平成三十二年三月三十一日までの間において政令で定める日〔令二・三・二六〕から施行する。ただし、次の各号に掲げる規定は、当該各号に定める日から施行する。

一　〔前略〕第四条の規定　日本国の自衛隊とカナダ軍隊との間における物品又は役務の相互の提供に関する日本国政府とカナダ政府との間の協定の効力発生の日〔令元・七・一八〕

二　〔前略〕第五条〔中略〕の規定　日本国の自衛隊とフランス共和国の軍隊との間における物品又は役務の相互の提供に関する日本国政府とフランス共和国政府との間の協定の効力発生の日〔令元・六・二六〕

附　則（令三・四・二八法二三）（抄）

この法律は、令和四年三月三十一日までの間において政令で定める日〔令四・三・一七〕から施行する。ただし、〔中略〕第三条の規定は、日本国の自衛隊とインド軍隊との間における物品又は役務の相互の提供に関する日本国政府とインド共和国政府との間の協定の効力発生の日〔令三・七・一一〕から施行する。

㊟　効力発生の日は、令和三年六月一六日外務省告示第二〇五号による。

附　則（令三・五・一九法三六）（抄）

（施行期日）

第一条　この法律は、平成三年九月一日から施行する。〔ただし書略〕

附　則（令六・五・一七法二四）（抄）

（施行期日）

第一条　この法律は、令和七年三月三十一日までの間において政令で定める日〔令七・三・二四〕から施行する。ただし、次の各号に掲げる規定は、当該各号に定める日から施行する。

一　〔略〕

二　〔前略〕第四条の規定　日本国の自衛隊とドイツ連邦共和国の軍隊との間における物品又は役務の相互の提供に関する日本国政府とドイツ連邦共和国政府との間の協定の効力発生の日〔令六・七・一二〕

三・四　〔略〕

○南スーダン国際平和協力隊の設置等に関する政令

平二三・一一・一八
政令三四五

最終改正　令六・六・二六政令二二九

（国際平和協力隊の設置）

第一条　国際平和協力本部に、南スーダンにおける国際連合平和維持活動のため、次に掲げる業務及び事務を行う組織として、令和七年六月三十日までの間、南スーダン国際平和協力隊（以下「協力隊」という。）を置く。

一　国際連合平和維持活動等に対する協力に関する法律（以下「法」という。）第三条第五号ネに掲げる業務のうち人事及び教育訓練に関する企画及び調整に係る国際平和協力業務であって、国際連合南スーダン共和国ミッション軍事部門司令部において行われるもの

二　法第三条第五号ネに掲げる業務（同号ツに掲げる業務の実施に必要な調整に係るものに限る。）並びに次条第二号（調整に係るものに限る。）、第六号及び第四号に掲げる業務に係る国際平和協力業務であって、国際連合南スーダン共和国ミッション軍事部門司令部において行われるもの

三　法第三条第五号ネに掲げる業務のうちデータベース（南スーダンにおける国際連合平和維持活動に係る情報の集合物であって、それらの情報を電子計算機を用いて検索することができるように体系的に構成したものをいう。）の管理の用に供する電子情報処理組織の保守管理に係る国際平和協力業務であって、国際連合南スーダン共和国ミッション統合ミッション分析センターにおいて行われるもの

四　法第三条第五号ネに掲げる業務（同号タ、レ及びツに掲げる業務の実施に必要な企画及び調整に係るものに限る。）並びに次条第一号及び第二号に掲げる業務に係る国際平和協力業務であって、国際連合南スーダン共和国ミッションミッション支援部において行われるもの

五　法第四条第二項第三号に掲げる事務

2　国際平和協力本部長は、協力隊の隊員のうち一人を隊長として指名し、国際平和協力本部長の定めるところにより隊務を掌理させる。

（政令で定める業務）

第二条　南スーダンにおける国際連合平和維持活動に係る法第三条第五号ナの規定により同号ネに掲げる業務に類するものとして政令で定める業務は、次に掲げる業務とする。

一　国際連合平和維持活動を統括する組織において行う自然災害によって被害を受けた施設又は設備であってその被災者の生活上必要なものの復旧又は整備のための措置の実施に必要な企画及び調整

二　国際連合平和維持活動を統括する組織において行う宿泊又は作業のための施設の維持管理の実施に必要な企画及び調整

三　国際連合平和維持活動を統括する組織において行う物資の調達の実施に必要な調整

四　国際連合平和維持活動を統括する組織において行う飲食物の調製の実施に必要な調整

（国際平和協力手当）

第三条　南スーダンにおける国際連合平和維持活動のために実施される国際平和協力業務に従事する協力隊の隊員に、この条の定めるところに従い、法第十七条第一項に規定する国際平和協力手当（以下「手当」という。）を支給する。

2　手当は、国際平和協力業務に従事した日一日につき、別表の中欄に掲げる区分に応じ、それぞれ同表の下欄に定める額とする。

3　前項に定めるもののほか、手当の支給に関しては、一般職の職員の給与に関する法律（昭和二十五年法律第九十五号）に基づく特殊勤務手当の支給の例による。

附　則

この政令は、公布の日から施行する。

附　則（令二・五・二七政令一七七）

この政令は、公布の日から施行する。

附　則（令三・五・二六政令一五七）

この政令は、公布の日から施行する。

附　則（令四・五・二五政令一九八）

この政令は、公布の日から施行する。

附　則（令五・五・一七政令一八一）

この政令は、公布の日から施行する。

附　則（令六・四・二四政令一七六）

この政令は、公布の日から施行する。

附　則（令六・六・二六政令二二九）

この政令は、公布の日から施行する。

別表（第三条関係）

一	南スーダン内の地域において業務を行う場合（二の項㈠に規定する場合を除く。）	一万六千円
二	㈠ 南スーダン内の地域において、派遣先国の政府その他の関係機関と一の項に規定する業務に従事する協力隊の隊員との間の連絡調整に係る業務を行う場合 ㈡ ウガンダ内の地域において業務を行う場合（三の項に規定する場合を除く。）	六千円
三	ウガンダ内の地域において、派遣先国の政府その他の関係機関と二の項㈡に規定する業務に従事する協力隊の隊員との間の連絡調整に係る業務を行う場合	三千円

第四編　給与の支給

第一　給与の支給

【参照】
●国公法一八・六二・七〇
●一般職給与法三・七・九・九の二・一八の二・一九の九
●規則九—五

○人事院規則九—七（俸給等の支給）

昭二八・二・七全改
昭二八・一・一適用
最終改正　令六・三・二九規則一—八二

（総則）

第一条　俸給等の支払は、別に定めるもののほか、この規則の定めるところによる。

第一条の二　何人も、法律又は規則によつて特に認められた場合を除き、職員の給与からその職員が支払うべき金額を差し引き又は差し引かせてはならない。

本条—昭三九・一二・一七施行

2　職員の給与は、法律又は規則によつて特に認められた場合を除き、直接その職員に支払わなければならない。

本条—昭四六・一一・一六施行

第一条の三　各庁の長（その委任を受けた者を含む。以下同じ。）は、職員から申出があつた場合において、人事院の定める基準に該当するときは、その者に対する給与の全部をその者の預金又は貯金への振込み（以下「振込み」という。）の方法によつて支払うことができる。

2　前項の申出は、書面を各庁の長に提出して行うものとする。申出を変更する場合についても、同様とする。

3　前項の書面には、振込みを受ける預金又は貯金の口座その他振込みの実施に必要な事項（申出を変更する場合にあつては、変更しようとする事項）を記載しなければならない。

一・三項—平一二・一二・一施行
二項—昭六三・四・一施行

（俸給の支給）

第一条の四　給与法第九条本文の規定により俸給を支給する場合の俸給の支給定日は、別表上欄に掲げる職員の属する組織の区分に応じて同表下欄に定める日とする。ただし、次の各号に掲げる場合には、当該各号に掲げる日を支給定日とする。

一　別表下欄に定める日が日曜日に当たるとき　同欄に定める日の前々日（その日が十四日となるときは、十七日（十七日が休日に当たるときは、十八日））
二　別表下欄に定める日が土曜日に当たるとき　同欄に定める日の前日
三　別表下欄に定める日が休日に当たるとき　同欄に定める日の翌日（その日が十九日となるときは、十五日）

第一条の五　各庁の長は、次の各号のいずれかに該当する場合には、人事院の承認を得て、職員の俸給の月額の半額ずつを月二回に支給することができる。

本条—平一五・一一・一施行

一　官署が所在し、又は職員が居住する地域が、震災、風水害、火災その他これらに類する災害を受けた場合
二　所掌事務の遂行上特に必要があると認める場合

2　前項の規定により俸給を支給する場合における俸給の支給定日その他必要な事項は、指令で定める。

一項—平二〇・八・一施行
二項—昭四九・一一・二五施行

第一条の六　各庁の長は、前条の規定にかかわらず、震度六強以上の地震による災害に際し災害救助法（昭和二十二年法律第百十八号）が適用された市町村の区域内に官署が所在し、又は職員が居住する場合には、その適用の日の属する月からその翌々月までの間、当該区域内に所在する官署に勤務し、又は居住する職員の俸給の月額の半額ずつを月二回に支給することができる。

2　第一条の四の規定は、前項の規定により俸給を支給する場合について準用する。この場合において、同条中「同表下欄に定める日」とあるのは「同表下欄に定める日（各庁の長が必要と認めるときは、その日前七日以内において、日曜日、土曜日及び休日を除き、各庁の長が定める日）」と、同条第一号中「十四日となるとき

は、十七日（十七日が休日に当たるときは、十八日）」とあるのは「休日に当たるときは、同欄に定める日から三日前の日」と、同条第二号中「前日」とあるのは「前日（その日が休日に当たるときは、同欄に定める日の前々日）」と、同条第三号中「十九日となるときは、十五日」とあるのは「土曜日に当たるときは、同欄に定める日の前日」と、別表中「十六日」とあるのは「八日及び二十三日」と、「十七日」とあるのは「九日及び二十四日」と、「十八日」とあるのは「十日及び二十五日」と読み替えるものとする。

3 各庁の長は、第一項の規定により俸給を支給した場合には、速やかに、その状況を人事院に報告するものとする。

本条―平二〇・八・一施行

第二条 月若しくは給与法第九条ただし書に規定する各期間（以下「給与期間」という。）中俸給の支給定日後において新たに職員となつた者及び給与期間中俸給の支給定日前において離職し又は死亡した職員には、その際俸給を支給する。

本条―昭三六・四・一施行

第三条 職員がその所属する俸給の支給義務者を異にして移動した場合においては、発令の前日までの分の俸給は、その給与期間の現日数から勤務時間法第六条第一項に規定する週休日並びに同条第三項及び勤務時間法第八条第二項において読み替えて準用する同条第一項の規定に基づく勤務時間を割り振らない日の日数の合計日数を差し引いた日数を基礎とした日割による計算（以下「日割計算」という。）によりその者が従前所属していた俸給の支給義務者において支給し、発令の当日以降の分の俸給は、その者のその月に受ける俸給額からその者が従前所属していた俸給の支給義務者において既に支給された額を差し引いた額を、その者が新たに所属することになつた俸給の支給義務者において支給する。

2 前項の場合において、その者が従前所属していた俸給の支給義務者は、その移動が給与期間中俸給の支給定日前であるときは、その際俸給を支給し、その者が新たに所属することとなつた俸給の支給義務者は、その移動が給与期間中俸給の支給定日後であるときは、その際俸給を支給する。

一項―令七・四・一施行
二項―平六・九・一施行

第四条 職員が、職員又はその収入によつて生計を維持する者の出産、疾病、災害、婚礼、葬儀その他これらに準ずる非常の場合の費用に充てるために俸給を請求した場合には、給与期間中俸給の支給定日前であつても、請求の日までの俸給を日割計算によりその際支給する。

第五条 職員が給与期間の中途において次の各号のいずれかに該当する場合におけるその給与期間の俸給は、日割計算により支給する。

一 休職にされ、又は休職の終了により復職した場合
二 法第百八条の六第一項ただし書に規定する許可（以下「専従許可」という。）を受け、又は専従許可の有効期間の終了により復職した場合
三 派遣法第二条第一項の規定により派遣され、又は派遣の終了により職務に復帰した場合
四 育児休業法第三条の規定により育児休業を始め、又は育児休業の終了により職務に復帰した場合
五 交流派遣（官民人事交流法第二条第三項に規定する交流派遣をいう。以下同じ。）をされ、又は交流派遣後職務に復帰した場合
六 法科大学院派遣法第十一条第一項の規定により派遣され、又は当該派遣後職務に復帰した場合
七 自己啓発等休業（自己啓発等休業法第二条第五項に規定する自己啓発等休業をいう。以下同じ。）を始め、又は自己啓発等休業の終了により職務に復帰した場合
八 福島復興再生特別措置法（平成二十四年法律第二十五号）第四十八条の三第一項若しくは第八十九条の三第一項の規定により派遣され、又は当該派遣後職務に復帰した場合
九 配偶者同行休業（配偶者同行休業法第二条第四項に規定する配偶者同行休業をいう。以下同じ。）を始め、又は配偶者同行休業の終了により職務に復帰した場合
十 令和七年国際博覧会特措法第二十五条第一項の規定により派遣され、又は当該派遣後職務に復帰した場合
十一 令和九年国際園芸博覧会特措法第十五条第一項の規定により派遣され、又は当該派遣後職務に復帰した場合
十二 停職にされ、又は停職の終了により職務に復帰した場合

2　給与期間の初日から引き続いて休職にされ、専従許可を受け、派遣法第二条第一項の規定により派遣され、育児休業法第三条の規定により育児休業をし、交流派遣をされ、法科大学院派遣法第十一条第一項の規定により派遣され、自己啓発等休業をし、福島復興再生特別措置法第四十八条の三第一項若しくは第八十九条の三第一項の規定により派遣され、配偶者同行休業をし、令和七年国際博覧会特措法第二十五条第一項の規定により派遣され、令和九年国際園芸博覧会特措法第十五条第一項の規定により派遣され、又は停職にされている職員が、俸給の支給定日後に復職し、又は職務に復帰した場合には、その給与期間中の俸給をその際支給する。

本条—令四・七・一施行

（俸給の特別調整額、本府省業務調整手当及び専門スタッフ職調整手当の支給）

第六条　俸給の特別調整額、本府省業務調整手当及び専門スタッフ職調整手当は、俸給の支給方法に準じて支給する。

本条—平二二・四・一施行

第七条　職員が、月の一日から末日までの期間の全日数にわたつて勤務しなかつた場合（給与法第二十三条第一項の場合及び公務上の負傷若しくは疾病若しくは補償法第一条の二に規定する通勤による負傷若しくは疾病（派遣法第三条に規定する派遣職員の派遣先の業務上の負傷若しくは疾病又は補償法第一条の二に規定する通勤による負傷若しくは疾病を含む。）又は官民人事交流法第十六条、法科大学院派遣法第十八条において準用する場合を含む。）、福島復興再生特別措置法第四十八条の九若しくは第八十九条の九、令和三年オリンピック・パラリンピック特措法第二十三条、平成三十一年ラグビーワールドカップ特措法第十条、令和七年国際博覧会特措法第三十一条若しくは令和九年国際園芸博覧会特措法第二十一条の規定（以下この条において「特定規定」という。）により給与法第二十三条第一項及び附則第六項の規定の適用に関し公務とみなされる業務に係る業務上の負傷若しくは疾病若しくは特定規定に規定する通勤による負傷若しくは疾病により承認を得て勤務しなかつた場合を除く。）は、俸給の特別調整額、本府省業務調整手当及び専門スタッフ職調整手当は支給することができない。

本条—令四・六・二四施行

（初任給調整手当、地域手当、広域異動手当、研究員調整手当及び特地勤務手当の支給）

第七条の二　初任給調整手当、地域手当、広域異動手当、研究員調整手当及び特地勤務手当（給与法第十四条の規定による手当を含む。）は、俸給の支給方法に準じて支給する。

本条—平一九・四・一施行

（扶養手当、住居手当及び単身赴任手当の支給）

第八条　扶養手当、住居手当及び単身赴任手当は、俸給の支給方法に準じて支給する。ただし、俸給の支給定日までにこれらの給与に係る事実が確認できない等のため、その日に支給することができないときは、その日後に支給することができる。

2　職員がその所属する俸給の支給義務者を異にして移動した場合におけるその移動した日の属する月の扶養手当、住居手当及び単身赴任手当は、前項本文の規定にかかわらず、その月の初日に職員が所属する俸給の支給義務者において支給する。この場合において、職員の移動がその月の俸給の支給定日（その月が俸給の月額の半額ずつを月二回に支給する月である場合にあつては、後の俸給の支給定日）前であるときは、その際支給するものとする。

一項—平一六・四・一施行
二項—平二〇・八・一施行

第九条及び第十条　削除

本条—昭六〇・一二・二一施行

（特殊勤務手当、超過勤務手当、休日給、夜勤手当、宿日直手当及び管理職員特別勤務手当の支給）

第十一条　特殊勤務手当、超過勤務手当、休日給、夜勤手当、宿日直手当及び管理職員特別勤務手当は、一の給与期間の分を次の給与期間における俸給の支給定日に支給する。ただし、交通不便により規則九—五（給与簿）の規定による勤務時間の報告が遅れる場合等で、その日において支給することができないときは、その日後において支給することができるものとし、その他特別の事情がある場合には、指令で別の取扱いをすることができる。

2　職員が勤務時間法第十三条の二第一項の規定により指定された超勤代休時間に勤務した場合において支給する当該超勤代休時間の指定に代えられた超過勤務手当の支給に係る超過勤務手

当に対する前項の規定の適用については、同項中「次の」とあるのは、「勤務時間法第十三条の二第一項の規定により超勤代休時間が指定された日の属する給与期間の次の」とする。

3　規則九―三〇（特殊勤務手当）第七条に規定する航空手当、同規則第十四条に規定する放射線取扱手当及び規則九―一五（宿日直手当）第二条第三項（同条第四項において準用する場合を含む。）に規定する宿日直手当については、第一項の規定にかかわらず、一の月の分を翌月の俸給の支給定日（その月が俸給の月額の半額ずつを月二回に支給する月である場合にあつては、先の俸給の支給定日）に支給する。この場合においては、同項ただし書の規定を準用する。

一項―平四・一・一施行
二・三項―平二二・四・一施行

第十二条　特殊勤務手当、超過勤務手当、休日給、夜勤手当、宿日直手当及び管理職員特別勤務手当は、前条第一項本文（同条第二項の規定により読み替えて適用する場合を含む。）の規定にかかわらず、職員が第四条に規定する非常の場合の費用に充てるために請求した場合には、その日までの分をその際支給するものとし、職員がその所属する俸給の支給義務者を異にして移動し又は離職し若しくは死亡した場合には、その移動し又は離職し若しくは死亡した日までの分をその際支給することができるものとする。

本条―平二二・四・一施行

（雑則）

第十三条　この規則に定めるもののほか、俸給、俸給の特別調整額、初任給調整手当、扶養手当、特殊勤務手当、超過勤務手当、休日給、夜勤手当及び宿日直手当の支給に関し必要な事項は、事務総長が定める。

本条―平三〇・四・一施行

附　則（令二・一・七規則九―七―二〇）

この規則は、公布の日から施行する。

附　則（令二・六・一二規則一―七五）（抄）

（施行期日）

1　この規則は、公布の日から施行する。

附　則（令二・一二・二八規則一―七六）（抄）

（施行期日）

1　この規則は、公布の日から施行する。

附　則（令三・九・一規則一―七七）

この規則は、公布の日から施行する。

附　則（令四・六・二四規則一―八一）

この規則は、公布の日から施行する。

附　則（令四・七・一規則九―七―二一）

この規則は、公布の日から施行する。

附　則（令五・三・三一規則九―七―二二）

この規則は、令和五年四月一日から施行する。

附　則（令六・三・二九規則一―八二）（抄）

（施行期日）

第一条　この規則は、令和七年四月一日から施行する。〔ただし書略〕

別表（第一条の四関係）

職員の属する組織の区分	支給定日
会計検査院	十六日
人事院	
内閣（内閣府及びデジタル庁を除く。）	
内閣府本府	
宮内庁	
公正取引委員会	
国家公安委員会	
個人情報保護委員会	
カジノ管理委員会	
金融庁	
消費者庁	
こども家庭庁	
デジタル庁	
総務省（公害等調整委員会を除く。）	
公害等調整委員会	
法務省	
外務省	
財務省	
文部科学省	十七日
厚生労働省	十六日
農林水産省	
経済産業省（特許庁及び中小企業庁を除く。）	十八日
特許庁	十七日
中小企業庁	

国土交通省	十六日
環境省（原子力規制委員会を除く。）	
原子力規制委員会	十八日
防衛省	

本表—令五・四・一施行

（注）人事院規則一—五七（復興庁設置法の施行に伴う関係人事院規則の適用の特例等に関する人事院規則）により、別表は次のようになる。

別表（第一条の四関係）

職員の属する組織の区分	支給定日
〔略〕	十六日
内閣（内閣府、デジタル庁及び復興庁を除く。）	
〔略〕	
デジタル庁	
復興庁	
〔略〕	
〔略〕	〔略〕

○人事院規則九—七（俸給等の支給）の運用について

昭二八・二・二三
給実甲六五

最終改正　令二・六・一七給実甲一二七三

人事院規則九—七（俸給等の支給）の運用方針を下記のように定めましたから昭和二十八年一月一日以降これによつてください。

なお、これに伴つて給実甲第三六号は廃止します。

記

第一条の三関係

第一項

一　振込みによる給与の支払は、職員の意思に基づき開始し、又は変更する（取りやめる場合を含む。）ことができるものでなければならない。

二　「人事院の定める基準」は、次に掲げるとおりとする。

(1)　振込元金融機関は、日本銀行の本店、支店又は代理店であること。

(2)　振込先金融機関は、国家公務員給与の振込可能金融機関として日本銀行が指定した金融機関であること。

(3)　振込みを受ける口座（以下「振込口座」という。）は、職員名義の普通預金、当座預金等の口座であること。

(4)　振込口座の数は、一の給与の支給日において一であること。ただし、官署を異にする異動若しくは在勤する官署の移転（以下「異動等」という。）に伴い、所在する地域を異にする官署に在勤することとなった職員のうち、当該異動等の前に振込口座とした口座（当該口座が複数あるときは、そのいずれかの口座。以下「第一振込口座」という。）を当該異動等の後においても引き続き振込口座としておく必要があり、かつ、当該異動等の後に当該職員が在勤する官署が所在し、若しくは居住する地域のいずれにも第一振込口座のある金融機関の店舗等がない等の事情により当該地域に店舗等のある金融機関の口座を振込口座とする必要があると認められるもの又はこれに相当すると認められる職員については、第一振込口座のほか、一に限り第一振込口座以外の口座を一の給与の支給日における振込口座とすることができる。

第二項及び第三項

第二項の申出又は申出の変更（振込みを取りやめる場合を除く。）は、別紙の様式による申出書又はこれに準ずる書面により行うものとする。

第一条の四関係

支給定日には、職員が現実に俸給の支給を受けられるよう処理するものとする。

第一条の五関係

第一項

一　この項による人事院への承認の申請は、次の事項を記載した文書により行うものとする。

(1)　月二回払を希望する官署名及び対象となる職員数

(2)　月二回払を開始する時期

(3)　月二回払を必要とする理由

(4)　その他参考となる事項

二　この項の第二号に該当するのは、同一官署に給与法適用職員以外の者が在職し、それらの者の給与の支給日が月二回あるため、これと給与法適用職員の俸給の支給定日を同じくする必要がある場合等である。

三　月二回払から月一回払へ復帰する場合は、その旨を文書により速やかに人事院に報告すること。

第一条の六関係

この条の第三項による人事院への報告は、官署及び職員が居住する市町村の区域ごとに、俸給の支給定日及びその日に俸給の支給を受けた職員数その他参考となる事項を記載した文書により行うものとする。

第二条関係

「その際俸給を支給する」場合には、その日以後において計理上処理できる限りすみやかに支給すること。

第三条関係

第一項

「俸給の支給義務者を異にして移動した場合」とは、その職員の給与の支出について定められた予算上の部局（特別会計にあっては、これに相当する予算上の区分）を異にして移動した場合を指すものとする。なお、その他の場合においても必要と認めるときは本条の規定に準じて取り扱って差し支えない。

第五条関係

本条第一項の場合における俸給の支給日は、すべて俸給の支給定日とする。

第十三条関係

一　各庁の長又はその委任を受けた者は、超過勤務等命令簿を作成し、職員に超過勤務、超勤代休時間の勤務、休日給の支給される日の勤務、夜間勤務及び宿日直勤務（常直勤務（人事院規則九―一五（宿日直手当）第一条第三号に掲げる勤務及び同条第四号に掲げる勤務のうち同条第三号に掲げる勤務と同様の勤務をいう。以下この号において同じ。）を除く。以下この号において同じ。）を命じた場合は、その都度勤務時間管理員にその年月日、職員の氏名、超過勤務、休日給の支給される日の勤務、夜間勤務又は宿日直勤務の区分別及びそれぞれの手当の支給割合（その割合が百分の百五十又は百分の百七十五である超過勤務手当の支給割合にあっては、一般職の職員の給与に関する法律（昭和二十五年法律第九十五号。以下この号において「給与法」という。）第十六条第一項第一号に掲げる勤務（国家公務員の育児休業等に関する法律（平成三年法律第一〇九号）第十六条（同法第二十二条において準用する場合を含む。）又は第二十四条の規定により読み替えられた給与法第十六条第一項ただし書又は第二項に規定する七時間四十五分に達するまでの間の勤務（以下この号において「七時間四十五分内勤務」という。）を除く。）、七時間四十五分内勤務及び給与法第十六条第一項第二号に掲げる勤務の別並びに同条第三項の規定の適用の有無の別の支給割合）別の時間数（宿日直勤務にあっては、その勤務一回の時間数）並びに超勤代休時間にした勤務の時間数及び当該勤務の給与法第十六条第四項に規定する減じた割合別の時間数をこれに記入させた上、自ら確認し、当該超過勤務等命令簿にその旨を示すものとする。

二　各庁の長又はその委任を受けた者は、職員に常直勤務を命じた場合には各月の末日（俸給の支給義務者を異にして移動した場合にはその移動の日の前日）に、超過勤務等命令簿にその月の勤務日数を勤務時間管理員に記入させた上、自ら確認し、当該超過勤務等命令簿にその旨を示すものとする。ただし、当該期間中において勤務しなかつた日がある場合は、その都度そのことを朱書するものとする。

三　勤務時間管理員は、勤務時間報告書に超過勤務、超勤代休時間にした勤務、休日給の支給される日の勤務及び夜間勤務の時間並びに宿日直勤務の支給額区分別の回数（常直勤務については勤務日数）を記入するに当たつては、超過勤務等命令簿に基づいて行わなければならない。

別紙

給与の口座振込 申　出 / 変更申出 書

（令和　　年　　月　　日申出）

（各庁の長） 殿			
所　属		フリガナ	
		氏　名	
住　所	（電話　　　　）		

人事院規則９－７（俸給等の支給）第１条の３の規定に基づき、下記のとおり申し出 / 変更を申し出ます。

記

給与の種目	給　与　　期末・勤勉手当　　追給額等			
振込先(1)	金融機関の名称			
	預金・貯金の種類			
	記号・番号			
振込先(2)	金融機関の名称			
	預金・貯金の種類			
	記号・番号			
	振込額	給　与		
		期末・勤勉手当		
		追給額等		
	振込先(1)及び振込先(2)が必要な理由			
振込開始時期	令和　　年　　月	摘　要		

取扱者の確認			

（注１）給与の種目の欄は、この申出書により振込みを希望する種目を○で囲むこと。
（注２）振込額の欄は、この申出書により振込みを希望する種目に応じて、それぞれ振込先(2)に振り込む金額を記入（全額とする場合は「全額」と記入）すること。
（注３）振込開始時期の欄は、振込開始を希望する年月を記入すること。
（注４）振込先(1)又は振込先(2)が不要となった場合には、速やかに申出の変更を行うこと。

A4（297×210）

○人事院規則九―七第一条の三及び給実甲第六五号第一条の三関係の取扱いについて（通知）

平二二・二・二
給二―一〇三

振込みの方法による給与の支払については、人事院規則九―七（俸給等の支給）第一条の三及び給実甲第六五号（人事院規則九―七（俸給等の支給）の運用について）第一条の三関係のほか、平成二十二年二月一日（以下「施行日」という。）以降、下記に整理した事項に基づき、適切な運用をお願いします。

なお、施行日前に改正後の給実甲第六五号第一条の三関係第二号(4)ただし書の規定に該当することとなった職員のうち、当該規定に該当しているものについては、施行日において引き続き同号(4)ただし書の規定の適用があることに、ご留意ください。

記

1 給実甲第六五号第一条の三関係第二号(4)ただし書の「引き続き振込口座としておく必要」がある場合は、次のような場合を想定していること。

(1) 転居を伴う異動等により職員と別居をすることとなる家族の生活費、子供の学費等の引出しに必要である場合で、当該別居前の地域に、当該別居後に職員が在勤し、又は居住する地域に有することとなる振込口座のある金融機関の店舗等がないため、その家族には利用できない場合

(2) 生命保険料、学費、医療費等の支払の引落し口座としての指定がある場合

(3) 住宅ローン、クレジットカード等の支払の引落し口座としての指定がある場合

(4) 以前から積立預金等の口座としている場合

(5) その他職員本人以外の者が定期的に口座からの引出し等を行う必要があるため、引出し等を行う口座を変更することが困難であるようなこれらと同様の事情が認められる場合

2 給実甲第六五号第一条の三関係第二号(4)ただし書の「地域」とは、市区町村の区域を想定していること。

3 給実甲第六五号第一条の三関係第二号(4)ただし書の「第一振込口座のある金融機関の店舗等がない等の事情」とは、第一振込口座からの預金又は貯金の払出しに手数料のかからない金融機関の店舗、現金自動支払機又は現金自動預入払出兼用機（以下「店舗等」という。）がないことに加え、店舗等が異動等の後に当該職員が在勤する官署及び居住する住居から遠い等の店舗等へのアクセスが困難な事情も含まれること。

4 給実甲第六五号第一条の三関係第二号(4)ただし書の「これに相当すると認められる職員」とは、任用の事情等を考慮して同号(4)ただし書の規定を適用することが必要と認められる職員を指し、例えば、人事交流等による地方自治体等からの採用等に伴い、所在する地域を異にする官署に在勤することとなった職員のうち、同号(4)ただし書に規定する要件に該当すると認められる職員が含まれること。この場合においては、第一振込口座とは、当該採用等の前に当該地方自治体等において給与の振込みを受けていた口座（当該口座が複数あるときは、そのいずれかの口座）とすること。

以上

○退職の日の給与の取扱等について（通知）

昭三四・一〇・一九
給二―五一二給与局長

昭和三十四年十月一日付の人事院細則九―八―二（初任給、昇格、昇給等の実施細則）の一部改正および昭和三十四年十月十九日付の給実甲第一六四号（給実甲第二八号および給実甲第一四四号の一部改正について）により、下記のとおり取扱うこととしたので、今後はこれによつてください。

記

1　退職の日付で昇格、昇給等の発令を行なうことができる。

2　離職の日の分として支給される俸給は、離職の際における当該職員の俸給の決定または支給状態を基礎として算出する。

具体例を示すと

(1)　休職中の場合

一般職の職員の給与に関する法律（昭和二十五年法律第九十五号）（以下「給与法」という。）第二十三条により決定されている俸給の額を基礎として算出する。

無給の場合は支給しない。

(2)　病気休暇中で俸給を半減されている場合

俸給の二分の一を基礎として算出する。

(3)　停職中および無給休暇中の場合

支給しない。

3　給与法第九条の二に規定する離職の日は、任期が定められている職員については任期満了の日とされたので、昭和二十九年八月二十五日付三三―三一五による主計局長あて給与局長の回答（特別待命又は臨時待命の期間が満了して辞職する者の離職の日について）によらないこととなつたことを念のため申し添えます。

○特殊勤務手当、超過勤務手当、休日給、夜勤手当、宿日直手当及び管理職員特別勤務手当の支給について（通知）

平一〇・八・一
給三―七七給与第三課長

特殊勤務手当、超過勤務手当、休日給、夜勤手当、宿日直手当及び管理職員特別勤務手当の支給については、人事院規則九―七（俸給等の支給）第十一条第一項ただし書の規定により、交通不便により勤務時間の報告が遅れる場合等で定められた俸給の支給定日において支給することができないときは、その日後において支給することができるものとされていますが、これに該当する場合においても、速やかに支給してください。

なお、人事院規則九―七に基づき俸給の月額の月二回払いを行う場合には、一の月における勤務に基づくこれらの手当を当該月の翌月の後半にある俸給の支給定日に支給することができるものとされています。

この場合において、特殊勤務手当のうち航空手当及び放射線取扱手当については、一の月における勤務に基づくこれらの手当の支給に関し必要な事項を、特殊勤務手当整理簿の記載に基づいて、当該月の後半の給与期間に係る勤務時間報告書に記入するようにしてください。また、宿日直勤務のうち人事院規則九―一五（宿日直手当）第一条第三号に掲げる勤務及び同条第四号に掲げる勤務のうち同条第三号に掲げる勤務と同様の勤務については、一の月における勤務日数を、超過勤務等命令簿の記載に基づいて、当該月の後半の給与期間に係る勤務時間報告書に記入するようにしてください。

以上

【行政実例】

○人事院規則九―三について

〔照会〕 規則九―三の解釈（注 現行規則九―七第一条の二第一項）は、法律若しくはその委任に基く政令又は規則によるもの以外の理由によつて給料を差引き、又は差し引かせてはならぬことになつているが、海上保安本部では燈台勤務者に対し、衣服及び有料現物給与を支給したとき、又はそのほか金銭の徴収の必要ある場合に著しく困難を感じているので、燈台に勤務する職員に対しては、本人が認めた場合に限り、その給与から代金若しくはその他の金銭を差し引くことの特例を認められたい。（昭二四・八・三〇 名地発三一七 名古屋地方事務所長）

〔回答〕 標記の件については、特例を設ける必要は認められない。（昭二四・九・一六 院給俸回発一五九一 給与局俸給課長）

○国家公務員の給与における地方税特別徴収の可否について

〔照会〕 今般地方税法一部改正により市町村民税の源泉徴収が認められることとなつたが、之が実施に当り人事院規則九―三第一項に依る解釈にていいしよくしないか。その適否につき回答願いたい。（昭二六・六・六 税第二五五 兵庫県武庫郡良元村役場）

〔回答〕 標記の件は、人事院規則九―三第二項にいう法律によつて特に認められた場合に該当するので、同規則にていいしよくしない。（昭二六・六・九 七一―五三 法制局審議課長）

（注） 問中の規則九―三の規定はその後の改正によつて廃止され、現在は規則九―七第一条の二第一項に同旨のことが定められている。

○公務員法および給与法上の疑義について

〔照会〕 左記事項について御回答願います。

一、略

二、略

三、㈠ 給与事務担当者が諸給与手当に関して支払うことになつているが、庁舎を異にし遠距離にある場合、給与事務補助者を任命し給与支給日に各補助者に対し地方取扱局へ持参、支払をした場合は、同補助者が目的地に達するまでは公金として取り扱うべきか否か。

㈡ 上記の場合公金とすれば紛失のとき、官より当然再度支払うべきか否か。

四、三の㈠の場合補助者を任命してよいか否か。

（昭二六・一・三一 姫路電気通信管理所庶務課人事係）

〔回答〕 御照会の件につき左記のとおり回答します。

記

一、略

二、略

三、職員の給与は、人事院規則九―四（注 現行規則九―七第一条の二第二項）にも規定してあるとおり、「直接その職員に支払わなければならない。」ことになつている。したがつて、職員に現実に給与が支払われるまでは、国の職員に対する支払義務は終らないのである。

ただ御照会の国庫金を支出した後給与支払前において紛失したような場合には、会計法上の別個の問題が残るのであるが、これについては会計検査院に御照会願いたい。

四、給与簿制度上給与事務担当者とは、各庁の長またはその委任を受けた者により指名された給与の事務を担当する者全員をいうのであり、したがつて給与事務担当者の補助者という制度は存在しない。（昭二六・二・一二 二三―一一四 給与局

実施課長）

○給与の直接払について

〔照会〕　一　給与の支払に当つて各個人に支給することの事務上の煩を避けるため簡便方法として委任を受けた者に支給することは適法であるか否か。

二　職員の勤務部課の職員が使者として印鑑を持参した場合その使者に給与を支払うことは適法であるか否か。

三　職員が海外にある場合、長期にわたつて公務旅行を命ぜられている場合又は長期にわたり病気休暇をとつている場合等で職員に直接支払うことが不可能又は困難である場合職員の使者に給与を支払うことは適法であるか否か。

(イ)　使者が配偶者その他の親族の場合はどうか。

(ロ)　使者が(イ)以外の者である場合はどうか。

（昭三二・一〇・四　総人給五一九　総理府総務副長官）

〔回答〕　一　職員の給与は国家公務員法に基づく人事院規則九—四の規定により、直接職員に支払わなければならないのであり、受領代理人に対して支払うことはできない。

二　職員が公務遂行その他自ら給与を受領できないことについてやむを得ない事情がある場合においては、他の職員を使者として受領することはさしつかえないものと解する。

三　御設例の場合等で直接職員に給与を支払うことが不可能または困難である場合には、職員の収入により生計を維持する親族等で職員の指定する者を当該職員の使者として、給与を支払うことができるものと解する。（昭三二・一〇・二一　給二—三二五　人事院事務総長）

（注）　答中の規則九—四の規定はその後の改正によって廃止され、現在は規則九—七第一条の二第二項に同旨のことが定められている。

○免職等の場合における給与の支給について

〔照会〕　左に掲げる場合の俸給の支給に際し、いかに取扱つてよろしいか、何分の回報を願いたい。

なお、この場合の俸給の支給については昭和二十五年四月二十五日付人事院事務総長の照会、法審第七号に対する同年十一月十八日付、法制意見長官の回答、法意一発第八九号に基いて行われているものであるが、任命権者の職員に対する免職（休職又は停職の場合についても同様である。以下同じ）の意思表示が相手方の了知し得べき状態におかれたとき以前にそ及した日付（以下そ及した日付という。）をもつて行われた場合において、常に相手方の了知し得べき状態におかれた日までは、その効力を発生せず従つてそ及した日付の日から相手方の了知し得べき状態におかれた日までの間における職員の勤務に対し、必ずこれに対する俸給を支給しなければならないか併せて回答願いたい。

記

一、離職した職員の俸給の支給について

離職した職員の俸給については、一般職の職員の給与に関する法律第九条の二第二項により離職の日（発令の日と解する）まで俸給を支給することとなつているが、隔地者へ辞令を通告するに際し、職員への辞令の到達が発令の日より遅れた場合、その発令の日と職員への辞令到達の日（職員の事実上離職した日）との期間において、職員が現実に正規の勤務を行つた場合（又は有給休暇を附与した場合）に対する俸給を支給する場合の給与簿の取扱いはいかにすべきか。

二、休職及び停職処分のそ及発令に伴う俸給の支給について

職員が休職を命ぜられ又は停職処分を受けた場合は人事院規則九—七（俸給等の支給）第六項により、その給与期間の俸給は、日割計算によりこれを支給することとなつているが刑事事件に関する起訴月日の関係或いは国家公務員法第八十二条該当事実の情状調査その他の事由のために、休職又は停職処分を適用されるべき日より、若干の期間を経過してから休職或いは停職処分を決定しこの発令の日をそ及させて、職員へ辞令を通告した場合、この発令の日から職員への辞令到達の日までの期間において、職員が現実に正規の勤務を行つた場合（又は有給休暇を附与した場合）に対する俸給を支給する場合の給与簿の取扱いはいかにすべきか。（昭二六・四・六　郵給一二二　郵政事務次官）

〔回答〕　一、免職については、任命権者の免職の意思表示が相手方の了知しうべき状態におかれた日（以下「到達の日」という。）までのその職員の勤務に対しては、正規の給与を支給すべきである。

なお、免職の発令の日から到達の日までの給与簿の取扱は次によられたい。

1　勤務時間報告書には、到達の日までの勤務の実態（休暇を与えられた場合も含む。）を記録する。

2　職員別給与簿には、上欄の任免発令事項欄には辞令による発令月日および発令事項を記入するが給与については到達の日までの分を記録し、備考欄にその事由を記入する。

二、休職および停職については、一、に準ずる。なお、お尋ねの場合において、発令の日をそ及させる必要はないように考えられるが、もし必要であるとすればその理由をおうかがいしたい。（昭二六・五・二八　七一—五一　事務総長）

（注）　規則九—七（俸給等の支給）第六項については、昭和二十八年一月一日以降は、同規則第五条を参照のこと。

○俸給の支給方法について

〔照会〕 一、離島、へき地等に勤務する職員の俸給の支給が、勤務時間報告書が遅れるために、次の定日に精算できないようなときは、規則九―七第一項の超過勤務手当等の支給方法に準じて、更に次の定日（精算することになる）にしてもさしつかえないか。

二、国警地区署にて俸給の支給を受けている職員のうち、離島、へき地等にある駐在所にて勤務している職員に対しては、船便の欠航等交通障害のため、俸給の支給がほとんど定日にできないのであるが、このような職員に対しては、支給定日に、その地区署にて支給できるようにしておき、その日以後すみやかに支給する場合、規則九―七第一項にてい触しないと解してさしつかえないか。

（昭二六・五・二四　○八―六四四四　福岡地方事務所長）

〔回答〕 一、貴見のとおり解してさしつかえありません。

二、規則九―七（俸給等の支給）第一項に定める俸給の支給定日とは、現実に職員に俸給を支給する日を意味する（給実甲第三〇号参照）ものであるから、遠隔地に駐在する職員に対してもそのように処理することが望ましい。ただし、船便欠航のように特殊な事情のある場合においては貴見のように解することもまたやむを得ないと思われる。

（昭二六・六・六　二三―二三二　給与局実施課長）

（注）　規則九―七（俸給等の支給）第一項については、現行同規則第一条の四を参照のこと。

○給与に関する疑義について

〔照会〕 配置換え、転任発令の場合において、官庁または職員の都合により赴任延期の承認があつたときの新任官庁における給与支給の始期はいつか。

（昭二七・七・一六　○四―四五八　名古屋地方事務所長）

〔回答〕 赴任延期の場合も通常の場合と同様に発令当日から新任官庁で給与を支給する。（昭二七・八・二七　四三―一五　給与局実施課長）

○俸給の支給について

〔照会〕 給与法第九条の二に、その日から新たに定められた俸給を支給するとあるが、その日からとは、降給等俸給額を不利益に変更する場合には、通知書交付の日の翌日からと解してよいか。（昭二九・九・二九　○六―六四二　広島地方事務所長）

〔回答〕 職員の俸給額を不利益に変更する場合においても、給与法第九条の二第一項の規定により、当該人事異動の効力の生ずる日から、新たに定められた給与を支給すべきものと解します。（昭二九・一一・一二　一二―八四七　管理局法制課課長回答「休職給の支給等について」より）

○俸給の支給について

〔照会〕 職員に対し遡及した日付で昇格又は昇給の発令がなされた場合、あるいは遡及した日付で給与ベース改訂等により俸給月額が引き上げられた場合等におけるこれが俸給の差額追給を行う日については、人事院規則九―七（俸給等の支給）に別段の規定がなされていないので、次のとおり疑義を生じているが、これが取扱について貴院の見解をお伺いいたしたい。

一、人事院規則九―七第一条に規定する俸給の支給定日（以下「支給定日」という。）にかかわらず、現実に発令のあつた日、あるいは俸給の切替えられた日（以下「発令日」という。）以降、計算でき次第、速やかに支給できる日とする。

二、発令日以降、直近の支給定日とする。

三、原則として発令日以降、直近の支給定日とするが、この日が発令日以降十五日間をこえる場合に限り、政府契約の支払遅延防止等に関する法律（昭和二十四年法律第二百五十六号）第十条の規定に基づき十五日以内の日とする。（昭二九・三・三一　郵給八〇　郵政大臣官房人事部長）

〔回答〕 御照会については一、の日と解する。（昭二九・四・五　三三―一四三　給与局長）

（注）　俸給の支給定日については、昭和四九年一一月二五日以降は、規則九―七第一条の四を参照のこと。

○人事院規則九―七第四条の解釈について

〔照会〕 職員が盗難により家財の全部又は一部を滅失した場合において、いわゆる俸給の非常時払を認めるか否かにつき、人事院規則九―七第四条の解釈として下記のいずれを妥当とされるか貴院の見解を御教示いただきたい。

記

一　第四条の規定する事由のいずれにも該当しない。

二　「災害」に該当する。

三　「その他これらに準ずる非常の場合」に該当する。（昭三三・二・一七　防衛庁人発調一九　防衛庁人事局長）

〔回答〕 御照会のことについては、三に該当せるものと解します。（昭三三・三・一一　給二―七八　給与局長）

○職員が死亡した場合の俸給等の取扱いについて

〔照会〕 標記については、職員がその月の末日に死亡したものとした場合に受けることとなる俸給を支給することとなつたが、下記に掲げる一に該当した場合におけるその月の俸給等の取扱いについて御教示願いたい。

記

一 死亡の日付で昇格、昇給等の発令を行つた場合
二 休職、病気休暇による半減及び停職中の職員が死亡した場合
三 任期の定められている職員が当該期間の満了前に死亡した場合
四 給与法第十一条の五の規定による調整手当を支給されている職員が同条に規定する支給期間の満了前に死亡した場合（昭五〇・一・一三 人関一—二一 関東事務局長）

〔回答〕 標記について、下記のとおり回答します。

記

設問一について

昇格、昇給等の発令後の俸給が、その月の末日まで支給されるものとした場合に受けることとなる俸給を支給する。

設問二について

休職中の場合は、給与法第二十三条の規定により決定されている休職者の給与を支給するものとし、病気休暇により半減中の場合は半減された俸給を支給する。

停職中の場合は支給しない。この場合において、休職者の給与の支給される期間がその死亡の日の属する月の中途で終了することとなつている場合には、終了の日後は支給しないものとし、停職期間がその死亡の日の属する月の中途で終了することとなつている場合には、当該期間の終了する日の翌日以降月の末日までの間は停職がないものとした場合に受けることとなる俸給を支給する。

設問三・四について

任期又は調整手当の支給期間がその死亡の日の属する月の中途で満了する場合は、当該任期満了の日までの間の給与又は当該支給期間の満了の日までの間の調整手当を支給する。（昭五〇・二・一七 給二—二七 給与第二課長）

○人事院規則九—八二（俸給の半減）

昭六〇・一二・二一制定
昭六一・一・一施行

最終改正 令六・三・二九規則一—八二

（趣旨）

本条—平二二・四・一施行

第一条 この規則は、給与法附則第六項に規定する俸給の半減に関し必要な事項を定めるものとする。

（俸給の半額を減ずることとなる就業禁止の措置）

本条—平二二・四・一施行

第二条 給与法附則第六項の人事院規則で定める就業禁止の措置は、規則一〇—四（職員の保健及び安全保持）第二十四条第二項又は規則一〇—八（船員である職員に係る保健及び安全保持の特例）第七条第一項の規定に基づく就業の禁止の措置とする。

（半減前の俸給の額が算定の基礎となる手当）

本条—平二三・一・一施行

第三条 給与法附則第六項の人事院規則で定める手当は、特地勤務手当（給与法第十四条の規定による手当を含む。）とする。

（勤務しない期間の範囲）

第四条 給与法附則第六項の勤務しない期間には、病気休暇等（次に掲げる場合における病気休暇（以下「生理休暇等」という。）以外の病気休暇又は同項に規定する就業禁止の措置をいう。以下同じ。）の日（一日の勤務時間の一部を病気休暇等により勤務しない日を含む。）のほか、当該療養期間中の週休日（勤務時間法第六条第一項に規定する週休日をいう。以下同じ。）、勤務時間を割り振らない日（同条第三項及び勤務時間法第八条第二項において読み替えて準用する同条第一項の規定に基づく勤務時間を割り振らない日をいう。以下同じ。）、給与法第十五条に規定する祝日法による休日等及び年末年始の休日等その他の勤務しない日（一日の勤務時間の一部を勤務しない日を含み、生理休暇等の日その他の人事院が定める日を除く。）が含まれるものとする。

一 生理日の就業が著しく困難な場合
二 公務上負傷し、若しくは疾病にかかり、又は通勤（補償法第一条の二に規定する通勤をいう。）により負傷し、若しくは疾病にかかつた場合
三 規則一〇—四第二十三条の規定により同規則別表第四に規定する生活規正の面Bの指導区分の決定又は同表に規定する生活規正の面Bへの指導区分の変更を受け、同規則第二十四条第一項の事後措置を受けた場合

（俸給の半額を減ずる日）

本条—令七・四・一施行

第五条 一の負傷又は疾病による病気休暇等が引き続いている場合においては、当該病気休暇等の開始の日から起算して九十日の引き続き勤務しない期間を経過した後の引き続く勤務しない期間における病気休暇等の日（一回の勤務に割

り振られた勤務時間のすべてを病気休暇等により勤務しなかつた日に限る。次項において同じ。）につき、俸給の半額を減ずる。

2　一の負傷又は疾病が治癒し、他の負傷又は疾病による病気休暇等が引き続いている場合においては、当初の病気休暇等の開始の日から起算して九十日の引き続き勤務しない期間を経過した後の引き続く勤務しない期間における病気休暇等の日につき、俸給の半額を減ずる。

3　前二項の規定の適用については、生理休暇等の期間その他の人事院が定める期間の前後の勤務しない期間は、引き続いているものとする。

本条—平二三・一・一施行

（俸給の日割計算）

第六条　月又は給与法第九条ただし書に規定する各期間（以下「給与期間」という。）の中途において俸給の半額が減ぜられることとなつた場合等給与期間中の一部の日につき俸給の半額が減ぜられる場合における俸給は、当該給与期間の現日数から週休日及び勤務時間を割り振らない日の日数の合計日数を差し引いた日数を基礎とした日割りによつて計算する。

本条—令七・四・一施行

（雑則）

第七条　この規則に定めるもののほか、俸給の半減に関し必要な事項は、人事院が定める。

本条—平二三・一・一施行

附　則

この規則は、昭和六十一年一月一日から施行する。

附　則（平二二・一一・一規則九—八二—四）

（施行期日）

1　この規則は、平成二十三年一月一日から施行する。

（経過措置）

2　この規則の施行の日前から引き続き結核性疾患による給与法附則第六項に規定する病気休暇又は就業禁止の措置により勤務しない職員に対する改正後の規則九—八二第五条第一項及び第二項の規定の適用については、同条第一項中「一の負傷又は疾病」とあるのは「平成二十三年一月一日前から結核性疾患」と、「九十日」とあるのは「一年」と、同条第二項中「他の負傷又は疾病」とあるのは「平成二十三年一月一日前から結核性疾患」と、「九十日」とあるのは「一年」とする。

附　則（令六・三・二九規則一—八二）（抄）

（施行期日）

第一条　この規則は、令和七年四月一日から施行する。〔ただし書略〕

○人事院規則九—八二（俸給の半減）の運用について（通知）

平二二・一一・一
給実甲一一二六

改正　令六・三・二九事企法—八七

人事院規則九—八二（俸給の半減）の運用について下記のとおり定めたので、平成二十三年一月一日以降は、これによつてください。

記

第四条関係

1　この条の「その他の勤務しない日」には、年次休暇（一般職の職員の勤務時間、休暇等に関する法律（平成六年法律第三十三号。以下「勤務時間法」という。）第十七条に規定する年次休暇をいう。以下同じ。）又は特別休暇（勤務時間法第十九条に規定する特別休暇をいう。以下同じ。）を使用した日等が含まれる。

2　この条の「人事院が定める日」は、次に掲げる日とする。

一　この条に規定する生理休暇等（以下「生理休暇等」という。）の日

二　生理休暇等に係る負傷又は疾病に係る療養期間中の週休日（勤務時間法第六条第一項に規定する週休日をいう。以下同じ。）、勤務時間を割り振らない日（同条第三項及び勤務時間法第八条第二項において読み替

えて準用する同条第一項の規定に基づく勤務時間を割り振らない日をいう。以下同じ。）、一般職の職員の給与に関する法律（昭和二十五年法律第九十五号）第十五条に規定する祝日法による休日等及び年末年始の休日等（以下「休日等」という。）その他のこの条に規定する病気休暇等（以下「病気休暇等」という。）の日以外の勤務しない日

三　一日の勤務時間の一部に人事院規則一五―一四（職員の勤務時間、休日及び休暇）（以下「規則一五―一四」という。）第二十一条第二項に規定する育児時間等がある日であって、当該勤務時間のうち、当該育児時間等以外の勤務時間のすべてを勤務した日

3　前項第二号の病気休暇等の日以外の勤務しない日には、年次休暇又は特別休暇を使用した日等が含まれ、また、一日の勤務時間の一部を勤務しない日が含まれるものとする。

第五条関係

1　この条の第三項の「人事院が定める期間」は、次に掲げる期間とする。

一　生理休暇等の期間（生理休暇等に係る負傷又は疾病に係る療養期間中の週休日、勤務時間を割り振らない日、休日等その他の病気休暇等の期間以外の勤務しない期間を含む。）

二　引き続き勤務しない期間が八日以上の期間（当該期間における週休日、勤務時間を割り振らない日、勤務時間法第十三条の二第一項の規定により割り振られた勤務時間の全部について超勤代休時間が指定された勤務時間法第十条に規定する勤務日等及び休日等以外の日の日数が四日以上である期間に限る。）にわたる職員（この条の第三項の規定により勤務しない期間が引き続いているものとされる職員を含む。）が、引き続く勤務しない期間の末日の翌日から規則一五―一四第二十一条第二項に規定する実勤務日数が二十日に達する日までの間に再度勤務しないこととなった場合における当該引き続く勤務しない期間の末日の翌日から当該再度勤務しないこととなった期間の初日の前日までの期間

2　前項第二号の「引き続き勤務しない」には、同項第一号に該当してこの条の第三項の規定により勤務しない期間が引き続いているものとされる場合は含まれないものとする。

以　上

【行政実例】

○病気休暇等により俸給が半減されている場合の休日等の取扱いについて

〔照会〕　今回の給与法改正による俸給半減の規定の整備に伴い、下記の疑義が生じたので御照会します。

1　給与法附則にある俸給の半減の規定によれば負傷又は疾病等による療養の為に九十日（結核性疾患にあっては一年）を超えて引き続き勤務しない場合には、病気休暇又は就業禁止となる日につき俸給の半額が減ぜられることとされているが、このことからすれば病気休暇あるいは就業禁止の日以外の日、例えば同法第十四条の二に規定する祝日法による休日及び年末年始の休日は半減しないことと解してよいか。

2　略

（昭六一・一・一六　人関一―一七　人事院関東事務局長）

〔回答〕　御照会のありました標記については、下記のとおり回答します。

1　貴見のとおりと解する。

2　略

（昭六一・一・二四　給二―一五　人事院給与局給与第二課長）

（注）　給与法第十四条の二については、平成六年九月一日以降は、同法第十五条を参照のこと。

○人事院規則一二—〇（職員の懲戒）

昭二七・五・二三制定
昭二七・六・一施行

最終改正　令四・一二・一八規則一—七九

（総則）

第一条　職員の懲戒は、官職の職務と責任の特殊性に基づいて法附則第四条の規定により法律又は規則をもつて別段の定めをした場合を除き、この規則の定めるところによる。

（停職）

第二条　停職の期間は、一日以上一年以下とする。

（減給）

第三条　減給は、一年以下の期間、その発令の日に受ける俸給の月額の五分の一以下に相当する額を、給与から減ずるものとする。この場合において、その減ずる額が現に受ける俸給の月額の五分の一に相当する額を超えるときは、当該額を給与から減ずるものとする。

（戒告）

第四条　戒告は、職員が法第八十二条第一項各号のいずれかに該当する場合において、その責任を確認し、及びその将来を戒めるものとする。

（懲戒の手続）

第五条　懲戒処分は、職員に文書を交付して行わなければならない。

2　前項の文書の交付は、これを受けるべき者の所在を知ることができない場合においては、その内容を官報に掲載することをもつてこれに替えることができるものとし、掲載された日から二週間を経過したときに文書の交付があつたものとみなす。

3　第一項の文書に記載すべき事項は、人事院が定める。

（他の任命権者に対する通知）

第六条　任命権者を異にする官職に併任されている職員について懲戒処分を行つた場合においては、当該処分を行つた任命権者は、他の任命権者にその旨を通知しなければならない。

（処分説明書の写の提出）

第七条　任命権者は、懲戒処分を行つたときは、法第八十九条第一項に規定する説明書の写一通を人事院に提出しなければならない。

（刑事裁判所に係属する間の懲戒手続）

第八条　任命権者は、懲戒に付せられるべき事件が刑事裁判所に係属する間に、同一事件について懲戒手続を進めようとする場合において、職員本人が、公判廷において（当該公判廷における職員本人の供述があるまでの間は、任命権者に対して）、懲戒処分の対象とする事実で公訴事実に該当するものが存すると認めているとき（第一審の判決があつた後にあつては、当該判決（控訴審の判決があつた後は当該控訴審の判決）により懲戒処分の対象とする事実で公訴事実に該当するものが存すると認められているときに限る。）は、法第八十五条の人事院の承認があつたものとして取り扱うことができる。

2　任命権者は、前項の規定により懲戒手続を進め、懲戒処分を行つた場合には、当該懲戒処分について前条の規定により処分説明書の写を人事院に提出する際に、前項に該当することを確認した資料の写を併せて提出するものとする。

（国の事務又は事業と密接な関連を有する業務を行う法人）

第九条　法第八十二条第二項の人事院規則で定める法人は、沖縄振興開発金融公庫のほか、次に掲げる法人とする。

一　国家公務員退職手当法施行令（昭和二十八年政令第二百十五号）第九条の二各号に掲げる法人（平成十一年十月一日において適用されていた同条各号に掲げる法人であつて、かつ、同日において適用されていたこの規則第八条各号に掲げる法人でなかつたものを除く。）

二　国家公務員退職手当法施行令第九条の四各号に掲げる法人（沖縄振興開発金融公庫及び前号に掲げる法人を除く。）

三　旧二千五年日本国際博覧会協会（平成九年十月二十三日に設立され、平成十八年十二月二十七日に解散したものであり、かつ、清算が結了したものをいう。）

四　旧二千二年ワールドカップサッカー大会日本組織委員会（平成九年十二月十二日に設立され、平成十五年十二月三十一日に解散したものであり、かつ、清算が結了したものをいう。）

五　中部国際空港の設置及び管理に関する法律（平成十年法律第三十六号）第四条第二項に規定する指定会社

六　アイヌの人々の誇りが尊重される社会を実

現するための施策の推進に関する法律（平成三十一年法律第十六号）第二十条第三項に規定する指定法人

附　則（令元・五・二四規則一二―〇―三九）

この規則は、公布の日から施行する。

附　則（令四・二・一八規則一―七九）（抄）

（施行期日）

第一条　この規則は、令和五年四月一日から施行する。

○人事院規則一二―〇（職員の懲戒）の運用について

昭三二・六・一
職職　三九三

最終改正　令四・二・一八事企法―三七

人事院規則一二―〇の運用について、下記のように定められたので、これによつて取り扱われるよう願います。なお、これに伴つて昭和二十七年六月一日人事院事務総長通達一三―八〇一は廃止します。

記

第二条関係

停職の期間計算は、暦日計算による。

第三条関係

1　減給は、休職、病気休暇等のため、俸給を減ぜられている場合でも、本来受けるべき俸給の月額（俸給の調整額を含む。）を基礎として計算した額を、給与から減ずるものとする。

2　減給は、職員が本来受けるべき俸給を変更するものではないから、俸給を計算の基礎とする手当等に影響を及ぼすものではない。

3　減給の期間は月単位で表示し、その効力発生の日の直後の俸給の支給定日（効力発生の日と俸給の支給定日とが同日の場合は、次の俸給の支給定日）から、減給期間として示された月数に応じ、各俸給の支給定日ごとに減給分を差し引くこととする。

月二回払の場合　減給の割合による額の二分の一

月一回払の場合　減給の割合による額

4　減給期間中に昇給、昇格その他の事由により俸給の月額が変動した場合にも、この条の後段に規定する場合を除き、減給の額の計算については、減給発令時に受けていた俸給の月額を基礎とする。

5　減給期間中に離職する場合には、最終の俸給の支給定日の減給の額をもつて打ち切るものとする。

6　減給に際し、支給される給与（俸給の支給定日に支給されるべき給与の総額をいう。以下同じ。）がない場合には、当該支給定日に減ずる減給分は打ち切るものとする。また、支給される給与の額が当該俸給の支給定日に減ずる減給の額にみたないときは、支給される給与の額をもつて、当該支給定日に減ずる減給分は打ち切るものとする。

第五条関係

1　懲戒処分の効力は、懲戒処分書を職員に交付したときに発生する。

2　期間を限つて雇用される職員の停職および減給は、現に任用されている期間内に限られる。

3　本条に定める文書（以下「懲戒処分書」という。）の様式は、任命権者（任命権の委任が行われた場合には、その委任を受けた者。以下同じ。）の定めるところによる。

4　懲戒処分書には、次に掲げる事項を記載するものとする。

一　「懲戒処分書」の文字

二　懲戒処分に係る職員の占める官職の組織上の名称、職務の級又はその他の公の名称

三　懲戒処分に係る職員の氏名

四　懲戒処分の内容

五　懲戒処分を発令した日付

六　「任命権者」の文字並びに任命権者の組織上の名称及び氏名

七　文書番号

5　前項第四号により、懲戒処分の内容を記入するについては、当該懲戒処分に応じて次の各号に掲げる事項を記入するものとする。

一　免職する場合

「甲（根拠法令の条項を表示する。以下同じ。）により、懲戒処分として免職する。」

二　停職する場合

「甲により、懲戒処分として、　月（日）間停職する。」

三　減給する場合

「甲により、懲戒処分として、　月間俸給の月額の　分の一を減給する。」

四　戒告する場合

「甲により、懲戒処分として戒告する。」

第七条関係

処分説明書の写の提出は、当該処分の発令の日から一ヵ月以内とする。

以　上

第二　給与簿

【参照】
●国公法六八・六九
●一般職給与法三
●規則九—七

○人事院規則九—五（給与簿）

昭二六・一二・三〇全改
昭二七・一・一施行
最終改正　令六・一・二三規則九—一五一

（総則）
第一条　法第六十八条の規定による給与簿は、勤務時間報告書、職員別給与簿及び基準給与簿から成るものとする。

（勤務時間報告書）
第二条　勤務時間報告書は、国家行政組織法（昭和二十三年法律第百二十号）第七条に定める課又はこれに準ずる組織の単位（以下「課係等」という。）別に、月（月二回に支給するときは、月の一日から十五日まで及び月の十六日から末日までの各期間。以下「給与期間」という。）ごとに作成する。

本条—昭三六・四・一施行

第三条　勤務時間報告書には、課係等の長が指名した者（以下「勤務時間管理員」という。）が、各職員につきその勤務時間を管理するため作成する記録（以下「出勤簿」という。）及びその他事務総長が定める記録に基づいて次に掲げる事項を記入するものとする。

一　超過勤務、超勤代休時間、超勤代休時間にした勤務、休日給の支給される日の勤務及び夜間勤務の時間並びに宿日直勤務の支給額区分別の回数（規則九—一五（宿日直手当）第一条第三号に掲げる勤務及び同条第四号に掲げる勤務のうち同条第三号に掲げる勤務と同様の勤務については勤務日数）
二　管理職員特別勤務手当の計算上必要な事項
三　給与法第十五条の規定その他法令の規定により給与が減額される時間
四　特殊勤務手当の計算上必要な事項
五　国際平和協力手当の計算上必要な事項

本条—令二・四・一施行

第四条　勤務時間管理員は、各給与期間の終了後すみやかに前条に掲げる事項を勤務時間報告書に記入し、その課係等の長の証明を得て、各庁の長（給与法第七条に定める各庁の長をいう。以下同じ。）又はその委任を受けた者の指名する給与の事務を担当する者（以下「給与事務担当者」という。）にこれを送付しなければならない。

（職員別給与簿）
第五条　職員別給与簿は、各職員ごとに毎年作成する。

第六条　職員別給与簿には、各給与期間につき（期末手当その他の給与期間ごとに支給される給与以外の給与にあつては、その支給の都度。第十二条において同じ。）次に掲げる事項を給与事務担当者が記録するものとする。

一　俸給、俸給の特別調整額、本府省業務調整手当、初任給調整手当、専門スタッフ職調整手当、扶養手当、地域手当、広域異動手当、研究員調整手当、住居手当、通勤手当、単身赴任手当、在宅勤務等手当、特殊勤務手当、特地勤務手当（給与法第十四条の規定による手当を含む。）、超過勤務手当、休日給、夜勤手当、宿日直手当、管理職員特別勤務手当、期末手当、勤勉手当その他の給与の支給額
二　所得税、共済組合掛金及び厚生年金保険料、宿舎費、住民税並びにその他の控除額
三　現金支給額

本条—令六・四・一施行

第七条　各庁の長又はその委任を受けた者の指名する人事の事務を担当する者は、給与の計算につき必要とする事項をすみやかに給与事務担当者に通知しなければならない。

（基準給与簿）
第八条　基準給与簿は、各庁の長又はその委任を受けた者の指定する部局等の組織別に各給与期間ごとに（期末手当その他の給与期間ごとに支給される給与以外の給与に係る基準給与簿にあつては、その支給の都度）作成する。

本条—昭六〇・一二・二一施行

第九条　基準給与簿には、職員別給与簿に記録された事項を、給与事務担当者が集録するものとする。

第十条　各庁の長又はその委任を受けた者の指定

する給与の事務を担当する課係等の長は、基準給与簿の記録計算が正確で、且つ、適法であることを証明しなければならない。

本条—平一三・四・一施行

第十一条　削除

（雑則）

第十二条　俸給、手当その他の給与は、各給与期間につき基準給与簿に基いて支払わなければならない。

第十三条　職員に給与を支払うに当たつては、基準給与簿に基づいて作成された給与支給明細書を交付しなければならない。

本条—昭四九・一一・二五施行

第十三条の二　職員は、給与の支払を受けるときは、規則九—七（俸給等の支給）第一条の三の規定による預金又は貯金への振込み（以下「振込み」という。）の方法によつてその支払を受けるときを除き、給与事務担当者の保管する基準給与簿にその受領をしたことを適宜の方法により示さなければならない。この場合において、基準給与簿にその受領をしたことを示すことが困難なとき、又は法律若しくは規則により職員の指定する者に支払うことが認められているときは、それぞれ当該職員又は当該職員の指定する者の受領証をもつてこれに代えることができる。

2　振込みの方法によつて給与を支払うときには、給与事務担当者は、当該方法によつて支払う給与の額の振込みに係る文書を基準給与簿に添付しなければならない。

一項—令二・四・一施行

二項—昭四九・一一・二五施行

第十四条　規則九—七第四条に規定する請求があつた場合の給与簿の記入方法その他給与簿、出勤簿及び給与支給明細書に関し必要な事項は、事務総長が定める。

本条—昭六〇・一二・二一施行

第十五条　給与法第二十二条第二項の規定に該当する職員の給与簿、出勤簿及び給与支給明細書については、別に規則で定めるまでなお従前の例による。

第十六条　給与法附則第三項の規定に該当する職員には、この規則は適用しない。

第十七条　この規則に定める事項で特別の事情がある場合には、人事院の指定により又はその承認を経て、この規則の規定と異なる取扱をすることができる。

第十八条　この規則に定めるもののほか、給与簿に関し必要な事項は、人事院が定める。

本条—平一三・四・一施行

附　則（令六・一・二三規則九—一五一）（抄）

（施行期日）

第一条　この規則は、令和六年四月一日から施行する。

○給与簿等の取扱いについて（通知）

昭六〇・一二・二一
給実甲五七六

最終改正　令七・一一・一二給実甲一三四七

人事院規則九—五（給与簿）（以下「規則」という。）に規定する給与簿等の取扱いについて下記のとおり定めたので、昭和六十一年一月一日以降は、これによつてください。

なお、これに伴い「給与簿様式等の特例の承認について（昭和四十九年十一月二十五日給二—一二五）」は廃止します。

記

第一　用語の定義

この通達において、次の各号に掲げる用語の意義は、当該各号に定めるところによる。

一　超勤代休時間　一般職の職員の勤務時間、休暇等に関する法律（平成六年法律第三十三号。以下「勤務時間法」という。）第十三条の二第一項に規定する超勤代休時間をいう。

二　年次休暇、病気休暇、特別休暇、介護休暇及び介護時間　それぞれ勤務時間法第十六条に規定する休暇をいう。

三　就業禁止期間　人事院規則一〇—四（職員の保健及び安全保持）第二十四条第二項又は人事院規則一〇—八（船員である職員に係る保健及び安全保持の特例）第七条第一項の規定により業務に就くことを禁止された期間をいう。

四　短従許可期間　人事院規則一七―二（職員団体のための職員の行為）第六条第一項に規定する許可（第八号において「短従許可」という。）を受けて職員団体の業務に従事する期間をいう。

五　育児時間　国家公務員の育児休業等に関する法律（平成三年法律第百九号）第二十六条第一項に規定する育児時間をいう。

六　勤務時間を割く兼業　国家公務員法（昭和二十二年法律第百二十号）第百三条第二項の規定による承認、同法第百四条の規定による許可、出入国管理及び難民認定法（昭和二十六年政令第三百十九号）第五十五条の十七第一項の規定による承認、ハンセン病問題の解決の促進に関する法律（平成二十年法律第八十二号）第十一条の二第一項の規定による承認又は矯正医官の兼業の特例等に関する法律（平成二十七年法律第六十二号）第四条第一項の規定による承認を得て勤務時間法第十三条第一項に規定する正規の勤務時間（以下「正規の勤務時間」という。）を割くことをいう。

七　勤務時間内法科大学院派遣法第四条派遣　正規の勤務時間において法科大学院への裁判官及び検察官その他の一般職の国家公務員の派遣に関する法律（平成十五年法律第四十号）第四条第三項の規定による派遣により勤務しないことをいう。

八　欠勤　正規の勤務時間中に勤務しないために給与を減額される場合（介護休暇、介護時間、短従許可、育児時間、勤務時間を割く兼業又は勤務時間内法科大学院派遣法第四条派遣の場合を除く。）をいう。

第二　出勤簿

1　出勤簿は、各職員ごとに作成し、勤務時間管理員がこれを管理するものとする。

2　出勤簿には、職員（一般職の任期付研究員の採用、給与及び勤務時間の特例に関する法律（平成九年法律第六十五号）第八条の規定の適用を受ける職員を除く。）が定時までに出勤したことを証するために必要な記録を適宜の方法で自ら行い、勤務時間管理員は各職員の年次休暇、病気休暇、特別休暇、介護休暇、介護時間、就業禁止期間、短従許可期間、育児時間、勤務時間を割く兼業、勤務時間内法科大学院派遣法第四条派遣及び欠勤の日数及び時間数並びにその他必要とする事項をその都度記入し、人事院規則一五―一四（職員の勤務時間、休日及び休暇）第六条第二項に規定する週休日の振替等、勤務時間法第十三条の二第一項の規定に基づく超勤代休時間の指定及び勤務時間法第十五条第一項の規定に基づく休日の代休日の指定については、その都度その旨を表示するものとする。

3　勤務時間管理員は、職員ごとにその年に使用することができる年次休暇の日数を、あらかじめ出勤簿に記入するものとする。

4　勤務時間管理員は、職員が転出した場合には、出勤簿に基づき、当該職員の当該給与期間における当該転出の日の前日までの勤務時間法第六条第一項に規定する週休日並びに同条第三項及び勤務時間法第八条第二項において読み替えて準用する同条第一項の規定に基づく勤務時間を割り振らない日の日数、当該転出後の昇給又は勤勉手当の額の算定に際しその者の勤務成績を判定する対象となる期間中の病気休暇、介護休暇、介護時間、就業禁止期間、短従許可期間、育児時間、勤務時間を割く兼業及び欠勤の日数及び時間数、その年において使用した年次休暇の日数及び時間数並びにその他必要とする事項について、これを文書で給与事務担当者に報告するものとする。

第三　勤務時間報告書

1　勤務時間報告書には、その給与期間につき、次に掲げる事項をそれぞれ転記し又は記入する。

一　超過勤務等命令簿に記載されている超過勤務、休日給の支給される日の勤務及び夜間勤務については、それぞれの勤務に対する手当の支給割合別の合計時間数、宿日直勤務については、その支給額区分別の回数（人事院規則九―一五（宿日直手当）第一条第三号に掲げる勤務及び同条第四号に掲げる勤務のうち同条第三号に掲げる勤務と同様の勤務にあっては、勤務日数）、超勤代休時間にした勤務については、当該勤務の当該超勤代休時間の指定に代えられた超過勤務手当の支給に係る超過勤務の時間の属する年月別の合計時間数並びに一般職の職員の給与に関する法律（昭和二十五年法律第九十五号。以下「給与法」という。）第十六条第四項に規定する減じた割合及び

当該年月別の合計時間数

二　管理職員特別勤務手当整理簿に記載されている管理職員特別勤務手当の支給に関し必要な事項

三　出勤簿に記載されている介護休暇、介護時間、短従許可期間、育児時間、勤務時間を割く兼業、勤務時間内法科大学院派遣法第四条派遣及び欠勤の時間数

四　特殊勤務手当整理簿に記載されている特殊勤務手当の支給に関し必要な事項

五　超勤代休時間の指定に関する記録に記載されている超勤代休時間の時間数及び給与法第十六条第四項に規定する減じた割合別の当該超勤代休時間の指定に代えられた超過勤務手当の支給に係る時間数の合計時間数

六　国際平和協力手当に関する記録に記載されている支給額別の日数

七　前各号に掲げるもののほか職員の給与計算に関し必要な事項

2　勤務時間報告書に記入する事項のない職員については、その記入を省略することができる。ただし、全職員について記入する事項がない場合には、その旨を記載する。

3　給与期間の中途において俸給の月額、これに対する地域手当、広域異動手当若しくは研究員調整手当の月額、管理職員特別勤務手当の額又は特殊勤務手当の額に異動を生じた場合には、勤務時間報告書に第一項第一号から第五号までに掲げる項目ごとの当該異動の前後別に時間等を区分して記入する。

4　超勤代休時間に勤務した場合においては当該超勤代休時間の指定に代えられた超過勤務手当の支給に係る超過勤務の時間の属する年月を、次に掲げる場合においてはその旨をそれぞれ勤務時間報告書に備考として記入する。

一　当該給与期間中の勤務を要する全時間が、介護休暇、短従許可期間、勤務時間を割く兼業又は欠勤であった場合

二　以前の給与期間に関する勤務時間報告書に欠勤として記載された時間につき、人事院規則一五—一四第二十七条第一項ただし書の規定により、後日休暇の承認を得た場合

三　前項に定める取扱いをした場合

四　給与法附則第六項の規定により俸給が半減されることとなった場合

五　人事院規則九—七（俸給等の支給）第七条の規定により俸給の特別調整額、本府省業務調整手当若しくは専門スタッフ職調整手当が支給されないこととなった場合又は人事院規則九—二四（通勤手当）第二十一条の規定により通勤手当が支給されないこととなった場合

5　課係等の長が、規則第四条の証明を行うに当たっては、勤務時間報告書が正確かつ適法であることを確認し、当該勤務時間報告書にその旨を示すものとする。

第四　職員別給与簿

1　職員別給与簿の様式は、別表第一のとおりとする。

2　規則第七条に規定する人事の事務を担当する者（以下「人事事務担当者」という。）は、職員について次に掲げる事項に異動があったときは、その都度文書で給与事務担当者に通知しなければならない。

一　氏名

二　住所

三　所属部局課係

四　発令事項（発令日付、異動の内容）（併任されている官職の業務に専ら従事することを命じたことを含む。）

五　俸給の特別調整額、本府省業務調整手当、初任給調整手当、専門スタッフ職調整手当、扶養手当、地域手当、広域異動手当、研究員調整手当、住居手当、通勤手当、単身赴任手当、在宅勤務等手当、特殊勤務手当、特地勤務手当（給与法第十四条の規定による手当を含む。）、管理職員特別勤務手当、期末手当、勤勉手当及び国際平和協力手当並びにその他法令の規定により支給される給与に関する事項（支給率、手当額、支給開始年月日、変更年月日等）

六　国家公務員共済組合法（昭和三十三年法律第百二十八号）又は地方公務員等共済組合法（昭和三十七年法律第百五十二号）に基づく職員の属する共済組合名及び掛金率並びに厚生年金保険法（昭和二十九年法律第百十五号）に基づく保険料率

3　前項の通知文書は、給与事務担当者が保管するものとする。

4　給与事務担当者は、人事事務担当者からの通知等に基づき、職員別給与簿（その一）の

各欄に記入するものとする。

5　給与事務担当者は、勤務時間管理員からの報告等に基づき、職員別給与簿（その二）の各欄を記入するものとする。

6　給与事務担当者は、職員が転出した場合には、職員別給与簿の写し及びこの通達の第二第四項に定める勤務時間管理員からの報告の文書（月の中途で職員が転出した場合にあっては、当該写し、当該文書及び超過勤務等命令簿の写し）を転出先の給与事務担当者に送付しなければならない。

7　給与事務担当者は、転出した職員について、給与法その他の法令の規定により支給される給与の追給又は返納があった場合には、その都度追給又は返納の額その他必要な事項を文書で転出先の給与事務担当者に通知しなければならない。

第五　基準給与簿

1　基準給与簿の様式は、別表第二のとおりとする。

2　給与事務担当者は、職員別給与簿に記載されている事項を基準給与簿に転記するものとする。

3　規則第十条の規定による証明は、課係等の長が、基準給与簿の記録計算が正確かつ適法であることを確認し、最後の葉の欄外に、その旨を示すことにより行うものとする。

4　給与事務担当者は、次の各号に掲げる場合には、当該各号に定める文書を基準給与簿に添付して保管するものとする。

一　規則第十三条の二第一項後段に該当する場合　給与期間、現金支給額及び受領年月日を記載した受領証

二　規則第十三条の二第二項に該当する場合　給与期間、振込額、振込先金融機関等の名称及び振込年月日を職員別に記載した振込みに係る文書

第六　給与支給明細書

給与支給明細書の様式は、別表第三のとおりとする。

第七　委員、顧問、参与等の非常勤職員の特例

給与法第二十二条第一項の規定に該当する非常勤職員の出勤簿及び給与簿の記入については、次に掲げる取扱いをすることができる。

一　出勤簿関係　勤務時間管理員は、職員の出欠を調査し、その記録を作成する。

二　勤務時間報告書関係　勤務した日数を出勤簿から転記する。

三　職員別給与簿関係　一日当たりの手当額及び職員が勤務した日数を記入する。

第八　給与簿の検査に係る調書等

給与簿の検査は、次に掲げる調書等により確認して行うものとする。

一　初任給決定調書

次に掲げる事項その他の初任給の決定の過程を明らかにするために必要と認められる事項を記載したもの

イ　決定した職務の級及び号俸（俸給月額をもって定められている場合はその額。以下同じ。）

ロ　学歴又は資格及び卒業又は資格取得の年月日

ハ　学歴免許等の資格又は経験年数による調整の過程

二　俸給表異動等に伴う再計算調書

次に掲げる事項その他の俸給表異動等に伴う俸給月額の調整の過程を明らかにするために必要と認められる事項を記載したもの

イ　俸給表異動等の時期

ロ　異動前の俸給表、職務の級及び号俸

ハ　異動後の俸給表、職務の級及び号俸

三　昇給に係る決定調書

人事院規則九―八（初任給、昇格、昇給等の基準）第三十四条に規定する昇給日において職員を昇給させなかった場合又は職員の昇給区分（同規則第三十七条第一項に規定する昇給区分をいう。以下同じ。）をD若しくはEに決定した場合における次に掲げる事項その他の昇給させるか否か及び昇給させる場合の昇給の号俸数の決定の過程を明らかにするために必要と認められる事項を記載したもの

イ　昇給させるか否か及び昇給させる場合の昇給の号俸数

ロ　昇給前の職務の級及び号俸

ハ　昇給後の職務の級及び号俸

ニ　昇給させなかった事由又は昇給区分をD若しくはEに決定した事由

四　復職時調整調書

次に掲げる事項その他の復職時等の調整の過程を明らかにするために必要と認められる事項を記載したもの

イ　復職等の日における職務の級及び号俸並びにこれらの発令年月日

ロ　休職等の始期及び終期並びに休職等の事由（二以上の異なる事由による休職等の期間を含む場合は、それぞれの事由別に始期及び終期を記載する。）

ハ　調整換算率及び実際に換算して得た調整期間

ニ　復職時調整の時期

ホ　復職時調整後の職務の級及び号俸

五　在職者調整調書

　次に掲げる事項その他の俸給月額の決定基準の改正等に伴う在職者の俸給月額の調整の過程を明らかにするために必要と認められる事項を記載したもの

イ　在職者調整の時期

ロ　調整前の職務の級及び号俸

ハ　調整後の職務の級及び号俸

六　俸給の切替調書

　次に掲げる事項その他の改正給与法の施行に伴う俸給月額の切替えの過程を明らかにするために必要と認められる事項を記載したもの

イ　切替前における職務の級及び号俸

ロ　切替後における職務の級及び号俸

七　扶養手当認定簿、住居手当認定簿、通勤手当認定簿及び単身赴任手当認定簿並びにこれらの関係書類

八　その他給与の適正な決定及び支給のために作成した調書等

第九　給与簿様式等の特例等

1　各庁の長又はその委任を受けた者は、給与計算に関する事務の必要上、給与簿の様式等についてこの通達によることが困難な場合には、あらかじめ事務総長の承認を得て、この通達の規定と異なる定めをすることができる。

2　職員別給与簿、基準給与簿及び給与支給明細書の様式について、前項の定めをする必要がある場合においては、当分の間、その定めによる様式の改定が次の各号のいずれかに該当するときは、同項の規定による事務総長の承認があったものとして取り扱うものとする。

一　様式中の各欄の配列を変更すること。

二　様式中の各欄のうち当該様式を使用する官署において記入することがない欄若しくは記入することが極めてまれである欄を省略すること又は様式中の各欄以外の欄を必要に応じて設定すること。

三　様式中の各欄の名称を適宜簡略化すること又は各記入欄ごとに各欄の名称を付すること。

3　前項の規定により事務総長の承認があったものとして取り扱った場合には、改定後の様式並びにその様式を使用する官署名、対象職員数及び使用開始年月日を文書により、当院給与局給与第二課長宛て速やかに報告するものとする。

4　職員別給与簿、基準給与簿及び給与支給明細書は、当分の間、従前の様式のものによることができる。

5　給与簿の記入に当たって誤記をした場合には、その部分に二線を引き、誤記の訂正をした者を確認することができるようにするものとする。

以　上

	氏名		性別
	職員番号	生年月日	

事　　項　　等

務 当 額	専門スタッフ職調整手当の月額	俸給の月額に対する地域手当等		俸給の月額に対する広域異動手当		超過勤務手当等の勤務1時間当たりの額							支給割合
		支給割合	額	支給割合	額	夜勤25	超勤・減額100	超勤125	休日・超勤135	超勤150	超勤160	超勤175	

単身赴任手当	変更年月日	月額	寒冷地手当	変更年月日	地域の区分	世帯等の区分

務手当	支給開始年月日	支給割合	特地勤務手当に準ずる手当	支給開始年月日	支給割合
		%			%
		%			%
		%			%
		%			%
		%			%

標準報酬		変更年月日	等級	標準報酬月額
	短期			
	厚生年金			
	退職等年金給付			

	住民税納付先		前年の年末調整に基づき繰り越した過不足税額	
	前年納付先コード		過納額	
	当年納付先コード		不足額	

調　　整

区分			金額	税額
差引控除後の給与額及び年税額				
住宅借入金等特別控除額				
年調所得税額				
年調年税額				
差引過不足税額				
超過額の精算	本年最後の給与の徴収税額への充当額			
	差引還付する税額			
	同上のうち	本年還付する税額		
		翌年還付する税額		
不足額の精算	本年最後の給与から徴収する税額			
	翌年に繰り越して徴収する税額			

備考

別表第1

職員別給与簿（その1）　令和　年

組織・所属	住　所
変更組織・所属	変更住所

発　令									
発令等年月日	発令等事項	俸給					俸給の特別調整額		本府省 調整手 の月
		俸給表	級号俸	管理監督職勤務上限年齢調整額	俸給の調整額	俸給の月額	区分	額	

手　当								
扶養手当	変更年月日	認定扶養親族（子以外）	認定扶養親族（子）		月額	住居手当	変更年月日	月額
				うち加算措置対象				
		人	人	人				
		人	人	人				
		人	人	人				
		人	人	人				
		人	人	人				

通勤手当	変更年月日	自動車等	普通交通機関等			新幹線鉄道等			額
			支給月	支給単位期間	金額	支給月	支給単位期間	金額	

特地勤務

扶養控除等申告関係						
申告の有無						
配偶者の有無						
変更年月日	源泉控除対象配偶者	一般の控除対象扶養親族	特定扶養親族	老人扶養親族		障害者等
				同居老親等	その他	

障害者等（該当は*印）		本人	同一生計配偶者	扶養親族
	一般の障害者			人
	特別障害者			人
	同居特別障害者			人
	寡　婦			
	ひとり親			
	勤労学生			

住民税年額・月額								
前年	年額計		6月		7月		8月以降	
当年	年額計		6月		7月		8月以降	

年　末			
区分		金額	税額
年間給与額と税額の各合計			
所得金額調整控除額			
給与所得控除後の給与の金額（調整控除後）			
社会保険料等控除額	給与控除額		
	本人申告分		
	小規模企業共済等掛金の控除額		
生命保険料の控除額			
地震保険料の控除額			
配偶者（特別）控除額			
扶養控除額及び障害者等控除額の合計額			
基礎控除額			

番号	氏名

返納・追給分	当給与期間分	返納・追給分	当給与期間分	返納・追給分	当給与期間分	返納・追給分	当給与期間分	返納・追給分	当給与期間分	返納・追給分	当給与期間分	返納・追給分	当給与期間分	返納・追給分	当給与期間分	返納・追給分	合計

職員別給与簿(その2)　　令和　　年

組織・所属	職員

給与期間				(1)															
俸給表				(2)															
級号俸				(3)															
					当給与期間分	返納・追給分	当給与期間分	返納・追給分	当給与期間分	返納・追給分	当給与期間分	返納・追給分	当給与期間分	返納・追給分	当給与期間分	返納・追給分	当給与期間分	返納・追給分	当給与期間分
俸給支給額				(4)															
加給額	俸給の特別調整額			(5)															
	本府省業務調整手当			(6)															
	初任給調整手当			(7)															
	扶養手当			(8)															
	地域手当等			(9)															
	広域異動手当			(10)															
	住居手当			(11)															
	通勤手当			(12)															
	単身赴任手当			(13)															
	在宅勤務等手当			(14)															
	特殊勤務手当			(15)															
	特地勤務手当			(16)															
	特地勤務手当に準ずる手当			(17)															
	超過勤務手当等			(18)															
	宿日直手当			(19)															
	管理職員特別勤務手当			(20)															
	期末手当			(21)															
	勤勉手当			(22)															
	寒冷地手当			(23)															
	その他			(24)															
給与支給総額				(25)															
	課税額計			(26)															
	非課税額計			(27)															
控除額	社会保険料	共済短期掛金		(28)															
		介護掛金		(29)															
		退職等年金掛金		(30)															
		厚生年金保険料		(31)															
		健康保険料		(32)															
		介護保険料		(33)															
		雇用保険料		(34)															
		社会保険料計		(35)															
	税	所得税		(36)															
		住民税		(37)															
	宿舎使用料	宿舎		(38)															
		駐車場		(39)															
	社会保険料以外の共済組合支払	診療報酬一部負担金		(40)															
		貯金預入		(41)															
		保険貯金保険料		(42)															
		貸付金返済		(43)															
		財形住宅貸付金償還		(44)															
	財形貯蓄			(45)															
	控除額1			(46)															
	控除額2			(47)															
	控除額3			(48)															
	控除額4			(49)															
	個人型確定拠出年金掛金			(50)															
	控除額計			(51)															
現金支給額				(52)															
振込額 1				(53)															
振込額 2				(54)															
手渡額				(55)															
備考	減額	時間		(56)															
		額		(57)															
	減給			(58)															
	超過勤務時間数等	夜勤25		(59)															
		休日135		(60)															
		超勤100		(61)															
		超勤125		(62)															
		超勤135		(63)															
		超勤150		(64)															
		超勤160		(65)															
		超勤175		(66)															
		金額		(67)															
		代休50		(68)															
		代休25		(69)															
		代休15		(70)															
		代休勤務50		(71)															
		代休勤務25		(72)															
		代休勤務15		(73)															
		加減額		(74)															
	標準報酬	短期	等級	(75)															
			月額	(76)															
		厚生年金	等級	(77)															
			月額	(78)															
		退職等年金給付	等級	(79)															
			月額	(80)															
	被課税金額			(81)															
				(82)															

給与期間	支給年月日	組織・所属	No.

納・追給分	当給与期間分	返納・追給分	当給与期間分	返納・追給分	当給与期間分	返納・追給分	当給与期間分	返納・追給分	当給与期間分	返納・追給分	合計

別表第2

基　準　給　与　簿

令和　年

番号												
［ 職員番号 ］												
氏名												
俸給表												
級												
号俸												
			当給与期間分	返納・追給分	当給与期間分	返納・追給分	当給与期間分	返納・追給分	当給与期間分	返納・追給分	当給与期間分	返
俸給支給額												
加給額	俸給の特別調整額											
加給額	本府省業務調整手当											
加給額	初任給調整手当											
加給額	扶養手当											
加給額	地域手当等											
加給額	広域異動手当											
加給額	住居手当											
加給額	通勤手当											
加給額	単身赴任手当											
加給額	在宅勤務等手当											
加給額	特殊勤務手当											
加給額	特地勤務手当											
加給額	特地勤務手当に準ずる手当											
加給額	超過勤務手当等											
加給額	宿日直手当											
加給額	管理職員特別勤務手当											
加給額	期末手当											
加給額	勤勉手当											
加給額	寒冷地手当											
加給額	その他											
給与支給総額												
	課税額計											
	非課税額計											
控除額	社会保険料	共済短期掛金										
控除額	社会保険料	介護掛金										
控除額	社会保険料	退職等年金掛金										
控除額	社会保険料	厚生年金保険料										
控除額	社会保険料	健康保険料										
控除額	社会保険料	介護保険料										
控除額	社会保険料	雇用保険料										
控除額	社会保険料	社会保険料計										
控除額	税	所得税										
控除額	税	住民税										
控除額	宿舎使用料	宿舎										
控除額	宿舎使用料	駐車場										
控除額	社会保険料以外の共済組合支払	診療報酬一部負担金										
控除額	社会保険料以外の共済組合支払	貯金預入										
控除額	社会保険料以外の共済組合支払	保険貯金保険料										
控除額	社会保険料以外の共済組合支払	貸付金返済										
控除額	社会保険料以外の共済組合支払	財形住宅貸付金償還										
控除額	財形貯蓄											
控除額	控除額1											
控除額	控除額2											
控除額	控除額3											
控除額	控除額4											
控除額	個人型確定拠出年金掛金											
控除額	控除額計											
現金支給額												
振込額1												
振込額2												
手渡額												
備考	減額	時間										
備考	減額	額										
備考	減給											
備考	超過勤務時間数等	夜勤25										
備考	超過勤務時間数等	休日135										
備考	超過勤務時間数等	超勤100										
備考	超過勤務時間数等	超勤125										
備考	超過勤務時間数等	超勤135										
備考	超過勤務時間数等	超勤150										
備考	超過勤務時間数等	超勤160										
備考	超過勤務時間数等	超勤175										
備考	超過勤務時間数等	金額										
備考	超過勤務時間数等	代休50										
備考	超過勤務時間数等	代休25										
備考	超過勤務時間数等	代休15										
備考	超過勤務時間数等	代休勤務50										
備考	超過勤務時間数等	代休勤務25										
備考	超過勤務時間数等	代休勤務15										
備考	超過勤務時間数等	加減額										
備考	標準報酬	短期 等級										
備考	標準報酬	短期 月額										
備考	標準報酬	厚生年金 等級										
備考	標準報酬	厚生年金 月額										
備考	標準報酬	退職等年金給付 等級										
備考	標準報酬	退職等年金給付 月額										
備考	被課税金額											

別表第３

給　与　支　給　明　細　書

給与期間		支給年月日	
組織・所属			
職員番号			
氏　名			

俸給表		級		号俸	

	当給与期間分	返納・追給分
俸給支給額		

加給額		
俸給の特別調整額		
本府省業務調整手当		
初任給調整手当		
扶養手当		
地域手当等		
広域異動手当		
住居手当		
通勤手当		
単身赴任手当		
在宅勤務等手当		
特殊勤務手当		
特地勤務手当		
特地勤務手当に準ずる手当		
超過勤務手当等		
宿日直手当		
管理職員特別勤務手当		
期末手当		
勤勉手当		
寒冷地手当		
その他		

給与支給総額	

控除額		当給与期間分	返納・追給分
社会保険料	共済短期掛金		
	介護掛金		
	退職等年金掛金		
	厚生年金保険料		
	健康保険料		
	介護保険料		
	雇用保険料		
税	所得税		
	住民税		
宿舎使用料	宿舎		
	駐車場		
社会保険料以外の共済組合支払	診療報酬一部負担金		
	貯金預入		
	保険貯金保険料		
	貸付金返済		
	財形住宅貸付金償還		
財形貯蓄			
控除額1			
控除額2			
控除額3			
控除額4			
個人型確定拠出年金掛金			
控除額計			

現金支給額	
振込額１	
振込額２	
手渡額	

減額	時間		
	額		

減給		

超過勤務時間数等	夜勤25		
	休日135		
	超勤100		
	超勤125		
	超勤135		
	超勤150		
	超勤160		
	超勤175		
	金額		
	代休50		
	代休25		
	代休15		
	代休勤務50		
	代休勤務25		
	代休勤務15		
	加減額		

標準報酬	短期	等級	
		月額	
	厚生年金	等級	
		月額	
	退職等年金給付	等級	
		月額	

被課税金額	

備考

○職員別給与簿、諸手当の認定簿等の取扱いについて（通知）

平二九・三・一〇
給二―二九給与第二課長
給三―三〇給与第三課長

最終改正 令七・二・一二 給二―一九
給三―二〇

人事給与業務効率化に向けた改善計画において示された各種調書等の様式の統一化のための関係人事院事務総長通知の一部改正について（平成二十九年三月十日事企法―九一）により、各種調書等の様式の改正等を行いましたので、平成二十九年三月二十一日以降、職員別給与簿の取扱いについては別添1、諸手当の認定簿等の取扱いについては別添2にそれぞれよってください。

なお、これに伴い、給実甲第五八〇号等の一部改正に伴う扶養手当等の取扱いについて（平成十年四月一日給三―三二）は、廃止します。

以　上

別添1

職員別給与簿の取扱いについて

職員別給与簿の取扱いについては、人事院規則九―五（給与簿）及び給実甲第五七六号（給与簿等の取扱いについて）に定めるもののほか、次のとおり取り扱うものとする。

1 職員別給与簿

(1) 「発令事項等」の欄の記入方法

ア 年初において記入する場合には、最初の行に現在受けている俸給等の各欄の額等並びに当該各欄の額等に最後に異動が生じた際の発令等年月日及び発令等事項を記入する。

イ 「俸給の月額に対する地域手当等」の欄には、地域手当又は研究員調整手当の支給割合及び俸給の月額に対する額を記入する。これらの給与が同時に支給される場合には、その合計支給割合及び合計額を記入する。

ウ 「管理監督職勤務上限年齢調整額」の欄には、一般職の職員の給与に関する法律（昭和二十五年法律第九十五号。以下「給与法」という。）附則第十項、第十二項又は第十三項の規定による俸給の額を記入する。

エ 俸給の額並びに俸給の特別調整額、本府省業務調整手当、専門スタッフ職調整手当、地域手当、広域異動手当及び研究員調整手当の月額に異動があった場合（給与法附則第八項の規定の適用を受ける職員となった場合を含む。）には、その都度発令等年月日及び発令等事項を記入し、各欄に異動後の額、区分及び支給割合を記入する。

オ 「超過勤務手当等の勤務一時間当たりの額」の欄には、給与法第十九条の規定に基づき算出した給与の減額に係る勤務一時間当たりの額並びに支給割合に応じた超過勤務手当、休日給及び夜勤手当の勤務一時間当たりの額を記入する。

カ 「支給割合」の欄には、休職期間、派遣（国際機関等に派遣される一般職の国家公務員の処遇等に関する法律（昭和四十五年法律第百十七号）第二条第一項の規定による派遣をいう。以下同じ。）の期間、交流派遣（国と民間企業との間の人事交流に関する法律（平成十一年法律第二百二十四号）第二条第三項に規定する交流派遣をいう。以下同じ。）の期間、法科大学院派遣法第十一条派遣（法科大学院への裁判官及び検察官その他の一般職の国家公務員の派遣に関する法律（平成十五年法律第四十号。以下「法科大学院派遣法」という。）第十一条第一項の規定による派遣をいう。以下同じ。）の期間、福島相双復興推進機構派遣（福島復興再生特別措置法（平成二十四年法律第二十五号）第四十八条の三第一項の規定による派遣をいう。以下同じ。）の期間、福島イノベーション・コースト構想推進機構派遣（同法第八十九条の三第一項の規定による派遣をいう。以下同じ。）の期間、令和七年日本国際博覧会協会派遣（令和七年に開催される国際博覧会の準備及び運営のために必要な特別措置に関する法律（平成三十一年法律第十八号）第二十五条第一項の規定による派遣をいう。以下同じ。）の期間又は令和九年国際園芸博覧会協会派遣（令和九年に開催される国際園芸博覧会の準備及び運営のために必要な特別措置に関する法律（令和四年法律第十五号）第十五条第一項の規定による派遣をいう。以下同じ。）の期間に係る給与の支給割合を記入する。

(2)　「手当」の欄の記入方法

ア　年初において記入する場合には、最初の行に現在受けている月額等及び当該月額等に最後に異動が生じた際の変更年月日を記入する。

イ　各手当の月額等に異動があった場合には、それぞれに対応する欄にその都度変更年月日及び異動後の月額等を記入する。

ウ　「通勤手当」の欄は、次のとおり記入する。

(ア)　「自動車等」の欄には、自動車等の額（給与法第十二条第二項第二号に規定する額をいう。）を記入する。

(イ)　「普通交通機関等」の欄には、普通交通機関等（人事院規則九—二四（通勤手当）第六条に規定する普通交通機関等をいう。）の手当の支給月、支給単位期間（給与法第十二条第八項に規定する支給単位期間をいう。(ウ)において同じ。）及び運賃等相当額（同条第二項第一号に規定する運賃等相当額をいう。）を記入する。

(ウ)　「新幹線鉄道等」の欄には、新幹線鉄道等（給与法第十二条第三項に規定する新幹線鉄道等をいう。）の利用に係る特別料金等に係る手当の支給月、支給単位期間並びに特別料金等相当額（同項第一号に規定する特別料金等相当額をいう。）を記入する。

(エ)　「額」の欄には、(ア)から(ウ)までに規定する各欄の支給単位期間に応じた通勤手当の額を記入する。

(3)　「備考」の欄には、その他特に付け加える必要がある事項を記入する。

2　職員別給与簿（その2）

(1)　各欄の記入方法

ア　第九欄　地域手当又は研究員調整手当の額を記入する。ただし、これらの給与が同時に支給される場合にはその合計額を記入し、第八十二欄にその内訳として研究員調整手当の額を記入する。

イ　第十八欄　第六十七欄の額と第七十四欄の額との合計額を記入する。

ウ　第二十四欄　専門スタッフ職調整手当、国際平和協力手当、任期付研究員業績手当、特定任期付職員業績手当その他法令の規定により支給される給与の合計額を記入し、第八十二欄にその名称（これらの給与が複数支給される場合にあっては、それぞれの名称及び額）を記入する。

エ　第二十六欄　第二十五欄の額から第二十七欄の額を差し引いた残りの額を記入する。

オ　第二十七欄　第十二欄及び第十九欄の額（それぞれ非課税とされる額に限る。）の合計額を記入する。

カ　第二十八欄から第三十四欄まで　それぞれの額を記入する。ただし、この欄に記入すべき額以外の社会保険料（所得税法（昭和四十年法律第三十三号）第七十四条第二項に規定する社会保険料をいう。）の額がある場合には、第三十四欄に雇用保険料との合計額を記入し、その内訳を第八十二欄に記入する。

キ　第三十六欄　所得税の年末調整の計算を行った結果税額に過不足を生じた場合には、各給与期間の「当給与期間分」の欄にその額を記入する。

ク　第四十六欄から第四十九欄まで　第二十八欄から第三十四欄まで及び第四十欄から第四十四欄までの欄の額以外の共済組合に対して支払うべき額又は法律によって給与から差し引くことが特に認められた額を記入する。ただし、この欄に記入すべき額が五以上ある場合には、第四十六欄から第四十九欄までのいずれかの欄には複数の記入すべき額の合計額を記入し、その内訳を第八十二欄に記入する。

ケ　第五十七欄　職員別給与簿（その1）の「超過勤務手当等の勤務一時間当たりの額」の欄に記入されている減額に係る勤務一時間当たりの額に、第五十六欄の時間数を乗じて得た額を記入する。

コ　第五十九欄から第六十六欄まで　支給割合に応じた時間数を記入する。

サ　第六十七欄　第五十九欄から第六十六欄までの時間数に、それぞれに対応する職員別給与簿（その1）の「超過勤務手当等の勤務一時間当たりの額」の欄に記入されている夜勤手当、休日給及び超過勤務手当の勤務一時間当たりの額を乗じて得た額の合計額を記入する。

シ　第六十八欄から第七十欄まで　それぞれ超勤代休時間（一般職の職員の勤務時間、休暇等に関する法律（平成六年法律第三十三号。以下「勤務時間法」という。）第十三条の二第一項に規定する超勤代休時間をいう。以下同じ。）の指定に代えられた超過勤務手当の支給に係る時間数を記入する。

ス　第七十一欄から第七十三欄まで　それぞれ勤務した超勤代休時間の指定に代えられた超過勤務手当の支給に係る時間数を記入する。

セ　第七十四欄　給与法第十六条第四項の規定により支給を要しない額を記入する。ただし、超勤代休時間に勤務したことにより支給される額がある場合には、当該支給を要しない額と当該支給される額との差額を記入する。

ソ　第八十一欄　第二十六欄の額から第三十五欄及び第五十欄の額を差し引いた残りの額を記入する。

タ　第八十二欄　２⑴及び⑵において記入することとされている事項その他特に付け加える必要がある事項を記入する。

⑵　特別の場合の記入方法等

ア　給与期間の中途で、俸給、俸給の特別調整額、本府省業務調整手当、初任給調整手当、専門スタッフ職調整手当、地域手当、広域異動手当、研究員調整手当、特地勤務手当又は特地勤務手当に準ずる手当の月額に異動があった場合（病気休暇（勤務時間法第十六条に規定する休暇をいう。）等による俸給半減又は有給の休職、派遣、育児短時間勤務等（国家公務員の育児休業等に関する法律（平成三年法律第百九号。以下「育児休業法」という。）第十二条第一項に規定する育児短時間勤務又は育児休業法第二十二条の規定による短時間勤務をいう。）、法科大学院派遣法第十一条派遣、福島相双復興推進機構派遣、福島イノベーション・コースト構想推進機構派遣、令和七年日本国際博覧会協会派遣若しくは令和九年国際園芸博覧会協会派遣による俸給、扶養手当、地域手当、広域異動手当、研究員調整手当及び住居手当の月額並びに寒冷地手当の額の異動等があった場合を含む。）には、第四欄から第十一欄まで、第十六欄及び第十七欄、第二十三欄及び第二十四欄に日割計算により算出した額を、第十八欄に異動前の額と異動後の額の合計額を、第五十六欄、第五十九欄から第六十六欄まで及び第六十八欄から第七十三欄までに異動前の時間数と異動後の時間数の合計時間数を記入する。第八十二欄には日割計算が必要となった事由並びに合計額及び合計時間数を記入した場合の内訳を記入する。

イ　アに規定する場合で、当該給与期間以外の給与期間の給与支給の際に精算するときは、各欄の「返納・追給分」の欄に精算額を記入する。第八十二欄には、精算が必要となった事由を記入する。

ウ　給与期間の中途で、転出、離職、死亡、無給の休職、停職、専従許可（国家公務員法（昭和二十二年法律第百二十号）第百八条の六第一項ただし書に規定する許可をいう。以下同じ。）、無給の派遣、育児休業（育児休業法第三条の規定による育児休業をいう。以下同じ。）、交流派遣、無給の法科大学院派遣法第十一条派遣、自己啓発等休業（国家公務員の自己啓発等休業に関する法律（平成十九年法律第四十五号）第二条第五項に規定する自己啓発等休業をいう。以下同じ。）、無給の福島相双復興推進機構派遣、無給の福島イノベーション・コースト構想推進機構派遣、配偶者同行休業（国家公務員の配偶者同行休業に関する法律（平成二十五年法律第七十八号）第二条第四項に規定する配偶者同行休業をいう。以下同じ。）、無給の令和七年日本国際博覧会協会派遣若しくは無給の令和九年国際園芸博覧会協会派遣があり、又は非常時払の請求があった場合には、第五十六欄、第五十九欄から第六十六欄まで及び第六十八欄から第七十三欄までの時間並びに支払うべき額又は返納させるべき額を各欄ごとに算出して「当給与期間分」の欄に記入し、その事由を第八十二欄に記入する。この場合において、精算を要するものについては、勤務時間管理員に対してその職員に関する発令又は請求の日までの勤務時間報告書の提出を求めなければならない。

エ　減給の場合には、「人事院規則一二―〇（職員の懲戒）の運用について（昭和三十二年六月一日職職―三九三）」第三条関係により算出した減給すべき額を第五十八欄に、第四欄には当該減給すべき額を除算した後の俸給支給額を記入する。ただし、減給すべき額が第四欄の額より大であるときは、同欄の額を零とし、減給すべき額の残額を「加給額」の各欄の額から順次減じて記入する。第八十二欄には「加給額」の各欄から順次減じた額の内訳を記入する。

オ　法科大学院派遣法第七条第二項ただし書の規定により給与を支給する場合には、第四欄、第九欄又は第十欄の額と同項ただし書の規定による給与との合計額を対応する欄に記入し、その額の内訳を第八十二欄に記入する。

カ　俸給、扶養手当等の過払の額の納入告知書等による返納を行う場合又は通勤手当に係る返納額を返納させる場合（人事院規則九―二四第十八条第三項の規定により同条第二項第一号に規定する事由発生月の翌月以降に支給される給与から返納額を差し引く場合を含む。）には、返納の月日を第一欄に、その額並びに必要がある場合には第五十六欄、第五十九欄から第六十六欄まで及び第六十八欄から第七十三欄までに記入すべき時間数を各欄ごとに算出してそれぞれの「返納・追給分」の欄に記入し、その事由を第八十二欄に記入する。

キ　国家公務員法第九十二条に規定する措置を行う場合等において、追給を要するときには、追給の月日を第一欄に、その額並びに必要がある場合には第五十六欄、第五十九欄から第六十六欄まで及び第六十八欄から第七十三欄までに記入すべき時間数を各欄ごとに算出してそれぞれの「返納・追給分」の欄に記入し、その事由を第八十二欄に記入する。

ク　給与事務担当者は、一年を経過したときは速やかに「合計」の欄に各欄ごとの合計額又は合計時間数を記入する。

以　上

別添2

諸手当の認定簿等の取扱いについて

諸手当の認定簿等の取扱いについては、人事院規則九―三四（初任給調整手当）、人事院規則九―五四（住居手当）、人事院規則九―五五（特地勤務手当等）、人事院規則九―八〇（扶養手当）、人事院規則九―八九（単身赴任手当）、人事院規則九―一二一（広域異動手当）及び人事院規則九―一五一（在宅勤務等手当）並びに給実甲第一五一号（通勤手当の運用について）、給実甲第一八〇号（初任給調整手当の運用について）、給実甲第三五一号（特地勤務手当等の運用について）、給実甲第四三四号（住居手当の運用について）、給実甲第五八〇号（扶養手当の運用について）、給実甲第六六〇号（単身赴任手当の運用について）、給実甲第一〇三三号（広域異動手当の運用について）及び給実甲第一三一九号（在宅勤務等手当の運用について）に定めるもののほか、次のとおり取り扱うものとする。

1　給実甲第一五一号（通勤手当の運用について）の規則第三条関係第四項ただし書、給実甲第一八〇号（初任給調整手当の運用について）のその他の事項第二項ただし書、給実甲第三五一号（特地勤務手当等の運用について）の規則第九条関係第二項ただし書、給実甲第四三四号（住居手当の運用について）の規則第五条関係の一のただし書及び規則第六条関係の二のただし書、給実甲第五八〇号（扶養手当の運用について）の規則第三条関係第二項ただし書及び規則第四条関係第一項ただし書、給実甲第六六〇号（単身赴任手当の運用について）の規則第七条関係第一項ただし書及び規則第八条関係第一項ただし書、給実甲第一〇三三号（広域異動手当の運用について）の規則第九条関係第二項ただし書並びに給実甲第一三一九号（在宅勤務等手当の運用について）の規則第八条関係第二項ただし書の「手当の支給に関し支障のない範囲内」とは、次のいずれかに該当する場合をいう。

(1)　通勤手当認定簿、住居手当認定簿、扶養手当認定簿及び単身赴任手当認定簿について、別紙第1から別紙第4までの様式による場合

(2)　(1)に規定する場合以外の場合で、次の基準によるとき。

ア　様式中の各欄の配列を必要最小限に変更すること。

イ　様式中の各欄以外の欄を必要最小限に設定すること。

ウ　様式中の各欄の名称を適宜簡略化することと又は各記入欄ごとに各欄の名称を付すること若しくは各記入欄に付される「円」等の単位を当該欄の名称の記載箇所に一括して付すること。

エ　届又は支給調書中の「記入上の注意」の記載を省略すること（記入の際に当該注意事項を参照できる別途の措置を講ずる場合に限る。）又は必要に応じ注意事項を追加若しくは修正すること。

オ　選択事項に番号を付し、該当するものの番号を記入させる形式による等、該当する箇所の□にレ印を付すること以外の方法によること。

カ　届と認定簿を一枚の用紙にそれぞれ記載し、重複する「氏名」欄等を認定簿において省略すること。

キ　その他これらの基準に相当する程度の変更であって、各手当の支給及び事後の確認等に支障のない範囲内であると認められるものを行うこと。

2　届、認定簿又は支給調書の様式を変更するに当たっては、個人のプライバシーの保護に十分留意しなければならない。

3　各庁の長は、通勤手当の認定に当たり、手当の適正な支給を確保するため、届出に係る事実の確認等に必要な場合には、人事院規則九―二四（通勤手当）第四条第一項及び第二十二条の規定に基づき、職員に対し、通勤届の裏面に通勤経路の略図を記入すること等を求めるものとする。

以　上

別紙第１

通勤手当認定簿

氏名	職員番号	組織・所属	事実発生年月日	令和　　年　　月　　日
□ 回数券等を使用して利用する交通機関等がある職員（交替制勤務等）		算出式	届出年月日	令和　　年　　月　　日
１箇月当たりの平均通勤所要回数　　　　回			受理年月日	令和　　年　　月　　日

	順路	算出の基礎となる普通交通機関等 普通交通機関等の名称	算出の基礎となる普通交通機関等 利用区間	定期券回数券その他の別	運賃等の額の算出基礎 回数券その他	運賃等の額の算出基礎 定期券	運賃等相当額 回数券その他	運賃等相当額 定期券	１箇月当たりの運賃等相当額	普通交通機関等の認定期間	支給月	備考
普通交通機関等利用者	1											
	2											
	3											
	4											
	5											
	6											
	7											
	8											
１箇月当たりの運賃等相当額の合計額												
自動車等の額 （法第１２条第２項第２号の額）（自動車等の使用距離　　　km）												
普通交通機関等と自動車等の併用者 規則第８条の３　□ 第１号　□ 第２号　□ 第３号	１箇月当たりの運賃等相当額と自動車等の額の合計額											

	順路	算出の基礎となる新幹線鉄道等 新幹線鉄道等の名称	算出の基礎となる新幹線鉄道等 利用区間	定期券回数券その他の別	特別料金等の額の算出基礎 回数券その他	特別料金等の額の算出基礎 定期券	特別料金等相当額 回数券その他	特別料金等相当額 定期券	1箇月当たりの特別料金等相当額	新幹線鉄道等の認定期間	支給月	備考
新幹線鉄道等利用者	1											
	2											
	3											
	4											
	1箇月当たりの特別料金等相当額の合計額											

1箇月当たりの運賃等相当額の合計額、自動車等の額及び1箇月当たりの特別料金等相当額の合計額の合計額が150,000円を超えるとき	150,000円 × ［　　箇月］ ＝　　　円	

	4月	5月	6月	7月	8月	9月	10月	11月	12月	1月	2月	3月	各庁の長の確認・決定欄	備考
支給額	円	円	円	円	円	円	円	円	円	円	円	円	令和　年　月　日 官職 氏名	

決定事項

法第12条第1項　該当・非該当
□ 該当　（□ 規則第5条）
□ 非該当
理由〔　　　　〕

手当額の決定
法第12条第2項　□ 第1号　□ 第2号　□ 第3号
□ 規則第8条の2（通勤所要回数　回）
□ 規則第8条の3　□ 第1号　□ 第2号　□ 第3号
法第12条　□第3項　□第4項（□規則第15条第1項第3号）（□規則第15条第1項第4号）

	返納事由 規則第18条第1項	返納事由発生年月	返納対象普通交通機関等及び新幹線鉄道等	払戻金相当額の算出基礎	払戻金相当額	備考
1	□ 第1号　□ 第3号 □ 第2号　□ 第4号				円	
2	□ 第1号　□ 第3号 □ 第2号　□ 第4号				円	
3	□ 第1号　□ 第3号 □ 第2号　□ 第4号				円	
1箇月当たりの運賃等相当額等及び1箇月当たりの特別料金等相当額の合計額が150,000円を超えていた場合 規則第18条第2項第2号の月数と人事院の定める額（算出基礎）			月	（算出基礎）	円	

別紙第２

住居手当認定簿

職員番号	
氏名	

届出の理由		届出年月日（受理年月日）	該当条文	決定家賃等	支給の始期等	住居手当の月額	各庁の長の確認決定（改定）	備考
事実発生年月日	内容							
令和　年　月　日		令和　年　月　日	□ 給与法第11条の10第1項第1号	円	令和　年　月から	円	令和　年　月　日	
			□ 給与法第11条の10第1項第2号	円	令和　年　月まで		官職 氏名	
令和　年　月　日		令和　年　月　日	□ 給与法第11条の10第1項第1号	円	令和　年　月から	円	令和　年　月　日	
			□ 給与法第11条の10第1項第2号	円	令和　年　月まで		官職 氏名	
令和　年　月　日		令和　年　月　日	□ 給与法第11条の10第1項第1号	円	令和　年　月から	円	令和　年　月　日	
			□ 給与法第11条の10第1項第2号	円	令和　年　月まで		官職 氏名	
令和　年　月　日		令和　年　月　日	□ 給与法第11条の10第1項第1号	円	令和　年　月から	円	令和　年　月　日	
			□ 給与法第11条の10第1項第2号	円	令和　年　月まで		官職 氏名	
令和　年　月　日		令和　年　月　日	□ 給与法第11条の10第1項第1号	円	令和　年　月から	円	令和　年　月　日	
			□ 給与法第11条の10第1項第2号	円	令和　年　月まで		官職 氏名	
令和　年　月　日		令和　年　月　日	□ 給与法第11条の10第1項第1号	円	令和　年　月から	円	令和　年　月　日	
			□ 給与法第11条の10第1項第2号	円	令和　年　月まで		官職 氏名	
令和　年　月　日		令和　年　月　日	□ 給与法第11条の10第1項第1号	円	令和　年　月から	円	令和　年　月　日	
			□ 給与法第11条の10第1項第2号	円	令和　年　月まで		官職 氏名	
備考								

記入上の注意

「届出年月日（受理年月日）」欄には、届出提出日を記入し、その日が届出受理日と異なる場合にあっては、届出受理日を（　）書で記入する。

別紙第３

扶養手当認定簿

職員番号	
氏　名	

1　扶養親族の状況

扶養親族の氏名	続柄	生年月日（加算開始時期）	届出年月日（受理年月日）	届出事実の発生年月日	届出の事由	支給の始期・終期（満22歳年度末）
		明・大・昭　年　月　日 平・令 （令和　年４月～　）	令和　年　月　日 令和　年　月　日	令和　年　月　日 令和　年　月　日		令和　年　月分から 令和　年　月分まで （　）(3)
		明・大・昭　年　月　日 平・令 （令和　年４月～　）	令和　年　月　日 令和　年　月　日	令和　年　月　日 令和　年　月　日		令和　年　月分から 令和　年　月分まで （　）(3)
		明・大・昭　年　月　日 平・令 （令和　年４月～　）	令和　年　月　日 令和　年　月　日	令和　年　月　日 令和　年　月　日		令和　年　月分から 令和　年　月分まで （　）(3)
		明・大・昭　年　月　日 平・令 （令和　年４月～　）	令和　年　月　日 令和　年　月　日	令和　年　月　日 令和　年　月　日		令和　年　月分から 令和　年　月分まで （　）(3)
		明・大・昭　年　月　日 平・令 （令和　年４月～　）	令和　年　月　日 令和　年　月　日	令和　年　月　日 令和　年　月　日		令和　年　月分から 令和　年　月分まで （　）(3)
		明・大・昭　年　月　日 平・令 （令和　年４月～　）	令和　年　月　日 令和　年　月　日	令和　年　月　日 令和　年　月　日		令和　年　月分から 令和　年　月分まで （　）(3)
		明・大・昭　年　月　日 平・令 （令和　年４月～　）	令和　年　月　日 令和　年　月　日	令和　年　月　日 令和　年　月　日		令和　年　月分から 令和　年　月分まで （　）(3)
		明・大・昭　年　月　日 平・令 （令和　年４月～　）	令和　年　月　日 令和　年　月　日	令和　年　月　日 令和　年　月　日		令和　年　月分から 令和　年　月分まで （　）(3)

〈記入上の注意〉

1　「生年月日（加算開始時期）」欄には、加算措置の対象となる子について、加算開始の時期を（　）書で記入する。

2　「届出年月日（受理年月日）」欄には、届出提出日を記入し、その日が届出受理日と異なる場合にあっては、届出受理日を（　）書で記入する。

3　「支給の始期・終期（満22歳年度末）」欄には、子・孫・弟妹が満22歳年度末により支給要件を喪失する時期を（　）書で記入する。

4　子・孫・弟妹が満22歳年度末により支給要件を喪失した場合は、「届出年月日（受理年月日）」欄及び「届出事実の発生年月日」欄の記入は要しない。なお、「届出の事由」欄には、「満22歳年度末」と記入する。

5　「備考」欄は、扶養親族及び扶養手当額の認定上、特に必要な事項を記入する。

2　扶養手当の月額の認定（支給額の改定）

支給開始（終了）・支給額改定時期	認定扶養親族（子以外）	認定扶養親族（子）	うち加算措置対象	扶養手当の月額	認定等の事由・俸給表及び級	各庁の長の認定（確認）認定年月日（確認年月日）	各庁の長の認定（確認）官職・氏名
令和　年　月から 令和　年　月まで	人	人	人	円		令和　年　月　日	
令和　年　月から 令和　年　月まで	人	人	人	円		令和　年　月　日	
令和　年　月から 令和　年　月まで	人	人	人	円		令和　年　月　日	
令和　年　月から 令和　年　月まで	人	人	人	円		令和　年　月　日	
令和　年　月から 令和　年　月まで	人	人	人	円		令和　年　月　日	
令和　年　月から 令和　年　月まで	人	人	人	円		令和　年　月　日	
令和　年　月から 令和　年　月まで	人	人	人	円		令和　年　月　日	
令和　年　月から 令和　年　月まで	人	人	人	円		令和　年　月　日	
令和　年　月から 令和　年　月まで	人	人	人	円		令和　年　月　日	
令和　年　月から 令和　年　月まで	人	人	人	円		令和　年　月　日	
令和　年　月から 令和　年　月まで	人	人	人	円		令和　年　月　日	
令和　年　月から 令和　年　月まで	人	人	人	円		令和　年　月　日	

3　備　考

別紙第４

単身赴任手当認定簿

職員番号	
氏　名	

届出の理由等		届出提出年月日（受理年月日）	支給の始期（終期）・支給額の改定時期	交通距離	基礎額	加算額	単身赴任手当の月額	各庁の長の確認決定（改定）	備考
事実発生年月日	内容								
令和　年　月　日		令和　年　月　日	令和　年　月分から 令和　年　月分まで	km	円	円	円	令和　年　月　日 官職　氏名	
令和　年　月　日		令和　年　月　日	令和　年　月分から 令和　年　月分まで	km	円	円	円	令和　年　月　日 官職　氏名	
令和　年　月　日		令和　年　月　日	令和　年　月分から 令和　年　月分まで	km	円	円	円	令和　年　月　日 官職　氏名	
令和　年　月　日		令和　年　月　日	令和　年　月分から 令和　年　月分まで	km	円	円	円	令和　年　月　日 官職　氏名	
令和　年　月　日		令和　年　月　日	令和　年　月分から 令和　年　月分まで	km	円	円	円	令和　年　月　日 官職　氏名	
令和　年　月　日		令和　年　月　日	令和　年　月分から 令和　年　月分まで	km	円	円	円	令和　年　月　日 官職　氏名	
令和　年　月　日		令和　年　月　日	令和　年　月分から 令和　年　月分まで	km	円	円	円	令和　年　月　日 官職　氏名	

記入上の注意

1．「届出提出年月日（受理年月日）」欄には、届出提出日を記入し、その日が届出受理日と異なる場合にあっては、届出受理日を（　）書で記入する。

2．「内容」欄には、単身赴任届の「届出の理由」のうち該当するものを記入し、「その他」に該当する場合は（　）内の内容を記入する。

○国庫出納金等端数処理法の一部を改正する法律の施行に伴う給与簿の取扱いについて

昭三三・四・八
給二―一二二給与局長

国庫出納金等端数処理法の一部を改正する法律（昭和三十三年法律第十二号）（以下「端数処理法」という。）の施行により、人事院細則九―五―一（給与簿取扱細則）の一部が改正されましたが、その給与簿上の取扱については、下記によってください。

記

一　昭和三十三年四月一日以降においては、給与法第十五条による減額すべき金額、超過勤務手当等の算出、および俸給、扶養手当等の日割計算等に際し、円位未満の端数を生じたときは、俸給・超過勤務手当等の各給与項目ごとに、端数処理法第二条第一項の規定に従い、その端数は切り捨てます。

（注）「国庫出納金等端数処理法」は、昭和三十三年法律第十二号により、その題名を「国等の債権債務等の金額の端数計算に関する法律」と改められた。

○国等の債権債務等の金額の端数計算に関する法律

昭二五・三・三一
法　六　一

最終改正　平二二・三・三一法一五

（通則）

第一条　国、沖縄振興開発金融公庫、地方公共団体及び政令で指定する公共組合（以下「国及び公庫等」という。）の債権若しくは債務の金額又は国の組織相互間の受払金等についての端数計算は、この法律の定めるところによる。

2　他の法令中の端数計算に関する規定がこの法律の規定に矛盾し、又はてい触する場合には、この法律の規定が優先する。

（国等の債権又は債務の金額の端数計算）

第二条　国及び公庫等の債権で金銭の給付を目的とするもの（以下「債権」という。）又は国及び公庫等の債務で金銭の給付を目的とするもの（以下「債務」という。）の確定金額に一円未満の端数があるときは、その端数金額を切り捨てるものとする。

2　国及び公庫等の債権の確定金額の全額が一円未満であるときは、その全額を切り捨てるものとし、国及び公庫等の債務の確定金額の全額が一円未満であるときは、その全額を一円として計算する。

3　国及び公庫等の相互の間における債権又は債務の確定金額の全額が一円未満であるときは、前項の規定にかかわらず、その全額を切り捨てるものとする。

（分割して履行すべき金額の計算）

第三条　国及び公庫等の債権又は債務の確定金額を、二以上の履行期限を定め、一定の金額に分割して履行することとされている場合において、その履行期限ごとの分割金額に一円未満の端数があるとき、又はその分割金額の全額が一円未満であるときは、その端数金額又は分割金額は、すべて最初の履行期限に係る分割金額に合算するものとする。

（概算払等に係る金額の端数計算）

第四条　第二条の規定は、国及び公庫等の債権又は債務について、概算払、前金払若しくはその債権若しくは債務に係る反対給付のうち既済部分に対してする支払を受け、又はこれらの支払をすべき金額の計算について準用する。

（国等の組織相互間の受払金の端数計算）

第五条　第二条第一項及び第三項、第三条並びに前条の規定は、国の組織相互の間又は地方公共団体の組織相互の間において収納し、又は支払うべき金額の計算について準用する。

第六条　削除

（適用除外）

第七条　この法律は、次に掲げるものについては適用しない。

一　政府契約の支払遅延防止等に関する法律（昭和二十四年法律第二百五十六号）第八条、第九条及び第十条の規定による遅延利息

二　健康保険法（大正十一年法律第七十号）第百八十一条第一項、船員保険法（昭和十四年

法律第七十三号）第百三十三条第一項、厚生年金保険法（昭和二十九年法律第百十五号）第八十七条第一項、国民年金法（昭和三十四年法律第百四十一号）第九十七条第一項及び労働保険の保険料の徴収等に関する法律（昭和四十四年法律第八十四号）第二十八条（失業保険法及び労働者災害補償保険法の一部を改正する法律及び労働保険の保険料の徴収等に関する法律の施行に伴う関係法律の整備等に関する法律（昭和四十四年法律第八十五号）第十九条第三項において準用する場合を含む。）の規定により徴収する延滞金

三　国税（その滞納処分費を含む。）並びに当該国税に係る還付金及び過誤納金（これらに加算すべき還付加算金を含む。）

四　地方団体の徴収金並びに地方団体の徴収金に係る過誤納金及び還付金（これらに加算すべき還付加算金を含む。）

五　国有資産等所在市町村交付金又は国有資産等所在都道府県交付金

六　前各号に掲げるものの外政令で指定するもの

附　則

1　この法律は、昭和二十五年四月一日から施行する。

2　国庫出納金端数計算法（大正五年法律第二号）は、廃止する。

附　則（平二二・三・三一法一五）（抄）

（施行期日）

第一条　この法律は、平成二十二年四月一日から施行する。ただし、〔中略〕附則第六条〔中略〕の規定は、公布の日から起算して九月を超えない範囲内において政令で定める日〔平二二・一〇・一〕から施行する。

○人事院規則一—三四（人事管理文書の保存期間及び保存期間が満了したときの措置）（抄）

平一三・一・一九制定
平一三・四・一施行

最終改正　令七・二・一四規則一〇—一一—九

（趣旨）

第一条　人事管理文書の保存期間及び保存期間が満了したときの措置については、別に定めるもののほか、この規則の定めるところによる。

（定義）

第二条　この規則において「人事管理文書」とは、公文書等の管理に関する法律（平成二十一年法律第六十六号。以下「公文書管理法」という。）第二条第四項に規定する行政文書又は同条第五項に規定する法人文書（行政執行法人に係るものに限る。）のうち、法、給与法、補償法、派遣法、法人格法、育児休業法、勤務時間法、任期付研究員法、倫理法、官民人事交流法、任期付職員法、法科大学院派遣法、留学費用償還法、自己啓発等休業法、福島復興再生特別措置法（平成二十四年法律第二十五号）、配偶者同行休業法、令和三年オリンピック・パラリンピック特措法、平成三十一年ラグビーワールドカップ特措法、令和七年国際博覧会特措法若しくは令和九年国際園芸博覧会特措法（これらの法律を改正する法律を含む。）又はこれらの法律に基づく規則に定める事項の実施に関するものをいう。

（保存期間）

第三条　次の各号に掲げる人事管理文書の保存期間（公文書管理法第五条第一項（公文書管理法第十一条第一項において準ずる場合を含む。）の保存期間をいう。以下同じ。）は、それぞれ当該各号に定める期間とする。ただし、当該期間を超える期間とすることが人事管理文書の適切な管理に資すると行政機関等（公文書管理法第二条第一項に規定する行政機関及び行政執行法人をいう。以下同じ。）の長が認める場合にあっては、当該行政機関等の長が定める期間とする。

一　別表の人事管理文書の区分の欄に掲げる人事管理文書　当該人事管理文書に応じそれぞれ同表の保存期間の欄に掲げる期間

二　前号に掲げる人事管理文書以外の人事管理文書で人事院が定めるもの　当該人事管理文書の性質を考慮して人事院が定める期間

2　前項の保存期間の起算日は、人事管理文書を作成し、又は取得した日（以下この項及び次項において「文書作成取得日」という。）の属する年度の翌年度の四月一日とする。ただし、当該日以外の日（文書作成取得日から二年以内の日に限る。）を起算日とすることが当該人事管理文書の適切な管理に資すると行政機関等の長が認める場合にあっては、公文書等の管理に関する法律施行令（平成二十二年政令第二百五十号）第八条第五項ただし書の規定の例による。

3　前項の規定は、文書作成取得日においては不確定である期間を保存期間とする人事管理文書については、適用しない。

（保存期間が満了したときの措置）

第四条　次の各号に掲げる人事管理文書は、その保存期間（延長された場合にあっては、延長後の保存期間）が満了したときは、それぞれ当該各号に定める措置がとられるものとする。ただし、公文書管理法第二条第六項に規定する歴史公文書等に該当する人事管理文書その他移管すべき事情がある人事管理文書にあっては、移管の措置がとられるものとする。

一　前条第一項第一号に掲げる人事管理文書　当該人事管理文書に応じそれぞれ別表の保存期間満了時の措置の欄に掲げる措置

二　前条第一項第二号に掲げる人事管理文書　当該人事管理文書の性質を考慮して人事院が定める措置

（雑則）

第五条　この規則に定めるもののほか、人事管理文書の保存期間及び保存期間が満了したときの措置に関し必要な事項は、人事院が定める。

附　則（令三・四・一規則九―五四―九）

（施行期日）

第一条　この規則は、令和三年四月二日から施行する。

（人事院規則一―三四の一部改正に伴う経過措置）

第四条　前条の規定による改正前の規則一―三四別表の二の表規則九―五四（住居手当）の項及び規則九―一四六の項に掲げる人事管理文書（同条の規定による改正後の規則一―三四別表の二の表規則九―五四（住居手当）の項に掲げるものを除く。）の保存期間については、なお従前の例による。

附　則（令四・二・一八規則一―七九）（抄）

（施行期日）

第一条　この規則は、令和五年四月一日から施行する。

（人事院規則一―三四の一部改正に伴う経過措置）

第四条　第三条の規定による改正前の規則一―三四別表の二の表規則九―六（俸給の調整額）の項並びに四の表法の項及び規則一一―九（定年退職者等の再任用）の項に掲げる人事管理文書の保存期間については、なお従前の例による。

附　則（令四・二・一八規則八―二二）（抄）

（施行期日）

第一条　この規則は、令和五年四月一日から施行する。

〔ただし書略〕

附　則（令四・二・一八規則九―一四七）（抄）

（施行期日）

第一条　この規則は、令和五年四月一日から施行する。

附　則（令四・二・一八規則九―一四八）（抄）

（施行期日）

第一条　この規則は、令和五年四月一日から施行する。

附　則（令四・二・一八規則一一―八―五一）（抄）

（施行期日）

第一条　この規則は、令和五年四月一日から施行する。

（人事院規則一―三四の一部改正に伴う経過措置）

第七条　前条の規定による改正前の規則一―三四別表の四の表規則一一―八（職員の定年）の項に掲げる人事管理文書の保存期間については、なお従前の例による。

附　則（令四・六・一七規則一九―〇―一五）（抄）

（施行期日）

第一条　この規則は、令和四年十月一日から施行する。

（人事院規則一―三四の一部改正に伴う経過措置）

第四条　前条の規定による改正前の規則一―三四別表の十二の表規則一九―〇（職員の育児休業等）の項に掲げる人事管理文書（同条の規定による改正後の規則一―三四別表の十二の表規則一九―〇（職員の育児休業等）の項に掲げるものを除く。）の保存期間については、なお従前の例による。

附　則（令四・六・二〇規則一四―二一―一）（抄）

（施行期日）

1　この規則は、令和四年七月一日から施行する。

附　則（令四・二・一八規則一一―一一―一）（抄）

第一条　この規則は、令和五年四月一日から施行する。

附　則（令四・二・一八規則一一―一二）（抄）

（施行期日）

第一条　この規則は、令和五年四月一日から施行する。

〔ただし書略〕

附　則（令四・六・二四規則一―八一）

この規則は、公布の日から施行する。

附　則（令四・七・一規則一―三四―一〇）

（施行期日）

1　この規則は、公布の日から施行する。

（経過措置）

2　この規則による改正前の規則一―三四別表の二十の表令和三年オリンピック・パラリンピック特措法の項に掲げる人事管理文書の保存期間については、なお従前の例による。

附　則（令五・一・二〇規則一五―一四―四〇）（抄）

（施行期日）

第一条　この規則は、令和五年四月一日から施行する。

〔ただし書略〕

附　則（令五・二・二八規則九―八〇―六）（抄）

（施行期日）

第一条　この規則は、令和五年四月一日から施行する。

（人事院規則一―三四の一部改正に伴う経過措置）

第三条　前条の規定による改正前の規則一―三四別表の二の表規則九―八〇（扶養手当）の項に掲げる人事管理文書（同条の規定による改正後の規則一―三四別表の二の表規則九―八〇（扶養手当）の項に掲げるものを除く。）の保存期間については、なお従前の例による。

附　則（令五・二・二八規則九―八九―六）（抄）

（施行期日）

第一条　この規則は、令和五年四月一日から施行する。

（人事院規則一―三四の一部改正に伴う経過措置）

第三条　前条の規定による改正前の規則一―三四別表の二の表規則九―八九（単身赴任手当）の項に掲げる人事管理文書（同条の規定による改正後の規則一―三四別表の二の表規則九―八九（単身赴任手当）の項に掲げるものを除く。）の保存期間については、なお従前の例による。

附　則（令五・三・三一規則一一―一一―一二）（抄）

（施行期日）

第一条　この規則は、令和五年四月一日から施行する。

附　則（令五・一二・二〇規則一―三四―一一）

（施行期日）

第一条　この規則は、公布の日から施行する。ただし、第二条並びに附則第三条及び第四条の規定は、令和六年一月一日から施行する。

（経過措置）

第二条　令和五年三月三十一日までに作成し、又は取得した規則八―一二（職員の任免）第十二条第二項又は第十四条第三項の通知の文書等（規則一―三四別表の備考第一号に規定する文書等をいう。）の保存期間については、第一条の規定による改正後の規則一―三四第三条及び別表の一の表規則八―一二（職員の任免）の項の規定にかかわらず、なお従前の例によることができる。

第三条　令和六年三月三十一日までに作成し、又は取得した人事管理文書（第二条の規定による改正後の規則一―三四（以下「第二条改正後規則」という。）第二条に規定する人事管理文書をいう。次条において同じ。）の保存期間については、第二条改正後規則第三条及び別表（保存期間の欄に係る部分に限る。）の規定にかかわらず、なお従前の例によることができる。

第四条　第二条改正後規則第四条及び別表（保存期間満了時の措置の欄に係る部分に限る。）の規定は、第二条改正後規則第三条第二項に規定する文書作成取得日が令和五年四月一日以後である人事管理文書について適用する。

附　則（令六・一・二三規則九―一五一）（抄）

（施行期日）

第一条　この規則は、令和六年四月一日から施行する。

附　則（令六・三・二九規則一―八二）（抄）

（施行期日）

第一条　この規則は、令和七年四月一日から施行する。

〔ただし書略〕

附　則（令六・九・四規則八―一二―二一）（抄）

（施行期日）

第一条　この規則は、令和六年十二月一日から施行する。

附　則（令七・二・五規則九―二四―二一）（抄）

（施行期日）

第一条　この規則は、令和七年四月一日から施行する。

附　則（令七・二・五規則九―四九―五七）（抄）

（施行期日）

第一条　この規則は、令和七年四月一日から施行する。

附　則（令七・二・五規則九―八〇―七）（抄）

（施行期日）

第一条　この規則は、令和七年四月一日から施行する。

（人事院規則一―三四の一部改正に伴う経過措置）

第三条　前条の規定による改正前の規則一―三四別表の二の表給与法の項及び規則九―八〇（扶養手当）の項に掲げる人事管理文書（同条の規定による改正後の規則一―三四別表の二の表給与法の項及び規則九―八〇（扶養手当）の項に掲げるものを除く。）の保存期間及び保存期間が満了したときの措置については、なお従前の例による。

附　則（令七・二・五規則九―九三―四）（抄）

（施行期日）

第一条　この規則は、令和七年四月一日から施行する。

附　則（令七・二・一四規則一〇―一一―九）（抄）

（施行期日）

第一条　この規則は、令和七年四月一日から施行する。

〔ただし書略〕

別表 人事管理文書の保存期間及び保存期間が満了したときの措置（第三条、第四条関係）（抄）

一 〔略〕

二 給与

人事管理文書の区分		人事管理文書の例	保存期間	保存期間満了時の措置
法	第六十八条第一項の給与簿	勤務時間報告書 職員別給与簿 基準給与簿	五年	廃棄
給与法	第十九条の六第二項（第十九条の七第五項又は第二十三条第八項において準用する場合を含む。）の申立ての文書	期末手当又は勤勉手当の一時差止処分の取消しの申立ての文書	五年	廃棄
	第二十条の命令の文書	俸給の更正の命令の文書		
	第十九条の六第五項（第十九条の七第五項又は第二十三条第八項において準用する場合を含む。）の説明書の写し	期末手当又は勤勉手当の一時差止処分に係る処分説明書の写し	説明書の作成の日に係る特定日以後五年	
	第二十二条第一項の承認に関する文書	非常勤の委員等の手当に係る承認の文書 当該承認の申請の文書	承認の効力が失われる日に係る特定日以後五年	
規則九―五（給与簿）	第三条の出勤簿	出勤簿	五年	廃棄
	第七条の通知の文書	給与の計算につき必要とする事項の通知の文書	一年	
	第十七条の承認に関する文書	規則の規定と異なる取扱の承認の文書 当該承認の申請の文書	三年	
規則九―六（俸給の調整額）	第三条の報告の文書	俸給の調整を行う官職の職務の内容及び勤労条件についての報告の文書	五年	廃棄
規則九―七（俸給等の支給）	第一条の五第一項の承認に関する文書	月二回払の承認の文書 当該承認の申請の文書	五年	廃棄
	第一条の六第三項の報告の文書	月二回払の報告の文書	三年	
	第一条の三第一項の申出の文書	口座振込みの申出の文書	申出に係る口座振込みによらなくなる日に係る特定日以後一年	
規則九―八（初任給、昇格、昇給等の基準）	第十一条第三項ただし書、第十八条、第十九条ただし書、第二十条の二第四項各号、第二十二条第二項、第二十四条の二第三項、第二十六条第一項第二号（第二十八条において準用する場合を含む。）、	俸給関係審査協議書 当該俸給関係審査協議書による申請に対する承認の文書 派遣職員が職務に復帰した場合等における号俸の調整の承認の文書 派遣職員がその派遣	五年	廃棄

	第三十条、第四十条、第四十四条第二項、第四十四条の二、第四十五条、第四十八条、第四十九条又は別表第二の研究職俸給表初任給基準表の備考第一項の承認に関する文書	期間中に退職する場合における号俸の調整の承認の文書		
		俸給の訂正の承認の文書		
		これらの承認の申請の文書		
	第十三条第三項、第四十六条第一項又は第四十八条の二の報告の文書	初任給基準表の試験欄の「総合職（院卒）」等の区分を適用した場合の報告の文書		
		職員の級及び号俸の決定等に係る事項についての報告の文書		
	第二十四条第三項の同意の文書	降格に係る職員の同意の文書		
	第三十七条第五項の協議に関する文書	一定の日数以上の日数を勤務していない職員の昇給区分決定に係る俸給関係審査協議書		
		当該俸給関係審査協議書に対する回答の文書		
規則九―二四（通勤手当）	第三条の通勤届	通勤届	届出に係る要件を具備しなくなる特定日以後六年	廃棄
	第四条第一項の要件の具備を証明する書類	新幹線鉄道等に係る特例の支給要件を具備するかを確認するための書類	確認に係る要件を具備しなくなる特定日以後六年	
	第四条第二項の通勤手当認定簿	通勤手当認定簿	支給要件を具備しなくなる日に係る特定日以後六年	
規則九―三〇（特殊勤務手当）	第三十四条第一項の特殊勤務実績簿	特殊勤務実績簿	六年	廃棄
	第三十四条第一項の特殊勤務手当整理簿	特殊勤務手当整理簿		
	第三十四条第二項の報告の文書	特殊勤務実績簿及び特殊勤務手当整理簿に記入する事項についての各庁の長への報告の文書		
	第二十条第一項第一号から第三号までの指定に関する文書	山上等作業手当の支給要件に係る指定の文書	指定の効力が失われる日に係る特定日以後五年	
		当該指定の申請の文書		
	第三十条第二項第一号、第二号又は第四号の認定に関する文書	国際緊急援助等手当の支給額の加算に係る認定の文書	認定の効力が失われる日に係る特定日以後五年	
		当該認定の申請の文書		
規則九―三四（初任給調整手当）	第六条第四項の承認に関する文書	初任給調整手当の支給期間及び月額に係る承認の文書	承認の効力が失われる日に係る特	廃棄

		当該承認の申請の文書	定日以後五年	
規則九―四〇（期末手当及び勤勉手当）	第六条の三又は第六条の六の通知の文書	期末手当又は勤勉手当の一時差止処分を行おうとする場合の人事院への通知の文書	五年	廃棄
		期末手当又は勤勉手当の一時差止処分を取り消した場合の人事院への通知の文書		
	第十三条第一項ただし書及び第十三条の二第一項ただし書の協議に関する文書	勤勉手当の成績率の別段の取扱いについての協議の文書	決定の効力が失われる日に係る特定日以後五年	
		当該協議に対する回答の文書		
規則九―四二（休日給）	第一条ただし書の承認に関する文書	休日給の支給される日を各庁の長が他の日とすることの承認の文書	承認の効力が失われる日に係る特定日以後六年	廃棄
		当該承認の申請の文書		
規則九―四九（地域手当）	第十六条の報告の文書	官署が移転する場合の報告の文書	三年	廃棄
規則九―五四（住居手当）	第五条第一項の住居届	住居届	届出に係る要件を具備しなくなる日に係る特定日以後六年	廃棄
	第六条第二項の住居手当認定簿	住居手当認定簿	支給要件を具備しなく	

			なる日に係る特定日以後六年	
規則九―五五（特地勤務手当等）	第八条第一項又は第二項の報告の文書	特地官署又は準特地官署が移転する場合等の報告の文書	三年	廃棄
		特地官署等実態票		
規則九―八〇（扶養手当）	第三条第一項の扶養親族届	扶養親族届	届出に係る要件を具備しなくなる日に係る特定日以後六年	廃棄
	第四条第三項の事実等を証明する書類	扶養の事実等を証明する書類		
	第四条第二項の扶養手当認定簿	扶養手当認定簿	支給要件を具備しなくなる日に係る特定日以後六年	
規則九―八九（単身赴任手当）	第七条第一項の単身赴任届	単身赴任届	届出に係る要件を具備しなくなる日に係る特定日以後六年	廃棄
	第八条第二項の単身赴任手当認定簿	単身赴任手当認定簿	支給要件を具備しなくなる日に係る特定日以後六年	
規則九―九三（管理職員特別勤務手当）	第五条の管理職員特別勤務実績簿	管理職員特別勤務実績簿	六年	廃棄
	第五条の管理職員特別勤務手当整理簿	管理職員特別勤務手当整理簿		

人事管理文書の区分		人事管理文書の例	保存期間	保存期間満了時の措置
規則九—一二一（広域異動手当）	第八条第二項の住居等を明らかにする書類	広域異動手当の支給要件を具備するかを確認するための書類	確認に係る要件を具備しなくなる日に係る特定日以後五年	廃棄
規則九—一四七（給与法附則第八項の規定による俸給月額）	第六条の通知の文書の写し	俸給月額が異動する場合の通知の文書の写し	通知する日に係る特定日以後五年	廃棄
規則九—一四八（給与法附則第十項、第十二項又は第十三項の規定による俸給）	第十二条の承認に関する文書	規則により難い場合の俸給関係審査協議書 当該俸給関係審査協議書による申請に対する承認の文書	五年	廃棄
規則九—一五一（在宅勤務等手当）	第五条第二項の在宅勤務等を行う場所等を明らかにする書類	在宅勤務等手当の支給要件を具備するかの判断に必要な事項を確認するための書類	確認に係る要件を具備しなくなる日に係る特定日以後五年	廃棄

三 〔略〕

四 分限

人事管理文書の区分		人事管理文書の例	保存期間	保存期間満了時の措置
法	第八十一条の五第二項又は第四項の承認に関する文書	異動期間の延長の承認の文書 当該承認の申請の文書	同条第一項から第四項までの規定による異動期間の延長が終了する日に係る特定日以後三年	廃棄
	第八十一条の七第一項ただし書又は第二項の承認に関する文書	異動期間を延長した職員の勤務延長の承認申請書 勤務延長の期限の延長承認申請書 これらの申請に対する承認の文書	同条第一項又は第二項の規定による勤務が終了する日に係る特定日以後三年	
国家公務員法等の一部を改正する法律（令和三年法律第六十一号）	附則第三条第六項の承認に関する文書	旧国家公務員法勤務延長職員の勤務延長の期限の延長の承認の文書 当該承認の申請の文書	同項の規定による勤務が終了する日に係る特定日以後三年	廃棄
規則一一—七九（国家公務員法等の一部を改正する法律の施行に伴う関係人事院規則の整備等に関する人事院規則）	附則第三条の報告の文書	令和四年度における再任用の状況等の報告の文書	三年	廃棄
規則一一—四（職員の	第十二条の報告の文書	国際事情の調査等の業務若しくは国際約	三年	廃棄

身分保障）		束等に基づく国際的な貢献に資する業務に従事する場合又は試験研究機関等の研究職員の官職と研究成果活用企業の役員等の職とを兼ねる場合の休職の報告の文書		
	第十三条の説明書の写し	任命権者から人事院に提出される降任又は免職に係る処分説明書の写し		
	第三条第一項第一号、第二号又は第四号の指定に関する文書	公共的施設の指定申請書 公共的施設及び業務の指定申請書 共同研究等に係る施設の指定申請書 公共的機関の指定申請書 これらの申請に対する指定通知書	指定が解除される日に係る特定日以後三年	
	第五条第三項又は第四項の承認に関する文書	人事院規則一一—四第三条第一項第一号の規定による休職の期間の更新承認申請書 人事院規則一一—四第三条第一項第三号の規定による休職の期間の更新承認申請書	休職が終了する日に係る特定日以後三年	

		人事院規則一一—四第三条第一項第二号の規定による休職の期間の更新期間の設定承認申請書 人事院規則一一—四第三条第一項第三号の規定による休職の期間の更新期間の設定承認申請書 これらの申請に対する承認の文書		
規則一一—八（職員の定年）	第八条（附則第三条において準用する場合を含む。）の通知の文書	勤務延長に係る他の任命権者に対する通知の文書	三年	廃棄
	第十二条第一項、第二項（附則第三条及び第四条第三項において準用する場合を含む。）又は第三項（附則第三条において準用する場合を含む。）の報告の文書	任命権者が定年退職日を指定した場合等の報告の文書 勤務延長職員を異動させた場合の報告の文書 勤務延長の状況の報告の文書		
	第五条又は第六条（これらの規定を附則第三条において準用する場合を含む。）の同意の文書	勤務延長を行う場合の職員の同意の文書 勤務延長の期限を延長する場合の職員の同意の文書 勤務延長の期限を繰り上げる場合の職員の同意の文書	法第八十一条の七の規定による勤務が終了する日（第五条又は第六条の規定を附則第三条において準用する場合	

			にあっては、国家公務員法等の一部を改正する法律（令和三年法律第六十一号）附則第三条第六項の規定による勤務が終了する日）に係る特定日以後三年	
規則一一—一〇（職員の降給）	第八条の説明書の写し	各庁の長から人事院に提出される降給に係る処分説明書の写し	三年	廃棄
規則一一—一一（管理監督職勤務上限年齢による降任等）	第十八条の通知の文書	異動期間の延長に係る他の任命権者に対する通知の文書	三年	廃棄
	第二十一条の説明書の写し	任命権者から人事院に提出される職員の意に反する降任に係る処分説明書の写し		
	第二十二条の報告の文書	異動期間が延長された管理監督職を占める職員に係る異動期間の延長の状況の報告の文書		
	第十五条の同意の文書	異動期間の延長等に係る職員の同意の文書	法第八十一条の五第一項から第四項までの規定による異動期間の延長が終了する日に係る特定日以後三年	
規則一一—一二（定年退職者等の暫定再任用）	第十四条の報告の文書	前年度における暫定再任用の状況等の報告の文書	三年	廃棄
	第四条の明示の文書の写し	暫定再任用をされることを希望する者への明示の文書の写し	暫定再任用が終了する日に係る特定日以後三年	
	第八条第二項の同意の文書	暫定再任用職員の任期を更新する場合の暫定再任用職員の同意の文書		

五～十　〔略〕

十一　国際機関等派遣

人事管理文書の区分		人事管理文書の例	保存期間	保存期間満了時の措置
派遣法	第二条第二項の同意の文書	国際機関等への派遣に係る職員の同意の文書	派遣が終了する日に係る特定日以後三年	廃棄
規則一八—〇（職員の国際機関等への派遣）	第七条第二項の承認に関する文書	派遣先の機関の特殊事情により派遣職員に給与を支給しない場合の承認の文書 当該承認の申請の文書	五年	廃棄

第九条各項の報告の文書	派遣先の機関における勤務条件等についての任命権者への報告の文書 派遣状況報告書	三年	
第四条第一項（同条第三項において準用する場合を含む。）の協議に関する文書	五年を超える期間を定めて職員を派遣する場合等の協議の文書 当該協議に対する回答の文書	派遣が終了する日に係る特定日以後三年	
第四条第二項の同意の文書	派遣期間の更新に係る職員の同意の文書		

十二　育児休業

人事管理文書の区分	人事管理文書の例	保存期間	保存期間満了時の措置
育児休業法			
第三条第二項、第四条第一項、第十二条第二項、第十三条第一項又は第二十六条第一項の請求の文書	育児休業承認請求書 育児短時間勤務承認請求書 育児時間承認請求書	育児休業、育児短時間勤務又は育児時間が終了する日の翌日に係る特定日以後三年	廃棄
第三条第三項（第四条第三項において準用する場合を含む。）、第十二条第三項（第十三条第二項において準用する場合を含む。）又は第二十六条第一項の承認の文書の写し	育児休業の承認の文書の写し 育児休業の期間の延長の承認の文書の写し 育児短時間勤務の承認の文書の写し 育児短時間勤務の期間の延長の承認の文書の写し 育児時間の承認の文書の写し		
第六条第二項（第十四条又は第二十六条第三項において準用する場合を含む。）の取消しの文書の写し	育児休業の承認の取消しの文書の写し 育児短時間勤務の承認の取消しの文書の写し 育児時間の承認の取消しの文書の写し		
規則一九―〇（職員の育児休業等）			
第十六条第二項の協議に関する文書	育児休業をした職員が職務に復帰した場合における号俸の調整についての協議の文書 当該協議に対する回答の文書	五年	廃棄
第三十二条第一項の申出の文書	妊娠又は出産等についての申出の文書	三年	
第三十四条第一項の報告の文書	育児休業の取得の状況の報告の文書		
第五条第二項（第六条第二項、第十条第三項（第二十二条（第三十一条において準用する場合を含む。）において準用する場合を含む。）、第二十条第二項又は第三十条第二項において準用する場合を含む。）の証明書類	育児休業の事由を確認するための証明書類 育児休業の期間の延長の事由を確認するための証明書類 養育状況変更届に係る事由について確認するための証明書類 育児短時間勤務の事由を確認するための証明書類	育児休業、育児短時間勤務又は育児時間が終了する日の翌日に係る特定日以後三年	

		育児短時間勤務の期間の延長の事由を確認するための証明書類 育児時間の事由を確認するための証明書類		
	第十条第一項（第二十二条（第三十一条において準用する場合を含む。）において準用する場合を含む。）の養育状況変更届	養育状況変更届		
	第十八条第六号の育児短時間勤務計画書	育児短時間勤務計画書		
	第十三条（第二十五条において準用する場合を含む。）の同意の文書	任期の更新に係る任期付職員の同意の文書 任期の更新に係る任期付短時間勤務職員の同意の文書	任期を定めた任用が終了する日に係る特定日以後三年	

十三　任期付研究員

	人事管理文書の区分	人事管理文書の例	保存期間	保存期間満了時の措置
任期付研究員法	第六条第四項の承認に関する文書	第一号任期付研究員の俸給月額の承認の文書 当該承認の申請の文書	五年	廃棄
規則二〇―〇（任期付研究員の採用、給与及び勤務時間の特例）	第八条第一項の報告の文書	第一号任期付研究員の裁量勤務の状況についての各省各庁の長への報告の文書	三年	
	第三条第二項又は第四条第一項若しくは第二項の承認に関する文書	任期付研究員の任期を定めた採用等の承認申請書 任期付研究員法第四条第二項の任期の特例の承認申請書 これらの申請に対する承認の文書	任期を定めた任用が終了する日に係る特定日以後三年	
	第三条第三項の協議に関する文書	任期付研究員の採用計画の協議の文書 当該協議に対する回答の文書		
	第九条第三項又は第十条第一項の申出の文書	裁量勤務研究員が裁量勤務を継続しないことを希望する旨の申出の文書 裁量勤務研究員が勤務官署以外の場所において勤務する場合の申出の文書	三年	廃棄
	第三条又は第九条第二項の同意の文書	任期の更新に係る職員の同意の文書 裁量勤務に係る第一号任期付研究員の同意の文書	任期を定めた任用が終了する日に係る特定日以後三年	
	第九条第四項の通知の文書の写し	第一号任期付研究員を裁量勤務に従事させ、又は従事させることをやめる場合の		

	人事管理文書の区分	人事管理文書の例	保存期間	保存期間満了時の措置
		通知の文書の写し		
	第十条第二項の通知の文書の写し	裁量勤務研究員に特定の方法による職務遂行を命ずる場合の通知の文書の写し	命ぜられた特定の職務遂行の方法によらなくなる日に係る特定日以後三年	

十四 官民人事交流

	人事管理文書の区分	人事管理文書の例	保存期間	保存期間満了時の措置
官民人事交流法	第六条第二項の要求の文書	人事交流に係る公募に応募した民間企業の名簿等の提示の要求の文書	三年	廃棄
	第十二条第三項又は第二十三条第一項の報告の文書	派遣先企業における労働条件等の任命権者への報告の文書 人事交流の制度の運用状況の人事院への報告の文書		
	第七条第二項又は第八条第二項の同意の文書	交流派遣の実施に関する計画に係る交流派遣予定職員の同意の文書 交流派遣の期間の延長に係る交流派遣職員の同意の文書	人事交流が終了する日に係る特定日以後三年	
	第七条第二項又は第十九条第二項の計画の文書	交流派遣に係る計画書類 交流採用に係る計画書類		
	第七条第二項又は第十九条第二項の認定の文書	交流派遣の実施に関する計画の認定の文書 交流採用の実施に関する計画の認定の文書		
	第七条第三項又は第十九条第三項の取決めの文書	交流派遣に係る民間企業との間の取決めの文書 交流採用に係る民間企業との間の取決めの文書		
	第八条第二項の申出の文書	交流派遣の期間の延長に係る派遣先企業の申出の文書		
	第八条第二項又は第十九条第五項の承認に関する文書	交流派遣の期間の延長の承認の文書 交流採用に係る任期の更新の承認の文書 これらの承認の申請の文書		
	第六条第二項の名簿	人事交流に係る公募に応募した民間企業の名簿	一年	
規則二一—○（国と民間企業との間の人事交流）	第四十一条第二項の協議に関する文書	交流派遣職員が職務に復帰した場合における号俸の調整についての協議の文書 当該協議に対する回答の文書	五年	廃棄

	人事管理文書の区分	人事管理文書の例	保存期間	保存期間満了時の措置
	第三十条の条件を記載した書類	人事交流に関する条件を記載した書類	人事交流が終了する日に係る特定日以後三年	
	第三十四条第一項又は第四十四条の認定に関する文書	交流派遣の実施に関する計画の変更の認定の文書 交流採用の実施に関する計画の変更の認定の文書 これらの認定の申請の文書		
	第三十四条第一項ただし書の申出の文書	交流派遣の実施に関する計画の変更に係る派遣先企業の申出の文書		
	第三十四条第一項ただし書又は第四十四条の同意の文書	交流派遣の実施に関する計画の変更に係る交流派遣職員の同意の文書 交流採用の任期の更新に係る交流採用職員の同意の文書		
	第三十四条第二項の取決めの文書	交流派遣の実施に関する計画の変更に係る民間企業との間の取決めの文書		
	第四十三条第五号の指定に関する文書	交流採用に係る取決めにおける賃金の支払以外の給付の指定の文書		
	第四十四条の変更に係る事項を記載した書類	交流採用の実施に関する計画の変更に係る事項を記載した書類		

十五　〔略〕

十六　任期付職員

人事管理文書の区分		人事管理文書の例	保存期間	保存期間満了時の措置
任期付職員法	第七条第三項の承認に関する文書	特定任期付職員の俸給月額の承認の文書 当該承認の申請の文書	五年	廃棄
	第三条各項、第五条第一項又は第六条の承認に関する文書	任期を定めた採用に係る承認申請書 任期の更新に係る承認申請書 他の官職への任用に係る承認申請書 これらの申請に対する承認の文書	任期を定めた任用が終了する日に係る特定日以後三年	
規則二三—〇（任期付職員の採用及び給与の特例）	第四条の同意の文書	任期の更新に係る任期付職員の同意の文書	任期を定めた任用が終了する日に係る特定日以後三年	廃棄

十七　法科大学院派遣

人事管理文書の区分		人事管理文書の例	保存期間	保存期間満了時の措置
法科大学院派遣法	第三条第一項の要請の文書	検察官等の派遣の要請の文書	派遣が終了する日に係る特定日以後三年	廃棄
	第四条第三項、第六項（第十一条第四項	法科大学院への派遣に係る検察官等の同		

	人事管理文書の区分	人事管理文書の例	保存期間	保存期間満了時の措置
	において準用する場合を含む。）若しくは第七項（第十一条第四項において準用する場合を含む。）又は第十一条第一項の同意の文書	意の文書 法科大学院設置者との間の取決めの内容の変更に係る検察官等の同意の文書 派遣の期間の延長に係る検察官等の同意の文書		
	第四条第三項又は第十一条第一項の取決めの文書	法科大学院設置者との間の取決めの文書		
	第四条第七項（第十一条第四項において準用する場合を含む。）の申出の文書	派遣期間の延長に係る法科大学院設置者の申出の文書		
規則二四—○（検察官その他の職員の法科大学院への派遣）	第十五条第二項の協議に関する文書	第十一条派遣職員が職務に復帰した場合における号俸の調整についての協議の文書 当該協議に対する回答の文書	五年	廃棄
	第十七条各項の報告の文書	派遣先法科大学院における勤務条件等についての任命権者への報告の文書 法科大学院派遣に関する状況報告書	三年	

十八　自己啓発等休業

	人事管理文書の区分	人事管理文書の例	保存期間	保存期間満了時の措置
自己啓発等休業法	第三条第一項又は第四条第一項の請求の文書	自己啓発等休業承認請求書	自己啓発等休業が終了する日の翌日に係る特定日以後三年	廃棄
	第三条第一項（第四条第三項において準用する場合を含む。）の承認の文書の写し	自己啓発等休業の承認の文書の写し 自己啓発等休業の期間の延長の承認の文書の写し		
	第六条第二項の取消しの文書の写し	自己啓発等休業の承認の取消しの文書の写し		
規則二五—○（職員の自己啓発等休業）	第十三条第二項の協議に関する文書	自己啓発等休業をした職員が職務に復帰した場合における号俸の調整についての協議の文書 当該協議に対する回答の文書	五年	廃棄
	第六条第二項（第七条又は第十二条第二項において準用する場合を含む。）の書類	自己啓発等休業の承認の請求について確認するための書類 自己啓発等休業の期間の延長の請求について確認するための書類 大学等における修学又は国際貢献活動の状況の報告について確認するための書類	自己啓発等休業が終了する日の翌日に係る特定日以後三年	

	第十二条第一項の報告の文書	大学等における修学又は国際貢献活動の状況の報告の文書		

十九　配偶者同行休業

人事管理文書の区分		人事管理文書の例	保存期間	保存期間満了時の措置
配偶者同行休業法	第三条第一項又は第四条第一項の請求の文書	配偶者同行休業請求書	配偶者同行休業が終了する日の翌日に係る特定日以後三年	廃棄
	第三条第一項（第四条第三項において準用する場合を含む。）の承認の文書の写し	配偶者同行休業の承認の文書の写し 配偶者同行休業の期間の延長の承認の文書の写し		
	第六条第二項の取消しの文書の写し	配偶者同行休業の承認の取消しの文書の写し		
規則二六―○（職員の配偶者同行休業）	第十五条第二項の協議に関する文書	配偶者同行休業をした職員が職務に復帰した場合における号俸の調整についての協議の文書 当該協議に対する回答の文書	五年	廃棄
	第六条第二項（第七条又は第十条第二項において準用する場合を含む。）の書類	配偶者同行休業の請求について確認するための書類 配偶者同行休業の期間の延長の請求について確認するための書類 配偶者が死亡した場合等の届出について確認するための書類	配偶者同行休業が終了する日の翌日に係る特定日以後三年	
	第七条の二の認定に関する文書	配偶者同行休業の期間の再度の延長ができる特別の事情に係る認定の文書 当該認定の申請の文書		
	第十条第一項の届出の文書	配偶者が死亡した場合等の届出の文書		
	第十三条の同意の文書	任期の更新に係る任期付職員の同意の文書	任期を定めた任用が終了する日に係る特定日以後三年	

二十　その他

人事管理文書の区分		人事管理文書の例	保存期間	保存期間満了時の措置
法	附則第九条の勤務の意思の確認の文書	年齢六十年に達する職員への勤務の意思の確認の文書	六年	廃棄
福島復興再生特別措置法	第四十八条の二第一項又は第八十九条の二第一項の要請の文書	福島相双復興推進機構による派遣の要請の文書 福島イノベーション・コースト構想推進機構による派遣の要請の文書	派遣が終了する日に係る特定日以後三年	廃棄
	第四十八条の三第一	福島相双復興推進機		

	項、第四項若しくは第五項又は第八十九条の三第一項、第四項若しくは第五項の同意の文書	構への派遣に係る職員の同意の文書 福島相双復興推進機構との間の取決めの内容の変更に係る職員の同意の文書 福島相双復興推進機構への派遣の期間の延長に係る職員の同意の文書 福島イノベーション・コースト構想推進機構への派遣に係る職員の同意の文書 福島イノベーション・コースト構想推進機構との間の取決めの内容の変更に係る職員の同意の文書 福島イノベーション・コースト構想推進機構への派遣の期間の延長に係る職員の同意の文書		
	第四十八条の三第一項又は第八十九条の三第一項の取決めの文書	福島相双復興推進機構との間の取決めの文書 福島イノベーション・コースト構想推進機構との間の取決めの文書		
	第四十八条の三第五項又は第八十九条の三第五項の申出の文書	派遣の期間の延長に係る福島相双復興推進機構の申出の文書 派遣の期間の延長に係る福島イノベーション・コースト構想推進機構の申出の文書		
令和七年国際博覧会特措法	第二十四条第一項の要請の文書	国際博覧会協会による派遣の要請の文書	派遣が終了する日に係る特定日以後三年	廃棄
	第二十五条第一項、第四項又は第五項の同意の文書	国際博覧会協会への派遣に係る職員の同意の文書 国際博覧会協会との間の取決めの内容の変更に係る職員の同意の文書 国際博覧会協会への派遣の期間の延長に係る職員の同意の文書		
	第二十五条第一項の取決めの文書	国際博覧会協会との間の取決めの文書		
	第二十五条第五項の申出の文書	派遣の期間の延長に係る国際博覧会協会の申出の文書		
令和九年国際園芸博覧会特措法	第十四条第一項の要請の文書	国際園芸博覧会協会による派遣の要請の文書	派遣が終了する日に係る特定日以後三年	廃棄
	第十五条第一項、第四項又は第五項の同意の文書	国際園芸博覧会協会への派遣に係る職員の同意の文書 国際園芸博覧会協会との間の取決めの内容の変更に係る職員の同意の文書		

		国際園芸博覧会協会への派遣の期間の延長に係る職員の同意の文書		
	第十五条第一項の取決めの文書	国際園芸博覧会協会との間の取決めの文書		
	第十五条第五項の申出の文書	派遣の期間の延長に係る国際園芸博覧会協会の申出の文書		
（略）				
規則一—二四（公務の活性化のために民間の人材を採用する場合の特例）	第二条第二項の報告の文書	公務の活性化のために民間の人材を採用した場合の報告の文書	三年	廃棄
（略）				
規則一—六四（職員の公益財団法人東京オリンピック・パラリンピック競技大会組織委員会への派遣）	第十二条第二項の協議に関する文書	東京オリンピック・パラリンピック競技大会組織委員会に派遣された職員が職務に復帰した場合における号俸の調整についての協議の文書	五年	廃棄
		当該協議に対する回答の文書		
	第十三条各項の報告の文書	東京オリンピック・パラリンピック競技大会組織委員会における勤務条件等についての任命権者への報告の文書	三年	
		公益財団法人東京オリンピック・パラリンピック競技大会組織委員会への派遣に関する状況報告書		
規則一—六五（職員の公益財団法人ラグビーワールドカップ二千十九組織委員会への派遣）	第十二条第二項の協議に関する文書	ラグビーワールドカップ二千十九組織委員会に派遣された職員が職務に復帰した場合における号俸の調整についての協議の文書	五年	廃棄
		当該協議に対する回答の文書		
規則一—六九（職員の公益社団法人福島相双復興推進機構への派遣）	第十二条第二項の協議に関する文書	福島相双復興推進機構に派遣された職員が職務に復帰した場合における号俸の調整についての協議の文書	五年	廃棄
		当該協議に対する回答の文書		
	第十三条各項の報告の文書	福島相双復興推進機構における勤務条件等についての任命権者への報告の文書	三年	
		公益財団法人福島相双復興推進機構への派遣に関する状況報告書		
規則一—七二（職員の令和七年国	第十二条第二項の協議に関する文書	国際博覧会協会に派遣された職員が職務に復帰した場合にお	五年	廃棄

際博覧会特措法第十四条第一項の規定により指定された博覧会協会への派遣）		ける号俸の調整についての協議の文書 当該協議に対する回答の文書		
	第十三条各項の報告の文書	国際博覧会協会における勤務条件等についての任命権者への報告の文書 博覧会協会への派遣に関する状況報告書	三年	
規則一―七四（職員の公益財団法人福島イノベーション・コースト構想推進機構への派遣）	第十二条第二項の協議に関する文書	福島イノベーション・コースト構想推進機構に派遣された職員が職務に復帰した場合における号俸の調整についての協議の文書 当該協議に対する回答の文書	五年	廃棄
	第十三条各項の報告の文書	福島イノベーション・コースト構想推進機構における勤務条件等についての任命権者への報告の文書 公益財団法人福島イノベーション・コースト構想推進機構への派遣に関する状況報告書	三年	
規則一―八〇（職員の令和九年国際園芸博覧会特措法第二条第一項の規定により指定された国際園芸博覧会協会への派遣）	第十二条第二項の協議に関する文書	国際園芸博覧会協会に派遣された職員が職務に復帰した場合における号俸の調整についての協議の文書 当該協議に対する回答の文書	五年	廃棄
	第十三条各項の報告の文書	国際園芸博覧会協会における勤務条件等についての任命権者への報告の文書 国際園芸博覧会協会への派遣に関する状況報告書	三年	

備考

一　人事管理文書の区分の欄に掲げる文書には、図画及び電磁的記録（電子的方式、磁気的方式その他人の知覚によっては認識することができない方式で作られた記録をいう。）並びに添付されたものを含むものとする。

二　人事管理文書の区分の欄の「承認に関する文書」、「協議に関する文書」、「指定に関する文書」、「認定に関する文書」又は「同意に関する文書」とは、それぞれ承認の文書及び当該承認の申請の文書、協議の文書及び当該協議に対する回答の文書、指定の文書及び当該指定の申請の文書、認定の文書及び当該認定の申請の文書又は同意の文書及び当該同意の申請の文書をいう。

三　保存期間の欄の「特定日」とは、第三条第三項の保存期間が確定することとなる日の属する年度の翌年度の四月一日（当該確定することとなる日から一年以内の日であって、四月一日以外の日を特定日とすることが人事管理文書の適切な管理に資すると行政機関等の長が認める場合にあっては、その日）をいう。

四　人事管理文書の例の欄は例示である。

五　この表に掲げる法律又は規則の規定の例によるものとされ、又は例に準ずるものとされている場合に係る人事管理文書については、同表の規定の例による。

○人事院規則一―三四（人事管理文書の保存期間及び保存期間が満了したときの措置）の運用について（通知）（抄）

令五・一二・二〇
事企法―三二九

最終改正　令七・一二・一二事企法―三二一

人事院規則一―三四（人事管理文書の保存期間及び保存期間が満了したときの措置）（以下「規則」という。）の運用について下記のとおり定めたので、令和六年一月一日以降は、これによってください。

なお、これに伴い、「人事院規則一―三四（人事管理文書の保存期間）の運用について（平成十八年十二月十五日事企法―六六八）」は、廃止します。

記

1　規則第三条第一項第二号の「人事院が定めるもの」は、別表の人事管理文書の区分の欄に掲げる人事管理文書（規則第二条に規定する人事管理文書をいう。以下同じ。）とする。

2　規則第三条第一項第二号の「人事院が定める期間」は、別表の人事管理文書の区分の欄に掲げる人事管理文書の区分に応じ、それぞれ同表の保存期間の欄に掲げる期間とする。

3　規則第四条の「その他移管すべき事情がある人事管理文書」とは、例えば、公文書等の管理に関する法律（平成二十一年法律第六十六号。以下「公文書管理法」という。）第二条第六項に規定する歴史公文書等に該当する文書と共に行政文書ファイル（公文書管理法第五条第二項に規定する行政文書ファイルをいう。第五項において同じ。）又は法人文書ファイル等（公文書管理法第十一条第二項に規定する法人文書ファイル等をいう。第五項において同じ。）にまとめられている人事管理文書をいう。

4　規則第四条第二号の「人事院が定める措置」は、別表の人事管理文書の区分に応じ、それぞれ同表の保存期間満了時の措置の欄に掲げる措置とする。

5　規則第四条に定める措置のうち、移管の措置とは人事管理文書（人事管理文書が行政文書ファイル又は法人文書ファイル等にまとめられている場合にあっては、当該行政文書ファイル又は当該法人文書ファイル等。以下この項において同じ。）を公文書管理法第八条第一項又は第十一条第四項の規定により移管する措置を、廃棄の措置とは人事管理文書を公文書管理法第八条第一項又は第十一条第四項の規定により廃棄する措置をいう。

6　規則別表又は別表に掲げる人事管理文書がこれらの表の他の人事管理文書の区分にも該当する場合における当該人事管理文書の保存期間（規則第三条第一項に規定する保存期間をいう。以下同じ。）は、それぞれの区分に対応する保存期間が満了する日のうち最も遅い日までの期間とする。

7　前項の場合における人事管理文書の保存期間が満了したときの措置について、いずれかの区分において移管の措置がとられるものとされている場合にあっては、移管の措置がとられるものとする。

以上

別表（第一項、第二項、第四項関係）（抄）

人事管理文書の区分			人事管理文書の例	保存期間	保存期間満了時の措置
（略）	給実甲第二八号（一般職の職員の給与に関する法律の運用方針）	第二十三条関係第五項の項第一号の協議に関する文書	休職前の給与の年額についての協議の文書 当該協議に対する回答の文書	五年	廃棄
	給実甲第一三三二号等（令和六年改正法附則第四条及び第五条の規定に基づく号俸の切替え及び号俸の調整について）	第四の第二項の調書	令和六年改正法附則第四条及び第五条の規定に基づく号俸の切替え及び号俸の調整の算出の過程等を記した調書	十年	廃棄
		第三の第三項第二号又は第五の承認に関する文書	令和六年改正法附則第四条及び第五条の規定に基づく号俸の切替え及び号俸の調整に係る俸給関係審査協議書 当該俸給関係審査協議書による申請に対する承認の文書	五年	
		第四の第一項の通知書等の写し	令和六年改正法附則第四条及び第五条の規定に基づく号俸の切替え及び号俸の調整の通知の文書の写し	通知する日に係る特定日以後五年	
	給実甲第一〇八〇号（指定職俸給表を適用する職員について）	第一項ただし書の協議に関する文書	新たに指定職俸給表を適用する職員に係る別段の取扱いについての協議の文書 当該協議に対する回答の文書	五年	廃棄
	給実甲第五七六号（給与簿等の取扱いについて）	第八の各号の調書等（第一号の調書については、人事交流等による異動者に係るものに限る。）	初任給決定調書 俸給表異動等に伴う再計算調書 昇給に係る決定調書 復職時調整調書 在職者調整調書 俸給の切替調書 扶養手当認定簿 住居手当認定簿 通勤手当認定簿 単身赴任手当認定簿 その他給与の適正な決定及び支給のために作成した調書	十年	廃棄
		第八の第一号の調書（人事交流等による異動者に係るものを除く。）	初任給決定調書	離職する日に係る特定日以後五年	
		第九の第一項の承認に関する文書	給与簿の様式等の特例の承認の文書 当該承認の申請の文書	三年	
		第二の第四項、第四の第六項又は第九の第三項の報告の文書	転出元の給与事務担当者に報告され、及び転出先の給与事務担当者に送付された	一年	

		週休日の日数等の報告の文書		
		職員別給与簿、基準給与簿又は給与支給明細書の様式の特例について承認があったものとして取り扱った場合の報告の文書		
	第四の第六項の職員別給与簿の写し	転出先の給与事務担当者に送付された職員別給与簿の写し		
	第四の第六項の超過勤務等命令簿の写し	転出先の給与事務担当者に送付された超過勤務等命令簿の写し		
	第四の第七項の通知の文書	給与の追給又は返納があった場合における転出先の給与事務担当者への通知の文書		
給実甲第六〇九号（俸給の調整額の運用について）	その他の事項第三項の協議に関する文書	俸給の調整額の取扱い等についての協議の文書 当該協議に対する回答の文書	決定の効力が失われる日に係る特定日以後五年	廃棄
給実甲第六五号（人事院規則九―七（俸給等の支給）の運用について）	第十三条関係第一号の超過勤務等命令簿	超過勤務等命令簿	六年	廃棄

給実甲第三二六号（人事院規則九―八（初任給、昇格、昇給等の基準）の運用について）	第三十七条関係第二十項の記録の文書	職員の昇給の実施状況の記録の文書	十年	廃棄
	第十五条関係第七項第二号、第十七条関係ただし書、第二十条関係第六項若しくは第十項ただし書、第二十二条関係第二項ただし書、第二十三条関係第三項、第三十九条関係第一項ただし書若しくは第二項ただし書、第四十条関係第二号、学歴免許等資格区分表関係第五項又は在級期間表関係第一項ただし書若しくは第二項の承認に関する文書	俸給関係審査協議書 当該俸給関係審査協議書による申請に対する承認の文書	五年	
	第十一条関係第八項又は第三十七条関係第十項の協議に関する文書	俸給関係審査協議書 当該俸給関係審査協議書に対する回答の文書		
	第三十七条関係第二十項の通知の文書の写し	昇給区分をＤ又はＥに決定した場合の人事異動通知書の写し	通知する日に係る特定日以後五年	
給実甲第二五四号（初任給基準又は俸給表の適用を異にして異動した場合の職	第三の第一項（第五の第一項において準用する場合を含む。）若しくは第二項、第五の第二項又は第七の第二号の承認に関する文書	俸給関係審査協議書 当該俸給関係審査協議書による申請に対する承認の文書	五年	廃棄

務の級及び号俸の決定等について）				
給実甲第一三〇六号（博士課程修了者等の初任給基準の改正に伴う在職者等の号俸の決定について）	第一の第一項ただし書若しくは第二項又は第二の第二項ただし書、第三項若しくは第五項の承認に関する文書	博士課程修了者等の初任給基準の改正に伴う在職者等の号俸の決定に係る俸給関係審査協議書当該俸給関係審査協議書による申請に対する承認の文書	五年	廃棄
給実甲第一〇一四号（経験年数を有する者の初任給の号俸の調整基準の改正に伴う在職者の号俸の決定について）	第六項の調書等	経験年数を有する者の初任給の号俸の調整基準の改正に伴う在職者の号俸の算出の過程等を記した調書	十年	廃棄
	第四項又は第五項の承認に関する文書	経験年数を有する者の初任給の号俸の調整基準の改正に伴う在職者の号俸の決定に係る俸給関係審査協議書 当該俸給関係審査協議書による申請に対する承認の文書	五年	
給実甲第一九二号（復職時等における号俸の調整の運用	第三の承認に関する文書	復職時調整に関する特例の承認の文書 当該承認の申請の文書	五年	廃棄

について）				
給実甲第三二七号（免許所有者の経験年数の取扱いについて）	第二項第一号又は第三号の承認に関する文書	免許取得前の経歴の取扱いの承認の文書 当該承認の申請の文書	五年	廃棄
給実甲第一五一号（通勤手当の運用について）	規則第四条関係第三項の通勤手当認定簿の写し	異動後の各庁の長に送付された通勤手当認定簿の写し	一年	廃棄
給実甲第一三四二号（人事院規則九―二四―二一（人事院規則九―二四（通勤手当）の一部を改正する人事院規則）の運用について）	第一項の通勤手当経過措置支給調書	通勤手当経過措置支給調書	六年	廃棄
給実甲第一九七号（特殊勤務手当の運用について）	災害応急作業等手当（規則第十九条）関係第三項(1)の認定に関する文書	災害応急作業等手当の支給額が加算される区域の認定の文書 当該認定の申請の文書	認定の効力が失われる日に係る特定日以後五年	廃棄
給実甲第一八〇号（初任給調整手当の運用に	その他の事項第一項の初任給調整手当支給調書	初任給調整手当支給調書	支給しなくなる日に係る特定日以後十年	廃棄

ついて）	第二条関係第二項の通知の文書の写し	併任官職に係る初任給調整手当の支給の有無の通知の文書の写し	通知する日に係る特定日以後五年	
	その他の事項第四項の協議に関する文書	初任給調整手当の取扱い等についての協議の文書 当該協議に対する回答の文書	決定の効力が失われる日に係る特定日以後五年	
給実甲第二二〇号（期末手当及び勤勉手当の支給について）	第三十四項第六号又は第三十九項ただし書の協議に関する文書	定年前再任用短時間勤務職員等であった期間における期末手当に係る在職期間及び勤勉手当に係る勤務期間の計算についての協議の文書 勤勉手当に係る人員分布率の別段の取扱いについての協議の文書 これらの協議に対する回答の文書	決定の効力が失われる日に係る特定日以後五年	廃棄
	第四十一項の報告の文書	指定職俸給表の適用を受ける職員の勤勉手当の額の総額について別段の取扱いをする場合の報告の文書	三年	
給実甲第一〇一九号（地域手当の運用について）	給与法第十一条の三、第十一条の四、第十一条の六及び第十一条の七関係第二項（給与法第十一条の七第一項関係第一項及び給与法第十一条の七第二項関係第一項においてその例による場合を含む。）の通知の文書の写し	併任官職に係る地域手当の支給の有無の通知の文書の写し	通知する日に係る特定日以後五年	廃棄
	規則九―四九第十一条関係、規則九―四九第十二条関係、規則九―四九第十三条関係第三項、規則九―四九第十四条関係又は規則九―四九第十七条関係の協議に関する文書	地域手当の異動保障が支給される職員との権衡上必要があると認められる場合等についての協議の文書 地域手当の取扱い等についての協議の文書 これらの協議に対する回答の文書	決定の効力が失われる日に係る特定日以後五年	
給実甲第三五一号（特地勤務手当等の運用について）	給与法第十三条の二関係第二項（給与法第十四条関係第一項においてその例による場合を含む。）の通知の文書の写し	併任官職に係る特地勤務手当の支給の有無の通知の文書の写し 併任官職に係る特地勤務手当に準ずる手当の支給の有無の通知の文書の写し	通知する日に係る特定日以後五年	廃棄
	規則第九条関係第一項の特地勤務手当及び特地勤務手当に準ずる手当支給調書	特地勤務手当及び特地勤務手当に準ずる手当支給調書	支給しなくなる日に係る特定日以後五年	
	給与法第十四条関係第四項、規則第五条関係又はその他の事項の協議に関する文書	特地勤務手当に準ずる手当を三年を超えて支給する必要があると認められる者についての協議の文書 特地勤務手当に準ず	決定の効力が失われる日に係る特定日以後五年	

		る手当を支給される職員との権衡上必要があると認められる場合についての協議の文書		
		特地勤務手当又は特地勤務手当に準ずる手当の取扱い等についての協議の文書		
		これらの協議に対する回答の文書		
給実甲第六六〇号（単身赴任手当の運用について）	規則第八条関係第三項の協議に関する文書	単身赴任手当の認定についての協議の文書 当該協議に対する回答の文書	支給要件を具備しなくなる日に係る特定日以後六年	廃棄
給実甲第七九七号（研究員調整手当の運用について）	第三項の通知の文書の写し	併任官職に係る研究員調整手当の支給の有無の通知の文書の写し	通知する日に係る特定日以後五年	廃棄
給実甲第一〇二二号（広域異動手当の運用について）	給与法第十一条の八関係第四項（同条関係第五項においてその例による場合を含む。）の通知の文書の写し	併任官職に係る広域異動手当の支給の有無の通知の文書の写し	通知する日に係る特定日以後五年	廃棄
	規則第九条関係第一項の広域異動手当支給調書	広域異動手当支給調書	支給しなくなる日に係る特定日以後五年	
	規則第九条関係第四項の協議に関する文	広域異動手当の取扱い等についての協議	決定の効力が失われる	

	書	の文書 当該協議に対する回答の文書	日に係る特定日以後五年	
給実甲第一〇七八号（本府省業務調整手当の運用について）	第二項の通知の文書の写し	併任官職に係る本府省業務調整手当の支給の有無の通知の文書の写し	通知する日に係る特定日以後五年	廃棄
給実甲第一二九五号（給与法附則第八項の規定による俸給月額の運用について）	規則第三条関係第一項第二号若しくは第三項第二号、規則第五条関係第一項第二号又は規則第七条関係第二項の承認に関する文書	令和五年旧国家公務員法において定年年齢が六十二歳又は六十三歳とされていた職員に相当する職員の承認の文書 給与法附則第八項の規定の適用を受けない職員の承認の文書 これらの承認の申請の文書	五年	廃棄
	その他の事項第二項の報告の文書	職員が給与法附則第八項の規定の適用を受けないこととなった場合の報告の文書		
給実甲第一二九六号（人事院規則九―一四八（給与法附則第十項、第十二項又は第十三項の規定による俸給）の	その他の事項第二項の調書等	給与法附則第十項、第十二項又は第十三項の規定による俸給の額の算定に係る調書	十年	廃棄
	第四条関係第二項から第四項まで、第六条関係第二項から第四項まで、第七条関	給与法附則第十項、第十二項又は第十三項の規定による俸給に係る承認の文書	五年	

運用について）	係第一項第二号若しくは第二項第二号、第八条関係第一項第二号若しくは第二項第二号、第九条関係第三項、第十条関係第一項若しくは第二項又は第十一条関係第一項から第三項までの承認に関する文書	当該承認の申請の文書		
	その他の事項第一項の通知書等の写し	給与法附則第十項、第十二項又は第十三項の規定による俸給の額の通知の文書の写し	通知する日に係る特定日以後五年	
給実甲第一三一九号（在宅勤務等手当の運用について）	規則第八条関係第一項の在宅勤務等手当支給調書	在宅勤務等手当支給調書	支給しなくなる日に係る特定日以後五年	廃棄
（略）				
人事院規則一〇—一三（東日本大震災により生じた放射性物質により汚染された土壌等の除染等のための業務等に係る職員	第四条関係の報告の文書	放射線障害が生ずるおそれのある除染等関連業務従事者がある場合の報告の文書 放射線障害が生ずるおそれのある特定線量下業務従事者がある場合の報告の文書	五年	廃棄

の放射線障害の防止）の運用について（平成二十三年十二月二十八日職職—四一四）				
（略）				
人事院規則一一—一〇（職員の降給）の運用について（平成二十一年三月十八日給二—二六）	第七条関係第三項の通知の文書	職員を降給させる場合の任命権者への通知の文書	一年	廃棄
管理監督職勤務上限年齢による降任等の運用について（令和四年二月十八日給生—一六）	第二の第五項の報告の文書	異動期間が延長された管理監督職に組織の変更等があった場合の報告の文書	三年	廃棄
（略）				
国際機関等に派遣される一般職の国家公務員の処遇等に関する法律	規則一八—〇関係第七条関係第三項の届出の文書	派遣職員の給与の支払を受ける者の届出の文書	派遣が終了する日に係る特定日以後一年	廃棄

および人事院規則一八—〇（職員の国際機関等への派遣）の運用について（昭和四十五年十二月二十五日任企—八八七）				
給実甲第四四四号（派遣職員の給与の支給割合の決定等について）	第一の第三項又は第二の第六項の協議に関する文書	行政職俸給表㈠以外の俸給表の適用を受ける日本国外に在勤する派遣職員の派遣期間中の給与の支給割合を決定する基準についての協議の文書 当該基準が定められるまでの間における支給についての協議の文書 通達の規定によることができない場合又は通達の規定によることが著しく不適当であると認められる場合の派遣職員の給与の支給割合の決定等についての協議の文書 これらの協議に対する回答の文書	五年	廃棄

育児休業等の運用について（平成四年一月十七日職福—二〇）	第十の第二項又は第十一の第二項の通知の文書の写し	育児短時間勤務等の内容の通知の文書の写し 任期付短時間勤務職員の勤務の形態の通知の文書の写し	三年	廃棄
	第十三の第四項の通知の文書	育児時間を承認した場合等の俸給の支給義務者への通知の文書		
	第一の第十項又は第十一項の承諾の文書	任期を定めて採用されること及びその任期に係る任期付職員となる者の承諾の文書 任期を定めて任用されること及びその任期に係る任期付短時間勤務職員となる者の承諾の文書	任期を定めた任用が終了する日に係る特定日以後三年	
任期付研究員の採用、給与及び勤務時間の特例の運用について（平成九年六月四日任企—一四九）	任期付研究員法第六条第三項及び第四項並びに規則第六条関係第三項の報告の文書	職員の号俸を二号俸以上の号俸に決定した場合の第一号任期付研究員の選考採用等実施状況報告書 職員の号俸を三号俸に決定した場合の第二号任期付研究員の選考採用等実施状況報告書	五年	廃棄
	任期付研究員法第六条第五項及び規則第八条関係第三項の報告の文書	任期付研究員業績手当支給状況報告書	任期を定めた任用が終了する日に係る特定日	

			以後五年	
	任期付研究員法第三条第二項及び第四条第一項関係第三項又は任期付研究員法第三条第三項及び第四条第二項関係第七項の報告の文書	採用について人事院の承認があったものとして取り扱った場合の第一号任期付研究員の選考採用等実施状況報告書 職員を採用した場合の第二号任期付研究員の選考採用等実施状況報告書	任期を定めた任用が終了する日に係る特定日以後三年	
	規則第四条関係の状況報告書	人事院規則二〇—〇第四条の規定による異動の状況報告書		
	規則第九条関係第二項の報告の文書	第一号任期付研究員を裁量業務に従事させた場合の報告の文書		
国と民間企業との間の人事交流の運用について（平成二十六年五月二十九日人企—六六〇）	規則第四十条関係ただし書の協議に関する文書	交流派遣後職務に復帰した職員の昇格の別段の取扱いに係る俸給関係審査協議書 当該俸給関係審査協議書に対する回答の文書	五年	廃棄
	官民人事交流法第八条関係第三項の交流派遣の期間の延長に係る事項を記載した書類	交流派遣の期間の延長について人事院の承認があったものとして取り扱った場合の報告書	人事交流が終了する日に係る特定日以後三年	
	官民人事交流法第十九条関係第三項の任期の更新に係る事項	交流採用に係る任期の更新について人事院の承認があったも		

	を記載した書類	のとして取り扱った場合の報告書		
	規則第三十四条関係第三項及び規則第四十四条関係第三項の計画の変更に係る事項を記載した書類	交流派遣の実施に関する計画の変更について人事院の認定があったものとして取り扱った場合の報告書 交流採用の実施に関する計画の変更について人事院の認定があったものとして取り扱った場合の報告書		
	規則第三十四条関係第四項及び規則第四十四条関係第四項の同意の文書の写し	交流派遣の実施に関する計画の変更に係る交流派遣職員の同意の文書の写し 交流採用の任期の更新に係る交流採用職員の同意の文書の写し		
任期付職員の採用及び給与の特例の運用について（平成十二年十一月二十七日任企—五九〇）	任期付職員法第七条第二項及び第三項並びに規則第六条関係第三項の報告の文書	特定任期付職員の任期の中途において新たにその者の号俸を決定した場合の報告の文書	五年	廃棄
	任期付職員法第三条及び規則第二条関係第五項若しくは第八項、任期付職員法第四条第一項及び第五条第一項関係第四項又は任期付職員法第	任期付職員の採用、任期の更新又は他の官職への任用について人事院の承認があったものとして取り扱った場合の実施状況報告書	任期を定めた任用が終了する日に係る特定日以後三年	

	六条関係第三項の実施状況報告書			
	任期付職員法第三条及び規則第二条関係第十項の承諾の文書	任期を定めて採用されること及びその任期に係る任期付職員となる者の承諾の文書		
検察官その他の職員の法科大学院への派遣の運用について（平成十五年十月一日人企—八二五）	規則第十三条関係第二項又は規則第十四条関係ただし書の協議に関する文書	第十一条派遣職員に係る派遣前給与の年額の算定についての協議の文書 第十一条派遣職員に係る職務復帰後の昇格の別段の取扱いについての協議の文書 これらの協議に対する回答の文書	五年	廃棄
配偶者同行休業の運用について（平成二十六年二月十三日職職—四〇）	第二の第八項の届出の文書	配偶者同行休業の期間中に配偶者の職業等に変更を生じることとなった場合の届出の文書	配偶者同行休業が終了する日の翌日に係る特定日以後三年	廃棄
	第五の第一項の承諾の文書	任期を定めて採用されること及びその任期に係る任期付職員となる者の承諾の文書	任期を定めた任用が終了する日に係る特定日以後三年	
職員の公益社団法人福島相双復興推進機構への派遣の運用について（平成二十九年五月十九日人企—四九六）	規則第十条関係第一項又は規則第十一条関係ただし書の協議に関する文書	福島相双復興推進機構に派遣された職員に係る派遣前給与の年額の算定についての協議の文書 当該協議に対する回答の文書 福島相双復興推進機構に派遣された職員に係る職務復帰後の昇格の別段の取扱いに係る俸給関係審査協議書 当該俸給関係審査協議書に対する回答の文書	五年	廃棄
職員の令和七年国際博覧会特措法第十四条第一項の規定により指定された博覧会協会への派遣の運用について（令和元年五月二十三日人企—六〇〇）	規則第十条関係第一項又は規則第十一条関係ただし書の協議に関する文書	国際博覧会協会に派遣された職員に係る派遣前給与の年額の算定についての協議の文書 当該協議に対する回答の文書 国際博覧会協会に派遣された職員に係る職務復帰後の昇格の別段の取扱いに係る俸給関係審査協議書 当該俸給関係審査協議書に対する回答の文書	五年	廃棄
職員の公益財団法人福島イノベーション・コースト構想推進機構への派遣の運用につい	規則第十条関係第一項又は規則第十一条関係ただし書の協議に関する文書	福島イノベーション・コースト構想推進機構に派遣された職員に係る派遣前給与の年額の算定についての協議の文書 当該協議に対する回答の文書	五年	廃棄

て（令和二年六月十二日人企―五九七）		福島イノベーション・コースト構想推進機構に派遣された職員に係る職務復帰後の昇格の別段の取扱いに係る俸給関係審査協議書 当該俸給関係審査協議書に対する回答の文書		
職員の令和九年国際園芸博覧会特措法第二条第一項の規定により指定された国際園芸博覧会協会への派遣の運用について（令和四年六月二十四日人企―七九二）	規則第十条関係第一項又は規則第十一条関係ただし書の協議に関する文書	国際園芸博覧会協会に派遣された職員に係る派遣前給与の年額の算定についての協議の文書 当該協議に対する回答の文書 国際園芸博覧会協会に派遣された職員に係る職務復帰後の昇格の別段の取扱いに係る俸給関係審査協議書 当該俸給関係審査協議書に対する回答の文書	五年	廃棄

備考

(1) 人事管理文書の区分の欄に掲げる文書には、図画及び電磁的記録（電子的方式、磁気的方式その他人の知覚によっては認識することができない方式で作られた記録をいう。）並びに添付されたものを含むものとする。

(2) 人事管理文書の区分の欄の「承認に関する文書」、「協議に関する文書」、「指定に関する文書」又は「認定に関する文書」とは、それぞれ承認の文書及び当該承認の申請の文書、協議の文書及び当該協議に対する回答の文書、指定の文書及び当該指定の申請の文書又は認定の文書及び当該認定の申請の文書をいう。

(3) 保存期間の欄の「特定日」とは、規則第三条第三項の保存期間が確定することとなる日の属する年度の翌年度の四月一日（当該確定することとなる日から一年以内の日であって、四月一日以外の日を特定日とすることが人事管理文書の適切な管理に資すると行政機関等（規則第三条第一項に規定する行政機関等をいう。）の長が認める場合にあっては、その日）をいう。

(4) 人事管理文書の例の欄は例示である。

(5) この表に掲げる人事院事務総長通知の規定の例によるものとされ、又は例に準ずるものとされている場合に係る人事管理文書については、同表の規定の例による。

【行政実例】

○赴任期間について

〔照会〕 職員が転任、転勤または配置換を命ぜられたときは、発令の通知を受けた翌日から起算して次に掲げる期間内に赴任しなければならない。旧勤務地と新勤務地の距離の長短により三日、七日、九日の旨国税庁長官通達で定められておりますが、発令の通知を受けた日から赴任するまでの期間は赴任の準備をするために与えられた期間であり当然勤務しなくともさしつかえないものと思われますが、此の場合給与簿取扱上勤務時間報告書には正規の勤務時間を勤務したものとしてよろしいでしょうか。

（例） 九月三十日付転任発令、十月四日通知受領、十一日赴任

新任署における勤務時間報告書

九・三〇	一〇 ㈠	二	三	四	五	六	七	㈧	九	一〇	一一
転入	×	八	八	八	八	八	四		八	八	八

（昭二五・一〇・一六 某）

〔回答〕 現在、赴任期間に関しては全官庁に統一的な規定がなく、したがつて各官庁で従来の内規などにより運用することになつております。この場合、給与簿におきましては赴任期間中は正規に勤務したものとして取り扱い、その期間をこえて勤務しなかつた期間は欠勤となります。（昭二五・一一・一七 給実発四九〇 給与局実施課長回答「給与簿に関する疑義について」より）

○人事院規則九―五第十三条第二項ただし書の解釈について

〔照会〕 標記について、下記のとおり疑義がありますので照会します。

記

このたび改正された人事院規則九―五（給与簿）（以下「規則」という。）第十三条第二項ただし書の規定によれば、職員が給与の支払を受けるときにおいて遠隔の地に勤務する等の理由により基準給与簿に押印することが困難な場合または法律もしくは規則により職員の指定する者に支払うことが認められている場合には、当該職員または当該職員の指定する者の受領証をもつて基準給与簿への押印に代えることができるとされているが、その給与を直接その者に送金して支払う場合当該送金にかかる銀行の領収証をもつて前記の受領書に代えることは認められないか。たとえば会計法第二十一条の規定による隔地払の方法により給与の支払いを行なう場合には、送金の事実については銀行の領収書により確認でき、また銀行からの職員または職員の指定する者への当該送金額の支払いの事実については銀行がその者から徴する受領印等により確認できるのではないかと思われるが、このような場合であつても当該銀行の領収書をもつて前記規則にいう「職員または職員の指定する者の受領証」に代えることはできないか。

（昭四六・一・三〇 人関一―七二 関東事務局長）

〔回答〕 ご質問の点については、消極に解します。すなわち、人事院規則九―五第十三条第二項ただし書にいう受領証は職員または職員の指定する者がその給与を現に受領した事実を給与簿上明らかにするためのものであるのに対し、会計法第二十一条の隔地払により給与の支払を行なう場合の銀行の領収書は単なる会計手続上のものと解されます。したがつて、ご質問の場合にも別途受領証を徴して基準給与簿に添付し、保管しなければならないものと考えます。（昭四六・二・一二 給二―二一 給与第二課長）

（注） 規則九―五第十三条第二項については、昭和四九年一一月二五日以降は、同規則第十三条の二を参照のこと。

第三　休職者の給与

【参照】
●国公法七九～八一
●一般職給与法二三
●同運用方針二三関係
●規則（九―七）五

○人事院規則九―一三（休職者の給与）

昭二七・一二・二九制定
昭二七・一二・二五適用

最終改正　令四・六・二四規則一―八一

第一条　給与法第二十三条第五項の規定に該当する場合（規則一一―四（職員の身分保障）第三条第一項第三号の規定に該当して休職にされた場合を除く。）の俸給、扶養手当、地域手当、広域異動手当、研究員調整手当、住居手当及び期末手当のそれぞれの支給割合は、次のとおりとする。

一　規則一一―四第三条第一項第一号、第二号、第四号若しくは第五号又は第二項の規定に該当して休職にされた場合（次号に掲げる場合を除く。）　百分の七十以内

二　規則一一―四第三条第一項第五号の規定に該当して休職にされた場合で、当該休職に係る生死不明又は所在不明の原因である災害により、職員が公務上の災害若しくは補償法第一条の二に規定する通勤による災害（派遣法第三条に規定する派遣職員の派遣先の業務上の災害又は補償法第一条の二に規定する通勤による災害を含む。）又は官民人事交流法第十六条、法科大学院派遣法第九条（法科大学院派遣法第十八条において準用する場合を含む。）、福島復興再生特別措置法（平成二十四年法律第二十五号）第四十八条の九若しくは第八十九条の九、令和三年オリンピック・パラリンピック特措法第二十三条、令和七年国際博覧会特措法第三十一条若しくは令和九年国際園芸博覧会特措法第二十一条の規定の規定（以下この号において「特定規定」という。）により給与法第二十三条第一項及び附則第六項の規定の適用に関し公務とみなされる業務に係る業務上の災害若しくは特定規定に規定する通勤による災害を受けたと認められるとき　百分の百以内

本条―令四・六・二四施行

第二条　前条第二号に規定する場合において、船員法（昭和二十二年法律第百号）第一条に規定する船員である職員に係る規則一六―二（在外公館に勤務する職員、船員である職員等に係る災害補償の特例）第八条に規定する行方不明補償が行われるときは、その補償の行われている期間、給与法第二十三条第五項に定める給与のうち期末手当以外の給与は支給しない。

本条―平二一・五・二九施行

第三条　給与法第二十三条第二項から第五項までの規定による俸給、地域手当、広域異動手当及び研究員調整手当の月額に一円未満の端数があるときは、それぞれその端数を切り捨てた額をもつて当該給与の月額とする。

本条―平一九・四・一施行

附　則（令元・五・二三規則一―七三）

この規則は、公布の日から施行する。

附　則（令二・六・一二規則一―七五）（抄）

（施行期日）

1　この規則は、公布の日から施行する。

附　則（令二・一二・二八規則一―七六）（抄）

（施行期日）

1　この規則は、公布の日から施行する。

附　則（令三・九・一規則一―七七）

この規則は、公布の日から施行する。

附　則（令四・六・二四規則一―八一）

この規則は、公布の日から施行する。

○研究休職の場合の休職給の算定に関する留意事項等について（通知）

平二三・三・三〇
給二―二八給与局長

最終改正　令六・一・二三給二―七

人事院規則一一―四（職員の身分保障）第三条第一項第一号に該当して休職にされた職員が休職期間中に受けることとなる給与（以下「休職給」という。）の年額と休職先機関から支給される報酬等年額の合計額が休職先機関における業務に見合った適正なものとなるようにするとともに、当該合計額に占める休職給の割合を適正なものとするため、下記のとおり、休職給の算定に当たっての留意事項等を定めたので、平成二十三年四月一日以降は、これを踏まえつつ、人事院規則九―一三（休職者の給与）及び給実甲第二八号（一般職の職員の給与に関する法律の運用方針）第二十三条関係に従って休職給制度の運用を適切に行ってください。

記

1　休職給は、本府省に勤務する専門スタッフ職俸給表三級の最高の号俸を受ける職員の俸給、専門スタッフ職調整手当、地域手当、期末手当及び勤勉手当の年額の合計額（以下「年収上限額」という。）と休職先機関から支給される報酬等年額との差額の範囲内で支給するものとすること。

その際、休職期間中の年収（休職給と休職先機関から支給される報酬等年額の合計額をいう。）に占める休職給の割合については、休職者が休職先機関において従事する調査、研究若しくは指導又は業務（以下「調査等」という。）の性質、休職者が休職期間中に得た研究成果等の公務への還元に対する期待度などを精査して、適切なものとするよう努めるものとし、休職先機関の業務に対する休職者の貢献の程度が大きいと認められる場合には、休職給の年額が休職先機関から支給される報酬等年額の範囲内となるよう努めるものとすること。

2　休職先機関において、調査等に加え当該調査等に係るマネジメント業務を休職先機関からの発令その他の方法により公式に命じられている場合には、1にかかわらず、年収上限額に百分の百二十五を乗じて得た額（以下「特例年収上限額」という。）と休職先機関から支給される報酬等年額の差額の範囲内で休職給を支給することができるものとすること。

この場合においては、休職給の年額が、おおむね休職先機関から支給される報酬等年額の範囲内となるように休職給を支給するものとすること。

3　休職者と同程度の勤務経験を有しており、かつ、休職者が休職先機関において担うこととなる職責と同程度の職責を担っている休職先機関の職員が休職先機関から支給されている報酬等年額が、年収上限額（2に掲げる場合に該当する場合にあっては、特例年収上限額）を上回っている場合にあっては、1及び2にかかわらず、当該休職先機関の職員の報酬等年額と休職者が休職先機関から支給される報酬等年額の差額の範囲内で休職給を支給することができるものとすること。

この場合においては、休職給の年額が、おおむね休職先機関から支給される報酬等年額の範囲内となるように休職給を支給するものとすること。

この際、休職者が担うこととなる職責等を踏まえ休職先機関が応分の負担を行うこととなるよう努めるものとすること。

4　年収上限額及び特例年収上限額には、次に掲げる額を加えることができるものとすること。

(1)　休職の期間の初日の前日に受けていた扶養手当及び住居手当の年額

(2)　休職者が職員として休職先機関の所在地に置かれる官署に異動したとみなした場合に支給されることとなる住居手当（当該異動に伴い、休職前に住居手当が支給されていなかった職員が新たに支給されることとなる住居手当の額又は休職前に住居手当が支給されていた職員の当該住居手当の額を超える部分に係る額に限る。）及び単身赴任手当の年額

5　給実甲第二八号（一般職の職員の給与に関する法律の運用方針）第二十三条関係に規定する「報酬等」とは、報酬、賃金、給料、俸給、手当、賞与その他いかなる名称であるかを問わず、休職先の勤務の対償として受ける全てのものをいい、通勤手当、在宅勤務等手当、特殊勤務手当、超過勤務手当、休日給、夜勤手当、宿日直手当及び管理職特別勤務手当（以下「通勤手当

等」という。）に相当するものを除くものとすること。

6　給実甲第二八号（一般職の職員の給与に関する法律の運用方針）第二十三条関係に規定する「休職の期間の初日の前日における給与の額を基礎として算定した給与の年額」には通勤手当等は含まないものとし、その算定にあたっては休職者が、一般職の職員の給与に関する法律（昭和二十五年法律第九十五号。以下「給与法」という。）第八条第六項の規定により標準号俸数（同条第七項に規定する人事院規則で定める基準において当該休職者に係る標準となる号俸数をいう。）を昇給するものとし、人事院規則九―四〇（期末手当及び勤勉手当）第十三条第一項第一号ハ（専門スタッフ職俸給表の適用を受ける職員にあっては同項第二号ハ、指定職俸給表の適用を受ける職員にあっては同項第三号ロ）に掲げる職員であるものとすること。

7　休職給の支給を受けている職員が給与法附則第八項の規定の適用を受ける場合における1から6の適用については、1中「職員の」とあるのは「職員が一般職の職員の給与に関する法律（昭和二十五年法律第九十五号。以下「給与法」という。）附則第八項の規定の適用を受けることとなった場合に支給される」と、「年収上限額」とあるのは「特定日以後年収上限額」と、2中「、年収上限額」とあるのは「、特定日以後年収上限額」と、「特例年収上限額」とあるのは「特定日以後特例年収上限額」と、3中「、年収上限額」とあるのは「、特定日以後年収上限額」と、「特例年収上限額」とあるのは「特定日以後特例年収上限額」と、「職員の報酬等年額」とあるのは「職員の報酬等年額（当該休職先機関の職員が給与法附則第八項の規定の適用を受けるものとした場合に、同項及び人事院規則等の規定により支給額に異動が生じる給与に相当することとなる報酬等の年額にあっては、当該給与との均衡を考慮して算定された報酬等を超えない範囲内で算定された報酬等の年額）」と、4中「年収上限額及び特例年収上限額」とあるのは「特定日以後年収上限額及び特定日以後特例年収上限額」と、6中「一般職の職員の給与に関する法律（昭和二十五年法律第九十五号）」とあるのは「給与法」とする。

以　上

○人事院規則一一―四（職員の身分保障）（抄）

昭二七・五・二三制定
昭二七・六・一施行

最終改正　令四・七・一規則一一―四―九

（休職の場合）

第三条　職員が次の各号のいずれかに該当する場合には、これを休職にすることができる。

一　学校、研究所、病院その他人事院の指定する公共的施設において、その職員の職務に関連があると認められる学術に関する事項の調査、研究若しくは指導に従事し、又は人事院の定める国際事情の調査等の業務若しくは国際約束等に基づく国際的な貢献に資する業務に従事する場合（次号に該当する場合、派遣法第二条第一項の規定による派遣の場合及び法科大学院派遣法第十一条第一項の規定による派遣の場合を除く。）

二　国及び行政執行法人以外の者がこれらと共同して、又はこれらの委託を受けて行う科学技術に関する研究に係る業務であつて、その職員の職務に関連があると認められるものに、前号に掲げる施設又は人事院が当該研究に関し指定する施設において従事する場合（派遣法第二条第一項の規定による派遣の場合を除く。）

三　規則一四―一八（研究職員の研究成果活用企業の役員等との兼業）第二条第一項に規定

する研究職員の官職と同規則第一条に規定する役員等の職とを兼ねる場合において、これらを兼ねることが同規則第四条第一項各号（第三号及び第六号を除く。）に掲げる基準のいずれにも該当するときで、かつ、主として当該役員等の職務に従事する必要があり、当該研究職員としての職務に従事することができないと認められるとき。

四　法令の規定により国が必要な援助又は配慮をすることとされている公共的機関の設立に伴う臨時的必要に基づき、これらの機関のうち、人事院が指定する機関において、その職員の職務と関連があると認められる業務に従事する場合

五　水難、火災その他の災害により、生死不明又は所在不明となつた場合

2　法第七十九条各号又は前項各号のいずれかに該当して休職にされた職員がその休職の事由の消滅又はその休職の期間の満了により復職したときにおいて定員に欠員がない場合には、これを休職にすることができる。法第百八条の六第一項ただし書若しくは行政執行法人の労働関係に関する法律（昭和二十三年法律第二百五十七号）第七条第一項ただし書に規定する許可（以下「専従許可」という。）を受けた職員（以下「専従休職者」という。）が復職したとき又は派遣法第二条第一項の規定により派遣された職員、育児休業法第三条第一項の規定により育児休業をした職員、官民人事交流法第八条第二項に規定する交流派遣職員、法科大学院派遣法第十一条第一項の規定により派遣された職員、自己啓発等休業法第二条第五項に規定する自己啓発等休業をした職員、福島復興再生特別措置法（平成二十四年法律第二十五号）第四十八条の三第七項若しくは第八十九条の三第七項に規定する派遣職員、配偶者同行休業法第二条第四項に規定する配偶者同行休業をした職員、令和七年国際博覧会特措法第二十五条第七項に規定する派遣職員若しくは令和九年国際園芸博覧会特措法第十五条第七項に規定する派遣職員が職務に復帰したときにおいて定員に欠員がない場合についても、同様とする。

一項―平二七・四・一施行
二項―令四・七・一施行

（休職中の職員等の保有する官職）

第四条　休職中の職員は、休職にされた時占めていた官職又は休職中に異動した官職を保有するものとする。ただし、併任に係る官職については、この限りでない。

2　前項の規定は、当該官職を他の職員をもつて補充することを妨げるものではない。

3　第一項本文及び前項の規定は、専従休職者の保有する官職について準用する。

（休職の期間）

第五条　法第七十九条第一号の規定による休職の期間は、休養を要する程度に応じて、第三条第一項第一号、第三号、第四号及び第五号の規定による休職の期間は、必要に応じ、いずれも、三年を超えない範囲内において、それぞれ個々の場合について、任命権者が定める。この休職の期間が三年に満たない場合においては、休職にした日から引き続き三年を超えない範囲内において、これを更新することができる。

2　第三条第一項第二号の規定による休職の期間は、必要に応じ、五年を超えない範囲内において、任命権者が定める。この休職の期間が五年に満たない場合においては、休職にした日から引き続き五年を超えない範囲内において、これを更新することができる。

3　第三条第一項第一号及び第三号の規定による休職の期間が引き続き三年に達する際特に必要があるときは、任命権者は、二年を超えない範囲内において、人事院の承認を得て、休職の期間を更新することができる。この更新した休職の期間が二年に満たない場合においては、任命権者は、必要に応じ、その期間の初日から起算して二年を超えない範囲内において、再度これを更新することができる。

4　第三条第一項第二号の規定による休職及び前項の規定に基づく同条第一項第三号の規定による休職の期間が引き続き五年に達する際、やむを得ない事情があると人事院が認めるときは、任命権者は、人事院の承認を得て定める期間これを更新することができる。

5　第三条第二項の規定による休職の期間は、定員に欠員が生ずるまでの間とする。この場合において、欠員の数が同条同項の規定による休職者の数より少ないときは、いずれの休職者について欠員を生じたものとするかは、任命権者が定めるものとする。

本条―平一四・四・一施行

（復職）

第六条　法第七十九条第一号及びこの規則第三条

第一項各号に掲げる休職の事由が消滅したときにおいては、当該職員が離職し、又は他の事由により休職にされない限り、すみやかにその職員を復職させなければならない。

2　休職の期間若しくは専従許可の有効期間が満了したとき又は専従許可が取り消されたときにおいては、当該職員は、当然復職するものとする。

附　則（令元・五・二三規則一―七三）

この規則は、公布の日から施行する。

附　則（令二・四・一規則一―四―七）

この規則は、公布の日から施行する。

附　則（令二・六・一二規則一―七五）（抄）

（施行期日）

1　この規則は、公布の日から施行する。

附　則（令二・一二・二八規則一―七六）（抄）

（施行期日）

1　この規則は、公布の日から施行する。

附　則（令三・九・一規則一―七七）

この規則は、公布の日から施行する。

附　則（令三・一二・二四規則一―四―八）（抄）

（施行期日）

1　この規則は、令和四年十月一日から施行する。

附　則（令四・二・一八規則一―七九）（抄）

（施行期日）

第一条　この規則は、令和五年四月一日から施行する。

附　則（令四・六・二四規則一―八一）

この規則は、公布の日から施行する。

附　則（令四・七・一規則一―四―九）

この規則は、公布の日から施行する。

○公立の学校の事務職員の休職の特例に関する法律

昭三二・五・二〇
法　一　一　七

最終改正　平二四・八・二二法六七

公立の学校（学校教育法（昭和二十二年法律第二十六号）第一条に規定する学校及び就学前の子どもに関する教育、保育等の総合的な提供の推進に関する法律（平成十八年法律第七十七号）第二条第七項に規定する幼保連携型認定こども園をいい、大学を除く。以下同じ。）の事務職員が結核性疾患のため長期の休養を要する場合に該当して休職にされたときは、当該休職の期間及び当該休職の期間中の給与については、他の法令の規定にかかわらず、教育公務員特例法（昭和二十四年法律第一号）第十四条の規定を準用する。

附　則

1　この法律は、公布の日から施行する。

2　この法律の施行の際、現に結核性疾患のため長期の休養を要する場合に該当して休職にされている国立又は公立の学校の事務職員に対しては、この法律の施行の日において休職を命ぜられたものとみなして、この法律の規定を適用する。この場合においては、当該休職の期間には、従前の休職期間を通算するものとする。

附　則（平二四・八・二二法六七）（抄）

この法律は、子ども・子育て支援法の施行の日〔平二七・四・一〕から施行する。〔ただし書略〕

○教育公務員特例法（抄）

昭二四・一・一二
法　一

最終改正　令四・六・一七法六八

（休職の期間及び効果）

第十四条　公立学校の校長及び教員の休職の期間は、結核性疾患のため長期の休養を要する場合の休職においては、満二年とする。ただし、任命権者は、特に必要があると認めるときは、予算の範囲内において、その休職の期間を満三年まで延長することができる。

2　前項の規定による休職者には、その休職の期間中、給与の全額を支給する。

【行政実例】

○休職期間終了の際の給与支給の疑義について

〔照会〕　国家公務員法第八十条第二項および第三項により休職期間が終了し、当然復職を命じなければならないにもかかわらず、任命権者の過失または手続の遅延等により発令期日が遅れ、もしくはさかのぼつて発令し、その間勤務しないことにつき職員の責に帰すべき理由がない場合、その職員が勤務しない時間に対して俸給の支給又は弁済ができるか。
　もしできるとすれば給与簿の取扱は細則九―五―一第十五項第三十号（六）の方法に準じてさしつかえないか。またその場合、給与法第十五条との関係はいかに解すべきか。（昭二六・六・一　〇二―六二〇　仙台地方事務所長）

〔回答〕　一般に、休職はその休職の期間が終了した場合には、別に復職を命ずることはなく、その休職は終了して同時に復職するものである。具体的には、国家公務員法第七十九条第一号の場合は人事院規則一一―一により任命権者が三年をこえない範囲内において期間を定めて休職を発令するものであるから、その期間が終了すれば、その休職は当然終了してその職員は復職することになる。また同条第二号の場合は、その事件が裁判所の係属を離れたとき休職は終了し、当然失職の場合を除いては同時にその職員は復職することになる。

　任命権者が「復職を命ずる」義務を負う場合は前記第七十九条第一号の休職においてあらかじめ定められた期間中に、休職を命じた事由が消滅した場合すなわちその職員の心身の故障が回復した場合であつて、この場合任命権者はすみやかに復職を命じなければならないのである。

　従つて、御質問の場合は、任命権者から復職の発令がなくても休職は当然終了したのであつて、それにもかかわらず、職員が勤務しなかつた場合は、給与法第十五条に該当することになり当然追給又は弁済の方法はない。（昭二六・七・二四　二三―四一一　給与局長回答「給与に関する疑義について」より）

（注）　問中「細則九―五―一第十五項第三十号（六）」については、その後の改正により、昭和六十年十二月二十一日以降は、給実甲第五七六号第四第六項第七号を参照のこと。答中「規則一一―一」については、その後の改正により規則一一―四を参照のこと。

○休職者の給与に関する疑義について

〔照会〕　一、職員が結核性疾患（非公務）にかかり法第七十九条第一号により一カ年の休職を命ぜられ、その間給与法第二十三条第二項の給与を受けて療養中であつたが、一カ年の休職期間の満了の日に至り休職時の結核性疾患は治ゆしたが他の非結核性疾患を併発し、その病名によりさらに一カ年間休職期間を更新した場合、その延長期間は給与法第二十三条第三項の給与を支給して差しつかえないか。

二、職員が非結核性疾患にかかり（非公務）法第七十九条第一号により一カ年の休職を命ぜられ、その間給与法第二十三条第三項の給与を受けて療養中であつたが、一カ年後に至り結核性疾患に転症し、さらに向後二カ年間休職期間を更新した場合その延長期間の給与は給与法第二十三条第二項の額を一カ年のみ支給するものと解釈して差しつかえないか。（昭二七・六・一三　〇二―五〇九　仙台地方事務所長）

〔回答〕　一、御設問の場合においては、当該休職発令の日から満一年をこえる休職期間について一般職の職員の給与に関する法律（昭和二十五年法律第九十五号）第二十三条第三項の規定による休職者の給与を支給することはできないものと解する。

二、貴見のとおりと解する。（昭二七・一〇・一四　四二―七八　給与局実施課長）

○休職者の給与について

〔照会〕　人事院規則一一―四第三条第二項該当者に対する人事院規則九―一三第一条第一号の規定の適用について、その休職の期間が給与法に定める有給休暇を越えまたは規則一一―四第五条第一項に定める期間を越えて規則九―一三第三条第二項の該当者になつた場合にその支給の終期は定員に欠員が生じ復職されるまでと解しますが、なお念のため貴見をお伺いいたします。（昭二八・五・八　高大発庶人一二七九　高知大学庶務課長）

〔回答〕　人事院規則一一―四（職員の身分保障）第三条第二項に該当して休職にされた職員に対しては、その休職の期間中すなわち定員に欠員が生じて復職するまでの間、人事院規則九―一三（休職者の給与）第一条第一号の規定による給与が支給されます。（昭二八・五・二〇　三三―八一　給与局給与第二課長）

○休職給の支給等について

〔照会〕　一、休職者の給与は、休職の効力の発生する日、すなわち規則八―一二第七十六条に定める通知書の交付の日の翌日から支給されるものと解されているが（昭和二十五年十二月十三日公世発第千二百七十四号）、給与法二十三条にいう休職の期間に通知書交付の日が含まれるか。

二、退職手当暫定措置法第七条第四項の、現実に職務をとることを要する日には、前記の通知書交付の日を含むものと解してよいか。（昭二九・九・二九　〇六―六四二　広島地方事務所長）

〔回答〕　一、休職者の給与は、一般職の職員の給与に関する法律（以下単に「給与法」という。）第九条の二第一項の規定により、休職の効力の発生する日から支給され、また給与法第二十三条にいう休職の期間には休職の効力の発生する日が含まれるものと解します。なお、お示しの行政事例は、昭和二十五年法律第二百九十九号による改正前の給与法第九条の規定により、職員の俸給の支給は官吏俸給令（昭和二十一年勅令第九十二号）による俸給支給の例によるとされていた当時のものであるので念のため申し添えます。

二、国家公務員等退職手当暫定措置法第七条第四項の「現実に職務をとることを要する日」には、休職の効力の発生する日は含まれないものと解します。（昭二九・一一・一二　一二—八四七　管理局法制課長）

（注）　一、問中「規則八—一二第七十六条」は、その後の改正により「規則八—一二第五十四条」を参照のこと。
二、問および答中の「国家公務員退職手当暫定措置法第七条第四項」の規定は、現行の国家公務員退職手当法第七条第四項に引き継がれている。

第四 勤務時間・休暇・厚生

【参照】
●国公法二八
●一般職給与法五・八12・一五・一六・一九の三

○一般職の職員の勤務時間、休暇等に関する法律

平六・六・一五
法 三 三

最終改正 令五・一一・二四法七三

（趣旨）

第一条 この法律は、別に法律で定めるものを除き、国家公務員法（昭和二十二年法律第百二十号）第二条に規定する一般職に属する職員（以下「職員」という。）の勤務時間、休日及び休暇に関する事項を定めるものとする。

（人事院の権限及び責務）

第二条 人事院は、この法律の実施に関し、次に掲げる権限及び責務を有する。

一 職員の適正な勤務条件を確保するため、勤務時間、休日及び休暇に関する制度について必要な調査研究を行い、その結果を国会及び内閣に同時に報告するとともに、必要に応じ、適当と認める改定を勧告すること。

二 この法律の実施に関し必要な事項について、人事院規則を制定し、及び人事院指令を発すること。

三 この法律の実施の責めに任ずること。

（内閣総理大臣の責務）

第三条 内閣総理大臣は、各省各庁の長（内閣総理大臣、各省大臣、会計検査院長及び人事院総裁並びに宮内庁長官及び各外局の長をいう。以下同じ。）が行う勤務時間、休日及び休暇に関する事務の運営に関し、その統一保持上必要な総合調整を行うものとする。

（各省各庁の長の責務等）

第四条 各省各庁の長は、勤務時間、休日及び休暇に関する事務の実施に当たっては、公務の円滑な運営に配慮するとともに、職員の健康及び福祉を考慮することにより、職員の適正な勤務条件の確保に努めなければならない。

2 各省各庁の長は、この法律による権限の一部を部内の職員に委任することができる。

（一週間の勤務時間）

第五条 職員の勤務時間は、休憩時間を除き、一週間当たり三十八時間四十五分とする。

2 国家公務員法第六十条の二第二項に規定する定年前再任用短時間勤務職員（以下「定年前再任用短時間勤務職員」という。）の勤務時間は、前項の規定にかかわらず、休憩時間を除き、一週間当たり十五時間三十分から三十一時間までの範囲内で、各省各庁の長が定める。

（週休日及び勤務時間の割振り等）

第六条 日曜日及び土曜日は、週休日（勤務時間を割り振らない日（第三項及び第八条第二項において読み替えて準用する同条第一項の規定によるものを除く。）をいう。以下同じ。）とする。ただし、各省各庁の長は、定年前再任用短時間勤務職員については、これらの日に加えて、月曜日から金曜日までの五日間において、週休日を設けることができる。

2 各省各庁の長は、月曜日から金曜日までの五日間において、一日につき七時間四十五分の勤務時間を割り振るものとする。ただし、定年前再任用短時間勤務職員については、一週間ごとの期間について、一日につき七時間四十五分を超えない範囲内で勤務時間を割り振るものとする。

3 各省各庁の長は、職員（人事院規則で定める職員及び次条の規定の適用を受ける職員を除く。以下この項において同じ。）について、職員の申告を考慮して、第一項の規定による週休日のほかに当該職員の勤務時間を割り振らない日を設け、又は当該職員の勤務時間を割り振ることが公務の運営に支障がないと認める場合には、前項の規定にかかわらず、人事院規則で定めるところにより、職員の申告を経て、四週間を超えない範囲内で週を単位として人事院規則で定める期間ごとの期間につき前条に規定する勤務時間となるように、第一項の規定による週休日のほかに当該職員の勤務時間を割り振らない日を設け、又は当該職員の勤務時間を割り振ることができる。

第七条 各省各庁の長は、公務の運営上の事情により特別の形態によって勤務する必要のある職

員については、前条第一項及び第二項の規定にかかわらず、週休日及び勤務時間の割振りを別に定めることができる。

2　各省各庁の長は、前項の規定により週休日及び勤務時間の割振りを定める場合には、人事院規則で定めるところにより、四週間ごとの期間につき八日（定年前再任用短時間勤務職員にあっては、八日以上）の週休日を設け、及び当該期間につき第五条に規定する勤務時間となるように勤務時間を割り振らなければならない。ただし、職務の特殊性又は当該官庁の特殊の必要により、四週間ごとの期間につき八日（定年前再任用短時間勤務職員にあっては、八日以上）の週休日を設け、又は当該期間につき同条に規定する勤務時間となるように勤務時間を割り振ることが困難である職員について、人事院と協議して、人事院規則で定めるところにより、五十二週間を超えない期間につき一週間当たり一日以上の割合で週休日を設け、及び当該期間につき同条に規定する勤務時間となるように勤務時間を割り振る場合には、この限りでない。

（週休日の振替等）

第八条　各省各庁の長は、職員に第六条第一項又は前条の規定により週休日とされた日において特に勤務することを命ずる必要がある場合には、人事院規則の定めるところにより、第六条第二項若しくは第三項又は前条の規定により勤務時間が割り振られた日（以下この項において「勤務日」という。）のうち人事院規則で定める期間内にある勤務日を週休日に変更して当該勤務日に割り振られた勤務時間を当該勤務することを命ずる必要がある日に割り振り、又は当該期間内にある勤務日の勤務時間のうち四時間を当該勤務日に割り振ることをやめて当該四時間の勤務時間を当該勤務することを命ずる必要がある日に割り振ることができる。

2　前項の規定は、職員に第六条第三項の規定により勤務時間を割り振らない日とされた日において特に勤務することを命ずる必要がある場合について準用する。この場合において、前項中「週休日に」とあるのは、「勤務時間を割り振らない日に」と読み替えるものとする。

（休憩時間）

第九条　各省各庁の長は、第六条第二項若しくは第三項、第七条又は前条の規定により勤務時間を割り振る場合には、人事院規則の定めるところにより、休憩時間を置かなければならない。

（通常の勤務場所を離れて勤務する職員の勤務時間）

第十条　第六条第二項若しくは第三項、第七条又は第八条の規定により勤務時間が割り振られた日（以下「勤務日等」という。）に通常の勤務場所を離れる勤務のうち研修その他の勤務する時間帯が定められる勤務で人事院規則で定めるものを命ぜられた職員については、当該勤務を命ぜられた時間をこれらの規定により割り振られた勤務時間とみなす。

（船員の勤務時間の特例）

第十一条　各省各庁の長は、船舶に乗り組む職員（定年前再任用短時間勤務職員を除く。）について、人事院と協議して、第五条第一項に規定する勤務時間を一週間当たり一時間十五分を超えない範囲内において延長することができる。この場合における第六条第二項本文及び第三項並びに第七条第二項の規定の適用については、第六条第二項本文中「七時間四十五分」とあるのは「七時間四十五分に第十一条の規定により延長した時間の五分の一を超えない範囲内において各省各庁の長が定める時間を加えた時間」と、同条第三項中「前条に規定する勤務時間」とあり、及び第七条第二項中「第五条に規定する勤務時間」とあるのは「第十一条の規定により延長された後の勤務時間」と、同項ただし書中「同条に規定する勤務時間」とあるのは「同条の規定により延長された後の勤務時間」とする。

第十二条　船舶に乗り組む職員で人事院規則で定めるものの勤務時間については、当該職員が第六条第二項若しくは第三項、第七条又は第八条の規定により勤務時間が割り振られた時間以外の時間に人命を救助するため緊急を要する作業その他の人事院規則で定める作業に従事する場合には、第五条又は前条の規定による勤務時間のほか、当該作業に従事する時間は、当該職員の勤務時間とする。

（正規の勤務時間以外の時間における勤務）

第十三条　各省各庁の長は、第五条から第八条まで、第十一条及び前条の規定による勤務時間（以下「正規の勤務時間」という。）以外の時間において職員に設備等の保全、外部との連絡及び文書の収受を目的とする勤務その他の人事院規則で定める断続的な勤務をすることを命ずることができる。

2　各省各庁の長は、公務のため臨時又は緊急の必要がある場合には、正規の勤務時間以外の時間において職員に前項に掲げる勤務以外の勤務をすることを命ずることができる。

（超勤代休時間）

第十三条の二　各省各庁の長は、一般職の職員の給与に関する法律（昭和二十五年法律第九十五号）第十六条第三項の規定により超過勤務手当を支給すべき職員に対して、人事院規則の定めるところにより、当該超過勤務手当の一部の支給に代わる措置の対象となるべき時間（以下「超勤代休時間」という。）として、人事院規則で定める期間内にある勤務日等（第十五条第一項に規定する休日及び代休日を除く。）に割り振られた勤務時間の全部又は一部を指定することができる。

2　前項の規定により超勤代休時間を指定された職員は、当該超勤代休時間には、特に勤務することを命ぜられる場合を除き、正規の勤務時間においても勤務することを要しない。

（休日）

第十四条　職員は、国民の祝日に関する法律（昭和二十三年法律第百七十八号）に規定する休日（以下「祝日法による休日」という。）には、特に勤務することを命ぜられる者を除き、正規の勤務時間においても勤務することを要しない。十二月二十九日から翌年の一月三日までの日（祝日法による休日を除く。以下「年末年始の休日」という。）についても、同様とする。

（休日の代休日）

第十五条　各省各庁の長は、職員に祝日法による休日又は年末年始の休日（以下この項において「休日」と総称する。）である勤務日等に割り振られた勤務時間の全部（次項において「休日の全勤務時間」という。）について特に勤務することを命じた場合には、人事院規則の定めるところにより、当該休日前に、当該休日に代わる日（次項において「代休日」という。）として、当該休日後の勤務日等（第十三条の二第一項の規定により超勤代休時間が指定された勤務日等及び休日を除く。）を指定することができる。

2　前項の規定により代休日を指定された職員は、勤務を命ぜられた休日の全勤務時間を勤務した場合において、当該代休日には、特に勤務することを命ぜられるときを除き、正規の勤務時間においても勤務することを要しない。

（休暇の種類）

第十六条　職員の休暇は、年次休暇、病気休暇、特別休暇、介護休暇及び介護時間とする。

（年次休暇）

第十七条　年次休暇は、一の年ごとにおける休暇とし、その日数は、一の年において、次の各号に掲げる職員の区分に応じて、当該各号に掲げる日数とする。

一　次号及び第三号に掲げる職員以外の職員　二十日（定年前再任用短時間勤務職員にあっては、その者の勤務時間等を考慮し二十日を超えない範囲内で人事院規則で定める日数）

二　次号に掲げる職員以外の職員であって、当該年の中途において新たに職員となり、又は任期が満了することにより退職することとなるもの　その年の在職期間等を考慮し二十日を超えない範囲内で人事院規則で定める日数

三　当該年の前年において独立行政法人通則法（平成十一年法律第百三号）第二条第四項に規定する行政執行法人の職員、特別職に属する国家公務員、地方公務員又は沖縄振興開発金融公庫その他その業務が国の事務若しくは事業と密接な関連を有する法人のうち人事院規則で定めるものに使用される者（以下この号において「行政執行法人職員等」という。）であった者であって引き続き当該年に新たに職員となったものその他人事院規則で定める職員　行政執行法人職員等としての在職期間及びその在職期間中における年次休暇に相当する休暇の残日数等を考慮し、二十日に次項の人事院規則で定める日数を加えた日数を超えない範囲内で人事院規則で定める日数

2　年次休暇（この項の規定により繰り越されたものを除く。）は、人事院規則で定める日数を限度として、当該年の翌年に繰り越すことができる。

3　年次休暇については、その時期につき、各省各庁の長の承認を受けなければならない。この場合において、各省各庁の長は、公務の運営に支障がある場合を除き、これを承認しなければならない。

（病気休暇）

第十八条　病気休暇は、職員が負傷又は疾病のため療養する必要があり、その勤務しないことがやむを得ないと認められる場合における休暇と

する。

（特別休暇）

第十九条　特別休暇は、選挙権の行使、結婚、出産、交通機関の事故その他の特別の事由により職員が勤務しないことが相当である場合として人事院規則で定める場合における休暇とする。この場合において、人事院規則で定める特別休暇については、人事院規則でその期間を定める。

（介護休暇）

第二十条　介護休暇は、職員が要介護者（配偶者（届出をしないが事実上婚姻関係と同様の事情にある者を含む。以下この項において同じ。）、父母、子、配偶者の父母その他人事院規則で定める者で負傷、疾病又は老齢により人事院規則で定める期間にわたり日常生活を営むのに支障があるものをいう。以下同じ。）の介護をするため、各省各庁の長が、人事院規則の定めるところにより、職員の申出に基づき、要介護者の各々が当該介護を必要とする一の継続する状態ごとに、三回を超えず、かつ、通算して六月を超えない範囲内で指定する期間（以下「指定期間」という。）内において勤務しないことが相当であると認められる場合における休暇とする。

2　介護休暇の期間は、指定期間内において必要と認められる期間とする。

3　介護休暇については、一般職の職員の給与に関する法律第十五条の規定にかかわらず、その期間の勤務しない一時間につき、同法第十九条に規定する勤務一時間当たりの給与額を減額する。

（介護時間）

第二十条の二　介護時間は、職員が要介護者の介護をするため、要介護者の各々が当該介護を必要とする一の継続する状態ごとに、連続する三年の期間（当該要介護者に係る指定期間と重複する期間を除く。）内において一日の勤務時間の一部につき勤務しないことが相当であると認められる場合における休暇とする。

2　介護時間の時間は、前項に規定する期間内において一日につき二時間を超えない範囲内で必要と認められる時間とする。

3　介護時間については、一般職の職員の給与に関する法律第十五条の規定にかかわらず、その勤務しない一時間につき、同法第十九条に規定する勤務一時間当たりの給与額を減額する。

（病気休暇、特別休暇、介護休暇及び介護時間の承認）

第二十一条　病気休暇、特別休暇（人事院規則で定めるものを除く。）、介護休暇及び介護時間については、人事院規則の定めるところにより、各省各庁の長の承認を受けなければならない。

（人事院規則への委任）

第二十二条　第十六条から前条までに規定するもののほか、休暇に関する手続その他の休暇に関し必要な事項は、人事院規則で定める。

（非常勤職員の勤務時間及び休暇）

第二十三条　常勤を要しない職員（定年前再任用短時間勤務職員を除く。）の勤務時間及び休暇に関する事項については、第五条から前条までの規定にかかわらず、その職務の性質等を考慮して人事院規則で定める。

附　則

（施行期日）

第一条　この法律は、公布の日から起算して六月を超えない範囲内において政令で定める日〔平六・九・一〕から施行する。

（経過措置）

第二条　この法律の施行の際現にこの法律による改正前の一般職の職員の給与等に関する法律（昭和二十五年法律第九十五号）（以下「旧給与法」という。）第十四条第三項本文の規定に基づき月曜日から金曜日までの五日間において一日につき八時間（同条第二項の規定により一週間の勤務時間が延長されている職員にあっては、八時間に相当する時間）の勤務時間が割り振られている職員について同条第四項の規定に基づき定められている勤務を要しない日又は勤務時間の割振りは、それぞれ第八条の規定に基づき各省各庁の長が定めた週休日又は勤務時間の割振りとみなす。

2　この法律の施行の際現に前項に規定する職員以外の職員について旧給与法第十四条第三項又は第四項の規定に基づき定められている勤務を要しない日又は勤務時間の割振りは、それぞれ第六条第三項、第七条又は第八条の規定に基づき各省各庁の長が定めた週休日又は勤務時間の割振りとみなす。

3　前二項の規定が適用される職員についてこの法律の施行の日（以下「施行日」という。）前の法令の規定に基づき定められている休憩時間については、第九条の規定に基づく休憩時間とみなす。

4　この法律の施行前に、船舶に乗り組む職員であって旧給与法第十四条第二項の規定により一週間の勤務時間が延長されているものについては、施行日において第十一条の規定により一週間当たりの勤務時間が延長されたものとみなす。

5　施行日前から引き続き在職する職員の施行日以後の平成六年における年次休暇の日数については、第十七条第一項の規定にかかわらず、この法律の施行の際の旧給与法第十四条の三第一項に規定する年次休暇の残日数とする。

6　この法律の施行の際現に旧給与法第十四条の三第四項又は第七項の規定に基づき各庁の長又はその委任を受け

た者の承認を受けている休暇については、それぞれ第十七条第三項又は第二十一条の規定に基づき各省各庁の長が承認したものとみなす。

7 前各項に規定するもののほか、この法律の施行に伴い必要な経過措置は、人事院規則で定める。

附 則（令三・六・一一法六一）（抄）

（施行期日）

第一条 この法律は、令和五年四月一日から施行する。〔ただし書略〕

附 則（令五・一一・二四法七三）（抄）

（施行期日等）

第一条 この法律は、公布の日から施行する。ただし、次の各号に掲げる規定は、当該各号に定める日から施行する。

一 〔略〕

二 〔前略〕第三条〔中略〕の規定〔中略〕 令和七年四月一日

○人事院規則一五―一四（職員の勤務時間、休日及び休暇）

平六・七・二七制定
平六・九・一施行

最終改正 令七・三・三一規則一五―一四―四四

目次〔略〕

第一章 総則

（趣旨）

第一条 職員の勤務時間、休日及び休暇に関する事項については、別に定めるもののほか、この規則の定めるところによる。

（健康及び福祉の確保に必要な勤務間の時間の確保）

第一条の二 各省各庁の長（勤務時間法第三条に規定する各省各庁の長をいう。以下同じ。）は、勤務時間法第四条第一項に規定する職員の適正な勤務条件の確保を図るため、職員の健康及び福祉の確保に必要な勤務の終了からその次の勤務の開始までの時間を確保するよう努めなければならない。

本条―令六・四・一施行

第二章 正規の勤務時間等

（任期付短時間勤務職員の一週間の勤務時間の基準）

第一条の三 育児休業法第十二条第一項に規定する育児短時間勤務（以下「育児短時間勤務」という。）に伴い任用されている任期付短時間勤務職員（育児休業法第二十三条第二項に規定する任期付短時間勤務職員をいう。以下同じ。）の一週間当たりの勤務時間は、三十八時間四十五分から当該育児短時間勤務をしている職員の一週間当たりの勤務時間を減じて得た時間の範囲内とする。育児休業法第二十二条の規定による短時間勤務に伴い任用されている任期付短時間勤務職員の一週間当たりの勤務時間についても、同様とする。

本条―令六・四・一施行

（勤務時間法第六条第三項の適用除外職員）

第二条 勤務時間法第六条第三項の人事院規則で定める職員は、皇宮警察学校初任科、航空保安大学校又は気象大学校の学生とする。

見出し―令五・四・一施行
本条―平二八・四・一施行

（勤務時間法第六条第三項の規定による勤務時間の割振り等の基準等）

第三条 各省各庁の長は、勤務時間の割振り等（勤務時間法第六条第三項の規定による勤務時間を割り振らない日（同項の規定による勤務時間を割り振らない日をいう。第六条第二項、第二十一条第五項及び第二十二条第一項第十五号を除き、以下同じ。）の設定又は勤務時間の割振りをいう。以下この条から第四条の三までにおいて同じ。）を行う場合には、勤務時間法第六条第三項に規定する申告（次条第一号及び第七条を除き、以下「申告」という。）を考慮しつつ、次に掲げる基準に適合するように行わなければならない。この場合において、当該申告どおりの勤務時間の割振り等を行うことにより公務の運営に支障が生ずると認めるときは、別に人事院の定めるところにより、当該申告と異なる勤務時間の割振り等を行うことができるものとする。

一　第四条の三第一項に規定する単位期間（以下この号及び第三号において「単位期間」という。）をその初日から一週間ごとに区分した各期間（単位期間が一週間である場合にあっては、単位期間。次号において「区分期間」という。）につき一日を限度として、勤務時間を割り振らない日を設けることができること。

二　一日につき二時間以上四時間以下の範囲内で各省各庁の長があらかじめ定める時間以上の勤務時間を割り振ること。ただし、区分期間（勤務時間を割り振らない日を含む区分期間を除く。）につき一日を限度として職員が指定する日（第四号において「特例対象日」という。）については、当該あらかじめ定める時間未満の勤務時間を割り振ることができること。

三　前二号の規定にかかわらず、休日（勤務時間法第十四条に規定する祝日法による休日又は年末年始の休日をいう。以下同じ。）その他人事院の定める日については、七時間四十五分（法第六十条の二第二項に規定する定年前再任用短時間勤務職員及び任期付短時間勤務職員（以下「定年前再任用短時間勤務職員等」という。）にあっては、当該定年前再任用短時間勤務職員等の単位期間ごとの期間における勤務時間を当該期間における勤務時間法第六条第一項の規定による週休日（同項に規定する週休日をいう。以下同じ。）以外の日の日数で除して得た時間）の勤務時間を割り振ること。

四　月曜日から金曜日までの午前九時から午後四時までの間において、標準休憩時間（各省各庁の長が、職員が勤務する部局又は機関の職員の休憩時間等を考慮して、その時間並びに始まる時刻及び終わる時刻を定める標準的な休憩時間をいう。）を除いて連続するように、一日につき二時間以上四時間以下の範囲内で各省各庁の長が部局又は機関ごとにあらかじめ定める時間帯に、当該部局又は機関に勤務するこの項の基準により勤務時間を割り振る職員に共通して勤務時間を割り振ること。ただし、特例対象日については、当該時間帯に勤務時間を割り振らないことができること。

五　始業の時刻を午前五時以後に、終業の時刻を午後十時以前に設定すること。

2　定年前再任用短時間勤務職員等に七時間四十五分に満たない勤務時間を割り振ろうとする日に係る勤務時間法第六条第三項の規定による勤務時間の割振りについては、人事院の定めるところにより、前項第二号及び第四号に掲げる基準によらないことができるものとする。

3　職員の健康及び福祉の確保に必要な場合として人事院の定める場合に係る勤務時間法第六条第三項の規定による勤務時間の割振りについては、人事院の定めるところにより、第一項第四号に掲げる基準によらないことができるものとする。

4　各省各庁の長は、第一項各号（第一号及び第三号を除く。）に掲げる基準によらないことが、公務の能率の向上に資し、かつ、職員の健康及び福祉に重大な影響を及ぼすおそれがないと認める場合には、人事院と協議して、当該基準について別段の定めをすることができる。この場合において、当該別段の定めが人事院が定める基準に適合するものであるときは、当該人事院との協議を要しないものとする。

本条―令七・四・一施行

（勤務時間法第六条第三項の規定による勤務時間の割振り等の変更）

第三条の二　各省各庁の長は、次の各号のいずれかに該当する場合には、勤務時間の割振り等を変更することができる。

一　勤務時間法第六条第三項に規定する申告及び第七条第四項に規定する休憩時間の申告があった場合において、これらの申告どおりに変更するとき。

二　勤務時間の割振り等を行った後に生じた事由により、当該勤務時間の割振り等の変更を行わなければ公務の運営に支障が生ずると認める場合において、別に人事院の定めるところにより変更するとき。

本条―令七・四・一施行

（勤務時間法第六条第三項の規定による勤務時間の割振り等の申告）

第四条　申告は、第三条に定める基準に適合するように、希望する勤務時間を割り振らない日並びに始業及び終業の時刻並びに第四条の三第一項各号のいずれに該当する職員として申告をするかを明らかにしてしなければならない。

本条―令七・四・一施行

（申告・割振り簿）

第四条の二　申告及び勤務時間の割振り等は、申告・割振り簿により行うものとし、申告・割振り簿に関し必要な事項は、事務総長が定める。

本条―令七・四・一施行

（単位期間等）

第四条の三　勤務時間法第六条第三項の人事院規則で定める期間（第三項において「単位期間」という。）は、次の各号に掲げる職員の区分に応じ、当該各号に定める期間とする。

一　次号に掲げる職員以外の職員　四週間（四週間では適正に勤務時間の割振り等を行うことができない場合として人事院の定める場合にあっては、人事院の定めるところにより、一週間、二週間又は三週間）

二　次のいずれかに該当する職員（以下この条において「育児介護等職員」という。）であって、当該職員として申告をしたもの　一週間、二週間、三週間又は四週間のうち職員が選択する期間

イ　小学校就学の始期に達するまでの子（民法（明治二十九年法律第八十九号）第八百十七条の二第一項の規定により職員が当該職員との間における同項に規定する特別養子縁組の成立について家庭裁判所に請求した者（当該請求に係る家事審判事件が裁判所に係属している場合に限る。）であって、当該職員が現に監護するもの又は児童福祉法（昭和二十二年法律第百六十四号）第二十七条第一項第三号の規定により同法第六条の四第二号に規定する養子縁組里親（以下このイ及び第二十二条第一項第八号において「養子縁組里親」という。）である職員若しくは同法第六条の四第一号に規定する養育里親（第二十二条第一項第八号において「養育里親」という。）である職員（児童の親その他の同法第二十七条第四項に規定する者の意に反するため、同項の規定により、養子縁組里親として当該児童を委託することができない職員に限る。）に委託されている児童を含む。第二十三条第一項第二号を除き、以下同じ。）又は小学校、義務教育学校の前期課程若しくは特別支援学校の小学部に就学している子を養育する職員

ロ　勤務時間法第二十条第一項に規定する要介護者（第二十二条第一項第十二号及び第二十三条の二第二項において「要介護者」という。）を介護する職員

ハ　イ又はロに掲げる職員のほか、これらの職員の状況に類する状況にある職員として人事院が定める職員

2　各省各庁の長は、育児介護等職員として申告をした職員について、育児介護等職員に該当する事由を確認する必要があると認めるときは、当該申告をした職員に対して、証明書類の提出等を求めることができる。

3　育児介護等職員として申告をして勤務時間の割振り等を行われた職員は、育児介護等職員に該当しないこととなった場合には、遅滞なく、その旨を各省各庁の長に報告しなければならない。この場合においては、当該勤務時間の割振り等に係る単位期間の末日までの間、引き続き、その該当しないこととなった直前の当該単位期間に係る勤務時間の割振り等によることができるものとする。

本条―令七・四・一施行

（特別の形態によって勤務する必要のある職員の週休日及び勤務時間の割振りの基準等）

第五条　各省各庁の長は、勤務時間法第七条第二項本文の定めるところに従い週休日及び勤務時間の割振りを定める場合には、勤務日（勤務時間法第八条第一項に規定する勤務日をいう。以下同じ。）が引き続き十二日を超えないようにし、かつ、一回の勤務に割り振られる勤務時間が十六時間を超えないようにしなければならない。

2　各省各庁の長は、勤務時間法第七条第二項ただし書の定めるところに従い週休日及び勤務時間の割振りを定める場合には、次に掲げる基準に適合するように行わなければならない。

一　週休日が毎四週間につき四日以上となるようにし、かつ、当該期間につき一週間当たりの勤務時間が四十二時間を超えないこと。

二　勤務日が引き続き十二日を超えないこと。

三　一回の勤務に割り振られる勤務時間が十六時間を超えないこと。

3　各省各庁の長は、勤務時間法第七条第二項ただし書の定めるところに従い週休日及び勤務時

間の割振りを定める場合において、前項各号の基準に適合し、かつ、週休日を当該期間につき一週間当たり二日の割合で設けるときは、同条第二項ただし書の規定による人事院との協議を要しないものとする。

一項—令七・四・一施行
二・三項—平一四・四・一施行

（週休日の振替等）

第六条　勤務時間法第八条第一項（同条第二項において読み替えて準用する場合を含む。以下この項、次項第三号及び次条第二項において同じ。）の人事院規則で定める期間は、勤務時間法第八条第一項の勤務することを命ずる必要がある日を起算日とする四週間前の日から当該勤務することを命ずる必要がある日を起算日とする八週間後の日までの期間とする。

2　各省各庁の長は、週休日の振替等（次の各号のいずれかに該当するものをいう。以下同じ。）を行う場合には、週休日の振替等を行った後において、週休日又は勤務時間を割り振らない日（勤務時間法第六条第三項及び勤務時間法第八条第二項において読み替えて準用する同条第一項の規定による勤務時間を割り振らない日をいう。第二十一条第五項及び第二十二条第一項第十五号において同じ。）が毎四週間につき四日以上となるようにし、かつ、勤務日等（勤務時間法第十条に規定する勤務日等をいう。以下同じ。）が引き続き二十四日を超えないようにしなければならない。

一　週休日の振替（勤務時間法第八条第一項の規定に基づき勤務日を週休日に変更して当該勤務日に割り振られた勤務時間を同項の勤務することを命ずる必要がある日に割り振ることをいう。）

二　勤務時間を割り振らない日の振替（勤務時間法第八条第二項において読み替えて準用する同条第一項の規定に基づき勤務日を勤務時間を割り振らない日に変更して当該勤務日に割り振られた勤務時間を同項の勤務することを命ずる必要がある日に割り振ることをいう。）

三　四時間の勤務時間の割振り変更（勤務時間法第八条第一項の規定に基づき勤務日（四時間の勤務時間のみが割り振られている日を除く。以下この条において同じ。）の勤務時間のうち四時間を当該勤務日に割り振ることをやめて当該四時間の勤務時間を同項の勤務することを命ずる必要がある日に割り振ることをいう。次項において同じ。）

3　各省各庁の長は、四時間の勤務時間の割振り変更を行う場合には、第一項に規定する期間内にある勤務日の始業の時刻から連続し、又は終業の時刻まで連続する勤務時間について割り振ることをやめて行わなければならない。

一・二項—令七・四・一施行
三項—平一二・四・一施行

（休憩時間）

第七条　各省各庁の長は、次に掲げる基準に適合するように休憩時間を置かなければならない。

一　おおむね毎四時間の連続する正規の勤務時間（勤務時間法第十三条第一項に規定する正規の勤務時間をいう。以下同じ。）の後に置くこと。

二　勤務時間法第六条第二項の規定により一日につき七時間四十五分の勤務時間を割り振る場合にあっては六十分（各省各庁の長が、業務の運営並びに職員の健康及び福祉を考慮して必要があると認める場合は、四十五分）、それ以外の場合にあっては三十分以上とすること。

三　勤務時間法第七条第一項に規定する公務の運営上の事情により特別の形態によって勤務する必要のある職員について、まず前二号の休憩時間（以下この号及び次条第一項において「基本休憩時間」という。）（当該基本休憩時間の始まる時刻まで連続する正規の勤務時間がおおむね四時間であるものに限る。）を置き、次いで当該基本休憩時間の前に十五分の休憩時間を置くこと及びまず基本休憩時間（当該基本休憩時間の終わる時刻から終業の時刻まで連続する正規の勤務時間がおおむね四時間であるものに限る。）を置き、次いで当該基本休憩時間の後に十五分の休憩時間を置くこと。ただし、次条の休息時間を置く場合は、この限りでない。

2　各省各庁の長は、勤務時間法第六条第二項又は第三項の規定により勤務時間を割り振る場合（勤務時間法第八条第一項の規定によりこれらの勤務時間を同項の勤務することを命ずる必要がある日に割り振る場合を含む。）において、公務の運営並びに職員の健康及び福祉を考慮して支障がないと認めるときは、前項第一号の規定にかかわらず、連続する正規の勤務時間が六時間三十分を超えることとなる前に休憩時間を置くことができる。

3　各省各庁の長は、第一項の規定によると職員の健康及び福祉に重大な影響を及ぼし、又は前二項の規定によると能率を甚だしく阻害する場合には、人事院の定めるところにより、休憩時間の基準について別段の定めをすることができる。

4　各省各庁の長は、勤務時間法第六条第三項の規定により勤務時間を割り振る場合には、職員からの休憩時間の申告を考慮して休憩時間を置くものとする。この場合において、当該申告どおりに休憩時間を置くことにより公務の運営に支障が生ずると認めるときは、別に人事院の定めるところにより、当該申告と異なる休憩時間を置くことができるものとする。

5　前項に規定する休憩時間の申告は、勤務時間法第六条第三項に規定する申告をする際に、併せて、第四条の二に規定する申告・割振り簿により、第一項から第三項まで及び第三条に定める基準に適合するように、休憩時間の始まる時刻及び終わる時刻を明らかにしてしなければならない。

6　職員は、休憩時間を自由に利用することができる。

一項―平二二・四・一施行
二・四・五項―令七・四・一施行
三・六項―令五・四・一施行

（休息時間）

第八条　各省各庁の長は、前条第一項第三号に規定する職員について、できる限り、始業の時刻からその直後の基本休憩時間の始まる時刻まで、基本休憩時間の終わる時刻からその直後の基本休憩時間の始まる時刻まで若しくは終業の時刻の直前の基本休憩時間の終わる時刻から終業の時刻までの間における正規の勤務時間がそれぞれおおむね四時間である場合又は始業の時刻から終業の時刻まで連続する正規の勤務時間がおおむね四時間である場合には、これらの正規の勤務時間に十五分の休息時間を置かなければならない。ただし、一回の勤務における休息時間は、当該勤務に割り振られた勤務時間を考慮して二回以内において人事院が定める回数とする。

2　休息時間は、始業の時刻から連続し、又は終業の時刻まで連続して置いてはならない。

3　休息時間は、正規の勤務時間に含まれるものとし、これを与えられなかった場合においても、繰り越されることはない。

本条―平二二・四・一施行

（週休日及び勤務時間の割振り等の明示）

第九条　各省各庁の長は、勤務時間法第六条第一項ただし書の規定により週休日を設け、同条第二項の規定により勤務時間を割り振り、勤務時間法第七条の規定により週休日及び勤務時間の割振りを定め、勤務時間法第九条の規定により休憩時間を置き、又は前条の休息時間を置いた場合には、適当な方法により速やかにその内容を明示するものとする。

2　各省各庁の長は、勤務時間法第六条第三項の規定により勤務時間を割り振らない日を設け、若しくは勤務時間を割り振り、又は週休日の振替等を行った場合には、人事院の定めるところにより、職員に対して速やかにその内容を通知するものとする。

一項―平二二・四・一施行
二項―令七・四・一施行

（通常の勤務場所を離れて勤務する職員の勤務時間）

第十条　勤務時間法第十条の人事院規則で定める勤務は、次に掲げる勤務（人事院が定める基準に適合するものに限る。）とする。

一　職員が一日の執務の全部を離れて受ける研修

二　矯正医官（矯正医官の兼業の特例等に関する法律（平成二十七年法律第六十二号）第二条第二号に規定する矯正医官をいう。）が行う施設外勤務（矯正施設（同条第一号に規定する矯正施設をいう。第十三条第一項第三号ホにおいて同じ。）の外の医療機関、大学その他の場所において医療に関する調査研究又は情報の収集若しくは交換を行う勤務をいう。）

本条―令七・四・一施行

第十一条　削除

本条―平二二・四・一施行

（船員の勤務時間の特例）

第十二条　勤務時間法第十二条の人事院規則で定める職員は、給与法別表第四ロ公安職俸給表(二)、給与法別表第五海事職俸給表又は給与法別表第八イ医療職俸給表(一)の適用を受ける職員とする。

2　勤務時間法第十二条の人事院規則で定める作業は、人命、船舶若しくは積荷の安全を図るため又は人命若しくは他の船舶を救助するため緊急を要する作業（職員が本来の業務として行う作業で人事院が定めるものを除く。）とする。

一項—平二二・四・一施行
二項—令五・四・一施行

（育児短時間勤務職員等についての適用除外等）

第十二条の二　第三条から第四条の二まで、第四条の三（第一項第一号を除く。）並びに第五条第一項及び第二項の規定は、育児短時間勤務をしている職員及び育児休業法第二十二条の規定による短時間勤務をしている職員（以下「育児短時間勤務職員等」という。）には適用しない。

2　育児短時間勤務職員等に対する第五条第三項の規定の適用については、同項中「前項各号の基準に適合し、かつ、週休日」とあるのは、「週休日」とする。

一項—令七・四・一施行
二項—平一九・八・一施行

第三章　宿日直勤務及び超過勤務並びに超勤代休時間

（宿日直勤務）

第十三条　勤務時間法第十三条第一項の人事院規則で定める断続的な勤務は、次に掲げる勤務とする。

一　本来の勤務に従事しないで行う庁舎、設備、備品、書類等の保全、外部との連絡、文書の収受及び庁内の監視を目的とする勤務（次号に掲げる勤務を除く。）

二　前号に規定する業務を目的とする勤務のうち、庁舎に附属する居住室において私生活を営みつつ常時行う勤務

三　次に掲げる当直勤務

イ　警察庁本庁における被疑者等の身元、犯罪経歴等の照会の処理のための当直勤務

ロ　皇宮警察本部又は宮内庁の本庁若しくは御料牧場の動物の飼育、植物の栽培等を行う施設における動物又は植物の管理等のための当直勤務

ハ　皇宮警察本部、地方検察庁又は公安調査庁における警備又は事件の捜査、調査、処理等のための当直勤務

ニ　国立児童自立支援施設又は障害者支援施設における入所者の生活介助等のための当直勤務

ホ　矯正施設における次に掲げる当直勤務

(1)　業務の管理若しくは監督又はこれらの補佐のための当直勤務

(2)　入所、釈放又は面会に関する事務処理、警備等のための当直勤務

ヘ　保護観察所における次に掲げる当直勤務

(1)　保護観察に付され保護観察所に居住している者に対する指導監督及び補導援護のための当直勤務

(2)　(1)に規定する者に対する保護観察のための調査における関係人に対する質問等のための当直勤務（(1)に掲げる勤務を除く。）

ト　東京保護観察所における保護観察に付され所在不明となっている者に関する身元の照会の処理等のための当直勤務

チ　病院又は診療所である医療施設における次に掲げる当直勤務

(1)　入院患者の病状の急変等に対処するための医師又は歯科医師の当直勤務

(2)　看護業務の管理又は監督のための看護師長等の当直勤務

(3)　救急の外来患者及び入院患者に関する緊急の医療技術業務の処理等のための薬剤師、診療放射線技師（診療エックス線技師を含む。）又は臨床検査技師（衛生検査技師を含む。）の当直勤務

(4)　救急の外来患者及び入院患者に関する緊急の事務処理等のための当直勤務

リ　地方農政局、地方整備局又は北海道開発局のダム等の管理施設における機器等の監視、管理等のための当直勤務

ヌ　海上保安大学校その他の教育又は研修の機関における学生等の生活指導等のための当直勤務

ル　次に掲げる業務に関する情報連絡等のための当直勤務

(1)　内閣官房における緊急業務

(2)　内閣府本府、金融庁、消防庁本庁、経済産業省本省、首都圏臨海防災センター又は近畿圏臨海防災センターにおける災害発生に係る緊急業務

(3)　警察庁の本庁又は地方機関における事件処理業務

(4)　外務省本省における対外関係に係る緊急業務

(5)　海上保安部の分室又は海上保安署にお

ける警備救難業務

(6)　原子力規制庁における原子力施設の事故発生に係る緊急業務

2　各省各庁の長は、休日又は国の行事の行われる日で人事院が指定する日の正規の勤務時間において職員に前項各号に掲げる勤務と同様の勤務を命ずることができる。

一項―令七・四・一施行

第十四条　各省各庁の長は、前条第一項第二号に掲げる勤務を命ずる場合には、当該勤務が必要やむを得ないものであり、かつ、職員の心身にかかる負担の程度が軽易であるようにしなければならない。

2　各省各庁の長は、前条第一項第三号に掲げる勤務を命ずる場合には、次に掲げる基準に適合するようにしなければならない。

一　当該勤務が、次のいずれかに該当するものであること。

イ　午後五時から翌日の午前九時三十分までの時間帯において行う勤務

ロ　行政機関の休日（行政機関の休日に関する法律（昭和六十三年法律第九十一号）第一条第一項各号に掲げる日をいう。）の午前八時三十分から午後六時十五分までの時間帯において行う勤務

二　当該勤務に従事する職員（以下この項において単に「職員」という。）が、当該職務の遂行に必要な知識又は技能を有する者であること。

三　職員ごとの当該勤務に従事する回数が、一月当たり五回を超えないこと。

四　当該勤務が第一号イに掲げる勤務である場合にあっては、職員について当該勤務時間中に少なくとも六時間の仮眠のための時間が確保され、かつ、当該仮眠のための施設が当該勤務が行われる官署内に整備されていること。

3　各省各庁の長は、前条第一項第三号に掲げる勤務を命ずる場合には、当該勤務に従事する職員の数を必要最小限のものとしなければならない。

4　各省各庁の長は、前条第一項第三号に掲げる勤務を命ずる場合には、当該勤務に関する規程において、人事院の定める事項を定めなければならない。

一・三・四項―平一四・四・一施行
二項―平二一・四・一施行

第十五条　各省各庁の長は、職員に第十三条に規定する勤務を命ずる場合には、当該勤務が過度にならないように留意しなければならない。

（育児短時間勤務職員等に正規の勤務時間以外の時間における勤務を命ずることができる場合）

第十五条の二　育児休業法第十七条（育児休業法第二十二条において準用する場合を含む。以下同じ。）の規定により読み替えられた勤務時間法第十三条第一項の人事院規則で定める場合は、第十三条第一項第三号に掲げる勤務を命じようとする時間帯に、当該勤務に従事する職員のうち育児短時間勤務職員等以外の職員に第十四条第二項の基準に適合するように当該勤務を命ずることができない場合とする。

2　育児休業法第十七条の規定により読み替えられた勤務時間法第十三条第二項の人事院規則で定める場合は、公務のため臨時又は緊急の必要がある場合において、育児短時間勤務職員等に同項に規定する勤務を命じなければ公務の運営に著しい支障が生ずると認められるときとする。

本条―平一九・八・一施行

（超過勤務を命ずる際の考慮）

第十六条　各省各庁の長は、職員に超過勤務（勤務時間法第十三条第二項の規定に基づき命ぜられて行う勤務をいう。以下同じ。）を命ずる場合には、職員の健康及び福祉を害しないように考慮しなければならない。

本条―平二一・四・一施行

第十六条の二　各省各庁の長は、定年前再任用短時間勤務職員等に超過勤務を命ずる場合には、定年前再任用短時間勤務職員等の正規の勤務時間が常時勤務を要する官職を占める職員の正規の勤務時間より短く定められている趣旨に十分留意しなければならない。

本条―令五・四・一施行

（超過勤務を命ずる時間及び月数の上限）

第十六条の二の二　各省各庁の長は、職員に超過勤務を命ずる場合には、次の各号に掲げる職員の区分に応じ、それぞれ当該各号に定める時間及び月数の範囲内で必要最小限の超過勤務を命ずるものとする。

一　次号に規定する部署以外の部署に勤務する職員　次に掲げる職員の区分に応じ、それぞれ次に定める時間及び月数（イにあっては、時間）

イ　ロに掲げる職員以外の職員　次の(1)及び

(2)に定める時間
(1)　一箇月において超過勤務を命ずる時間について四十五時間
(2)　一年において超過勤務を命ずる時間について三百六十時間
ロ　一年において勤務する部署が次号に規定する部署からこの号に規定する部署となった職員　次の(1)及び(2)に定める時間及び月数
(1)　一年において超過勤務を命ずる時間について七百二十時間
(2)　イ及び次号（ロを除く。）に規定する時間及び月数並びに職員の健康及び福祉を考慮して、人事院が定める期間において人事院が定める時間及び月数
二　他律的業務（業務量、業務の実施時期その他の業務の遂行に関する事項を自ら決定することが困難な業務をいう。）の比重が高い部署として各省各庁の長が指定するものに勤務する職員　次のイからニまでに定める時間及び月数
イ　一箇月において超過勤務を命ずる時間について百時間未満
ロ　一年において超過勤務を命ずる時間について七百二十時間
ハ　一箇月ごとに区分した各期間に当該各期間の直前の一箇月、二箇月、三箇月、四箇月及び五箇月の期間を加えたそれぞれの期間において超過勤務を命ずる時間の一箇月当たりの平均時間について八十時間
ニ　一年のうち一箇月において四十五時間を超えて超過勤務を命ずる月数について六箇月

2　各省各庁の長が、特例業務（大規模災害への対処、重要な政策に関する法律の立案、他国又は国際機関との重要な交渉その他の重要な業務であって特に緊急に処理することを要するものと各省各庁の長が認めるものをいう。以下この項において同じ。）に従事する職員に対し、前項各号に規定する時間又は月数を超えて超過勤務を命ずる必要がある場合については、同項（当該超えることとなる時間又は月数に係る部分に限る。）の規定は、適用しない。人事院が定める期間において特例業務に従事していた職員に対し、同項各号に規定する時間又は月数を超えて超過勤務を命ずる必要がある場合として人事院が定める場合も、同様とする。

3　各省各庁の長は、前項の規定により、第一項各号に規定する時間又は月数を超えて職員に超過勤務を命ずる場合には、当該超えた部分の超過勤務を必要最小限のものとし、かつ、当該職員の健康の確保に最大限の配慮をするとともに、当該超過勤務を命じた日が属する当該時間又は月数の算定に係る一年の末日の翌日から起算して六箇月以内に、当該超過勤務に係る要因の整理、分析及び検証を行わなければならない。

4　前三項に定めるもののほか、職員に超過勤務を命ずる場合における時間及び月数の上限に関し必要な事項は、人事院が定める。

本条…平三一・四・一施行

（超勤代休時間の指定）

第十六条の三　勤務時間法第十三条の二第一項の人事院規則で定める期間は、給与法第十六条第三項に規定する六十時間を超えて勤務した全時間に係る月（次項において「六十時間超過月」という。）の末日の翌日から同日を起算日とする二月後の日までの期間とする。

2　各省各庁の長は、勤務時間法第十三条の二第一項の規定に基づき超勤代休時間（同項に規定する超勤代休時間をいう。以下同じ。）を指定する場合には、前項に規定する期間内にある勤務日等（休日及び代休日（勤務時間法第十五条第一項に規定する代休日をいう。以下同じ。）を除く。第四項において同じ。）に割り振られた勤務時間のうち、超勤代休時間の指定に代えようとする超過勤務手当の支給に係る六十時間超過月における給与法第十六条第三項の規定の適用を受ける時間（以下この項及び第六項において「六十時間超過時間」という。）の次の各号に掲げる区分に応じ、当該各号に定める時間数の時間を指定するものとする。
一　給与法第十六条第一項第一号に掲げる勤務に係る時間（次号に掲げる時間を除く。）　当該時間に該当する六十時間超過時間の時間数に百分の二十五を乗じて得た時間数
二　育児休業法第十六条（育児休業法第二十二条において準用する場合を含む。）又は第二十四条の規定により読み替えられた給与法第十六条第一項ただし書又は第二項に規定する七時間四十五分に達するまでの間の勤務に係る時間　当該時間に該当する六十時間超過時間の時間数に百分の五十を乗じて得た時間数
三　給与法第十六条第一項第二号に掲げる勤務

に係る時間　当該時間に該当する六十時間超過時間の時間数に百分の十五を乗じて得た時間数

3　前項の場合において、その指定は、四時間又は七時間四十五分（年次休暇の時間に連続して超勤代休時間を指定する場合にあっては、当該年次休暇の時間の時間数と当該超勤代休時間の時間数を合計した時間数が四時間又は七時間四十五分となる時間）を単位として行うものとする。

4　各省各庁の長は、勤務時間法第十三条の二第一項の規定に基づき一回の勤務に割り振られた勤務時間の一部について超勤代休時間を指定する場合には、第一項に規定する期間内にある勤務日等の始業の時刻から連続し、又は終業の時刻まで連続する勤務時間について行わなければならない。ただし、各省各庁の長が、業務の運営並びに職員の健康及び福祉を考慮して必要があると認める場合は、この限りでない。

5　各省各庁の長は、職員があらかじめ超勤代休時間の指定を希望しない旨申し出た場合には、超勤代休時間を指定しないものとする。

6　各省各庁の長は、勤務時間法第十三条の二第一項に規定する措置が六十時間超過時間の勤務をした職員の健康及び福祉の確保に特に配慮したものであることにかんがみ、前項に規定する場合を除き、当該職員に対して超勤代休時間を指定するよう努めるものとする。

7　超勤代休時間の指定の手続に関し必要な事項は、人事院が定める。

本条—平二一・四・一施行

第四章　休日の代休日

（代休日の指定）

第十七条　勤務時間法第十五条第一項の規定に基づく代休日の指定は、勤務することを命じた休日を起算日とする八週間後の日までの期間内にあり、かつ、当該休日に割り振られた勤務時間と同一の時間数の勤務時間が割り振られた勤務日等（勤務時間法第十三条の二第一項の規定により超勤代休時間が指定された勤務日等及び休日を除く。）について行わなければならない。

2　各省各庁の長は、職員があらかじめ代休日の指定を希望しない旨申し出た場合には、代休日を指定しないものとする。

3　代休日の指定の手続に関し必要な事項は、人事院が定める。

一項—平二一・四・一施行

第五章　休暇

（年次休暇の日数）

第十八条　勤務時間法第十七条第一項第一号（育児休業法第十七条又は第二十五条の規定により読み替えて適用する場合を含む。第十八条の三において同じ。）の人事院規則で定める日数は、次の各号に掲げる職員の区分に応じ、当該各号に定める日数（一日未満の端数があるときは、これを四捨五入して得た日数）とする。

一　斉一型短時間勤務職員（定年前再任用短時間勤務職員等及び育児短時間勤務職員等のうち、一週間ごとの勤務日の日数及び勤務日ごとの勤務時間の時間数が同一であるものをいう。以下同じ。）　二十日に斉一型短時間勤務職員の一週間の勤務日の日数を五日で除して得た数を乗じて得た日数

二　不斉一型短時間勤務職員（定年前再任用短時間勤務職員等及び育児短時間勤務職員等のうち、斉一型短時間勤務職員以外のものをいう。以下同じ。）　百五十五時間に育児休業法第十七条若しくは第二十五条の規定により読み替えられた勤務時間法第五条第一項又は勤務時間法第五条第二項の規定に基づき定められた不斉一型短時間勤務職員の勤務時間を三十八時間四十五分で除して得た数を乗じて得た時間数を、七時間四十五分を一日として日に換算して得た日数

本条—令五・四・一施行

第十八条の二　勤務時間法第十七条第一項第二号の人事院規則で定める日数は、次の各号に掲げる職員の区分に応じ、当該各号に定める日数とする。

一　当該年の中途において、新たに職員となり、又は任期が満了することにより退職することとなる職員（次号に掲げる職員を除く。）　その者の当該年における在職期間に応じ、別表第一の日数欄に掲げる日数（定年前再任用短時間勤務職員等及び育児短時間勤務職員等にあっては、その者の勤務時間等を考慮し、人事院が別に定める日数）（以下この条において「基本日数」という。）

二　当該年において、行政執行法人職員等（勤務時間法第十七条第一項第三号に規定する行政執行法人職員等をいう。以下この条におい

て同じ。）となった者であって引き続き新たに職員となったもの又は官民人事交流法第二条第二項に規定する民間企業に雇用された者であって引き続き官民人事交流法第二十条に規定する交流採用職員となったもの　行政執行法人職員等となった日又は同条に規定する交流元企業に雇用された日において新たに職員となったものとみなした場合におけるその者の在職期間に応じた別表第一の日数欄に掲げる日数から、新たに職員となった日の前日までの間に使用した年次休暇に相当する休暇の日数を減じて得た日数（この号に掲げる職員が定年前再任用短時間勤務職員等である場合にあっては、その者の勤務時間等を考慮し、人事院が別に定める日数）（当該日数が基本日数に満たない場合にあっては、基本日数）

2　勤務時間法第十七条第一項第三号の人事院規則で定める法人は、沖縄振興開発金融公庫のほか、次に掲げる法人とする。

一　国家公務員退職手当法施行令（昭和二十八年政令第二百十五号）第九条の二各号に掲げる法人

二　国家公務員退職手当法施行令第九条の四各号に掲げる法人（沖縄振興開発金融公庫及び前号に掲げる法人を除く。）

三　前二号に掲げる法人のほか、人事院がこれらに準ずる法人であると認めるもの

3　勤務時間法第十七条第一項第三号の人事院規則で定める職員は、次に掲げる職員とする。

一　当該年の前年において官民人事交流法第八条第二項に規定する交流派遣職員であった者であって引き続き当該年に職務に復帰したもの

二　当該年の前年において官民人事交流法第二条第二項に規定する民間企業に雇用されていた者であって引き続き当該年に官民人事交流法第二十条に規定する交流採用職員となったもの

三　当該年の前年において職員であった者であって引き続き当該年に行政執行法人職員等となり引き続き再び職員となったもの

四　当該年の前年において職員であった者であって引き続き当該年に官民人事交流法第八条第二項に規定する交流派遣職員となり引き続き職務に復帰したもの

4　勤務時間法第十七条第一項第三号の人事院規則で定める日数は、次の各号に掲げる職員の区分に応じ、当該各号に定める日数（当該日数が基本日数に満たない場合にあっては、基本日数）とする。

一　次号に掲げる職員以外の職員　次に掲げる場合に応じ、次に掲げる日数

イ　当該年の初日に職員となった場合　二十日（当該年の中途において任期が満了することにより退職することとなる場合にあっては、当該年における在職期間に応じ、別表第一の日数欄に掲げる日数）に当該年の前年における年次休暇に相当する休暇又は年次休暇の残日数（当該残日数が二十日を超える場合にあっては、二十日）を加えて得た日数

ロ　当該年の初日後に職員となった場合　この号イの日数から職員となった日の前日までの間に使用した年次休暇に相当する休暇又は年次休暇の日数を減じて得た日数

二　定年前再任用短時間勤務職員等　その者の勤務時間等を考慮し、人事院が別に定める日数

5　第一項第二号に掲げる職員及び前項の規定の適用を受ける職員のうちその者の使用した年次休暇に相当する休暇の日数が明らかでないものの年次休暇の日数については、これらの規定にかかわらず、人事院が別に定める日数とする。

一・四項―令五・四・一施行
二項―平二〇・一〇・一施行
三項―平二七・四・一施行
五項―平一五・六・一五施行

第十八条の三　次の各号に掲げる場合において、一週間ごとの勤務日の日数又は勤務日ごとの勤務時間の時間数（以下「勤務形態」という。）が変更されるときの当該変更の日以後における職員の年次休暇の日数は、当該年の初日に当該変更の日の勤務形態を始めた場合にあっては勤務時間法第十七条第一項第一号又は第二号に掲げる日数に同条第二項の規定により当該年の前年から繰り越された年次休暇の日数を加えて得た日数とし、当該年の初日後に当該変更後の勤務形態を始めた場合において、同日以前に当該変更前の勤務形態を始めたときにあっては当該日数から当該年において当該変更の日の前日までに使用した年次休暇の日数を減じて得た日数に、次の各号に掲げる場合に応じ、当該各号に定める率を乗じて得た日数（一日未満の端数が

あるときは、これを四捨五入して得た日数）とし、当該年の初日後に当該変更前の勤務形態を始めたときにあっては当該勤務形態を始めた日においてこの条の規定により得られる日数から同日以後当該変更の日の前日までに使用した年次休暇の日数を減じて得た日数に、次の各号に掲げる場合に応じ、当該各号に定める率を乗じて得た日数（一日未満の端数があるときは、これを四捨五入して得た日数）とする。

一　定年前再任用短時間勤務職員等及び育児短時間勤務職員等以外の職員が一週間ごとの勤務日の日数及び勤務日ごとの勤務時間の時間数が同一である育児短時間勤務（以下この条において「斉一型育児短時間勤務」という。）を始める場合、斉一型育児短時間勤務をしている職員が引き続いて勤務形態を異にする斉一型育児短時間勤務を始める場合又は育児短時間勤務職員等が斉一型育児短時間勤務若しくは斉一型短時間勤務（育児休業法第二十二条の規定による短時間勤務のうち、一週間ごとの勤務日の日数及び勤務日ごとの勤務時間の時間数が同一であるものをいう。次号において同じ。）を終える場合　勤務形態の変更後における一週間の勤務日の日数を当該勤務形態の変更前における一週間の勤務日の日数で除して得た率

二　定年前再任用短時間勤務職員等及び育児短時間勤務職員等以外の職員が斉一型育児短時間勤務以外の育児短時間勤務（以下この条において「不斉一型育児短時間勤務」という。）を始める場合、不斉一型育児短時間勤務をしている職員が引き続いて勤務形態を異にする不斉一型育児短時間勤務を始める場合又は育児短時間勤務職員等が不斉一型育児短時間勤務若しくは育児休業法第二十二条の規定による短時間勤務のうち斉一型短時間勤務以外のものを終える場合　勤務形態の変更後における一週間当たりの勤務時間の時間数を当該勤務形態の変更前における一週間当たりの勤務時間の時間数で除して得た率

三　斉一型育児短時間勤務をしている職員が引き続いて不斉一型育児短時間勤務を始める場合　勤務形態の変更後における一週間当たりの勤務時間の時間数を当該勤務形態の変更前における勤務日ごとの勤務時間の時間数を七時間四十五分とみなした場合の一週間当たりの勤務時間の時間数で除して得た率

四　不斉一型育児短時間勤務をしている職員が引き続いて斉一型育児短時間勤務を始める場合　勤務形態の変更後における勤務日ごとの勤務時間の時間数を七時間四十五分とみなした場合の一週間当たりの勤務時間の時間数を当該勤務形態の変更前における一週間当たりの勤務時間の時間数で除して得た率

本条―令五・四・一施行

（年次休暇の繰越し）

第十九条　勤務時間法第十七条第二項の人事院規則で定める日数は、一の年における年次休暇の二十日（第十八条各号に掲げる職員にあっては、同条の規定による日数）を超えない範囲内の残日数（当該年の翌年の初日に勤務形態が変更される場合にあっては、当該残日数に前条各号に掲げる場合に応じ、当該各号に定める率を乗じて得た日数とし、一日未満の端数があるときはこれを切り捨てた日数とする。）とする。

本条―平二二・四・一施行

（年次休暇の単位）

第二十条　年次休暇の単位は、一日とする。ただし、特に必要があると認められるときは、一時間（第七条第一項第三号に規定する職員にあっては、一時間又は十五分）を単位とすることができる。

2　一時間又は十五分を単位として使用した年次休暇を日に換算する場合には、次の各号に掲げる職員の区分に応じ、当該各号に定める時間数をもって一日とする。

一　次号から第四号までに掲げる職員以外の職員　七時間四十五分

二　育児休業法第十二条第一項第一号から第四号までに掲げる勤務の形態の育児短時間勤務職員等　次に掲げる規定に掲げる勤務の形態の区分に応じ、次に掲げる時間数

イ　育児休業法第十二条第一項第一号　三時間五十五分

ロ　育児休業法第十二条第一項第二号　四時間五十五分

ハ　育児休業法第十二条第一項第三号又は第四号　七時間四十五分

三　斉一型短時間勤務職員（前号に掲げる職員のうち、斉一型短時間勤務職員を除く。）　勤務日ごとの勤務時間の時間数（一分未満の端数があるときは、これを切り捨てた時間）

四　不斉一型短時間勤務職員（第二号に掲げる

職員のうち、不斉一型短時間勤務職員を除く。）　七時間四十五分

本条—令六・一・一施行

（病気休暇）

第二十一条　病気休暇の期間は、療養のため勤務しないことがやむを得ないと認められる必要最小限度の期間とする。ただし、次に掲げる場合以外の場合における病気休暇（以下この条において「特定病気休暇」という。）の期間は、次に掲げる場合における病気休暇を使用した日その他の人事院が定める日（以下この条において「除外日」という。）を除いて連続して九十日を超えることはできない。

一　生理日の就業が著しく困難な場合

二　公務上負傷し、若しくは疾病にかかり、又は通勤（補償法第一条の二に規定する通勤をいう。）により負傷し、若しくは疾病にかかった場合

三　規則一〇—四第二十三条の規定により同規則別表第四に規定する生活規正の面Bの指導区分の決定又は同表に規定する生活規正の面Bへの指導区分の変更を受け、同規則第二十四条第一項の事後措置を受けた場合

2　前項ただし書、次項及び第四項の規定の適用については、連続する八日以上の期間（当該期間における週休日等以外の日の日数が少ない場合として人事院が定める場合にあっては、その日数を考慮して人事院が定める期間）の特定病気休暇を使用した職員（この項の規定により特定病気休暇の期間が連続しているものとみなされた職員を含む。）が、除外日を除いて連続して使用した特定病気休暇の期間の末日の翌日から、一回の勤務に割り振られた勤務時間の一部に育児時間（一回の勤務に割り振られた勤務時間の一部に育児休業法第二十六条第一項に規定する育児時間の承認を受けて勤務しない時間その他の人事院が定める時間（以下この項において「育児時間等」という。）がある場合にあっては、一回の勤務に割り振られた勤務時間のうち、育児時間等以外の勤務時間）のすべてを勤務した日の日数（第四項において「実勤務日数」という。）が二十日に達する日までの間に、再度の特定病気休暇を使用したときは、当該再度の特定病気休暇の期間と直前の特定病気休暇の期間は連続しているものとみなす。

3　使用した特定病気休暇の期間が除外日を除いて連続して九十日に達した場合において、九十日に達した日後においても引き続き負傷又は疾病（当該負傷又は疾病の症状等が、当該使用した特定病気休暇の期間の初日から当該負傷をし、又は疾病にかかった日（以下この項において「特定負傷等の日」という。）の前日までの期間における特定病気休暇に係る負傷又は疾病の症状等と明らかに異なるものに限る。以下この項において「特定負傷等」という。）のため療養する必要があり、勤務しないことがやむを得ないと認められるときは、第一項ただし書の規定にかかわらず、当該九十日に達した日の翌日以後の日においても、当該特定負傷等に係る特定病気休暇を承認することができる。この場合において、特定負傷等の日以後における特定病気休暇の期間は、除外日を除いて連続して九十日を超えることはできない。

4　使用した特定病気休暇の期間が除外日を除いて連続して九十日に達した場合において、九十日に達した日の翌日から実勤務日数が二十日に達する日までの間に、その症状等が当該使用した特定病気休暇の期間における特定病気休暇に係る負傷又は疾病の症状等と明らかに異なる負傷又は疾病のため療養する必要が生じ、勤務しないことがやむを得ないと認められるときは、第一項ただし書の規定にかかわらず、当該負傷又は疾病に係る特定病気休暇を承認することができる。この場合において、当該特定病気休暇の期間は、除外日を除いて連続して九十日を超えることはできない。

5　療養期間中の週休日、勤務時間を割り振らない日、休日、代休日その他の病気休暇の日以外の勤務しない日は、第一項ただし書及び第二項から前項までの規定の適用については、特定病気休暇を使用した日とみなす。

6　第一項ただし書及び第二項から前項までの規定は、臨時的職員、条件付採用期間中の職員及び検察官には適用しない。

一項—平二二・一・一施行
二〜四・六項—平二三・一・一施行
五項—令七・四・一施行

（特別休暇）

第二十二条　勤務時間法第十九条の人事院規則で定める場合は、次の各号に掲げる場合とし、その期間は、当該各号に定める期間とする。

一　職員が選挙権その他公民としての権利を行使する場合で、その勤務しないことがやむを

得ないと認められるとき　必要と認められる期間

二　職員が裁判員、証人、鑑定人、参考人等として国会、裁判所、地方公共団体の議会その他官公署へ出頭する場合で、その勤務しないことがやむを得ないと認められるとき　必要と認められる期間

三　職員が骨髄移植のための骨髄若しくは末梢（しょう）血幹細胞移植のための末梢血幹細胞の提供希望者としてその登録を実施する者に対して登録の申出を行い、又は配偶者、父母、子及び兄弟姉妹以外の者に、骨髄移植のため骨髄若しくは末梢血幹細胞移植のため末梢血幹細胞を提供する場合で、当該申出又は提供に伴い必要な検査、入院等のため勤務しないことがやむを得ないと認められるとき　必要と認められる期間

四　職員が自発的に、かつ、報酬を得ないで次に掲げる社会に貢献する活動（専ら親族に対する支援となる活動を除く。）を行う場合で、その勤務しないことが相当であると認められるとき　一の年において五日の範囲内の期間

イ　地震、暴風雨、噴火等により相当規模の災害が発生した被災地又はその周辺の地域における生活関連物資の配布その他の被災者を支援する活動

ロ　障害者支援施設、特別養護老人ホームその他の主として身体上若しくは精神上の障害がある者又は負傷し、若しくは疾病にかかった者に対して必要な措置を講ずることを目的とする施設であって人事院が定めるものにおける活動

ハ　イ及びロに掲げる活動のほか、身体上若しくは精神上の障害、負傷又は疾病により常態として日常生活を営むのに支障がある者の介護その他の日常生活を支援する活動

五　職員が結婚する場合で、結婚式、旅行その他の結婚に伴い必要と認められる行事等のため勤務しないことが相当であると認められるとき　人事院が定める期間内における連続する五日の範囲内の期間

五の二　職員が不妊治療に係る通院等のため勤務しないことが相当であると認められる場合　一の年において五日（当該通院等が体外受精その他の人事院が定める不妊治療に係るものである場合にあっては、十日）の範囲内の期間

六　六週間（多胎妊娠の場合にあっては、十四週間）以内に出産する予定である女子職員が申し出た場合　出産の日までの申し出た期間

七　女子職員が出産した場合　出産の日の翌日から八週間を経過する日までの期間（産後六週間を経過した女子職員が就業を申し出た場合において医師が支障がないと認めた業務に就く期間を除く。）

八　生後一年に達しない子を育てる職員が、その子の保育のために必要と認められる授乳等を行う場合　一日二回それぞれ三十分以内の期間（男子職員にあっては、その子の当該職員以外の親（当該子について民法第八百十七条の二第一項の規定により特別養子縁組の成立について家庭裁判所に請求した者（当該請求に係る家事審判事件が裁判所に係属している場合に限る。）であって当該子を現に監護するもの又は児童福祉法第二十七条第一項第三号の規定により当該子を委託されている養子縁組里親である者若しくは養育里親である者（同条第四項に規定する者の意に反するため、同項の規定により、養子縁組里親として委託することができない者に限る。）を含む。）が当該職員がこの号の休暇を使用しようとする日におけるこの号の休暇（これに相当する休暇を含む。）を承認され、又は労働基準法（昭和二十二年法律第四十九号）第六十七条の規定により同日における育児時間を請求した場合は、一日二回それぞれ三十分から当該承認又は請求に係る各回ごとの期間を差し引いた期間を超えない期間）

九　職員が妻（届出をしないが事実上婚姻関係と同様の事情にある者を含む。次号において同じ。）の出産に伴い勤務しないことが相当であると認められる場合　人事院が定める期間内における二日の範囲内の期間

十　職員の妻が出産する場合であってその出産予定日の六週間（多胎妊娠の場合にあっては、十四週間）前の日から当該出産の日以後一年を経過する日までの期間にある場合において、当該出産に係る子又は小学校就学の始期に達するまでの子（妻の子を含む。）を養育する職員が、これらの子の養育のため勤務しないことが相当であると認められるとき　当該期間内における五日の範囲内の期間

十一　九歳に達する日以後の最初の三月三十一

日までの間にある子（配偶者の子を含む。以下この号において同じ。）を養育する職員が、その子の看護等（負傷し、若しくは疾病にかかったその子の世話、疾病の予防を図るために必要なものとして人事院が定めるその子の世話若しくは学校保健安全法（昭和三十三年法律第五十六号）第二十条の規定による学校の休業その他これに準ずるものとして人事院が定める事由に伴うその子の世話を行うこと又はその子の教育若しくは保育に係る行事のうち人事院が定めるものへの参加をすることをいう。）のため勤務しないことが相当であると認められる場合　一の年において五日（その養育する九歳に達する日以後の最初の三月三十一日までの間にある子が二人以上の場合にあっては、十日）の範囲内の期間

十二　要介護者の介護その他の人事院が定める世話を行う職員が、当該世話を行うため勤務しないことが相当であると認められる場合　一の年において五日（要介護者が二人以上の場合にあっては、十日）の範囲内の期間

十三　職員の親族（別表第二の親族欄に掲げる親族に限る。）が死亡した場合で、職員が葬儀、服喪その他の親族の死亡に伴い必要と認められる行事等のため勤務しないことが相当であると認められるとき　親族に応じ同表の日数欄に掲げる連続する日数（葬儀のため遠隔の地に赴く場合にあっては、往復に要する日数を加えた日数）の範囲内の期間

十四　職員が父母の追悼のための特別な行事（父母の死亡後人事院の定める年数内に行われるものに限る。）のため勤務しないことが相当であると認められる場合　一日の範囲内の期間

十五　職員が夏季における盆等の諸行事、心身の健康の維持及び増進又は家庭生活の充実のため勤務しないことが相当であると認められる場合　一の年の七月から九月までの期間（当該期間が業務の繁忙期であることその他の業務の事情により当該期間内にこの号の休暇の全部又は一部を使用することが困難であると認められる職員にあっては、一の年の六月から十月までの期間）内における、週休日、勤務時間を割り振らない日、勤務時間法第十三条の二第一項の規定により割り振られた勤務時間の全部について超勤代休時間が指定された勤務日等、休日及び代休日を除いて原則として連続する三日の範囲内の期間

十六　地震、水害、火災その他の災害により次のいずれかに該当する場合その他これらに準ずる場合で、職員が勤務しないことが相当であると認められるとき　七日の範囲内の期間

イ　職員の現住居が滅失し、又は損壊した場合で、当該職員がその復旧作業等を行い、又は一時的に避難しているとき。

ロ　職員及び当該職員と同一の世帯に属する者の生活に必要な水、食料等が著しく不足している場合で、当該職員以外にはそれらの確保を行うことができないとき。

十七　地震、水害、火災その他の災害又は交通機関の事故等により出勤することが著しく困難であると認められる場合　必要と認められる期間

十八　地震、水害、火災その他の災害又は交通機関の事故等に際して、職員が退勤途上における身体の危険を回避するため勤務しないことがやむを得ないと認められる場合　必要と認められる期間

2　前項第五号の二及び第九号から第十二号までの休暇（以下この条において「特定休暇」という。）の単位は、一日又は一時間とする。ただし、特定休暇の残日数の全てを使用しようとする場合において、当該残日数に一時間未満の端数があるときは、当該残日数の全てを使用することができる。

3　一日を単位とする特定休暇は、一回の勤務に割り振られた勤務時間のすべてを勤務しないときに使用するものとする。

4　一時間を単位として使用した特定休暇を日に換算する場合には、次の各号に掲げる職員の区分に応じ、当該各号に定める時間数をもって一日とする。

一　次号及び第三号に掲げる職員以外の職員　七時間四十五分

二　斉一型短時間勤務職員　勤務日ごとの勤務時間の時間数（七時間四十五分を超える場合にあっては、七時間四十五分とし、一分未満の端数があるときは、これを切り捨てた時間）

三　不斉一型短時間勤務職員　七時間四十五分

一項—令七・四・一施行
二項—令四・一・一施行
三・四項—平二一・四・一施行

（介護休暇）

第二十三条 勤務時間法第二十条第一項の人事院規則で定める者は、次に掲げる者（第二号に掲げる者にあっては、職員と同居しているものに限る。）とする。

一 祖父母、孫及び兄弟姉妹

二 職員又は配偶者（届出をしないが事実上婚姻関係と同様の事情にある者を含む。別表第二において同じ。）との間において事実上父母と同様の関係にあると認められる者及び職員との間において事実上子と同様の関係にあると認められる者で人事院が定めるもの

2 勤務時間法第二十条第一項の人事院規則で定める期間は、二週間以上の期間とする。

3 勤務時間法第二十条第一項に規定する職員の申出は、同項に規定する指定期間（以下「指定期間」という。）の指定を希望する期間の初日及び末日を休暇簿に記入して、各省各庁の長に対し行わなければならない。

4 各省各庁の長は、前項の規定による指定期間の指定の申出があった場合には、当該申出による期間の初日から末日までの期間（第七項において「申出の期間」という。）の指定期間を指定するものとする。

5 職員は、第三項の申出に基づき前項若しくは第七項の規定により指定された指定期間を延長して指定すること又は当該指定期間若しくはこの項の申出（短縮の指定の申出に限る。）に基づき次項若しくは第七項の規定により指定された指定期間を短縮して指定することを申し出ることができる。この場合においては、改めて指定期間として指定することを希望する期間の末日を休暇簿に記入して、各省各庁の長に対し申し出なければならない。

6 各省各庁の長は、職員から前項の規定による指定期間の延長又は短縮の指定の申出があった場合には、第四項、この項又は次項の規定により指定された指定期間の初日から当該申出に係る末日までの期間の指定期間を指定するものとする。

7 第四項又は前項の規定にかかわらず、各省各庁の長は、それぞれ、申出の期間又は第三項の申出に基づき第四項若しくはこの項の規定により指定された指定期間の末日の翌日から第五項の規定による指定期間の延長の指定の申出があった場合の当該申出に係る末日までの期間（以下この項において「延長申出の期間」という。）の全期間にわたり第二十六条ただし書の規定により介護休暇を承認できないことが明らかである場合は、当該期間を指定期間として指定しないものとし、申出の期間又は延長申出の期間中の一部の日が同条ただし書の規定により介護休暇を承認できないことが明らかな日である場合は、これらの期間から当該日を除いた期間について指定期間を指定するものとする。

8 指定期間の通算は、暦に従って計算し、一月に満たない期間は、三十日をもって一月とする。

本条—令七・四・一施行

第二十三条の二 介護休暇の単位は、一日又は一時間とする。

2 一時間を単位とする介護休暇は、一日を通じ、始業の時刻から連続し、又は終業の時刻まで連続した四時間（当該介護休暇と要介護者を異にする介護時間の承認を受けて勤務しない時間がある日については、当該四時間から当該介護時間の承認を受けて勤務しない時間を減じた時間）を超えない範囲内の時間とする。

本条—平二九・一・一施行

（介護時間）

第二十三条の三 介護時間の単位は、三十分とする。

2 介護時間は、一日を通じ、始業の時刻から連続し、又は終業の時刻まで連続した二時間（育児休業法第二十六条第一項の規定による育児時間の承認を受けて勤務しない時間がある日については、当該二時間から当該育児時間の承認を受けて勤務しない時間を減じた時間）を超えない範囲内の時間とする。

本条—平二九・一・一施行

（病気休暇及び特別休暇の承認）

第二十四条 勤務時間法第二十一条の人事院規則で定める特別休暇は、第二十二条第一項第六号及び第七号の休暇とする。

本条—平一七・一・一施行

第二十五条 各省各庁の長は、病気休暇又は特別休暇（前条に規定するものを除く。第二十七条第一項において同じ。）の請求について、勤務時間法第十八条に定める場合又は第二十二条第一項各号に掲げる場合に該当すると認めるときは、これを承認しなければならない。ただし、公務の運営に支障があり、他の時期においても当該休暇の目的を達することができると認められる場合は、この限りでない。

（介護休暇及び介護時間の承認）

本条—平一七・一・一施行

第二十六条　各省各庁の長は、介護休暇又は介護時間の請求について、勤務時間法第二十条第一項又は第二十条の二第一項に定める場合に該当すると認めるときは、これを承認しなければならない。ただし、当該請求に係る期間のうち公務の運営に支障がある日又は時間については、この限りでない。

（年次休暇、病気休暇及び特別休暇の請求等）

本条—平二九・一・一施行

第二十七条　年次休暇、病気休暇又は特別休暇の承認を受けようとする職員は、あらかじめ休暇簿に記入して各省各庁の長に請求しなければならない。ただし、病気、災害その他やむを得ない事由によりあらかじめ請求できなかった場合には、その事由を付して事後において承認を求めることができる。

2　第二十二条第一項第六号の申出は、あらかじめ休暇簿に記入して各省各庁の長に対し行わなければならない。

3　第二十二条第一項第七号に掲げる場合に該当することとなった女子職員は、その旨を速やかに各省各庁の長に届け出るものとする。

一項—平六・九・一施行
二・三項—平一七・一・一施行

（介護休暇及び介護時間の請求）

第二十八条　介護休暇又は介護時間の承認を受けようとする職員は、あらかじめ休暇簿に記入して各省各庁の長に請求しなければならない。

2　前項の介護休暇の承認を受けようとする場合において、一回の指定期間について初めて介護休暇の承認を受けようとするときは、二週間以上の期間（当該指定期間が二週間未満である場合その他の人事院が定める場合には、人事院が定める期間）について一括して請求しなければならない。

（休暇の承認の決定等）

本条—平二九・一・一施行

第二十九条　第二十七条第一項又は前条第一項の請求があった場合においては、各省各庁の長は速やかに承認するかどうかを決定し、当該請求を行った職員に対して当該決定を通知するものとする。ただし、同項の規定により介護休暇の請求があった場合において、当該請求に係る期間のうちに当該請求があった日から起算して一週間を経過する日（以下この項において「一週間経過日」という。）後の期間が含まれているときにおける当該期間については、一週間経過日までに承認するかどうかを決定することができる。

2　各省各庁の長は、病気休暇、特別休暇、介護休暇又は介護時間について、その事由を確認する必要があると認めるときは、証明書類の提出を求めることができる。

（休暇簿）

本条—平二九・一・一施行

第三十条　休暇簿に関し必要な事項は、事務総長が定める。

（その他の事項）

第三十一条　この章に規定するもののほか、休暇に関し必要な事項は、人事院が定める。

第六章　雑則

（第二章から第四章までの規定についての別段の定め）

本条—令七・四・一施行

第三十二条　各省各庁の長は、業務若しくは勤務条件の特殊性又は地域的若しくは季節的事情により、第三条第一項から第三項まで、第五条、第六条、第七条第一項及び第二項、第八条第一項、第十四条第二項、第十六条の三第一項及び第三項並びに第十七条第一項の規定によると、能率を甚だしく阻害し、又は職員の健康若しくは安全に有害な影響を及ぼす場合には、人事院の承認を得て、週休日、勤務時間を割り振らない日、勤務時間の割振り、週休日の振替等、休憩時間、休息時間、宿日直勤務、超勤代休時間の指定又は代休日の指定について別段の定めをすることができる。

（報告）

第三十三条　人事院は、必要があると認めるときは、各省各庁の長に対し、勤務時間、休日及び休暇に関する事務の実施状況について報告を求めることができる。

附　則

（施行期日）

1　この規則は、平成六年九月一日から施行する。

（経過措置）

2　勤務時間法の施行の際現に旧規則一五—一（職員の勤務時間等の基準）第六条第四項の規定に基づき人事院の承認を得ている勤務を要しない日及び勤務時間の割振りについての定めは、人事院が別に定める場合を除き、勤務時間法第七条第二項ただし書の規定に基づき人事院と協議した週休日及び勤務時間の割振りについての定めとみなす。

3　勤務時間法附則第二条第一項又は第二項の規定が適用される職員の勤務時間の割振りについて、この規則の施行の際現に旧規則一五―一第九条第一項若しくは第十条又は旧規則一五―一三（研究職員等の勤務時間等の基準の特例）第五条の規定に基づき置かれている休息時間については、それぞれ第八条第一項又は第三十二条の規定に基づく休息時間とみなす。

4　この規則の施行の際現に旧規則一五―一第十条の規定に基づき人事院の承認を得ている勤務を要しない日の振替え若しくは半日勤務時間の割振り変更、休憩時間又は休息時間についての別段の定めは、人事院が別に定める場合を除き、それぞれ第三十二条の規定に基づき人事院の承認を得た週休日の振替等、休憩時間又は休息時間についての別段の定めとみなす。

5　この規則の施行の際現に旧規則一五―九（宿日直勤務）第四条又は第五条の規定に基づき人事院の承認を得ている勤務については、それぞれ第十四条第二項又は第一項の規定に基づき人事院の承認を得たものとみなす。

6　この規則の施行の日前に使用された旧規則一五―一一（職員の休暇）第六条第三号、第七号、第八号、第十号又は第十一号の特別休暇であって、同一の事由について第二十二条第四号、第八号、第九号、第十一号又は第十二号に掲げる場合に該当することとなるものについては、それぞれ同条第四号、第八号、第九号、第十一号又は第十二号の特別休暇として既に使用されたものとみなす。

7　この規則の施行の日前に行われた旧規則一五―一一第六条第四号若しくは第五号の規定による申出又は旧規則一五―一一第九条第四項の規定による届出であって、同一の事項について第二十二条第五号若しくは第六号による申出又は第二十七条第三項の規定による届出を行う必要のあるものについては、それぞれ第二十二条第五号若しくは第六号又は同項の規定により行われたものとみなす。

8　この規則の施行の際現に旧規則一五―一三第二条の規定に基づき人事院が指定している機関又は業務については、それぞれ第二条の規定に基づき人事院が指定したものとみなす。

9　この規則の施行の際現に旧規則一五―一三第五条の規定に基づき人事院の承認を得ている旧規則一五―一三第三条第三項第二号に定める時間帯、同項第三号に定める時刻、旧規則一五―一三第四条に定める休憩時間又は旧規則一五―一第九条第一項に定める休息時間についての別段の定めは、それぞれ第三十二条の規定に基づき人事院の承認を得た第三条第一項第一号に定める時間帯、同項第二号に定める時刻、第七条第三項に定める休憩時間又は第八条第一項に定める休息時間についての別段の定めとみなす。

附　則（令三・一二・一規則一五―一四―三八）

この規則は、令和四年一月一日から施行する。

附　則（令四・二・一八規則一―七九）（抄）

改正　令六・三・二九規則一―八二

（施行期日）

第一条　この規則は、令和五年四月一日から施行する。

（改正後の人事院規則一五―一四における暫定再任用職員に関する経過措置）

第二十二条　暫定再任用職員は、規則一―八二（一般職の職員の給与に関する法律等の一部を改正する法律の一部の施行に伴う関係人事院規則の整備等に関する人事院規則）第十一条の規定による改正後の規則一五―一四第三条第一項第三号に規定する定年前再任用短時間勤務職員等（次項において「定年前再任用短時間勤務職員等」という。）とみなして、同規則第十八条の二第一項（第二号に係る部分に限る。）及び第四項の規定を適用する。

2　暫定再任用短時間勤務職員は、定年前再任用短時間勤務職員等とみなして、規則一―八二第十一条の規定による改正後の規則一五―一四第三条第一項及び第二項、第十六条の二、第十八条、第十八条の二第一項（第一号に係る部分に限る。）並びに第十八条の三の規定を適用する。

附　則（令四・六・一七規則一五―一四―三九）

この規則は、令和四年十月一日から施行する。

附　則（令五・一・二〇規則一五―一五―四〇）

（抄）

（施行期日）

第一条　この規則は、令和五年四月一日から施行する。ただし、附則第三条の規定は、公布の日から施行する。

（経過措置）

第二条　各省各庁の長（勤務時間法第三条に規定する各省各庁の長をいう。）は、この規則による改正後の規則一五―一四第三条又は第四条の三の規定にかかわらず、これらの規定に定める基準により勤務時間を割り振ることが困難である職員の勤務時間法第六条第三項又は第四項の規定に基づく勤務時間の割振りの基準について、あらかじめ人事院と協議して、一定の期間を限って、なお従前の例によることができる。

（準備行為）

第三条　この規則による改正後の規則一五―一四第三条第五項又は前条の協議は、この規則の施行の日前においても行うことができる。

附　則（令五・二・二八規則一五―一四―四一）

この規則は、令和五年四月一日から施行する。

附　則（令五・一二・一規則一五―一四―四二）

この規則は、令和六年一月一日から施行する。

附　則（令六・三・二九規則一―八二）（抄）

（施行期日）

第一条　この規則は、令和七年四月一日から施行する。ただし、次条〔中略〕の規定は公布の日から、〔中略〕第十一条中規則一五―一四の目次の改正規定、同規則中第一条の二を第一条の三とし、第一条の次に一条を加える改正規定及び同規則第十三条第一項第三号の改正規定は令和六年四月一日から施行する。

（勤務時間法の一部改正に伴う経過措置）

第二条　各省各庁の長（勤務時間法第三条に規定する各省各庁の長をいう。）は、一般職の職員の給与に関する法律等の一部を改正する法律（令和五年法律第七十三号。附則第四条において「令和五年改正法」という。）第三条の規定の施行の日（以下この条において「施行日」という。）前に勤務時間法第六条第三項（育児休業法第十七条（育児休業法第二十二条において準用する場合を含む。）の規定により読み替えて適用する場合を除く。）の規定により勤務時間を割り振ろうとする場合又は勤務時間法第六条第四項の規定により週休日を設け、及び勤務時間を割り振ろうとする場合（規則一五―一四第四条の二の規定により職員が選択する期間（以下この条において「選択単位期間」という。）が一週間である場合を除く。）において、単位期間（勤務時間法第六条第三項に規定する単位期間をいう。以下同じ。）の初日としようとする日から起算して四週間（選択単位期間が二週間又は三週間である場合にあっては、それぞれ二週間又は三週間）を経過する日が、施行日以後に到来するときは、同規則第四条の二の規定にかかわらず、当該単位期間の末日を施行日の前日以前とするために必要な限度において、当該単位期間を一週間、二週間又は三週間とすることができる。

附　則（令六・一二・二規則一五—一四—四三）

この規則は、令和七年四月一日から施行する。

附　則（令七・三・三一規則一五—一四—四四）

この規則は、令和七年四月一日から施行する。

別表第一（第十八条の二関係）

在職期間	日数
一月に達するまでの期間	二日
一月を超え二月に達するまでの期間	三日
二月を超え三月に達するまでの期間	五日
三月を超え四月に達するまでの期間	七日
四月を超え五月に達するまでの期間	八日
五月を超え六月に達するまでの期間	十日
六月を超え七月に達するまでの期間	十二日
七月を超え八月に達するまでの期間	十三日
八月を超え九月に達するまでの期間	十五日
九月を超え十月に達するまでの期間	十七日
十月を超え十一月に達するまでの期間	十八日
十一月を超え一年未満の期間	二十日

別表第二（第二十二条関係）

親族	日数
配偶者	七日
父母	
子	五日
祖父母	三日（職員が代襲相続し、かつ、祭具等の承継を受ける場合にあっては、七日）
孫	一日
兄弟姉妹	三日
おじ又はおば	一日（職員が代襲相続し、かつ、祭具等の承継を受ける場合にあっては、七日）
父母の配偶者又は配偶者の父母	三日（職員と生計を一にしていた場合にあっては、七日）
子の配偶者又は配偶者の子	一日（職員と生計を一にしていた場合にあっては、五日）
祖父母の配偶者又は配偶者の祖父母	一日（職員と生計を一にしていた場合にあっては、三日）
兄弟姉妹の配偶者又は配偶者の兄弟姉妹	
おじ又はおばの配偶者	一日

○職員の勤務時間、休日及び休暇の運用について（通知）

平六・七・二七
職職―三二八

最終改正 令七・三・三一職職―九八

標記について下記のとおり定めたので、平成六年九月一日以降は、これによってください。

記

第一 総則関係

1 一般職の職員の勤務時間、休暇等に関する法律（平成六年法律第三十三号。以下「勤務時間法」という。）第一条の「別に法律で定めるもの」とは、次に掲げるものをいう。

(1) 外務公務員法（昭和二十七年法律第四十一号）第二十三条に規定する休暇帰国

(2) 一般職の任期付研究員の採用、給与及び勤務時間の特例に関する法律（平成九年法律第六十五号）第八条に規定する職員の裁量による勤務

(3) 独立行政法人通則法（平成十一年法律第百三号）第二条第四項に規定する行政執行法人の職員についての勤務時間、休日及び休暇に関する事項

2 人事院規則一五―一四（職員の勤務時間、休日及び休暇）（以下「規則」という。）第一条の「別に定めるもの」とは、人事院規則一五―一五（非常勤職員の勤務時間及び休暇）及び人事院規則二〇―〇（任期付研究員の採用、給与及び勤務時間の特例）第九条から第十三条までに規定する事項をいう。なお、この他に勤務時間等に関しては、人事院規則一〇―四（職員の保健及び安全保持）、人事院規則一〇―七（女子職員及び年少職員の健康、安全及び福祉）、人事院規則一〇―一一（育児又は介護を行う職員の早出遅出勤務並びに深夜勤務及び超過勤務の制限並びに意向確認等）及び人事院規則一九―〇（職員の育児休業等）に関連規定がある。

第二 任期付短時間勤務職員の一週間の勤務時間の基準関係

各省各庁の長は、国家公務員の育児休業等に関する法律（平成三年法律第百九号。以下「育児休業法」という。）第十二条第一項に規定する育児短時間勤務をしている職員に応じて当該育児短時間勤務に伴い任用されている任期付短時間勤務職員を把握するとともに、それぞれの一週間当たりの勤務時間を記録することとその他適当な方法により、当該任期付短時間勤務職員の一週間当たりの勤務時間が規則第一条の三の基準に適合していることを確認できるようにしておかなければならない。育児休業法第二十二条の規定による短時間勤務に伴い任用されている任期付短時間勤務職員の一週間当たりの勤務時間についても、同様とする。

第三 勤務時間法第六条第三項の規定による勤務時間の割振り等関係

1 勤務時間の割振り等（規則第三条第一項に規定する勤務時間の割振り等をいう。以下第三において同じ。）及び申告（同項に規定する申告をいう。第三項において同じ。）は、十五分を単位として行うものとする。ただし、定年前再任用短時間勤務職員等（同条第一項第三号に規定する定年前再任用短時間勤務職員等をいう。以下同じ。）については、単位期間（規則第四条の三第一項に規定する単位期間をいう。以下同じ。）に休日があることその他の事情によりやむを得ない場合には、必要と認められる範囲内において、この項本文の規定によらないことができる。

2 勤務時間の割振り等は、当該勤務時間の割振り等に係る単位期間の開始前（勤務時間を割り振らない日（規則第三条第一項に規定する勤務時間を割り振らない日をいう。第五の第二項及び第七項、第十三の第二項及び第五項並びに第十五の第六項を除き、以下同じ。）とされた日を勤務日としようとし、又は勤務日とされた日を勤務時間を割り振らない日としようとする場合にあってはその日前、勤務時間の割振りを変更する場合にあっては当該変更を行おうとする日の変更前及び変更後の始業の時刻より前）に行うものとする。ただし、勤務日の始業の時刻以後に業務の状況の変化等の事情が生じた場合において、各省各庁の長が公務の運営に支障がないと認めるときは、規則第三条第一項に規定する申告及び規則第七条第四項に規定する休憩時間の申告（第十一項において「申告等」という。）を経て、当該勤務日について将来に向かって勤務時間の割振りを変更することがで

きる。

3　規則第三条第一項後段の申告と異なる勤務時間の割振り等は、公務の運営に必要と認められる範囲内で、かつ、次に掲げる基準に適合するように行うものとする。この場合において、申告をされた勤務日を勤務時間を割り振らない日とするときは、その日の選択に当たり、できる限り、職員の希望を考慮するものとする。

(1)　申告をされた勤務時間を割り振らない日を勤務日とする場合又は申告をされた一日の勤務時間を延長する場合には、一日の勤務時間が七時間四十五分（定年前再任用短時間勤務職員等にあっては、その者の単位期間ごとの期間における勤務時間を当該期間における勤務時間法第六条第一項の規定による週休日以外の日の日数で除して得た時間。以下この(1)において同じ。）を超えないようにし、申告をされた一日の勤務時間を短縮する場合には、一日の勤務時間が七時間四十五分を下回らないようにすること。

(2)　始業の時刻は、申告をされた始業の時刻、標準勤務時間（各省各庁の長が、職員が勤務する部局又は機関の職員の勤務時間帯等を考慮して、七時間四十五分となるように定める標準的な一日の勤務時間をいう。以下この(2)及び第十五項(4)において同じ。）の始まる時刻又は官庁執務時間（大正十一年閣令第六号（官庁執務時間並休暇に関する件）第一項に定める官庁の執務時間をいう。以下この(2)及び第八の(1)ア(ア)において同じ。）の始まる時刻のうち最も早い時刻以後に設定し、かつ、終業の時刻は、申告をされた終業の時刻、標準勤務時間の終わる時刻又は官庁執務時間の終わる時刻のうち最も遅い時刻以前に設定すること。

4　規則第三条第一項第三号の「人事院の定める日」は、次のとおりとする。

(1)　職員が日を単位として出張する日

(2)　職員が規則第十条第一号に掲げる研修（同条の人事院が定める基準に適合するものに限る。）を受ける日

(3)　第十七の第二項による計画表等により、職員が休暇を使用して一日の勤務時間の全てを勤務しないことを予定していることが明らかな日

5　規則第三条第二項の規定により同項に規定する基準によらないことができるのは、当該定年前再任用短時間勤務職員等の業務内容、勤務する部局又は機関の他の職員の勤務時間帯等を考慮して公務の運営に必要と認められる範囲内に限る。

6　規則第三条第三項の「人事院の定める場合」は、次に掲げる場合とし、当該場合における勤務時間の割振りは、必要と認められる範囲内で、同条第一項第四号に定める基準によらないことができるものとする。

(1)　超過勤務（規則第十六条に規定する超過勤務をいう。以下同じ。）による職員の疲労の蓄積の防止その他の規則第一条の二に規定する職員の健康及び福祉の確保に必要な勤務の終了からその次の勤務の開始までの時間の確保のため、始業の時刻を規則第三条第一項第四号に規定する時間帯（以下この項及び第十五項(2)において「コアタイム」という。）の始まる時刻より後に設定し、又は終業の時刻をコアタイムの終わる時刻より前に設定する必要がある場合

(2)　職員が勤務時間の一部の時間帯において職員の住居における勤務その他これに類する各省各庁の長が認める場所における勤務（以下この(2)及び第六の第三項において「在宅勤務等」という。）を行う場合において、当該在宅勤務等を行う場所と通常の勤務場所との間の移動のため、コアタイムに休憩時間（標準休憩時間（規則第三条第一項第四号に規定する標準休憩時間をいう。以下同じ。）の時間に当該移動に要する時間を加えた時間を超えない範囲内のものであって、当該在宅勤務等を行う時間帯の直前又は直後に置かれるものに限る。）を置く必要があるとき。

(3)　第十三項に規定する職員の休憩に必要と認められる時間を確保するため、コアタイムに休憩時間を置く必要がある場合

7　規則第三条第四項の規定による人事院との協議は、次の事項を記載した文書により、事前に相当の期間をおいて行うものとする。当該人事院との協議をして定めた別段の定めを変更する場合においても、同様とする。

(1)　別段の定めの内容

(2)　別段の定めによることとする職員の範囲

(3) 別段の定めによることが公務の能率の向上に資すると認める理由

(4) 別段の定めによることが職員の健康及び福祉に重大な影響を及ぼすおそれがないと認める理由

(5) その他必要な事項

8 各省各庁の長は、規則第三条第四項の規定により人事院との協議をして定めた別段の定めによる必要がなくなった場合には、速やかにその旨を人事院に報告するものとする。

9 規則第三条第四項の「人事院が定める基準」は、別段の定めが次に掲げるものであることとする。

(1) 午後十時から翌日の午前五時までの時間帯に係る勤務について勤務時間を割り振る場合において、当該勤務を業務上必要最小限のものとなるようにし、かつ、当該勤務時間の直前及び直後に、勤務時間を割り振らない時間及び休日に割り振られた勤務時間（当該勤務時間のうち、勤務することを予定していることが明らかな時間を除く。）を合計した時間が連続して十一時間以上となるようにするもの

(2) 試験研究又は調査研究に関する業務を行う機関に勤務し、これらの研究業務に従事する職員その他これに類する職員として各省各庁の長が認める職員について、規則第三条第一項第四号中「金曜日まで」を「金曜日までのうち一日以上の日」と読み替えた場合における同項第二号、第四号及び第五号に掲げる基準に適合するように勤務時間を割り振るもの

10 規則第三条の二第二号の場合における勤務時間の割振り等の変更は、第三項(1)及び(2)に掲げる基準に適合するように行うものとする。この場合においては、できる限り、職員の希望を考慮するものとする。

11 規則第四条の二の申告・割振り簿は、各省各庁の長が作成し、次に掲げる記載事項の欄を設けるものとする。

(1) 職員の氏名

(2) 規則第四条の三第一項各号のいずれに該当する職員として規則第三条第一項に規定する申告をするかの別

(3) 申告等及び勤務時間の割振り等の対象とする期間

(4) 次に掲げる申告等及び勤務時間の割振り等に係る記載事項

ア 勤務時間を割り振らない日、始業及び終業の時刻並びに休憩時間の始まる時刻及び終わる時刻又はこれらに代わる勤務時間及び休憩時間の形態

イ 勤務時間の割振り等の変更に係るアに掲げる記載事項

(5) 申告等に係る本人の確認及び勤務時間の割振り等に係る各省各庁の長の確認

(6) 申告等の年月日及び勤務時間の割振り等の年月日

12 規則第四条の三第一項第一号の「人事院の定める場合」は、次に掲げる場合とし、各省各庁の長は、同号の規定により、当該場合の区分に応じ、単位期間をそれぞれ次に定める一週間、二週間又は三週間とするものとする。

(1) 部局又は機関内の職員について単位期間が始まる日を同一の日とすることが公務の円滑な運営に必要と認める場合において、勤務時間の割振り等を行おうとする日の初日が当該部局又は機関内の他の職員の単位期間の中途の日であるとき　当該初日から当該単位期間の末日までの期間

(2) 勤務時間の割振り等を行おうとする日の初日から起算して四週間を経過する日前に国家公務員法（昭和二十二年法律第百二十号）第八十一条の六第一項の規定による退職その他の離職をすることが明らかである場合　当該初日から当該離職をする日までの期間

(3) 育児休業法第十七条の規定により読み替えられた勤務時間法第六条第三項の規定により勤務時間を割り振ろうとする職員の育児短時間勤務の期間をその初日から四週間ごとに区分した場合において、最後に四週間未満の期間を生じたとき　当該期間

13 規則第四条の三第一項第二号ハの「人事院が定める職員」は、障害者の雇用の促進等に関する法律（昭和三十五年法律第百二十三号）第二条第一号に規定する障害者である職員のうち、同法第三十七条第二項に規定する対象障害者である職員及び当該職員以外の職員であって勤務時間の割振り等について配慮を必要とする者として人事院規則一〇―四第九条第一項に規定する健康管理医が認めるもの（第六の第三項において「障害者である職

員等」という。）とする。

14　前項の勤務時間の割振り等について配慮を必要とする者であることについては、職員の申出により、健康管理医が、当該職員を診断した医師の意見書その他の必要な情報に基づき判断するものとする。

15　各省各庁の長は、勤務時間の割振り等を行うこととした場合には、あらかじめ次の事項について職員に周知するものとする。周知した事項を変更する場合においても、同様とする。

(1)　規則第三条第一項第二号の規定により各省各庁の長があらかじめ定める時間

(2)　コアタイム

(3)　始業及び終業の時刻を設定することができる時間帯

(4)　標準勤務時間の始まる時刻及び終わる時刻

(5)　標準休憩時間

(6)　その他必要な事項

16　各省各庁の長は、勤務時間の割振り等を行った場合には、規則第九条第二項の規定に基づき、勤務時間を割り振らない日並びに各勤務日の正規の勤務時間及び休憩時間を職員に対して通知するものとする。ただし、前項の規定によりあらかじめ職員に周知している事項については、その通知を省略することができる。

第四　特別の形態によって勤務する必要のある職員の週休日及び勤務時間の割振りの基準等関係

1　各省各庁の長は、勤務時間法第七条第一項の規定による週休日及び勤務時間の割振りを定める場合には、割振り単位期間（同条第二項本文に規定する四週間ごとの期間又は同項ただし書の規定により人事院と協議して各省各庁の長が定めた五十二週間を超えない期間をいう。）ができる限り多く連続するように一括して行うものとする。

2　勤務時間法第七条第二項ただし書の規定による人事院との協議は、次の事項を記載した文書により、事前に相当の期間をおいて行うものとする。

(1)　協議の対象となる職員の範囲

(2)　勤務時間法第七条第二項本文の定めるところに従うことが困難である理由

(3)　週休日及び勤務時間の割振りの基準の内容

3　各省各庁の長は、勤務時間法第七条第二項ただし書の規定により人事院と協議した週休日及び勤務時間の割振りについての定めを変更する場合には、変更の内容及び理由を記載した文書により、人事院と協議するものとする。

4　各省各庁の長は、規則第五条第三項の規定により人事院との協議を行うことなく、勤務時間法第七条第二項ただし書の定めるところに従い週休日及び勤務時間の割振りを定めた場合には、速やかに第二項(1)から(3)までに掲げる事項を人事院に報告するものとする。

5　各省各庁の長は、勤務時間法第七条第二項ただし書の定めるところに従い定めた週休日及び勤務時間の割振りによる必要がなくなった場合には、速やかにその旨を人事院に報告するものとする。

第五　週休日の振替等関係

1　一の週休日又は勤務時間を割り振らない日について、週休日の振替（規則第六条第二項第一号に規定する週休日の振替をいう。以下同じ。）又は勤務時間を割り振らない日の振替（同項第二号に規定する勤務時間を割り振らない日の振替をいう。以下同じ。）及び四時間の勤務時間の割振り変更（同項第三号に規定する四時間の勤務時間の割振り変更をいう。以下同じ。）の双方を行うことができる場合には、できる限り、週休日の振替又は勤務時間を割り振らない日の振替を行うものとする。

2　週休日の振替又は勤務時間を割り振らない日の振替を行う場合において、勤務することを命ずる必要がある日に割り振る勤務時間は、週休日又は勤務時間を割り振らない日（勤務時間法第八条第二項において読み替えて準用する同条第一項の規定による勤務時間を割り振らない日をいう。第七項において同じ。）に変更される勤務日の始業の時刻から終業の時刻までの時間帯に割り振るものとする。ただし、これと異なる時間帯に割り振ることが業務上特に必要であると認められる場合には、この限りでない。

3　四時間の勤務時間の割振り変更を行う場合において、勤務することを命ずる必要がある日に割り振る勤務時間は、当該四時間の勤務時間の割振り変更が行われる職員の通常の始業の時刻から終業の時刻までの時間帯の範囲内に割り振るものとする。ただし、これと異なる時間帯に割り振ることが業務上特に必要であると認められる場合には、この限りでない。

4　勤務時間法第六条第一項又は第七条の規定に基づき毎日曜日を週休日と定められている職員にあっては、休日に割り振られている勤務時間については、できる限り、週休日の振替等（規則第六条第二項に規定する週休日の振替等をいう。以下同じ。）は行わないものとする。

5　各省各庁の長は、勤務時間法第八条第一項の規定に基づき育児短時間勤務職員等（規則第十二条の二第一項に規定する育児短時間勤務職員等をいう。以下同じ。）に週休日の振替又は四時間の勤務時間の割振り変更を行う場合には、当該育児短時間勤務職員等に対する超過勤務については、勤務時間法第十三条第二項の規定が育児休業法第十七条（育児休業法第二十二条において準用する場合を含む。）の規定により読み替えられ、他の職員よりも厳格な要件が定められていることに留意するものとする。

6　規則第六条第三項の「連続する勤務時間」には、休憩時間をはさんで引き続く勤務時間が含まれる。

7　各省各庁の長は、週休日の振替等を行った場合には、規則第九条第二項の規定に基づき、次の事項を職員に対して通知するものとする。ただし、週休日の振替等により勤務することを命ずる日の勤務時間帯等の基準をあらかじめ定め、職員に周知している場合には、当該事項について通知を省略することができる。

(1)　週休日の振替又は勤務時間を割り振らない日の振替を行った場合

ア　新たに勤務することを命ずることとなった日並びにその日の正規の勤務時間、休憩時間及び休息時間

イ　新たに勤務することを命ずることとなった日の勤務の内容

ウ　週休日又は勤務時間を割り振らない日に変更した日

(2)　四時間の勤務時間の割振り変更を行った場合

ア　新たに勤務することを命ずることとなった日並びにその日の正規の勤務時間、休憩時間及び休息時間

イ　新たに勤務することを命ずることとなった日の勤務の内容

ウ　勤務時間を割り振ることをやめることとなった日並びにその日の勤務時間を割り振ることをやめた後の正規の勤務時間及び休息時間

第六　休憩時間関係

1　規則第七条第一項第一号の「おおむね毎四時間の連続する正規の勤務時間」は、最大限四時間三十分の勤務時間とする。

2　規則第七条第一項第三号の「おおむね四時間」は、三時間十五分から四時間十五分までの間の時間とする。

3　各省各庁の長は、規則第七条第三項の規定に基づき、次に掲げる場合には、それぞれ次に定める基準に適合するように休憩時間を置くことができる。

(1)　標準休憩時間の時間帯において六十分又は四十五分の休憩時間を置くことにより業務を処理するために必要な要員の確保ができない場合又は障害者である職員等から申出があり、かつ、公務の運営に支障がないと認められる場合　規則第七条第一項又は第二項の規定による六十分又は四十五分の休憩時間を十五分単位で二回に分割し、そのうち四十五分又は三十分の休憩時間を標準休憩時間の時間帯に一回置き、他の一回の休憩時間を当該時間帯以外の時間帯に置くこと。この場合において、連続する正規の勤務時間が四時間三十分を超えないようにすること。

(2)　勤務時間法第六条第二項の規定により割り振られた一日の勤務時間（勤務時間法第八条第一項の規定により当該勤務時間を同項の勤務することを命ずる必要がある日に割り振る場合におけるその割り振られた勤務時間を含む。）が七時間四十五分である場合において、規則第七条第一項第二号に掲げる基準に適合するように休憩時間を置くだけでは次に掲げる場合に該当することとなるとき（イ及びウに掲げる場合に該当することとなる場合にあっては、職員から申出があり、かつ、公務の運営に支障がないと認められるときに限る。）　それぞれ必要と認められる範囲内において同項又は

同条第二項の規定による休憩時間を延長すること。この場合において、始業の時刻は午前五時以後に、終業の時刻は午後十時以前に設定すること。

ア　勤務時間の一部の時間帯における在宅勤務等（当該休憩時間に当該在宅勤務等を行う場所と通常の勤務場所との間の移動が必要となるものに限る。）の適切な実施を確保できない場合

イ　育児介護等職員（規則第四条の三第一項第二号に規定する育児介護等職員をいう。以下同じ。）が同号イに規定する養育又は同号ロに規定する介護を行うために必要な時間を確保できない場合（当該休憩時間の直前又は直後に在宅勤務等を行う場合に限る。）

ウ　障害者である職員等の休憩に必要と認められる時間を確保できない場合

(3)　次に掲げる場合（職員から申出があり、かつ、公務の運営に支障がないと認められる場合に限る。）　規則第七条第一項又は第二項の規定による休憩時間を、当該休憩時間が六十分とされている場合にあっては四十五分又は三十分、四十五分とされている場合にあっては三十分に短縮すること。

ア　育児介護等職員が規則第四条の三第一項第二号イに規定する養育又は同号ロに規定する介護を行う場合

イ　交通機関を利用して通勤した場合に、出勤について職員の住居を出発した時刻から始業の時刻までの時間と退勤について終業の時刻から職員の住居に到着するまでの時間を合計した時間（交通機関を利用する時間に限る。）が、始業の時刻を遅らせ、又は終業の時刻を早めることにより三十分以上短縮されると認められるとき（始業及び終業の時刻を変更することにより、当該合計した時間を三十分以上短縮できる場合を除く。）。

ウ　妊娠中の女子職員が通勤に利用する交通機関の混雑の程度が当該女子職員の母体又は胎児の健康保持に影響があると認められる場合

エ　始業の時刻から終業の時刻までの時間の短縮が障害者である職員等に必要と認められる場合

(4)　障害者である職員等から申出があり、かつ、公務の運営に支障がないと認められる場合　規則第七条第一項若しくは第二項の規定又は(1)の規定により標準休憩時間の時間帯に置く休憩時間に加え、当該時間帯以外の時間帯に三十分又は十五分の休憩時間を置くこと。この場合において、勤務時間法第六条第二項の規定により勤務時間を割り振られた職員の始業の時刻は午前五時以後に、終業の時刻は午後十時以前に設定すること。

4　各省各庁の長は、前項(1)から(4)までの申出について確認する必要があると認めるときは、当該申出をした職員に照会するなど、その事由や必要な休憩時間について確認するものとする。

5　規則第七条第四項後段の規定による休憩時間は、同条第一項から第三項までに定める基準に適合するように、同条第四項に規定する休憩時間の申告をした職員の業務内容、勤務する部局又は機関の他の職員の勤務時間帯、標準休憩時間等を考慮して公務の運営に必要と認められる範囲内で、当該申告と異なる始まる時刻又は終わる時刻を設定することにより置くものとする。この場合においては、できる限り、職員の希望を考慮するものとする。

第七　休息時間関係

1　規則第八条第一項の「おおむね四時間」は、三時間三十分から四時間三十分までの間の時間とする。

2　規則第八条第一項の「人事院が定める回数」は、一回の勤務に割り振られた勤務時間が十時間十五分未満である場合にあっては一回、当該勤務時間が十時間十五分以上十六時間以下である場合にあっては二回とする。

3　四時間の勤務時間の割振り変更を行った場合において、勤務時間を割り振ることをやめることとなった日及び新たに勤務することを命ずることとなった日については、当該四時間の勤務時間の割振り変更後におけるそれぞれの日の勤務時間の割振りに応じた休息時間を置くものとする。

第八　通常の勤務場所を離れて勤務する職員の勤務時間関係

規則第十条の「人事院が定める基準」は、次に掲げる勤務の区分に応じ、次に掲げる基準とする。

(1) 規則第十条第一号に掲げる研修　次に掲げる研修の区分に応じ、次に掲げる基準

ア　自ら実施する研修　その課業時間（講義、演習、実習等の課業のための時間をいう。以下同じ。）が次に掲げるとおりであること。

(ア) 研修の効果的実施のため特に必要があると認められる場合、講師又は施設の確保のためやむを得ないと認められる場合等を除き、課業時間は、官庁執務時間に準拠した時間内に置かれ、かつ、一日につき七時間四十五分以内であること。

(イ) 研修の課業時間は、一週間につき、当該研修を受ける職員の一週間の勤務時間を超えず、かつ、その四分の三を下らないものであること。ただし、研修の目的、内容等に照らしてこの基準により難い場合は、当該研修の期間を超えない一定の期間について、その期間内における一週間当たりの平均課業時間が当該研修を受ける職員の当該期間内における一週間当たりの勤務時間を超えず、かつ、その四分の三を下らないものとすることができる。

イ　学校その他の外部の機関に委託して実施する研修　アの基準に準じたものであること。

(2) 規則第十条第二号に掲げる施設外勤務　当該施設外勤務が次に掲げるとおりであること。

ア　勤務時間の割振り後に、矯正施設の長と施設外勤務を受け入れる医療機関、大学その他の機関との間であらかじめ取り決められていた施設外勤務を行う時間（休憩時間を除き連続し、かつ、その全部が当該職員の正規の勤務時間内に含まれるものに限る。以下「施設外勤務予定時間」という。）からその日における別の時間に変更されて命ぜられたものであること。

イ　施設外勤務予定時間に係る時間数を超えず、かつ、その四分の三を下らないものとして命ぜられたものであること。

ウ　当該職員の正規の勤務時間内における施設外勤務予定時間以外の時間と重複しないものとして命ぜられたものであること。

第九　船員の勤務時間の特例関係

1　勤務時間法第十一条の規定による人事院との協議は、事前に相当の期間をおいて行うものとする。

2　規則第十二条第二項の「人事院が定めるもの」は、公安職俸給表(二)の職員が行う人命又は他の船舶を救助するための作業とする。

第十　宿日直勤務及び超過勤務並びに超勤代休時間の指定関係

1　規則第十四条第一項の「必要やむを得ないものであり、かつ、職員の心身にかかる負担の程度が軽易」であるためには、当該勤務を命ずる必要性があること、交替制勤務により対応することが困難であること、勤務場所（庁舎に附属する居住室を含む。）の環境が整備されていること、仮眠の時間が確保されていること等が必要である。

2　規則第十四条第四項の「人事院の定める事項」は次のとおりとする。

(1) 当直勤務の内容
(2) 当直勤務の時間及び仮眠の時間
(3) 当直勤務に従事する職員の範囲
(4) 一回当たりの勤務人数
(5) 一月当たりの勤務回数
(6) 職員への周知方法
(7) 当直勤務者の休憩・仮眠施設

3　規則第十五条の二第二項の規定は、育児短時間勤務職員等の超過勤務について、他の職員よりも厳格な要件を定める趣旨である。

4　規則第十六条の二の二第一項各号の「部署」の単位は、原則として課若しくは室又はこれらに相当するものとする。

5　規則第十六条の二の二第一項第一号イ(1)並びに第二号イ、ハ及びニ並びにこの通知の第十の第十項(1)アからウまで及び(2)アの「一箇月」とは、月の初日から末日までの期間をいう。

6　規則第十六条の二の二第一項第一号イ(2)及びロ(1)並びに第二号ロ及びニ並びにこの通知の第十の第十項(1)ウの「一年」とは、四月一日から翌年三月三十一日までの期間（人事異動の時期等を考慮して円滑に超過勤務に係る事務処理を行うため必要がある場合には、各省各庁の長が定める四月以外の月の初日から起算して一年を経過するまでの期間）をいう。

7　各省各庁の長は、前項に規定する一年を四月以外の月の初日から起算して一年を経過するまでの期間とする場合には、あらかじめ、その起算する日を人事院に報告するものとする。

8　職員が府省等（会計検査院、人事院、内閣官房、内閣法制局、各府省、デジタル庁及び復興庁、宮内庁並びに内閣府設置法（平成十一年法律第八十九号）第四十九条第一項及び第二項に規定する各機関並びに各外局（同条第一項に規定する機関を除く。）をいう。第十項(2)イにおいて同じ。）を異にする異動をした場合においては、規則第十六条の二の二第一項第一号イ(1)並びに第二号イ及びハ並びにこの通知の第十の第十項(1)ア及びイ並びに(2)アの規定の適用に係る当該異動の前後の超過勤務の時間を通算して算定するものとする。

9　職員が異動した場合には、当該職員に係る異動前の勤務時間管理員（人事院規則九―五（給与簿）第三条に規定する勤務時間管理員をいう。以下同じ。）は、当該職員に係る異動後の勤務時間管理員に規則第十六条の二の二第一項各号に規定する時間又は月数（第十四項及び第十六項において「上限時間等」という。）の算定に必要な事項を通知するものとする。

10　規則第十六条の二の二第一項第一号ロ(2)の「人事院が定める期間」及び「人事院が定める時間及び月数」は、次に掲げる期間の区分に応じ、それぞれ次に定める期間並びに時間及び月数（(2)にあっては、期間及び時間）とする。

(1)　規則第十六条の二の二第一項第二号に規定する部署（以下この項及び次項において「他律的部署」という。）から同条第一項第一号に規定する部署への異動、次項後段の他律的部署の範囲の変更その他の事由により職員が勤務する部署が同号に規定する部署となった日から当該日が属する月の末日までの期間（(2)において「特定期間」という。）　次のアからウまでに定める時間及び月数

ア　一箇月において超過勤務を命ずる時間について百時間未満

イ　一箇月ごとに区分した各期間に当該各期間の直前の一箇月、二箇月、三箇月、四箇月及び五箇月の期間を加えたそれぞれの期間において超過勤務を命ずる時間の一箇月当たりの平均時間について八十時間

ウ　一年のうち一箇月において四十五時間を超えて超過勤務を命ずる月数について六箇月

(2)　特定期間の末日の翌日から第六項に規定する一年の末日までの期間　次のア及びイに定める時間

ア　一箇月において超過勤務を命ずる時間について四十五時間

イ　当該期間において超過勤務を命ずる時間について三十時間に当該期間の月数を乗じて得た時間（府省等を異にする異動をしたことにより規則第十六条の二の二第一項第一号ロに掲げる職員に該当することとなった者にあっては、三百六十時間から特定期間において当該職員に命じた超過勤務の時間を減じて得た時間）

11　各省各庁の長は、他律的部署の範囲を必要最小限のものとし、当該範囲を定めた場合には、速やかに職員に周知しなければならない。当該範囲を変更するときも同様とする。

12　各省各庁の長は、特例業務（規則第十六条の二の二第二項に規定する特例業務をいう。以下同じ。）の範囲を、職員が従事する業務の状況を考慮して必要最小限のものとしなければならない。この場合において、当該職員の超過勤務が規則第十六条の二の二第一項第二号イ又はハに規定する時間を超えるときには、その特例業務の範囲をより慎重に判断するものとする。

13　規則第十六条の二の二第二項の「人事院が定める期間」は、次に掲げる期間とし、同項の「人事院が定める場合」は、当該期間の区分に応じ、それぞれ次に定める場合とする。

(1)　規則第十六条の二の二第一項第一号イ(1)及び第二号イ並びにこの通知の第十の第十項(1)ア及び(2)アに規定する一箇月　当該期間において、職員が特例業務に従事していたことがある場合であって、これらの規定に規定する時間を超えて超過勤務を命ずる必要があるとき。

(2)　規則第十六条の二の二第一項第二号ハ及びこの通知の第十の第十項(1)イに規定する

一箇月ごとに区分した各期間に当該各期間の直前の一箇月、二箇月、三箇月、四箇月及び五箇月の期間を加えたそれぞれの期間　当該期間のいずれかにおいて、職員が特例業務に従事していたことがある場合であって、当該従事していたことがある期間についてこれらの規定に規定する時間を超えて超過勤務を命ずる必要があるとき。

(3) 規則第十六条の二の二第一項第一号イ(2)及びロ(1)並びに第二号ロ及びニ並びにこの通知の第十の第十項(1)ウに規定する一年　当該期間において、職員が特例業務に従事していたことがある場合であって、これらの規定に規定する時間又は月数を超えて超過勤務を命ずる必要があるとき。

(4) 第十項(2)に規定する期間　当該期間において、職員が特例業務に従事していたことがある場合であって、同項(2)イに規定する時間を超えて超過勤務を命ずる必要があるとき。

14 各省各庁の長は、規則第十六条の二の二第二項の規定により、上限時間等を超えて職員に超過勤務を命ずる場合には、あらかじめ、当該命ぜられた超過勤務は同項の規定により同条第一項の規定の適用を受けないもの（次項及び第十六項において「特例超過勤務」という。）であることを職員に通知するものとする。ただし、特例業務の処理に要する時間をあらかじめ見込み難いため上限時間等を超えて超過勤務を命ずる必要があるかどうかを判断することが困難であることその他の事由により職員にあらかじめ通知することが困難である場合は、この限りでない。

15 前項ただし書の場合においては、各省各庁の長は、事後において速やかに特例超過勤務であることを職員に通知するものとする。

16 規則第十六条の二の二第三項に規定する超過勤務に係る要因の整理、分析及び検証（次項及び第十八項において「整理分析等」という。）を行うに当たっては、上限時間等を超えて超過勤務を命ぜられた職員について、少なくとも、所属部署、氏名、特例超過勤務を命じた月又は年における超過勤務の時間又は月数及び当該月又は年に係る上限時間等、当該職員が従事した特例業務の概要並びに人員配置又は業務分担の見直し等によっても同条第二項の規定の適用を回避することができなかった理由を記録しなければならない。

17 各省各庁の長は、適切に情報を収集した上で、整理分析等を行うものとする。

18 各省各庁の長は、整理分析等を行った場合にはその結果も踏まえ、業務量の削減又は業務の効率化に取り組むなど、超過勤務の縮減に向けた適切な対策を講ずるものとする。

19 規則第十六条の三第四項の「連続する勤務時間」には、休憩時間をはさんで引き続く勤務時間が含まれる。

20 規則第十六条の三第五項に規定する超勤代休時間の指定を希望しない旨の申出は、超勤代休時間の指定前に行うものとする。

21 勤務時間法第十三条の二第一項の規定に基づく超勤代休時間の指定は、超勤代休時間指定簿により、その指定に代えようとする超過勤務手当の支給に係る六十時間超過月の末日の直後の俸給の支給定日までに行うものとする。

22 超勤代休時間指定簿の様式は別紙第1のとおりとする。ただし、別紙第1の様式に記載することとされている事項が全て含まれている場合には、各省各庁の長は、別に様式を定めることができる。

23 超勤代休時間指定簿は、一の超勤代休時間ごとに一部作成するものとする。ただし、必要に応じて、複数の超勤代休時間について同一の超勤代休時間指定簿によることができる。

第十一　休日の代休日の指定関係

1 規則第十七条第二項に規定する代休日の指定を希望しない旨の申出は、代休日の指定前に行うものとする。

2 勤務時間法第十五条第一項の規定に基づく代休日の指定は、代休日指定簿により行うものとし、できる限り、休日に勤務することを命ずると同時に行うものとする。

3 代休日指定簿の様式は別紙第2のとおりとする。ただし、別紙第2の様式に記載することとされている事項がすべて含まれている場合には、各省各庁の長は、別に様式を定めることができる。

4 代休日指定簿は、一の代休日ごとに一部作成するものとする。ただし、必要に応じて、複数の代休日について同一の代休日指定簿によることができる。

第十二　年次休暇関係

1　勤務時間法第十七条第一項の「一の年」とは、一暦年をいう。

2　勤務時間法第十七条第一項第二号の新たに職員となった者には、非常勤職員（定年前再任用短時間勤務職員等を除く。）から引き続き常勤職員となった者を含む。

3　勤務時間法第十七条第一項第二号の任期が満了することにより退職することとなる者には、国家公務員法第八十一条の六第一項の規定に基づき退職することとなる職員、同法第八十一条の七第一項の期限又は同条第二項の規定により延長された期限が到来することにより退職することとなる職員及び任期を定めて任用されている職員のうち別段の定めをしない限り繰り返し任用することとされている職員を含まない。

4　規則第十八条第二号の「不斉一型短時間勤務職員の勤務時間」に一時間未満の端数がある場合には、これを切り上げるものとする。

5　規則第十八条の二第一項第一号の「人事院が別に定める日数」は、その者の当該年における在職期間に応じ、斉一型短時間勤務職員にあっては別表第一の下欄に掲げる一週間の勤務日の日数の区分ごとに定める日数とし、不斉一型短時間勤務職員にあっては別表第二の下欄に掲げる一週間当たりの勤務時間の区分ごとに定める日数とする。

6　勤務時間法第十七条第一項第三号並びに規則第十八条の二第一項第二号及び同条第三項第三号の引き続き職員となった者とは、人事交流等により採用された者及び独立行政法人通則法第二条第四項に規定する行政執行法人の職員から異動した者をいう。

7　規則第十八条の二第一項第二号の「使用した年次休暇に相当する休暇の日数」及び同条第四項第一号ロの「使用した年次休暇に相当する休暇又は年次休暇の日数」に一日未満の端数があるときは、これを切り上げた日数とし、同号イの「年次休暇に相当する休暇又は年次休暇の残日数」が二十日を超えない場合で一日未満の端数があるときは、これを切り捨てた日数とする。

8　規則第十八条の二第一項第二号の「人事院が別に定める日数」は、次に掲げる職員の区分に応じ、それぞれ次に定める日数とする。

(1)　当該年において、定年前再任用短時間勤務職員等に相当する行政執行法人職員等（勤務時間法第十七条第一項第三号に規定する行政執行法人職員等をいう。以下同じ。）となった者であって、引き続き定年前再任用短時間勤務職員等となったもの（(2)に掲げる職員を除く。）　当該行政執行法人職員等から引き続き定年前再任用短時間勤務職員等となった日において新たに定年前再任用短時間勤務職員等となったものとして勤務時間法第十七条第一項第二号の規定を適用した場合に得られる日数に、当該行政執行法人職員等となった日において当該行政執行法人職員等が相当する定年前再任用短時間勤務職員等となり、かつ、当該年において定年前再任用短時間勤務職員等となった日の前日において任期が満了することにより退職することとなるものとみなして同号の規定を適用した場合に得られる日数（第十項(2)イにおいて「定年前再任用短時間勤務職員等みなし付与日数」という。）から、同日までの間に使用した年次休暇に相当する休暇の日数（一日未満の端数があるときは、これを切り上げた日数）を減じて得た日数を加えて得た日数

(2)　当該年において、新たに定年前再任用短時間勤務職員等となった者（行政執行法人職員等から引き続き定年前再任用短時間勤務職員等となった者を除く。）であって、引き続き定年前再任用短時間勤務職員等に相当する行政執行法人職員等となり、当該行政執行法人職員等から引き続き定年前再任用短時間勤務職員等となったもの　(1)に定める日数に、当該行政執行法人職員等となった日の前日における年次休暇の残日数（一日未満の端数があるときは、これを切り捨てた日数）を加えて得た日数

9　規則第十八条の二第二項第三号の人事院が認める法人は、特別の法律の規定により、国家公務員退職手当法（昭和二十八年法律第百八十二号）第七条の二の規定の適用について、同条第一項に規定する公庫等職員とみなされる者を使用する法人とする。

10　規則第十八条の二第四項第二号の「人事院が別に定める日数」は、次に掲げる職員の区分に応じ、それぞれ次に定める日数とする。

(1)　当該年の前年に定年前再任用短時間勤務職員等に相当する行政執行法人職員等で

あった者であって、引き続き当該年に定年前再任用短時間勤務職員等となったもの　次に掲げる場合に応じ、それぞれ次に定める日数

ア　当該年の初日に定年前再任用短時間勤務職員等となった場合　定年前再任用短時間勤務職員等となった日において新たに定年前再任用短時間勤務職員等となったものとして勤務時間法第十七条第一項第一号（育児休業法第二十五条の規定により読み替えて適用する場合を含む。以下同じ。）又は第二号の規定を適用した場合に得られる日数に、当該年の前年における年次休暇に相当する休暇の残日数（一日未満の端数があるときは、これを切り捨てた日数とし、当該日数が当該年の前年における当該行政執行法人職員等として在職した期間を当該行政執行法人職員等が相当する定年前再任用短時間勤務職員等として在職したものとみなして勤務時間法第十七条第一項第一号又は第二号の規定を適用した場合に得られる日数を超えるときは、当該日数。イにおいて同じ。）を加えて得た日数

イ　当該年の初日後に定年前再任用短時間勤務職員等となった場合　当該年において定年前再任用短時間勤務職員等となった日において新たに定年前再任用短時間勤務職員等となったものとして勤務時間法第十七条第一項第二号の規定を適用した場合に得られる日数（⑵において「基礎日数」という。）に、当該年の初日において定年前再任用短時間勤務職員等となり、かつ、当該年において定年前再任用短時間勤務職員等となった日の前日において任期が満了することにより退職することとなるものとみなして同号の規定を適用した場合に得られる日数と当該年の前年における年次休暇に相当する休暇の残日数とを合計した日数から、同日までの間に使用した年次休暇に相当する休暇の日数（一日未満の端数があるときは、これを切り上げた日数）を減じて得た日数を加えて得た日数

⑵　当該年の前年に定年前再任用短時間勤務職員等であった者であって、引き続き当該年に定年前再任用短時間勤務職員等に相当する行政執行法人職員等となり、当該行政執行法人職員等から引き続き定年前再任用短時間勤務職員等となったもの　次に掲げる場合に応じ、それぞれ次に定める日数

ア　当該年の初日に定年前再任用短時間勤務職員等に相当する行政執行法人職員等となった場合　基礎日数に、当該年の初日において定年前再任用短時間勤務職員等となり、かつ、当該年において定年前再任用短時間勤務職員等となった日の前日において任期が満了することにより退職することとなるものとみなして勤務時間法第十七条第一項第二号の規定を適用した場合に得られる日数と当該年の前年における年次休暇の残日数（一日未満の端数があるときは、これを切り捨てた日数。イにおいて同じ。）とを合計した日数から、同日までの間に使用した年次休暇に相当する休暇の日数（一日未満の端数があるときは、これを切り上げた日数）を減じて得た日数を加えて得た日数

イ　当該年の初日後に定年前再任用短時間勤務職員等に相当する行政執行法人職員等となり、当該行政執行法人職員等から引き続き定年前再任用短時間勤務職員等となった場合　基礎日数に、当該年の初日において定年前再任用短時間勤務職員等となり、かつ、当該年において行政執行法人職員等となった日の前日において任期が満了することにより退職することとなるものとみなして勤務時間法第十七条第一項第二号の規定を適用した場合に得られる日数、定年前再任用短時間勤務職員等みなし付与日数及び当該年の前年における年次休暇の残日数を加えて得た日数から、当該年において定年前再任用短時間勤務職員等となった日の前日までの間に使用した年次休暇に相当する休暇の日数及び使用した年次休暇の日数（これらの日数に一日未満の端数があるときは、これを切り上げた日数）を減じて得た日数

11　規則第十八条の二第五項の「使用した年次休暇に相当する休暇の日数が明らかでないもの」とは、行政執行法人職員等として在職した期間において使用した年次休暇に相当する

休暇の日数又は当該年の前年の末日における年次休暇に相当する休暇の残日数が把握できない者をいい、その者の年次休暇の日数は、当該使用した年次休暇に相当する休暇の日数を把握できない期間において当該期間に応じて規則別表第1の日数欄に掲げる日数の年次休暇に相当する休暇を使用したものとみなし又は当該把握できない残日数を二十日とみなして、それぞれ規則第十八条の二第一項第二号又は同条第四項の規定を適用した場合に得られる日数とする。

12　規則第十八条の三の「当該変更の日の前日までに使用した年次休暇の日数」に一日未満の端数がある場合には、同条の「当該変更の日の前日までに使用した年次休暇の日数を減じて得た日数」は、当該端数を切り上げた日数を減じて得た日数に、当該変更の日の前日において規則第二十条第二項の規定に基づき得られる時間数から当該端数の時間数を減じて得た時間数を当該得られる時間数で除して得た数に相当する日数を加えて得た日数とする。

13　当該年に、定年前再任用短時間勤務職員等が一週間当たりの勤務時間を異にする定年前再任用短時間勤務職員等となり、斉一型短時間勤務職員から一週間当たりの勤務時間を同じくする不斉一型短時間勤務職員となり、若しくは不斉一型短時間勤務職員から一週間当たりの勤務時間を同じくする斉一型短時間勤務職員となったこと又は定年前再任用短時間勤務職員（国家公務員法第六十条の二第二項に規定する定年前再任用短時間勤務職員をいう。以下この項において同じ。）が一週間当たりの勤務時間を同じくする任期付短時間勤務職員となり、若しくは任期付短時間勤務職員が一週間当たりの勤務時間を同じくする定年前再任用短時間勤務職員となったこと（以下この項及び第十四の第三項において「勤務時間の変更等」という。）があった場合における年次休暇の日数は、次に掲げる場合に応じ、それぞれ次に定める日数とする。

(1)　当該年の初日に勤務時間の変更等があった場合　同日において勤務時間の変更等があった日における定年前再任用短時間勤務職員等となったものとみなして勤務時間法第十七条第一項第一号又は第二号の規定を適用した場合に得られる日数に、当該年の前年における年次休暇の残日数（一日未満の端数があるときは、これを切り捨てた日数。(2)において同じ。）を加えて得た日数

(2)　当該年の初日後に勤務時間の変更等があった場合　勤務時間の変更等があった日の前日において任期が満了することにより退職することとなるものとみなして勤務時間法第十七条第一項第二号の規定を適用した場合に得られる日数に、当該勤務時間の変更等があった日において同日における定年前再任用短時間勤務職員等となったものとみなして同号の規定を適用した場合に得られる日数及び当該年の前年における年次休暇の残日数を加えて得た日数から、当該年において同日の前日までの間に使用した年次休暇の日数（一日未満の端数があるときは、これを四捨五入して得た日数）を減じて得た日数（当該日数が零を下回る場合にあっては、零）

14　勤務時間法第十七条第二項の規定により繰り越された年次休暇がある職員から年次休暇の請求があった場合は、繰り越された年次休暇から先に請求されたものとして取り扱うものとする。

15　一日を単位とする年次休暇は、定年前再任用短時間勤務職員等及び育児短時間勤務職員等以外の職員並びに不斉一型短時間勤務職員にあっては一回の勤務に割り振られた勤務時間が七時間を超え七時間四十五分（勤務時間法第十一条の規定により勤務時間が延長された職員にあっては、八時間）を超えない時間とされている場合において当該勤務時間の全てを勤務しないときに、斉一型短時間勤務職員にあっては一日の勤務時間の全てを勤務しないときに使用できるものとする。

16　第五項、第八項、第十項、第十三項及び前項に定めるもののほか、定年前再任用短時間勤務職員等の年次休暇に関し必要な事項は、別に定める。

第十三　病気休暇関係

1　勤務時間法第十八条の「疾病」には、予防接種による著しい発熱、生理により就業が著しく困難な症状等が、「療養する」場合には、負傷又は疾病が治った後に社会復帰のためリハビリテーションを受ける場合等が含まれるものとする。

2　規則第二十一条第一項の「人事院が定める日」は、同項各号に掲げる場合における病気休暇を使用した日及び当該病気休暇に係る負傷又は疾病に係る療養期間中の週休日、勤務時間を割り振らない日（規則第六条第二項各号列記以外の部分に規定する勤務時間を割り振らない日をいう。第五項及び第十五の第六項において同じ。）、休日、代休日その他の病気休暇の日以外の勤務しない日とする。

3　前項の「病気休暇の日以外の勤務しない日」には、年次休暇又は特別休暇を使用した日等が含まれ、また、一日の勤務時間の一部を勤務しない日が含まれるものとする。

4　規則第二十一条第一項第二号の「公務」には、国際機関等に派遣される一般職の国家公務員の処遇等に関する法律（昭和四十五年法律第百十七号）第三条に規定する派遣職員の派遣先の機関の業務並びに国と民間企業との間の人事交流に関する法律（平成十一年法律第二百二十四号）第十六条、法科大学院への裁判官及び検察官その他の一般職の国家公務員の派遣に関する法律（平成十五年法律第四十号）第九条（同法第十八条において準用する場合を含む。）、福島復興再生特別措置法（平成二十四年法律第二十五号）第四十八条の九若しくは第八十九条の九、令和三年東京オリンピック競技大会・東京パラリンピック競技大会特別措置法（平成二十七年法律第三十三号）第二十三条、平成三十一年ラグビーワールドカップ大会特別措置法（平成二十七年法律第三十四号）第十条、令和七年に開催される国際博覧会の準備及び運営のために必要な特別措置に関する法律（平成三十一年法律第十八号）第三十一条又は令和九年に開催される国際園芸博覧会の準備及び運営のために必要な特別措置に関する法律（令和四年法律第十五号）第二十一条の規定（以下この項において「特定規定」という。）により一般職の職員の給与に関する法律（昭和二十五年法律第九十五号）第二十三条第一項及び附則第六項の規定の適用に関し公務とみなされる業務及び特定規定に規定する通勤が含まれるものとする。

5　規則第二十一条第二項の「人事院が定める場合」は、連続する八日以上の期間における週休日、勤務時間を割り振らない日、勤務時間法第十三条の二第一項の規定により割り振られた勤務時間の全部について超勤代休時間が指定された勤務日等、休日及び代休日以外の日（以下この項及び第十七の第三項において「要勤務日」という。）の日数が三日以下である場合とし、規則第二十一条第二項の「人事院が定める期間」は、当該期間における要勤務日の日数が四日以上である期間とし、同項の「人事院が定める時間」は、次に掲げる時間とする。

(1)　育児休業法第二十六条第一項に規定する育児時間の承認を受けて勤務しない時間

(2)　生理日の就業が著しく困難な場合における病気休暇により勤務しない時間

(3)　人事院規則一〇―七第五条、第六条第二項、第七条又は第十条の規定により勤務しない時間

(4)　規則第二十二条第一項第八号に掲げる場合における特別休暇により勤務しない時間

(5)　介護休暇により勤務しない時間

(6)　介護時間により勤務しない時間

6　規則第二十一条第三項及び第四項の「明らかに異なる負傷又は疾病」には、症状が明らかに異なると認められるものであっても、病因が異なると認められないものは含まれないものとし、各省各庁の長は、医師が一般に認められている医学的知見に基づき行う症状や病因等についての診断を踏まえ、明らかに異なる負傷又は疾病に該当するかどうかを判断するものとし、同条第三項の「特定負傷等の日」は、各省各庁の長が、当該診断を踏まえ、これを判断するものとする。

7　規則第二十一条第五項の「病気休暇の日以外の勤務しない日」には、年次休暇又は特別休暇を使用した日等が含まれ、また、一日の勤務時間の一部を勤務しない日（当該勤務時間の一部に同条第二項に規定する育児時間等がある日であって、当該勤務時間のうち、当該育児時間等以外の勤務時間のすべてを勤務した日を除く。）が含まれるものとする。

8　病気休暇は、必要に応じて一日、一時間又は一分を単位として取り扱うものとする。ただし、特定病気休暇の期間の計算については、一日以外を単位とする特定病気休暇を使用した日は、一日を単位とする特定病気休暇を使用した日として取り扱うものとする。

第十四　特別休暇関係

1　規則第二十二条第一項の特別休暇の取扱いについては、それぞれ次に定めるところによる。

(1)　第一号の「選挙権その他公民としての権利」とは、公職選挙法（昭和二十五年法律第百号）に規定する選挙権のほか、最高裁判所の裁判官の国民審査及び普通地方公共団体の議会の議員又は長の解職の投票に係る権利等をいう。

(2)　第四号の「一の年」とは、一暦年をいい、同号の「五日」の取扱いについては、暦日によるものとする。

(3)　第四号イの「相当規模の災害」とは、災害救助法（昭和二十二年法律第百十八号）による救助の行われる程度の規模の災害をいい、「被災地又はその周辺の地域」とは、被害が発生した市町村（特別区を含む。）又はその属する都道府県若しくはこれに隣接する都道府県をいい、「その他の被災者を支援する活動」とは、居宅の損壊、水道、電気、ガスの遮断等により日常生活を営むのに支障が生じている者に対して行う炊出し、避難場所での世話、がれきの撤去その他必要な援助をいう。

(4)　第四号ロの「人事院が定めるもの」とは、次に掲げる施設とする。

ア　障害者の日常生活及び社会生活を総合的に支援するための法律（平成十七年法律第百二十三号）第五条第十一項に規定する障害者支援施設及びそれ以外の同条第一項に規定する障害福祉サービスを行う施設（ウ及びキに掲げる施設を除く。）、同条第二十七項に規定する地域活動支援センター並びに同条第二十八項に規定する福祉ホーム

イ　身体障害者福祉法（昭和二十四年法律第二百八十三号）第五条第一項に規定する身体障害者福祉センター、補装具製作施設、盲動犬訓練施設及び視聴覚障害者情報提供施設

ウ　児童福祉法（昭和二十二年法律第百六十四号）第七条第一項に規定する障害児入所施設、児童発達支援センター及び児童心理治療施設並びに児童発達支援センター以外の同法第六条の二の二第二項及び第三項に規定する施設

エ　老人福祉法（昭和三十八年法律第百三十三号）第五条の三に規定する老人デイサービスセンター、老人短期入所施設、養護老人ホーム及び特別養護老人ホーム

オ　生活保護法（昭和二十五年法律第百四十四号）第三十八条第一項に規定する救護施設、更生施設及び医療保護施設

カ　介護保険法（平成九年法律第百二十三号）第八条第二十八項に規定する介護老人保健施設及び同条第二十九項に規定する介護医療院

キ　医療法（昭和二十三年法律第二百五号）第一条の五第一項に規定する病院

ク　学校教育法（昭和二十二年法律第二十六号）第一条に規定する特別支援学校

ケ　アからクまでに掲げる施設のほか、これらに準ずる施設であって事務総長が定めるもの

(5)　第四号ハの「その他の日常生活を支援する活動」とは、身体上の障害等により常態として日常生活を営むのに支障がある者に対して行う調理、衣類の洗濯及び補修、慰問その他直接的な援助をいう。

(6)　第五号の「人事院が定める期間」は、結婚の日の五日前の日から当該結婚の日後一月を経過する日までとし、同号の「連続する五日」とは、連続する五暦日をいう。

(7)　第五号の二の「不妊治療」とは、不妊の原因等を調べるための検査、不妊の原因となる疾病の治療、タイミング法、人工授精、体外受精、顕微授精等をいい、同号の「通院等」とは、医療機関への通院、医療機関が実施する説明会への出席（これらにおいて必要と認められる移動を含む。）等をいい、同号の「一の年」とは、一暦年をいい、同号の「人事院が定める不妊治療」は、体外受精及び顕微授精とする。

(8)　第六号の「六週間（多胎妊娠の場合にあっては、十四週間）」は、分べん予定日から起算するものとする。

(9)　第七号、第九号及び第十号の「出産」とは、妊娠満十二週以後の分べんをいう。

(10)　第九号の「妻（届出をしないが事実上婚姻関係と同様の事情にある者を含む。次号において同じ。）の出産に伴い勤務しないことが相当であると認められる場合」とは、職員の妻の出産に係る入院若しくは退院の

際の付添い、出産時の付添い又は出産に係る入院中の世話、子の出生の届出等のために勤務しない場合をいい、同号の「人事院が定める期間」は、職員の妻の出産に係る入院等の日から当該出産の日後二週間を経過する日までとする。

(11)　第十号の「当該出産に係る子又は小学校就学の始期に達するまでの子（妻の子を含む。）を養育する」とは、職員の妻の出産に係る子又は小学校就学の始期に達するまでの子（妻の子を含む。）と同居してこれらを監護することをいう。

(12)　第十一号の「九歳に達する日以後の最初の三月三十一日までの間にある子（配偶者の子を含む。以下この号において同じ。）を養育する」とは、九歳に達する日以後の最初の三月三十一日までの間にある子（配偶者の子を含む。）と同居してこれを監護することをいい、同号の「人事院が定めるその子の世話」は、その子に予防接種又は健康診断を受けさせることとし、同号の「人事院が定める事由」は、次に掲げる事由とし、同号の「人事院が定めるもの」は、入園、卒園又は入学の式典その他これに準ずる式典とし、同号の「一の年」とは、一暦年をいう。

ア　学校保健安全法（昭和三十三年法律第五十六号）第十九条の規定による出席停止

イ　児童福祉法第三十九条第一項に規定する保育所、就学前の子どもに関する教育、保育等の総合的な提供の推進に関する法律（平成十八年法律第七十七号）第二条第六項に規定する認定こども園その他の施設又は児童福祉法第二十四条第二項に規定する家庭的保育事業等その他の事業における学校保健安全法第二十条の規定による学校の休業に準ずる事由又はアに掲げる事由に準ずるもの

(13)　第十二号の「人事院が定める世話」は、次に掲げる世話とし、同号の「一の年」とは、一暦年をいう。

ア　要介護者の介護

イ　要介護者の通院等の付添い、要介護者が介護サービスの提供を受けるために必要な手続の代行その他の要介護者の必要な世話

(14)　第十三号の休暇は、社会通念上妥当であると認められる範囲内の期間に限り使用できるものとし、「連続する日数」の取扱いについては、暦日によるものとする。

(15)　第十四号の「人事院の定める年数」は、十五年とする。

(16)　第十五号の「原則として連続する三日」の取扱いについては、暦日によるものとし、特に必要があると認められる場合には一暦日ごとに分割することができるものとする。

(17)　第十六号の「これらに準ずる場合」とは、例えば、地震、水害、火災その他の災害により単身赴任手当の支給に係る配偶者等の現住居が滅失し、又は損壊した場合で、当該単身赴任手当の支給を受けている職員がその復旧作業等を行うときをいい、同号の休暇の期間は、原則として連続する七暦日として取り扱うものとする。

2　特別休暇は、必要に応じて一日、一時間又は一分を単位として取り扱うものとする。

3　規則第二十二条第一項第五号の二、第十一号若しくは第十二号に規定する一の年の初日から末日までの期間、同項第九号に規定する人事院が定める期間又は同項第十号に規定する出産予定日の六週間（多胎妊娠の場合にあっては、十四週間）前の日から当該出産の日以後一年を経過する日までの期間（以下この項において「対象期間」という。）内において、規則第十八条の三各号に掲げる場合又は勤務時間の変更等に該当したときは、当該該当した日（その日が対象期間の初日である場合を除く。以下この項において「該当日」という。）における特定休暇の日数及び時間数は、次に掲げる場合に応じ、次に掲げる日数及び時間数とする。この場合において、対象期間内に二以上の該当日があるときは、直前の該当日を対象期間の初日と、当該直前の該当日においてこの項の規定を適用した場合に得られる日数及び時間数を当該該当日における特定休暇の日数及び時間数とそれぞれみなして、各々の該当日について同項の規定を順次適用した場合に得られる日数及び時間数とする。

(1)　対象期間の初日から該当日の前日までの間に使用した特定休暇の日数に一日未満の端数がない場合　対象期間の初日における

特定休暇の日数から、同日から該当日の前日までの間に使用した当該特定休暇の日数を減じて得た日数

(2)　対象期間の初日から該当日の前日までの間に使用した特定休暇の日数に一日未満の端数がある場合　対象期間の初日における特定休暇の日数から、同日から該当日の前日までの間に使用した当該特定休暇の日数（当該端数を切り上げた日数）を減じて得た日数及び該当日において規則第二十二条第四項の規定により得られる時間数から当該端数の時間数を減じて得た時間数（当該時間数が零を下回る場合にあっては、零）

第十五　介護休暇関係

1　勤務時間法第二十条第三項に規定する給与の減額方法については、給実甲第二十八号（一般職の職員の給与に関する法律の運用方針）第十五条関係第二項及び第三項の例による。

2　職員の介護休暇を承認した各省各庁の長と当該職員が所属する俸給の支給義務者が異なる場合においては、当該各省各庁の長は、当該俸給の支給義務者に介護休暇を承認した旨を通知しなければならない。介護休暇の承認を取り消した場合等においても、同様とする。

3　規則第二十三条第一項の「同居」には、職員が要介護者の居住している住宅に泊まり込む場合等を含む。

4　規則第二十三条第一項第二号の「人事院が定めるもの」は、次に掲げる者とする。

(1)　父母の配偶者

(2)　配偶者の父母の配偶者

(3)　子の配偶者

(4)　配偶者の子

5　規則第二十三条第五項の規定による指定期間の延長の指定の申出は、できる限り、指定期間の末日から起算して一週間前の日までに行うものとし、同項の規定による指定期間の短縮の指定の申出は、できる限り、当該申出に係る末日から起算して一週間前の日までに行うものとする。

6　各省各庁の長は、規則第二十三条第七項の規定により指定期間を指定する場合において、規則第二十六条ただし書の規定により介護休暇を承認できないことが明らかな日として申出の期間又は延長申出の期間から除く日に週休日又は勤務時間を割り振らない日が引き続くときは、当該週休日又は勤務時間を割り振らない日を除いた期間の指定期間を指定するものとする。

7　規則第二十八条第二項の「人事院が定める場合」は、次に掲げる場合とし、同項の「人事院が定める期間」は、次に掲げる場合の区分に応じ、それぞれ次に定める期間とする。

(1)　一回の指定期間の初日から末日までの期間が二週間未満である場合　当該指定期間内において初めて介護休暇の承認を受けようとする日（以下この項において「初日請求日」という。）から当該末日までの期間

(2)　一回の指定期間の初日から末日までの期間が二週間以上である場合であって、初日請求日から二週間を経過する日（以下この項において「二週間経過日」という。）が当該指定期間の末日より後の日である場合　初日請求日から当該末日までの期間

(3)　一回の指定期間の初日から末日までの期間が二週間以上である場合であって、二週間経過日が規則第二十三条第七項の規定により指定期間として指定する期間から除かれた日である場合　初日請求日から二週間経過日前の直近の指定期間として指定された日までの期間

8　介護休暇の請求は、できるだけ多くの期間について一括して行うものとする。

第十六　介護時間関係

1　勤務時間法第二十条の二第一項の「連続する三年の期間」は、同項に規定する一の継続する状態について初めて介護時間の承認を受けて勤務しない時間がある日を起算日として、民法（明治二十九年法律第八十九号）第百四十三条の例により計算するものとする。

2　第十五の第一項の規定は、勤務時間法第二十条の二第三項に規定する給与の減額方法について準用する。

3　第十五の第二項の規定は、職員の介護時間を承認した各省各庁の長と当該職員が所属する俸給の支給義務者が異なる場合について準用する。

4　第十五の第八項の規定は、介護時間の請求について準用する。

第十七　休暇の承認関係

1　各省各庁の長は、勤務時間法第十七条第三項、規則第二十五条及び第二十六条の「公務

の運営」の支障の有無の判断に当たっては、請求に係る休暇の時期における職員の業務内容、業務量、代替者の配置の難易等を総合して行うものとする。

2　各省各庁の長は、年次休暇及び規則第二十二条第一項第十五号の休暇の計画的な使用を図るため、あらかじめ各職員の休暇使用時期を把握するための計画表を作成するものとする。

3　各省各庁の長は、次に掲げる特定病気休暇を承認するに当たっては、医師の証明書その他勤務しない事由を十分に明らかにする証明書類の提出を求めるものとする。この場合において、証明書類が提出されないとき、提出された証明書類の内容によっては勤務しないことがやむを得ないと判断できないときその他特に必要があると認めるときは、健康管理医又は各省各庁の長が指定する医師の診断を求めるものとする。

(1)　連続する八日以上の期間（当該期間における要勤務日の日数が三日以下である場合にあっては、当該期間における要勤務日の日数が四日以上である期間）の特定病気休暇

(2)　請求に係る特定病気休暇の期間の初日前一月間における特定病気休暇を使用した日（要勤務日に特定病気休暇を使用した日に限る。）の日数が通算して五日以上である場合における当該請求に係る特定病気休暇

4　規則第二十二条第一項第五号の二の休暇の承認に係る証明書類には、例えば、診察券、領収書、治療の内容が分かる書類等が含まれる。

5　各省各庁の長は、規則第二十二条第一項第四号の休暇を承認するに当たっては、活動期間、活動の種類、活動場所、活動内容等活動の計画を明らかにする書類の提出を求めるものとする。なお、各省各庁の長があらかじめ当該書類の様式を定める場合の参考例を示せば、別紙第3のとおりである。

6　各省各庁の長は、規則第二十二条第一項第十二号の休暇を承認するに当たっては、要介護者の氏名、職員との続柄及び職員との同居又は別居の別その他の要介護者に関する事項並びに要介護者の状態を明らかにする書類の提出を求めるものとする。なお、各省各庁の長があらかじめ当該書類の様式を定める場合の参考例を示せば、別紙第3の2のとおりである。

第十八　休暇簿関係

1　年次休暇、病気休暇及び特別休暇の休暇簿については、次に定めるところによる。

(1)　休暇簿は、各省各庁の長が職員別に作成し、休暇の種類別に次に定める記載事項の欄を設けるものとする。

ア　年次休暇

(ア)　その年に使用することのできる年次休暇の日数（勤務時間法第十七条第一項による日数と同条第二項による日数を合計した日数）

(イ)　期間

(ウ)　残日数

(エ)　本人の確認

(オ)　請求月日

イ　病気休暇

(ア)　期間

(イ)　特定病気休暇の期間の連続性の有無（請求に係る特定病気休暇の期間と直前の特定病気休暇の期間が除外日を除いて連続する場合（請求に係る特定病気休暇を使用した場合に規則第二十一条第二項又は第五項の規定により連続することとなる場合を含む。）に該当するかどうかをいう。）及び当該請求に係る特定病気休暇の期間を含めた除外日を除いて連続する特定病気休暇の期間（請求に係る特定病気休暇を使用した場合に同条第二項又は第五項の規定により連続することとなる期間を含む。）の日数

(ウ)　理由

(エ)　本人の確認

(オ)　請求月日

(カ)　証明書類の有無

ウ　特別休暇

(ア)　期間

(イ)　特定休暇の残日数

(ウ)　理由

(エ)　本人の確認

(オ)　請求（申出）月日（規則第二十二条第一項第七号の休暇については、届出月日）

(2)　各省各庁の長は、年次休暇についての休

暇の理由等休暇の趣旨に反する記載事項を定めてはならないものとする。

(3) (1)に定める記載事項のうち、ア(ア)の記載事項については勤務時間管理員が、イ(カ)の記載事項については職員の提出に基づき各省各庁の長が、規則第二十二条第一項第七号の休暇の記載事項については職員の届出に基づき各省各庁の長が、それ以外の記載事項については職員が、それぞれ記入し、又は確認する（確認欄に確認した旨を示すことをいう。以下同じ。）ものとする。

(4) 各省各庁の長は、年次休暇、病気休暇及び特別休暇（規則第二十二条第一項第六号及び第七号の休暇を除く。）の承認の可否の決定について休暇簿に記入し、確認するものとする。

(5) 年次休暇、病気休暇及び特別休暇の休暇簿を作成する際の参考例を示せば、別紙第4から別紙第5の2までのとおりである。

2 介護休暇の休暇簿については、次に定めるところによる。

(1) 介護休暇の休暇簿は、各省各庁の長が作成し、その様式は別紙第6のとおりとする。ただし、別紙第6の様式に記載することとされている事項が全て含まれている場合には、各省各庁の長は、別に様式を定めることができる。

(2) 介護休暇の休暇簿の記入要領については、次のとおりとする。

ア 「要介護者の状態及び具体的な介護の内容」欄には、職員が要介護者の介護をしなければならなくなった状況及びその内容が明らかになるように、具体的に記入する。

イ 「介護が必要となった時期」欄への記入に当たっては、その時期が請求を行う時から相当以前であること等により特定できない場合には、日又は月の記載を省略することができる。

ウ 「申出の期間」欄には、職員が指定期間の指定を希望する期間の初日及び末日を記入する。

エ 各省各庁の長は、指定期間を指定する場合（カの場合を除く。）は、当該指定期間の指定について確認するとともに、規則第二十三条第七項の規定により指定期間から除いた期間がある場合には、その旨及び当該指定期間から除いた期間を「備考」欄に記入し、「期間」欄に同条第八項の規定により通算した指定期間を記入するものとする。

オ 「延長・短縮後の末日」欄には、職員が規則第二十三条第五項の規定により改めて指定期間として指定することを希望する期間の末日を記入する。

カ 各省各庁の長は、指定期間の延長又は短縮の指定をする場合は、当該指定期間の延長又は短縮の指定について確認するとともに、規則第二十三条第七項の規定により指定期間から除いた期間がある場合には、その旨及び当該指定期間から除いた期間を「備考」欄に記入し、「延長・短縮後の期間」欄に同条第八項の規定により通算した指定期間を記入するものとする。

キ 勤務時間管理員は、出勤簿に介護休暇である旨転記したことを確認するものとする。

ク 各省各庁の長は、介護休暇の承認の可否の決定について休暇簿に記入し、確認するものとする。

ケ 各省各庁の長は、請求された介護休暇の期間の一部について承認しなかった場合には、その旨を当該承認に係る「備考」欄に記入した上、当該承認しなかった日又は時間を記入する。

コ 各省各庁の長は、請求された介護休暇の期間に規則第二十九条第一項ただし書に規定する一週間経過日後の期間がある場合において、同項ただし書の規定に基づき、当該一週間経過日以前の期間のみに係る承認の可否を決定したときは、その旨を当該承認に係る「備考」欄に記入する。この場合においては、別途一週間経過日後の期間を「請求の期間」欄に記入し、当該期間に係る承認の可否の決定について記入し、確認するものとする。

サ 各省各庁の長は、職員からの申請に基づき介護休暇の承認を取り消した場合には、その旨を当該取消しに係る「備考」欄に記入する。

3 介護時間の休暇簿については、次に定めるところによる。

(1)　介護時間の休暇簿は、各省各庁の長が作成し、その様式は別紙第7のとおりとする。ただし、別紙第7の様式に記載することとされている事項が全て含まれている場合には、各省各庁の長は、別に様式を定めることができる。

(2)　介護時間の休暇簿の記入要領については、次のとおりとする。

ア　「要介護者の状態及び具体的な介護の内容」欄には、職員が要介護者の介護をしなければならなくなった状況及びその内容が明らかになるように、具体的に記入する。

イ　「介護が必要となった時期」欄への記入に当たっては、その時期が請求を行う時から相当以前であること等により特定できない場合には、日又は月の記載を省略することができる。

ウ　「連続する三年の期間」欄には、各省各庁の長が一の要介護状態について初めて介護時間により勤務しない時間がある日及び同日から起算して三年を経過する日を記入する。

エ　勤務時間管理員は、出勤簿に介護時間である旨転記したことを確認するものとする。

オ　各省各庁の長は、介護時間の承認の可否の決定について休暇簿に記入し、確認するものとする。

カ　各省各庁の長は、請求された介護時間の期間の一部について承認しなかった場合には、その旨を当該承認に係る「備考」欄に記入した上、当該承認しなかった日又は時間を記入する。

キ　各省各庁の長は、職員からの申請に基づき介護時間の承認を取り消した場合には、その旨を当該取消しに係る「備考」欄に記入する。

4　職員が各省各庁の長を異にして異動した場合は、異動前の各省各庁の長は、必要に応じ、当該職員の休暇簿又はその写しを異動後の各省各庁の長に送付するものとする。

第十九　勤務時間等についての別段の定め関係

1　規則第三十二条の規定による人事院への承認の申請は、別段の定めの内容、別段の定めを必要とする理由等を記載した文書により行うものとする。人事院の承認を得ている別段の定めを変更する場合においても、同様とする。

2　各省各庁の長は、前項の人事院の承認を得た別段の定めによる必要がなくなった場合には、速やかにその旨を人事院に報告するものとする。

第二十　規則附則関係

1　規則附則第二項の「人事院が別に定める場合」とは、旧人事院規則一五—一（職員の勤務時間等の基準）第六条第四項の規定に基づき人事院の承認を得た勤務を要しない日又は勤務時間の割振りについての定めが、規則第五条第二項第二号又は第三号の定める基準に適合していない場合とする。

2　規則附則第四項の「人事院が別に定める場合」とは、廃止前の「人事院規則一五—一（職員の勤務時間等の基準）の運用について（昭和六十三年十二月十五日職職—六二八）」第十条関係第一項の規定により、同項に規定する職員の休憩時間を十五分とすることについて人事院の承認があったものとして取り扱うことができる場合とする。

以　上

経過措置（平成三一年二月一日職職—一四）

「職員の勤務時間、休日及び休暇の運用について（平成六年七月二十七日職職—三二八）」（以下「運用通知」という。）の一部を下記のとおり改正したので、平成三十一年四月一日（以下「施行日」という。）以降は、これによってください。

なお、人事院規則一五—一四—二六（人事院規則一五—一四（職員の勤務時間、休日及び休暇）の一部を改正する人事院規則）（以下「改正規則」という。）による改正後の人事院規則一五—一四（職員の勤務時間、休日及び休暇）及びこの通知による改正後の運用通知の適用に当たっては、改正規則附則第二項に定めるもののほか、次に定めるところによってください。

一　この通知による改正後の運用通知第十の第五項及び第六項の「一箇月」及び「一年」には、施行日前の期間は含まないものとする。

二　この通知による改正後の運用通知第十の

第六項の規定により、同項の「一年」を四月以外の月（以下この号において「特定月」という。）の初日から起算して一年を経過するまでの期間とする場合においては、施行日以後最初の同項の「一年」は、施行日から施行日以後最初に到来する特定月の前月の末日までの期間をいうものとする。この場合において、当該期間における改正規則による改正後の人事院規則一五―一四第十六条の二の二第三項に規定する超過勤務に係る要因の整理、分析及び検証は、平成三十二年九月三十日までに行うものとする。

三　平成三十一年八月三十一日までの間におけるこの通知による改正後の運用通知第十の第十項⑴イ及び第十三項⑵の規定の適用については、これらの規定中「五箇月の期間」とあるのは、「五箇月の期間（平成三十一年四月以後の期間に限る。）」とする。

（令和四年二月一八日事企法三八）

経過措置（抄）

最終改正　令七・二・一二事企法三三

7　職員の勤務時間、休日及び休暇の運用について（平成六年七月二十七日職職―三二八）

一　暫定再任用短時間勤務職員は、人事院規則一―八二（一般職の職員の給与に関する法律等の一部を改正する法律の一部の施行に伴う関係人事院規則の整備等に関する人事院規則）第十一条の規定による改正後の人事院規則一五―一四（職員の勤務時間、休日及び休暇）（以下この項において「改正後の規則一五―一四」という。）第三条第一項第三号に規定する定年前再任用短時間勤務職員等（第五号において「定年前再任用短時間勤務職員等」という。）とみなして、「一般職の職員の給与に関する法律等の一部を改正する法律の一部の施行に伴う関係人事院事務総長通知の一部改正について（令和六年三月二十九日事企法―八七）」第十五項の規定による改正後の「職員の勤務時間、休日及び休暇の運用について」（以下この項において「改正後の勤務時間等関係運用通知」という。）第三の第一項、第三項及び第五項並びに第十二の第二項及び第十五項の規定を適用する。

二　令和三年改正法附則第三条第五項に規定する旧国家公務員法勤務延長職員に対する改正後の勤務時間等関係運用通知第十二の第三項の規定の適用については、同項中「又は同条第二項の規定により延長された期限」とあるのは、「若しくは同条第二項の規定により延長された期限又は国家公務員法等の一部を改正する法律（令和三年法律第六十一号）附則第三条第五項に規定する旧国家公務員法勤務延長期限若しくは同条第六項の規定により延長された期限」とする。

三　令和十六年十二月三十一日までの間における改正後の規則一五―一四第十八条の二第一項第二号の「人事院が別に定める日数」は、改正後の勤務時間等関係運用通知第十二の第八項の規定にかかわらず、次に掲げる職員の区分に応じ、それぞれ次に定める日数とする。

イ　当該年において、暫定再任用職員等（暫定再任用職員及び令和三年改正法附則第六条第一項に規定する旧国家公務員法再任用職員（ロにおいて「旧法再任用職員」という。）のうち、常時勤務を要する官職を占める職員をいう。以下このイ及び次号において同じ。）に相当する行政執行法人職員等（一般職の職員の勤務時間、休暇等に関する法律（平成六年法律第三十三号。以下「勤務時間法」という。）第十七条第一項第二号に規定する行政執行法人職員等をいう。以下この号及び次号において同じ。）となった者であって、引き続き暫定再任用職員等となったもの　当該行政執行法人職員等となった日において新たに暫定再任用職員等となったものとみなした場合におけるその者の在職期間に応じた改正後の規則一五―一四別表第一の日数欄に掲げる日数から、当該年において暫定再任用職員等となった日の前日までの間に使用した年次休暇に相当する休暇の日数（一日未満の端数があるときは、これを切り上げた日数）を減じて得た日数

ロ　当該年において、特定再任用職員等（定年前再任用短時間勤務職員、旧法再任用職員、暫定再任用職員及び国家公務

員の育児休業等に関する法律（平成三年法律第百九号）第二十三条第二項に規定する任期付短時間勤務職員をいう。以下このロ及び次号において同じ。）に相当する行政執行法人職員等となった者であって、引き続き特定再任用職員等となったもの（イに掲げる職員を除く。）

次に掲げる場合に応じ、それぞれ次に定める日数

(1) 当該年において、特定再任用職員等に相当する行政執行法人職員等から引き続き特定再任用職員等となった場合（(2)に掲げる場合を除く。） 当該行政執行法人職員等から引き続き特定再任用職員等となった日において新たに特定再任用職員等となったものとして勤務時間法第十七条第一項第二号の規定を適用した場合に得られる日数に、当該行政執行法人職員等となった日において当該行政執行法人職員等が相当する特定再任用職員等となり、かつ、当該年において特定再任用職員等となった日の前日において任期が満了することにより退職することとなるものとみなして同号の規定を適用した場合に得られる日数（次号ロ(2)において「特定再任用職員等みなし付与日数」という。）から、同日までの間に使用した年次休暇に相当する休暇の日数（一日未満の端数があるときは、これを切り上げた日数）を減じて得た日数を加えて得た日数

(2) 当該年において、新たに特定再任用職員等となった者（行政執行法人職員等から引き続き特定再任用職員等となった者を除く。）から引き続き特定再任用職員等に相当する行政執行法人職員等となり、当該行政執行法人職員等から引き続き特定再任用職員等となった場合 (1)に定める日数に、当該行政執行法人職員等となった日の前日における年次休暇の残日数（一日未満の端数があるときは、これを切り捨てた日数）を加えて得た日数

四 令和十六年十二月三十一日までの間における改正後の規則一五―一四第十八条の二第四項第二号の「人事院が別に定める日数」は、改正後の勤務時間等関係運用通知第十二の第十項の規定にかかわらず、次に掲げる職員の区分に応じ、それぞれ次に定める日数とする。

イ 当該年の前年に特定再任用職員等に相当する行政執行法人職員等であった者であって、引き続き当該年に特定再任用職員等となったもの 次に掲げる場合に応じ、それぞれ次に定める日数

(1) 当該年の初日に特定再任用職員等となった場合 特定再任用職員等となった日において新たに特定再任用職員等となったものとして勤務時間法第十七条第一項第一号（国家公務員の育児休業等に関する法律第二十五条の規定により読み替えて適用する場合を含む。以下この号において同じ。）又は第二号の規定を適用した場合に得られる日数に、当該年の前年における年次休暇に相当する休暇の残日数（一日未満の端数があるときは、これを切り捨てた日数とし、当該日数が当該年の前年における当該行政執行法人職員等として在職した期間を当該行政執行法人職員等が相当する特定再任用職員等として在職したものとみなして勤務時間法第十七条第一項第一号又は第二号の規定を適用した場合に得られる日数を超えるときは、当該日数。(2)において同じ。）を加えて得た日数

(2) 当該年の初日後に特定再任用職員等となった場合 次に掲げる場合に応じ、それぞれ次に定める日数

(イ) 暫定再任用職員等に相当する行政執行法人職員等から引き続き当該年の初日後に暫定再任用職員等となった場合 当該年における暫定再任用職員等に相当する行政執行法人職員等として在職した期間を当該行政執行法人職員等が相当する暫定再任用職員等として在職したものとみなして勤務時間法第十七条第一項第一号又は第二号の規定を適用した場合に得られる日数に、当該年の前年における年次休暇に相当する休暇の残日数を加えて得た日数から、当該年に

おいて暫定再任用職員等となった日の前日までの間に使用した年次休暇に相当する休暇の日数（一日未満の端数があるときは、これを切り上げた日数）を減じて得た日数

(ロ)　(イ)に掲げる場合以外の場合　当該年において特定再任用職員等となった日において新たに特定再任用職員等となったものとして勤務時間法第十七条第一項第二号の規定を適用した場合に得られる日数（ロにおいて「基礎日数」という。）に、当該年の初日において特定再任用職員等となり、かつ、当該年において特定再任用職員等となった日の前日において任期が満了することにより退職することとなるものとみなして同号の規定を適用した場合に得られる日数と当該年の前年における年次休暇に相当する休暇の残日数とを合計した日数から、同日までの間に使用した年次休暇に相当する休暇の日数（一日未満の端数があるときは、これを切り上げた日数）を減じて得た日数を加えて得た日数

ロ　当該年の前年に特定再任用職員等であった者であって、引き続き当該年に特定再任用職員等に相当する行政執行法人職員等となり、当該行政執行法人職員等から引き続き特定再任用職員等となったもの　次に掲げる場合に応じ、それぞれ次に定める日数

(1)　当該年の初日に特定再任用職員等に相当する行政執行法人職員等となった場合　次に掲げる場合に応じ、それぞれ次に定める日数

(イ)　暫定再任用職員等であった者から引き続き当該年の初日に暫定再任用職員等に相当する行政執行法人職員等となり、当該行政執行法人職員等から引き続き暫定再任用職員等となった場合　当該年における暫定再任用職員等に相当する行政執行法人職員等として在職した期間を当該行政執行法人職員等が相当する暫定再任用職員等として在職したものとみなして勤務時間法第十七条第一項第一号又は第二号の規定を適用した場合に得られる日数に、当該年の前年における年次休暇の残日数（一日未満の端数があるときは、これを切り捨てた日数。以下このロにおいて同じ。）を加えて得た日数から、当該年において暫定再任用職員等となった日の前日までの間に使用した年次休暇に相当する休暇の日数（一日未満の端数があるときは、これを切り上げた日数）を減じて得た日数

(ロ)　(イ)に掲げる場合以外の場合　基礎日数に、当該年の初日において特定再任用職員等となり、かつ、当該年において特定再任用職員等となった日の前日において任期が満了することにより退職することとなるものとみなして勤務時間法第十七条第一項第二号の規定を適用した場合に得られる日数と当該年の前年における年次休暇の残日数とを合計した日数から、同日までの間に使用した年次休暇に相当する休暇の日数（一日未満の端数があるときは、これを切り上げた日数）を減じて得た日数を加えて得た日数

(2)　当該年の初日後に特定再任用職員等に相当する行政執行法人職員等となり、当該行政執行法人職員等から引き続き特定再任用職員等となった場合　基礎日数に、当該年の初日において特定再任用職員等となり、かつ、当該年において行政執行法人職員等となった日の前日において任期が満了することにより退職することとなるものとみなして勤務時間法第十七条第一項第二号の規定を適用した場合に得られる日数、特定再任用職員等みなし付与日数及び当該年の前年における年次休暇の残日数を加えて得た日数から、当該年において特定再任用職員等となった日の前日までの間に使用した年次休暇に相当する休暇の日数及び使用した年次休暇の日数（これらの日数に一日未満の端数があるときは、これを切り上げた日数）を減じて得た日数

五　暫定再任用職員に対する改正後の勤務時間等関係運用通知第十二の第十三項の規定の適用については、暫定再任用職員は定年前再任用短時間勤務職員等と、暫定再任用短時間勤務職員は定年前再任用短時間勤務職員とそれぞれみなして、同項の規定を適用する。

六　前各号（第二号を除く。）に定めるもののほか、暫定再任用職員の年次休暇に関し必要な事項は、別に定める。

別表第一　（第12の第５項関係）

在職期間		1月に達するまでの期間	1月を超え2月に達するまでの期間	2月を超え3月に達するまでの期間	3月を超え4月に達するまでの期間	4月を超え5月に達するまでの期間	5月を超え6月に達するまでの期間	6月を超え7月に達するまでの期間	7月を超え8月に達するまでの期間	8月を超え9月に達するまでの期間	9月を超え10月に達するまでの期間	10月を超え11月に達するまでの期間	11月を超え1年未満の期間
1週間の勤務日の日数	5日	2日	3日	5日	7日	8日	10日	12日	13日	15日	17日	18日	20日
	4日	1日	3日	4日	5日	7日	8日	9日	11日	12日	13日	15日	16日
	3日	1日	2日	3日	4日	5日	6日	7日	8日	9日	10日	11日	12日
	2日	1日	1日	2日	3日	3日	4日	5日	5日	6日	7日	7日	8日

別表第二 （第12の第５項関係）

在職期間		１月に達するまでの期間	１月を超え２月に達するまでの期間	２月を超え３月に達するまでの期間	３月を超え４月に達するまでの期間	４月を超え５月に達するまでの期間	５月を超え６月に達するまでの期間	６月を超え７月に達するまでの期間	７月を超え８月に達するまでの期間	８月を超え９月に達するまでの期間	９月を超え10月に達するまでの期間	10月を超え11月に達するまでの期間	11月を超え１年未満の期間
１週間当たりの勤務時間	30時間を超え31時間以下	１日	３日	４日	５日	７日	８日	９日	11日	12日	13日	15日	16日
	29時間を超え30時間以下	１日	３日	４日	５日	６日	８日	９日	10日	12日	13日	14日	15日
	28時間を超え29時間以下	１日	２日	４日	５日	６日	７日	９日	10日	11日	12日	14日	15日
	27時間を超え28時間以下	１日	２日	４日	５日	６日	７日	８日	10日	11日	12日	13日	14日
	26時間を超え27時間以下	１日	２日	３日	５日	６日	７日	８日	９日	10日	12日	13日	14日
	25時間を超え26時間以下	１日	２日	３日	４日	６日	７日	８日	９日	10日	11日	12日	13日
	24時間を超え25時間以下	１日	２日	３日	４日	５日	６日	８日	９日	10日	11日	12日	13日
	23時間を超え24時間以下	１日	２日	３日	４日	５日	６日	７日	８日	９日	10日	11日	12日
	22時間を超え23時間以下	１日	２日	３日	４日	５日	６日	７日	８日	９日	10日	11日	12日
	21時間を超え22時間以下	１日	２日	３日	４日	５日	６日	７日	８日	９日	９日	10日	11日
	20時間を超え21時間以下	１日	２日	３日	４日	５日	５日	６日	７日	８日	９日	10日	11日
	19時間を超え20時間以下	１日	２日	３日	３日	４日	５日	６日	７日	８日	９日	９日	10日
	18時間を超え19時間以下	１日	２日	２日	３日	４日	５日	６日	７日	７日	８日	９日	10日
	17時間を超え18時間以下	１日	２日	２日	３日	４日	５日	５日	６日	７日	８日	９日	９日
	16時間を超え17時間以下	１日	１日	２日	３日	４日	４日	５日	６日	７日	７日	８日	９日
	15時間を超え16時間以下	１日	１日	２日	３日	３日	４日	５日	６日	６日	７日	８日	８日
	14時間を超え15時間以下	１日	１日	２日	３日	３日	４日	５日	５日	６日	６日	７日	８日
	13時間を超え14時間以下	１日	１日	２日	２日	３日	４日	４日	５日	５日	６日	７日	７日
	12時間を超え13時間以下	１日	１日	２日	２日	３日	３日	４日	４日	５日	６日	６日	７日
	11時間を超え12時間以下	１日	１日	２日	２日	３日	３日	４日	４日	５日	５日	６日	６日
	10時間を超え11時間以下	１日	１日	１日	２日	２日	３日	３日	４日	４日	５日	５日	６日
	10時間	１日	１日	１日	２日	２日	３日	３日	３日	４日	４日	５日	５日

備考　この表の下欄に掲げる勤務時間の区分に応じて定める日数は、７時間45分の年次休暇をもって１日の年次休暇として換算した場合の日数を示す。

別紙第１

超勤代休時間指定簿

所　　属

氏　　名

１．超勤代休時間を指定する日、当該超勤代休時間を指定する日の正規の勤務時間、当該超勤代休時間を指定する時間等

・　超勤代休時間を指定する日

年　　月　　日

・　当該超勤代休時間を指定する日の正規の勤務時間

:　～　:　　:　～　:

・　当該超勤代休時間を指定する時間

:　～　:　　:　～　:

□　４時間
□　７時間４５分
□　　時間　　分
（年次休暇※に連続して指定する場合）

（　　月分）

指定に代えようとする超過勤務の時間数	規則第16条の３第２項		
	第１号	第２号	第３号
	時間	時間	時間
換算率	×25/100	×50/100	×15/100

※　年次休暇の時間

:　～　:　（　　時間）

２．職員の意向「超勤代休時間の指定を希望しない旨を申し出ないこと」

本人の確認

別紙第２

代休日指定簿

所　　属
氏　　名

１．勤務を命じた休日及び当該休日の全勤務時間

・令和　　年　　月　　日
　　：　～　：　　　　：　～　：

・勤務時間数　　時間　　分

２．職員の意向「代休日の指定を希望しない旨を申し出ないこと」

本人の確認

３．代休日及び当該代休日の正規の勤務時間

・令和　　年　　月　　日
　　：　～　：　　　　：　～　：

・勤務時間数　　時間　　分

別紙第３

ボランティア活動計画書

所　　属
氏　　名

１．活動期間
令和　　年　　月　　日～令和　　年　　月　　日

２．活動の種類
□被災者への支援活動　　□社会福祉施設等における活動　　□その他

３．活動場所
施設名等：
所 在 地：
電　　話：　　　（　　　）

４．具体的な活動内容

５．仲介団体等の有無及び団体名
□有　　　　□無
団 体 名：
電　　話：　　　（　　　）

６．備考

注１　「３．活動場所」及び「４．具体的な活動内容」については、当該活動が仲介団体等（社会福祉協議会等主として活動の仲介を行っている団体のほか、自らも活動主体となって活動を行う団体も含まれる。）を通じたものであり、当該仲介団体等による証明が得られる場合には、適宜記入を省略して差し支えない。
２　「３．活動場所」は、活動場所が支援する相手の居宅である場合には、その者の氏名及び住所等を記入する。
３　「６．備考」は、支援する相手の居宅における活動を仲介団体等を通じないで行う場合に、その者の状態について記入する。

別紙第３の２

要介護者の状態等申出書

（　　年　　月　　日提出）

所　属
氏　名

１　要介護者に関する事項
　(1)　氏名

　(2)　職員との続柄

　(3)　職員との同居又は別居の別
　　□同居　　□別居

　(4)　介護が必要となった時期
　　年　　月　　日

２　要介護者の状態

３　備考

注１「１(4)介護が必要となった時期」については、その時期が請求を行う時から相当以前であること等により特定できない場合には、日又は月の記載を省略することができる。
２「２要介護者の状態」には、職員が要介護者の介護をしなければならなくなった状況が明らかになるように、具体的に記入する。

別紙第４

年

所属	氏名

（表面）

休　暇　簿

（年次休暇用）

年次休暇の日数　　日（前年からの繰越し日数　　日・本年分の日数　　日）

※ 期間		※ 残日数・時間	※ 本人の確認	※ 請求月日	承認の可否	決裁		勤務時間管理員の確認	備考
						各省各庁の長の確認			
月　日　時　分から 月　日　時　分まで	日 時 分	日 時 分		月　日 ｜	□承認 □不承認				
月　日　時　分から 月　日　時　分まで	日 時 分	日 時 分		月　日 ｜	□承認 □不承認				
月　日　時　分から 月　日　時　分まで	日 時 分	日 時 分		月　日 ｜	□承認 □不承認				
月　日　時　分から 月　日　時　分まで	日 時 分	日 時 分		月　日 ｜	□承認 □不承認				
月　日　時　分から 月　日　時　分まで	日 時 分	日 時 分		月　日 ｜	□承認 □不承認				
月　日　時　分から 月　日　時　分まで	日 時 分	日 時 分		月　日 ｜	□承認 □不承認				
月　日　時　分から 月　日　時　分まで	日 時 分	日 時 分		月　日 ｜	□承認 □不承認				

（※印の欄は職員が記入又は確認する。「残日数・時間」欄には、７時間45分（斉一型短時間勤務職員の場合は勤務日ごとの勤務時間の時間数（１分未満の端数があるときは、これを切り捨てた時間））を１日として算出した残日数・時間数を記入する。）

（裏面）

※ 期間		※ 残日数・時間	※ 本人の確認	※ 請求月日	承認の可否	決裁		勤務時間管理員の確認	備考
						各省各庁の長の確認			
月　日　時　分から 月　日　時　分まで	日 時 分	日 時 分		月　日 ｜	□承認 □不承認				
月　日　時　分から 月　日　時　分まで	日 時 分	日 時 分		月　日 ｜	□承認 □不承認				
月　日　時　分から 月　日　時　分まで	日 時 分	日 時 分		月　日 ｜	□承認 □不承認				
月　日　時　分から 月　日　時　分まで	日 時 分	日 時 分		月　日 ｜	□承認 □不承認				
月　日　時　分から 月　日　時　分まで	日 時 分	日 時 分		月　日 ｜	□承認 □不承認				
月　日　時　分から 月　日　時　分まで	日 時 分	日 時 分		月　日 ｜	□承認 □不承認				
月　日　時　分から 月　日　時　分まで	日 時 分	日 時 分		月　日 ｜	□承認 □不承認				
月　日　時　分から 月　日　時　分まで	日 時 分	日 時 分		月　日 ｜	□承認 □不承認				

別紙第5

年

休 暇 簿
（病気休暇用）

所属	氏名

（表面）

※期間		※期間の連続性の有無等	※理由	※本人の確認	※請求月日	証明書類の有無	承認の可否	決裁		勤務時間管理員の確認	備考
								各省各庁の長の確認			
月 日 時 分から 月 日 時 分まで	日 時 分	□有 （合計 日） □無			月 日 ｜	□有 □無	□承認 □不承認				
月 日 時 分から 月 日 時 分まで	日 時 分	□有 （合計 日） □無			月 日 ｜	□有 □無	□承認 □不承認				
月 日 時 分から 月 日 時 分まで	日 時 分	□有 （合計 日） □無			月 日 ｜	□有 □無	□承認 □不承認				
月 日 時 分から 月 日 時 分まで	日 時 分	□有 （合計 日） □無			月 日 ｜	□有 □無	□承認 □不承認				
月 日 時 分から 月 日 時 分まで	日 時 分	□有 （合計 日） □無			月 日 ｜	□有 □無	□承認 □不承認				
月 日 時 分から 月 日 時 分まで	日 時 分	□有 （合計 日） □無			月 日 ｜	□有 □無	□承認 □不承認				

（※印の欄は職員が記入又は確認する。「期間の連続性の有無等」欄には、今回の請求に係る特定病気休暇の期間と前回までの特定病気休暇の期間が連続する場合（連続するものとされる場合を含む。）に該当するかについてその有無を記入し、これらの場合に該当するときには、今回の請求に係る特定病気休暇の日数と前回までに使用した特定病気休暇の日数を合計した日数（当該療養期間中の週休日等の日数を含み、1日以外を単位とする特定病気休暇を請求する日又は使用した日については、これらの日を1日として算出した日数）を記入する。）

（裏面）

※期間		※期間の連続性の有無等	※理由	※本人の確認	※請求月日	証明書類の有無	承認の可否	決裁		勤務時間管理員の確認	備考
								各省各庁の長の確認			
月 日 時 分から 月 日 時 分まで	日 時 分	□有 （合計 日） □無			月 日 ｜	□有 □無	□承認 □不承認				
月 日 時 分から 月 日 時 分まで	日 時 分	□有 （合計 日） □無			月 日 ｜	□有 □無	□承認 □不承認				
月 日 時 分から 月 日 時 分まで	日 時 分	□有 （合計 日） □無			月 日 ｜	□有 □無	□承認 □不承認				
月 日 時 分から 月 日 時 分まで	日 時 分	□有 （合計 日） □無			月 日 ｜	□有 □無	□承認 □不承認				
月 日 時 分から 月 日 時 分まで	日 時 分	□有 （合計 日） □無			月 日 ｜	□有 □無	□承認 □不承認				
月 日 時 分から 月 日 時 分まで	日 時 分	□有 （合計 日） □無			月 日 ｜	□有 □無	□承認 □不承認				
月 日 時 分から 月 日 時 分まで	日 時 分	□有 （合計 日） □無			月 日 ｜	□有 □無	□承認 □不承認				
月 日 時 分から 月 日 時 分まで	日 時 分	□有 （合計 日） □無			月 日 ｜	□有 □無	□承認 □不承認				

別紙第５の２
年

休　暇　簿
（特別休暇用）

所属	氏名

（表面）

※ 期　間		※ 残日数・時間	※ 理　由	※ 本人の確認	※請求（申出）月日	承認の可否	決　裁 各省各庁の長の確認		勤務時間管理員の確認	備　考
月 日 時 分から 月 日 時 分まで	日 時 分	日 時 分			月 日	□承認 □不承認				
月 日 時 分から 月 日 時 分まで	日 時 分	日 時 分			月 日	□承認 □不承認				
月 日 時 分から 月 日 時 分まで	日 時 分	日 時 分			月 日	□承認 □不承認				
月 日 時 分から 月 日 時 分まで	日 時 分	日 時 分			月 日	□承認 □不承認				
月 日 時 分から 月 日 時 分まで	日 時 分	日 時 分			月 日	□承認 □不承認				
月 日 時 分から 月 日 時 分まで	日 時 分	日 時 分			月 日	□承認 □不承認				
月 日 時 分から 月 日 時 分まで	日 時 分	日 時 分			月 日	□承認 □不承認				

（※印の欄は職員が記入又は確認する。「残日数・時間」欄には、特定休暇を使用する場合に限り、７時間45分（斉一型短時間勤務職員の場合は勤務日ごとの勤務時間の時間数（７時間45分を超える場合にあっては７時間45分とし、１分未満の端数があるときは、これを切り捨てた時間））を１日として算出した残日数・時間数を記入する。）

（裏面）

※ 期　間		※ 残日数・時間	※ 理　由	※ 本人の確認	※請求（申出）月日	承認の可否	決　裁 各省各庁の長の確認		勤務時間管理員の確認	備　考
月 日 時 分から 月 日 時 分まで	日 時 分	日 時 分			月 日	□承認 □不承認				
月 日 時 分から 月 日 時 分まで	日 時 分	日 時 分			月 日	□承認 □不承認				
月 日 時 分から 月 日 時 分まで	日 時 分	日 時 分			月 日	□承認 □不承認				
月 日 時 分から 月 日 時 分まで	日 時 分	日 時 分			月 日	□承認 □不承認				
月 日 時 分から 月 日 時 分まで	日 時 分	日 時 分			月 日	□承認 □不承認				
月 日 時 分から 月 日 時 分まで	日 時 分	日 時 分			月 日	□承認 □不承認				
月 日 時 分から 月 日 時 分まで	日 時 分	日 時 分			月 日	□承認 □不承認				
月 日 時 分から 月 日 時 分まで	日 時 分	日 時 分			月 日	□承認 □不承認				

別紙第６

休　暇　簿
（介護休暇用）

所属	氏名

（第一面）

※ 要介護者に関する事項	氏　名		※要介護者の状態及び具体的な介護の内容
	続　柄		
	同・別居	□同居　□別居	
	介護が必要となった時期 年　月　日		

指定期間の申出・指定														
第１回					第２回					第３回				
※ 申出の期間	※ 申出日	※ 本人の確認	各省各庁の長の確認	期間	※ 申出の期間	※ 申出日	※ 本人の確認	各省各庁の長の確認	期間	※ 申出の期間	※ 申出日	※ 本人の確認	各省各庁の長の確認	期間
年　月　日から 年　月　日まで				月　日	年　月　日から 年　月　日まで				月　日	年　月　日から 年　月　日まで				月　日
備考					備考					備考				

指定期間の延長・短縮														
第１回					第２回					第３回				
※延長・短縮後の末日	※ 申出日	※ 本人の確認	各省各庁の長の確認	延長・短縮後の期間	※延長・短縮後の末日	※ 申出日	※ 本人の確認	各省各庁の長の確認	延長・短縮後の期間	※延長・短縮後の末日	※ 申出日	※ 本人の確認	各省各庁の長の確認	延長・短縮後の期間
（　年　月　日から） 年　月　日まで				月　日	（　年　月　日から） 年　月　日まで				月　日	（　年　月　日から） 年　月　日まで				月　日
（　年　月　日から） 年　月　日まで				月　日	（　年　月　日から） 年　月　日まで				月　日	（　年　月　日から） 年　月　日まで				月　日
備考					備考					備考				

（※印の欄は職員が記入又は確認する。）

（第二面）

介護休暇の請求・承認									
※ 請求の期間			※ 請求年月日	※ 本人の確認	承認の可否	決裁		勤務時間管理員の確認	備考
年　月　日	時間	日・時間数				各省各庁の長の確認			
年　月　日から 年　月　日まで	□毎日 □その他（　）	時　分～　時　分 時　分～　時　分	日 時	年　月　日		□承認 □不承認				
年　月　日から 年　月　日まで	□毎日 □その他（　）	時　分～　時　分 時　分～　時　分	日 時	年　月　日		□承認 □不承認				
年　月　日から 年　月　日まで	□毎日 □その他（　）	時　分～　時　分 時　分～　時　分	日 時	年　月　日		□承認 □不承認				
年　月　日から 年　月　日まで	□毎日 □その他（　）	時　分～　時　分 時　分～　時　分	日 時	年　月　日		□承認 □不承認				
年　月　日から 年　月　日まで	□毎日 □その他（　）	時　分～　時　分 時　分～　時　分	日 時	年　月　日		□承認 □不承認				
年　月　日から 年　月　日まで	□毎日 □その他（　）	時　分～　時　分 時　分～　時　分	日 時	年　月　日		□承認 □不承認				
年　月　日から 年　月　日まで	□毎日 □その他（　）	時　分～　時　分 時　分～　時　分	日 時	年　月　日		□承認 □不承認				
年　月　日から 年　月　日まで	□毎日 □その他（　）	時　分～　時　分 時　分～　時　分	日 時	年　月　日		□承認 □不承認				
年　月　日から 年　月　日まで	□毎日 □その他（　）	時　分～　時　分 時　分～　時　分	日 時	年　月　日		□承認 □不承認				
年　月　日から 年　月　日まで	□毎日 □その他（　）	時　分～　時　分 時　分～　時　分	日 時	年　月　日		□承認 □不承認				
年　月　日から 年　月　日まで	□毎日 □その他（　）	時　分～　時　分 時　分～　時　分	日 時	年　月　日		□承認 □不承認				
年　月　日から 年　月　日まで	□毎日 □その他（　）	時　分～　時　分 時　分～　時　分	日 時	年　月　日		□承認 □不承認				

（※印の欄は職員が記入又は確認する。）

（第三面）

介護休暇の取消し等							
※休暇の取消し等の期間			※本人の確認	決裁		勤務時間管理員の確認	備考
年　月　日	時　間	日・時間数		各省各庁の長の確認			
年　月　日から	時　分～　時　分	日					
年　月　日まで	時　分～　時　分	時					
年　月　日から	時　分～　時　分	日					
年　月　日まで	時　分～　時　分	時					
年　月　日から	時　分～　時　分	日					
年　月　日まで	時　分～　時　分	時					
年　月　日から	時　分～　時　分	日					
年　月　日まで	時　分～　時　分	時					
年　月　日から	時　分～　時　分	日					
年　月　日まで	時　分～　時　分	時					
年　月　日から	時　分～　時　分	日					
年　月　日まで	時　分～　時　分	時					
年　月　日から	時　分～　時　分	日					
年　月　日まで	時　分～　時　分	時					
年　月　日から	時　分～　時　分	日					
年　月　日まで	時　分～　時　分	時					
年　月　日から	時　分～　時　分	日					
年　月　日まで	時　分～　時　分	時					
年　月　日から	時　分～　時　分	日					
年　月　日まで	時　分～　時　分	時					
年　月　日から	時　分～　時　分	日					
年　月　日まで	時　分～　時　分	時					
年　月　日から	時　分～　時　分	日					
年　月　日まで	時　分～　時　分	時					

（※印の欄は職員が記入又は確認する。）

別紙第７

休　暇　簿
（介護時間用）

所属	氏名

（第一面）

※ 要介護者に関する事項	氏名		※ 要介護者の状態及び具体的な介護の内容	
	続柄			
	同・別居	□同居　□別居		
	介護が必要となった時期 年　月　日			
連続する３年の期間 年　月　日から　年　月　日まで				

※ 請求の期間 年月日		※ 請求の期間 時間	※ 請求年月日	※ 本人の確認	承認の可否	決裁 各省各庁の長の確認	決裁	勤務時間管理員の確認	備考
年　月　日から 年　月　日まで	□毎日 □その他（　）	午前　時　分～　時　分 午後　時　分～　時　分	年　月　日		□承認 □不承認				
年　月　日から 年　月　日まで	□毎日 □その他（　）	午前　時　分～　時　分 午後　時　分～　時　分	年　月　日		□承認 □不承認				
年　月　日から 年　月　日まで	□毎日 □その他（　）	午前　時　分～　時　分 午後　時　分～　時　分	年　月　日		□承認 □不承認				
年　月　日から 年　月　日まで	□毎日 □その他（　）	午前　時　分～　時　分 午後　時　分～　時　分	年　月　日		□承認 □不承認				
年　月　日から 年　月　日まで	□毎日 □その他（　）	午前　時　分～　時　分 午後　時　分～　時　分	年　月　日		□承認 □不承認				
年　月　日から 年　月　日まで	□毎日 □その他（　）	午前　時　分～　時　分 午後　時　分～　時　分	年　月　日		□承認 □不承認				
年　月　日から 年　月　日まで	□毎日 □その他（　）	午前　時　分～　時　分 午後　時　分～　時　分	年　月　日		□承認 □不承認				

（※印の欄は職員が記入又は確認する。）

（第二面）

※ 請求の期間 年月日		※ 請求の期間 時間	※ 請求年月日	※ 本人の確認	承認の可否	決裁 各省各庁の長の確認	決裁	勤務時間管理員の確認	備考
年　月　日から 年　月　日まで	□毎日 □その他（　）	午前　時　分～　時　分 午後　時　分～　時　分	年　月　日		□承認 □不承認				
年　月　日から 年　月　日まで	□毎日 □その他（　）	午前　時　分～　時　分 午後　時　分～　時　分	年　月　日		□承認 □不承認				
年　月　日から 年　月　日まで	□毎日 □その他（　）	午前　時　分～　時　分 午後　時　分～　時　分	年　月　日		□承認 □不承認				
年　月　日から 年　月　日まで	□毎日 □その他（　）	午前　時　分～　時　分 午後　時　分～　時　分	年　月　日		□承認 □不承認				
年　月　日から 年　月　日まで	□毎日 □その他（　）	午前　時　分～　時　分 午後　時　分～　時　分	年　月　日		□承認 □不承認				
年　月　日から 年　月　日まで	□毎日 □その他（　）	午前　時　分～　時　分 午後　時　分～　時　分	年　月　日		□承認 □不承認				
年　月　日から 年　月　日まで	□毎日 □その他（　）	午前　時　分～　時　分 午後　時　分～　時　分	年　月　日		□承認 □不承認				
年　月　日から 年　月　日まで	□毎日 □その他（　）	午前　時　分～　時　分 午後　時　分～　時　分	年　月　日		□承認 □不承認				
年　月　日から 年　月　日まで	□毎日 □その他（　）	午前　時　分～　時　分 午後　時　分～　時　分	年　月　日		□承認 □不承認				
年　月　日から 年　月　日まで	□毎日 □その他（　）	午前　時　分～　時　分 午後　時　分～　時　分	年　月　日		□承認 □不承認				
年　月　日から 年　月　日まで	□毎日 □その他（　）	午前　時　分～　時　分 午後　時　分～　時　分	年　月　日		□承認 □不承認				
年　月　日から 年　月　日まで	□毎日 □その他（　）	午前　時　分～　時　分 午後　時　分～　時　分	年　月　日		□承認 □不承認				
年　月　日から 年　月　日まで	□毎日 □その他（　）	午前　時　分～　時　分 午後　時　分～　時　分	年　月　日		□承認 □不承認				

（※印の欄は職員が記入又は確認する。）

（第三面）

※ 休暇の取消し等の期間		※	決裁		勤務時間管理員の確認	備考
年　月　日	時　間	本人の確認	各省各庁の長の確認			
年　月　日から 年　月　日まで	午前　時　分～　時　分 午後　時　分～　時　分					
年　月　日から 年　月　日まで	午前　時　分～　時　分 午後　時　分～　時　分					
年　月　日から 年　月　日まで	午前　時　分～　時　分 午後　時　分～　時　分					
年　月　日から 年　月　日まで	午前　時　分～　時　分 午後　時　分～　時　分					
年　月　日から 年　月　日まで	午前　時　分～　時　分 午後　時　分～　時　分					
年　月　日から 年　月　日まで	午前　時　分～　時　分 午後　時　分～　時　分					
年　月　日から 年　月　日まで	午前　時　分～　時　分 午後　時　分～　時　分					
年　月　日から 年　月　日まで	午前　時　分～　時　分 午後　時　分～　時　分					
年　月　日から 年　月　日まで	午前　時　分～　時　分 午後　時　分～　時　分					
年　月　日から 年　月　日まで	午前　時　分～　時　分 午後　時　分～　時　分					
年　月　日から 年　月　日まで	午前　時　分～　時　分 午後　時　分～　時　分					
年　月　日から 年　月　日まで	午前　時　分～　時　分 午後　時　分～　時　分					
年　月　日から 年　月　日まで	午前　時　分～　時　分 午後　時　分～　時　分					

（※印の欄は職員が記入又は確認する。）

○行政機関の休日に関する法律

昭六三・一二・一三
法　九　一

改正　平四・四・二法二八

（行政機関の休日）
第一条　次の各号に掲げる日は、行政機関の休日とし、行政機関の執務は、原則として行わないものとする。
一　日曜日及び土曜日
二　国民の祝日に関する法律（昭和二十三年法律第百七十八号）に規定する休日
三　十二月二十九日から翌年の一月三日までの日（前号に掲げる日を除く。）
2　前項の「行政機関」とは、法律の規定に基づき内閣に置かれる各機関、内閣の統轄の下に行政事務をつかさどる機関として置かれる各機関及び内閣の所轄の下に置かれる機関並びに会計検査院をいう。
3　第一項の規定は、行政機関の休日に各行政機関（前項に掲げる一の機関をいう。以下同じ。）がその所掌事務を遂行することを妨げるものではない。

（期限の特例）
第二条　国の行政庁（各行政機関、各行政機関に置かれる部局若しくは機関又は各行政機関の長その他の職員であるものに限る。）に対する申請、届出その他の行為の期限で法律又は法律に基づく命令で規定する期間（時をもつて定める期間を除く。）をもつて定めるものが行政機関の休日に当たるときは、行政機関の休日の翌日をもつてその期限とみなす。ただし、法律又は法律に基づく命令に別段の定めがある場合は、この限りでない。

附　則（抄）

（施行期日）
第一条　この法律は、公布の日から起算して六月を超えない範囲内において政令で定める日〔昭六四・一・一〕から施行する。

附　則（平四・四・二法二八）（抄）

（施行期日）
1　この法律は、公布の日から起算して六月を超えない範囲内において政令で定める日〔平四・五・一〕から施行する。

○国民の祝日に関する法律

昭二三・七・二〇
法　一　七　八

最終改正　平三〇・六・二〇法五七

第一条　自由と平和を求めてやまない日本国民は、美しい風習を育てつつ、よりよき社会、より豊かな生活を築きあげるために、ここに国民こぞつて祝い、感謝し、又は記念する日を定め、これを「国民の祝日」と名づける。

第二条　「国民の祝日」を次のように定める。

元　　日　一月一日　年のはじめを祝う。
成人の日　一月の第二月曜日　おとなになつたことを自覚し、みずから生き抜こうとする青年を祝いはげます。
建国記念の日　政令で定める日　建国をしのび、国を愛する心を養う。
天皇誕生日　二月二十三日　天皇の誕生日を祝う。
春分の日　春分日　自然をたたえ、生物をいつくしむ。
昭和の日　四月二十九日　激動の日々を経て、復興を遂げた昭和の時代を顧み、国の将来に思いをいたす。
憲法記念日　五月三日　日本国憲法の施行を記念し、国の成長を期する。

みどりの日	五月四日	自然に親しむとともにその恩恵に感謝し、豊かな心をはぐくむ。
こどもの日	五月五日	こどもの人格を重んじ、こどもの幸福をはかるとともに、母に感謝する。
海の日	七月の第三月曜日	海の恩恵に感謝するとともに、海洋国日本の繁栄を願う。
山の日	八月十一日	山に親しむ機会を得て、山の恩恵に感謝する。
敬老の日	九月の第三月曜日	多年にわたり社会につくしてきた老人を敬愛し、長寿を祝う。
秋分の日	秋分日	祖先をうやまい、なくなつた人々をしのぶ。
スポーツの日	十月の第二月曜日	スポーツを楽しみ、他者を尊重する精神を培うとともに、健康で活力ある社会の実現を願う。
文化の日	十一月三日	自由と平和を愛し、文化をすすめる。
勤労感謝の日	十一月二十三日	勤労をたつとび、生産を祝い、国民たがいに感謝しあう。

第三条　「国民の祝日」は、休日とする。

2　「国民の祝日」が日曜日に当たるときは、その日後においてその日に最も近い「国民の祝日」でない日を休日とする。

3　その前日及び翌日が「国民の祝日」である日（「国民の祝日」でない日に限る。）は、休日とする。

附　則

1　この法律は、公布の日からこれを施行する。

2　昭和二年勅令第二十五号は、これを廃止する。

附　則（平二六・五・三〇法四三）

この法律は、平成二十八年一月一日から施行する。

附　則（平二九・六・一六法六三）（抄）

（施行期日）

第一条　この法律は、公布の日から起算して三年を超えない範囲内において政令で定める日〔平三一・四・三〇〕から施行する。ただし、〔中略〕附則第十条〔中略〕の規定はこの法律の施行の日の翌日から施行する。

2　〔略〕

（この法律の失効）

第二条　この法律は、この法律の施行の日以前に皇室典範第四条の規定による皇位の継承があったときは、その効力を失う。

附　則（平三〇・六・二〇法五七）（抄）

（施行期日）

1　この法律は、平成三十二年一月一日から施行する。

○建国記念の日となる日を定める政令

昭四一・一二・九
政令三七六

国民の祝日に関する法律第二条に規定する建国記念の日は、二月十一日とする。

附　則

この政令は、公布の日から施行する。

○天皇の即位の日及び即位礼正殿の儀の行われる日を休日とする法律

平三〇・一二・一四
法　九　九

天皇の即位の日及び即位礼正殿の儀の行われる日は、休日とする。

附　則

（施行期日等）

第一条　この法律は、公布の日から施行し、天皇の退位等に関する皇室典範特例法（平成二十九年法律第六十三号）第二条の規定による天皇の即位に際して適用する。

（他の法令の適用）

第二条　本則の規定により休日となる日は、国民の祝日に関する法律（昭和二十三年法律第百七十八号）に規定する国民の祝日として、同法第三条第二項及び第三項の規定の適用があるものとする。

2　本則及び前項の規定により休日となる日は、他の法令（国民の祝日に関する法律を除く。）の規定の適用については、同法に規定する休日とする。

（この法律の失効）

第三条　この法律（次項を除く。）は、天皇の退位等に関する皇室典範特例法附則第二条の規定により効力を失ったときは、その効力を失う。

2　前項の場合において必要な経過措置は、政令で定める。

○国家公務員の育児休業等に関する法律

平三・一二・二四
法　一　〇　九

最終改正　令六・一二・二五法七八

目次〔略〕

第一章　総則

（目的）

第一条　この法律は、育児休業等に関する制度を設けて子を養育する国家公務員の継続的な勤務を促進し、もってその福祉を増進するとともに、公務の円滑な運営に資することを目的とする。

（定義）

第二条　この法律において「職員」とは、第二十七条を除き、国家公務員法（昭和二十二年法律第百二十号）第二条に規定する一般職に属する国家公務員をいう。

2　この法律において「任命権者」とは、国家公務員法第五十五条第一項に規定する任命権者及び法律で別に定められた任命権者並びにその委任を受けた者をいう。

3　この法律において「各省各庁の長」とは、一般職の職員の勤務時間、休暇等に関する法律（平成六年法律第三十三号。以下「勤務時間法」という。）第三条に規定する各省各庁の長及びその委任を受けた者をいう。

第二章　育児休業

（育児休業の承認）

第三条　職員（第二十三条第二項に規定する任期付短時間勤務職員、臨時的に任用された職員その他その任用の状況がこれらに類する職員として人事院規則で定める職員を除く。）は、任命権者の承認を受けて、当該職員の子（民法（明治二十九年法律第八十九号）第八百十七条の二第一項の規定により職員が当該職員との間における同項に規定する特別養子縁組の成立について家庭裁判所に請求した者（当該請求に係る家事審判事件が裁判所に係属している場合に限る。）であって、当該職員が現に監護するもの、児童福祉法（昭和二十二年法律第百六十四号）第二十七条第一項第三号の規定により同法第六条の四第二号に規定する養子縁組里親である職員に委託されている児童その他これらに準ずる者として人事院規則で定める者を含む。以下同じ。）を養育するため、当該子が三歳に達する日（常時勤務することを要しない職員にあっては、当該子の養育の事情に応じ、一歳に達する日から一歳六か月に達する日までの間で人事院規則で定める日（当該子の養育の事情を考慮して特に必要と認められる場合として人事院規則で定める場合に該当するときは、二歳に達する日））まで、育児休業をすることができる。ただし、当該子について、既に二回の育児休業（次に掲げる育児休業を除く。）をしたことがあるときは、人事院規則で定める特別の事情がある場合を除き、この限りでない。

一　子の出生の日から勤務時間法第十九条に規定する特別休暇のうち出産により職員が勤務しないことが相当である場合として人事院規則で定める場合における休暇について同条の規定により人事院規則で定める期間を考慮して人事院規則で定める期間内に、職員（当該期間内に当該休暇又はこれに相当するものとして勤務時間法第二十三条の規定により人事院規則で定める休暇により勤務しない職員を除く。）が当該子についてする育児休業（次号に掲げる育児休業を除く。）のうち最初のもの及び二回目のもの

二　任期を定めて採用された職員が当該任期の末日を育児休業の期間の末日としてする育児休業（当該職員が、当該任期を更新され、又は当該任期の満了後引き続いて任命権者を同じくする官職に採用されることに伴い、当該育児休業に係る子について、当該更新前の任期の末日の翌日又は当該採用の日を育児休業の期間の初日とする育児休業をする場合に限る。）

2　育児休業の承認を受けようとする職員は、育児休業をしようとする期間の初日及び末日を明らかにして、任命権者に対し、その承認を請求するものとする。

3　任命権者は、前項の規定による請求があったときは、当該請求に係る期間について当該請求をした職員の業務を処理するための措置を講ずることが著しく困難である場合を除き、これを承認しなければならない。

（育児休業の期間の延長）

第四条　育児休業をしている職員は、任命権者に対し、当該育児休業の期間の延長を請求することができる。

2　育児休業の期間の延長は、人事院規則で定める特別の事情がある場合を除き、一回に限るものとする。

3　前条第二項及び第三項の規定は、育児休業の期間の延長について準用する。

（育児休業の効果）

第五条　育児休業をしている職員は、職員としての身分を保有するが、職務に従事しない。

2　育児休業をしている期間については、給与を支給しない。

（育児休業の承認の失効等）

第六条　育児休業の承認は、当該育児休業をしている職員が産前の休業を始め、若しくは出産した場合、当該職員が休職若しくは停職の処分を受けた場合又は当該育児休業に係る子が死亡し、若しくは当該職員の子でなくなった場合には、その効力を失う。

2　任命権者は、育児休業をしている職員が当該育児休業に係る子を養育しなくなったことその他人事院規則で定める事由に該当すると認めるときは、当該育児休業の承認を取り消すものとする。

（育児休業に伴う任期付採用及び臨時的任用）

第七条　任命権者は、第三条第二項又は第四条第一項の規定による請求があった場合において、当該請求に係る期間（以下この項及び第三項において「請求期間」という。）について職員の配置換えその他の方法によって当該請求をした職員の業務を処理することが困難であると認めるときは、当該業務を処理するため、次の各号に掲げる任用のいずれかを行うものとする。この場合において、第二号に掲げる任用は、請求期間について一年（第四条第一項の規定による請求があった場合には、当該請求による延長前の育児休業の期間の初日から当該請求に係る期間の末日までの期間を通じて一年）を超えて行うことができない。

一　請求期間を任期の限度として行う任期を定めた採用

二　請求期間を任期の限度として行う臨時的任用

2　任命権者は、前項の規定により任期を定めて職員を採用する場合には、当該職員に当該任期を明示しなければならない。

3　任命権者は、第一項の規定により任期を定めて採用された職員の任期が請求期間に満たない場合には、当該請求期間の範囲内において、当該任期を更新することができる。

4　第二項の規定は、前項の規定により任期を更新する場合について準用する。

5　任命権者は、第一項の規定により任期を定めて採用された職員を、任期を定めて採用した趣旨に反しない場合に限り、当該任期中、他の官職に任用することができる。

6　第一項の規定により臨時的任用を行う場合には、国家公務員法第六十条第一項から第三項までの規定は、適用しない。

（育児休業をしている職員の期末手当等の支給）

第八条　一般職の職員の給与に関する法律（昭和二十五年法律第九十五号。以下「給与法」という。）第十九条の四第一項に規定するそれぞれの基準日に育児休業をしている職員のうち、基準日以前六箇月以内の期間において勤務した期間（人事院規則で定めるこれに相当する期間を含む。）がある職員には、第五条第二項の規定にかかわらず、当該基準日に係る期末手当を支給する。

2　給与法第十九条の七第一項に規定するそれぞれの基準日に育児休業をしている職員のうち、基準日以前六箇月以内の期間において勤務した期間がある職員には、第五条第二項の規定にかかわらず、当該基準日に係る勤勉手当を支給する。

（育児休業をした職員の職務復帰後における給与の調整）

第九条　育児休業をした職員が職務に復帰した場合におけるその者の号俸については、部内の他の職員との権衡上必要と認められる範囲内において、人事院規則の定めるところにより、必要な調整を行うことができる。

（育児休業をした職員についての国家公務員退職手当法の特例）

第十条　国家公務員退職手当法（昭和二十八年法律第百八十二号）第六条の四第一項及び第七条第四項の規定の適用については、育児休業をした期間は、同法第六条の四第一項に規定する現実に職務をとることを要しない期間に該当するものとする。

2　育児休業をした期間（当該育児休業に係る子が一歳に達した日の属する月までの期間に限る。）についての国家公務員退職手当法第七条第四項の規定の適用については、同項中「その月数の二分の一に相当する月数」とあるのは、「その月数の三分の一に相当する月数」とする。

（育児休業を理由とする不利益取扱いの禁止）

第十一条　職員は、育児休業を理由として、不利益な取扱いを受けない。

第三章　育児短時間勤務

（育児短時間勤務の承認）

第十二条　職員（常時勤務することを要しない職員、臨時的に任用された職員その他これらに類する職員として人事院規則で定める職員を除く。）は、任命権者の承認を受けて、当該職員の小学校就学の始期に達するまでの子を養育するため、当該子がその始期に達するまで、常時勤務を要する官職を占めたまま、次の各号に掲げるいずれかの勤務の形態（勤務時間法第七条第一項の規定の適用を受ける職員にあっては、第五号に掲げる勤務の形態）により、当該職員が希望する日及び時間帯において勤務すること（以下「育児短時間勤務」という。）ができる。ただし、当該子について、既に育児短時間勤務をしたことがある場合において、当該子に係る育児短時間勤務の終了の日の翌日から起算して一年を経過しないときは、人事院規則で定める特別の事情がある場合を除き、この限りでない。

一　日曜日及び土曜日を週休日（勤務時間法第六条第一項に規定する週休日をいう。以下この項において同じ。）とし、週休日以外の日において一日につき三時間五十五分勤務すること。

二　日曜日及び土曜日を週休日とし、週休日以外の日において一日につき四時間五十五分勤務すること。

三　日曜日及び土曜日並びに月曜日から金曜日までの五日間のうちの二日を週休日とし、週休日以外の日において一日につき七時間四十五分勤務すること。

四　日曜日及び土曜日並びに月曜日から金曜日までの五日間のうちの二日を週休日とし、週休日以外の日のうち、二日については一日につき七時間四十五分、一日については一日につき三時間五十五分勤務すること。

五　前各号に掲げるもののほか、一週間当たりの勤務時間が十九時間二十五分から二十四時間三十五分までの範囲内の時間となるように人事院規則で定める勤務の形態

2　育児短時間勤務の承認を受けようとする職員は、人事院規則の定めるところにより、育児短時間勤務をしようとする期間（一月以上一年以下の期間に限る。）の初日及び末日並びにその勤務の形態における勤務の日及び時間帯を明らかにして、任命権者に対し、その承認を請求するものとする。

3　任命権者は、前項の規定による請求があったときは、当該請求に係る期間について当該請求をした職員の業務を処理するための措置を講ずることが困難である場合を除き、これを承認しなければならない。

（育児短時間勤務の期間の延長）

第十三条　育児短時間勤務をしている職員（以下「育児短時間勤務職員」という。）は、任命権者に対し、当該育児短時間勤務の期間の延長を請求することができる。

2　前条第二項及び第三項の規定は、育児短時間勤務の期間の延長について準用する。

（育児短時間勤務の承認の失効等）

第十四条　第六条の規定は、育児短時間勤務の承認の失効及び取消しについて準用する。

（育児短時間勤務職員の並立任用）

第十五条　一人の育児短時間勤務職員（一週間当たりの勤務時間が十九時間二十五分から十九時間三十五分までの範囲内の時間である者に限る。以下この条において同じ。）が占める官職には、他の一人の育児短時間勤務職員を任用することを妨げない。

（育児短時間勤務職員についての給与法の特例）

第十六条　育児短時間勤務職員についての給与法の規定の適用については、次の表の上欄に掲げる給与法の規定中同表の中欄に掲げる字句は、それぞれ同表の下欄に掲げる字句とする。

第六条の二第一項	決定する	決定するものとし、その者の受ける号俸に応じた額に、国家公務員の育児休業等に関する法律（平成三年法律第百九号。以下「育児休業法」という。）第十七条の規定により読み替えられた勤務時間法第五条第一項ただし書の規定により定められたその者の勤務時間を同項本文に規定する勤務時間で除して得た数（以下「算出率」という。）を乗じて得た額とする
第六条の二第二項並びに第八条第四項、第五項、第七項及び第八項	決定する	決定するものとし、その者の受ける号俸に応じた額に、算出率を乗じて得た額とする
第九条の二第四項、第十六条第三項、第十七条、第十九条の三第一項	勤務時間法	育児休業法第十七条の規定により読み替えられた勤務時間法
第十二条第二項第二号	定年前再任用短時間勤務職員	育児休業法第十二条第一項に規定する育児短時間勤務をしている職員（以下「育児短時間勤務職員」という。）
第十六条第一項	支給する	支給する。ただし、育児短時間勤務職員が、第一号に掲げる勤務で正規の勤務時間を超えてしたもののうち、その勤務の時間とその勤務をした日における正規の勤務時間との合計が七時間四十五分に達するまでの間の勤務にあつては、同条に規定する勤務一時間当たりの給与額に百分の百（その勤務が午後十時から翌日の午前五時までの間である場合は、百分の百二十五）を乗じて得た額とする
第十六条第四項	要しない	要しない。ただし、当該時間が育児休業法第十六条の規定により読み替えられた同項ただし書に規定する七時間四十五分に達するまでの間の勤務に係る時間である場合にあつては、第十九条に規定する勤務一時間当たりの給与額に百分の百五十（その時間が午後十時から翌日の午前五時までの間である場合は、百分の百七十五）から百分の百（その時間が午後十時から翌日の午前五時までの間である場合は、百分の百二十五）を減じた割合を乗じて得た額とする
第十九条の四第四項	俸給	俸給の月額を算出率で除して得た額
	専門スタッ	専門スタッフ職調整手当の

	フ職調整手当	月額を算出率で除して得た額
第十九条の四第五項及び第十九条の七第三項	俸給及び専門スタッフ職調整手当の月額	俸給の月額を算出率で除して得た額及び専門スタッフ職調整手当の月額を算出率で除して得た額
	俸給の月額	俸給の月額を算出率で除して得た額
第十九条の四第五項	俸給月額	俸給月額を算出率で除して得た額
第十九条の四第六項	人事院規則	育児短時間勤務職員の勤務時間を考慮して人事院規則

（育児短時間勤務職員についての勤務時間法の特例）

第十七条 育児短時間勤務職員についての勤務時間法の規定の適用については、次の表の上欄に掲げる勤務時間法の規定中同表の中欄に掲げる字句は、それぞれ同表の下欄に掲げる字句とする。

第五条第一項	とする	とする。ただし、国家公務員の育児休業等に関する法律（平成三年法律第百九号）第十二条第三項の規定により同条第一項に規定する育児短時間勤務（以下「育児短時間勤務」という。）の承認を受けた職員（以下「育児短時間勤務職員」という。）の一週間当たりの勤務時間は、当該承認を受けた育児短時間勤務の内容に従い、各省各庁の長が定める
第六条第一項ただし書及び第二項ただし書、第七条第二項、第十一条並びに第十七条第一項第一号	定年前再任用短時間勤務職員	育児短時間勤務職員
第六条第一項ただし書	これらの日	必要に応じ、当該育児短時間勤務の内容に従い、これらの日
	ことができる	ものとする
第六条第二項ただし書	範囲内で	範囲内で、当該育児短時間勤務の内容に従い、
第六条第三項	定める期間	定める期間（以下この項において「単位期間」という。）
	できる	できる。ただし、当該職員が育児短時間勤務職員である場合にあっては、単位期間ごとの期間について、当該育児短時間勤務の内容に従い、勤務時間を割り振るものとする
第七条第二項	ところにより、四週間ごとの期間につき八日	ところにより、四週間ごとの期間につき八日の週休日
	八日以上）の週休日を設け、及び	四週間ごとの期間につき八日以上で当該育児短時間勤務の内容に従った週休日）を設け、及び
	第五条に規定する勤務時間	第五条に規定する勤務時間（当該育児短時間勤務職員にあっては、当該育児短時間勤務の内容に従った勤務時間）
	必要	必要（育児短時間勤務職員にあっては、当該育児短時間勤務の内容）
	割合で週休日	割合で週休日（育児短時間勤務職員にあっては、五十二週間を超えない期間につき一週間当たり一日以上の割合で当該育児短時間勤務の内容に従った週休日）
	同条に規定する勤務時間	同条に規定する勤務時間（当該育児短時間勤務職員にあっては、当該育児短時

		間勤務の内容に従った勤務時間）
第十三条第一項	職員	、公務の運営に著しい支障が生ずると認められる場合として人事院規則で定める場合に限り、育児短時間勤務職員
第十三条第二項	公務のため臨時又は緊急の必要がある場合には	公務の運営に著しい支障が生ずると認められる場合として人事院規則で定める場合に限り
	職員	育児短時間勤務職員

（育児短時間勤務職員についての一般職の任期付研究員の採用、給与及び勤務時間の特例に関する法律の特例）

第十八条　育児短時間勤務職員についての一般職の任期付研究員の採用、給与及び勤務時間の特例に関する法律（平成九年法律第六十五号）の規定の適用については、次の表の上欄に掲げる同法の規定中同表の中欄に掲げる字句は、それぞれ同表の下欄に掲げる字句とする。

第六条第三項	決定する	決定するものとし、その者の受ける号俸に応じた額に、国家公務員の育児休業等に関する法律（平成三年法律第百九号。第八条第二項において「育児休業法」という。）第十七条の規定により読み替えられた一般職の職員の勤務時間、休暇等に関する法律（平成六年法律第三十三号）第五条第一項ただし書の規定により定められたその者の勤務時間を同項本文に規定する勤務時間で除して得た数（次項において「算出率」という。）を乗じて得た額とする
第六条第四項	相当する額と	相当する額にそれぞれ算出率を乗じて得た額と
第八条第二項	については、月曜日から金曜日までの五日間	については、育児休業法第十七条の規定により読み替えられた勤務時間法第六条第一項に規定する週休日以外の日
	勤務時間法第六条第二項	同条第二項ただし書
	七時間四十五分の	育児休業法第十二条第三項の規定により承認を受けた同条第一項に規定する育児短時間勤務の内容に従った

（育児短時間勤務職員についての一般職の任期付職員の採用及び給与の特例に関する法律の特例）

第十九条　育児短時間勤務職員についての一般職の任期付職員の採用及び給与の特例に関する法律（平成十二年法律第百二十五号）の規定の適用については、次の表の上欄に掲げる同法の規定中同表の中欄に掲げる字句は、それぞれ同表の下欄に掲げる字句とする。

第七条第二項	決定する	決定するものとし、その者の受ける号俸に応じた額に、国家公務員の育児休業等に関する法律（平成三年法律第百九号）第十七条の規定により読み替えられた一般職の職員の勤務時間、休暇等に関する法律（平成六年法律第三十三号）第五条第一項ただし書の規定により定められたその者の勤務時間を同項本文に規定する勤務時間で除して得た数（次項において「算出率」という。）を乗じて得た額とする
第七条第三項	相当する額と	相当する額にそれぞれ算出率を乗じて得た額と

（育児短時間勤務職員についての国家公務員退職手当法の特例）

第二十条　国家公務員退職手当法第六条の四第一項及び第七条第四項の規定の適用については、育児短時間勤務をした期間は、同法第六条の四第一項に規定する現実に職務をとることを要しない期間に該当するものとみなす。

2　育児短時間勤務をした期間についての国家公務員退職手当法第七条第四項の規定の適用については、同項中「その月数の二分の一に相当する月数」とあるのは、「その月数の三分の一に相当する月数」とする。

3　育児短時間勤務の期間中の国家公務員退職手

当法の規定による退職手当の計算の基礎となる俸給月額は、育児短時間勤務をしなかったと仮定した場合の勤務時間により勤務したときに受けるべき俸給月額とする。

（育児短時間勤務を理由とする不利益取扱いの禁止）

第二十一条　職員は、育児短時間勤務を理由として、不利益な取扱いを受けない。

（育児短時間勤務の承認が失効した場合等における育児短時間勤務の例による短時間勤務）

第二十二条　任命権者は、第十四条において準用する第六条の規定により育児短時間勤務の承認が失効し、又は取り消された場合において、過員を生ずることその他の人事院規則で定めるやむを得ない事情があると認めるときは、その事情が継続している期間、人事院規則の定めるところにより、当該育児短時間勤務をしていた職員に、引き続き当該育児短時間勤務と同一の勤務の日及び時間帯において常時勤務を要する官職を占めたまま勤務をさせることができる。この場合において、第十五条から前条までの規定を準用する。

（育児短時間勤務に伴う任期付短時間勤務職員の任用）

第二十三条　任命権者は、第十二条第二項又は第十三条第一項の規定による請求があった場合において、当該請求に係る期間について当該請求をした職員の業務を処理するため必要があると認めるときは、人事院規則で定めるところにより、当該請求に係る期間を任期の限度として、当該請求をした職員が育児短時間勤務をすることにより処理することが困難となる業務と同一の業務を行うことをその職務の内容とする常時勤務を要しない官職を占める職員を任用することができる。この場合において、国家公務員法第六十条の二第二項から第四項までの規定は、適用しない。

2　第七条第二項の規定は、前項の規定により任用された職員（以下「任期付短時間勤務職員」という。）について準用する。

（任期付短時間勤務職員についての給与法の特例）

第二十四条　任期付短時間勤務職員についての給与法の規定の適用については、次の表の上欄に掲げる給与法の規定中同表の中欄に掲げる字句は、それぞれ同表の下欄に掲げる字句とする。

第六条の二第一項	決定する	決定するものとし、その者の俸給月額は、その者の受ける号俸に応じた額に、国家公務員の育児休業等に関する法律（平成三年法律第百九号。以下「育児休業法」という。）第二十五条の規定により読み替えられた勤務時間法第五条第一項ただし書の規定により定められたその者の勤務時間を同項本文に規定する勤務時間で除して得た数（以下「算出率」という。）を乗じて得た額とする
第六条の二第二項並びに第八条第四項、第五項、第七項及び第八項	決定する	決定するものとし、その者の俸給月額は、その者の受ける号俸に応じた額に、算出率を乗じて得た額とする
第九条の二第四項、第十六条第三項、第十七条及び第十九条の三第一項	勤務時間法	育児休業法第二十五条の規定により読み替えられた勤務時間法
第十二条第二項第二号	定年前再任用短時間勤務職員	育児休業法第二十三条第二項に規定する任期付短時間勤務職員（以下「任期付短時間勤務職員」という。）
第十六条第一項	支給する	支給する。ただし、任期付短時間勤務職員が、第一号に掲げる勤務で正規の勤務時間を超えてしたもののうち、その勤務の時間とその勤務をした日における正規の勤務時間との合計が七時間四十五分に達するまでの間の勤務にあっては、同条に規定する勤務一時間当たりの給与額に百分の百（その勤務が午後十時から翌日の午前五時までの間である場合は、百分の百二十五）を乗じて得た額とする

第十六条第四項	要しない	要しない。ただし、当該時間が育児休業法第二十四条の規定により読み替えられた同項ただし書に規定する七時間四十五分に達するまでの間の勤務に係る時間である場合にあつては、第十九条に規定する勤務一時間当たりの給与額に百分の百五十（その時間が午後十時から翌日の午前五時までの間である場合は、百分の百七十五）から百分の百（その時間が午後十時から翌日の午前五時までの間である場合は、百分の百二十五）を減じた割合を乗じて得た額とする
第十九条の八第三項	第八条第四項から第十一項まで、第十条の四及び第十一条	第十一条、第十一条の十及び第十二条の二
	定年前再任用短時間勤務職員	任期付短時間勤務職員
第二十二条第一項	定年前再任用短時間勤務職員	任期付短時間勤務職員

（任期付短時間勤務職員についての勤務時間法の特例）

第二十五条　任期付短時間勤務職員についての勤務時間法の規定の適用については、次の表の上欄に掲げる勤務時間法の規定中同表の中欄に掲げる字句は、それぞれ同表の下欄に掲げる字句とする。

第五条第一項	とする	とする。ただし、国家公務員の育児休業等に関する法律（平成三年法律第百九号）第二十三条第二項に規定する任期付短時間勤務職員（以下「任期付短時間勤務職員」という。）の勤務時間は、一週間当たり十時間から十九時間二十分までの範囲内で、人事院規則で定めるところにより、各省各庁の長が定める
第六条第一項ただし書及び第二項ただし書、第七条第二項、第十一条、第十七条、第十九条第一項第一号並びに第二十三条	定年前再任用短時間勤務職員	任期付短時間勤務職員

第四章　育児時間

第二十六条　各省各庁の長は、職員（任期付短時間勤務職員その他その任用の状況がこれに類する職員として人事院規則で定める職員を除く。）が請求した場合において、公務の運営に支障がないと認めるときは、人事院規則で定めるところにより、当該職員がその小学校就学の始期（常時勤務することを要しない職員（国家公務員法第六十条の二第二項に規定する定年前再任用短時間勤務職員を除く。）にあっては、三歳）に達するまでの子を養育するため一日につき二時間を超えない範囲内で勤務しないこと（以下この条において「育児時間」という。）を承認することができる。

2　職員が育児時間の承認を受けて勤務しない場合には、給与法第十五条の規定にかかわらず、その勤務しない一時間につき、給与法第十九条に規定する勤務一時間当たりの給与額を減額して給与を支給する。

3　第六条及び第二十一条の規定は、育児時間について準用する。

第五章　防衛省の職員への準用等

第二十七条　この法律（第二条、第七条第六項、第十六条から第十九条まで、第二十四条及び第二十五条を除く。）の規定は、国家公務員法第二条第三項第十六号に掲げる防衛省の職員について準用する。この場合において、これらの規定（第三条第一項第一号を除く。）中「人事院規則」とあるのは「政令」と読み替えるほか、次の表の上欄に掲げる規定中同表の中欄に掲げる字句は、それぞれ同表の下欄に掲げる字句に読み替えるものとする。

第三条第一項	職員（第二十三条第二項	職員（自衛官候補生、第二十三条第二項
	、任命権者	、自衛隊法（昭和二十九年法律第百六十五号）第三十一条第一項の規定により同法第二条第五項に規定する隊員の任免について権限を有する者（以下「任命権者」という。）
	勤務時間法第十九条に規定する特別休暇のうち出産により職員が勤務しないことが相当である場合として人事院規則で定める場合における休暇	自衛隊法第五十四条第二項の規定に基づく防衛省令で定める休暇のうち職員が出産した場合における休暇
	同条の規定により人事院規則で定める期間	防衛省令で定める期間
	人事院規則で定める期間内	防衛省令で定める期間内
	当該休暇又はこれに相当するものとして勤務時間法第二十三条の規定により人事院規則で定める休暇	当該休暇
第八条第一項	一般職の職員の給与に関する法律（昭和二十五年法律第九十五号。以下「給与法」という。）	防衛省の職員の給与等に関する法律（昭和二十七年法律第二百六十六号）第十八条の二第一項、第二十五条第四項又は第二十五条の二第三項においてその例によることとされる一般職の職員の給与に関する法律（昭和二十五年法律第九十五号）
第八条第二項	給与法	防衛省の職員の給与等に関する法律第十八条の二第一項においてその例によることとされる一般職の職員の給与に関する法律
第十二条第一項	職員（	職員（自衛官、自衛官候補生、防衛省設置法（昭和二十九年法律第百六十四号）第十五条第一項又は第十六条第一項（第三号を除く。）の教育訓練を受けている者、自衛隊法第二十五条第五項の教育訓練を受けている者、
	勤務時間法第七条第一項の規定の適用を受ける	自衛隊法第五十四条第二項の規定に基づく防衛省令の規定により一般職の職員の勤務時間、休暇等に関する法律（平成六年法律第三十三号）第七条第一項に規定する特別の形態に相当する形態によって勤務する
第十二条第一項第一号	週休日（勤務時間法第六条第一項に規定する週休日	休養日（自衛隊法第五十四条第二項の規定に基づく防衛省令の規定により勤務時間を割り振らない日
	週休日以外	休養日以外
第十二条第一項第二号から第四号まで	週休日	休養日
第二十二条	から前条まで	、前二条及び第二十七条第二項
第二十三条第一項	国家公務員法第六十条の二第三項	自衛隊法第四十一条の二第三項
前条第一項	各省各庁の長は、職員（	防衛大臣又はその委任を受けた者は、職員（自衛官候補生、
	国家公務員法第六十条の二第二項に規定する定年前再任用短時間勤務職員	自衛隊法第四十一条の二第一項の規定により採用された職員

前条第二項	次条
給与法第十五条の規定にかかわらず、その勤務しない一時間につき、給与法第十九条に規定する勤務一時間当たりの給与額を減額して給与を	、第二十条及び前条
防衛省の職員の給与等に関する法律第十一条第二項、第十六条第二項又は第十八条第三項の規定による減額をして、俸給、航空手当、乗組手当、落下傘隊員手当、特別警備隊員手当、特殊作戦隊員手当又は営外手当を	及び第二十条

2　前項において準用する第十三条第一項に規定する育児短時間勤務職員についての防衛省の職員の給与等に関する法律（昭和二十七年法律第二百六十六号）の規定の適用については、同法第四条第一項中「定める額」とあるのは「定める額に、その者の一週間当たりの通常の勤務時間を自衛隊法第四十一条の二第一項の規定により採用された職員及び国家公務員の育児休業等に関する法律（平成三年法律第百九号）第二十七条第一項において準用する同法第十三条第一項に規定する育児短時間勤務職員以外の職員の一週間当たりの通常の勤務時間として防衛省令で定めるもので除して得た数（以下「算出率」という。）を乗じて得た額」と、同条第二項及び第三項中「定める額」とあるのは「定める額に、算出率を乗じて得た額」と、同法第六条第一項中「決定する」とあるのは「決定するものとし、その者の俸給月額は、その者の受ける号俸に応じた額に、算出率を乗じて得た額とする」と、同法第六条の二第二項及び第七条第二項中「相当する額と」とあるのは「相当する額にそれぞれ算出率を乗じて得た額と」とする。

3　第一項において準用する第二十三条第二項に規定する任期付短時間勤務職員についての防衛省の職員の給与等に関する法律の規定の適用については、同法第四条第一項中「定める額」とあるのは「定める額に、その者の一週間当たりの通常の勤務時間を自衛隊法第四十一条の二第一項の規定により採用された職員及び国家公務員の育児休業等に関する法律（平成三年法律第百九号）第二十七条第一項において準用する同法第十三条第一項に規定する育児短時間勤務職員以外の職員の一週間当たりの通常の勤務時間として防衛省令で定めるもので除して得た数（第六条第一項において「算出率」という。）を乗じて得た額」と、同法第六条第一項中「決定する」とあるのは「決定するものとし、その者の俸給月額は、その者の受ける号俸に応じた額に、算出率を乗じて得た額とする」と、同法第二十二条の二第六項中「初任給調整手当」とあるのは「住居手当及び単身赴任手当」と、「定年前再任用短時間勤務職員及び自衛隊法第四十五条の二第一項の規定により採用された職員」とあるのは「国家公務員の育児休業等に関する法律第二十七条第一項において準用する同法第二十三条第二項に規定する任期付短時間勤務職員」とする。

第六章　雑則

第二十八条　この法律（第十条、第二十条及び前条を除く。）の実施に関し必要な事項は、人事院規則で定める。

附　則

（施行期日）

第一条　この法律は、平成四年四月一日から施行する。

（給与法附則第八項の規定が適用される育児短時間勤務職員等に関する読替え）

第二条　育児短時間勤務職員に対する給与法附則第八項の規定の適用については、同項中「〕とする」とあるのは、「〕に、国家公務員の育児休業等に関する法律（平成三年法律第百九号）第十七条の規定により読み替えられた勤務時間法第五条第一項ただし書の規定により定められたその者の勤務時間を同項本文に規定する勤務時間で除して得た数を乗じて得た額とする」とする。

2　第二十二条の規定による勤務をしている職員が給与法附則第八項の規定の適用を受ける場合における同条の規定の適用については、同条中「前条まで」とあるのは、「前条まで及び附則第二条第一項」とする。

（検察官の俸給等に関する法律附則第五条第一項の規定が適用される育児短時間勤務職員等に関する読替え）

第三条　育児短時間勤務職員に対する検察官の俸給等に関する法律（昭和二十三年法律第七十六号）附則第五条第一項の規定の適用については、同項中「〕とする」とあるのは、「〕に、国家公務員の育児休業等に関する法律（平成三年法律第百九号）第十七条の規定により読み替えられた一般職の職員の勤務時間、休暇等に関する法律（平成六年法律第三十三号）第五条第一項ただし書の規定により定められたその者の勤務時間を同項本文に規定する勤務時間で除して得た数を乗じて得た額とする」とする。

2　第二十二条の規定による勤務をしている職員が検察官の俸給等に関する法律附則第五条第一項の規定の適用を受ける場合における第二十二条の規定の適用については、同条中「前条まで」とあるのは、「前条まで及び附則第三条第一項」とする。

（防衛省の職員の給与等に関する法律附則第五項の規定が適用される育児短時間勤務職員等に関する読替え）

第四条　第二十七条第一項において準用する第十三条第一項に規定する育児短時間勤務職員に対する防衛省の職員の給与等に関する法律附則第五項の規定の適用については、同項中「」とする」とあるのは、「」に、その者の一週間当たりの通常の勤務時間を定年前再任用短時間勤務職員及び国家公務員の育児休業等に関する法律（平成三年法律第百九号）第二十七条第一項において準用する同法第十三条第一項に規定する育児短時間勤務職員以外の職員の一週間当たりの通常の勤務時間として防衛省令で定めるもので除して得た数を乗じて得た額とする」とする。

2　第二十七条第一項において準用する第二十二条の規定による勤務をしている職員が防衛省の職員の給与等に関する法律附則第五項の規定の適用を受ける場合における第二十七条第一項の規定の適用については、同項の表第二十二条の項中「及び第二十七条第二項」とあるのは、「、第二十七条第二項及び附則第四条第一項」とする。

附　則（令三・六・一一法六一）（抄）

（施行期日）

第一条　この法律は、令和五年四月一日から施行する。〔ただし書略〕

〔注：国家公務員法の令三法六一の附則参照〕

附　則（令四・四・一三法一九）（抄）

（施行期日）

1　この法律は、公布の日から起算して九月を超えない範囲内において政令で定める日〔令四・一〇・一〕から施行する。〔ただし書略〕

附　則（令五・一一・二四法七三）（抄）

（施行期日等）

第一条　この法律は、公布の日から施行する。ただし、次の各号に掲げる規定は、当該各号に定める日から施行する。

一　〔略〕

二　〔前略〕附則第六条の規定　令和七年四月一日

附　則（令六・一二・二五法七二）（抄）

（施行期日等）

第一条　この法律は、公布の日から施行する。ただし、〔中略〕附則〔中略〕第十四条から第二十条までの規定は、令和七年四月一日から施行する。

2　〔略〕

附　則（令六・一二・二五法七八）（抄）

（施行期日等）

第一条　この法律は、公布の日から施行する。ただし、〔中略〕附則〔中略〕第十一条の規定は、令和七年四月一日から施行する。

○人事院規則一九―〇（職員の育児休業等）

平四・一・一七制定
平四・四・一施行

最終改正　令五・一一・二〇規則一九―〇―一六

目次〔略〕

第一章　総則

（趣旨）

第一条　この規則は、職員の育児休業、育児短時間勤務（育児休業法第十二条第一項に規定する育児短時間勤務をいう。以下同じ。）及び育児時間（育児休業法第二十六条第一項に規定する育児時間をいう。以下同じ。）に関し必要な事項を定めるものとする。

（任命権者）

第二条　育児休業法に規定する任命権者には、併任に係る官職の任命権者は含まれないものとする。

第二章　育児休業

（育児休業をすることができない職員）

第三条　育児休業法第三条第一項の人事院規則で定める職員は、次に掲げる職員とする。

一　育児休業法第七条第一項若しくは配偶者同行休業法第七条第一項又は規則八―一二（職員の任免）第四十二条第二項（第一号及び第二号を除く。）の規定により任期を定めて採

用された職員

二　法第八十一条の五第一項から第四項までの規定により異動期間（これらの規定により延長された期間を含む。）を延長された管理監督職を占める職員

三　勤務延長職員

四　常時勤務することを要しない職員（以下「非常勤職員」という。）であって、次のいずれかに該当するもの以外の非常勤職員

イ　次のいずれにも該当する非常勤職員

(1)　その養育する子（育児休業法第三条第一項に規定する子をいう。以下同じ。）が一歳六か月に達する日（以下「一歳六か月到達日」という。）（当該子の出生の日から第四条の三に規定する期間内に育児休業をしようとする場合にあっては当該期間の末日から六月を経過する日、第三条の四の規定に該当する場合にあっては当該子が二歳に達する日）までに、その任期（任期が更新される場合にあっては、更新後のもの）が満了すること及び引き続いて任命権者を同じくする官職（以下「特定官職」という。）に採用されないことが明らかでない非常勤職員

(2)　勤務日の日数を考慮して人事院が定める非常勤職員

ロ　次のいずれかに該当する非常勤職員

(1)　その養育する子が一歳に達する日（以下「一歳到達日」という。）（当該子について当該非常勤職員が第三条の三第二号に掲げる場合に該当してする育児休業の期間の末日とされた日が当該子の一歳到達日後である場合にあっては、当該末日とされた日。以下(1)において同じ。）において育児休業をしている非常勤職員であって、同条第三号に掲げる場合に該当して当該子の一歳到達日の翌日を育児休業の期間の初日とする育児休業をしようとするもの

(2)　その任期の末日を育児休業の期間の末日とする育児休業をしている非常勤職員であって、当該任期を更新され、又は当該任期の満了後引き続いて特定官職に採用されることに伴い、当該育児休業に係る子について、当該更新前の任期の末日の翌日又は当該採用の日を育児休業の期間の初日とする育児休業をしようとするもの

（育児休業法第三条第一項の人事院規則で定める者）

第三条の二　育児休業法第三条第一項の人事院規則で定める者は、児童福祉法（昭和二十二年法律第百六十四号）第六条の四第一号に規定する養育里親である職員（児童の親その他の同法第二十七条第四項に規定する者の意に反するため、同項の規定により、同法第六条の四第二号に規定する養子縁組里親として当該児童を委託することができない職員に限る。）に同法第二十七条第一項第三号の規定により委託されている当該児童とする。

（育児休業法第三条第一項の人事院規則で定める日）

第三条の三　育児休業法第三条第一項の人事院規則で定める日は、次の各号に掲げる場合の区分に応じ、当該各号に定める日とする。

一　次号及び第三号に掲げる場合以外の場合　非常勤職員の養育する子の一歳到達日

二　非常勤職員の配偶者（届出をしないが事実上婚姻関係と同様の事情にある者を含む。以下同じ。）が当該非常勤職員の養育する子の一歳到達日以前のいずれかの日において当該子を養育するために育児休業法その他の法律の規定による育児休業（以下「国等育児休業」という。）をしている場合において、当該非常勤職員が、当該子について育児休業をしようとする場合（当該育児休業の期間の初日とされた日が当該子の一歳到達日の翌日後である場合又は当該国等育児休業の期間の初日前である場合を除く。）　当該子が一歳二か月に達する日（当該日が当該育児休業の期間の初日とされた日から起算して育児休業等可能日数（当該子の出生の日から当該子の一歳到達日までの日数をいう。）から育児休業等取得日数（当該子の出生の日以後当該非常勤職員が規則一五—一五（非常勤職員の勤務時間及び休暇）第四条第一項第十号又は第十一号（当該非常勤職員が法第六十条の二第二項に規定する定年前再任用短時間勤務職員（以下「定年前再任用短時間勤務職員」という。）である場合にあっては、規則一五—一四（職員の勤務時間、休日及び休暇）第二十二条第一項第六号又は第七号）の休暇により勤務しなかった日数と当該子について育児休

業をした日数を合算した日数をいう。）を差し引いた日数を経過する日より後の日であるときは、当該経過する日）

三　一歳から一歳六か月に達するまでの子を養育する非常勤職員が、次に掲げる場合のいずれにも該当する場合（当該子についてこの号に掲げる場合に該当して育児休業をしている場合であって第四条第七号に掲げる事情に該当するときはロ及びハに掲げる場合に該当する場合、人事院が定める特別の事情がある場合にあってはハに掲げる場合に該当する場合）　当該子の一歳六か月到達日

イ　当該非常勤職員が当該子の一歳到達日（当該非常勤職員が前号に掲げる場合に該当してする育児休業又は当該非常勤職員の配偶者が同号に掲げる場合若しくはこれに相当する場合に該当してする国等育児休業の期間の末日とされた日が当該子の一歳到達日後である場合にあっては、当該末日とされた日（当該育児休業の期間の末日とされた日と当該国等育児休業の期間の末日とされた日が異なるときは、そのいずれかの日））の翌日（当該配偶者がこの号に掲げる場合又はこれに相当する場合に該当して国等育児休業をする場合にあっては、当該国等育児休業の期間の末日とされた日の翌日以前の日）を育児休業の期間の初日とする育児休業をしようとする場合

ロ　当該子について、当該非常勤職員が当該子の一歳到達日（当該非常勤職員が前号に掲げる場合に該当してする育児休業の期間の末日とされた日が当該子の一歳到達日後である場合にあっては、当該末日とされた日）において育児休業をしている場合又は当該非常勤職員の配偶者が当該子の一歳到達日（当該配偶者が同号に掲げる場合又はこれに相当する場合に該当してする国等育児休業の期間の末日とされた日が当該子の一歳到達日後である場合にあっては、当該末日とされた日）において国等育児休業をしている場合

ハ　当該子の一歳到達日後の期間について育児休業をすることが継続的な勤務のために特に必要と認められる場合として人事院が定める場合に該当する場合

ニ　当該子について、当該非常勤職員が前号に掲げる場合に該当してする育児休業の期間の末日とされた日が当該子の一歳到達日後である場合にあっては、当該末日とされた日）後の期間においてこの号に掲げる場合に該当して育児休業をしたことがない場合

（育児休業法第三条第一項本文の人事院規則で定める場合）

第三条の四　育児休業法第三条第一項本文の人事院規則で定める場合は、一歳六か月から二歳に達するまでの子を養育する非常勤職員が、次の各号に掲げる場合のいずれにも該当する場合（当該子についてこの条の規定に該当して育児休業をしている場合であって次条第七号に掲げる事情に該当するときは第二号及び第三号に掲げる場合に該当する場合、人事院が定める特別の事情がある場合にあっては同号に掲げる場合に該当する場合）とする。

一　当該非常勤職員が当該子の一歳六か月到達日の翌日（当該非常勤職員の配偶者がこの条の規定に該当し、又はこれに相当する場合に該当して国等育児休業をする場合にあっては、当該国等育児休業の期間の末日とされた日の翌日以前の日）を育児休業の期間の初日とする育児休業をしようとする場合

二　当該子について、当該非常勤職員が当該子の一歳六か月到達日において育児休業をしている場合又は当該非常勤職員の配偶者が当該子の一歳六か月到達日において国等育児休業をしている場合

三　当該子の一歳六か月到達日後の期間について育児休業をすることが継続的な勤務のために特に必要と認められる場合として人事院が定める場合に該当する場合

四　当該子について、当該非常勤職員が当該子の一歳六か月到達日後の期間においてこの条の規定に該当して育児休業をしたことがない場合

（育児休業法第三条第一項ただし書の人事院規則で定める特別の事情）

第四条　育児休業法第三条第一項ただし書の人事院規則で定める特別の事情は、次に掲げる事情とする。

一　育児休業の承認が、産前の休業を始め又は出産したことにより効力を失った後、当該産前の休業又は出産に係る子が次に掲げる場合に該当することとなったこと。

イ　死亡した場合
ロ　養子縁組等により職員と別居することとなった場合
二　育児休業の承認が、第九条に規定する事由に該当したことにより取り消された後、同条に規定する承認に係る子が次に掲げる場合に該当することとなったこと。
イ　前号イ又はロに掲げる場合
ロ　民法（明治二十九年法律第八十九号）第八百十七条の二第一項の規定による請求に係る家事審判事件が終了した場合（特別養子縁組の成立の審判が確定した場合を除く。）又は養子縁組が成立しないまま児童福祉法第二十七条第一項第三号の規定による措置が解除された場合
三　育児休業の承認が休職又は停職の処分を受けたことにより効力を失った後、当該休職又は停職が終了したこと。
四　育児休業の承認が、職員の負傷、疾病又は身体上若しくは精神上の障害により当該育児休業に係る子を養育することができない状態が相当期間にわたり継続することが見込まれることにより取り消された後、当該子を養育することができる状態に回復したこと。
五　配偶者が負傷又は疾病により入院したこと、配偶者と別居したこと、育児休業に係る子について児童福祉法第三十九条第一項に規定する保育所、就学前の子どもに関する教育、保育等の総合的な提供の推進に関する法律（平成十八年法律第七十七号）第二条第六項に規定する認定こども園又は児童福祉法第二十四条第二項に規定する家庭的保育事業等（以下「保育所等」という。）における保育の利用を希望し、申込みを行っているが、当面その実施が行われないことその他の育児休業の終了時に予測することができなかった事実が生じたことにより当該育児休業に係る子について育児休業をしなければその養育に著しい支障が生じること。
六　第三条の三第三号に掲げる場合に該当すること又は第三条の四の規定に該当すること。
七　任期を定めて採用された職員であって、当該任期の末日を育児休業の期間の末日とする育児休業をしているものが、当該任期を更新され、又は当該任期の満了後引き続いて特定官職に採用されることに伴い、当該育児休業に係る子について、当該更新前の任期の末日の翌日又は当該採用の日を育児休業の期間の初日とする育児休業をしようとすること。

（育児休業法第三条第一項第一号の人事院規則で定める場合）

第四条の二　育児休業法第三条第一項第一号の人事院規則で定める場合は、規則一五—一四第二十二条第一項第七号に掲げる場合とする。

（育児休業法第三条第一項第一号の人事院規則で定める期間）

第四条の三　育児休業法第三条第一項第一号の人事院規則で定める期間を考慮して人事院規則で定める期間は、五十七日間とする。

（育児休業の承認の請求手続）

第五条　育児休業の承認の請求は、育児休業承認請求書により行い、第四条第七号に掲げる事情に該当して育児休業の承認を請求する場合を除き、育児休業を始めようとする日の一月（次に掲げる場合は、二週間）前までに行うものとする。
一　当該請求に係る子の出生の日から前条に規定する期間内に育児休業をしようとする場合
二　第三条の三第三号に掲げる場合に該当する場合であって、当該請求をする日が当該請求に係る子の一歳到達日（当該請求をする非常勤職員が同条第二号に掲げる場合に該当してする国等育児休業又は当該非常勤職員の配偶者が同号に掲げる場合若しくはこれに相当する場合に該当してする国等育児休業の期間の末日とされた日が当該請求に係る子の一歳到達日後である場合は、当該末日とされた日（当該育児休業の期間の末日とされた日と当該国等育児休業の期間の末日とされた日が異なるときは、そのいずれかの日））以前の日である場合
三　第三条の四の規定に該当する場合であって、当該請求をする日が当該請求に係る子の一歳六か月到達日以前の日である場合

2　任命権者は、育児休業の承認の請求について、その事由を確認する必要があると認めるときは、当該請求をした職員に対して、証明書類の提出を求めることができる。ただし、任期を定めて採用された職員が第四条第七号に掲げる事情に該当して育児休業の承認を請求した場合は、この限りでない。

（育児休業の期間の延長の請求手続）

第六条　育児休業の期間の延長の請求は、育児休業承認請求書により行い、第四条第七号に規定する職員が任期を更新されることに伴い育児休業の期間の延長を請求する場合を除き、育児休業の期間の末日とされている日の翌日の一月（次に掲げる育児休業の期間を延長しようとする場合は、二週間）前までに行うものとする。

一　当該請求に係る子の出生の日から第四条の三に規定する期間内にしている育児休業（当該期間内に延長後の育児休業の期間の末日とされる日があることとなるものに限る。）

二　第三条の三第三号に掲げる場合に該当してしている育児休業

三　第三条の四の規定に該当してしている育児休業

2　前条第二項本文の規定は、育児休業の期間の延長の請求について準用する。

（育児休業の期間の再度の延長ができる特別の事情）

第七条　育児休業法第四条第二項の人事院規則で定める特別の事情は、配偶者が負傷又は疾病により入院したこと、配偶者と別居したこと、育児休業に係る子について保育所等における保育の利用を希望し、申込みを行っているが、当面その実施が行われないことその他の育児休業の期間の延長の請求時に予測することができなかった事実が生じたことにより当該育児休業に係る子について育児休業の期間の再度の延長をしなければその養育に著しい支障が生じることとする。

（育児休業をしている職員が保有する官職）

第八条　育児休業をしている職員は、その承認を受けた時占めていた官職又はその期間中に異動した官職を保有するものとする。ただし、併任に係る官職については、この限りでない。

2　前項の規定は、当該官職を他の職員をもって補充することを妨げるものではない。

（育児休業の承認の取消事由）

第九条　育児休業法第六条第二項の人事院規則で定める事由は、育児休業をしている職員について当該育児休業に係る子以外の子に係る育児休業を承認しようとするときとする。

（育児休業に係る子が死亡した場合等の届出）

第十条　育児休業をしている職員は、次に掲げる場合には、遅滞なく、その旨を任命権者に届け出なければならない。

一　育児休業に係る子が死亡した場合

二　育児休業に係る子が職員の子でなくなった場合

三　育児休業に係る子を養育しなくなった場合

2　前項の届出は、養育状況変更届により行うものとする。

3　第五条第二項本文の規定は、第一項の届出について準用する。

（育児休業をしている職員の職務復帰）

第十一条　育児休業の期間が満了したとき、育児休業の承認が休職又は停職の処分を受けたこと以外の事由により効力を失ったとき又は育児休業の承認が取り消されたとき（第九条に規定する事由に該当したことにより承認が取り消された場合を除く。）は、当該育児休業に係る職員は、職務に復帰するものとする。

（育児休業に係る人事異動通知書の交付）

第十二条　任命権者は、次に掲げる場合には、職員に対して、規則八―一二第五十八条の規定による人事異動通知書（以下「人事異動通知書」という。）を交付しなければならない。ただし、次の各号に規定する育児休業（第四号については、引き続いて承認する育児休業に限る。）が当該育児休業に係る子の出生の日から第四条の三に規定する期間内にあるものである場合にあっては、人事異動通知書に代わる文書の交付その他適当な方法をもって人事異動通知書の交付に替えることができる。

一　職員の育児休業を承認する場合

二　職員の育児休業の期間の延長を承認する場合

三　育児休業をした職員が職務に復帰した場合

四　育児休業をしている職員について当該育児休業の承認を取り消し、引き続いて当該育児休業に係る子以外の子に係る育児休業を承認する場合

（育児休業に伴う任期付採用に係る任期の更新）

第十三条　任命権者は、育児休業法第七条第三項の規定により任期を更新する場合には、あらかじめ職員の同意を得なければならない。

（育児休業に伴う任期付採用に係る人事異動通知書の交付）

第十四条　任命権者は、次に掲げる場合には、人事異動通知書を交付しなければならない。ただし、第三号に掲げる場合において、人事異動通知書の交付によらないことを適当と認めるとき

は、人事異動通知書に代わる文書の交付その他適当な方法をもって人事異動通知書の交付に替えることができる。

一　育児休業法第七条第一項の規定により任期を定めて職員を採用した場合

二　育児休業法第七条第一項の規定により任期を定めて採用された職員（次号において「任期付職員」という。）の任期を更新した場合

三　任期の満了により任期付職員が当然に退職した場合

（育児休業をしている職員の期末手当に係る勤務した期間に相当する期間）

第十五条　育児休業法第八条第一項の人事院規則で定める期間は、休暇の期間その他勤務しないことにつき特に承認のあった期間のうち、次に掲げる期間以外の期間とする。

一　育児休業法第三条の規定により育児休業をしていた期間

二　規則九―四〇（期末手当及び勤勉手当）第一条第三号から第五号まで、第十号又は第十二号に掲げる職員（同条第四号に掲げる職員については、勤務日及び勤務時間が常勤の職員と同様である者を除く。）として在職した期間

三　休職にされていた期間（規則九―四〇第五条第二項第五号イからニまでに掲げる期間を除く。）

（育児休業をした職員の職務復帰後における号俸の調整）

第十六条　育児休業をした職員が職務に復帰した場合において、部内の他の職員との均衡上必要があると認められるときは、その育児休業の期間を百分の百以下の換算率により換算して得た期間を引き続き勤務したものとみなして、その職務に復帰した日、同日後における最初の昇給日（規則九―八（初任給、昇格、昇給等の基準）第三十四条に規定する昇給日をいう。以下この項において同じ。）又はその次の昇給日に、昇給の場合に準じてその者の号俸を調整することができる。

2　育児休業をした職員が職務に復帰した場合における号俸の調整について、前項の規定による場合には部内の他の職員との均衡を著しく失すると認められるときは、同項の規定にかかわらず、あらかじめ人事院と協議して、その者の号俸を調整することができる。

第三章　育児短時間勤務

（育児短時間勤務をすることができない職員）

第十七条　育児休業法第十二条第一項の人事院規則で定める職員は、次に掲げる職員とする。

一　育児休業法第七条第一項若しくは配偶者同行休業法第七条第一項又は規則八―一二第四十二条第二項（第一号及び第二号を除く。）の規定により任期を定めて採用された職員

二　法第八十一条の五第一項から第四項までの規定により異動期間（これらの規定により延長された期間を含む。）を延長された管理監督職を占める職員

三　勤務延長職員

（育児短時間勤務の終了の日の翌日から起算して一年を経過しない場合に育児短時間勤務をすることができる特別の事情）

第十八条　育児休業法第十二条第一項ただし書の人事院規則で定める特別の事情は、次に掲げる事情とする。

一　育児短時間勤務の承認が、産前の休業を始め又は出産したことにより効力を失った後、当該産前の休業又は出産に係る子が第四条第一号イ又はロに掲げる場合に該当することとなったこと。

二　育児短時間勤務の承認が、第二十一条第一号に掲げる事由に該当したことにより取り消された後、同号に規定する承認に係る子が第四条第二号イ又はロに掲げる場合に該当することとなったこと。

三　育児短時間勤務の承認が休職又は停職の処分を受けたことにより効力を失った後、当該休職又は停職が終了したこと。

四　育児短時間勤務の承認が、職員の負傷、疾病又は身体上若しくは精神上の障害により当該育児短時間勤務に係る子を養育することができない状態が相当期間にわたり継続することが見込まれることにより取り消された後、当該子を養育することができる状態に回復したこと。

五　育児短時間勤務の承認が、第二十一条第二号に掲げる事由に該当したことにより取り消されたこと。

六　育児短時間勤務（この号の規定に該当したことにより当該育児短時間勤務に係る子について既にしたものを除く。）の終了後、三月以上の期間を経過したこと（当該育児短時間

勤務をした職員が、当該育児短時間勤務の承認の請求の際育児短時間勤務により当該子を養育するための計画について育児短時間勤務計画書により任命権者に申し出た場合に限る。）。

七　配偶者が負傷又は疾病により入院したこと、配偶者と別居したこと、育児短時間勤務に係る子について保育所等における保育の利用を希望し、申込みを行っているが、当面その実施が行われないことその他の育児短時間勤務の終了時に予測することができなかった事実が生じたことにより当該育児短時間勤務に係る子について育児短時間勤務をしなければその養育に著しい支障が生じること。

（育児休業法第十二条第一項第五号の人事院規則で定める勤務の形態）

第十九条　育児休業法第十二条第一項第五号の人事院規則で定める勤務の形態は、次の各号に掲げる職員の区分に応じ、当該各号に定める勤務の形態（同項第一号から第四号までに掲げる勤務の形態を除く。）とする。

一　勤務時間法第六条第三項の規定の適用を受ける職員　日曜日及び土曜日を週休日（同条第一項に規定する週休日をいう。以下この条において同じ。）とし、又は日曜日及び土曜日並びに月曜日から金曜日までの五日間のうちの二日を週休日とし、四週間ごとの期間（育児短時間勤務をしようとする期間の全てを四週間ごとに区分することができない場合にあっては、人事院の定めるところにより、当該育児短時間勤務をしようとする期間を一週間、二週間、三週間又は四週間に区分した各期間。以下この号において「単位期間」という。）につき一週間当たりの勤務時間が十九時間二十五分、十九時間三十五分、二十三時間十五分又は二十四時間三十五分となるように、かつ、週休日以外の日において一日につき午前五時から午後十時までの間において二時間以上（単位期間をその初日から一週間ごとに区分した各期間（単位期間が一週間である場合にあっては、単位期間）ごとにつき一日を限度として職員があらかじめ指定する日にあっては、二時間未満）勤務すること。

二　勤務時間法第七条第一項の規定の適用を受ける職員　次に掲げる勤務の形態（勤務日が引き続き十二日を超えず、かつ、一回の勤務が十六時間を超えないものに限る。）

イ　四週間ごとの期間につき八日以上を週休日とし、当該期間につき一週間当たりの勤務時間が十九時間二十五分、十九時間三十五分、二十三時間十五分又は二十四時間三十五分となるように勤務すること。

ロ　五十二週間を超えない期間につき一週間当たり一日以上の割合の日を週休日とし、週休日が毎四週間につき四日以上となるようにし、及び当該期間につき一週間当たりの勤務時間が十九時間二十五分、十九時間三十五分、二十三時間十五分又は二十四時間三十五分となるように、かつ、毎四週間につき一週間当たりの勤務時間が四十二時間を超えないように勤務すること。

（育児短時間勤務の承認又は期間の延長の請求手続）

第二十条　育児短時間勤務の承認又は期間の延長の請求は、育児短時間勤務承認請求書により、育児短時間勤務を始めようとする日又はその期間の末日の翌日の一月前までに行うものとする。

２　第五条第二項本文の規定は、育児短時間勤務の承認又は期間の延長の請求について準用する。

（育児短時間勤務の承認の取消事由）

第二十一条　育児休業法第十四条において準用する育児休業法第六条第二項の人事院規則で定める事由は、次に掲げる事由とする。

一　育児短時間勤務をしている職員について当該育児短時間勤務に係る子以外の子に係る育児短時間勤務を承認しようとするとき。

二　育児短時間勤務をしている職員について当該育児短時間勤務の内容と異なる内容の育児短時間勤務を承認しようとするとき。

（育児短時間勤務に係る子が死亡した場合等の届出）

第二十二条　第十条の規定は、育児短時間勤務について準用する。

（育児休業法第二十二条の人事院規則で定めるやむを得ない事情）

第二十三条　育児休業法第二十二条の人事院規則で定めるやむを得ない事情は、次に掲げる事情とする。

一　過員を生ずること。

二　当該育児短時間勤務に伴い任用されている任期付短時間勤務職員（育児休業法第二十三条第二項に規定する任期付短時間勤務職員をいう。以下同じ。）を任期付短時間勤務職員として引き続き任用しておくことができないこと。

（育児短時間勤務等に係る人事異動通知書の交付）

第二十四条 任命権者は、次に掲げる場合には、職員に対して、人事異動通知書を交付しなければならない。

一 職員の育児短時間勤務を承認する場合

二 職員の育児短時間勤務の期間の延長を承認する場合

三 育児短時間勤務の期間が満了し、育児短時間勤務の承認が効力を失い、又は育児短時間勤務の承認が取り消された場合

四 育児休業法第二十二条の規定による短時間勤務をさせる場合又は当該短時間勤務が終了した場合

（育児短時間勤務に伴う任期付短時間勤務職員の任用に係る任期の更新）

第二十五条 第十三条の規定は、任期付短時間勤務職員の任期の更新について準用する。

（育児短時間勤務に伴う任期付短時間勤務職員の任用に係る人事異動通知書の交付）

第二十六条 任命権者は、次に掲げる場合には、人事異動通知書を交付しなければならない。ただし、第三号に掲げる場合において、人事異動通知書の交付によらないことを適当と認めるときは、人事異動通知書に代わる文書の交付その他適当な方法をもって人事異動通知書の交付に替えることができる。

一 育児休業法第二十三条第一項の規定により職員を任用した場合

二 任期付短時間勤務職員の任期を更新した場合

三 任期の満了により任期付短時間勤務職員が当然に退職した場合

（任期付短時間勤務職員の職務の級の決定の特例）

第二十七条 育児短時間勤務に伴い任用されている任期付短時間勤務職員の職務の級は、当該育児短時間勤務をしている職員の属する職務の級より上位の職務の級に決定することはできない。育児休業法第二十二条の規定による短時間勤務に伴い任用されている任期付短時間勤務職員の職務の級についても、同様とする。

第四章 育児時間

（育児時間を請求することができない職員）

第二十八条 育児休業法第二十六条第一項の人事院規則で定める職員は、次に掲げる職員とする。

一 育児短時間勤務又は育児休業法第二十二条の規定による短時間勤務をしている職員

二 勤務日の日数及び勤務日ごとの勤務時間を考慮して人事院が定める非常勤職員以外の非常勤職員（定年前再任用短時間勤務職員を除く。）

（育児時間の承認）

第二十九条 育児時間の承認は、勤務時間法第十三条第一項に規定する正規の勤務時間（非常勤職員（定年前再任用短時間勤務職員を除く。以下この条において同じ。）にあっては、当該非常勤職員について定められた勤務時間）の始め又は終わりにおいて、三十分を単位として行うものとする。

2 勤務時間法第二十条の二第一項の介護時間又は規則一五—一四第二十二条第一項第八号の休暇の承認を受けて勤務しない職員に対する育児時間の承認については、一日につき二時間から当該介護時間又は当該休暇の承認を受けて勤務しない時間を減じた時間を超えない範囲内で行うものとする。

3 非常勤職員に対する育児時間の承認については、一日につき、当該非常勤職員について一日につき定められた勤務時間から五時間四十五分を減じた時間を超えない範囲内で（当該非常勤職員が規則一五—一五第四条第二項第一号又は第五号の休暇の承認を受けて勤務しない場合にあっては、当該時間を超えない範囲内で、かつ、二時間からこれらの休暇の承認を受けて勤務しない時間を減じた時間を超えない範囲内で）行うものとする。

（育児時間の承認の請求手続）

第三十条 育児時間の承認の請求は、育児時間承認請求書により行うものとする。

2 第五条第二項本文の規定は、育児時間の承認の請求について準用する。

（育児時間の承認の取消事由等）

第三十一条 第二十一条及び第二十二条の規定は、育児時間について準用する。

第五章 各省各庁の長等が講ずべき措置等

（妊娠又は出産等についての申出があった場合における措置等）

第三十二条　各省各庁の長及び行政執行法人の長（以下この章において「各省各庁の長等」という。）は、職員が当該各省各庁の長等に対し、当該職員又はその配偶者が妊娠し、又は出産したことその他これに準ずるものとして人事院が定める事実を申し出たときは、人事院の定めるところにより、当該職員に対して、育児休業に関する制度その他の人事院が定める事項を知らせるとともに、育児休業の承認の請求に係る当該職員の意向を確認するための面談その他の人事院が定める措置を講じなければならない。

2　各省各庁の長等は、職員が前項の規定による申出をしたことを理由として、当該職員が不利益な取扱いを受けることがないようにしなければならない。

（勤務環境の整備に関する措置）

第三十三条　各省各庁の長等は、育児休業の承認の請求が円滑に行われるようにするため、次に掲げる措置を講じなければならない。

一　職員に対する育児休業に係る研修の実施

二　育児休業に関する相談体制の整備

三　その他人事院が定める育児休業に係る勤務環境の整備に関する措置

2　人事院は、各省各庁の長等が前項の規定により実施する同項第一号の研修の調整及び指導に当たるとともに、自ら実施することが適当と認められる育児休業に係る研修について計画を立て、その実施に努めるものとする。

（育児休業の取得の状況の報告及び公表）

第三十四条　各省各庁の長等は、毎年度（毎年四月一日から翌年の三月三十一日までをいう。）、前年度における職員の育児休業の取得の状況として人事院が定めるものを人事院に報告しなければならない。

2　人事院は、前項の規定による報告を取りまとめ、その概要を公表しなければならない。

第六章　雑則

第三十五条　この規則に定めるもののほか、職員の育児休業、育児短時間勤務及び育児時間に関し必要な事項は、人事院が定める。

附　則

この規則は、平成四年四月一日から施行する。

附　則（令二・四・一規則九―四〇―五四）（抄）

（施行期日）

1　この規則は、公布の日から施行する。ただし、〔中略〕次項の規定は、令和二年十一月三十日から施行する。

附　則（令三・一二・一規則一五―一五―一八）（抄）

（施行期日）

第一条　この規則は、令和四年一月一日から施行する。

附　則（令四・二・一七規則一九―〇―一四）（抄）

（施行期日）

1　この規則は、令和四年四月一日から施行する。

附　則（令四・二・一八規則一―七九）（抄）

（施行期日）

第一条　この規則は、令和五年四月一日から施行する。

（改正後の人事院規則一九―〇における暫定再任用短時間勤務職員に関する経過措置）

第二十四条　暫定再任用短時間勤務職員は、定年前再任用短時間勤務職員とみなして、第三十八条の規定による改正後の規則一九―〇第三条の三、第二十八条及び第二十九条第一項の規定を適用する。

附　則（令四・六・一七規則一九―〇―一五）（抄）

（施行期日）

第一条　この規則は、令和四年十月一日から施行する。

（人事院規則一九―〇の一部改正に伴う経過措置）

第二条　この規則の施行日前に育児休業等計画書を提出した職員に対するこの規則による改正前の規則一九―〇第四条（第五号に係る部分に限る。）及び第十八条（第六号に係る部分に限る。）の規定の適用については、なお従前の例による。

附　則（令五・一・二〇規則一九―〇―一六）

（施行期日）

第一条　この規則は、令和五年四月一日から施行する。

（経過措置）

第二条　この規則の施行の際現に育児休業法第十二条第一項の規定により育児短時間勤務をしている職員であって、この規則による改正前の規則一九―〇第十九条第一号に定める勤務の形態によっていたものの勤務の形態については、この規則による改正後の同号の規定にかかわらず、なお従前の例による。

○育児休業等の運用について（通知）

平四・一・一七
職　福　二　〇

最終改正　令七・二・一四職職二九

標記について下記のとおり定めたので、平成四年四月一日以降は、これによってください。

記

第一　総則関係

1　国家公務員の育児休業等に関する法律（平成三年法律第百九号。以下「育児休業法」という。）にいう「子」とは、養子を含んだ法律上の親子関係がある子及び育児休業法第三条第一項において子に含まれるものとされる者をいう。

2　育児休業法第三条第二項の「育児休業をしようとする期間」又は育児休業法第十二条第二項の「育児短時間勤務をしようとする期間」とは、連続する一の期間をいう。

3　任命権者は、育児休業法第三条第二項、第四条第一項、第十二条第二項又は第十三条第一項の規定による請求があった場合には、速やかにその承認の可否を当該請求をした職員に通知するよう努めるものとする。

4　育児休業法第六条第一項（育児休業法第十四条又は第二十六条第三項において準用する場合を含む。次項において同じ。）の「出産」とは、妊娠満十二週以後の分べん（死産を含む。）をいう。

5　育児休業法第六条第一項の「職員の子でなくなった場合」とは、次のいずれかに該当する場合をいう。

(1)　職員と育児休業に係る子とが離縁した場合

(2)　職員と育児休業に係る子との養子縁組が取り消された場合

(3)　職員と育児休業に係る子との親族関係が民法（明治二十九年法律第八十九号）第八百十七条の二に規定する特別養子縁組により終了した場合

(4)　職員と育児休業に係る子についての民法第八百十七条の二第一項の規定による請求に係る家事審判事件が終了した場合（特別養子縁組の成立の審判が確定した場合を除く。）

(5)　職員と育児休業に係る子との養子縁組が成立しないまま児童福祉法（昭和二十二年法律第百六十四号）第二十七条第一項第三号の規定による措置が解除された場合

6　育児休業法第十二条第一項又は第二十六条第一項の「小学校就学の始期に達するまで」とは、満六歳に達する日以後の最初の三月三十一日までをいう。

7　人事院規則一九―〇（職員の育児休業等）（以下「規則」という。）第二条第三号又は第十七条第三号の「勤務延長職員」とは、国家公務員法（昭和二十二年法律第百二十号）第八十一条の七第一項又は第二項の規定により定年退職日の翌日以降引き続いて勤務している職員をいう。

8　規則第三条第四号イ(1)及びロ(2)並びに第四条第七号の引き続いて特定官職に採用されるものであるかどうかの判断は、その雇用形態が社会通念上中断されていないと認められるかどうかにより行うものとする。

9　規則第十条第二項（規則第二十二条（規則第三十一条において準用する場合を含む。）において準用する場合を含む。）の養育状況変更届には、次に掲げる事項を記載するものとする。なお、その参考例を示せば、別紙第1のとおりである。

(1)　職員の所属、官職及び氏名

(2)　規則第十条第一項各号（規則第二十二条（規則第三十一条において準用する場合を含む。）において準用する場合を含む。）に掲げる場合及びその発生日

10　任命権者は、育児休業法第七条第一項の規定により職員を採用しようとする場合は、任期を定めて採用されること及びその任期について承諾した文書を職員となる者に提出させるものとする。

11　任命権者は、育児休業法第二十三条第一項の規定により職員を任用しようとする場合は、任期を定めて任用されること及びその任期について承諾した文書を職員となる者に提出させるものとする。

12　任命権者は、規則第十三条（規則第二十五条において準用する場合を含む。）の規定により職員の同意を得る場合には、当該職員に任期を更新すること及びその更新する期間に

ついて承諾した文書を提出させるものとする。

第二　育児休業の承認関係

1　育児休業法第三条第一項の「三歳に達する日」とは、満三歳の誕生日の前日をいい、「一歳に達する日」とは、満一歳の誕生日の前日をいい、「一歳六か月に達する日」とは、満一歳の誕生日から起算して六月を経過する日をいい、「二歳に達する日」とは、満二歳の誕生日の前日をいう。

2　育児休業法第三条第一項ただし書の「二回の育児休業（次に掲げる育児休業を除く。）」については、育児休業法第二十七条において準用する育児休業法第三条の規定による育児休業及び他の法律の規定による育児休業は含まないものとし、また、職員が複数の子を養育している場合において、そのうちの一人について育児休業（同項各号に掲げる育児休業を除く。以下この項において同じ。）の承認を受けて、当該育児休業の期間中、その他の子についても養育した事実が認められるときは、その他の子についても育児休業をしたものとして取り扱うものとする。

3　育児休業法第三条第一項第一号に掲げる育児休業については、同条の規定によりその養育する子の出生の日から五十七日間に職員（当該期間内に人事院規則一五―一四（職員の勤務時間、休日及び休暇）第二十二条第一項第七号又は人事院規則一五―一五（非常勤職員の勤務時間及び休暇）第四条第一項第十一号に掲げる場合における休暇により勤務しない職員を除く。以下この項において同じ。）が当該子についてする育児休業（育児休業法第三条第一項第二号に掲げる育児休業を除く。）のうち最初のもの及び二回目のものをいい、育児休業法第二十七条において準用する育児休業法第三条の規定による育児休業及び他の法律の規定による育児休業は含まない。また、職員が双子等複数の出生の日から五十七日を経過しない子を養育している場合において、そのうちの一人について育児休業法第三条第一項第一号に掲げる育児休業の承認を受けて、当該育児休業の期間中、その他の子についても養育した事実が認められるときは、その他の子についても同号に掲げる育児休業をしたものとして取り扱うものとする。

4　育児休業法第三条第三項の「業務を処理するための措置」とは、業務分担の変更、職員の採用、昇任、転任又は配置換、非常勤職員の採用、臨時的任用等の措置をいう。

5　規則第三条第四号イに掲げる非常勤職員に該当するかどうかの判断は、育児休業の承認の請求があった時点において判明している事情に基づき行うものとする。

6　規則第三条第四号イ(2)の「人事院が定める非常勤職員」は、一週間の勤務日が三日以上とされている非常勤職員又は週以外の期間によって勤務日が定められている非常勤職員で一年間の勤務日が百二十一日以上である非常勤職員とする。

7　規則第三条の三第三号及び第三条の四の「人事院が定める特別の事情」は、規則第四条第一号から第四号までに掲げる事情とする。

8　規則第三条の三第三号ハの「人事院が定める場合」は、次に掲げる場合とし、同号ハに掲げる場合に該当するかどうかの判断は、育児休業の承認の請求があった時点において判明している事情に基づき行うものとする。

(1)　規則第三条の三第三号ハに規定する当該子について、児童福祉法第三十九条第一項に規定する保育所若しくは就学前の子どもに関する教育、保育等の総合的な提供の推進に関する法律（平成十八年法律第七十七号）第二条第六項に規定する認定こども園における保育又は児童福祉法第二十四条第二項に規定する家庭的保育事業等による保育の利用を希望し、申込みを行っているが、当該子の一歳到達日後の期間について、当面その実施が行われない場合

(2)　常態として規則第三条の三第三号ハに規定する当該子を養育している当該子の親（当該子について民法第八百十七条の二第一項の規定により特別養子縁組の成立について家庭裁判所に請求した者（当該請求に係る家事審判事件が裁判所に係属している場合に限る。）であって当該子を現に監護するもの又は児童福祉法第二十七条第一項第三号の規定により当該子を委託されている同法第六条の四第二号に規定する養子縁組里親（以下この項及び第十四の第二項において「養子縁組里親」という。）である者若しくは同条第一号に規定する養育里親である者（児童の親その他の同法第二十七

条第四項に規定する者の意に反するため、同項の規定により、養子縁組里親として委託することができない者に限る。）を含む。以下この項において同じ。）である配偶者（届出をしないが事実上婚姻関係と同様の事情にある者を含む。以下同じ。）であって当該子の一歳到達日後の期間について常態として当該子を養育する予定であったものが次のいずれかに該当した場合

ア　死亡した場合

イ　負傷、疾病又は身体上若しくは精神上の障害により当該子を養育することが困難な状態になった場合

ウ　常態として当該子を養育している当該子の親である配偶者が当該子と同居しないこととなった場合

エ　六週間（多胎妊娠の場合にあっては、十四週間）以内に出産する予定である場合又は産後八週間を経過しない場合

(3)　前項に規定する事情に該当した場合

9　前項の規定は、規則第三条の四第三号の「人事院が定める場合」について準用する。この場合において、同項中「一歳到達日」とあるのは、「一歳六か月到達日」と読み替えるものとする。

10　規則第五条第一項及び第六条第一項の育児休業承認請求書には、次に掲げる事項を記載するものとする。なお、その参考例を示せば、別紙第2のとおりである。

(1)　職員の所属、官職及び氏名

(2)　次に掲げる請求のいずれに該当するかの別

ア　育児休業の承認の請求（イに掲げる請求を除く。）

イ　同一の子に係る三回目以後の育児休業の承認の請求（既に二回の育児休業（育児休業法第三条第一項各号に掲げる育児休業を除く。）を取得した場合のものに限る。）

ウ　育児休業の期間の最初の延長の請求

エ　育児休業の期間の再度の延長の請求

(3)　(2)イ又はエに掲げる請求をする場合にあっては、当該承認又は当該延長が必要な事情

(4)　育児休業の承認又はその期間の延長の請求（以下この項において「請求」という。）に係る子の氏名、職員との続柄等（当該子が育児休業法第三条第一項において子に含まれるものとされる者に該当する場合にあっては、その事実。以下同じ。）及び生年月日

(5)　請求をしようとする期間

(6)　請求に係る子について既に育児休業をした期間

(7)　非常勤職員が規則第三条の三第二号若しくは第三号に掲げる場合に該当し、又は第三条の四の規定に該当して育児休業の承認を請求する場合にあっては、当該非常勤職員の配偶者の氏名及び当該配偶者がする国等育児休業の期間

(8)　非常勤職員が規則第三条の三第三号に掲げる場合に該当し、又は第三条の四の規定に該当して育児休業の承認を請求する場合にあっては、当該承認が必要な事情

11　任命権者は、規則第五条第二項ただし書に規定する場合及び育児休業の期間の延長の場合を除き、育児休業承認請求書に前項(4)に掲げる事項を証明する書類を添付することを求めるものとする。

12　職員が育児休業を円滑に取得できるようにするため、各省各庁の長等（規則第三十二条第一項に規定する各省各庁の長等をいう。第十四において同じ。）は、規則第五条第一項の規定により育児休業の承認を請求するものとされている期限にかかわらず育児休業の承認の請求が円滑に行われるようにするための勤務環境の整備を行い、職員は、業務の円滑な引継ぎ等のためには職員の意向に応じて早めに育児休業の承認を請求することが効果的であるという意識を持つことが重要であることに留意するものとする。

第三　育児休業の承認の取消し関係

1　育児休業法第六条第二項の「子を養育しなくなった」とは、次のいずれかに該当する場合をいう。

(1)　職員と育児休業に係る子とが同居しないこととなった場合

(2)　職員が負傷、疾病又は身体上若しくは精神上の障害により、育児休業の期間中、当該育児休業に係る子の日常生活上の世話をすることができない状態が相当期間にわたり継続することが見込まれる場合

(3)　職員が育児休業に係る子を託児するなど

して常態的に当該子の日常生活上の世話に専念しないこととなった場合

2　育児休業法第六条第二項の規定により育児休業の承認を取り消す場合には、規則第十二条第四号に掲げる場合以外の場合においても当該育児休業をしている職員にその旨を記載した文書を交付するものとする。この場合の文書については、人事異動通知書を用いることができ、その「異動内容」欄の記入要領は、第四の(5)による。

3　規則第九条の規定は、育児休業をしている職員が当該育児休業の期間中に当該育児休業に係る子以外の子を養育することとなった場合には当該養育することとなった子に係る育児休業の承認の請求をすることができるが、重ねて育児休業をすることはできないことから、任命権者がこれを承認しようとするときは現に効力を有する育児休業の承認を取り消す必要があることを定めたものである。

第四　育児休業に係る人事異動通知書の交付関係

規則第十二条の規定により交付する人事異動通知書の「異動内容」欄の記入要領は、次のとおりとする。

(1)　職員の育児休業を承認する場合

「育児休業を承認する
育児休業の期間は　年　月　日から
年　月　日までとする」

と記入する。

(2)　職員の育児休業の期間の延長を承認する場合

「育児休業の期間を　年　月　日まで延長することを承認する」

と記入する。

(3)　育児休業をした職員が職務に復帰した場合（(5)の場合を除く。）

「職務に復帰した（　年　月　日）」

と記入する。

(4)　育児休業をしている職員について当該育児休業に係る子以外の子に係る育児休業を承認する場合

「育児休業を取り消し、　年　月　日付けで請求のあった育児休業を承認する
育児休業の期間は　年　月　日から
年　月　日までとする」

と記入する。

(5)　育児休業の承認の取消しに人事異動通知書を用いる場合（(4)の場合を除く。）

「育児休業の承認を取り消す
職務に復帰した（　年　月　日）」

と記入する。

第五　育児休業に伴う任期付採用に係る人事異動通知書の交付関係

規則第十四条の規定により交付する人事異動通知書の「異動内容」欄の記入要領は、次のとおりとする。

(1)　育児休業法第七条第一項の規定により任期を定めて職員を採用した場合

「アに採用する（国家公務員の育児休業等に関する法律第七条第一項による）
任期は　年　月　日までとする」

と記入する。

注　「ア」の記号をもって表示する事項は、官職の組織上の名称及び当該官職の属する所属部課（所属部課の表示の単位は任命権者が定めるものとする。）とする。

(2)　任期付職員の任期を更新した場合

「任期を　年　月　日まで更新する」

と記入する。

(3)　任期の満了により任期付職員が当然に退職した場合

「任期の満了により　年　月　日限り退職した」

と記入する。

第六　育児休業をしている職員の期末手当の支給関係

規則第十五条の「その他勤務しないことにつき特に承認のあった期間」とは、法令の規定により勤務しないことが認められている期間をいう。

第七　育児休業をした職員の職務復帰後における号俸の調整関係

規則第十六条の規定の適用については、給実甲第一九二号（復職時等における号俸の調整の運用について）に定めるところによる。

第八　育児短時間勤務の承認関係

1　育児休業法第十二条第一項ただし書の「当該子について、既に育児短時間勤務をした」とは、当該子について育児休業法第十二条の規定により育児短時間勤務をしたことをいい、育児休業法第二十七条の規定により準用される場合及び他の法律により育児短時間勤務をした場合は含まない。また、職員が双子等複

数の小学校就学の始期に達するまでの子を養育している場合において、そのうちの一人について育児短時間勤務の承認を受けて、当該育児短時間勤務の期間中、その他の子についても養育した事実が認められるときは、その他の子についても既に育児短時間勤務をしたものとして取り扱うものとする。

2　育児休業法第十二条第三項の「業務を処理するための措置」とは、業務分担の変更、職員の採用、昇任、転任又は配置換、任期付短時間勤務職員の任用、非常勤職員の採用等の措置をいう。

3　規則第十八条第六号の育児短時間勤務計画書には、次に掲げる事項を記載するものとする。なお、その参考例を示せば、別紙第3のとおりである。

(1)　職員の所属、官職及び氏名

(2)　育児短時間勤務の承認の請求に係る子の氏名及び生年月日

(3)　育児短時間勤務をしようとする期間及び再度の育児短時間勤務を請求しようとする期間

4　育児短時間勤務計画書を提出した職員は、その提出後、前項(2)及び(3)に掲げる事項について変更が生じた場合には、遅滞なく当該変更が生じた事項を届け出るものとする。

5　育児短時間勤務をしようとする期間の全てを四週間ごとの期間に区分することができない場合における規則第十九条第一号に定める一週間当たりの勤務時間については、当該育児短時間勤務をしようとする期間をその初日から四週間ごとに区分した各期間及びその最後に生じる四週間未満の期間について、それぞれ当該一週間当たりの勤務時間となるようにするものとする。

6　規則第二十条第一項の育児短時間勤務承認請求書には、次に掲げる事項を記載するものとする。なお、その参考例を示せば、別紙第4のとおりである。

(1)　職員の所属、官職及び氏名

(2)　育児短時間勤務の承認、その期間の延長又は再度の育児短時間勤務の承認の請求の別

(3)　再度の育児短時間勤務の承認の請求をする場合にあっては、当該承認が必要な事情

(4)　育児短時間勤務の承認又はその期間の延長の請求（以下この項において「請求」という。）に係る子の氏名、職員との続柄等及び生年月日

(5)　請求をしようとする期間

(6)　請求に係る育児短時間勤務の内容

(7)　請求に係る子について既に育児短時間勤務をした期間

7　任命権者は、育児短時間勤務の期間の延長の場合を除き、育児短時間勤務承認請求書に前項(4)に掲げる事項を証明する書類を添付することを求めるものとする。

第九　育児短時間勤務の承認の取消し関係

1　育児休業法第十四条において準用する育児休業法第六条第二項の「子を養育しなくなった」とは、次のいずれかに該当する場合をいう。

(1)　職員と育児短時間勤務に係る子とが同居しないこととなった場合

(2)　職員が負傷、疾病又は身体上若しくは精神上の障害により、育児短時間勤務の期間中、当該育児短時間勤務に係る子の日常生活上の世話をすることができない状態が相当期間にわたり継続することが見込まれる場合

(3)　職員が育児短時間勤務に係る子を託児するなどして当該育児短時間勤務をすることにより養育しようとする時間において、当該子の日常生活上の世話に専念しないこととなった場合

2　規則第二十一条第二号の規定は、育児短時間勤務をしている職員が当該育児短時間勤務の期間中に当該育児短時間勤務の内容と異なる内容の育児短時間勤務の承認の請求をすることができるが、重ねて育児短時間勤務をすることはできないことから、任命権者がこれを承認しようとするときは現に効力を有する育児短時間勤務の承認を取り消す必要があることを定めたものである。

第十　育児短時間勤務等に係る人事異動通知書の交付関係

1　規則第二十四条の規定により交付する人事異動通知書の「異動内容」欄の記入要領は、次のとおりとする。

(1)　職員の育児短時間勤務を承認する場合

「育児短時間勤務(ア)を承認する
育児短時間勤務の期間は　年　月　日から　年　月　日までとする」

と記入する。

注　「ア」の記号をもって表示する事項は、「週○○勤務」（○○の部分には、職員の一週間当たりの勤務時間を表示する。）とする。

(2)　職員の育児短時間勤務の期間の延長を承認する場合

「育児短時間勤務の期間を　年　月　日まで延長することを承認する」

と記入する。

(3)　育児短時間勤務の期間が満了した場合

「　年　月　日限りで育児短時間勤務の期間は満了した」

と記入する。

(4)　育児短時間勤務の承認が失効した場合

「育児短時間勤務の承認は失効した」

と記入する。

(5)　育児短時間勤務の承認を取り消す場合（(6)の場合を除く。）

「育児短時間勤務の承認を取り消す」

と記入する。

(6)　育児短時間勤務をしている職員について当該育児短時間勤務に係る子以外の子に係る育児短時間勤務を承認する場合又は当該育児短時間勤務の内容と異なる内容の育児短時間勤務を承認する場合

「育児短時間勤務(ア)を取り消し、
　年　月　日付けで請求のあった育児短時間勤務(イ)を承認する
育児短時間勤務の期間は　年　月　日から　年　月　日までとする」

と記入する。

注　「ア」又は「イ」の記号をもって表示する事項は、取り消された育児短時間勤務又は取消し後に承認される育児短時間勤務に係る「週○○勤務」（○○の部分には、職員の一週間当たりの勤務時間を表示する。）とする。

(7)　育児休業法第二十二条の規定による短時間勤務をさせる場合

「国家公務員の育児休業等に関する法律第二十二条の規定による短時間勤務をさせる」

と記入する。

(8)　育児休業法第二十二条の規定による短時間勤務が終了した場合

「国家公務員の育児休業等に関する法律第二十二条の規定による短時間勤務は終了した」

と記入する。

2　各省各庁の長は、育児短時間勤務又は育児休業法第二十二条の規定による短時間勤務をしている職員に対して、その内容（休憩時間等を含む。）を適当な方法により速やかに通知するものとする。

3　任命権者を異にする官職に併任されている職員が規則第二十四条各号に掲げる場合に該当したときは、本務に係る官職の任命権者は、他の任命権者にその旨を通知しなければならない。

第十一　育児短時間勤務に伴う任期付短時間勤務職員の任用に係る人事異動通知書の交付関係

1　規則第二十六条の規定により交付する人事異動通知書の「異動内容」欄の記入要領は、次のとおりとする。

(1)　育児休業法第二十三条第一項の規定により職員を任用した場合

「ア(イ)に採用する（国家公務員の育児休業等に関する法律第二十三条第一項による）
任期は　年　月　日までとする」

と記入する。なお、採用以外の任用については、この例によるものとする。

注1　「ア」の記号をもって表示する事項については、第五の(1)注の規定の例による。

2　「イ」の記号をもって表示する事項は、「週○○勤務」（○○の部分には、その官職を占める職員の一週間当たりの勤務時間を表示する。）とする。

(2)　任期付短時間勤務職員の任期を更新した場合

「任期を　年　月　日まで更新する」

と記入する。

(3)　任期の満了により任期付短時間勤務職員が当然に退職した場合

「任期の満了により　年　月　日限り退職した」

と記入する。

2　各省各庁の長は、任期付短時間勤務職員に対して、その者の勤務の形態（一週間当たりの勤務時間、週休日、始業及び終業の時刻、休憩時間等）を適当な方法により速やかに通知するものとする。

第十二　育児短時間勤務職員等の俸給月額関係

育児休業法第十六条若しくは第二十四条の規定により読み替えられた一般職の職員の給与に関する法律（昭和二十五年法律第九十五号）第六条の二第一項若しくは第二項若しくは第八条第四項、第五項、第七項若しくは第八項、育児休業法第十八条の規定により読み替えられた一般職の任期付研究員の採用、給与及び勤務時間の特例に関する法律（平成九年法律第六十五号）第六条第三項又は育児休業法第十九条の規定により読み替えられた一般職の任期付職員の採用及び給与の特例に関する法律（平成十二年法律第百二十五号）第七条第二項に規定する「その者の受ける号俸」とは、その者が現に受ける号俸をいい、これらの規定により決定されたその者の号俸について、法律又は人事院規則に基づく調整が行われた場合には、当該調整が行われた後の号俸を基礎として、これらの規定を適用することとなる。

第十三　育児時間関係

1　育児休業法第二十六条第一項の「公務の運営」の支障の有無の判断に当たっては、請求に係る時期における職員の業務の内容及び業務量、当該請求に係る期間について当該請求をした職員の業務を処理するための措置の難易等を総合して行うものとする。

2　育児休業法第二十六条第一項の「三歳」に達するまでとは、満三歳の誕生日の前日までをいう。

3　育児休業法第二十六条第二項に規定する給与の減額方法については、給実甲第二八号（一般職の職員の給与に関する法律の運用方針）第十五条関係第二項及び第三項の規定の例による。

4　各省各庁の長は、職員の育児時間を承認した場合において、当該各省各庁の長と当該職員が所属する俸給の支給義務者が異なるときは、当該俸給の支給義務者にその旨を通知しなければならない。育児時間の承認を取り消した場合等についても、同様とする。

5　規則第二十八条第二号に掲げる非常勤職員に該当するかどうかの判断は、育児時間の承認の請求があった時点において判明している事情に基づき行うものとする。

6　規則第二十八条第二号の「人事院が定める非常勤職員」は、一週間の勤務日が三日以上とされている非常勤職員又は週以外の期間によって勤務日が定められている非常勤職員で一年間の勤務日が百二十一日以上である非常勤職員であって、一日につき定められた勤務時間が六時間十五分以上である勤務日があるものとする。

7　各省各庁の長は、規則第三十条第一項の規定による請求があった場合には、速やかに承認するかどうかを決定し、当該職員に対して当該決定を通知するものとする。

8　各省各庁の長は、育児時間を承認する場合には、育児時間が必要な期間についてあらかじめ包括的に請求させて承認するものとする。

9　規則第三十条第一項の育児時間承認請求書には、次に掲げる事項を記載するものとする。なお、その参考例を示せば、別紙第5のとおりである。

(1)　職員の所属、官職及び氏名

(2)(1)　育児時間の承認の請求に係る子の氏名、職員との続柄等及び生年月日

(3)　育児時間の承認の請求をしようとする期間及び時間

10　各省各庁の長は、育児時間承認請求書に前項(2)に掲げる事項を証明する書類を添付することを求めるものとする。

第十四　各省各庁の長等が講ずべき措置等関係

1　規則第三十二条第一項の規定により、職員に対して制度等を知らせるとともに職員の意向を確認するための措置を講ずることは、職員による育児休業の承認の請求が円滑に行われるようにすることを目的とするものであることから、各省各庁の長等は、これを行うに当たっては、職員による育児休業の承認の請求を控えさせることとならないように配慮しなければならない。

2　規則第三十二条第一項の「人事院が定める事実」は、次に掲げる事実とする。

(1)　職員が民法第八百十七条の二第一項の規定により特別養子縁組の成立について家庭裁判所に請求し、当該請求に係る三歳（非常勤職員にあっては、一歳。以下この項において同じ。）に満たない者を現に監護していること又は同項の規定により特別養子縁組の成立について家庭裁判所に請求することを予定しており、当該請求に係る三歳

に満たない者を監護する意思を明示したこと。

(2)　職員が児童福祉法第二十七条第一項第三号の規定により養子縁組里親として三歳に満たない児童を委託されていること又は当該児童を受託する意思を明示したこと。

(3)　職員が、三歳に満たない児童の親その他の児童福祉法第二十七条第四項に規定する者の意に反するため、同項の規定により、養子縁組里親として当該児童を受託することができない場合において、同条第一項第三号の規定により同法第六条の四第一号に規定する養育里親として当該児童を委託されていること又は当該児童を受託する意思を明示したこと。

3　規則第三十二条第一項の「人事院が定める事項」は、次に掲げる事項とする。

(1)　育児休業に関する制度

(2)　育児休業の承認の請求先

(3)　国家公務員共済組合法（昭和三十三年法律第百二十八号）第六十八条の二第一項に規定する育児休業手当金、同法第六十八条の三第一項に規定する育児休業支援手当金その他これに相当する給付に関する必要な事項

(4)　職員が育児休業の期間について負担すべき社会保険料の取扱い

4　規則第三十二条第一項の規定により、職員に対して前項に規定する事項を知らせる場合には、次のいずれかの方法（(3)に掲げる方法にあっては、当該職員が希望する場合に限る。）によって行わなければならない。

(1)　面談による方法

(2)　書面を交付する方法

(3)　電子メールその他のその受信をする者を特定して情報を伝達するために用いられる電気通信（電気通信事業法（昭和五十九年法律第八十六号）第二条第一号に規定する電気通信をいい、以下この(3)及び次項(3)において「電子メール等」という。）の送信の方法（当該職員が当該電子メール等の記録を出力することにより書面を作成することができるものに限る。）

5　規則第三十二条第一項の「人事院が定める措置」は、次に掲げる措置（(3)に掲げる措置にあっては、職員が希望する場合に限る。）とする。

(1)　面談

(2)　書面の交付

(3)　電子メール等の送信（当該職員が当該電子メール等の記録を出力することにより書面を作成することができるものに限る。）

6　各省各庁の長等は、規則第三十三条第一項各号に掲げる措置を講ずるに当たっては、短期はもとより長期の育児休業の取得を希望する職員が希望するとおりの期間の育児休業の承認を請求することができるように配慮するものとする。

7　規則第三十三条第一項第三号の「人事院が定める育児休業に係る勤務環境の整備に関する措置」は、次に掲げる措置とする。

(1)　職員の育児休業の取得に関する事例の収集及び職員に対する当該事例の提供

(2)　職員に対する育児休業に関する制度及び育児休業の取得の促進に関する方針の周知

8　規則第三十四条第一項の「前年度における職員の育児休業の取得の状況として人事院が定めるもの」は、同項の規定により報告を行う日の属する年度（四月一日から翌年の三月三十一日までをいう。以下この項において同じ。）の前年度において子が出生した職員（任期付短時間勤務職員、臨時的に任用された職員及び規則第三条各号に掲げる職員を除く。以下この項において同じ。）の数、当該前年度において育児休業をした職員の数その他職員の育児休業の取得に関する必要な事項とする。

以上

（令和四年二月一八日事企法三八　経過措置（抄））

2　令和三年改正法附則第三条第五項に規定する旧国家公務員法勤務延長職員に対する令和四年事企法—三七による改正後の次に掲げる人事院事務総長通知の規定の適用については、これらの規定中「第八十一条の七第一項又は第二項」とあるのは、「第八十一条の七第一項若しくは第二項又は国家公務員法等の一部を改正する法律（令和三年法律第六十一号）附則第三条第五項若しくは第六項」とする。

六　「育児休業等の運用について（平成四年一月十七日職福—二〇）」第一の第七項

別紙第１（第１の第９項関係）

養育状況変更届

年　月　日 届出

殿
（承認権者の官職）

所　属
官　職
氏　名

次のとおり 育児休業／育児短時間勤務／育児時間 に係る子の養育の状況について変更が生じたので届け出ます。

□　育児休業等に係る子を養育しなくなった。

□　同居しなくなった。　□　負傷・疾病　□　託児できるようになった。
□　その他（　　　　　）

□　育児休業等に係る子が死亡した。

□　育児休業等に係る子と離縁した。

□　育児休業等に係る子との養子縁組が取り消された。

□　育児休業等に係る子との親族関係が特別養子縁組により終了した。

□　育児休業等に係る子についての民法第８１７条の２第１項の規定による請求に係る家事審判事件が終了した。

□　育児休業等に係る子との養子縁組が成立しないまま児童福祉法第２７条第１項第３号の規定による措置が解除された。

□　その他（　　　　　）

発生日
年　月　日

（注）該当する□には✓印を記入すること。

別紙第２（第２の第10項関係）

育児休業承認請求書

（任命権者）　　請求年月日　年　月　日

殿　　請求者　所　属
　　　　　　　官　職
　　　　　　　氏　名

下記のとおり 育児休業の承認／育児休業の期間の延長 を請求します。

1 請求に係る子	氏　名	
	続柄等	
	生年月日	年　月　日生
2 請求の内容	□　育児休業の承認（次に掲げる育児休業の承認を除く。） □　同一の子に係る３回目以後の育児休業の承認（既に２回の育児休業（育児休業法第３条第１項各号に掲げる育児休業を除く。）を取得した場合のものに限る。） □　育児休業の期間の最初の延長 □　育児休業の期間の再度の延長 （同一の子に係る３回目以後の育児休業の承認（既に２回の育児休業（育児休業法第３条第１項各号に掲げる育児休業を除く。）を取得した場合のものに限る。）、育児休業の期間の再度の延長、非常勤職員の１歳６か月までの子の育児休業の承認又は非常勤職員の２歳までの子の育児休業の承認が必要な事情を記入）	
3 請求期間	年　月　日から　年　月　日まで	
4 既に育児休業をした期間	年　月　日から　年　月　日まで	
	年　月　日から　年　月　日まで	
	年　月　日から　年　月　日まで	
	年　月　日から　年　月　日まで	
5 配偶者	氏　名	
	育児休業の期間	年　月　日から　年　月　日まで
6 備考		

（育児休業承認請求書の裏面）

※ 任命権者記入欄

受理年月日	年　月　日			□ 承 認 □不承認
決裁年月日	年　月　日			
決 裁 欄				官 職 ＿＿＿＿ 氏 名 ＿＿＿＿

記入上の注意

1 この請求書（人事院規則１９―０（職員の育児休業等）（以下「規則」という。）第４条第７号に掲げる事情に該当してする育児休業及び育児休業の期間の延長に係るものを除く。）には、請求に係る子の氏名、請求者との続柄等及び生年月日を証明する書類（医師又は助産師が発行する出生(産)証明書、母子健康手帳の出生届出済証明書、官公署が発行する出生届受理証明書又は養子縁組届受理証明書、事件が係属している家庭裁判所等が発行する事件係属証明書、児童相談所長が発行する委託措置決定通知書又は証明書等）を添付すること（写しでも可）。

2 「２ 請求の内容」欄の「１歳６か月までの子の育児休業」とは、規則第３条の３第３号に掲げる場合に該当してする育児休業をいい、「２歳までの子の育児休業」とは、規則第３条の４の規定に該当してする育児休業をいう（５において同じ。）。

3 子の出生前に請求する場合は、「３ 請求期間」欄は出産予定日以後の期間とし、「１ 請求に係る子」欄の記入及び証明書類の添付は、出生後、速やかに行うこと。

4 規則第４条第７号に掲げる事情に該当してする育児休業をしようとする場合は、所属、官職、氏名、「３ 請求期間」欄及び「４ 既に育児休業をした期間」欄のみを記入すること。

5 「５ 配偶者」欄は、非常勤職員が１歳２か月までの子の育児休業（規則第３条の３第２号に掲げる場合に該当してする育児休業をいう。）、１歳６か月までの子の育児休業又は２歳までの子の育児休業をしようとする場合に記入すること。

6 「６ 備考」欄には、(ア)請求に係る子以外に３歳に満たない子を養育する場合､その氏名､請求者との続柄等及び生年月日、(イ)請求に係る子が養子の場合においては、養子縁組の効力が生じた日、(ウ)請求に係る子以外の子について現に育児休業の承認を受けている場合においては、その旨並びに当該承認に係る子の氏名及び当該承認の請求に係る期間等について記入すること。

7 該当する□には✓印を記入すること。

別紙第３（第８の第３項関係）

育児短時間勤務計画書

（任命権者）　　　　　　　　　　　　　　　　提出年月日　　年　月　日

＿＿＿＿＿＿＿＿殿　　　所　属＿＿＿＿

官　職＿＿＿＿

氏　名＿＿＿＿

人事院規則１９―０（職員の育児休業等）第１８条第６号の規定に基づき、再度の育児短時間勤務の承認の請求をする予定ですので、育児短時間勤務の計画について下記のとおり提出します。

なお、下記の記載事項に変更が生じた場合は、遅滞なく届け出ます。

1 請求に係る子			
子の氏名		生年月日	年　月　日生
2 請求者の計画			
請求期間	年　月　日から　年　月　日まで		
再度の請求予定期間	年　月　日から　年　月　日まで		
3 備考			

（注）① 育児短時間勤務計画書は、育児短時間勤務承認請求書と同時に（変更の届出の場合は、記載事項に変更が生じた後遅滞なく）提出するものとする。

② 「請求期間」欄には、育児短時間勤務承認請求書に記載した請求期間を記入する。

③ 子の出生前に提出する場合は、「１ 請求に係る子」欄の記入は、出生後、速やかに行うこと。

④ 変更の届出の場合は、１及び２の記載事項のうち変更する箇所のみ記入する。

別紙第４（第８の第６項関係）

育児短時間勤務承認請求書

（任　命　権　者）　　　　請　求　年　月　日　　　　年　　月　　日

………………………………殿　　請求者　所　　属………………………

　　　　　　　　　　　　　　　　　　官　　職………………………

下記のとおり 育児短時間勤務の承認／育児短時間勤務の期間の延長 を請求します。

　　　　　　　　　　　　　　　　　　氏　　名………………………

１ 請求に係る子	氏　　名	
	続　柄　等	
	生　年　月　日	年　　月　　日生
２ 請求の内容	□　育児短時間勤務の承認　　　　□　育児短時間勤務の期間の延長	
	□　再度の育児短時間勤務の承認（再度の育児短時間勤務が必要な事情を記入）	
３ 請求期間	年　　月　　日から　　　年　　月　　日まで	
４ 勤務の形態	週　　時間　　分勤務 （育児休業法第１２条第１項 □ 第１号 □ 第２号 □ 第３号 □ 第４号 □ 第５号 の勤務の形態）	
勤務の日及び時間帯	月（　：　～　：　）　火（　：　～　：　） 水（　：　～　：　）　木（　：　～　：　） 金（　：　～　：　）	
５ 既に育児短時間勤務をした期間	年　　月　　日から　　　年　　月　　日まで 年　　月　　日から　　　年　　月　　日まで	
６ 備　　考		

（注）①　この請求書（育児短時間勤務の期間の延長に係るものを除く。）には、請求に係る子の氏名、請求者との続柄等及び生年月日を証明する書類（医師又は助産師が発行する出生(産)証明書、母子健康手帳の出生届出済証明書、官公署が発行する出生届受理証明書又は養子縁組届受理証明書、事件が係属している家庭裁判所等が発行する事件係属証明書、児童相談所長が発行する委託措置決定通知書又は証明書等）を添付すること（写しでも可）。

②　子の出生前に請求する場合は、「３　請求期間」欄は出産予定日以後の期間とし、「１　請求に係る子」欄の記入及び証明書類の添付は、出生後、速やかに行うこと。

③　「勤務の日及び時間帯」欄に掲げられていない日に勤務を希望する場合等当該欄により難い場合には、「６　備考」欄に必要な事項を記入すること。

④　「６　備考」欄には、(ｱ)請求に係る子以外に小学校就学前の子を養育する場合、その氏名、請求者との続柄等及び生年月日、(ｲ)請求に係る子が養子の場合においては、養子縁組の効力が生じた日、(ｳ)請求に係る子以外の子について現に育児短時間勤務の承認を受けている場合においては、その旨並びに当該承認に係る子の氏名及び当該承認の請求に係る期間等について記入すること。

⑤　該当する□には✓印を記入すること。

※　任命権者記入欄

受理年月日	年　　月　　日	□ 承　認　□ 不承認
決裁年月日	年　　月　　日	官　職………………
決　裁　欄		氏　名………………

別紙第５（第13の第９項関係）

育児時間承認請求書

（各省各庁の長）　　　　請求年月日　　　　年　　月　　日

………………………………殿　　請求者　所　　属………………………

下記のとおり育児時間の承認を請求します。　　官　　職………………………

　　　　　　　　　　　　　　　　　　氏　　名………………………

１ 請求に係る子	氏　　名		
	続　柄　等		
	生　年　月　日	年　　月　　日生	
２ 請求期間及び時間	期　　　　間		時　　　　間
	年　　月　　日から 年　　月　　日まで	□ 毎　日 □ その他（　）	午前　時　分～　時　分 午後　時　分～　時　分
	年　　月　　日から 年　　月　　日まで	□ 毎　日 □ その他（　）	午前　時　分～　時　分 午後　時　分～　時　分
３ 備　　考			

（注）①　この請求書には、請求に係る子の氏名、請求者との続柄等及び生年月日を証明する書類（医師又は助産師が発行する出生（産）証明書、母子健康手帳の出生届出済証明書、官公署が発行する出生届受理証明書又は養子縁組届受理証明書、事件が係属している家庭裁判所等が発行する事件係属証明書、児童相談所長が発行する委託措置決定通知書又は証明書等）を添付すること（写しでも可）。

②　育児時間の承認が、職員からの請求に基づき取り消された場合は、その旨を裏面に記入すること。

③　該当する□には✓印を記入すること。

※各省各庁の長記入欄

受　理　年　月　日	年　　月　　日	□ 承認　　□ 不承認
決　裁　年　月　日	年　　月　　日	官　職………………
決　　裁　　欄		氏　名………………

（育児時間承認請求書の裏面）

日付	育児時間の承認を取り消された時間 午前	育児時間の承認を取り消された時間 午後	時間数	請求者の確認	各省各庁の長の確認	勤務時間管理員の確認	備考
	時　分から 時　分まで	時　分から 時　分まで	時間 分				
	時　分から 時　分まで	時　分から 時　分まで	時間 分				
	時　分から 時　分まで	時　分から 時　分まで	時間 分				
	時　分から 時　分まで	時　分から 時　分まで	時間 分				
	時　分から 時　分まで	時　分から 時　分まで	時間 分				
	時　分から 時　分まで	時　分から 時　分まで	時間 分				
	時　分から 時　分まで	時　分から 時　分まで	時間 分				
	時　分から 時　分まで	時　分から 時　分まで	時間 分				
	時　分から 時　分まで	時　分から 時　分まで	時間 分				
	時　分から 時　分まで	時　分から 時　分まで	時間 分				
	時　分から 時　分まで	時　分から 時　分まで	時間 分				
	時　分から 時　分まで	時　分から 時　分まで	時間 分				
	時　分から 時　分まで	時　分から 時　分まで	時間 分				
	時　分から 時　分まで	時　分から 時　分まで	時間 分				
	時　分から 時　分まで	時　分から 時　分まで	時間 分				
	時　分から 時　分まで	時　分から 時　分まで	時間 分				
	時　分から 時　分まで	時　分から 時　分まで	時間 分				
	時　分から 時　分まで	時　分から 時　分まで	時間 分				
	時　分から 時　分まで	時　分から 時　分まで	時間 分				
	時　分から 時　分まで	時　分から 時　分まで	時間 分				
	時　分から 時　分まで	時　分から 時　分まで	時間 分				

○国家公務員の自己啓発等休業に関する法律

平一九・五・一六
法　四　五

最終改正　平二九・五・三一法四一

（目的）

第一条　この法律は、国家公務員の請求に基づく大学等における修学又は国際貢献活動のための休業の制度を設けることにより、国家公務員に自己啓発及び国際協力の機会を提供することを目的とする。

（定義）

第二条　この法律において「職員」とは、第十条を除き、国家公務員法（昭和二十二年法律第百二十号）第二条に規定する一般職に属する国家公務員（常時勤務することを要しない職員、臨時的に任用された職員その他の人事院規則で定める職員を除く。）をいう。

2　この法律において「任命権者」とは、国家公務員法第五十五条第一項に規定する任命権者及び法律で別に定められた任命権者並びにその委任を受けた者をいう。

3　この法律において「大学等における修学」とは、学校教育法（昭和二十二年法律第二十六号）第八十三条に規定する大学（当該大学に置かれる同法第九十一条に規定する専攻科及び同法第九十七条に規定する大学院を含む。）の課程（同法第百四条第七項第二号の規定によりこれに相当する教育を行うものとして認められたものを含む。）又はこれに相当する外国の大学（これに準ずる教育施設を含む。）の課程に在学してその課程を履修することをいう。

4　この法律において「国際貢献活動」とは、独立行政法人国際協力機構法（平成十四年法律第百三十六号）第十三条第一項第四号に基づき自ら行う派遣業務の目的となる開発途上地域における奉仕活動（当該奉仕活動を行うために必要な国内における訓練その他の準備行為を含む。以下この項において同じ。）その他の国際協力の促進に資する外国における奉仕活動のうち職員として参加することが適当であると認められるものとして人事院規則で定めるものに参加することをいう。

5　この法律において「自己啓発等休業」とは、職員の自発的な大学等における修学又は国際貢献活動のための休業をいう。

（自己啓発等休業の承認）

第三条　任命権者は、職員としての在職期間が二年以上である職員が自己啓発等休業を請求した場合において、公務の運営に支障がないと認めるときは、当該請求をした職員の勤務成績、当該請求に係る大学等における修学又は国際貢献活動の内容その他の事情を考慮した上で、大学等における修学のための休業にあっては二年（大学等における修学の成果をあげるために特に必要な場合として人事院規則で定める場合は、三年）、国際貢献活動のための休業にあっては三年を超えない範囲内の期間に限り、当該職員が自己啓発等休業をすることを承認することができる。

2　前項の請求は、自己啓発等休業をしようとする期間の初日及び末日並びに当該期間中の大学等における修学又は国際貢献活動の内容を明らかにしてしなければならない。

（自己啓発等休業の期間の延長）

第四条　自己啓発等休業をしている職員は、当該自己啓発等休業を開始した日から引き続き自己啓発等休業をしようとする期間が前条第一項に規定する休業の期間を超えない範囲内において、延長をしようとする期間の末日を明らかにして、任命権者に対し、自己啓発等休業の期間の延長を請求することができる。

2　自己啓発等休業の期間の延長は、人事院規則で定める特別の事情がある場合を除き、一回に限るものとする。

3　前条第一項の規定は、自己啓発等休業の期間の延長の承認について準用する。

（自己啓発等休業の効果）

第五条　自己啓発等休業をしている職員は、職員としての身分を保有するが、職務に従事しない。

2　自己啓発等休業をしている期間については、給与を支給しない。

（自己啓発等休業の承認の失効等）

第六条　自己啓発等休業の承認は、当該自己啓発等休業をしている職員が休職又は停職の処分を受けた場合には、その効力を失う。

2　任命権者は、自己啓発等休業をしている職員が当該自己啓発等休業の承認に係る大学等における修学又は国際貢献活動を取りやめたことその他人事院規則で定める事由に該当すると認めるときは、当該自己啓発等休業の承認を取り消すものとする。

（職務復帰後における給与の調整）

第七条 自己啓発等休業をした職員が職務に復帰した場合におけるその者の号俸については、部内の他の職員との権衡上必要と認められる範囲内において、人事院規則の定めるところにより、必要な調整を行うことができる。

（自己啓発等休業をした職員についての国家公務員退職手当法の特例）

第八条 国家公務員退職手当法（昭和二十八年法律第百八十二号）第六条の四第一項及び第七条第四項の規定の適用については、自己啓発等休業をした期間は、同法第六条の四第一項に規定する現実に職務をとることを要しない期間に該当するものとする。

２ 自己啓発等休業をした期間についての国家公務員退職手当法第七条第四項の規定の適用については、同項中「その月数の二分の一に相当する月数（国家公務員法第百八条の六第一項ただし書若しくは行政執行法人の労働関係に関する法律（昭和二十三年法律第二百五十七号）第七条第一項ただし書に規定する事由又はこれらに準ずる事由により現実に職務をとることを要しなかつた期間については、その月数）」とあるのは、「その月数（国家公務員の自己啓発等休業に関する法律（平成十九年法律第四十五号）第二条第五項に規定する自己啓発等休業の期間中の同条第三項又は第四項に規定する大学等における修学又は国際貢献活動の内容が公務の能率的な運営に特に資するものと認められることその他の内閣総理大臣が定める要件に該当する場合については、その月数の二分の一に相当する月数）」とする。

（人事院規則への委任）

第九条 この法律（前条及び次条を除く。）の実施に関し必要な事項は、人事院規則で定める。

（防衛省の職員への準用）

第十条 この法律（第二条第一項及び第二項を除く。）の規定は、国家公務員法第二条第三項第十六号に掲げる防衛省の職員（常時勤務することを要しない職員、臨時的に任用された職員その他の政令で定める職員を除く。）について準用する。この場合において、これらの規定中「人事院規則」とあるのは「政令」と、第三条第一項中「任命権者」とあるのは「自衛隊法（昭和二十九年法律第百六十五号）第三十一条第一項の規定により同法第二条第五項に規定する隊員の任免について権限を有する者（以下「任命権者」という。）」と、前条中「前条及び次条」とあるのは「前条」と読み替えるものとする。

附 則（抄）

（施行期日）

第一条 この法律は、公布の日から起算して三月を超えない範囲内において政令で定める日〔平一九・八・一〕から施行する。

附 則（平二六・四・一八法二二）（抄）

（施行期日）

第一条 この法律は、公布の日から起算して六月を超えない範囲内において、政令で定める日〔平二六・五・三〇〕から施行する。〔ただし書略〕

附 則（平二六・六・一三法六七）（抄）

（施行期日）

第一条 この法律は、独立行政法人通則法の一部を改正する法律（平成二十六年法律第六十六号。以下「通則法改正法」という。）の施行の日〔平二七・四・一〕から施行する。〔ただし書略〕

附 則（平二九・五・三一法四一）（抄）

（施行期日）

第一条 この法律は、平成三十一年四月一日から施行する。〔ただし書略〕

○人事院規則二五—○（職員の自己啓発等休業）

平一九・七・二〇制定
平一九・八・一施行

最終改正　令四・二・一八規則一—七九

（趣旨）

第一条　この規則は、職員の自己啓発等休業（自己啓発等休業法第二条第五項に規定する自己啓発等休業をいう。以下同じ。）に関し必要な事項を定めるものとする。

（自己啓発等休業をすることができない職員）

第二条　自己啓発等休業法第二条第一項の人事院規則で定める職員は、次に掲げる職員とする。

一　非常勤職員

二　臨時的職員その他任期を限られた常勤職員

三　法第八十一条の五第一項から第四項までの規定により異動期間（これらの規定により延長された期間を含む。）を延長された管理監督職を占める職員

四　勤務延長職員

本条—令五・四・一施行

（任命権者）

第三条　自己啓発等休業法に規定する任命権者には、併任に係る官職の任命権者は含まれないものとする。

（奉仕活動）

第四条　自己啓発等休業法第二条第四項の人事院規則で定める奉仕活動は、次に掲げる奉仕活動とする。

一　独立行政法人国際協力機構が独立行政法人国際協力機構法（平成十四年法律第百三十六号）第十三条第一項第四号に基づき自ら行う派遣業務の目的となる開発途上地域における奉仕活動（当該奉仕活動を行うために必要な国内における訓練その他の準備行為を含む。）

二　国際協力の促進に資する外国における奉仕活動のうち、職員として参加することが適当であると認められるものであって、前号に掲げる奉仕活動に準ずるものとして人事院が定める奉仕活動

本条—平二〇・一〇・一施行

（大学等における修学の成果をあげるために特に必要な場合）

第五条　自己啓発等休業法第三条第一項の人事院規則で定める場合は、学校教育法（昭和二十二年法律第二十六号）第九十七条に規定する大学院の課程（同法第百四条第七項第二号の規定によりこれに相当する教育を行うものとして認められたものを含む。）又はこれに相当する外国の大学（これに準ずる教育施設を含む。）の課程であって、その修業年限が二年を超え、三年を超えないものに在学してその課程を履修する場合とする。

本条—平三一・四・一施行

（自己啓発等休業の承認の請求手続）

第六条　自己啓発等休業の承認の請求は、自己啓発等休業承認請求書により、自己啓発等休業を始めようとする日の一月前までに行うものとする。

2　任命権者は、自己啓発等休業の承認の請求をした職員に対して、当該請求について確認するため必要があると認める書類の提出を求めることができる。

（自己啓発等休業の期間の延長の請求手続）

第七条　前条の規定は、自己啓発等休業の期間の延長の請求について準用する。

（自己啓発等休業をしている職員が保有する官職）

第八条　自己啓発等休業をしている職員は、その承認を受けた時に占めていた官職又はその期間中に異動した官職を保有するものとする。ただし、併任に係る官職については、この限りでない。

2　前項の規定は、当該官職を他の職員をもって補充することを妨げるものではない。

（自己啓発等休業の承認の取消事由）

第九条　自己啓発等休業法第六条第二項の人事院規則で定める事由は、次に掲げる事由とする。

一　自己啓発等休業をしている職員が、正当な理由なく、その者が在学している課程を休学し、若しくはその授業を頻繁に欠席していること又はその者が参加している奉仕活動の全部若しくは一部を行っていないこと。

二　自己啓発等休業をしている職員が、その者が在学している課程を休学し、停学にされ、又はその授業を欠席していること、その者が参加している奉仕活動の全部又は一部を行っていないことその他の事情により、当該職員の請求に係る大学等における修学（自己啓発

等休業法第二条第三項に規定する大学等における修学をいう。以下同じ。）又は国際貢献活動（同条第四項に規定する国際貢献活動をいう。以下同じ。）に支障が生ずること。

（職務復帰）

第十条 自己啓発等休業の期間が満了したとき又は自己啓発等休業の承認が取り消されたときは、当該自己啓発等休業に係る職員は、職務に復帰するものとする。

（自己啓発等休業に係る人事異動通知書の交付）

第十一条 任命権者は、次に掲げる場合には、職員に対して、規則八―一二（職員の任免）第五十八条の規定による人事異動通知書を交付しなければならない。

一 職員の自己啓発等休業を承認する場合

二 職員の自己啓発等休業の期間の延長を承認する場合

三 自己啓発等休業をした職員が職務に復帰した場合

本条―平二一・四・一施行

（報告等）

第十二条 自己啓発等休業をしている職員は、任命権者から求められた場合のほか、次に掲げる場合には、当該職員の請求に係る大学等における修学又は国際貢献活動の状況について任命権者に報告しなければならない。

一 当該職員が、その請求に係る大学等における修学又は国際貢献活動を取りやめた場合

二 当該職員が、その在学している課程を休学し、停学にされ、若しくはその授業を欠席している場合又はその参加している奉仕活動の全部若しくは一部を行っていない場合

三 当該職員の請求に係る大学等における修学又は国際貢献活動に支障が生じている場合

2 第六条第二項の規定は、前項の報告について準用する。

3 任命権者は、自己啓発等休業をしている職員から第一項の報告を求めるほか、当該職員と定期的に連絡を取ることにより、十分な意思疎通を図るものとする。

（職務復帰後における号俸の調整）

第十三条 自己啓発等休業をした職員が職務に復帰した場合において、部内の他の職員との均衡上必要があると認められるときは、当該自己啓発等休業の期間を大学等における修学（職員としての職務に特に有用であると認められるものに限る。）又は国際貢献活動のためのものにあっては百分の百以下、それ以外のものにあっては百分の五十以下の換算率により換算して得た期間を引き続き勤務したものとみなして、その職務に復帰した日、同日後における最初の昇給日（規則九―八（初任給、昇格、昇給等の基準）第三十四条に規定する昇給日をいう。以下この項において同じ。）又はその次の昇給日に、昇給の場合に準じてその者の号俸を調整することができる。

2 自己啓発等休業をした職員が職務に復帰した場合における号俸の調整について、前項の規定による場合には部内の他の職員との均衡を著しく失すると認められるときは、同項の規定にかかわらず、あらかじめ人事院と協議して、その者の号俸を調整することができる。

一項―平二一・四・一施行

（雑則）

第十四条 この規則の実施に関し必要な事項は、人事院が定める。

附 則

この規則は、平成十九年八月一日から施行する。

附 則（令四・一二・一八規則一―七九）（抄）

（施行期日）

第一条 この規則は、令和五年四月一日から施行する。

○自己啓発等休業の運用について（通知）

平一九・七・二〇
職職—二五六

最終改正　令四・二・一八事企法—三七

標記について下記のとおり定めたので、平成十九年八月一日以降は、これによってください。

記

第一　自己啓発等休業の承認関係

1　任命権者は、国家公務員の自己啓発等休業に関する法律（平成十九年法律第四十五号。以下「自己啓発等休業法」という。）の目的を踏まえ、できる限り承認するよう努めるものとする。

2　自己啓発等休業法第三条第一項の「公務の運営」の支障の有無の判断に当たっては、自己啓発等休業の請求に係る期間について、当該請求をした職員の業務の内容及び業務量、業務分担の変更、職員の採用、昇任、転任又は配置換、非常勤職員の採用等当該請求をした職員の業務を処理するための措置の可否等を総合して行うものとする。

3　自己啓発等休業法第三条第一項の「職員の勤務成績」とは、自己啓発等休業を請求した職員に係る人事評価記録書（人事評価の基準、方法等に関する政令（平成二十一年政令第三十一号）第二十一条に規定する人事評価記録書をいう。）その他当該職員の勤務成績を判定するに足りると認められる事実に基づくものをいう。

4　自己啓発等休業法第三条第一項の「その他の事情」には、例えば、自己啓発等休業を請求した職員の育成であって、長期的な人事管理を踏まえ、執務を通じて行われているものへの当該自己啓発等休業の影響が含まれる。

5　自己啓発等休業法第三条第二項の「自己啓発等休業をしようとする期間」とは、連続する一の期間をいう。

6　任命権者は、自己啓発等休業法第三条第二項又は第四条第一項の規定による請求があった場合には、速やかにその承認の可否を当該請求をした職員に通知するよう努めるものとする。

7　人事院規則二五—〇（職員の自己啓発等休業）（以下「規則」という。）第二条第四号の「勤務延長職員」とは、国家公務員法（昭和二十二年法律第百二十号）第八十一条の七第一項又は第二項の規定により定年退職日の翌日以降引き続いて勤務している職員をいう。

8　規則第六条第一項の自己啓発等休業承認請求書には、次に掲げる事項を記載するものとする。なお、その参考例を示せば、別紙のとおりである。

(1)　職員の所属、官職及び氏名

(2)　自己啓発等休業の請求に係る大学等における修学又は国際貢献活動の内容

(3)　自己啓発等休業をしようとする期間の初日及び末日

(4)　自己啓発等休業の期間の延長を請求する場合にあっては、既に当該自己啓発等休業をしている期間及び延長をしようとする期間の末日

第二　自己啓発等休業の承認の取消し関係

1　自己啓発等休業法第六条第二項の「大学等における修学又は国際貢献活動を取りやめたこと」には、自己啓発等休業の期間の満了前に当該自己啓発等休業をしている職員が在学している課程を修めて卒業し、又は修了したことが含まれる。

2　自己啓発等休業法第六条第二項の規定により自己啓発等休業の承認を取り消す場合には、当該自己啓発等休業をしている職員にその旨を記載した文書を交付するものとする。この場合の文書については、人事異動通知書を用いることができ、その「異動内容」欄の記入要領は、第三の(4)による。

第三　自己啓発等休業に係る人事異動通知書の交付関係

人事異動通知書の「異動内容」欄の記入要領は、次のとおりとする。

(1)　職員の自己啓発等休業を承認する場合
「自己啓発等休業を承認する
自己啓発等休業の期間は　年　月　日から　年　月　日までとする」
と記入する。

(2)　職員の自己啓発等休業の期間の延長を承認する場合
「自己啓発等休業の期間を　年　月　日まで延長することを承認する」
と記入する。

(3) 自己啓発等休業をした職員が職務に復帰した場合（(4)の場合を除く。）

「職務に復帰した（　年　月　日）」と記入する。

(4) 自己啓発等休業の承認の取消しに人事異動通知書を用いる場合

「自己啓発等休業の承認を取り消す
職務に復帰した（　年　月　日）」

と記入する。

第四　報告等関係

1　規則第十二条第一項第二号の「欠席している場合」又は「一部を行っていない場合」には、授業を欠席している期間又は奉仕活動の一部を行っていない期間が一月につき十四日以内の場合を含まない。

2　任命権者は、自己啓発等休業をしている職員の円滑な職場復帰のため、当該職員が所属する府省における業務の状況その他必要と認める事項について、当該職員と十分な意思疎通を図るものとする。

第五　職務復帰後における号俸の調整関係

規則第十三条の規定の適用については、給実甲第一九二号（復職時等における号俸の調整の運用について）に定めるところによる。

以　上

（令和四年二月一八日事企法三八）

経過措置（抄）

2　令和三年改正法附則第三条第五項に規定する旧国家公務員法勤務延長職員に対する令和四年事企法―三七による改正後の次に掲げる人事院事務総長通知の規定の適用については、これらの規定中「第八十一条の七第一項又は第二項」とあるのは、「第八十一条の七第一項若しくは第二項又は国家公務員法等の一部を改正する法律（令和三年法律第六十一号）附則第三条第五項若しくは第六項」とする。

九　「自己啓発等休業の運用について（平成十九年七月二十日職職―二五六）」第一の第七項

別紙

自己啓発等休業承認請求書

<table>
<tr><td colspan="5">（任　命　権　者）
　　　　　　　　　　　　殿
下記のとおり　自己啓発等休業／期間の延長　を請求します。</td><td colspan="3">請　求　年　月　日　　　　　　年　　月　　日
請求者　所　属
　　　　官　職
　　　　氏　名</td></tr>
<tr><td>1　請求の区分</td><td colspan="7">□自己啓発等休業（２及び３に記入）
□期間の延長（２及び４に記入）</td></tr>
<tr><td rowspan="8">2　自己啓発等休業の内容</td><td rowspan="3">大学等における修学</td><td colspan="2">大学等の名称（所在地）</td><td colspan="4">
（　　　　　　　　　　）</td></tr>
<tr><td colspan="2">課程（修業年限）</td><td colspan="4">（　　　　）</td></tr>
<tr><td colspan="2">修学の期間</td><td colspan="4">年　月　日から　　年　月　日まで</td></tr>
<tr><td rowspan="4">国際貢献活動</td><td colspan="2">活動組織</td><td colspan="4"></td></tr>
<tr><td colspan="2">活動国・地域</td><td></td><td>活動分野</td><td colspan="2"></td></tr>
<tr><td rowspan="2">活動期間</td><td>国内訓練</td><td colspan="4">年　月　日から　　年　月　日まで</td></tr>
<tr><td>活動国滞在</td><td colspan="4">年　月　日から　　年　月　日まで</td></tr>
<tr><td colspan="7"></td></tr>
<tr><td>3　請求期間</td><td colspan="7">年　月　日から　　年　月　日まで</td></tr>
<tr><td>4　延長の期間</td><td colspan="7">年　月　日から　　年　月　日まで</td></tr>
<tr><td>既に自己啓発等休業をしている期間</td><td colspan="7">年　月　日から　　年　月　日まで</td></tr>
<tr><td>5　備　考</td><td colspan="7"></td></tr>
</table>

（注）①　この請求書には、次の内容が確認できる書類を添付すること。
　ア　大学等における修学又は国際貢献活動の内容及び期間
　イ　アの内容に関する照会先
②　「修学の期間」欄には、大学等の課程に在学して履修しようとする期間を記入する。
③　「活動組織」欄には、「青年海外協力隊」、「シニア海外ボランティア」、「国連ボランティア」等を記入する。
④　「国内訓練」欄には、例えば、独立行政法人国際協力機構が行う派遣前訓練等の準備行為に参加する期間を記入する。
⑤　「5　備考」欄には、以前に自己啓発等休業をしている場合における当該自己啓発等休業の内容（大学等における修学又は国際貢献活動の別、休業期間）、自己啓発等休業の期間を延長する場合における当該自己啓発等休業の期間の延長を請求する理由その他任命権者が承認の可否を判断するに当たって必要と思われる事項を記入する。
⑥　該当する□にはレ印を記入すること。

※　任命権者記入欄

<table>
<tr><td>受理年月日</td><td colspan="3">年　月　日</td><td>□承認　□不承認</td></tr>
<tr><td>決裁年月日</td><td colspan="3">年　月　日</td><td rowspan="3">官　職
氏　名</td></tr>
<tr><td rowspan="2">決　裁　欄</td><td></td><td></td><td></td></tr>
<tr><td></td><td></td><td></td></tr>
</table>

○国家公務員の配偶者同行休業に関する法律

平二五・一一・二二
法 七八

改正 平二六・六・一三法六七

（目的）

第一条 この法律は、配偶者同行休業の制度を設けることにより、有為な国家公務員の継続的な勤務を促進し、もって公務の円滑な運営に資することを目的とする。

（定義）

第二条 この法律において「職員」とは、第十一条を除き、国家公務員法（昭和二十二年法律第百二十号）第二条に規定する一般職に属する国家公務員をいう。

2 この法律において「任命権者」とは、国家公務員法第五十五条第一項に規定する任命権者及び法律で別に定められた任命権者並びにその委任を受けた者をいう。

3 この法律にいう「配偶者」には、届出をしないが事実上婚姻関係と同様の事情にある者を含むものとする。

4 この法律において「配偶者同行休業」とは、職員（常時勤務することを要しない職員、臨時的に任用された職員その他の人事院規則で定める職員を除く。次条第一項において同じ。）が、外国での勤務その他の人事院規則で定める事由により外国に住所又は居所を定めて滞在するその配偶者と、当該住所又は居所において生活を共にするための休業をいう。

（配偶者同行休業の承認）

第三条 任命権者は、職員が配偶者同行休業を請求した場合において、公務の運営に支障がないと認めるときは、当該請求をした職員の勤務成績その他の事情を考慮した上で、三年を超えない範囲内の期間に限り、当該職員が配偶者同行休業をすることを承認することができる。

2 前項の請求は、配偶者同行休業をしようとする期間の初日及び末日並びに当該職員の配偶者が当該期間中外国に住所又は居所を定めて滞在する事由を明らかにしてしなければならない。

（配偶者同行休業の期間の延長）

第四条 配偶者同行休業をしている職員は、当該配偶者同行休業を開始した日から引き続き配偶者同行休業をしようとする期間が三年を超えない範囲内において、延長をしようとする期間の末日を明らかにして、任命権者に対し、配偶者同行休業の期間の延長を請求することができる。

2 配偶者同行休業の期間の延長は、人事院規則で定める特別の事情がある場合を除き、一回に限るものとする。

3 前条第一項の規定は、配偶者同行休業の期間の延長の承認について準用する。

（配偶者同行休業の効果）

第五条 配偶者同行休業をしている職員は、職員としての身分を保有するが、職務に従事しない。

2 配偶者同行休業をしている期間については、給与を支給しない。

（配偶者同行休業の承認の失効等）

第六条 配偶者同行休業の承認は、当該配偶者同行休業をしている職員が休職若しくは停職の処分を受けた場合又は当該配偶者同行休業に係る配偶者が死亡し、若しくは当該職員の配偶者でなくなった場合には、その効力を失う。

2 任命権者は、配偶者同行休業をしている職員が当該配偶者同行休業に係る配偶者と生活を共にしなくなったことその他人事院規則で定める事由に該当すると認めるときは、当該配偶者同行休業の承認を取り消すものとする。

（配偶者同行休業に伴う任期付採用及び臨時的任用）

第七条 任命権者は、第三条第一項又は第四条第一項の規定による請求があった場合において、当該請求に係る期間（以下この項及び第三項において「請求期間」という。）について職員の配置換えその他の方法によって当該請求をした職員の業務を処理することが困難であると認めるときは、当該業務を処理するため、次の各号に掲げる任用のいずれかを行うことができる。この場合において、第二号に掲げる任用は、請求期間について一年（同条第一項の規定による請求があった場合にあっては、当該請求による延長前の配偶者同行休業の期間の初日から当該請求に係る期間の末日までの期間を通じて一年）を超えて行うことができない。

一 請求期間を任用の期間（以下この条において「任期」という。）の限度として行う任期を定めた採用

二 請求期間を任期の限度として行う臨時的任用

2　任命権者は、前項の規定により任期を定めて職員を採用する場合には、当該職員にその任期を明示しなければならない。

3　任命権者は、第一項の規定により任期を定めて採用された職員の任期が請求期間に満たない場合にあっては、当該請求期間の範囲内において、その任期を更新することができる。

4　第二項の規定は、前項の規定により任期を更新する場合について準用する。

5　任命権者は、第一項の規定により任期を定めて採用された職員を、任期を定めて採用した趣旨に反しない場合に限り、その任期中、他の官職に任用することができる。

6　第一項の規定に基づき臨時的任用を行う場合には、国家公務員法第六十条第一項から第三項までの規定は、適用しない。

（職務復帰後における給与の調整）

第八条　配偶者同行休業をした職員が職務に復帰した場合におけるその者の号俸については、部内の他の職員との権衡上必要と認められる範囲内において、人事院規則の定めるところにより、必要な調整を行うことができる。

（配偶者同行休業をした職員についての国家公務員退職手当法の特例）

第九条　国家公務員退職手当法（昭和二十八年法律第百八十二号）第六条の四第一項及び第七条第四項の規定の適用については、配偶者同行休業をした期間は、同法第六条の四第一項に規定する現実に職務をとることを要しない期間に該当するものとする。

2　配偶者同行休業をした期間についての国家公務員退職手当法第七条第四項の規定の適用については、同項中「その月数の二分の一に相当する月数（国家公務員法第百八条の六第一項ただし書若しくは行政執行法人の労働関係に関する法律（昭和二十三年法律第二百五十七号）第七条第一項ただし書に規定する事由又はこれらに準ずる事由により現実に職務をとることを要しなかつた期間については、その月数）」とあるのは、「その月数」とする。

（人事院規則への委任）

第十条　この法律（前条及び次条の規定を除く。）の実施に関し必要な事項は、人事院規則で定める。

（防衛省の職員への準用）

第十一条　この法律（第二条第一項及び第二項並びに第七条第六項を除く。）の規定は、国家公務員法第二条第三項第十六号に掲げる防衛省の職員について準用する。この場合において、これらの規定中「人事院規則」とあるのは「政令」と、第三条第一項中「任命権者」とあるのは「自衛隊法（昭和二十九年法律第百六十五号）第三十一条第一項の規定により同法第二条第五項に規定する隊員の任免について権限を有する者（以下「任命権者」という。）」と、前条中「前条及び次条」とあるのは「前条」と読み替えるものとする。

附　則（抄）

（施行期日）

第一条　この法律は、公布の日から起算して三月を超えない範囲内において政令で定める日〔平二六・二・二一〕から施行する。

附　則（平二六・六・一三法六七）（抄）

（施行期日）

第一条　この法律は、独立行政法人通則法の一部を改正する法律（平成二十六年法律第六十六号。以下「通則法改正法」という。）の施行の日〔平二七・四・一〕から施行する。〔ただし書略〕

○人事院規則二六―○（職員の配偶者同行休業）

平二六・二・一三制定
平二六・二・二二施行

最終改正 令四・一一・一八規則一―七九

（趣旨）

第一条 この規則は、職員の配偶者同行休業（配偶者同行休業法第二条第四項に規定する配偶者同行休業をいう。以下同じ。）に関し必要な事項を定めるものとする。

（任命権者の責務）

第二条 任命権者は、配偶者同行休業法の目的に鑑み、配偶者同行休業をしている職員が行う必要な能力の維持向上のための取組を支援する等当該職員の職務への円滑な復帰を図るために必要な措置を講ずるよう努めるものとする。

（任命権者）

第三条 配偶者同行休業法に規定する任命権者には、併任に係る官職の任命権者は含まれないものとする。

（配偶者同行休業をすることができない職員）

第四条 配偶者同行休業法第二条第四項の人事院規則で定める職員は、次に掲げる職員とする。

一 非常勤職員

二 臨時的職員その他任期を限られた常勤職員

三 条件付採用期間中の職員

四 法第八十一条の五第一項から第四項までの規定により異動期間（これらの規定により延長された期間を含む。）を延長された管理監督職を占める職員

五 勤務延長職員

本条―令五・四・一施行

（配偶者同行休業の対象となる配偶者が外国に滞在する事由）

第五条 配偶者同行休業法第二条第四項の人事院規則で定める事由は、次に掲げる事由（六月以上にわたり継続することが見込まれるものに限る。第九条第一号において「配偶者外国滞在事由」という。）とする。

一 外国での勤務

二 事業を経営することその他の個人が業として行う活動であって外国において行うもの

三 学校教育法（昭和二十二年法律第二十六号）による大学に相当する外国の大学（これに準ずる教育施設を含む。）であって外国に所在するものにおける修学（前二号に掲げるものに該当するものを除く。）

四 前三号に掲げるもののほか、これらに準ずる事由として人事院が定めるもの

（配偶者同行休業の請求手続）

第六条 配偶者同行休業の請求は、配偶者同行休業請求書により、配偶者同行休業を始めようとする日の一月前までに行うものとする。

2 任命権者は、配偶者同行休業の請求をした職員に対して、当該請求について確認するため必要があると認める書類の提出を求めることができる。

（配偶者同行休業の期間の延長の請求手続）

第七条 前条の規定は、配偶者同行休業の期間の延長の請求について準用する。

（配偶者同行休業の期間の再度の延長ができる特別の事情）

第七条の二 配偶者同行休業法第四条第二項の人事院規則で定める特別の事情は、配偶者同行休業の期間の延長後の期間が満了する日における当該配偶者同行休業に係る配偶者（配偶者同行休業法第二条第三項に規定する配偶者をいう。第九条第一号及び第十条第一項第一号から第三号までにおいて同じ。）の第五条第一号の外国での勤務が同日後も引き続くこととなり、及びその引き続くことが当該延長の請求時には確定していなかったことその他人事院がこれに準ずると認める事情とする。

本条―平二八・四・一施行

（配偶者同行休業をしている職員が保有する官職）

第八条 配偶者同行休業をしている職員は、その承認を受けた時に占めていた官職又はその期間中に異動した官職を保有するものとする。ただし、併任に係る官職については、この限りでない。

2 前項の規定は、配偶者同行休業をしている職員が保有する官職を他の職員をもって補充することを妨げるものではない。

（配偶者同行休業の承認の取消事由）

第九条 配偶者同行休業法第六条第二項の人事院規則で定める事由は、次に掲げる事由とする。

一 配偶者が外国に滞在しないこととなり、又は配偶者が外国に滞在する事由が配偶者外国滞在事由に該当しないこととなったこと。

二　配偶者同行休業をしている職員が、勤務時間法第十九条に規定する特別休暇のうち規則一五—一四（職員の勤務時間、休日及び休暇）第二十二条第一項第六号又は第七号で定める場合における休暇（当該職員が行政執行法人の職員である場合にあっては、これに相当するもの）を取得することとなったこと。

三　任命権者が、配偶者同行休業をしている職員について、育児休業法第三条第一項の規定による育児休業を承認することとなったこと。

本条—平二八・四・一施行

（届出）

第十条　配偶者同行休業をしている職員は、次に掲げる場合には、遅滞なく、その旨を任命権者に届け出なければならない。

一　配偶者が死亡した場合

二　配偶者が職員の配偶者でなくなった場合

三　配偶者と生活を共にしなくなった場合

四　前条第一号又は第二号に掲げる事由に該当することとなった場合

2　第六条第二項の規定は、前項の届出について準用する。

（職務復帰）

第十一条　配偶者同行休業の期間が満了したとき、配偶者同行休業の承認が休職又は停職の処分を受けたこと以外の事由により効力を失ったとき又は配偶者同行休業の承認が取り消されたとき（第九条第三号に規定する事由に該当したことにより承認が取り消された場合を除く。）は、当該配偶者同行休業に係る職員は、職務に復帰するものとする。

（配偶者同行休業に係る人事異動通知書の交付）

第十二条　任命権者は、次に掲げる場合には、職員に対して、規則八—一二（職員の任免）第五十八条の規定による人事異動通知書（第十四条において「人事異動通知書」という。）を交付しなければならない。

一　職員の配偶者同行休業を承認する場合

二　職員の配偶者同行休業の期間の延長を承認する場合

三　配偶者同行休業をした職員が職務に復帰した場合

（配偶者同行休業に伴う任期付採用に係る任期の更新）

第十三条　任命権者は、配偶者同行休業法第七条第三項の規定により、同条第一項の規定により任期を定めて採用された職員（次条において「任期付職員」という。）の任期を更新する場合には、あらかじめ当該職員の同意を得なければならない。

（配偶者同行休業に伴う任期付採用に係る人事異動通知書の交付）

第十四条　任命権者は、次に掲げる場合には、人事異動通知書を交付しなければならない。ただし、第三号に掲げる場合において、人事異動通知書の交付によらないことを適当と認めるときは、人事異動通知書に代わる文書の交付その他適当な方法をもって人事異動通知書の交付に代えることができる。

一　配偶者同行休業法第七条第一項の規定により任期を定めて職員を採用した場合

二　配偶者同行休業法第七条第三項の規定により任期付職員の任期を更新した場合

三　任期の満了により任期付職員が当然に退職した場合

（職務復帰後における号俸の調整）

第十五条　配偶者同行休業をした職員が職務に復帰した場合において、部内の他の職員との均衡上必要があると認められるときは、当該配偶者同行休業の期間を百分の五十以下の換算率により換算して得た期間を引き続き勤務したものとみなして、その職務に復帰した日、同日後における最初の昇給日（規則九—八（初任給、昇格、昇給等の基準）第三十四条に規定する昇給日をいう。以下この項において同じ。）又はその次の昇給日に、昇給の場合に準じてその者の号俸を調整することができる。

2　配偶者同行休業をした職員が職務に復帰した場合における号俸の調整について、前項の規定による場合には部内の他の職員との均衡を著しく失すると認められるときは、同項の規定にかかわらず、あらかじめ人事院と協議して、その者の号俸を調整することができる。

（雑則）

第十六条　この規則に定めるもののほか、配偶者同行休業に関し必要な事項は、人事院が定める。

附　則

この規則は、平成二十六年二月二十一日から施行する。

附　則（令四・二・一八規則一—七九）（抄）

（施行期日）

第一条　この規則は、令和五年四月一日から施行する。

○配偶者同行休業の運用について（通知）

平二六・二・一三
職　職　四　〇

最終改正　令四・二・一八事企法―三七

標記について下記のとおり定めたので、平成二十六年二月二十一日以降は、これによってください。

記

第一　定義関係

1　人事院規則二六―〇（職員の配偶者同行休業）（以下「規則」という。）第四条第五号の「勤務延長職員」とは、国家公務員法（昭和二十二年法律第百二十号）第八十一条の七第一項又は第二項の規定により定年退職日の翌日以降引き続いて勤務している職員をいう。

2　配偶者同行休業（国家公務員の配偶者同行休業に関する法律（平成二十五年法律第七十八号。以下「配偶者同行休業法」という。）第二条第四項に規定する配偶者同行休業をいう。以下同じ。）の期間中において配偶者（同条第三項に規定する配偶者をいう。以下同じ。）が外国に滞在する事由に変更を生じた場合における当該変更後の事由は、当該変更前の事由と同様、規則第五条各号に掲げる事由のいずれかに該当し、かつ、六月以上にわたり継続することが見込まれるものである必要がある。

3　規則第五条第一号の「外国での勤務」とは、配偶者が法人その他の団体に所属して外国において勤務することをいい、報酬の有無は問わない。

4　規則第五条第二号の「活動」には、例えば、次に掲げる活動が含まれる。

(1)　法律、医療等の専門的な知識又は技能が必要とされる業務に従事する活動

(2)　報道機関との契約に基づいて行う取材その他の報道上の活動

(3)　音楽、美術、文学その他の芸術上の活動

第二　配偶者同行休業の承認関係

1　配偶者同行休業法第三条第一項の「公務の運営」の支障の有無の判断に当たっては、配偶者同行休業を請求した職員の業務の内容及び業務量を考慮した上で、業務分担の変更、職員の配置換え、配偶者同行休業法第七条第一項の規定による任用その他の当該業務を処理するための措置等を総合的に勘案するものとする。

2　配偶者同行休業法第三条第一項の「職員の勤務成績」を考慮するに当たっては、配偶者同行休業を請求した職員に係る人事評価記録書（人事評価の基準、方法等に関する政令（平成二十一年政令第三十一号）第二十一条に規定する人事評価記録書をいう。）その他当該職員の勤務成績を判定するに足りると認められる事実に基づかなければならない。

3　配偶者同行休業法第三条第一項の「その他の事情」には、例えば、配偶者同行休業の請求の時点において、職務に復帰した後、一定期間在職することが見込まれ、かつ、継続して勤務する意思があることが含まれる。

4　配偶者同行休業法第三条第二項の「配偶者同行休業をしようとする期間」とは、連続する一の期間をいう。

5　任命権者は、配偶者同行休業法第三条第一項又は第四条第一項の規定による請求があった場合には、速やかにその承認の可否を当該請求をした職員に通知するよう努めるものとする。

6　規則第六条第一項（規則第七条において準用する場合を含む。）の配偶者同行休業請求書（次項において「配偶者同行休業請求書」という。）には、次に掲げる事項を記載するものとする。なお、その参考例を示せば、別紙のとおりである。

(1)　職員の所属、官職及び氏名

(2)　職員の配偶者の氏名及び職業

(3)　配偶者が外国に住所又は居所を定めて滞在する事由（配偶者同行休業の期間の再度の延長を請求する場合にあっては、規則第七条の二に規定する特別の事情を含む。）並びに当該事由が継続することが見込まれる期間の初日及び末日

(4)　職員及び配偶者の外国における住所又は居所

(5)　配偶者同行休業をしようとする期間の初日及び末日

(6)　配偶者同行休業の期間の延長を請求する場合にあっては、既に当該配偶者同行休業をしている期間及び延長をしようとする期

間の末日

7　規則第七条の二の「人事院がこれに準ずると認める事情」の認定の申請は、任命権者が、配偶者同行休業の期間の再度の延長に係る配偶者同行休業請求書の写しその他その認定を受けるため必要があると認める規則第七条において準用する規則第六条第二項の書類の写しを添付する文書により行うものとする。

8　承認を受けた配偶者同行休業（その期間の延長について承認を受けたものを含む。）の期間中に第六項⑵、⑶又は⑷に掲げる事項に変更を生じることとなった場合（同項⑶に掲げる事項にあっては、配偶者が外国に住所又は居所を定めて滞在する事由に変更を生じることとなった場合であって、当該変更後の事由が引き続き規則第五条に規定する配偶者外国滞在事由に該当するときに限る。）には、遅滞なく、その旨を任命権者に届け出るものとする。

第三　配偶者同行休業の承認の失効等関係

1　配偶者同行休業法第六条第一項の「配偶者でなくなった場合」とは、職員と配偶者とが離婚した場合（当該配偶者と事実上婚姻関係と同様の事情にあった職員にあっては、当該事情が解消した場合）をいう。

2　配偶者同行休業法第六条第二項の「配偶者と生活を共にしなくなったこと」とは、例えば、職員と配偶者とが同居しない状態が相当期間にわたり継続することが見込まれることをいう。

3　配偶者同行休業法第六条第二項の規定により配偶者同行休業の承認を取り消す場合には、当該配偶者同行休業をしている職員にその旨を記載した文書を交付するものとする。この場合の文書については、人事異動通知書を用いることができ、その「異動内容」欄の記入要領は、第四の⑷又は⑸による。

第四　配偶者同行休業に係る人事異動通知書の交付関係

配偶者同行休業に係る人事異動通知書の「異動内容」欄の記入要領は、次のとおりとする。

⑴　職員の配偶者同行休業を承認する場合

「配偶者同行休業を承認する
配偶者同行休業の期間は　年　月　日から　年　月　日までとする」

と記入する。

⑵　職員の配偶者同行休業の期間の延長を承認する場合

「配偶者同行休業の期間を　年　月　日まで延長することを承認する」

と記入する。

⑶　配偶者同行休業をした職員が職務に復帰した場合（⑷の場合を除く。）

「職務に復帰した（　年　月　日）」

と記入する。

⑷　配偶者同行休業の承認の取消しに人事異動通知書を用いる場合（⑸の場合を除く。）

「配偶者同行休業の承認を取り消す
職務に復帰した（　年　月　日）」

と記入する。

⑸　配偶者同行休業の承認の取消しに人事異動通知書を用いる場合（当該取消しに引き続いて職務に復帰しない場合に限る。）

「配偶者同行休業の承認を取り消す」

と記入する。

第五　配偶者同行休業に伴う任期付採用関係

1　任命権者は、配偶者同行休業法第七条第一項の規定により職員を採用しようとする場合は、任期を定めて採用されること及びその任期について承諾した文書を職員となる者に提出させるものとする。

2　任命権者は、規則第十三条の規定により職員の同意を得る場合には、当該職員に任期を更新すること及びその更新する期間について承諾した文書を提出させるものとする。

3　配偶者同行休業に伴う任期付採用に係る人事異動通知書の「異動内容」欄の記入要領は、次のとおりとする。

⑴　配偶者同行休業法第七条第一項の規定により任期を定めて職員を採用する場合

「アに採用する（国家公務員の配偶者同行休業に関する法律第七条第一項による）
任期は　年　月　日までとする」

と記入する。

注　「ア」の記号をもって表示する事項は、官職の組織上の名称及び当該官職の属する所属部課（所属部課の表示の単位は任命権者が定めるものとする。）とする。

⑵　配偶者同行休業法第七条第三項の規定により任期付職員の任期を更新した場合

「任期を　年　月　日まで更新する」

と記入する。

⑶　任期の満了により任期付職員が当然に退職

した場合
「任期の満了により　年　月　日限り退職した」
と記入する。

第六　職務復帰後における号俸の調整関係

規則第十五条の規定の適用については、給実甲第一九二号（復職時等における号俸の調整の運用について）に定めるところによる。

以上

（令和四年二月一八日事企法三八経過措置（抄））

2　令和三年改正法附則第三条第五項に規定する旧国家公務員法勤務延長職員に対する令和四年事企法―三七による改正後の次に掲げる人事院事務総長通知の規定の適用については、これらの規定中「第八十一条の七第一項又は第二項」とあるのは、「第八十一条の七第一項若しくは第二項又は国家公務員法等の一部を改正する法律（令和三年法律第六十一号）附則第三条第五項若しくは第六項」とする。

十　「配偶者同行休業の運用について（平成二十六年二月十三日職職―四〇）」第一の第一項

別紙

配 偶 者 同 行 休 業 請 求 書

<table>
<tr><td colspan="3">（任　命　権　者）　　　　　　　　　　　殿
下記のとおり 配偶者同行休業／期間の延長 を請求します。</td><td>請　求　年　月　日　　　　年　　月　　日
請求者　所　　属
　　　　官　　職
　　　　氏　　名</td></tr>
<tr><td colspan="3">1 請　求　の　区　分</td><td>□ 配偶者同行休業（2、3及び4に記入）
□ 期間の延長（2、3及び5に記入）（□ 再度の延長）</td></tr>
<tr><td rowspan="7">2 請求に係る配偶者</td><td colspan="2">氏　　　　名</td><td></td></tr>
<tr><td colspan="2">職　　　　業</td><td></td></tr>
<tr><td></td><td>請求時の所属先の名称（所在地）</td><td>（　　　　　　　　　　　　　　）</td></tr>
<tr><td colspan="2">外国滞在事由</td><td>（　　　　　　　　　　　　　　）</td></tr>
<tr><td></td><td>外国滞在中の所属先の名称（所在地）</td><td>（　　　　　　　　　　　　　　）</td></tr>
<tr><td></td><td>外国滞在事由の継続する期間</td><td>年　　月　　日から　　年　　月　　日まで</td></tr>
<tr><td colspan="2"></td><td></td></tr>
<tr><td colspan="3">3 職員及び配偶者の外国滞在中の住所(居所)</td><td></td></tr>
<tr><td colspan="3">4 請　求　期　間</td><td>年　　月　　日から　　年　　月　　日まで</td></tr>
<tr><td colspan="3">5 延　長　の　期　間</td><td>年　　月　　日から　　年　　月　　日まで</td></tr>
<tr><td></td><td colspan="2">既に配偶者同行休業をしている期間</td><td>年　　月　　日から　　年　　月　　日まで
（うち、期間の再度の延長の場合における当初の配偶者同行休業の期間　　年　　月　　日まで）</td></tr>
<tr><td colspan="3">6 備　　　考</td><td></td></tr>
</table>

（注）① この請求書には、配偶者の滞在事由及び期間が確認できる書類を添付すること。
② 期間の再度の延長を請求する場合には、「2 請求に係る配偶者」欄の「外国滞在事由」欄の最上欄の括弧内に、当該延長が必要な事情を記入すること。
③ 「3 職員及び配偶者の外国滞在中の住所（居所）」欄は、請求時点で未定の場合には「未定」と記入し、請求期間の初日の前日までに外国滞在中の住所（居所）を定め、届け出ること。
④ 「6 備考」欄には、以前に配偶者同行休業をしている場合における当該配偶者同行休業の内容（配偶者の外国滞在事由、休業期間）、配偶者同行休業の期間を初めて延長する場合における当該配偶者同行休業の期間の延長を請求する理由その他任命権者が承認の可否を判断するに当たって必要と思われる事項を記入する。
⑤ 該当する□にはレ印を記入すること。

※ 任命権者記入欄

<table>
<tr><td>受理年月日</td><td colspan="4">年　　月　　日</td><td>□ 承　認　　□ 不承認</td></tr>
<tr><td>決裁年月日</td><td colspan="4">年　　月　　日</td><td rowspan="2">官　職
氏　名</td></tr>
<tr><td>決 裁 欄</td><td></td><td></td><td></td><td></td></tr>
</table>

規則第7条の2の規定による人事院の認定　認定日　　年　　月　　日　□ 不認定　□ 不要

○科学技術・イノベーション創出の活性化に関する法律（抄）

平二〇・六・一一
法　六　三

最終改正　令五・六・七法四七

第一章　総則

（定義）

第二条　この法律において「研究開発」とは、科学技術に関する試験若しくは研究又は科学技術に関する開発をいう。

2　この法律において「研究開発等」とは、研究開発又は研究開発の成果の普及若しくは実用化をいう。

3　この法律において「研究開発能力」とは、研究開発等を行う能力をいう。

4　この法律において「研究開発システム」とは、研究開発等の推進のための基盤が整備され、科学技術に関する予算、人材その他の科学技術の振興に必要な資源（以下単に「科学技術の振興に必要な資源」という。）が投入されるとともに、研究開発が行われ、その成果の普及及び実用化が図られるまでの仕組み全般をいう。

5　この法律において「イノベーションの創出」とは、科学技術・イノベーション基本法（平成七年法律第百三十号）第二条第一項に規定するイノベーションの創出をいう。

6　この法律において「科学技術・イノベーション創出の活性化」とは、科学技術の活性化及び研究開発の成果の実用化によるイノベーションの創出の活性化をいう。

7　この法律において「大学等」とは、大学及び大学共同利用機関をいう。

8　この法律において「試験研究機関等」とは、次に掲げる機関のうち科学技術に関する試験又は研究（以下単に「研究」という。）を行うもので政令で定めるものをいう。

一　内閣府設置法（平成十一年法律第八十九号）第三十九条及び第五十五条並びに宮内庁法（昭和二十二年法律第七十号）第十六条第二項並びに国家行政組織法（昭和二十三年法律第百二十号）第八条の二に規定する機関

二　内閣府設置法第四十条及び第五十六条並びに国家行政組織法第八条の三に規定する特別の機関又は当該機関に置かれる試験所、研究所その他これらに類する機関

三　内閣府設置法第四十三条及び第五十七条（宮内庁法第十八条第一項において準用する場合を含む。）並びに宮内庁法第十七条第一項並びに国家行政組織法第九条に規定する地方支分部局に置かれる試験所、研究所その他これらに類する機関

四　行政執行法人（独立行政法人通則法（平成十一年法律第百三号）第二条第四項に規定する行政執行法人をいう。以下同じ。）

9　この法律において「研究開発法人」とは、独立行政法人通則法第二条第一項に規定する独立行政法人（以下単に「独立行政法人」という。）又は特殊法人（法律により直接に設立された法人又は特別の法律により特別の設立行為をもって設立された法人であって、総務省設置法（平成十一年法律第九十一号）第四条第一項第八号の規定の適用を受けるものをいう。）であって、研究開発等、研究開発等であって公募によるものに係る業務又は科学技術に関する啓発及び知識の普及に係る業務を行うもののうち重要なものとして別表第一に掲げるものをいう。

10　この法律において「国立大学法人等」とは、国立大学法人法（平成十五年法律第百十二号）第二条第五項に規定する国立大学法人等をいう。

11　この法律において「研究者等」とは、科学技術に関する研究者及び技術者（研究開発の補助を行う人材を含む。）をいう。

12　この法律において「研究公務員」とは、試験研究機関等に勤務する次に掲げる国家公務員をいう。

一　一般職の職員の給与に関する法律（昭和二十五年法律第九十五号）第六条第一項の規定に基づき同法別表第七研究職俸給表（次号において「別表第七」という。）の適用を受ける職員並びに同項の規定に基づき同法別表第六教育職俸給表㈠（次号において「別表第六」という。）の適用を受ける職員、同項の規定に基づき同法別表第八医療職俸給表㈠（次号において「別表第八」という。）の適用を受ける職員及び一般職の任期付職員の採用及び給与の特例に関する法律（平成十二年法律第百二十五号）第七条第一項の規定に基づき同項に規定する俸給表（次号において

「任期付職員俸給表」という。）の適用を受ける職員のうち研究を行う者として政令で定める者並びに一般職の任期付研究員の採用、給与及び勤務時間の特例に関する法律（平成九年法律第六十五号）第六条第一項又は第二項の規定に基づきこれらの規定に規定する俸給表（次号において「任期付研究員俸給表」という。）の適用を受ける職員（第十四条第二項において「任期付研究員俸給表適用職員」という。）

二　防衛省の職員の給与等に関する法律（昭和二十七年法律第二百六十六号）第四条第一項の規定に基づき別表第七に定める額の俸給が支給される職員並びに同項の規定に基づき別表第六又は別表第八に定める額の俸給が支給される職員、同条第二項の規定に基づき任期付職員俸給表に定める額の俸給が支給される職員及び防衛省設置法（昭和二十九年法律第百六十四号）第三十九条に規定する自衛官のうち研究を行う者として政令で定める者並びに防衛省の職員の給与等に関する法律第四条第三項の規定に基づき任期付研究員俸給表に定める額の俸給が支給される職員

三　行政執行法人に勤務する国家公務員法（昭和二十二年法律第百二十号）第二条に規定する一般職に属する職員のうち研究を行う者として政令で定める者

13　この法律において「産学官連携」とは、研究開発等の実施、人事交流、人材の育成その他の科学技術・イノベーション創出の活性化に必要な取組の効果的な実施を図るために国、地方公共団体、研究開発法人、大学等及び民間事業者が相互に連携することをいう。

14　この法律において「中小企業者」とは、次の各号のいずれかに該当する者をいう。

一　資本金の額又は出資の総額が三億円以下の会社並びに常時使用する従業員の数が三百人以下の会社及び個人であって、製造業、建設業、運輸業その他の業種（次号から第四号までに掲げる業種及び第五号の政令で定める業種を除く。）に属する事業を主たる事業として営むもの

二　資本金の額又は出資の総額が一億円以下の会社並びに常時使用する従業員の数が百人以下の会社及び個人であって、卸売業（第五号の政令で定める業種を除く。）に属する事業を主たる事業として営むもの

三　資本金の額又は出資の総額が五千万円以下の会社並びに常時使用する従業員の数が百人以下の会社及び個人であって、サービス業（第五号の政令で定める業種を除く。）に属する事業を主たる事業として営むもの

四　資本金の額又は出資の総額が五千万円以下の会社並びに常時使用する従業員の数が五十人以下の会社及び個人であって、小売業（次号の政令で定める業種を除く。）に属する事業を主たる事業として営むもの

五　資本金の額又は出資の総額がその業種ごとに政令で定める金額以下の会社並びに常時使用する従業員の数がその業種ごとに政令で定める数以下の会社及び個人であって、その政令で定める業種に属する事業を主たる事業として営むもの

六　企業組合

七　協業組合

八　事業協同組合、事業協同小組合、商工組合、協同組合連合会その他の特別の法律により設立された組合及びその連合会であって、政令で定めるもの

15　この法律において「国等」とは、国及び独立行政法人その他特別の法律によって設立された法人であって新技術に関する研究開発のための補助金、委託費その他相当の反対給付を受けない給付金（以下「新技術補助金等」という。）を交付するものとして政令で定めるものをいう。

16　この法律において「指定補助金等」とは、内閣総理大臣、経済産業大臣及び各省各庁の長等（財政法（昭和二十二年法律第三十四号）第二十条第二項に規定する各省各庁の長、国等である独立行政法人の主務大臣（独立行政法人通則法第六十八条に規定する主務大臣をいう。第二十七条の三、第三十四条の六、第四十八条及び第五十二条において同じ。）及び国等である特別の法律によって設立された法人の主務大臣をいう。以下同じ。）が、第三十四条の十一第一項の指針における同条第二項第一号に掲げる事項に照らして適切であるものとして指定する新技術補助金等をいう。

第二章　研究開発等の推進のための基盤の強化

第一節　科学技術に関する教育の水準の向上等

（研究集会への参加）

第十八条 研究公務員が、科学技術に関する研究集会への参加（その準備行為その他の研究集会に関連する事務への参加を含む。）を申し出たときは、任命権者は、その参加が、研究に関する国と国以外の者との間の交流及び行政執行法人と行政執行法人以外の者との間の交流の促進に特に資するものであり、かつ、当該研究公務員の職務に密接な関連があると認められる場合には、当該研究公務員の所属する試験研究機関等の研究業務の運営に支障がない限り、その参加を承認することができる。

附 則（抄）

（施行期日）

第一条 この法律は、公布の日から起算して六月を超えない範囲内において政令で定める日〔平二〇・一〇・二一〕から施行する。〔ただし書略〕

（研究交流促進法の廃止）

第二条 研究交流促進法（昭和六十一年法律第五十七号）は、廃止する。

（経過措置）

第三条 この法律の施行前に前条の規定による廃止前の研究交流促進法（以下「旧法」という。）（第六条を除く。以下この条において同じ。）又は旧法に基づく命令の規定によりした処分、手続その他の行為は、この法律又はこの法律に基づく命令の相当する規定によりした処分、手続その他の行為とみなす。

第四条 この法律の施行前に旧法第六条第一項に規定する共同研究等に従事するため国家公務員法第七十九条又は自衛隊法第四十三条の規定により休職にされた旧法第二条第三項に規定する研究公務員については、旧法第六条の規定は、なおその効力を有する。

第五条 この法律の施行前に旧法第十二条第一項の規定によりされた公示で、この法律の施行の際現に効力を有するものは、第三十七条第一項の規定によりされた公示とみなす。

（検討）

第六条 政府は、この法律の施行後三年以内に、更なる研究開発能力の強化及び研究開発等の効率的推進の観点からの研究開発システムの在り方に関する総合科学技術会議における検討の結果を踏まえ、この法律の施行の状況、研究開発システムの改革に関する内外の動向の変化等を勘案し、この法律の規定について検討を加え、必要があると認めるときは、その結果に基づいて必要な措置を講ずるものとする。

附 則（令四・五・二〇法四六）（抄）

（施行期日）

第一条 この法律は、令和五年四月一日から施行する。〔ただし書略〕

附 則（令五・六・七法四七）（抄）

（施行期日）

第一条 この法律は、国立健康危機管理研究機構法（令和五年法律第四十六号）の施行の日〔令七・四・一〕（以下「施行日」という。）から施行する。〔ただし書略〕

別表第一（第二条関係）

一 国立研究開発法人日本医療研究開発機構
二 国立研究開発法人情報通信研究機構
三 独立行政法人酒類総合研究所
四 独立行政法人国立特別支援教育総合研究所
五 独立行政法人国立科学博物館
六 国立研究開発法人物質・材料研究機構
七 国立研究開発法人防災科学技術研究所
八 国立研究開発法人量子科学技術研究開発機構
九 国立研究開発法人科学技術振興機構
十 独立行政法人日本学術振興会
十一 国立研究開発法人理化学研究所
十二 国立研究開発法人宇宙航空研究開発機構
十三 国立研究開発法人海洋研究開発機構
十四 国立研究開発法人日本原子力研究開発機構
十五 独立行政法人労働者健康安全機構
十六 国立研究開発法人医薬基盤・健康・栄養研究所
十七 国立研究開発法人国立がん研究センター
十八 国立研究開発法人国立循環器病研究センター
十九 国立研究開発法人国立精神・神経医療研究センター
二十 国立研究開発法人国立成育医療研究センター
二十一 国立研究開発法人国立長寿医療研究センター
二十二 国立研究開発法人農業・食品産業技術総合研究機構
二十三 国立研究開発法人国際農林水産業研究センター
二十四 国立研究開発法人森林研究・整備機構
二十五 国立研究開発法人水産研究・教育機構
二十六 独立行政法人経済産業研究所
二十七 国立研究開発法人産業技術総合研究所
二十八 独立行政法人エネルギー・金属鉱物資源機構
二十九 国立研究開発法人新エネルギー・産業技術総合開発機構
三十 国立研究開発法人土木研究所
三十一 国立研究開発法人建築研究所
三十二 国立研究開発法人海上・港湾・航空技術研究所
三十三 独立行政法人自動車技術総合機構
三十四 国立研究開発法人国立環境研究所

三十五　独立行政法人環境再生保全機構
三十六　国立健康危機管理研究機構

○科学技術・イノベーション創出の活性化に関する法律施行令（抄）

平二〇・一〇・一〇
政令三一四

最終改正　令七・一・二九政令一九

（研究公務員）

第二条　法第二条第十二項第一号の政令で定める者は、次に掲げる者とする。

一　別表第一の一の項に掲げる機関に勤務する者のうち、研究をその職務の一部とするもの

二　別表第一の二の項に掲げる機関に勤務する者のうち、研究所、研究部その他の命令で定める部課等に所属するものであって、研究をその職務の一部とするもの

三　別表第一の三の項に掲げる機関に勤務する者のうち、科学技術に関する高度の知識を修得させるための教育訓練を行うために研究をその職務の一部とする者として命令で定めるもの

2　法第二条第十二項第二号の政令で定める者は、防衛省の職員の給与等に関する法律（昭和二十七年法律第二百六十六号）第四条第一項の規定に基づき一般職の職員の給与に関する法律（昭和二十五年法律第九十五号）別表第六教育職俸給表㈠又は同法別表第八医療職俸給表㈠に定める額の俸給が支給される職員、同条第二項又は第五項の規定に基づき一般職の任期付職員の採用及び給与の特例に関する法律（平成十二年法律第百二十五号）第七条第一項に規定する俸給表に定める額の俸給が支給される職員及び防衛省の職員の給与等に関する法律第四条第四項の規定に基づき同法別表第二自衛官俸給表に定める額の俸給が支給される職員（同表の陸将、海将及び空将の欄並びに陸将補、海将補及び空将補の㈠欄の適用を受ける職員を除く。）のうち、次に掲げる者とする。

一　別表第一の四の項に掲げる機関に勤務する者のうち、研究をその職務の一部とするもの

二　別表第一の五の項に掲げる機関に勤務する者のうち、研究所、研究部その他の命令で定める部課等に所属するものであって、研究をその職務の一部とするもの

三　別表第一の六の項に掲げる機関に勤務する者のうち、科学技術に関する高度の知識を修得させるための教育訓練を行うために研究をその職務の一部とする者として命令で定めるもの

3　法第二条第十二項第三号の政令で定める者は、研究をその職務の全部又は一部とする者とする。

（中小企業者の範囲）

第二条の二　法第二条第十四項第五号に規定する政令で定める業種並びにその業種ごとの資本金の額又は出資の総額及び常時使用する従業員の数は、次の表のとおりとする。

	業種	資本金の額又は出資の総額	常時使用する従業員の数
一	ゴム製品製造	三億円	九百人

業（自動車又は航空機用タイヤ及びチューブ製造業並びに工業用ベルト製造業を除く。）		
二 ソフトウェア業又は情報処理サービス業	三億円	三百人
三 旅館業	五千万円	二百人

2 法第二条第十四項第八号の政令で定める組合及び連合会は、次のとおりとする。

一 事業協同組合及び事業協同小組合並びに協同組合連合会

二 水産加工業協同組合及び水産加工業協同組合連合会

三 商工組合及び商工組合連合会

四 商店街振興組合及び商店街振興組合連合会

五 生活衛生同業組合、生活衛生同業小組合及び生活衛生同業組合連合会であって、その直接又は間接の構成員の三分の二以上が五千万円（卸売業を主たる事業とする事業者については、一億円）以下の金額をその資本金の額若しくは出資の総額とする法人又は常時五十人（卸売業又はサービス業を主たる事業とする事業者については、百人）以下の従業員を使用する者であるもの

六 酒造組合、酒造組合連合会及び酒造組合中央会であって、その直接又は間接の構成員たる酒類製造業者の三分の二以上が三億円以下の金額をその資本金の額若しくは出資の総額とする法人又は常時三百人以下の従業員を使用する者であるもの並びに酒販組合、酒販組合連合会及び酒販組合中央会であって、その直接又は間接の構成員たる酒類販売業者の三分の二以上が五千万円（酒類卸売業者については、一億円）以下の金額をその資本金の額若しくは出資の総額とする法人又は常時五十人（酒類卸売業者については、百人）以下の従業員を使用する者であるもの

七 内航海運組合及び内航海運組合連合会であって、その直接又は間接の構成員たる内航海運事業を営む者の三分の二以上が三億円以下の金額をその資本金の額若しくは出資の総額とする法人又は常時三百人以下の従業員を使用する者であるもの

八 技術研究組合であって、その直接又は間接の構成員の三分の二以上が法第二条第十四項第一号から第七号までに規定する中小企業者であるもの

（新技術補助金等を交付する法人の範囲）

第二条の三 法第二条第十五項の政令で定める法人は、次のとおりとする。

一 国立研究開発法人日本医療研究開発機構、国立研究開発法人情報通信研究機構、国立研究開発法人科学技術振興機構、国立研究開発法人医薬基盤・健康・栄養研究所、国立研究開発法人農業・食品産業技術総合研究機構、独立行政法人情報処理推進機構、独立行政法人エネルギー・金属鉱物資源機構、国立研究開発法人新エネルギー・産業技術総合開発機構、独立行政法人中小企業基盤整備機構、独立行政法人鉄道建設・運輸施設整備支援機構及び独立行政法人環境再生保全機構

二 日本商工会議所、全国中小企業団体中央会及び全国商工会連合会

附 則（抄）

（施行期日）

第一条 この政令は、法の施行の日（平成二十年十月二十一日）から施行する。

附 則（令六・八・三〇政令二六八）（抄）

（施行期日）

1 この政令は、新たな事業の創出及び産業への投資を促進するための産業競争力強化法等の一部を改正する法律の施行の日（令和六年九月二日）から施行する。

附 則（令六・九・二六政令二九三）（抄）

（施行期日）

第一条 この政令は、令和六年十月一日から施行する。

〔ただし書略〕

附 則（令六・九・二六政令三〇五）

この政令は、令和六年十月一日から施行する。

附 則（令七・一・二九政令一九）（抄）

（施行期日）

1 この政令は、国立健康危機管理研究機構法の施行の日（令和七年四月一日）から施行する。

別表第一（第一条、第二条、第八条―第十条、第十四条関係）

一	一 内閣府経済社会総合研究所 二 警察庁科学警察研究所 三 文部科学省国立教育政策研究所 四 文部科学省科学技術・学術政策研究所 五 厚生労働省国立医薬品食品衛生研究所 六 厚生労働省国立保健医療科学院 七 厚生労働省国立社会保障・人口問題研究所 八 農林水産省動物医薬品検査所 九 農林水産省農林水産政策研究所 十 国土交通省国土技術政策総合研究所 十一 気象庁気象研究所 十二 気象庁高層気象台 十三 気象庁地磁気観測所 十四 環境省環境調査研修所
二	一 消防庁消防大学校 二 法務省法務総合研究所 三 厚生労働省国立障害者リハビリテーションセンター 四 国土交通省国土地理院
三	一 気象庁気象大学校 二 海上保安庁海上保安大学校
四	一 防衛装備庁航空装備研究所 二 防衛装備庁陸上装備研究所 三 防衛装備庁艦艇装備研究所 四 防衛装備庁新世代装備研究所 五 防衛装備庁防衛イノベーション科学技術研究所 六 防衛装備庁千歳試験場 七 防衛装備庁下北試験場 八 防衛装備庁岐阜試験場
五	一 防衛省防衛研究所 二 自衛隊中央病院
六	一 防衛省防衛大学校 二 防衛省防衛医科大学校
七	一 独立行政法人農林水産消費安全技術センター 二 独立行政法人製品評価技術基盤機構 三 独立行政法人国立印刷局

〇人事院規則一〇―四（職員の保健及び安全保持）（抄）

昭四八・三・一全改
昭四八・四・一施行

最終改正 令七・三・二六規則一〇―四―三八

（職員の健康の保持増進のための総合的な健康診査）

第二十一条の二 各省各庁の長は、職員が請求した場合には、その者が総合的な健康診査で人事院が定めるもの（以下「総合健診」という。）を受けるため勤務しないことを承認することができる。

2 前項の規定により勤務しないことを承認することができる時間は、一日（交通機関の状況から、請求した職員が前項の承認に係る総合健診を受けるためには総合健診が行われる日又はその前日に宿泊することが必要であると認められる場合（以下この項において「宿泊を要する場合」という。）にあつては、一日に各省各庁の長が宿泊のため必要と認める日数を加えた日数）の範囲内で各省各庁の長が必要と認める時間とする。ただし、前項の承認に係る総合健診が二日にわたるものである場合で、次のいずれかに該当するときは、二日（宿泊を要する場合にあつては、二日に各省各庁の長が宿泊のため必要と認める日数を加えた日数）の範囲内で各省各庁の長が必要と認める時間とする。

一　当該総合健診が、正午以後に始まり、翌日の午前中に終了するものであるとき。

二　当該総合健診が、請求した職員の健康管理上健康管理医が特に必要と認める検査の項目を含むものであるとき（請求した職員が、当該検査項目を含む一日又は半日の総合健診を受けることができない場合に限る。）。

三　請求した職員が、離島振興法（昭和二十八年法律第七十二号）に基づく離島振興対策実施地域又は山村振興法（昭和四十年法律第六十四号）に基づく振興山村に勤務しているとき。

四　各省各庁の長又は国家公務員共済組合法（昭和三十三年法律第百二十八号）第三条の規定により設置された国家公務員共済組合と総合健診を実施する病院等との契約上、一日又は半日の総合健診のみでは希望する職員のすべてが総合健診を受けることができない状況にあるため、請求した職員が二日にわたる総合健診を受けることがやむを得ないと認められるとき。

本条―平一四・四・一施行

（事後措置）

第二十四条　各省各庁の長は、前条の規定により指導区分の決定又は変更を受けた職員については、その指導区分に応じ、別表第四の事後措置の基準欄に掲げる基準に従い、適切な事後措置をとらなければならない。

２　各省各庁の長は、前項の事後措置の実施に当たり、伝染性疾患の患者又は伝染性疾患の病原体の保有者である職員のうち、他の職員に感染のおそれが高いと認められる職員についてやむを得ないと認める場合には、業務に就くことを禁止することができる。

３　前項の規定による就業の禁止は、人事院の定める事項を記載した文書を交付して行なわなければならない。

本条―平一三・一・一五施行

（脳血管疾患及び心臓疾患の予防のための保健指導）

第二十四条の二　各省各庁の長は、健康診断において、脳血管疾患及び心臓疾患の発生にかかわる身体の状態に関する検査であつて人事院の定めるものを受けた職員が当該検査のいずれの項目にも異常の所見があると診断された場合には、人事院の定めるところにより、当該職員（第二十三条第一項の規定により、健康管理医から脳血管疾患又は心臓疾患の発生に関し別表第四に規定する医療の面１又は２の指導区分の決定を受けた職員を除く。）に対し、医師又は保健師の面接による保健指導を行うものとする。

本条―平一四・三・一施行

（特定保健指導）

第二十四条の三　各省各庁の長は、高齢者の医療の確保に関する法律（昭和五十七年法律第八十号）第十八条第一項に規定する特定健康診査の結果により健康の保持に努める必要がある職員（人事院の定める職員に限る。）が請求した場合には、その者が同法第二十四条の規定による特定保健指導を受けるため勤務しないことを承認することができる。

２　前項の規定により勤務しないことを承認することができる時間は、一日の範囲内で各省各庁の長が必要と認める時間とする。

本条―令二・四・一施行

（健康診断の結果の通知）

第二十四条の四　各省各庁の長は、健康診断を受けた職員に対し、当該健康診断の結果を通知しなければならない。

本条―平一三・四・一施行

別表第四　指導区分及び事後措置の基準（第二十三条、第二十四条関係）

指導区分			事後措置の基準
区分		内容	
生活規正の面	A	勤務を休む必要のあるもの	休暇（日単位のものに限る。）又は休職の方法により、療養のため必要な期間勤務させない。
	B	勤務に制限を加える必要のあるもの	職務の変更、勤務場所の変更、休暇（日単位のものを除く。）等の方法により勤務を軽減し、かつ、深夜勤務（午後十時から翌日の午前五時までの間における勤務をいう。以下同じ。）、時間外勤務（正規の勤務時間以外の時間における勤務で、深夜勤務以外のものをいう。以下同じ。）及び出張をさせない。
	C	勤務をほぼ平常に行なつてよいもの	深夜勤務、時間外勤務及び出張を制限する。
	D	平常の生活でよいもの	
医療の面	1	医師による直接の医療行為を必要とするもの	医療機関のあつせん等により適正な治療を受けさせるようにする。
	2	定期的に医師の観察指導を必要とするもの	経過観察をするための検査及び発病・再発防止のため必要な指導等を行う。
	3	医師による直接又は間接の医療行為を必要としないもの	

○人事院規則一〇—四（職員の保健及び安全保持）の運用について（通知）（抄）

昭六二・一二・二五
職福六九一

最終改正　令七・三・三一職職九三

標記について下記のとおり定めたので、昭和六十三年一月一日以降は、これによつてください。

なお、これに伴い、「人事院規則一〇—四（職員の保健及び安全保持）の規定中人事院が定めるべき事項について（昭和四十八年四月一日職厚—二七三）」及び「人事院規則一〇—四（職員の保健及び安全保持）の運用について（昭和四十八年四月一日職厚—二七四）」は、廃止します。

記

第二十一条の二関係

1　この条の第一項の「人事院が定めるもの」は、別表第四に掲げる検査の項目をおおむね含み、かつ、各省各庁の長又は国家公務員共済組合法（昭和三十三年法律第百二十八号）第三条の規定に基づき設置された国家公務員共済組合が計画し、実施するものとする。

2　この条に基づく勤務を要しないことの請求及び承認の手続については、休暇の例によるものとする。この場合において、出勤簿には、総合的な健康診査のため勤務しなかつた旨を記入するものとする。

第二十四条関係

1　この条の第三項の「人事院の定める事項」は、次に掲げる事項とする。

(1)　職員の官職及び氏名
(2)　業務に就くことを禁止する理由
(3)　業務に就くことを禁止する期間
(4)　文書交付年月日
(5)　各省各庁の長の官職及び氏名

2　各省各庁の長は、就業を禁止しようとするときは、あらかじめ健康管理医の意見を聞いて行うものとする。

第二十四条の三関係

1　この条の第一項の「人事院の定める職員」は、特定健康診査及び特定保健指導の実施に関する基準（平成十九年厚生労働省令第百五十七号）第四条第一項に定める者に該当する職員（第十九条及び第二十条関係第三項に定める非常勤職員を除く。）とする。

2　この条に基づく勤務を要しないことの請求及び承認の手続については、休暇の例によるものとする。この場合において、出勤簿には、特定保健指導のため勤務しなかった旨を記入するものとする。

別表第四関係

1　休暇（日単位のものを除く。）による勤務の軽減は、職務の変更若しくは勤務場所の変更では十分でない場合又は職務の変更若しくは勤務場所の変更をすることができない場合に行うものとする。

2　「医療機関のあっせん等」には、通院、入院等により適正な治療を受けるよう勧奨することその他適正な治療を受けるについて障害となる諸条件を除去するための必要な措置が含まれる。

○人事院規則一〇—七（女子職員及び年少職員の健康、安全及び福祉）（抄）

昭四八・三・一制定
昭四八・四・一施行

最終改正　令六・三・二九規則一—八二

（生理日の就業が著しく困難な女子職員に対する措置）

第二条　各省各庁の長は、生理日の就業が著しく困難な女子職員が休暇に関する法令の定めるところにより休暇を請求した場合には、その者を生理日に勤務させてはならない。

本条—平一九・一・九施行

（妊産婦である女子職員等の危険有害業務の就業制限）

第三条　各省各庁の長は、妊娠中の女子職員及び産後一年を経過しない女子職員（以下「妊産婦である女子職員」という。）を別表第一第一号及び第二号イに掲げる妊産婦の妊娠、出産、哺育等に有害な業務に就かせてはならない。産後一年を経過しない女子職員が同号ロに掲げる業務に従事しない旨を申し出た場合も同様とする。

2　各省各庁の長は、妊産婦である女子職員以外の女子職員を別表第一第三号に掲げる女子の妊娠又は出産に係る機能に有害である業務に就かせてはならない。

本条—平一一・四・一施行

（妊産婦である女子職員の健康診査及び保健指

導）

第五条　各省各庁の長は、妊産婦である女子職員が請求した場合には、人事院の定めるところにより、その者が母子保健法（昭和四十年法律第百四十一号）第十条に規定する保健指導又は同法第十三条に規定する健康診査を受けるため勤務しないことを承認しなければならない。

本条―平一一・四・一施行

（妊産婦である女子職員の業務軽減等）

第六条　各省各庁の長は、妊産婦である女子職員が請求した場合には、その者の業務を軽減し、又は他の軽易な業務に就かせなければならない。

2　各省各庁の長は、妊娠中の女子職員が請求した場合において、その者の業務が母体又は胎児の健康保持に影響があると認めるときは、当該職員が適宜休息し、又は補食するために必要な時間、勤務しないことを承認することができる。

本条―平一一・四・一施行

（妊娠中の女子職員の通勤緩和）

第七条　各省各庁の長は、妊娠中の女子職員が請求した場合において、その者が通勤に利用する交通機関の混雑の程度が母体又は胎児の健康保持に影響があると認めるときは、正規の勤務時間等の始め又は終わりにおいて、人事院の定める時間、勤務しないことを承認しなければならない。

本条―平一一・四・一施行

（産前の就業制限）

第八条　各省各庁の長は、六週間（多胎妊娠の場合にあつては、十四週間）以内に出産する予定の女子職員が請求した場合には、その者を勤務させてはならない。

本条―平一一・四・一施行

（産後の就業制限）

第九条　各省各庁の長は、産後八週間を経過しない女子職員を勤務させてはならない。ただし、産後六週間を経過した女子職員が請求した場合において、医師が支障がないと認めた業務に就かせることは、差し支えない。

本条―平一一・四・一施行

（保育時間）

第十条　各省各庁の長は、生後一年に達しない子（規則一五―一四（職員の勤務時間、休日及び休暇）第四条の三第一項第二号イにおいて子に含まれるものとされる者を含む。）を育てる女子職員が請求した場合には、人事院の定める保育時間中は、その者を勤務させてはならない。

本条―令七・四・一施行

○人事院規則一〇―七（女子職員及び年少職員の健康、安全及び福祉）の運用について（通知）（抄）

昭六一・三・一五
職福一二一

最終改正　令六・三・二九事企法―八七

第二条関係

この条の請求は、一般職の職員の勤務時間、休暇等に関する法律（平成六年法律第三十三号）第十八条に定める場合又は人事院規則一五―一五（非常勤職員の勤務時間及び休暇）第四条第二項第六号に定める場合に該当するときに生理日の就業が著しく困難である旨を休暇簿に明示して行うものとし、同法第三条に規定する各省各庁の長は、人事院規則一五―一四（職員の勤務時間、休日及び休暇）第二十五条（人事院規則一五―一五（非常勤職員の勤務時間及び休暇）の運用について（平成六年七月二十七日職職―三二九）第四条関係第四項の定めるところにより、その例による場合を含む。）に定めるところにより、当該休暇を承認しなければならない。この場合には、承認した当該病気休暇の期間のうちの連続する最初の二暦日に係る期間を出勤簿に記入するものとする。

第三条関係

「産後」とは、妊娠満十二週以後の分べん後をいう。

第五条関係

1 健康診査及び保健指導のため勤務しないことを承認しなければならない時間は、妊娠満二十三週までは四週間に一回、妊娠満二十四週から満三十五週までは二週間に一回、妊娠満三十六週から出産までは一週間に一回、産後一年まではその間に一回（医師等の特別の指示があつた場合には、いずれの期間についてもその指示された回数）について、それぞれ、一日の正規の勤務時間等の範囲内で必要と認められる時間とする。

2 この条に基づく勤務しないことの請求及び承認の手続きについては、休暇の例によるものとする。この場合において、出勤簿には、妊産婦の健康診査等のため勤務しなかつた旨を記入するものとする。

第六条関係

1 業務の軽減の措置には、勤務時間の割振りの変更、出張の制限等の措置が含まれる。

2 他の軽易な業務に就かせる措置とは、相当の筋肉労働を必要とする業務、悪臭が著しい環境における業務等で母体又は胎児に悪影響を及ぼすと認められるものに就いている者を他の業務に従事させる等の措置をいう。

3 この条の第二項の「適宜休息し、又は補食するために必要な時間」は、正規の勤務時間等の始めから連続する時間若しくは終わりまで連続する時間又は同項の勤務しないことを請求した職員について他の規定により勤務しないことを承認している時間に連続する時間以外の時間で適宜休息し、又は補食するために必要とされる時間とする。

4 この条に定める措置は、母子保健法（昭和四十年法律第百四十一号）に規定する保健指導又は健康診査に基づく指導事項により判断するものとする。

5 この条の第二項に基づく勤務しないことの請求及び承認の手続き等については、妊産婦の健康診査等の場合と同様とする。

6 この条に定める措置のほか、各省各庁の長は、必要に応じて横になつて休息することができる設備を設置すること等母体又は胎児の健康保持に必要な措置を講ずるよう努めるものとする。

第七条関係

1 「人事院の定める時間」は、正規の勤務時間等の始め又は終わりにつき一日を通じて一時間を超えない範囲内でそれぞれ必要とされる時間とする。

2 「交通機関の混雑の程度」とは、職員が通常の勤務をする場合（時差通勤による場合を含む。）の登庁又は退庁の時間帯における常例として利用する交通機関の混雑の程度をいう。

3 母体又は胎児の健康保持への影響については、母子保健法に規定する保健指導又は健康診査に基づく指導事項により判断するものとする。

4 この条に基づく勤務しないことの請求及び承認の手続き等については、妊産婦の健康診査等の場合と同様とする。

第十条関係

「保育時間」とは、生後一年に達しない子（人事院規則一五—一四第四条の三第一項第二号イにおいて子に含まれるものとされる者を含む。）を育てる女子職員が、正規の勤務時間等においてその子の保育のために必要と認められる授乳等を行う時間をいい、その時間は、一日二回それぞれ三十分以内とする。

○人事院規則一〇—六（職員のレクリエーションの根本基準）（抄）

昭三九・四・一制定
昭三九・四・一施行

最終改正　昭四一・二・一九

〔勤務時間との関係〕

第五条　各省各庁の長は、勤務時間内においてレクリエーション行事を実施する場合には、人事院の定めるところにより、職員が当該行事に参加するために必要な時間、勤務しないことを承認することができる。

本条—昭四一・二・一九施行

○人事院規則一〇—六（職員のレクリエーションの根本基準）の運用について（通知）

昭四一・二・一九
職能一〇七

最終改正　昭六〇・一二・二一職福八七四

人事院規則一〇—六（職員のレクリエーション）の一部改正に伴い、改正後の同規則の運用について下記のように定めたので、昭和四十一年二月十九日以降は、これによつてください。

なお、昭和三十九年四月一日人事院事務総長通達職能—二二一は廃止します。

記

1　第四条第一項の規定は、各省各庁の長が計画し、実施するレクリエーション行事の内容は、次のような条件を満たさなければならないという主旨である。

(1)　社会通念上不健全であると認められる内容を含んでいないこと。

(2)　体力の消耗がはなはだしいものではないこと。

(3)　過度の競争心をあおるものでないこと。

(4)　職員の一般的水準からみて、参加を希望する者はだれでも参加しうる程度の技術、技能のものであること。

2　第四条第二項の規定は、レクリエーション行事は、年度を通じてみた場合、できる限り、すべての職員がいずれかの行事に参加することができるよう計画され、実施される必要があるという主旨である。

3　第五条の規定により勤務しないことを承認することができる場合は、職員が昭和四十一年二月十九日総理府総務副長官依命通知総人局第九十三号第三項または第四項の規定に基づいて勤務時間内に実施されるレクリエーション行事に参加する場合とし、レクリエーション行事に参加する職員一人に対して承認することができる時間数は年度を通じて十六時間以内とする。同条の規定により勤務しないことを承認した場合には、その旨を当該職員に通知するとともに、出勤簿にレクリエーション行事に参加したために勤務しなかつた旨及びその時間数を記入するものとする。

以上

○人事院規則一七―二（職員団体のための職員の行為）（抄）

昭四三・一一・六全改
昭四三・一二・一四施行
最終改正 令四・二・一八規則一―七九

（短期従事の許可等）

第六条 所轄庁の長は、職員が、職員団体の業務にもつぱら従事する場合を除き、登録された職員団体の役員又は登録された職員団体の規約に基づいて設置される議決機関（代議員制をとる場合に限る。）、投票管理機関若しくは諮問機関の構成員として勤務時間中当該団体の業務に従事することを許可することができる。

2 前項に規定する許可（以下この条において「許可」という。）は、職員の申請があつた場合において、所轄庁の長が公務に支障がないと認めるときにその有効期間を定めて与えるものとする。

3 許可を与える場合の有効期間の単位は、一日又は一時間とする。

4 許可の有効期間は、当該職員について一年を通じて三十日をこえてはならない。

5 職員は、許可を求める場合には、その官職及び氏名、所属する職員団体の名称及び当該団体における役職名並びに許可を受けて従事する業務の内容及びその期間を記載した申請書をあらかじめ所轄庁の長に提出しなければならない。

6 許可を受けた職員は、許可の有効期間中職務に従事することができない。

7 職員が許可を受けて職務に従事しなかつた期間は、給与法第十五条の規定の例により、給与を減額する。

一項―昭五六・三・二九施行

（職務専念義務が免除されている場合の職員の行為）

第七条 職員は、職員団体の業務にもつぱら従事する場合を除き、前条第一項の規定による許可を受けて職員団体のためその業務を行なうことができるほか、あらかじめ承認を得た休暇その他法第百一条第一項の規定に基づき職務に専念する義務が免除されている期間中は、給与を受けながら、職員団体のためその業務を行ない、又は活動することができる。

2 職員は、職員団体のためその業務を行ない、又は活動することによつて、他の職員の職務の遂行を妨げ、又は国の事務の正常な運営を阻害してはならない。

【行政実例】

○給与の疑義について

〔照会〕 一、現在の給与関係規則には引き続いた欠勤の間に休日がある場合の取扱を明示しておらないようですが、休日の前後が欠勤の場合は欠勤の中断とはならず、休日も欠勤として処理するのが正しいのではないかと思われますが、この点いかがなものでしょうか。

二、病気休暇の間に特別休暇に相当する日がある場合には、特別休暇として処理してよろしいでしょうか。（昭二六・八・一三 某）

〔回答〕 一、給与法第十七条の規定により休日には勤務しなくとも正規の給与を支給することになつているので休日の前後が欠勤であつても休日は欠勤とはならない。

二、病気休暇の間に特別休暇に相当する日があり各庁の長により承認された場合は特別休暇として処理する。ただし、病気休暇により給与が半減される引続き九十日の日数には通算する。（昭二六・八・一三 二三―四七四 給与局実施課長）

（注） 回答一については、現行給与法第十五条及び勤務時間法第十四条を参照のこと。

○一時間単位の年次休暇について

〔照会〕 執務のかたわら夜学に通つているものですが、次の事項につき回答こう。

一、毎日一時間ずつ年次休暇をとり四時に退庁できるか。

二、夜学通学者の特例として所属長官が認めた場合繰上げ退庁はできるか。

三、出勤時間を一時間早く、退庁時間を一時間早くすることはできるか。（昭二五・三・一五 某）

〔回答〕 一、人事院規則一五—六により有給休暇は一時間を単位として与えることができるので毎日一時間ずつの年次休暇の承認を求めることもできるわけです。

二、夜学通学者の特例として繰上げ退庁を所属長官が認めることは、新給与法第二十条の「勤務しないことにつき特に承認のあつた場合」の基準にないので早退したときは給与は減額される。

三、勤務時間を繰り上げることは職務の特殊性により特に勤務を命じた場合の外は許されません。

（昭二五・三・一五　給与局実施課長）

（注）　人事院規則一五—六については、現行人事院規則一五—一四参照。新給与法第二十条については、給与法第十五条参照

○公務に基く病気休暇の取扱について

〔照会〕　標記について、下記のとおり疑義がありますので折り返し御教示ください。

記

一　給実甲第二八号第十五条関係第一項第九号の公務による病気休暇は、国家公務員災害補償法（昭和二十六年法律第百九十一号）第十条、第十一条の療養補償及び第十二条の休業補償の適用をうけ勤務しない期間についてのみ認められると解してよいか。

したがつて、同法第十三条の障害補償又は第十九条の打切補償をうけ、その後当該部位の神経障害又は引き続く当該疾病のため勤務しないときにおいても、当該疾病等が療養補償又は休業補償の対象とならない限り、公務による病気休暇とはしないと解してよいか。

二　給実甲第一四四号第一項第一号の「公務に起因する病気休暇」とは二六・七・七付二四—三七五事務総長通知「国家公務員災害補償の取扱について」の別紙第一「公務上の災害の認定基準」の「公務に起因し……」と同様であり、したがつて上述一と同様と解してさしつかえないか。（昭三三・七・二五　名地一—六四〇　人事院名古屋地方事務所長）

〔回答〕　一　職員が国家公務員災害補償法による補償を受けて治ゆした後においても、直ちに勤務に復することができないような場合には、給実甲第二八号第十五条関係一の九の公務による病気休暇として取り扱つてさしつかえありません。ただし、この場合、長期にわたり病気休暇を承認することは、休暇制度の本来の趣旨にかんがみて妥当を欠く措置と思われるから、休職その他の措置を考慮すべきものと解します。

二　給実甲第一四四号第一項第一号にいう「公務に起因する」については、お示しの「公務上の災害の認定基準」にいう「公務に起因し……」に準じて解釈してさしつかえありません。（昭三三・一〇・三一　給二—四六七　給与第二課長）

（注）　給実甲第二八号第十五条関係一の九および給実甲第一四四号第一項第一号については、現行の人事院規則九—八二参照

第五編 各種職員

第一　非常勤職員

【参照】
●一般職給与法二二
●同運用方針二二関係

○一般職の職員の給与に関する法律（抄）

昭二五・四・三
法　九　五

最終改正　令六・一二・二五法七二

（非常勤職員の給与）

第二十二条　委員、顧問若しくは参与の職にある者又は人事院が指定するこれらに準ずる職にある者で、常勤を要しない職員（定年前再任用短時間勤務職員を除く。次項において同じ。）については、勤務一日につき、三万四千七百円（その額により難い特別の事情があるものとして人事院規則で定める場合には、十万円）を超えない範囲内において、各庁の長が人事院の承認を得て手当を支給することができる。

2　前項に定める職員以外の常勤を要しない職員については、各庁の長は、常勤の職員の給与との権衡を考慮し、予算の範囲内で、給与を支給する。

3　前二項の常勤を要しない職員には、他の法律に別段の定めがない限り、これらの規定に定める給与を除くほか、他のいかなる給与も支給しない。

附　則（平一七・一一・七法一一三）（抄）

（施行期日）

第一条　この法律は、公布の日の属する月の翌月の初日（公布の日が月の初日であるときは、その日）から施行する。ただし、第二条、第三条、第五条及び第七条並びに附則第六条から第十五条まで及び第十七条から第三十二条までの規定は、平成十八年四月一日から施行する。

（非常勤職員の給与に関する経過措置）

第十五条　第二条の規定による改正前の給与法第二十二条第一項に定める職員で、同項の規定により支給される手当の額が勤務一日につき三万五千三百円を超え三万七千八百円以下であるものに対する給与法第二十二条第一項の規定の適用については、当該職員が離職するまでの間は、同項中「三万五千三百円」とあるのは、「三万七千八百円」とする。

附　則（令五・一一・二四法七三）（抄）

（施行期日等）

第一条　この法律は、公布の日から施行する。〔ただし書略〕

2　第一条の規定〔中略〕による改正後の給与法〔中略〕の規定〔中略〕は、令和五年四月一日から適用する。

附　則（令六・一二・二五法七二）（抄）

（施行期日等）

第一条　この法律は、公布の日から施行する。〔ただし書略〕

2　第一条の規定による改正後の一般職の職員の給与に関する法律〔中略〕の規定〔中略〕は、令和六年四月一日から適用する。

○人事院規則九―一（非常勤職員の給与）

昭二六・一一・三〇全改
昭二六・一〇・一適用

最終改正　令六・一二・二五規則九―一―二六

第一条　給与法第二十二条第一項の人事院規則で定める場合は、内閣府設置法（平成十一年法律第八十九号）第十八条の重要政策に関する会議若しくは審議事項の重要性、答申の影響度等がこれに類する委員会等（以下この条において、「特定委員会等」という。）の委員等（同項に規定する委員又は人事院の指定するこれに準ずる職にある者をいう。）（以下この条において「特定委員等」という。）又は内閣特別顧問若しくは内閣官房参与若しくは諮問事項の重要性、意見の影響度等がこれらに類する顧問若しくは参与等（同項に規定する顧問若しくは参与又は人事院の指定するこれらに準ずる職にある者をいう。）（以下この条において「特定顧問等」という。）が次に掲げる業務を行う場合とする。

一　特定委員会等の審議等を適切に行うために又は特定顧問等に対する諮問等に適切に対処するために特定委員等又は特定顧問等に対して特に付加される情報及び資料の収集及び分析に基づいて行う説明又は報告の業務

二　特定委員会等の目的を達成するために又は特定顧問等に課せられる課題に対処するために特に必要とされる業務であって特定委員等

又は特定顧問等の有する極めて高度の専門的な知識経験又は優れた識見を活用して行うもの

本条…平一四・一二・一施行

第二条　給与法第二十二条第一項に掲げる職員に手当を支給しようとする場合において、その額が勤務一日につき二万六千八百円未満の額であるときは、同項の規定の適用については、あらかじめ人事院の承認を得たものとみなす。

本条…令六・一二・二五施行

第三条　前条に定めるもののほか、給与法第二十二条第一項に定める人事院の承認について必要な手続は、人事院が定める。

本条…平一四・一二・一施行

附　則（平一八・二・一規則九―一―二〇）

（施行期日）

1　この規則は、平成十八年四月一日から施行する。

（経過措置）

2　一般職の職員の給与に関する法律等の一部を改正する法律（平成十七年法律第百十三号）第二条の規定による改正前の給与法第二十二条第一項に定める職員で、同項の規定により支給される勤務一日についての手当の額（以下この項において「旧手当額」という。）が二万七千二百円以上二万九千百円未満であるものに手当を支給しようとする場合において、その額が当該職員に係る旧手当額以下であるときは、当該職員に対する給与法第二十二条第一項の規定の適用については、当該職員が離職するまでの間は、あらかじめ人事院の承認を得たものとみなす。

附　則（平二七・一・三〇規則九―一―二四）

（施行期日）

1　この規則は、平成二十七年四月一日から施行する。

（経過措置）

2　一般職の職員の給与に関する法律等の一部を改正する法律（平成二十六年法律第百五号）第二条の規定による改正前の給与法第二十二条第一項に定める職員で、同項の規定により支給される勤務一日についての手当の額（以下この項において「旧手当額」という。）が二万六千四百円以上二万六千九百円未満であるものに手当を支給しようとする場合において、その額が当該職員に係る旧手当額以下であるときは、当該職員に対する給与法第二十二条第一項の規定の適用については、平成三十年三月三十一日（当該職員が同日前に離職をした場合にあっては、当該離職をした日）までの間は、あらかじめ人事院の承認を得たものとみなす。

附　則（令五・一一・二四規則九―一―二五）

この規則は、公布の日から施行し、この規則による改正後の規則九―一の規定は、令和五年四月一日から適用する。

附　則（令六・一二・二五規則九―一―二六）

この規則は、公布の日から施行し、この規則による改正後の規則九―一の規定は、令和六年四月一日から適用する。

○一般職の職員の給与に関する法律第二十二条第一項の非常勤職員について（通知）

平一二・八・一六
給実甲八六九

最終改正　平二五・一二・一三給実甲一一六六

一般職の職員の給与に関する法律（昭和二十五年法律第九十五号。以下「給与法」という。）第二十二条第一項の非常勤職員について下記のとおり定めたので、平成十二年九月一日以降は、これによってください。

記

給与法第二十二条第一項の委員、顧問又は参与の職に準ずる職にある者は、次に掲げる者とする。

一　合議制の機関に置かれる会長の名称を有する官職を占める者

二　内閣府設置法（平成十一年法律第八十九号）第三十七条の審議会等、国家行政組織法（昭和二十三年法律第百二十号）第八条の審議会等その他調査審議を行う合議制の機関に置かれる諮問的な官職で、幹事、専門調査員又は調査員の名称を有する官職を占める者

三　諮問的な官職で、評議員、運営協議員又は客員研究官の名称を有する官職を占める者

四　経済財政諮問会議、国家戦略特別区域諮問会議又は男女共同参画会議に置かれる議員の官職を占める者

五　前各号に掲げるもののほか、事務総長が定める者

○非常勤職員の給与の承認手続について（通知）

昭四四・四・三
給実甲三二四

改正　平一四・一一・二二給実甲九三〇

人事院規則九―一（非常勤職員の給与）第三条に規定する手続について下記のとおり定めたので、昭和四十四年四月一日以降は、これによって運用してください。

記

1　一般職の職員の給与に関する法律（昭和二十五年法律第九十五号。次項において「給与法」という。）第二十二条第一項に規定する人事院の承認を求める場合（次項の場合を除く。）には、手当を受けようとする者に係る次に掲げる事項を記載して申請するものとする。

一　勤務する組織又は官署名
二　職名
三　氏名
四　現在の他の職業名
五　承認を受けようとする手当額
六　支給開始（予定）年月日

2　給与法第二十二条第一項の「その額により難い特別の事情があるものとして人事院規則で定める場合」において同項に規定する人事院の承認を求めるときは、手当を受けようとする者に係る次に掲げる事項を記載して申請するものとする。

一　前項第一号から第五号までに掲げる事項
二　委員会等又は顧問若しくは参与等の所掌事務、任務等
三　審議事項、諮問事項等の内容
四　手当を受けようとする者の行う業務の内容及びその業務をその者が行う必要性
五　手当を受けようとする者の行う業務に関連するその者の活動実績等の内容
六　その他参考となる事項
七　支給（予定）年月日

以　上

○非常勤職員に支給される通勤手当相当の給与に対する所得税の取扱いについて（通知）

昭三三・八・一九
給三―二六八給与第三課長

標記について、別紙甲のとおり昭和三十三年六月五日付給三―一二三九をもつて人事院事務総長から国税庁長官あて照会中のところ、別紙乙のとおり昭和三十三年八月一日付直所二―五四（例規）をもつて、国税庁長官から各国税局長あて通達を発した旨の回答（昭和三十三年八月一日付直所二―五五国税庁長官発人事院事務総長あて）がありましたので通知します。

以上

（別紙甲）

非常勤職員に支給される通勤手当相当給与の所得税法上の取扱いについて（照会）

昭三三・六・五
給三―一二三九

今般、一般職の職員の給与に関する法律（昭和二十五年法律第九十五号）第十二条および人事院規則九―二四（通勤手当）に基づき、一般職の常勤の国家公務員に対して通勤手当が支給されることとなりましたが、これに伴い、同法第二十二条第二項の適用を受ける非常勤職員についても、同条同項の規定に基づき常勤職員の通勤手当との権衡を考慮し、予算の範囲内において通勤手当の給与が支給されることが予想されますが、この場合においても、下記の要件を具備するときは、当該通勤手当相当の給与について、先に示された国税局長あて国税庁長官通達「通勤手当に対する所得税の取扱について」（昭和三十三年五月十七日付直所二―三七）における措置に準じた所得税法上の取扱がなされるものと解してさしつかえないかお伺いします。

記

一 非常勤職員の給与中に占める通勤手当相当の給与は、日給その他の基本給等と明確に区別して処理する。

二 通勤手当相当の給与は、交通機関等により通勤することを常例とする非常勤職員について、通勤用定期乗車券の提示を求める等の方法により、その月間における通勤の実情を確認したうえ、常勤職員の通勤手当に準じて決定し、支給する。

（別紙乙）

非常勤職員に支給される通勤手当相当の給与に対する所得税の取扱について

昭三三・八・一
直所二―五四（例規）

標題について、人事院事務総長から別紙のとおり照会があつたが、一般職の職員の給与に関する法律（昭和二十五年法律第九十五号）第二十二条（非常勤職員の給与）第二項の規定により非常勤職員に対して支給される通勤手当相当の給与については、その支給基準及び支給方法等が別紙記の要件を満たして常勤職員に支給される通勤手当に準じて決定され支給されるものである限り、昭和三十三年五月十七日付「通勤手当に対する所得税の取扱について」通達に定めるところに準じ、所得税を課税しないことに取り扱われたい。

別紙（別紙甲と同文につき省略）

（注） 昭和三十三年五月十七日付「通勤手当に対する所得税の取扱について」は、現行所得税法施行令（昭和四十年政令第九十六号）第二十条の二参照。

○一般職の職員の給与に関する法律第二十二条第二項の非常勤職員に対する給与について（通知）

平二〇・八・二六
給実甲一〇六四

最終改正　令五・三・二二給実甲一三三三

一般職の職員の給与に関する法律（昭和二十五年法律第九十五号）第二十二条第二項の非常勤職員に対する給与の支給について、下記のとおり指針を定めたので、これを踏まえて給与の適正な支給に努めてください。

なお、これに伴い、給実甲第八三号（非常勤職員に対する六月及び十二月における給与の取扱いについて）は廃止します。

記

1　基本となる給与を、当該非常勤職員の職務と類似する職務に従事する常勤職員の属する職務の級の初号俸の俸給月額を基礎として、職務内容及び職務経験等並びに在勤する地域の要素を考慮して決定すること。

2　通勤手当に相当する給与を支給すること。

3　任期が相当長期にわたる非常勤職員に対しては、期末手当及び勤勉手当に相当する給与を、勤務期間、勤務実績等を考慮の上支給するよう努めること。この場合において、職務、勤務形態等が常勤職員と類似する非常勤職員に対する当該給与については、常勤職員に支給する期末手当及び勤勉手当に係る支給月数を基礎として、勤務期間、勤務実績等を考慮の上支給すること。

4　一般職の職員の給与に関する法律等の改正により常勤職員の給与が改定された場合における非常勤職員の給与については、改定された常勤職員の給与の種類その他の改定の内容及び当該非常勤職員の任期、勤務形態等を考慮の上当該常勤職員の給与の改定に係る取扱いに準じて改定するよう努めること。

5　各庁の長は、非常勤職員の給与に関し、第一項から第三項までの規定の趣旨に沿った規程を整備すること。

以　上

○非常勤の顧問、参与等に対する給与について

昭五二・五・一〇
給三―四八給与第三課長

非常勤の顧問、参与等に対して支払われるもので給与に該当するものの支給については、一般職の職員の給与に関する法律（昭和二十五年法律第九十五号）第二十二条第一項及び人事院規則九―一（非常勤職員の給与）の定めるところによることとなつておりますので、念のため御連絡します。

おつて、人事院の承認を要する額であるものの取扱い及び給与簿の取扱いについては、それぞれ関係の人事院規則等の定めるところによつてください。

○人事院規則一五—一五（非常勤職員の勤務時間及び休暇）

平六・七・二七制定
平六・九・一施行

最終改正　令六・一二・二規則一五—一五—二一

（趣旨）

第一条　この規則は、勤務時間法第二十三条（育児休業法第二十五条の規定により読み替えて適用する場合を含む。）に規定する常勤を要しない職員（以下「非常勤職員」という。）の勤務時間及び休暇に関し必要な事項を定めるものとする。

（勤務時間）

第二条　非常勤職員の勤務時間は、相当の期間任用される職員を就けるべき官職以外の官職である非常勤官職に任用される非常勤職員については一日につき七時間四十五分を超えず、かつ、常勤職員の一週間当たりの勤務時間を超えない範囲内において、その他の非常勤職員については当該勤務時間の四分の三を超えない範囲内において、各省各庁の長（勤務時間法第三条に規定する各省各庁の長をいう。以下同じ。）の任意に定めるところによる。

2　各省各庁の長は、期間業務職員（規則八—一二（職員の任免）第四条第十三号に規定する期間業務職員をいい、人事院の定めるものを除く。以下この項において同じ。）について、期間業務職員の申告を考慮して当該期間業務職員の勤務時間を定めることが公務の運営に支障がないと認める場合には、前項の規定にかかわらず、人事院の定めるところにより、期間業務職員の申告を経て、四週間を超えない範囲内で週を単位として人事院の定める期間ごとの期間につき常勤職員の一週間当たりの勤務時間を超えないように当該期間業務職員の勤務時間を定めることができる。

（年次休暇）

第三条　各省各庁の長は、人事院の定める要件を満たす非常勤職員に対して人事院の定める日数の年次休暇を与えなければならない。

2　前項の年次休暇については、その時期につき、各省各庁の長の承認を受けなければならない。この場合において、各省各庁の長は、公務の運営に支障がある場合を除き、これを承認しなければならない。

（年次休暇以外の休暇）

第四条　各省各庁の長は、次の各号に掲げる場合には、非常勤職員（第八号、第九号及び第十二号から第十四号までに掲げる場合にあっては、人事院の定める非常勤職員に限る。）に対して当該各号に定める期間の有給の休暇を与えるものとする。

一　非常勤職員が選挙権その他公民としての権利を行使する場合で、その勤務しないことがやむを得ないと認められるとき　必要と認められる期間

二　非常勤職員が裁判員、証人、鑑定人、参考人等として国会、裁判所、地方公共団体の議会その他官公署へ出頭する場合で、その勤務しないことがやむを得ないと認められるとき　必要と認められる期間

三　地震、水害、火災その他の災害により次のいずれかに該当する場合その他これらに準ずる場合で、非常勤職員が勤務しないことが相当であると認められるとき　七日の範囲内の期間

イ　非常勤職員の現住居が滅失し、又は損壊した場合で、当該非常勤職員がその復旧作業等を行い、又は一時的に避難しているとき。

ロ　非常勤職員及び当該非常勤職員と同一の世帯に属する者の生活に必要な水、食料等が著しく不足している場合で、当該非常勤職員以外にはそれらの確保を行うことができないとき。

四　非常勤職員が地震、水害、火災その他の災害又は交通機関の事故等により出勤することが著しく困難であると認められる場合　必要と認められる期間

五　地震、水害、火災その他の災害又は交通機関の事故等に際して、非常勤職員が退勤途上における身体の危険を回避するため勤務しないことがやむを得ないと認められる場合　必要と認められる期間

六　非常勤職員の親族（人事院の定める親族に限る。）が死亡した場合で、非常勤職員が葬儀、服喪その他の親族の死亡に伴い必要と認められる行事等のため勤務しないことが相当であると認められるとき　人事院の定める期

間

七　非常勤職員が結婚する場合で、結婚式、旅行その他の結婚に伴い必要と認められる行事等のため勤務しないことが相当であると認められるとき　人事院が定める期間内における連続する五日の範囲内の期間

八　非常勤職員が夏季における盆等の諸行事、心身の健康の維持及び増進又は家庭生活の充実のため勤務しないことが相当であると認められる場合　一の年の七月から九月までの期間（当該期間が業務の繁忙期であることその他の業務の事情により当該期間内にこの号の休暇の全部又は一部を使用することが困難であると認められる非常勤職員にあっては、一の年の六月から十月までの期間）内における、人事院の定める日を除いて原則として連続する三日の範囲内の期間

九　非常勤職員が不妊治療に係る通院等のため勤務しないことが相当であると認められる場合　一の年度（四月一日から翌年の三月三十一日までをいう。以下同じ。）において五日（当該通院等が体外受精その他の人事院が定める不妊治療に係るものである場合にあっては、十日）（勤務日ごとの勤務時間の時間数が同一でない非常勤職員にあっては、その者の勤務時間を考慮し、人事院の定める時間）の範囲内の期間

十　六週間（多胎妊娠の場合にあっては、十四週間）以内に出産する予定である女子の非常勤職員が申し出た場合　出産の日までの申し出た期間

十一　女子の非常勤職員が出産した場合　出産の日の翌日から八週間を経過する日までの期間（産後六週間を経過した女子の非常勤職員が就業を申し出た場合において医師が支障がないと認めた業務に就く期間を除く。）

十二　非常勤職員が妻（届出をしないが事実上婚姻関係と同様の事情にある者を含む。次号において同じ。）の出産に伴い勤務しないことが相当であると認められる場合　人事院が定める期間内における二日（勤務日ごとの勤務時間の時間数が同一でない非常勤職員にあっては、その者の勤務時間を考慮し、人事院の定める時間）の範囲内の期間

十三　非常勤職員の妻が出産する場合であってその出産予定日の六週間（多胎妊娠の場合にあっては、十四週間）前の日から当該出産の日以後一年を経過する日までの期間にある場合において、当該出産に係る子（規則一五—一四（職員の勤務時間、休日及び休暇）第四条の三第一項第二号イにおいて子に含まれるものとされる者を含む。次項第三号イ及びハを除き、以下同じ。）又は小学校就学の始期に達するまでの子（妻の子を含む。）を養育する非常勤職員が、これらの子の養育のため勤務しないことが相当であると認められるとき　当該期間内における五日（勤務日ごとの勤務時間の時間数が同一でない非常勤職員にあっては、その者の勤務時間を考慮し、人事院の定める時間）の範囲内の期間

十四　非常勤職員が負傷又は疾病のため療養する必要があり、その勤務しないことがやむを得ないと認められる場合　一の年度において人事院の定める期間

2　各省各庁の長は、次の各号に掲げる場合には、非常勤職員（第二号から第五号までに掲げる場合にあっては、人事院の定める非常勤職員に限る。）に対して当該各号に定める期間の無給の休暇を与えるものとする。

一　生後一年に達しない子を育てる非常勤職員が、その子の保育のために必要と認められる授乳等を行う場合　一日二回それぞれ三十分以内の期間（男子の非常勤職員にあっては、その子の当該非常勤職員以外の親（当該子について民法（明治二十九年法律第八十九号）第八百十七条の二第一項の規定により特別養子縁組の成立について家庭裁判所に請求した者（当該請求に係る家事審判事件が裁判所に係属している場合に限る。）であって当該子を現に監護するもの又は児童福祉法（昭和二十二年法律第百六十四号）第二十七条第一項第三号の規定により当該子を委託されている同法第六条の四第二号に規定する養子縁組里親である者若しくは同条第一号に規定する養育里親である者（同法第二十七条第四項に規定する者の意に反するため、同項の規定により、同法第六条の四第二号に規定する養子縁組里親として委託することができない者に限る。）を含む。）が当該非常勤職員がこの号の休暇を使用しようとする日におけるこの号の休暇（これに相当する休暇を含む。）を承認され、又は労働基準法（昭和二十二年法律第四十九号）第六十七条の規定により同日にお

ける育児時間を請求した場合は、一日二回それぞれ三十分から当該承認又は請求に係る各回ごとの期間を差し引いた期間を超えない期間）

二　九歳に達する日以後の最初の三月三十一日までの間にある子（配偶者の子を含む。以下この号において同じ。）を養育する非常勤職員が、その子の看護等（負傷し、若しくは疾病にかかったその子の世話、疾病の予防を図るために必要なものとして人事院が定めるその子の世話若しくは学校保健安全法（昭和三十三年法律第五十六号）第二十条の規定による学校の休業その他これに準ずるものとして人事院が定める事由に伴うその子の世話を行うこと又はその子の教育若しくは保育に係る行事のうち人事院が定めるものへの参加をすることをいう。）のため勤務しないことが相当であると認められる場合　一の年度において五日（その養育する九歳に達する日以後の最初の三月三十一日までの間にある子が二人以上の場合にあっては、十日）（勤務日ごとの勤務時間の時間数が同一でない非常勤職員にあっては、その者の勤務時間を考慮し、人事院の定める時間）の範囲内の期間

三　次に掲げる者（ハに掲げる者にあっては、非常勤職員と同居しているものに限る。）で負傷、疾病又は老齢により二週間以上の期間にわたり日常生活を営むのに支障があるもの（以下この号から第五号までにおいて「要介護者」という。）の介護その他の人事院の定める世話を行う非常勤職員が、当該世話を行うため勤務しないことが相当であると認められる場合　一の年度において五日（要介護者が二人以上の場合にあっては、十日）（勤務日ごとの勤務時間の時間数が同一でない非常勤職員にあっては、その者の勤務時間を考慮し、人事院の定める時間）の範囲内の期間

イ　配偶者（届出をしないが事実上婚姻関係と同様の事情にある者を含む。以下この号において同じ。）、父母、子及び配偶者の父母

ロ　祖父母、孫及び兄弟姉妹

ハ　非常勤職員又は配偶者との間において事実上父母と同様の関係にあると認められる者及び非常勤職員との間において事実上子と同様の関係にあると認められる者で人事院の定めるもの

四　要介護者の介護をする非常勤職員が、当該介護をするため、各省各庁の長が、人事院の定めるところにより、非常勤職員の申出に基づき、当該要介護者ごとに、三回を超えず、かつ、通算して九十三日を超えない範囲内で指定する期間（以下「指定期間」という。）内において勤務しないことが相当であると認められる場合　指定期間内において必要と認められる期間

五　要介護者の介護をする非常勤職員が、当該介護をするため、当該要介護者ごとに、連続する三年の期間（当該要介護者に係る指定期間と重複する期間を除く。）内において一日の勤務時間の一部につき勤務しないことが相当であると認められる場合　当該連続する三年の期間内において一日につき二時間（当該非常勤職員について一日につき定められた勤務時間から五時間四十五分を減じた時間が二時間を下回る場合は、当該減じた時間）を超えない範囲内で必要と認められる期間

六　女子の非常勤職員が生理日における就業が著しく困難なため勤務しないことがやむを得ないと認められる場合　必要と認められる期間

七　女子の非常勤職員が母子保健法（昭和四十年法律第百四十一号）の規定による保健指導又は健康診査に基づく指導事項を守るため勤務しないことがやむを得ないと認められる場合　必要と認められる期間

八　非常勤職員が公務上の負傷又は疾病のため療養する必要があり、その勤務しないことがやむを得ないと認められる場合　必要と認められる期間

九　非常勤職員が骨髄移植のための骨髄若しくは末梢血幹細胞移植のための末梢血幹細胞の提供希望者としてその登録を実施する者に対して登録の申出を行い、又は配偶者、父母、子及び兄弟姉妹以外の者に、骨髄移植のため骨髄若しくは末梢血幹細胞移植のため末梢血幹細胞を提供する場合で、当該申出又は提供に伴い必要な検査、入院等のため勤務しないことがやむを得ないと認められるとき　必要と認められる期間

3　前二項の休暇（第一項第十号及び第十一号の休暇を除く。）については、人事院の定めるところにより、各省各庁の長の承認を受けなけれ

ばならない。

（雑則）

第五条　この規則に定めるもののほか、非常勤職員の勤務時間及び休暇に関し必要な事項は、人事院が定める。

附　則

（施行期日）

1　この規則は、平成六年九月一日から施行する。

（経過措置）

2　この規則の施行の際現に旧規則一五―一二（非常勤職員の勤務時間及び休暇）（以下「旧規則」という。）第三条第二項又は第四条第三項の規定に基づき各庁の長又はその委任を受けた者の承認を受けている休暇については、それぞれ第三条第二項又は第四条第三項の規定に基づき各省各庁の長が承認したものとみなす。

3　この規則の施行の日前に与えられた旧規則第四条第一項第四号の休暇であって、同一の事由について第四条第一項第四号に掲げる場合に該当することとなるものについては、同号の休暇として既に与えられたものとみなす。

4　この規則の施行の日前に行われた旧規則第四条第二項第一号又は第二号の規定による申出であって、同一の事項について第四条第二項第一号又は第二号の規定による申出を行う必要のあるものについては、それぞれ同項第一号又は第二号の規定により行われたものとみなす。

附　則（令元・一二・六規則一五―一五―一七）

この規則は、令和二年一月一日から施行する。

附　則（令三・一二・一規則一五―一五―一八）（抄）

（施行期日）

第一条　この規則は、令和四年一月一日から施行する。

附　則（令四・六・一七規則一五―一五―一九）

この規則は、令和四年十月一日から施行する。

附　則（令五・一二・一規則一五―一五―二〇）

この規則は、令和六年一月一日から施行する。

附　則（令六・三・二九規則一―八二）（抄）

（施行期日）

第一条　この規則は、令和七年四月一日から施行する。

〔ただし書略〕

（勤務時間法の一部改正に伴う経過措置）

第二条　各省各庁の長（勤務時間法第三条に規定する各省各庁の長をいう。）は、一般職の職員の給与に関する法律等の一部を改正する法律（令和五年法律第七十三号。附則第四条において「令和五年改正法」という。）第三条の規定の施行の日（以下この条において「施行日」という。）前に勤務時間法第六条第三項（育児休業法第十七条（育児休業法第二十二条において準用する場合を含む。）の規定により読み替えて適用する場合を除く。）の規定により勤務時間を割り振ろうとする場合又は勤務時間法第六条第四項の規定により週休日を設け、及び勤務時間を割り振ろうとする場合（規則一五―一四第四条の二の規定により職員が選択する期間（以下この条において「選択単位期間」という。）が一週間である場合を除く。）において、単位期間（勤務時間法第六条第三項に規定する単位期間をいう。以下同じ。）の初日としようとする日から起算して四週間（選択単位期間が二週間又は三週間である場合にあっては、それぞれ二週間又は三週間）を経過する日が、施行日以後に到来するときは、同規則第四条の二の規定にかかわらず、当該単位期間の末日を施行日の前日以前とするために必要な限度において、当該単位期間を一週間、二週間又は三週間とすることができる。

附　則（令六・一二・二規則一五―一五―二一）

この規則は、令和七年四月一日から施行する。

○人事院規則一五―一五（非常勤職員の勤務時間及び休暇）の運用について（通知）

平六・七・二七
職職―三二九

最終改正　令六・一二・二職職―二九七

標記について下記のとおり定めたので、平成六年九月一日以降は、これによってください。

記

第二条関係

1　各省各庁の長は、非常勤職員の勤務時間の内容（始業及び終業の時刻、休憩時間等を含む。）について、人事異動通知書その他適当な方法により、当該非常勤職員に対して通知するものとする。

2　非常勤職員の休憩時間及び定められた勤務時間以外の時間における勤務については、常勤職員の例に準じて取り扱うものとする。

3　各省各庁の長は、この条の第一項の規定により非常勤職員の勤務時間を定めるに当たっては、常勤職員の勤務時間に関する基準を考慮するものとする。

4　この条の第二項の「人事院の定めるもの」は、人事院規則八―一二（職員の任免）第四条第十三号に規定する期間業務職員のうち、一般職の職員の勤務時間、休暇等に関する法律（平成六年法律第三十三号。以下「勤務時間法」という。）第七条第一項に規定する公務の運営上の事情により特別の形態によって勤務する必要のある職員の勤務時間に関する基準を考慮して勤務時間が定められているものとする。

5　この条の第二項の規定により同項に規定する期間業務職員の勤務時間を定める場合の基準及び手続については、勤務時間法第六条第三項の規定による勤務時間を割り振らない日の設定又は勤務時間の割振りの基準及び手続の例に準じて取り扱うものとする。

6　この条の第二項の「人事院の定める期間」は、人事院規則一五—一四（職員の勤務時間、休日及び休暇）第四条の三第一項に定める期間の例に準じて取り扱うものとする。

第三条関係

1　年次休暇が認められる非常勤職員の要件及びその日数は、それぞれ次に定めるとおりとする。

(1)　一週間の勤務日が五日以上とされている職員、一週間の勤務日が四日以下とされている職員で一週間の勤務時間が二十九時間以上であるもの及び週以外の期間によって勤務日が定められている職員で一年間の勤務日が二百十七日以上であるものが、雇用の日から六月間継続勤務し全勤務日の八割以上出勤した場合　次の一年間において十日

(2)　(1)に掲げる職員が、雇用の日から一年六月以上継続勤務し、継続勤務が六月を超えることとなる日（以下「六月経過日」という。）から起算してそれぞれの一年間の全勤務日の八割以上出勤した場合　それぞれ次の一年間において、十日に、次の表の上欄に掲げる六月経過日から起算した継続勤務年数の区分に応じ同表の下欄に掲げる日数を加算した日数

6月経過日から起算した継続勤務年数	日　数
1年	1日
2年	2日
3年	4日
4年	6日
5年	8日
6年以上	10日

(3)　一週間の勤務日が四日以下とされている職員（一週間の勤務時間が二十九時間以上である職員を除く。以下この(3)において同じ。）及び週以外の期間によって勤務日が定められている職員で一年間の勤務日が四十八日以上二百十六日以下であるものが、雇用の日から六月間継続勤務し全勤務日の八割以上出勤した場合又は雇用の日から一年六月以上継続勤務し六月経過日から起算してそれぞれの一年間の全勤務日の八割以上出勤した場合　それぞれ次の一年間において、一週間の勤務日が四日以下とされている職員にあっては次の表の上欄に掲げる一週間の勤務日の日数の区分に応じ、週以外の期間によって勤務日が定められている職員にあっては同表の中欄に掲げる一年間の勤務日の日数の区分に応じ、それぞれ同表の下欄に掲げる雇用の日から起算した継続勤務期間の区分ごとに定める日数

1週間の勤務日の日数		4日	3日	2日	1日
1年間の勤務日の日数		169日から216日まで	121日から168日まで	73日から120日まで	48日から72日まで
雇用の日から起算した継続勤務期間	6月	7日	5日	3日	1日
	1年6月	8日	6日	4日	2日
	2年6月	9日	6日	4日	2日
	3年6月	10日	8日	5日	2日
	4年6月	12日	9日	6日	3日
	5年6月	13日	10日	6日	3日
	6年6月以上	15日	11日	7日	3日

2　前項の「継続勤務」とは原則として同一官署において、その雇用形態が社会通念上中断されていないと認められる場合の勤務を、「全勤務日」とは非常勤職員の勤務を要する日の全てをそれぞれいうものとし、「出勤した」日数の算定に当たっては、休暇、国家公務員法（昭和二十二年法律第百二十号）第七十九条の規定による休職又は同法第八十二条の規定による停職及び国家公務員の育児休業等に関する法律（平成三年法律第百九号。以下「育児休業法」という。）第三条第一項の規定による育児休業の期間は、これを出勤したものとみなして取り扱うものとする。

3　年次休暇（この項の規定により繰り越され

たものを除く。）は、二十日を限度として、次の一年間に繰り越すことができる。

4　前項の規定により繰り越された年次休暇がある職員から年次休暇の請求があった場合は、繰り越された年次休暇から先に請求されたものとして取り扱うものとする。

5　「公務の運営」の支障の有無の判断に当たっては、各省各庁の長は、請求に係る休暇の時期における非常勤職員の業務内容、業務量、代替者の配置の難易等を総合して行うものとする。

6　年次休暇の単位は、一日とする。ただし、特に必要があると認められるときは、一時間（第二条関係第四項に規定する基準を考慮して勤務時間が定められている非常勤職員にあっては、一時間又は十五分）を単位とすることができる。

7　一時間又は十五分を単位として与えられた年次休暇を日に換算する場合には、当該年次休暇を与えられた職員の勤務日一日当たりの勤務時間（一分未満の端数があるときはこれを切り捨てた時間。以下同じ。）をもって一日とする。

第四条関係

1　年次休暇以外の休暇の取扱いについては、それぞれ次に定めるところによる。

(1)　この条の第一項及び第二項の「人事院の定める非常勤職員」は、次に掲げる休暇の区分に応じ、それぞれ次に定める職員とする。この場合において、アの「継続勤務」については、第三条関係第二項の規定の例によるものとする。

ア　この条の第一項第八号及び第十四号の休暇　六月以上の任期が定められている職員又は六月以上継続勤務している職員（週以外の期間によって勤務日が定められている職員で一年間の勤務日が四十七日以下であるものを除く。）

イ　この条の第一項第九号、第十二号及び第十三号並びに第二項第二号及び第三号の休暇　一週間の勤務日が三日以上とされている職員又は週以外の期間によって勤務日が定められている職員で一年間の勤務日が百二十一日以上であるもの

ウ　この条の第二項第四号の休暇　同号に規定する申出の時点において、一週間の勤務日が三日以上とされている職員又は週以外の期間によって勤務日が定められている職員で一年間の勤務日が百二十一日以上であるものであって、当該申出において、⒄の規定により指定期間の指定を希望する期間の初日から起算して九十三日を経過する日から六月を経過する日までに、その任期（任期が更新される場合にあっては、更新後のもの）が満了すること及び任命権者（国家公務員法第五十五条第一項に規定する任命権者及び法律で別に定められた任命権者並びにその委任を受けた者をいう。）を同じくする官職に引き続き採用されないことが明らかでないもの

エ　この条の第二項第五号の休暇　初めて同号の休暇の承認を請求する時点において、一週間の勤務日が三日以上とされている職員又は週以外の期間によって勤務日が定められている職員で一年間の勤務日が百二十一日以上であるものであって、一日につき定められた勤務時間が六時間十五分以上である勤務日があるもの

(2)　(1)ウの「引き続き採用」されるものであるかどうかの判断は、その雇用形態が社会通念上中断されていないと認められるかどうかにより行うものとし、(1)ウの「引き続き採用されないことが明らかでない」かどうかの判断は、この条の第二項第四号に規定する申出の時点において判明している事情に基づき行うものとする。

(3)　この条の第一項第一号の「選挙権その他公民としての権利」とは、公職選挙法（昭和二十五年法律第百号）に規定する選挙権のほか、最高裁判所の裁判官の国民審査及び普通地方公共団体の議会の議員又は長の解職の投票に係る権利等をいう。

(4)　この条の第一項第三号の「これらに準ずる場合」とは、例えば、地震、水害、火災その他の災害により単身赴任手当に相当する給与の支給に係る配偶者等の現住居が滅失し、又は損壊した場合で、当該単身赴任手当に相当する給与の支給を受けている非常勤職員がその復旧作業等を行うときをいい、同号の休暇の期間は、原則として連続する七暦日として取り扱うものとする。

(5)　この条の第一項第六号の「人事院の定める親族」は、人事院規則一五—一四別表第二の

親族欄に掲げる親族とし、同号の「人事院の定める期間」は、同規則第二十二条第一項第十三号に規定する休暇の例によるものとする。

(6) この条の第一項第七号の「人事院が定める期間」は、結婚の日の五日前の日から当該結婚の日後一月を経過する日までとし、同号の「連続する五日」とは、連続する五暦日をいう。

(7) この条の第一項第八号の「人事院の定める日」は、勤務時間が定められていない日とし、同号の「原則として連続する三日」の取扱いについては、暦日によるものとし、特に必要があると認められる場合には一暦日ごとに分割することができるものとする。

(8) この条の第一項第九号の「不妊治療」とは、不妊の原因等を調べるための検査、不妊の原因となる疾病の治療、タイミング法、人工授精、体外受精、顕微授精等をいい、同号の「通院等」とは、医療機関への通院、医療機関が実施する説明会への出席（これらにおいて必要と認められる移動を含む。）等をいい、同号の「人事院が定める不妊治療」は、体外受精及び顕微授精とし、同号の「人事院の定める時間」は、勤務日一日当たりの勤務時間に五（同号に規定する人事院が定める不妊治療を受ける場合にあっては、十）を乗じて得た数の時間とし、同号の休暇の単位は、一日又は一時間（勤務日ごとの勤務時間の時間数が同一でない非常勤職員にあっては、一時間。ただし、当該非常勤職員の一回の勤務に定められた勤務時間であって一時間未満の端数があるものの全てを勤務しない場合には、当該勤務時間の時間数）とする。ただし、同号の休暇の残日数の全てを使用しようとする場合において、当該残日数に一時間未満の端数があるときは、当該残日数の全てを使用することができる。

(9) この条の第一項第十号の「六週間（多胎妊娠の場合にあっては、十四週間）」は、分べん予定日から起算するものとする。

(10) この条の第一項第十一号から第十三号までの「出産」とは、妊娠満十二週以後の分べんをいう。

(11) この条の第一項第十二号の「妻（届出をしないが事実上婚姻関係と同様の事情にある者を含む。次号において同じ。）の出産に伴い勤務しないことが相当であると認められる場合」とは、非常勤職員の妻の出産に係る入院若しくは退院の際の付添い、出産時の付添い又は出産に係る入院中の世話、子（人事院規則一五―一四第四条の三第一項第二号イにおいて子に含まれるものとされる者を含む。(12)及び(15)において同じ。）の出生の届出等のために勤務しない場合をいい、この条の第一項第十二号の「人事院が定める期間」は、非常勤職員の妻の出産に係る入院等の日から当該出産の日後二週間を経過する日までとし、同号の「人事院の定める時間」は、勤務日一日当たりの勤務時間に二を乗じて得た数の時間とし、同号の休暇の単位は、一日又は一時間（勤務日ごとの勤務時間の時間数が同一でない非常勤職員にあっては、一時間。ただし、当該非常勤職員の一回の勤務に定められた勤務時間であって一時間未満の端数があるものの全てを勤務しない場合には、当該勤務時間の時間数）とする。ただし、同号の休暇の残日数の全てを使用しようとする場合において、当該残日数に一時間未満の端数があるときは、当該残日数の全てを使用することができる。

(12) この条の第一項第十三号の「当該出産に係る子（規則一五―一四（職員の勤務時間、休日及び休暇）第四条の三第一項第二号イにおいて子に含まれるものとされる者を含む。次項第三号イ及びハを除き、以下同じ。）又は小学校就学の始期に達するまでの子（妻の子を含む。）を養育する」とは、非常勤職員の妻の出産に係る子又は小学校就学の始期に達するまでの子（妻の子を含む。）と同居してこれらを監護することをいい、同号の「人事院の定める時間」は、勤務日一日当たりの勤務時間に五を乗じて得た数の時間とし、同号の休暇の単位は、一日又は一時間（勤務日ごとの勤務時間の時間数が同一でない非常勤職員にあっては、一時間。ただし、当該非常勤職員の一回の勤務に定められた勤務時間であって一時間未満の端数があるものの全てを勤務しない場合には、当該勤務時間の時間数）とする。ただし、同号の休暇の残日数の全てを使用しようとする場合において、当該残日数に一時間未満の端数があるときは、当該残日数の全てを使用することができる。

(13) この条の第一項第十四号及び第二項第八号の「疾病」には、予防接種による著しい発熱等が、これらの号の「療養する」場合には、負傷又は疾病が治った後に社会復帰のためリハビリテーションを受ける場合等が含まれるものとする。

⒁　この条の第一項第十四号の「人事院の定める期間」は、第三条関係第一項⑴に掲げる職員にあっては十日の範囲内の期間とし、同項⑶に掲げる職員のうち、一週間の勤務日が四日以下とされている職員にあっては次の表の上欄に掲げる一週間の勤務日の日数の区分に応じ、週以外の期間によって勤務日が定められている職員にあっては同表の中欄に掲げる一年間の勤務日の日数の区分に応じ、それぞれ同表の下欄に掲げる日数の範囲内の期間とする。

１週間の勤務日の日数	４日	３日	２日	１日
１年間の勤務日の日数	169日から216日まで	121日から168日まで	73日から120日まで	48日から72日まで
日　数	７日	５日	３日	１日

⒂　この条の第二項第二号の「九歳に達する日以後の最初の三月三十一日までの間にある子（配偶者の子を含む。以下この号において同じ。）を養育する」とは、九歳に達する日以後の最初の三月三十一日までの間にある子（配偶者の子を含む。以下この⒂において同じ。）と同居してこれを監護することをいい、同号の「人事院が定めるその子の世話」は、その子に予防接種又は健康診断を受けさせることとし、同号の「人事院が定める事由」は、次に掲げる事由とし、同号の「人事院が定めるもの」は、入園、卒園又は入学の式典その他これに準ずる式典とし、同号の「人事院の定める時間」は、勤務日一日当たりの勤務時間に五（その養育する九歳に達する日以後の最初の三月三十一日までの間にある子が二人以上の場合にあっては、十）を乗じて得た数の時間とし、同号の休暇の単位は、一日又は一時間（勤務日ごとの勤務時間の時間数が同一でない非常勤職員にあっては、一時間。ただし、当該非常勤職員の一回の勤務に定められた勤務時間であって一時間未満の端数があるものの全てを勤務しない場合には、当該勤務時間の時間数）とする。ただし、同号の休暇の残日数の全てを使用しようとする場合において、当該残日数に一時間未満の端数があるときは、当該残日数の全てを使用することができる。

ア　学校保健安全法（昭和三十三年法律第五十六号）第十九条の規定による出席停止

イ　児童福祉法（昭和二十二年法律第百六十四号）第三十九条第一項に規定する保育所、就学前の子どもに関する教育、保育等の総合的な提供の推進に関する法律（平成十八年法律第七十七号）第二条第六項に規定する認定こども園その他の施設又は児童福祉法第二十四条第二項に規定する家庭的保育事業等その他の事業における学校保健安全法第二十条の規定による学校の休業に準ずる事由又はアに掲げる事由に準ずるもの

⒃　この条の第二項第三号の「同居」には、非常勤職員が要介護者の居住している住宅に泊まり込む場合等を含むものとし、同号の「人事院の定める世話」は、次に掲げる世話とし、同号の「人事院の定める時間」は、勤務日一日当たりの勤務時間に五（要介護者が二人以上の場合にあっては、十）を乗じて得た数の時間とし、同号の「人事院の定めるもの」は、父母の配偶者、配偶者の父母の配偶者、子の配偶者及び配偶者の子とし、同号の休暇の単位は、一日又は一時間（勤務日ごとの勤務時間の時間数が同一でない非常勤職員にあっては、一時間。ただし、当該非常勤職員の一回の勤務に定められた勤務時間であって一時間未満の端数があるものの全てを勤務しない場合には、当該勤務時間の時間数）とする。ただし、同号の休暇の残日数の全てを使用しようとする場合において、当該残日数に一時間未満の端数があるときは、当該残日数の全てを使用することができる。

ア　要介護者の介護

イ　要介護者の通院等の付添い、要介護者が介護サービスの提供を受けるために必要な手続の代行その他の要介護者の必要な世話

⒄　この条の第二項第四号の申出及び指定期間

の指定の手続については、人事院規則一五―一四第二十三条第三項から第七項までの規定の例によるものとし、同号の休暇の単位は、一日又は一時間とし、一時間を単位とする当該休暇は、一日を通じ、始業の時刻から連続し、又は終業の時刻まで連続した四時間（当該休暇と要介護者を異にするこの条の第二項第五号の休暇の承認を受けて勤務しない時間がある日については、当該四時間から当該休暇の承認を受けて勤務しない時間を減じた時間）の範囲内とする。

(18)　この条の第二項第五号の休暇の単位は、三十分とし、当該休暇は、一日を通じ、始業の時刻から連続し、又は終業の時刻まで連続した二時間（同号に規定する減じた時間が二時間を下回る場合にあっては、当該減じた時間）の範囲内（育児休業法第二十六条第一項の規定による育児時間の承認を受けて勤務しない時間がある日については、当該連続した二時間から当該育児時間の承認を受けて勤務しない時間を減じた時間の範囲内）とする。

2　前項に規定するもののほか、年次休暇以外の休暇の単位は、必要に応じて一日、一時間又は一分を単位として取り扱うものとする。

3　勤務日ごとの勤務時間の時間数が同一である非常勤職員の一時間を単位として与えられたこの条の第一項第九号、第十二号若しくは第十三号若しくは第二項第二号若しくは第三号の休暇又は一日以外の単位で与えられたこの条の第一項第十四号の休暇を日に換算する場合には、これらの休暇を与えられた職員の勤務日一日当たりの勤務時間をもって一日とする。

4　年次休暇以外の休暇（この条の第一項第十号及び第十一号の休暇を除く。）の承認については、常勤職員の例に準じて取り扱うものとする。

第五条関係

非常勤職員の休暇の請求等の手続については、常勤職員の例に準じて取り扱うものとする。

経過措置

1　その雇用の日が平成六年四月一日前である職員であって、六月経過日が平成六年四月一日以後であるものに対する第三条関係第一項の規定の適用については、同項中「雇用の日」とあるのは「平成六年四月一日」と、「六月を」とあるのは「平成六年四月一日から起算して六月を」と、「六月経過日」とあるのは「平成六年四月一日から起算して継続勤務期間が六月を超えることとなる日」とする。

2　第三条関係第一項(1)に掲げる職員のうち平成五年十月一日前から継続勤務している者に対する同項(2)の規定の適用については、継続勤務期間が一年を超えることとなる日を六月経過日とみなす。

3　第三条関係第一項(3)に掲げる職員のうち平成十三年四月一日前に三年六月を超え、かつ、四年六月に満たない期間継続勤務している者に対する同項の規定の適用については、同日以降、継続勤務期間が四年六月を超えることとなる日の前日までの間は、同項(3)の表三日の項中「八日」とあるのは、「七日」とする。

4　第三条関係第一項(3)に掲げる職員のうち平成五年十月一日前から継続勤務している者の年次休暇については、同項の規定にかかわらず、継続勤務期間が六年を超えることとなる日から起算してそれぞれの一年間の全勤務日の八割以上出勤した場合に認められるものとし、その日数は、それぞれ次の一年間において、一週間の勤務日が四日以下とされている職員にあっては次の表の上欄に掲げる一週間の勤務日の日数の区分に応じ、週以外の期間によって勤務日が定められている職員にあっては同表の中欄に掲げる一年間の勤務日の日数の区分に応じ、それぞれ同表の下欄に掲げる日数とする。

1週間の勤務日の日数	4日	3日	2日	1日
1年間の勤務日の日数	169日から216日まで	121日から168日まで	73日から120日まで	48日から72日まで
年次休暇の日数	15日	11日	7日	3日

5　平成二十九年一月一日（以下「施行日」という。）前に人事院規則一五―一五―一四

（人事院規則一五―一五（非常勤職員の勤務時間及び休暇）の一部を改正する人事院規則。以下「改正規則」という。）による改正前の第四条第二項第六号の休暇（以下「改正前休暇」という。）を使用したことがある非常勤職員の当該改正前休暇と要介護者を同じくする改正規則による改正後の同号の休暇に係る指定期間については、各省各庁の長は、二回（施行日が当該改正前休暇に係る改正規則による改正前の同号の規定の例による連続する九十三日の期間内にある場合であって、施行日以後の当該期間内の日を末日とする指定期間を指定するときは、三回）を超えず、九十三日から、施行日前において当該要介護者の介護を必要とする一の継続する状態ごとに、初めて改正前休暇の承認を受けた期間の初日から最後に当該承認を受けた期間の末日までの日数を合算した日数を差し引いた日数を超えない範囲内で指定するものとする。

以　上

○定員外職員の常勤化の防止について

昭三六・二・二八
閣　議　決　定

新しい定員規制制度において、今後なお定員外職員として残るものについては三十六年度中に検討の上定員規制の対象とするか否かを確定するため、定員外職員の実態を調査するとともに、今後定員規制の対象職員と同種又は類似の職員が定員規制の外に発生することを防止するため、次の措置を行うものとする。

1　昭和三十六年二月二十八日以後においては、歳出予算の「常勤職員給与」の目から俸給が支給される職員（以下「常勤労務者」という。）を新規に任命しないものとする。

上記にかかわらず、業務遂行上常勤労務者を特に新規に任命する必要があるときは、行政管理庁に協議するものとする。

2　各省庁においては、昭和三十六年二月二十八日現在に在職する常勤労務者及び1により特に認められて新規に任命された常勤労務者については、行政管理庁に報告するものとする。

3　昭和三十六年二月二十八日以後においては、非常勤職員のうち、継続して日日雇い入れることを予定する職員の雇用にあたつては、その常勤化を防止するため、次のとおり実施するものとする。

(1)　継続して日日雇い入れることを予定する職員については、必ず発令日の属する会計年度の範囲内で任用予定期間を定めること。

(2)　被雇用希望者に対しては、任用条件特に任用予定期間を示し、確認させること。

(3)　採用の際交付する人事異動通知書には、(2)の任用条件を明記するとともに、任用予定期間が終了した後には自動更新をしない旨をも明記すること。

(4)　採用の際は、必ず人事異動通知書を交付すること。

ただし、任用予定期間が一月をこえない職員の任用にあたつては、人事異動通知書に代る文書の交付その他適当な方法をもつて行なうことができるものとする。

(5)　任用予定期間が終了したときには、その者に対して引き続き勤務させないよう措置すること。

4　昭和三十六年二月二十八日現在において日日雇用の職員で、任用予定期間を定めず更新して雇用しているものであつて、昭和三十六年度に引続いて雇用するものについては、昭和三十六年四月一日に3の(1)及び(4)の措置をとるものとし、これらの者で特に必要があるものについては、行政管理庁に報告するものとすること。

なお、上記昭和三十六年四月一日に3の(1)の措置をとつたものについては従前の処遇を維持するものとし、雇用予定期間が終了した場合には更新できるものとすること。

(備考)　昭和三十五年三月二十五日付閣議了解「行政機関職員定員法の取扱について」は、廃止する

○昭和三十七年度の定員外職員の定員繰入れに伴う措置について

昭三七・一・一九
閣議決定

1 昭和三十六年二月二十八日閣議決定「定員外職員の常勤化の防止について」に基づき、行政管理庁で実施した定員外職員の実態調査の結果、国家行政組織法第十九条の定員に該当するものは、昭和三十七年度の定員に繰り入れることとし、これにより定員繰入れの措置は終了したものとする。

2 上記閣議決定の2及び4に基づき、行政管理庁に報告された者で、今回の定員繰入れより除かれたものの取扱いについては、その者が国家公務員としてその職を保有している間は、なお、従前の処遇によるものとし、これらの者に支払われる俸給は、歳出予算の「常勤職員給与」の目から支給されるものとする。

3 2以外の者で定員規制から除かれた者の取扱いについては、上記閣議決定の3の(5)により必らず措置するものとする。

【行政実例】

○非常勤職員の給与について

〔照会〕 一般職の職員の給与に関する法律第二十二条第一項に定める委員顧問等に対する手当は同項に定める額の範囲内において支給されているのであるが、同一人が二以上の委員会の委員等を兼ねる場合において同日中にその者が各々の委員会において夫々の職務に従事した場合には、勤務時間の長短を問わずその委員会本来の職務を遂行したと見做してその職務相当の手当を各々の委員会において支給するのが当然かつ正当と考えられるが、此の件について至急貴見を御伺い致したい。（昭三一・五・一七 船中労人三〇 船員中央労働委員会事務局長）

〔回答〕 上記について次のとおり回答します。

記

甲委員会の委員が乙委員会の委員の官職を兼ね、同一日中に両委員会の職務に従事する場合の手当の支給については、次にかかげるように扱うべきものと解する。

一 甲委員会の委員の一日についての勤務時間（その始期と終期とが定められている場合および時間数のみが定められている場合の両者を含む。以下同じ。）が特に定められていない場合乙委員会においては、当該委員会委員としての勤務に対して定められている手当支給の基準にしたがつて手当を支給してさしつかえない。

二 甲委員会の委員の一日についての勤務時間が定められている場合

甲委員会の委員として定められている当該勤務時間中、乙委員会の委員として従事した勤務に対しては、乙委員会において手当を支給することはできない。なお、甲委員会の委員としての当該勤務時間外において、乙委員会の委員として従事した勤務に対しては、上記一の取扱いに同じ。（昭三一・六・二七 給三—二六七 給与局長）

○非常勤職員の勤務を要しない日における勤務に対する割増給与の算出法について

〔照会〕 労働基準法（昭和二十二年法律第四十九号）第三十五条に定める休日および国民の祝日に関する法律（昭和二十三年法律第百七十八号）に定める休日は、常勤職員に準じた勤務日に勤務する非常勤職員が継続して雇用される場合（雇用が継続して更新されることが予定されている場合を含む。）においては、これを、勤務を要しない日として取扱うことが至当であり、したがつて、この勤務を要しない日に勤務させた場合には、その非常勤職員が、相当期間継続して雇用される場合に限り、その者に対して平日の給与額の百分の二十五に相当する割増給与を支給するのが適当であるとされている。（昭三〇・八・二六 三四—一七三 給与局長名文書）

この場合「平日の給与額」の算出法は、労働基準法施行規則（昭和二十二年厚生省令第二十三号）第十九条第一項各号の規定による金額に当該勤務を要しない日における勤務時間数を乗じた金額としてよいか。（昭三一・一一・二二 東地一—八六二 人事院東京地方事務所長）

〔回答〕 標記については、貴見のとおりに解してさしつかえありません。（昭三一・一二・二〇 給三—四五八 人事院給与局給与第三課長）

（注）「百分の二十五」は、平成六年四月一日以降「百分の三十五」に改められた。

第二　派遣職員

【参照】
●一般職給与法運用方針一関係
●規則（九―八）二三・四四・四四の二・別表八
●規則（九―三四）六
●同運用方針その他の事項
●規則（九―四〇）一・七・一一
●同運用方針二
●規則（九―七）一の三・五・七

○国際機関等に派遣される一般職の国家公務員の処遇等に関する法律

昭四五・一二・一七
法　一　一　七

最終改正　平二一・五・二九法四一

（趣旨）
第一条　この法律は、国際協力等の目的で、国際機関、外国政府の機関等に派遣される職員（国家公務員法（昭和二十二年法律第百二十号）第二条に規定する一般職に属する職員をいう。以下同じ。）の処遇等について定めるものとする。

（職員の派遣）
第二条　任命権者（国家公務員法第五十五条第一項に規定する任命権者及び法律で別に定められた任命権者をいう。以下同じ。）は、条約その他の国際約束若しくはこれに準ずるものに基づき又は次に掲げる機関の要請に応じ、これらの機関の業務に従事させるため、部内の職員（人事院規則で定める職員を除く。）を派遣することができる。
一　わが国が加盟している国際機関
二　外国政府の機関
三　前二号に準ずる機関で、人事院規則で定めるもの
2　任命権者は、前項の規定により職員を派遣する場合には、当該職員の同意を得なければならない。

（派遣職員の身分）
第三条　前条第一項の規定により派遣された職員（以下「派遣職員」という。）は、その派遣の期間中、職員としての身分を保有するが、職務に従事しない。

第四条　任命権者は、派遣職員についてその派遣の必要がなくなつたときは、すみやかに当該職員を職務に復帰させなければならない。
2　派遣職員は、その派遣の期間が満了したときは、職務に復帰するものとする。

（派遣職員の給与）
第五条　派遣職員には、その派遣の期間中、俸給、扶養手当、地域手当、広域異動手当、研究員調整手当、住居手当及び期末手当のそれぞれ百分の百以内を支給することができる。
2　前項の規定による給与の支給に関し必要な事項は、人事院規則（派遣職員が検察官の俸給等に関する法律（昭和二十三年法律第七十六号）の適用を受ける職員である場合にあつては、同法第三条第一項に規定する準則）で定める。

㊟参照　昭四六年改正給与法（法一二一）附則第十五項

（派遣職員の業務上の災害に対する補償等）
第六条　派遣職員に関する国家公務員災害補償法（昭和二十六年法律第百九十一号）の規定の適用については、派遣先の機関の業務を公務とみなす。
2　派遣職員の派遣先の業務上の災害又は通勤による災害に対する補償に係る国家公務員災害補償法の規定による平均給与額については、同法第四条の規定にかかわらず、人事院規則で定める。
3　派遣職員の派遣先の業務上の災害又は通勤による災害に対し国家公務員災害補償法の規定による補償を行なう場合において、補償を受けるべき者が派遣先の機関等から同一の事由について当該災害に対する補償を受けたときは、国は、その価額の限度において、同法の規定による補償を行なわない。

第七条　派遣職員に関する国家公務員共済組合法（昭和三十三年法律第百二十八号）又は地方公務員等共済組合法（昭和三十七年法律第百五十二号）の規定の適用については、それぞれ派遣先の機関の業務を公務とみなす。
2　派遣職員に関する国家公務員共済組合法又は地方公務員等共済組合法の規定の適用については、派遣職員の派遣先の業務上の災害又は通勤

による災害に対して派遣先の機関等から補償が行なわれることとなつたため、前条第三項の規定により、当該災害に対する国家公務員災害補償法の規定による補償が行なわれないこととなつた場合における当該派遣先の機関等からの補償を同法の規定による補償に相当する補償とみなす。

第八条　派遣職員に関する一般職の職員の給与に関する法律（昭和二十五年法律第九十五号）第二十三条第一項又は附則第六項の規定の適用については、派遣先の機関の業務を公務とみなす。

（派遣職員に関する国家公務員退職手当法の特例）

第九条　派遣職員に関する国家公務員退職手当法（昭和二十八年法律第百八十二号）第五条第一項の規定の適用については、派遣先の機関の業務を公務とみなす。

2　派遣職員に関する国家公務員退職手当法第六条の四第一項及び第七条第四項の規定の適用については、派遣の期間は、同法第六条の四第一項に規定する現実に職務をとることを要しない期間には該当しないものとみなす。

（派遣職員に対する旅費の支給）

第十条　派遣職員には、特に必要があると認められるときは、国家公務員等の旅費に関する法律（昭和二十五年法律第百十四号）に定める赴任の例に準じ旅費を支給することができる。

（派遣職員の復帰時における処遇）

第十一条　派遣職員が職務に復帰した場合における任用、給与等に関する処遇については、部内職員との均衡を失することのないよう適切な配慮が加えられなければならない。

（人事院規則への委任）

第十二条　第二条から第四条まで及び第六条の規定の実施に関し必要な事項は、人事院規則で定める。

附　則（抄）

（施行期日）

1　この法律は、公布の日から起算して三十日を経過した日から施行する。

（経過措置）

2　この法律の施行の際現に国家公務員法第七十九条の規定に基づく人事院規則の定めるところにより休職にされ、第二条第一項各号に掲げる機関（次項及び附則第四項において「国際機関等」という。）の業務に従事している職員のうち、人事院規則で定めるものは、この法律の施行の日（以下「施行日」という。）に派遣職員となるものとする。

3　施行日前に国家公務員法第七十九条の規定に基づく人事院規則の定めるところにより休職にされ、国際機関等の業務に従事していた期間を有する者のうち、引き続き施行日において職員として在職しているもの及びこれに準ずる者で政令で定めるもの並びに次項に規定する者に該当するものの当該休職の期間（政令で定める期間に限る。）については、国家公務員退職手当法第七条第四項の規定は、適用しない。

4　施行日前に国際機関等の業務に従事するため職員を退職し、かつ、引き続き当該国際機関等の業務に従事した後、引き続いて再び職員となつた者で、政令で定めるものの国家公務員退職手当法第七条第一項の規定による在職期間の計算については、先の職員としての在職期間は、後の職員としての在職期間に引き続いたものとみなす。この場合において、施行日以後の退職による退職手当の額の計算について必要な事項は、政令で定める。

附　則（平一七・一一・七法一一五）（抄）

（施行期日）

第一条　この法律は、平成十八年四月一日から施行する。

附　則（平一八・一一・一七法一〇一）（抄）

（施行期日）

第一条　この法律は、平成十九年四月一日から施行する。

附　則（平一九・七・六法一〇八）（抄）

（施行期日）

第一条　この法律は、平成二十年十二月三十一日までの間において政令で定める日（平二〇・一二・三一）から施行する。ただし、次の各号に掲げる規定は、当該各号に定める日から施行する。

一・二　〔略〕

三　〔前略〕附則〔中略〕第二十二条〔中略〕の規定〔中略〕　公布の日から起算して二年を超えない範囲内において政令で定める日（平二一・四・一）

附　則（平二一・五・二九法四一）（抄）

（施行期日）

第一条　この法律は、公布の日から施行する。〔ただし書略〕

○人事院規則一八—〇（職員の国際機関等への派遣）

昭四五・一二・二五制定
昭四六・一・一六施行

最終改正　令四・七・一規則一八—〇—八

（派遣除外職員）

第一条　派遣法第二条第一項に規定する規則で定める職員は、次に掲げる職員とする。

一　非常勤職員

二　臨時的職員その他任期を限られた常勤職員

三　条件付採用期間中の職員

四　法第八十一条の五第一項から第四項までの規定により異動期間（これらの規定により延長された期間を含む。）を延長された管理監督職を占める職員

五　勤務延長職員

六　休職者

七　停職者

八　官民人事交流法第八条第二項に規定する交流派遣職員

九　法科大学院派遣法第四条第三項又は第十一条第一項の規定により派遣されている職員

十　福島復興再生特別措置法（平成二十四年法律第二十五号）第四十八条の三第七項又は第八十九条の三第七項に規定する派遣職員

十一　令和七年国際博覧会特措法第二十五条第七項に規定する派遣職員

十二　令和九年国際園芸博覧会特措法第十五条第七項に規定する派遣職員

十三　判事補及び検事の弁護士職務経験に関する法律（平成十六年法律第百二十一号）第二条第四項の規定により弁護士となつてその職務を行う職員

本条—令五・四・一施行

（派遣先機関）

第二条　派遣法第二条第一項第三号に規定する規則で定める機関は、次に掲げる機関とする。

一　外国の州又は自治体の機関

二　外国の学校、研究所又は病院

三　前二号に掲げるもののほか、指令で定める機関

（任命権者）

第三条　派遣法第二条第一項の規定により職員を派遣することができる任命権者（以下「任命権者」という。）には、併任に係る官職の任命権者は含まれないものとする。

本条—昭四七・五・一五施行

（派遣期間）

第四条　任命権者は、五年を超える期間を定めて職員を派遣するときは、人事院に協議しなければならない。

2　派遣の期間は、職員の同意を得て、これを更新することができる。

3　第一項の規定は、派遣の期間を更新する場合において、派遣の期間が引き続き五年を超えることとなるとき及び引き続き五年を超えて派遣されている職員の派遣の期間を更新する場合に準用する。ただし、派遣の期間が五年を経過する際に、後任者への事務引継、派遣法第二条第一項の規定により派遣された職員が従事する事業の終了の遅延等の事由により、引き続き五年を超えて派遣の期間を更新する必要がある場合であつて、当該更新によつても派遣の期間が引き続き五年三月を超えないこととなるときは、この限りでない。

本条—平一四・四・一施行

（派遣職員の保有する官職）

第五条　派遣法第二条第一項の規定により派遣された職員（第十条第一項の職員を含む。以下「派遣職員」という。）は、派遣された時（第十条第一項の職員にあつては、派遣職員となつた時）占めていた官職又はその派遣の期間中に異動した官職を保有するものとする。ただし、併任に係る官職については、この限りでない。

2　前項の規定は、当該官職を他の職員をもつて補充することを妨げるものではない。

（人事異動通知書の交付）

第六条　任命権者は、派遣法第二条第一項の規定により職員を派遣する場合、派遣職員の派遣の期間を更新する場合、派遣職員を職務に復帰させる場合又は派遣職員が派遣の期間の満了によつて職務に復帰した場合には、当該職員に規則八—一二（職員の任免）第五十八条の規定による人事異動通知書（以下「人事異動通知書」という。）を交付しなければならない。

本条—平二一・四・一施行

（派遣職員の給与）

第七条　派遣職員には、人事院の定めるところにより、その派遣先の勤務に対して報酬が支給されないとき、又は当該勤務に対して支給される

報酬の額が低いと認められるときは、その派遣の期間中、俸給、扶養手当、地域手当、広域異動手当、研究員調整手当、住居手当及び期末手当のそれぞれ百分の百以内を支給する。

2 派遣先の機関の特殊事情により、給与を支給することが著しく不適当であると人事院が認めるときは、前項の規定にかかわらず、派遣職員には給与を支給しない。

3 第一項の規定による給与は、あらかじめ職員の指定する者に対して支払うことができる。

本条—平二二・一〇・一施行

（平均給与額）

第八条 派遣法第六条第二項に規定する平均給与額は、派遣の期間（第十条第一項の職員にあつては、従前の休職の期間）の初日の属する月の前月の末日から起算して過去三月間にその職員に対して支払われた給与の総額を、その期間の総日数で除して得た金額とする。

2 前項に規定する給与の種類については、補償法第四条第二項（国際平和協力手当及びイラク人道復興支援等手当に係る部分を除く。）並びに規則一六—〇（職員の災害補償）第八条の二、第九条及び第十一条に定めるところによる。この場合において、同規則第八条の二中「補償法第四条第一項に規定する期間の」とあるのは「規則一八—〇（職員の国際機関等への派遣）第八条第一項に規定する平均給与額の算定の基礎となる期間（以下「算定基礎期間」という。）の」と、「同規則」とあるのは「規則九—二四」と、「事故発生日（負傷若しくは死亡の原因である事故の発生の日又は診断によつて疾病の発生が確定した日をいう。以下同じ。）」とあるのは「派遣法第二条第一項の規定による派遣の期間の初日の前日（以下「派遣等の前日」という。）」と、「補償法第四条第一項に規定する期間に」とあるのは「算定基礎期間に」と、「同項」とあるのは「規則一八—〇第八条第一項」と、同規則第九条中「事故発生日」とあるのは「派遣等の前日」とする。

3 前二項の規定によつてもなお平均給与額を計算することができない場合又はこれらの規定によつて計算した平均給与額が公正を欠く場合は、実施機関が人事院の承認を得て、別に平均給与額を定めるものとする。ただし、当該承認を得ていない場合において、規則一六—四（補償及び福祉事業の実施）第六条第二項（同規則第十一条の四又は第十三条において準用する場合を含む。）、同規則第十一条第二項（同規則第十一条の四において準用する場合を含む。）又は同規則第二十三条の二第三項の規定に基づく承認を得たときは、当該承認により平均給与額とされた額を平均給与額とする。

4 前三項の規定によつて計算した平均給与額に一円未満の端数を生じたときは、これを一円に切り上げるものとする。

二項—平一六・四・一施行
三項—平一四・六・二〇施行
四項—昭四八・一二・一施行

（平均給与額の特例）

第八条の二 平成二十六年四月以降の分として支給される補償法第一条に規定する補償（以下この条において「補償」という。）及び補償法第二十二条第一項に規定する福祉事業（以下この条において「福祉事業」という。）に係る平均給与額であつて、国家公務員の給与の改定及び臨時特例に関する法律（平成二十四年法律第二号）第三章の規定により減ぜられた給与を基に計算するものについては、同章の規定の適用がないものとした場合の給与を前条第一項の支払われた給与とみなして同項及び同条第二項の規定を適用して計算した額とする。

2 前項の規定は、検察官に対する補償及び福祉事業に係る平均給与額について準用する。この場合において、同項中「国家公務員の給与の改定及び臨時特例に関する法律（平成二十四年法律第二号）第三章」とあるのは「検察官の俸給等に関する法律（昭和二十三年法律第七十六号）附則第四条第一項及び同法第一条第一項の規定によりその例によることとされる国家公務員の給与の改定及び臨時特例に関する法律（平成二十四年法律第二号）第九条第二項」と、「同章」とあるのは「検察官の俸給等に関する法律附則第四条第一項及び同法第一条第一項の規定によりその例によることとされる国家公務員の給与の改定及び臨時特例に関する法律第九条第二項」と読み替えるものとする。

本条—令五・四・一施行

（報告）

第九条 派遣職員は、任命権者から求められたときは、派遣先の機関における勤務条件等について報告しなければならない。

2 任命権者は、毎年五月末日までに、前年の四月一日に始まる年度内において派遣法第二条第一項の規定により派遣した職員の派遣先機関、派遣期間及び派遣先機関における処遇等の状況並びに派遣職員で当該年度内に職務に復帰したものの復帰後の処遇等の状況を人事院に報告するものとする。

（経過措置）

第十条　派遣法附則第二項に規定する規則で定める職員は、昭和四十六年一月十五日における規則一一―四（職員の身分保障）第三条第一項第一号又は第二号に掲げる事由に該当して休職にされた職員で、条約その他の国際約束若しくはこれに準ずるものに基づく必要により、又は同法第二条第一項各号に掲げる機関の要請に応じ、国際協力のため、これらの機関の業務に従事しているものとする。

2　前項の職員の派遣の期間は、従前の休職の期間の残余の期間とする。

3　任命権者は、第一項の職員に対し、人事異動通知書により、派遣職員となつた旨をすみやかに通知しなければならない。

附　則（昭五九・一二・二五規則一八―〇―一）

この規則は、公布の日から施行する。ただし、第一条の改正規定（同条第三号を改める部分を除く。）は、昭和六十年三月三十一日から施行する。

附　則（平二二・七・二七規則一八―〇―五）（抄）

（施行期日）

第一条　この規則は、平成二十二年十月一日から施行する。

（経過措置）

第二条　この規則の施行の日（以下「施行日」という。）の前日から引き続き派遣されている職員（人事院が定める職員を除く。）に係る施行日における改正後の規則一八―〇第七条第一項の規定による給与の支給割合（以下この条において「新支給割合」という。）が、施行日の前日における改正前の規則一八―〇第七条第一項又は第二項の規定による給与の支給割合（以下この条において「旧支給割合」という。）に達しないときは、旧支給割合から新支給割合を減じた割合に次の各号に掲げる期間の区分に応じ当該各号に定める割合を乗じて得た割合を新支給割合に加えた割合を、当該職員に係る改正後の規則一八―〇第七条第一項の規定による給与の支給割合とする。

一　施行日から平成二十三年九月三十日まで　百分の百

二　平成二十三年十月一日から平成二十四年九月三十日まで　百分の七十

三　平成二十四年十月一日から平成二十五年九月三十日まで　百分の四十

第三条　施行日から平成二十三年三月三十一日までの間に、新たに派遣され、又は派遣の期間が更新された職員（人事院が定める職員を除く。）に係る当該新たに派遣され、又は派遣の期間が更新された日における改正後の規則一八―〇第七条第一項の規定による給与の支給割合（以下この条において「新支給割合」という。）が、これらの日において改正前の規則一八―〇第七条第一項又は第二項の規定を適用したとした場合におけるこれらの規定による給与の支給割合（以下この条において「旧支給割合」という。）に達しないときは、旧支給割合から新支給割合を減じた割合に次の各号に掲げる期間の区分に応じ当該各号に定める割合を乗じて得た割合を新支給割合に加えた割合を、当該職員に係る改正後の規則一八―〇第七条第一項の規定による給与の支給割合とする。

一　施行日から平成二十三年九月三十日まで　百分の百

二　平成二十三年十月一日から平成二十四年九月三十日まで　百分の七十

三　平成二十四年十月一日から平成二十五年九月三十日まで　百分の四十

附　則（平二九・五・一九規則一―七〇）（抄）

（施行期日）

1　この規則は、公布の日から施行する。

附　則（令元・五・二三規則一―七三）

この規則は、公布の日から施行する。

附　則（令二・四・一規則一八―〇―七）

この規則は、公布の日から施行する。

附　則（令二・六・一二規則一―七五）（抄）

（施行期日）

1　この規則は、公布の日から施行する。

附　則（令二・一二・二八規則一―七六）（抄）

（施行期日）

1　この規則は、公布の日から施行する。

附　則（令三・九・一規則一―七七）

この規則は、公布の日から施行する。

附　則（令四・二・一八規則一―七九）（抄）

（施行期日）

第一条　この規則は、令和五年四月一日から施行する。

附　則（令四・六・二四規則一―八一）

この規則は、公布の日から施行する。

附　則（令四・七・一規則一八―〇―八）

この規則は、公布の日から施行する。

○国際機関等に派遣される一般職の国家公務員の処遇等に関する法律および人事院規則一八―〇（職員の国際機関等への派遣）の運用について（通知）

昭四五・一二・二五 任企八八七

最終改正 令七・三・一二人企―二七八

標記について下記のとおり定めたので、通知します。

記

（派遣法関係）

第二条関係

1 この条は、国際協力等のため条約、協定、交換公文、覚書等に基づき、または国際機関等からの要請に応じて職員を派遣する場合について定めるものである。したがって、単に職員が知識の習得、資格の取得等を目的として調査、研究のため海外に赴くような場合は、この条の第一項各号に掲げる機関の業務に従事する場合であっても、派遣の対象とはならない。

2 この条の第一項の「条約その他の国際約束若しくはこれに準ずるもの」には、条約、協定、交換公文、覚書等のほか各省各庁の長又は行政執行法人（独立行政法人通則法（平成十一年法律第百三号）第二条第四項に規定する行政執行法人をいう。以下同じ。）の長と国際機関等を代表する者との間の合意も含まれる。

3 この条の第一項の「これらの機関の業務に従事させる」には、職員が同項各号に掲げる機関の組織上の地位を占めて業務を行う場合のほか、業務の遂行について所属庁又は所属する行政執行法人からの指揮監督を受けない限り、これらの機関の組織上の地位を占めることなくその業務についての助言、指導等に当たる場合も含まれる。

4 この条の第一項の規定に基づき、職員を派遣する権限は、委任することができない。

第六条関係

派遣先の機関等から同一の事由について補償を受けた場合における国家公務員災害補償法（昭和二十六年法律第百九十一号）の規定による補償については、派遣先の機関等から受けた補償を第三者から受けた損害賠償とみなして、同法第六条第二項の規定の例により取り扱うものとする。ただし、これにより難い場合は、そのつど人事院事務総長に協議して別段の取り扱いをすることができる。

（規則一八―〇関係）

第一条関係

この条の第五号の「勤務延長職員」とは、国家公務員法（昭和二十二年法律第百二十号）第八十一条の七第一項又は第二項の規定により定年退職日の翌日以降引き続いて勤務している職員をいう。

第四条関係

1 派遣の期間は、原則として派遣先の機関に赴くため住所または居所を出発する日から本邦の住所または居所に帰着する日までとする。

2 この条の第一項又は第三項の規定により人事院に協議する場合には、次に掲げる書類を提出するものとする。

(1) 次の事項を記載した協議書

イ 派遣職員の官職、氏名及び職務の級

ロ 派遣先の機関の名称及び所在地

ハ 派遣先の機関において従事する業務の内容

ニ 派遣期間の始期及び終期（更新の場合にあっては、更新前の派遣期間の始期及び終期並びに更新予定期間）

ホ 五年を超えて派遣する理由又は更新の理由

(2) その他参考となる資料

第六条関係

人事異動通知書の「異動内容」欄の記入要領は、次のとおりとする。

一 派遣する場合

「ア（イ）に派遣する

派遣の期間は○○年○月○日から○○年○月○日までとする

派遣の期間中、俸給、扶養手当、地域手当、広域異動手当、研究員調整手当、住居手当及び期末手当のそれぞれ百分の○○を支給する（又は「派遣の期間中、給与は支給しない」）」

と記入する。

㊟1 「ア」の記号をもって表示する事項は、

派遣先の機関の名称とする。以下同じ。

2　「イ」の記号をもって表示する事項は、派遣先の機関の所在地とする。以下同じ。

3　一般職の職員の給与に関する法律（昭和二十五年法律第九十五号）の適用を受けない職員の派遣の期間中の給与については、上記の例に準じて記入する。以下同じ。

二　派遣の期間を更新する場合

「派遣の期間を○○年○月○日まで更新する

更新に係る期間中、俸給、扶養手当、地域手当、広域異動手当、研究員調整手当、住居手当及び期末手当のそれぞれ百分の○○を支給する（又は「更新に係る期間中給与は支給しない」）」

と記入する。

三　職務に復帰させる場合

「職務に復帰させる」

と記入する。

四　派遣の期間が満了した場合

「職務に復帰した（○○年○月○日）」

と記入する。

第七条関係

1　この条の第一項の規定による派遣職員の給与については、別に定めるもののほか、給実甲第四四四号（派遣職員の給与の支給割合の決定等について）に定めるところによるものとする。

2　この条の第二項の「給与を支給することが著しく不適当であると人事院が認めるとき」とは、この条の第一項の規定による給与を支給することが当該職員の派遣につき著しい支障を生ずると認められる場合とする。

3　この条の第三項の規定による給与の支払を受ける者の指定は、職員の収入により生計を維持する者、親族等のうちから行うものとし、書面により届け出るものとする。

第九条関係

この条の第二項の人事院に対する報告は、別紙様式の報告書により行なうものとする。

第十条関係

人事異動通知書の「異動内容欄」には、次のように記入する。

「国際機関等に派遣される一般職の国家公務員の処遇等に関する法律（昭和四十五年法律第百十七号）附則第二項の規定により派遣職員（ア（イ）となつた（昭和○○年○月○日）

派遣の期間は○○年○月○日までとする

派遣の期間中、俸給、扶養手当、調整手当、住居手当及び期末手当のそれぞれ百分の○○を支給する（または「派遣の期間中給与は支給しない」）」

以　上

（令和四年二月一八日事企法三八）

経過措置（抄）

2　令和三年改正法附則第三条第五項に規定する旧国家公務員法勤務延長職員に対する令和四年事企法―三七による改正後の次に掲げる人事院事務総長通知の規定の適用については、これらの規定中「第八十一条の七第一項又は第二項」とあるのは、「第八十一条の七第一項若しくは第二項又は国家公務員法等の一部を改正する法律（令和三年法律第六十一号）附則第三条第五項若しくは第六項」とする。

五　「国際機関等に派遣される一般職の国家公務員の処遇等に関する法律および人事院規則一八―○（職員の国際機関等への派遣）の運用について（昭和四十五年十二月二十五日任企―八八七）」規則一八―○関係の第一条関係

別紙

派遣状況報告書

（　　枚のうち　　枚目）

令和　　年度分

1　派遣の状況

機関名

氏名	派遣時の状況		派遣先機関			派遣期間	給与支給率(%)	派遣先機関における職員の状況			JICA経由の有・無	備考
	所属部課・官職	級号俸	名称	種類	所在地			地位及び職務内容	報酬の年額	単身・家族同伴の別		
①	②	③	④	⑤	⑥	⑦	⑧	⑨	⑩	⑪	⑫	⑬
		－				～						
		－				～						
		－				～						

Ａ4

（　　枚のうち　　枚目）

2　派遣を終了した職員の状況

報告対象である派遣を終了した職員の分類は以下のとおり
(1)職　務　復　帰：　派遣期間の終期が　年３月31日から　年３月30日までの間の者
(2)職務復帰同時退職：
(3)派　遣　中　退　職：
(4)派　遣　中　死　亡：
（(2)～(4)）派遣期間の終期が　年４月１日から　年３月31日までの間の者

氏名	派遣時の状況		派遣先機関の名称	派遣期間	給与支給率(%)	派遣先機関における地位及び職務内容	派遣を終了した職員の分類	職務復帰後の状況			備考
	所属部課・官職	級号俸						職務復帰時の官職	異動後の官職	職務復帰後の給与上の処遇	
⑭	⑮	⑯	⑰	⑱	⑲	⑳	㉑	㉒	㉓	㉔	㉕
		－		～							
		－		～							
		－		～							

3　令和　　年度末現在派遣職員総数　　　　名

作成者官職・氏名

Ａ4

（記入要領）

1　報告に係る年度内に派遣した職員については「1　派遣の状況」に、当該年度内に派遣を終了した職員については「2　派遣を終了した職員の状況」に、それぞれ記入するものとする。

2　③欄及び⑯欄には、「行㈠ 3－5」のように記入する。

3　④欄及び⑰欄には、派遣先機関から外国政府等に派遣されているような場合には、「FAO（タイ国政府）」等と記入する。

4　⑤欄には、派遣先機関が派遣法第二条第一項第一号若しくは第二号又は規則一八―〇第二条各号のいずれに該当するものであるかについて、「法二号」、「規二号」等と記入する。

5　⑥欄には、派遣先機関の所在地の国名及び都市名を記入し、勤務地が派遣先機関の所在地と異なるときは、勤務地について記入する。

6　⑨欄及び⑳欄には、「○○所長」、「○○官」等と記入し、併せて主たる業務内容について略記する。

7　⑩欄には、報酬の年額を、支給されている通貨を単位として記入する。

8　⑪欄には、単身の場合は「単身」と、家族一部同伴の場合は「一部（妻・子1人）」等と、家族全員同伴の場合は「全部（妻・子2人）」等と記入する。

9　㉑欄には、派遣終了後の職員の分類について、〈報告対象〉の「(1)」から「(4)」までのいずれかを記入する。

10　㉓欄には、職務復帰後最初に異動した場合の異動後の官職の名称及び異動年月日を記入する。

11　㉔欄には、職務復帰後において昇格、昇給等の措置を行った場合、その措置の内容を「復職時調整（3－8）」等と記入する。

12　派遣の期間中に一般職の職員の給与に関する法律附則第八項の規定の適用を受けることとなった職員については、⑬欄又は㉕欄に「　年　月　日給与法附則第八項適用」等と記入する。

以　上

○派遣職員の給与の支給割合の決定等について（通知）

昭五〇・四・一
給実甲四四四

最終改正　令六・一・一二給実甲一三二三

国際機関等に派遣される一般職の国家公務員の処遇等に関する法律（昭和四十五年法律第百十七号）第二条第一項の規定に基づき派遣された職員（以下「派遣職員」という。）の人事院規則一八—〇（職員の国際機関等への派遣）（以下「規則一八—〇」という。）第七条第一項の規定による派遣の期間中の給与の支給割合の決定等について、下記により実施することができることとしたので通知します。

記

第一　規則一八—〇第七条第一項関係

1　行政職俸給表(一)の適用を受ける日本国外に在勤する派遣職員には、その派遣先の勤務に対して報酬（報酬、賃金、給料、俸給、手当、賞与その他いかなる名称であるかを問わず、派遣先の勤務の対償として受ける全てのものをいい、通勤手当、在宅勤務等手当、特殊勤務手当、超過勤務手当、休日給、夜勤手当、宿日直手当及び管理職員特別勤務手当に相当するものを除く。以下同じ。）が支給されない場合又はその派遣先の勤務に対して支給される報酬の年額（以下「報酬年額」という。）が、外務公務員俸給等年額（当該派遣職員が派遣の期間の初日（以下「派遣日」という。）の属する月の初日から在外公館に勤務する外務公務員であるとした場合に支給されることとなる俸給及び扶養手当の月額を基礎として算定した俸給、扶養手当、期末手当、勤勉手当、在勤基本手当、住居手当及び配偶者手当の年額をいう。以下同じ。）に満たない場合には、その派遣の期間中、俸給、扶養手当、地域手当、広域異動手当、研究員調整手当、住居手当及び期末手当（以下「俸給等」という。）のそれぞれ百分の百以内を支給する。

2　前項の規定により支給される俸給等の支給割合を決定するに当たっては、決定された支給割合により支給されることとなる俸給等の年額が、外務公務員俸給等年額から報酬年額を減じた額（派遣先の勤務に対して報酬が支給されない場合にあっては、外務公務員俸給等年額）を超えてはならない。

3　行政職俸給表(一)以外の俸給表の適用を受ける日本国外に在勤する派遣職員には、前二項の基準に準ずる基準としてあらかじめ事務総長と協議して定めるものに従い、その派遣の期間中、俸給等のそれぞれ百分の百以内を支給する。ただし、当該基準が定められるまでの間における支給については、あらかじめ個別に事務総長と協議して行うものとする。

4　日本国内に在勤する派遣職員には、その派遣先の勤務に対して報酬が支給されない場合又は報酬年額が、派遣前給与年額（派遣日の前日において受けていた俸給、俸給の特別調整額、本府省業務調整手当、初任給調整手当、専門スタッフ職調整手当、扶養手当、地域手当、広域異動手当、研究員調整手当及び住居手当の月額を基礎として算定したこれらの給与並びに期末手当及び勤勉手当の年額をいう。以下同じ。）に満たない場合には、その派遣の期間中、俸給等のそれぞれ百分の百以内を支給する。

5　前項の規定により支給される俸給等の支給割合を決定するに当たっては、決定された支給割合により支給されることとなる俸給等の年額が、派遣前給与年額から報酬年額を減じた額（派遣先の勤務に対して報酬が支給されない場合にあっては、派遣前給与年額）を超えてはならない。

6　外務公務員俸給等年額又は派遣前給与年額の算定に当たっては、派遣職員が、一般職の職員の給与に関する法律（昭和二十五年法律第九十五号。以下「給与法」という。）第八条第六項の規定により標準号俸数（同条第七項に規定する人事院規則で定める基準において当該派遣職員に係る標準となる号俸数をいう。）を昇給するものとし、人事院規則九—四〇（期末手当及び勤勉手当）第十三条第一項第一号ハ（専門スタッフ職俸給表の適用を受ける職員にあっては同項第二号ハ、指定職俸給表の適用を受ける職員にあっては同項第三号ロ）に掲げる職員であるものとする。

7　第一項から第五項までの規定の適用に当たって、派遣先の勤務に対して支給される報酬の額が外国通貨をもって定められている場合には本邦通貨に換算するものとし、この場合における換算は、派遣日の前日の為替相場によるものとする。

8　規則一八―〇第四条第二項の規定により派遣の期間を更新される派遣職員の更新の日以後の給与の支給割合は、当該更新の日を派遣日とみなし、前各項の規定により再決定するものとする。

9　第一項から第七項までの規定により決定され、又は前項の規定により再決定された給与の支給割合は、派遣の期間中は変更しないものとする。ただし、次の各号に掲げる額が著しく変動した場合において、特に必要があると認められるときは、その日を派遣日とみなし、第一項から第七項までの規定により当該支給割合を再決定するものとする。

一　派遣先の勤務に対して支給される報酬の額

二　支給割合の算定の基礎とされた在勤基本手当の月額

10　第一項から第七項までの規定により決定され、又は第八項若しくは前項の規定により再決定される給与の支給割合は、百分の一未満の端数があってはならないものとする。

第二　その他

1　日本国外に在勤する派遣職員が次に掲げる職員となった場合には、当分の間、第一の第八項及び第九項の規定にかかわらず、これらの職員となった日を派遣日とみなし、給与の支給割合を第一の第一項から第三項まで、第六項及び第七項の規定により再決定するものとする。

一　給与法附則第八項の規定の適用を受ける職員となった場合

二　在外公館に勤務する外務公務員であるとした場合に給与法附則第八項の規定の適用を受ける職員となった場合（行政職俸給表㈠又は指定職俸給表の適用を受ける職員に限る。）

2　日本国内に在勤する派遣職員が前項第一号に掲げる職員となった場合には、当分の間、第一の第八項及び第九項の規定にかかわらず、当該職員となった日を派遣日の前日とみなし、給与の支給割合を第一の第四項から第七項までの規定により再決定するものとする。

3　前二項の規定により支給割合を再決定された派遣職員に対する第一の第九項及び第十項の規定の適用については、第一の第九項中「前項」とあるのは「前項若しくは第二の第一項若しくは第二項」と、第一の第十項中「若しくは前項」とあるのは「、前項若しくは第二の第一項若しくは第二項」とする。

4　前三項の規定により、給与の支給割合を再決定することとなった職員（当該再決定をすることとなった日において規則一八―〇第四条第二項の規定により派遣の期間を更新され、規則一八―〇第六条の規定により人事異動通知書が交付される職員を除く。）に対しては、人事異動通知書又はこれに代わる文書（以下この項において「通知書等」という。）により支給される給与の支給割合又は給与を支給しない旨を通知するものとする。ただし、通知書等の交付によらないことを適当と認める場合には、適当な方法をもって通知書等の交付に代えることができる。

5　前項の規定による通知において、人事異動通知書を用いて通知する場合の「異動内容」欄には、「　年　月　日以後、派遣の期間中、俸給、扶養手当、地域手当、広域異動手当、研究員調整手当、住居手当及び期末手当の支給割合をそれぞれ百分の　とする（又は「　年　月　日以後、派遣の期間中、給与は支給しない」）」と記入するものとする。

6　特別の事情によりこの通達の規定によることができない場合又はこの通達の規定によることが著しく不適当であると認められる場合には、あらかじめ個別に事務総長に協議して、別段の取扱いをすることができる。この場合には、次の各号に掲げる事項を記載した協議書を提出するものとし、必要に応じ関係資料を添付するものとする。

一　派遣職員の官職、氏名、職務の級及び号俸並びに扶養親族の数及び続柄等

二　派遣先の機関の名称及び所在地

三　派遣先の勤務に対して支給される報酬の額

四　希望する給与の支給割合（給与を支給しないことを希望する場合には、その旨）及び協議の理由

五　その他参考となる事項（独立行政法人国際協力機構（ＪＩＣＡ）を経由する場合には、その旨を明記すること。）

7　この通達の規定による給与の支給割合の決定等については、その過程を明確にして行うとともに、その内容を適切に把握しておくものとする。

以　上

第三　勤務延長及び再任用職員

【参照】
●国公法八一の二～八一の五
●一般職勤務時間法五

○人事院規則一一―八（職員の定年）

令四・一一・一八制定
令五・四・一施行

最終改正　令六・三・二九規則一一―八―五三

（趣旨）
第一条　この規則は、職員の定年に関し必要な事項を定めるものとする。

（定年の特例）
第二条　法第八十一条の六第二項ただし書の人事院規則で定める職員は、次に掲げる施設等に勤務し、医療業務に従事する医師及び歯科医師（第四号及び第五号に掲げる施設等にあっては、人事院が定める医師又は歯科医師に限る。）とする。

一　刑務所、少年刑務所、拘置所、少年院又は少年鑑別所
二　入国者収容所又は地方出入国在留管理局
三　国立ハンセン病療養所
四　地方厚生局又は地方厚生支局
五　国の行政機関の内部部局（これに相当するものを含む。）に置かれた医療業務を担当する部署

2　法第八十一条の六第二項ただし書の人事院規則で定める年齢は、年齢七十年とする。

（勤務延長に係る任命権者）
第三条　法第八十一条の七に規定する任命権者には、併任に係る官職の任命権者は含まれないものとする。

（勤務延長ができる事由）
第四条　法第八十一条の七第一項第一号の人事院規則で定める事由は、業務の性質上、当該職員の退職による担当者の交替により当該業務の継続的遂行に重大な障害が生ずることとする。

2　法第八十一条の七第一項第二号の人事院規則で定める事由は、職務が高度の専門的な知識、熟達した技能若しくは豊富な経験を必要とするものであるため、又は勤務環境その他の勤務条件に特殊性があるため、当該職員の退職により生ずる欠員を容易に補充することができず業務の遂行に重大な障害が生ずることとする。

（勤務延長に係る職員の同意）
第五条　任命権者は、勤務延長（法第八十一条の七第一項の規定により職員を引き続き勤務させることをいう。以下同じ。）を行う場合及び勤務延長の期限（同項の期限又は同条第二項の規定により延長された期限をいう。以下同じ。）を延長する場合には、あらかじめ職員の同意を得なければならない。

（勤務延長の期限の繰上げ）
第六条　任命権者は、勤務延長の期限の到来前に当該勤務延長の事由が消滅した場合は、職員の同意を得て、当該勤務延長の期限を繰り上げるものとする。

（勤務延長職員の併任の制限）
第七条　任命権者は、勤務延長職員（法第八十一条の七第一項又は第二項の規定により引き続き勤務している職員をいう。以下同じ。）が従事している職務の遂行に支障がないと認められる場合を除き、勤務延長職員を併任することができない。

（勤務延長に係る他の任命権者に対する通知）
第八条　任命権者は、勤務延長を行う場合、勤務延長の期限を延長する場合及び勤務延長の期限を繰り上げる場合において、職員が任命権者を異にする官職に併任されているときは、当該併任に係る官職の任命権者にその旨を通知しなければならない。

（定年に達している者の任用の制限）
第九条　任命権者は、採用しようとする官職に係る定年に達している者を、当該官職に採用することができない。ただし、かつて職員であった者で、任命権者の要請に応じ、引き続き特別職に属する職、地方公務員の職、沖縄振興開発金融公庫に属する職その他これらに準ずる職で人事院が定めるものに就き、引き続いてこれらの職に就いているもの（これらの職のうち一の職から他の職に一回以上引き続いて異動した者を含む。）を、当該官職に係る定年退職日（法第八十一条の六第一項に規定する定年退職日をいう。次項及び第十一条において同じ。）以前に採用する場合は、この限りでない。

2　任命権者は、昇任し、降任し、又は転任しようとする官職に係る定年に達している職員を、当該官職に係る定年退職日後に、当該官職に昇任し、降任し、又は転任することができない。ただし、次に掲げる場合は、この限りでない。
一　勤務延長職員を、法令の改廃による組織の変更等により、勤務延長に係る官職の業務と同一の業務を行うことをその職務の主たる内容とする官職に昇任し、降任し、又は転任する場合
二　退職をする職員を、人事管理上の必要性に鑑み、当該退職の日に限り臨時的に置かれる官職に転任する場合

（人事異動通知書の交付）
第十条　任命権者は、次の各号のいずれかに該当する場合には、職員に規則八―一二（職員の任免）第五十八条の規定による人事異動通知書（以下この条において「人事異動通知書」という。）を交付しなければならない。ただし、第一号又は第六号に該当する場合のうち、人事異動通知書の交付によらないことを適当と認めるときは、人事異動通知書に代わる文書の交付その他適当な方法をもって人事異動通知書の交付に代えることができる。
一　職員が定年退職（法第八十一条の六第一項の規定により退職することをいう。）をする場合
二　勤務延長を行う場合
三　勤務延長の期限を延長する場合
四　勤務延長の期限を繰り上げる場合
五　勤務延長職員を昇任し、降任し、又は転任したことにより、勤務延長職員ではなくなった場合
六　勤務延長の期限の到来により職員が当然に退職する場合

（職員への周知）
第十一条　任命権者（法第五十五条第一項に規定する任命権者及び法律で別に定められた任命権者に限る。次条において同じ。）は、部内の職員に係る定年及び定年退職日を適当な方法によって職員に周知させなければならない。

（報告）
第十二条　任命権者は、法第八十一条の六第一項の規定による指定を行った場合（指定の内容を変更した場合を含む。）には、速やかに当該指定の内容を人事院に報告しなければならない。
2　任命権者は、第九条第二項ただし書（第一号に係る部分に限る。）の規定による昇任、降任又は転任を行った場合には、速やかに当該昇任、降任又は転任の内容を人事院に報告しなければならない。
3　任命権者は、毎年五月末日までに、次に掲げる事項を人事院に報告しなければならない。
一　前年度に定年に達した職員に係る勤務延長（法第八十一条の七第一項ただし書の規定による人事院の承認を得たものを除く。）の事由及び期限の状況
二　前年度に勤務延長の期限が到来した職員（行政執行法人の職員に限る。）に係る法第八十一条の七第二項の規定による期限の延長の状況

（雑則）
第十三条　この規則に定めるもののほか、職員の定年の実施に関し必要な事項は、人事院が定める。

附　則（抄）

（施行期日）
第一条　この規則は、令和五年四月一日から施行する。

（令和五年四月一日から令和十三年三月三十一日までの間における令和三年改正法による改正前の法第八十一条の二第二項各号に掲げる職員に相当する職員の定年等）
第二条　法附則第八条第二項の人事院規則で定める職員は、次に掲げる施設等に勤務し、医療業務に従事する医師及び歯科医師とする。
一　病院又は診療所
一の二　国立児童自立支援施設
二　刑務所、少年刑務所、拘置所、少年院又は少年鑑別所
三　入国者収容所又は地方出入国在留管理局
四　検疫所又は国立障害者リハビリテーションセンター自立支援局の総合相談支援部若しくは国立保養所
五　国立ハンセン病療養所
六　地方厚生局又は地方厚生支局
七　環境調査研修所
八　国の行政機関の内部部局（これに相当するものを含む。）に置かれた医療業務を担当する部署（第一号に掲げるものを除く。）
九　前各号に掲げるもののほか、医療業務を担当する部署のある施設等
2　法附則第八条第二項の規定により読み替えて適用する法第八十一条の六第二項ただし書の人事院規則で定める職員は、前項に規定する職員のうち、同項第二号、第三号、第五号、第六号及び第八号に掲げる施設等に勤務し、医療業務に従事する医師及び歯科医師（同項第六号及び第八号に掲げる施設等にあっては、人事院が定める医師又は歯科医師に限る。）とする。
3　法附則第八条第二項の規定により読み替えて適用する法第八十一条の六第二項ただし書の人事院規則で定める年齢は、次の各号に掲げる期間の区分に応じ、それぞれ当該各号に定める年齢とする。

一　令和七年四月一日から令和九年三月三十一日まで
　年齢六十七年
二　令和九年四月一日から令和十一年三月三十一日まで
　年齢六十八年
三　令和十一年四月一日から令和十三年三月三十一日まで　年齢六十九年

4　法附則第八条第三項の人事院規則で定める職員は、次に掲げる職員であって給与法に規定する行政職俸給表(二)の適用を受ける職員とする。
一　守衛、巡視等の監視、警備等の業務に従事する職員
二　用務員、労務作業員等の庁務又は労務に従事する職員

5　法附則第八条第四項の人事院規則で定める職員は、次の各号に掲げる期間の区分に応じ、それぞれ当該各号に定める職員とする。
一　令和五年四月一日から令和七年三月三十一日まで
　附則別表の各項職員の欄に掲げる職員
二　令和七年四月一日から令和九年三月三十一日まで
　附則別表の二の項及び三の項職員の欄に掲げる職員
三　令和九年四月一日から令和十三年三月三十一日まで
　附則別表の三の項職員の欄に掲げる職員

6　法附則第八条第四項又は第五項の規定により読み替えて適用する法第八十一条の六第二項本文の人事院規則で定める年齢は、附則別表職員の欄に掲げる職員の区分に応じ、それぞれ同表年齢の欄に掲げる年齢とする。

（令和三年改正法附則第三条第六項の規定による勤務についての準用）
第三条　第三条、第五条から第八条まで、第九条第二項、第十条並びに第十二条第二項及び第三項（第二号に係る部分に限る。）の規定は、国家公務員法等の一部を改正する法律（令和三年法律第六十一号。次条において「令和三年改正法」という。）附則第三条第六項の規定による勤務について準用する。

（令和三年改正法附則第三条第九項の人事院規則で定める官職及び職員等）
第四条　令和三年改正法附則第三条第九項の人事院規則で定める官職は、次に掲げる官職のうち、当該官職が基準日の前日に設置されていたものとした場合において、基準日における新国家公務員法定年が基準日の前日における新国家公務員法定年（同日が令和五年三月三十一日である場合には、旧国家公務員法第八十一条の二第二項に規定する定年に準じた年齢）を超える官職（当該官職に係る定年が新国家公務員法第八十一条の六第二項本文に規定する定年である官職に限る。）とする。
一　基準日以後に新たに設置された官職
二　基準日以後に法令の改廃による組織の変更等により名称が変更された官職

2　令和三年改正法附則第三条第九項の人事院規則で定める職員は、前項に規定する官職が基準日の前日に設置されていたものとした場合において、同日における当該官職に係る新国家公務員法定年（同日が令和五年三月三十一日である場合には、旧国家公務員法第八十一条の二第二項に規定する定年に準じた年齢）に達している職員とする。

3　第九条第二項ただし書及び第十二条第二項の規定は、令和三年改正法附則第三条第九項の規定により昇任し、降任し、又は転任することができない場合について準用する。

（雑則）
第五条　前三条に規定するもののほか、この規則の施行に関し必要な経過措置は、人事院が定める。

附則別表（附則第二条第五項及び第六項関係）

項	職員	年齢
一	事務次官（外交領事事務に従事する職員で人事院が定めるものを除く。以下この表において同じ。） 外局（国家行政組織法（昭和二十三年法律第百二十号）第三条第三項の庁に限る。以下この表において同じ。）の長官 会計検査院事務総長 会計検査院事務総局次長 人事院事務総長 内閣衛星情報センター所長 内閣審議官のうち、その職務と責任が事務次官又は外局の長官に相当するものとして人事院が定めるもの 内閣法制次長 内閣府審議官 地方創生推進事務局長 知的財産戦略推進事務局長 科学技術・イノベーション推進事務局長 公正取引委員会事務総長 警察庁長官 警察庁次長 警視総監 カジノ管理委員会事務局長 金融国際審議官 消費者庁長官 こども家庭庁長官 デジタル審議官 総務審議官 外務審議官（外交領事事務に従事する職員で人事院が定めるものを除く。） 財務官 文部科学審議官 厚生労働審議官 医務技監 農林水産審議官 経済産業審議官 技監 国土交通審議官 地球環境審議官 原子力規制庁長官	六十二年
二	研究所、試験所等の副所長（これに相当する職員を含む。）で人事院が定めるもの 宮内庁の職員のうち、次に掲げる職員 一　内舎人、上皇内舎人及び東宮内舎人 二　式部副長（人事院が定めるも	六十三年

	のを除く。）及び式部官 三　鷹師長及び鷹師 四　主膳長及び副主膳長 皇宮警察学校教育主事 在外公館に勤務する職員（給与法に規定する行政職俸給表㈠又は指定職俸給表の適用を受ける職員に限る。）及び外務省本省に勤務し、外交領事事務に従事する職員で人事院が定めるもの 海技試験官 原子力規制委員会の職員のうち、次に掲げる職員 一　上席原子力防災専門官 二　原子力防災専門官 三　原子力艦放射能調査専門官 四　上席放射線防災専門官 五　統括核物質防護対策官 六　主任安全審査官 七　主任監視指導官 八　原子力運転検査官 九　主任原子力専門検査官 十　原子力専門検査官	
三	研究所、試験所等の長で人事院が定めるもの 迎賓館長 宮内庁の職員のうち、次に掲げる職員 一　宮内庁次長 二　女嬬、上皇女嬬及び東宮女嬬 三　式部副長（人事院が定めるものに限る。） 四　首席楽長、楽長及び楽長補 五　修補師長及び修補師長補 六　主厨長及び副主厨長 金融庁長官 国税不服審判所長	六十五年

	海難審判所の審判官及び理事官 運輸安全委員会事務局の船舶事故及びその兆候に関する調査に従事する事故調査官で人事院が定めるもの 原子力規制委員会の職員のうち、次に掲げる職員 一　地域原子力規制総括調整官 二　上席安全審査官 三　安全規制調整官 四　首席原子力専門検査官 五　統括監視指導官 六　上席原子力専門検査官 七　上席監視指導官 八　統括原子力運転検査官 九　教官 十　上席指導官	

附　則（令六・三・二九規則一一―八―五三）

この規則は、令和六年四月一日から施行する。

○定年制度の運用について（通知）

令四・二・一八
給　生―一五

最終改正　令七・四・一給生―四〇

国家公務員法（昭和二十二年法律第百二十号。以下「法」という。）第八十一条の六、第八十一条の七及び附則第八条、国家公務員法等の一部を改正する法律（令和三年法律第六十一号。以下「令和三年改正法」という。）附則第三条第六項、第九項及び第十一項並びに人事院規則一一―八（職員の定年）（以下「規則」という。）の運用について下記のとおり定めたので、令和五年四月一日以降は、これによってください。

なお、これに伴い、「定年制度の運用について（昭和五十九年七月二日任企―一一九）」は廃止します。

記

第一　定年退職関係

1　法第八十一条の六第一項の「定年に達した日」とは、その職員の定年に係る誕生日の前日をいう。

2　法第八十一条の六第一項の規定により、職員（同条第三項に規定する職員を除く。以下同じ。）は、法第八十一条の七第一項又は第二項の規定により引き続いて勤務する場合を除き、定年退職日の終了まで職員としての身分を保有し、定年退職日の終了とともに当然に退職する。

3　法第八十一条の六第一項に規定する指定の権限は、委任することができない。

4　法第八十一条の六第三項の「臨時的職員その他の法律により任期を定めて任用される職員」には、人事院規則八―一二（職員の任免）第四十二条第二項の規定により任期を定めて任用される職員は含まれない。

5　併任されている職員の定年退職は、本務に係る官職に基づき行うものとする。

6　規則第二条第一項の「医師及び歯科医師」とは、医師法（昭和二十三年法律第二百一号）第二条の規定による医師の免許を有する職員及び歯科医師法（昭和二十三年法律第二百二号）第二条の規定による歯科医師の免許を有する職員をいう。

7　規則第二条第一項第五号の「医療業務を担当する部署」とは、各府省の診療室等をいう。

第二　勤務延長関係

1　規則第四条各項で定める事由に該当するか否かの判断は、本務に係る官職について行うものとする。

2　勤務延長を行う場合及び勤務延長の期限を延長する場合の期限は、当該勤務延長の事由に応じた必要最小限のものでなければならない。

3　規則第四条第一項で定める事由には、例えば、次に掲げるような場合が該当する。

一　定年退職することとなる職員が担当している重要な案件に係る業務の継続性を確保するため、その職員を引き続き任用する特別の必要性が認められる場合

二　定年退職することとなる職員が大規模な研究プロジェクトにおいて重要な役割を果たしているため、その職員の退職により当該研究の完成が著しく遅延するなどの重大な障害が生ずる場合

4　規則第四条第二項で定める事由には、例えば、次に掲げるような場合が該当する。

一　定年退職することとなる職員が習得に相当の期間を要する熟練した技能等を要する職務に従事しているため、その職員の後任を容易に得ることができず、業務の遂行に重大な支障が生ずる場合

二　定年退職することとなる職員が離島その他のへき地にある官署等に勤務しているため、その職員の退職による欠員を容易に補充することができず、業務の遂行に重大な支障が生ずる場合

5　休職、派遣等により職員としての身分を保有するが職務に従事しないこととされている職員については、勤務延長を行うことができない。

6　法第八十一条の七第一項ただし書の人事院の承認を得ようとする場合には、次に掲げる事項を記載した申請書及び勤務延長を行おうとする職員の人事記録の写しを提出するものとする。この場合において、当該申請書については、別紙第1を参考に、適宜の様式によるものとする。

一　勤務延長を行おうとする職員の氏名及び年齢

二　勤務延長を行おうとする職員の所属部局、官職、職務の級及び号俸

三　勤務延長を行おうとする職員の定年及び定年退職日

四　勤務延長を行おうとする職員が占めている管理監督職に係る管理監督職勤務上限年齢及び延長前の異動期間の末日

五　延長された異動期間の延長理由及びその延長の根拠条項

六　勤務延長を行おうとする職員が現に従事している職務の内容

七　勤務延長を行おうとする理由、その延長の根拠条項及び勤務延長を行った場合の期限

八　その他参考となる事項

7　法第八十一条の七第二項の人事院の承認を得ようとする場合には、次に掲げる事項を記載した申請書及び勤務延長の期限を延長しようとする職員の人事記録の写しを提出するものとする。この場合において、当該申請書については、別紙第二を参考に、適宜の様式によるものとする。

一　勤務延長の期限を延長しようとする職員の氏名及び年齢

二　勤務延長の期限を延長しようとする職員の所属部局、官職、職務の級及び号俸

三　勤務延長の期限を延長しようとする職員の定年及び定年退職日

四　勤務延長の期限を延長しようとする職員が現に従事している職務の内容

五　現在の勤務延長の理由、その延長の根拠条項及び期限

六　勤務延長の期限を延長しようとする理由、その延長の根拠条項及び勤務延長の期限を延長した場合の期限

七　その他参考となる事項

8　勤務延長を行う場合及び勤務延長の期限を延長する場合の規則第五条の規定による職員の同意並びに勤務延長の期限を繰り上げる場合の規則第六条の規定による職員の同意を得る手続は、それぞれ、定年退職日、勤務延長の期限の到来の日又は勤務延長の期限を繰り上げようとする日に近接する適切な時期に、書面により（書面によらないことを適当と認める場合には、これに代わる適当な方法により）、行うものとする。

9　勤務延長職員は、昇任し、降任し、又は転任しようとする官職に係る定年退職日以前に、当該官職に昇任し、降任し、又は転任することにより、勤務延長されていない職員となる。

第三　定年に達している者の任用の制限関係

1　規則第九条第一項の「これらに準ずる職で人事院が定めるもの」は、次に掲げる法人に属する職とする。

一　国家公務員退職手当法施行令（昭和二十八年政令第二百十五号）第九条の二各号に掲げる法人

二　国家公務員退職手当法施行令第九条の四各号に掲げる法人（沖縄振興開発金融公庫及び前号に掲げる法人を除く。）

三　特別の法律の規定により国家公務員退職手当法（昭和二十八年法律第百八十二号）第七条の二の規定の適用について同条第一項に規定する公庫等職員とみなされる者を使用する法人

2　規則第九条第二項ただし書第二号に掲げる場合には、退職手当の支給の都合により転任する場合が該当する。

第四　人事異動通知書の交付関係

1　規則第十条の規定により人事異動通知書を交付する場合の「異動内容」欄の記入要領は、次のとおりとする。ただし、これによっては特に支障のある場合には、これによらないことができる。

一　職員が定年退職する場合

「国家公務員法第八十一条の六第一項の規定により　年　月　日限り定年退職」

と記入する。

二　勤務延長を行う場合

「　年　月　日まで勤務延長する」

と記入する。

三　勤務延長の期限を延長する場合

「勤務延長の期限を　年　月　日まで延長する」

と記入する。

四　勤務延長の期限を繰り上げる場合

「勤務延長の期限を　年　月　日に繰り上げる」

と記入する。

五　勤務延長職員が昇任し、降任し、又は転任し、勤務延長職員ではなくなった場合

「勤務延長されていない職員となった」

と記入する。

六　勤務延長の期限の到来により勤務延長職員が当然に退職する場合

「国家公務員法第八十一条の七アの規定による勤務延長の期限の到来により　年　月　日限り退職」

と記入する。

注　「ア」の記号をもって表示する事項は、勤務延長の期限の到来に係る根拠となる条項とする。

2　前項に定めるもののほか、規則第十条の規定により交付する人事異動通知書の様式、記載事項等については、「人事異動通知書の様式及び記載事項等について（昭和二十七年六月一日一三―七九九）」の規定によるものとする。

第五　規則附則関係

1　規則附則第二条第一項及び第二項の「医師及び歯科医師」とは、第一の第六項に規定する職員をいう。

2　規則附則第二条第一項第八号及び第九号の「医療業務を担当する部署」とは、第一の第七項に規定する部署をいう。

3　規則附則第二条第四項に定める職員は、人事院規則九―八（初任給、昇格、昇給等の基準）別表第二の行政職俸給表(二)初任給基準表の備考第一項第二号に掲げる労務職員(甲)及び同項第三号に掲げる労務職員(乙)の区分に属する職員である。

4　規則附則別表の二の項職員の欄中「研究所、

試験所等の副所長（これに相当する職員を含む。）で人事院が定めるもの」は、次に掲げる職員とする。

一　国立医薬品食品衛生研究所副所長

二　国立保健医療科学院次長

5　規則附則別表の三の項職員の欄中「研究所、試験所等の長で人事院が定めるもの」は、次に掲げる職員とする。

一　科学警察研究所長

二　消防大学校消防研究センター所長

三　国立医薬品食品衛生研究所の所長及び安全性生物試験研究センター長

四　国立保健医療科学院長

五　国立社会保障・人口問題研究所長

六　国立障害者リハビリテーションセンターの総長、自立支援局長及び研究所長

七　環境調査研修所国立水俣病総合研究センター所長

6　第二の第二項、第五項及び第七項から第九項まで、第三の第二項並びに第四の規定は、令和三年改正法附則第三条第六項の規定による勤務について準用する。この場合において、別紙第2中「国家公務員法第八十一条の七第二項」とあるのは、「国家公務員法等の一部を改正する法律（令和三年法律第六十一号）附則第三条第六項」とする。

7　規則附則第四条第三項の規定により準用する規則第九条第二項ただし書第二号に掲げる場合には、第三の第二項に規定する場合が該当する。

8　規則附則第四条第三項の規定により準用する規則第九条第二項ただし書の規定により昇任し、降任し、又は転任した令和三年改正法附則第三条第九項の規定の適用を受ける職員は、第二の第九項の規定にかかわらず、勤務延長されていない職員とはならない。

以　上

別紙　〔略〕

○人事院規則八―二一（年齢六十年以上退職者等の定年前再任用）

令四・二・一八制定
令五・四・一施行

（総則）

第一条　この規則は、法第六十条の二第一項に規定する年齢六十年以上退職者及び同項に規定する自衛隊法による年齢六十年以上退職者（次条第二項において「年齢六十年以上退職者等」と総称する。）の定年前再任用（法第六十条の二第一項の規定により採用することをいう。以下同じ。）に関し必要な事項を定めるものとする。

第二条　定年前再任用を行うに当たっては、法第二十七条に定める平等取扱いの原則、法第二十七条の二に定める人事管理の原則及び法第三十三条に定める任免の根本基準並びに法第五十五条第三項の規定に違反してはならない。

2　年齢六十年以上退職者等が法第百八条の二第一項に規定する職員団体の構成員であったことその他法第百八条の七に規定する事由を理由として定年前再任用に関し不利益な取扱いをしてはならない。

（定年前再任用希望者に明示する事項及び定年前再任用希望者の同意）

第三条　任命権者は、定年前再任用を行うに当たっては、あらかじめ、定年前再任用をされることを希望する者（以下この条及び次条におい

て「定年前再任用希望者」という。）に次に掲げる事項を明示し、その同意を得なければならない。当該定年前再任用希望者の定年前再任用までの間に、明示した事項の内容を変更する場合も、同様とする。

一　定年前再任用を行う官職に係る職務内容
二　定年前再任用を行う日
三　定年前再任用に係る勤務地
四　定年前再任用をされた場合の給与
五　定年前再任用をされた場合の一週間当たりの勤務時間
六　前各号に掲げるもののほか、任命権者が必要と認める事項

（定年前再任用の選考に用いる情報）

第四条　法第六十条の二第一項の人事院規則で定める情報は、定年前再任用希望者についての次に掲げる情報とする。

一　能力評価及び業績評価の全体評語その他勤務の状況を示す事実に基づく従前の勤務実績
二　定年前再任用を行う官職の職務遂行に必要とされる経験又は資格の有無その他定年前再任用を行う官職の職務遂行上必要な事項

（指定職に準ずる行政執行法人の官職）

第五条　法第六十条の二第一項の人事院規則で定める官職は、行政執行法人の官職であってその職務と責任が給与法に規定する指定職俸給表の適用を受ける職員が占める官職に相当するもののうち人事院が定める官職とする。

（人事異動通知書の交付）

第六条　任命権者は、次の各号のいずれかに該当する場合には、職員に規則八—一二（職員の任免）第五十八条の規定による人事異動通知書（以下この条において「人事異動通知書」という。）を交付しなければならない。ただし、第二号に該当する場合のうち、人事異動通知書の交付によらないことを適当と認めるときは、人事異動通知書に代わる文書の交付その他適当な方法をもって人事異動通知書の交付に代えることができる。

一　定年前再任用を行う場合
二　任期の満了により定年前再任用短時間勤務職員（法第六十条の二第二項に規定する定年前再任用短時間勤務職員をいう。）が当然に退職する場合

（報告）

第七条　任命権者（法第五十五条第一項に規定する任命権者及び法律で別に定められた任命権者に限る。）は、毎年五月末日までに、前年度における定年前再任用の状況を人事院に報告しなければならない。

（雑則）

第八条　この規則に定めるもののほか、定年前再任用の実施に関し必要な事項は、人事院が定める。

附　則（抄）

（施行期日）

第一条　この規則は、令和五年四月一日から施行する。ただし、次条の規定は、公布の日から施行する。

（準備行為）

第二条　第三条の規定による定年前再任用の手続は、この規則の施行前においても行うことができる。

（令和三年改正法附則第三条第二項の人事院規則で定める短時間勤務の官職並びに人事院規則で定める者及び定年前再任用短時間勤務職員）

第三条　国家公務員法等の一部を改正する法律（令和三年法律第六十一号。次項及び第三項において「令和三年改正法」という。）附則第三条第二項の人事院規則で定める短時間勤務の官職は、次に掲げる官職のうち、当該官職が基準日の前日に設置されていたものとした場合において、基準日における新国家公務員法定年相当年齢が基準日の前日における新国家公務員法定年相当年齢を超える短時間勤務の官職（当該官職に係る新国家公務員法定年相当年齢が新国家公務員法第八十一条の六第二項本文に規定する定年である短時間勤務の官職に限る。）とする。

一　基準日以後に新たに設置された短時間勤務の官職
二　基準日以後に法令の改廃による組織の変更等により名称が変更された短時間勤務の官職

2　令和三年改正法附則第三条第二項の人事院規則で定める者は、前項に規定する官職が基準日の前日に設置されていたものとした場合において、同日における当該官職に係る新国家公務員法定年相当年齢に達している者とする。

3　令和三年改正法附則第三条第二項の人事院規則で定める定年前再任用短時間勤務職員は、第一項に規定する官職が基準日の前日に設置されていたものとした場合において、同日における当該官職に係る新国家公務員法定年相当年齢に達している定年前再任用短時間勤務職員とする。

○年齢六十年以上退職者等の定年前再任用の運用について（通知）

令四・一二・一八
給生―一八

国家公務員法（昭和二十二年法律第百二十号。以下「法」という。）第六十条の二及び人事院規則八―二一（年齢六十年以上退職者等の定年前再任用）（以下「規則」という。）の運用について下記のとおり定めたので、令和五年四月一日以降は、これによってください。

記

1　法第六十条の二第一項の「年齢六十年に達した日」とは、六十歳の誕生日の前日をいう。

2　法第六十条の二第一項の「年齢六十年以上退職者」及び「自衛隊法による年齢六十年以上退職者」には、次に掲げる者は含まれない。

一　法第七十六条の規定により失職した者

二　法第八十二条の規定により懲戒免職の処分を受けた者

三　自衛隊法（昭和二十九年法律第百六十五号）第三十八条第二項の規定により失職した者

四　自衛隊法第四十六条の規定により懲戒免職の処分を受けた者

3　規則第三条の規定による職員の同意を得る手続は、当該職員が明示された事項に同意する旨を示した文書の提出により（文書の提出によらないことを適当と認める場合には、これに代わる適当な方法により）、定年前再任用を行う前の適切な時期に行うものとする。

4　任命権者は、規則第三条の規定により定年前再任用希望者の同意を得た後に、当該定年前再任用希望者の定年前再任用を行わないこととした場合は、当該定年前再任用希望者にその旨を速やかに通知するものとする。この場合において、当該定年前再任用希望者がなお定年前再任用をされることを希望するときは、任命権者は、当該定年前再任用希望者の定年前再任用を行うことができるよう、引き続き検討を行うものとする。

5　前項の通知を行った場合において、現に職員である定年前再任用希望者から既に辞職の申出が行われているときは、任命権者は当該定年前再任用希望者の辞職の意思を改めて確認するものとする。

6　任命権者は、定年前再任用短時間勤務職員を、昇任、降任又は転任によって任期の定めのない常時勤務を要する官職を占める職員のほか、定年前再任用短時間勤務職員以外の任期を定めて任用される職員とすることはできない。

7　定年前再任用短時間勤務職員に人事異動通知書を交付する場合には、人事異動通知書の「現官職」欄に記入する官職の組織上の名称及び当該官職の属する所属部課（所属部課の表示の単位は任命権者が定めるものとする。次項及び第九項第一号において同じ。）の末尾に、「（週○○勤務）」（○○の部分には、当該官職を占める職員の一週間当たりの勤務時間を表示する。次項及び第九項第一号において同じ。）を加えるものとする。

8　定年前再任用する者及び昇任し、降任し又は転任する定年前再任用短時間勤務職員に人事異動通知書を交付する場合には、人事異動通知書の「異動内容」欄に記入する官職の組織上の名称及び当該官職の属する所属部課の末尾に「（週○○勤務）」を加えるものとする。

9　規則第六条の規定により人事異動通知書を交付する場合の「異動内容」欄の記入要領は、次のとおりとする。ただし、これによっては特に支障のある場合には、これによらないことができる。

一　定年前再任用を行う場合

「ア（週○○勤務）に定年前再任用する
任期は　年　月　日までとする」

と記入する。

注　「ア」の記号をもって表示する事項は、官職の組織上の名称及び当該官職の属する所属部課とする。

二　任期の満了により定年前再任用短時間勤務職員が当然に退職する場合

「定年前再任用の任期の満了により　年　月　日限り退職」

と記入する。

10　前三項に定めるもののほか、規則第六条の規定により交付する人事異動通知書の様式、記載事項等については、「人事異動通知書の様式及び記載事項等について（昭和二十七年六月一日一三―七九九）」の規定によるものとする。

11　定年前再任用する者に対しては、勤務時間の内容（始業及び終業の時刻、休憩時間等を含む。以下この項において同じ。）を通知するものとする。定年前再任用短時間勤務職員の勤務時間の内容に変更が生じた場合も、同様とする。

12　外務公務員法（昭和二十七年法律第四十一号）第二条第五項に規定する外務職員として人事評価が実施された職員に対する規則第四条の規定の適用については、外務職員の人事評価の基準、方法等に関する省令（平成二十一年外務省令第六号）第六条第一項に規定する全体評語を規則第四条第一号に規定する全体評語とみなす。

以　上

○人事院規則一一—一二（定年退職者等の暫定再任用）

令四・一二・一八制定
令五・四・一施行

（総則）

第一条　この規則は、国家公務員法等の一部を改正する法律（令和三年法律第六十一号。以下「令和三年改正法」という。）附則第四条第一項及び第二項に規定する者（次条第二項及び第五条において「定年退職者等」と総称する。）の暫定再任用（令和三年改正法附則第四条第一項若しくは第二項又は第五条第一項若しくは第二項の規定により採用することをいう。以下同じ。）に関し必要な事項を定めるものとする。

第二条　暫定再任用を行うに当たっては、法第二十七条に定める平等取扱いの原則、法第二十七条の二に定める人事管理の原則及び法第三十三条に定める任免の根本基準並びに法第五十五条第三項の規定に違反してはならない。

2　定年退職者等が法第百八条の二第一項に規定する職員団体の構成員であったことその他法第百八条の七に規定する事由を理由として暫定再任用に関し不利益な取扱いをしてはならない。

（令和三年改正法附則第四条第一項の人事院規則で定める官職及び年齢）

第三条　令和三年改正法附則第四条第一項の人事院規則で定める官職は、次に掲げる官職とする。

一　令和三年改正法の施行の日（以下「施行日」という。）以後に新たに設置された官職

二　施行日以後に法令の改廃による組織の変更等により名称が変更された官職

2　令和三年改正法附則第四条第一項の人事院規則で定める年齢は、前項に規定する官職が施行日の前日に設置されていたものとした場合における旧国家公務員法第八十一条の二第二項に規定する定年に準じた当該官職に係る年齢とする。

（暫定再任用をされることを希望する者に明示する事項）

第四条　任命権者は、暫定再任用を行うに当たっては、あらかじめ、暫定再任用をされることを希望する者に、次に掲げる事項を明示するものとする。

一　暫定再任用を行う官職に係る職務内容

二　暫定再任用を行う日及び任期の末日

三　暫定再任用に係る勤務地

四　暫定再任用をされた場合の給与

五　暫定再任用をされた場合の一週間当たりの勤務時間

六　前各号に掲げるもののほか、任命権者が必要と認める事項

（暫定再任用の選考に用いる情報）

第五条　令和三年改正法附則第四条第一項及び第二項並びに第五条第一項及び第二項の人事院規則で定める情報は、定年退職者等についての次に掲げる情報とする。

一　能力評価及び業績評価の全体評語その他勤務の状況を示す事実に基づく従前の勤務実績

二　暫定再任用を行う官職の職務遂行に必要とされる経験又は資格の有無その他暫定再任用

を行う官職の職務遂行上必要な事項
（施行日前の定年退職者等に準ずる者として人事院規則で定める者）
第六条 令和三年改正法附則第四条第一項第三号の人事院規則で定める者は、二十五年以上勤続して施行日前に退職した者のうち、次に掲げるものとする。
一 当該退職の日の翌日から起算して五年を経過する日までの間にある者
二 当該退職の日の翌日から起算して五年を経過する日までの間に、旧法再任用（旧国家公務員法第八十一条の四第一項又は第八十一条の五第一項の規定により採用することをいう。次項第二号ロにおいて同じ。）又は暫定再任用をされたことがある者（前号に掲げる者を除く。）
三 当該退職の日の翌日から起算して五年を経過する日までの間に、旧自衛隊法再任用（旧自衛隊法第四十四条の四第一項又は第四十四条の五第一項の規定により採用することをいう。次項第二号ハにおいて同じ。）又は自衛隊法暫定再任用（令和三年改正法附則第九条第一項若しくは第二項又は第十条第一項若しくは第二項の規定により採用することをいう。次項第二号ハ及び次条において同じ。）をされたことがある者（前二号に掲げる者を除く。）
2 令和三年改正法附則第四条第一項第四号の人事院規則で定める者は、次に掲げる者とする。
一 令和三年改正法附則第九条第一項第一号、第二号、第五号及び第六号に掲げる者
二 令和三年改正法附則第九条第一項第三号及び第七号に掲げる者（二十五年以上勤続して施行日前に退職した者に限る。）のうち、次に掲げるもの
イ 当該退職の日の翌日から起算して五年を経過する日までの間にある者
ロ 当該退職の日の翌日から起算して五年を経過する日までの間に、旧法再任用又は暫定再任用をされたことがある者（イに掲げる者を除く。）
ハ 当該退職の日の翌日から起算して五年を経過する日までの間に、旧自衛隊法再任用又は自衛隊法暫定再任用をされたことがある者（イ及びロに掲げる者を除く。）
（施行日以後の定年退職者等に準ずる者として人事院規則で定める者）
第七条 令和三年改正法附則第四条第二項第四号の人事院規則で定める者は、二十五年以上勤続して施行日以後に退職した者のうち、次に掲げるものとする。
一 当該退職の日の翌日から起算して五年を経過する日までの間にある者
二 当該退職の日の翌日から起算して五年を経過する日までの間に、暫定再任用をされたことがある者（前号に掲げる者を除く。）
三 当該退職の日の翌日から起算して五年を経過する日までの間に、自衛隊法暫定再任用をされたことがある者（前二号に掲げる者を除く。）
2 令和三年改正法附則第四条第二項第五号の人事院規則で定める者は、次に掲げる者とする。
一 令和三年改正法附則第九条第二項第一号から第三号まで、第六号及び第七号に掲げる者
二 令和三年改正法附則第九条第二項第四号及び第八号に掲げる者（二十五年以上勤続して施行日以後に退職した者に限る。）のうち、次に掲げるもの
イ 当該退職の日の翌日から起算して五年を経過する日までの間にある者
ロ 当該退職の日の翌日から起算して五年を経過する日までの間に、暫定再任用をされたことがある者（イに掲げる者を除く。）
ハ 当該退職の日の翌日から起算して五年を経過する日までの間に、自衛隊法暫定再任用をされたことがある者（イ及びロに掲げる者を除く。）
（任期の更新）
第八条 暫定再任用職員（令和三年改正法附則第三条第四項に規定する暫定再任用職員をいう。以下同じ。）の令和三年改正法附則第四条第三項（令和三年改正法附則第五条第三項において準用する場合を含む。）の規定による任期の更新は、当該暫定再任用職員の当該更新直前の任期における勤務実績が、当該暫定再任用職員の能力評価及び業績評価の全体評語その他勤務の状況を示す事実に基づき良好である場合に行うことができる。
2 任命権者は、暫定再任用職員の任期を更新する場合には、あらかじめ当該暫定再任用職員の同意を得なければならない。
（令和三年改正法附則第五条第一項の人事院規則で定める官職及び年齢）

第九条　令和三年改正法附則第五条第一項の人事院規則で定める官職は、次に掲げる官職とする。

一　施行日以後に新たに設置された短時間勤務の官職

二　施行日以後に法令の改廃による組織の変更等により名称が変更された短時間勤務の官職

2　令和三年改正法附則第五条第一項の人事院規則で定める年齢は、前項に規定する官職が施行日の前日に設置されていたものとした場合において、当該官職を占める職員が、常時勤務を要する官職でその職務が同項に規定する官職と同種の官職を占めているものとしたときにおける旧国家公務員法第八十一条の二第二項に規定する定年に準じた前項に規定する官職に係る年齢とする。

（令和三年改正法附則第六条第四項の人事院規則で定める官職及び年齢）

第十条　令和三年改正法附則第六条第四項の人事院規則で定める官職は、第三条第一項各号に掲げる官職とする。

2　令和三年改正法附則第六条第四項の人事院規則で定める年齢は、第三条第二項に規定する年齢とする。

（令和三年改正法附則第六条第五項の規定により読み替えて適用する法第六十条の二第三項の人事院規則で定める官職及び年齢）

第十一条　令和三年改正法附則第四条及び第五条の規定が適用される場合における令和三年改正法附則第六条第五項の規定により読み替えて適用する法第六十条の二第三項の人事院規則で定める官職は、第九条第一項各号に掲げる官職とする。

2　令和三年改正法附則第四条及び第五条の規定が適用される場合における令和三年改正法附則第六条第五項の規定により読み替えて適用する法第六十条の二第三項の人事院規則で定める年齢は、第九条第二項に規定する年齢とする。

（令和三年改正法附則第六条第六項の人事院規則で定める者及び職員）

第十二条　令和三年改正法附則第六条第六項の人事院規則で定める官職は、次に掲げる官職のうち、当該官職が基準日の前日に設置されていたものとした場合において、基準日における新国家公務員法定年が基準日の前日における新国家公務員法定年を超える官職とする。

一　基準日以後に新たに設置された官職（短時間勤務の官職を含む。）

二　基準日以後に法令の改廃による組織の変更等により名称が変更された官職（短時間勤務の官職を含む。）

2　令和三年改正法附則第六条第六項の人事院規則で定める者は、前項に規定する官職が基準日の前日に設置されていたものとした場合において、同日における当該官職に係る新国家公務員法定年に達している者とする。

3　令和三年改正法附則第六条第六項の人事院規則で定める職員は、第一項に規定する官職が基準日の前日に設置されていたものとした場合において、同日における当該官職に係る新国家公務員法定年に達している職員とする。

（人事異動通知書の交付）

第十三条　任命権者は、次の各号のいずれかに該当する場合には、職員に規則八―一二（職員の任免）第五十八条の規定による人事異動通知書（以下この条において「人事異動通知書」という。）を交付しなければならない。ただし、第三号に該当する場合のうち、人事異動通知書の交付によらないことを適当と認めるときは、人事異動通知書に代わる文書の交付その他適当な方法をもって人事異動通知書の交付に代えることができる。

一　暫定再任用を行う場合

二　暫定再任用職員の任期を更新する場合

三　任期の満了により暫定再任用職員が当然に退職する場合

（報告）

第十四条　任命権者（法第五十五条第一項に規定する任命権者及び法律で別に定められた任命権者に限る。）は、毎年五月末日までに、次に掲げる事項を人事院に報告しなければならない。

一　前年度における暫定再任用の状況

二　前年度における暫定再任用職員の任期の更新の状況

（雑則）

第十五条　この規則に定めるもののほか、暫定再任用の実施に関し必要な事項は、人事院が定める。

附　則（抄）

（施行期日）

第一条　この規則は、令和五年四月一日から施行する。ただし、次条の規定は、公布の日から施行する。

（準備行為）

第二条　第四条の規定による暫定再任用の手続は、この規則の施行前においても行うことができる。

○定年退職者等の暫定再任用の運用について（通知）

令四・二・一八
給生―一一九

国家公務員法等の一部を改正する法律（令和三年法律第六十一号。以下「令和三年改正法」という。）附則第四条から第七条まで及び人事院規則一一―一二（定年退職者等の暫定再任用）（以下「規則」という。）の運用について下記のとおり定めたので、令和五年四月一日以降は、これによってください。

なお、「定年退職者等の再任用の運用について（平成十一年十月二十五日管高―九七八）」は廃止します。

記

1　令和三年改正法附則第四条第一項第三号及び第二項第四号に規定する勤続期間並びに規則第六条及び第七条の勤続した期間は、常勤の国家公務員（以下この項において「国家公務員」という。）として継続して在職した期間とし、その計算は月を単位として行うものとする。ただし、次に掲げる期間がある場合には、これをその者の勤続した期間に通算するものとする。

一　国家公務員退職手当法（昭和二十八年法律第百八十二号）の規定による勤続期間として計算される非常勤職員の期間が国家公務員としての在職期間と継続している場合におけるその期間

二　常勤の地方公務員としての在職期間が国家公務員としての在職期間と継続している場合におけるその期間

三　国家公務員退職手当法第七条の二第一項若しくは第二項の規定の適用を受ける職員又は同法第八条第一項若しくは第二項の規定の適用を受ける職員（特別職の国家公務員から引き続いて職員となった者を除く。）であった者のそれぞれこれらの規定により国家公務員としての引き続いた在職期間とみなされる期間

四　国家公務員退職手当法施行令（昭和二十八年政令第二百十五号）第五条の二各号（第一号から第七号までを除く。）に掲げる国家公務員としての引き続いた在職期間とみなされる期間のほか、次に掲げる規定により国家公務員としての引き続いた在職期間とみなされる期間

イ　たばこ事業法等の施行に伴う関係法律の整備等に関する法律（昭和五十九年法律第七十一号）附則第四条第一項又は第二項

ロ　日本電信電話株式会社法及び電気通信事業法の施行に伴う関係法律の整備等に関する法律（昭和五十九年法律第八十七号）附則第四条第一項又は第二項

ハ　日本国有鉄道改革法等施行法（昭和六十一年法律第九十三号）附則第五条第一項又は第二項

2　規則第八条第二項の規定による暫定再任用職員の同意を得る手続は、当該暫定再任用職員が任期の更新を希望する旨を示した文書の提出に

より（文書の提出によらないことを適当と認める場合には、これに代わる適当な方法により）、任期の更新前の適切な時期に行うものとする。

3　任命権者は、暫定再任用職員を、昇任、降任又は転任によって任期の定めのない常時勤務を要する官職を占める職員のほか、暫定再任用職員以外の任期を定めて任用される職員とすることはできない。

4　現に短時間勤務の官職を占める暫定再任用職員に人事異動通知書を交付する場合には、人事異動通知書の「現官職」欄に記入する官職の組織上の名称及び当該官職の属する所属部課（所属部課の表示の単位は任命権者が定めるものとする。次項及び第六項第一号において同じ。）の末尾に、「（週○○勤務）」（○○の部分には、当該官職を占める職員の一週間当たりの勤務時間を表示する。次項及び第六項第一号において同じ。）を加えるものとする。

5　短時間勤務の官職に暫定再任用する者及び短時間勤務の官職に昇任し、降任し又は転任する暫定再任用職員に人事異動通知書を交付する場合には、人事異動通知書の「異動内容」欄に記入する官職の組織上の名称及び当該官職の属する所属部課の末尾に、「（週○○勤務）」を加えるものとする。

6　規則第十三条の規定により人事異動通知書を交付する場合の「異動内容」欄の記入要領は、次のとおりとする。ただし、これによっては特に支障のある場合には、これによらないことができる。

一　暫定再任用を行う場合

「アに暫定再任用する
　任期は　年　月　日までとする」

と記入する。

注　「ア」の記号をもって表示する事項は、官職の組織上の名称及び当該官職の属する所属部課とする。なお、短時間勤務の官職に暫定再任用する場合には、「ア（週○○勤務）」とする。

二　暫定再任用職員の任期を更新する場合

「暫定再任用の任期を　年　月　日まで更新する」

と記入する。

三　任期の満了により暫定再任用職員が当然に退職する場合

「暫定再任用の任期の満了により　年　月　日限り退職」

と記入する。

7　前三項に定めるもののほか、規則第十三条の規定により交付する人事異動通知書の様式、記載事項等については、「人事異動通知書の様式及び記載事項等について（昭和二十七年六月一日一三―七九九）」の規定によるものとする。

8　短時間勤務の官職に暫定再任用する者及び新たに短時間勤務の官職に昇任し、降任し又は転任する暫定再任用職員に対しては、勤務時間の内容（始業及び終業の時刻、休憩時間等を含む。以下この項において同じ。）を通知するものとする。現に短時間勤務の官職を占める暫定再任用職員の勤務時間の内容に変更が生じた場合も、同様とする。

9　外務公務員法（昭和二十七年法律第四十一号）第二条第五項に規定する外務職員として人事評価が実施された職員に対する規則第五条及び第八条第一項の規定の適用については、外務職員の人事評価の基準、方法等に関する省令（平成二十一年外務省令第六号）第六条第一項に規定する全体評語を規則第五条第一号及び第八条第一項に規定する全体評語とみなす。

以　上

第四　任期付研究員

○一般職の任期付研究員の採用、給与及び勤務時間の特例に関する法律

平九・六・四
法　六　五

最終改正　令六・一二・二五法七二

（趣旨）

第一条　この法律は、試験研究機関等の研究業務に従事する一般職の職員について、任期を定めた採用並びに任期を定めて採用された職員の給与の特例及び裁量による勤務に関する事項について定めるものとする。

（定義）

第二条　この法律において、次の各号に掲げる用語の意義は、当該各号に定めるところによる。

一　試験研究機関等　次に掲げる機関であって、試験研究に関する業務を行うものをいう。

イ　内閣府設置法（平成十一年法律第八十九号）第三十九条及び第五十五条並びに宮内庁法（昭和二十二年法律第七十号）第十六条第二項並びに国家行政組織法（昭和二十三年法律第百二十号）第八条の二に規定する機関

ロ　内閣府設置法第四十条及び第五十六条並びに国家行政組織法第八条の三に規定する特別の機関又は当該機関に置かれる試験所、研究所その他これらに類する機関

ハ　内閣府設置法第四十三条及び第五十七条（宮内庁法第十八条第一項において準用する場合を含む。）並びに宮内庁法第十七条第一項並びに国家行政組織法第九条に規定する地方支分部局に置かれる試験所、研究所その他これらに類する機関

ニ　独立行政法人通則法（平成十一年法律第百三号）第二条第四項に規定する行政執行法人

二　研究業務　試験研究機関等の試験研究に関する業務をいう。

三　職員　国家公務員法（昭和二十二年法律第百二十号）第二条に規定する一般職に属する職員（試験研究機関等の長その他の人事院規則で定める官職を占める職員及び常時勤務を要しない官職を占める職員を除く。）をいう。

（任期を定めた採用）

第三条　任命権者（国家公務員法第五十五条第一項に規定する任命権者及び法律で別に定められた任命権者並びにその委任を受けた者をいう。以下同じ。）は、次に掲げる場合には、選考により、任期を定めて職員を採用することができる。

一　研究業績等により当該研究分野において特に優れた研究者と認められている者を招へいして、当該研究分野に係る高度の専門的な知識経験を必要とする研究業務に従事させる場合

二　独立して研究する能力があり、研究者として高い資質を有すると認められる者（この号の規定又は自衛隊法（昭和二十九年法律第百六十五号）第三十六条の六第一項第二号の規定によりかつて任期を定めて採用されたことがある者を除く。）を、当該研究分野における先導的役割を担う有為な研究者となるために必要な能力のかん養に資する研究業務に従事させる場合

2　任命権者は、前項第一号の規定により任期を定めた採用を行う場合には、人事院の承認を得なければならない。

3　任命権者は、第一項第二号の規定により任期を定めた採用を行う場合には、人事院と協議して定めた採用計画に基づいてしなければならない。この場合において、当該採用計画には、その対象となる研究業務及び選考の手続を定めるものとする。

（任期）

第四条　前条第一項第一号に規定する場合における任期は、五年を超えない範囲内で任命権者が定める。ただし、特に五年を超える任期を定める必要があると認める場合には、人事院の承認を得て、七年（特別の計画に基づき期間を定めて実施される研究業務に従事させる場合にあっては、十年）を超えない範囲内で任期を定めることができる。

2　前条第一項第二号に規定する場合における任期は、三年（研究業務の性質上特に必要がある場合で、人事院の承認を得たときは、五年）を

超えない範囲内で任命権者が定める。

3　任命権者は、前二項の規定により任期を定めて職員を採用する場合には、当該職員にその任期を明示しなければならない。

第五条　任命権者は、第三条第一項第一号の規定により任期を定めて採用された職員（以下「第一号任期付研究員」という。）の任期が五年に満たない場合にあっては採用した日から五年、同項第二号の規定により任期を定めて採用された職員（以下「第二号任期付研究員」という。）の任期が三年に満たない場合（前条第二項の人事院の承認を得て任期が定められた場合を除く。）にあっては採用した日から三年、第二号任期付研究員のうち同項の人事院の承認を得て任期が定められた職員の任期が五年に満たない場合にあっては採用した日から五年を超えない範囲内において、その任期を更新することができる。

2　前条第三項の規定は、前項の規定により任期を更新する場合について準用する。

（給与に関する特例）

第六条　第一号任期付研究員には、次の俸給表を適用する。

号　俸	俸給月額
	円
1	414,000
2	475,000
3	538,000
4	621,000
5	722,000
6	824,000

2　第二号任期付研究員には、次の俸給表を適用する。

号　俸	俸給月額
	円
1	346,000
2	382,000
3	410,000

3　各庁の長（一般職の職員の給与に関する法律（昭和二十五年法律第九十五号。次項及び次条において「給与法」という。）第七条に規定する各庁の長及びその委任を受けた者をいう。同項及び第五項において同じ。）は、第一号任期付研究員及び第二号任期付研究員の号俸を、その者が従事する研究業務に応じて人事院規則で定める基準に従い決定する。

4　各庁の長は、第一号任期付研究員について、特別の事情により第一項の俸給表に掲げる号俸により難いときは、同項及び前項の規定にかかわらず、人事院の承認を得て、その俸給月額を同表に掲げる六号俸の俸給月額にその額と同表に掲げる五号俸の俸給月額との差額に一からの各整数を順次乗じて得られる額を加えた額のいずれかに相当する額（給与法の指定職俸給表八号俸の額未満の額に限る。）又は給与法の指定職俸給表八号俸の額に相当する額とすることができる。

5　各庁の長は、第一号任期付研究員又は第二号任期付研究員のうち、特に顕著な研究業績を挙げたと認められる職員には、人事院規則で定めるところにより、その俸給月額に相当する額を任期付研究員業績手当として支給することができる。

6　第三項の規定による号俸の決定、第四項の規定による俸給月額の決定及び前項の規定による任期付研究員業績手当の支給は、予算の範囲内で行わなければならない。

（給与法の適用除外等）

第七条　給与法第六条、第八条、第十条から第十一条まで、第十一条の十及び第十九条の七の規定は、第一号任期付研究員及び第二号任期付研究員には、適用しない。

2　第一号任期付研究員及び第二号任期付研究員に対する給与法第三条第一項、第七条、第十一条の九第一項、第十九条の三第一項、第十九条の四第二項、第二十条及び第二十一条第一項の規定の適用については、給与法第三条第一項中「この法律」とあるのは「この法律及び一般職の任期付研究員の採用、給与及び勤務時間の特例に関する法律（平成九年法律第六十五号。以下「任期付研究員法」という。）第六条の規定」と、給与法第七条中「この法律」とあるのは「この法律及び任期付研究員法第六条の規定」と、給与法第十一条の九第一項中「限る。）」とあるのは「限る。）並びに任期付研究員法第三条第一項の規定により任期を定めて採用された職員」と、給与法第十九条の三第一項中「以下「管理監督職員等」」とあるのは「任期付研究員法第三条第一項第一号の規定により任期を定めて採用された職員を含む。以下「管理監督職員等」」と、給与法第十九条の四第二項中「百分の百二十五」とあるのは「百分の百七十二・五」と、給与法第二十条中「第六条」とあるのは「任期付研究員法第六条」と、給与法第二十一条第一項中「この法律」とあるのは「この法律及び任期付研究員法第六条」とする。

（職員の裁量による勤務）

第八条 各省各庁の長（一般職の職員の勤務時間、休暇等に関する法律（平成六年法律第三十三号。以下「勤務時間法」という。）第三条に規定する各省各庁の長及びその委任を受けた者をいう。以下同じ。）は、第一号任期付研究員の職務につき、その職務の性質上時間配分の決定その他の職務遂行の方法を大幅に当該第一号任期付研究員の裁量にゆだねることが当該第一号任期付研究員に係る研究業務の能率的な遂行のため必要であると認める場合には、当該第一号任期付研究員を、人事院規則の定めるところにより、勤務時間法の規定による勤務時間の割振りを行わないで、その職務に従事させることができる。この場合において、当該第一号任期付研究員は、人事院規則の定めるところにより、その勤務の状況について各省各庁の長に報告しなければならない。

2 前項の場合における第一号任期付研究員については、月曜日から金曜日までの五日間において、人事院規則で定める時間帯について勤務時間法第六条第二項の規定により一日につき七時間四十五分の勤務時間を割り振られたものとみなし、国民の祝日に関する法律（昭和二十三年法律第百七十八号）に規定する休日その他の人事院規則で定める日を除き、当該勤務時間を勤務したものとみなす。

3 勤務時間法第六条第二項から第四項まで、第七条から第十二条まで、第十三条の二及び第十五条の規定は、前項の第一号任期付研究員には、適用しない。

（特定の職員についての適用除外）

第九条 前三条の規定は、第二条第一号ニに掲げる試験研究機関等の研究業務に従事する第一号任期付研究員及び第二号任期付研究員には、適用しない。

（一般職の任期付職員の採用及び給与の特例に関する法律の適用除外）

第十条 一般職の任期付職員の採用及び給与の特例に関する法律（平成十二年法律第百二十五号）の規定は、研究業務に従事する職員には適用しない。

（人事院規則への委任）

第十一条 この法律の実施に関し必要な事項は、人事院規則で定める。

（人事院の勧告等）

第十二条 人事院は、この法律に定める事項に関して調査研究を行い、その結果を国会及び内閣に同時に報告するとともに、必要に応じ、適当と認める改定を勧告することができる。

附 則 （抄）

（施行期日）

1 この法律は、公布の日から施行する。

附 則 （令元・一二・一二法五一）（抄）

（施行期日等）

第一条 この法律は、公布の日から施行する。ただし、〔中略〕第四条〔中略〕の規定は、令和二年四月一日から施行する。

2 〔前略〕第三条の規定（一般職の任期付研究員の採用、給与及び勤務時間の特例に関する法律（以下この項及び次条において「任期付研究員法」という。）第七条第二項の改正規定を除く。次条において同じ。）による改正後の任期付研究員法（次条において「改正後の任期付研究員法」という。）の規定〔中略〕は、平成三十一年四月一日から適用する。

（給与の内払）

第二条 〔前略〕改正後の任期付研究員法〔中略〕の規定を適用する場合には、〔中略〕第三条の規定による改正前の任期付研究員法〔中略〕の規定に基づいて支給された給与は、〔中略〕改正後の任期付研究員法〔中略〕の規定による給与の内払とみなす。

（人事院規則への委任）

第四条 前二条に定めるもののほか、この法律の施行に関し必要な事項は、人事院規則で定める。

附 則 （令二・一一・三〇法六五）（抄）

この法律は、公布の日から施行する。ただし、〔中略〕第四条〔中略〕の規定は、令和三年四月一日から施行する。

附 則 （令四・四・一三法一七）（抄）

（施行期日）

第一条 この法律は、公布の日から施行する。

（人事院規則への委任）

第三条 前条に定めるもののほか、この法律の施行に関し必要な事項は、人事院規則で定める。

附 則 （令四・一一・一八法八一）（抄）

（施行期日等）

第一条 この法律は、公布の日から施行する。ただし、〔中略〕第五条の規定は、令和五年四月一日から施行する。

（給与の内払）

第二条 〔前略〕改正後の任期付研究員法〔中略〕の規定を適用する場合には〔中略〕、第三条の規定による改正前の任期付研究員法〔中略〕の規定に基づいて支給された給与は〔中略〕、改正後の任期付研究員法〔中略〕の規定による給与の内払とみなす。

（人事院規則への委任）

第三条 前条に定めるもののほか、この法律の施行に関し必要な事項は、人事院規則で定める。

附 則 （令五・一一・二四法七三）（抄）

（施行期日等）

第一条　この法律は、公布の日から施行する。ただし、次の各号に掲げる規定は、当該各号に定める日から施行する。

一　〔前略〕第五条中一般職の任期付研究員の採用、給与及び勤務時間の特例に関する法律（次項及び附則第三条において「任期付研究員法」という。）第七条第二項の改正規定〔中略〕　令和六年四月一日

二　〔略〕

2　〔前略〕第四条の規定（任期付研究員法第七条第二項の改正規定を除く。附則第三条において同じ。）による改正後の任期付研究員法（附則第三条において「改正後の任期付研究員法」という。）の規定〔中略〕は、令和五年四月一日から適用する。

（給与の内払）

第三条　〔前略〕改正後の任期付研究員法〔中略〕の規定を適用する場合には、〔中略〕第四条の規定による改正前の任期付研究員法〔中略〕の規定に基づいて支給された給与は、〔中略〕改正後の任期付研究員法〔中略〕の規定による給与の内払とみなす。

（人事院規則への委任）

第四条　前二条に定めるもののほか、この法律の施行に関し必要な事項は、人事院規則で定める。

附　則（令六・一二・二五法七二）（抄）

（施行期日等）

第一条　この法律は、公布の日から施行する。ただし、〔中略〕第六条〔中略〕の規定〔中略〕は、令和七年四月一日から施行する。

2　〔前略〕第五条の規定による改正後の一般職の任期付研究員の採用、給与及び勤務時間の特例に関する法律（附則第三条において「改正後の任期付研究員法」という。）の規定〔中略〕は、令和六年四月一日から適用する。

（給与の内払）

第三条　〔前略〕第五条の規定による改正前の一般職の任期付研究員の採用、給与及び勤務時間の特例に関する法律〔中略〕の規定に基づいて支給された給与は、〔中略〕改正後の任期付研究員法〔中略〕の規定による給与の内払とみなす。

（その他の経過措置の人事院規則等への委任）

第十三条　附則第二条から前条までに定めるもののほか、この法律の施行に関し必要な経過措置は、人事院規則（人事院の所掌する事項以外の事項については、政令）で定める。

○人事院規則二〇—〇（任期付研究員の採用、給与及び勤務時間の特例）

平九・六・四制定
平九・六・四施行

最終改正　平二一・五・二九規則一—五四

（趣旨）

第一条　この規則は、任期付研究員法に規定する任期付研究員の採用、給与及び勤務時間の特例に関し必要な事項を定めるものとする。

（適用除外官職）

第二条　任期付研究員法第二条第三号の人事院規則で定める官職は、次に掲げる官職とする。

一　任期付研究員法第二条第一号に規定する試験研究機関等（以下この条において「試験研究機関等」という。）の長の官職

二　試験研究機関等の長を助け、当該試験研究機関等の業務を整理する次長、副所長等の官職

三　試験研究機関等に置かれる支所、支場等の長の官職

（任期の更新）

第三条　任命権者は、任期付研究員法第五条第一項の規定により任期を更新する場合には、あらかじめ職員の同意を得なければならない。

（異動の制限）

第四条　任命権者は、任期付研究員法第三条第一項の規定により任期を定めて採用された職員

（以下「任期付研究員」という。）を、その任期中、当該任期付研究員が現に占めている官職と同一の研究業務を行うことを職務内容とする官職に異動させる場合その他任期を定めた採用の趣旨に反しない場合に限り、異動させることができる。

本条—平一四・六・二〇施行

（人事異動通知書の交付）

第五条　任命権者は、次に掲げる場合には、職員に対して、規則八—一二（職員の任免）第五十八条の規定による人事異動通知書（以下この条において「人事異動通知書」という。）を交付しなければならない。ただし、第三号に掲げる場合のうち、人事異動通知書の交付によらないことを適当と認める場合は、人事異動通知書に代わる文書の交付その他適当な方法をもって人事異動通知書の交付に代えることができる。

一　任期付研究員を採用する場合

二　任期付研究員の任期を更新する場合

三　任期の満了により任期付研究員が当然に退職する場合

本条—平二一・四・一施行

（号俸の決定）

第六条　第一号任期付研究員（任期付研究員法第五条第一項に規定する第一号任期付研究員をいう。以下同じ。）の任期付研究員法第六条第一項の俸給表の号俸は、その者の知識経験等の度、その者が従事する研究業務の困難及び重要の度等に応じて、次の各号に定める号俸に決定するものとする。

一　高度の専門的な知識経験を有し、研究業績等により当該研究分野において特に優れた研究者と認められている者がその知識経験等に基づき困難な研究を独立して行う研究員の職務に従事する場合　一号俸

二　高度の専門的な知識経験を有し、研究業績等により当該研究分野において特に優れた研究者と認められている者がその知識経験等に基づき特に困難な研究を独立して行う研究員の職務に従事する場合　二号俸

三　特に高度の専門的な知識経験を有し、研究業績等により当該研究分野において特に優れた研究者と認められている者がその知識経験等に基づき特に困難な研究を独立して行う研究員の職務又はその知識経験等に基づき研究について相当の範囲にわたり調整、指導等を行う職務に従事する場合　三号俸

四　特に高度の専門的な知識経験を有し、研究業績等により当該研究分野において特に優れた研究者と認められている者がその知識経験等に基づき特に困難な研究で重要なものを独立して行う研究員の職務又はその知識経験等に基づき重要な研究について相当の範囲にわたり調整、指導等を行う職務に従事する場合　四号俸

五　極めて高度の専門的な知識経験を有し、研究業績等により当該研究分野において特に優れた研究者と認められている者がその知識経験等に基づき特に困難な研究で重要なものを独立して行う研究員の職務又はその知識経験等に基づき重要な研究について広範囲にわたり統括、調整等を行う職務に従事する場合　五号俸

六　極めて高度の専門的な知識経験を有し、研究業績等により当該研究分野において極めて優れた研究者と認められている者がその知識経験等に基づき特に困難な研究で特に重要なものを独立して行う研究員の職務又はその知識経験等に基づき特に重要な研究について広範囲にわたり統括、調整等を行う職務に従事する場合　六号俸

2　第二号任期付研究員（任期付研究員法第五条第二項に規定する第二号任期付研究員をいう。以下同じ。）の任期付研究員法第六条第二項の俸給表の号俸は、次の各号に掲げる場合の区分に応じ、当該各号に定める号俸に決定するものとする。

一　博士課程修了直後の者の有する程度の専門的な知識経験を有する者が当該知識経験に基づき研究を独立して行う研究員の職務に従事する場合　一号俸

二　博士課程修了後、特別研究員制度（特別の法律により設立された法人等によって運営され、主として博士課程を修了した優れた研究者に国立試験研究機関等において研究する機会を提供することを内容とする制度をいう。）等により数年にわたり研究に従事したことのある者の有する程度の専門的な知識経験を有する者が当該知識経験に基づき研究を独立して行う研究員の職務に従事する場合　二号俸

三　博士課程修了後、相当の期間にわたり研究に従事したことのある者の有する程度の専門

的な知識経験を有する者が当該知識経験に基づき困難な研究を独立して行う研究員の職務に従事する場合　三号俸

本条—平一四・六・二〇施行

（任期付研究員業績手当）

第七条　任期付研究員法第六条第五項の特に顕著な研究業績とは、同条第三項又は第四項の規定により任期付研究員の俸給月額が決定された際に期待された研究成果、研究活動等に照らして特に顕著であると認められる研究業績をいう。

第八条　任期付研究員業績手当は、十二月一日（以下「基準日」という。）に在職する任期付研究員のうち、任期付研究員として採用された日から当該基準日までの間（任期付研究員業績手当の支給を受けたことのある者にあっては、支給を受けた直近の当該手当に係る基準日の翌日から直近の基準日までの間）にその者の任期付研究員としての研究業務に関し特に顕著な研究業績を挙げたと認められる任期付研究員に対し、当該基準日の属する月の規則九—四〇（期末手当及び勤勉手当）第十四条に規定する期末手当の支給日に支給することができるものとする。

本条—平二一・五・二九施行

（裁量勤務の手続等）

第九条　任期付研究員法第八条第一項の規定による職員の裁量による勤務（以下「裁量勤務」という。）に従事させることができる第一号任期付研究員は、休職者及び停職者を除く第一号任期付研究員のうち、その職務遂行の方法を大幅に当該第一号任期付研究員の裁量にゆだねた場合に、自己の判断により研究業務を能率的に遂行することができると認められる者に限るものとする。

2　各省各庁の長（任期付研究員法第八条第一項に規定する各省各庁の長をいう。以下同じ。）は、第一号任期付研究員を裁量勤務に従事させる場合には、あらかじめ当該第一号任期付研究員の同意を得なければならない。

3　各省各庁の長は、裁量勤務に従事している第一号任期付研究員（以下「裁量勤務研究員」という。）が裁量勤務を継続しないことを希望する旨申し出た場合又は裁量勤務研究員を裁量勤務に従事させることが当該裁量勤務研究員に係る研究業務の能率的な遂行のため必要であると認められなくなった場合には、速やかに裁量勤務に従事させることをやめなければならない。

4　各省各庁の長は、第一号任期付研究員を裁量勤務に従事させ、又は従事させることをやめる場合には、人事院の定めるところにより、当該第一号任期付研究員に対し速やかに通知するものとする。

（勤務場所等）

第十条　裁量勤務研究員は、その勤務官署以外の場所においてその日の勤務のすべてを行う場合で各省各庁の長が必要であると認めるときには、その場所及び勤務内容等各省各庁の長が必要と認める事項についてあらかじめ各省各庁の長に申し出なければならない。

2　各省各庁の長は、裁量勤務研究員に、特定の時間帯にその勤務官署において勤務することその他の特定の方法による職務遂行を命ずる場合には、当該裁量勤務研究員にあらかじめその内容を通知しなければならない。

（勤務の状況についての報告）

第十一条　裁量勤務研究員は、研究業務の遂行状況その他の勤務の状況について、各省各庁の長が定める期間ごとに報告しなければならない。

（勤務時間を割り振られたものとみなす時間帯等）

第十二条　任期付研究員法第八条第二項の人事院規則で定める時間帯は、午前八時三十分から午後五時十五分まで（午後零時から午後一時までを除く。）の時間帯とする。

2　育児休業法第十八条の規定により読み替えられた任期付研究員法第八条第二項の人事院規則で定める時間帯は、育児休業法第十二条第三項の規定により承認を受けた同条第一項に規定する育児短時間勤務の内容に従った時間帯（勤務時間法第九条の規定に基づき休憩時間を置かなければならない場合にあっては、当該休憩時間の時間帯を除く。）とする。

一項—平二一・四・一施行
二項—平一九・八・一施行

第十三条　任期付研究員法第八条第二項の人事院規則で定める日は、次に掲げる日とする。

一　国民の祝日に関する法律（昭和二十三年法律第百七十八号）に規定する休日

二　勤務時間法第十四条に規定する年末年始の休日

三　全日にわたり勤務時間法第十六条に定める休暇が承認された日

四　前三号に掲げるもののほか、全日にわたり

勤務しないことにつき特に承認があった日

（雑則）

第十四条　この規則に定めるもののほか、任期付研究員の採用、給与及び勤務時間の特例に関し必要な事項は、人事院が定める。

附　則

この規則は、公布の日から施行する。

附　則（平二一・五・二九規則一―五四）（抄）

（施行期日）

第一条　この規則は、公布の日から施行する。

○任期付研究員の採用、給与及び勤務時間の特例の運用について（通知）

平九・六・四
任企―一四九

最終改正　令二・一二・一五人企―一三二四

標記について下記のとおり定めたので、通知します。

記

任期付研究員法第三条第二項及び第四条第一項関係

1　任命権者は、一般職の任期付研究員の採用、給与及び勤務時間の特例に関する法律（平成九年法律第六十五号。以下「任期付研究員法」という。）第三条第二項及び第四条第一項ただし書の規定による承認を得ようとする場合には、次に掲げる書類を人事院事務総長に提出するものとする。

一　任期付研究員の任期を定めた採用等の承認申請書（別紙1の様式による。）

二　研究計画書（特別の計画に基づき期間を定めて実施される研究業務に従事させる場合に限る。）

三　採用予定者の研究業績等を記した書類

四　その他参考となる資料

2　任期付研究員法第三条第一項第一号の規定により任期を定めた採用を行う場合で、次のいずれにも該当するときは、当該採用について任期付研究員法第三条第二項及び第四条第一項ただし書の規定による人事院の承認があったものとして取り扱うことができる。

(1)　採用予定者が論文、特許等の研究業績により当該研究分野において特に優れた研究者と認められている者であること。

(2)　採用予定者をその有する高度の専門的な知識経験を必要とする研究業務に従事させる必要があること。

(3)　選考が、人事院規則八―一二（職員の任免）第十九条に規定する官職に係る能力及び適性の有無を的確に判定し得る複数の者によって構成される選考委員会の審査を経て行われていること。

(4)　五年を超える任期を定める場合には、文書による研究計画から研究業務の遂行に必要な期間が五年を超えることが明らかであること。

3　前項の規定により任期を定めた採用について任期付研究員法第三条第二項及び第四条第一項ただし書の規定による人事院の承認があったものとして取り扱った場合には、遅滞なく、別紙1の2の様式の報告書により、次に掲げる書類を添付して、人事院事務総長に報告するものとする。

一　研究計画書（特別の計画に基づき期間を定めて実施される研究業務に従事させる場合に限る。）

二　職員の研究業績を記した書類

三　その他参考となる資料

任期付研究員法第三条第三項及び第四条第二項関係

1　任期付研究員法第三条第三項の規定による人事院との協議は、別紙2の様式による採用計画書を作成し、人事院事務総長に協議するものとする。

2　次に掲げる事項を盛り込んだ採用計画については、任期付研究員法第三条第三項の「人事院と協議して定めた採用計画」として取り扱うことができる。

一　採用予定官職（所属部課名）

二　前号の官職に係る研究業務の内容

三　前号の研究業務が任期付研究員法第三条第一項第二号に掲げる研究業務に該当する理由

四　採用予定日及び任用予定期間

五　選考の手続

ア　選考予定時期

イ　募集の時期

ウ　公募の方法及び範囲

エ　選考委員会の構成

オ　選考方法とその評価項目

3　前項の採用計画に基づいて公募する場合には、十分な期間を設けて周知するとともに、可能な限り多様な方法により人材を求めるよう努めなければならない。

4　任命権者は、任期付研究員法第四条第二項の規定による承認を得ようとする場合には、次に掲げる書類を人事院事務総長に提出するものとする。

一　任期付研究員法第四条第二項の任期の特例の承認申請書（別紙3の様式による。）

二　その他参考となる資料

5　任期付研究員法第四条第二項の規定により任期を定めた採用を行う場合で、文書による研究計画から研究業務の遂行に必要な期間が当該研究業務の性質上特に三年を超えることが明らかであるときは、当該採用について同項の規定による人事院の承認があったものとして取り扱うことができる。

6　任期付研究員法第三条第一項第二号の規定により任期を定めて職員を選考により採用する場合の対象者は、学校教育法（昭和二十二年法律第二十六号）に規定する大学院の博士課程を修了した者及びこれに相当する者とする。

7　任命権者は、任期付研究員法第三条第一項第二号の規定により任期を定めて職員を採用した場合には、遅滞なく、別紙4の様式の報告書により、当該職員に係る採用計画（第二項の規定により人事院と協議して定めた採用計画として取り扱ったものに限る。）及び人事記録の写しを添付して、人事院事務総長に報告するものとする。

任期付研究員法第六条第三項及び第四項並びに規則第六条関係

1　各庁の長は、任期付研究員法第六条第四項の規定による承認を得ようとする場合には、任期付研究員の任期を定めた採用等の承認申請書（別紙1の様式による。）を人事院事務総長に提出するものとする。

2　任期付研究員法第六条第三項及び第四項並びに人事院規則二〇―〇（任期付研究員の採用、給与及び勤務時間の特例）（以下「規則」という。）第六条の規定による号俸及び俸給月額（以下「号俸等」という。）の決定には、任期付研究員（規則第四条に規定する任期付研究員をいう。以下同じ。）の任期の中途においてその者の知識経験等の度、その者が従事する研究業務の困難及び重要の度等がより高度なものとなることに伴い、これらの規定により新たに号俸等を決定することが必要であると認められる場合における号俸等の決定が含まれる。

3　各庁の長は、規則第六条第一項の規定により第一号任期付研究員（任期付研究員法第五条第一項に規定する第一号任期付研究員をいう。以下同じ。）の号俸を二号俸以上の号俸に決定した場合には別紙1の2の様式の報告書により、同条第二項の規定により第二号任期付研究員（任期付研究員法第五条第一項に規定する第二号任期付研究員をいう。以下同じ。）の号俸を三号俸に決定した場合には別紙4の様式の報告書により、遅滞なく、人事院事務総長に報告するものとする。

任期付研究員法第六条第五項及び規則第八条関係

1　任期付研究員業績手当の支給額は、規則第八条に規定する基準日現在において任期付研究員が受けるべき俸給月額に相当する額とする。

2　任期付研究員に任期付研究員業績手当を支給する場合には、任期付研究員業績手当の支給に係る特に顕著な研究業績の認定（以下「業績認定」という。）を行う委員会、審査会等の合議体で次の各号に掲げる者を構成員とするものが、業績認定を行うに当たっての評価基準を作成し、これに基づいて業績認定を行うものとする。

一　任期付研究員業績手当が支給されることとなる任期付研究員が在職する任期付研究員法第二条第一号に規定する試験研究機関等に在職する者（当該任期付研究員の業績認定に当たっては、当該任期付研究員を除く。）

二　前号の試験研究機関等が置かれている府省に在職する者（当該試験研究機関等に在職する者を除く。）

3　各庁の長は、任期付研究員に任期付研究員業績手当を支給した場合には、遅滞なく、別紙5の様式の報告書により、人事院事務総長に報告するものとする。

規則第三条関係

任命権者は、この条の規定により職員の同意を得る場合には、当該職員に任期を更新することを承諾した文書を提出させるものとする。

規則第四条関係

任命権者は、この条の規定により任期付研究員を異動させた場合には、遅滞なく、別紙6の様式による異動の状況報告書を人事院事務総長に提出するものとする。

規則第五条関係

人事異動通知書の「異動内容」欄の記入要領は、次のとおりとする。

一　任期付研究員を採用する場合

「アに採用する（イ）

任期は　年　月　日までとする」

と記入する。

注1　「ア」の記号をもって表示する事項は、官職の組織上の名称及び当該官職の属する所属部課（所属部課の表示の単位は任命権者が定めるものとする。）とする。

2　「イ」の記号をもって表示する事項は、第一号任期付研究員にあっては「一般職の任期付研究員の採用、給与及び勤務時間の特例に関する法律第三条第一項第一号による」とし、第二号任期付研究員にあっては「一般職の任期付研究員の採用、給与及び勤務時間の特例に関する法律第三条第一項第二号による」とする。

二　任期付研究員の任期を更新する場合

「任期を　年　月　日まで更新する」

と記入する。

三　任期の満了により任期付研究員が当然に退職する場合

「任期の満了により　年　月　日限り退職した」

と記入する。

規則第九条関係

1　この条の第四項の通知は、第一号任期付研究員を裁量勤務に従事させる場合には裁量勤務に従事させる旨及び次の各号に掲げる事項を、裁量勤務に従事させることをやめる場合には裁量勤務に従事させることをやめる旨及びその年月日を記載した文書により行うものとする。

一　裁量勤務に従事させることを開始する年月日

二　裁量勤務に従事させることを予定する期間を定める場合は、その期間

三　規則第十一条の規定により各省各庁の長が定める期間

四　その他必要な事項

2　各省各庁の長は、第一号任期付研究員を裁量勤務に従事させた場合には、前項に規定する文書の写しを添付して、遅滞なく、その旨を人事院事務総長に報告するものとする。

規則第十条関係

各省各庁の長は、この条の第二項の規定により特定の方法による職務遂行を命ずる場合には、裁量勤務の趣旨を踏まえ、その命令が必要最小限のものとなるよう留意しなければならない。

規則第十一条関係

各省各庁の長は、この条に規定する報告に関し、必要と認める報告事項を定めることができる。

規則第十三条関係

この条の第三号及び第四号に規定する日は、規則第十二条に規定する時間帯について、休暇が承認された日又は勤務しないことにつき特に承認があった日をいう。

以　上

別紙１

任期付研究員の任期を定めた採用等の承認申請書

文書番号
令和　　年　　月　　日

人事院事務総長　　殿

申請者＿＿＿＿＿＿

任期付研究員法第３条第２項、第４条第１項及び第６条第４項の規定による任期を定めた採用等の承認について、下記のとおり申請します。

記

1　採用予定官職（所属部課名）
2　当該官職に係る業務（期待される研究成果、研究活動等）の内容
3　採用予定者の氏名
4　採用予定者を当該研究業務に従事させる必要性
5　選考基準及び選考結果の概要
6　任用予定期間（任用予定期間が５年を超える場合には、当該期間を定めることが特に必要な理由を含む。）
7　任期付研究員法第６条第４項の規定による承認を得ようとする場合には、予定する俸給月額及び当該俸給月額に決定しようとする理由

別紙１の２

第１号任期付研究員の選考採用等実施状況報告書

文書番号
令和　　年　　月　　日

人事院事務総長　　殿

報告者＿＿＿＿＿＿

1　採用官職（所属部課名）
2　当該官職に係る研究業務の内容
3　号俸（２号俸以上の号俸に決定した場合には、当該号俸に決定した理由）
4　任期付研究員の氏名
5　任期付研究員を当該研究業務に従事させる必要性
6　選考基準、選考委員会の構成及び選考結果の概要
7　採用年月日及び任期（任期が５年を超える場合には、当該任期を定めた理由）

別紙２

任期付研究員法第３条第３項に規定する採用計画

文書番号

令和　　年　　月　　日

人事院事務総長　　　殿

協議者……………………

1　試験研究機関等

2　採用予定官職（所属部課名）

3　当該官職に係る研究業務（期待される研究成果、研究活動等）の内容

4　当該研究業務が任期付研究員法第３条第１項第２号に掲げる研究業務に該当する理由

5　採用予定日及び任用予定期間

6　選考の手続

（1）選考予定時期

（2）募集の時期

（3）募集の方法及び範囲

（4）選考委員会を設置する場合はその構成

（5）論文審査以外の評価項目

別紙３

任期付研究員法第４条第２項の任期の特例の承認申請書

文書番号

令和　　年　　月　　日

人事院事務総長　　　殿

申請者……………………

任期付研究員法第４条第２項の規定による任期の承認について、下記のとおり申請します。

記

1　採用予定官職（所属部課名）

2　当該官職に係る研究業務の内容

3　任用予定期間及び当該期間について３年を超えて定めることが特に必要な理由

別紙４

第２号任期付研究員の選考採用等実施状況報告書

文書番号
令和　　年　　月　　日

人事院事務総長　　殿

報告者＿＿＿＿＿＿

1　採用官職（所属部課名）
2　採用年月日及び任期（任期が３年を超える場合には、当該任期を定めた理由）
3　号俸（３号俸に決定した場合には、その理由）
4　第２号任期付研究員の氏名
5　学位の種類及びその取得年月日

別紙５

任期付研究員業績手当支給状況報告書

文書番号
令和　　年　　月　　日

人事院事務総長　　殿

報告者＿＿＿＿＿＿

1　任期付研究員の氏名、官職（所属部課名）及び俸給月額
2　合議体の名称及び構成員並びに業績認定を行うに当たっての評価基準
3　業績認定結果の概要

別紙６

人事院規則２０－０第４条の規定による異動の状況報告書

文書番号
令和　　年　　月　　日

人事院事務総長　　　殿

報告者＿＿＿＿＿＿

1　異動後の官職（所属部課名）
2　当該官職に係る研究業務の内容
3　異動前の官職及び異動前に従事していた研究業務の内容
4　任期付研究員の氏名
5　当該任期付研究員を異動させる必要性
6　当該任期付研究員の採用年月日及び任期

第五　官民人事交流職員

○国と民間企業との間の人事交流に関する法律

平一一・一二・二二
法　二二四

最終改正　令六・六・一二法四七

（目的）

第一条　この法律は、行政運営における重要な役割を担うことが期待される職員について交流派遣をし、民間企業の実務を経験させることを通じて、効率的かつ機動的な業務遂行の手法を体得させ、かつ、民間企業の実情に関する理解を深めさせることにより、行政の課題に柔軟かつ的確に対応するために必要な知識及び能力を有する人材の育成を図るとともに、民間企業における実務の経験を通じて効率的かつ機動的な業務遂行の手法を体得している者について交流採用をして職務に従事させることにより行政運営の活性化を図るため、交流派遣及び交流採用（以下「人事交流」という。）に関し必要な措置を講じ、もって公務の能率的な運営に資することを目的とする。

（定義）

第二条　この法律において「職員」とは、第十四条第一項及び第二十四条を除き、国家公務員法（昭和二十二年法律第百二十号）第二条に規定する一般職に属する職員をいう。

2　この法律において「民間企業」とは、次に掲げる法人をいう。

一　株式会社、合名会社、合資会社及び合同会社

二　信用金庫

三　相互会社

四　前三号に掲げるもののほか、その事業の運営のために必要な経費の主たる財源をその事業の収益（法令の規定に基づく指定、認定その他これらに準ずる処分若しくは国若しくは地方公共団体からの委託を受けて実施する国若しくは地方公共団体の事務若しくは事業又はこれに類するものとして人事院規則で定めるものの実施による収益及び補助金等（補助金等に係る予算の執行の適正化に関する法律（昭和三十年法律第百七十九号）第二条第一項に規定する補助金等をいう。）を除く。）によって得ている本邦法人（次に掲げるものを除く。）のうち、前条の目的を達成するために適切であると認められる法人として人事院規則で定めるもの

イ　独立行政法人通則法（平成十一年法律第百三号）第二条第一項に規定する独立行政法人、国立大学法人法（平成十五年法律第百十二号）第二条第一項に規定する国立大学法人、同条第三項に規定する大学共同利用機関法人及び総合法律支援法（平成十六年法律第七十四号）第十三条に規定する日本司法支援センター

ロ　法律により直接に設立された法人又は特別の法律により特別の設立行為をもって設立された法人であって、総務省設置法（平成十一年法律第九十一号）第四条第一項第八号の規定の適用を受けるもの

ハ　地方独立行政法人法（平成十五年法律第百十八号）第二条第一項に規定する地方独立行政法人

ニ　イからハまでに掲げるもののほか、その資本金の全部又は大部分が国又は地方公共団体からの出資による法人

五　外国法人であって、前各号に掲げる法人に類するものとして人事院が指定するもの

3　この法律において「交流派遣」とは、期間を定めて、職員（法律により任期を定めて任用される職員、常時勤務を要しない官職を占める職員その他の人事院規則で定める職員を除く。）を、その身分を保有させたまま、当該職員と民間企業との間で締結した労働契約に基づく業務に従事させることをいう。

4　この法律において「交流採用」とは、選考により、次に掲げる者を任期を定めて常時勤務を要する官職を占める職員として採用することをいう。

一　民間企業に雇用されていた者であって、引き続いてこの法律の規定により採用された職員となるため退職したもの

二　民間企業に現に雇用されている者であって、この法律の規定により当該雇用関係を継続することができるもの

5　この法律において「任命権者」とは、国家公務員法第五十五条第一項に規定する任命権者及び法律で別に定められた任命権者並びにその委任を受けた者をいう。

（人事院の権限及び責務）

第三条　人事院は、この法律の実施に関し、次に掲げる権限及び責務を有する。

一　この法律（次条、第五条第二項、第十二条第四項、第十四条、第十五条、第十五条の二、第十七条、第二十二条及び第二十四条の規定を除く。次号において同じ。）の実施の責めに任ずること。

二　この法律の実施に関し必要な事項について、人事院規則を制定し、及び人事院指令を発すること。

三　人事交流の適正な実施を確保するため、人事交流の制度の運用状況に関し、職員、任命権者その他の関係者に報告を求め、又は調査をすること。

（内閣総理大臣の責務）

第四条　内閣総理大臣は、人事交流の制度の円滑かつ効果的な運用に資するため、その運用に関する基本方針を作成し、これに基づいて、各行政機関が行う人事交流に関し、その統一保持上必要な総合調整を行うものとする。

2　内閣総理大臣は、人事交流の制度の円滑かつ効果的な運用を確保するための方策について調査研究を行い、その結果に基づいて、必要な措置を講ずるものとする。

（交流基準）

第五条　任命権者その他の関係者は、人事交流の制度の運用に当たっては、次に掲げる事項に関し人事院規則で定める基準（以下「交流基準」という。）に従い、常にその適正な運用の確保に努めなければならない。

一　国の機関に置かれる部局等又は独立行政法人通則法第二条第四項に規定する行政執行法人（以下「行政執行法人」という。）であって民間企業に対する処分等（法令の規定に基づいてされる行政手続法（平成五年法律第八十八号）第二条第二号に規定する処分及び同条第六号に規定する行政指導をいう。第十三条第三項及び第二十条において同じ。）に関する事務を所掌するものと当該民間企業との間の人事交流の制限に関する事項

二　国又は行政執行法人と契約関係にある民間企業との間の人事交流の制限に関する事項

三　その他人事交流の制度の適正な運用のため必要な事項

2　内閣総理大臣は、必要があると認めるときは、交流基準に関し、人事院に意見を述べることができる。

3　人事院は、交流基準を定め、又はこれを変更しようとするときは、人事院規則の定めるところにより、行政運営に関し優れた識見を有する者の意見を聴かなければならない。

（民間企業の公募）

第六条　人事院は、人事院規則の定めるところにより、人事交流を希望する民間企業を公募するものとする。

2　人事院は、任命権者に対し、定期的に又はその求めに応じ、前項の規定に基づき応募した民間企業について、その名簿及びそれぞれの民間企業が示した人事交流に関する条件を提示するものとする。

（交流派遣）

第七条　任命権者は、前条第二項の規定により提示された名簿に記載のある民間企業に交流派遣をすることができる。

2　任命権者は、前項の規定による交流派遣をしようとするときは、あらかじめ、当該交流派遣に係る職員の同意を得た上で、人事院規則で定めるところにより、その実施に関する計画を記載した書類を提出して、当該計画がこの法律の規定及び交流基準に適合するものであることについて、人事院の認定を受けなければならない。

3　任命権者は、第一項の規定による交流派遣をするときは、当該交流派遣に係る民間企業（以下「派遣先企業」という。）との間において、前項の認定を受けた計画に従って、当該派遣先企業における当該交流派遣に係る職員の労働条件、当該職員が職務に復帰する場合における当該職員と当該派遣先企業との間の労働契約の終了その他交流派遣に当たって合意しておくべきものとして人事院規則で定める事項について取決めを締結しなければならない。この場合において、任命権者は、当該職員にその取決めの内容を明示しなければならない。

（交流派遣の期間）

第八条　交流派遣の期間は、三年を超えることができない。

2　前条第一項の規定により交流派遣をした任命権者は、当該派遣先企業から当該交流派遣の期

間の延長を希望する旨の申出があり、かつ、その申出に理由があると認める場合には、当該交流派遣をされた職員（以下「交流派遣職員」という。）の同意及び人事院の承認を得て、当該交流派遣をした日から引き続き五年を超えない範囲内において、交流派遣の期間を延長することができる。

（労働契約の締結）

第九条　交流派遣職員は、第七条第三項の取決めに定められた内容に従って、派遣先企業との間で労働契約を締結し、その交流派遣の期間中、当該派遣先企業の業務に従事するものとする。

（交流派遣職員の職務）

第十条　交流派遣職員は、その交流派遣の期間中、職務に従事することができない。

２　次に掲げる法律の規定は、交流派遣職員には適用しない。

一　国家公務員法第百一条の規定

二　一般職の職員の勤務時間、休暇等に関する法律（平成六年法律第三十三号）の規定

（交流派遣職員の給与）

第十一条　交流派遣職員には、その交流派遣の期間中、給与を支給しない。

（交流派遣職員の服務等）

第十二条　交流派遣職員は、派遣先企業において、その交流派遣前に在職していた国の機関及び行政執行法人に対してする申請（行政手続法第二条第三号に規定する申請をいう。）に関する業務その他の交流派遣職員が従事することが適当でないものとして人事院規則で定める業務に従事してはならない。

２　交流派遣職員は、派遣先企業における業務を行うに当たっては、職員たる地位を利用し、又はその交流派遣前において官職を占めていたことによる影響力を利用してはならない。

３　交流派遣職員は、任命権者から求められたときは、派遣先企業における労働条件及び業務の遂行の状況を報告しなければならない。

４　交流派遣職員の派遣先企業の業務への従事に関しては、国家公務員法第百四条の規定は、適用しない。

５　交流派遣職員に対する国家公務員法第八十二条の規定の適用については、同条第一項第一号中「若しくは国家公務員倫理法」とあるのは、「、国家公務員倫理法若しくは国と民間企業との間の人事交流に関する法律」とする。

（交流派遣職員の職務への復帰）

第十三条　任命権者は、交流派遣職員がその派遣先企業の地位を失った場合その他の人事院規則で定める場合であって、その交流派遣を継続することができないか又は適当でないと認めるときは、速やかに当該交流派遣に係る交流派遣職員を職務に復帰させなければならない。

２　交流派遣職員は、その交流派遣の期間が満了したときは、職務に復帰する。

３　交流派遣後職務に復帰した職員については、その復帰の日から起算して二年間は、任命権者は、当該職員の派遣先企業であった民間企業に対する処分等に関する事務をその職務とする官職その他の当該民間企業と密接な関係にあるものとして人事院規則で定める官職に就けてはならない。

（交流派遣職員に関する国家公務員共済組合法の特例）

第十四条　国家公務員共済組合法（昭和三十三年法律第百二十八号）第三十九条第二項の規定及び同法の短期給付に関する規定（同法第六十八条の四の規定を除く。以下この項において同じ。）は、交流派遣職員には適用しない。この場合において、同法の短期給付に関する規定の適用を受ける職員（同法第二条第一項第一号に規定する職員をいう。以下この項において同じ。）が交流派遣職員となったときは、同法の短期給付に関する規定の適用については、そのなった日の前日に退職（同法第二条第一項第四号に規定する退職をいう。）をしたものとみなし、交流派遣職員が同法の短期給付に関する規定の適用を受ける職員となったときは、同法の短期給付に関する規定の適用については、そのなった日に職員となったものとみなす。

２　交流派遣職員に対する国家公務員共済組合法の退職等年金給付に関する規定の適用については、派遣先企業の業務を公務とみなす。

３　交流派遣職員は、国家公務員共済組合法第九十八条第一項各号に掲げる福祉事業を利用することができない。

４　交流派遣職員に関する国家公務員共済組合法の規定の適用については、同法第二条第一項第五号及び第六号中「とし、その他の職員については、これらに準ずる給与として政令で定めるもの」とあるのは「に相当するものとして、次条第一項に規定する組合の運営規則で定めるもの」と、同法第九十九条第二項中「次の各号」

とあるのは「第四号」と、「当該各号」とあるのは「同号」と、「及び国の負担金」とあるのは「及び国と民間企業との間の人事交流に関する法律（平成十一年法律第二百二十四号）第七条第三項に規定する派遣先企業（以下「派遣先企業」という。）の負担金」と、同項第四号中「国の負担金」とあるのは「派遣先企業の負担金」と、同法第百二条第一項中「各省各庁の長（環境大臣を含む。）、行政執行法人又は職員団体」とあり、及び「国、行政執行法人又は職員団体」とあるのは「派遣先企業及び国」と、「第九十九条第二項（同条第六項から第八項までの規定により読み替えて適用する場合を含む。）及び第五項（同条第七項及び第八項の規定により読み替えて適用する場合を含む。）」とあるのは「第九十九条第二項及び第五項」と、同条第四項中「第九十九条第二項第四号及び第五号」とあるのは「第九十九条第二項第四号」と、「並びに同条第五項（同条第七項及び第八項の規定により読み替えて適用する場合を含む。以下この項において同じ。）」とあるのは「及び同条第五項」と、「（同条第五項）」とあるのは「（同項）」と、「国、行政執行法人又は職員団体」とあるのは「派遣先企業及び国」とする。

（交流派遣職員に関する子ども・子育て支援法の特例）

第十五条　交流派遣職員に関する子ども・子育て支援法（平成二十四年法律第六十五号）の規定の適用については、派遣先企業を同法第六十九条第一項第四号に規定する団体とみなす。

（交流派遣職員に関する地方公務員等共済組合法の適用関係等についての政令への委任）

第十五条の二　前二条に定めるもののほか、交流派遣職員に関する国家公務員共済組合法、地方公務員等共済組合法（昭和三十七年法律第百五十二号）、子ども・子育て支援法その他これらに類する法律の適用関係の調整を要する場合におけるその適用関係その他必要な事項は、政令で定める。

（職務に復帰した職員に関する一般職の職員の給与に関する法律の特例）

第十六条　交流派遣後職務に復帰した職員に関する一般職の職員の給与に関する法律（昭和二十五年法律第九十五号）第二十三条第一項及び附則第六項の規定の適用については、派遣先企業において就いていた業務（当該業務に係る労働者災害補償保険法（昭和二十二年法律第五十号）第七条第二項に規定する通勤（当該業務に係る就業の場所を国家公務員災害補償法（昭和二十六年法律第百九十一号）第一条の二第一項第一号及び第二号に規定する勤務場所とみなした場合に同条に規定する通勤に該当するものに限る。次条第一項において同じ。）を含む。）を公務とみなす。

（職務に復帰した職員等に関する国家公務員退職手当法の特例）

第十七条　交流派遣後職務に復帰した職員が退職した場合（交流派遣職員がその交流派遣の期間中に退職した場合を含む。）における国家公務員退職手当法（昭和二十八年法律第百八十二号）の規定の適用については、派遣先企業の業務に係る業務上の傷病又は死亡は同法第四条第二項、第五条第一項及び第六条の四第一項に規定する公務上の傷病又は死亡と、当該業務に係る労働者災害補償保険法第七条第二項に規定する通勤による傷病は国家公務員退職手当法第四条第二項、第五条第二項及び第六条の四第一項に規定する通勤による傷病とみなす。

2　交流派遣職員に関する国家公務員退職手当法第六条の四第一項及び第七条第四項の規定の適用については、交流派遣の期間は、同法第六条の四第一項に規定する現実に職務をとることを要しない期間には該当しないものとみなす。

3　前項の規定は、交流派遣職員が派遣先企業から所得税法（昭和四十年法律第三十三号）第三十条第一項に規定する退職手当等（同法第三十一条の規定により退職手当等とみなされるものを含む。）の支払を受けた場合には、適用しない。

4　交流派遣職員がその交流派遣の期間中に退職した場合に支給する国家公務員退職手当法の規定による退職手当の算定の基礎となる俸給月額については、部内の他の職員との権衡上必要があると認められるときは、次条第一項の規定の例により、その額を調整することができる。

（交流派遣職員の職務復帰時における処遇）

第十八条　交流派遣職員が職務に復帰した場合におけるその者の職務の級及び号俸については、部内の他の職員との権衡上必要と認められる範囲内において、人事院規則の定めるところにより、必要な調整を行うことができる。

2　前項に定めるもののほか、交流派遣職員が職務に復帰した場合における任用、給与等に関する処遇については、部内の他の職員との均衡を失することのないよう適切な配慮が加えられなければならない。

（交流採用）

第十九条　任命権者は、第六条第二項の規定により提示された名簿に記載のある民間企業に雇用されていた者又は現に雇用されている者について交流採用をすることができる。

2　任命権者は、前項の規定による交流採用をしようとするときは、あらかじめ、人事院規則の定めるところにより、その実施に関する計画を記載した書類を提出して、当該計画がこの法律の規定及び交流基準に適合するものであることについて、人事院の認定を受けなければならない。

3　任命権者は、第一項の規定により交流採用をするときは、同項の民間企業との間において、第二条第四項第一号に係る交流採用にあっては当該交流採用に係る任期が満了した場合における当該民間企業による再雇用に関する取決めを、同項第二号に係る交流採用にあっては当該交流採用に係る任期中における雇用及び任期が満了した場合における雇用に関する取決めを締結しておかなければならない。

4　第二条第四項第二号に係る交流採用についての前項の取決めにおいては、任期中における雇用に基づき賃金（労働基準法（昭和二十二年法律第四十九号）第十一条に規定する賃金をいう。以下この項において同じ。）の支払その他の給付（賃金の支払以外のものであって、人事院規則で定めるものを除く。）を行うことをその内容として定めてはならない。

5　交流採用に係る任期は、三年を超えない範囲内で任命権者が定める。ただし、任命権者がその所掌事務の遂行上特に必要があると認める場合には、人事院の承認を得て、交流採用をした日から引き続き五年を超えない範囲内において、これを更新することができる。

6　任命権者は、交流採用をする場合には、当該交流採用をされる者にその任期を明示しなければならない。これを更新する場合も、同様とする。

（官職の制限）

第二十条　任命権者は、前条第一項の規定により交流採用をされた職員（以下「交流採用職員」という。）を同項の民間企業（以下「交流元企業」という。）に対する処分等に関する事務をその職務とする官職その他の交流元企業と密接な関係にあるものとして人事院規則で定める官職に就けてはならない。

（交流採用職員の服務等）

第二十一条　交流採用職員は、その任期中、第二条第四項第二号に掲げる者である交流採用職員（以下「雇用継続交流採用職員」という。）が第十九条第三項の取決めに定められた内容に従って交流元企業の地位に就く場合を除き、交流元企業の地位に就いてはならない。

2　交流採用職員は、その任期中、いかなる場合においても、交流元企業の事業又は事務に従事してはならない。

3　第十二条第五項の規定は、交流採用職員について準用する。

（雇用継続交流採用職員に関する雇用保険法の特例）

第二十二条　雇用継続交流採用職員に関する雇用保険法（昭和四十九年法律第百十六号）第二十二条の規定の適用については、同条第三項中「とする。ただし、当該期間に」とあるのは、「とし、当該雇用された期間又は当該被保険者であつた期間に国と民間企業との間の人事交流に関する法律（平成十一年法律第二百二十四号）第二十一条第一項に規定する雇用継続交流採用職員（以下この項において「雇用継続交流採用職員」という。）であつた期間があるときは、雇用継続交流採用職員であつた期間を除いて算定した期間とする。ただし、これらの期間に」とする。

（人事交流の制度の運用状況の報告）

第二十三条　任命権者は、毎年、人事院に対し、人事交流の制度の運用状況を報告しなければならない。

2　人事院は、毎年、国会及び内閣に対し、次に掲げる事項を報告しなければならない。

一　前年に交流派遣職員であった者が同年に占めていた派遣先企業における地位及び当該交流派遣職員がその交流派遣に係る第七条第二項の規定による書類の提出の時に占めていた官職

二　三年前の年の一月一日から前年の十二月三十一日までの間に交流派遣後職務に復帰した職員が前年（三年前の年に交流派遣後職務に復帰した場合にあっては、その復帰の日から起算して二年を経過する日までに限る。）に

占めていた官職及び当該職員が当該復帰の日の直前に派遣先企業において占めていた地位

三　前年に交流採用職員であった者が同年に占めていた官職及び当該交流採用職員がその交流採用をされた日の直前に交流元企業において占めていた地位（第二条第四項第二号に係る交流採用にあっては、当該職員が交流元企業において占めている地位を含む。）

四　前三号に掲げるもののほか、人事交流の制度の運用状況の透明化を図るために必要な事項

（防衛省の職員への準用等）

第二十四条　この法律（第二条第一項及び第五項、第三条第一号及び第二号、第四条、第五条第二項及び第三項並びに第十条第二項を除く。）の規定は、国家公務員法第二条第三項第十六号に掲げる防衛省の職員の人事交流について準用する。この場合において、これらの規定中「人事院規則」とあるのは「政令」と、第二条第二項第五号、第三条、第六条第二項、第八条第二項、第十九条第五項及び前条第一項中「人事院」とあるのは「防衛大臣」と、第二条第三項中「職員、」とあるのは「職員、防衛省設置法（昭和二十九年法律第百六十四号）第十五条第一項又は第十六条第一項（第三号を除く。）の教育訓練を受けている者（以下「学生」という。）、自衛隊法（昭和二十九年法律第百六十五号）第二十五条第五項の教育訓練を受けている者（以下「生徒」という。）」と、同条第四項中「占める職員」とあるのは「占める職員（自衛官、自衛官候補生、学生及び生徒を除く。）」と、第三条第三号中「任命権者」とあるのは「任命権者（自衛隊法第三十一条第一項の規定により同法第二条第五項に規定する隊員の任免について権限を有する者をいう。以下同じ。）」と、第六条第一項中「人事院は」とあるのは「防衛大臣は」と、第七条第二項中「人事院の」とあるのは「防衛大臣の」と、第十二条第四項中「国家公務員法第百四条」とあるのは「自衛隊法第六十三条」と、同条第五項中「国家公務員法第八十二条」とあるのは「自衛隊法第四十六条」と、「同条第一項第一号」とあるのは「同条第一項第三号」と、「国家公務員倫理法」とあるのは「自衛隊員倫理法（平成十一年法律第百三十号）」と、第十四条第四項中「とし、その他の職員については、これらに準ずる給与として」とあるのは「として」と、「に相当するもの」とあるのは「として政令で定めるものに相当するもの」と、第十六条中「一般職の職員の給与に関する法律（昭和二十五年法律第九十五号）第二十三条第一項及び附則第六項」とあるのは「防衛省の職員の給与等に関する法律（昭和二十七年法律第二百六十六号）第二十二条第一項」と、「国家公務員災害補償法」とあるのは「防衛省の職員の給与等に関する法律第二十七条第一項において準用する国家公務員災害補償法」と、第十八条第一項中「級」とあるのは「級又は階級」と、第十九条第二項中「人事院の」とあるのは「防衛大臣の」と、第二十二条中「）第二十一条第一項」とあるのは「）第二十四条第一項において準用する同法第二十一条第一項」と、前条第二項中「人事院は、毎年、国会及び内閣」とあるのは「内閣は、毎年、国会」と読み替えるものとする。

2　防衛大臣は、前項において準用する第七条第二項及び第十九条第二項の認定並びに前項において準用する第八条第二項及び第十九条第五項の承認を行う場合には、審議会等（国家行政組織法（昭和二十三年法律第百二十号）第八条に規定する機関をいう。）で政令で定めるものに付議し、その議決に基づいて行わなければならない。

3　自衛隊法（昭和二十九年法律第百六十五号）第六十条の規定は、第一項において準用する第七条第一項の規定により交流派遣をされた防衛省の職員には適用しない。

4　第一項において準用する第七条第一項の規定により交流派遣をされた自衛官（次項において「交流派遣自衛官」という。）に関する自衛隊法第九十八条第四項及び第九十九条第一項の規定の適用については、派遣先企業の業務を公務とみなす。

5　防衛省の職員の給与等に関する法律（昭和二十七年法律第二百六十六号）第二十二条の規定は、交流派遣自衛官には適用しない。

附　則

（施行期日）

1　この法律は、公布の日から起算して三月を超えない範囲内において政令で定める日〔平一二・三・二一〕から施行する。ただし、次項の規定は、公布の日から施行する。

（交流基準の制定のために必要な行為）

2　第五条の規定による交流基準の制定のため必要な手続その他の行為は、この法律の施行前においても、行うことができる。

（経過措置）

3　この法律の施行の日から平成十二年三月三十一日までの間における第十二条第四項及び第二十三条第一項の規定の適用については、第十二条第四項中「若しくは国家公務員倫理法」とあるのは「この法律又はこの」と、「、国家公務員倫理法若しくは国と民間企業との間の人事交流に関する法律」とあるのは「この法律若しくは国と民間企業との間の人事交流に関する法律又はこれらの」と、第二十三条第一項中「同条第一項第三号」と、「国家公務員倫理法」とあるのは「自衛隊員倫理法（平成十一年法律第百三十号）」と」とあるのは「同条第一項第三号」と」とする。

（平成二十二年度等における子ども手当の支給に関する法律により適用される旧児童手当法の特例）

4　平成二十二年度等における子ども手当の支給に関する法律（平成二十二年法律第十九号）の規定により子ども手当の支給がされる交流派遣職員に関しては、第十五条の規定を準用する。この場合において、同条の見出し中「子ども・子育て支援法」とあるのは「平成二十二年度等における子ども手当の支給に関する法律が適用される場合における旧児童手当法」と、同条中「子ども・子育て支援法（平成二十四年法律第六十五号）」とあるのは「平成二十二年度等における子ども手当の支給に関する法律（平成二十二年法律第十九号）第二十条第一項の規定による児童手当法の一部を改正する法律（平成二十四年法律第二十四号）附則第十一条の規定によりなおその効力を有するものとされた同法第一条の規定による改正前の児童手当法（昭和四十六年法律第七十三号）」と、「第六十九条第一項第四号」とあるのは「第二十条第一項第四号」と読み替えるものとする。

（平成二十三年度における子ども手当の支給等に関する特別措置法により適用される旧児童手当法の特例）

5　平成二十三年度における子ども手当の支給等に関する特別措置法（平成二十三年法律第百七号）の規定により子ども手当の支給がされる交流派遣職員に関しては、第十五条の規定を準用する。この場合において、同条の見出し中「子ども・子育て支援法」とあるのは「平成二十三年度における子ども手当の支給等に関する特別措置法が適用される場合における旧児童手当法」と、同条中「子ども・子育て支援法（平成二十四年法律第六十五号）」とあるのは「平成二十三年度における子ども手当の支給等に関する特別措置法（平成二十三年法律第百七号）第二十条第一項、第三項又は第五項の規定による児童手当法の一部を改正する法律（平成二十四年法律第二十四号）附則第十二条の規定によりなおその効力を有するものとされた同法第一条の規定による改正前の児童手当法（昭和四十六年法律第七十三号）」と、「第六十九条第一項第四号」とあるのは「第二十条第一項第四号」と読み替えるものとする。

附　則（令三・五・一九法三六）（抄）

（施行期日）

第一条　この法律は、令和三年九月一日から施行する。〔ただし書略〕

附　則（令六・六・一二法四七）（抄）

（施行期日）

第一条　この法律は、令和六年十月一日から施行する。ただし、次の各号に掲げる規定は、当該各号に定める日から施行する。

一～三　〔略〕

四　次に掲げる規定　令和七年四月一日

イ～ヌ　〔略〕

ル　附則第二十九条中国と民間企業との間の人事交流に関する法律（平成十一年法律第二百二十四号）第十四条第一項の改正規定

ヲ～ツ　〔略〕

五・六　〔略〕

○人事院規則二一―〇（国と民間企業との間の人事交流）

平二六・五・二九全改
平二六・五・三〇施行

最終改正　令四・一二・一六規則二一―〇―一一

目次

第一章　総則（第一条―第六条）
第二章　交流基準
第一節　基本原則（第七条・第八条）
第二節　交流派遣に係る基準（第九条―第十九条）
第三節　交流採用に係る基準（第二十条―第二十六条）
第四節　雑則（第二十七条・第二十八条）
第三章　人事交流の実施
第一節　通則（第二十九条・第三十条）
第二節　交流派遣の実施（第三十一条―第四十一条）
第三節　交流採用の実施（第四十二条―第四十七条）
附則

第一章　総則

（目的）

第一条　この規則は、適正な交流派遣及び交流採用（以下「人事交流」という。）の促進を図るため、官民人事交流法第五条第一項の規定に基づき、任命権者その他の関係者が従うべき基準を定めるとともに、官民人事交流法の実施等に関し必要な事項を定めることを目的とする。

（定義）

第二条　この規則において、「民間企業」、「交流派遣」、「交流採用」、「任命権者」、「派遣先企業」、「交流派遣職員」又は「交流採用職員」若しくは「交流元企業」とは、それぞれ官民人事交流法第二条第二項から第五項まで、第七条第三項、第八条第二項又は第二十条に規定する民間企業、交流派遣、交流採用、任命権者、派遣先企業、交流派遣職員又は交流採用職員若しくは交流元企業をいう。

2　この規則において、次の各号に掲げる用語の意義は、当該各号に定めるところによる。

一　所管関係　国の機関（会計検査院、内閣、人事院、内閣府、デジタル庁及び各省並びに宮内庁及び各外局をいう。以下同じ。）若しくは当該国の機関に置かれる部局等又は行政執行法人であって民間企業に対する官民人事交流法第五条第一項第一号に規定する処分等（以下単に「処分等」という。）で裁量の余地が少ない処分等又は軽微な処分等として人事院の定めるもの以外の処分等（第十二条及び第二十七条第二項において「特定処分等」という。）に関する事務を所掌するものと当該民間企業との関係をいう。

二　本省庁　国の機関に置かれる部局等のうち、内閣府設置法（平成十一年法律第八十九号）第三十七条、第三十九条、第四十条、第四十三条及び第五十四条から第五十七条まで（宮内庁法（昭和二十二年法律第七十号）第十八条第一項において準用する場合を含む。）並びに宮内庁法第十六条及び第十七条第一項、デジタル庁設置法（令和三年法律第三十六号）第十四条第一項並びに国家行政組織法（昭和二十三年法律第百二十号）第八条から第九条までに規定する部局等（国際平和協力本部、日本学術会議、警察庁、証券取引等監視委員会、最高検察庁、国税不服審判所、農林水産技術会議、国土地理院及び海難審判所を除く。）並びに人事院事務総局、公正取引委員会事務総局、警察庁、国税不服審判所、中央労働委員会事務局、国土地理院及び海難審判所に置かれるこれらに類する部局等以外のものをいう。

（注）人事院規則一―五七（復興庁設置法の施行に伴う関係人事院規則の適用の特例等に関する人事院規則）により、第二条第二項第一・二号は次のようになる。

（定義）

第二条　この規則において、「民間企業」、「交流派遣」、「交流採用」、「任命権者」、「派遣先企業」、「交流派遣職員」又は「交流採用職員」若しくは「交流元企業」とは、それぞれ官民人事交流法第二条第二項から第五項まで、第七条第三項、第八条第二項又は第二十条に規定する民間企業、交流派遣、交流採用、任命権者、派遣先企業、交流派遣職員又は交流採用職員若しくは交流元企業をいう。

2　この規則において、次の各号に掲げる用語の意義は、当該各号に定めるところによる。

一　所管関係　国の機関（会計検査院、内閣、人事院、内閣府、デジタル庁、復興庁及び各省並びに宮内庁及び各外局をいう。以下同じ。）若しくは当該国の機関に置かれる部局等又は行政執行法人であって民間企業に対する官民人事交流法第五条第一項第一号に規定する処分等（以下単に「処分等」という。）で裁量の余地が少ない処分等又は軽微な処分等として人事院の定めるもの以外の処分等（第十二条及び第二十七条第二項において「特定処分等」という。）に関する事務を所掌するものと当該民間企業との関係をいう。

二　本省庁　国の機関に置かれる部局等のうち、内閣府設置法（平成十一年法律第八十九号）第三十七条、第三十九条、第四十条、第四十三条及び第五十四条から第五十七条まで（宮内庁法（昭和二十二年法律第七十号）第十八条第一項において準用する場合を含む。）並びに宮内庁法第十六条及び第十七条第一項、デジタル庁設置法（令和三年法律第三十六号）第十四条第一項、復興庁設置法（平成二十三年法律第百二十五号）第十三条第一項、第十五条第一項及び第十七条第一項並びに国家行政組織法（昭和二十三年法律第百二十号）第八条から第九条までに規定する部局等（国際平和協力本部、日本学術会議、警察庁、証券取引等監視委員会、最高検察庁、国税不服審判所、農林水産技術会議、国土地理院及び海難審判所を除く。）並びに人事院事務総局、公正取引委員会事務総局、警察庁、国税不服審判所、中央労働委員会事務局、国土地理院及び海難審判所に置かれるこれらに類する部局等以外のものをいう。

三　本省庁の局長等の官職　国家行政組織法第六条に規定する長官、同法第十八条第一項に規定する事務次官、同法第二十一条第一項に規定する事務局長及び局長並びに同条第二項に規定する官房の長（各省に置かれるものに限る。）並びに検事総長及び次長検事の官職並びにこれらに準ずる官職として人事院が定めるものをいう。

四　本省庁の部長等の官職　本省庁に属する官職のうち、指定職俸給表の適用を受ける職員及び検察官の俸給等に関する法律（昭和二十三年法律第七十六号）別表検事の項五号の俸給月額以上の俸給を受ける検事が占める官職で本省庁の局長等の官職以外のものをいう。

五　本省庁の局庁等　本省庁に置かれる組織のうち、国家行政組織法第三条第三項に規定する庁、同法第七条第一項に規定する官房及び局並びに同条第七項に規定する委員会の事務局並びにこれらに準ずる組織として人事院が定めるものをいう。

二項―令三・九・一施行

（国若しくは地方公共団体の事務又は事業に類する事務又は事業）

第三条　官民人事交流法第二条第二項第四号の人事院規則で定める同号に規定する事務又は事業に類するものは、次に掲げるものとする。

一　法令の規定に基づく指定、認定その他これらに準ずる処分（次号及び第十九条第一号において「指定等処分」という。）又は行政執行法人若しくは特定地方独立行政法人（地方独立行政法人法（平成十五年法律第百十八号）第二条第二項に規定する特定地方独立行政法人をいう。以下この条において同じ。）からの委託を受けて実施する行政執行法人若しくは特定地方独立行政法人の事務又は事業

二　指定等処分を受けて実施する試験、検査、検定その他これらに準ずる事務又は事業であって、国若しくは地方公共団体又は行政執行法人若しくは特定地方独立行政法人以外の者のもの

本条―平二七・四・一施行

（官民人事交流法の対象とする法人）

第四条　官民人事交流法第二条第二項第四号の人事院規則で定める法人は、次に掲げる法人とする。

一　信用協同組合及び信用協同組合連合会
二　信用金庫連合会
三　労働金庫及び労働金庫連合会
四　農林中央金庫
五　監査法人
六　弁護士法人
七　損害保険料率算出団体
八　医療法人
九　学校法人
十　社会福祉法人
十一　日本赤十字社
十二　認可金融商品取引業協会
十三　自主規制法人
十四　消費生活協同組合及び消費生活協同組合連合会
十五　特定非営利活動促進法（平成十年法律第七号）第二条第二項に規定する特定非営利活動法人
十六　一般社団法人及び一般財団法人

本条―令五・一・一施行

（交流派遣の対象から除外する職員）

第五条　官民人事交流法第二条第三項の人事院規則で定める職員は、次に掲げる職員とする。

一　臨時的職員その他任期を限られた常勤職員
二　非常勤職員
三　条件付採用期間中の職員
四　法第八十一条の五第一項から第四項までの規定により異動期間（これらの規定により延長された期間を含む。）を延長された管理監督職を占める職員
五　勤務延長職員
六　休職者
七　停職者
八　派遣法第三条に規定する派遣職員
九　法科大学院派遣法第四条第三項又は第十一条第一項の規定により派遣されている職員
十　福島復興再生特別措置法（平成二十四年法律第二十五号）第四十八条の三第七項又は第八十九条の三第七項に規定する派遣職員
十一　令和七年国際博覧会特措法第二十五条第

七項に規定する派遣職員

十二　令和九年国際園芸博覧会特措法第十五条第七項に規定する派遣職員

十三　判事補及び検事の弁護士職務経験に関する法律（平成十六年法律第百二十一号）第二条第四項の規定により弁護士となってその職務を行う職員

本条―令五・四・一施行

（交流基準に係る意見聴取）

第六条　官民人事交流法第五条第三項の規定による意見の聴取は、規則二一―一（交流審査会）の規定により設置した交流審査会（第二十七条第三項及び第二十八条第二項において単に「交流審査会」という。）から行うものとする。

第二章　交流基準

第一節　基本原則

（人事交流の対象とする民間企業）

第七条　人事交流は、その実務を経験することを通じて効率的かつ機動的な業務遂行の手法を体得することができる民間企業との間で行うものとする。ただし、民間企業が次に掲げる場合に該当するときは、当該民間企業との間の人事交流は行うことができない。

一　人事交流を行おうとする日前一年以内に、民間企業又はその役員若しくは役員であった者が、当該民間企業の業務に係る刑事事件に関し起訴された場合（無罪の判決又は公訴棄却の決定が確定した場合を除く。以下この号において同じ。）又は特定不利益処分（行政手続法（平成五年法律第八十八号）第二条第四号に規定する不利益処分のうち許認可等の取消しその他の民間企業の業務運営に重大な影響を及ぼすものとして人事院の定めるものをいう。以下同じ。）を受けた場合（同一の事実につき、起訴された場合又は特定不利益処分を受けた場合が合わせて二以上あることとなるときは、これらの場合のうち最初に起訴された場合又は特定不利益処分を受けた場合）

二　交流派遣職員に対し、特別の取扱い（その者の能力、資格等に照らして特別であると認められるその者の民間企業における地位、賃金その他の処遇に関する取扱いをいう。第十七条において同じ。）をした場合（当該特別の取扱いをした日から五年を経過している場合を除く。）

三　第二十六条第一号から第三号までに規定する事項についての合意に反した場合（当該合意に反することとなった日から五年を経過している場合を除く。）

本条―令五・一・一施行

第八条　人事交流は、特定の業種又は特定の民間企業に著しく偏ることのないように行うものとする。

第二節　交流派遣に係る基準

（交流派遣の対象とする職員）

第九条　交流派遣は、行政運営における重要な役割を担うことが期待される職員を対象として行うものとする。

（所管関係にある場合の交流派遣の制限）

第十条　交流派遣をしようとする日前二年以内に本省庁に属する官職を占めていた期間のある職員については、次の各号に掲げる当該職員の占めていた官職の区分に応じ、当該各号に定める民間企業への交流派遣及び当該民間企業の子会社（会社法（平成十七年法律第八十六号）第二条第三号に規定する子会社をいう。以下同じ。）への交流派遣をすることができない。

一　本省庁の局長等の官職　当該官職が属する国の機関と所管関係にある民間企業

二　本省庁の部長等の官職　当該官職が属する本省庁の局庁等（当該官職が本省庁の所掌事務の一部を総括整理する官職である場合にあっては、その総括整理する事務を所掌する本省庁の局庁等を含む。）と所管関係にある民間企業

三　本省庁に属する官職のうち課長及びこれと同等以上の官職（本省庁の局長等の官職及び本省庁の部長等の官職を除く。以下「本省庁の課長等の官職」という。）　当該官職が属する本省庁の局庁等に置かれる組織のうち課若しくはこれに準ずる組織又は本省庁の所掌事務の一部を総括整理する組織（以下「本省庁の課等」という。）と所管関係にある民間企業

四　本省庁に属する官職のうち本省庁の局長等の官職、本省庁の部長等の官職及び本省庁の課長等の官職以外のもの（第二十一条第一項第四号及び第二項第三号において「本省庁のその他の官職」という。）　当該官職が属する本省庁の課等に置かれる組織のうち最小単位のもの（府令、省令、訓令その他組織に関す

る定めにより設置されるものに限る。同条において「本省庁の最小組織」という。）と所管関係にある民間企業

2　管区機関（国家行政組織法第九条に規定する地方支分部局であって、法律又は政令で定める管轄区域が一の都府県の区域を超え又は道の区域であるものをいう。以下同じ。）の長の官職を占めていた期間のある職員の交流派遣については、当該管区機関を本省庁の局庁等と、当該官職を本省庁の部長等の官職とそれぞれみなして、前項の規定を準用する。

3　国の機関に置かれる本省庁以外の部局等又は行政執行法人に属する官職（管区機関の長の官職を除く。）を占めていた期間のある職員の交流派遣については、第一項の規定の例に準じて取り扱うものとする。

三項―平二七・四・一施行

第十一条　交流派遣職員の交流派遣の期間中に、当該交流派遣に係る派遣先企業が、交流派遣をされた日の直前に当該交流派遣職員の占めていた官職以外の官職を占めていた期間のない職員について新たに交流派遣をするものとして前条の規定を適用した場合に交流派遣をすることができない民間企業に該当することとなったときは、当該交流派遣職員の交流派遣を継続することができない。

第十二条　第十条の規定にかかわらず、国の機関若しくは当該国の機関に置かれる部局等からのこれらと所管関係にある民間企業又は当該民間企業の子会社への交流派遣について、当該所管関係の基礎となる特定処分等が特許をすべき旨の査定その他の人事院が定める処分等である場合であって、かつ、交流派遣をしようとする日前二年以内において職員が当該所管関係にある民間企業に対する当該処分等に関する事務に従事したことがない場合（当該交流派遣により公務の公正性の確保に支障がないと認められる場合として人事院が定めるときに限る。）には、当該交流派遣を行うことができる。

第十三条　国の機関等（国の機関及び行政執行法人をいう。以下同じ。）と所管関係にある同一の民間企業に、連続して四回、当該民間企業と所管関係にある同一の本省庁の課相当部局等（国の機関、法律若しくは政令の規定により当該国の機関に置かれる部局等又は当該部局等との権衡を考慮して人事院が定める組織であって、当該民間企業と所管関係にあるもののうち、本省庁の課、これに相当する部局等その他の最小単位のものをいう。）又は行政執行法人（以下この条及び第二十二条において「同一部局等」という。）に勤務する職員（当該同一部局等との所管関係に係る事務をつかさどる上級の職員を含む。以下この条及び第二十二条において同じ。）の交流派遣をすることができない。この場合において、既にされた当該同一部局等に勤務する職員の当該民間企業への交流派遣の終了の日から二年を経過していないときは、当該交流派遣と新たにする交流派遣は連続しているものとみなす。

本条―令五・一・一施行

（特別契約関係がある場合の交流派遣の制限）

第十四条　交流派遣をしようとする日前五年間に係る年度のうちいずれかの年度において、国の機関等と民間企業との間に特別契約関係（一の年度において国の機関等と民間企業との間に締結した契約の総額が二千万円以上であり、かつ、当該契約の総額のその年度における当該民間企業の売上額又は仕入額等の総額に占める割合が二十五パーセント（資本の額又は出資の総額が三億円以上であり、かつ、常時使用する従業員の数が三百人以上の民間企業にあっては十パーセント）以上であることをいう。次項及び第二十三条において同じ。）がある場合には、当該年度において当該国の機関等に在職していた職員については、当該民間企業及びその子会社への交流派遣をすることができない。

2　交流派遣職員の交流派遣の期間中に、交流派遣元機関（当該交流派遣職員が交流派遣をされた日の直前に在職していた国の機関等をいう。）と当該交流派遣に係る派遣先企業との間に特別契約関係があることとなった場合には、当該交流派遣を継続することができない。

（契約の締結に携わった職員等に係る交流派遣の制限）

第十五条　交流派遣をしようとする日前五年以内に、職員として在職していた国の機関等と民間企業との間の契約の締結又は履行に携わった期間のある職員については、当該民間企業及びその子会社への交流派遣をすることができない。

（派遣先企業の起訴等による交流派遣の制限）

第十六条　交流派遣の期間中に、派遣先企業又はその役員が、当該派遣先企業の業務に係る刑事事件に関し起訴された場合又は特定不利益処分

を受けた場合（同一の事実につき、起訴された場合又は特定不利益処分を受けた場合が合わせて二以上あることとなるときは、これらの場合のうち最初に起訴された場合又は特定不利益処分を受けた場合に限る。）には、当該派遣先企業への交流派遣を継続することができない。

本条―令五・一・一施行

（職員に対する特別の取扱いによる交流派遣の制限）

第十七条　民間企業が、交流派遣予定職員（官民人事交流法第七条第二項の書類に記載された職員をいう。以下同じ。）に対し、特別の取扱いをしようとした場合には、当該交流派遣予定職員の当該民間企業への交流派遣をすることができない。

2　派遣先企業が、その交流派遣職員に対し、特別の取扱いをした場合には、当該派遣先企業への交流派遣を継続することができない。

（民間企業における業務内容による交流派遣の制限）

第十八条　交流派遣予定職員の派遣先予定企業（派遣先企業となる民間企業をいう。以下同じ。）における業務内容が、国の機関等（交流派遣をしようとする日前に当該交流派遣予定職員が職員として在職していた国の機関等に限る。）に対する折衝又は当該国の機関等からの情報の収集を主として行うものである場合には、当該交流派遣予定職員は、当該派遣先予定企業への交流派遣をすることができない。

2　交流派遣職員の派遣先企業における業務内容が、国の機関等（交流派遣をしようとする日前に当該交流派遣職員が職員として在職していた国の機関等に限る。）に対する折衝又は当該国の機関等からの情報の収集を主として行うものであることとなった場合には、当該交流派遣職員の交流派遣を継続することができない。

（民間企業の部門との交流派遣の制限）

第十九条　交流派遣をしようとする日前五年間に係る年度のうちいずれかの年度において、交流派遣予定職員の派遣先予定企業（第四条第五号から第十六号までに掲げる法人に限る。）に、その事業による収益の主たる部分を次に掲げるもの（第二十五条、第三十一条第二項第二号及び第三号並びに第四十二条第二項第二号及び第三号において「国等の事務又は事業の実施等」という。）によって得ている部門がある場合には、当該部門の業務に従事させるために当該派遣先予定企業への交流派遣をすることができない。

一　指定等処分又は国若しくは地方公共団体からの委託を受けて実施する国若しくは地方公共団体の事務又は事業の実施

二　第三条各号に掲げる事務又は事業の実施

三　補助金等に係る予算の執行の適正化に関する法律（昭和三十年法律第百七十九号）第二条第一項に規定する補助金等

本条―令五・一・一施行

第三節　交流採用に係る基準

（交流採用の対象とする者）

第二十条　交流採用は、民間企業における実務の経験を通じて効率的かつ機動的な業務遂行の手法を体得している者を対象として行うものとする。

（所管関係にある場合の交流採用の制限）

第二十一条　国の機関と所管関係にある民間企業に雇用されている者について、当該国の機関の本省庁に交流採用をする場合には、次に掲げる官職に就けることができない。当該民間企業の子会社に雇用されている者についても同様とする。

一　本省庁の局長等の官職

二　当該民間企業と所管関係にある本省庁の局庁等に属する本省庁の部長等の官職及び当該本省庁の局庁等の所掌事務の一部を総括整理する本省庁の部長等の官職

三　当該民間企業と所管関係にある本省庁の課等に属する本省庁の課長等の官職

四　当該民間企業と所管関係にある本省庁の最小組織に属する本省庁のその他の官職

2　任命権者は、本省庁の官職を占める交流採用職員に係る交流元企業が次に掲げる場合に該当することとなったときは、当該交流採用職員の配置について適切な措置を講じなければならない。

一　当該交流採用職員の占める官職が本省庁の部長等の官職である場合において、当該官職の属する本省庁の局庁等と所管関係にあることとなったとき（当該交流採用職員の占める官職が本省庁の所掌事務の一部を総括整理する官職である場合にあっては、その総括整理する事務を所掌する本省庁の局庁等と所管関係にあることとなったときを含む。）。

二　当該交流採用職員の占める官職が本省庁の

課長等の官職である場合において、当該官職の属する本省庁の課等と所管関係にあることとなったとき。

三　当該交流採用職員の占める官職が本省庁のその他の官職である場合において、当該官職の属する本省庁の最小組織と所管関係にあることとなったとき。

3　管区機関と所管関係にある民間企業に雇用されている者を当該管区機関に交流採用をする場合（交流採用予定者（任命権者が交流採用をすることを予定している者をいう。以下同じ。）の占めることとなる官職又は交流採用職員の占める官職が当該管区機関の長の官職である場合に限る。）における当該交流採用については、当該管区機関を本省庁の局庁等と、これらの官職を本省庁の部長等の官職とそれぞれみなして、前二項の規定を準用する。

4　国の機関に置かれる本省庁以外の部局等又は行政執行法人と所管関係にある民間企業に雇用されている者を当該国の機関に置かれる本省庁以外の部局等又は行政執行法人に交流採用をする場合（交流採用予定者の占めることとなる官職又は交流採用職員の占める官職が管区機関の長の官職である場合を除く。）における当該交流採用については、第一項及び第二項の規定の例に準じて取り扱うものとする。

四項―平二七・四・一施行

第二十二条　国の機関等と所管関係にある同一の民間企業に雇用されている者を、連続して四回、当該民間企業と所管関係にある同一部局等の職員として交流採用をすることができない。この場合において、既にされた当該民間企業に雇用されている者の当該同一部局等の職員としての交流採用の終了の日から二年を経過していないときは、当該交流採用と新たにする交流採用は連続しているものとみなす。

（特別契約関係がある場合の交流採用の制限）

第二十三条　交流採用をしようとする日前五年間に係る年度のうちいずれかの年度において国の機関等と民間企業との間に特別契約関係がある場合には、当該民間企業及びその子会社に雇用されている者については、当該国の機関等に交流採用をすることができない。

（契約の締結に携わった職員等に係る交流採用の制限）

第二十四条　交流採用をしようとする日前五年以内に、交流元企業となる民間企業と国の機関等との間の契約の締結又は履行に携わった期間のある者については、当該国の機関等に交流採用をすることができない。

（民間企業の部門との交流採用の制限）

第二十五条　交流採用をしようとする日前五年間に係る年度のうちいずれかの年度において、交流採用予定者の所属する民間企業（第四条第五号から第十六号までに掲げる法人に限る。）に、その事業による収益の主たる部分を国等の事務又は事業の実施等によって得ている部門がある場合には、当該年度において当該部門に所属したことがある当該交流採用予定者の交流採用をすることができない。

本条―令五・一・一施行

（民間企業との合意がない場合の交流採用の制限）

第二十六条　任命権者と民間企業との間で次に掲げる事項について合意がなされていない場合には、当該民間企業に雇用されている者の交流採用をすることができない。

一　当該民間企業は、当該交流採用に係る交流採用職員に対し、その任期中、金銭、物品その他の財産上の利益を贈与しないものとすること。

二　官民人事交流法第二条第四項第二号に係る交流採用にあっては、当該民間企業は、当該交流採用に係る交流採用職員の任期中の当該民間企業における地位、賃金その他の処遇について、交流採用の適正な運用が確保されるよう必要な措置を講ずる等適切な配慮を加えるものとすること。

三　当該民間企業は、当該交流採用に係る交流採用職員であった者の復帰（官民人事交流法第二条第四項第一号に係る交流採用にあっては再雇用されることをいい、同項第二号に係る交流採用にあっては当該交流採用の終了後引き続き雇用されていることをいう。次号において同じ。）の後、当該復帰の日から起算して二年間は、当該交流採用職員であった者を次に掲げる業務に従事させないものとすること。

イ　交流採用機関（交流採用職員であった者が在職していた国の機関等をいう。以下この号において同じ。）に対する行政手続法第二条第三号に規定する申請に関する業務

ロ　交流採用機関との間の契約の締結又は履

行に関する業務

ハ　交流採用機関の当該民間企業に対する法令の規定に基づく検査、臨検、捜索、差押えその他これらに類する行為に関する業務

ニ　交流採用機関に対する折衝又は交流採用機関からの情報の収集を主として行う業務

四　当該民間企業は、当該交流採用に係る交流採用職員であった者が復帰をしたときは、その者の当該民間企業における地位、賃金その他の処遇について、当該民間企業の他の従業員との均衡を失することのないよう適切な配慮を加えるものとすること。

第四節　雑則

（人事交流の特例）

第二十七条　第七条第一号、第十三条、第十六条、第十九条、第二十二条及び第二十五条の規定にかかわらず、公務の公正性の確保に支障がないと人事院が認めるときは、人事交流を行い、又は継続することができる。

2　第十条から第十二条まで及び第二十一条の規定にかかわらず、国の機関若しくは当該国の機関に置かれる部局等又は行政執行法人とこれらと所管関係にある民間企業又は当該民間企業の子会社との間の人事交流について、当該所管関係の基礎となる特定処分等が特定の業種の民間企業を対象とするものではない場合において、当該人事交流により公務の公正性の確保に支障がないと人事院が認めるときは、当該人事交流を行い、又は継続することができる。

3　前二項の場合において、人事院は必要に応じ交流審査会の意見を聴くものとする。

第二十八条　前条に規定するもののほか、国の機関等の組織の改廃が行われた場合、派遣先企業又は交流元企業における事業内容の変更が行われた場合その他の場合において、この規則により難い特別の事情があると人事院が認めるときは、別段の取扱いをすることができる。

二項—平二七・四・一施行

2　前項の場合において、人事院は交流審査会の意見を聴かなければならない。

第三章　人事交流の実施

第一節　通則

（民間企業の公募）

第二十九条　官民人事交流法第六条第一項の規定により人事院が行う民間企業の公募は、官報への掲載により行うものとする。

2　人事院は、官民人事交流法第六条第一項の規定により、人事院が民間企業の公募を行う場合には、前項の規定により公募するほか、新聞、放送、インターネットその他の適切な手段により、民間企業に当該公募について周知させなければならない。

第三十条　官民人事交流法第六条第一項の規定に基づき応募しようとする民間企業は、次の各号に掲げる民間企業の区分に応じ当該各号に定める人事交流に関する条件を記載した書類を人事院に提出するものとする。

一　交流派遣に係る職員を受け入れることを希望する民間企業　次に掲げる交流派遣に関する条件

イ　交流派遣に係る職員の年齢及び必要な経験等

ロ　交流派遣に係る職員の当該民間企業における地位及び業務内容

ハ　労働契約の期間

ニ　交流派遣に係る職員の当該民間企業における賃金、労働時間その他の労働条件

ホ　イからニまでに掲げるもののほか、当該民間企業が必要と認める条件

二　その雇用する者が交流採用をされることを希望する民間企業　次に掲げる交流採用に関する条件

イ　交流採用が官民人事交流法第二条第四項第一号又は第二号のいずれに係るものであるかの別

ロ　交流採用に係る者の年齢及び経歴

ハ　交流採用に係る者の職務内容

ニ　任用期間

ホ　イからニまでに掲げるもののほか、当該民間企業が必要と認める条件

第二節　交流派遣の実施

（交流派遣の実施に関する計画の認定）

第三十一条　任命権者は、官民人事交流法第七条第一項の規定により交流派遣をしようとするときは、次に掲げる事項を定めた交流派遣の実施に関する計画を記載した書類（次項において「交流派遣に係る計画書類」という。）を人事院に提出して、その認定を受けなければならない。

一　交流派遣予定職員に関する次に掲げる事項

イ　氏名及び生年月日

ロ　交流派遣をしようとする日前二年以内に

占めていた官職及びその職務内容

ハ　派遣先予定企業の名称、所在地及び事業内容

ニ　派遣先予定企業における地位及び業務内容

ホ　交流派遣の期間

ヘ　派遣先予定企業における賃金、労働時間その他の労働条件

ト　派遣先予定企業における福利厚生に関する事項

チ　交流派遣をしようとする日前五年以内において職員として在職していた国の機関等と派遣先予定企業との間の契約の締結又は履行に関する事務に従事したことの有無及びその内容

二　交流派遣をしようとする日前二年以内において交流派遣予定職員が職員として在職していた国の機関等の派遣先予定企業に対する処分等に関する事務の所掌の有無及びその内容

三　交流派遣をしようとする日前五年間に係るそれぞれの年度において交流派遣予定職員が職員として在職していた国の機関等と派遣先予定企業との間の契約関係の有無及びその内容

四　交流派遣をしようとする日前一年以内における派遣先予定企業（その役員又は役員であった者を含む。）に関する次に掲げる事項

イ　当該派遣先予定企業の業務に係る刑事事件に関し起訴されたことの有無及びその内容

ロ　当該派遣先予定企業の業務に係る特定不利益処分を受けたことの有無及びその内容

五　交流派遣予定職員の在職する国の機関等と派遣先予定企業との間の人事交流の実績

六　交流派遣予定職員（交流派遣をしようとする日前二年以内に指定職俸給表の適用を受ける職員、検事総長、次長検事、検事長若しくは検察官の俸給等に関する法律別表検事の項五号の俸給月額以上の俸給を受ける検事又は行政執行法人の職員であってその職務と責任が指定職俸給表の適用を受ける職員に相当するものとして人事院が定めるものであった職員に限る。）に係る当該交流派遣予定職員を交流派遣の期間の満了により職務に復帰した後継続して勤務させ、及び当該交流派遣予定職員の交流派遣による経験等を生かすための当該交流派遣予定職員の配置その他の人事等に関する方針

七　前各号に掲げるもののほか、人事院が必要と認める事項

2　任命権者は、第四条第五号から第十六号までに掲げる法人に交流派遣をしようとするときは、前項に掲げる事項のほか、次に掲げる事項を交流派遣に係る計画書類に記載しなければならない。

一　交流派遣予定職員が当該法人の実務を経験することを通じて効率的かつ機動的な業務遂行の手法を体得し、かつ、民間企業の実情に関する理解を深めることができると判断した理由

二　派遣先予定企業における事業の運営のために必要な経費の総額及び国等の事務又は事業の実施等から得ている収益の総額であって、交流派遣をしようとする日前五年間に係るそれぞれの年度におけるもの

三　交流派遣予定職員の所属することとなる部門の事業によって得ている収益の総額及び当該部門において国等の事務又は事業の実施等によって得ている収益の総額であって、交流派遣をしようとする日前五年間に係るそれぞれの年度におけるもの

本条…令五・一・一施行

（交流派遣予定職員の同意）

第三十二条　任命権者は、官民人事交流法第七条第二項に規定する職員の同意を得る場合には、当該職員に対してその交流派遣に係る前条第一項第一号ハからトまでに掲げる事項を明示しなければならない。

（交流派遣に係る取決め）

第三十三条　官民人事交流法第七条第三項の人事院規則で定める事項は、次に掲げる事項とする。

一　交流派遣予定職員の派遣先企業における業務の制限に関する事項

二　交流派遣予定職員の派遣先企業における福利厚生に関する事項

三　交流派遣予定職員の派遣先企業における業務の従事の状況の連絡に関する事項

（交流派遣の実施に関する計画の変更等）

第三十四条　任命権者は、交流派遣の期間中に当該交流派遣の実施に関する計画を変更する必要が生じたときは、人事院の認定を受けて当該計画を変更することができる。ただし、第三十一条第一項第一号ニからトまでに規定する事項に

係る当該計画の変更は、派遣先企業からこれらの事項の変更を希望する旨の申出があった場合において、当該変更について、あらかじめ当該交流派遣に係る交流派遣職員の同意を得なければならない。

2　任命権者は、前項の規定により第三十一条第一項第一号ニからトまでに規定する事項について交流派遣の実施に関する計画を変更したときは、派遣先企業との間において、変更後の計画に従って、当該変更に係る取決めを締結しなければならない。この場合において、任命権者は当該交流派遣に係る交流派遣職員にその取決めの内容を明示しなければならない。

3　前項に規定する変更に係る取決めが締結されたときは、交流派遣職員は、その取決めの内容に従って、派遣先企業との間で労働契約を締結するものとする。

（交流派遣職員の保有する官職）

第三十五条　交流派遣職員は、交流派遣をされた時に占めていた官職又はその交流派遣の期間中に異動した官職を保有するものとする。ただし、併任に係る官職については、この限りでない。

2　前項の規定は、当該官職を他の職員をもって補充することを妨げるものではない。

（交流派遣職員の業務の制限）

第三十六条　官民人事交流法第十二条第一項の人事院規則で定める業務は、次に掲げる業務とする。

一　派遣前の機関（交流派遣職員がその交流派遣前に職員として在職していた国の機関等をいう。以下この条において同じ。）に対する行政手続法第二条第三号に規定する申請に関する業務

二　派遣前の機関との間の契約の締結又は履行に関する業務

三　派遣前の機関の派遣先企業に対する法令の規定に基づく検査、臨検、捜索、差押えその他これらに類する行為に関する業務

（交流派遣職員を職務に復帰させる場合）

第三十七条　官民人事交流法第十三条第一項の人事院規則で定める場合は、次に掲げる場合とする。

一　交流派遣職員がその派遣先企業の地位を失った場合

二　交流派遣職員が法第七十八条第二号又は第三号に該当することとなった場合

三　交流派遣職員が法第七十九条各号のいずれかに該当することとなった場合又は水難、火災その他の災害により生死不明若しくは所在不明となった場合

四　交流派遣職員が法第八十二条第一項各号（官民人事交流法第十二条第五項の規定により読み替えて適用する場合を含む。）のいずれかに該当することとなった場合

五　交流派遣職員の交流派遣が官民人事交流法の規定又は前章第一節若しくは第二節に規定する交流基準に適合しなくなった場合

六　交流派遣職員の交流派遣が当該交流派遣の実施に関する計画又は当該計画に従い締結された取決めに反することとなった場合

（交流派遣職員の職務復帰後の官職の制限）

第三十八条　官民人事交流法第十三条第三項の人事院規則で定める官職は、交流派遣後職務に復帰した職員の派遣先企業であった民間企業に対する処分等に関する事務又は当該民間企業との間における契約の締結若しくは履行に関する事務をその職務とする官職とする。

（交流派遣に係る人事異動通知書の交付）

第三十九条　任命権者は、次に掲げる場合には、職員に対して、規則八―一二（職員の任免）第五十八条の規定による人事異動通知書を交付しなければならない。

一　交流派遣をした場合

二　交流派遣職員の交流派遣の期間を延長した場合

三　交流派遣職員を職務に復帰させた場合

四　交流派遣の期間の満了により交流派遣職員が職務に復帰した場合

（交流派遣職員の職務復帰時における給与の取扱い）

第四十条　交流派遣職員が職務に復帰した場合において、部内の他の職員との均衡上特に必要があると認められるときは、規則九―八（初任給、昇格、昇給等の基準）第二十条の規定にかかわらず、人事院の定めるところにより、その職務に応じた職務の級に昇格させることができる。

第四十一条　交流派遣職員が職務に復帰した場合において、部内の他の職員との均衡上必要があると認められるときは、交流派遣の期間を百分の百以下の換算率により換算して得た期間を引き続き勤務したものとみなして、その職務に復帰した日、同日後における最初の昇給日（規則九―八第三十四条に規定する昇給日をいう。以

下この項において同じ。）又はその次の昇給日に、昇給の場合に準じてその者の号俸を調整することができる。

２　交流派遣職員が職務に復帰した場合における号俸の調整について、前項の規定による場合には部内の他の職員との均衡を著しく失すると認められるときは、同項の規定にかかわらず、あらかじめ人事院と協議して、その者の号俸を調整することができる。

第三節　交流採用の実施

（交流採用の実施に関する計画の認定）

第四十二条　任命権者は、官民人事交流法第十九条第一項の規定により交流採用をしようとするときは、次に掲げる事項を定めた交流採用の実施に関する計画を記載した書類（次項において「交流採用に係る計画書類」という。）を人事院に提出して、その認定を受けなければならない。

一　交流採用予定者に関する次に掲げる事項

イ　官民人事交流法第二条第四項第一号又は第二号のいずれに該当するかの別

ロ　所属する民間企業（以下この条において「所属企業」という。）の名称及び事業内容

ハ　氏名及び生年月日

ニ　所属企業における地位及び業務内容（官民人事交流法第二条第四項第二号に掲げる者にあっては、任期中に就くことを予定している所属企業における地位を含む。）

ホ　官職及びその職務内容

ヘ　選考基準及び選考結果の概要

ト　任期

チ　交流採用をしようとする日前五年以内において交流採用予定機関（交流採用をすることを予定している国の機関等をいう。以下この条において同じ。）と所属企業との間の契約の締結又は履行に関する事務に従事したことの有無及びその内容

二　交流採用予定機関の所属企業に対する処分等に関する事務の所掌の有無及びその内容

三　交流採用をしようとする日前五年間に係るそれぞれの年度における交流採用予定機関と所属企業との間の契約関係の有無及びその内容

四　交流採用をしようとする日前一年以内における所属企業（その役員又は役員であった者を含む。）に関する次に掲げる事項

イ　当該所属企業の業務に係る刑事事件に関し起訴されたことの有無及びその内容

ロ　当該所属企業の業務に係る特定不利益処分を受けたことの有無及びその内容

五　交流採用予定機関と所属企業との間の人事交流の実績

六　前各号に掲げるもののほか、人事院が必要と認める事項

２　任命権者は、第四条第五号から第十六号までに掲げる法人に所属する者の交流採用をしようとするときは、前項に掲げる事項のほか、次に掲げる事項を交流採用に係る計画書類に記載しなければならない。

一　交流採用予定者が交流採用予定機関の職務に従事することにより行政運営の活性化を図ることができると判断した理由

二　交流採用予定者の所属企業における事業の運営のために必要な経費の総額及び国等の事務又は事業の実施等から得ている収益の総額であって、交流採用をしようとする日前五年間に係るそれぞれの年度におけるもの

三　交流採用しようとする日前五年間に交流採用予定者の所属していた部門の事業によって得ている収益の総額及び当該五年間に当該部門において国等の事務又は事業の実施等によって得ている収益の総額であって、当該五年間において当該交流採用予定者が当該部門に所属していたそれぞれの年度に係るもの

本条—令五・一・一施行

（交流採用に係る取決めにおける賃金の支払以外の給付）

第四十三条　官民人事交流法第十九条第四項の人事院規則で定める給付は、交流元企業がその雇用する者の福利厚生の増進を図るために行う給付のうち、次に掲げる給付（第一号、第三号及び第四号に掲げる給付を任期中に新たに行う場合にあっては、当該任期中に終了するものを除く。）であって、公務の公正性の確保に支障がないと人事院が認めるものとする。

一　住宅資金、生活資金、教育資金その他の資金の貸付け

二　交流採用予定者の委託を受けて行うその貯蓄金の管理（任期中の新たな貯蓄金の受入れを除く。）

三　住宅の貸与

四　保健医療サービスその他の人事院の定める

サービスの提供

五　前各号に掲げる給付に準ずると認められるものとして人事院が指定する給付

（交流採用の実施に関する計画の変更）

第四十四条　任命権者は、交流採用に係る任期中に当該交流採用の実施に関する計画を変更する必要が生じたときは、当該変更に係る事項を記載した書類を人事院に提出して、その認定を受けなければならない。この場合において、当該変更に係る事項が任期の更新であるときは、任命権者は、あらかじめ当該交流採用に係る交流採用職員の同意を得なければならない。

（交流採用職員の官職の制限）

第四十五条　官民人事交流法第二十条の人事院規則で定める官職は、交流元企業に対する処分等に関する事務又は交流元企業との間における契約の締結若しくは履行に関する事務をその職務とする官職とする。

（交流採用に係る人事異動通知書の交付）

第四十六条　任命権者は、次に掲げる場合には、職員に対して、規則八—一二第五十八条の規定による人事異動通知書を交付しなければならない。

一　交流採用をした場合

二　交流採用職員の任期を更新した場合

三　任期の満了により交流採用職員が当然に退職した場合

（交流採用職員の規則九—八第四章から第六章までの規定の適用の特例）

第四十七条　交流採用職員に対する規則九—八第四章から第六章までの規定の適用については、規則八—一八（採用試験）第三条第四項に規定する経験者採用試験の結果に基づいて職員となった者として取り扱うことができる。

附　則（抄）

（施行期日）

第一条　この規則は、国家公務員法等の一部を改正する法律（平成二十六年法律第二十二号）の施行の日（平二六・五・三〇）から施行する。

附　則（平二七・三・一八規則一—六三）（抄）

（施行期日）

第一条　この規則は、平成二十七年四月一日から施行する。

（人事院規則二一—〇の一部改正に伴う経過措置）

第七条　第五条の規定による改正後の規則二一—〇（次項において「改正後の規則二一—〇」という。）第二条第二項第一号、第十条第三項、第二十七条第二項及び第三十一条第一項第六号の規定の適用については、これらの規定に規定する行政執行法人には、特定独立行政法人を含むものとする。

2　改正後の規則二一—〇第十三条及び規則二一—〇第十四条第二項の規定の適用については、改正後の規則二一—〇第十三条中「及び行政執行法人」とあるのは「及び行政執行法人並びに独立行政法人通則法の一部を改正する法律（平成二十六年法律第六十六号）による改正前の独立行政法人通則法（平成十一年法律第百三号）第二条第二項に規定する特定独立行政法人」と、規則二一—〇第十四条第二項中「国の機関等」とあるのは「国の機関等（独立行政法人通則法の一部を改正する法律の施行に伴う関係法律の整備に関する法律（平成二十六年法律第六十七号）の施行の日の前日までの間における独立行政法人国立病院機構を除く。第十五条及び第三十一条を除き、以下同じ。）」とする。

3　規則二一—〇第十九条の規定の適用については、同条中「もの（」とあるのは、「もの（人事院規則一—六三（独立行政法人通則法の一部を改正する法律等の施行に伴う関係人事院規則の整備に関する人事院規則）第五条の規定による改正前の規則二一—〇第三条各号に掲げる事務又は事業の実施を含み、」とする。

（雑則）

第十五条　附則第二条から前条までに規定するもののほか、この規則の施行に関し必要な経過措置は、人事院が定める。

附　則（平三〇・一〇・二五規則二一—〇—七）

この規則は、公布の日から施行する。

附　則（令元・五・二三規則一—七三）

この規則は、公布の日から施行する。

附　則（令元・一二・一三規則二一—〇—八）

この規則は、公布の日から施行する。

附　則（令二・四・一規則二一—〇—九）

この規則は、公布の日から施行する。

附　則（令二・六・一二規則一—七五）（抄）

（施行期日）

1　この規則は、公布の日から施行する。

附　則（令二・一二・二八規則一—七六）（抄）

（施行期日）

1　この規則は、公布の日から施行する。

附　則（令三・九・一規則一—七七）

この規則は、公布の日から施行する。

附　則（令四・二・一八規則一—七九）（抄）

（施行期日）

第一条　この規則は、令和五年四月一日から施行する。

附　則（令四・六・二四規則一—八一）

この規則は、公布の日から施行する。

附　則（令四・七・一規則二一—〇—一〇）

この規則は、公布の日から施行する。

附　則（令四・一二・一六規則二一—〇—一一）

（施行期日）

第一条　この規則は、令和五年一月一日から施行する。ただし、次条の規定は、公布の日から施行する。

（準備行為）

第二条　この規則の施行の日以後にする官民人事交流法第二条第三項に規定する交流派遣又は同条第四項に規定する交流採用に係るこの規則による改正後の規則二一—〇第三十一条第一項又は第四十二条第一項の規定による認定の手続及びこれらに関し必要な手続は、この規則の施行前においても、これらの規定の例によりすることができる。

○国と民間企業との間の人事交流の運用について（通知）

平二六・五・二九
人企―六六〇

最終改正　令五・八・三一人企―〇一三

国と民間企業との間の人事交流に関する法律（平成十一年法律第二百二十四号。以下「官民人事交流法」という。）及び人事院規則二一―〇（国と民間企業との間の人事交流）（以下「規則」という。）の運用について下記のとおり定めたので、平成二十六年五月三十日以降は、これによってください。

なお、これに伴い、次に掲げる人事院事務総長通知は、廃止します。

(1)　国と民間企業との間の人事交流の運用について（平成十二年三月二十一日任企―八七）

(2)　交流基準の運用について（平成十二年三月二十一日任企―八八）

記

官民人事交流法第五条関係

この条の交流基準とは、規則で定める基準をいう。

官民人事交流法第七条関係

この条の第二項の規定による職員の同意は、文書により行うものとする。

官民人事交流法第八条関係

1　この条の第二項の規定による人事院の承認の申請は、次に掲げる事項を記載した書類を人事院事務総長に提出することにより行うものとする。

一　交流派遣職員の氏名並びに派遣先企業の名称及び派遣先企業における地位

二　延長を必要とする理由

三　現に従事している業務の内容

四　交流派遣の年月日

五　延長予定期間

2　この条の第二項の規定により交流派遣の期間を延長する場合において、当該期間を交流派遣をした日から引き続き三年を超えない範囲内で延長するときは、当該期間の延長について同項の規定による人事院の承認があったものとして取り扱うことができる。

3　任命権者は、前項の規定により交流派遣の期間の延長についてこの条の第二項の規定による人事院の承認があったものとして取り扱った場合には、遅滞なく、次に掲げる事項を記載した書類を人事院事務総長に提出するものとする。

一　交流派遣職員の氏名並びに派遣先企業の名称及び派遣先企業における地位

二　延長を必要とする理由

三　現に従事している業務の内容

四　交流派遣の年月日

五　延長予定期間

官民人事交流法第十九条関係

1　この条の第五項ただし書の規定による人事院の承認の申請は、次に掲げる事項を記載した書類を人事院事務総長に提出することにより行うものとする。

一　交流採用職員の氏名及び官職名（職務の級及び所属部課名）

二　更新を必要とする理由

三　現に従事している職務の内容

四　交流採用の年月日

五　更新予定期間

2　この条の第五項ただし書の規定により任期を更新する場合において、当該任期を交流採用をした日から引き続き三年を超えない範囲内で更新するときは、当該任期の更新について同項ただし書の規定による人事院の承認があったものとして取り扱うことができる。

3　任命権者は、前項の規定により交流採用に係る任期の更新についてこの条の第五項ただし書の規定による人事院の承認があったものとして取り扱った場合には、遅滞なく、次に掲げる事項を記載した書類を人事院事務総長に提出するものとする。

一　交流採用職員の氏名及び官職名（職務の級及び所属部課名）

二　更新を必要とする理由

三　現に従事している職務の内容

四　交流採用の年月日

五　更新期間

官民人事交流法第二十三条関係

この条の第一項の規定による人事院への報告は、毎年一月末日までに、次の各号に掲げる報告の区分に応じ、それぞれ当該各号に定める書類を人事院事務総長に提出することにより行うものとする。

一　前年に交流派遣職員であった者に関する報告　当該者ごとに次に掲げる事項を記載した書類
(1)　交流派遣に係る官民人事交流法第七条第二項の規定による書類の提出の時に占めていた官職（当該者が国際機関に派遣されていたこと等の事情によりその占めていた官職の職務に従事していなかった場合は、あわせて、派遣先の機関名等）
(2)　派遣先企業の名称
(3)　前年に占めていた派遣先企業における地位及び業務内容（前年に地位又は業務内容の変更があった場合は、占めていた期間ごとの地位及び業務内容）
(4)　交流派遣の期間
(5)　(1)から(4)までに掲げるもののほか、参考となる事項
二　三年前の年の一月一日から前年の十二月三十一日までの間に交流派遣から職務に復帰した職員に関する報告　当該者ごとに次に掲げる事項を記載した書類及び当該者の前年末における人事記録の写し
(1)　前年において当該者が国際機関に派遣されている等の事情によりその占める官職の職務に従事していない場合における派遣先等の機関名
(2)　前年において国家公務員退職手当法（昭和二十八年法律第百八十二号）第二十条の規定により退職手当の支給を受けずに退職した場合における退職後に就いた機関等の名称
(3)　派遣先企業の名称
(4)　復帰の日の直前に派遣先企業において占めていた地位及び業務内容
(5)　(1)から(4)までに掲げるもののほか、参考となる事項
三　前年に交流採用職員であった者に関する報告　当該者ごとに次に掲げる事項を記載した書類及び当該者の前年末における人事記録の写し
(1)　交流元企業の名称及び事業内容
(2)　交流採用をされた日の直前に交流元企業において占めていた地位（官民人事交流法第二条第四項第二号に係る交流採用にあっては、当該者が交流元企業において占めている地位）
(3)　前年に占めていた官職の職務内容
(4)　交流採用に係る任期（当初の交流採用に係る任期に変更があった場合にあっては、変更後の任期）
(5)　(1)から(4)までに掲げるもののほか、参考となる事項

規則第二条関係

1　この条の第二項第一号の人事院の定める処分等は、報告を命ずる処分、規格の表示の認定その他これらに類する処分等とする。
2　この条の第二項第一号の「事務」には、他の機関に委任した処分等の権限に関する事務を含む。
3　この条の第二項第三号の人事院が定める官職は、次に掲げるものとする。
一　国家行政組織法（昭和二十三年法律第百二十号）第十八条第四項に規定する職（各省に置かれるものに限る。）及び同法第二十条第一項に規定する職
二　会計検査院事務総長、会計検査院事務総局次長及び会計検査院事務総局の局長
三　内閣感染症危機管理対策官、内閣総務官及び人事政策統括官
四　内閣法制次長及び内閣法制局の部長
五　人事院事務総長及び人事院事務総局の局長
六　内閣府の事務次官、内閣府審議官、内閣府設置法（平成十一年法律第八十九号）第十七条第一項に規定する職、同条第五項に規定する局長、同条第六項に規定する官房の長、同法第六十一条第一項に規定する次長、同条第二項に規定する職、同法第六十二条第一項に規定する職、同法第六十三条第一項に規定する事務局長及び局長並びに同条第二項に規定する官房の長並びに国際平和協力本部事務局長及び日本学術会議事務局長
七　宮内庁の次長及び部長
八　公正取引委員会事務総長及び公正取引委員会事務総局の局長
九　警察庁の長官、次長、官房長及び局長
十　金融庁の長官及び証券取引等監視委員会事務局長
十一　消費者庁長官
十二　こども家庭庁長官
十三　デジタル庁のデジタル審議官及び統括官

十四　復興庁の事務次官及び統括官
十五　国税不服審判所長
十六　農林水産技術会議事務局長
十七　国土地理院長及び海難審判所長
十八　原子力規制庁長官
十九　国家行政組織法第六条に規定する長官、同法第十八条第一項に規定する事務次官、同法第二十一条第一項に規定する事務局長及び局長並びに同条第二項に規定する官房の長（各省に置かれるものに限る。）並びに検事総長及び次長検事の官職並びに前各号に掲げる官職以外の官職で、これらと職務の複雑と責任の度が同等のもの

4　この条の第二項第五号の人事院が定める組織は、次に掲げるものとする。
一　国家行政組織法第二十条第一項に規定する職又は当該職のつかさどる職務の全部若しくは一部を助ける職に就いている職員で構成される組織
二　会計検査院事務総局の官房及び局
三　郵政民営化委員会事務局及び原子力防災会議事務局
四　内閣官房副長官補又は当該職を助ける職に就いている職員で構成される組織、内閣総務官室、内閣感染症危機管理統括庁、国家安全保障局、内閣広報室、内閣情報調査室及び内閣人事局並びに内閣総理大臣決定等に基づき内閣官房に置かれるその他の組織で本省庁の部長等の官職の属するもの
五　内閣法制局の部及び長官総務室
六　人事院事務総局（事務総局の局、公務員研修所、地方事務局及び沖縄事務所を除く。）、人事院事務総局の局及び国家公務員倫理審査会事務局
七　内閣府本府の官房、局、政策統括官又は当該職のつかさどる職務の全部若しくは一部を助ける職に就いている職員で構成される組織及び独立公文書管理監又は当該職のつかさどる職務の全部若しくは一部を助ける職に就いている職員で構成される組織並びに国際平和協力本部事務局及び日本学術会議事務局並びに内閣総理大臣決定等に基づき内閣府本府に置かれるその他の組織で本省庁の部長等の官職の属するもの
八　宮内庁の長官官房、侍従職、上皇職、東宮職、皇嗣職、式部職及び部
九　公正取引委員会事務総局の官房（私的独占の禁止及び公正取引の確保に関する法律（昭和二十二年法律第五十四号）第三十五条第七項に規定する審判官は当該官房に属するものとする。）及び局
十　警察庁の長官官房及び局
十一　個人情報保護委員会事務局
十二　カジノ管理委員会事務局長
十三　金融庁の金融国際審議官又は当該職のつかさどる職務の全部若しくは一部を助ける職に就いている職員で構成される組織及び局並びに証券取引等監視委員会事務局
十四　消費者庁
十五　こども家庭庁の長官官房及び局
十六　デジタル庁の統括官又は当該職のつかさどる職務の全部若しくは一部を助ける職に就いている職員で構成される組織
十七　復興庁の統括官又は当該職のつかさどる職務の全部若しくは一部を助ける職に就いている職員で構成される組織
十八　最高検察庁
十九　国税不服審判所（支部を除く。）
二十　農林水産技術会議事務局
二十一　国土地理院（地方測量部及び沖縄支所を除く。）及び海難審判所（地方海難審判所を除く。）

規則第四条関係

この条の第十六号に掲げる「一般社団法人及び一般財団法人」には、公益社団法人及び公益財団法人の認定等に関する法律（平成十八年法律第四十九号）第二条第一号に定める公益社団法人及び同条第二号に定める公益財団法人が含まれる。

規則第五条関係

この条の第五号の「勤務延長職員」とは、国家公務員法（昭和二十二年法律第百二十号）第八十一条の七第一項又は第二項の規定により定年退職日の翌日以降引き続いて勤務している職員をいう。

規則第七条関係

1　この条の第一号の「役員」とは、取締役、執行役、会計参与、監査役、業務を執行する社員、発起人その他これらに類するものをいう。
2　この条の第一号の人事院の定める不利益処分は、人事交流を行おうとする民間企業の業務に係る次に掲げる処分（第四号に掲げる処分については、交流派遣に係る職員が当該民

間企業において従事することとなる事務が経理に関するものである場合及び交流採用に係る者が交流採用をしようとする日前一年以内に当該民間企業において従事していた事務が経理に関するものである場合に限る。）その他これらに類する処分とする。

一　許認可等の取消し
二　業務停止命令
三　役員の解任命令
四　重加算税の徴収
五　課徴金の納付命令

規則第八条関係

この条の規定は、国の機関等（会計検査院、内閣、人事院、内閣府、デジタル庁、復興庁及び各省並びに宮内庁及び各外局並びに各行政執行法人（独立行政法人通則法（平成十一年法律第百三号）第二条第四項に規定する行政執行法人をいう。）をいう。以下同じ。）を単位として適用するものとする。

規則第十二条関係

1　この条の人事院が定める処分等は、特許、意匠登録又は商標登録をすべき旨の査定、これらの出願について拒絶をすべき旨の査定、これらを無効にすべき旨の審決その他これらに類する処分等とする。

2　この条の人事院が定める場合は、職員が交流派遣をしようとする日前二年以内において次のいずれにも該当しない場合とする。

一　特許庁長官の官職を占めていた期間があること。

二　特許庁の特許技監の官職を占めていた期間のうちに特許庁の他の職員が派遣先予定企業に対する第一項に規定する処分等に関する事務に従事した期間があること。

三　特許庁の部長の官職を占めていた期間のうちに当該官職の属する部の他の職員が派遣先予定企業に対する第一項に規定する処分等に関する事務に従事した期間があること。

四　特許庁の課長又はこれと同等以上の官職（長官、特許技監及び部長の官職を除く。）を占めていた期間のうちに当該官職の属する組織のうち課又はこれに準ずる組織の他の職員が派遣先予定企業に対する第一項に規定する処分等に関する事務に従事した期間があること。

五　特許庁の官職（課長又はこれと同等以上の官職を除く。）を占めていた期間のうちに担当する技術、物品又は商品若しくは役務の分野と同じ技術、物品又は商品若しくは役務の分野を担当する他の職員が派遣先予定企業に対する第一項に規定する処分等に関する事務（当該同じ技術、物品又は商品若しくは役務の分野に係るものに限る。）に従事した期間があること。

規則第十三条関係

1　この条の人事院が定める組織は、次に掲げるものとする。

一　会計検査院事務総局の課

二　人事院事務総局の局、課（公務員研修所、地方事務局又は沖縄事務所に置かれるものを除く。）、公務員研修所、地方事務局又は沖縄事務所

三　最高検察庁に置かれる部又は事務局

四　国家行政組織法第七条第五項に規定する実施庁又は原子力規制庁に政令の定める数の範囲内において置かれる部局等

五　国税不服審判所の支部

六　国土地理院の地方測量部又は沖縄支所

七　海難審判所の地方海難審判所

八　統括官、審議官、参事官その他の局長、部長若しくは課長に準ずる職又は当該職のつかさどる職務の全部若しくは一部を助ける職に就いている職員で構成される組織であって、法律又は政令の規定により国の機関に置かれる部局等に相当すると認められるもの

2　この条の「上級の職員」とは、例えば、この条の「本省庁の課相当部局等」を置く局の局長、部長等、当該局の所掌事務の一部を総括整理する職等をいう。

規則第十四条関係

この条の第一項の「交流派遣をしようとする日前五年間に係る年度」とは、交流派遣をしようとする日から五年遡った日の属する年度から当該交流派遣をしようとする日の前日の属する年度までの年度（同日の属する年度にあっては、当該年度の初日から同日までの期間に限る。）をいう。

規則第十五条関係

この条の「契約の締結又は履行に携わった期間」には、工事請負、国有財産売払い、物品納入等についての国の機関等と民間企業との間の

契約に関し、職員が当該民間企業の推薦若しくは選考、工事等の予定価格の積算若しくは入札執行又は当該契約の締結若しくは履行についての監督若しくは検査に従事した期間を含む。

規則第十九条関係

この条の「交流派遣をしようとする日前五年間に係る年度」とは、規則第十四条関係に規定する年度と同様とする。

規則第二十三条及び第二十五条関係

これらの条の「交流採用をしようとする日前五年間に係る年度」とは、交流採用をしようとする日から五年遡った日の属する年度から当該交流採用をしようとする日の前日の属する年度までの年度(同日の属する年度にあっては、当該年度の初日から同日までの期間に限る。)をいう。

規則第三十一条関係

1　この条の第一項の規定により提出する書類には、次に掲げる資料を添付するものとする。

一　交流派遣予定職員の人事記録の写し

二　この条の第一項第一号ニ、ヘ及びト並びに第三号に掲げる事項に係る当該書類の記載内容を派遣先予定企業が確認したことを証する書面

三　前二号に掲げるもののほか、参考となる資料

2　この条の第一項第一号ニの「地位及び業務内容」には、交流派遣の期間中に派遣先予定企業において異動が予定されている場合における当該異動後の地位及び業務内容を含む。

3　この条の第一項第二号の「事務」には、他の機関に委任した処分等の権限に関する事務を含む。

4　この条の第一項第三号並びに第二項第二号及び第三号の「交流派遣をしようとする日前五年間に係るそれぞれの年度」とは、交流派遣をしようとする日から五年遡った日の属する年度から当該交流派遣をしようとする日の前日の属する年度までのそれぞれの年度（同日の属する年度にあっては、当該年度の初日から当該交流派遣をしようとする日の前日までの期間に限る。）をいう。

5　この条の第一項第六号の「人事等に関する方針」とは、人事等に関する基本的考え方、交流派遣から職務に復帰した後の職員の活用の方法（例えば、従事させることを想定している業務分野若しくは行政課題又は就けることを想定している職務の種類など）その他必要と認められる事項とする。

規則第三十四条関係

1　この条の第一項の規定による人事院の認定の申請は、同項に規定する計画の変更に係る事項を記載した書類の提出により行うものとする。この場合において、当該計画の変更が、交流派遣をした日から引き続き三年を超えるものとなる交流派遣の期間の延長に係るものであるときは、官民人事交流法第八条第二項の規定による承認の申請のための書類の提出をもって、この項に規定する書類の提出とみなす。

2　この条の第一項の規定により交流派遣の実施に関する計画を変更する場合において、当該計画の変更が、派遣先企業の名称の変更（新たに所管関係が生じないものに限る。）、派遣先企業における地位の変更（当該派遣先企業における業務内容の変更を伴うものを除く。）又は交流派遣の期間の変更（交流派遣をした日から引き続き三年を超えるものとなる交流派遣の期間の延長を除く。）に係るものであるときは、当該計画の変更についてこの条の第一項の規定による人事院の認定があったものとして取り扱うことができる。

3　任命権者は、前項の規定により交流派遣の実施に関する計画の変更についてこの条の第一項の規定による人事院の認定があったものとして取り扱った場合には、遅滞なく、当該計画の変更に係る事項を記載した書類を人事院事務総長に提出するものとする。この場合において、当該計画の変更が、交流派遣の期間の延長に係るものであるときは、官民人事交流法第八条関係第二項の規定により取り扱った場合における同条関係第三項の規定による書類の提出をもって、この項に規定する書類の提出とみなす。

4　この条の第一項ただし書の規定による交流派遣職員の同意は、文書により行うものとする。この場合において、任命権者は、遅滞なく、当該文書の写しを人事院事務総長に提出するものとする。

規則第三十八条関係

この条の「契約の締結若しくは履行に関する事務」には、工事請負、国有財産売払い、物品納入等についての交流派遣後職務に復帰した職員の在職する国の機関等と当該職員の派遣先企

業であった民間企業との間における契約に関する当該民間企業の推薦若しくは選考、工事等の予定価格の積算若しくは入札執行又は当該契約の締結若しくは履行についての監督若しくは検査の事務を含む。

規則第三十九条関係

人事異動通知書の「異動内容」欄の記入要領は、次のとおりとする。

一　交流派遣をする場合

「ア（イ）に交流派遣をする
交流派遣の期間は　年　月　日から　年
月　日までとする」

と記入する。

注1　「ア」の記号をもって表示する事項は、派遣先企業の名称とする。

2　「イ」の記号をもって表示する事項は、派遣先企業の本店又は主たる事務所の所在地とする。

二　交流派遣職員の交流派遣の期間を延長する場合

「交流派遣の期間を　年　月　日まで延長する」

と記入する。

三　交流派遣職員を職務に復帰させる場合

「職務に復帰させる」

と記入する。

四　交流派遣の期間の満了により交流派遣職員が職務に復帰した場合

「職務に復帰した（　年　月　日）」

と記入する。

規則第四十条関係

交流派遣後職務に復帰した職員を昇格させる場合には、次の各号に掲げる職員の区分に応じ、当該各号に定める職務の級に昇格させることができる。ただし、特別の事情によりこれにより難い場合には、あらかじめ人事院事務総長に協議して、別段の取扱いをすることができる。

一　人事院規則九―八（初任給、昇格、昇給等の基準）（以下「規則九―八」という。）第十一条第三項の規定により職務の級を決定された職員以外の職員　昇格させようとする日に新たに職員となったものとした場合のその者の経験年数がその者を昇格させようとする職務の級をその者の属する職務の級とみなした場合の給実甲第三二六号（人事院規則九―八（初任給、昇格、昇給等の基準）の運用について）第十五条関係第五項に規定する最短昇格期間（ただし、規則九―八第二十条第四項後段の規定に該当するときは、当該最短昇格期間に百分の五十以上百分の百未満の割合を乗じて得た期間とすることができる。）以上となる当該昇格させようとする職務の級

二　規則九―八第十一条第三項の規定により職務の級を決定された職員　当該交流派遣がなく引き続き職務に従事したものとみなして、その者が当該交流派遣の直前に属していた職務の級を基礎として昇格等の規定を適用した場合に、その者を昇格させようとする日に属することとなる職務の級を超えない範囲内の職務の級

規則第四十一条関係

この条の規定の適用については、給実甲第一九二号（復職時等における号俸の調整の運用について）に定めるところによる。

規則第四十二条関係

1　この条の第一項の規定により提出する書類には、次に掲げる資料を添付するものとする。

一　この条の第一項第一号ロ、ハ、ニ及びチ並びに第三号に掲げる事項に係る当該書類の記載内容を所属企業が確認したことを証する書面

二　規則第二十六条各号に規定する事項に係る所属企業との合意を証明する文書

三　前二号に掲げるもののほか、参考となる資料

2　この条の第一項第一号ホの「官職及びその職務内容」には、任期中に異動が予定されている場合における当該異動後の官職及びその職務内容を含む。

3　この条の第一項第二号の「事務」には、他の機関に委任した処分等の権限に関する事務を含む。

4　この条の第一項第三号及び第二項第二号の「交流採用をしようとする日前五年間に係るそれぞれの年度」とは、交流採用をしようとする日から五年遡った日の属する年度から当該交流採用をしようとする日の前日の属する年度までのそれぞれの年度（同日の属する年度にあっては、当該年度の初日から当該交流採用をしようとする日の前日までの期間に限る。）をいう。

5　交流採用に係る官職が人事院規則八―一二（職員の任免）第十八条第三項に規定する特

定官職である場合における同項の規定による協議は、「任用関係の承認申請等の手続について（平成二十一年三月十八日人企―五三七）」第四項の規定にかかわらず、この条の第一項の規定により提出する書類に、次に掲げる事項を併せて記載することにより行うものとする。

一　交流採用予定者の資格、経歴、実務経験等の内容

二　交流採用予定日前二年以内の期間における刑事事件に関する起訴の有無

6　この条の第二項第三号の「当該五年間において当該交流採用予定者が当該部門に所属していたそれぞれの年度」とは、交流採用をしようとする日から五年遡った日の属する年度から当該交流採用をしようとする日の前日の属する年度までの年度のうち、交流採用予定者の所属していた部門に当該交流採用予定者が所属していたそれぞれの年度（同日の属する年度にあっては、当該年度の初日から当該交流採用をしようとする日の前日までの期間に限る。）をいう。

規則第四十三条関係

1　この条の給付は、交流元企業が交流採用予定者に対して直接行う場合のほか、交流元企業が他の事業者等が行うこの条の給付を交流採用予定者に受けさせるための費用の全部又は一部を負担する場合を含む。

2　この条の人事院の認める給付は、それによって交流採用予定者が受ける経済的利益が社会一般の状況やその者の職務内容、交流元企業における地位等に照らして相当と認められる給付であって、給付基準や手続等についてあらかじめ定められた規程に従って行われるものとする。

3　この条の第四号の人事院の定めるサービスは、次に掲げるものとする。

一　交流採用予定者若しくはその配偶者（届出をしないが事実上婚姻関係と同様の事情にある者を含む。以下同じ。）又はそれらの親族（交流採用予定者又はその配偶者との間において事実上親族と同様の関係にあると認められる者を含む。以下同じ。）に対する保健医療サービス

二　交流採用予定者又はその配偶者の出産に係るサービス

三　交流採用予定者又はその配偶者の子（交流採用予定者又はその配偶者との間において事実上子と同様の関係にあると認められる者を含む。）の養育に係るサービス

四　交流採用予定者若しくはその配偶者又はそれらの親族の介護に係るサービス

五　交流採用予定者の自発的な職業能力の開発のための各種教育サービス

4　任命権者は、この条の第五号の人事院の指定を受けようとするときは、給付の内容、その必要性その他参考となる事項を記載した書類を事務総長に提出するものとし、当該書類には、交流元企業における福利厚生に関する規程その他参考となる資料を添付するものとする。

規則第四十四条関係

1　この条に規定する計画の変更のために同条の規定により書類を提出する場合において、当該計画の変更が、交流採用をした日から引き続き三年を超えるものとなる任期の更新に係るものであるときは、官民人事交流法第十九条第五項ただし書の規定による承認の申請のための書類の提出をもって、この条に規定する書類の提出とみなす。

2　この条の規定により交流採用の実施に関する計画を変更する場合において、当該計画の変更が、交流元企業の名称の変更（新たに所管関係が生じないものに限る。）、交流元企業における地位の変更、官職の名称の変更（官職の職務内容の変更を伴うものを除く。）、同一の国の機関等に属する他の官職への昇任、降任若しくは併任（職務内容の変更が極めて軽微であり、かつ、新たに所管関係が生じない場合に限る。）、併任の解除又は任期の変更（交流採用をした日から引き続き三年を超えるものとなる任期の更新を除く。）に係るものであるときは、当該計画の変更についてこの条の規定による人事院の認定があったものとして取り扱うことができる。

3　任命権者は、前項の規定により交流採用の実施に関する計画の変更についてこの条の規定による人事院の認定があったものとして取り扱った場合には、遅滞なく、当該計画の変更に係る事項を記載した書類を人事院事務総長に提出するものとする。この場合において、当該計画の変更が、任期の更新に係るものであるときは、第十九条関係第二項の規定によ

り取り扱った場合における同条関係第三項の規定による書類の提出をもって、この条に規定する書類の提出とみなす。

4　この条の規定による交流採用職員の同意は、文書により行うものとする。この場合において、任命権者は、遅滞なく、当該文書の写しを人事院事務総長に提出するものとする。

規則第四十五条関係

この条の「契約の締結若しくは履行に関する事務」には、工事請負、国有財産売払い、物品納入等についての交流採用職員の在職する国の機関等と交流元企業との間における契約に関する当該交流元企業の推薦若しくは選考、工事等の予定価格の積算若しくは入札執行又は当該契約の締結若しくは履行についての監督若しくは検査の事務を含む。

規則第四十六条関係

人事異動通知書の「異動内容」欄の記入要領は、次のとおりとする。

一　交流採用をする場合

「アに採用する

任期は　年　月　日までとする」

と記入する。

注「ア」の記号をもって表示する事項は、官職の組織上の名称及び当該官職の属する所属部課（所属部課の表示の単位は任命権者が定めるものとする。）とする。

二　交流採用職員の任期を更新する場合

「任期を　年　月　日まで更新する」

と記入する。

三　任期の満了により交流採用職員が当然に退職する場合

「任期の満了により　年　月　日限り退職した」

と記入する。

以　上

（令和四年二月一八日事企法三八経過措置（抄））

2　令和三年改正法附則第三条第五項に規定する旧国家公務員法勤務延長職員に対する令和四年事企法—三七による改正後の次に掲げる人事院事務総長通知の規定の適用については、これらの規定中「第八十一条の七第一項又は第二項」とあるのは、「第八十一条の七第一項若しくは第二項又は国家公務員法等の一部を改正する法律（令和三年法律第六十一号）附則第三条第五項若しくは第六項」とする。

七　「国と民間企業との間の人事交流の運用について（平成二十六年五月二十九日人企—六六〇）」規則第五条関係

第六　任期付職員

○一般職の任期付職員の採用及び給与の特例に関する法律

平一二・一一・二七
法　　一　二　五

最終改正　令六・一二・二五法七二

（趣旨）

第一条　この法律は、一般職の職員について、専門的な知識経験又は優れた識見を有する者の任期を定めた採用及び任期を定めて採用された職員の給与の特例に関する事項を定めるものとする。

（定義）

第二条　この法律において「職員」とは、国家公務員法（昭和二十二年法律第百二十号）第二条に規定する一般職に属する職員（法律により任期を定めて任用することとされている官職を占める職員及び常時勤務を要しない官職を占める職員を除く。）をいう。

2　この法律において「任命権者」とは、国家公務員法第五十五条第一項に規定する任命権者及び法律で別に定められた任命権者並びにその委任を受けた者をいう。

3　この法律において「各庁の長」とは、一般職の職員の給与に関する法律（昭和二十五年法律第九十五号。以下「給与法」という。）第七条に規定する各庁の長及びその委任を受けた者をいう。

（任期を定めた採用）

第三条　任命権者は、高度の専門的な知識経験又は優れた識見を有する者をその者が有する当該高度の専門的な知識経験又は優れた識見を一定の期間活用して遂行することが特に必要とされる業務に従事させる場合には、人事院の承認を得て、選考により、任期を定めて職員を採用することができる。

2　任命権者は、前項の規定によるほか、専門的な知識経験を有する者を当該専門的な知識経験が必要とされる業務に従事させる場合において、次の各号に掲げる場合のいずれかに該当するときであって、当該者を当該業務に期間を限って従事させることが公務の能率的運営を確保するために必要であるときは、人事院の承認を得て、選考により、任期を定めて職員を採用することができる。

一　当該専門的な知識経験を有する職員の育成に相当の期間を要するため、当該専門的な知識経験が必要とされる業務に従事させることが適任と認められる職員を部内で確保することが一定の期間困難である場合

二　当該専門的な知識経験が急速に進歩する技術に係るものであることその他当該専門的な知識経験の性質上、当該専門的な知識経験が必要とされる業務に当該者が有する当該専門的な知識経験を有効に活用することができる期間が一定の期間に限られる場合

三　前二号に掲げる場合に準ずる場合として人事院規則で定める場合

（任期）

第四条　前条各項の規定により採用される職員の任期は、五年を超えない範囲内で任命権者が定める。

2　任命権者は、前項の規定により任期を定めて職員を採用する場合には、当該職員にその任期を明示しなければならない。

第五条　任命権者は、第三条各項の規定により任期を定めて採用された職員（以下「任期付職員」という。）の任期が五年に満たない場合にあっては、人事院の承認を得て、採用した日から五年を超えない範囲内において、その任期を更新することができる。

2　前条第二項の規定は、前項の規定により任期を更新する場合について準用する。

（任用の制限）

第六条　任命権者は、任期付職員が採用時に占めていた官職においてその有する高度の専門的な知識経験又は優れた識見を活用して従事していた業務と同一の業務を行うことをその職務の主たる内容とする他の官職に任用する場合その他任期付職員を任期を定めて採用した趣旨に反しない場合に限り、人事院の承認を得て、任期付職員を、その任期中、他の官職に任用することができる。

（給与に関する特例）

第七条　第三条第一項の規定により任期を定めて

採用された職員（以下「特定任期付職員」という。）には、次の俸給表を適用する。

号　俸	俸給月額
	円
1	392,000
2	440,000
3	492,000
4	555,000
5	634,000
6	740,000
7	864,000

2　各庁の長は、特定任期付職員の号俸を、特定任期付職員が従事する業務に応じて人事院規則で定める基準に従い決定する。

3　各庁の長は、特定任期付職員について、特別の事情により第一項の俸給表に掲げる号俸により難いときは、前二項の規定にかかわらず、人事院の承認を得て、その俸給月額を同表に掲げる七号俸の俸給月額にその額と同表に掲げる六号俸の俸給月額との差額に一からの各整数を順次乗じて得られる額を加えた額のいずれかに相当する額（給与法の指定職俸給表八号俸の額未満の額に限る。）又は給与法の指定職俸給表八号俸の額に相当する額とすることができる。

4　第二項の規定による号俸の決定及び前項の規定による俸給月額の決定は、予算の範囲内で行わなければならない。

（給与法の適用除外等）

第八条　給与法第六条、第八条、第十条から第十一条まで及び第十一条の十の規定は、特定任期付職員には、適用しない。

2　特定任期付職員に対する給与法第三条第一項、第七条、第十一条の五、第十一条の九第一項、第十九条の三第一項、第十九条の四第二項、第十九条の七第二項第一号イ、第二十条及び第二十一条第一項の規定の適用については、給与法第三条第一項中「この法律」とあるのは「この法律及び一般職の任期付職員の採用及び給与の特例に関する法律（平成十二年法律第百二十五号。以下「任期付職員法」という。）第七条の規定」と、給与法第七条中「この法律」とあるのは「この法律及び任期付職員法第七条の規定」と、給与法第十一条の五中「指定職俸給表」とあるのは「指定職俸給表又は任期付職員法第七条第一項の俸給表」と、給与法第十一条の九第一項中「指定職俸給表」とあるのは「指定職俸給表又は任期付職員法第七条第一項の俸給表」と、給与法第十九条の三第一項中「以下「管理監督職員等」」とあるのは「任期付職員法第七条第一項の俸給表の適用を受ける職員を含む。以下「管理監督職員等」」と、給与法第十九条の四第二項中「百分の百二十五」とあるのは「百分の九十五」と、給与法第十九条の七第二項第一号イ中「百分の百五」とあるのは「百分の八十七・五」と、給与法第二十条中「第六条」とあるのは「任期付職員法第七条」と、給与法第二十一条第一項中「この法律」とあるのは「この法律及び任期付職員法第七条」とする。

（特定任期付職員に対する在外公館の名称及び位置並びに在外公館に勤務する外務公務員の給与に関する法律の規定の適用）

第九条　特定任期付職員に対する在外公館の名称及び位置並びに在外公館に勤務する外務公務員の給与に関する法律（昭和二十七年法律第九十三号）第二条第三項の規定の適用については、同項中「除く。）」とあるのは、「除く。）及び一般職の任期付職員の採用及び給与の特例に関する法律（平成十二年法律第百二十五号）」とする。

（人事院規則への委任）

第十条　この法律の実施に関し必要な事項は、人事院規則で定める。

（人事院の勧告等）

第十一条　人事院は、この法律に定める事項に関して調査研究を行い、その結果を国会及び内閣に同時に報告するとともに、必要に応じ、適当と認める改定を勧告することができる。

附　則（抄）

（施行期日）

第一条　この法律は、公布の日から施行する。

附　則（平二九・一二・一五法七七）（抄）

（施行期日等）

第一条　この法律は、公布の日から施行する。ただし、〔中略〕第六条〔中略〕の規定は、平成三十年四月一日から施行する。

2　〔前略〕第五条の規定による改正後の一般職の任期付職員の採用及び給与の特例に関する法律（次条〔中略〕において「改正後の任期付職員法」という。）の規定は、平成二十九年四月一日から適用する。

（給与の内払）

第二条　〔前略〕改正後の任期付職員法の規定を適用する場合には、〔中略〕第五条の規定による改正前の一般職の任期付職員の採用及び給与の特例に関する法律の規定に基づいて支給された給与（平成二十六年改正法附則第七条の規定に基づいて支給された俸給を含む。）は、〔中略〕改正後の任期付職員法の規定による給与（平成二十六年改正法附則第七条の規定による俸給を含む。）の内払とみなす。

（人事院規則への委任）

第四条　前二条に定めるもののほか、この法律の施行に関し必要な事項は、人事院規則で定める。

附　則（平三〇・一一・三〇法八二）（抄）

（施行期日等）

第一条　この法律は、公布の日から施行する。ただし、〔中略〕第六条の規定は、平成三十一年四月一日から施行する。

2　〔前略〕第五条の規定による改正後の一般職の任期付職員の採用及び給与の特例に関する法律（次条及び附則第三条において「改正後の任期付職員法」という。）の規定は、平成三十年四月一日から適用する。

（特定任期付職員に係る最高の号俸を超える俸給月額の切替え）

第二条　平成三十年四月一日（以下この条において「切替日」という。）の前日において一般職の任期付職員の採用及び給与の特例に関する法律第七条第三項の規定による俸給月額を受けていた職員の切替日における俸給月額は、改正後の任期付職員法第七条第一項に規定する俸給表に掲げる号俸の俸給月額及び一般職の職員の給与に関する法律別表第十一に規定する指定職俸給表八号俸の額との権衡を考慮して人事院規則で定める。

（給与の内払）

第三条　〔前略〕改正後の任期付職員法の規定を適用する場合には、〔中略〕第五条の規定による改正前の一般職の任期付職員の採用及び給与の特例に関する法律の規定に基づいて支給された給与は、〔中略〕改正後の任期付職員法の規定による給与の内払とみなす。

（人事院規則への委任）

第四条　前二条に定めるもののほか、この法律の施行に関し必要な事項は、人事院規則で定める。

附　則（令元・一一・二二法五一）（抄）

（施行期日等）

第一条　この法律は、公布の日から施行する。ただし、〔中略〕第六条〔中略〕の規定は、令和二年四月一日から施行する。

2　〔前略〕第五条の規定（一般職の任期付職員の採用及び給与の特例に関する法律（以下この項及び次条において「任期付職員法」という。）第八条第二項の改正規定を除く。次条において同じ。）による改正後の任期付職員法（次条において「改正後の任期付職員法」という。）の規定は、平成三十一年四月一日から適用する。

（給与の内払）

第二条　〔前略〕改正後の任期付職員法の規定を適用する場合には、〔中略〕第五条の規定に基づいて支給された給与は、〔中略〕改正前の任期付職員法の規定による改正後の任期付職員法の規定による給与の内払とみなす。

（人事院規則への委任）

第四条　前二条に定めるもののほか、この法律の施行に関し必要な事項は、人事院規則で定める。

附　則（令二・一一・三〇法六五）（抄）

この法律は、公布の日から施行する。ただし、〔中略〕第六条の規定は、令和三年四月一日から施行する。

附　則（令四・四・一三法一七）（抄）

（施行期日）

第一条　この法律は、公布の日から施行する。

（人事院規則への委任）

第三条　前条に定めるもののほか、この法律の施行に関し必要な事項は、人事院規則で定める。

附　則（令四・一一・一八法八一）（抄）

（施行期日等）

第一条　この法律は、公布の日から施行する。ただし、〔中略〕第五条の規定は、令和五年四月一日から施行する。

（給与の内払）

第二条　〔前略〕改正後の任期付職員法の規定を適用する場合には、〔中略〕第四条の規定による改正前の任期付職員法の規定に基づいて支給された給与は、〔中略〕改正後の任期付職員法の規定による給与の内払とみなす。

（人事院規則への委任）

第三条　前条に定めるもののほか、この法律の施行に関し必要な事項は、人事院規則で定める。

附　則（令五・一一・二四法七三）（抄）

（施行期日等）

第一条　この法律は、公布の日から施行する。ただし、次の各号に掲げる規定は、当該各号に定める日から施行する。

一　〔前略〕第七条の規定〔中略〕　令和六年四月一日

二　〔略〕

2　〔前略〕第六条の規定（一般職の任期付職員の採用及び給与の特例に関する法律（以下「任期付職員法」という。）第八条第二項の改正規定を除く。附則第三条において同じ。）による改正後の任期付職員法（次条及び附則第三条において「改正後の任期付職員法」という。）の規定は、令和五年四月一日から適用する。

（特定任期付職員に係る最高の号俸を超える俸給月額の切替え）

第二条　令和五年四月一日（以下この条において「切替日」という。）の前日において任期付職員法第七条第三項の規定による俸給月額を受けていた職員の切替日における俸給月額は、改正後の任期付職員法第七条第一項に規定する俸給表に掲げる号俸の俸給月額及び改正後の給与法別表第十一に規定する指定職俸給表八号俸の額との権衡を考慮して人事院規則で定める。

（給与の内払）

第三条　〔前略〕改正後の任期付職員法の規定を適用する場合には、〔中略〕第六条の規定による改正前の任期付職員法の規定に基づいて支給された給与は、〔中略〕改正後の任期付職員法の規定による給与の内払とみなす。

附　則（令六・一二・二五法七二）（抄）

（施行期日等）

第一条　この法律は、公布の日から施行する。ただし、〔中略〕第八条〔中略〕の規定〔中略〕は、令和七年四月一日から施行する。

2　〔前略〕第七条の規定による改正後の一般職の任期付職員の採用及び給与の特例に関する法律（次条及び附則第三条において「改正後の任期付職員法」という。）の規定は、令和六年四月一日から適用する。

（適用日における特定任期付職員に係る最高の号俸を超える俸給月額の切替え）

第二条　令和六年四月一日（以下この条において「適用日」という。）の前日において一般職の任期付職員の採用及び給与の特例に関する法律第七条第三項の規定による俸給月額を受けていた職員の適用日における俸給月額は、改正後の任期付職員法第七条第一項に規定する俸給表に掲げる号俸の俸給月額及び第一条改正後給与法別表第十一に規定する指定職俸給表八号俸の額との権衡を考慮して人事院規則で定める。

（給与の内払）

第三条 〔前略〕第七条の規定による改正前の一般職の任期付職員の採用及び給与の特例に関する法律の規定に基づいて支給された給与は、〔中略〕改正後の任期付職員法の規定による給与の内払とみなす。

（その他の経過措置の人事院規則等への委任）

第十三条 附則第二条から前条までに定めるもののほか、この法律の施行に関し必要な経過措置は、人事院規則（人事院の所掌する事項以外の事項については、政令）で定める。

○人事院規則九―一五二（令和六年改正法附則第二条の規定による最高の号俸を超える俸給月額を受ける特定任期付職員の俸給月額の切替え）

令六・一二・二五制定
令六・一二・二五施行

令七・四・一 廃止

令和六年四月一日（以下「適用日」という。）の前日において任期付職員法第七条第三項の規定による俸給月額を受けていた職員の適用日における俸給月額は、その者の適用日の前日における俸給月額に対応する次の表の新俸給月額欄に定める俸給月額とする。

適用日の前日における俸給月額	新俸給月額
円	円
960,000	988,000
1,081,000	1,112,000
1,178,000	1,191,000

附 則

この規則は、公布の日から施行する。

○人事院規則二三―〇（任期付職員の採用及び給与の特例）

平一二・一一・二七制定
平一二・一一・二七施行

最終改正 令七・二・五規則二三―〇―一

（趣旨）

第一条 この規則は、任期付職員法に規定する任期付職員の採用及び給与の特例に関し必要な事項を定めるものとする。

（任期を定めた採用の公正の確保）

第二条 任命権者は、任期付職員法第三条各項の規定に基づき、選考により、任期を定めて職員を採用する場合には、性別その他選考される者の属性を基準とすることなく、及び情実人事を求める圧力又は働きかけその他の不当な影響を受けることなく、選考される者について従事させようとする業務に必要とされる専門的な知識経験又は優れた識見の有無をその者の資格、経歴、実務の経験等に基づき経歴評定その他客観的な判定方法により公正に検証しなければならないものとする。

2 人事院は、任期付職員法第三条各項の承認に当たっては、任期を定めた採用の公正を確保するため特に必要があると認めるときは、行政運営に関し優れた識見を有する者の意見を聴くものとする。

（任期付職員法第三条第二項第三号の人事院規

則で定める場合）

第三条 任期付職員法第三条第二項第三号の規則で定める場合は、次に掲げる場合とする。

一 当該専門的な知識経験を有する職員を一定の期間他の業務に従事させる必要があるため、当該専門的な知識経験が必要とされる業務に従事させることが適任と認められる職員を部内で確保することが一定の期間困難である場合

二 当該業務が公務外における実務の経験を通じて得られる最新の専門的な知識経験を必要とするものであることにより、当該業務に当該者が有する当該専門的な知識経験を有効に活用することができる期間が一定の期間に限られる場合

（任期の更新）

第四条 任命権者は、任期付職員法第五条第一項の規定により任期を更新する場合には、あらかじめ任期付職員（任期付職員法第五条第一項に規定する任期付職員をいう。以下同じ。）の同意を得なければならない。

（人事異動通知書の交付）

第五条 任命権者は、次に掲げる場合には、職員に対して、規則八―一二（職員の任免）第五十八条の規定による人事異動通知書（以下この条において「人事異動通知書」という。）を交付しなければならない。ただし、第三号に掲げる場合のうち、人事異動通知書の交付によらないことを適当と認める場合は、人事異動通知書に代わる文書の交付その他適当な方法をもって人事異動通知書の交付に代えることができる。

一 任期付職員を採用した場合

二 任期付職員の任期を更新した場合

三 任期の満了により任期付職員が当然に退職した場合

（特定任期付職員の号俸の決定）

第六条 任期付職員法第七条第一項に規定する特定任期付職員の同項の俸給表の号俸は、その者の専門的な知識経験又は識見の度並びにその者が従事する業務の困難及び重要の度に応じて決定するものとし、その決定の基準となるべき標準的な場合は次の各号に定めるとおりとする。

一 高度の専門的な知識経験を有する者がその知識経験を活用して業務に従事する場合　一号俸

二 高度の専門的な知識経験を有する者がその知識経験を活用して困難な業務に従事する場合　二号俸

三 高度の専門的な知識経験を有する者がその知識経験を活用して特に困難な業務に従事する場合　三号俸

四 特に高度の専門的な知識経験を有する者がその知識経験を活用して特に困難な業務に従事する場合　四号俸

五 特に高度の専門的な知識経験を有する者がその知識経験を活用して特に困難な業務で重要なものに従事する場合　五号俸

六 極めて高度の専門的な知識経験又は優れた識見を有する者がその知識経験等を活用して特に困難な業務で重要なものに従事する場合　六号俸

七 極めて高度の専門的な知識経験又は優れた識見を有する者がその知識経験等を活用して特に困難な業務で特に重要なものに従事する場合　七号俸

（任期付職員の規定の適用の特例）

第七条 任期付職員法第三条第二項の規定により任期を定めて採用された職員に対する規則九―八（初任給、昇格、昇給等の基準）第四章から第六章までの規定の適用については、規則八―一八（採用試験）第三条第四項に規定する経験者採用試験の結果に基づいて職員となった者として取り扱うことができる。

（雑則）

第八条 この規則の定めるもののほか、任期付職員の採用及び給与の特例に関し必要な事項は、人事院が定める。

附 則

この規則は、公布の日から施行する。

附 則（令七・二・五規則二三―〇―二）

この規則は、令和七年四月一日から施行する。

○任期付職員の採用及び給与の特例の運用について（通知）

平一二・一一・二七
任企―五九〇

最終改正 令七・二・一二給三―一七

標記について下記のとおり定めたので、通知します。

記

任期付職員法第三条及び規則第二条関係

1 任命権者は、一般職の任期付職員の採用及び給与の特例に関する法律（平成十二年法律第百二十五号。以下「任期付職員法」という。）第三条各項の規定により職員を採用しようとする場合には、任期を定めて職員を採用することの必要性をしん酌した上で、選考に当たって、可能な限り公募等により幅広く人材を求めるよう努めるとともに、公務の公正性を確保しつつこの制度の適正かつ円滑な運用を図るため、任期付職員（任期付職員法第五条第一項に規定する任期付職員をいう。以下同じ。）の採用前の雇用関係その他の事情に応じて、当該任期付職員の配置、従事する業務等について適切な配慮をするものとする。

2 任期付職員法第三条第一項の「高度の専門的な知識経験」とは、例えば、弁護士又は公認会計士がその実務を通じて得た高度の専門的な知識経験、大学の教員又は研究所の研究員で特定の分野において高く評価される実績を挙げた者が有する当該分野の高度の専門的な知識経験を、「優れた識見」とは、例えば、民間における幅広い分野で活躍し、広く社会的にも高く評価される実績を挙げ、創造性、先見性等を有すると認められる者が有する幅広い知識経験をいう。

3 任命権者は、任期付職員法第三条第一項の規定による承認を得ようとする場合には、次に掲げる書類を人事院事務総長に提出するものとする。

一 次に掲げる事項を記載した承認申請書

(1) 採用予定官職（号俸又は俸給月額及び所属部課名）

(2) 当該官職に係る業務の内容（採用予定者に期待する業績の内容を含む。）

(3) 採用予定者の氏名

(4) 採用予定者の高度の専門的な知識経験又は優れた識見の内容（資格、経歴、実務の経験等）

(5) 任用予定期間

(6) 採用予定者を当該業務に当該期間を限って従事させる必要性

(7) 選考基準、選考方法及び選考結果の概要

(8) 任期付職員法第七条第三項の規定により承認を求める場合は、予定する俸給月額に決定しようとする理由

二 その他参考となる資料

4 任期付職員法第三条第一項の規定により任期を定めた採用を行う場合で、次の各号のいずれにも該当するときは、当該採用について同項の規定による人事院の承認があったものとして取り扱うことができる。この場合において、当該採用に係る官職が人事院規則八―一二（職員の任免）（以下「規則八―一二」という。）第十八条第三項に規定する特定官職であるときは、当該採用に係る選考について同項の規定による人事院との協議が成立したものとして取り扱うことができる。

一 採用予定者が、次のいずれかに該当すること。

(1) 弁護士又は公認会計士でその実務を通じて得た高度の専門的な知識経験を有するものであり、かつ、その従事する業務に必要な高度の専門的な知識経験を有していることが、その者の弁護士又は公認会計士の資格を有するものとしての実績により明らかであること。

(2) 大学の教員又は研究所の研究員で特定の分野において高く評価される実績を挙げたものであり、かつ、その従事する業務に必要な高度の専門的な知識経験を有していることが、その者の大学の教員又は研究所の研究員としての論文、学会発表等を含む国内外の大学、研究所等における活動実績により明らかであること。

(3) 次のいずれかに該当すること。

イ 情報システム又はサイバーセキュリティに関する業務に従事していた者であり、かつ、その従事する業務に必要

な高度の専門的な知識経験を有していることが、独立行政法人情報処理推進機構のＩＴスキル標準においてレベル四以上と評価されることにより明らかであること。

ロ　情報システムの実務を通じて得た高度の専門的な知識経験を有する者であって、情報システムの構築又は運用のプロジェクト（十人以上の組織で実施されるものに限る。）の責任者の業務に三年以上従事した経歴を有しているものであること。

ハ　CEH (International Council of E-Commerce Consultants が認定する Certified Ethical Hacker をいう。）、CISSP (International Information Systems Security Certification Consortium が認定する Certified Information Systems Security Professional をいう。）、CISA (Information Systems Audit and Control Association が認定する Certified Information Systems Auditor をいう。）、CISM (Information Systems Audit and Control Association が認定する Certified Information Security Manager をいう。）若しくは特定非営利活動法人日本セキュリティ監査協会が認定する公認情報セキュリティ監査人（公認情報セキュリティ主任監査人又は公認情報セキュリティ監査人に限る。）の資格を有し、又は情報処理の促進に関する法律（昭和四十五年法律第九十号）第九条第一項に規定する情報処理安全確保支援士試験若しくは情報処理の促進に関する法律施行規則（平成二十八年経済産業省令第百二号）第三条第二項第三号に規定する高度試験のいずれかに合格している者であって、サイバーセキュリティに関する業務に三年以上従事した経歴を有しているものであること。

二　採用予定者をその有する高度の専門的な知識経験を一定の期間活用して遂行することを特に必要とする業務に従事させる必要があること。

三　採用予定者を従事させる業務に、採用予定日前三月以内の期間にその者が所属していた企業に対する処分等（法令の規定に基づいてされる行政手続法（平成五年法律第八十八号）第二条第二号に規定する処分及び同条第六号に規定する行政指導をいう。第七項第四号において同じ。）に関する事務及び当該企業との間における契約の締結、履行等に関する事務が含まれていないこと。

四　任用予定期間が、従事する業務の遂行に必要な期間であって、その業務の内容及び採用予定者に期待する業績の内容に応じたものであること。

五　選考の対象者の募集が、公募又はこれに準ずる方法により行われていること。

六　選考が、規則八―一二第十九条に規定する官職に係る能力及び適性（当該採用に係る官職が本省の課長の職制上の段階（国家公務員法（昭和二十二年法律第百二十号）第三十四条第二項に規定する標準的な官職が、標準的な官職を定める政令（平成二十一年政令第三十号）本則の表一の項第二欄第一号に掲げる部局又は機関等に存する同項第三欄第四号に掲げる職制上の段階又はこれと同等の職制上の段階をいう。第七項第一号及び第七号において同じ。）又はこれより上位の職制上の段階に属するものである場合にあっては、当該採用に係る官職の職務遂行に必要とされる管理的又は監督的能力を含む。）の有無を的確に判定し得る複数の者によって構成される選考委員会の審査を経て行われていること。

七　規則八―一二第七条第一項に規定する特定官職への採用の場合には、当該採用の予定日前二年以内の期間において採用予定者が刑事事件に関し起訴されていないこと。

5　任命権者は、前項の規定により任期を定めた採用について任期付職員法第三条第一項の規定による人事院の承認があったものとして取り扱った場合には、遅滞なく、次に掲げる事項を記載した実施状況報告書を人事院事務総長に提出するものとする。

一　採用官職（号俸又は俸給月額及び所属部課名）

二　当該官職に係る業務の内容

三　任期付職員の氏名

四　任期付職員の高度の専門的な知識経験の内容（資格、経歴、実務の経験等）

五　採用年月日及び任期
六　任期付職員を当該業務に当該期間を限って従事させる必要性
七　募集の時期並びに公募等の方法及び範囲
八　選考委員会の構成及び選考の経緯
九　当該官職が規則八―一二第七条第一項に規定する特定官職である場合は、採用前二年以内の期間における刑事事件に関する起訴の有無

6　任命権者は、任期付職員法第三条第二項の規定による承認を得ようとする場合には、次に掲げる書類を人事院事務総長に提出するものとする。
一　次に掲げる事項を記載した承認申請書
(1)　採用予定官職（職務の級及び所属部課名）
(2)　当該官職に係る業務の内容
(3)　採用予定者の氏名
(4)　採用予定者の専門的な知識経験の内容（資格、経歴、実務の経験等）
(5)　任用予定期間
(6)　採用予定者を当該業務に当該期間を限って従事させる必要性（任期付採用の根拠規定）
(7)　選考基準、選考方法及び選考結果の概要
二　その他参考となる資料

7　任期付職員法第三条第二項の規定により任期を定めた採用を行う場合で、次の各号のいずれにも該当するときは、当該採用について同項の規定による人事院の承認があったものとして取り扱うことができる。この場合において、当該採用に係る官職が規則八―一二第十八条第三項に規定する特定官職であるときは、当該採用に係る選考について同項の規定による人事院との協議が成立したものとして取り扱うことができる。
一　当該採用に係る官職が本省の課長の職制上の段階より上位の職制上の段階に属するものでないこと。
二　採用予定者が、その従事する業務に必要な専門的な知識経験を有していることがその者の資格、経歴、実務の経験等により明らかであるもののうち、当該専門的な知識経験を必要とする業務に四年以上従事した経歴（我が国が加盟している国際機関における業務に従事することにより得られる専門的な知識経験が特に必要とされる業務に従事させる場合にあっては、当該国際機関における業務に通算して三年以上従事した経歴）を有しているものであること。
三　採用予定者をその有する専門的な知識経験が必要とされる業務に従事させる必要がある場合であって、任期付職員法第三条第二項各号に掲げるいずれかに該当して、その者を当該業務に期間を限って従事させることが公務の能率的運営を確保するために必要であるときであること。
四　採用予定者を従事させる業務に、採用予定日前三月以内の期間にその者が所属していた企業に対する処分等に関する事務及び当該企業との間における契約の締結、履行等に関する事務が含まれていないこと。
五　任用予定期間が、従事する業務の遂行に必要な期間であって、その業務の内容に応じたものであること。
六　選考の対象者の募集が、公募又はこれに準ずる方法により行われていること。
七　選考が、規則八―一二第十九条に規定する官職に係る能力及び適性（当該採用に係る官職が本省の課長の職制上の段階に属するものである場合にあっては、当該採用に係る官職の職務遂行に必要とされる管理的又は監督的能力を含む。）の有無を的確に判定し得る複数の者によって構成される選考委員会の審査を経て行われていること。
八　規則八―一二第七条第一項に規定する特定官職への採用の場合には、当該採用の予定日前二年以内の期間において採用予定者が刑事事件に関し起訴されていないこと。

8　任命権者は、前項の規定により任期を定めた採用について任期付職員法第三条第二項の規定による人事院の承認があったものとして取り扱った場合には、遅滞なく、次に掲げる事項を記載した実施状況報告書を人事院事務総長に提出するものとする。
一　採用官職（職務の級及び所属部課名）
二　当該官職に係る業務の内容
三　任期付職員の氏名
四　任期付職員の専門的な知識経験の内容（資格、経歴、実務の経験等）
五　採用年月日及び任期
六　任期付職員を当該業務に当該期間を限っ

て従事させる必要性（任期付採用の根拠規定）

七　募集の時期並びに公募等の方法及び範囲

八　選考委員会の構成及び選考の経緯

九　当該官職が規則八―一二第七条第一項に規定する特定官職である場合は、採用前二年以内の期間における刑事事件に関する起訴の有無

9　任期付職員が採用により占めることとなる官職が規則八―一二第十八条第三項に規定する特定官職である場合における同項の規定による協議は、「任用関係の承認申請等の手続について（平成二十一年三月十八日人企―五三七）」第四項の規定にかかわらず、第三項第一号又は第六項第一号に規定する承認申請書に、規則八―一二第十八条第三項の規定による協議を行う旨及び採用予定日前二年以内の期間における刑事事件に関する起訴の有無を併せて記載することにより行うものとする。

10　任命権者は、任期付職員法第三条各項の規定により職員を採用しようとする場合は、任期を定めて採用されること及びその任期について承諾した文書を職員となる者に提出させるものとする。

任期付職員法第四条第一項及び第五条第一項関係

1　任期付職員法第四条第一項の規定に基づき任期を定める場合には、任期付職員の身分保障に十分配慮しつつ、任期付職員に従事させようとする業務の遂行のために必要な期間を考慮して定めるものとする。任期付職員法第五条第一項の規定に基づき任期を更新する場合も同様とする。

2　任命権者は、任期付職員法第五条第一項の規定による承認を得ようとする場合には、次に掲げる事項を記載した承認申請書を人事院事務総長に提出するものとする。

一　任期付職員の氏名及び官職（職務の級（特定任期付職員（任期付職員法第三条第一項の規定により任期を定めて採用された職員をいう。以下同じ。）にあっては、号俸又は俸給月額。以下「職務の級等」という。）及び所属部課名）

二　当該任期付職員が現に従事している業務の内容

三　更新を必要とする理由

四　当該任期付職員の採用年月日

五　更新予定期間

3　任期付職員法第五条第一項の規定により任期を更新する場合で、次のいずれにも該当することが任期付職員の業務の遂行の現況により明らかであるときは、当該任期の更新について同項の規定による人事院の承認があったものとして取り扱うことができる。

一　採用又は任期の更新の時に予見し難い事情により採用した日から五年を超えない範囲内で当該採用に係る業務に引き続き従事させる必要があること。

二　更新後の任期が、任期付職員の業務の遂行に必要な期間であること。

4　任命権者は、前項の規定により任期の更新について任期付職員法第五条第一項の規定による人事院の承認があったものとして取り扱った場合には、遅滞なく、次に掲げる事項を記載した実施状況報告書を人事院事務総長に提出するものとする。

一　任期付職員の氏名及び官職（職務の級等及び所属部課名）

二　当該任期付職員が現に従事している業務の内容

三　更新を必要とする理由

四　当該任期付職員の採用年月日

五　更新期間

任期付職員法第六条関係

1　任命権者は、任期付職員法第六条の規定による承認を得ようとする場合には、次に掲げる事項を記載した承認申請書を人事院事務総長に提出するものとする。

一　任期付職員の氏名及び官職（職務の級等及び所属部課名）

二　採用時の官職（職務の級等及び所属部課名）及び当該官職に係る業務の内容等（他の官職に任用しようとする者が特定任期付職員である場合にあっては、期待する業績の内容を含む。次号並びに第三項第二号及び第三号において同じ。）

三　任用予定官職（職務の級等及び所属部課名）及び当該官職に係る業務の内容等

四　当該任期付職員を他の官職に任用する必要性

五　当該任期付職員の採用年月日及び任期

2　任期付職員法第六条の規定により他の官職に任用する場合において、次に掲げる場合のいずれかに該当するときは、当該任用につい

て同条の規定による人事院の承認があったものとして取り扱うことができる。

一　規則八―一二第三十五条第一号若しくは第二号の規定による併任又は規則八―一二第四十九条の規定による規則八―一二第四十八条第一項に規定する審議会等の非常勤官職への併任を行うとき。

二　法令の改廃による組織の変更等に伴い任用する場合であって、その者が占めていた官職においてその有する専門的な知識経験又は優れた識見を活用して従事していた業務と同一の業務を行うことをその職務の主たる内容とする他の官職に任用するとき。

三　任期付職員法第三条及び規則第二条関係第四項の規定によりその採用について任期付職員法第三条第一項の規定による人事院の承認があったものとして取り扱った者を、その者が占めていた官職においてその有する高度の専門的な知識経験を活用して従事していた業務と同一又は類似の業務（当該知識経験を活用して遂行することを特に必要とする業務に限る。）を行うことをその職務の主たる内容とする他の官職に任用するとき（前号に掲げるときを除く。）。

四　任期付職員法第三条及び規則第二条関係第七項の規定によりその採用について任期付職員法第三条第二項の規定による人事院の承認があったものとして取り扱った者を、その者が占めていた官職においてその有する専門的な知識経験を活用して従事していた業務と同一又は類似の業務（その者を当該業務に従事させる場合であって、同項各号に掲げるいずれかに該当して、期間を限って従事させることが公務の能率的運営を確保するために必要であるときのものに限る。）を行うことをその職務の主たる内容とする他の官職に任用するとき（第二号に掲げるときを除く。）

3　任命権者は、前項の規定により他の官職への任用について任期付職員法第六条の規定による人事院の承認があったものとして取り扱った場合には、遅滞なく、次に掲げる事項を記載した実施状況報告書を人事院事務総長に提出するものとする。

一　任期付職員の氏名及び官職（職務の級等及び所属部課名）

二　採用時の官職（職務の級等及び所属部課名）及び当該官職に係る業務の内容等

三　任用官職（職務の級等及び所属部課名）及び当該官職に係る業務の内容等

四　当該任期付職員を他の官職に任用する必要性

五　当該任期付職員の採用年月日及び任期

任期付職員法第七条第二項及び第三項並びに規則第六条関係

1　任期付職員法第七条第二項及び人事院規則二三―〇（任期付職員の採用及び給与の特例）（以下「規則」という。）第六条の規定による号俸の決定に当たっては、例えば、採用予定者の有する、弁護士、公認会計士等の資格、免許等を保持する者としての実績、論文、学会発表等を含む国内外の大学、研究所等における活動実績、専門的な知識経験等に基づく民間企業での実績等に対する社会における一般的な報酬、給与等の評価額、採用予定官職に係る業務の内容、職責等を考慮するものとする。

2　各庁の長は、任期付職員法第七条第三項の規定による承認を得ようとする場合には、任期付職員法第三条及び規則第二条関係第三項第一号に規定する承認申請書を人事院事務総長に提出するものとする。

3　任期付職員法第七条第二項及び第三項並びに規則第六条の規定による号俸及び俸給月額（以下この項において「号俸等」という。）の決定には、特定任期付職員の任期の中途においてその者の専門的な知識経験若しくは識見の度又はその者が従事する業務の困難及び重要の度がより高度なものとなることに伴い、これらの規定により新たに号俸等を決定することが必要であると認められる場合における号俸等の決定が含まれる。

なお、各庁の長は、特定任期付職員の任期の中途において新たにその者の号俸を決定した場合には、遅滞なく、その号俸を人事院事務総長に報告するものとする。

規則第四条関係

任命権者は、この条の規定により職員の同意を得る場合には、当該職員に任期を更新すること及びその更新する期間について承諾した文書を提出させるものとする。

規則第五条関係

人事異動通知書の「異動内容」欄の記入要領

は、次のとおりとする。

一　任期付職員を採用する場合
　「アに採用する（イ）
　　任期は　年　月　日までとする」
と記入する。
注1　「ア」の記号をもって表示する事項は、官職の組織上の名称及び当該官職の属する所属部課（所属部課の表示の単位は任命権者が定めるものとする。）とする。
　2　「イ」の記号をもって表示する事項は、特定任期付職員にあっては「一般職の任期付職員の採用及び給与の特例に関する法律第三条第一項による」とし、特定任期付職員以外の任期付職員にあっては「一般職の任期付職員の採用及び給与の特例に関する法律第三条第二項による」とする。

二　任期付職員の任期を更新する場合
　「任期を　年　月　日まで更新する」
と記入する。

三　任期の満了により任期付職員が当然に退職する場合
　「任期の満了により　年　月　日限り退職した」
と記入する。

以　上

（令和四年七月二六日人企九六六 経過措置）

「任期付職員の採用及び給与の特例の運用について（平成十二年十一月二十七日任企―五九〇）」の一部を下記のとおり改正したので、令和四年七月二十六日以降は、これによってください。

なお、この通知による改正後の「任期付職員の採用及び給与の特例の運用について」（以下「改正後の通知」という。）任期付職員法第六条関係第二項第三号又は第四号に該当する場合の同項の規定の適用について、同日前に一般職の任期付職員の採用及び給与の特例に関する法律（平成十二年法律第百二十五号）第三条第一項又は第二項の規定により採用された職員（採用された日に改正後の通知任期付職員法第三条及び規則第二条関係第四項又は第七項の規定を適用するとしたならばその採用をこれらの規定により人事院の承認があったものとして取り扱うことができるものに限る。）は、改正後の通知任期付職員法第六条関係第二項第三号又は第四号に規定する人事院の承認があったものとして取り扱った者に含まれるものとして、同項の規定を適用することができるものとします。

第七　法科大学院派遣職員

○法科大学院への裁判官及び検察官その他の一般職の国家公務員の派遣に関する法律

平一五・五・九
法　四　○

最終改正　令六・六・一二法四七

（目的）

第一条　この法律は、法科大学院における教育が、司法修習生の修習との有機的連携の下に法曹としての実務に関する教育の一部を担うものであり、かつ、法曹の養成に関係する機関の密接な連携及び相互の協力の下に将来の法曹としての実務に必要な法律に関する理論的かつ実践的な能力（各種の専門的な法分野における高度の能力を含む。）を備えた多数の法曹の養成を実現すべきものであることにかんがみ、法科大学院の教育と司法試験等との連携等に関する法律（平成十四年法律第百三十九号）第三条の規定の趣旨にのっとり、国の責務として、裁判官及び検察官その他の一般職の国家公務員が法科大学院において教授、准教授その他の教員として の業務を行うための派遣に関し必要な事項について定めることにより、法科大学院における法曹としての実務に関する教育の実効性の確保を図り、もって同条第一項に規定する法曹養成の基本理念に則した法科大学院における教育の充実に資することを目的とする。

（定義）

第二条　この法律において「法科大学院」とは、学校教育法（昭和二十二年法律第二十六号）第九十九条第二項に規定する専門職大学院であって、法曹に必要な学識及び能力を培うことを目的とするものをいう。

2　この法律において「検察官等」とは、検察官その他の国家公務員法（昭和二十二年法律第百二十号）第二条に規定する一般職に属する職員（法律により任期を定めて任用される職員、常時勤務を要しない官職を占める職員、独立行政法人通則法（平成十一年法律第百三号）第二条第四項に規定する行政執行法人の職員その他人事院規則で定める職員を除く。）をいう。

3　この法律において「任命権者」とは、国家公務員法第五十五条第一項に規定する任命権者及び法律で別に定められた任命権者並びにその委任を受けた者をいう。

（法科大学院設置者による派遣の要請）

第三条　法科大学院設置者（法科大学院を置き若しくは置こうとする大学の設置者又は法科大学院を置く大学を設置しようとする者をいう。以下同じ。）は、当該法科大学院において将来の法曹としての実務に必要な法律に関する理論的かつ実践的な能力（各種の専門的な法分野における高度の能力を含む。）を涵養するための教育を実効的に行うため、裁判官又は検察官等を教授、准教授その他の教員（以下「教授等」という。）として必要とするときは、その必要とする事由を明らかにして、裁判官については最高裁判所に対し、検察官等については任命権者に対し、その派遣を要請することができる。

2　前項の要請の手続は、最高裁判所に対するものについては最高裁判所規則で、任命権者に対するものについては人事院規則で定める。

（職務とともに教授等の業務を行うための派遣）

第四条　最高裁判所は、前条第一項の要請があった場合において、その要請に係る派遣の必要性、派遣に伴う事務の支障その他の事情を勘案して、相当と認めるときは、これに応じ、裁判官の同意を得て、当該法科大学院設置者との間の取決めに基づき、期間を定めて、当該裁判官が職務とともに当該法科大学院において教授等の業務を行うものとすることができる。

2　最高裁判所は、前項の同意を得るに当たっては、あらかじめ、当該裁判官に同項の取決めの内容を明示しなければならない。

3　任命権者は、前条第一項の要請があった場合において、その要請に係る派遣の必要性、派遣に伴う事務の支障その他の事情を勘案して、相当と認めるときは、これに応じ、検察官等の同意（検察官については、検察庁法（昭和二十二年法律第六十一号）第二十五条の俸給の減額に係る同意を含む。以下同じ。）を得て、当該法科大学院設置者との間の取決めに基づき、期間を定めて、職務とともに当該法科大学院における教授等の業務を行うものとして当該検察官等を当該法科大学院を置く大学に派遣することができる。

4 任命権者は、前項の同意を得るに当たっては、あらかじめ、当該検察官等に同項の取決めの内容及び当該派遣の期間中における給与の支給に関する事項を明示しなければならない。

5 第一項又は第三項の取決めにおいては、当該法科大学院における勤務時間その他の勤務条件（検察官等については、教授等の業務に係る報酬等（報酬、賃金、給料、俸給、手当、賞与その他いかなる名称であるかを問わず、教授等の業務の対償として受けるすべてのものをいう。以下同じ。）を含む。）及び教授等の業務の内容、派遣の期間、派遣の終了に関する事項その他第一項又は第三項の規定による派遣の実施に当たって合意しておくべきものとして裁判官については最高裁判所規則で、検察官等については人事院規則で定める事項を定めるものとする。

6 最高裁判所又は任命権者は、第一項又は第三項の取決めの内容を変更しようとするときは、当該裁判官又は検察官等の同意を得なければならない。この場合においては、第二項又は第四項の規定を準用する。

7 第一項又は第三項の規定による派遣の期間は、三年を超えることができない。ただし、当該法科大学院設置者からその期間の延長を希望する旨の申出があり、かつ、特に必要があると認めるときは、最高裁判所又は任命権者は、当該裁判官又は検察官等の同意を得て、当該派遣の日から引き続き五年を超えない範囲内で、これを延長することができる。

8 第一項又は第三項の規定により法科大学院において教授等の業務を行う裁判官又は検察官等は、その派遣の期間中、その同意に係る第一項又は第三項の取決めに定められた内容に従って、当該法科大学院において教授等の業務を行うものとする。

9 第三項の規定により派遣された検察官等は、その正規の勤務時間（一般職の職員の勤務時間、休暇等に関する法律（平成六年法律第三十三号）第十三条第一項に規定する正規の勤務時間をいう。第七条第二項において同じ。）のうち当該法科大学院において教授等の業務を行うため必要であると任命権者が認める時間においては、勤務しない。

10 第三項の規定による検察官等の教授等の業務への従事については、国家公務員法第百四条の規定は、適用しない。

（派遣の終了）

第五条 前条第一項又は第三項の規定による派遣の期間が満了したときは、当該教授等の業務は終了するものとする。

2 最高裁判所は、前条第一項の規定により法科大学院において教授等の業務を行う裁判官が当該法科大学院における教授等の地位を失った場合その他の最高裁判所規則で定める場合であって、その教授等の業務を継続することができないか又は適当でないと認めるときは、速やかに、当該裁判官が当該教授等の業務を行うことを終了するものとしなければならない。

3 任命権者は、前条第三項の規定により派遣された検察官等が当該法科大学院における教授等の地位を失った場合その他の人事院規則で定める場合であって、その教授等の業務を継続することができないか又は適当でないと認めるときは、速やかに、当該検察官等の派遣を終了させなければならない。

（派遣期間中の裁判官の報酬及び国庫納付金の納付）

第六条 第四条第一項の規定により法科大学院において教授等の業務を行う裁判官は、その教授等の業務に係る報酬等の支払を受けないものとし、教授等の業務を行ったことを理由として、裁判官として受ける報酬その他の給与について減額をされないものとする。

2 第四条第一項の規定により裁判官が法科大学院において教授等の業務を行った場合においては、当該法科大学院設置者は、その教授等の業務の対償に相当するものとして政令で定める金額を、国庫に納付しなければならない。

3 前項の規定による納付金の納付の手続については、政令で定める。

（派遣期間中の検察官等の給与等）

第七条 任命権者は、法科大学院設置者との間で第四条第三項の取決めをするに当たっては、同項の規定により派遣される検察官等が当該法科大学院設置者から受ける教授等の業務に係る報酬等について、当該検察官等が従事している職務及び当該法科大学院において行う教授等の業務の内容に応じた相当の額が確保されるよう努めなければならない。

2　第四条第三項の規定により派遣された検察官等がその正規の勤務時間において当該法科大学院において教授等の業務を行うため勤務しない場合には、一般職の職員の給与に関する法律（昭和二十五年法律第九十五号）第十五条の規定にかかわらず、その勤務しない一時間につき、同法第十九条に規定する勤務一時間当たりの給与額を減額して支給する。ただし、当該法科大学院において第三条第一項に規定する教育が実効的に行われることを確保するため特に必要があると認められるときは、当該検察官等には、その派遣の期間中、当該法科大学院設置者から受ける教授等の業務に係る報酬等の額に照らして必要と認められる範囲内で、その給与の減額分の百分の五十以内を支給することができる。

3　前項ただし書の規定による給与の支給に関し必要な事項は、人事院規則（第四条第三項の規定により派遣された検察官等が検察官の俸給等に関する法律（昭和二十三年法律第七十六号）の適用を受ける者である場合にあっては、同法第三条第一項に規定する準則）で定める。

（国家公務員共済組合法の特例）

第八条　第四条第一項又は第三項の規定により法科大学院において教授等の業務を行う裁判官又は検察官等に関する国家公務員共済組合法（昭和三十三年法律第百二十八号。以下この条及び第十四条において「国共済法」という。）の規定の適用については、当該法科大学院における教授等の業務を公務とみなす。

2　第四条第三項の規定により派遣された検察官等に関する国共済法の規定の適用については、国共済法第二条第一項第五号及び第六号中「とし、その他の職員」とあるのは「並びにこれらに相当するものとして次条第一項に規定する組合の運営規則で定めるものとし、その他の職員」と、国共済法第九十九条第二項中「及び国の負担金」とあるのは「、法科大学院への裁判官及び検察官その他の一般職の国家公務員の派遣に関する法律（平成十五年法律第四十号）第三条第一項に規定する法科大学院設置者（以下「法科大学院設置者」という。）の負担金及び国の負担金」と、同項各号中「国の負担金」とあるのは「法科大学院設置者の負担金及び国の負担金」と、国共済法第百二条第一項中「各省各庁の長（環境大臣を含む。）、行政執行法人又は職員団体」とあり、及び「国、行政執行法人又は職員団体」とあるのは「法科大学院設置者及び国」と、「第九十九条第二項（同条第六項から第八項までの規定により読み替えて適用する場合を含む。）及び第五項（同条第七項及び第八項の規定により読み替えて適用する場合を含む。）」とあるのは「第九十九条第二項及び第四項」と、同条第四項中「同条第五項（同条第七項及び第八項の規定により読み替えて適用する場合を含む。以下この項において同じ。）」とあるのは「同条第四項」と、「（同条第五項」とあるのは「（同項」と、「国、行政執行法人又は職員団体」とあるのは「法科大学院設置者及び国」とする。

3　前項の場合において法科大学院設置者及び国が同項の規定により読み替えられた国共済法第九十九条第二項の規定により負担すべき金額その他必要な事項は、政令で定める。

（一般職の職員の給与に関する法律の特例）

第九条　第四条第三項の規定による派遣の期間中又はその期間の満了後における当該検察官等に関する一般職の職員の給与に関する法律第二十三条第一項及び附則第六項の規定の適用については、当該法科大学院における教授等の業務に係る労働者災害補償保険法（昭和二十二年法律第五十号）第七条第二項に規定する通勤（当該教授等の業務に係る就業の場所を国家公務員災害補償法（昭和二十六年法律第百九十一号）第一条の二第一項第一号及び第二号に規定する勤務場所とみなした場合に同条に規定する通勤に該当するものに限る。次条において同じ。）を含む。）を公務とみなす。

（国家公務員退職手当法の特例）

第十条　第四条第三項の規定による派遣の期間中又はその期間の満了後に当該検察官等が退職した場合における国家公務員退職手当法（昭和二十八年法律第百八十二号）の規定の適用については、当該法科大学院における教授等の業務に係る業務上の傷病又は死亡は同法第四条第二項、第五条第一項及び第六条の四第一項に規定する公務上の傷病又は死亡と、当該教授等の業務に係る労働者災害補償保険法第七条第二項に規定する通勤による傷病は国家公務員退職手当法第四条第二項、第五条第二項及び第六条の四第一項に規定する通勤による傷病とみなす。

（専ら教授等の業務を行うための派遣）

第十一条　任命権者は、第三条第一項の要請があった場合において、その要請に係る派遣の必要性、派遣に伴う事務の支障その他の事情を勘案して、相当と認めるときは、これに応じ、検察官等の同意を得て、当該法科大学院設置者との間の取決めに基づき、期間を定めて、専ら当該法科大学院における教授等の業務を行うものとして当該検察官等を当該法科大学院を置く大学に派遣することができる。

2　任命権者は、前項の同意を得るに当たっては、あらかじめ、当該検察官等に同項の取決めの内容及び当該派遣の期間中における給与の支給に関する事項を明示しなければならない。

3　第一項の取決めにおいては、当該法科大学院における勤務時間、教授等の業務に係る報酬等その他の勤務条件及び教授等の業務の内容、派遣の期間、職務への復帰に関する事項その他同項の規定による派遣の実施に当たって合意しておくべきものとして人事院規則で定める事項を定めるものとする。

4　第四条第六項から第八項まで及び第十項の規定は、第一項の規定による派遣について準用する。

5　第一項の規定により派遣された検察官等は、その派遣の期間中、検察官等としての身分を保有するが、職務に従事しない。

（職務への復帰）

第十二条　前条第一項の規定により派遣された検察官等は、その派遣の期間が満了したときは、職務に復帰するものとする。

2　任命権者は、前条第一項の規定により派遣された検察官等が当該法科大学院における教授等の地位を失った場合その他の人事院規則で定める場合であって、その派遣を継続することができないか又は適当でないと認めるときは、速やかに、当該検察官等を職務に復帰させなければならない。

（派遣期間中の給与等）

第十三条　任命権者は、法科大学院設置者との間で第十一条第一項の取決めをするに当たっては、同項の規定により派遣される検察官等が当該法科大学院設置者から受ける教授等の業務に係る報酬等について、当該検察官等がその派遣前に従事していた職務及び当該法科大学院において行う教授等の業務の内容に応じた相当の額が確保されるよう努めなければならない。

2　第十一条第一項の規定により派遣された検察官等には、その派遣の期間中、給与を支給しない。ただし、当該法科大学院において第三条第一項に規定する教育が実効的に行われることを確保するため特に必要があると認められるときは、当該検察官等には、その派遣の期間中、当該法科大学院設置者から受ける教授等の業務に係る報酬等の額に照らして必要と認められる範囲内で、俸給、扶養手当、地域手当、広域異動手当、研究員調整手当、住居手当及び期末手当のそれぞれ百分の五十以内を支給することができる。

3　前項ただし書の規定による給与の支給に関し必要な事項は、人事院規則（第十一条第一項の規定により派遣された検察官等が検察官の俸給等に関する法律の適用を受ける者である場合にあっては、同法第三条第一項に規定する準則）で定める。

（国家公務員共済組合法の特例）

第十三条の二　第八条の規定は、第十一条第一項の規定により法科大学院を置く国立大学（国立大学法人法（平成十五年法律第百十二号）第二条第二項に規定する国立大学をいう。）に派遣された検察官等について準用する。

第十四条　国共済法第三十九条第二項の規定及び国共済法の短期給付に関する規定（国共済法第六十八条の四の規定を除く。以下この項において同じ。）は、第十一条第一項の規定により法科大学院を置く私立大学（学校教育法第二条第二項に規定する私立学校である大学をいう。）に派遣された検察官等（以下「私立大学派遣検察官等」という。）には、適用しない。この場合において、国共済法の短期給付に関する規定の適用を受ける職員（国共済法第二条第一項第一号に規定する職員をいう。以下この項において同じ。）が私立大学派遣検察官等となったときは、国共済法の短期給付に関する規定の適用については、そのなった日の前日に退職（国共済法第二条第一項第四号に規定する退職をいう。）をしたものとみなし、私立大学派遣検察官等が国共済法の短期給付に関する規定の適用を受ける職員となったときは、国共済法の短期給付に関する規定の適用については、そのなった日に職員となったものとみなす。

2　私立大学派遣検察官等に関する国共済法の退職等年金給付に関する規定の適用については、当該法科大学院における教授等の業務を公務とみなす。

3　私立大学派遣検察官等は、国共済法第九十八

条第一項各号に掲げる福祉事業を利用することができない。

4 私立大学派遣検察官等に関する国共済法の規定の適用については、国共済法第二条第一項第五号及び第六号中「とし、その他の職員」とあるのは「並びにこれらに相当するものとして次条第一項に規定する組合の運営規則で定めるものとし、その他の職員」と、国共済法第九十九条第二項中「次の各号」とあるのは「第四号」と、「当該各号」とあるのは「同号」と、「及び国の負担金」とあるのは「、法科大学院への裁判官及び検察官その他の一般職の国家公務員の派遣に関する法律（平成十五年法律第四十号）第三条第一項に規定する法科大学院設置者（以下「法科大学院設置者」という。）の負担金及び国の負担金」と、同項第四号中「国の負担金」とあるのは「法科大学院設置者の負担金及び国の負担金」と、国共済法第百二条第一項中「各省各庁の長（環境大臣を含む。）、行政執行法人又は職員団体」とあり、及び「国、行政執行法人又は職員団体」とあるのは「法科大学院設置者及び国」と、「第九十九条第二項（同条第六項から第八項までの規定により読み替えて適用する場合を含む。）及び第五項（同条第七項及び第八項の規定により読み替えて適用する場合を含む。）」とあるのは「第九十九条第二項及び第五項」と、同条第四項中「第九十九条第二項第四号及び第五号」とあるのは「第九十九条第二項第四号」と、「並びに同条第五項（同条第七項及び第八項の規定により読み替えて適用する場合を含む。以下この項において同じ。）」とあるのは「及び同条第五項」と、「（同条第五項」とあるのは「（同項」と、「国、行政執行法人又は職員団体」とあるのは「法科大学院設置者及び国」とする。

5 前項の場合において法科大学院設置者及び国が同項の規定により読み替えられた国共済法第九十九条第二項及び厚生年金保険法（昭和二十九年法律第百十五号）第八十二条第一項の規定により負担すべき金額その他必要な事項は、政令で定める。

（地方公務員等共済組合法の特例）

第十五条 第十一条第一項の規定により法科大学院を置く公立大学（学校教育法第二条第二項に規定する公立学校である大学をいう。第十八条及び第十九条第一項において同じ。）に派遣された検察官等のうち第十三条第二項ただし書の規定による給与の支給を受ける者に関する地方公務員等共済組合法（昭和三十七年法律第百五十二号）の規定の適用については、同法第百十三条第二項各号列記以外の部分中「及び地方公共団体」とあるのは「、地方公共団体」と、「の負担金」とあるのは「の負担金及び国の負担金」と、同項各号中「の負担金」とあるのは「及び国の負担金」と、同法第百十五条第二項中「相当する手当」とあるのは「相当する手当及び国家公務員退職手当法（昭和二十八年法律第百八十二号）に基づく退職手当又はこれに相当する手当」と、同法第百十六条第一項中「の機関、特定地方独立行政法人又は職員団体」とあるのは「及び国の機関」と、「第百十三条第二項（同条第六項の規定により読み替えて適用する場合を含む。）」とあるのは「第百十三条第二項」と、「地方公共団体、特定地方独立行政法人又は職員団体」とあるのは「地方公共団体及び国」と、同法第百四十四条の三十一（見出しを含む。）中「地方公共団体又は特定地方独立行政法人」とあるのは「地方公共団体及び国」とする。

2 前項の場合において地方公共団体及び国が同項の規定により読み替えられた地方公務員等共済組合法第百十三条第二項の規定により負担すべき金額その他必要な事項は、政令で定める。

（私立学校教職員共済法の特例）

第十六条 私立学校教職員共済法（昭和二十八年法律第二百四十五号）の退職等年金給付に関する規定は、私立大学派遣検察官等には、適用しない。

2 私立大学派遣検察官等に関する私立学校教職員共済法の規定の適用については、同法第二十七条第一項中「掛金及び加入者保険料（厚生年金保険法（昭和二十九年法律第百十五号）第八十二条第一項の規定により加入者たる被保険者及び当該被保険者を使用する学校法人等が負担する厚生年金保険の保険料をいう。次項において同じ。）」とあり、同条第二項中「掛金及び加入者保険料（以下「掛金等」という。）」とあり、並びに同法第二十八条第二項、第三項、第五項及び第六項、第二十九条第一項、第二十九条の二、第三十条第一項及び第三項から第六項まで、第三十一条第一項、第三十二条、第三十三条並びに第三十四条第三項中「掛金等」とあるのは「掛金」と、同法第二十九条第二項中「及び厚生年金保険法による標準報酬月額に係る掛金等」とあり、及び同条第三項中「及び厚生年金保険法による標準賞与額に係る掛金等」とあるのは「に係る掛金」とする。

3　私立大学派遣検察官等のうち第十三条第二項ただし書の規定による給与の支給を受ける者に関する私立学校教職員共済法の規定の適用については、同法第二十一条第一項中「準ずるもの」とあるのは「準ずるもの（法科大学院への裁判官及び検察官その他の一般職の国家公務員の派遣に関する法律（平成十五年法律第四十号）第十三条第二項ただし書の規定により国から支給される給与であつて共済規程で定めるもの（次条において「私立大学派遣検察官等に対する国の給与」という。）を含む。）」と、同法第二十二条第五項及び第十項中「報酬の総額」とあるのは「報酬（当該期間における私立大学派遣検察官等に対する国の給与を含む。）の総額」と、同法第二十八条第一項中「及び」とあるのは「並びに」と、「学校法人等」とあるのは「学校法人等及び国」と、同条第三項及び第六項中「当該学校法人等」とあるのは「当該学校法人等及び国」と、同法第二十九条第一項から第三項までの規定中「学校法人等」とあるのは「学校法人等及び国」とする。

4　前項の場合において学校法人等及び国が同項の規定により読み替えられた私立学校教職員共済法第二十八条第一項の規定により負担すべき掛金の額その他必要な事項は、政令で定める。

（子ども・子育て支援法の特例）

第十七条　私立大学派遣検察官等に関する子ども・子育て支援法（平成二十四年法律第六十五号）の規定の適用については、当該法科大学院設置者を同法第六十九条第一項第四号に規定する団体とみなす。

（一般職の職員の給与に関する法律の特例）

第十八条　第九条の規定は、第十一条第一項の規定により派遣された検察官等について準用する。この場合において、当該検察官等が法科大学院を置く公立大学に派遣されたものであるときは、第九条中「労働者災害補償保険法（昭和二十二年法律第五十号）第七条第二項」とあるのは、「地方公務員災害補償法（昭和四十二年法律第百二十一号）第二条第二項」とする。

（国家公務員退職手当法の特例）

第十九条　第十条の規定は、第十一条第一項の規定により派遣された検察官等について準用する。この場合において、当該検察官等が法科大学院を置く公立大学に派遣されたものであるときは、第十条中「労働者災害補償保険法第七条第二項」とあるのは、「地方公務員災害補償法第二条第二項」とする。

2　第十一条第一項の規定により派遣された検察官等に関する国家公務員退職手当法第六条の四第一項及び第七条第四項の規定の適用については、第十一条第一項の規定による派遣の期間は、同法第六条の四第一項に規定する現実に職務をとることを要しない期間には該当しないものとみなす。

3　前項の規定は、第十一条第一項の規定により派遣された検察官等が当該法科大学院設置者から所得税法（昭和四十年法律第三十三号）第三十条第一項に規定する退職手当等（同法第三十一条の規定により退職手当等とみなされるものを含む。）の支払を受けた場合には、適用しない。

4　第十一条第一項の規定により派遣された検察官等がその派遣の期間中に退職した場合に支給する国家公務員退職手当法の規定による退職手当の算定の基礎となる俸給月額については、部内の他の職員との権衡上必要があると認められるときは、次条第一項の規定の例により、その額を調整することができる。

（派遣後の職務への復帰に伴う措置）

第二十条　第十一条第一項の規定により派遣された検察官等が職務に復帰した場合におけるその者の職務の級及び号俸については、部内の他の職員との権衡上必要と認められる範囲内において、人事院規則の定めるところにより、必要な調整を行うことができる。

2　前項に定めるもののほか、第十一条第一項の規定により派遣された検察官等が職務に復帰した場合における任用、給与等に関する処遇については、部内の他の職員との均衡を失することのないよう適切な配慮が加えられなければならない。

（社会保険関係法の適用関係等についての政令への委任）

第二十一条　この法律に定めるもののほか、検察官等が二以上の法科大学院において教授等の業務を行うものとして派遣された場合その他第四条第三項又は第十一条第一項の規定により派遣された検察官等に関する社会保険関係法（厚生年金保険法、国家公務員共済組合法、地方公務員等共済組合法、私立学校教職員共済法及び健康保険法（大正十一年法律第七十号）をいう。）の適用関係の調整を要する場合におけるその適用関係その他必要な事項は、政令で定める。

（最高裁判所規則及び人事院規則への委任）

第二十二条　この法律に定めるもののほか、法科大学院において裁判官が教授等の業務を行うための派遣に関し必要な事項は、最高裁判所規則で定める。

2　この法律に定めるもののほか、法科大学院において検察官等が教授等の業務を行うための派遣に関し必要な事項は、人事院規則で定める。

附　則

（施行期日）

1　この法律は、平成十六年四月一日から施行する。ただし、第三条、次項及び附則第三項の規定は、平成十五年十月一日から施行する。

（準備行為）

2　最高裁判所又は任命権者は、この法律の施行の日前においても、当該法科大学院設置者との間で第四条第一項若しくは第三項又は第十一条第一項の取決めをし、裁判官又は検察官等からこれらの規定の同意を得、その他当該法科大学院において裁判官又は検察官等が教授等の業務を行うための派遣に必要な準備行為をすることができる。

3　この法律の施行の日前においては、国立大学法人法第二条第二項に規定する国立大学に置かれる法科大学院に係る第三条第一項の要請は、同法附則第二条第一項の規定により指名された当該国立大学を設置する国立大学法人の学長となるべき者がするものとする。この場合において、前項の規定の適用については、同項中「当該法科大学院設置者」とあるのは、「当該国立大学法人の学長となるべき者」とする。

4　前項後段の規定により読み替えて適用される附則第二項の規定により最高裁判所又は任命権者と当該国立大学法人の学長となるべき者との間でされた取決めは、この法律の施行の日以後は、最高裁判所又は任命権者と当該国立大学法人との間でされた第四条第一項若しくは第三項又は第十一条第一項の取決めとしての効力を有するものとする。

（健康増進法による国家公務員共済組合法の一部改正に伴う経過措置）

5　この法律の施行の日が健康増進法（平成十四年法律第百三号）附則第十条の規定の施行の日前である場合には、同条の規定の施行の日の前日までの間における第十四条第三項の規定の適用については、同項中「第九十八条第一項各号」とあるのは、「第九十八条各号」とする。

（平成二十二年度等における子ども手当の支給に関する法律により適用される旧児童手当法の特例）

6　平成二十二年度等における子ども手当の支給に関する法律（平成二十二年法律第十九号）の規定により子ども手当の支給がされる私立大学派遣検察官等に関しては、第十七条の規定を準用する。この場合において、同条の見出し中「子ども・子育て支援法」とあるのは「平成二十二年度等における子ども手当の支給に関する法律が適用される場合における旧児童手当法」と、同条中「子ども・子育て支援法（平成二十四年法律第六十五号）」とあるのは「平成二十二年度等における子ども手当の支給に関する法律（平成二十二年法律第十九号）第二十条第一項の規定による児童手当法の一部を改正する法律（平成二十四年法律第二十四号）附則第十一条の規定によりなおその効力を有するものとされた同法第一条の規定による改正前の児童手当法（昭和四十六年法律第七十三号）」と、「第六十九条第一項第四号」とあるのは「第二十条第一項第四号」と読み替えるものとする。

（平成二十三年度における子ども手当の支給等に関する特別措置法により適用される旧児童手当法の特例）

7　平成二十三年度における子ども手当の支給等に関する特別措置法（平成二十三年法律第百七号）の規定により子ども手当の支給がされる私立大学派遣検察官等に関しては、第十七条の規定を準用する。この場合において、同条の見出し中「子ども・子育て支援法」とあるのは「平成二十三年度における子ども手当の支給等に関する特別措置法が適用される場合における旧児童手当法」と、同条中「子ども・子育て支援法（平成二十四年法律第六十五号）」とあるのは「平成二十三年度における子ども手当の支給等に関する特別措置法（平成二十三年法律第百七号）第二十条第一項、第三項又は第五項の規定による児童手当法の一部を改正する法律（平成二十四年法律第二十四号）附則第十二条の規定によりなおその効力を有するものとされた同法第一条の規定による改正前の児童手当法（昭和四十六年法律第七十三号）」と、「第六十九条第一項第四号」とあるのは「第二十条第一項第四号」と読み替えるものとする。

附　則（令二・六・五法四〇）（抄）

（施行期日）

第一条　この法律は、令和四年四月一日から施行する。〔ただし書略〕

附　則（令三・六・一一法六六）（抄）

（施行期日）

第一条　この法律は、令和四年一月一日から施行する。ただし、次の各号に掲げる規定は、当該各号に定める日から施行する。

一・二　〔略〕

三　〔前略〕附則〔中略〕第二十七条の規定　令和四年十月一日

四～六　〔略〕

附　則（令六・六・一二法四七）（抄）

（施行期日）

第一条　この法律は、令和六年十月一日から施行する。ただし、次の各号に掲げる規定は、当該各号に定める日から施行する。

一～三　〔略〕

四　次に掲げる規定　令和七年四月一日

イ～ル　〔略〕

ヲ　附則第三十一条中法科大学院への裁判官及び検察官その他の一般職の国家公務員の派遣に関する法律（平成十五年法律第四十号）第十四条第一項の改正規定

ワ～ツ　〔略〕

五・六　〔略〕

○人事院規則二四―〇（検察官その他の職員の法科大学院への派遣）

平一五・一〇・一制定
平一六・四・一施行

最終改正　令六・一・二三規則九―一五一

（趣旨）
第一条　この規則は、法科大学院派遣法に規定する検察官等の法科大学院への派遣に関し必要な事項を定めるものとする。

（定義）
第二条　この規則において、「法科大学院」、「検察官等」、「任命権者」、「法科大学院設置者」又は「教授等」とは、それぞれ法科大学院派遣法第二条各項又は第三条第一項に規定する法科大学院、検察官等、任命権者、法科大学院設置者又は教授等をいう。

2　この規則において、次の各号に掲げる用語の意義は、当該各号に定めるところによる。

一　第四条派遣検察官等　法科大学院派遣法第四条第三項の規定により派遣された検察官等をいう。

二　第十一条派遣検察官等　法科大学院派遣法第十一条第一項の規定により派遣された検察官等をいう。

三　派遣先法科大学院　第四条派遣検察官等又は第十一条派遣検察官等が教授等の業務を行う法科大学院をいう。

（派遣除外職員）
第三条　法科大学院派遣法第二条第三項の人事院規則で定める職員は、次に掲げる職員とする。

一　条件付採用期間中の職員

二　法第八十一条の五第一項から第四項までの規定により異動期間（これらの規定により延長された期間を含む。）を延長された管理監督職を占める職員

三　勤務延長職員

四　休職者

五　停職者

六　派遣法第三条に規定する派遣職員

七　官民人事交流法第八条第二項に規定する交流派遣職員

八　福島復興再生特別措置法（平成二十四年法律第二十五号）第四十八条の三第七項又は第八十九条の三第七項に規定する派遣職員

九　令和七年国際博覧会特措法第二十五条第七項に規定する派遣職員

十　令和九年国際園芸博覧会特措法第十五条第七項に規定する派遣職員

十一　判事補及び検事の弁護士職務経験に関する法律（平成十六年法律第百二十一号）第二条第四項の規定により弁護士となってその職務を行う職員

十二　規則八―一二（職員の任免）第四十二条第二項の規定により任期を定めて採用された職員その他任期を限られた職員

（任命権者）
第四条　法科大学院派遣法第二条第三項の任命権者には、併任に係る官職の任命権者は含まれな

いものとする。

（派遣の要請）

第五条　法科大学院派遣法第三条第一項の規定に基づき検察官等の派遣を要請しようとする法科大学院設置者は、当該派遣を必要とする事由及び次に掲げる当該派遣に関して希望する条件を記載した書類を任命権者に提出するものとする。

一　派遣に係る検察官等に必要な専門的な知識経験等

二　派遣に係る検察官等の当該法科大学院における教授等の地位及び業務内容

三　派遣の形態

四　派遣の期間

五　派遣に係る検察官等の当該法科大学院における勤務時間、教授等の業務に係る報酬等（報酬、賃金、給料、俸給、手当、賞与その他いかなる名称であるかを問わず、教授等の業務の対償として受けるすべてのものをいう。第十七条第二項において同じ。）その他の勤務条件

六　前各号に掲げるもののほか、当該法科大学院設置者が必要と認める条件

（職務とともに教授等の業務を行うための派遣に係る取決め）

第六条　法科大学院派遣法第四条第五項の人事院規則で定める事項は、次に掲げる事項とする。

一　法科大学院派遣法第四条第三項の規定により派遣される検察官等（以下この条において「派遣予定検察官等」という。）の派遣先法科大学院となる法科大学院（以下この条において「派遣先予定法科大学院」という。）における服務に関する事項

二　派遣予定検察官等の派遣先予定法科大学院における福利厚生に関する事項

三　派遣予定検察官等の派遣先予定法科大学院における教授等の業務の従事の状況の連絡に関する事項

四　派遣予定検察官等に係る派遣の期間の変更その他の取決めの内容の変更に関する事項

五　派遣予定検察官等に係る取決めに疑義が生じた場合及び当該取決めに定めのない事項が生じた場合の取扱いに関する事項

（第四条派遣検察官等の派遣の終了）

第七条　法科大学院派遣法第五条第三項の人事院規則で定める場合は、次に掲げる場合とする。

一　第四条派遣検察官等がその派遣先法科大学院における教授等の地位を失った場合

二　第四条派遣検察官等が法第七十八条第一号から第三号までのいずれかに該当することとなった場合

三　第四条派遣検察官等が法第七十九条各号のいずれかに該当することとなった場合又は水難、火災その他の災害により生死不明若しくは所在不明となった場合

四　第四条派遣検察官等が法第八十二条第一項各号のいずれかに該当することとなった場合

五　第四条派遣検察官等の派遣が当該派遣に係る取決めに反することとなった場合

（第四条派遣職員の特定給与）

第八条　第四条派遣検察官等のうち検察官以外の者（以下この条及び附則第二条第一項において「第四条派遣職員」という。）には、派遣先法科大学院の法科大学院設置者から受ける教授等の業務に係る報酬等（報酬、賃金、給料、俸給、手当、賞与その他いかなる名称であるかを問わず、教授等の業務の対償として受ける全てのものをいい、通勤手当、在宅勤務等手当、特殊勤務手当、超過勤務手当、休日給、夜勤手当、宿日直手当及び管理職員特別勤務手当（第十三条第一項において「通勤手当等」という。）に相当するものを除く。同項において同じ。）のうち正規の勤務時間（勤務時間法第十三条第一項に規定する正規の勤務時間をいう。）において行われる教授等の業務（法科大学院派遣法第四条第九項に規定する任命権者が認める時間における当該業務を行うために必要な移動等を含む。）に係るもの（以下この条において「正規の勤務時間内派遣先報酬等」という。）の年額が、第四条派遣職員に係る派遣の期間の初日における給与法第十九条に規定する勤務一時間当たりの給与額を基礎として算定した法科大学院派遣法第七条第二項本文の規定による給与の減額分（以下この項及び次項において「給与減額分」という。）の年額（給与法第八条第六項の規定により標準号俸数（同条第七項に規定する人事院規則で定める基準において当該職員に係る標準となる号俸数をいう。第十三条第一項において同じ。）を昇給するものとして算定した額とする。以下この条において「給与減額分の年額」という。）に満たない場合であって、法科大学院において特定の専門的な法分野に関する教育を行う教授等の確保が困難であるとき、地理的条件等により法科大学院の所在する地域

において教授等の確保が困難であるとき等において、法科大学院の要請に応じて安定的かつ継続的な派遣が行われること及び法科大学院において法科大学院派遣法第三条第一項に規定する教育が実効的に行われることを確保するため特に必要があると認められるときは、当該派遣の期間中、給与減額分の百分の五十以内を支給することができる。

2　第四条派遣職員がその派遣の期間中に前項に規定する場合に該当することとなった場合においても、当該該当することとなった日以後の当該派遣の期間中、給与減額分の百分の五十以内を支給することができる。

3　前二項の規定により支給される給与（以下この条、次条及び附則第二条において「特定給与」という。）の支給割合を決定するに当たっては、決定された支給割合により支給されることとなる特定給与の年額が、給与減額分の年額から正規の勤務時間内派遣先報酬等の年額を減じた額を超えてはならない。

4　特定給与の支給及び支給割合は、第四条派遣職員に係る派遣の期間の初日（第二項の規定により特定給与を支給されることとなった場合にあっては、当該支給されることとなった日）から起算して一年ごとに見直すものとし、特定給与の年額が給与減額分の年額から正規の勤務時間内派遣先報酬等の年額を減じた額を超える場合その他特に必要があると認められる場合には、第一項及び前項の規定の例により、特定給与の支給割合を変更し、又は特定給与を支給しないものとする。

5　特定給与の支給及び支給割合は、前項に規定する場合のほか、正規の勤務時間内派遣先報酬等の額又は給与法第十九条に規定する勤務一時間当たりの給与額の変動があった場合において、特定給与の年額が給与減額分の年額から正規の勤務時間内派遣先報酬等の年額を減じた額を超えるときその他特に必要があると認められるときは、第一項及び第三項の規定の例により、特定給与の支給割合を変更し、又は特定給与を支給しないものとする。

6　前項の規定により特定給与の支給割合を変更した場合における第四項の規定の適用については、「第四条派遣職員に係る派遣の期間の初日（第二項の規定により特定給与を支給されることとなった場合にあっては、当該支給されることとなった日）」とあるのは、「正規の勤務時間内派遣先報酬等の額又は給与法第十九条に規定する勤務一時間当たりの給与額の変動があった日」とする。

（俸給等の支給）

第九条　特定給与は、一の給与期間（規則九―七第二条に規定する給与期間をいう。以下この項において同じ。）の分を次の給与期間における俸給の支給定日に支給する。

2　規則九―七第十二条の規定は、特定給与の支給について準用する。

（専ら教授等の業務を行うための派遣に係る取決め）

第十条　法科大学院派遣法第十一条第三項の人事院規則で定める事項については、第六条の規定を準用する。この場合において、同条第一号中「第四条第三項」とあるのは、「第十一条第一項」と読み替えるものとする。

（第十一条派遣検察官等の保有する官職）

第十一条　第十一条派遣検察官等は、派遣された時に占めていた官職又はその派遣の期間中に異動した官職を保有するものとする。ただし、併任に係る官職についてはこの限りではない。

2　前項の規定は、当該官職を他の職員をもって補充することを妨げるものではない。

（第十一条派遣検察官等の職務への復帰）

第十二条　法科大学院派遣法第十二条第二項の人事院規則で定める場合については、第七条の規定を準用する。この場合において、同条中「第四条派遣検察官等」とあるのは「第十一条派遣検察官等」と、同条第一号中「派遣先法科大学院」とあるのは「派遣先法科大学院（二以上の法科大学院において教授等の業務を行う第十一条派遣検察官等（第五号において「複数校派遣検察官等」という。）にあっては、いずれかの派遣先法科大学院）」と、同条第二号中「第七十八条第一号から第三号までのいずれか」とあるのは「第七十八条第二号又は第三号」と、同条第五号中「取決め」とあるのは「取決め（複数校派遣検察官等にあっては、いずれかの法科大学院設置者との間の当該派遣に係る取決め）」と読み替えるものとする。

（第十一条派遣職員の給与）

第十三条　第十一条派遣検察官等のうち検察官以外の者（以下この条から第十五条まで及び附則第三条第一項において「第十一条派遣職員」という。）には、派遣先法科大学院の法科大学院設置者から受ける教授等の業務に係る報酬等

（以下この条において「派遣先報酬等」という。）の年額が、第十一条派遣職員に係る派遣の期間の初日の前日における給与の額を基礎とし、給与法第八条第六項の規定により標準号俸数を昇給するものとして算定した給与（通勤手当等を除く。）の年額（当該年額が部内の他の職員との均衡を著しく失すると認められる場合にあっては、人事院の定めるところにより算定した額。以下この条において「派遣前給与の年額」という。）に満たない場合であって、法科大学院において特定の専門的な法分野に関する教育を行う教授等の確保が困難であるとき、地理的条件等により法科大学院の所在する地域において教授等の確保が困難であるとき等において、法科大学院の要請に応じて安定的かつ継続的な派遣が行われること及び法科大学院において法科大学院派遣法第三条第一項に規定する教育が実効的に行われることを確保するため特に必要があると認められるときは、当該派遣の期間中、俸給、扶養手当、地域手当、広域異動手当、研究員調整手当、住居手当及び期末手当（以下この条及び附則第三条において「俸給等」という。）のそれぞれ百分の五十以内を支給することができる。

2 第十一条派遣職員がその派遣の期間中に前項に規定する場合に該当することとなった場合においても、当該該当することとなった日以後の当該派遣の期間中、俸給等のそれぞれ百分の五十以内を支給することができる。

3 前二項の規定により支給される俸給等の支給割合を決定するに当たっては、決定された支給割合により支給されることとなる俸給等の年額が、派遣前給与の年額から派遣先報酬等の年額を減じた額を超えてはならない。

4 俸給等の支給及び支給割合は、第十一条派遣職員に係る派遣の期間の初日（第二項の規定により俸給等を支給されることとなった場合にあっては、当該支給されることとなった日）から起算して一年ごとに見直すものとし、俸給等の年額が派遣前給与の年額から派遣先報酬等の年額を減じた額を超える場合その他特に必要があると認められる場合には、第一項及び前項の規定の例により、俸給等の支給割合を変更し、又は俸給等を支給しないものとする。

5 俸給等の支給及び支給割合は、前項に規定する場合のほか、派遣先報酬等の額又は俸給等の額の変動があった場合において、俸給等の年額が派遣前給与の年額から派遣先報酬等の年額を減じた額を超えるときその他特に必要があると認められるときは、第一項及び第三項の規定の例により、俸給等の支給割合を変更し、又は俸給等を支給しないものとする。

6 前項の規定により俸給等の支給割合を変更した場合における第四項の規定の適用については、「第十一条派遣職員に係る派遣の期間の初日（第二項の規定により俸給等を支給されることとなった場合にあっては、当該支給されることとなった日）」とあるのは、「派遣先報酬等の額又は俸給等の額の変動があった日」とする。

（第十一条派遣職員の職務復帰時における給与の取扱い）

第十四条 第十一条派遣職員が職務に復帰した場合において、部内の他の職員との均衡上特に必要があると認められるときは、規則九—八（初任給、昇格、昇給等の基準）第二十条の規定にかかわらず、人事院の定めるところにより、その職務に応じた職務の級に昇格させることができる。

第十五条 第十一条派遣職員が職務に復帰した場合において、部内の他の職員との均衡上必要があると認められるときは、その派遣の期間を百分の百以下の換算率により換算して得た期間を引き続き勤務したものとみなして、その職務に復帰した日、同日後における最初の昇給日（規則九—八第三十四条に規定する昇給日をいう。以下この項において同じ。）又はその次の昇給日に、昇給の場合に準じてその者の号俸を調整することができる。

2 第十一条派遣職員が職務に復帰した場合における号俸の調整について、前項の規定による場合には部内の他の職員との均衡を著しく失すると認められるときは、同項の規定にかかわらず、あらかじめ人事院と協議して、その者の号俸を調整することができる。

（派遣に係る人事異動通知書の交付）

第十六条 任命権者は、次に掲げる場合には、検察官等に対して、規則八—一二第五十八条の規定による人事異動通知書を交付しなければならない。

一 法科大学院派遣法第四条第三項又は第十一条第一項の規定により検察官等を派遣した場合

二 第四条派遣検察官等又は第十一条派遣検察

官等に係る派遣の期間を延長した場合

三　派遣の期間の満了により第四条派遣検察官等の派遣が終了した場合又は第十一条派遣検察官等が職務に復帰した場合

四　第四条派遣検察官等の派遣を終了させた場合又は第十一条派遣検察官等を職務に復帰させた場合

（報告）

第十七条　第四条派遣検察官等及び第十一条派遣検察官等は、任命権者から求められたときは、派遣先法科大学院における勤務条件及び業務の遂行の状況について報告しなければならない。

2　任命権者は、人事院の定めるところにより、毎年五月末日までに、前年の四月一日に始まる年度内において法科大学院派遣法第四条第三項又は第十一条第一項の規定により派遣されている期間のある検察官等の派遣先法科大学院、派遣の期間並びに派遣先法科大学院における地位、業務内容及び教授等の業務に係る報酬等の月額等の状況並びに同項の規定による派遣から当該年度内に職務に復帰した検察官等の当該復帰後の処遇等に関する状況について、人事院に報告しなければならない。

附　則

（施行期日）

第一条　この規則は、平成十六年四月一日から施行する。ただし、第五条、第六条及び第十条並びに次項の規定は、公布の日から施行する。

（給与法附則第八項の規定の適用を受ける第四条派遣職員の特定給与）

第二条　第四条派遣職員が給与法附則第八項の規定の適用を受ける職員となった場合には、当分の間、同項の規定の適用を受ける職員となった日を第四条派遣職員に係る派遣の期間の初日とみなして、第八条第一項及び第三項の規定の例により、特定給与の支給割合を決定し、又は特定給与を支給しないものとする。

2　前項の規定により、特定給与の支給割合を決定し、又は特定給与を支給しないものとした場合における第八条の規定の適用については、同条第一項中「派遣の期間の初日」とあるのは「給与法附則第八項の規定の適用を受ける職員となった日」と、同条第二項中「前項」とあるのは「附則第二条第二項の規定により読み替えられた前項」と、同条第三項中「前二項」とあるのは「附則第二条第二項の規定により読み替えられた前二項」と、同条第四項中「派遣の期間の初日（」とあるのは「給与法附則第八項の規定の適用を受ける職員となった日（附則第二条第二項の規定により読み替えられた」と、「第一項」とあるのは「同条第二項の規定により読み替えられた第一項」と、同条第五項中「前項」とあるのは「附則第二条第二項の規定により読み替えられた前項」と、「第一項」とあるのは「附則第二条第二項の規定により読み替えられた第一項」と、同条第六項中「前項」とあるのは「附則第二条第二項の規定により読み替えられた前項」と、「第四項」とあるのは「同条第二項の規定により読み替えられた第四項」と、「派遣の期間の初日（」とあるのは「給与法附則第八項の規定の適用を受ける職員となった日（附則第二条第二項の規定により読み替えられた」とする。

（給与法附則第八項の規定の適用を受ける第十一条派遣職員の給与）

第三条　第十一条派遣職員が給与法附則第八項の規定の適用を受ける職員となった場合には、当分の間、同項の規定の適用を受ける職員となった日を第十一条派遣職員に係る派遣の期間の初日の前日とみなして、第十三条第一項及び第三項の規定の例により、俸給等の支給割合を決定し、又は俸給等を支給しないものとする。

2　前項の規定により、俸給等の支給割合を決定し、又は俸給等を支給しないものとした場合における第十三条の規定の適用については、同条第一項中「派遣の期間の初日の前日」とあるのは「給与法附則第八項の規定の適用を受ける職員となった日」と、同条第二項中「前項」とあるのは「附則第三条第二項の規定により読み替えられた前項」と、同条第三項中「前二項」とあるのは「附則第三条第二項の規定により読み替えられた前二項」と、同条第四項中「派遣の期間の初日（」とあるのは「給与法附則第八項の規定の適用を受ける職員となった日（附則第三条第二項の規定により読み替えられた」と、「第一項」とあるのは「同条第二項の規定により読み替えられた第一項」と、同条第五項中「前項」とあるのは「附則第三条第二項の規定により読み替えられた前項」と、「第一項」とあるのは「同条第二項の規定により読み替えられた第一項」と、同条第六項中「前項」とあるのは「附則第三条第二項の規定により読み替えられた前項」と、「第四項」とあるのは「同条第二項の規定により読み替えられた第四項」と、「派遣の期間の初日（」とあるのは「給与法附則第八項の規定の適用を受ける職員となった日（附則第三条第二項の規定により読み替えられた」とする。

附　則（令元・五・二三規則一—七三）

この規則は、公布の日から施行する。

附　則（令二・四・一規則二四—〇—二）

この規則は、公布の日から施行する。

附　則（令二・六・一二規則一—七五）（抄）

（施行期日）

1　この規則は、公布の日から施行する。

附　則（令二・一二・二八規則一—七六）（抄）

（施行期日）

1　この規則は、公布の日から施行する。

附　則（令三・九・一規則一—七七）

この規則は、公布の日から施行する。

附　則（令四・二・一八規則一—七九）（抄）

（施行期日）

第一条　この規則は、令和五年四月一日から施行する。

附　則（令四・六・二四規則一—八一）

この規則は、公布の日から施行する。

附　則（令四・七・一規則二四—〇—三）

この規則は、公布の日から施行する。

附　則（令六・一・二三規則九—一五一）（抄）

（施行期日）

第一条　この規則は、令和六年四月一日から施行する。

○検察官その他の職員の法科大学院への派遣の運用について（通知）

平一五・一〇・一
人企—八二五

最終改正　令六・一・二三給二—六

法科大学院への裁判官及び検察官その他の一般職の国家公務員の派遣に関する法律（平成十五年法律第四十号。以下「法科大学院派遣法」という。）及び人事院規則二四—〇（検察官その他の職員の法科大学院への派遣）（以下「規則」という。）の運用について下記のとおり定めたので、平成十六年四月一日（法科大学院派遣法第四条及び第十一条関係並びに規則第五条関係については、平成十五年十月一日）以降は、これによってください。

記

法科大学院派遣法第四条及び第十一条関係

1　法科大学院派遣法第四条第三項及び第十一条第一項の「その他の事情」には、検察官等（法科大学院派遣法第二条第二項に規定する検察官等をいう。以下同じ。）を派遣した場合の当該検察官等の健康及び福祉への配慮等が含まれる。

2　法科大学院派遣法第四条第三項、同条第六項及び第七項（これらの規定を法科大学院派遣法第十一条第四項において準用する場合を含む。）並びに第十一条第一項の規定による検察官等の同意は、文書により行うものとする。

3　法科大学院派遣法第四条第三項及び第十一条第一項の規定による取決めにおいて、法科大学院（法科大学院派遣法第二条第一項に規定する法科大学院をいう。以下同じ。）における勤務時間を定めるに当たっては、法科大学院派遣法第四条第三項又は第十一条第一項の規定により派遣される検察官等が派遣先法科大学院（規則第二条第二項第三号に規定する派遣先法科大学院をいう。以下同じ。）となる法科大学院において法科大学院派遣法第三条第一項に規定する教育を実効的に行うために十分な時間となるよう当該法科大学院における講義及び演習等の準備に要する時間をも考慮するものとする。

4　法科大学院派遣法第四条第九項の「任命権者が認める時間」を任命権者（法科大学院派遣法第二条第三項に規定する任命権者をいう。以下同じ。）が認めるに当たっては、第四条派遣検察官等（規則第二条第二項第一号に規定する第四条派遣検察官等をいう。以下同じ。）がその派遣先法科大学院と勤務官署等との間の移動に要する時間をも考慮するものとする。また、派遣先法科大学院において教授等（法科大学院派遣法第三条第一項に規定する教授等をいう。以下同じ。）の業務を行うため臨時又は緊急の必要がある場合に、法科大学院設置者（法科大学院派遣法第三条第一項に規定する法科大学院設置者をいう。以下同じ。）が法科大学院派遣法第四条第三項の取決めにおいて定められた勤務時間（規則第八条関係第一項において「派遣先勤務時間」という。）以外の時間に業務を命ずることができると当該取決めにおいて定められたときは、法科大学院設置者が当該業務を命じたときに必要となる時間についても同様に考慮するものとする。

法科大学院派遣法第七条第二項関係

この項に規定する給与の減額方法については、給実甲第二八号（一般職の職員の給与に関する法律の運用方針）第十五条関係第二項及び第三項の規定の例による。

規則第三条関係

この条の第三号の「勤務延長職員」とは、国家公務員法（昭和二十二年法律第百二十号）第八十一条の七第一項又は第二項の規定により定年退職日の翌日以降引き続いて勤務している職員をいう。

規則第五条関係

1　この条の第二号の「教授等の地位」には、専任教員（専門職大学院設置基準（平成十五年文部科学省令第十六号）第五条第一項に規定する専任教員をいう。）であるかどうかの別及び常勤であるかどうかの別が含まれる。

2　この条の第三号の「派遣の形態」とは、法科大学院派遣法第四条第三項又は第十一条第一項の規定に基づく派遣をいう。

規則第八条関係

1　この条の第一項に規定する正規の勤務時間内派遣先報酬等の年額は、派遣先法科大学院の法科大学院設置者から受ける教授等の業務に係る報酬等（報酬、賃金、給料、俸給、手当、賞与その他いかなる名称であるかを問わず、教授等の業務の対償として受ける全てのものをいい、通勤手当、在宅勤務等手当、特殊勤務手当、超過勤務手当、休日給、夜勤手当、宿日直手当及び管理職員特別勤務手当に相当するものを除く。規則第十三条関係第一項において同じ。）の年額に、法科大学院派遣法第四条第九項に規定する任命権者が認める時間（派遣先法科大学院において教授等の業務を行うため臨時又は緊急の必要がある場合において、法科大学院設置者が派遣先勤務時間以外の時間において当該業務を命じたときに必要であると任命権者が認める時間を除く。以下この項及び規則第十六条関係において「勤務時間内第四条派遣時間」という。）の一年間の時間数を、当該時間数及び派遣先勤務時間（派遣先勤務時間が勤務時間内第四条派遣時間に含まれる場合においては、その勤務時間内第四条派遣時間に含まれる時間を除く。）の一年間の時間数を合算した時間数で除して得た割合を乗じることにより算定する。

2　この条の規定による特定給与（この条の第三項に規定する特定給与をいう。以下同じ。）の支給割合の決定等については、その過程を明確にして行うとともに、その内容を適切に把握しておくものとする。

規則第十三条関係

1　二以上の法科大学院において教授等の業務を行う第十一条派遣職員（この条の第一項に規定する第十一条派遣職員をいう。以下同じ。）のこの条の第一項に規定する派遣先報酬等の額については、それぞれの派遣先法科大学院の法科大学院設置者から受ける教授等の業務に係る報酬等の額の合計額とする。

2　この条の第一項の「当該年額が部内の他の職員との均衡を著しく失すると認められる場合」において、同項に規定する派遣前給与の年額を算定するときは、あらかじめ個別に事務総長に協議するものとする。

3　この条の第一項に規定する派遣前給与の年額の算定における勤勉手当の額は、第十一条派遣職員を人事院規則九—四〇（期末手当及び勤勉手当）第十三条第一項第一号ハ（専門スタッフ職俸給表の適用を受ける職員にあっては同項第二号ハ、指定職俸給表の適用を受ける職員にあっては同項第三号ロ）に掲げる職員であるものとした場合の同項の規定による成績率により算定した額によるものとする。

4　この条の規定による給与の支給割合の決定等については、その過程を明確にして行うとともに、その内容を適切に把握しておくものとする。

規則第十四条関係

法科大学院派遣法第十一条第一項の規定による派遣後職務に復帰した職員を昇格させる場合には、次の各号に掲げる職員の区分に応じ、当該各号に定める職務の級に昇格させることができる。ただし、特別の事情によりこれにより難い場合には、あらかじめ事務総長に協議して、別段の取扱いをすることができる。

一　人事院規則九—八（初任給、昇格、昇給等の基準）（以下「規則九—八」という。）第十一条第三項の規定により職務の級を決定された職以外の職員　昇格させようとする日に新たに職員となったものとした場合のその者の経験年数がその者を昇格させようとする職務の級をその者の属する職務の級とみなした場合の給実甲第三二六号（人事院規則九—八（初任給、昇格、昇給等の基準）の運用について）第十五条関係第五項に規定する最短昇格期間（以下「最短昇格期間」という。）（ただし、規則九—八第二十条第四項後段の規定に該当するときは、当該最短昇格期間に百分の五十以上百分の百未満の割合を乗じて得た期間とすることができる。）以上となる当該昇格させようとする職務の級

二　規則九—八第十一条第三項の規定により職務の級を決定された職員　当該派遣がなく引き続き職務に従事したものとみなして、その者が当該派遣の直前に属していた職務の級を基礎として昇格等の規定を適用した場合に、その者を昇格させようとする日に属することとなる職務の級を超えない範囲内の職務の級

規則第十五条関係

この条の規定の適用については、給実甲第一九二号（復職時等における号俸の調整の運用について）に定めるところによる。

規則第十六条関係

人事異動通知書の「異動内容」欄の記入要領は、次のとおりとする。

一　法科大学院派遣法第四条第三項の規定によ

り検察官等を派遣する場合

「法科大学院派遣法第四条第三項の規定によりア（イ）に派遣する

派遣の期間は　年　月　日から　年　月　日までとする

正規の勤務時間のうち教授等の業務を行うために必要であると認める時間はウとする

派遣の期間中、給与の減額分の百分の　を支給する（又は「派遣の期間中、給与の減額分に係る給与は支給しない」）」

と記入する。

注1　「ア」の記号をもって表示する事項は、派遣先法科大学院の名称とする。次号において同じ。

2　「イ」の記号をもって表示する事項は、派遣先法科大学院の所在地とする。次号において同じ。

3　「ウ」の記号をもって表示する事項は、勤務時間内第四条派遣時間とする。以下同じ。

4　検察官の派遣の期間中の給与については、上記の例に準じて記入する。以下同じ。

二　法科大学院派遣法第十一条第一項の規定により検察官等を派遣する場合

「法科大学院派遣法第十一条第一項の規定によりア（イ）に派遣する

派遣の期間は　年　月　日から　年　月　日までとする

派遣の期間中、俸給、扶養手当、地域手当、広域異動手当、研究員調整手当、住居手当及び期末手当のそれぞれ百分の　を支給する（又は「派遣の期間中、給与は支給しない」）」

と記入する。

三　第四条派遣検察官等の派遣の期間を延長する場合

「派遣の期間を　年　月　日まで延長する

正規の勤務時間のうち教授等の業務を行うために必要であると認める時間はウとする

延長に係る期間中、給与の減額分の百分の　を支給する（又は「延長に係る期間中、給与の減額分に係る給与は支給しない」）」

と記入する。

四　第十一条派遣検察官等（規則第二条第二項第二号に規定する第十一条派遣検察官等をいう。以下同じ。）の派遣の期間を延長する場合

「派遣の期間を　年　月　日まで延長する

延長に係る期間中、俸給、扶養手当、地域手当、広域異動手当、研究員調整手当、住居手当及び期末手当のそれぞれ百分の　を支給する（又は「延長に係る期間中、給与は支給しない」）」

と記入する。

五　派遣の期間の満了により第四条派遣検察官等の派遣が終了した場合

「派遣の期間が満了した（　年　月　日）」

と記入する。

六　派遣の期間の満了により第十一条派遣検察官等が職務に復帰した場合

「職務に復帰した（　年　月　日）」

と記入する。

七　第四条派遣検察官等の派遣を終了させる場合

「派遣を終了させる」

と記入する。

八　第十一条派遣検察官等を職務に復帰させる場合

「職務に復帰させる」

と記入する。

九　第四条派遣検察官等の勤務時間内第四条派遣時間の変更に人事異動通知書を用いる場合

「正規の勤務時間のうち教授等の業務を行うために必要であると認める時間をウに変更する」

と記入する。

十　第四条派遣職員（規則第八条第一項に規定する第四条派遣職員をいう。次号及び規則附則第二条関係第一項において同じ。）について、その派遣の期間中に特定給与を支給することとなったことに人事異動通知書を用いる場合

「　年　月　日以後、派遣の期間中、給与の減額分の百分の　を支給する」

と記入する。

十一　第四条派遣職員について、その派遣の期間中に特定給与の支給割合を変更すること又は特定給与を支給しないものとすることに人

事異動通知書を用いる場合

「　年　月　日以後、派遣の期間中、給与の減額分に係る給与の支給割合を百分の　　とする（又は「　年　月　日以後、派遣の期間中、給与の減額分に係る給与は支給しない」）」

と記入する。

十二　第十一条派遣職員について、その派遣の期間中に俸給等（規則第十三条第一項に規定する俸給等をいう。次号及び規則附則第三条関係第一項において同じ。）を支給することとなったことに人事異動通知書を用いる場合

「　年　月　日以後、派遣の期間中、俸給、扶養手当、地域手当、広域異動手当、研究員調整手当、住居手当及び期末手当のそれぞれ百分の　　を支給する」

と記入する。

十三　第十一条派遣職員について、その派遣の期間中に俸給等の支給割合を変更すること又は俸給等を支給しないものとすることに人事異動通知書を用いる場合

「　年　月　日以後、派遣の期間中、俸給、扶養手当、地域手当、広域異動手当、研究員調整手当、住居手当及び期末手当の支給割合をそれぞれ百分の　　とする（又は「　年　月　日以後、派遣の期間中、給与は支給しない」）」

と記入する。

規則第十七条関係

この条の第二項の規定による人事院への報告は、別紙様式の報告書により行うものとする。

規則附則第二条関係

1　この条の第一項の規定により、特定給与の支給割合を決定し、又は特定給与を支給しないものとすることとなった第四条派遣職員（同項の規定により特定給与の支給割合を決定し、又は特定給与を支給しないものとすることとなった日において、派遣の期間を延長され、規則第十六条第二号に掲げる場合に同条の規定により人事異動通知書が交付される第四条派遣職員を除く。）に対しては、人事異動通知書又はこれに代わる文書（以下「通知書等」という。）により特定給与の支給割合又は特定給与を支給しない旨を通知するものとする。ただし、通知書等の交付によらないことを適当と認める場合には、適当な方法をもって通知書等の交付に代えることができる。

2　前項の規定による通知において、人事異動通知書を用いる場合の「異動内容」欄の記入要領は、規則第十六条関係第十一号の規定の例によるものとする。

規則附則第三条関係

1　この条の第一項の規定により、俸給等の支給割合を決定し、又は俸給等を支給しないものとすることとなった第十一条派遣職員（同項の規定により俸給等の支給割合を決定し、又は俸給等を支給しないものとすることとなった日において、派遣の期間を延長され、規則第十六条第二号に掲げる場合に同条の規定により人事異動通知書が交付される第十一条派遣職員を除く。）に対しては、通知書等により俸給等の支給割合又は俸給等を支給しない旨を通知するものとする。ただし、通知書等の交付によらないことを適当と認める場合には、適当な方法をもって通知書等の交付に代えることができる。

2　前項の規定による通知において、人事異動通知書を用いる場合の「異動内容」欄の記入要領は、規則第十六条関係第十三号の規定の例によるものとする。

以　上

（令和四年二月一八日事企法三八）

経過措置（抄）

2　令和三年改正法附則第三条第五項に規定する旧国家公務員法勤務延長職員に対する令和四年事企法―三七による改正後の次に掲げる人事院事務総長通知の規定の適用については、これらの規定中「第八十一条の七第一項又は第二項」とあるのは、「第八十一条の七第一項若しくは第二項又は国家公務員法等の一部を改正する法律（令和三年法律第六十一号）附則第三条第五項若しくは第六項」とする。

八　「検察官その他の職員の法科大学院への派遣の運用について（平成十五年十月一日人企―八二五）」規則第三条関係

別紙

法科大学院派遣に関する状況報告書

（　枚のうち　枚目）

令和　　年度分

1　派遣の状況

府省名＿＿＿＿＿＿

氏　名	派遣時の状況		派遣先法科大学院		派遣の期間	派遣の形態	給与支給割合（%）	派遣先法科大学院における職員の状況			備　考
	所属部課・官職	級号俸	名　称	所在地				地　位	業務内容	報酬等の月額	
①	②	③	④	⑤	⑥	⑦	⑧	⑨	⑩	⑪	⑫
		（ ）－									
		（ ）－									
		（ ）－									
		（ ）－									
		（ ）－									
		（ ）－									
		（ ）－									
		（ ）－									
		（ ）－									
		（ ）－									

A 4

（　枚のうち　枚目）

2　派遣及び復帰の状況

氏　名	派遣時の状況		派遣先法科大学院		派遣の期間	派遣の形態	給与支給割合（%）	派遣先法科大学院における職員の状況			職務復帰後における職員の状況		備　考
	所属部課・官職	級号俸	名称	所在地				地位	業務内容	報酬等の月額	所属部課・官職	給与上の処遇	
⑬	⑭	⑮	⑯	⑰	⑱	⑲	⑳	㉑	㉒	㉓	㉔	㉕	㉖
		（ ）－											
		（ ）－											
		（ ）－											
		（ ）－											
		（ ）－											
		（ ）－											
		（ ）－											
		（ ）－											
		（ ）－											

3　令和　　年度末現在派遣職員総数　　　名（うち第４条派遣検察官等　　名、第11条派遣検察官等　　名）

作成者官職・氏名

A 4

（記入要領）

(1)　前年度において、法科大学院へ派遣されている期間のある検察官等（(2)に規定する検察官等を除く。）については、「1　派遣の状況」に派遣された年度ごとにまとめて記入するものとする。

(2)　前年度内に職務に復帰した検察官等については、「2　派遣及び復帰の状況」に記入するものとする。

(3)　前年度において、二以上の法科大学院へ派遣されていた検察官等については、派遣先法科大学院ごとに記入するものとする。

(4)　③欄及び⑮欄には、「行㈠七―五」のように記入する。

(5)　⑤欄及び⑰欄には、派遣先法科大学院の所在地の都道府県名及び市区町村名を記入し、勤務地が派遣先法科大学院の所在地と異なるときは、勤務地について記入する。

(6)　⑥欄及び⑱欄には、「平成二九年四月一日～令和元年九月三〇日（二年六月）」のように記入する。

(7)　⑦欄及び⑲欄には、法科大学院派遣法第四条第三項の規定による派遣の場合は「四条派遣」と、法科大学院派遣法第十一条第一項の規定による派遣の場合は「十一条派遣」と記入する。

(8)　⑨欄及び㉑欄には、「教授」、「准教授」等と記入する。

(9)　⑩欄及び㉒欄には、「民法」、「刑法」、「知的財産権法」又は「租税法」のように教育を行う専門的な法分野を具体的に記入する。

(10)　⑪欄及び㉓欄には、教授等の業務に係る報酬等（報酬、賃金、給料、俸給、手当、賞与、その他いかなる名称であるかを問わず、教授等の業務の対償として受けるすべてのものをいう。）の月額（月額によらない場合は月額に換算したもの）を記入する。

(11)　㉔欄及び㉕欄には、法科大学院派遣法第十一条第一項の規定による派遣の場合のみ記入する。

(12)　㉔欄には、職務復帰後の官職（前年度において職務復帰後に異動があった場合には、最初の異動後の官職）を記入する。

(13)　㉕欄には、職務復帰後において昇格、昇給等の措置を行った場合、その措置の内容を「復職時調整（七―八）」等と記入する。

(14)　派遣の期間中に一般職の職員の給与に関する法律（昭和二十五年法律第九十五号）附則第八項の規定の適用を受けることとなった職員については、⑫欄又は㉖欄に「　年　月日給与法附則第八項適用」等と記入する。

第八　公益社団法人福島相双復興推進機構派遣職員

○福島復興再生特別措置法（抄）

平二四・三・三一
法　　　二　　五

最終改正　令六・六・一二法四七

第三章　避難解除等区域の復興及び再生のための特別の措置等

第七節　公益社団法人福島相双復興推進機構への国の職員の派遣等

（公益社団法人福島相双復興推進機構による派遣の要請）

第四十八条の二　避難指示・解除区域市町村の復興及び再生を推進することを目的とする公益社団法人福島相双復興推進機構（平成二十七年八月十二日に一般社団法人福島相双復興準備機構という名称で設立された法人をいう。以下この節において「機構」という。）は、避難指示・解除区域市町村の復興及び再生の推進に関する業務のうち、特定事業者（避難指示・解除区域市町村の区域内に平成二十三年三月十一日においてその事業所が所在していた個人事業者又は法人をいう。以下この項において同じ。）の経営に関する診断及び助言、特定事業者の事業の再生を図るための方策の企画及び立案、国の行政機関その他の関係機関との連絡調整その他国の事務又は事業との密接な連携の下で実施する必要があるもの（以下この節において「特定業務」という。）を円滑かつ効果的に行うため、国の職員（国家公務員法（昭和二十二年法律第百二十号）第二条に規定する一般職に属する職員（法律により任期を定めて任用される職員、常時勤務を要しない官職を占める職員、独立行政法人通則法（平成十一年法律第百三号）第二条第四項に規定する行政執行法人の職員その他人事院規則で定める職員を除く。）をいう。以下同じ。）を機構の職員として必要とするときは、その必要とする事由を明らかにして、任命権者（国家公務員法第五十五条第一項に規定する任命権者及び法律で別に定められた任命権者並びにその委任を受けた者をいう。以下同じ。）に対し、その派遣を要請することができる。

2　前項の規定による要請の手続は、人事院規則で定める。

（国の職員の派遣）

第四十八条の三　任命権者は、前条第一項の規定による要請があった場合において、原子力災害からの福島の復興及び再生の推進その他の国の責務を踏まえ、その要請に係る派遣の必要性、派遣に伴う事務の支障その他の事情を勘案して、国の事務又は事業との密接な連携を確保するために相当と認めるときは、これに応じ、国の職員の同意を得て、機構との間の取決めに基づき、期間を定めて、専ら機構における特定業務を行うものとして当該国の職員を機構に派遣することができる。

2　任命権者は、前項の同意を得るに当たっては、あらかじめ、当該国の職員に同項の取決めの内容及び当該派遣の期間中における給与の支給に関する事項を明示しなければならない。

3　第一項の取決めにおいては、機構における勤務時間、特定業務に係る報酬等（報酬、賃金、給料、俸給、手当、賞与その他いかなる名称であるかを問わず、特定業務の対償として受ける全てのものをいう。第四十八条の五第一項及び第二項において同じ。）その他の勤務条件及び特定業務の内容、派遣の期間、職務への復帰に関する事項その他第一項の規定による派遣の実施に当たって合意しておくべきものとして人事院規則で定める事項を定めるものとする。

4　任命権者は、第一項の取決めの内容を変更しようとするときは、当該国の職員の同意を得なければならない。この場合においては、第二項の規定を準用する。

5　第一項の規定による派遣の期間は、三年を超えることができない。ただし、機構からその期間の延長を希望する旨の申出があり、かつ、特に必要があると認めるときは、任命権者は、当該国の職員の同意を得て、当該派遣の日から引き続き五年を超えない範囲内で、これを延長することができる。

6　第一項の規定により機構において特定業務を行う国の職員は、その派遣の期間中、その同意に係る同項の取決めに定められた内容に従って、機構において特定業務を行うものとする。

7　第一項の規定により派遣された国の職員（以下この節において「派遣職員」という。）は、その派遣の期間中、国の職員としての身分を保有するが、職務に従事しない。

8　第一項の規定による国の職員の特定業務への従事については、国家公務員法第百四条の規定は、適用しない。

（職務への復帰）

第四十八条の四　派遣職員は、その派遣の期間が満了したときは、職務に復帰するものとする。

2　任命権者は、派遣職員が機構における職員の地位を失った場合その他の人事院規則で定める場合であって、その派遣を継続することができないか又は適当でないと認めるときは、速やかに、当該派遣職員を職務に復帰させなければならない。

（派遣期間中の給与等）

第四十八条の五　任命権者は、機構との間で第四十八条の三第一項の取決めをするに当たっては、同項の規定により派遣される国の職員が機構から受ける特定業務に係る報酬等について、当該国の職員がその派遣前に従事していた職務及び機構において行う特定業務の内容に応じた相当の額が確保されるよう努めなければならない。

2　派遣職員には、その派遣の期間中、給与を支給しない。ただし、機構において特定業務が円滑かつ効果的に行われることを確保するため特に必要があると認められるときは、当該派遣職員には、その派遣の期間中、機構から受ける特定業務に係る報酬等の額に照らして必要と認められる範囲内で、俸給、扶養手当、地域手当、広域異動手当、研究員調整手当、住居手当及び期末手当のそれぞれ百分の百以内を支給することができる。

3　前項ただし書の規定による給与の支給に関し必要な事項は、人事院規則（派遣職員が検察官の俸給等に関する法律（昭和二十三年法律第七十六号）の適用を受ける者である場合にあっては、同法第三条第一項に規定する準則。第八十九条の五第三項において同じ。）で定める。

（国家公務員共済組合法の特例）

第四十八条の六　国家公務員共済組合法（昭和三十三年法律第百二十八号。以下「国共済法」という。）第三十九条第二項の規定及び国共済法の短期給付に関する規定（国共済法第六十八条の四の規定を除く。以下この項及び第八十九条の六第一項において同じ。）は、派遣職員には、適用しない。この場合において、国共済法の短期給付に関する規定の適用を受ける職員（国共済法第二条第一項第一号に規定する職員をいう。以下この項及び第八十九条の六第一項において同じ。）が派遣職員となったときは、国共済法の短期給付に関する規定の適用については、そのなった日の前日に退職（国共済法第二条第一項第四号に規定する退職をいう。第八十九条の六第一項において同じ。）をしたものとみなし、派遣職員が国共済法の短期給付に関する規定の適用を受ける職員となったときは、国共済法の短期給付に関する規定の適用については、そのなった日に職員となったものとみなす。

2　派遣職員に関する国共済法の退職等年金給付に関する規定の適用については、機構における特定業務を公務とみなす。

3　派遣職員は、国共済法第九十八条第一項各号に掲げる福祉事業を利用することができない。

4　派遣職員に関する国共済法の規定の適用については、国共済法第二条第一項第五号及び第六号中「とし、その他の職員」とあるのは「並びにこれらに相当するものとして次条第一項に規定する組合の運営規則で定めるものとし、その他の職員」と、国共済法第九十九条第二項中「次の各号」とあるのは「第四号」と、「当該各号」とあるのは「同号」と、「及び国の負担金」とあるのは「、福島復興再生特別措置法（平成二十四年法律第二十五号）第四十八条の二第一項に規定する機構（以下「機構」という。）の負担金及び国の負担金」と、同項第四号中「国の負担金」とあるのは「機構の負担金及び国の負担金」と、国共済法第百二条第一項中「各省各庁の長（環境大臣を含む。）、行政執行法人又は職員団体」とあり、及び「国、行政執行法人又は職員団体」とあるのは「機構及び国」と、「第九十九条第二項（同条第六項から第八項までの規定により読み替えて適用する場合を含む。）及び第五項（同条第七項及び第八項の規定により読み替えて適用する場合を含む。）」とあるのは「第九十九条第二項及び第五項」と、同条第四項中「第九十九条第二項第四号及び第五号」とあるのは「第九十九条第二項第四号」と、「並びに同条第五項（同条第七項及び第八項の規定により読み替えて適用する場合を含む。以下この項において同じ。）」とあるのは「及び同条第五項」と、「（同条第五項」とあるのは「（同項」と、「国、行政執行法人又は職員団体」とあるのは「機構及び国」とする。

5　前項の場合において機構及び国が同項の規定により読み替えられた国共済法第九十九条第二項及び厚生年金保険法（昭和二十九年法律第百十五号）第八十二条第一項の規定により負担すべき金額その他必要な事項は、政令で定める。

（子ども・子育て支援法の特例）

第四十八条の七　派遣職員に関する子ども・子育て支援法（平成二十四年法律第六十五号）の規定の適用については、機構を同法第六十九条第一項第四号に規定する団体とみなす。

（国共済法等の適用関係等についての政令への委任）

第四十八条の八　この節に定めるもののほか、派遣職員に関する国共済法、地方公務員等共済組合法（昭和三十七年法律第百五十二号）、子ども・子育て支援法その他これらに類する法律の適用関係の調整を要する場合におけるその適用関係その他必要な事項は、政令で定める。

（一般職の職員の給与に関する法律の特例）

第四十八条の九　第四十八条の三第一項の規定による派遣の期間中又はその期間の満了後における当該国の職員に関する一般職の職員の給与に関する法律（昭和二十五年法律第九十五号）第二十三条第一項及び附則第六項の規定の適用については、機構における特定業務（当該特定業務に係る労働者災害補償保険法（昭和二十二年法律第五十号）第七条第二項に規定する通勤（当該特定業務に係る就業の場所を国家公務員災害補償法（昭和二十六年法律第百九十一号）第一条の二第一項第一号及び第二号に規定する勤務場所とみなした場合に同条に規定する通勤に該当するものに限る。次条第一項において同じ。）を含む。）を公務とみなす。

（国家公務員退職手当法の特例）

第四十八条の十　第四十八条の三第一項の規定による派遣の期間中又はその期間の満了後に当該国の職員が退職した場合における国家公務員退職手当法（昭和二十八年法律第百八十二号）の規定の適用については、機構における特定業務に係る業務上の傷病又は死亡は同法第四条第二項、第五条第一項及び第六条の四第一項に規定する公務上の傷病又は死亡と、当該特定業務に係る労働者災害補償保険法第七条第二項に規定する通勤による傷病は国家公務員退職手当法第四条第二項、第五条第二項及び第六条の四第一項に規定する通勤による傷病とみなす。

2　派遣職員に関する国家公務員退職手当法第六条の四第一項及び第七条第四項の規定の適用については、第四十八条の三第一項の規定による派遣の期間は、同法第六条の四第一項に規定する現実に職務をとることを要しない期間には該当しないものとみなす。

3　前項の規定は、派遣職員が機構から所得税法（昭和四十年法律第三十三号）第三十条第一項に規定する退職手当等（同法第三十一条の規定により退職手当等とみなされるものを含む。第八十九条の十第三項において同じ。）の支払を受けた場合には、適用しない。

4　派遣職員がその派遣の期間中に退職した場合に支給する国家公務員退職手当法の規定による退職手当の算定の基礎となる俸給月額については、部内の他の職員との権衡上必要があると認められるときは、次条第一項の規定の例により、その額を調整することができる。

（派遣後の職務への復帰に伴う措置）

第四十八条の十一　派遣職員が職務に復帰した場合におけるその者の職務の級及び号俸については、部内の他の職員との権衡上必要と認められる範囲内において、人事院規則の定めるところにより、必要な調整を行うことができる。

2　前項に定めるもののほか、派遣職員が職務に復帰した場合における任用、給与等に関する処遇については、部内の他の職員との均衡を失することのないよう適切な配慮が加えられなければならない。

（人事院規則への委任）

第四十八条の十二　この節に定めるもののほか、機構において国の職員が特定業務を行うための派遣に関し必要な事項は、人事院規則で定める。

（機構の役員及び職員の地位）

第四十八条の十三　機構の役員及び職員は、刑法（明治四十年法律第四十五号）その他の罰則の適用については、法令により公務に従事する職員とみなす。

○人事院規則一—六九（職員の公益社団法人福島相双復興推進機構への派遣）

平二九・五・一九制定
平二九・五・一九施行

最終改正　令六・一・二三規則九—一五一

（趣旨）

第一条　この規則は、福島復興再生特別措置法（平成二十四年法律第二十五号）に規定する職員の公益社団法人福島相双復興推進機構（平成二十七年八月十二日に一般社団法人福島相双復興準備機構という名称で設立された法人をいう。以下「機構」という。）への派遣に関し必要な事項を定めるものとする。

（定義）

第二条　この規則において、「特定業務」、「任命権者」又は「派遣職員」とは、それぞれ福島復興再生特別措置法第四十八条の二第一項又は第四十八条の三第七項に規定する特定業務、任命権者又は派遣職員をいう。

（派遣除外職員）

第三条　福島復興再生特別措置法第四十八条の三第一項の規定による派遣の場合における同法第四十八条の二第一項の人事院規則で定める職員は、次に掲げる職員とする。

一　条件付採用期間中の職員

二　法第八十一条の五第一項から第四項までの規定により異動期間（これらの規定により延長された期間を含む。）を延長された管理監督職を占める職員

三　勤務延長職員

四　休職者

五　停職者

六　派遣法第二条第一項の規定により派遣されている職員

七　官民人事交流法第八条第二項に規定する交流派遣職員

八　法科大学院派遣法第四条第三項又は第十一条第一項の規定により派遣されている職員

九　福島復興再生特別措置法第八十九条の三第一項の規定により派遣されている職員

十　令和七年国際博覧会特措法第二十五条第一項の規定により派遣されている職員

十一　令和九年国際園芸博覧会特措法第十五条第一項の規定により派遣されている職員

十二　判事補及び検事の弁護士職務経験に関する法律（平成十六年法律第百二十一号）第二条第四項の規定により弁護士となってその職務を行う職員

十三　規則八—一二（職員の任免）第四十二条第二項の規定により任期を定めて採用された職員その他任期を限られた職員

（任命権者）

第四条　福島復興再生特別措置法第四十八条の三第一項の規定による派遣の場合における同法第四十八条の二第一項の任命権者には、併任に係る官職の任命権者は含まれないものとする。

（派遣の要請）

第五条　機構は、福島復興再生特別措置法第四十八条の二第一項の規定に基づき職員の派遣を要請しようとするときは、当該派遣を必要とする事由及び次に掲げる当該派遣に関して希望する条件を記載した書類を任命権者に提出するものとする。

一　派遣に係る職員に必要な専門的な知識経験等

二　派遣に係る職員の機構における地位及び業務内容

三　派遣の期間

四　派遣に係る職員の機構における勤務時間、特定業務に係る報酬等（報酬、賃金、給料、俸給、手当、賞与その他いかなる名称であるかを問わず、特定業務の対償として受ける全てのものをいう。以下同じ。）その他の勤務条件

五　前各号に掲げるもののほか、機構が必要と認める条件

（派遣に係る取決め）

第六条　福島復興再生特別措置法第四十八条の三第三項の人事院規則で定める事項は、次に掲げる事項とする。

一　福島復興再生特別措置法第四十八条の三第一項の規定により派遣される職員（以下この条において「派遣予定職員」という。）の機構における職務に係る倫理その他の服務に関する事項

二　派遣予定職員の機構における福利厚生に関する事項

三　派遣予定職員の機構における特定業務の従事の状況の連絡に関する事項
四　派遣予定職員に係る派遣の期間の変更その他の取決めの内容の変更に関する事項
五　派遣予定職員に係る取決めに疑義が生じた場合及び当該取決めに定めのない事項が生じた場合の取扱いに関する事項

（派遣職員の保有する官職）
第七条　派遣職員は、派遣された時に占めていた官職又はその派遣の期間中に異動した官職を保有するものとする。ただし、併任に係る官職についてはこの限りではない。
2　前項の規定は、当該官職を他の職員をもって補充することを妨げるものではない。

（派遣職員の職務への復帰）
第八条　福島復興再生特別措置法第四十八条の四第二項の人事院規則で定める場合は、次に掲げる場合とする。
一　派遣職員が機構における地位を失った場合
二　派遣職員が法第七十八条第二号又は第三号に該当することとなった場合
三　派遣職員が法第七十九条各号のいずれかに該当することとなった場合又は水難、火災その他の災害により生死不明若しくは所在不明となった場合
四　派遣職員が法第八十二条第一項各号のいずれかに該当することとなった場合
五　派遣職員の派遣が当該派遣に係る取決めに反することとなった場合

（派遣に係る人事異動通知書の交付）
第九条　任命権者は、次に掲げる場合には、職員に対して、規則八―一二第五十八条の規定による人事異動通知書を交付しなければならない。
一　福島復興再生特別措置法第四十八条の三第一項の規定により職員を派遣した場合
二　派遣職員に係る派遣の期間を延長した場合
三　派遣の期間の満了により派遣職員が職務に復帰した場合
四　派遣職員を職務に復帰させた場合

（派遣職員の給与）
第十条　派遣職員には、機構から受ける特定業務に係る報酬等（通勤手当、在宅勤務等手当、特殊勤務手当、超過勤務手当、休日給、夜勤手当、宿日直手当及び管理職員特別勤務手当（以下この項において「通勤手当等」という。）に相当するものを除く。以下この条において「派遣先報酬等」という。）の年額が、派遣職員に係る派遣の期間の初日の前日における給与の額を基礎とし、給与法第八条第六項の規定により標準号俸数（同条第七項に規定する人事院規則で定める基準において当該職員に係る標準となる号俸数をいう。）を昇給するものとして算定した給与（通勤手当等を除く。）の年額（当該年額が部内の他の職員との均衡を著しく失すると認められる場合にあっては、人事院の定めるところにより算定した額。以下この条において「派遣前給与の年額」という。）に満たない場合であって、機構において特定業務が円滑かつ効果的に行われることを確保するため特に必要があると認められるときは、当該派遣の期間中、俸給、扶養手当、地域手当、広域異動手当、研究員調整手当、住居手当及び期末手当（以下この条並びに附則第二項及び第三項において「俸給等」という。）のそれぞれ百分の百以内を支給することができる。
2　派遣職員がその派遣の期間中に前項に規定する場合に該当することとなった場合においても、当該該当することとなった日以後の当該派遣の期間中、俸給等のそれぞれ百分の百以内を支給することができる。
3　前二項の規定により支給される俸給等の支給割合を決定するに当たっては、決定された支給割合により支給されることとなる俸給等の年額が、派遣前給与の年額から派遣先報酬等の年額を減じた額を超えてはならない。
4　俸給等の支給及び支給割合は、派遣職員に係る派遣の期間の初日（第二項の規定により俸給等を支給されることとなった場合にあっては、当該支給されることとなった日）から起算して一年ごとに見直すものとし、俸給等の年額が派遣前給与の年額から派遣先報酬等の年額を減じた額を超える場合その他特に必要があると認められる場合には、第一項及び前項の規定の例により、俸給等の支給割合を変更し、又は俸給等を支給しないものとする。
5　俸給等の支給及び支給割合は、前項に規定する場合のほか、派遣先報酬等の額又は俸給等の額の変動があった場合において、俸給等の年額が派遣前給与の年額から派遣先報酬等の年額を減じた額を超えるときその他特に必要があると認められるときは、第一項及び第三項の規定の例により、俸給等の支給割合を変更し、又は俸給等を支給しないものとする。

６　前項の規定により俸給等の支給割合を変更した場合における第四項の規定の適用については、「派遣職員に係る派遣の期間の初日（第二項の規定により俸給等を支給されることとなった場合にあっては、当該支給されることとなった日）」とあるのは、「派遣先報酬等の額又は俸給等の額の変動があった日」とする。

（派遣職員の職務復帰時における給与の取扱い）

第十一条　派遣職員が職務に復帰した場合において、部内の他の職員との均衡上特に必要があると認められるときは、規則九―八（初任給、昇格、昇給等の基準）第二十条の規定にかかわらず、人事院の定めるところにより、その職務に応じた職務の級に昇格させることができる。

第十二条　派遣職員が職務に復帰した場合において、部内の他の職員との均衡上必要があると認められるときは、その派遣の期間を百分の百以下の換算率により換算して得た期間を引き続き勤務したものとみなして、その職務に復帰した日、同日後における最初の昇給日（規則九―八第三十四条に規定する昇給日をいう。以下この項において同じ。）又はその次の昇給日に、昇給の場合に準じてその者の号俸を調整することができる。

２　派遣職員が職務に復帰した場合における号俸の調整について、前項の規定による場合には部内の他の職員との均衡を著しく失すると認められるときは、同項の規定にかかわらず、あらかじめ人事院と協議して、その者の号俸を調整することができる。

（報告）

第十三条　派遣職員は、任命権者から求められたときは、機構における勤務条件及び業務の遂行の状況について報告しなければならない。

２　任命権者は、人事院の定めるところにより、毎年五月末日までに、前年の四月一日に始まる年度内において福島復興再生特別措置法第四十八条の三第一項の規定により派遣されている期間のある職員の派遣の期間並びに機構における地位、業務内容及び特定業務に係る報酬等の月額等の状況並びに同項の規定による派遣から当該年度内に職務に復帰した職員の当該復帰後の処遇等に関する状況について、人事院に報告しなければならない。

附　則

（施行期日）

１　この規則は、公布の日から施行する。

（給与法附則第八項の規定の適用を受ける派遣職員の給与）

２　派遣職員が給与法附則第八項の規定の適用を受ける職員となった場合には、当分の間、同項の規定の適用を受ける職員となった日を派遣の期間の初日の前日とみなして、第十条第一項及び第三項の規定の例により、俸給等の支給割合を決定し、又は俸給等を支給しないものとする。

３　前項の規定により、俸給等の支給割合を決定し、又は俸給等を支給しないものとした場合における第十条の規定の適用については、同条第一項中「派遣の期間の初日の前日」とあるのは「給与法附則第八項の規定の適用を受ける職員となった日」と、同条第二項中「前項」とあるのは「附則第三項の規定により読み替えられた前項」と、同条第三項中「前二項」とあるのは「附則第三項の規定により読み替えられた前二項」と、同条第四項中「派遣の期間の初日（」とあるのは「給与法附則第八項の規定の適用を受ける職員となった日（附則第三項の規定により読み替えられた」と、「第一項」とあるのは「附則第三項の規定により読み替えられた第一項」と、同条第五項中「前項」とあるのは「附則第三項の規定により読み替えられた前項」と、「第一項」とあるのは「附則第三項の規定により読み替えられた第一項」と、同条第六項中「前項」とあるのは「附則第三項の規定により読み替えられた前項」と、「第四項」とあるのは「附則第三項の規定により読み替えられた第四項」と、「派遣の期間の初日（」とあるのは「給与法附則第八項の規定の適用を受ける職員となった日（附則第三項の規定により読み替えられた」とする。

附　則（令元・五・二三規則一―七三）

この規則は、公布の日から施行する。

附　則（令二・四・一規則一―六九―一）

この規則は、公布の日から施行する。

附　則（令二・六・一二規則一―七五）（抄）

（施行期日）

１　この規則は、公布の日から施行する。

附　則（令二・一二・二八規則一―七六）（抄）

（施行期日）

１　この規則は、公布の日から施行する。

附　則（令三・九・一規則一―七七）

この規則は、公布の日から施行する。

附　則（令四・二・一八規則一―七九）（抄）

（施行期日）

第一条　この規則は、令和五年四月一日から施行する。

附　則（令四・六・二四規則一―八一）

この規則は、公布の日から施行する。

附　則（令四・七・一規則一―六九―二）

この規則は、公布の日から施行する。

附　則（令六・一・二三規則九―一五一）（抄）

（施行期日）

第一条　この規則は、令和六年四月一日から施行する。

○職員の公益社団法人福島相双復興推進機構への派遣の運用について（通知）

平二九・五・一九
人企四九六

最終改正　令四・二・一八事企法―三七

福島復興再生特別措置法（平成二十四年法律第二十五号）及び人事院規則一―六九（職員の公益社団法人福島相双復興推進機構への派遣）（以下「規則」という。）の運用について下記のとおり定めたので、平成二十九年五月十九日以降は、これによってください。

記

福島復興再生特別措置法第四十八条の三関係

この条の第一項、第四項及び第五項の規定による職員の同意は、文書により行うものとする。

規則第三条関係

この条の第三号の「勤務延長職員」とは、国家公務員法（昭和二十二年法律第百二十号）第八十一条の七第一項又は第二項の規定により定年退職日の翌日以降引き続いて勤務している職員をいう。

規則第九条関係

人事異動通知書の「異動内容」欄の記入要領は、次のとおりとする。

一　福島復興再生特別措置法第四十八条の三第一項の規定により職員を派遣する場合
「公益社団法人福島相双復興推進機構に派遣する
派遣の期間は　年　月　日から　年　月　日までとする
派遣の期間中、俸給、扶養手当、地域手当、広域異動手当、研究員調整手当、住居手当及び期末手当のそれぞれ百分の　を支給する（又は「派遣の期間中、給与は支給しない」）」
と記入する。

二　派遣職員（福島復興再生特別措置法第四十八条の三第七項に規定する派遣職員をいう。以下同じ。）の派遣の期間を延長する場合
「派遣の期間を年月日まで延長する
延長に係る期間中、俸給、扶養手当、地域手当、広域異動手当、研究員調整手当、住居手当及び期末手当のそれぞれ百分の　を支給する（又は「延長に係る期間中、給与は支給しない」）」
と記入する。

三　派遣の期間の満了により派遣職員が職務に復帰した場合
「職務に復帰した（　年　月　日）」
と記入する。

四　派遣職員を職務に復帰させる場合
「職務に復帰させる」
と記入する。

五　派遣の期間中に俸給等（規則第十条第一項に規定する俸給等をいう。次号及び規則附則第二項関係において同じ。）を支給することとなったことに人事異動通知書を用いる場合
「　年　月　日以後、派遣の期間中、俸給、扶養手当、地域手当、広域異動手当、研究員調整手当、住居手当及び期末手当のそれぞれ百分の　を支給する」
と記入する。

六　派遣の期間中に俸給等の支給割合を変更すること又は俸給等を支給しないものとすることに人事異動通知書を用いる場合
「　年　月　日以後、派遣の期間中、俸給、扶養手当、地域手当、広域異動手当、研究員調整手当、住居手当及び期末手当の支給割合をそれぞれ百分の　とする（又は「　年　月　日以後、派遣の期間中、給与は支給しない」）」
と記入する。

規則第十条関係

1　この条の第一項の「当該年額が部内の他の職員との均衡を著しく失すると認められる場合」において、同項に規定する派遣前給与の年額を算定するときは、あらかじめ個別に事務総長に協議するものとする。

2　この条の第一項に規定する派遣前給与の年額の算定における勤勉手当の額は、派遣職員を人事院規則九―四〇（期末手当及び勤勉手当）第十三条第一項第一号ハ（専門スタッフ職俸給表の適用を受ける職員にあっては同項第二号ハ、指定職俸給表の適用を受ける職員にあっては同項第三号ロ）に掲げる職員であるものとした場合の同項の規定による成績率により算定した額によるものとする。

3　この条の規定による給与の支給割合の決定

等については、その過程を明確にして行うとともに、その内容を適切に把握しておくものとする。

規則第十一条関係

福島復興再生特別措置法第四十八条の三第一項の規定による派遣後職務に復帰した職員を昇格させる場合には、次の各号に掲げる職員の区分に応じ、当該各号に定める職務の級に昇格させることができる。ただし、特別の事情によりこれにより難い場合には、あらかじめ事務総長に協議して、別段の取扱いをすることができる。

一　人事院規則九―八（初任給、昇格、昇給等の基準）第十一条第三項の規定により職務の級を決定された職員以外の職員　昇格させようとする日に新たに職員となったものとした場合のその者の経験年数がその者を昇格させようとする職務の級をその者の属する職務の級とみなした場合の給実甲第三二六号（人事院規則九―八（初任給、昇格、昇給等の基準）の運用について）第十五条関係第五項に規定する最短昇格期間（以下「最短昇格期間」という。）（ただし、人事院規則九―八第二十条第四項後段の規定に該当するときは、当該最短昇格期間に百分の五十以上百分の百未満の割合を乗じて得た期間とすることができる。）以上となる当該昇格させようとする職務の級

二　人事院規則九―八第十一条第三項の規定により職務の級を決定された職員　当該派遣がなく引き続き職務に従事したものとみなして、その者が当該派遣の直前に属していた職務の級を基礎として昇格等の規定を適用した場合に、その者を昇格させようとする日に属することとなる職務の級を超えない範囲内の職務の級

規則第十二条関係

この条の規定の適用については、給実甲第一九二号（復職時等における号俸の調整の運用について）に定めるところによる。

規則第十三条関係

この条の第二項の規定による人事院への報告は、別紙様式の報告書により行うものとする。

規則附則第二項関係

1　この項の規定により、俸給等の支給割合を決定し、又は俸給等を支給しないものとすることとなった職員（同項の規定により俸給等の支給割合を決定し、又は俸給等を支給しないものとすることとなった日において、派遣の期間を延長され、規則第九条第二号に掲げる場合に同条の規定により人事異動通知書が交付される職員を除く。）に対しては、人事異動通知書又はこれに代わる文書（以下「通知書等」という。）により俸給等の支給割合又は俸給等を支給しない旨を通知するものとする。ただし、通知書等の交付によらないことを適当と認める場合には、適当な方法をもって通知書等の交付に代えることができる。

2　前項の規定による通知において、人事異動通知書を用いる場合の「異動内容」欄の記入要領は、規則第九条関係第六号の規定の例によるものとする。

以　上

（令和四年二月一八日事企法三八）

経過措置（抄）

2　令和三年改正法附則第三条第五項に規定する旧国家公務員法勤務延長職員に対する令和四年事企法―三七による改正後の次に掲げる人事院事務総長通知の規定の適用については、これらの規定中「第八十一条の七第一項又は第二項」とあるのは、「第八十一条の七第一項若しくは第二項又は国家公務員法等の一部を改正する法律（令和三年法律第六十一号）附則第三条第五項若しくは第六項」とする。

二　「職員の公益社団法人福島相双復興推進機構への派遣の運用について（平成二十九年五月十九日人企―四九六）」規則第三条関係

別紙

公益社団法人福島相双復興推進機構への派遣に関する状況報告書

（　　枚のうち　　枚目）

令和　　年度分

府省名

1　派遣の状況

氏名	派遣時の状況		派遣の期間	給与支給割合（%）	福島相双復興推進機構における職員の状況			備考
	所属部課・官職	級号俸			地位	業務内容	報酬等の月額	
①	②	③	④	⑤	⑥	⑦	⑧	⑨
		－	～	%			円	
		－	～	%			円	
		－	～	%			円	
		－	～	%			円	
		－	～	%			円	
		－	～	%			円	
		－	～	%			円	
		－	～	%			円	
		－	～	%			円	
		－	～	%			円	
		－	～	%			円	
		－	～	%			円	
		－	～	%			円	
		－	～	%			円	
		－	～	%			円	
		－	～	%			円	
		－	～	%			円	

A 4

（　　枚のうち　　枚目）

2　派遣及び復帰の状況

氏名	派遣時の状況		派遣の期間	給与支給割合（%）	福島相双復興推進機構における職員の状況			職務復帰後における職員の状況		備考
	所属部課・官職	級号俸			地位	業務内容	報酬等の月額	所属部課・官職	給与上の処遇	
⑩	⑪	⑫	⑬	⑭	⑮	⑯	⑰	⑱	⑲	⑳
		－	～	%			円			
		－	～	%			円			
		－	～	%			円			
		－	～	%			円			
		－	～	%			円			
		－	～	%			円			
		－	～	%			円			
		－	～	%			円			
		－	～	%			円			
		－	～	%			円			
		－	～	%			円			
		－	～	%			円			
		－	～	%			円			
		－	～	%			円			
		－	～	%			円			
		－	～	%			円			
		－	～	%			円			

3　令和　　年度末現在派遣職員総数　　　　名

作成者官職・氏名

A 4

（記入要領）

1　前年度において、福島相双復興推進機構へ派遣されている期間のある職員（2に規定する職員を除く。）については、「1　派遣の状況」に派遣された年度ごとにまとめて記入するものとする。
2　前年度内に復帰した職員については、「2　派遣及び復帰の状況」に記入するものとする。
3　③欄及び⑫欄には、「行（一）6−40」のように記入する。
4　④欄及び⑬欄には、「平成29年10月1日〜令和元年9月30日（2年0月）」のように記入する。
5　⑥欄及び⑮欄には、「○○グループ○○課長」等と記入する。
6　⑧欄及び⑰欄には、特定業務に係る報酬等（報酬、賃金、給料、俸給、手当、賞与その他いかなる名称であるかを問わず、特定業務の対償として受ける全てのものをいう。）の月額（月額によらない場合は、月額に換算したもの）を記入する。
7　⑱欄には、職務復帰後の所属部課・官職（前年度において職務復帰後に異動があった場合には、最初の異動後の所属部課・官職）を記入する。
8　⑲欄には、職務復帰後において昇格、昇給等の措置を行った場合、その措置の内容を「復職時調整（6−52）」等と記入する。
9　派遣の期間中に一般職の職員の給与に関する法律（昭和25年法律第95号）附則第8項の規定の適用を受けることとなった職員については、⑨欄又は⑳欄に「　年　月　日給与法附則第8項適用」等と記入する。

第九　国際博覧会協会派遣職員

○令和七年に開催される国際博覧会の準備及び運営のために必要な特別措置に関する法律（抄）

平三一・四・二六
法　一八

最終改正　令六・六・一二法四七

第五章　博覧会の円滑な準備及び運営のための支援措置等

第三節　博覧会協会への国の職員の派遣等

（博覧会協会による派遣の要請）

第二十四条　博覧会協会は、博覧会業務のうち、国際博覧会に関する外国の行政機関その他の関係機関との連絡調整、博覧会の会場その他の施設の警備に関する計画及び博覧会への参加者その他の関係者の輸送に関する計画の作成、海外からの賓客の接遇その他国の事務又は事業との密接な連携の下で実施する必要があるもの（以下「特定業務」という。）を円滑かつ効果的に行うため、国の職員（国家公務員法（昭和二十二年法律第百二十号）第二条に規定する一般職に属する職員（法律により任期を定めて任用される職員、常時勤務を要しない官職を占める職員、独立行政法人通則法第二条第四項に規定する行政執行法人の職員その他人事院規則で定める職員を除く。）をいう。以下同じ。）を博覧会協会の職員として必要とするときは、その必要とする事由を明らかにして、任命権者（国家公務員法第五十五条第一項に規定する任命権者及び法律で別に定められた任命権者並びにその委任を受けた者をいう。以下同じ。）に対し、その派遣を要請することができる。

2　前項の規定による要請の手続は、人事院規則で定める。

（国の職員の派遣）

第二十五条　任命権者は、前条第一項の規定による要請があった場合において、経済及び産業の発展、公共の安全と秩序の維持、交通の機能の確保及び向上、外交政策の推進その他の国の責務を踏まえ、その要請に係る派遣の必要性、派遣に伴う事務の支障その他の事情を勘案して、国の事務又は事業との密接な連携を確保するために相当と認めるときは、これに応じ、国の職員の同意を得て、博覧会協会との間の取決めに基づき、期間を定めて、専ら博覧会協会における特定業務を行うものとして当該国の職員を博覧会協会に派遣することができる。

2　任命権者は、前項の同意を得るに当たっては、あらかじめ、当該国の職員に同項の取決めの内容及び当該派遣の期間中における給与の支給に関する事項を明示しなければならない。

3　第一項の取決めにおいては、博覧会協会における勤務時間、特定業務に係る報酬等（報酬、賃金、給料、俸給、手当、賞与その他いかなる名称であるかを問わず、特定業務の対償として受ける全てのものをいう。第二十七条第一項及び第二項ただし書において同じ。）その他の勤務条件及び特定業務の内容、派遣の期間、職務への復帰に関する事項その他第一項の規定による派遣の実施に当たって合意しておくべきものとして人事院規則で定める事項を定めるものとする。

4　任命権者は、第一項の取決めの内容を変更しようとするときは、当該国の職員の同意を得なければならない。この場合においては、第二項の規定を準用する。

5　第一項の規定による派遣の期間は、三年を超えることができない。ただし、博覧会協会からその期間の延長を希望する旨の申出があり、かつ、特に必要があると認めるときは、任命権者は、当該国の職員の同意を得て、当該派遣の日から引き続き五年を超えない範囲内で、これを延長することができる。

6　第一項の規定により博覧会協会において特定業務を行う国の職員は、その派遣の期間中、その同意に係る同項の取決めに定められた内容に従って、博覧会協会において特定業務を行うものとする。

7　第一項の規定により派遣された国の職員（以下「派遣職員」という。）は、その派遣の期間中、国の職員としての身分を保有するが、職務に従事しない。

8　第一項の規定による国の職員の特定業務への従事については、国家公務員法第百四条の規定は、適用しない。

（職務への復帰）

第二十六条　派遣職員は、その派遣の期間が満了したときは、職務に復帰するものとする。

2　任命権者は、派遣職員が博覧会協会における職員の地位を失った場合その他の人事院規則で定める場合であって、その派遣を継続することができないか又は適当でないと認めるときは、速やかに、当該派遣職員を職務に復帰させなければならない。

（派遣期間中の給与等）

第二十七条　任命権者は、博覧会協会との間で第二十五条第一項の取決めをするに当たっては、同項の規定により派遣される国の職員が博覧会協会から受ける特定業務に係る報酬等について、当該国の職員がその派遣前に従事していた職務及び博覧会協会において行う特定業務の内容に応じた相当の額が確保されるよう努めなければならない。

2　派遣職員には、その派遣の期間中、給与を支給しない。ただし、博覧会協会において特定業務が円滑かつ効果的に行われることを確保するため特に必要があると認められるときは、当該派遣職員には、その派遣の期間中、博覧会協会から受ける特定業務に係る報酬等の額に照らして必要と認められる範囲内で、俸給、扶養手当、地域手当、広域異動手当、研究員調整手当、住居手当及び期末手当のそれぞれ百分の百以内を支給することができる。

3　前項ただし書の規定による給与の支給に関し必要な事項は、人事院規則（派遣職員が検察官の俸給等に関する法律（昭和二十三年法律第七十六号）の適用を受ける者である場合にあっては、同法第三条第一項に規定する準則）で定める。

（国家公務員共済組合法の特例）

第二十八条　国家公務員共済組合法（昭和三十三年法律第百二十八号。以下この条において「国共済法」という。）第三十九条第二項の規定及び国共済法の短期給付に関する規定（国共済法第六十八条の四の規定を除く。以下この項において同じ。）は、派遣職員には、適用しない。この場合において、国共済法の短期給付に関する規定の適用を受ける職員（国共済法第二条第一項第一号に規定する職員をいう。以下この項において同じ。）が派遣職員となったときは、国共済法の短期給付に関する規定の適用については、そのなった日の前日に退職（国共済法第二条第一項第四号に規定する退職をいう。）をしたものとみなし、派遣職員が国共済法の短期給付に関する規定の適用を受ける職員となったときは、国共済法の短期給付に関する規定の適用については、そのなった日に職員となったものとみなす。

2　派遣職員に関する国共済法の退職等年金給付に関する規定の適用については、博覧会協会における特定業務を公務とみなす。

3　派遣職員は、国共済法第九十八条第一項各号に掲げる福祉事業を利用することができない。

4　派遣職員に関する国共済法の規定の適用については、国共済法第二条第一項第五号及び第六号中「とし、その他の職員」とあるのは「並びにこれらに相当するものとして次条第一項に規定する組合の運営規則で定めるものとし、その他の職員」と、国共済法第九十九条第二項中「次の各号」とあるのは「第四号」と、「当該各号」とあるのは「同号」と、「及び国の負担金」とあるのは「、令和七年に開催される国際博覧会の準備及び運営のために必要な特別措置に関する法律（平成三十一年法律第十八号）第十四条第一項に規定する博覧会協会（以下「博覧会協会」という。）の負担金及び国の負担金」と、同項第四号中「国の負担金」とあるのは「博覧会協会の負担金及び国の負担金」と、国共済法第百二条第一項中「各省各庁の長（環境大臣を含む。）、行政執行法人又は職員団体」とあり、及び「国、行政執行法人又は職員団体」とあるのは「博覧会協会及び国」と、「第九十九条第二項（同条第六項から第八項までの規定により読み替えて適用する場合を含む。）及び第五項（同条第七項及び第八項の規定により読み替えて適用する場合を含む。）」とあるのは「第九十九条第二項及び第五項」と、同条第四項中「第九十九条第二項第四号及び第五号」とあるのは「第九十九条第二項第四号」と、「並びに同条第五項（同条第七項及び第八項の規定により読み替えて適用する場合を含む。以下この項において同じ。）」とあるのは「及び同条第五項」と、「（同条第五項」とあるのは「（同項」と、「国、行政執行法人又は職員団体」とあるのは「博覧会協会及び国」とする。

5　前項の場合において博覧会協会及び国が同項の規定により読み替えられた国共済法第九十九条第二項及び厚生年金保険法（昭和二十九年法律第百十五号）第八十二条第一項の規定により負担すべき金額その他必要な事項は、政令で定める。

（子ども・子育て支援法の特例）

第二十九条　派遣職員に関する子ども・子育て支援法（平成二十四年法律第六十五号）の規定の適用については、博覧会協会を同法第六十九条第一項第四号に規定する団体とみなす。

（国家公務員共済組合法等の適用関係等についての政令への委任）

第三十条　この法律に定めるもののほか、派遣職員に関する国家公務員共済組合法、地方公務員等共済組合法（昭和三十七年法律第百五十二号）、子ども・子育て支援法その他これらに類する法律の適用関係の調整を要する場合におけるその適用関係その他必要な事項は、政令で定める。

（一般職の職員の給与に関する法律の特例）

第三十一条　第二十五条第一項の規定による派遣の期間中又はその期間の満了後における当該国の職員に関する一般職の職員の給与に関する法律（昭和二十五年法律第九十五号）第二十三条第一項及び附則第六項の規定の適用については、博覧会協会における特定業務（当該特定業務に係る労働者災害補償保険法（昭和二十二年法律第五十号）第七条第二項に規定する通勤（当該特定業務に係る就業の場所を国家公務員災害補償法（昭和二十六年法律第百九十一号）第一条の二第一項第一号及び第二号に規定する勤務場所とみなした場合に同条に規定する通勤に該当するものに限る。次条第一項において同じ。）を含む。）を公務とみなす。

（国家公務員退職手当法の特例）

第三十二条　第二十五条第一項の規定による派遣の期間中又はその期間の満了後に当該国の職員が退職した場合における国家公務員退職手当法（昭和二十八年法律第百八十二号）の規定の適用については、博覧会協会における特定業務に係る業務上の傷病又は死亡は同法第四条第二項、第五条第一項及び第六条の四第一項に規定する公務上の傷病又は死亡と、当該特定業務に係る労働者災害補償保険法第七条第二項に規定する通勤による傷病は国家公務員退職手当法第四条第二項、第五条第二項及び第六条の四第一項に規定する通勤による傷病とみなす。

2　派遣職員に関する国家公務員退職手当法第六条の四第一項及び第七条第四項の規定の適用については、第二十五条第一項の規定による派遣の期間は、同法第六条の四第一項に規定する現実に職務をとることを要しない期間には該当しないものとみなす。

3　前項の規定は、派遣職員が博覧会協会から所得税法（昭和四十年法律第三十三号）第三十条第一項に規定する退職手当等（同法第三十一条の規定により退職手当等とみなされるものを含む。）の支払を受けた場合には、適用しない。

4　派遣職員がその派遣の期間中に退職した場合に支給する国家公務員退職手当法の規定による退職手当の算定の基礎となる俸給月額については、部内の他の職員との権衡上必要があると認められるときは、次条第一項の規定の例により、その額を調整することができる。

（派遣後の職務への復帰に伴う措置）

第三十三条　派遣職員が職務に復帰した場合におけるその者の職務の級及び号俸については、部内の他の職員との権衡上必要と認められる範囲内において、人事院規則の定めるところにより、必要な調整を行うことができる。

2　前項に定めるもののほか、派遣職員が職務に復帰した場合における任用、給与等に関する処遇については、部内の他の職員との均衡を失することのないよう適切な配慮が加えられなければならない。

（人事院規則への委任）

第三十四条　この法律に定めるもののほか、博覧会協会において国の職員が特定業務を行うための派遣に関し必要な事項は、人事院規則で定める。

（防衛省の職員への準用等）

第三十五条　第二十四条から前条までの規定は、国家公務員法第二条第三項第十六号に掲げる防衛省の職員（法律により任期を定めて任用される職員、常時勤務を要しない官職を占める職員その他政令で定める職員を除く。）の派遣について準用する。この場合において、第二十四条第一項中「国家公務員法第五十五条第一項に規定する任命権者及び法律で別に定められた任命権者並びにその委任を受けた者」とあるのは「自衛隊法（昭和二十九年法律第百六十五号）

第三十一条第一項の規定により同法第二条第五項に規定する隊員の任免について権限を有する者」と、同条第二項、第二十五条第三項、第二十六条第二項、第三十三条第一項及び前条（見出しを含む。）中「人事院規則」とあり、並びに第二十七条第三項中「人事院規則（派遣職員が検察官の俸給等に関する法律（昭和二十三年法律第七十六号）の適用を受ける者である場合にあっては、同法第三条第一項に規定する準則）」とあるのは「政令」と、第二十五条第八項中「国家公務員法第百四条」とあるのは「自衛隊法第六十三条」と、第二十七条第二項ただし書中「研究員調整手当、住居手当」とあるのは「住居手当、営外手当」と、第三十一条中「一般職の職員の給与に関する法律（昭和二十五年法律第九十五号）第二十三条第一項及び附則第六項」とあるのは「防衛省の職員の給与等に関する法律（昭和二十七年法律第二百六十六号）第二十三条第一項」と、「国家公務員災害補償法」とあるのは「防衛省の職員の給与等に関する法律第二十七条第一項において準用する国家公務員災害補償法」と、第三十三条第一項中「職務の級」とあるのは「職務の級又は階級」と読み替えるものとする。

2　前項において準用する第二十五条第一項の規定により派遣された自衛官（次項において「派遣自衛官」という。）に関する自衛隊法（昭和二十九年法律第百六十五号）第九十八条第四項及び第九十九条第一項の規定の適用については、博覧会協会における特定業務を公務とみなす。

3　防衛省の職員の給与等に関する法律（昭和二十七年法律第二百六十六号）第二十二条の規定は、派遣自衛官には、適用しない。

（博覧会協会の役員及び職員の地位）

第三十六条　博覧会協会の役員及び職員は、刑法（明治四十年法律第四十五号）その他の罰則の適用については、法令により公務に従事する職員とみなす。

○人事院規則一―七二（職員の令和七年国際博覧会特措法第十四条第一項の規定により指定された博覧会協会への派遣）

令元・五・二三制定
令元・五・二三施行

最終改正　令六・一・二三規則九―一五一

（趣旨）

第一条　この規則は、令和七年国際博覧会特措法に規定する職員の博覧会協会（令和七年国際博覧会特措法第十四条第一項の規定により指定された博覧会協会をいう。以下同じ。）への派遣に関し必要な事項を定めるものとする。

（定義）

第二条　この規則において、「特定業務」、「任命権者」又は「派遣職員」とは、それぞれ令和七年国際博覧会特措法第二十四条第一項又は第二十五条第七項に規定する特定業務、任命権者又は派遣職員をいう。

（派遣除外職員）

第三条　令和七年国際博覧会特措法第二十四条第一項の人事院規則で定める職員は、次に掲げる職員とする。

一　条件付採用期間中の職員

二　法第八十一条の五第一項から第四項までの規定により異動期間（これらの規定により延

長された期間を含む。）を延長された管理監督職を占める職員
三　勤務延長職員
四　休職者
五　停職者
六　派遣法第二条第一項の規定により派遣されている職員
七　官民人事交流法第八条第二項に規定する交流派遣職員
八　法科大学院派遣法第四条第三項又は第十一条第一項の規定により派遣されている職員
九　福島復興再生特別措置法（平成二十四年法律第二十五号）第四十八条の三第一項又は第八十九条の三第一項の規定により派遣されている職員
十　令和九年国際園芸博覧会特措法第十五条第一項の規定により派遣されている職員
十一　判事補及び検事の弁護士職務経験に関する法律（平成十六年法律第百二十一号）第二条第四項の規定により弁護士となってその職務を行う職員
十二　規則八―一二（職員の任免）第四十二条第二項の規定により任期を定めて採用された職員その他任期を限られた職員

（任命権者）
第四条　令和七年国際博覧会特措法第二十四条第一項の任命権者には、併任に係る官職の任命権者は含まれないものとする。

（派遣の要請）
第五条　博覧会協会は、令和七年国際博覧会特措法第二十四条第一項の規定に基づき職員の派遣を要請しようとするときは、当該派遣を必要とする事由及び次に掲げる当該派遣に関して希望する条件を記載した書類を任命権者に提出するものとする。
一　派遣に係る職員に必要な専門的な知識経験等
二　派遣に係る職員の博覧会協会における地位及び業務内容
三　派遣の期間
四　派遣に係る職員の博覧会協会における勤務時間、特定業務に係る報酬等（報酬、賃金、給料、俸給、手当、賞与その他いかなる名称であるかを問わず、特定業務の対償として受ける全てのものをいう。以下同じ。）その他の勤務条件
五　前各号に掲げるもののほか、博覧会協会が必要と認める条件

（派遣に係る取決め）
第六条　令和七年国際博覧会特措法第二十五条第三項の人事院規則で定める事項は、次に掲げる事項とする。
一　令和七年国際博覧会特措法第二十五条第一項の規定により派遣される職員（以下この条において「派遣予定職員」という。）の博覧会協会における職務に係る倫理その他の服務に関する事項
二　派遣予定職員の博覧会協会における福利厚生に関する事項
三　派遣予定職員の博覧会協会における特定業務の従事の状況の連絡に関する事項
四　派遣予定職員に係る派遣の期間の変更その他の取決めの内容の変更に関する事項
五　派遣予定職員に係る取決めに疑義が生じた場合及び当該取決めに定めのない事項が生じた場合の取扱いに関する事項

（派遣職員の保有する官職）
第七条　派遣職員は、派遣された時に占めていた官職又はその派遣の期間中に異動した官職を保有するものとする。ただし、併任に係る官職については、この限りではない。
2　前項の規定は、当該官職を他の職員をもって補充することを妨げるものではない。

（派遣職員の職務への復帰）
第八条　令和七年国際博覧会特措法第二十六条第二項の人事院規則で定める場合は、次に掲げる場合とする。
一　派遣職員が博覧会協会における地位を失った場合
二　派遣職員が法第七十八条第二号又は第三号に該当することとなった場合
三　派遣職員が法第七十九条各号のいずれかに該当することとなった場合又は水難、火災その他の災害により生死不明若しくは所在不明となった場合
四　派遣職員が法第八十二条第一項各号のいずれかに該当することとなった場合
五　派遣職員の派遣が当該派遣に係る取決めに反することとなった場合

（派遣に係る人事異動通知書の交付）
第九条　任命権者は、次に掲げる場合には、職員に対して、規則八―一二第五十八条の規定による人事異動通知書を交付しなければならない。

一　令和七年国際博覧会特措法第二十五条第一項の規定により職員を派遣した場合
二　派遣職員に係る派遣の期間を延長した場合
三　派遣の期間の満了により派遣職員が職務に復帰した場合
四　派遣職員を職務に復帰させた場合

（派遣職員の給与）
第十条　派遣職員には、博覧会協会から受ける特定業務に係る報酬等（通勤手当、在宅勤務等手当、特殊勤務手当、超過勤務手当、休日給、夜勤手当、宿日直手当及び管理職員特別勤務手当（以下この項において「通勤手当等」という。）に相当するものを除く。以下この条において「派遣先報酬等」という。）の年額が、派遣職員に係る派遣の期間の初日の前日における給与の額を基礎とし、給与法第八条第六項の規定により標準号俸数（同条第七項に規定する人事院規則で定める基準において当該職員に係る標準となる号俸数をいう。）を昇給するものとして算定した給与（通勤手当等を除く。）の年額（当該年額が部内の他の職員との均衡を著しく失すると認められる場合にあっては、人事院の定めるところにより算定した額。以下この条において「派遣前給与の年額」という。）に満たない場合であって、博覧会協会において特定業務が円滑かつ効果的に行われることを確保するため特に必要があると認められるときは、当該派遣の期間中、俸給、扶養手当、地域手当、広域異動手当、研究員調整手当、住居手当及び期末手当（以下この条並びに附則第二項及び第三項において「俸給等」という。）のそれぞれ百分の百以内を支給することができる。

2　派遣職員がその派遣の期間中に前項に規定する場合に該当することとなった場合においても、当該該当することとなった日以後の当該派遣の期間中、俸給等のそれぞれ百分の百以内を支給することができる。

3　前二項の規定により支給される俸給等の支給割合を決定するに当たっては、決定された支給割合により支給されることとなる俸給等の年額が、派遣前給与の年額から派遣先報酬等の年額を減じた額を超えてはならない。

4　俸給等の支給及び支給割合は、派遣職員に係る派遣の期間の初日（第二項の規定により俸給等を支給されることとなった場合にあっては、当該支給されることとなった日）から起算して一年ごとに見直すものとし、俸給等の年額が派遣前給与の年額から派遣先報酬等の年額を減じた額を超える場合その他特に必要があると認められる場合には、第一項及び前項の規定の例により、俸給等の支給割合を変更し、又は俸給等を支給しないものとする。

5　俸給等の支給及び支給割合は、前項に規定する場合のほか、派遣先報酬等の額又は俸給等の額の変動があった場合において、俸給等の年額が派遣前給与の年額から派遣先報酬等の年額を減じた額を超えるときその他特に必要があると認められるときは、第一項及び第三項の規定の例により、俸給等の支給割合を変更し、又は俸給等を支給しないものとする。

6　前項の規定により俸給等の支給割合を変更した場合における第四項の規定の適用については、「派遣職員に係る派遣の期間の初日（第二項の規定により俸給等を支給されることとなった場合にあっては、当該支給されることとなった日）」とあるのは、「派遣先報酬等の額又は俸給等の額の変動があった日」とする。

（派遣職員の職務復帰時における給与の取扱い）
第十一条　派遣職員が職務に復帰した場合において、部内の他の職員との均衡上特に必要があると認められるときは、規則九—八（初任給、昇格、昇給等の基準）第二十条の規定にかかわらず、人事院の定めるところにより、その職務に応じた職務の級に昇格させることができる。

第十二条　派遣職員が職務に復帰した場合において、部内の他の職員との均衡上必要があると認められるときは、その派遣の期間を百分の百以下の換算率により換算して得た期間を引き続き勤務したものとみなして、その職務に復帰した日、同日後における最初の昇給日（規則九—八第三十四条に規定する昇給日をいう。以下この項において同じ。）又はその次の昇給日に、昇給の場合に準じてその者の号俸を調整することができる。

2　派遣職員が職務に復帰した場合における号俸の調整について、前項の規定による場合には部内の他の職員との均衡を著しく失すると認められるときは、同項の規定にかかわらず、あらかじめ人事院と協議して、その者の号俸を調整することができる。

（報告）
第十三条　派遣職員は、任命権者から求められたときは、博覧会協会における勤務条件及び業務の遂行の状況について報告しなければならない。

2　任命権者は、人事院の定めるところにより、毎年五月末日までに、前年の四月一日に始まる年度内において令和七年国際博覧会特措法第二十五条第一項の規定により派遣されている期間のある職員の派遣の期間並びに博覧会協会における地位、業務内容及び特定業務に係る報酬等の月額等の状況並びに同項の規定による派遣から当該年度内に職務に復帰した職員の当該復帰後の処遇等に関する状況について、人事院に報告しなければならない。

附　則

（施行期日）

1　この規則は、公布の日から施行する。

（給与法附則第八項の規定の適用を受ける派遣職員の給与）

2　派遣職員が給与法附則第八項の規定の適用を受ける職員となった場合には、当分の間、同項の規定の適用を受ける職員となった日を派遣の期間の初日の前日とみなして、第十条第一項及び第三項の規定の例により、俸給等の支給割合を決定し、又は俸給等を支給しないものとする。

3　前項の規定により、俸給等の支給割合を決定し、又は俸給等を支給しないものとした場合における第十条の規定の適用については、同条第一項中「派遣の期間の初日の前日」とあるのは「給与法附則第八項の規定の適用を受ける職員となった日」と、同条第二項中「前項」とあるのは「附則第三項の規定により読み替えられた前項」と、同条第三項中「前二項」とあるのは「附則第三項の規定により読み替えられた前二項」と、同条第四項中「派遣の期間の初日（」とあるのは「給与法附則第八項の規定の適用を受ける職員となった日（附則第三項の規定により読み替えられた」と、「第一項」とあるのは「附則第三項の規定により読み替えられた第一項」と、同条第五項中「前項」とあるのは「附則第三項の規定により読み替えられた前項」と、「第一項」とあるのは「附則第三項の規定により読み替えられた第一項」と、同条第六項中「前項」とあるのは「附則第三項の規定により読み替えられた前項」と、「第四項」とあるのは「附則第三項の規定により読み替えられた第四項」と、「派遣の期間の初日（」とあるのは「給与法附則第八項の規定の適用を受ける職員となった日（附則第三項の規定により読み替えられた」とする。

附　則（令二・四・一規則一―七二―一）

この規則は、公布の日から施行する。

附　則（令二・六・一二規則一―七五）（抄）

（施行期日）

1　この規則は、公布の日から施行する。

附　則（令二・一二・二八規則一―七六）（抄）

（施行期日）

1　この規則は、公布の日から施行する。

附　則（令三・九・一規則一―七七）

この規則は、公布の日から施行する。

附　則（令四・二・一八規則一―七九）（抄）

（施行期日）

第一条　この規則は、令和五年四月一日から施行する。

附　則（令四・六・二四規則一―八一）

この規則は、公布の日から施行する。

附　則（令四・七・一規則一―七二―二）

この規則は、公布の日から施行する。

附　則（令六・一・二三規則九―一五一）（抄）

（施行期日）

第一条　この規則は、令和六年四月一日から施行する。

○職員の令和七年国際博覧会特措法第十四条第一項の規定により指定された博覧会協会への派遣の運用について（通知）

令元・五・二三
人企六〇

最終改正　令四・二・一八事企法―三七

令和七年に開催される国際博覧会の準備及び運営のために必要な特別措置に関する法律（平成三十一年法律第十八号。以下「令和七年国際博覧会特措法」という。）及び人事院規則一―七二（職員の令和七年国際博覧会特措法第十四条第一項の規定により指定された博覧会協会への派遣）（以下「規則」という。）の運用について下記のとおり定めたので、令和元年五月二十三日以降は、これによってください。

記

令和七年国際博覧会特措法第二十五条関係

この条の第一項、第四項及び第五項の規定による職員の同意は、文書により行うものとする。

規則第三条関係

この条の第三号の「勤務延長職員」とは、国家公務員法（昭和二十二年法律第百二十号）第八十一条の七第一項又は第二項の規定により定年退職日の翌日以降引き続いて勤務している職員をいう。

規則第九条関係

人事異動通知書の「異動内容」欄の記入要領は、次のとおりとする。

一　令和七年国際博覧会特措法第二十五条第一項の規定により職員を派遣する場合

「令和七年に開催される国際博覧会の準備及び運営のために必要な特別措置に関する法律第十四条第一項の規定により指定された博覧会協会に派遣する

派遣の期間は　年　月　日から　年　月　日までとする

派遣の期間中、俸給、扶養手当、地域手当、広域異動手当、研究員調整手当、住居手当及び期末手当のそれぞれ百分の　を支給する（又は「派遣の期間中、給与は支給しない」）」

と記入する。

二　派遣職員（令和七年国際博覧会特措法第二十五条第七項に規定する派遣職員をいう。以下同じ。）の派遣の期間を延長する場合

「派遣の期間を　年　月　日まで延長する

延長に係る期間中、俸給、扶養手当、地域手当、広域異動手当、研究員調整手当、住居手当及び期末手当のそれぞれ百分の　を支給する（又は「延長に係る期間中、給与は支給しない」）」

と記入する。

三　派遣の期間の満了により派遣職員が職務に復帰した場合

「職務に復帰した（　年　月　日）」

と記入する。

四　派遣職員を職務に復帰させる場合

「職務に復帰させる」

と記入する。

五　派遣の期間中に俸給等（規則第十条第一項に規定する俸給等をいう。次号及び規則附則第二項関係において同じ。）を支給することとなったことに人事異動通知書を用いる場合

「　年　月　日以後、派遣の期間中、俸給、扶養手当、地域手当、広域異動手当、研究員調整手当、住居手当及び期末手当のそれぞれ百分の　を支給する」

と記入する。

六　派遣の期間中に俸給等の支給割合を変更すること又は俸給等を支給しないものとすることに人事異動通知書を用いる場合

「　年　月　日以後、派遣の期間中、俸給、扶養手当、地域手当、広域異動手当、研究員調整手当、住居手当及び期末手当の支給割合をそれぞれ百分の　とする（又は「　年　月　日以後、派遣の期間中、給与は支給しない」）」

と記入する。

規則第十条関係

1　この条の第一項の「当該年額が部内の他の職員との均衡を著しく失すると認められる場合」において、同項に規定する派遣前給与の年額を算定するときは、あらかじめ個別に事務総長に協議するものとする。

2　この条の第一項に規定する派遣前給与の年額の算定における勤勉手当の額は、派遣職員を人事院規則九―四〇（期末手当及び勤勉手当）第十三条第一項第一号ハ（専門スタッフ職俸給表の適用を受ける職員にあっては同項第二号ハ、指定職俸給表の適用を受ける職員にあっては同項第三号ロ）に掲げる職員であるものとした場合の同項の規定による成績率により算定した額によるものとする。

3　この条の規定による給与の支給割合の決定等については、その過程を明確にして行うとともに、その内容を適切に把握しておくものとする。

規則第十一条関係

令和七年国際博覧会特措法第二十五条第一項の規定による派遣後職務に復帰した職員を昇格させる場合には、次の各号に掲げる職員の区分に応じ、当該各号に定める職務の級に昇格させることができる。ただし、特別の事情によりこれにより難い場合には、あらかじめ事務総長に協議して、別段の取扱いをすることができる。

一　人事院規則九―八（初任給、昇格、昇給等の基準）第十一条第三項の規定により職務の級を決定された職員以外の職員　昇格させようとする日に新たに職員となったものとした場合のその者の経験年数がその者を昇格させようとする職務の級をその者の属する職務の級とみなした場合の給実甲第三二六号（人事院規則九―八（初任給、昇格、昇給等の基準）の運用について）第十五条関係第五項に規定する最短昇格期間（ただし、人事院規則九―八第二十条第四項後段の規定に該当するときは、当該最短昇格期間に百分の五十以上百分の百未満の割合を乗じて得た期間とする

ことができる。）以上となる当該昇格させようとする職務の級

二　人事院規則九―八第十一条第三項の規定により職務の級を決定された職員　当該派遣がなく引き続き職務に従事したものとみなして、その者が当該派遣の直前に属していた職務の級を基礎として昇格等の規定を適用した場合に、その者を昇格させようとする日に属することとなる職務の級を超えない範囲内の職務の級

規則第十二条関係

この条の規定の適用については、給実甲第一九二号（復職時等における号俸の調整の運用について）に定めるところによる。

規則第十三条関係

この条の第二項の規定による人事院への報告は、別紙様式の報告書により行うものとする。

規則附則第二項関係

1　この項の規定により、俸給等の支給割合を決定し、又は俸給等を支給しないものとすることとなった職員（同項の規定により俸給等の支給割合を決定し、又は俸給等を支給しないものとすることとなった日において、派遣の期間を延長され、規則第九条第二号に掲げる場合に同条の規定により人事異動通知書が交付される職員を除く。）に対しては、人事異動通知書又はこれに代わる文書（以下「通知書等」という。）により俸給等の支給割合又は俸給等を支給しない旨を通知するものとする。ただし、通知書等の交付によらないことを適当と認める場合には、適当な方法をもって通知書等の交付に代えることができる。

2　前項の規定による通知において、人事異動通知書を用いる場合の「異動内容」欄の記入要領は、規則第九条関係第六号の規定の例によるものとする。

以　上

（令和四年二月一八日事企法三八　経過措置（抄））

2　令和三年改正法附則第三条第五項に規定する旧国家公務員法勤務延長職員に対する令和四年事企法―三七による改正後の次に掲げる人事院事務総長通知の規定の適用については、これらの規定中「第八十一条の七第一項又は第二項」とあるのは、「第八十一条の七第一項若しくは第二項又は国家公務員法等の一部を改正する法律（令和三年法律第六十一号）附則第三条第五項若しくは第六項」とする。

三　「職員の令和七年国際博覧会特措法第十四条第一項の規定により指定された博覧会協会への派遣の運用について（令和元年五月二十三日人企―六〇）」規則第三条関係

別紙

博覧会協会への派遣に関する状況報告書

（　　枚のうち　　枚目）

令和　　年度分

府省名

1　派遣の状況

氏名	派遣時の状況		派遣の期間	給与支給割合（%）	博覧会協会における職員の状況			備考
	所属部課・官職	級号俸			地位	業務内容	報酬等の月額	
①	②	③	④	⑤	⑥	⑦	⑧	⑨
		－	～	%			円	
		－	～	%			円	
		－	～	%			円	
		－	～	%			円	
		－	～	%			円	
		－	～	%			円	
		－	～	%			円	
		－	～	%			円	
		－	～	%			円	
		－	～	%			円	
		－	～	%			円	
		－	～	%			円	
		－	～	%			円	
		－	～	%			円	
		－	～	%			円	
		－	～	%			円	
		－	～	%			円	

A 4

（　　枚のうち　　枚目）

2　派遣及び復帰の状況

氏名	派遣時の状況		派遣の期間	給与支給割合（%）	博覧会協会における職員の状況			職務復帰後における職員の状況		備考
	所属部課・官職	級号俸			地位	業務内容	報酬等の月額	所属部課・官職	給与上の処遇	
⑩	⑪	⑫	⑬	⑭	⑮	⑯	⑰	⑱	⑲	⑳
		－	～	%			円			
		－	～	%			円			
		－	～	%			円			
		－	～	%			円			
		－	～	%			円			
		－	～	%			円			
		－	～	%			円			
		－	～	%			円			
		－	～	%			円			
		－	～	%			円			
		－	～	%			円			
		－	～	%			円			
		－	～	%			円			
		－	～	%			円			
		－	～	%			円			
		－	～	%			円			
		－	～	%			円			

3　令和　　年度末現在派遣職員総数　　　　名

作成者官職・氏名

A 4

（記入要領）

1　前年度において、博覧会協会へ派遣されている期間のある職員（２に規定する職員を除く。）については、「１　派遣の状況」に派遣された年度ごとにまとめて記入するものとする。
2　前年度内に復帰した職員については、「２　派遣及び復帰の状況」に記入するものとする。
3　③欄及び⑫欄には、「行（一）6－40」のように記入する。
4　④欄及び⑬欄には、「令和元年10月１日～令和３年９月30日（２年０月）」のように記入する。
5　⑥欄及び⑮欄には、「○○局○○部○○課長」等と記入する。
6　⑧欄及び⑰欄には、特定業務に係る報酬等（報酬、賃金、給料、俸給、手当、賞与その他いかなる名称であるかを問わず、特定業務の対償として受ける全てのものをいう。）の月額（月額によらない場合は、月額に換算したもの）を記入する。
7　⑱欄には、職務復帰後の所属部課・官職（前年度において職務復帰後に異動があった場合には、最初の異動後の所属部課・官職）を記入する。
8　⑲欄には、職務復帰後において昇格、昇給等の措置を行った場合、その措置の内容を「復職時調整（6－52）」等と記入する。
9　派遣の期間中に一般職の職員の給与に関する法律（昭和25年法律第95号）附則第８項の規定の適用を受けることとなった職員については、⑨欄又は⑳欄に「　年　月　日給与法附則第８項適用」等と記入する。

第一〇　国際園芸博覧会協会派遣職員

○令和九年に開催される国際園芸博覧会の準備及び運営のために必要な特別措置に関する法律（抄）

令四・三・三一
法　一　五

改正　令六・六・一二法四七

第三章　博覧会の円滑な準備及び運営のための支援措置

第四節　博覧会協会への国の職員の派遣

（博覧会協会による派遣の要請）

第十四条　博覧会協会は、博覧会業務のうち、国際博覧会に関する外国の行政機関その他の関係機関との連絡調整、博覧会の会場その他の施設の警備に関する計画及び博覧会への参加者その他の関係者の輸送に関する計画の作成、海外からの賓客の接遇その他国の事務又は事業との密接な連携の下で実施する必要があるもの（以下「特定業務」という。）を円滑かつ効果的に行うため、国の職員（国家公務員法（昭和二十二年法律第百二十号）第二条に規定する一般職に属する職員（法律により任期を定めて任用される職員、常時勤務を要しない官職を占める職員、独立行政法人通則法（平成十一年法律第百三号）第二条第四項に規定する行政執行法人の職員その他人事院規則で定める職員を除く。）をいう。以下同じ。）を博覧会協会の職員として必要とするときは、その必要とする事由を明らかにして、任命権者（国家公務員法第五十五条第一項に規定する任命権者及び法律で別に定められた任命権者並びにその委任を受けた者をいう。以下同じ。）に対し、その派遣を要請することができる。

２　前項の規定による要請の手続は、人事院規則で定める。

（国の職員の派遣）

第十五条　任命権者は、前条第一項の規定による要請があった場合において、都市における自然的環境の整備、公共の安全と秩序の維持、交通の機能の確保及び向上、外交政策の推進その他の国の責務を踏まえ、その要請に係る派遣の必要性、派遣に伴う事務の支障その他の事情を勘案して、国の事務又は事業との密接な連携を確保するために相当と認めるときは、これに応じ、国の職員の同意を得て、博覧会協会との間の取決めに基づき、期間を定めて、専ら博覧会協会における特定業務を行うものとして当該国の職員を博覧会協会に派遣することができる。

２　任命権者は、前項の同意を得るに当たっては、あらかじめ、当該国の職員に同項の取決めの内容及び当該派遣の期間中における給与の支給に関する事項を明示しなければならない。

３　第一項の取決めにおいては、博覧会協会における勤務時間、特定業務に係る報酬等（報酬、賃金、給料、俸給、手当、賞与その他いかなる名称であるかを問わず、特定業務の対償として受ける全てのものをいう。第二項ただし書において同じ。）その他の勤務条件及び特定業務の内容、派遣の期間、職務への復帰に関する事項その他第一項の規定による派遣の実施に当たって合意しておくべきものとして人事院規則で定める事項を定めるものとする。

４　任命権者は、第一項の取決めの内容を変更しようとするときは、当該国の職員の同意を得なければならない。この場合においては、第二項の規定を準用する。

５　第一項の規定による派遣の期間は、三年を超えることができない。ただし、博覧会協会からその期間の延長を希望する旨の申出があり、かつ、特に必要があると認めるときは、任命権者は、当該国の職員の同意を得て、当該派遣の日から引き続き五年を超えない範囲内で、これを延長することができる。

６　第一項の規定により博覧会協会において特定業務を行う国の職員は、その派遣の期間中、その同意に係る同項の取決めに定められた内容に従って、博覧会協会において特定業務を行うものとする。

7　第一項の規定により派遣された国の職員（以下「派遣職員」という。）は、その派遣の期間中、国の職員としての身分を保有するが、その職務に従事しない。

8　第一項の規定による国の職員の特定業務への従事については、国家公務員法第百四条の規定は、適用しない。

（職務への復帰）

第十六条　派遣職員は、その派遣の期間が満了したときは、職務に復帰するものとする。

2　任命権者は、派遣職員が博覧会協会における職員の地位を失った場合その他の人事院規則で定める場合であって、その派遣を継続することができない又は適当でないと認めるときは、速やかに、当該派遣職員を職務に復帰させなければならない。

（派遣期間中の給与等）

第十七条　任命権者は、博覧会協会との間で第十五条第一項の取決めをするに当たっては、同項の規定により派遣される国の職員が博覧会協会から受ける特定業務に係る報酬等について、当該国の職員がその派遣前に従事していた職務及び博覧会協会において行う特定業務の内容に応じた相当の額が確保されるよう努めなければならない。

2　派遣職員には、その派遣の期間中、給与を支給しない。ただし、博覧会協会において特定業務が円滑かつ効果的に行われることを確保するため特に必要があると認められるときは、当該派遣職員には、その派遣の期間中、博覧会協会から受ける特定業務に係る報酬等の額に照らして必要と認められる範囲内で、俸給、扶養手当、地域手当、広域異動手当、研究員調整手当、住居手当及び期末手当のそれぞれ百分の百以内を支給することができる。

3　前項ただし書の規定による給与の支給に関し必要な事項は、人事院規則（派遣職員が検察官の俸給等に関する法律（昭和二十三年法律第七十六号）の適用を受ける者である場合にあっては、同法第三条第一項に規定する準則）で定める。

（国家公務員共済組合法の特例）

第十八条　国家公務員共済組合法（昭和三十三年法律第百二十八号。以下この条において「国共済法」という。）第三十九条第二項の規定及び国共済法の短期給付に関する規定（国共済法第六十八条の四の規定を除く。以下この項において同じ。）は、派遣職員には、適用しない。この場合において、国共済法の短期給付に関する規定の適用を受ける職員（国共済法第二条第一項第一号に規定する職員をいう。以下この項において同じ。）が派遣職員となったときは、国共済法の短期給付に関する規定の適用については、そのなった日の前日に退職（国共済法第二条第一項第四号に規定する退職をいう。）をしたものとみなし、派遣職員が国共済法の短期給付に関する規定の適用を受ける職員となったときは、国共済法の短期給付に関する規定の適用については、そのなった日に職員となったものとみなす。

2　派遣職員に関する国共済法の退職等年金給付に関する規定の適用については、博覧会協会における特定業務を公務とみなす。

3　派遣職員は、国共済法第九十八条第一項各号に掲げる福祉事業を利用することができない。

4　派遣職員に関する国共済法の規定の適用については、国共済法第二条第一項第五号及び第六号中「とし、その他の職員」とあるのは「並びにこれらに相当するものとして次条第一項に規定する組合の運営規則で定めるものとし、その他の職員」と、国共済法第九十九条第二項中「次の各号」とあるのは「第四号」と、「当該各号」とあるのは「同号」と、「及び国の負担金」とあるのは「、令和九年に開催される国際園芸博覧会の準備及び運営のために必要な特別措置に関する法律（令和四年法律第十五号）第二条第一項に規定する博覧会協会（以下「博覧会協会」という。）の負担金及び国の負担金」と、同項第四号中「国の負担金」とあるのは「博覧会協会の負担金及び国の負担金」と、国共済法第百二条第一項中「各省各庁の長（環境大臣を含む。）、行政執行法人又は職員団体」とあり、及び「国、行政執行法人又は職員団体」とあるのは「博覧会協会及び国」と、「第九十九条第二項（同条第六項から第八項までの規定により読み替えて適用する場合を含む。）及び第五項（同条第七項及び第八項の規定により読み替えて適用する場合を含む。）」とあるのは「第九十九条第二項及び第五項」と、同条第四項中「第九十九条第二項第四号及び第五号」とあるのは「第九十九条第二項第四号」と、「並びに同条第五項（同条第七項及び第八項の規定により読み替えて適用する場合を含む。以下この項において同じ。）」とあるのは「及び同条第五項」と、「（同条第五項」とあるのは「（同項」と、「国、行政執行法人又は職員団体」とあるのは「博覧会協会及び国」とする。

5　前項の場合において博覧会協会及び国が同項の規定により読み替えられた国共済法第九十九条第二項及び厚生年金保険法（昭和二十九年法律第百十五号）第八十二条第一項の規定により負担すべき金額その他必要な事項は、政令で定める。

（子ども・子育て支援法の特例）

第十九条　派遣職員に関する子ども・子育て支援法（平成二十四年法律第六十五号）の規定の適用については、博覧会協会を同法第六十九条第一項第四号に規定する団体とみなす。

（国家公務員共済組合法等の適用関係等についての政令への委任）

第二十条　この法律に定めるもののほか、派遣職員に関して国家公務員共済組合法、地方公務員等共済組合法（昭和三十七年法律第百五十二号）、子ども・子育て支援法その他これらに類する法律の適用関係の調整を要する場合におけるその適用関係その他必要な事項は、政令で定める。

（一般職の職員の給与に関する法律の特例）

第二十一条　第十五条第一項の規定による派遣の期間中又はその期間の満了後における当該国の職員に関する一般職の職員の給与に関する法律（昭和二十五年法律第九十五号）第二十三条第一項及び附則第六項の規定の適用については、博覧会協会における特定業務（当該特定業務に係る労働者災害補償保険法（昭和二十二年法律第五十号）第七条第二項に規定する通勤（当該特定業務に係る就業の場所を国家公務員災害補償法（昭和二十六年法律第百九十一号）第一条の二第一項第一号及び第二号に規定する勤務場所とみなした場合に同条に規定する通勤に該当するものに限る。次条第一項において同じ。）を含む。）を公務とみなす。

（国家公務員退職手当法の特例）

第二十二条　第十五条第一項の規定による派遣の期間中又はその期間の満了後に当該国の職員が退職した場合における国家公務員退職手当法（昭和二十八年法律第百八十二号）の規定の適用については、博覧会協会における特定業務に係る業務上の傷病又は死亡は同法第四条第二項、第五条第一項第四号及び第六条の四第一項に規定する公務上の傷病又は死亡と、当該特定業務に係る労働者災害補償保険法第七条第二項に規定する通勤による傷病は国家公務員退職手当法第四条第二項、第五条第二項及び第六条の四第一項に規定する通勤による傷病とみなす。

2　派遣職員に関する国家公務員退職手当法第六条の四第一項及び第七条第四項の規定の適用については、第十五条第一項の規定による派遣の期間は、同法第六条の四第一項に規定する現実に職務をとることを要しない期間には該当しないものとみなす。

3　前項の規定は、派遣職員が博覧会協会から所得税法（昭和四十年法律第三十三号）第三十条第一項に規定する退職手当等（同法第三十一条の規定により退職手当等とみなされるものを含む。）の支払を受けた場合には、適用しない。

4　派遣職員がその派遣の期間中に退職した場合に支給する国家公務員退職手当法の規定による退職手当の算定の基礎となる俸給月額については、部内の他の職員との権衡上必要があると認められるときは、次条第一項の規定の例により、その額を調整することができる。

（派遣後の職務への復帰に伴う措置）

第二十三条　派遣職員が職務に復帰した場合におけるその者の職務の級及び号俸については、部内の他の職員との権衡上必要と認められる範囲内において、人事院規則の定めるところにより、必要な調整を行うことができる。

2　前項に定めるもののほか、派遣職員が職務に復帰した場合における任用、給与等に関する処遇については、部内の他の職員との均衡を失することのないよう適切な配慮が加えられなければならない。

（人事院規則への委任）

第二十四条　この法律に定めるもののほか、博覧会協会において国の職員が特定業務を行うための派遣に関し必要な事項は、人事院規則で定める。

（防衛省の職員への準用等）

第二十五条　第十四条から前条までの規定は、国家公務員法第二条第三項第十六号に掲げる防衛省の職員（法律により任期を定めて任用される職員、常時勤務を要しない官職を占める職員その他政令で定める職員を除く。）の派遣について準用する。この場合において、第十四条第一項中「国家公務員法第五十五条第一項に規定する任命権者及び法律で別に定められた任命権者並びにその委任を受けた者」とあるのは「自衛隊法（昭和二十九年法律第百六十五号）第三十一条第一項の規定により同法第二条第五項に規定する隊員の任免について権限を有する者」と、同条第二項、第十五条第三項、第十六条第二項、第二十三条第一項及び前条（見出しを含む。）中「人事院規則」とあり、並びに第十七条第三項中「人事院規則（派遣職員が検察官の俸給等に関する法律（昭和二十三年法律第七十六号）の適用を受ける者である場合にあっては、同法第三条第一項に規定する準則）」とあるのは「政令」と、第十五条第八項中「国家公務員法第百四条」とあるのは「自衛隊法第六十三条」と、第十七条第二項ただし書中「研究員調整手当、住居手当」とあるのは「住居手当、営外手当」と、第二十一条中「一般職の職員の給与に関する法律（昭和二十五年法律第九十五号）第二十三条第一項及び附則第六項」とあるのは「防衛省の職員の給与等に関する法律（昭和二十七年法律第二百六十六号）第二十三条第一項」と、「国家公務員災害補償法」とあるのは「防衛省の職員の給与等に関する法律第二十七条第一項において準用する国家公務員災害補償法」と、第二十三条第一項中「職務の級」とあるのは「職務の級又は階級」と読み替えるものとする。

2　前項において準用する第十五条第一項の規定により派遣された自衛官（次項において「派遣自衛官」という。）に関する自衛隊法（昭和二十九年法律第百六十五号）第九十八条第四項及び第九十九条第一項の規定の適用については、博覧会協会における特定業務を公務とみなす。

3　防衛省の職員の給与等に関する法律（昭和二十七年法律第二百六十六号）第二十二条の規定は、派遣自衛官には、適用しない。

附　則（抄）

（施行期日）

1　この法律は、公布の日から施行する。ただし、第三章〔中略〕第四節の規定は、公布の日から起算して六月を超えない範囲内において政令で定める日〔令四・六・二四〕から施行する。

○人事院規則一―八〇（職員の令和九年国際園芸博覧会特措法第二条第一項の規定により指定された国際園芸博覧会協会への派遣）

令四・六・二四制定
令四・六・二四施行

最終改正　令六・一一・二三規則九―一五一

（趣旨）

第一条　この規則は、令和九年国際園芸博覧会特措法に規定する職員の令和九年国際園芸博覧会特措法第二条第一項の規定により指定された国際園芸博覧会協会（以下「博覧会協会」という。）への派遣に関し必要な事項を定めるものとする。

（定義）

第二条　この規則において、「特定業務」、「任命権者」又は「派遣職員」とは、それぞれ令和九年国際園芸博覧会特措法第十四条第一項又は第十五条第七項に規定する特定業務、任命権者又は派遣職員をいう。

（派遣除外職員）

第三条　令和九年国際園芸博覧会特措法第十四条第一項の人事院規則で定める職員は、次に掲げる職員とする。

一　条件付採用期間中の職員

二　法第八十一条の五第一項から第四項までの規定により異動期間（これらの規定により延長された期間を含む。）を延長された管理監督職を占める職員
三　勤務延長職員
四　休職者
五　停職者
六　派遣法第二条第一項の規定により派遣されている職員
七　官民人事交流法第八条第二項に規定する交流派遣職員
八　法科大学院派遣法第四条第三項又は第十一条第一項の規定により派遣されている職員
九　福島復興再生特別措置法（平成二十四年法律第二十五号）第四十八条の三第一項又は第八十九条の三第一項の規定により派遣されている職員
十　令和七年国際博覧会特措法第二十五条第一項の規定により派遣されている職員
十一　判事補及び検事の弁護士職務経験に関する法律（平成十六年法律第百二十一号）第二条第四項の規定により弁護士となってその職務を行う職員
十二　規則八―一二（職員の任免）第四十二条第二項の規定により任期を定めて採用された職員その他任期を限られた職員

（任命権者）
第四条　令和九年国際園芸博覧会特措法第十四条第一項の任命権者には、併任に係る官職の任命権者は含まれないものとする。

（派遣の要請）
第五条　博覧会協会は、令和九年国際園芸博覧会特措法第十四条第一項の規定に基づき職員の派遣を要請しようとするときは、当該派遣を必要とする事由及び次に掲げる当該派遣に関して希望する条件を記載した書類を任命権者に提出するものとする。
一　派遣に係る職員に必要な専門的な知識経験等
二　派遣に係る職員の博覧会協会における地位及び業務内容
三　派遣の期間
四　派遣に係る職員の博覧会協会における勤務時間、特定業務に係る報酬等（報酬、賃金、給料、俸給、手当、賞与その他いかなる名称であるかを問わず、特定業務の対償として受ける全てのものをいう。以下同じ。）その他の勤務条件
五　前各号に掲げるもののほか、博覧会協会が必要と認める条件

（派遣に係る取決め）
第六条　令和九年国際園芸博覧会特措法第十五条第三項の人事院規則で定める事項は、次に掲げる事項とする。
一　令和九年国際園芸博覧会特措法第十五条第一項の規定により派遣される職員（以下この条において「派遣予定職員」という。）の博覧会協会における職務に係る倫理その他の服務に関する事項
二　派遣予定職員の博覧会協会における福利厚生に関する事項
三　派遣予定職員の博覧会協会における特定業務の従事の状況の連絡に関する事項
四　派遣予定職員に係る派遣の期間の変更その他の取決めの内容の変更に関する事項
五　派遣予定職員に係る取決めに疑義が生じた場合及び当該取決めに定めのない事項が生じた場合の取扱いに関する事項

（派遣職員の保有する官職）
第七条　派遣職員は、派遣された時に占めていた官職又はその派遣の期間中に異動した官職を保有するものとする。ただし、併任に係る官職については、この限りではない。
2　前項の規定は、当該官職を他の職員をもって補充することを妨げるものではない。

（派遣職員の職務への復帰）
第八条　令和九年国際園芸博覧会特措法第十六条第二項の人事院規則で定める場合は、次に掲げる場合とする。
一　派遣職員が博覧会協会における地位を失った場合
二　派遣職員が法第七十八条第二号又は第三号に該当することとなった場合
三　派遣職員が法第七十九条各号のいずれかに該当することとなった場合又は水難、火災その他の災害により生死不明若しくは所在不明となった場合
四　派遣職員が法第八十二条第一項各号のいずれかに該当することとなった場合
五　派遣職員の派遣が当該派遣に係る取決めに反することとなった場合

（派遣に係る人事異動通知書の交付）
第九条　任命権者は、次に掲げる場合には、職員

に対して、規則八―一二第五十八条の規定による人事異動通知書を交付しなければならない。

一　令和九年国際園芸博覧会特措法第十五条第一項の規定により職員を派遣した場合

二　派遣職員に係る派遣の期間を延長した場合

三　派遣の期間の満了により派遣職員が職務に復帰した場合

四　派遣職員を職務に復帰させた場合

（派遣職員の給与）

第十条　派遣職員には、博覧会協会から受ける特定業務に係る報酬等（通勤手当、在宅勤務等手当、特殊勤務手当、超過勤務手当、休日給、夜勤手当、宿日直手当及び管理職員特別勤務手当（以下この項において「通勤手当等」という。）に相当するものを除く。以下この条において「派遣先報酬等」という。）の年額が、派遣職員に係る派遣の期間の初日の前日における給与の額を基礎とし、給与法第八条第六項の規定により標準号俸数（同条第七項に規定する人事院規則で定める基準において当該職員に係る標準となる号俸数をいう。）を昇給するものとして算定した給与（通勤手当等を除く。）の年額（当該年額が部内の他の職員との均衡を著しく失すると認められる場合にあっては、人事院の定めるところにより算定した額。以下この条において「派遣前給与の年額」という。）に満たない場合であって、博覧会協会において特定業務が円滑かつ効果的に行われることを確保するため特に必要があると認められるときは、当該派遣の期間中、俸給、扶養手当、地域手当、広域異動手当、研究員調整手当、住居手当及び期末手当（以下この条並びに附則第二項及び第三項において「俸給等」という。）のそれぞれ百分の百以内を支給することができる。

2　派遣職員がその派遣の期間中に前項に規定する場合に該当することとなった場合においても、当該該当することとなった日以後の当該派遣の期間中、俸給等のそれぞれ百分の百以内を支給することができる。

3　前二項の規定により支給される俸給等の支給割合を決定するに当たっては、決定された支給割合により支給されることとなる俸給等の年額が、派遣前給与の年額から派遣先報酬等の年額を減じた額を超えてはならない。

4　俸給等の支給及び支給割合は、派遣職員に係る派遣の期間の初日（第二項の規定により俸給等を支給されることとなった場合にあっては、当該支給されることとなった日）から起算して一年ごとに見直すものとし、俸給等の年額が派遣前給与の年額から派遣先報酬等の年額を減じた額を超える場合その他特に必要があると認められる場合には、第一項及び前項の規定の例により、俸給等の支給割合を変更し、又は俸給等を支給しないものとする。

5　俸給等の支給及び支給割合は、前項に規定する場合のほか、派遣先報酬等の額又は俸給等の額の変動があった場合において、俸給等の年額が派遣前給与の年額から派遣先報酬等の年額を減じた額を超えるときその他特に必要があると認められるときは、第一項及び第三項の規定の例により、俸給等の支給割合を変更し、又は俸給等を支給しないものとする。

6　前項の規定により俸給等の支給割合を変更した場合における第四項の規定の適用については、「派遣職員に係る派遣の期間の初日（第二項の規定により俸給等を支給されることとなった場合にあっては、当該支給されることとなった日）」とあるのは、「派遣先報酬等の額又は俸給等の額の変動があった日」とする。

（派遣職員の職務復帰時における給与の取扱い）

第十一条　派遣職員が職務に復帰した場合において、部内の他の職員との均衡上特に必要があると認められるときは、規則九―八（初任給、昇格、昇給等の基準）第二十条の規定にかかわらず、人事院の定めるところにより、その職務に応じた職務の級に昇格させることができる。

第十二条　派遣職員が職務に復帰した場合において、部内の他の職員との均衡上必要があると認められるときは、その派遣の期間を百分の百以下の換算率により換算して得た期間を引き続き勤務したものとみなして、その職務に復帰した日、同日後における最初の昇給日（規則九―八第三十四条に規定する昇給日をいう。以下この項において同じ。）又はその次の昇給日に、昇給の場合に準じてその者の号俸を調整することができる。

2　派遣職員が職務に復帰した場合における号俸の調整について、前項の規定による場合には部内の他の職員との均衡を著しく失すると認められるときは、同項の規定にかかわらず、あらかじめ人事院と協議して、その者の号俸を調整することができる。

（報告）

第十三条　派遣職員は、任命権者から求められたときは、博覧会協会における勤務条件及び業務の遂行の状況について報告しなければならない。

2　任命権者は、人事院の定めるところにより、毎年五月末日までに、前年の四月一日に始まる年度内において令和九年国際園芸博覧会特措法第十五条第一項の規定により派遣されている期間のある職員の派遣の期間並びに博覧会協会における地位、業務内容及び特定業務に係る報酬等の月額等の状況並びに同項の規定による派遣から当該年度内に職務に復帰した職員の当該復帰後の処遇等に関する状況について、人事院に報告しなければならない。

附　則

（施行期日）

1　この規則は、公布の日から施行する。ただし、第三条（第二号に係る部分に限る。）、第十条第一項（次項及び附則第三項に関する部分に限る。）、次項及び附則第三項の規定は、令和五年四月一日から施行する。

（給与法附則第八項の規定の適用を受ける派遣職員の給与）

2　派遣職員が給与法附則第八項の規定の適用を受ける職員となった場合には、当分の間、同項の規定の適用を受ける職員となった日を派遣の期間の初日の前日とみなして、第十条第一項及び第三項の規定の例により、俸給等の支給割合を決定し、又は俸給等を支給しないものとする。

3　前項の規定により、俸給等の支給割合を決定し、又は俸給等を支給しないものとした場合における第十条の規定の適用については、同条第一項中「派遣の期間の初日の前日」とあるのは「給与法附則第八項の規定の適用を受ける職員となった日」と、同条第二項中「前項」とあるのは「附則第三項の規定により読み替えられた前項」と、同条第三項中「前二項」とあるのは「附則第三項の規定により読み替えられた前二項」と、同条第四項中「派遣の期間の初日（」とあるのは「給与法附則第八項の規定の適用を受ける職員となった日（附則第三項の規定により読み替えられた」と、「第一項」とあるのは「附則第三項の規定により読み替えられた第一項」と、同条第五項中「前項」とあるのは「附則第三項の規定により読み替えられた前項」と、「第一項」とあるのは「附則第三項の規定により読み替えられた第一項」と、同条第六項中「前項」とあるのは「附則第三項の規定により読み替えられた前項」と、「第四項」とあるのは「附則第三項の規定により読み替えられた第四項」と、「派遣の期間の初日（」とあるのは「給与法附則第八項の規定の適用を受ける職員となった日（附則第三項の規定により読み替えられた」とする。

附　則（令四・七・一規則一―八〇―一）

この規則は、公布の日から施行する。

附　則（令六・一・二三規則九―一五一）（抄）

（施行期日）

第一条　この規則は、令和六年四月一日から施行する。

○職員の令和九年国際園芸博覧会特措法第二条第一項の規定により指定された国際園芸博覧会協会への派遣の運用について（通知）

令四・六・二四
人企七九一

令和九年に開催される国際園芸博覧会の準備及び運営のために必要な特別措置に関する法律（令和四年法律第十五号。以下「令和九年国際園芸博覧会特措法」という。）及び人事院規則一―八〇（職員の令和九年国際園芸博覧会特措法第二条第一項の規定により指定された国際園芸博覧会協会への派遣）（以下「規則」という。）の運用について下記のとおり定めたので、令和四年六月二十四日（規則第九条関係第五号（規則附則第二項関係に関する部分に限る。）及び規則附則第二項関係については、令和五年四月一日）以降は、これによってください。

なお、この通知の施行に伴う経過措置については、次に定めるところによってください。

一　令和五年三月三十一日までの間における規則第三条関係の規定の適用については、同条関係中「第八十一条の七第一項又は第二項」とあるのは、「第八十一条の三第一項」とする。

二　国家公務員法等の一部を改正する法律（令

和三年法律第六十一号）附則第三条第五項に規定する旧国家公務員法勤務延長職員に対する規則第三条関係の規定の適用については、同条関係中「第八十一条の七第一項又は第二項」とあるのは、「第八十一条の七第一項若しくは第二項又は国家公務員法等の一部を改正する法律（令和三年法律第六十一号）附則第三条第五項若しくは第六項」とする。

記

令和九年国際園芸博覧会特措法第十五条関係

この条の第一項、第四項及び第五項の規定による職員の同意は、文書により行うものとする。

規則第三条関係

この条の第三号の「勤務延長職員」とは、国家公務員法（昭和二十二年法律第百二十号）第八十一条の七第一項又は第二項の規定により定年退職日の翌日以降引き続いて勤務している職員をいう。

規則第九条関係

人事異動通知書の「異動内容」欄の記入要領は、次のとおりとする。

一　令和九年国際園芸博覧会特措法第十五条第一項の規定により職員を派遣する場合
　「令和九年に開催される国際園芸博覧会の準備及び運営のために必要な特別措置に関する法律第二条第一項の規定により指定された国際園芸博覧会協会に派遣する
　派遣の期間は　年　月　日から　年　月　日までとする
　派遣の期間中、俸給、扶養手当、地域手当、広域異動手当、研究員調整手当、住居手当及び期末手当のそれぞれ百分の　を支給する（又は「派遣の期間中、給与は支給しない」）」
と記入する。

二　派遣職員（令和九年国際園芸博覧会特措法第十五条第七項に規定する派遣職員をいう。以下同じ。）の派遣の期間を延長する場合
　「派遣の期間を　年　月　日まで延長する
　延長に係る期間中、俸給、扶養手当、地域手当、広域異動手当、研究員調整手当、住居手当及び期末手当のそれぞれ百分の　を支給する（又は「延長に係る期間中、給与は支給しない」）」
と記入する。

三　派遣の期間の満了により派遣職員が職務に復帰した場合
　「職務に復帰した（　年　月　日）」
と記入する。

四　派遣職員を職務に復帰させる場合
　「職務に復帰させる」
と記入する。

五　派遣の期間中に俸給等（規則第十条第一項に規定する俸給等をいう。次号及び規則附則第二項関係において同じ。）を支給することとなったことに人事異動通知書を用いる場合
　「　年　月　日以後、派遣の期間中、俸給、扶養手当、地域手当、広域異動手当、研究員調整手当、住居手当及び期末手当のそれぞれ百分の　を支給する」
と記入する。

六　派遣の期間中に俸給等の支給割合を変更すること又は俸給等を支給しないものとすることに人事異動通知書を用いる場合
　「　年　月　日以後、派遣の期間中、俸給、扶養手当、地域手当、広域異動手当、研究員調整手当、住居手当及び期末手当の支給割合をそれぞれ百分の　とする（又は「　年　月　日以後、派遣の期間中、給与は支給しない」）」
と記入する。

規則第十条関係

1　この条の第一項の「当該年額が部内の他の職員との均衡を著しく失すると認められる場合」において、同項に規定する派遣前給与の年額を算定するときは、あらかじめ個別に事務総長に協議するものとする。

2　この条の第一項に規定する派遣前給与の年額の算定における勤勉手当の額は、派遣職員を人事院規則九―四〇（期末手当及び勤勉手当）第十三条第一項第一号ハ（専門スタッフ職俸給表の適用を受ける職員にあっては同項第二号ハ、指定職俸給表の適用を受ける職員にあっては同項第三号ロ）に掲げる職員であるものとした場合の同項の規定による成績率により算定した額によるものとする。

3　この条の規定による給与の支給割合の決定等については、その過程を明確にして行うとともに、その内容を適切に把握しておくものとする。

規則第十一条関係

令和九年国際園芸博覧会特措法第十五条第一項の規定による派遣後職務に復帰した職員を昇

格させる場合には、次の各号に掲げる職員の区分に応じ、当該各号に定める職務の級に昇格させることができる。ただし、特別の事情によりこれにより難い場合には、あらかじめ事務総長に協議して、別段の取扱いをすることができる。

一　人事院規則九―八（初任給、昇格、昇給等の基準）第十一条第三項の規定により職務の級を決定された職員以外の職員　昇格させようとする日に新たに職員となったものとした場合のその者の経験年数がその者を昇格させようとする職務の級をその者の属する職務の級とみなした場合の給実甲第三二六号（人事院規則九―八（初任給、昇格、昇給等の基準）の運用について）第十五条関係第五項に規定する最短昇格期間（ただし、人事院規則九―八第二十条第四項後段の規定に該当するときは、当該最短昇格期間に百分の五十以上百分の百未満の割合を乗じて得た期間とすることができる。）以上となる当該昇格させようとする職務の級

二　人事院規則九―八第十一条第三項の規定により職務の級を決定された職員　当該派遣がなく引き続き職務に従事したものとみなして、その者が当該派遣の直前に属していた職務の級を基礎として昇格等の規定を適用した場合に、その者を昇格させようとする日に属することとなる職務の級を超えない範囲内の職務の級

規則第十二条関係

この条の規定の適用については、給実甲第一九二号（復職時等における号俸の調整の運用について）に定めるところによる。

規則第十三条関係

この条の第二項の規定による人事院への報告は、別紙様式の報告書により行うものとする。

規則附則第二項関係

1　この項の規定により、俸給等の支給割合を決定し、又は俸給等を支給しないものとすることとなった職員（同項の規定により俸給等の支給割合を決定し、又は俸給等を支給しないものとすることとなった日において、派遣の期間を延長され、規則第九条第二号に掲げる場合に同条の規定により人事異動通知書が交付される職員を除く。）に対しては、人事異動通知書又はこれに代わる文書（以下「通知書等」という。）により俸給等の支給割合又は俸給等を支給しない旨を通知するものとする。ただし、通知書等の交付によらないことを適当と認める場合には、適当な方法をもって通知書等の交付に代えることができる。

2　前項の規定による通知において、人事異動通知書を用いる場合の「異動内容」欄の記入要領は、規則第九条関係第六号の規定の例によるものとする。

以　上

別紙

国際園芸博覧会協会への派遣に関する状況報告書

（　枚のうち　枚目）

令和　年度分

府省名

1 派遣の状況

氏名	派遣時の状況		派遣の期間	給与支給割合（%）	国際園芸博覧会協会における職員の状況			備考
	所属部課・官職	級号俸			地位	業務内容	報酬等の月額	
①	②	③	④	⑤	⑥	⑦	⑧	⑨
		-	～	%			円	
		-	～	%			円	
		-	～	%			円	
		-	～	%			円	
		-	～	%			円	
		-	～	%			円	
		-	～	%			円	
		-	～	%			円	
		-	～	%			円	
		-	～	%			円	
		-	～	%			円	
		-	～	%			円	
		-	～	%			円	
		-	～	%			円	
		-	～	%			円	
		-	～	%			円	
		-	～	%			円	

A4

（　枚のうち　枚目）

2 派遣及び復帰の状況

氏名	派遣時の状況		派遣の期間	給与支給割合（%）	国際園芸博覧会協会における職員の状況			職務復帰後における職員の状況		備考
	所属部課・官職	級号俸			地位	業務内容	報酬等の月額	所属部課・官職	給与上の処遇	
⑩	⑪	⑫	⑬	⑭	⑮	⑯	⑰	⑱	⑲	⑳
		-	～	%			円			
		-	～	%			円			
		-	～	%			円			
		-	～	%			円			
		-	～	%			円			
		-	～	%			円			
		-	～	%			円			
		-	～	%			円			
		-	～	%			円			
		-	～	%			円			
		-	～	%			円			
		-	～	%			円			
		-	～	%			円			
		-	～	%			円			
		-	～	%			円			
		-	～	%			円			
		-	～	%			円			

3 令和　年度末現在派遣職員総数　　名

作成者官職・氏名

A4

（記入要領）

1　前年度において、国際園芸博覧会協会へ派遣されている期間のある職員（２に規定する職員を除く。）については、「１　派遣の状況」に派遣された年度ごとにまとめて記入するものとする。
2　前年度内に復帰した職員については、「２　派遣及び復帰の状況」に記入するものとする。
3　③欄及び⑫欄には、「行（一）６−40」のように記入する。
4　④欄及び⑬欄には、「令和４年10月１日〜令和６年９月30日（２年０月）」のように記入する。
5　⑥欄及び⑮欄には、「○○部○○課長」等と記入する。
6　⑧欄及び⑰欄には、特定業務に係る報酬等（報酬、賃金、給料、俸給、手当、賞与その他いかなる名称であるかを問わず、特定業務の対償として受ける全てのものをいう。）の月額（月額によらない場合は、月額に換算したもの）を記入する。
7　⑱欄には、職務復帰後の所属部課・官職（前年度において職務復帰後に異動があった場合には、最初の異動後の所属部課・官職）を記入する。
8　⑲欄には、職務復帰後において昇格、昇給等の措置を行った場合、その措置の内容を「復職時調整（6−52）」等と記入する。
9　派遣の期間中に一般職の職員の給与に関する法律（昭和25年法律第95号）附則第８項の規定の適用を受けることとなった職員については、⑨欄又は⑳欄に「　年　月　日給与法附則第８項適用」等と記入する。

第一一　公益財団法人福島イノベーション・コースト構想推進機構派遣職員

○福島復興再生特別措置法（抄）

平二四・三・三一
法　　二　五

最終改正　令六・六・一二法四七

第六章　新たな産業の創出等に寄与する取組の重点的な推進のための特別な措置

第四節　公益財団法人福島イノベーション・コースト構想推進機構への国の職員の派遣等

（公益財団法人福島イノベーション・コースト構想推進機構による派遣の要請）

第八十九条の二　福島国際研究産業都市区域における新たな産業の創出及び産業の国際競争力の強化に寄与する取組を重点的に推進することを目的とする公益財団法人福島イノベーション・コースト構想推進機構（平成二十九年七月二十五日に一般財団法人福島イノベーション・コースト構想推進機構という名称で設立された法人をいう。以下この節において「機構」という。）は、当該取組の推進に関する業務のうち、産業集積の形成及び活性化に資する事業の創出の促進、国、地方公共団体、研究機関、事業者、金融機関その他の関係者相互間の連絡調整及び連携の促進、産業集積の形成及び活性化を図るための方策の企画及び立案その他国の事務又は事業との密接な連携の下で実施する必要があるもの（以下この節において「特定業務」という。）を円滑かつ効果的に行うため、国の職員を機構の職員として必要とするときは、その必要とする事由を明らかにして、任命権者に対し、その派遣を要請することができる。

2　前項の規定による要請の手続は、人事院規則で定める。

（国の職員の派遣）

第八十九条の三　任命権者は、前条第一項の規定による要請があった場合において、原子力災害からの福島の復興及び再生の推進その他の国の責務を踏まえ、その要請に係る派遣の必要性、派遣に伴う事務の支障その他の事情を勘案して、国の事務又は事業との密接な連携を確保するために相当と認めるときは、これに応じ、国の職員の同意を得て、機構との間の取決めに基づき、期間を定めて、専ら機構における特定業務を行うものとして当該国の職員を機構に派遣することができる。

2　任命権者は、前項の同意を得るに当たっては、あらかじめ、当該国の職員に同項の取決めの内容及び当該派遣の期間中における給与の支給に関する事項を明示しなければならない。

3　第一項の取決めにおいては、機構における勤務時間、特定業務に係る報酬等（報酬、賃金、給料、俸給、手当、賞与その他いかなる名称であるかを問わず、特定業務の対償として受ける全てのものをいう。第八十九条の五第一項及び第二項において同じ。）その他の勤務条件及び特定業務の内容、派遣の期間、職務への復帰に関する事項その他第一項の規定による派遣の実施に当たって合意しておくべきものとして人事院規則で定める事項を定めるものとする。

4　任命権者は、第一項の取決めの内容を変更しようとするときは、当該国の職員の同意を得なければならない。この場合においては、第二項の規定を準用する。

5　第一項の規定による派遣の期間は、三年を超えることができない。ただし、機構からその期間の延長を希望する旨の申出があり、かつ、特に必要があると認めるときは、任命権者は、当該国の職員の同意を得て、当該派遣の日から引き続き五年を超えない範囲内で、これを延長することができる。

6　第一項の規定により機構において特定業務を行う国の職員は、その派遣の期間中、その同意に係る同項の取決めに定められた内容に従って、機構において特定業務を行うものとする。

7　第一項の規定により派遣された国の職員（以下この節において「派遣職員」という。）は、その派遣の期間中、国の職員としての身分を保有するが、職務に従事しない。

8　第一項の規定による国の職員の特定業務への従事については、国家公務員法第百四条の規定は、適用しない。

（職務への復帰）

第八十九条の四　派遣職員は、その派遣の期間が満了したときは、職務に復帰するものとする。

2　任命権者は、派遣職員が機構における職員の地位を失った場合その他の人事院規則で定める場合であって、その派遣を継続することができないか又は適当でないと認めるときは、速やかに、当該派遣職員を職務に復帰させなければならない。

（派遣期間中の給与等）

第八十九条の五　任命権者は、機構との間で第八十九条の三第一項の取決めをするに当たっては、同項の規定により派遣される国の職員が機構から受ける特定業務に係る報酬等について、当該国の職員がその派遣前に従事していた職務及び機構において行う特定業務の内容に応じた相当の額が確保されるよう努めなければならない。

2　派遣職員には、その派遣の期間中、給与を支給しない。ただし、機構において特定業務が円滑かつ効果的に行われることを確保するため特に必要があると認められるときは、当該派遣職員には、その派遣の期間中、機構から受ける特定業務に係る報酬等の額に照らして必要と認められる範囲内で、俸給、扶養手当、地域手当、広域異動手当、研究員調整手当、住居手当及び期末手当のそれぞれ百分の百以内を支給することができる。

3　前項ただし書の規定による給与の支給に関し必要な事項は、人事院規則で定める。

（国共済法の特例）

第八十九条の六　国共済法第三十九条第二項の規定及び国共済法の短期給付に関する規定は、派遣職員には、適用しない。この場合において、国共済法の短期給付に関する規定の適用を受ける職員が派遣職員となったときは、国共済法の短期給付に関する規定の適用については、その者は、派遣職員となった日の前日に退職をしたものとみなし、派遣職員が国共済法の短期給付に関する規定の適用を受ける職員となったときは、国共済法の短期給付に関する規定の適用については、そのなった日に職員となったものとみなす。

2　派遣職員に関する国共済法の退職等年金給付に関する規定の適用については、機構における特定業務を公務とみなす。

3　派遣職員は、国共済法第九十八条第一項各号に掲げる福祉事業を利用することができない。

4　派遣職員に関する国共済法の規定の適用については、国共済法第二条第一項第五号及び第六号中「とし、その他の職員」とあるのは「並びにこれらに相当するものとして次条第一項に規定する組合の運営規則で定めるものとし、その他の職員」と、国共済法第九十九条第二項中「次の各号」とあるのは「第四号」と、「当該各号」とあるのは「同号」と、「及び国の負担金」とあるのは「、福島復興再生特別措置法（平成二十四年法律第二十五号）第八十九条の二第一項に規定する機構（以下「機構」という。）の負担金及び国の負担金」と、同項第四号中「国の負担金」とあるのは「機構の負担金及び国の負担金」と、国共済法第百二条第一項中「各省各庁の長（環境大臣を含む。）、行政執行法人又は職員団体」とあり、及び「国、行政執行法人又は職員団体」とあるのは「機構及び国」と、「第九十九条第二項（同条第六項から第八項までの規定により読み替えて適用する場合を含む。）及び第五項（同条第七項及び第八項の規定により読み替えて適用する場合を含む。）」とあるのは「第九十九条第二項第四号及び第五号」と、同条第四項中「第九十九条第二項第四号及び第五号」とあるのは「第九十九条第二項第四号」と、「並びに同条第五項（同条第七項及び第八項の規定により読み替えて適用する場合を含む。以下この項において同じ。）」とあるのは「及び同条第五項」と、「（同条第五項」とあるのは「（同項」と、「国、行政執行法人又は職員団体」とあるのは「機構及び国」とする。

5　前項の場合において機構及び国が同項の規定により読み替えられた国共済法第九十九条第二項及び厚生年金保険法第八十二条第一項の規定により負担すべき金額その他必要な事項は、政令で定める。

（子ども・子育て支援法の特例）

第八十九条の七　派遣職員に関する子ども・子育て支援法の規定の適用については、機構を同法第六十九条第一項第四号に規定する団体とみなす。

（国共済法等の適用関係等についての政令への委任）

第八十九条の八　この節に定めるもののほか、派遣職員に関する国共済法、地方公務員等共済組合法、子ども・子育て支援法その他これらに類する法律の適用関係の調整を要する場合におけるその適用関係その他必要な事項は、政令で定める。

（一般職の職員の給与に関する法律の特例）

第八十九条の九　第八十九条の三第一項の規定による派遣の期間中又はその期間の満了後における当該国の職員に関する一般職の職員の給与に関する法律第二十三条第一項及び附則第六項の規定の適用については、機構における特定業務（当該特定業務に係る労働者災害補償保険法第七条第二項に規定する通勤（当該特定業務に係る就業の場所を国家公務員災害補償法第一条の二第一項第一号及び第二号に規定する勤務場所とみなした場合に同条に規定する通勤に該当するものに限る。次条第一項において同じ。）を含む。）を公務とみなす。

（国家公務員退職手当法の特例）

第八十九条の十　第八十九条の三第一項の規定による派遣の期間中又はその期間の満了後に当該国の職員が退職した場合における国家公務員退職手当法の規定の適用については、機構における特定業務に係る業務上の傷病又は死亡は同法第四条第二項、第五条第一項及び第六条の四第一項に規定する公務上の傷病又は死亡と、当該特定業務に係る労働者災害補償保険法第七条第二項に規定する通勤による傷病は国家公務員退職手当法第四条第二項、第五条第二項及び第六条の四第一項に規定する通勤による傷病とみなす。

2　派遣職員に関する国家公務員退職手当法第六条の四第一項及び第七条第四項の規定の適用については、第八十九条の三第一項の規定による派遣の期間は、同法第六条の四第一項に規定する現実に職務をとることを要しない期間には該当しないものとみなす。

3　前項の規定は、派遣職員が機構から所得税法第三十条第一項に規定する退職手当等の支払を受けた場合には、適用しない。

4　派遣職員がその派遣の期間中に退職した場合に支給する国家公務員退職手当法の規定による退職手当の算定の基礎となる俸給月額については、部内の他の職員との権衡上必要があると認められるときは、次条第一項の規定の例により、その額を調整することができる。

（派遣後の職務への復帰に伴う措置）

第八十九条の十一　派遣職員が職務に復帰した場合におけるその者の職務の級及び号俸については、部内の他の職員との権衡上必要と認められる範囲内において、人事院規則の定めるところにより、必要な調整を行うことができる。

2　前項に定めるもののほか、派遣職員が職務に復帰した場合における任用、給与等に関する処遇については、部内の他の職員との均衡を失することのないよう適切な配慮が加えられなければならない。

（人事院規則への委任）

第八十九条の十二　この節に定めるもののほか、機構において国の職員が特定業務を行うための派遣に関し必要な事項は、人事院規則で定める。

（機構の役員及び職員の地位）

第八十九条の十三　機構の役員及び職員は、刑法その他の罰則の適用については、法令により公務に従事する職員とみなす。

○人事院規則一—七四（職員の公益財団法人福島イノベーション・コースト構想推進機構への派遣）

令二・六・一二制定
令二・六・一二施行

最終改正 令六・一・二三規則九—一五一

（趣旨）

第一条 この規則は、福島復興再生特別措置法（平成二十四年法律第二十五号）に規定する職員の公益財団法人福島イノベーション・コースト構想推進機構（平成二十九年七月二十五日に一般財団法人福島イノベーション・コースト構想推進機構という名称で設立された法人をいう。以下「機構」という。）への派遣に関し必要な事項を定めるものとする。

（定義）

第二条 この規則において、「任命権者」、「特定業務」又は「派遣職員」とは、それぞれ福島復興再生特別措置法第四十八条の二第一項、第八十九条の二第一項又は第八十九条の三第七項に規定する任命権者、特定業務又は派遣職員をいう。

（派遣除外職員）

第三条 福島復興再生特別措置法第八十九条の三第一項の規定による派遣の場合における同法第四十八条の二第一項の人事院規則で定める職員は、次に掲げる職員とする。

一 条件付採用期間中の職員
二 法第八十一条の五第一項から第四項までの規定により異動期間（これらの規定により延長された期間を含む。）を延長された管理監督職を占める職員
三 勤務延長職員
四 休職者
五 停職者
六 派遣法第二条第一項の規定により派遣されている職員
七 官民人事交流法第八条第二項に規定する交流派遣職員
八 法科大学院派遣法第四条第三項又は第十一条第一項の規定により派遣されている職員
九 福島復興再生特別措置法第四十八条の三第一項の規定により派遣されている職員
十 令和七年国際博覧会特措法第二十五条第一項の規定により派遣されている職員
十一 令和九年国際園芸博覧会特措法第十五条第一項の規定により派遣されている職員
十二 判事補及び検事の弁護士職務経験に関する法律（平成十六年法律第百二十一号）第二条第四項の規定により弁護士となってその職務を行う職員
十三 規則八—一二（職員の任免）第四十二条第二項の規定により任期を定めて採用された職員その他任期を限られた職員

（任命権者）

第四条 福島復興再生特別措置法第八十九条の三第一項の規定による派遣の場合における同法第四十八条の二第一項の任命権者には、併任に係る官職の任命権者は含まれないものとする。

（派遣の要請）

第五条 機構は、福島復興再生特別措置法第八十九条の二第一項の規定に基づき職員の派遣を要請しようとするときは、当該派遣を必要とする事由及び次に掲げる当該派遣に関して希望する条件を記載した書類を任命権者に提出するものとする。

一 派遣に係る職員に必要な専門的な知識経験等
二 派遣に係る職員の機構における地位及び業務内容
三 派遣の期間
四 派遣に係る職員の機構における勤務時間、特定業務に係る報酬等（報酬、賃金、給料、俸給、手当、賞与その他いかなる名称であるかを問わず、特定業務の対償として受ける全てのものをいう。以下同じ。）その他の勤務条件
五 前各号に掲げるもののほか、機構が必要と認める条件

（派遣に係る取決め）

第六条 福島復興再生特別措置法第八十九条の三第三項の人事院規則で定める事項は、次に掲げる事項とする。

一 福島復興再生特別措置法第八十九条の三第一項の規定により派遣される職員（以下この条において「派遣予定職員」という。）の機構における職務に係る倫理その他の服務に関する事項

二　派遣予定職員の機構における福利厚生に関する事項
三　派遣予定職員の機構における特定業務の従事の状況の連絡に関する事項
四　派遣予定職員に係る派遣の期間の変更その他の取決めの内容の変更に関する事項
五　派遣予定職員に係る取決めに疑義が生じた場合及び当該取決めに定めのない事項が生じた場合の取扱いに関する事項

（派遣職員の保有する官職）
第七条　派遣職員は、派遣された時に占めていた官職又はその派遣の期間中に異動した官職を保有するものとする。ただし、併任に係る官職についてはこの限りではない。
2　前項の規定は、当該官職を他の職員をもって補充することを妨げるものではない。

（派遣職員の職務への復帰）
第八条　福島復興再生特別措置法第八十九条の四第二項の人事院規則で定める場合は、次に掲げる場合とする。
一　派遣職員が機構における地位を失った場合
二　派遣職員が法第七十八条第二号又は第三号に該当することとなった場合
三　派遣職員が法第七十九条各号のいずれかに該当することとなった場合又は水難、火災その他の災害により生死不明若しくは所在不明となった場合
四　派遣職員が法第八十二条第一項各号のいずれかに該当することとなった場合
五　派遣職員の派遣が当該派遣に係る取決めに反することとなった場合

（派遣に係る人事異動通知書の交付）
第九条　任命権者は、次に掲げる場合には、職員に対して、規則八—一二第五十八条の規定による人事異動通知書を交付しなければならない。
一　福島復興再生特別措置法第八十九条の三第一項の規定により職員を派遣した場合
二　派遣職員に係る派遣の期間を延長した場合
三　派遣の期間の満了により派遣職員が職務に復帰した場合
四　派遣職員を職務に復帰させた場合

（派遣職員の給与）
第十条　派遣職員には、機構から受ける特定業務に係る報酬等（通勤手当、在宅勤務等手当、特殊勤務手当、超過勤務手当、休日給、夜勤手当、宿日直手当及び管理職員特別勤務手当（以下この項において「通勤手当等」という。）に相当するものを除く。以下この条において「派遣先報酬等」という。）の年額が、派遣職員に係る派遣の期間の初日の前日における給与の額を基礎とし、給与法第八条第六項の規定により標準号俸数（同条第七項に規定する人事院規則で定める基準において当該職員に係る標準となる号俸数をいう。）を昇給するものとして算定した給与（通勤手当等を除く。）の年額（当該年額が部内の他の職員との均衡を著しく失すると認められる場合にあっては、人事院の定めるところにより算定した額。以下この条において「派遣前給与の年額」という。）に満たない場合であって、機構において特定業務が円滑かつ効果的に行われることを確保するため特に必要があると認められるときは、当該派遣の期間中、俸給、扶養手当、地域手当、広域異動手当、研究員調整手当、住居手当及び期末手当（以下この条並びに附則第二項及び第三項において「俸給等」という。）のそれぞれ百分の百以内を支給することができる。
2　派遣職員がその派遣の期間中に前項に規定する場合に該当することとなった場合においても、当該該当することとなった日以後の当該派遣の期間中、俸給等のそれぞれ百分の百以内を支給することができる。
3　前二項の規定により支給される俸給等の支給割合を決定するに当たっては、決定された支給割合により支給されることとなる俸給等の年額が、派遣前給与の年額から派遣先報酬等の年額を減じた額を超えてはならない。
4　俸給等の支給及び支給割合は、派遣職員に係る派遣の期間の初日（第二項の規定により俸給等を支給されることとなった場合にあっては、当該支給されることとなった日）から起算して一年ごとに見直すものとし、俸給等の年額が派遣前給与の年額から派遣先報酬等の年額を減じた額を超える場合その他特に必要があると認められる場合には、第一項及び前項の規定の例により、俸給等の支給割合を変更し、又は俸給等を支給しないものとする。
5　俸給等の支給及び支給割合は、前項に規定する場合のほか、派遣先報酬等の額又は俸給等の額の変動があった場合において、俸給等の年額が派遣前給与の年額から派遣先報酬等の年額を減じた額を超えるときその他特に必要があると認められるときは、第一項及び第三項の規定の

例により、俸給等の支給割合を変更し、又は俸給等を支給しないものとする。

6　前項の規定により俸給等の支給割合を変更した場合における第四項の規定の適用については、「派遣職員に係る派遣の期間の初日（第二項の規定により俸給等を支給されることとなった場合にあっては、当該支給されることとなった日）」とあるのは、「派遣先報酬等の額又は俸給等の額の変動があった日」とする。

（派遣職員の職務復帰時における給与の取扱い）

第十一条　派遣職員が職務に復帰した場合において、部内の他の職員との均衡上特に必要があると認められるときは、規則九—八（初任給、昇格、昇給等の基準）第二十条の規定にかかわらず、人事院の定めるところにより、その職務に応じた職務の級に昇格させることができる。

第十二条　派遣職員が職務に復帰した場合において、部内の他の職員との均衡上必要があると認められるときは、その派遣の期間を百分の百以下の換算率により換算して得た期間を引き続き勤務したものとみなして、その職務に復帰した日、同日後における最初の昇給日（規則九—八第三十四条に規定する昇給日をいう。以下この項において同じ。）又はその次の昇給日に、昇給の場合に準じてその者の号俸を調整することができる。

2　派遣職員が職務に復帰した場合における号俸の調整について、前項の規定による場合には部内の他の職員との均衡を著しく失すると認められるときは、同項の規定にかかわらず、あらかじめ人事院と協議して、その者の号俸を調整することができる。

（報告）

第十三条　派遣職員は、任命権者から求められたときは、機構における勤務条件及び業務の遂行の状況について報告しなければならない。

2　任命権者は、人事院の定めるところにより、毎年五月末日までに、前年の四月一日に始まる年度内において福島復興再生特別措置法第八十九条の三第一項の規定により派遣されている期間のある職員の派遣の期間並びに機構における地位、業務内容及び特定業務に係る報酬等の月額等の状況並びに同項の規定による派遣から当該年度内に職務に復帰した職員の当該復帰後の処遇等に関する状況について、人事院に報告しなければならない。

附　則

（施行期日）

1　この規則は、公布の日から施行する。

（給与法附則第八項の規定の適用を受ける派遣職員の給与）

2　派遣職員が給与法附則第八項の規定の適用を受ける職員となった場合には、当分の間、同項の規定の適用を受ける職員となった日を派遣の期間の初日の前日とみなして、第十条第一項及び第三項の規定の例により、俸給等の支給割合を決定し、又は俸給等を支給しないものとする。

3　前項の規定により、俸給等の支給割合を決定し、又は俸給等を支給しないものとした場合における第十条の規定の適用については、同条第一項中「派遣の期間の初日の前日」とあるのは「給与法附則第八項の規定の適用を受ける職員となった日」と、同条第二項中「前項」とあるのは「附則第三項の規定により読み替えられた前項」と、同条第三項中「前二項」とあるのは「附則第三項の規定により読み替えられた前二項」と、同条第四項中「派遣の期間の初日（」とあるのは「給与法附則第八項の規定の適用を受ける職員となった日（附則第三項の規定により読み替えられた」と、「第一項」とあるのは「附則第三項の規定により読み替えられた第一項」と、同条第五項中「前項」とあるのは「附則第三項の規定により読み替えられた前項」と、「第一項」とあるのは「附則第三項の規定により読み替えられた第一項」と、同条第六項中「前項」とあるのは「附則第三項の規定により読み替えられた前項」と、「第四項」とあるのは「附則第三項の規定により読み替えられた第四項」と、「派遣の期間の初日（」とあるのは「給与法附則第八項の規定の適用を受ける職員となった日（附則第三項の規定により読み替えられた」とする。

附　則（令二・一二・二八規則一—七六）（抄）

（施行期日）

1　この規則は、公布の日から施行する。

附　則（令三・九・一規則一—七七）

この規則は、公布の日から施行する。

附　則（令四・二・一八規則一—七九）（抄）

（施行期日）

第一条　この規則は、令和五年四月一日から施行する。

附　則（令四・六・二四規則一—八一）

この規則は、公布の日から施行する。

附　則（令四・七・一規則一—七四—一）

この規則は、公布の日から施行する。

附　則（令六・一・二三規則九—一五一）（抄）

（施行期日）

第一条　この規則は、令和六年四月一日から施行する。

○職員の公益財団法人福島イノベーション・コースト構想推進機構への派遣の運用について（通知）

令二・六・一二
人企五九七

改正　令四・二・一八事企法―三七

福島復興再生特別措置法（平成二十四年法律第二十五号）及び人事院規則一―七四（職員の公益財団法人福島イノベーション・コースト構想推進機構への派遣）（以下「規則」という。）の運用について下記のとおり定めたので、令和二年六月十二日以降は、これによってください。

記

福島復興再生特別措置法第八十九条の三関係

この条の第一項、第四項及び第五項の規定による職員の同意は、文書により行うものとする。

規則第三条関係

この条の第三号の「勤務延長職員」とは、国家公務員法（昭和二十二年法律第百二十号）第八十一条の七第一項又は第二項の規定により定年退職日の翌日以降引き続いて勤務している職員をいう。

規則第九条関係

人事異動通知書の「異動内容」欄の記入要領は、次のとおりとする。

一　福島復興再生特別措置法第八十九条の三第一項の規定により職員を派遣する場合

「公益財団法人福島イノベーション・コースト構想推進機構に派遣する派遣の期間は　年　月　日から　年　月　日までとする

派遣の期間中、俸給、扶養手当、地域手当、広域異動手当、研究員調整手当、住居手当及び期末手当のそれぞれ百分の　を支給する（又は「派遣の期間中、給与は支給しない」）」

と記入する。

二　派遣職員（福島復興再生特別措置法第八十九条の三第七項に規定する派遣職員をいう。以下同じ。）の派遣の期間を延長する場合

「派遣の期間を　年　月　日まで延長する

延長に係る期間中、俸給、扶養手当、地域手当、広域異動手当、研究員調整手当、住居手当及び期末手当のそれぞれ百分の　を支給する（又は「延長に係る期間中、給与は支給しない」）」

と記入する。

三　派遣の期間の満了により派遣職員が職務に復帰した場合

「職務に復帰した（　年　月　日）」

と記入する。

四　派遣職員を職務に復帰させる場合

「職務に復帰させる」

と記入する。

五　派遣の期間中に俸給等（規則第十条第一項に規定する俸給等をいう。次号及び規則附則第二項関係において同じ。）を支給することとなったことに人事異動通知書を用いる場合

「　年　月　日以後、派遣の期間中、俸給、扶養手当、地域手当、広域異動手当、研究員調整手当、住居手当及び期末手当のそれぞれ百分の　を支給する」

と記入する。

六　派遣の期間中に俸給等の支給割合を変更すること又は俸給等を支給しないものとすることに人事異動通知書を用いる場合

「　年　月　日以後、派遣の期間中、俸給、扶養手当、地域手当、広域異動手当、研究員調整手当、住居手当及び期末手当の支給割合をそれぞれ百分の　とする（又は「　年　月　日以後、派遣の期間中、給与は支給しない」）」

と記入する。

規則第十条関係

1　この条の第一項の「当該年額が部内の他の職員との均衡を著しく失すると認められる場合」において、同項に規定する派遣前給与の年額を算定するときは、あらかじめ個別に事務総長に協議するものとする。

2　この条の第一項に規定する派遣前給与の年額の算定における勤勉手当の額は、派遣職員を人事院規則九―四〇（期末手当及び勤勉手当）第十三条第一項第一号ハ（専門スタッフ職俸給表の適用を受ける職員にあっては同項第二号ハ、指定職俸給表の適用を受ける職員にあっては同項第三号ロ）に掲げる職員であるものとした場合の同項の規定による成績率により算定した額によるものとする。

3　この条の規定による給与の支給割合の決定

等については、その過程を明確にして行うとともに、その内容を適切に把握しておくものとする。

規則第十一条関係

　福島復興再生特別措置法第八十九条の三第一項の規定による派遣後職務に復帰した職員を昇格させる場合には、次の各号に掲げる職員の区分に応じ、当該各号に定める職務の級に昇格させることができる。ただし、特別の事情によりこれにより難い場合には、あらかじめ事務総長に協議して、別段の取扱いをすることができる。

一　人事院規則九―八（初任給、昇格、昇給等の基準）第十一条第三項の規定により職務の級を決定された職員以外の職員　昇格させようとする日に新たに職員となったものとした場合のその者の経験年数がその者を昇格させようとする職務の級をその者の属する職務の級とみなした場合の給実甲第三二六号（人事院規則九―八（初任給、昇格、昇給等の基準）の運用について）第十五条関係第五項に規定する最短昇格期間（ただし、同規則第二十条第四項後段の規定に該当するときは、当該最短昇格期間に百分の五十以上百分の百未満の割合を乗じて得た期間とすることができる。）以上となる当該昇格させようとする職務の級

二　人事院規則九―八第十一条第三項の規定により職務の級を決定された職員

　当該派遣がなく引き続き職務に従事したものとみなして、その者が当該派遣の直前に属していた職務の級を基礎として昇格等の規定を適用した場合に、その者を昇格させようとする日に属することとなる職務の級を超えない範囲内の職務の級

規則第十二条関係

　この条の規定の適用については、給実甲第一九二号（復職時等における号俸の調整の運用について）に定めるところによる。

規則第十三条関係

　この条の第二項の規定による人事院への報告は、別紙様式の報告書により行うものとする。

規則附則第二項関係

1　この項の規定により、俸給等の支給割合を決定し、又は俸給等を支給しないものとすることとなった職員（同項の規定により俸給等の支給割合を決定し、又は俸給等を支給しないものとすることとなった日において、派遣の期間を延長され、規則第九条第二号に掲げる場合に同条の規定により人事異動通知書が交付される職員を除く。）に対しては、人事異動通知書又はこれに代わる文書（以下「通知書等」という。）により俸給等の支給割合又は俸給等を支給しない旨を通知するものとする。ただし、通知書等の交付によらないことを適当と認める場合には、適当な方法をもって通知書等の交付に代えることができる。

2　前項の規定による通知において、人事異動通知書を用いる場合の「異動内容」欄の記入要領は、規則第九条関係第六号の規定の例によるものとする。

以　上

（令和四年二月一八日事企法三八）

経過措置（抄）

2　令和三年改正法附則第三条第五項に規定する旧国家公務員法勤務延長職員に対する令和四年事企法―三七による改正後の次に掲げる人事院事務総長通知の規定の適用については、これらの規定中「第八十一条の七第一項又は第二項」とあるのは、「第八十一条の七第一項若しくは第二項又は国家公務員法等の一部を改正する法律（令和三年法律第六十一号）附則第三条第五項若しくは第六項」とする。

四　「職員の公益財団法人福島イノベーション・コースト構想推進機構への派遣の運用について（令和二年六月十二日人企―五九七）」規則第三条関係

別紙

公益財団法人福島イノベーション・コースト構想推進機構への派遣に関する状況報告書

（　枚のうち　枚目）

令和　年度分

府省名

1 派遣の状況

氏名	派遣時の状況		派遣の期間	給与支給割合（%）	福島イノベーション・コースト構想推進機構における職員の状況			備考
	所属部課・官職	級号俸			地位	業務内容	報酬等の月額	
①	②	③	④	⑤	⑥	⑦	⑧	⑨
		-	～	%			円	
		-	～	%			円	
		-	～	%			円	
		-	～	%			円	
		-	～	%			円	
		-	～	%			円	
		-	～	%			円	
		-	～	%			円	
		-	～	%			円	
		-	～	%			円	
		-	～	%			円	
		-	～	%			円	
		-	～	%			円	
		-	～	%			円	
		-	～	%			円	
		-	～	%			円	
		-	～	%			円	

A4

（　枚のうち　枚目）

2 派遣及び復帰の状況

氏名	派遣時の状況		派遣の期間	給与支給割合（%）	福島イノベーション・コースト構想推進機構における職員の状況			職務復帰後における職員の状況		備考
	所属部課・官職	級号俸			地位	業務内容	報酬等の月額	所属部課・官職	給与上の処遇	
⑩	⑪	⑫	⑬	⑭	⑮	⑯	⑰	⑱	⑲	⑳
		-	～	%			円			
		-	～	%			円			
		-	～	%			円			
		-	～	%			円			
		-	～	%			円			
		-	～	%			円			
		-	～	%			円			
		-	～	%			円			
		-	～	%			円			
		-	～	%			円			
		-	～	%			円			
		-	～	%			円			
		-	～	%			円			
		-	～	%			円			
		-	～	%			円			
		-	～	%			円			
		-	～	%			円			

3 令和　年度末現在派遣職員総数　　名

作成者官職・氏名

A4

（記入要領）

1　前年度において、福島イノベーション・コースト構想推進機構へ派遣されている期間のある職員（2に規定する職員を除く。）については、「1　派遣の状況」に派遣された年度ごとにまとめて記入するものとする。
2　前年度内に復帰した職員については、「2　派遣及び復帰の状況」に記入するものとする。
3　③欄及び⑫欄には、「行（一）6－40」のように記入する。
4　④欄及び⑬欄には、「令和2年10月1日～令和4年9月30日（2年0月）」のように記入する。
5　⑥欄及び⑮欄には、「○○部○○課長」等と記入する。
6　⑧欄及び⑰欄には、特定業務に係る報酬等（報酬、賃金、給料、俸給、手当、賞与その他いかなる名称であるかを問わず、特定業務の対償として受ける全てのものをいう。）の月額（月額によらない場合は、月額に換算したもの）を記入する。
7　⑱欄には、職務復帰後の所属部課・官職（前年度において職務復帰後に異動があった場合には、最初の異動後の所属部課・官職）を記入する。
8　⑲欄には、職務復帰後において昇格、昇給等の措置を行った場合、その措置の内容を「復職時調整（6－52）」等と記入する。
9　派遣の期間中に一般職の職員の給与に関する法律（昭和25年法律第95号）附則第8項の規定の適用を受けることとなった職員については、⑨欄又は⑳欄に「　年　月　日給与法附則第8項適用」等と記入する。

第一二　外務公務員

○在外公館の名称及び位置並びに在外公館に勤務する外務公務員の給与に関する法律

昭二七・四・二一
法　九　三

最終改正　令六・一二・二五法七二

（在外公館の名称及び位置）

第一条　在外公館の名称及び位置は、別表第一のとおりとする。

（在外職員の給与）

第二条　在外公館に勤務する外務公務員（以下「在外職員」という。）には、大使及び公使にあつては俸給、期末手当及び在勤手当、大使及び公使以外の在外職員にあつては俸給、扶養手当、期末手当、勤勉手当及び在勤手当を支給する。

2　大使及び公使の俸給及び期末手当は、この法律中に特別の規定がある場合を除く外、特別職の職員の給与に関する法律（昭和二十四年法律第二百五十二号）の規定に基いて支給する。

3　大使及び公使以外の在外職員の俸給、扶養手当、期末手当及び勤勉手当は、この法律中に特別の規定がある場合を除くほか、一般職の職員の給与に関する法律（昭和二十五年法律第九十五号）（第十五条の規定を除く。）の規定に基づいて支給する。

（給与の支払）

第三条　在外職員の俸給、扶養手当、期末手当及び勤勉手当の支払は、当該在外職員が指定する者にすることができる。

（給与の支給方法）

第四条　在外職員の給与（期末手当及び勤勉手当を除く。）は、特別職の職員の給与に関する法律第八条並びに一般職の職員の給与に関する法律第九条及び第十一条第五項の規定にかかわらず、毎月一回その給与の月額をその月の下旬に支給する。ただし、この法律に別段の定めがある場合は、この限りでない。

2　在勤手当の計算期間は、月の一日から月の末日までとする。

3　在勤手当を支給する場合であつて、前項の計算期間の初日から末日まで支給するとき以外のときは、その額は、当該計算期間の現日数を基礎として日割によつて計算する。

4　第一項の規定にかかわらず、在外職員が二箇月以上の期間の家賃の前払をしなければ在外公館において勤務するのに必要な住宅を安定的に確保することができないと外務大臣が認めるときは、当該家賃の最初の前払の対象である二箇月以上の期間（当該期間が一年を超えるときは、当該期間の初日から始まる一年の期間。以下この項において「家賃前払期間」という。）に係る住居手当については、次の各号に掲げる場合の区分に応じ、当該各号に定める期間（以下この項並びに第十二条の二第三項及び第七項において「一括支給期間」という。）の各月の月額を合算した額を、一括支給期間の初日の属する月の下旬に一括して支給することができる。

一　家賃前払期間の末日が家賃前払期間の初日の属する年度の末日以前である場合　家賃前払期間

二　家賃前払期間の末日が家賃前払期間の初日の属する年度の末日後である場合　次のイ及びロに掲げるそれぞれの期間

イ　家賃前払期間の初日から当該初日の属する年度の末日までの期間

ロ　家賃前払期間の初日の属する年度の翌年度の初日から家賃前払期間の末日までの期間

（在勤手当）

第五条　在勤手当は、在外職員が在外公館において勤務するのに必要な衣食住等の経費に充当するために支給されるものとし、その額は、在外職員がその体面を維持し、且つ、その職務と責任に応じて能率を充分発揮することができるように在外公館の所在地における物価、為替相場及び生活水準を勘案して定めなければならない。

（在勤手当の種類）

第六条　在勤手当の種類は、在勤基本手当、住居手当、配偶者手当、子女教育手当、館長代理手当、特殊語学手当及び研修員手当とする。

2　在勤基本手当は、在外職員が在外公館において勤務するのに必要な衣食等の経費に充当するために支給する。

3　住居手当は、在外職員（国家公務員宿舎法（昭和二十四年法律第百十七号）第十条又は第十二条第一項の規定により公邸又は無料宿舎の貸与を受けるものを除く。）が在外公館において勤務するのに必要な住宅費に充当するために支給する。

4　配偶者手当は、配偶者（在外職員を除く。）を伴う在外職員に支給する。

5　子女教育手当は、在外職員の子のうち次に掲げるもので主として当該在外職員の収入によつて生計を維持しているもの（以下「年少子女」という。）が本邦以外の地において学校教育その他の教育を受けるのに必要な経費に充当するために支給する。

一　三歳以上十八歳未満の子

二　十八歳に達した子であつて、就学する学校（外務省令で定める学校を除く。）において、十八歳に達した日から、十九歳に達するまでの間に新たに所属する学年の開始日から起算して一年を経過する日までの間にあるもの

6　館長代理手当は、在外公館の長の事務の代理をする在外職員（以下「館長代理」という。）に支給する。

7　特殊語学手当は、特殊の語学の研修を命ぜられた在外職員に支給する。

8　研修員手当は、外務公務員法（昭和二十七年法律第四十一号）第十五条の規定に基づき外国において研修を命ぜられた者（以下「在外研修員」という。）に支給する。在外研修員には、研修員手当以外の在勤手当は、支給しない。

（調査報告書）

第七条　在外公館の長は、外務省令で定めるところにより、毎年定期的に、当該在外公館の所在地の物価指数、為替相場の変動状況その他在勤手当の額の検討のため必要な事項に関する調査報告書を外務大臣に提出しなければならない。

2　外務大臣は、前項の調査報告書が提出された場合には、これを審議会等（国家行政組織法（昭和二十三年法律第百二十号）第八条に規定する機関をいう。）で政令で定めるもの（以下「審議会」という。）に提示しなければならない。

（在勤手当の額の改訂）

第八条　審議会は、前条の調査報告書その他の資料により、たえず在勤手当の額を検討し、その改訂の必要があると認める場合には、適当と認める額を外務大臣に勧告することができる。

（在勤手当の額の臨時の改訂又は設定）

第九条　国会閉会中において、物価若しくは為替相場の著しい変動その他特別の事情により緊急に第十条第一項に定める範囲を超えて在勤基本手当の額を改訂し、若しくは研修員手当の額を改訂する必要を生じた場合又は在外公館の増置に伴つて在勤基本手当の基準額を新たに設定する必要を生じた場合には、最近の国会においてこの法律が改正されるまでの間、予算の範囲内において、政令で臨時にその改訂又は設定をすることができる。

（戦争等による特別事態の際の在勤手当）

第九条の二　戦争、事変、内乱等による特別事態が発生している地に所在する在外公館として外務大臣が指定するものに勤務する在外職員（休暇帰国のため在勤地（在外職員が勤務する在外公館又は在外研修員が研修を受ける場所から八キロメートル以内の地域をいう。以下同じ。）を離れている在外職員を除く。）に支給する在勤基本手当の額は、当該指定がされた日から当該指定が解除される日の前日までの間は、前条又は次条第一項の規定に基づき当該在外職員に支給すべきものとされる在勤基本手当の額にその額の百分の十五に相当する額を加算した額とする。この場合において、当該在外職員に関する第十三条及び第十八条第一項の規定の適用については、第十三条中「現に受ける在勤基本手当（館長代理手当を受けている者にあつては、当該手当を含む。）の支給額」とあるのは「第九条の二第一項前段の規定の適用がないものとした場合に受けるべき在勤基本手当の額（館長代理手当を受けている在外職員にあつては、同項前段の規定の適用がないものとした場合に当該在外職員が受けるべき当該手当の額を当該在勤基本手当の額に加算した額）」と、同項中「現に受ける在勤基本手当の支給額」とあるのは「第九条の二第一項前段の規定の適用がないものとした場合に受けるべき在勤基本手当の額」とする。

2　在勤地において前項の特別事態が発生したことに伴い一時在勤地以外の地に駐在を命ぜられた在外職員に対する在勤手当の支給については、その地を新在勤地とみなすものとし、その者に、その地に所在する在外公館について定められている在勤手当（その地に在外公館が所在していない場合その他外務省令で定める場合には、旧

在勤地に所在する在外公館について定められている在勤手当（当該在勤手当について前項前段の規定の適用があるときは、その適用がないものとした場合の在勤手当）を支給する。

3 前項の規定による在勤手当の支給を受ける在外職員について、旧在勤地の状況に鑑み旧在勤地で居住していた住宅を確保しておく必要があることその他当該住宅の賃貸借を終了させることができないやむを得ない事情があると外務大臣が認めるときは、当該在外職員が当該住宅の家賃を現に支払つた期間について、同項の規定による在勤手当に加え、従前のとおり当該住宅に係る住居手当を支給することができる。

4 第一項の指定に関し必要な事項は、外務省令で定める。

（在勤基本手当の支給額）

第十条 在勤基本手当の月額は、別表第二に定める基準額（第九条の規定に基づき、在外公館の増置に伴つて設定された基準額を含む。）の百分の七十五から百分の百二十五までの範囲内において在外公館の種類、所在国又は所在地及び号の別によつて政令で定める額を外務省令で定める換算率により外国通貨に換算した額（外務大臣が特に必要があると認める在外職員については、当該政令で定める額）とする。

2 在勤基本手当の号の適用その他在勤基本手当の支給に関し必要な事項は、外務省令で定める。

（在勤基本手当の支給期間）

第十一条 在勤基本手当は、在外職員が在勤地に到着した日の翌日から、帰国（出張のための帰国を除く。）を命ぜられて在勤地を出発する日又は新在勤地への転勤を命ぜられて旧在勤地を出発する日の前日まで（以下「在勤基本手当の支給期間」という。）、支給する。

2 外国において新たに在外職員となつた者には、その日から在勤基本手当を支給する。

3 在勤基本手当の支給期間中に在勤基本手当の号別に異動を生じた在外職員には、その日から新たに定められた号別により在勤基本手当を支給する。

4 在外職員が離職し、又は死亡したときは、その日まで在勤基本手当を支給する。

5 在勤基本手当の支給期間中に本邦へ出張を命ぜられ、又は休暇帰国を許された在外職員で、在勤地を出発した日から在勤地に帰着する日までの期間が六十日をこえるものには、第一項の規定にかかわらず、六十日をこえる期間についての在勤基本手当は、支給しない。

（住居手当の支給額）

第十二条 住居手当の月額は、在外職員が居住している家具付きでない住宅の一箇月に要する家賃の額（在外職員が居住している住宅が家具付きである場合には、それが家具付きでないものとしたときに支払われるべき家賃の額）から政令で定める額を控除した額に相当する額とする。ただし、予算の範囲内において在外公館の種類、所在国又は所在地及び号の別によつて政令で定める額（次項において「限度額」という。）を限度とする。

2 前項ただし書（限度に係る部分に限る。）の規定にかかわらず、次の各号に掲げる在外職員に支給する住居手当の月額の限度は、当該在外職員の区分に応じ、当該各号に定める額とする。

一 次のいずれかに掲げる者（次号及び次条において「配偶者等」という。）を伴う在外職員以外の者（次号に該当する者を除く。） 限度額の百分の八十に相当する額

イ 配偶者（届出をしないが事実上婚姻関係と同様の事情にある者を含む。次条第六項において同じ。）

ロ 子（主として在外職員の収入によつて生計を維持している者に限る。次条第六項において同じ。）

二 外務省設置法（平成十一年法律第九十四号）第九条第四項の規定により在外公館長の事務を代理すべき者として指定されている在外職員のうち外務大臣が特に指定するもの 限度額の百分の百十に相当する額（配偶者等を伴う在外職員以外の者にあつては、その額の百分の八十に相当する額）

3 前項第二号に該当する在外職員が外務省設置法第九条第四項に規定する指定を解除された場合において、外務省令で定めるところによりやむを得ない事情があると認めるときは、外務省令で定める期間に限り、当該指定を解除された在外職員に対し、前項第二号の額を限度として住居手当を支給することができる。

4 住居手当の号の適用その他住居手当の支給に関し必要な事項は、外務省令で定める。

（住居手当の支給期間等）

第十二条の二 住居手当は、在勤基本手当の支給期間、支給する。

2 外国において新たに在外職員となつた者には、

その日から住居手当を支給する。

3 住居手当の支給期間中に住居手当の号別に異動を生じた在外職員には、その日から新たに定められた号別により住居手当を支給する。この場合において、当該異動を生じた日が一括支給期間内にあるときは、同日の属する月の下旬に、当該一括支給期間の各月の住居手当の月額を合算した額が第四条第四項の規定により一括して支給した額を超える場合にあつてはその差額を支給し、当該合算した額が当該一括して支給した額に満たない場合にあつてはその差額を返納させるものとする。

4 住居手当の支給期間の終了後、やむを得ない事故のため、外務大臣の許可を得て、引き続き配偶者を旧在勤地に残留させる在外職員には、第一項の規定にかかわらず、百八十日以内においてその事故の存する間、従前のとおり住居手当を支給することができる。

5 在外職員が離職し、又は死亡したときは、その日まで住居手当を支給する。ただし、当該在外職員が死亡した場合において、外務大臣が特に必要があると認めるときは、死亡した日の翌日から百八十日を超えない期間を限り、当該在外職員が死亡当時伴つていた配偶者等に従前の住居手当の支給額に相当する額を支給することができる。

6 前項ただし書の規定による配偶者等への支給の順位は、配偶者及び子の順序とし、同順位者がある場合には、年長者を先にする。

7 在外職員に第四条第四項の規定により住居手当を一括して支給した場合において、次の各号に掲げる事由が生じたときは、当該在外職員（当該在外職員が死亡したときは、当該在外職員が死亡当時伴つていた配偶者等又は当該在外職員の相続人）に、当該各号に掲げる事由の区分に応じ、当該各号に定める額を返納させるものとする。

一 一括支給期間中における当該在外職員に係る住居手当の支給期間の終了（第九条の二第二項の規定により同項に規定する在勤地以外の地を新在勤地とみなされたことによる住居手当の支給期間の終了を除く。） 第四条第四項の規定により一括して支給した額（一括支給期間中に住居手当の号別に異動を生じたときは、当該一括して支給した額に、第三項後段の規定により支給した額を加算し、又は当該一括して支給した額から同項後段の規定により返納させた額を減額した額。第三号において「一括支給額」という。）と一括支給期間中に支給されるべき住居手当の月額を合算した額との差額（次号において「返納差額」という。）

二 一括支給期間中における当該在外職員の離職又は死亡 返納差額

三 当該在外職員が一括支給期間中に第九条の二第二項の規定による在勤手当の支給を受けることとなつた場合において、当該在外職員が旧在勤地で居住していた住宅の賃貸人から当該在外職員が前払をした家賃の全部又は一部の返還を受けたこと（当該一括支給期間の終了後に当該返還を受けた場合を含み、当該返還を受けた家賃に係る期間の日数が当該前払の対象である期間のうち当該一括支給期間の末日後の期間の日数を超える場合に限る。） 一括支給額に、当該返還を受けた家賃に係る期間の日数から当該前払の対象である期間のうち当該一括支給期間の末日後の期間の日数を減じた日数を当該一括支給期間の日数で除して得た率を乗じて得た額

（配偶者手当の支給額）

第十三条 配偶者手当の支給額は、配偶者手当を受ける在外職員が現に受ける在勤基本手当（館長代理手当を受けている者にあつては、当該手当を含む。）の支給額の百分の二十に相当する額とする。

（配偶者手当の支給期間）

第十四条 配偶者手当は、在外職員の在勤基本手当の支給期間中において、当該在外職員の配偶者が当該在外職員の在勤地に到着した日の翌日（在外職員の配偶者が当該在外職員の在勤地において配偶者となつた場合にあつては、配偶者となつた日）から、当該在外職員の在勤基本手当の支給期間の終了する日（その配偶者がその日の前に帰国する場合にあつてはその配偶者が帰国のためその地を出発する日の前日、その配偶者がその日の前に配偶者でなくなつた場合又は死亡した場合にあつては、配偶者でなくなつた日又は死亡した日）まで、支給する。

2 在勤基本手当の支給期間の終了後、やむを得ない事故のため、外務大臣の許可を得て、引き続き配偶者を旧在勤地に残留させる在外職員には、前項の規定にかかわらず、百八十日以内の期間においてその事故の存する間、従前のとお

り配偶者手当を支給することができる。

3　配偶者手当を受ける在外職員が離職し、又は死亡したときは、その日まで配偶者手当を支給する。但し、当該在外職員が死亡した場合において、外務大臣が特に必要があると認めるときは、死亡した日の翌日から百八十日をこえない期間を限り、引き続き当該在外職員の配偶者に配偶者手当を支給することができる。

（子女教育手当の支給額）

第十五条　子女教育手当の月額は、年少子女一人につき八千円を外務省令で定める換算率により外国通貨に換算した額（外務大臣が特に必要があると認める在外職員については、年少子女一人につき八千円）とする。

2　在外職員の年少子女が適当な学校教育を受けるのに相当な経費を要する地として外務大臣が指定する地（以下この項及び第五項において「指定地」という。）に所在する在外公館に勤務する在外職員の年少子女（五歳以上の年少子女であつて、学校教育法（昭和二十二年法律第二十六号）に規定する小学校、中学校又は高等学校に相当するものとして外務大臣が認める教育施設において教育を受けるべきもの（五歳の年少子女にあつては、当該教育施設において教育を受けることについて合理的な理由がある場合として外務大臣が定める場合に該当するものに限る。以下この項から第四項までにおいて同じ。）が当該在外公館の所在する指定地又はその他の指定地において学校教育を受けるときは、当該在外職員に支給する子女教育手当の月額は、前項の規定にかかわらず、当該年少子女一人につき、八千円に、次の各号に掲げる場合の区分に応じ、それぞれ当該各号に定める額から自己負担額（我が国における教育に関する支出の実態等を勘案し在外職員が年少子女の教育のために自ら負担すべき額として政令で定める額をいう。以下この条において同じ。）を控除した額を加算した額を、外務省令で定める換算率により外国通貨に換算した額（外務大臣が特に必要があると認める在外職員については、当該年少子女一人につき、当該加算した額）とする。

一　在外職員の年少子女が当該在外職員の勤務する在外公館の所在する指定地において学校教育を受ける場合にあつては、次の額のうちいずれか少ない額

イ　適当な学校教育を受けるのに必要な授業料その他の経費（外務省令で定める費目に係るものに限る。以下この条及び次条第三項において「必要経費」という。）として外務大臣が当該在外職員の勤務する在外公館の所在する指定地において標準的であると認定する額

ロ　現に要する当該年少子女に係る必要経費の額

二　在外職員の年少子女が前号に規定する指定地以外の指定地において学校教育を受ける場合にあつては、次の額のうち最も少ない額

イ　前号イに規定する額

ロ　当該年少子女が学校教育を受ける指定地における必要経費として外務大臣が標準的であると認定する額

ハ　前号ロに規定する額

3　在外職員の勤務する在外公館の所在する地であつて、当該在外職員の年少子女に適当な学校教育を受けさせることができない地として外務大臣が定める地に所在する在外公館に勤務する在外職員の年少子女が当該在外公館の所在する地以外の地（本邦を除く。）において学校教育を受けるときにおける当該在外職員に支給する子女教育手当の月額は、第一項の規定にかかわらず、当該年少子女一人につき、八千円に、次の各号に規定する額のうちいずれか少ない額から自己負担額を控除した額を加算した額を、外務省令で定める換算率により外国通貨に換算した額（外務大臣が特に必要があると認める在外職員については、当該年少子女一人につき、当該加算した額）とする。

一　在外職員の勤務する在外公館の所在する地以外の地における学校教育に係る必要経費として外務大臣が当該年少子女の学校教育を受ける地において標準的であると認定する額

二　前項第一号ロに規定する額

4　前二項の場合において、在外職員の年少子女が学校教育を受ける地に海外に在留する邦人の子女のための在外教育施設（外務大臣が指定する施設に限る。）が所在し、かつ、当該年少子女が当該在外教育施設において教育を受けないことについて合理的な理由がある場合として外務大臣が定める場合に該当しないときは、加算される額は、十五万円を限度とする。

5　指定地に所在する在外公館に勤務する在外職員の年少子女（六歳未満の年少子女（第二項又

は第三項の規定の適用を受ける者を除く。）、又は六歳以上の年少子女であつて学校教育法に規定する幼稚園に相当するものとして外務大臣が認める教育施設において教育を受けるべきものに限る。）が当該在外公館の所在する指定地又はその他の指定地において学校教育を受けるときは、当該在外職員に支給する子女教育手当の月額は、第一項の規定にかかわらず、当該年少子女一人につき、八千円に、現に要する当該年少子女に係る必要経費の額から自己負担額を控除した額を加算した額を、外務省令で定める換算率により外国通貨に換算した額（外務大臣が特に必要があると認める在外職員については、当該年少子女一人につき、当該加算した額）とする。この場合において、加算される額は、五万千円を限度とする。

（子女教育手当の支給期間）

第十五条の二　子女教育手当は、在外職員の在勤基本手当の支給期間中において、当該在外職員の年少子女（次項の規定に該当するものを除く。以下この項において同じ。）が当該在外職員の在勤地に到着した日の翌日（在外職員の年少子女が当該在外職員の在勤地において年少子女に該当することとなつた者である場合にあつては、年少子女に該当することとなつた日）から、当該在外職員の在勤基本手当の支給期間の終了する日（その年少子女がその日の前に帰国する場合（その地を出発する日からその地に帰着する日までの期間が六十日以内である場合を除く。）にあつてはその年少子女が帰国のためその地を出発する日の前日、その年少子女がその日の前に年少子女に該当しないこととなつた場合又は死亡した場合にあつては年少子女に該当しないこととなつた日又は死亡した日）まで、支給する。ただし、その期間が六十日以内である場合は、この限りでない。

2　在外職員の年少子女が当該在外職員の在勤地及び本邦以外の地において学校教育その他の教育を受ける場合には、その地において当該教育を受けることにつき相当の事情があると外務大臣が認める場合に限り、前項の規定に準じて外務省令で定めるところにより、当該在外職員に子女教育手当を支給する。

3　第一項の規定にかかわらず、在外職員が当該在外職員の年少子女が教育を受ける教育施設に現に要する当該年少子女に係る必要経費の前払をした場合において、当該在外職員が外務省令で定めるやむを得ない事情により帰国（出張のための帰国を除く。）又は新在勤地への転勤を命ぜられたときは、前条各項に規定する当該在外職員に支給する子女教育手当については、既に支給した分の翌月分から当該前払の対象となる期間が終了するまでの期間（外務省令で定める期間に限る。）の各月の月額を合算した額を一括して支給することができる。ただし、当該教育施設から前払をした必要経費の全部又は一部の返還を受けたときは、その額を当該合算した額から控除するものとする。

4　子女教育手当を受ける在外職員が離職し、又は死亡したときは、その日まで子女教育手当を支給する。ただし、前項の規定により子女教育手当を一括して支給することとなる場合は、この限りでない。

5　前各項に定めるもののほか、第一項ただし書の期間がやむを得ない事情により六十日以内の期間にとどまることとなつた場合の子女教育手当の支給期間の特例その他子女教育手当の支給に関し必要な事項は、外務省令で定める。

（館長代理手当の支給額）

第十六条　館長代理手当の支給額は、館長代理手当を受ける在外職員が現に受ける在勤基本手当の支給額の百分の十に相当する額とする。ただし、その額と当該在外職員の現に受ける在勤基本手当の支給額との合計額は、代理される在外公館の長が受けるべき在勤基本手当の支給額を超えることができない。

（館長代理手当の支給期間）

第十七条　館長代理手当は、館長代理が在勤地に到着した日の翌日又は在外職員が在外公館の長の事務を代理した日からその代理をしなくなつた日まで支給する。ただし、当該代理期間が六十日未満のときは、この限りでない。

（特殊語学手当）

第十八条　特殊語学手当は、政令で定めるところにより、在外職員が現に受ける在勤基本手当の支給額の百分の二十を超えない範囲内において政令で定める額を外務省令で定める換算率により外国通貨に換算した額（外務大臣が特に必要があると認める在外職員については、当該政令で定める額）を支給する。

2　特殊語学手当の支給に関し必要な事項は、外務省令で定める。

（研修員手当の支給額）

第十九条　研修員手当の月額は、号の別によつて別表第三に定める額を外務省令で定める換算率により外国通貨に換算した額（外務大臣が特に必要があると認める在外研修員については、同表に定める額）とする。

2　研修員手当の号の適用その他研修員手当の支給に関し必要な事項は、外務省令で定める。

（研修員手当の支給期間）

第二十条　研修員手当は、在外研修員が在勤地に到着した日の翌日から在外研修員を免ぜられて帰国し又は他の在外公館に勤務するため在勤地を出発する日（同一の在外公館の館務に従事することを命ぜられた者にあつては、その命ぜられた日）の前日まで、支給する。

2　在外研修員が離職し、又は死亡したときは、その日まで研修員手当を支給する。

（給与の端数計算）

第二十一条　外国通貨をもつて定められた在外職員の給与の支給額に当該外国通貨の最低単位に満たない端数を生じたときは、当該端数を切り捨てて当該給与を支給することができる。

2　外国通貨をもつて定められた在外職員の給与を当該外国通貨とは異なる通貨で支給する必要がある場合において、当該外国通貨から当該異なる通貨に換算する際に当該異なる通貨の最低単位に満たない端数を生じたときは、当該端数を切り捨てて当該給与を支給することができる。

（罰則）

第二十二条　この法律の規定に違反して給与を支払い、若しくはその支払を拒み、又はこれらの行為を故意に容認した者は、一年以下の拘禁刑又は三万円以下の罰金に処する。

（国外犯罪）

第二十三条　前条の規定は、国外において同条の罪を犯した者にも適用する。

附　則（抄）

1　この法律は、公布の日から施行し、昭和二十七年四月一日から適用する。

3　日本政府在外事務所に置かれる職員の給与に関しこの法律を適用する場合には、当該職員を、在外公館の名称及び位置を定める法律（昭和二十七年法律第八十五号）の規定により当該日本政府在外事務所の所在地に置かれる大使館、公使館、総領事館又は領事館に勤務する在外職員とみなす。

4　在外職員に対しては、昭和二十七年度に限り、昭和二十七年度における国家公務員に対する臨時手当の支給に関する法律（昭和二十七年法律第百九十号）の規定に基いて、臨時手当を支給する。

5　昭和二十八年度に限り、在外公館の名称及び位置を定める法律等の一部を改正する法律（昭和二十八年法律第八十四号）施行の日に在職する大使及び公使に対しては、第二条の規定により大使及び公使に支給する期末手当のうち六月十五日に支給すべき期末手当に相当するものを同法施行の日から五日以内に支給する。

6　一般職の職員の給与に関する法律第十九条の四第二項の規定は、前項の期末手当の額について準用する。この場合において、同項中「それぞれその支給日」又は「支給日」とあるのは「在外公館の名称及び位置を定める法律等の一部を改正する法律（昭和二十八年法律第八十四号）施行の日」と、「職員」とあるのは「大使及び公使」と、「俸給、扶養手当及び勤務地手当の月額の合計額」とあるのは「俸給月額」と読み替えるものとする。

附　則（令二・三・三一法一〇）（抄）

この法律は、令和二年四月一日から施行する。〔ただし書略〕

附　則（令三・三・三一法六）

この法律は、令和三年四月一日から施行する。ただし、別表第一の改正規定は、政令で定める日〔令四・一・一〕から施行する。

附　則（令四・六・一七法六八）（抄）

（施行期日）

1　この法律は、刑法等一部改正法施行日〔令七・六・一〕から施行する。〔ただし書略〕

附　則（令五・三・三一法五）（抄）

この法律は、令和五年四月一日から施行する。〔ただし書略〕

附　則（令六・三・三〇法三）（抄）

この法律は、令和六年四月一日から施行する。〔ただし書略〕

附　則（令六・一二・二五法七二）（抄）

（施行期日等）

第一条　この法律は、公布の日から施行する。ただし、〔中略〕附則〔中略〕第十四条から第二十条までの規定は、令和七年四月一日から施行する。

2　〔略〕

別表第一　在外公館の名称及び位置（第一条関係）

〔略〕

別表第二　在勤基本手当の基準額（第十条関係）

〔略〕

㊟在外公館に勤務する外務公務員の在勤基本手当の額、住居手当に係る控除額及び限度額並びに子女教育手当に係る自己負担額を定める政令（昭和四十九年政令第百七十九号）第一条参照

別表第三 研修員手当（第十九条関係）

号別	1号	2号	3号	4号	5号	6号	7号	8号	9号	10号	11号	12号	13号	14号	15号
手当額	1,365,700円	1,354,700円	1,343,700円	1,332,700円	1,321,700円	1,310,700円	1,299,700円	1,288,700円	1,277,700円	1,266,700円	1,255,700円	1,244,700円	1,233,700円	1,222,700円	1,211,700円

16号	17号	18号	19号	20号	21号	22号	23号	24号	25号	26号	27号	28号	29号	30号	31号	32号
1,200,700円	1,189,700円	1,178,700円	1,167,700円	1,156,700円	1,145,700円	1,134,700円	1,123,700円	1,112,700円	1,101,700円	1,090,700円	1,079,700円	1,068,700円	1,057,700円	1,046,700円	1,035,700円	1,024,700円

33号	34号	35号	36号	37号	38号	39号	40号	41号	42号	43号	44号	45号	46号	47号	48号	49号
1,013,700円	1,002,700円	991,700円	980,700円	969,700円	958,700円	947,700円	936,700円	925,700円	914,700円	903,700円	892,700円	881,700円	870,700円	859,700円	848,700円	837,700円

50号	51号	52号	53号	54号	55号	56号	57号	58号	59号	60号	61号	62号	63号	64号	65号	66号
826,700円	815,700円	804,700円	793,700円	782,700円	771,700円	760,700円	749,700円	738,700円	727,700円	716,700円	705,700円	694,700円	683,700円	672,700円	661,700円	650,700円

67号	68号	69号	70号	71号	72号	73号	74号	75号	76号	77号	78号	79号	80号	81号	82号	83号
639,700円	628,700円	617,700円	606,700円	595,700円	584,700円	573,700円	562,700円	551,700円	540,700円	529,700円	518,700円	507,700円	496,700円	485,700円	474,700円	463,700円

84号	85号	86号	87号	88号	89号	90号	91号	92号	93号	94号	95号	96号	97号	98号	99号	100号
452,700円	441,700円	430,700円	419,700円	408,700円	397,700円	386,700円	375,700円	364,700円	353,700円	342,700円	331,700円	320,700円	309,700円	298,700円	287,700円	276,700円

101号	102号	103号	104号	105号	106号	107号	108号	109号	110号	111号	112号	113号	114号
265,700円	254,700円	243,700円	232,700円	221,700円	210,700円	199,700円	188,700円	177,700円	166,700円	155,700円	144,700円	133,700円	122,700円

○在外公館に勤務する外務公務員の在勤基本手当の額、住居手当に係る控除額及び限度額並びに子女教育手当に係る自己負担額を定める政令

昭四九・五・二七
政令一七九

最終改正　令七・四・九政令一七三

（在勤基本手当の月額）

第一条　在外公館の名称及び位置並びに在外公館に勤務する外務公務員の給与に関する法律（以下「法」という。）第十条第一項に規定する政令で定める額は、別表第一に定めるとおりとする。

（住居手当に係る控除額及び限度額）

第二条　法第十二条第一項本文に規定する政令で定める額（以下この項において「控除額」という。）は、同条第一項の家賃の額（国家公務員宿舎法（昭和二十四年法律第百十七号）第十三条に規定する有料宿舎（以下この項において「有料宿舎」という。）の場合には、外務省令で定める額）に別表第二の控除率欄に定める率を乗じて得た額とする。ただし、有料宿舎の場合において、当該率を乗じて得た額が当該有料宿舎の被貸与者が在アメリカ合衆国日本国大使館に勤務するとした場合に支給されることとなる在勤基本手当の月額の百分の十に相当する額を超えるときは、当該額をもつて控除額とする。

2　法第十二条第一項ただし書に規定する政令で定める額は、別表第二の限度額欄に定めるとおりとする。

（子女教育手当に係る自己負担額）

第三条　法第十五条第二項に規定する政令で定める額は、二万二千円とする。

附　則

1　この政令は、公布の日から施行する。

2　この附則に別段の定めがあるものを除くほか、第一条及び第二条の規定は、昭和四十九年四月分以後の在勤基本手当及び住居手当について適用する。

附　則（平二七・二・二七政令五六）

この政令は、平成二十七年三月一日から施行し、この政令による改正後の別表第一の規定（在チリ、在アルメニア、在ガーナ、在シエラレオネ、在ナミビア及び在リベリアの各日本国大使館に係る部分を除く。）は、平成二十六年八月一日から適用する。

附　則（平二七・三・三一政令一六八）

（施行期日）

1　この政令は、平成二十七年四月一日から施行する。

（経過措置）

2　在トンガ、在ミクロネシア、在トルクメニスタン、在ベラルーシ、在カザフスタン、在トルクメニスタン、在アゼルバイジャン、在リトアニア、在ブルキナファソ及び在ルワンダの各日本国大使館並びに在コルカタ、在青島、在ホーチミン、在クリチバ、在サンパウロ、在ハバロフスク及び在ユジノサハリンスクの各日本国総領事館に勤務する外務公務員であって、平成二十七年三月三十一日において現に居住する住宅に引き続き居住するものの住居手当の月額に係る限度額については、改正後の別表第二の規定にかかわらず、なお従前の例による。

附　則（平二七・四・二二政令二一六）

（施行期日）

1　この政令は、公布の日から施行する。

（経過措置）

2　改正後の別表第一の規定は、平成二十七年四月一日から適用する。この場合において、同日からこの政令の施行の日の前日までの間における同表の規定の適用については、同表のうち一　大使館の表欧州の項中「ジョージア」とあるのは、「グルジア」とする。

附　則（平二七・七・二九政令二七七）

この政令は、平成二十七年八月一日から施行する。

附　則（平二七・一〇・二八政令三六五）

この政令は、平成二十七年十一月一日から施行する。

附　則（平二七・一二・二四政令四三六）

この政令は、平成二十八年一月一日から施行し、この政令による改正後の別表第一の規定（在マレーシア、在オーストラリア、在クック、在ニュージーランド、在カナダ、在コロンビア、在チリ、在パラグアイ、在ブラジル、在ベリーズ、在メキシコ、在カザフスタン、在キルギス、在ノルウェー、在ベラルーシ、在ロシア、在シリア、在アルジェリア、在アンゴラ、在ウガンダ、在ザンビア、在スワジランド、在タンザニア、在マダガスカル、在南アフリカ共和国、在モザンビーク及び在レソトの各日本国大使館、在ペナン、在シドニー、在パース、在ブリスベン、在メルボルン、在オークランド、在カルガリー、在トロント、在バンクーバー、在モントリオール、在クリチバ、在サンパウロ、在マナウス、在リオデジャネイロ、在レオン、在ハンブルク、在ウラジオストク、在サンクトペテルブルク、在ハバロフスク及び在ユジノサハリンスクの各日本国総領事館並びに国際民間航空機関日本政府代表部に係る部分を除く。）は、平成二十七年八月一日から適用する。

附　則（平二八・三・三〇政令八五）

（施行期日）

1　この政令は、平成二十八年四月一日から施行する。

（経過措置）

2　在トンガ、在ミクロネシア、在アゼルバイジャン、在アルメニア、在タジキスタン、在トルクメニスタン、在ベラルーシ、在リトアニア、在バーレーン、在セネガル、在ブルキナファソ及び在マリの各日本国大使館並びに在コルカタ、在ホーチミン、在クリチバ、在マナウス、在ウラジオストク、在サンクトペテルブルク、在ハバロフスク及び在ユジノサハリンスクの各日本国総領事館に勤務する外務公務員であって、平成二十八年三月三十一日において現に居住する住宅に引き続き居住するものの住居手当の月額に係る限度額については、改正後の別表第

二の規定にかかわらず、なお従前の例による。

附 則（平二八・七・二九政令二七〇）

この政令は、平成二十八年八月一日から施行する。

附 則（平二八・一〇・二八政令三三七）

この政令は、平成二十八年十一月一日から施行する。

附 則（平二八・一二・二六政令三八九）

この政令は、平成二十九年一月一日から施行する。

附 則（平二九・三・三一政令一一一）

（施行期日）

1 この政令は、平成二十九年四月一日から施行する。

（経過措置）

2 在ミクロネシア、在アゼルバイジャン、在アルメニア、在キルギス、在タジキスタン、在トルクメニスタン、在ベラルーシ、在モルドバ、在ガボン、在スーダン、在タンザニア、在ブルキナファソ、在ベナン、在モーリタニア及び在ルワンダの各日本国大使館並びに在コルカタ、在クリチバ、在サンパウロ、在マナウス、在リオデジャネイロ、在レオン、在ハンブルク、在ウラジオストク、在サンクトペテルブルク、在ハバロフスク及び在ユジノサハリンスクの各日本国総領事館に勤務する外務公務員であって、平成二十九年三月三十一日において現に居住する住宅に引き続き居住するものの住居手当の月額に係る限度額については、改正後の別表第二の規定にかかわらず、なお従前の例による。

附 則（平二九・七・二六政令二〇二）

この政令は、平成二十九年八月一日から施行する。

附 則（平二九・一〇・二七政令二七〇）

この政令は、平成二十九年十一月一日から施行する。

附 則（平二九・一二・二二政令三一四）

この政令は、平成三十年一月一日から施行する。

附 則（平三〇・三・三一政令一一二）

（施行期日）

1 この政令は、平成三十年四月一日から施行する。

（経過措置）

2 在コロンビア、在スイス、在スロベニア、在ボスニア・ヘルツェゴビナ、在セネガル及び在チュニジアの各日本国大使館並びに在ベンガルール、在チェンマイ、在重慶、在瀋陽及び在青島の各日本国総領事館に勤務する外務公務員であって、平成三十年三月三十一日において現に居住する住宅に引き続き居住するものの住居手当の月額に係る限度額については、改正後の別表第二の規定にかかわらず、なお従前の例による。

附 則（平三〇・六・二九政令一九五）

この政令は、平成三十年七月一日から施行する。

附 則（平三〇・七・二七政令二二一）

この政令は、平成三十年八月一日から施行する。

附 則（平三〇・一〇・三一政令三〇三）

この政令は、平成三十年十一月一日から施行する。

附 則（平三〇・一二・二七政令三五一）

この政令は、平成三十一年一月一日から施行する。

附 則（平三一・三・三〇政令一一七）

（施行期日）

1 この政令は、平成三十一年四月一日から施行する。

（経過措置）

2 在アルメニア日本国大使館並びに在スラバヤ、在レシフェ及び在レオンの各日本国総領事館に勤務する外務公務員であって、平成三十一年三月三十一日において現に居住する住宅に引き続き居住するものの住居手当の月額に係る限度額については、改正後の別表第二の規定にかかわらず、なお従前の例による。

附 則（令元・七・三一政令六六）

この政令は、令和元年八月一日から施行する。

附 則（令元・一〇・三〇政令一三七）

この政令は、令和元年十一月一日から施行する。

附 則（令元・一二・二六政令二一〇）

この政令は、令和二年一月一日から施行する。

附 則（令二・三・三一政令一三五）

この政令は、令和二年四月一日から施行する。

附 則（令二・七・二八政令二二六）

この政令は、令和二年八月一日から施行する。

附 則（令二・一〇・三〇政令三一六）

この政令は、令和二年十一月一日から施行する。

附 則（令二・一二・二四政令三七四）

この政令は、令和三年一月一日から施行する。

附 則（令三・三・五政令四一）

この政令は、公布の日から施行し、この政令による改正後の別表第一の規定は、令和三年一月一日から適用する。

附 則（令三・三・三一政令一〇五）

（施行期日）

1 この政令は、令和三年四月一日から施行する。

（経過措置）

2 在ニカラグア及び在ブラジルの各日本国大使館並びに在サンパウロ、在リオデジャネイロ及び在レシフェの各日本国総領事館に勤務する外務公務員であって、令和三年三月三十一日において現に居住する住宅に引き続き居住するものの住居手当の月額に係る限度額については、改正後の別表第二の規定にかかわらず、なお従前の例による。

附 則（令三・七・三〇政令二一六）

この政令は、令和三年八月一日から施行する。

附 則（令三・一〇・二九政令二九三）

この政令は、令和三年十一月一日から施行する。

附 則（令三・一二・二四政令三四〇）

1 この政令は、令和四年一月一日から施行する。

2 次の各号に掲げる規定は、当該各号に定める日から適用する。

一 この政令による改正後の在外公館に勤務する外務公務員の在勤基本手当の額、住居手当に係る控除額及び限度額並びに子女教育手当に係る自己負担額を定める政令別表第一に規定する在外公館中在インドネシア、在中華人民共和国、在オーストラリア、在キリバス、在クック、在サモア、在ツバル、在ナウル、在ニウエ、在ニュージーランド、在バヌアツ、在フィジー、在カナダ、在ハイチ、在メキシコ、在アイスランド、在アイルランド、在アルバニア、在アンドラ、在イタリア、在英国、在エストニア、在オーストリア、在オランダ、在北マケドニア、在キプロス、在ギリシャ、在クロアチア、在コソボ、在サンマリノ、在スウェーデン、在スペイン、在スロバキア、在スロベニア、在セルビア、在チェコ、在デンマーク、在ドイツ、在ノルウェー、在バチカン、在フィンランド、在フランス、在ブルガリア、在ベルギー、在ボスニア・ヘルツェゴビナ、在ポルトガル、在マルタ、在モナコ、在モンテネグロ、在ラトビア、在リトアニア、在ルクセンブルク、在イスラエル、在ウガンダ、在エスワティニ、在カーボベルデ、在ガボン、在カメルーン、在ガンビア、在ギニア、在ギニアビサウ、在コートジボワール、在サントメ・プリンシペ、在セーシェル、在赤道ギニア、在セネガル、在チャド、在中央アフリカ、在トーゴ、在ナミビア、在ニジェール、在ブルキナファソ、在ベナン、在ボツワナ、在マリ、在南アフリカ共和国、在モーリタニア、在モザンビーク、在モロッコ及び在レソトの各日本国大使館、在スラバヤ、在デンパサール、在広州、在上海、在重慶、在瀋陽、在青島、在シドニー、在パース、在ブリスベン、在メルボルン、在オークランド、在カルガリー、在トロント、在バンクーバー、在モントリオール、在レオン、在ミラノ、在エディンバラ、在バルセロナ、在デュッセルドルフ、在ハンブルク、在フランクフルト、在ミュンヘン、在ストラスブール及び在マルセイユの各日本国総領事館並びに東南アジア諸国連合、国際民間航空機関、在ウィーン国際機関、経済協力開発機構、国際連合教育科学文化機関、欧州連合及び北大西洋条約機構の各日本政府代表部に係る同表の規定　令和三年八月一日

二　この政令による改正後の在外公館に勤務する外務公務員の在勤基本手当の額、住居手当に係る控除額及び限度額並びに子女教育手当に係る自己負担額を定める政令別表第一に規定する在外公館中在ザンビア日本国大使館に係る同表の規定　令和三年十一月一日

附　則（令四・三・二五政令九六）

（施行期日）

1　この政令は、令和四年四月一日から施行する。

（経過措置）

2　在タジキスタン日本国大使館並びに在ベンガルール及び在デンパサールの各日本国総領事館に勤務する外務公務員であって、令和四年三月三十一日において現に居住する住宅に引き続き居住するものの住居手当の月額に係る限度額については、改正後の別表第二の規定にかかわらず、なお従前の例による。

附　則（令四・七・二九政令二六四）

この政令は、令和四年八月一日から施行する。

附　則（令四・八・三一政令二八一）

この政令は、公布の日から施行し、この政令による改正後の別表第一の規定は、令和四年八月一日から適用する。

附　則（令四・一〇・二八政令三三七）

この政令は、令和四年十一月一日から施行し、この政令による改正後の別表第一の規定（在ラオス、在コスタリカ、在ドミニカ共和国、在アルメニア、在キルギス、在ジョージア、在ブルガリア、在ボスニア・ヘルツェゴビナ、在ロシア、在アフガニスタン、在ザンビア、在ジンバブエ、在セーシェル及び在南スーダンの各日本国大使館並びに在ウラジオストク、在サンクトペテルブルク、在ハバロフスク及び在ユジノサハリンスクの各日本国総領事館に係る部分を除く。）は、同年八月一日から適用する。

附　則（令四・一二・二一政令三八五）

この政令は、公布の日から施行し、この政令による改正後の附則第三項及び第四項並びに附則別表の規定は、令和四年四月一日から適用する。

附　則（令四・一二・二八政令四〇一）

この政令は、令和五年一月一日から施行する。

附　則（令五・三・三一政令一五五）

（施行期日）

1　この政令は、令和五年四月一日から施行する。

（経過措置）

2　在カンボジア、在フィリピン、在ベトナム、在ミャンマー、在サモア、在パプアニューギニア、在グアテマラ、在コロンビア、在ベネズエラ、在アゼルバイジャン、在キルギス、在タジキスタン、在ラトビア、在オマーン、在クウェート、在バーレーン、在アルジェリア、在アンゴラ、在ギニア、在タンザニア及び在ナミビアの各日本国大使館並びに在スラバヤ、在デンパサール、在広州、在重慶、在瀋陽、在ダバオ、在サンパウロ、在マナウス、在レシフェ及び在ドバイの各日本国総領事館に勤務する外務公務員であって、令和五年三月三十一日において現に居住する住宅に引き続き居住するものの住居手当の月額に係る限度額については、改正後の別表第二の規定にかかわらず、なお従前の例による。

附　則（令五・七・二六政令二四九）

この政令は、令和五年八月一日から施行する。

附　則（令五・一一・一政令三一二）

この政令は、公布の日から施行する。

附　則（令五・一二・二七政令三七三）

この政令は、令和六年一月一日から施行する。

附　則（令六・三・三〇政令一三四）

（施行期日）

1　この政令は、令和六年四月一日から施行する。

（在外公館に勤務する外務公務員の在勤基本手当の額、住居手当に係る控除額及び限度額並びに子女教育手当に係る自己負担額を定める政令の一部改正に伴う経過措置）

2　在中華人民共和国、在バヌアツ、在ケニア及び在マラウイの各日本国大使館並びに在チェンマイ、在上海、在ダナン、在サンクトペテルブルク、在ハバロフスク及び在ユジノサハリンスクの各日本国総領事館に勤務する外務公務員であって、令和六年三月三十一日において現に居住する住宅に引き続き居住するものの住居手当の月額に係る限度額については、第一条の規定による改正後の在外公館に勤務する外務公務員の在勤基本手当の額、住居手当に係る控除額及び限度額並びに子女教育手当に係る自己負担額を定める政令別表第二の規定にかかわらず、なお従前の例による。

附　則（令六・一〇・三〇政令三三一）

この政令は、令和六年十一月一日から施行し、この政令による改正後の別表第一の規定は、同年八月一日から適用する。

附　則（令六・一二・二七政令三九三）

この政令は、令和七年一月一日から施行する。ただし、第三条の改正規定は、同年四月一日から施行する。

附　則（令七・三・三一政令一一五）

（施行期日）

1　この政令は、令和七年四月一日から施行する。

（経過措置）

2　在ミャンマー、在キプロス、在バーレーン、在エリトリア、在ギニア、在ジブチ、在スーダン及び在ルワンダの各日本国大使館並びに在スラバヤ、在広州、在重慶、在瀋陽、在ホーチミン及び在マナウスの各日本国総領事館に勤務する外務公務員であって、令和七年三月三十一日において現に居住する住宅に引き続き居住するものの住居手当の月額に係る限度額については、改正後の別表第二の規定にかかわらず、なお従前の例による。

附　則（令七・四・九政令一七三）

この政令は、公布の日から施行し、この政令による改正後の別表第一の規定は、令和七年四月一日から適用する。

別表第一　在勤基本手当の月額（第一条関係）

一　大使館

地域	所在国	号別											
		大使	公使	特号	1号	2号	3号	4号	5号	6号	7号	8号	9号
アジア	インド	円 890,000	円 790,000	円 742,600	円 717,300	円 679,400	円 616,100	円 552,800	円 489,600	円 439,000	円 413,700	円 388,400	円 363,100
	インドネシア	790,000	670,000	626,400	602,100	565,700	505,100	444,500	383,800	335,300	311,100	286,800	262,600
	カンボジア	840,000	760,000	714,000	687,400	647,600	581,200	514,800	448,400	395,300	368,700	342,200	315,600
	シンガポール	1,030,000	920,000	860,300	825,800	774,200	688,200	602,200	516,200	447,300	412,900	378,500	344,100
	スリランカ	810,000	780,000	729,800	702,600	661,800	593,800	525,800	457,900	403,500	376,300	349,100	321,900
	タイ	840,000	710,000	660,300	633,800	594,200	528,200	462,200	396,200	343,300	316,900	290,500	264,100
	大韓民国	900,000	760,000	708,800	680,400	637,900	567,000	496,100	425,300	368,600	340,200	311,900	283,500
	中華人民共和国	1,100,000	880,000	818,800	786,800	738,900	659,000	579,100	499,300	435,400	403,400	371,500	339,500
	ネパール	800,000	780,000	739,000	715,400	680,100	621,200	562,300	503,400	456,300	432,700	409,200	385,600
	パキスタン	920,000	850,000	805,100	780,500	743,600	682,100	620,600	559,100	509,900	485,300	460,700	436,100
	バングラデシュ	940,000	860,000	816,100	789,500	749,500	682,900	616,300	549,700	496,400	469,700	443,100	416,500
	東ティモール	910,000	880,000	828,800	801,600	760,900	693,000	625,100	557,300	503,000	475,800	448,700	421,500
	フィリピン	790,000	670,000	625,800	601,500	565,200	504,600	444,000	383,500	335,000	310,800	286,500	262,300
	ブータン	810,000	790,000	742,600	717,300	679,400	616,100	552,800	489,600	439,000	413,700	388,400	363,100
	ブルネイ	790,000	760,000	706,600	678,400	636,000	565,300	494,600	424,000	367,400	339,200	310,900	282,700
	ベトナム	710,000	640,000	597,900	574,800	540,100	482,300	424,500	366,700	320,500	297,400	274,300	251,200
	マレーシア	740,000	670,000	620,900	596,000	558,800	496,700	434,600	372,500	322,900	298,000	273,200	248,400
	ミャンマー	910,000	830,000	779,300	751,700	710,300	641,400	572,500	503,600	448,400	420,800	393,300	365,700
	モルディブ	830,000	810,000	754,800	727,000	685,300	615,800	546,300	476,900	421,300	393,500	365,700	337,900
	モンゴル	790,000	770,000	723,000	697,700	659,700	596,400	533,100	469,800	419,200	393,800	368,500	343,200
	ラオス	750,000	730,000	680,600	655,800	618,600	556,500	494,400	432,400	382,700	357,900	333,100	308,300
大洋州	オーストラリア	810,000	730,000	683,000	655,700	614,700	546,400	478,100	409,800	355,200	327,800	300,500	273,200
	キリバス	930,000	900,000	853,100	825,800	784,800	716,500	648,200	579,900	525,200	497,900	470,600	443,300
	クック	780,000	750,000	703,400	675,200	633,000	562,700	492,400	422,000	365,800	337,600	309,500	281,400
	サモア	850,000	820,000	764,900	736,300	693,400	621,900	550,400	478,900	421,700	393,100	364,500	336,000
	ソロモン	930,000	900,000	846,800	818,900	777,100	707,400	637,700	568,100	512,300	484,400	456,600	428,700
	ツバル	760,000	730,000	682,300	655,800	616,000	549,800	483,600	417,400	364,400	337,900	311,400	284,900
	トンガ	880,000	860,000	803,400	774,800	732,000	660,700	589,400	518,000	461,000	432,400	403,900	375,400
	ナウル	760,000	730,000	682,300	655,800	616,000	549,800	483,600	417,400	364,400	337,900	311,400	284,900
	ニウエ	780,000	750,000	703,400	675,200	633,000	562,700	492,400	422,000	365,800	337,600	309,500	281,400
	ニュージーランド	780,000	750,000	703,400	675,200	633,000	562,700	492,400	422,000	365,800	337,600	309,500	281,400
	バヌアツ	870,000	840,000	782,500	752,000	706,300	630,000	553,800	477,500	416,500	386,000	355,500	325,000
	パプアニューギニア	910,000	880,000	833,800	806,400	765,400	697,000	628,600	560,300	505,600	478,200	450,900	423,500
	パラオ	870,000	840,000	782,300	751,800	706,000	629,800	553,600	477,400	416,400	385,900	355,400	324,900
	フィジー	760,000	730,000	682,300	655,800	616,000	549,800	483,600	417,400	364,400	337,900	311,400	284,900

	マーシャル	1,010,000	980,000	916,400	883,300	833,700	751,100	668,500	585,800	519,700	486,700	453,600	420,600
	ミクロネシア	960,000	930,000	865,100	832,500	783,600	702,100	620,600	539,100	473,900	441,300	408,700	376,100
北米	アメリカ合衆国	1,310,000	980,000	913,500	877,000	822,200	730,800	639,500	548,100	475,000	438,500	401,900	365,400
	カナダ	860,000	770,000	720,000	691,200	648,000	576,000	504,000	432,000	374,400	345,600	316,800	288,000
中南米	アルゼンチン	920,000	890,000	828,900	796,500	748,000	667,100	586,200	505,300	440,600	408,300	375,900	343,600
	アンティグア・バーブーダ	870,000	840,000	782,300	753,000	709,000	635,800	562,600	489,400	430,800	401,500	372,200	342,900
	ウルグアイ	1,010,000	980,000	909,400	873,800	820,400	731,500	642,600	553,600	482,500	446,900	411,300	375,800
	エクアドル	910,000	880,000	819,900	789,100	742,900	665,900	588,900	511,900	450,300	419,500	388,700	358,000
	エルサルバドル	870,000	840,000	787,400	759,500	717,600	647,900	578,200	508,400	452,600	424,700	396,800	369,000
	ガイアナ	870,000	840,000	782,300	753,000	709,000	635,800	562,600	489,400	430,800	401,500	372,200	342,900
	キューバ	1,100,000	1,070,000	1,004,300	970,100	918,800	833,400	748,000	662,600	594,200	560,000	525,900	491,700
	グアテマラ	990,000	960,000	899,400	867,000	818,400	737,500	656,600	575,600	510,900	478,500	446,100	413,800
	グレナダ	870,000	840,000	782,300	753,000	709,000	635,800	562,600	489,400	430,800	401,500	372,200	342,900
	コスタリカ	890,000	860,000	805,000	773,600	726,500	648,000	569,500	491,000	428,200	396,800	365,400	334,000
	コロンビア	870,000	850,000	794,000	765,800	723,600	653,200	582,800	512,400	456,100	427,900	399,800	371,600
	ジャマイカ	880,000	850,000	795,400	765,600	720,800	646,300	571,800	497,200	437,600	407,800	378,000	348,200
	スリナム	870,000	840,000	782,300	753,000	709,000	635,800	562,600	489,400	430,800	401,500	372,200	342,900
	セントクリストファー・ネービス	870,000	840,000	782,300	753,000	709,000	635,800	562,600	489,400	430,800	401,500	372,200	342,900
	セントビンセント	870,000	840,000	782,300	753,000	709,000	635,800	562,600	489,400	430,800	401,500	372,200	342,900
	セントルシア	870,000	840,000	782,300	753,000	709,000	635,800	562,600	489,400	430,800	401,500	372,200	342,900
	チリ	840,000	810,000	758,100	728,600	684,300	610,500	536,700	462,900	403,800	374,300	344,800	315,300
	ドミニカ	870,000	840,000	782,300	753,000	709,000	635,800	562,600	489,400	430,800	401,500	372,200	342,900
	ドミニカ共和国	910,000	880,000	824,600	795,200	751,200	677,700	604,200	530,800	472,000	442,600	413,200	383,900
	トリニダード・トバゴ	870,000	840,000	782,300	753,000	709,000	635,800	562,600	489,400	430,800	401,500	372,200	342,900
	ニカラグア	890,000	860,000	816,600	790,000	750,000	683,300	616,600	550,000	496,600	470,000	443,300	416,700
	ハイチ	1,280,000	1,240,000	1,171,600	1,134,000	1,077,500	983,300	889,100	795,000	719,600	682,000	644,300	606,700
	パナマ	800,000	780,000	726,300	698,400	656,600	587,000	517,400	447,800	392,100	364,200	336,400	308,500
	バハマ	880,000	850,000	795,400	765,600	720,800	646,300	571,800	497,200	437,600	407,800	378,000	348,200
	パラグアイ	740,000	720,000	671,400	646,500	609,200	547,100	485,000	422,800	373,100	348,300	323,400	298,600
	バルバドス	1,060,000	1,030,000	960,600	924,200	869,600	778,500	687,400	596,400	523,500	487,100	450,700	414,300
	ブラジル	890,000	810,000	752,600	723,300	679,400	606,100	532,800	459,600	401,000	371,700	342,400	313,100
	ベネズエラ	1,150,000	1,110,000	1,045,000	1,009,200	955,500	866,000	776,500	687,000	615,400	579,600	543,800	508,000
	ベリーズ	860,000	830,000	780,000	751,200	708,000	636,000	564,000	492,000	434,400	405,600	376,800	348,000
	ペルー	880,000	850,000	792,500	762,800	718,300	644,000	569,800	495,500	436,100	406,400	376,700	347,000
	ボリビア	910,000	890,000	839,000	812,200	772,100	705,200	638,300	571,400	517,900	491,100	464,400	437,600
	ホンジュラス	900,000	880,000	828,300	801,100	760,400	692,600	624,800	557,000	502,700	475,600	448,400	421,300
	メキシコ	980,000	940,000	878,600	844,300	792,800	706,900	621,000	535,200	466,500	432,100	397,800	363,500
欧州	アイスランド	920,000	880,000	823,100	790,200	740,800	658,500	576,200	493,900	428,000	395,100	362,200	329,300
	アイルランド	810,000	780,000	729,800	700,600	656,800	583,800	510,800	437,900	379,500	350,300	321,100	291,900

アゼルバイジャン	670,000	650,000	607,600	584,100	548,900	490,100	431,300	372,600	325,600	302,100	278,600	255,100
アルバニア	860,000	840,000	781,900	752,600	708,700	635,500	562,300	489,100	430,600	401,300	372,000	342,800
アルメニア	730,000	710,000	665,000	640,400	603,500	542,000	480,500	419,000	369,800	345,200	320,600	296,000
アンドラ	830,000	800,000	747,800	717,800	673,000	598,200	523,400	448,700	388,800	358,900	329,000	299,100
イタリア	860,000	780,000	722,600	693,700	650,400	578,100	505,800	433,600	375,800	346,900	318,000	289,100
ウクライナ	900,000	880,000	836,600	812,400	776,000	715,300	654,600	594,000	545,400	521,200	496,900	472,700
ウズベキスタン	690,000	660,000	622,800	599,800	565,500	508,200	450,900	393,700	347,800	324,900	302,000	279,100
英国	1,110,000	930,000	867,800	833,000	781,000	694,200	607,400	520,700	451,200	416,500	381,800	347,100
エストニア	700,000	680,000	631,400	606,100	568,200	505,100	442,000	378,800	328,300	303,100	277,800	252,600
オーストリア	970,000	870,000	813,300	780,700	731,900	650,600	569,300	488,000	422,900	390,400	357,800	325,300
オランダ	860,000	830,000	771,500	740,600	694,400	617,200	540,100	462,900	401,200	370,300	339,500	308,600
カザフスタン	800,000	770,000	724,100	698,800	660,700	597,300	533,900	470,500	419,700	394,400	369,000	343,700
北マケドニア	650,000	620,000	583,400	560,800	527,000	470,700	414,400	358,000	313,000	290,400	267,900	245,400
キプロス	740,000	710,000	663,500	637,000	597,200	530,800	464,500	398,100	345,000	318,500	291,900	265,400
ギリシャ	730,000	710,000	658,500	632,200	592,700	526,800	461,000	395,100	342,400	316,100	289,700	263,400
キルギス	710,000	690,000	646,400	624,300	591,100	535,900	480,700	425,400	381,200	359,100	337,000	315,000
クロアチア	760,000	730,000	681,600	654,400	613,500	545,300	477,100	409,000	354,400	327,200	299,900	272,700
コソボ	660,000	640,000	599,100	576,400	542,200	485,300	428,400	371,500	325,900	303,200	280,400	257,700
サンマリノ	800,000	780,000	722,600	693,700	650,400	578,100	505,800	433,600	375,800	346,900	318,000	289,100
ジョージア	750,000	730,000	683,800	658,400	620,400	557,000	493,600	430,300	379,600	354,200	328,900	303,500
スイス	1,210,000	1,160,000	1,081,400	1,038,100	973,200	865,100	757,000	648,800	562,300	519,100	475,800	432,600
スウェーデン	810,000	780,000	729,400	700,200	656,400	583,500	510,600	437,600	379,300	350,100	320,900	291,800
スペイン	780,000	750,000	701,800	673,700	631,600	561,400	491,200	421,100	364,900	336,800	308,800	280,700
スロバキア	830,000	800,000	746,000	716,200	671,400	596,800	522,200	447,600	387,900	358,100	328,200	298,400
スロベニア	740,000	710,000	661,900	635,400	595,700	529,500	463,300	397,100	344,200	317,700	291,200	264,800
セルビア	740,000	710,000	666,800	640,900	602,100	537,400	472,700	408,100	356,300	330,400	304,600	278,700
タジキスタン	830,000	810,000	765,100	742,200	707,700	650,300	592,900	535,500	489,500	466,600	443,600	420,700
チェコ	860,000	830,000	772,100	741,200	694,900	617,700	540,500	463,300	401,500	370,600	339,700	308,900
デンマーク	930,000	900,000	834,400	801,000	750,900	667,500	584,100	500,600	433,900	400,500	367,100	333,800
ドイツ	890,000	800,000	749,400	719,400	674,400	599,500	524,600	449,600	389,700	359,700	329,700	299,800
トルクメニスタン	1,310,000	1,270,000	1,188,400	1,146,800	1,084,500	980,700	876,900	773,000	690,000	648,400	606,900	565,400
ノルウェー	900,000	870,000	811,400	778,900	730,200	649,100	568,000	486,800	421,900	389,500	357,000	324,600
バチカン	800,000	780,000	722,600	693,700	650,400	578,100	505,800	433,600	375,800	346,900	318,000	289,100
ハンガリー	770,000	740,000	692,100	664,400	622,900	553,700	484,500	415,300	359,900	332,200	304,500	276,900
フィンランド	900,000	870,000	808,100	775,800	727,300	646,500	565,700	484,900	420,200	387,900	355,600	323,300
フランス	950,000	800,000	747,800	717,800	673,000	598,200	523,400	448,700	388,800	358,900	329,000	299,100
ブルガリア	720,000	700,000	650,100	624,100	585,100	520,100	455,100	390,100	338,100	312,100	286,100	260,100
ベラルーシ	750,000	730,000	686,900	663,000	627,200	567,500	507,800	448,100	400,400	376,500	352,600	328,800
ベルギー	840,000	810,000	755,400	725,200	679,800	604,300	528,800	453,200	392,800	362,600	332,400	302,200
ポーランド	750,000	730,000	678,500	651,400	610,700	542,800	475,000	407,100	352,800	325,700	298,500	271,400
ボスニア・ヘルツェゴビナ	650,000	630,000	590,400	567,600	533,300	476,300	419,300	362,200	316,600	293,800	271,000	248,200

	ポルトガル	750,000	720,000	672,000	645,100	604,800	537,600	470,400	403,200	349,400	322,600	295,700	268,800
	マルタ	690,000	660,000	618,800	594,000	556,900	495,000	433,100	371,300	321,800	297,000	272,300	247,500
	モナコ	830,000	800,000	747,800	717,800	673,000	598,200	523,400	448,700	388,800	358,900	329,000	299,100
	モルドバ	740,000	720,000	672,400	647,500	610,100	547,900	485,700	423,400	373,600	348,700	323,800	299,000
	モンテネグロ	740,000	710,000	666,800	640,900	602,100	537,400	472,700	408,100	356,300	330,400	304,600	278,700
	ラトビア	820,000	790,000	737,800	708,200	664,000	590,200	516,400	442,700	383,600	354,100	324,600	295,100
	リトアニア	770,000	740,000	691,900	664,200	622,700	553,500	484,300	415,100	359,800	332,100	304,400	276,800
	リヒテンシュタイン	1,210,000	1,160,000	1,081,400	1,038,100	973,200	865,100	757,000	648,800	562,300	519,100	475,800	432,600
	ルーマニア	720,000	690,000	644,900	619,100	580,400	515,900	451,400	386,900	335,300	309,500	283,700	258,000
	ルクセンブルク	820,000	790,000	738,800	709,200	664,900	591,000	517,100	443,300	384,200	354,600	325,100	295,500
	ロシア	950,000	770,000	718,500	691,800	651,700	584,800	518,000	451,100	397,600	370,900	344,100	317,400
中東	アフガニスタン	910,000	880,000	841,600	818,000	782,500	723,300	664,100	605,000	557,600	534,000	510,300	486,700
	アラブ首長国連邦	940,000	900,000	842,500	808,800	758,300	674,000	589,800	505,500	438,100	404,400	370,700	337,000
	イエメン	1,160,000	1,120,000	1,061,600	1,028,400	978,500	895,300	812,100	729,000	662,400	629,200	595,900	562,700
	イスラエル	1,120,000	1,010,000	940,500	903,700	848,500	756,400	664,400	572,300	498,700	461,800	425,000	388,200
	イラク	920,000	900,000	856,600	832,400	796,000	735,300	674,600	614,000	565,400	541,200	516,900	492,700
	イラン	930,000	910,000	855,500	828,100	787,000	718,400	649,900	581,300	526,500	499,000	471,600	444,200
	オマーン	840,000	810,000	758,800	729,200	684,900	611,000	537,100	463,300	404,200	374,600	345,100	315,500
	カタール	880,000	850,000	793,400	762,400	716,000	638,700	561,400	484,000	422,200	391,200	360,300	329,400
	クウェート	880,000	850,000	793,600	763,900	719,300	644,900	570,500	496,200	436,700	406,900	377,200	347,500
	サウジアラビア	1,030,000	1,000,000	939,000	907,400	860,100	781,200	702,300	623,400	560,300	528,700	497,200	465,600
	シリア	780,000	760,000	713,900	688,900	651,500	589,100	526,700	464,300	414,400	389,500	364,500	339,600
	トルコ	840,000	810,000	760,400	731,200	687,300	614,300	541,300	468,200	409,800	380,600	351,400	322,200
	バーレーン	830,000	800,000	744,400	715,400	671,900	599,500	527,100	454,600	396,700	367,700	338,700	309,800
	ヨルダン	800,000	770,000	719,800	693,000	652,800	585,800	518,800	451,900	398,300	371,500	344,700	317,900
	レバノン	800,000	780,000	730,300	704,600	666,200	602,200	538,200	474,200	422,900	397,300	371,700	346,100
アフリカ	アルジェリア	860,000	830,000	778,400	750,800	709,500	640,700	571,900	503,000	448,000	420,400	392,900	365,400
	アンゴラ	990,000	960,000	908,000	879,300	836,200	764,400	692,600	620,800	563,400	534,600	505,900	477,200
	ウガンダ	910,000	880,000	831,300	804,000	763,100	695,000	626,900	558,800	504,300	477,000	449,800	422,500
	エジプト	710,000	650,000	610,200	588,800	556,700	503,200	449,700	396,300	353,500	332,100	310,700	289,300
	エスワティニ	750,000	730,000	680,800	655,900	618,700	556,600	494,500	432,500	382,800	358,000	333,100	308,300
	エチオピア	920,000	890,000	842,000	815,900	776,800	711,600	646,400	581,200	529,000	503,000	476,900	450,800
	エリトリア	1,220,000	1,180,000	1,115,900	1,080,400	1,027,300	938,700	850,100	761,500	690,700	655,200	619,800	584,400
	ガーナ	1,040,000	1,010,000	952,000	920,700	873,800	795,600	717,400	639,200	576,600	545,400	514,100	482,800
	カーボベルデ	1,050,000	1,010,000	956,100	924,700	877,500	798,900	720,300	641,700	578,800	547,300	515,900	484,500
	ガボン	1,130,000	1,090,000	1,026,600	991,600	939,000	851,300	763,600	676,000	605,800	570,800	535,700	500,700
	カメルーン	1,050,000	1,020,000	959,800	929,000	882,800	805,800	728,800	651,900	590,300	559,500	528,700	497,900
	ガンビア	1,050,000	1,010,000	956,100	924,700	877,500	798,900	720,300	641,700	578,800	547,300	515,900	484,500
	ギニア	1,240,000	1,210,000	1,138,100	1,101,800	1,047,300	956,500	865,700	774,900	702,200	665,900	629,600	593,300
	ギニアビサウ	1,050,000	1,010,000	956,100	924,700	877,500	798,900	720,300	641,700	578,800	547,300	515,900	484,500
	ケニア	860,000	840,000	788,100	761,000	720,300	652,500	584,700	516,900	462,600	435,500	408,400	381,300

	コートジボワール	1,090,000	1,060,000	997,800	965,400	917,000	836,200	755,400	674,700	610,000	577,700	545,400	513,100
	コモロ	920,000	890,000	845,500	819,300	780,000	714,400	648,900	583,300	530,900	504,600	478,400	452,200
	コンゴ共和国	1,210,000	1,170,000	1,105,400	1,070,400	1,017,800	930,300	842,800	755,200	685,200	650,200	615,200	580,200
	コンゴ民主共和国	1,210,000	1,170,000	1,105,400	1,070,400	1,017,800	930,300	842,800	755,200	685,200	650,200	615,200	580,200
	サントメ・プリンシペ	1,130,000	1,090,000	1,026,600	991,600	939,000	851,300	763,600	676,000	605,800	570,800	535,700	500,700
	ザンビア	730,000	700,000	666,500	644,800	612,200	557,800	503,500	449,100	405,600	383,900	362,100	340,400
	シエラレオネ	1,040,000	1,010,000	952,000	920,700	873,800	795,600	717,400	639,200	576,600	545,400	514,100	482,800
	ジブチ	1,110,000	1,080,000	1,018,000	984,900	935,200	852,400	769,600	686,800	620,600	587,400	554,300	521,200
	ジンバブエ	1,130,000	1,100,000	1,036,100	1,003,100	953,500	870,900	788,300	705,700	639,600	606,500	573,500	540,500
	スーダン	1,140,000	1,110,000	1,050,500	1,017,700	968,500	886,400	804,400	722,300	656,700	623,800	591,000	558,200
	セーシェル	840,000	810,000	755,900	727,600	685,300	614,700	544,100	473,500	417,100	388,800	360,600	332,400
	赤道ギニア	1,130,000	1,090,000	1,026,600	991,600	939,000	851,300	763,600	676,000	605,800	570,800	535,700	500,700
	セネガル	1,050,000	1,010,000	956,100	924,700	877,500	798,900	720,300	641,700	578,800	547,300	515,900	484,500
	ソマリア	860,000	840,000	788,100	761,000	720,300	652,500	584,700	516,900	462,600	435,500	408,400	381,300
	タンザニア	840,000	820,000	774,900	749,900	712,400	649,900	587,400	524,900	474,900	449,900	424,900	400,000
	チャド	1,050,000	1,020,000	959,800	929,000	882,800	805,800	728,800	651,900	590,300	559,500	528,700	497,900
	中央アフリカ	1,050,000	1,020,000	959,800	929,000	882,800	805,800	728,800	651,900	590,300	559,500	528,700	497,900
	チュニジア	680,000	660,000	619,700	597,200	563,500	507,300	451,100	394,900	349,900	327,500	305,000	282,500
	トーゴ	1,090,000	1,060,000	997,800	965,400	917,000	836,200	755,400	674,700	610,000	577,700	545,400	513,100
	ナイジェリア	940,000	920,000	869,800	844,200	805,800	741,800	677,800	613,900	562,700	537,100	511,500	485,900
	ナミビア	780,000	750,000	709,900	685,100	647,900	585,900	523,900	461,900	412,300	387,500	362,700	338,000
	ニジェール	1,090,000	1,060,000	997,800	965,400	917,000	836,200	755,400	674,700	610,000	577,700	545,400	513,100
	ブルキナファソ	1,030,000	1,000,000	945,100	916,500	873,600	802,100	730,600	659,100	601,900	573,300	544,700	516,100
	ブルンジ	820,000	790,000	749,900	725,900	689,900	629,900	569,900	509,900	461,900	437,900	413,900	390,000
	ベナン	950,000	920,000	872,300	845,000	804,000	735,800	667,600	599,400	544,800	517,500	490,200	462,900
	ボツワナ	780,000	760,000	714,800	690,600	654,300	593,800	533,300	472,900	424,500	400,300	376,100	351,900
	マダガスカル	920,000	890,000	845,500	819,300	780,000	714,400	648,900	583,300	530,900	504,600	478,400	452,200
	マラウイ	910,000	890,000	840,100	814,100	775,100	710,100	645,100	580,100	528,100	502,100	476,100	450,100
	マリ	1,060,000	1,030,000	972,400	942,700	898,100	823,900	749,700	675,400	616,000	586,300	556,600	527,000
	南アフリカ共和国	800,000	730,000	680,800	655,900	618,700	556,600	494,500	432,500	382,800	358,000	333,100	308,300
	南スーダン	1,140,000	1,110,000	1,049,100	1,016,400	967,200	885,300	803,400	721,500	655,900	623,200	590,400	557,700
	モーリシャス	790,000	770,000	720,900	695,600	657,800	594,700	531,600	468,500	418,100	392,800	367,600	342,400
	モーリタニア	1,010,000	980,000	929,600	901,600	859,700	789,700	719,700	649,800	593,800	565,800	537,800	509,900
	モザンビーク	870,000	850,000	801,900	777,400	740,700	679,500	618,300	557,100	508,200	483,700	459,200	434,800
	モロッコ	760,000	730,000	683,800	657,200	617,400	551,000	484,600	418,300	365,200	338,600	312,100	285,500
	リビア	750,000	730,000	692,500	671,600	640,300	588,000	535,800	483,500	441,700	420,800	399,900	379,000
	リベリア	1,040,000	1,010,000	952,000	920,700	873,800	795,600	717,400	639,200	576,600	545,400	514,100	482,800
	ルワンダ	820,000	790,000	749,900	725,900	689,900	629,900	569,900	509,900	461,900	437,900	413,900	390,000
	レソト	750,000	730,000	680,800	655,900	618,700	556,600	494,500	432,500	382,800	358,000	333,100	308,300

二　総領事館

地域	所在地	号別									
		総領事	1号	2号	3号	4号	5号	6号	7号	8号	9号
アジア	コルカタ	円 740,000	円 720,900	円 682,700	円 619,100	円 555,500	円 491,800	円 440,900	円 415,500	円 390,000	円 364,600
	チェンナイ	770,000	746,500	706,700	640,400	574,100	507,800	454,800	428,200	401,700	375,200
	ベンガルール	760,000	741,000	701,500	635,800	570,100	504,400	451,800	425,500	399,200	372,900
	ムンバイ	800,000	755,000	714,700	647,500	580,300	513,100	459,400	432,500	405,600	378,800
	スラバヤ	640,000	602,200	567,700	510,200	452,700	395,200	349,100	326,100	303,100	280,100
	デンパサール	580,000	558,800	525,100	469,000	412,900	356,800	311,900	289,400	267,000	244,500
	メダン	590,000	575,900	543,300	488,900	434,500	380,100	336,600	314,800	293,100	271,300
	チェンマイ	620,000	599,600	562,200	499,700	437,200	374,800	324,800	299,800	274,800	249,900
	済州	700,000	680,400	637,900	567,000	496,100	425,300	368,600	340,200	311,900	283,500
	釜山	700,000	647,500	607,100	539,600	472,200	404,700	350,700	323,800	296,800	269,800
	広州	800,000	743,200	696,700	619,300	541,900	464,500	402,500	371,600	340,600	309,700
	上海	880,000	820,400	769,200	683,700	598,200	512,800	444,400	410,200	376,000	341,900
	重慶	730,000	680,700	639,400	570,600	501,800	433,000	377,900	350,400	322,800	295,300
	瀋陽	740,000	689,600	647,800	578,000	508,300	438,500	382,700	354,800	326,900	299,000
	青島	740,000	685,700	642,800	571,400	500,000	428,600	371,400	342,800	314,300	285,700
	香港	1,030,000	959,400	899,400	799,500	699,600	599,600	519,700	479,700	439,700	399,800
	カラチ	820,000	773,600	738,400	679,700	621,000	562,300	515,300	491,800	468,300	444,900
	セブ	570,000	557,000	523,400	467,500	411,600	355,600	310,900	288,500	266,100	243,800
	ダバオ	570,000	557,000	523,400	467,500	411,600	355,600	310,900	288,500	266,100	243,800
	ダナン	560,000	540,100	507,900	454,100	400,300	346,600	303,600	282,100	260,600	239,100
	ホーチミン	650,000	608,200	571,500	510,200	448,900	387,700	338,600	314,100	289,600	265,100
	ペナン	600,000	580,900	544,600	484,100	423,600	363,100	314,700	290,500	266,300	242,100
大洋州	シドニー	710,000	656,900	615,800	547,400	479,000	410,600	355,800	328,400	301,100	273,700
	パース	670,000	644,400	604,100	537,000	469,900	402,800	349,100	322,200	295,400	268,500
	ブリスベン	700,000	648,000	607,500	540,000	472,500	405,000	351,000	324,000	297,000	270,000
	メルボルン	730,000	676,100	633,800	563,400	493,000	422,600	366,200	338,000	309,900	281,700
	オークランド	710,000	681,600	639,000	568,000	497,000	426,000	369,200	340,800	312,400	284,000
北米	アトランタ	940,000	870,100	815,700	725,100	634,500	543,800	471,300	435,100	398,800	362,600
	サンフランシスコ	990,000	914,800	857,600	762,300	667,000	571,700	495,500	457,400	419,300	381,200
	シアトル	940,000	868,300	814,100	723,600	633,200	542,700	470,300	434,200	398,000	361,800
	シカゴ	980,000	912,000	855,000	760,000	665,000	570,000	494,000	456,000	418,000	380,000
	デトロイト	880,000	813,500	762,600	677,900	593,200	508,400	440,600	406,700	372,800	339,000
	デンバー	860,000	834,500	782,300	695,400	608,500	521,600	452,000	417,200	382,500	347,700

	ナッシュビル	920,000	855,100	801,700	712,600	623,500	534,500	463,200	427,600	391,900	356,300
	ニューヨーク	1,140,000	977,500	916,400	814,600	712,800	611,000	529,500	488,800	448,000	407,300
	ハガッニャ	800,000	773,800	725,400	644,800	564,200	483,600	419,100	386,900	354,600	322,400
	ヒューストン	900,000	838,400	786,000	698,700	611,400	524,000	454,200	419,200	384,300	349,400
	ボストン	990,000	921,800	864,200	768,200	672,200	576,200	499,300	460,900	422,500	384,100
	ホノルル	940,000	876,600	821,800	730,500	639,200	547,900	474,800	438,300	401,800	365,300
	マイアミ	890,000	823,900	772,400	686,600	600,800	515,000	446,300	412,000	377,600	343,300
	ロサンゼルス	1,000,000	926,900	869,000	772,400	675,900	579,300	502,100	463,400	424,800	386,200
	カルガリー	700,000	672,100	630,100	560,100	490,100	420,100	364,100	336,100	308,100	280,100
	トロント	760,000	710,800	666,300	592,300	518,300	444,200	385,000	355,400	325,800	296,200
	バンクーバー	780,000	724,100	678,800	603,400	528,000	452,600	392,200	362,000	331,900	301,700
	モントリオール	730,000	701,600	657,800	584,700	511,600	438,500	380,100	350,800	321,600	292,400
中南米	クリチバ	730,000	710,600	667,400	595,500	523,600	451,600	394,100	365,300	336,500	307,800
	サンパウロ	810,000	750,600	704,900	628,800	552,700	476,600	415,700	385,300	354,800	324,400
	マナウス	800,000	774,200	731,500	660,200	588,900	517,700	460,600	432,100	403,600	375,100
	リオデジャネイロ	830,000	772,800	727,600	652,300	577,000	501,700	441,500	411,400	381,300	351,200
	レシフェ	730,000	711,700	670,300	601,400	532,500	463,600	408,400	380,800	353,300	325,700
	レオン	790,000	759,700	713,500	636,400	559,400	482,300	420,700	389,800	359,000	328,200
欧州	ミラノ	780,000	720,400	675,300	600,300	525,300	450,200	390,200	360,200	330,200	300,200
	エディンバラ	830,000	797,200	747,300	664,300	581,300	498,200	431,800	398,600	365,400	332,200
	バルセロナ	710,000	688,300	645,300	573,600	501,900	430,200	372,800	344,200	315,500	286,800
	デュッセルドルフ	770,000	715,100	670,400	595,900	521,400	446,900	387,300	357,500	327,700	298,000
	ハンブルク	740,000	713,000	668,500	594,200	519,900	445,700	386,200	356,500	326,800	297,100
	フランクフルト	770,000	714,100	669,500	595,100	520,700	446,300	386,800	357,100	327,300	297,600
	ミュンヘン	740,000	717,800	673,000	598,200	523,400	448,700	388,800	358,900	329,000	299,100
	ストラスブール	770,000	712,100	667,600	593,400	519,200	445,100	385,700	356,000	326,400	296,700
	マルセイユ	720,000	698,900	655,200	582,400	509,600	436,800	378,600	349,400	320,300	291,200
	ウラジオストク	670,000	631,400	595,700	536,200	476,700	417,200	369,500	345,700	321,900	298,100
	サンクトペテルブルク	670,000	650,200	612,700	550,200	487,700	425,200	375,100	350,100	325,100	300,100
	ハバロフスク	670,000	631,400	595,700	536,200	476,700	417,200	369,500	345,700	321,900	298,100
	ユジノサハリンスク	670,000	631,400	595,700	536,200	476,700	417,200	369,500	345,700	321,900	298,100
中東	ドバイ	890,000	855,400	801,900	712,800	623,700	534,600	463,300	427,700	392,000	356,400
	ジッダ	840,000	812,500	765,500	687,100	608,700	530,300	467,600	436,300	404,900	373,600
	イスタンブール	790,000	730,900	686,500	612,400	538,400	464,300	405,100	375,400	345,800	316,200

三　政府代表部

地域	所在地	号別											
		大使	公使	特号	1号	2号	3号	4号	5号	6号	7号	8号	9号
		円	円	円	円	円	円	円	円	円	円	円	円
アジア	ジャカルタ（東南アジア諸国連合）	690,000	670,000	626,400	602,100	565,700	505,100	444,500	383,800	335,300	311,100	286,800	262,600
北米	ニューヨーク（国際連合）	1,300,000	1,090,000	1,018,300	977,500	916,400	814,600	712,800	611,000	529,500	488,800	448,000	407,300
	モントリオール（国際民間航空機関）	810,000	780,000	730,900	701,600	657,800	584,700	511,600	438,500	380,100	350,800	321,600	292,400
欧州	ローマ（在ローマ国際機関）	800,000	780,000	722,600	693,700	650,400	578,100	505,800	433,600	375,800	346,900	318,000	289,100
	ウィーン（在ウィーン国際機関）	910,000	870,000	813,300	780,700	731,900	650,600	569,300	488,000	422,900	390,400	357,800	325,300
	ジュネーブ（在ジュネーブ国際機関）	1,370,000	1,150,000	1,073,500	1,030,600	966,200	858,800	751,500	644,100	558,200	515,300	472,300	429,400
	（軍縮会議）	1,200,000	1,150,000	1,073,500	1,030,600	966,200	858,800	751,500	644,100	558,200	515,300	472,300	429,400
	パリ（経済協力開発機構）	890,000	800,000	747,800	717,800	673,000	598,200	523,400	448,700	388,800	358,900	329,000	299,100
	（国際連合教育科学文化機関）	830,000	800,000	747,800	717,800	673,000	598,200	523,400	448,700	388,800	358,900	329,000	299,100
	ブリュッセル（欧州連合）	900,000	810,000	755,400	725,200	679,800	604,300	528,800	453,200	392,800	362,600	332,400	302,200
	（北大西洋条約機構）	840,000	810,000	755,400	725,200	679,800	604,300	528,800	453,200	392,800	362,600	332,400	302,200
アフリカ	アディスアベバ（アフリカ連合）	920,000	890,000	842,000	815,900	776,800	711,600	646,400	581,200	529,000	503,000	476,900	450,800
	ナイロビ（在ナイロビ国際機関）	860,000	840,000	788,100	761,000	720,300	652,500	584,700	516,900	462,600	435,500	408,400	381,300

別表第二 住居手当の月額に係る控除率及び限度額（第二条関係）

一 大使館

地域	所在国	控除率	限度額						
			単位	号別					
				公使	1号	2号	3号	4号	5号
アジア	インド	16.9%	インド・ルピー	270,190	219,530	194,199	168,869	151,982	135,095
	インドネシア	10.8%	アメリカ合衆国ドル	5,091	4,137	3,659	3,182	2,864	2,864
	カンボジア	9.8%	アメリカ合衆国ドル	5,590	4,542	4,018	3,494	3,145	2,795
	シンガポール	6.6%	シンガポール・ドル	11,030	8,962	7,928	6,894	6,205	6,205
	スリランカ	19.9%	アメリカ合衆国ドル	2,765	2,246	1,987	1,728	1,555	1,382
	タイ	13.1%	タイ・バーツ	148,485	120,644	106,723	92,803	83,523	74,242
	大韓民国	14.3%	ウォン	5,238,274	4,256,097	3,765,009	3,273,921	2,946,529	2,619,137
	中華人民共和国	8.3%	アメリカ合衆国ドル	6,635	5,391	4,769	4,147	3,732	3,318
	ネパール	36.4%	アメリカ合衆国ドル	1,507	1,225	1,083	942	848	754
	パキスタン	12.8%	アメリカ合衆国ドル	4,301	3,494	3,091	2,688	2,419	2,150
	バングラデシュ	18.6%	アメリカ合衆国ドル	2,950	2,397	2,121	1,844	1,660	1,475
	東ティモール	12.7%	アメリカ合衆国ドル	4,334	3,522	3,115	2,709	2,438	2,167
	フィリピン	14.2%	アメリカ合衆国ドル	3,872	3,146	2,783	2,420	2,178	1,936
	ブータン	36.4%	アメリカ合衆国ドル	1,507	1,225	1,083	942	848	754
	ブルネイ	11.5%	シンガポール・ドル	6,352	5,161	4,566	3,970	3,573	3,176
	ベトナム	9.6%	アメリカ合衆国ドル	5,746	4,668	4,130	3,591	3,232	2,873
	マレーシア	28.1%	マレーシア・リンギ	8,882	7,216	6,384	5,551	4,996	4,441
	ミャンマー	7.4%	アメリカ合衆国ドル	7,394	6,007	5,314	4,621	4,159	4,159
	モルディブ	12.7%	アメリカ合衆国ドル	4,322	3,511	3,106	2,701	2,431	2,161
	モンゴル	31.9%	アメリカ合衆国ドル	1,722	1,399	1,237	1,076	968	861
	ラオス	24.3%	アメリカ合衆国ドル	2,259	1,836	1,624	1,412	1,271	1,130
大洋州	オーストラリア	18.8%	オーストラリア・ドル	4,390	3,567	3,156	2,744	2,470	2,195
	キリバス	15.7%	オーストラリア・ドル	5,240	4,258	3,766	3,275	2,948	2,620
	クック	19.0%	アメリカ合衆国ドル	2,896	2,353	2,082	1,810	1,629	1,448
	サモア	19.1%	アメリカ合衆国ドル	2,880	2,340	2,070	1,800	1,620	1,440
	ソロモン	14.7%	アメリカ合衆国ドル	3,738	3,037	2,686	2,336	2,102	1,869
	ツバル	9.3%	アメリカ合衆国ドル	5,894	4,789	4,237	3,684	3,316	2,947
	トンガ	23.5%	アメリカ合衆国ドル	2,339	1,901	1,681	1,462	1,316	1,170
	ナウル	19.0%	アメリカ合衆国ドル	2,896	2,353	2,082	1,810	1,629	1,448
	ニウエ	20.9%	ニュージーランド・ドル	4,286	3,483	3,081	2,679	2,411	2,143
	ニュージーランド	17.5%	ニュージーランド・ドル	5,123	4,163	3,682	3,202	2,882	2,562
	バヌアツ	10.6%	アメリカ合衆国ドル	5,184	4,212	3,726	3,240	2,916	2,592
	パプアニューギニア	11.7%	アメリカ合衆国ドル	4,715	3,831	3,389	2,947	2,652	2,358
	パラオ	21.8%	アメリカ合衆国ドル	2,518	2,046	1,810	1,574	1,417	1,259
	フィジー	16.3%	アメリカ合衆国ドル	3,363	2,733	2,417	2,102	1,892	1,892

	マーシャル	28.6%	アメリカ合衆国ドル	1,918	1,559	1,379	1,199	1,079	1,079
	ミクロネシア	21.0%	アメリカ合衆国ドル	2,613	2,123	1,878	1,633	1,470	1,306
北米	アメリカ合衆国	10.4%	アメリカ合衆国ドル	5,270	4,282	3,788	3,294	2,965	2,965
	カナダ	18.7%	カナダ・ドル	3,995	3,246	2,872	2,497	2,247	1,998
中南米	アルゼンチン	11.6%	アメリカ合衆国ドル	4,738	3,849	3,405	2,961	2,665	2,369
	アンティグア・バーブーダ	16.3%	アメリカ合衆国ドル	3,360	2,730	2,415	2,100	1,890	1,680
	ウルグアイ	19.5%	アメリカ合衆国ドル	2,814	2,287	2,023	1,759	1,583	1,407
	エクアドル	28.7%	アメリカ合衆国ドル	1,915	1,556	1,377	1,197	1,077	958
	エルサルバドル	19.2%	アメリカ合衆国ドル	2,858	2,322	2,054	1,786	1,607	1,429
	ガイアナ	10.9%	アメリカ合衆国ドル	5,062	4,113	3,639	3,164	2,848	2,531
	キューバ	10.4%	ユーロ	4,869	3,956	3,499	3,043	2,739	2,739
	グアテマラ	20.3%	アメリカ合衆国ドル	2,712	2,204	1,949	1,695	1,526	1,356
	グレナダ	16.3%	アメリカ合衆国ドル	3,360	2,730	2,415	2,100	1,890	1,680
	コスタリカ	19.1%	アメリカ合衆国ドル	2,869	2,331	2,062	1,793	1,614	1,434
	コロンビア	21.1%	アメリカ合衆国ドル	2,610	2,120	1,876	1,631	1,468	1,305
	ジャマイカ	10.2%	アメリカ合衆国ドル	5,390	4,380	3,874	3,369	3,032	2,695
	スリナム	12.6%	アメリカ合衆国ドル	4,368	3,549	3,140	2,730	2,457	2,184
	セントクリストファー・ネービス	16.3%	アメリカ合衆国ドル	3,360	2,730	2,415	2,100	1,890	1,680
	セントビンセント	16.3%	アメリカ合衆国ドル	3,360	2,730	2,415	2,100	1,890	1,680
	セントルシア	16.3%	アメリカ合衆国ドル	3,360	2,730	2,415	2,100	1,890	1,680
	チリ	20.2%	アメリカ合衆国ドル	2,715	2,206	1,952	1,697	1,527	1,358
	ドミニカ	16.3%	アメリカ合衆国ドル	3,360	2,730	2,415	2,100	1,890	1,680
	ドミニカ共和国	19.2%	アメリカ合衆国ドル	2,867	2,330	2,061	1,792	1,613	1,434
	トリニダード・トバゴ	14.2%	アメリカ合衆国ドル	3,861	3,137	2,775	2,413	2,172	1,930
	ニカラグア	24.6%	アメリカ合衆国ドル	2,230	1,812	1,603	1,394	1,255	1,255
	ハイチ	11.4%	アメリカ合衆国ドル	4,800	3,900	3,450	3,000	2,700	2,400
	パナマ	15.8%	アメリカ合衆国ドル	3,478	2,826	2,500	2,174	1,957	1,739
	バハマ	19.2%	アメリカ合衆国ドル	2,867	2,330	2,061	1,792	1,613	1,434
	パラグアイ	19.3%	アメリカ合衆国ドル	2,840	2,308	2,041	1,775	1,598	1,420
	バルバドス	8.9%	アメリカ合衆国ドル	6,195	5,034	4,453	3,872	3,485	3,098
	ブラジル	21.4%	アメリカ合衆国ドル	2,562	2,081	1,841	1,601	1,441	1,281
	ベネズエラ	13.1%	アメリカ合衆国ドル	4,184	3,400	3,007	2,615	2,354	2,092
	ベリーズ	11.6%	アメリカ合衆国ドル	4,741	3,852	3,407	2,963	2,667	2,370
	ペルー	17.3%	アメリカ合衆国ドル	3,179	2,583	2,285	1,987	1,788	1,590
	ボリビア	25.5%	アメリカ合衆国ドル	2,154	1,750	1,548	1,346	1,211	1,077
	ホンジュラス	21.1%	アメリカ合衆国ドル	2,603	2,115	1,871	1,627	1,464	1,302
	メキシコ	13.7%	アメリカ合衆国ドル	4,024	3,270	2,892	2,515	2,264	2,012
欧州	アイスランド	11.0%	スターリング・ポンド	3,902	3,171	2,805	2,439	2,195	2,195
	アイルランド	11.6%	ユーロ	4,363	3,545	3,136	2,727	2,454	2,182

アゼルバイジャン	11.2%	アメリカ合衆国ドル	4,926	4,003	3,541	3,079	2,771	2,463
アルバニア	15.0%	ユーロ	3,365	2,734	2,418	2,103	1,893	1,683
アルメニア	11.7%	アメリカ合衆国ドル	4,712	3,829	3,387	2,945	2,651	2,356
アンドラ	12.4%	ユーロ	4,091	3,324	2,941	2,557	2,301	2,046
イタリア	17.7%	ユーロ	2,858	2,322	2,054	1,786	1,607	1,429
ウクライナ	12.3%	アメリカ合衆国ドル	4,483	3,643	3,222	2,802	2,522	2,242
ウズベキスタン	12.3%	アメリカ合衆国ドル	4,451	3,617	3,199	2,782	2,504	2,226
英国	9.5%	スターリング・ポンド	4,523	3,675	3,251	2,827	2,544	2,262
エストニア	21.7%	ユーロ	2,325	1,889	1,671	1,453	1,308	1,308
オーストリア	17.4%	ユーロ	2,912	2,366	2,093	1,820	1,638	1,638
オランダ	16.6%	ユーロ	3,040	2,470	2,185	1,900	1,710	1,520
カザフスタン	13.0%	アメリカ合衆国ドル	4,229	3,436	3,039	2,643	2,379	2,114
北マケドニア	27.1%	ユーロ	1,866	1,516	1,341	1,166	1,049	933
キプロス	15.0%	ユーロ	3,363	2,733	2,417	2,102	1,892	1,682
ギリシャ	21.0%	ユーロ	2,413	1,960	1,734	1,508	1,357	1,206
キルギス	16.4%	アメリカ合衆国ドル	3,354	2,725	2,410	2,096	1,886	1,677
クロアチア	14.2%	ユーロ	3,570	2,900	2,566	2,231	2,008	1,785
コソボ	14.1%	ユーロ	3,574	2,904	2,569	2,234	2,011	1,787
サンマリノ	17.7%	ユーロ	2,858	2,322	2,054	1,786	1,607	1,429
ジョージア	8.7%	アメリカ合衆国ドル	6,333	5,145	4,552	3,958	3,562	3,166
スイス	8.8%	スイス・フラン	5,448	4,427	3,916	3,405	3,065	2,724
スウェーデン	19.6%	スウェーデン・クローネ	30,021	24,392	21,577	18,763	16,887	15,010
スペイン	16.7%	ユーロ	3,032	2,464	2,179	1,895	1,706	1,516
スロバキア	20.6%	ユーロ	2,458	1,997	1,766	1,536	1,382	1,229
スロベニア	17.2%	ユーロ	2,934	2,384	2,109	1,834	1,651	1,651
セルビア	14.2%	ユーロ	3,570	2,900	2,566	2,231	2,008	1,785
タジキスタン	15.0%	アメリカ合衆国ドル	3,670	2,982	2,638	2,294	2,065	1,835
チェコ	19.5%	チェコ・コルナ	64,544	52,442	46,391	40,340	36,306	32,272
デンマーク	11.3%	デンマーク・クローネ	33,005	26,816	23,722	20,628	20,628	18,565
ドイツ	14.7%	ユーロ	3,432	2,789	2,467	2,145	1,931	1,931
トルクメニスタン	21.1%	アメリカ合衆国ドル	2,602	2,114	1,870	1,626	1,463	1,301
ノルウェー	20.5%	ノルウェー・クローネ	28,771	23,377	20,679	17,982	16,184	14,386
バチカン	17.7%	ユーロ	2,858	2,322	2,054	1,786	1,607	1,429
ハンガリー	16.0%	ユーロ	3,154	2,562	2,267	1,971	1,774	1,577
フィンランド	11.1%	ユーロ	4,541	3,689	3,264	2,838	2,554	2,270
フランス	12.4%	ユーロ	4,091	3,324	2,941	2,557	2,301	2,046
ブルガリア	29.1%	ユーロ	1,739	1,413	1,250	1,087	978	978
ベラルーシ	20.5%	アメリカ合衆国ドル	2,677	2,175	1,924	1,673	1,506	1,338
ベルギー	15.5%	ユーロ	3,267	2,655	2,348	2,042	1,838	1,634
ポーランド	14.2%	ユーロ	3,558	2,891	2,558	2,224	2,002	1,779
ボスニア・ヘルツェゴビナ	15.2%	ユーロ	3,317	2,695	2,384	2,073	1,866	1,658
ポルトガル	19.6%	ユーロ	2,578	2,094	1,853	1,611	1,450	1,289

	マルタ	13.7%	ユーロ	3,694	3,002	2,655	2,309	2,078	1,847
	モナコ	12.4%	ユーロ	4,091	3,324	2,941	2,557	2,301	2,046
	モルドバ	27.6%	アメリカ合衆国ドル	1,989	1,616	1,429	1,243	1,119	994
	モンテネグロ	14.2%	ユーロ	3,570	2,900	2,566	2,231	2,008	1,785
	ラトビア	16.8%	ユーロ	3,011	2,447	2,164	1,882	1,694	1,506
	リトアニア	19.5%	ユーロ	2,594	2,107	1,864	1,621	1,459	1,297
	リヒテンシュタイン	8.4%	スイス・フラン	5,734	4,659	4,122	3,584	3,226	2,867
	ルーマニア	17.1%	ユーロ	2,949	2,396	2,119	1,843	1,659	1,474
	ルクセンブルク	13.8%	ユーロ	3,664	2,977	2,634	2,290	2,061	1,832
	ロシア	6.2%	アメリカ合衆国ドル	8,818	7,164	6,338	5,511	4,960	4,409
中東	アフガニスタン	9.5%	アメリカ合衆国ドル	5,784	4,700	4,157	3,615	3,254	2,892
	アラブ首長国連邦	6.1%	アラブ首長国連邦ディルハム	33,098	26,892	23,789	20,686	18,617	16,549
	イエメン	13.0%	アメリカ合衆国ドル	4,227	3,435	3,038	2,642	2,378	2,114
	イスラエル	9.1%	アメリカ合衆国ドル	6,064	4,927	4,359	3,790	3,411	3,411
	イラク	5.6%	アメリカ合衆国ドル	9,848	8,002	7,078	6,155	5,540	4,924
	イラン	10.7%	ユーロ	4,723	3,838	3,395	2,952	2,657	2,362
	オマーン	11.5%	アメリカ合衆国ドル	4,797	3,897	3,448	2,998	2,698	2,398
	カタール	8.2%	アメリカ合衆国ドル	6,739	5,476	4,844	4,212	3,791	3,370
	クウェート	8.9%	アメリカ合衆国ドル	6,157	5,002	4,425	3,848	3,463	3,078
	サウジアラビア	8.2%	サウジアラビア・リヤール	25,062	20,363	18,014	15,664	14,098	12,531
	シリア	12.9%	アメリカ合衆国ドル	4,243	3,448	3,050	2,652	2,387	2,122
	トルコ	14.8%	アメリカ合衆国ドル	3,715	3,019	2,670	2,322	2,090	1,858
	バーレーン	10.3%	アメリカ合衆国ドル	5,325	4,326	3,827	3,328	2,995	2,662
	ヨルダン	14.1%	アメリカ合衆国ドル	3,898	3,167	2,801	2,436	2,192	1,949
	レバノン	10.2%	アメリカ合衆国ドル	5,384	4,375	3,870	3,365	3,029	2,692
アフリカ	アルジェリア	8.4%	ユーロ	6,008	4,882	4,318	3,755	3,380	3,004
	アンゴラ	4.6%	アメリカ合衆国ドル	11,947	9,707	8,587	7,467	6,720	5,974
	ウガンダ	12.4%	アメリカ合衆国ドル	4,414	3,587	3,173	2,759	2,483	2,207
	エジプト	15.0%	アメリカ合衆国ドル	3,664	2,977	2,634	2,290	2,061	1,832
	エスワティニ	26.4%	ユーロ	1,918	1,559	1,379	1,199	1,079	959
	エチオピア	11.6%	アメリカ合衆国ドル	4,720	3,835	3,393	2,950	2,655	2,655
	エリトリア	11.3%	アメリカ合衆国ドル	4,870	3,957	3,501	3,044	2,740	2,435
	ガーナ	10.6%	アメリカ合衆国ドル	5,198	4,224	3,736	3,249	2,924	2,599
	カーボベルデ	15.7%	ユーロ	3,214	2,612	2,310	2,009	1,808	1,607
	ガボン	13.0%	ユーロ	3,891	3,162	2,797	2,432	2,189	1,946
	カメルーン	11.7%	ユーロ	4,338	3,524	3,118	2,711	2,440	2,440
	ガンビア	15.7%	ユーロ	3,214	2,612	2,310	2,009	1,808	1,607
	ギニア	9.9%	アメリカ合衆国ドル	5,571	4,527	4,004	3,482	3,134	2,786
	ギニアビサウ	15.7%	ユーロ	3,214	2,612	2,310	2,009	1,808	1,607
	ケニア	17.4%	アメリカ合衆国ドル	3,165	2,571	2,275	1,978	1,780	1,780

	コートジボワール	14.0%	ユーロ	3,618	2,939	2,600	2,261	2,035	1,809
	コモロ	26.4%	ユーロ	1,918	1,559	1,379	1,199	1,079	959
	コンゴ共和国	6.2%	アメリカ合衆国ドル	8,805	7,154	6,328	5,503	4,953	4,402
	コンゴ民主共和国	5.6%	アメリカ合衆国ドル	9,861	8,012	7,087	6,163	5,547	4,930
	サントメ・プリンシペ	12.3%	ユーロ	4,096	3,328	2,944	2,560	2,304	2,048
	ザンビア	10.9%	アメリカ合衆国ドル	5,034	4,090	3,618	3,146	2,831	2,517
	シエラレオネ	10.6%	アメリカ合衆国ドル	5,198	4,224	3,736	3,249	2,924	2,599
	ジブチ	14.4%	アメリカ合衆国ドル	3,816	3,101	2,743	2,385	2,147	2,147
	ジンバブエ	15.2%	アメリカ合衆国ドル	3,619	2,941	2,601	2,262	2,036	2,036
	スーダン	16.2%	アメリカ合衆国ドル	3,398	2,761	2,443	2,124	1,912	1,699
	セーシェル	11.2%	アメリカ合衆国ドル	4,893	3,975	3,517	3,058	2,752	2,446
	赤道ギニア	12.3%	ユーロ	4,096	3,328	2,944	2,560	2,304	2,048
	セネガル	17.4%	ユーロ	2,901	2,357	2,085	1,813	1,632	1,450
	ソマリア	12.5%	アメリカ合衆国ドル	4,379	3,558	3,148	2,737	2,463	2,190
	タンザニア	10.3%	アメリカ合衆国ドル	5,331	4,332	3,832	3,332	2,999	2,666
	チャド	12.3%	ユーロ	4,096	3,328	2,944	2,560	2,304	2,048
	中央アフリカ	11.7%	ユーロ	4,338	3,524	3,118	2,711	2,440	2,169
	チュニジア	32.3%	ユーロ	1,566	1,273	1,126	979	881	783
	トーゴ	14.6%	ユーロ	3,456	2,808	2,484	2,160	1,944	1,728
	ナイジェリア	5.8%	アメリカ合衆国ドル	9,523	7,738	6,845	5,952	5,357	4,762
	ナミビア	21.5%	アメリカ合衆国ドル	2,558	2,079	1,839	1,599	1,439	1,279
	ニジェール	14.6%	ユーロ	3,456	2,808	2,484	2,160	1,944	1,728
	ブルキナファソ	19.2%	ユーロ	2,627	2,135	1,888	1,642	1,478	1,478
	ブルンジ	6.2%	アメリカ合衆国ドル	8,805	7,154	6,328	5,503	4,953	4,402
	ベナン	19.5%	ユーロ	2,589	2,103	1,861	1,618	1,456	1,294
	ボツワナ	22.6%	アメリカ合衆国ドル	2,430	1,975	1,747	1,519	1,367	1,367
	マダガスカル	20.1%	ユーロ	2,514	2,042	1,807	1,571	1,414	1,257
	マラウイ	14.3%	アメリカ合衆国ドル	3,851	3,129	2,768	2,407	2,166	1,926
	マリ	16.6%	ユーロ	3,053	2,480	2,194	1,908	1,717	1,526
	南アフリカ共和国	21.0%	アメリカ合衆国ドル	2,621	2,129	1,884	1,638	1,474	1,310
	南スーダン	4.3%	アメリカ合衆国ドル	8,057	8,057	8,057	8,057	8,057	8,057
	モーリシャス	26.2%	ユーロ	1,931	1,569	1,388	1,207	1,086	966
	モーリタニア	14.9%	ユーロ	3,390	2,755	2,437	2,119	1,907	1,695
	モザンビーク	9.5%	アメリカ合衆国ドル	5,789	4,703	4,161	3,618	3,256	3,256
	モロッコ	20.8%	ユーロ	2,429	1,973	1,746	1,518	1,366	1,214
	リビア	12.6%	ユーロ	3,997	3,247	2,873	2,498	2,248	1,998
	リベリア	10.6%	アメリカ合衆国ドル	5,198	4,224	3,736	3,249	2,924	2,599
	ルワンダ	15.7%	アメリカ合衆国ドル	3,501	2,844	2,516	2,188	1,969	1,750
	レソト	26.4%	ユーロ	1,918	1,559	1,379	1,199	1,079	959

二 総領事館

地域	所在地	控除率	限度額					
			単位	号別				
				1号	2号	3号	4号	5号
アジア	コルカタ	36.9%	インド・ルピー	100,684	89,066	77,449	69,704	61,959
	チェンナイ	21.3%	インド・ルピー	174,382	154,261	134,140	120,726	120,726
	ベンガルール	23.8%	インド・ルピー	156,416	138,368	120,320	108,288	96,256
	ムンバイ	11.5%	インド・ルピー	324,735	287,265	249,796	224,816	224,816
	スラバヤ	19.6%	アメリカ合衆国ドル	2,276	2,014	1,751	1,576	1,401
	デンパサール	32.0%	アメリカ合衆国ドル	1,394	1,233	1,072	965	858
	メダン	19.8%	アメリカ合衆国ドル	2,250	1,991	1,731	1,558	1,385
	チェンマイ	18.5%	タイ・バーツ	85,246	75,410	65,574	59,017	52,459
	済州	20.8%	ウォン	2,927,495	2,589,707	2,251,919	2,026,727	1,801,535
	釜山	24.4%	ウォン	2,497,061	2,208,938	1,920,816	1,728,734	1,536,653
	広州	10.2%	アメリカ合衆国ドル	4,390	3,884	3,377	3,039	2,702
	上海	8.7%	アメリカ合衆国ドル	5,158	4,563	3,968	3,571	3,571
	重慶	12.3%	アメリカ合衆国ドル	3,618	3,200	2,783	2,505	2,226
	瀋陽	12.0%	アメリカ合衆国ドル	3,728	3,298	2,868	2,581	2,294
	青島	14.1%	アメリカ合衆国ドル	3,168	2,803	2,437	2,193	1,950
	香港	5.6%	香港ドル	63,067	55,790	48,513	43,662	38,810
	カラチ	16.5%	アメリカ合衆国ドル	2,712	2,399	2,086	1,877	1,669
	セブ	15.2%	アメリカ合衆国ドル	2,933	2,594	2,256	2,030	1,805
	ダバオ	17.0%	アメリカ合衆国ドル	2,629	2,325	2,022	1,820	1,618
	ダナン	11.1%	アメリカ合衆国ドル	4,011	3,548	3,085	2,777	2,468
	ホーチミン	9.1%	アメリカ合衆国ドル	4,905	4,339	3,773	3,396	3,018
	ペナン	38.0%	マレーシア・リンギ	5,339	4,723	4,107	3,696	3,286
大洋州	シドニー	10.7%	オーストラリア・ドル	6,262	5,540	4,817	4,335	3,854
	パース	18.0%	オーストラリア・ドル	3,728	3,298	2,868	2,581	2,294
	ブリスベン	16.2%	オーストラリア・ドル	4,131	3,655	3,178	2,860	2,542
	メルボルン	15.1%	オーストラリア・ドル	4,437	3,925	3,413	3,072	2,730
	オークランド	14.5%	ニュージーランド・ドル	5,032	4,452	3,871	3,484	3,097
北米	アトランタ	13.4%	アメリカ合衆国ドル	3,341	2,956	2,570	2,313	2,056
	サンフランシスコ	8.4%	アメリカ合衆国ドル	5,340	4,724	4,108	3,697	3,286
	シアトル	14.9%	アメリカ合衆国ドル	2,993	2,647	2,302	2,072	2,072
	シカゴ	11.0%	アメリカ合衆国ドル	4,061	3,593	3,124	2,812	2,499
	デトロイト	14.6%	アメリカ合衆国ドル	3,065	2,712	2,358	2,122	1,886
	デンバー	14.1%	アメリカ合衆国ドル	3,167	2,801	2,436	2,192	1,949
	ナッシュビル	13.1%	アメリカ合衆国ドル	3,409	3,015	2,622	2,360	2,098

	ニューヨーク	7.1%	アメリカ合衆国ドル	6,280	5,556	4,831	4,761	4,232
	ハガッニャ	12.5%	アメリカ合衆国ドル	3,558	3,148	2,737	2,463	2,190
	ヒューストン	13.2%	アメリカ合衆国ドル	3,379	2,989	2,599	2,339	2,079
	ボストン	7.5%	アメリカ合衆国ドル	5,914	5,231	4,549	4,094	3,639
	ホノルル	11.0%	アメリカ合衆国ドル	4,070	3,601	3,131	2,818	2,505
	マイアミ	11.6%	アメリカ合衆国ドル	3,848	3,404	2,960	2,664	2,368
	ロサンゼルス	8.9%	アメリカ合衆国ドル	5,005	4,428	3,850	3,465	3,080
	カルガリー	23.3%	カナダ・ドル	2,610	2,309	2,008	1,807	1,606
	トロント	15.7%	カナダ・ドル	3,883	3,435	2,987	2,688	2,390
	バンクーバー	17.8%	カナダ・ドル	3,423	3,028	2,633	2,370	2,106
	モントリオール	16.2%	カナダ・ドル	3,753	3,320	2,887	2,598	2,310
中南米	クリチバ	29.2%	アメリカ合衆国ドル	1,529	1,352	1,176	1,058	941
	サンパウロ	19.6%	アメリカ合衆国ドル	2,276	2,014	1,751	1,576	1,401
	マナウス	32.4%	アメリカ合衆国ドル	1,378	1,219	1,060	954	848
	リオデジャネイロ	15.4%	アメリカ合衆国ドル	2,902	2,567	2,232	2,009	1,786
	レシフェ	23.8%	アメリカ合衆国ドル	1,877	1,661	1,444	1,300	1,155
	レオン	18.3%	アメリカ合衆国ドル	2,441	2,160	1,878	1,690	1,502
欧州	ミラノ	13.7%	ユーロ	2,989	2,644	2,299	2,069	1,839
	エディンバラ	16.8%	スターリング・ポンド	2,070	1,831	1,592	1,433	1,274
	バルセロナ	15.3%	ユーロ	2,683	2,374	2,064	1,858	1,651
	デュッセルドルフ	19.4%	ユーロ	2,122	1,877	1,632	1,469	1,306
	ハンブルク	19.1%	ユーロ	2,150	1,902	1,654	1,489	1,323
	フランクフルト	16.1%	ユーロ	2,544	2,251	1,957	1,761	1,566
	ミュンヘン	12.2%	ユーロ	3,374	2,984	2,595	2,336	2,076
	ストラスブール	20.0%	ユーロ	2,055	1,818	1,581	1,423	1,265
	マルセイユ	19.2%	ユーロ	2,144	1,896	1,649	1,484	1,319
	ウラジオストク	12.0%	アメリカ合衆国ドル	3,725	3,295	2,865	2,579	2,292
	サンクトペテルブルク	14.6%	アメリカ合衆国ドル	3,059	2,706	2,353	2,118	1,882
	ハバロフスク	26.9%	アメリカ合衆国ドル	1,656	1,465	1,274	1,147	1,019
	ユジノサハリンスク	28.2%	アメリカ合衆国ドル	1,581	1,398	1,216	1,094	973
中東	ドバイ	9.4%	アラブ首長国連邦ディルハム	17,300	15,304	13,308	11,977	10,646
	ジッダ	7.8%	サウジアラビア・リヤール	21,516	19,034	16,551	14,896	13,241
	イスタンブール	10.3%	アメリカ合衆国ドル	4,319	3,820	3,322	2,990	2,658

三　政府代表部

地域	所在地	控除率	限度額						
			単位	号別					
				公使	1号	2号	3号	4号	5号
アジア	ジャカルタ （東南アジア諸国連合）	10.8%	アメリカ合衆国ドル	5,091	4,137	3,659	3,182	2,864	2,864
北米	ニューヨーク （国際連合）	6.5%	アメリカ合衆国ドル	8,464	6,877	6,084	5,290	4,761	4,232
	モントリオール （国際民間航空機関）	16.2%	カナダ・ドル	4,619	3,753	3,320	2,887	2,598	2,310
欧州	ローマ （在ローマ国際機関）	17.7%	ユーロ	2,858	2,322	2,054	1,786	1,607	1,429
	ウィーン （在ウィーン国際機関）	17.4%	ユーロ	2,912	2,366	2,093	1,820	1,638	1,638
	ジュネーブ （在ジュネーブ国際機関）	7.4%	スイス・フラン	6,547	5,320	4,706	4,092	3,683	3,274
	（軍縮会議）	7.4%	スイス・フラン	6,547	5,320	4,706	4,092	3,683	3,274
	パリ （経済協力開発機構）	12.4%	ユーロ	4,091	3,324	2,941	2,557	2,301	2,046
	（国際連合教育科学文化機関）	12.4%	ユーロ	4,091	3,324	2,941	2,557	2,301	2,046
	ブリュッセル （欧州連合）	15.5%	ユーロ	3,267	2,655	2,348	2,042	1,838	1,634
	（北大西洋条約機構）	15.5%	ユーロ	3,267	2,655	2,348	2,042	1,838	1,634
アフリカ	アディスアベバ （アフリカ連合）	11.6%	アメリカ合衆国ドル	4,720	3,835	3,393	2,950	2,655	2,655
	ナイロビ （在ナイロビ国際機関）	17.4%	アメリカ合衆国ドル	3,165	2,571	2,275	1,978	1,780	1,780

○住居手当の支給に関する規則（抄）

昭四四・六・一二
外務令七

最終改正 令七・二・二六外務令二

（住居手当の号の適用）

第一条 在外公館に勤務する外務公務員の在勤基本手当の額、住居手当に係る控除額及び限度額並びに子女教育手当に係る自己負担額を定める政令（昭和四十九年政令第百七十九号。以下「政令」という。）別表第二の住居手当の号は、次の表の下欄に掲げる在勤基本手当の号の支給を受ける者（次項に規定する職員を除く。）にそれぞれ対応する上欄の住居手当の号を適用する。

住居手当の号	在勤基本手当の号
公使	公使
一号	特号及び一号
二号	二号
三号	三号
四号	四号から六号まで
五号	七号から九号まで

2 国家公務員法等の一部を改正する法律（令和三年法律第六十一号）附則第四条第一項の規定により採用された職員についての政令別表第二の住居手当の号は、次の表の下欄に掲げる在勤基本手当の号の支給を受ける者にそれぞれ対応する上欄の住居手当の号を適用する。

住居手当の号	在勤基本手当の号
公使	公使
一号	特号から三号まで
二号	四号
三号	五号
四号	六号から八号まで
五号	九号

3 国家公務員宿舎法（昭和二十四年法律第百十七号）第十条に規定する公邸の貸与を受けない大使には、住居手当の公使の号を適用し、当該公邸の貸与を受けない総領事には、住居手当の一号を適用する。

第一三　検察官

○検察官の俸給等に関する法律

昭二三・七・一
法　　七　　六

最終改正　令六・一二・二五法七七

〔適用基準〕

第一条　検察官の給与に関しては、検察庁法（昭和二十二年法律第六十一号）及びこの法律に定めるものを除き、検事総長、次長検事及び検事長については、特別職の職員の給与に関する法律（昭和二十四年法律第二百五十二号）第一条第一号から第四十二号までに掲げる者の例により、一号から八号までの俸給を受ける検事及び附則第三条に定める俸給月額の俸給又は一号若しくは二号の俸給を受ける副検事については、一般職の職員の給与に関する法律（昭和二十五年法律第九十五号）による指定職俸給表の適用を受ける職員の例により、その他の検察官については、一般官吏の例による。ただし、俸給の特別調整額、超過勤務手当、休日給、夜勤手当及び宿日直手当は、これを支給しない。

2　次長検事及び検事長には、一般官吏の例により、単身赴任手当を支給する。

3　寒冷地に在勤する検事長には、一般官吏の例により、寒冷地手当を支給する。

〔俸給〕

第二条　検察官の俸給月額は、別表による。

第三条　法務大臣は、初任給、昇給その他検察官の給与に関する事項について必要な準則を定め、これに従つて各検察官の受くべき俸給の号等を定める。

2　前項に規定する準則は、法務大臣が内閣総理大臣と協議して、これを定める。

〔欠位者の給与〕

第四条　検察庁法第二十四条の規定により欠位を待つことを命ぜられた検察官には、引き続き扶養手当、地域手当、広域異動手当、住居手当、期末手当及び寒冷地手当を支給する。

附　則

〔施行期日〕

第一条　この法律は、公布の日から、これを施行する。

〔国家公務員法との関係〕

第二条　この法律の規定は、国家公務員法（昭和二十二年法律第百二十号）のいかなる条項をも廃止し、若しくは修正し、又はこれに代わるものではない。

〔副検事の俸給月額〕

第三条　副検事の俸給月額は、特別のものに限り、当分の間、第二条の規定にかかわらず、六十四万四千円とすることができる。

〔検察官の俸給等に関する法律の特例〕

第四条　検察官の俸給等に関する法律等の一部を改正する法律（平成二十四年法律第五号）附則第一条ただし書に規定する規定の施行の日から平成二十六年三月三十一日までの間においては、検察官に対する俸給の支給に当たつては、俸給月額（検察官の俸給等に関する法律の一部を改正する法律（平成十七年法律第百十八号）附則第三条の規定による俸給を含む。）から、当該俸給月額に次の各号に掲げる検察官の区分に応じ当該各号に定める割合を乗じて得た額に相当する額を減ずる。

一　検事総長　百分の二十
二　東京高等検察庁検事長　百分の十五
三　次長検事及びその他の検事長　百分の十
四　一号から十四号までの俸給を受ける検事及び前条に定める俸給月額の俸給又は一号から九号までの俸給を受ける副検事　百分の九・七七
五　十五号から二十号までの俸給を受ける検事及び十号から十六号までの俸給を受ける副検事　百分の七・七七
六　十七号の俸給を受ける副検事　百分の四・七七

2　前項の規定により俸給の支給に当たつて減ずることとされる額を算定する場合において、当該額に一円未満の端数を生じたときは、これを切り捨てるものとする。

3　前項に定めるもののほか、第一項の規定の適用に関し必要な事項は、政令で定める。

第五条　検事及び副検事の俸給月額は、当分の間、その者の年齢が六十三年に達した日の翌日以後、第三条第一項の規定によりその者の受ける号に応じた俸給月額に百分の七十を乗じて得た額（当該額に、五十円未満の端数を生じたときはこれを切り捨て、五十円以上百円未満の端数を生じたときはこれを百円に切り上げるものとする。）とする。

2　検察庁法第二十二条第三項の規定により検事に任命された者（第三条第一項に規定する準則（次項において単に「準則」という。）で定める者を除く。）には、当分の間、当該任命の日（以下この項において「任命日」という。）以後、前項の規定によりその者の受ける俸給月額のほか、任命日の前日にその者が受けていた俸給月額に百分の七十を乗じて得た額（当該額に、五十円未満の端数を生じたときはこれを切り捨て、五十円以上百円未満の端数を生じたときはこれを百円に切り上げるものとする。）と任命日に同項の規定によりその者の受ける俸給月額との差額に相当する額を俸給として支給する。

3　前項の準則で定める者であつて、同項の規定による俸給を支給される者との権衡上必要があると認められる者には、当分の間、その者の受ける俸給月額のほか、準則で定めるところにより、同項の規定に準じて算出した額を俸給として支給する。

第六条　前条第一項の規定の適用を受ける検察官に対する検察庁法第二十五条及び国家公務員法第八十九条第一項の規定の適用については、検察庁法第二十五条中「前三条」とあるのは「前三条又は検察官の俸給等に関する法律（昭和二十三年法律第七十六号）附則第五条第一項」と、同項中「伴う降給」とあるのは「伴う降給及び検察官の俸給等に関する法律（昭和二十三年法律第七十六号）附則第五条第一項の規定による降給」とする。

2　前項の規定は、国家公務員法附則第四条の規定により、検察官の職務と責任の特殊性に基づいて、同法の特例を定めたものとする。

附　則（令三・六・一一法六一）（抄）

（施行期日）

第一条　この法律は、令和五年四月一日から施行する。〔ただし書略〕

附　則（令四・一一・二八法九一）

（施行期日等）

1　この法律は、公布の日から施行し、この法律による改正後の検察官の俸給等に関する法律（次項において「新法」という。）の規定は、令和四年四月一日から適用する。

（給与の内払）

2　新法の規定を適用する場合においては、この法律による改正前の検察官の俸給等に関する法律の規定に基づいて支給された俸給その他の給与は、新法の規定による俸給その他の給与の内払とみなす。

附　則（令五・一一・二四法七七）

（施行期日等）

1　この法律は、公布の日から施行し、この法律による改正後の検察官の俸給等に関する法律（次項において「新法」という。）の規定は、令和五年四月一日から適用する。

（給与の内払）

2　新法の規定を適用する場合においては、この法律による改正前の検察官の俸給等に関する法律の規定に基づいて支給された俸給その他の給与は、新法の規定による俸給その他の給与の内払とみなす。

附　則（令六・一二・二五法七七）

（施行期日等）

1　この法律は、公布の日から施行する。ただし、第二条の規定は、令和七年四月一日から施行する。

2　第一条の規定による改正後の検察官の俸給等に関する法律（次項において「新法」という。）の規定は、令和六年四月一日から適用する。

（給与の内払）

3　新法の規定を適用する場合においては、第一条の規定による改正前の検察官の俸給等に関する法律の規定に基づいて支給された俸給その他の給与は、新法の規定による俸給その他の給与の内払とみなす。

別表（第二条関係）

区分		俸給月額
検事総長		一、四八六、〇〇〇円
次長検事		一、二一六、〇〇〇円
東京高等検察庁検事長		一、三二一、〇〇〇円
その他の検事長		一、二一六、〇〇〇円
検事	一号	一、一九一、〇〇〇円
	二号	一、〇四九、〇〇〇円
	三号	九七九、〇〇〇円
	四号	八二九、〇〇〇円
	五号	七一六、〇〇〇円
	六号	六四四、〇〇〇円
	七号	五八四、〇〇〇円
	八号	五二六、〇〇〇円
	九号	四四三、九〇〇円
	十号	四〇九、〇〇〇円
	十一号	三九〇、八〇〇円
	十二号	三六六、三〇〇円
	十三号	三三九、七〇〇円
	十四号	三二五、三〇〇円
	十五号	三〇九、〇〇〇円
	十六号	三〇〇、一〇〇円
	十七号	二八三、三〇〇円
	十八号	二七四、五〇〇円
	十九号	二六九、一〇〇円

	副検事																
二十号	一号	二号	三号	四号	五号	六号	七号	八号	九号	十号	十一号	十二号	十三号	十四号	十五号	十六号	十七号
二六五、三〇〇円	五八四、〇〇〇円	五二六、〇〇〇円	四六二、〇〇〇円	四四三、九〇〇円	四〇九、〇〇〇円	三九〇、八〇〇円	三六六、三〇〇円	三三九、七〇〇円	三二五、三〇〇円	三〇九、〇〇〇円	三〇〇、一〇〇円	二八三、三〇〇円	二七四、五〇〇円	二六九、一〇〇円	二六五、三〇〇円	二五五、〇〇〇円	二四七、一〇〇円

○検察官の初任給調整手当に関する準則

昭四六・四・一
法務人甲二法務大臣訓令

最終改正　平元・五・二九法務人給訓一一四七

第一条　検察官に対し、当分の間、初任給調整手当を支給することとし、その支給については、この準則の定めるところによるほか、一般官吏の例による。

第二条　初任給調整手当の支給を受ける検察官は、検察庁法第十八条第一項第一号に定める資格を有する者から検事に任命された者で、かつ、検察官の俸給等に関する法律（昭和二十三年法律第七十六号）第二条別表に掲げる二十号から十三号までの俸給を受ける検事とする。

第三条　初任給調整手当の月額は、当該検事の俸給の号の区分に応じた別表に掲げる額とする。

第四条　当該月額の支給期間は、検察官の初任給及び昇給に関する準則第三条に定める俸給の号の区分に応じた昇給期間に限るものとし、当該昇給期間をこえて在号するものについては、昇給期間が経過した時期に順次上位の号に昇給したものとみなす。

附　則

この準則は、昭和四十六年四月一日から施行する。

附　則（平元・五・二九法務人給訓一一四七）

この準則は、平成元年四月一日から適用する。

別表

俸給の号の区分	月額
二十号	八七、八〇〇円
十九号	八三、九〇〇円
十八号	七五、一〇〇円
十七号	七〇、〇〇〇円
十六号	五一、一〇〇円
十五号	四五、一〇〇円
十四号	三〇、九〇〇円
十三号	一九、〇〇〇円

第一四 独立行政法人の職員

○行政執行法人の労働関係に関する法律

昭二三・一二・二〇
法 二 五 七

最終改正 令三・六・一一法六一

目次〔略〕

第一章 総則

（目的及び関係者の義務）

第一条 この法律は、行政執行法人の職員の労働条件に関する苦情又は紛争の友好的かつ平和的調整を図るように団体交渉の慣行と手続とを確立することによつて、行政執行法人の正常な運営を最大限に確保し、もつて公共の福祉を増進し、擁護することを目的とする。

2 国家の経済と国民の福祉に対する行政執行法人の重要性に鑑み、この法律で定める手続に関与する関係者は、経済的紛争をできるだけ防止し、かつ、主張の不一致を友好的に調整するために、最大限の努力を尽くさなければならない。

（定義）

第二条 この法律において、次の各号に掲げる用語の意義は、当該各号に定めるところによる。

一 行政執行法人 独立行政法人通則法（平成十一年法律第百三号）第二条第四項に規定する行政執行法人をいう。

二 職員 行政執行法人に勤務する一般職に属する国家公務員をいう。

（労働組合法との関係等）

第三条 職員に関する労働関係については、この法律の定めるところにより、この法律に定めのないものについては、労働組合法（昭和二十四年法律第百七十四号。第五条第二項第八号、第七条第一号ただし書、第八条、第十八条、第二十四条の二第一項及び第二項、第二十七条の十三第二項、第二十八条、第三十一条並びに第三十二条の規定を除く。）の定めるところによる。この場合において、同法第六条中「労働組合の代表者又は労働組合の委任を受けた者」とあり、及び同法第七条第二号中「使用者が雇用する労働者の代表者」とあるのは「労働組合を代表する交渉委員」と、同条第四号中「労働関係調整法（昭和二十一年法律第二十五号）による労働争議の調整」とあるのは「行政執行法人の労働関係に関する法律による紛争の調整」と読み替えるものとする。

2 中央労働委員会（以下「委員会」という。）は、職員に関する労働関係について労働組合法第二十四条第一項に規定する事件の処理をする場合には、会長及び第二十五条の規定に基づき公益を代表する委員のうちから会長があらかじめ指名した四人の委員全員により構成する審査委員会を設けて事件の処理を行わせ、当該審査委員会のした処分をもつて委員会の処分とすることができる。ただし、事件が重要と認められる場合その他審査委員会が処分をすることが適当でないと認められる場合は、この限りでない。

3 前項の審査委員会に関する事項その他同項の適用に関し必要な事項は、政令で定める。

第二章 労働組合

（職員の団結権）

第四条 職員は、労働組合を結成し、若しくは結成せず、又はこれに加入し、若しくは加入しないことができる。

2 委員会は、職員が結成し、又は加入する労働組合（以下「組合」という。）について、職員のうち労働組合法第二条第一号に規定する者の範囲を認定して告示するものとする。

3 前項の規定による委員会の事務の処理には、委員会の公益を代表する委員のみが参与する。

4 行政執行法人は、職を新設し、変更し、又は廃止したときは、速やかにその旨を委員会に通知しなければならない。

5 前条第二項及び第三項の規定は、第三項に規定する事務の処理について準用する。

第五条及び第六条 削除

（組合のための職員の行為の制限）

第七条 職員は、組合の業務に専ら従事することができない。ただし、行政執行法人の許可を受けて、組合の役員として専ら従事する場合は、この限りでない。

2 前項ただし書の許可は、行政執行法人が相当と認める場合に与えることができるものとし、これを与える場合においては、行政執行法人は、その許可の有効期間を定めるものとする。

3　第一項ただし書の規定により組合の役員として専ら従事する期間は、職員としての在職期間を通じて五年（その職員が国家公務員法（昭和二十二年法律第百二十号）第百八条の六第一項ただし書の規定により職員団体の業務に専ら従事したことがある者であるときは、五年からその専ら従事した期間を控除した期間）を超えることができない。

4　第一項ただし書の許可は、当該許可を受けた職員が組合の役員として当該組合の業務にもつぱら従事する者でなくなつたときは、取り消されるものとする。

5　第一項ただし書の許可を受けた職員は、その許可が効力を有する間は、休職者とし、いかなる給与も支給されないものとする。

第三章　団体交渉等

（団体交渉の範囲）

第八条　第十一条及び第十二条第二項に規定するもののほか、職員に関する次に掲げる事項は、団体交渉の対象とし、これに関し労働協約を締結することができる。ただし、行政執行法人の管理及び運営に関する事項は、団体交渉の対象とすることができない。

一　賃金その他の給与、労働時間、休憩、休日及び休暇に関する事項

二　昇職、降職、転職、免職、休職、先任権及び懲戒の基準に関する事項

三　労働に関する安全、衛生及び災害補償に関する事項

四　前三号に掲げるもののほか、労働条件に関する事項

（交渉委員等）

第九条　行政執行法人と組合との団体交渉は、専ら、行政執行法人を代表する交渉委員と組合を代表する交渉委員とにより行う。

第十条　行政執行法人を代表する交渉委員は当該行政執行法人が、組合を代表する交渉委員は当該組合が指名する。

2　行政執行法人及び組合は、交渉委員を指名したときは、その名簿を相手方に提示しなければならない。

第十一条　前二条に定めるもののほか、交渉委員の数、交渉委員の任期その他団体交渉の手続に関し必要な事項は、団体交渉で定める。

（苦情処理）

第十二条　行政執行法人及び組合は、職員の苦情を適当に解決するため、行政執行法人を代表する者及び職員を代表する者各同数をもつて構成する苦情処理共同調整会議を設けなければならない。

2　苦情処理共同調整会議の組織その他苦情処理に関する事項は、団体交渉で定める。

第十三条から第十六条まで　削除

第四章　争議行為

（争議行為の禁止）

第十七条　職員及び組合は、行政執行法人に対して同盟罷業、怠業、その他業務の正常な運営を阻害する一切の行為をすることができない。また、職員並びに組合の組合員及び役員は、このような禁止された行為を共謀し、唆し、又はあおつてはならない。

2　行政執行法人は、作業所閉鎖をしてはならない。

（第十七条に違反した職員の身分）

第十八条　前条の規定に違反する行為をした職員は、解雇されるものとする。

（不当労働行為の申立て等）

第十九条　前条の規定による解雇に係る労働組合法第二十七条第一項の申立てがあつた場合において、当該申立てが当該解雇がされた日から二月を経過した後にされたものであるときは、委員会は、同条第二項の規定にかかわらず、これを受けることができない。

2　前条の規定による解雇に係る労働組合法第二十七条第一項の申立てを受けたときは、委員会は、当該申立ての日から二月以内に同法第二十七条の十二第一項の命令を発するようにしなければならない。

第五章　削除

第二十条から第二十四条まで　削除

第六章　あつせん、調停及び仲裁

（行政執行法人担当委員）

第二十五条　委員会が次条第一項、第二十七条第三号及び第四号並びに第三十三条第四号の委員会の決議、次条第二項及び第二十九条第四項の委員会の同意その他政令で定める委員会の事務を処理する場合には、これらの事務の処理には、

公益を代表する委員のうち会長があらかじめ指名する四人の委員及び会長（次条第二項、第二十九条第二項及び第三十四条第二項において「行政執行法人担当公益委員」という。）、労働組合法第十九条の三第二項に規定する行政執行法人の推薦に基づき任命された同項に規定する四人の委員（次条第二項及び第二十九条第二項において「行政執行法人担当使用者委員」という。）並びに同法第十九条の三第二項に規定する行政執行法人職員が結成し、又は加入する労働組合の推薦に基づき任命された同項に規定する四人の委員（次条第二項及び第二十九条第二項において「行政執行法人担当労働者委員」という。）のみが参与する。この場合において、委員会の事務の処理に関し必要な事項は、政令で定める。

（あつせん）

第二十六条　委員会は、行政執行法人とその職員との間に発生した紛争について、関係当事者の双方若しくは一方の申請又は委員会の決議により、あつせんを行うことができる。

2　前項のあつせんは、委員会の会長が行政執行法人担当公益委員、行政執行法人担当使用者委員若しくは行政執行法人担当労働者委員若しくは第二十九条第四項の調停委員候補者名簿に記載されている者のうちから指名するあつせん員又は委員会の同意を得て委員会の会長が委嘱するあつせん員によつて行う。

3　労働組合法第十九条の十第一項に規定する地方において中央労働委員会が処理すべき事件として政令で定めるものについては、委員会の会長は、前項の規定にかかわらず、同条第一項に規定する地方調整委員のうちから、あつせん員を指名する。ただし、委員会の会長が当該地方調整委員のうちからあつせん員を指名することが適当でないと認める場合は、この限りでない。

4　あつせん員（委員会の委員又は労働組合法第十九条の十第一項に規定する地方調整委員である者を除く。次項において同じ。）は、政令で定めるところにより、報酬及びその職務を行うために要する費用の弁償を受けることができる。

5　あつせん員又はあつせん員であつた者は、その職務に関して知ることができた秘密を漏らしてはならない。

6　労働関係調整法（昭和二十一年法律第二十五号）第十三条及び第十四条の規定は、第一項のあつせんについて準用する。

（調停の開始）

第二十七条　委員会は、次の場合に調停を行う。

一　関係当事者の双方が委員会に調停の申請をしたとき。

二　関係当事者の一方が労働協約の定に基いて委員会に調停の申請をしたとき。

三　関係当事者の一方の申請により、委員会が調停を行う必要があると決議したとき。

四　委員会が職権に基き、調停を行う必要があると決議したとき。

五　主務大臣が委員会に調停の請求をしたとき。

（委員会による調停）

第二十八条　委員会による調停は、当該事件について設ける調停委員会によつて行う。

（調停委員会）

第二十九条　調停委員会は、公益を代表する調停委員、行政執行法人を代表する調停委員及び職員を代表する調停委員各三人以内で組織する。ただし、行政執行法人を代表する調停委員と職員を代表する調停委員とは、同数でなければならない。

2　公益を代表する調停委員は行政執行法人担当公益委員のうちから、行政執行法人を代表する調停委員は行政執行法人担当使用者委員のうちから、職員を代表する調停委員は行政執行法人担当労働者委員のうちから、委員会の会長が指名する。

3　労働組合法第十九条の十第一項に規定する地方において中央労働委員会が処理すべき事件として政令で定めるものについては、委員会の会長は、前項の規定にかかわらず、同条第一項に規定する地方調整委員のうちから、調停委員を指名する。ただし、委員会の会長が当該地方調整委員のうちから調停委員を指名することが適当でないと認める場合は、この限りでない。

4　委員会の会長は、必要があると認めるときは、前二項の規定にかかわらず、厚生労働大臣があらかじめ委員会の同意を得て作成した調停委員候補者名簿に記載されている者のうちから、調停委員を委嘱することができる。

5　前項の規定による調停委員は、政令で定めるところにより、報酬及びその職務を行うために要する費用の弁償を受けることができる。

第三十条　削除

（報告及び指示）

第三十一条　委員会は、調停委員会に、その行う事務に関し報告をさせ、又は必要な指示をすることができる。

（調停に関する準用規定）

第三十二条　労働関係調整法第二十二条から第二十五条まで、第二十六条第一項から第三項まで及び第四十三条の規定は、調停委員会及び調停について準用する。

（仲裁の開始）

第三十三条　委員会は、次の場合に仲裁を行う。

一　関係当事者の双方が委員会に仲裁の申請をしたとき。

二　関係当事者の一方が労働協約の定に基いて委員会に仲裁の申請をしたとき。

三　委員会があつせん又は調停を開始した後二月を経過して、なお紛争が解決しない場合において、関係当事者の一方が委員会に仲裁の申請をしたとき。

四　委員会が、あつせん又は調停を行つている事件について、仲裁を行う必要があると決議したとき。

五　主務大臣が委員会に仲裁の請求をしたとき。

（仲裁委員会）

第三十四条　委員会による仲裁は、当該事件について設ける仲裁委員会によつて行う。

2　仲裁委員会は、行政執行法人担当公益委員の全員をもつて充てる仲裁委員又は委員会の会長が委員会の公益委員のうちから指名する三人の仲裁委員で組織する。

3　労働関係調整法第三十一条の三から第三十四条まで及び第四十三条の規定は、仲裁委員会、仲裁及び裁定について準用する。この場合において、同法第三十一条の五中「委員又は特別調整委員」とあるのは、「委員」と読み替えるものとする。

（委員会の裁定）

第三十五条　行政執行法人とその職員との間に発生した紛争に係る委員会の裁定に対しては、当事者は、双方とも最終的決定としてこれに服従しなければならない。

2　政府は、行政執行法人がその職員との間に発生した紛争に係る委員会の裁定を実施した結果、その事務及び事業の実施に著しい支障が生ずることのないように、できる限り努力しなければならない。

第七章　雑則

（主務大臣）

第三十六条　第二十七条第五号及び第三十三条第五号に規定する主務大臣は、厚生労働大臣及び行政執行法人を所管する大臣（当該調停又は仲裁に係る行政執行法人を所管する大臣に限る。）とする。

（他の法律の適用除外）

第三十七条　次に掲げる法律の規定は、職員については、適用しない。

一　国家公務員法第三条第二項から第四項まで、第三条の二、第十七条、第十七条の二、第十九条、第二十条、第二十二条、第二十三条、第七十条の五から第七十一条まで、第七十三条、第七十七条、第八十四条第二項、第八十四条の二、第八十六条から第八十八条まで、第九十六条第二項、第九十八条第二項及び第三項、第百条第四項、第百八条の二から第百八条の七まで並びに附則第六条の規定

二　国家公務員法の一部を改正する法律（昭和二十三年法律第二百二十二号）附則第三条の規定

2　前項の規定は、職員に関し、その職務と責任の特殊性に基づいて、国家公務員法附則第四条に定める同法の特例を定めたものである。

3　行政執行法人及び職員に係る処分又はその不作為であつて第三条第一項の規定により読み替えられた労働組合法第七条各号に該当するものについては、審査請求をすることができない。

附　則

1　この法律は、昭和二十四年六月一日から施行する。

2　公共企業体の設立後最初に委嘱された仲裁委員会の委員の任期は、内閣総理大臣の定めるところにより、各一年、二年、三年とする。

3　第七条の規定の適用については、行政執行法人の運営の実態に鑑み、労働関係の適正化を促進し、もつて行政執行法人の効率的な運営に資するため、当分の間、同条第三項中「五年」とあるのは、「七年以下の範囲内で労働協約で定める期間」とする。

附　則（平二六・六・一三法六七）（抄）

（施行期日）

第一条　この法律は、独立行政法人通則法の一部を改正する法律（平成二十六年法律第六十六号。以下「通則法改正法」という。）の施行の日〔平二七・四・一〕から施行する。〔ただし書略〕

（特定独立行政法人の労働関係に関する法律の一部改正に伴う経過措置）

第二十条　旧特労法第七条第一項ただし書の規定により旧特労法第四条第二項に規定する組合の業務に専ら従事した期間は、新行労法第七条の規定の適用については、同条第一項ただし書の規定により組合の業務に専ら従事した期間とみなす。

附　則（令三・六・一一法六一）（抄）

（施行期日）

第一条　この法律は、令和五年四月一日から施行する。〔ただし書略〕

○独立行政法人通則法

平一一・七・一六
法　一〇三

最終改正　令四・六・一七法六八

目次〔略〕

第一章　総則

第一節　通則

（目的等）

第一条　この法律は、独立行政法人の運営の基本その他の制度の基本となる共通の事項を定め、各独立行政法人の名称、目的、業務の範囲等に関する事項を定める法律（以下「個別法」という。）と相まって、独立行政法人制度の確立並びに独立行政法人が公共上の見地から行う事務及び事業の確実な実施を図り、もって国民生活の安定及び社会経済の健全な発展に資することを目的とする。

2　各独立行政法人の組織、運営及び管理については、個別法に定めるもののほか、この法律の定めるところによる。

（定義）

第二条　この法律において「独立行政法人」とは、国民生活及び社会経済の安定等の公共上の見地から確実に実施されることが必要な事務及び事業であって、国が自ら主体となって直接に実施する必要のないもののうち、民間の主体に委ねた場合には必ずしも実施されないおそれがあるもの又は一の主体に独占して行わせることが必要であるもの（以下この条において「公共上の事務等」という。）を効果的かつ効率的に行わせるため、中期目標管理法人、国立研究開発法人又は行政執行法人として、この法律及び個別法の定めるところにより設立される法人をいう。

2　この法律において「中期目標管理法人」とは、公共上の事務等のうち、その特性に照らし、一定の自主性及び自律性を発揮しつつ、中期的な視点に立って執行することが求められるもの（国立研究開発法人が行うものを除く。）を国が中期的な期間について定める業務運営に関する目標を達成するための計画に基づき行うことにより、国民の需要に的確に対応した多様で良質なサービスの提供を通じた公共の利益の増進を推進することを目的とする独立行政法人として、個別法で定めるものをいう。

3　この法律において「国立研究開発法人」とは、公共上の事務等のうち、その特性に照らし、一定の自主性及び自律性を発揮しつつ、中長期的な視点に立って執行することが求められる科学技術に関する試験、研究又は開発（以下「研究開発」という。）に係るものを主要な業務として国が中長期的な期間について定める業務運営に関する目標を達成するための計画に基づき行うことにより、我が国における科学技術の水準の向上を通じた国民経済の健全な発展その他の公益に資するため研究開発の最大限の成果を確保することを目的とする独立行政法人として、個別法で定めるものをいう。

4　この法律において「行政執行法人」とは、公共上の事務等のうち、その特性に照らし、国の行政事務と密接に関連して行われる国の指示その他の国の相当な関与の下に確実に執行することが求められるものを国が事業年度ごとに定める業務運営に関する目標を達成するための計画に基づき行うことにより、その公共上の事務等を正確かつ確実に執行することを目的とする独立行政法人として、個別法で定めるものをいう。

（業務の公共性、透明性及び自主性等）

第三条　独立行政法人は、その行う事務及び事業が国民生活及び社会経済の安定等の公共上の見地から確実に実施されることが必要なものであることに鑑み、適正かつ効率的にその業務を運営するよう努めなければならない。

2　独立行政法人は、この法律の定めるところによりその業務の内容を公表すること等を通じて、その組織及び運営の状況を国民に明らかにするよう努めなければならない。

3　この法律及び個別法の運用に当たっては、独立行政法人の事務及び事業が内外の社会経済情勢を踏まえつつ適切に行われるよう、独立行政法人の事務及び事業の特性並びに独立行政法人の業務運営における自主性は、十分配慮されなければならない。

（名称）

第四条　各独立行政法人の名称は、個別法で定める。

2　国立研究開発法人については、その名称中に、国立研究開発法人という文字を使用するものとする。

（目的）

第五条　各独立行政法人の目的は、第二条第二項、第三項又は第四項の目的の範囲内で、個別法で定める。

（法人格）

第六条　独立行政法人は、法人とする。

（事務所）

第七条　各独立行政法人は、主たる事務所を個別法で定める地に置く。

2　独立行政法人は、必要な地に従たる事務所を置くことができる。

（財産的基礎等）

第八条　独立行政法人は、その業務を確実に実施するために必要な資本金その他の財産的基礎を有しなければならない。

2　政府は、その業務を確実に実施させるために必要があると認めるときは、個別法で定めるところにより、各独立行政法人に出資することができる。

3　独立行政法人は、業務の見直し、社会経済情勢の変化その他の事由により、その保有する重要な財産であって主務省令（当該独立行政法人を所管する内閣府又は各省の内閣府令又は省令をいう。ただし、原子力規制委員会が所管する独立行政法人については、原子力規制委員会規則とする。以下同じ。）で定めるものが将来にわたり業務を確実に実施する上で必要がなくなったと認められる場合には、第四十六条の二又は第四十六条の三の規定により、当該財産（以下「不要財産」という。）を処分しなければならない。

（登記）

第九条　独立行政法人は、政令で定めるところにより、登記しなければならない。

2　前項の規定により登記しなければならない事項は、登記の後でなければ、これをもって第三者に対抗することができない。

（名称の使用制限）

第十条　独立行政法人又は国立研究開発法人でない者は、その名称中に、独立行政法人又は国立研究開発法人という文字を用いてはならない。

（一般社団法人及び一般財団法人に関する法律の準用）

第十一条　一般社団法人及び一般財団法人に関する法律（平成十八年法律第四十八号）第四条及び第七十八条の規定は、独立行政法人について準用する。

第二節　独立行政法人評価制度委員会

（設置）

第十二条　総務省に、独立行政法人評価制度委員会（以下「委員会」という。）を置く。

（所掌事務等）

第十二条の二　委員会は、次に掲げる事務をつかさどる。

一　第二十八条の二第二項の規定により、総務大臣に意見を述べること。

二　第二十九条第三項、第三十二条第五項、第三十五条第三項、第三十五条の四第三項、第三十五条の六第八項、第三十五条の七第四項又は第三十五条の十一第七項の規定により、主務大臣に意見を述べること。

三　第三十五条第四項又は第三十五条の七第五項の規定により、主務大臣に勧告をすること。

四 第三十五条の二（第三十五条の八において読み替えて準用する場合を含む。）の規定により、内閣総理大臣に対し、意見を具申すること。
五 独立行政法人の業務運営に係る評価（次号において「評価」という。）の制度に関する重要事項を調査審議し、必要があると認めるときは、総務大臣に意見を述べること。
六 評価の実施に関する重要事項を調査審議し、評価の実施が著しく適正を欠くと認めるときは、主務大臣に意見を述べること。
七 その他法律によりその権限に属させられた事項を処理すること。
2 委員会は、前項第一号若しくは第二号に規定する規定又は同項第五号若しくは第六号の規定により意見を述べたときは、その内容を公表しなければならない。

（組織）
第十二条の三 委員会は、委員十人以内で組織する。
2 委員会に、特別の事項を調査審議させるため必要があるときは、臨時委員を置くことができる。
3 委員会に、専門の事項を調査させるため必要があるときは、専門委員を置くことができる。

（委員等の任命）
第十二条の四 委員及び臨時委員は、学識経験のある者のうちから、内閣総理大臣が任命する。
2 専門委員は、当該専門の事項に関し学識経験のある者のうちから、内閣総理大臣が任命する。

（委員の任期等）
第十二条の五 委員の任期は、二年とする。ただし、補欠の委員の任期は、前任者の残任期間とする。
2 委員は、再任されることができる。
3 臨時委員は、その者の任命に係る当該特別の事項に関する調査審議が終了したときは、解任されるものとする。
4 専門委員は、その者の任命に係る当該専門の事項に関する調査が終了したときは、解任されるものとする。
5 委員、臨時委員及び専門委員は、非常勤とする。

（委員長）
第十二条の六 委員会に、委員長を置き、委員の互選により選任する。
2 委員長は、会務を総理し、委員会を代表する。
3 委員長に事故があるときは、あらかじめその指名する委員が、その職務を代理する。

（資料の提出等の要求）
第十二条の七 委員会は、その所掌事務を遂行するため必要があると認めるときは、関係行政機関の長に対し、資料の提出、意見の表明、説明その他必要な協力を求めることができる。

（政令への委任）
第十二条の八 この節に定めるもののほか、委員会の組織及び委員その他の職員その他委員会に関し必要な事項は、政令で定める。

第三節 設立

（設立の手続）
第十三条 各独立行政法人の設立に関する手続については、個別法に特別の定めがある場合を除くほか、この節の定めるところによる。

（法人の長及び監事となるべき者）
第十四条 主務大臣は、独立行政法人の長（以下「法人の長」という。）となるべき者及び監事となるべき者を指名する。
2 前項の規定により指名された法人の長又は監事となるべき者は、独立行政法人の成立の時において、この法律の規定により、それぞれ法人の長又は監事に任命されたものとする。
3 第二十条第一項の規定は、第一項の法人の長となるべき者の指名について準用する。

（設立委員）
第十五条 主務大臣は、設立委員を命じて、独立行政法人の設立に関する事務を処理させる。
2 設立委員は、独立行政法人の設立の準備を完了したときは、遅滞なく、その旨を主務大臣に届け出るとともに、その事務を前条第一項の規定により指名された法人の長となるべき者に引き継がなければならない。

（設立の登記）
第十六条 第十四条第一項の規定により指名された法人の長となるべき者は、前条第二項の規定による事務の引継ぎを受けたときは、遅滞なく、政令で定めるところにより、設立の登記をしなければならない。
第十七条 独立行政法人は、設立の登記をすることによって成立する。

第二章 役員及び職員

（役員）
第十八条 各独立行政法人に、個別法で定めるところにより、役員として、法人の長一人及び監事を置く。

2　各独立行政法人には、前項に規定する役員のほか、個別法で定めるところにより、他の役員を置くことができる。

3　各独立行政法人の法人の長の名称、前項に規定する役員の名称及び定数並びに監事の定数は、個別法で定める。

（役員の職務及び権限）

第十九条　法人の長は、独立行政法人を代表し、その業務を総理する。

2　個別法で定める役員（法人の長を除く。）は、法人の長の定めるところにより、法人の長に事故があるときはその職務を代理し、法人の長が欠員のときはその職務を行う。

3　前条第二項の規定により置かれる役員の職務及び権限は、個別法で定める。

4　監事は、独立行政法人の業務を監査する。この場合において、監事は、主務省令で定めるところにより、監査報告を作成しなければならない。

5　監事は、いつでも、役員（監事を除く。）及び職員に対して事務及び事業の報告を求め、又は独立行政法人の業務及び財産の状況の調査をすることができる。

6　監事は、独立行政法人が次に掲げる書類を主務大臣に提出しようとするときは、当該書類を調査しなければならない。

一　この法律の規定による認可、承認、認定及び届出に係る書類並びに報告書その他の総務省令で定める書類

二　その他主務省令で定める書類

7　監事は、その職務を行うため必要があるときは、独立行政法人の子法人（独立行政法人がその経営を支配している法人として総務省令で定めるものをいう。以下同じ。）に対して事業の報告を求め、又はその子法人の業務及び財産の状況の調査をすることができる。

8　前項の子法人は、正当な理由があるときは、同項の報告又は調査を拒むことができる。

9　監事は、監査の結果に基づき、必要があると認めるときは、法人の長又は主務大臣に意見を提出することができる。

（法人の長等への報告義務）

第十九条の二　監事は、役員（監事を除く。）が不正の行為をし、若しくは当該行為をするおそれがあると認めるとき、又はこの法律、個別法若しくは他の法令に違反する事実若しくは著しく不当な事実があると認めるときは、遅滞なく、その旨を法人の長に報告するとともに、主務大臣に報告しなければならない。

（役員の任命）

第二十条　法人の長は、次に掲げる者のうちから、主務大臣が任命する。

一　当該独立行政法人が行う事務及び事業に関して高度な知識及び経験を有する者

二　前号に掲げる者のほか、当該独立行政法人が行う事務及び事業を適正かつ効率的に運営することができる者

2　監事は、主務大臣が任命する。

3　主務大臣は、前二項の規定により法人の長又は監事を任命しようとするときは、必要に応じ、公募（当該法人の長又は監事の職務の内容、勤務条件その他必要な事項を公示して行う候補者の募集をいう。以下この項において同じ。）の活用に努めなければならない。公募によらない場合であっても、透明性を確保しつつ、候補者の推薦の求めその他の適任と認める者を任命するために必要な措置を講ずるよう努めなければならない。

4　第十八条第二項の規定により置かれる役員は、第一項各号に掲げる者のうちから、法人の長が任命する。

5　法人の長は、前項の規定により役員を任命したときは、遅滞なく、主務大臣に届け出るとともに、これを公表しなければならない。

（中期目標管理法人の役員の任期）

第二十一条　中期目標管理法人の長の任期は、任命の日から、当該任命の日を含む当該中期目標管理法人の第二十九条第二項第一号に規定する中期目標の期間（次項において単に「中期目標の期間」という。）の末日までとする。

2　中期目標管理法人の監事の任期は、各中期目標の期間に対応して定めるものとし、任命の日から、当該対応する中期目標の期間の最後の事業年度についての財務諸表承認日（第三十八条第一項の規定による同項の財務諸表の承認の日をいう。以下同じ。）までとする。ただし、補欠の中期目標管理法人の監事の任期は、前任者の残任期間とする。

3　中期目標管理法人の役員（中期目標管理法人の長及び監事を除く。以下この項において同じ。）の任期は、個別法で定める。ただし、補

欠の中期目標管理法人の役員の任期は、前任者の残任期間とする。

4　中期目標管理法人の役員は、再任されることができる。

（国立研究開発法人の役員の任期）

第二十一条の二　国立研究開発法人の長の任期は、任命の日から、当該任命の日を含む当該国立研究開発法人の第三十五条の四第二項第一号に規定する中長期目標の期間（以下この項及び次項において単に「中長期目標の期間」という。）の末日までとする。ただし、中長期目標の期間が六年又は七年の場合であって、より適切と認める者を任命するため主務大臣が特に必要があると認めるときは、中長期目標の期間の初日（以下この項及び次項において単に「初日」という。）以後最初に任命される国立研究開発法人の長の任期は、任命の日から、次の各号に掲げる区分に応じ当該各号に定める日までとすることができる。

一　中長期目標の期間が六年の場合　初日から三年を経過する日

二　中長期目標の期間が七年の場合　初日から三年又は四年を経過する日

2　前項の規定にかかわらず、第十四条第一項の規定により国立研究開発法人の長となるべき者としてより適切と認める者を指名するため特に必要があると認める場合であって、中長期目標の期間が六年以上七年以下のときは、同条第二項の規定によりその成立の時において任命されたものとされる国立研究開発法人の長の任期は、任命の日から、次の各号に掲げる区分に応じ当該各号に定める日までとすることができる。

一　中長期目標の期間が六年の場合　初日から三年を経過する日

二　中長期目標の期間が六年を超え七年未満の場合　初日から四年を経過する日までの間に終了する最後の事業年度の末日

三　中長期目標の期間が七年の場合　初日から三年又は四年を経過する日

3　前二項の規定にかかわらず、補欠の国立研究開発法人の長の任期は、前任者の残任期間とする。

4　国立研究開発法人の監事の任期は、各国立研究開発法人の長の任期（補欠の国立研究開発法人の長の任期を含む。以下この項において同じ。）と対応するものとし、任命の日から、当該対応する国立研究開発法人の長の任期の末日を含む事業年度についての財務諸表承認日までとする。ただし、補欠の国立研究開発法人の監事の任期は、前任者の残任期間とする。

5　国立研究開発法人の役員（国立研究開発法人の長及び監事を除く。以下この項において同じ。）の任期は、個別法で定める。ただし、補欠の国立研究開発法人の役員の任期は、前任者の残任期間とする。

6　国立研究開発法人の役員は、再任されることができる。

（行政執行法人の役員の任期）

第二十一条の三　行政執行法人の長の任期は、任命の日から、当該任命の日から年を単位として個別法で定める期間を経過する日までの間に終了する最後の事業年度の末日までとする。ただし、補欠の行政執行法人の長の任期は、前任者の残任期間とする。

2　行政執行法人の監事の任期は、各行政執行法人の長の任期（補欠の行政執行法人の長の任期を含む。以下この項において同じ。）と対応するものとし、任命の日から、当該対応する行政執行法人の長の任期の末日を含む事業年度についての財務諸表承認日までとする。ただし、補欠の行政執行法人の監事の任期は、前任者の残任期間とする。

3　行政執行法人の役員（行政執行法人の長及び監事を除く。以下この項において同じ。）の任期は、個別法で定める。ただし、補欠の行政執行法人の役員の任期は、前任者の残任期間とする。

4　行政執行法人の役員は、再任されることができる。

（役員の忠実義務）

第二十一条の四　独立行政法人の役員は、その業務について、法令、法令に基づいてする主務大臣の処分及び当該独立行政法人が定める業務方法書その他の規則を遵守し、当該独立行政法人のため忠実にその職務を遂行しなければならない。

（役員の報告義務）

第二十一条の五　独立行政法人の役員（監事を除く。）は、当該独立行政法人に著しい損害を及ぼすおそれのある事実があることを発見したときは、直ちに、当該事実を監事に報告しなければならない。

（役員の欠格条項）

第二十二条　政府又は地方公共団体の職員（非常勤の者を除く。）は、役員となることができない。

（役員の解任）

第二十三条　主務大臣又は法人の長は、それぞれその任命に係る役員が前条の規定により役員となることができない者に該当するに至ったときは、その役員を解任しなければならない。

2　主務大臣又は法人の長は、それぞれその任命に係る役員が次の各号の一に該当するとき、その他役員たるに適しないと認めるときは、その役員を解任することができる。

一　心身の故障のため職務の遂行に堪えないと認められるとき。

二　職務上の義務違反があるとき。

3　前項に規定するもののほか、主務大臣又は法人の長は、それぞれその任命に係る役員（監事を除く。）の職務の執行が適当でないため当該独立行政法人の業務の実績が悪化した場合であって、その役員に引き続き当該職務を行わせることが適切でないと認めるときは、その役員を解任することができる。

4　法人の長は、前二項の規定によりその任命に係る役員を解任したときは、遅滞なく、主務大臣に届け出るとともに、これを公表しなければならない。

（代表権の制限）

第二十四条　独立行政法人と法人の長その他の代表権を有する役員との利益が相反する事項については、これらの者は、代表権を有しない。この場合には、監事が当該独立行政法人を代表する。

（代理人の選任）

第二十五条　法人の長その他の代表権を有する役員は、当該独立行政法人の代表権を有しない役員又は職員のうちから、当該独立行政法人の業務の一部に関し一切の裁判上又は裁判外の行為をする権限を有する代理人を選任することができる。

（役員等の損害賠償責任）

第二十五条の二　独立行政法人の役員又は会計監査人（第四項において「役員等」という。）は、その任務を怠ったときは、独立行政法人に対し、これによって生じた損害を賠償する責任を負う。

2　前項の責任は、主務大臣の承認がなければ、免除することができない。

3　主務大臣は、前項の承認をしようとするときは、総務大臣に協議しなければならない。

4　前二項の規定にかかわらず、独立行政法人は、第一項の責任について、役員等が職務を行うにつき善意でかつ重大な過失がない場合において、責任の原因となった事実の内容、当該役員等の職務の執行の状況その他の事情を勘案して特に必要と認めるときは、当該役員等が賠償の責任を負う額から独立行政法人の事務及び事業の特性並びに役員等の職責その他の事情を考慮して総務大臣が定める額を控除して得た額を限度として主務大臣の承認を得て免除することができる旨を業務方法書で定めることができる。

（職員の任命）

第二十六条　独立行政法人の職員は、法人の長が任命する。

第三章　業務運営

第一節　通則

（業務の範囲）

第二十七条　各独立行政法人の業務の範囲は、個別法で定める。

（業務方法書）

第二十八条　独立行政法人は、業務開始の際、業務方法書を作成し、主務大臣の認可を受けなければならない。これを変更しようとするときも、同様とする。

2　前項の業務方法書には、役員（監事を除く。）の職務の執行がこの法律、個別法又は他の法令に適合することを確保するための体制その他独立行政法人の業務の適正を確保するための体制の整備に関する事項その他主務省令で定める事項を記載しなければならない。

3　独立行政法人は、第一項の認可を受けたときは、遅滞なく、その業務方法書を公表しなければならない。

（評価等の指針の策定）

第二十八条の二　総務大臣は、第二十九条第一項の中期目標、第三十五条の四第一項の中長期目標及び第三十五条の九第一項の年度目標の策定並びに第三十二条第一項、第三十五条の六第一項及び第二項並びに第三十五条の十一第一項及び第二項の評価に関する指針を定め、これを主務大臣に通知するとともに、公表しなければならない。これを変更したときも、同様とする。

2　総務大臣は、前項の指針を定め、又はこれを変更しようとするときは、総合科学技術・イノベーション会議が次条の規定により作成する研究開発の事務及び事業に関する事項に係る指針の案の内容を適切に反映するとともに、あらかじめ、委員会の意見を聴かなければならない。

3 主務大臣は、第一項の指針に基づき、第二十九条第一項の中期目標、第三十五条の四第一項の中長期目標及び第三十五条の九第一項の年度目標を定めるとともに、第三十二条第一項、第三十五条の六第一項及び第二項並びに第三十五条の十一第一項及び第二項の評価を行わなければならない。

（研究開発の事務及び事業に関する事項に係る指針の案の作成）

第二十八条の三 総合科学技術・イノベーション会議は、総務大臣の求めに応じ、研究開発の事務及び事業の特性を踏まえ、前条第一項の指針のうち、研究開発の事務及び事業に関する事項に係る指針の案を作成する。

（評価結果の取扱い等）

第二十八条の四 独立行政法人は、第三十二条第一項、第三十五条の六第一項若しくは第二項又は第三十五条の十一第一項若しくは第二項の評価の結果を、第三十条第一項の中期計画及び第三十一条第一項の年度計画、第三十五条の五第一項の中長期計画及び第三十五条の八において読み替えて準用する第三十一条第一項の年度計画並びに第三十五条の十第一項の事業計画並びに業務運営の改善に適切に反映させるとともに、毎年度、評価結果の反映状況を公表しなければならない。

第二節 中期目標管理法人

（中期目標）

第二十九条 主務大臣は、三年以上五年以下の期間において中期目標管理法人が達成すべき業務運営に関する目標（以下「中期目標」という。）を定め、これを当該中期目標管理法人に指示するとともに、公表しなければならない。これを変更したときも、同様とする。

2 中期目標においては、次に掲げる事項について具体的に定めるものとする。

一 中期目標の期間（前項の期間の範囲内で主務大臣が定める期間をいう。以下同じ。）

二 国民に対して提供するサービスその他の業務の質の向上に関する事項

三 業務運営の効率化に関する事項

四 財務内容の改善に関する事項

五 その他業務運営に関する重要事項

3 主務大臣は、中期目標を定め、又はこれを変更しようとするときは、あらかじめ、委員会の意見を聴かなければならない。

（中期計画）

第三十条 中期目標管理法人は、前条第一項の指示を受けたときは、中期目標に基づき、主務省令で定めるところにより、当該中期目標を達成するための計画（以下この節において「中期計画」という。）を作成し、主務大臣の認可を受けなければならない。これを変更しようとするときも、同様とする。

2 中期計画においては、次に掲げる事項を定めるものとする。

一 国民に対して提供するサービスその他の業務の質の向上に関する目標を達成するためとるべき措置

二 業務運営の効率化に関する目標を達成するためとるべき措置

三 予算（人件費の見積りを含む。）、収支計画及び資金計画

四 短期借入金の限度額

五 不要財産又は不要財産となることが見込まれる財産がある場合には、当該財産の処分に関する計画

六 前号に規定する財産以外の重要な財産を譲渡し、又は担保に供しようとするときは、その計画

七 剰余金の使途

八 その他主務省令で定める業務運営に関する事項

3 主務大臣は、第一項の認可をした中期計画が前条第二項第二号から第五号までに掲げる事項の適正かつ確実な実施上不適当となったと認めるときは、その中期計画を変更すべきことを命ずることができる。

4 中期目標管理法人は、第一項の認可を受けたときは、遅滞なく、その中期計画を公表しなければならない。

（年度計画）

第三十一条 中期目標管理法人は、毎事業年度の開始前に、前条第一項の認可を受けた中期計画に基づき、主務省令で定めるところにより、その事業年度の業務運営に関する計画（次項において「年度計画」という。）を定め、これを主務大臣に届け出るとともに、公表しなければならない。これを変更したときも、同様とする。

2　中期目標管理法人の最初の事業年度の年度計画については、前項中「毎事業年度の開始前に、前条第一項の認可を受けた」とあるのは、「その成立後最初の中期計画について前条第一項の認可を受けた後遅滞なく、その」とする。

（各事業年度に係る業務の実績等に関する評価等）

第三十二条　中期目標管理法人は、毎事業年度の終了後、当該事業年度が次の各号に掲げる事業年度のいずれに該当するかに応じ当該各号に定める事項について、主務大臣の評価を受けなければならない。

一　次号及び第三号に掲げる事業年度以外の事業年度　当該事業年度における業務の実績

二　中期目標の期間の最後の事業年度の直前の事業年度　当該事業年度における業務の実績及び中期目標の期間の終了時に見込まれる中期目標の期間における業務の実績

三　中期目標の期間の最後の事業年度　当該事業年度における業務の実績及び中期目標の期間における業務の実績

2　中期目標管理法人は、前項の評価を受けようとするときは、主務省令で定めるところにより、各事業年度の終了後三月以内に、同項第一号、第二号又は第三号に定める事項及び当該事項について自ら評価を行った結果を明らかにした報告書を主務大臣に提出するとともに、公表しなければならない。

3　第一項の評価は、同項第一号、第二号又は第三号に定める事項について総合的な評定を付して、行わなければならない。この場合において、同項各号に規定する当該事業年度における業務の実績に関する評価は、当該事業年度における中期計画の実施状況の調査及び分析を行い、その結果を考慮して行わなければならない。

4　主務大臣は、第一項の評価を行ったときは、遅滞なく、当該中期目標管理法人に対して、その評価の結果を通知するとともに、公表しなければならない。この場合において、同項第二号に規定する中期目標の期間の終了時に見込まれる中期目標の期間における業務の実績に関する評価を行ったときは、委員会に対しても、遅滞なく、その評価の結果を通知しなければならない。

5　委員会は、前項の規定により通知された評価の結果について、必要があると認めるときは、主務大臣に意見を述べなければならない。

6　主務大臣は、第一項の評価の結果に基づき必要があると認めるときは、当該中期目標管理法人に対し、業務運営の改善その他の必要な措置を講ずることを命ずることができる。

第三十三条及び第三十四条　削除

（中期目標の期間の終了時の検討）

第三十五条　主務大臣は、第三十二条第一項第二号に規定する中期目標の期間の終了時に見込まれる中期目標の期間における業務の実績に関する評価を行ったときは、中期目標の期間の終了時までに、当該中期目標管理法人の業務の継続又は組織の存続の必要性その他その業務及び組織の全般にわたる検討を行い、その結果に基づき、業務の廃止若しくは移管又は組織の廃止その他の所要の措置を講ずるものとする。

2　主務大臣は、前項の検討の結果及び同項の規定により講ずる措置の内容を委員会に通知するとともに、公表しなければならない。

3　委員会は、前項の規定により通知された事項について、必要があると認めるときは、主務大臣に意見を述べなければならない。

4　前項の場合において、委員会は、中期目標管理法人の主要な事務及び事業の改廃に関し、主務大臣に勧告をすることができる。

5　委員会は、前項の勧告をしたときは、当該勧告の内容を内閣総理大臣に報告するとともに、公表しなければならない。

6　委員会は、第四項の勧告をしたときは、主務大臣に対し、その勧告に基づいて講じた措置及び講じようとする措置について報告を求めることができる。

（内閣総理大臣への意見具申）

第三十五条の二　委員会は、前条第四項の規定により勧告をした場合において特に必要があると認めるときは、内閣総理大臣に対し、当該勧告をした事項について内閣法（昭和二十二年法律第五号）第六条の規定による措置がとられるよう意見を具申することができる。

（違法行為等の是正等）

第三十五条の三　主務大臣は、中期目標管理法人若しくはその役員若しくは職員が、不正の行為若しくはこの法律、個別法若しくは他の法令に違反する行為をし、若しくは当該行為をするおそれがあると認めるとき、又は中期目標管理法人の業務運営が著しく適正を欠き、かつ、それを放置することにより公益を害することが明白である場合において、特に必要があると認めるときは、当該中期目標管理法人に対し、当該行為の是正又は業務運営の改善のため必要な措置をとるべきことを命ずることができる。

第三節　国立研究開発法人

（中長期目標）

第三十五条の四　主務大臣は、五年以上七年以下の期間において国立研究開発法人が達成すべき業務運営に関する目標（以下「中長期目標」という。）を定め、これを当該国立研究開発法人に指示するとともに、公表しなければならない。これを変更したときも、同様とする。

2　中長期目標においては、次に掲げる事項について具体的に定めるものとする。

一　中長期目標の期間（前項の期間の範囲内で主務大臣が定める期間をいう。以下同じ。）

二　研究開発の成果の最大化その他の業務の質の向上に関する事項

三　業務運営の効率化に関する事項

四　財務内容の改善に関する事項

五　その他業務運営に関する重要事項

3　主務大臣は、中長期目標を定め、又はこれを変更しようとするときは、あらかじめ、委員会の意見を聴かなければならない。

4　主務大臣は、前項の規定により中長期目標に係る意見を聴こうとするときは、研究開発の事務及び事業（軽微なものとして政令で定めるものを除く。第三十五条の六第六項及び第三十五条の七第二項において同じ。）に関する事項について、あらかじめ、審議会等（内閣府設置法（平成十一年法律第八十九号）第三十七条若しくは第五十四条又は国家行政組織法（昭和二十三年法律第百二十号）第八条に規定する機関をいう。）で政令で定めるもの（以下「研究開発に関する審議会」という。）の意見を聴かなければならない。

5　主務大臣は、研究開発に関して高い識見を有する外国人（日本の国籍を有しない者をいう。次項において同じ。）を研究開発に関する審議会の委員に任命することができる。

6　前項の場合において、外国人である研究開発に関する審議会の委員は、研究開発に関する審議会の会務を総理し、研究開発に関する審議会を代表する者となることはできず、当該委員の数は、研究開発に関する審議会の委員の総数の五分の一を超えてはならない。

（中長期計画）

第三十五条の五　国立研究開発法人は、前条第一項の指示を受けたときは、中長期目標に基づき、主務省令で定めるところにより、当該中長期目標を達成するための計画（以下この節において「中長期計画」という。）を作成し、主務大臣の認可を受けなければならない。これを変更しようとするときも、同様とする。

2　中長期計画においては、次に掲げる事項を定めるものとする。

一　研究開発の成果の最大化その他の業務の質の向上に関する目標を達成するためとるべき措置

二　業務運営の効率化に関する目標を達成するためとるべき措置

三　予算（人件費の見積りを含む。）、収支計画及び資金計画

四　短期借入金の限度額

五　不要財産又は不要財産となることが見込まれる財産がある場合には、当該財産の処分に関する計画

六　前号に規定する財産以外の重要な財産を譲渡し、又は担保に供しようとするときは、その計画

七　剰余金の使途

八　その他主務省令で定める業務運営に関する事項

3　主務大臣は、第一項の認可をした中長期計画が前条第二項第二号から第五号までに掲げる事項の適正かつ確実な実施上不適当となったと認めるときは、その中長期計画を変更すべきことを命ずることができる。

4　国立研究開発法人は、第一項の認可を受けたときは、遅滞なく、その中長期計画を公表しなければならない。

（各事業年度に係る業務の実績等に関する評価等）

第三十五条の六　国立研究開発法人は、毎事業年度の終了後、当該事業年度が次の各号に掲げる事業年度のいずれに該当するかに応じ当該各号に定める事項について、主務大臣の評価を受けなければならない。

一　次号及び第三号に掲げる事業年度以外の事業年度　当該事業年度における業務の実績

二　中長期目標の期間の最後の事業年度の直前の事業年度　当該事業年度における業務の実績及び中長期目標の期間の終了時に見込まれ

る中長期目標の期間における業務の実績

三 中長期目標の期間の最後の事業年度 当該事業年度における業務の実績及び中長期目標の期間における業務の実績

2 国立研究開発法人は、前項の規定による評価のほか、中長期目標の期間の初日以後最初に任命される国立研究開発法人の長の任期が第二十一条の二第一項ただし書の規定により定められた場合又は第十四条第二項の規定によりその成立の時において任命されたものとされる国立研究開発法人の長の任期が第二十一条の二第二項の規定により定められた場合には、それらの国立研究開発法人の長（以下この項において「最初の国立研究開発法人の長」という。）の任期（補欠の国立研究開発法人の長の任期を含む。）の末日を含む事業年度の終了後、当該最初の国立研究開発法人の長の任命の日を含む事業年度から当該末日を含む事業年度の事業年度末までの期間における業務の実績について、主務大臣の評価を受けなければならない。

3 国立研究開発法人は、第一項の評価を受けようとするときは、主務省令で定めるところにより、各事業年度の終了後三月以内に、同項第一号、第二号又は第三号に定める事項及び当該事項について自ら評価を行った結果を明らかにした報告書を主務大臣に提出するとともに、公表しなければならない。

4 国立研究開発法人は、第二項の評価を受けようとするときは、主務省令で定めるところにより、同項に規定する末日を含む事業年度の終了後三月以内に、同項に規定する業務の実績及び当該業務の実績について自ら評価を行った結果を明らかにした報告書を主務大臣に提出するとともに、公表しなければならない。

5 第一項又は第二項の評価は、第一項第一号、第二号若しくは第三号に定める事項又は第二項に規定する業務の実績について総合的な評定を付して、行わなければならない。この場合において、第一項各号に規定する当該事業年度における業務の実績に関する評価は、当該事業年度における中長期計画の実施状況の調査及び分析を行い、その結果を考慮して行わなければならない。

6 主務大臣は、第一項又は第二項の評価を行おうとするときは、研究開発の事務及び事業に関する事項について、あらかじめ、研究開発に関する審議会の意見を聴かなければならない。

7 主務大臣は、第一項又は第二項の評価を行ったときは、遅滞なく、当該国立研究開発法人に対して、その評価の結果を通知するとともに、公表しなければならない。この場合において、第一項第二号に規定する中長期目標の期間の終了時に見込まれる中長期目標の期間における業務の実績に関する評価を行ったときは、委員会に対しても、遅滞なく、その評価の結果を通知しなければならない。

8 委員会は、前項の規定により通知された評価の結果について、必要があると認めるときは、主務大臣に意見を述べなければならない。

9 主務大臣は、第一項又は第二項の評価の結果に基づき必要があると認めるときは、当該国立研究開発法人に対し、業務運営の改善その他の必要な措置を講ずることを命ずることができる。

（中長期目標の期間の終了時の検討）

第三十五条の七 主務大臣は、前条第一項第二号に規定する中長期目標の期間の終了時に見込まれる中長期目標の期間における業務の実績に関する評価を行ったときは、中長期目標の期間の終了時までに、当該国立研究開発法人の業務の継続又は組織の存続の必要性その他その業務及び組織の全般にわたる検討を行い、その結果に基づき、業務の廃止若しくは移管又は組織の廃止その他の所要の措置を講ずるものとする。

2 主務大臣は、前項の規定による検討を行うに当たっては、研究開発の事務及び事業に関する事項について、研究開発に関する審議会の意見を聴かなければならない。

3 主務大臣は、第一項の検討の結果及び同項の規定により講ずる措置の内容を委員会に通知するとともに、公表しなければならない。

4 委員会は、前項の規定により通知された事項について、必要があると認めるときは、主務大臣に意見を述べなければならない。

5 前項の場合において、委員会は、国立研究開発法人の主要な事務及び事業の改廃に関し、主務大臣に勧告をすることができる。

6 委員会は、前項の勧告をしたときは、当該勧告の内容を内閣総理大臣に報告するとともに、公表しなければならない。

7 委員会は、第五項の勧告をしたときは、主務大臣に対し、その勧告に基づいて講じた措置及び講じようとする措置について報告を求めることができる。

（業務運営に関する規定の準用）

第三十五条の八　第三十一条、第三十五条の二及び第三十五条の三の規定は、国立研究開発法人について準用する。この場合において、第三十一条第一項中「前条第一項」とあるのは「第三十五条の五第一項」と、「中期計画」とあるのは「同項の中長期計画」と、同条第二項中「、前条第一項の認可を受けた」とあるのは「、第三十五条の五第一項の認可を受けた同項の」と、「中期計画について前条第一項」とあるのは「中長期計画（第三十五条の五第一項の中長期計画をいう。以下この項において同じ。）について同条第一項」と、第三十五条の二中「前条第四項」とあるのは「第三十五条の七第五項」と読み替えるものとする。

第四節　行政執行法人

（年度目標）

第三十五条の九　主務大臣は、行政執行法人が達成すべき業務運営に関する事業年度ごとの目標（以下「年度目標」という。）を定め、これを当該行政執行法人に指示するとともに、公表しなければならない。これを変更したときも、同様とする。

2　年度目標においては、次に掲げる事項について具体的に定めるものとする。

一　国民に対して提供するサービスその他の業務の質の向上に関する事項

二　業務運営の効率化に関する事項

三　財務内容の改善に関する事項

四　その他業務運営に関する重要事項

3　前項の年度目標には、同項各号に掲げる事項に関し中期的な観点から参考となるべき事項についても記載するものとする。

（事業計画）

第三十五条の十　行政執行法人は、各事業年度に係る前条第一項の指示を受けたときは、当該事業年度の開始前に、年度目標に基づき、主務省令で定めるところにより、当該年度目標を達成するための計画（以下この条において「事業計画」という。）を作成し、主務大臣の認可を受けなければならない。これを変更しようとするときも、同様とする。

2　行政執行法人の最初の事業年度の事業計画については、前項中「各事業年度」とあるのは「その成立後最初の事業年度」と、「当該事業年度の開始前に」とあるのは「遅滞なく」とする。

3　事業計画においては、次に掲げる事項を定めるものとする。

一　国民に対して提供するサービスその他の業務の質の向上に関する目標を達成するためとるべき措置

二　業務運営の効率化に関する目標を達成するためとるべき措置

三　予算（人件費の見積りを含む。）、収支計画及び資金計画

四　短期借入金の限度額

五　不要財産又は不要財産となることが見込まれる財産がある場合には、当該財産の処分に関する計画

六　前号に規定する財産以外の重要な財産を譲渡し、又は担保に供しようとするときは、その計画

七　その他主務省令で定める業務運営に関する事項

4　主務大臣は、第一項の認可をした事業計画が前条第二項各号に掲げる事項の適正かつ確実な実施上不適当となったと認めるときは、その事業計画を変更すべきことを命ずることができる。

5　行政執行法人は、第一項の認可を受けたときは、遅滞なく、その事業計画を公表しなければならない。

（各事業年度に係る業務の実績等に関する評価）

第三十五条の十一　行政執行法人は、毎事業年度の終了後、当該事業年度における業務の実績について、主務大臣の評価を受けなければならない。

2　行政執行法人は、前項の規定による評価のほか、三年以上五年以下の期間で主務省令で定める期間の最後の事業年度の終了後、当該期間における年度目標に定める業務運営の効率化に関する事項の実施状況について、主務大臣の評価を受けなければならない。

3　行政執行法人は、第一項の評価を受けようとするときは、主務省令で定めるところにより、各事業年度の終了後三月以内に、同項に規定する業務の実績及び当該業務の実績について自ら評価を行った結果を明らかにした報告書を主務大臣に提出するとともに、公表しなければならない。

4　行政執行法人は、第二項の評価を受けようとするときは、主務省令で定めるところにより、

同項に規定する事業年度の終了後三月以内に、同項に規定する事項の実施状況及び当該事項の実施状況について自ら評価を行った結果を明らかにした報告書を主務大臣に提出するとともに、公表しなければならない。

5　第一項又は第二項の評価は、第一項に規定する業務の実績又は第二項に規定する事項の実施状況について総合的な評定を付して、行わなければならない。

6　主務大臣は、第一項又は第二項の評価を行ったときは、遅滞なく、当該行政執行法人に対して、その評価の結果を通知するとともに、公表しなければならない。この場合において、同項の評価を行ったときは、委員会に対しても、遅滞なく、その評価の結果を通知しなければならない。

7　委員会は、前項の規定により通知された評価の結果について、必要があると認めるときは、主務大臣に意見を述べなければならない。

（監督命令）

第三十五条の十二　主務大臣は、年度目標を達成するためその他この法律又は個別法を施行するため特に必要があると認めるときは、行政執行法人に対し、その業務に関し監督上必要な命令をすることができる。

第四章　財務及び会計

（事業年度）

第三十六条　独立行政法人の事業年度は、毎年四月一日に始まり、翌年三月三十一日に終わる。

2　独立行政法人の最初の事業年度は、前項の規定にかかわらず、その成立の日に始まり、翌年の三月三十一日（一月一日から三月三十一日までの間に成立した独立行政法人にあっては、その年の三月三十一日）に終わるものとする。

（企業会計原則）

第三十七条　独立行政法人の会計は、主務省令で定めるところにより、原則として企業会計原則によるものとする。

（財務諸表等）

第三十八条　独立行政法人は、毎事業年度、貸借対照表、損益計算書、利益の処分又は損失の処理に関する書類その他主務省令で定める書類及びこれらの附属明細書（以下「財務諸表」という。）を作成し、当該事業年度の終了後三月以内に主務大臣に提出し、その承認を受けなければならない。

2　独立行政法人は、前項の規定により財務諸表を主務大臣に提出するときは、これに主務省令で定めるところにより作成した当該事業年度の事業報告書及び予算の区分に従い作成した決算報告書並びに財務諸表及び決算報告書に関する監査報告（次条第一項の規定により会計監査人の監査を受けなければならない独立行政法人にあっては、監査報告及び会計監査報告。以下同じ。）を添付しなければならない。

3　独立行政法人は、第一項の規定による主務大臣の承認を受けたときは、遅滞なく、財務諸表を官報に公告し、かつ、財務諸表並びに前項の事業報告書、決算報告書及び監査報告を、各事務所に備えて置き、主務省令で定める期間、一般の閲覧に供しなければならない。

4　独立行政法人は、第一項の附属明細書その他主務省令で定める書類については、前項の規定による公告に代えて、次に掲げる方法のいずれかにより公告することができる。

一　時事に関する事項を掲載する日刊新聞紙に掲載する方法

二　電子公告（電子情報処理組織を使用する方法であって総務省令で定めるものにより不特定多数の者が公告すべき内容である情報の提供を受けることができる状態に置く措置であって総務省令で定めるものをとる公告の方法をいう。次項において同じ。）

5　独立行政法人が前項の規定により電子公告による公告をする場合には、第三項の主務省令で定める期間、継続して当該公告をしなければならない。

（会計監査人の監査）

第三十九条　独立行政法人（その資本の額その他の経営の規模が政令で定める基準に達しない独立行政法人を除く。以下この条において同じ。）は、財務諸表、事業報告書（会計に関する部分に限る。）及び決算報告書について、監事の監査のほか、会計監査人の監査を受けなければならない。この場合において、会計監査人は、主務省令で定めるところにより、会計監査報告を作成しなければならない。

2　会計監査人は、いつでも、次に掲げるものの閲覧及び謄写をし、又は役員（監事を除く。）及び職員に対し、会計に関する報告を求めることができる。

一 会計帳簿又はこれに関する資料が書面をもって作成されているときは、当該書面
二 会計帳簿又はこれに関する資料が電磁的記録（電子的方式、磁気的方式その他人の知覚によっては認識することができない方式で作られる記録であって、電子計算機による情報処理の用に供されるものとして総務省令で定めるものをいう。以下この号において同じ。）をもって作成されているときは、当該電磁的記録に記録された事項を総務省令で定める方法により表示したもの

3 会計監査人は、その職務を行うため必要があるときは、独立行政法人の子法人に対して会計に関する報告を求め、又は独立行政法人若しくはその子法人の業務及び財産の状況の調査をすることができる。

4 前項の子法人は、正当な理由があるときは、同項の報告又は調査を拒むことができる。

5 会計監査人は、その職務を行うに当たっては、次の各号のいずれかに該当する者を使用してはならない。
一 第四十一条第三項第一号又は第二号に掲げる者
二 第四十条の規定により自己が会計監査人に選任されている独立行政法人又はその子法人の役員又は職員
三 第四十条の規定により自己が会計監査人に選任されている独立行政法人又はその子法人から公認会計士（公認会計士法（昭和二十三年法律第百三号）第十六条の二第五項に規定する外国公認会計士を含む。第四十一条第一項及び第三項第二号において同じ。）又は監査法人の業務以外の業務により継続的な報酬を受けている者

（監事に対する報告）
第三十九条の二 会計監査人は、その職務を行うに際して役員（監事を除く。）の職務の執行に関し不正の行為又はこの法律、個別法若しくは他の法令に違反する重大な事実があることを発見したときは、遅滞なく、これを監事に報告しなければならない。

2 監事は、その職務を行うため必要があると認めるときは、会計監査人に対し、その監査に関する報告を求めることができる。

（会計監査人の選任）
第四十条 会計監査人は、主務大臣が選任する。

（会計監査人の資格等）
第四十一条 会計監査人は、公認会計士又は監査法人でなければならない。

2 会計監査人に選任された監査法人は、その社員の中から会計監査人の職務を行うべき者を選定し、これを独立行政法人に通知しなければならない。この場合においては、次項第二号に掲げる者を選定することはできない。

3 次に掲げる者は、会計監査人となることができない。
一 公認会計士法の規定により、財務諸表について監査をすることができない者
二 監査の対象となる独立行政法人の子法人若しくはその役員から公認会計士若しくは監査法人の業務以外の業務により継続的な報酬を受けている者又はその配偶者
三 監査法人でその社員の半数以上が前号に掲げる者であるもの

（会計監査人の任期）
第四十二条 会計監査人の任期は、その選任の日以後最初に終了する事業年度についての財務諸表承認日までとする。

（会計監査人の解任）
第四十三条 主務大臣は、会計監査人が次の各号の一に該当するときは、その会計監査人を解任することができる。
一 職務上の義務に違反し、又は職務を怠ったとき。
二 会計監査人たるにふさわしくない非行があったとき。
三 心身の故障のため、職務の遂行に支障があり、又はこれに堪えないとき。

（利益及び損失の処理）
第四十四条 独立行政法人は、毎事業年度、損益計算において利益を生じたときは、前事業年度から繰り越した損失を埋め、なお残余があるときは、その残余の額は、積立金として整理しなければならない。ただし、第三項の規定により同項の使途に充てる場合は、この限りでない。

2 独立行政法人は、毎事業年度、損益計算において損失を生じたときは、前項の規定による積立金を減額して整理し、なお不足があるときは、その不足額は、繰越欠損金として整理しなければならない。

3 中期目標管理法人及び国立研究開発法人は、第一項に規定する残余があるときは、主務大臣の承認を受けて、その残余の額の全部又は一部

を中期計画（第三十条第一項の認可を受けた同項の中期計画（同項後段の規定による変更の認可を受けたときは、その変更後のもの）をいう。以下同じ。）の同条第二項第七号又は中長期計画（第三十五条の五第一項の認可を受けた同項の中長期計画（同項後段の規定による変更の認可を受けたときは、その変更後のもの）をいう。以下同じ。）の第三十五条の五第二項第七号の剰余金の使途に充てることができる。

4　第一項の規定による積立金の処分については、個別法で定める。

（借入金等）

第四十五条　独立行政法人は、中期目標管理法人の中期計画の第三十条第二項第四号、国立研究開発法人の中長期計画の第三十五条の五第二項第四号又は行政執行法人の事業計画（第三十五条の十第一項の認可を受けた同項の事業計画（同項後段の規定による変更の認可を受けたときは、その変更後のもの）をいう。以下同じ。）の第三十五条の十第三項第四号の短期借入金の限度額の範囲内で、短期借入金をすることができる。ただし、やむを得ない事由があるものとして主務大臣の認可を受けた場合は、当該限度額を超えて短期借入金をすることができる。

2　前項の規定による短期借入金は、当該事業年度内に償還しなければならない。ただし、資金の不足のため償還することができないときは、その償還することができない金額に限り、主務大臣の認可を受けて、これを借り換えることができる。

3　前項ただし書の規定により借り換えた短期借入金は、一年以内に償還しなければならない。

4　独立行政法人は、個別法に別段の定めがある場合を除くほか、長期借入金及び債券発行をすることができない。

（財源措置）

第四十六条　政府は、予算の範囲内において、独立行政法人に対し、その業務の財源に充てるために必要な金額の全部又は一部に相当する金額を交付することができる。

2　独立行政法人は、業務運営に当たっては、前項の規定による交付金について、国民から徴収された税金その他の貴重な財源で賄われるものであることに留意し、法令の規定及び中期目標管理法人の中期計画、国立研究開発法人の中長期計画又は行政執行法人の事業計画に従って適切かつ効率的に使用するよう努めなければならない。

（不要財産に係る国庫納付等）

第四十六条の二　独立行政法人は、不要財産であって、政府からの出資又は支出（金銭の出資に該当するものを除く。）に係るもの（以下この条において「政府出資等に係る不要財産」という。）については、遅滞なく、主務大臣の認可を受けて、これを国庫に納付するものとする。ただし、中期目標管理法人の中期計画において第三十条第二項第五号の計画を定めた場合、国立研究開発法人の中長期計画において第三十五条の五第二項第五号の計画を定めた場合又は行政執行法人の事業計画において第三十五条の十第三項第五号の計画を定めた場合であって、これらの計画に従って当該政府出資等に係る不要財産を国庫に納付するときは、主務大臣の認可を受けることを要しない。

2　独立行政法人は、前項の規定による政府出資等に係る不要財産（金銭を除く。以下この項及び次項において同じ。）の国庫への納付に代えて、主務大臣の認可を受けて、政府出資等に係る不要財産を譲渡し、これにより生じた収入の額（当該財産の帳簿価額を超える額（次項において「簿価超過額」という。）がある場合には、その額を除く。）の範囲内で主務大臣が定める基準により算定した金額を国庫に納付することができる。ただし、中期目標管理法人の中期計画において第三十条第二項第五号の計画を定めた場合、国立研究開発法人の中長期計画において第三十五条の五第二項第五号の計画を定めた場合又は行政執行法人の事業計画において第三十五条の十第三項第五号の計画を定めた場合であって、これらの計画に従って当該金額を国庫に納付するときは、主務大臣の認可を受けることを要しない。

3　独立行政法人は、前項の場合において、政府出資等に係る不要財産の譲渡により生じた簿価超過額があるときは、遅滞なく、これを国庫に納付するものとする。ただし、その全部又は一部の金額について国庫に納付しないことについて主務大臣の認可を受けた場合における当該認可を受けた金額については、この限りでない。

4　独立行政法人が第一項又は第二項の規定による国庫への納付をした場合において、当該納付に係る政府出資等に係る不要財産が政府からの出資に係るものであるときは、当該独立行政法人の資本金のうち当該納付に係る政府出資等に係る不要財産に係る部分として主務大臣が定める金額については、当該独立行政法人に対する政府からの出資はなかったものとし、当該独立行政法人は、その額により資本金を減少するものとする。

5 前各項に定めるもののほか、政府出資等に係る不要財産の処分に関し必要な事項は、政令で定める。

（不要財産に係る民間等出資の払戻し）

第四十六条の三 独立行政法人は、不要財産であって、政府以外の者からの出資に係るもの（以下この条において「民間等出資に係る不要財産」という。）については、主務大臣の認可を受けて、当該民間等出資に係る不要財産に係る出資者（以下この条において単に「出資者」という。）に対し、主務省令で定めるところにより、当該民間等出資に係る不要財産に係る出資額として主務大臣が定める額の持分の全部又は一部の払戻しの請求をすることができる旨を催告しなければならない。ただし、中期目標管理法人の中期計画において第三十条第二項第五号の計画を定めた場合、国立研究開発法人の中長期計画において第三十五条の五第二項第五号の計画を定めた場合又は行政執行法人の事業計画において第三十五条の十第三項第五号の計画を定めた場合であって、これらの計画に従って払戻しの請求をすることができる旨を催告するときは、主務大臣の認可を受けることを要しない。

2 出資者は、独立行政法人に対し、前項の規定による催告を受けた日から起算して一月を経過する日までの間に限り、同項の払戻しの請求をすることができる。

3 独立行政法人は、前項の規定による請求があったときは、遅滞なく、当該請求に係る民間等出資に係る不要財産又は当該請求に係る民間等出資に係る不要財産（金銭を除く。）の譲渡により生じた収入の額（当該財産の帳簿価額を超える額がある場合には、その額を除く。）の範囲内で主務大臣が定める基準により算定した金額により、同項の規定により払戻しを請求された持分（当該算定した金額が当該持分の額に満たない場合にあっては、当該持分のうち主務大臣が定める額の持分）を、当該請求をした出資者に払い戻すものとする。

4 独立行政法人が前項の規定による払戻しをしたときは、当該独立行政法人の資本金のうち当該払戻しをした持分の額については、当該独立行政法人に対する出資者からの出資はなかったものとし、当該独立行政法人は、その額により資本金を減少するものとする。

5 出資者が第二項の規定による払戻しの請求をしなかったとき又は同項の規定による民間等出資に係る不要財産に係る持分の一部の払戻しの請求をしたときは、独立行政法人は、払戻しの請求がされなかった持分については、払戻しをしないものとする。

（余裕金の運用）

第四十七条 独立行政法人は、次の方法による場合を除くほか、業務上の余裕金を運用してはならない。

一 国債、地方債、政府保証債（その元本の償還及び利息の支払について政府が保証する債券をいう。）その他主務大臣の指定する有価証券の取得

二 銀行その他主務大臣の指定する金融機関への預金

三 信託業務を営む金融機関（金融機関の信託業務の兼営等に関する法律（昭和十八年法律第四十三号）第一条第一項の認可を受けた金融機関をいう。）への金銭信託

（財産の処分等の制限）

第四十八条 独立行政法人は、不要財産以外の重要な財産であって主務省令で定めるものを譲渡し、又は担保に供しようとするときは、主務大臣の認可を受けなければならない。ただし、中期目標管理法人の中期計画において第三十条第二項第六号の計画を定めた場合、国立研究開発法人の中長期計画において第三十五条の五第二項第六号の計画を定めた場合又は行政執行法人の事業計画において第三十五条の十第三項第六号の計画を定めた場合であって、これらの計画に従って当該重要な財産を譲渡し、又は担保に供するときは、この限りでない。

（会計規程）

第四十九条 独立行政法人は、業務開始の際、会計に関する事項について規程を定め、これを主務大臣に届け出なければならない。これを変更したときも、同様とする。

（主務省令への委任）

第五十条 この法律及びこれに基づく政令に規定

するもののほか、独立行政法人の財務及び会計に関し必要な事項は、主務省令で定める。

第五章　人事管理

第一節　中期目標管理法人及び国立研究開発法人

（役員の報酬等）

第五十条の二　中期目標管理法人の役員に対する報酬及び退職手当（以下「報酬等」という。）は、その役員の業績が考慮されるものでなければならない。

2　中期目標管理法人は、その役員に対する報酬等の支給の基準を定め、これを主務大臣に届け出るとともに、公表しなければならない。これを変更したときも、同様とする。

3　前項の報酬等の支給の基準は、国家公務員の給与及び退職手当（以下「給与等」という。）、民間企業の役員の報酬等、当該中期目標管理法人の業務の実績その他の事情を考慮して定められなければならない。

（役員の兼職禁止）

第五十条の三　中期目標管理法人の役員（非常勤の者を除く。）は、在任中、任命権者の承認のある場合を除くほか、営利を目的とする団体の役員となり、又は自ら営利事業に従事してはならない。

（他の中期目標管理法人役職員についての依頼等の規制）

第五十条の四　中期目標管理法人の役員又は職員（非常勤の者を除く。以下「中期目標管理法人役職員」という。）は、密接関係法人等に対し、当該中期目標管理法人の他の中期目標管理法人役職員をその離職後に、若しくは当該中期目標管理法人の中期目標管理法人役職員であった者を、当該密接関係法人等の地位に就かせることを目的として、当該他の中期目標管理法人役職員若しくは中期目標管理法人役職員であった者に関する情報を提供し、若しくは当該地位に関する情報の提供を依頼し、又は当該他の中期目標管理法人役職員をその離職後に、若しくは当該中期目標管理法人役職員であった者を、当該密接関係法人等の地位に就かせることを要求し、若しくは依頼してはならない。

2　前項の規定は、次に掲げる場合には、適用しない。

一　基礎研究、福祉に関する業務その他の円滑な再就職に特に配慮を要する業務として政令で定めるものに従事し、若しくは従事していた他の中期目標管理法人役職員又はこれらの業務に従事していた中期目標管理法人役職員であった者を密接関係法人等の地位に就かせることを目的として行う場合

二　退職手当通算予定役職員を退職手当通算法人等の地位に就かせることを目的として行う場合

三　大学その他の教育研究機関の研究者であった者であって任期（十年以内に限る。）を定めて専ら研究に従事する職員として採用された他の中期目標管理法人役職員を密接関係法人等の地位に就かせることを目的として行う場合

四　第三十二条第一項の評価（同項第二号に規定する中期目標の期間の終了時に見込まれる中期目標の期間における業務の実績に関する評価を除く。）の結果に基づき中期目標管理法人の業務の縮小又は内部組織の合理化が行われることにより、当該中期目標管理法人の組織の意思決定の権限を実質的に有しない地位として主務大臣が指定したもの以外の地位に就いたことがない他の中期目標管理法人役職員が離職を余儀なくされることが見込まれる場合において、当該他の中期目標管理法人役職員を密接関係法人等の地位に就かせることを目的として行うとき。

五　第三十五条第一項の規定による措置であって政令で定める人数以上の中期目標管理法人役職員が離職を余儀なくされることが見込まれるものを行うため、当該中期目標管理法人役職員の離職後の就職の援助のための措置に関する計画を作成し、主務大臣の認定を受けている場合において、当該計画における離職後の就職の援助の対象者である他の中期目標管理法人役職員を密接関係法人等の地位に就かせることを目的として行うとき。

3　前二項の「密接関係法人等」とは、営利企業等（商業、工業又は金融業その他営利を目的とする私企業（以下この項において「営利企業」という。）及び営利企業以外の法人（国、国際機関、地方公共団体、行政執行法人及び地方独立行政法人法（平成十五年法律第百十八号）第二条第二項に規定する特定地方独立行政法人を除く。）をいう。以下同じ。）のうち、資本関係、取引関係等において当該中期目標管理法人と密

接な関係を有するものとして政令で定めるものをいう。

4 第二項第二号の「退職手当通算法人等」とは、営利企業等でその業務が中期目標管理法人の事務又は事業と密接な関連を有するもののうち総務大臣が定めるもの（退職手当（これに相当する給付を含む。）に関する規程において、中期目標管理法人役職員が当該中期目標管理法人の長の要請に応じ、引き続いて当該営利企業等の役員又は当該営利企業等に使用される者となった場合に、中期目標管理法人役職員としての勤続期間を当該営利企業等の役員又は当該営利企業等に使用される者としての勤続期間に通算することと定めている営利企業等に限る。）をいう。

5 第二項第二号の「退職手当通算予定役職員」とは、中期目標管理法人の長の要請に応じ、引き続いて退職手当通算法人等（前項に規定する退職手当通算法人等をいう。以下同じ。）の役員又は退職手当通算法人等に使用される者となるため退職することとなる中期目標管理法人役職員であって、当該退職手当通算法人等に在職した後、特別の事情がない限り引き続いて採用が予定されている者のうち政令で定めるものをいう。

6 第一項の規定によるもののほか、中期目標管理法人の役員又は職員は、この法律、個別法若しくは他の法令若しくは当該中期目標管理法人が定める業務方法書、第四十九条に規定する規程その他の規則に違反する職務上の行為（以下「法令等違反行為」という。）をすること若しくはしたこと又は当該中期目標管理法人の他の役員若しくは職員に法令等違反行為をさせること若しくはさせたことに関し、営利企業等に対し、当該中期目標管理法人の他の役員若しくは職員をその離職後に、又は当該中期目標管理法人の役員若しくは職員であった者を、当該営利企業等の地位に就かせることを要求し、又は依頼してはならない。

（法令等違反行為に関する在職中の求職の規制）

第五十条の五 中期目標管理法人の役員又は職員は、法令等違反行為をすること若しくはしたこと又は中期目標管理法人の他の役員若しくは職員に法令等違反行為をさせること若しくはさせたことに関し、営利企業等に対し、離職後に当該営利企業等の地位に就くことを要求し、又は約束してはならない。

（再就職者による法令等違反行為の依頼等の届出）

第五十条の六 中期目標管理法人の役員又は職員は、次に掲げる要求又は依頼を受けたときは、政令で定めるところにより、当該中期目標管理法人の長にその旨を届け出なければならない。

一 中期目標管理法人役職員であった者であって離職後に営利企業等の地位に就いている者（以下この条において「再就職者」という。）が、離職前五年間に在職していた当該中期目標管理法人の内部組織として主務省令で定めるものに属する役員又は職員に対して行う、当該中期目標管理法人と当該営利企業等との間で締結される売買、賃借、請負その他の契約又は当該営利企業等に対して行われる行政手続法（平成五年法律第八十八号）第二条第二号に規定する処分に関する事務（当該中期目標管理法人の業務に係るものに限る。次号において「契約等事務」という。）であって離職前五年間の職務に属するものに関する法令等違反行為の要求又は依頼

二 前号に掲げるもののほか、再就職者のうち、当該中期目標管理法人の役員又は管理若しくは監督の地位として主務省令で定めるものに就いていた者が、離職後二年を経過するまでの間に、当該中期目標管理法人の役員又は職員に対して行う、契約等事務に関する法令等違反行為の要求又は依頼

三 前二号に掲げるもののほか、再就職者が行う、当該中期目標管理法人と営利企業等（当該再就職者が現にその地位に就いているものに限る。）との間の契約であって当該中期目標管理法人においてその締結について自らが決定したもの又は当該中期目標管理法人による当該営利企業等に対する行政手続法第二条第二号に規定する処分であって自らが決定したものに関する法令等違反行為の要求又は依頼

（中期目標管理法人の長への届出）

第五十条の七 中期目標管理法人役職員（第五十条の四第五項に規定する退職手当通算予定役職員を除く。）は、離職後に営利企業等の地位に就くことを約束した場合には、速やかに、政令で定めるところにより、中期目標管理法人の長

に政令で定める事項を届け出なければならない。

2　前項の規定による届出を受けた中期目標管理法人の長は、当該中期目標管理法人の業務の公正性を確保する観点から、当該届出を行った中期目標管理法人役職員の職務が適正に行われるよう、人事管理上の措置を講ずるものとする。

（中期目標管理法人の長がとるべき措置等）

第五十条の八　中期目標管理法人の長は、当該中期目標管理法人の役員又は職員が第五十条の四から前条までの規定に違反する行為をしたと認めるときは、当該役員又は職員に対する監督上の措置及び当該中期目標管理法人における当該規定の遵守を確保するために必要な措置を講じなければならない。

2　第五十条の六の規定による届出を受けた中期目標管理法人の長は、当該届出に係る要求又は依頼の事実があると認めるときは、当該要求又は依頼に係る法令等違反行為を確実に抑止するために必要な措置を講じなければならない。

3　中期目標管理法人の長は、毎年度、第五十条の六の規定による届出及び前二項の措置の内容を取りまとめ、政令で定めるところにより、主務大臣に報告しなければならない。

（政令への委任）

第五十条の九　第五十条の四から前条までの規定の実施に関し必要な手続は、政令で定める。

（職員の給与等）

第五十条の十　中期目標管理法人の職員の給与は、その職員の勤務成績が考慮されるものでなければならない。

2　中期目標管理法人は、その職員の給与等の支給の基準を定め、これを主務大臣に届け出るとともに、公表しなければならない。これを変更したときも、同様とする。

3　前項の給与等の支給の基準は、一般職の職員の給与に関する法律（昭和二十五年法律第九十五号）の適用を受ける国家公務員の給与等、民間企業の従業員の給与等、当該中期目標管理法人の業務の実績並びに職員の職務の特性及び雇用形態その他の事情を考慮して定められなければならない。

（国立研究開発法人への準用）

第五十条の十一　第五十条の二から前条までの規定は、国立研究開発法人について準用する。この場合において、第五十条の四第二項第四号中「第三十二条第一項」とあるのは「第三十五条の六第一項」と、「中期目標の期間」とあるのは「中長期目標の期間」と、同項第五号中「第三十五条第一項」とあるのは「第三十五条の七第一項」と読み替えるものとする。

第二節　行政執行法人

（役員及び職員の身分）

第五十一条　行政執行法人の役員及び職員は、国家公務員とする。

（役員の報酬等）

第五十二条　行政執行法人の役員に対する報酬等は、その役員の業績が考慮されるものでなければならない。

2　行政執行法人は、その役員に対する報酬等の支給の基準を定め、これを主務大臣に届け出るとともに、公表しなければならない。これを変更したときも、同様とする。

3　前項の報酬等の支給の基準は、国家公務員の給与等を参酌し、かつ、民間企業の役員の報酬等、当該行政執行法人の業務の実績及び事業計画の第三十五条の十第三項第三号の人件費の見積りその他の事情を考慮して定められなければならない。

（役員の服務）

第五十三条　行政執行法人の役員（以下この条から第五十六条まで及び第六十九条において単に「役員」という。）は、職務上知ることのできた秘密を漏らしてはならない。その職を退いた後も、同様とする。

2　前項の規定は、次条第一項において準用する国家公務員法（昭和二十二年法律第百二十号）第十八条の四及び次条第六項の規定により権限の委任を受けた再就職等監視委員会で扱われる調査の際に求められる情報に関しては、適用しない。

3　役員は、前項の調査に際して再就職等監視委員会から陳述し、又は証言することを求められた場合には、正当な理由がないのにこれを拒んではならない。

4　役員は、在任中、政党その他の政治的団体の役員となり、又は積極的に政治運動をしてはならない。

5　役員（非常勤の者を除く。次条において同じ。）は、在任中、任命権者の承認のある場合を除くほか、報酬を得て他の職務に従事し、又は営利事業を営み、その他金銭上の利益を目的とする業務を行ってはならない。

（役員の退職管理）

第五十四条　国家公務員法第十八条の二第一項、第十八条の三第一項、第十八条の四、第十八条の五第一項、第十八条の六、第百六条の二（第二項第三号を除く。）、第百六条の三、第百六条の四及び第百六条の十六から第百六条の二十七までの規定（これらの規定に係る罰則を含む。）、同法第百九条（第十四号から第十八号までに係る部分に限る。）並びに第百十二条の規定は、役員又は役員であった者について準用する。この場合において、同法第十八条の二第一項中「採用試験の対象官職及び種類並びに採用試験により確保すべき人材に関する事務、標準職務遂行能力、採用昇任等基本方針、幹部職員の任用等に係る特例及び幹部候補育成課程に関する事務（第三十三条第一項に規定する根本基準の実施につき必要な事務であつて、行政需要の変化に対応するために行う優れた人材の養成及び活用の確保に関するものを含む。）、一般職の職員の給与に関する法律第六条の二第一項の規定による指定職俸給表の適用を受ける職員の号俸の決定の方法並びに同法第八条第一項の規定による職務の級の定数の設定及び改定に関する事務並びに職員の人事評価（任用、給与、分限その他の人事管理の基礎とするために、職員がその職務を遂行するに当たり発揮した能力及び挙げた業績を把握した上で行われる勤務成績の評価をいう。以下同じ。）、研修、能率、厚生、服務、退職管理等に関する事務（第三条第二項の規定により人事院の所掌に属するものを除く。）」とあるのは「役員の退職管理に関する事務」と、同法第十八条の三第一項及び第百六条の十六中「第百六条の二から第百六条の四まで」とあるのは「独立行政法人通則法第五十四条第一項において準用する第百六条の二から第百六条の四まで」と、同法第百六条の二第二項及び第四項、第百六条の三第二項並びに第百六条の四第二項中「前項」とあるのは「独立行政法人通則法第五十四条第一項において準用する前項」と、同法第百六条の二第二項第二号及び第四項、第百六条の三第二項第一号、第百六条の四第一項並びに第百六条の二十三第一項中「退職手当通算予定職員」とあるのは「退職手当通算予定役員」と、同法第百六条の二第二項第二号中「独立行政法人通則法第五十四条第一項において読み替えて準用する第四項に規定する退職手当通算予定役員を同条第一項において準用する次項」とあるのは「第四項に規定する退職手当通算予定職員を次項」と、同条第三項及び同法第百六条の二十四第二項中「前項第二号」とあるのは「独立行政法人通則法第五十四条第一項において準用する前項第二号」と、同法第百六条の二第四項中「第二項第二号」とあるのは「独立行政法人通則法第五十四条第一項において準用する第二項第二号」と、「選考による採用」とあるのは「任命」と、同法第百六条の三第二項第一号中「前条第四項」とあるのは「独立行政法人通則法第五十四条第一項において準用する前条第四項」と、同法第百六条の四第三項中「前二項」とあるのは「独立行政法人通則法第五十四条第一項において準用する前二項」と、同条第四項中「前三項」とあるのは「独立行政法人通則法第五十四条第一項において準用する前三項」と、同条第五項中「前各項」とあるのは「独立行政法人通則法第五十四条第一項において準用する前各項」と、同法第百六条の二十二中「第百六条の五」とあるのは「独立行政法人通則法第五十四条第一項において準用する第百六条の十六」と、同法第百六条の二十三第三項中「当該届出を行つた職員が管理又は監督の地位にある職員の官職として政令で定めるものに就いている職員（以下「管理職職員」という。）である場合には、速やかに」とあるのは「速やかに」と、同法第百六条の二十四中「前条第一項」とあるのは「独立行政法人通則法第五十四条第一項において準用する前条第一項」と、同法第百九条第十八号中「第十四号から前号までに掲げる再就職者から要求又は依頼（独立行政法人通則法第五十四条第一項において準用する第十四号から前号まで」とあるのは「独立行政法人通則法第五十四条第一項において準用する第十四号から前号までに掲げる再就職者から要求又は依頼（第十四号から前号まで」と、同法第百十二条第一号中「第百六条の二第一項」とあるのは「独立行政法人通則法第五十四条第一項において準用する第百六条の二第一項」と、同法第百十三条第一号中「第百六条の四第一項から第四項まで」とあるのは「独立行政法人通則法第五十四条第一項において準用する第百六条の四第一項から第四項まで」と、同条第二号中「第百六条の二十四第一項」とあるのは「独立行政法人通則法第五十四条第一項において準用する第百六条の二十四第一項」と読み替えるものとするほか、必要な技術的読替えは、政令で定める。

2　内閣総理大臣は、前項において準用する国家公務員法第十八条の三第一項の調査に関し必要があるときは、証人を喚問し、又は調査すべき事項に関係があると認められる書類若しくはその写しの提出を求めることができる。

3　内閣総理大臣は、第一項において準用する国家公務員法第十八条の三第一項の調査に関し必要があると認めるときは、当該調査の対象である役員若しくは役員であった者に出頭を求めて質問し、又は当該役員の勤務する場所（役員として勤務していた場所を含む。）に立ち入り、帳簿、書類その他の必要な物件を検査し、若しくは関係人に質問することができる。

4　前項の規定により立入検査をする者は、その身分を示す証明書を携帯し、関係人にこれを提示しなければならない。

5　第三項の規定による立入検査の権限は、犯罪捜査のために認められたものと解してはならない。

6　内閣総理大臣は、第二項及び第三項の規定による権限を再就職等監視委員会に委任する。

（役員の災害補償）

第五十五条　役員の公務上の災害又は通勤による災害に対する補償及び公務上の災害又は通勤による災害を受けた役員に対する福祉事業については、行政執行法人の職員の例による。

（役員に係る労働者災害補償保険法の適用除外）

第五十六条　労働者災害補償保険法（昭和二十二年法律第五十号）の規定は、役員には適用しない。

（職員の給与）

第五十七条　行政執行法人の職員の給与は、その職務の内容と責任に応ずるものであり、かつ、職員が発揮した能率が考慮されるものでなければならない。

2　行政執行法人は、その職員の給与の支給の基準を定め、これを主務大臣に届け出るとともに、公表しなければならない。これを変更したときも、同様とする。

3　前項の給与の支給の基準は、一般職の職員の給与に関する法律の適用を受ける国家公務員の給与を参酌し、かつ、民間企業の従業員の給与、当該行政執行法人の業務の実績及び事業計画の第三十五条の十第三項第三号の人件費の見積りその他の事情を考慮して定められなければならない。

（職員の勤務時間等）

第五十八条　行政執行法人は、その職員の勤務時間、休憩、休日及び休暇について規程を定め、これを主務大臣に届け出るとともに、公表しなければならない。これを変更したときも、同様とする。

2　前項の規程は、一般職の職員の勤務時間、休暇等に関する法律（平成六年法律第三十三号）の適用を受ける国家公務員の勤務条件その他の事情を考慮したものでなければならない。

（職員に係る他の法律の適用除外等）

第五十九条　次に掲げる法律の規定は、行政執行法人の職員（以下この条において単に「職員」という。）には適用しない。

一　労働者災害補償保険法の規定
二　国家公務員法第十八条、第二十八条（第一項前段を除く。）、第六十二条から第七十条まで、第七十条の三第二項、第七十条の四第二項、第七十五条第二項及び第百六条の規定
三　国家公務員の寒冷地手当に関する法律（昭和二十四年法律第二百号）の規定
四　一般職の職員の給与に関する法律の規定
五　削除
六　国家公務員の育児休業等に関する法律（平成三年法律第百九号）第五条第二項、第八条、第九条、第十六条から第十九条まで及び第二十四条から第二十六条までの規定
七　一般職の職員の勤務時間、休暇等に関する法律の規定
八　一般職の任期付職員の採用及び給与の特例に関する法律（平成十二年法律第百二十五号）第七条から第九条までの規定
九　国家公務員の自己啓発等休業に関する法律（平成十九年法律第四十五号）第五条第二項及び第七条の規定
十　国家公務員の配偶者同行休業に関する法律（平成二十五年法律第七十八号）第五条第二項及び第八条の規定

2　職員に関する国家公務員法の適用については、同法第二条第六項中「政府」とあるのは「独立行政法人通則法第二条第四項に規定する行政執行法人（以下「行政執行法人」という。）」と、同条第七項中「政府又はその機関」とあるのは「行政執行法人」と、同法第三十四条第一項第五号中「内閣総理大臣」とあるのは「行政執行

法人」と、同条第二項中「政令で定める」とあるのは「行政執行法人が定めて公表する」と、同法第六十条第一項中「場合には、人事院の承認を得て」とあるのは「場合には」と、「により人事院の承認を得て」とあるのは「により」と、同法第七十条の三第一項中「その所轄庁の長」とあるのは「当該職員の勤務する行政執行法人の長」と、同法第七十条の四第一項中「所轄庁の長」とあるのは「職員の勤務する行政執行法人の長」と、同法第七十八条第四号中「官制」とあるのは「組織」と、同法第八十条第四項中「給与に関する法律」とあるのは「独立行政法人通則法第五十七条第二項に規定する給与の支給の基準」と、同法第八十一条の二第一項中「人事院規則で定める官職を」とあるのは「行政執行法人の長が定める官職を」と、同条第二項各号、同法第八十一条の五第一項各号及び第三項、第八十一条の六第二項並びに第八十一条の七第一項各号並びに同法附則第八条第三項及び第五項の表中「人事院規則で」とあるのは「行政執行法人の長が」と、同法第八十一条の五第二項及び第四項並びに第八十一条の七第二項中「ときは、人事院の承認を得て」とあるのは「ときは」と、同条第一項中「延長した場合であつて、引き続き勤務させることについて人事院の承認を得た」とあるのは「延長した」と、同法第百条第二項中「、所轄庁の長」とあるのは「、当該職員の勤務する行政執行法人の長」と、「の所轄庁の長」とあるのは「の属する行政執行法人の長」と、同法第百一条第一項中「政府」とあるのは「当該職員の勤務する行政執行法人」と、同条第二項中「官庁」とあるのは「行政執行法人」と、同法第百三条第二項中「所轄庁の長」とあるのは「当該職員の勤務する行政執行法人の長」と、同法第百四条中「内閣総理大臣及びその職員の所轄庁の長」とあるのは「当該職員の勤務する行政執行法人の長」と、同法附則第八条第二項及び第四項中「として人事院規則で」とあるのは「として行政執行法人の長が」と、同項中「人事院規則で定める年齢」と、」とあるのは「行政執行法人の長が定める年齢」と、」と、同法附則第九条中「相当する職員として人事院規則で」とあるのは「相当する職員として行政執行法人の長が」と、「のうち人事院規則で」とあるのは「のうち行政執行法人の長が」と、「その他人事院規則で」とあるのは「その他行政執行法人の長が」とする。

3 職員に関する国際機関等に派遣される一般職の国家公務員の処遇等に関する法律（昭和四十五年法律第百十七号）第五条及び第六条第三項の規定の適用については、同法第五条第一項中「俸給、扶養手当、地域手当、広域異動手当、研究員調整手当、住居手当及び期末手当のそれぞれ百分の百以内」とあるのは「給与」と、同条第二項中「人事院規則（派遣職員が検察官の俸給等に関する法律（昭和二十三年法律第七十六号）の適用を受ける職員である場合にあつては、同法第三条第一項に規定する準則）」とあるのは「独立行政法人通則法（平成十一年法律第百三号）第五十七条第二項に規定する給与の支給の基準」と、同法第六条第三項中「国は」とあるのは「独立行政法人通則法第二条第四項に規定する行政執行法人は」と、「同法」とあるのは「国家公務員災害補償法」とする。

4 職員に関する国家公務員の育児休業等に関する法律第三条第一項第一号、第十二条第一項、第十五条及び第二十二条の規定の適用については、同号中「勤務時間法第十九条に規定する特別休暇のうち出産により職員が勤務しないことが相当である場合として人事院規則で定める場合における休暇」とあるのは「独立行政法人通則法（平成十一年法律第百三号）第五十八条第一項の規定に基づく規程で定める休暇のうち職員が出産した場合における休暇」と、「同条の規定により人事院規則で定める期間」とあるのは「規程で定める期間」と、「人事院規則で定める期間内」とあるのは「規程で定める期間内」と、「当該休暇又はこれに相当するものとして勤務時間法第二十三条の規定により人事院規則で定める休暇」とあるのは「当該休暇」と、同項中「次の各号に掲げるいずれかの勤務の形態（勤務時間法第七条第一項の規定の適用を受ける職員にあっては、第五号に掲げる勤務の形態）」とあるのは「五分の一勤務時間（当該職員の一週間当たりの通常の勤務時間（以下この項において「週間勤務時間」という。）に五分の一を乗じて得た時間に端数処理（五分を最小の単位とし、これに満たない端数を切り上げることをいう。以下この項において同じ。）を行って得た時間をいう。第十五条において同じ。）に二を乗じて得た時間に十分の一勤務時間（週間勤務時間に十分の一を乗じて得た時間に端数処理を行って得た時間をいう。同条において同じ。）を加えた時間から八分の一勤務時間（週間勤務時間に八分の一を乗じて得た時間に端数処理を行って得た時間をいう。）に五を乗じて得た時間までの範囲内の時間となるように独立行政法人通則法第二条第四項に規定する行政執行法人の長が定める勤務の形態」と、同法第十五条中「十九時間二十五分から十九時間三十五分」とあるのは「五分の一勤務時間に二を乗じて得た時間に十分の一勤務時間を加えた時間から十分の一勤務時間に五を乗じて得た時間」と、同法第二十二条中「第十五条から前条まで」とあるのは「第十五条及び前二条」とする。

5 職員に関する労働基準法（昭和二十二年法律第四十九号）第十二条第三項第四号及び第三十九条第十項の規定の適用については、同号中「育児休業、介護休業等育児又は家族介護を行う労働者の福祉に関する法律（平成三年法律第七十六号）第二条第一号」とあるのは「国家公務員の育児休業等に関する法律（平成三年法律第百九号）第三条第一項」と、「同条第二号」とあるのは「育児休業、介護休業等育児又は家族介護を行う労働者の福祉に関する法律（平成三年法律第七十六号）第二条第二号」と、同項中「育児休業、介護休業等育児又は家族介護を行う労働者の福祉に関する法律第二条第一号」とあるのは「国家公務員の育児休業等に関する法律第三条第一項」と、「同条第二号」とあるのは「育児休業、介護休業等育児又は家族介護を行う労働者の福祉に関する法律第二条第二号」とする。

6 職員に関する船員法（昭和二十二年法律第百号）第七十四条第四項の規定の適用については、同項中「育児休業、介護休業等育児又は家族介護を行う労働者の福祉に関する法律（平成三年法律第七十六号）第二条第一号」とあるのは「国家公務員の育児休業等に関する法律（平成三年法律第百九号）第三条第一項」と、「同条第二号」とあるのは「育児休業、介護休業等育児又は家族介護を行う労働者の福祉に関する法律（平成三年法律第七十六号）第二条第二号」とする。

（国会への報告等）

第六十条 行政執行法人は、政令で定めるところにより、毎事業年度、常時勤務に服することを要するその職員（国家公務員法第七十九条又は第八十二条の規定による休職又は停職の処分を受けた者、法令の規定により職務に専念する義務を免除された者その他の常時勤務に服することを要しない職員で政令で定めるものを含む。次項において「常勤職員」という。）の数を主務大臣に報告しなければならない。

2 政府は、毎年、国会に対し、行政執行法人の常勤職員の数を報告しなければならない。

3 行政執行法人は、国家公務員法第三章第八節及び第四章（第五十四条第一項において準用する場合を含む。）の規定を施行するために必要な事項として内閣総理大臣が定める事項を、内閣総理大臣が定める日までに、内閣総理大臣に届け出なければならない。

第六十一条から第六十三条まで 削除

第六章 雑則

（報告及び検査）

第六十四条 主務大臣は、この法律を施行するため必要があると認めるときは、独立行政法人に対し、その業務並びに資産及び債務の状況に関し報告をさせ、又はその職員に、独立行政法人の事務所に立ち入り、業務の状況若しくは帳簿、書類その他の必要な物件を検査させることができる。

2 前項の規定により職員が立入検査をする場合には、その身分を示す証明書を携帯し、関係人にこれを提示しなければならない。

3 第一項の規定による立入検査の権限は、犯罪捜査のために認められたものと解してはならない。

第六十五条 削除

（解散）

第六十六条 独立行政法人の解散については、別に法律で定める。

（財務大臣との協議）

第六十七条 主務大臣は、次の場合には、財務大臣に協議しなければならない。

一 第二十九条第一項の規定により中期目標を定め、又は変更しようとするとき。

二 第三十五条の四第一項の規定により中長期目標を定め、又は変更しようとするとき。

三 第三十五条の九第一項の規定により年度目標を定め、又は変更しようとするとき。

四 第三十条第一項、第三十五条の五第一項、第三十五条の十第一項、第四十五条第一項た

だし書若しくは第二項ただし書又は第四十八条の規定による認可をしようとするとき。
五 第四十四条第三項の規定による承認をしようとするとき。
六 第四十六条の二第一項、第二項若しくは第三項ただし書又は第四十六条の三第一項の規定による認可をしようとするとき。
七 第四十七条第一号又は第二号の規定による指定をしようとするとき。

（主務大臣等）
第六十八条 この法律における主務大臣及び主務省令は、個別法で定める。

第七章 罰則

第六十九条 次の各号のいずれかに該当する者は、三年以下の拘禁刑又は百万円以下の罰金に処する。次の各号に規定する行為を企て、命じ、故意にこれを容認し、唆し、又はその幇助をした者も、同様とする。
一 正当な理由がないのに第五十三条第三項の規定に違反して陳述し、又は証言することを拒んだ者
二 第五十四条第二項の規定により証人として喚問を受け虚偽の陳述をした者
三 第五十四条第二項の規定により証人として喚問を受け正当な理由がないのにこれに応じず、又は同項の規定により書類若しくはその写しの提出を求められ正当な理由がないのにこれに応じなかった者
四 第五十四条第二項の規定により書類又はその写しの提出を求められ、虚偽の事項を記載した書類又は写しを提出した者
五 第五十四条第三項の規定による検査を拒み、妨げ、若しくは忌避し、又は質問に対して陳述をせず、若しくは虚偽の陳述をした者（同条第一項において準用する国家公務員法第十八条の三第一項の調査の対象である役員又は役員であった者を除く。）

第六十九条の二 第五十三条第一項の規定に違反して秘密を漏らした者は、一年以下の拘禁刑又は五十万円以下の罰金に処する。

第七十条 第六十四条第一項の規定による報告をせず、若しくは虚偽の報告をし、又は同項の規定による検査を拒み、妨げ、若しくは忌避した場合には、その違反行為をした独立行政法人の役員又は職員は、二十万円以下の罰金に処する。

第七十一条 次の各号のいずれかに該当する場合には、その違反行為をした独立行政法人の役員は、二十万円以下の過料に処する。
一 この法律の規定により主務大臣の認可又は承認を受けなければならない場合において、その認可又は承認を受けなかったとき。
二 この法律の規定により主務大臣又は内閣総理大臣に届出をしなければならない場合において、その届出をせず、又は虚偽の届出をしたとき。
三 この法律の規定により公表をしなければならない場合において、その公表をせず、又は虚偽の公表をしたとき。
四 第九条第一項の規定による政令に違反して登記することを怠ったとき。
五 第十九条第五項若しくは第六項又は第三十九条第三項の規定による調査を妨げたとき。
六 第三十条第三項、第三十二条第六項、第三十五条の三（第三十五条の八において準用する場合を含む。）、第三十五条の五第三項、第三十五条の六第九項、第三十五条の十第四項又は第三十五条の十二の規定による主務大臣の命令に違反したとき。
七 第三十二条第二項、第三十五条の六第三項若しくは第四項又は第三十五条の十一第三項若しくは第四項の規定による報告書の提出をせず、又は報告書に記載すべき事項を記載せず、若しくは虚偽の記載をして報告書を提出したとき。
八 第三十八条第三項の規定に違反して財務諸表、事業報告書、決算報告書又は監査報告を備え置かず、又は閲覧に供しなかったとき。
九 第四十七条の規定に違反して業務上の余裕金を運用したとき。
十 第五十条の八第三項（第五十条の十一において準用する場合を含む。）又は第六十条第一項の規定による報告をせず、又は虚偽の報告をしたとき。
2 独立行政法人の子法人の役員が第十九条第七項又は第三十九条第三項の規定による調査を妨げたときは、二十万円以下の過料に処する。

第七十二条 第十条の規定に違反した者は、十万円以下の過料に処する。

附 則（抄）

（施行期日）
第一条 この法律は、内閣法の一部を改正する法律（平成十一年法律第八十八号）の施行の日〔平一三・一・六〕

から施行する。

（名称の使用制限に関する経過措置）

第二条　この法律の施行の際現にその名称中に独立行政法人という文字を用いている者については、第十条の規定は、この法律の施行後六月間は、適用しない。

（政令への委任）

第三条　前条に定めるもののほか、この法律の施行に関し必要な経過措置は、政令で定める。

附　則（平二六・六・一三法六六）

（施行期日）

第一条　この法律は、平成二十七年四月一日から施行する。ただし、次条から附則第四条までの規定並びに附則第九条、第十二条及び第十五条の規定は、公布の日から施行する。

（準備行為等）

第二条　この法律による改正後の独立行政法人通則法（以下「新法」という。）第二十八条の二第一項の規定による同項の指針の策定、新法第二十八条の三の規定による同条の指針の案の作成、新法第二十九条第一項の規定による同項の中期目標の策定、新法第三十五条の四第一項の規定による同項の中長期目標の策定及び新法第三十五条の九第一項の規定による同項の年度目標の策定並びにこれらに関し必要な手続その他の行為は、この法律の施行前においても、新法第二十八条の二第一項及び第二項、第二十八条の三、第二十九条、第三十五条の四第一項から第四項まで並びに第三十五条の九の規定の例により行うことができる。この場合において、新法第二十八条の二第二項、第二十九条第三項及び第三十五条の四第三項中「委員会」とあるのは「独立行政法人通則法の一部を改正する法律（平成二十六年法律第六十六号）による改正前の第三十二条第三項の政令で定める審議会」と、同条第四項中「審議会等（内閣府設置法（平成十一年法律第八十九号）第三十七条若しくは第五十四条又は国家行政組織法（昭和二十三年法律第百二十号）第八条に規定する機関をいう。）で政令で定めるもの（以下「研究開発に関する審議会」という。）」とあるのは「独立行政法人通則法の一部を改正する法律（平成二十六年法律第六十六号）による改正前の第十二条第一項に規定する独立行政法人評価委員会」とする。

2　この法律による改正前の独立行政法人通則法（以下「旧法」という。）第三十二条第三項の政令で定める審議会は、前項の規定により読み替えてその例によるものとされた新法第二十八条の二第二項、第二十九条第三項又は第三十五条の四第三項の規定により意見を述べたときは、その内容を公表しなければならない。

3　第一項の規定により策定された指針、中期目標、中長期目標及び年度目標は、この法律の施行の日（以下「施行日」という。）において、それぞれ新法第二十八条の二第一項及び第二項の規定により策定された同条第一項の指針、新法第二十九条の規定により策定された同条第一項の中期目標、新法第三十五条の四第一項から第四項までの規定により策定された同条第一項の中長期目標並びに新法第三十五条の九の規定により策定された同条第一項の年度目標とみなす。

第三条　独立行政法人評価委員会の委員の任命権者（次項において単に「任命権者」という。）は、新法第二条第三項に規定する研究開発に関して高い識見を有する外国人（日本の国籍を有しない者をいう。次項及び第三項において同じ。）を、独立行政法人評価委員会の委員に任命することができる。

2　任命権者は、外国人である独立行政法人評価委員会の委員を、前条第一項の規定により読み替えてその例によるものとされた新法第三十五条の四第四項の規定により主務大臣に対して意見を述べる事務以外の事務に従事させてはならない。

3　第一項の場合において、外国人である独立行政法人評価委員会の委員は、独立行政法人評価委員会の会務を総理し、独立行政法人評価委員会を代表する者となることはできず、当該委員の数は、独立行政法人評価委員会の委員の総数の五分の一を超えてはならない。

（独立行政法人評価委員会の所掌事務に関する経過措置）

第四条　この法律の公布の日から施行日の前日までの間における旧法第十二条第二項第二号の規定の適用については、同号中「この法律又は個別法」とあるのは、「この法律、個別法又は独立行政法人通則法の一部を改正する法律（平成二十六年法律第六十六号）」とする。

（名称の使用制限に関する経過措置）

第五条　この法律の施行の際現にその名称中に国立研究開発法人という文字を用いている者については、新法第十条（国立研究開発法人（新法第二条第三項に規定する国立研究開発法人をいう。以下同じ。）に係る部分に限る。）の規定は、この法律の施行後六月間は、適用しない。

（監事及び会計監査人の職務及び権限並びに役員の報告義務に関する経過措置）

第六条　新法第十九条第四項、第五項、第七項及び第八項、第十九条の二、第二十一条の五、第三十九条第一項から第四項まで並びに第三十九条の二の規定は、施行日前に生じた事項にも適用する。

（役員の任期に関する経過措置）

第七条　この法律の施行の際現に独立行政法人（新法第二条第一項に規定する独立行政法人をいう。以下この項において同じ。）の長又は監事である者の任期（補欠の独立行政法人の長又は監事の任期を含む。）については、新法第二十一条、第二十一条の二又は第二十一条の三の規定にかかわらず、なお従前の例による。

2　施行日において中期目標管理法人（新法第二条第二項に規定する中期目標管理法人をいう。以下同じ。）の監事である者の任期につき前項の規定の適用がある場合には、施行日の翌日以後最初に任命される中期目標管理法人の監事（補欠の中期目標管理法人の監事を除く。）の任期に係る新法第二十一条第二項の規定の適用については、同項中「各中期目標の期間に対応して定めるものとし、任命の日から、当該対応する」とあるのは、「任命の日から、当該任命の日を含む当該中期目標管理法人の」とする。

3　施行日において国立研究開発法人の長である者の任期につき第一項の規定の適用がある場合には、施行日の翌日以後最初に任命される国立研究開発法人の長（補欠の国立研究開発法人の長を除く。）の任期に係る新法第二十一条の二第一項ただし書の規定の適用については、同項ただし書中「中長期目標の期間が六年又は七年の場合」とあるのは「独立行政法人通則法の一部を改正する法律（平成二十六年法律第六十六号）附則第七条第一項の規定の適用がある国立研究開発法人の長の任期（補欠の国立研究開発法人の長の任期を含む。）の末日の翌日

（以下この項において「起算日」という。）から起算日を含む中長期目標の期間の末日までの期間（以下この項において「残期間」という。）が六年以上七年未満の場合」と、「中長期目標の期間の初日（以下この項及び次項において単に「初日」という。）」とあるのは「起算日」と、同項第一号中「中長期目標の期間」とあるのは「残期間」と、「初日」とあるのは「起算日」と、同項第二号中「中長期目標の期間が七年の場合」とあるのは「残期間が六年を超え七年未満の場合」と、「初日から三年又は四年を経過する日」とあるのは「起算日から四年を経過する日までの間に終了する最後の事業年度の末日」とする。

4 施行日において国立研究開発法人の監事である者の任期につき第一項の規定の適用がある場合には、施行日の翌日以後最初に任命される国立研究開発法人の監事（補欠の国立研究開発法人の監事を除く。）の任期に係る新法第二十一条の二第四項の規定の適用については、同項中「各国立研究開発法人の長の任期（補欠の国立研究開発法人の長の任期を含む。以下この項において同じ。）と対応するものとし、任命の日から、当該対応する国立研究開発法人の長の任期」とあるのは、「任命の日から、当該任命の日における当該国立研究開発法人の長の任期（補欠の国立研究開発法人の長の任期を含む。）」とする。

5 施行日において行政執行法人（新法第二条第四項に規定する行政執行法人をいう。以下同じ。）の監事である者の任期につき第一項の規定の適用がある場合には、施行日の翌日以後最初に任命される行政執行法人の監事（補欠の行政執行法人の監事を除く。）の任期に係る新法第二十一条の三第二項の規定の適用については、同項中「各行政執行法人の長の任期（補欠の行政執行法人の長の任期を含む。以下この項において同じ。）と対応するものとし、任命の日から、当該対応する行政執行法人の長の任期」とあるのは、「任命の日から、当該任命の日における当該行政執行法人の長の任期（補欠の行政執行法人の長の任期を含む。）」とする。

（中期目標管理法人及び国立研究開発法人となる独立行政法人の中期目標等に関する経過措置）

第八条 この法律の施行の際現に主務大臣が旧法第二十九条第一項の規定により施行日において中期目標管理法人又は国立研究開発法人となる独立行政法人（旧法第二条第一項に規定する独立行政法人をいう。以下同じ。）に指示している旧法第二十九条第一項の中期目標は、主務大臣が新法第二十九条第一項の規定により指示した同項の中期目標又は新法第三十五条の四第一項の規定により指示した同項の中長期目標とみなす。

2 この法律の施行の際現に施行日において中期目標管理法人又は国立研究開発法人となる独立行政法人が旧法第三十条第一項の規定により認可を受けている同項の中期計画（附則第十条第二項において「旧中期計画」という。）は、新法第三十条第一項の認可を受けた同項の中期計画（附則第十条第二項において「新中期計画」という。）又は新法第三十五条の五第一項の認可を受けた同項の中長期計画（附則第十条第二項において「新中長期計画」という。）とみなす。

（行政執行法人となる独立行政法人の中期目標の期間に関する特例）

第九条 施行日前に定められた独立行政法人（施行日において行政執行法人となる独立行政法人に限る。）の中期目標の期間（旧法第二十九条第二項第一号に規定する中期目標の期間をいう。以下同じ。）であって、施行日以後に終わるものとされたものは、同号の規定にかかわらず、施行日の前日に終わるものとする。

（年度計画及び事業計画に関する経過措置）

第十条 次項に規定する場合を除き、施行日を含む事業年度に係る新法第三十一条第一項（新法第三十五条の八において読み替えて準用する場合を含む。）又は第三十五条の十第一項の規定の適用については、新法第三十一条第一項中「毎事業年度の開始前に、前条第一項の認可を受けた」とあるのは「独立行政法人通則法の一部を改正する法律（平成二十六年法律第六十六号）の施行の日以後最初の中期計画について前条第一項の認可を受けた後遅滞なく、その」と、新法第三十五条の八において読み替えて準用する第三十一条第一項中「毎事業年度の開始前に、第三十五条の五第一項の認可を受けた同項の」とあるのは「独立行政法人通則法の一部を改正する法律の施行の日以後最初の中長期計画（第三十五条の五第一項の中長期計画をいう。以下この項において同じ。）について同条第一項の認可を受けた後遅滞なく、その」と、新法第三十五条の十第一項中「各事業年度」とあるのは「独立行政法人通則法の一部を改正する法律の施行の日以後最初の事業年度」と、「当該事業年度の開始前に」とあるのは「遅滞なく」とする。

2 附則第八条第二項の規定により旧中期計画が新中期計画又は新中長期計画とみなされる場合における施行日を含む事業年度に係る新法第三十一条第一項（新法第三十五条の八において読み替えて準用する場合を含む。）の規定の適用については、同項中「毎事業年度の開始前に、前条第一項の認可を受けた」とあるのは「独立行政法人通則法の一部を改正する法律（平成二十六年法律第六十六号）の施行の日以後遅滞なく、同法附則第八条第二項の規定により前条第一項の認可を受けたとみなされる」と、新法第三十五条の八において読み替えて準用する第三十一条第一項中「毎事業年度の開始前に、第三十五条の五第一項の認可を受けた」とあるのは「独立行政法人通則法の一部を改正する法律の施行の日以後遅滞なく、同法附則第八条第二項の規定により第三十五条の五第一項の認可を受けたとみなされる」とする。

（業績評価等に関する経過措置）

第十一条 新法第三十二条の規定は、施行日において中期目標管理法人となった独立行政法人の施行日の前日に終了した事業年度及び中期目標の期間に係る業務の実績に関する評価についても適用する。

2 新法第三十五条の六第一項、第三項及び第五項から第九項までの規定は、施行日において国立研究開発法人となった独立行政法人の施行日の前日に終了した事業年度及び中期目標の期間に係る業務の実績に関する評価についても適用する。

3 新法第三十五条の十一第一項、第三項、第五項及び第六項の規定は、施行日において行政執行法人となった独立行政法人の施行日の前日に終了した事業年度に係る業務の実績に関する評価についても適用する。

4 新法第三十五条の十一第二項及び第四項から第七項までの規定は、施行日において行政執行法人となった独立行政法人の施行日の前日に終了した中期目標の期間に係る業務の実績に関する評価について準用する。この場合において、同条第二項中「三年以上五年以下の期間で主務省令で定める期間」とあるのは「独立行政法人通則法の一部を改正する法律（平成二十六年法律第六十六号）による改正前の第二十九条第二項第一号に規定する中期目標の期間」と、「当該期間における年度目標に定める業務運営の効率化に関する事項の実施状況」とあるのは「当該中期目標の期間における業務の実績」と、同条第四項中「事項の実施状況及び当該事項の実施状況」とあるのは「中期目標の期間における業務の実績及び当該業務の実績」と、同条第五項中「事項の実施状況」とあるのは「中期目標の期間における業務の実績」と読み替えるものとする。

5　前項の規定は、附則第九条の規定により、施行日前に定められた中期目標の期間が施行日の前日に終わることにより当該中期目標の期間が一年以下となる場合には、適用しない。

6　第四項において準用する新法第三十五条の十一第四項の規定による報告書の提出をせず、又は報告書に記載すべき事項を記載せず、若しくは虚偽の記載をして報告書を提出した場合には、その違反行為をした行政執行法人の役員は、二十万円以下の過料に処する。

第十二条　旧法第三十五条の規定は、施行日において行政執行法人となる独立行政法人の施行日の前日を含む中期目標の期間については、適用しない。

（秘密保持義務に関する経過措置）

第十三条　旧法第二条第二項に規定する特定独立行政法人の役員であった者に係る旧法第五十四条第一項の規定によるその職務上知ることのできた秘密を漏らしてはならない義務については、施行日以後も、なお従前の例による。

（罰則の適用に関する経過措置）

第十四条　この法律の施行前にした行為及び前条の規定によりなお従前の例によることとされる場合におけるこの法律の施行後にした行為に対する罰則の適用については、なお従前の例による。

（その他の経過措置の政令への委任）

第十五条　附則第二条から前条までに規定するもののほか、この法律の施行に関し必要な経過措置（罰則に関する経過措置を含む。）は、政令で定める。

附　則（平三〇・七・六法七一）（抄）

（施行期日）

第一条　この法律は、平成三十一年四月一日から施行する。〔ただし書略〕

附　則（令三・六・一一法六一）（抄）

（施行期日）

第一条　この法律は、令和五年四月一日から施行する。〔ただし書略〕

〔注：国家公務員法の令三法六一の附則参照〕

附　則（令四・四・一三法一九）（抄）

（施行期日）

1　この法律は、公布の日から起算して九月を超えない範囲内において政令で定める日〔令四・一〇・一〕から施行する。〔ただし書略〕

附　則（令四・六・一七法六八）（抄）

（施行期日）

1　この法律は、刑法等一部改正法施行日〔令七・六・一〕から施行する。〔ただし書略〕

第一五 内閣総理大臣等

○特別職の職員の給与に関する法律

昭二四・一二・一二
法 二 五 二

最終改正 令六・一二・二五法七三

（目的及び適用範囲）

第一条 この法律は、次に掲げる国家公務員（以下「特別職の職員」という。）の受ける給与及び公務又は通勤による災害補償について定めることを目的とする。

一 内閣総理大臣
二 国務大臣
三 会計検査院長及びその他の検査官
四 人事院総裁及びその他の人事官
五 内閣法制局長官
六 内閣官房副長官
七 内閣危機管理監
七の二 国家安全保障局長
八 内閣官房副長官補、内閣広報官及び内閣情報官
九 常勤の内閣総理大臣補佐官
十 副大臣
十一 大臣政務官
十一の二 常勤の大臣補佐官
十一の三 デジタル監
十二 国家公務員倫理審査会の常勤の会長及び常勤の委員
十三 公正取引委員会の委員長及び委員
十四 国家公安委員会委員
十四の二 個人情報保護委員会の委員長及び常勤の委員
十四の三 カジノ管理委員会の委員長及び常勤の委員
十五 公害等調整委員会の委員長及び常勤の委員
十六 中央労働委員会の常勤の公益を代表する委員
十六の二 運輸安全委員会の委員長及び常勤の委員
十六の三 原子力規制委員会の委員長及び委員
十七 総合科学技術・イノベーション会議の常勤の議員
十八 原子力委員会委員長
十八の二 再就職等監視委員会委員長
十九 証券取引等監視委員会委員長
二十 公認会計士・監査審査会会長
二十一 中央更生保護審査会委員長
二十二 削除
二十三 社会保険審査会委員長
二十四 削除
二十五 食品安全委員会の常勤の委員
二十六 原子力委員会の常勤の委員
二十七 削除
二十八 公益認定等委員会の常勤の委員
二十九 証券取引等監視委員会委員
三十 公認会計士・監査審査会の常勤の委員
三十一 地方財政審議会委員
三十一の二 行政不服審査会の常勤の委員
三十一の三 情報公開・個人情報保護審査会の常勤の委員
三十二 国地方係争処理委員会の常勤の委員
三十三 電気通信紛争処理委員会の常勤の委員
三十四 中央更生保護審査会の常勤の委員
三十五 削除
三十六 労働保険審査会の常勤の委員
三十七 社会保険審査会委員
三十八 運輸審議会の常勤の委員
三十九 土地鑑定委員会の常勤の委員
四十 削除
四十一 公害健康被害補償不服審査会の常勤の委員
四十二 宮内庁長官、侍従長、東宮大夫及び式部官長
四十三 特命全権大使（以下「大使」という。）及び特命全権公使（以下「公使」という。）
四十四 国家公務員法（昭和二十二年法律第百二十号）第二条第三項第八号に掲げる秘書官及び裁判所法（昭和二十二年法律第五十九号）に定める裁判官の秘書官（以下「秘書官」という。）
四十五 非常勤の内閣総理大臣補佐官
四十五の二 非常勤の大臣補佐官
四十六 会計検査院情報公開・個人情報保護審査会の委員
四十七 国家公務員倫理審査会の非常勤の会長及び非常勤の委員

四十七の二　個人情報保護委員会の非常勤の委員
四十七の三　カジノ管理委員会の非常勤の委員
四十八　公害等調整委員会の非常勤の委員
四十九　公安審査委員会の委員長及び委員
五十　中央労働委員会の非常勤の公益を代表する委員
五十の二　運輸安全委員会の非常勤の委員
五十一　総合科学技術・イノベーション会議の非常勤の議員
五十二　食品安全委員会の非常勤の委員
五十三　原子力委員会の非常勤の委員
五十四　削除
五十五　衆議院議員選挙区画定審議会委員
五十六　国会等移転審議会委員
五十七　公益認定等委員会の非常勤の委員
五十七の二　再就職等監視委員会委員
五十八　公認会計士・監査審査会の非常勤の委員
五十八の二　行政不服審査会の非常勤の委員
五十八の三　情報公開・個人情報保護審査会の非常勤の委員
五十九　国地方係争処理委員会の非常勤の委員
六十　電気通信紛争処理委員会の非常勤の委員
六十一　電波監理審議会委員
六十二　中央更生保護審査会の非常勤の委員
六十三　削除
六十四　労働保険審査会の非常勤の委員
六十五　中央社会保険医療協議会の公益を代表する委員
六十五の二　調達価格等算定委員会委員
六十六　運輸審議会の非常勤の委員
六十七　土地鑑定委員会の非常勤の委員
六十八　削除
六十九　公害健康被害補償不服審査会の非常勤の委員
七十　中央選挙管理会の委員
七十の二　政治資金適正化委員会の委員
七十一　日本ユネスコ国内委員会の会長、副会長及び委員
七十二　日本学術会議会員
七十三　国家公務員法第二条第三項第十号に掲げる宮内庁の職員のうち第四十二号に掲げる者以外の者
七十四　国会職員
七十五　国会議員の秘書

（内閣総理大臣等の給与）

第二条　前条第一号から第四十四号までに掲げる特別職の職員（以下「内閣総理大臣等」という。）の受ける給与は、別に法律で定めるもののほか、俸給、地域手当、通勤手当及び期末手当（国会議員から任命されたものにあつては俸給、地域手当及び期末手当、秘書官にあつては俸給、地域手当、広域異動手当、住居手当、通勤手当、単身赴任手当、期末手当、勤勉手当及び寒冷地手当）とする。

第三条　内閣総理大臣等の俸給月額は、内閣総理大臣等のうち大使、公使及び秘書官以外の者については別表第一に、大使及び公使については別表第二に、秘書官については別表第三による。

2　第一条第九号、第十一号の二又は第十七号から第四十一号までに掲げる特別職の職員の俸給月額は、特別の事情により別表第一による俸給月額により難いときは、前項の規定にかかわらず、次の各号に掲げる特別職の職員の区分に応じ、当該各号に定める額とすることができる。

一　第一条第九号又は第十一号の二に掲げる特別職の職員　百二十一万六千円

二　第一条第十七号から第二十四号までに掲げる特別職の職員　百十九万千円

三　第一条第二十五号から第四十一号までに掲げる特別職の職員　百十九万千円又は百四万九千円

3　大使又は公使の俸給月額は、特別の事情により別表第二に掲げる俸給月額により難いときは、第一項の規定にかかわらず、大使にあつては百四十八万六千円、百四十二万六千円又は七十七万二千円、公使にあつては七十七万二千円とすることができる。

4　次の各号に掲げる者は、当該各号に定める場合には、内閣総理大臣に協議しなければならない。

一　内閣総理大臣又は各省大臣　第二項の規定により第一条第九号、第十一号の二又は第十七号から第四十一号までに掲げる特別職の職員の受ける俸給月額を定めようとするとき。

二　外務大臣　別表第二又は前項の規定により大使又は公使の受ける俸給月額を定めようとするとき。

三　内閣総理大臣、各省大臣、最高裁判所長官、会計検査院長又は人事院総裁　別表第三により秘書官の受ける俸給月額を定めようとするとき。

第四条　第一条第十二号から第四十一号までに掲げる特別職の職員のうち、他の職務に従事し、又は営利事業を営み、その他金銭上の利益を目的とする業務を行い、当該職務、事業又は業務から生ずる所得（国会議員、内閣総理大臣等又は一般職の常勤を要する職員として受ける給与に係るものを除く。）が政令で定める基準に該当することとなる者には、第二条に規定する給与は、支給しない。

2　前項の規定に該当する者には、第九条の規定の例により、手当を支給する。この場合において、同条ただし書中「「人事院の承認を得て」とあるのは、」とあるのは、「「三万四千七百円」とあるのは「六万八千百円」と、「人事院の承認を得て」とあるのは」とする。

第五条　新たに内閣総理大臣等になつた者には、その日から俸給を支給する。但し、退職し、又は罷免された国家公務員が即日内閣総理大臣等になつたときは、その日の翌日から俸給を支給する。

第六条　内閣総理大臣等が退職又は罷免により内閣総理大臣等でなくなつたときは、その日まで俸給を支給する。

2　内閣総理大臣等が死亡したときは、その月まで俸給を支給する。

第七条　第五条又は前条第一項の規定により俸給を支給する場合であつて月の初日から支給するとき以外のとき、又は月の末日まで支給するとき以外のときは、その俸給の額は、その月の現日数から日曜日の日数を差し引いた日数を基礎として、日割りによつて計算する。

第七条の二　内閣総理大臣等（秘書官を除く。）の地域手当、通勤手当及び期末手当の支給については、一般職の職員の給与に関する法律（昭和二十五年法律第九十五号。以下「一般職給与法」という。）の適用を受ける職員（以下「一般職の職員」という。）の例による。ただし、一般職給与法第十九条の四第二項中「百分の百二十五」とあるのは、「百分の百七十二・五」とし、同条第五項において人事院規則で定めることとされている事項については、政令で定めるものとする。

第七条の三　秘書官の地域手当、広域異動手当、住居手当、通勤手当、単身赴任手当、期末手当、勤勉手当及び寒冷地手当の支給については、一般職の職員の例による。ただし、一般職給与法第十九条の四第五項（一般職給与法第十九条の七第四項において読み替えて準用する場合を含む。）において人事院規則で定めることとされている事項については、政令で定めるものとする。

第八条　内閣総理大臣等の給与の支給期日は、一般職の職員の例による。

（非常勤の内閣総理大臣補佐官等の給与）

第九条　第一条第四十五号から第七十二号までに掲げる特別職の職員（以下「非常勤の内閣総理大臣補佐官等」という。）には、一般職給与法第二十二条第一項の規定の適用を受ける職員の例により、手当を支給する。ただし、同項中「人事院の承認を得て」とあるのは、「内閣総理大臣と協議して」とする。

（侍従次長等の給与）

第十条　第一条第七十三号に掲げる特別職の職員の受ける給与の種類、額、支給条件及び支給方法は、内閣総理大臣の定めるところにより、一般職の職員の例による。

（国会職員の給与）

第十一条　第一条第七十四号に掲げる特別職の職員の受ける給与の種類、額、支給条件及び支給方法は、国会職員法（昭和二十二年法律第八十五号）及び同法の規定に基づく国会職員の給与等に関する規程の定めるところによる。

（国会議員の秘書の給与）

第十二条　第一条第七十五号に掲げる特別職の職員の受ける給与の額、支給条件及び支給方法は、国会議員の秘書の給与等に関する法律（平成二年法律第四十九号）及び同法の規定に基づく国会議員の秘書の給与の支給等に関する規程の定めるところによる。

第十三条　削除

（調整措置）

第十四条　国会議員、内閣総理大臣等及び一般職の常勤を要する職員が次の各号の一に該当するときは、その兼ねる特別職の職員として受けるべき第二条、第四条第二項又は第九条の給与（通勤手当を除く。）は、支給しない。

一　内閣総理大臣等の職を兼ねるとき。

二　非常勤の内閣総理大臣補佐官等の職を兼ねるとき。

2　前項の規定にかかわらず、その兼ねる特別職の職員として受けるべき給与（通勤手当を除く。）の額が国会議員、内閣総理大臣等又は一般職の常勤を要する職員として受ける給与（通勤手当を除く。）の額を超えるときは、その差額を、その兼ねる特別職の職員として所属する機関から支給する。

（災害補償）

第十五条　特別職の職員（第一条第七十四号及び第七十五号に掲げる特別職の職員を除く。以下この条において同じ。）の公務上の災害又は通勤による災害に対する補償及び公務上の災害又は通勤による災害を受けた特別職の職員に対する福祉事業については、一般職の職員の例による。

附　則

1　この法律は、公布の日から施行する。

2　一般職の職員から引き続き内閣総理大臣秘書官になった者の俸給月額は、当分の間、特別の事情により別表第三に掲げる俸給月額により難いときは、第三条第一項の規定にかかわらず、同表に掲げる十二号俸の俸給月額を超え九十一万円を超えない範囲内の額とすることができる。この場合において、同条第四項第三号中「別表第三」とあるのは、「附則第二項の規定」とする。

3　当分の間、内閣総理大臣、国務大臣、内閣官房副長官、常勤の内閣総理大臣補佐官、副大臣、大臣政務官又は常勤の大臣補佐官がこの法律の規定に基づいて支給された給与の一部に相当する額を国庫に返納する場合には、当該返納による国庫への寄附については、公職選挙法（昭和二十五年法律第百号）第百九十九条の二の規定は、適用しない。

附　則（令二・一一・三〇法六六）

この法律は、公布の日から施行する。ただし、第二条の規定は、令和三年四月一日から施行する。

附　則（令三・五・一九法三六）（抄）

（施行期日）

第一条　この法律は、令和三年九月一日から施行する。

〔ただし書略〕

附　則（令四・四・一三法一八）

（施行期日）

1　この法律は、公布の日から施行する。

（令和四年六月に支給する期末手当に関する特例措置）

2　令和四年六月の内閣総理大臣等（特別職の職員の給与に関する法律第一条第四十四号に規定する内閣総理大臣秘書官を除く。）の期末手当の支給についてのこの法律の規定による改正後の同法第七条の二の規定の適用については、同条ただし書中「あるのは、」とあるのは「あるのは」とし、「同条第五項」とあるのは「一般職の職員の給与に関する法律等の一部を改正する法律（令和四年法律第十七号）附則第二条第一項第一号イ中「百二十七・五分の十五」とあるのは「百六十七・五分の十」とし、一般職給与法第十九条の四第五項」とする。

（政令への委任）

3　前項に定めるもののほか、この法律の施行に関し必要な事項は、政令で定める。

附　則（令四・一一・一八法八二）

（施行期日等）

第一条　この法律は、公布の日から施行する。ただし、第二条の規定は、令和五年四月一日から施行する。

2　第一条の規定（特別職の職員の給与に関する法律第七条の二ただし書の改正規定を除く。次条において同じ。）による改正後の同法（次条において「改正後の給与法」という。）の規定は、令和四年四月一日から適用する。

（給与の内払）

第二条　改正後の給与法の規定を適用する場合には、第一条の規定による改正前の特別職の職員の給与に関する法律の規定に基づいて支給された給与は、改正後の給与法の規定による給与の内払とみなす。

（政令への委任）

第三条　前条に定めるもののほか、この法律の施行に関し必要な事項は、政令で定める。

附　則（令五・一一・二四法七四）（抄）

（施行期日等）

第一条　この法律は、公布の日から施行する。ただし、第二条の規定は、令和六年四月一日から施行する。

2　第一条の規定（特別職の職員の給与に関する法律（以下「給与法」という。）第七条の二ただし書の改正規定を除く。次条及び附則第三条において同じ。）による改正後の給与法（次条及び附則第三条において「改正後の給与法」という。）〔中略〕の規定は、令和五年四月一日から適用する。

（特定の秘書官の俸給月額の切替え）

第二条　令和五年四月一日（以下この条において「切替日」という。）の前日において第一条の規定による改正前の給与法附則第二項の規定により俸給月額を受けていた特別職の職員の切替日における俸給月額は、改正後の給与法第三条第一項及び第四項並びに附則第二項の規定にかかわらず、改正後の給与法別表第三に掲げる十二号俸の俸給月額を超え八十九万九千円を超えない範囲内で内閣総理大臣が定める額とする。

（給与の内払）

第三条　改正後の給与法〔中略〕の規定を適用する場合には、第一条の規定による改正前の給与法〔中略〕の規定に基づいて支給された給与は、〔中略〕改正後の給与法〔中略〕の規定による給与の内払とみなす。

（政令への委任）

第四条　前二条に定めるもののほか、この法律の施行に関し必要な事項は、政令で定める。

附　則（令六・一二・二五法七三）（抄）

（施行期日等）

第一条　この法律は、公布の日から施行する。ただし、第二条並びに次条第三項及び附則第三条第二項の規定は、令和七年四月一日から施行する。

2　第一条の規定による改正後の特別職の職員の給与に関する法律（以下「第一条改正後給与法」という。）〔中略〕の規定は、令和六年四月一日から適用する。

（当分の間の内閣総理大臣等の俸給月額等）

第二条　内閣総理大臣並びに国務大臣、内閣官房副長官、常勤の内閣総理大臣補佐官、副大臣、大臣政務官及び常勤の大臣補佐官のうち国会議員から任命されたもの（次項及び第三項において「内閣総理大臣等」という。）の俸給月額は、第一条改正後給与法第三条及び別表第一の規定にかかわらず、当分の間、なお従前の例による。

2　内閣総理大臣等の期末手当の支給についての第一条改正後給与法第七条の二の規定の適用については、同条ただし書中「、六月に支給する場合には百分の百七十、十二月に支給する場合には百分の百七十五」とあるのは、「百分の百七十」とする。

3　内閣総理大臣等の期末手当の支給についての第二条の規定による改正後の特別職の職員の給与に関する法律（次条第二項において「第二条改正後給与法」という。）第七条の二の規定の適用については、当分の間、同条ただし書中「百分の百七十二・五」とあるのは、「百分の百七十」とする。

4　前二項の規定が適用される場合における二千二十五年日本国際博覧会政府代表の期末手当の支給についての改正後の政府代表臨時措置法第六条の規定の適用については、同条中「第一条第一号から第四十三号までに掲げる特別職の職員」とあるのは、「第一条第一号から第四十三号までに掲げる特別職の職員（特別職の職員の給与に関する法律等の一部を改正する法律（令和六年法律第七十三号）附則第二条第一項に規定する内閣総理大臣等を除く。）」とする。

5　第二項又は第三項の規定が適用される場合における二千二十七年国際園芸博覧会政府委員の期末手当の支給についての改正後の政府委員臨時措置法第六条の規定の適用については、同条中「第一条第一号から第四十三号までに掲げる特別職の職員」とあるのは、「第一条第一号から第四十三号までに掲げる特別職の職員（特別職の職員の給与に関する法律等の一部を改正する法律（令和六年法律第七十三号）附則第二条第一項に規定する内閣総理大臣等を除く。）」とする。

6　第二項又は第三項の規定が適用される場合における裁判官の報酬等に関する法律（昭和二十三年法律第七十五号）第九条第一項の規定の適用については、同項中「第一条第一号から第四十二号までに掲げる者」とあるのは、「第一条第一号から第四十二号までに掲げる者（特別職の職員の給与に関する法律等の一部を改正する法律（令和六年法律第七十三号）附則第二条第一項に規定する内閣総理大臣等を除く。）」とする。

7　第二項又は第三項の規定が適用される場合における検察官の俸給等に関する法律（昭和二十三年法律第七十六号）第一条第一項の規定の適用については、同項中「第一条第一号から第四十二号までに掲げる者」とあるのは、「第一条第一号から第四十二号までに掲げる者（特別職の職員の給与に関する法律等の一部を改正する法律（令和六年法律第七十三号）附則第二条第一項に規定する内閣総理大臣等を除く。）」とする。

（特定の秘書官の俸給月額の切替え）

第三条　令和六年四月一日（以下この項において「令和六年の切替日」という。）の前日において第一条の規定による改正前の特別職の職員の給与に関する法律附則第二項の規定により俸給月額を受けていた特別職の職員の令和六年の切替日における俸給月額は、第一条改正後給与法第三条第一項及び附則第二項の規定にかかわらず、第一条改正後給与法別表第三に掲げる十二号俸の俸給月額を超え九十万九千円を超えない範囲内で内閣総理大臣が定める額とする。

2　令和七年四月一日（以下この項において「令和七年の切替日」という。）の前日において第二条の規定による改正前の特別職の職員の給与に関する法律附則第二項の規定により俸給月額を受けていた特別職の職員の令和七年の切替日における俸給月額は、第二条改正後給与法第三条第一項及び附則第二項の規定にかかわらず、第二条改正後給与法別表第三に掲げる十二号俸の俸給月額を超え九十一万円を超えない範囲内で内閣総理大臣が定める額とする。

（給与の内払）

第四条　第一条改正後給与法〔中略〕の規定を適用する場合には、第一条の規定による改正前の特別職の職員の給与に関する法律〔中略〕の規定に基づいて支給された給与は、〔中略〕第一条改正後給与法〔中略〕の規定による給与の内払とみなす。

（政令への委任）

第五条　前二条に定めるもののほか、この法律の施行に関し必要な経過措置は、政令で定める。

別表第一（第三条関係）

官職名	俸給月額
内閣総理大臣	二、〇三八、〇〇〇円
国務大臣 会計検査院長 人事院総裁	一、四八六、〇〇〇円
内閣法制局長官 内閣官房副長官 副大臣 国家公務員倫理審査会の常勤の会長 公正取引委員会委員長 原子力規制委員会委員長 宮内庁長官	一、四二六、〇〇〇円
検査官（会計検査院長を除く。） 人事官（人事院総裁を除く。） 内閣危機管理監 国家安全保障局長 大臣政務官 デジタル監 個人情報保護委員会委員長 カジノ管理委員会委員長 公害等調整委員会委員長 運輸安全委員会委員長 侍従長	一、二一六、〇〇〇円
内閣官房副長官補、内	

閣広報官及び内閣情報官 常勤の内閣総理大臣補佐官 常勤の大臣補佐官 国家公務員倫理審査会の常勤の委員 公正取引委員会委員 国家公安委員会委員 原子力規制委員会委員 式部官長	一、一九一、〇〇〇円
個人情報保護委員会の常勤の委員 カジノ管理委員会の常勤の委員 公害等調整委員会の常勤の委員 中央労働委員会の常勤の公益を代表する委員 運輸安全委員会の常勤の委員 総合科学技術・イノベーション会議の常勤の議員 原子力委員会委員長 再就職等監視委員会委員長 証券取引等監視委員会委員長 公認会計士・監査審査会会長 中央更生保護審査会委員長 社会保険審査会委員長 東宮大夫	一、〇四九、〇〇〇円
食品安全委員会の常勤の委員 原子力委員会の常勤の委員 公益認定等委員会の常勤の委員 証券取引等監視委員会委員 公認会計士・監査審査会の常勤の委員 地方財政審議会委員 行政不服審査会の常勤の委員 情報公開・個人情報保護審査会の常勤の委員 国地方係争処理委員会の常勤の委員 電気通信紛争処理委員会の常勤の委員 中央更生保護審査会の常勤の委員 労働保険審査会の常勤の委員 社会保険審査会委員 運輸審議会の常勤の委員 土地鑑定委員会の常勤の委員 公害健康被害補償不服審査会の常勤の委員	九二六、〇〇〇円

別表第二（第三条関係）

官職名	俸給月額	
大使	三号俸	一、一九一、〇〇〇円
	二号俸	一、〇四九、〇〇〇円
	一号俸	九二六、〇〇〇円
公使	三号俸	一、一九一、〇〇〇円
	二号俸	一、〇四九、〇〇〇円
	一号俸	九二六、〇〇〇円

別表第三（第三条関係）

官職名	俸給月額	
秘書官	十二号俸	五九三、五〇〇円
	十一号俸	五六二、五〇〇円
	十号俸	五三二、五〇〇円
	九号俸	五〇〇、四〇〇円
	八号俸	四六九、七〇〇円
	七号俸	四四二、三〇〇円
	六号俸	四〇七、〇〇〇円
	五号俸	三六八、五〇〇円
	四号俸	三三二、四〇〇円
	三号俸	三〇一、二〇〇円
	二号俸	二七九、三〇〇円
	一号俸	二七七、四〇〇円

【参考】

〇天皇の退位等に関する皇室典範特例法（抄）

平二九・六・一六
法 六 三

附 則（抄）

（施行期日）

第一条 この法律は、公布の日から起算して三年を超えない範囲内において政令で定める日〔平三一・四・三〇〕から施行する。ただし、〔中略〕附則〔中略〕第十一条の規定はこの法律の施行の日の翌日から施行する。

（宮内庁法の一部改正）

第十一条 宮内庁法（昭和二十二年法律第七十号）の一部を次のように改正する。

附則を附則第一条とし、同条の次に次の二条を加える。

第二条 宮内庁は、第二条各号に掲げる事務のほか、上皇に関する事務をつかさどる。この場合において、内閣府設置法第四条第三項第五十七号の規定の適用については、同号中「第二条」とあるのは、「第二条及び附則第二条第一項前段」とする。

2 第三条第一項の規定にかかわらず、宮内庁に、前項前段の所掌事務を遂行するため、上皇職を置く。

3 上皇職に、上皇侍従長及び上皇侍従次長一人を置く。

4 上皇侍従長の任免は、天皇が認証する。

5 上皇侍従長は、上皇の側近に奉仕し、命を受け、上皇職の事務を掌理する。

6 上皇侍従次長は、命を受け、上皇侍従長を助け、上皇職の事務を整理する。

7 第三条第三項及び第十五条第四項の規定は、上皇職について準用する。

8 上皇侍従長及び上皇侍従次長は、国家公務員法（昭和二十二年法律第百二十号）第二条に規定する特別職とする。この場合において、特別職の職員の給与に関する法律（昭和二十四年法律第二百五十二号。以下この項及び次条第六項において「特別職給与法」という。）及び行政機関の職員の定員に関する法律（昭和四十四年法律第三十三号。以下この項及び次条第六項において「定員法」という。）の規定の適用については、特別職給与法第一条第四十二号中「侍従長」とあるのは「侍従長、上皇侍従長」と、同条第七十三号中「の者」とあるのは「の者及び上皇侍従次長」と、特別職給与法別表第一中「式部官長」とあるのは「上皇侍従長及び式部官長」と、定員法第一条第二項第二号中「侍従長」とあるのは「侍従長、上皇侍従長」と、「及び侍従次長」とあるのは「、侍従次長及び上皇侍従次長」とする。

第三条 第三条第一項の規定にかかわらず、宮内庁に、天皇の退位等に関する皇室典範特例法（平成二十九年法律第六十三号）第二条の規定による皇位の継承に伴い皇嗣となつた皇族に関する事務を遂行するため、皇嗣職を置く。

2 皇嗣職に、皇嗣職大夫を置く。

3 皇嗣職大夫は、命を受け、皇嗣職の事務を掌理する。

4 第三条第三項及び第十五条第四項の規定は、皇嗣職について準用する。

5 第一項の規定により皇嗣職が置かれている間は、東宮職を置かないものとする。

6 皇嗣職大夫は、国家公務員法第二条に規定する特別職とする。この場合において、特別職給与法及び定員法の規定の適用については、特別職給与法第一条第四十二号及び別表第一並びに定員法第一条第二項第二号中「東宮大夫」とあるのは、「皇嗣職大夫」とする。

〇特別職の職員の給与に関する法律施行令

平二一・一二・一六
政令 三 六 六

最終改正 令二・一一・三〇政令三三九

（俸給等を支給しない場合の基準）

第一条 特別職の職員の給与に関する法律（以下「法」という。）第四条第一項の政令で定める基準は、内閣官房令で定めるところにより算定した一年当たりの同項に規定する所得の額が七百万円を超えることとする。ただし、法第一条第十二号から第四十一号までに掲げる特別職の職員が他の職務に従事し、又は営利事業を営み、その他金銭上の利益を目的とする業務を行う期間が一年に満たない場合その他内閣総理大臣が定める場合にあっては、内閣官房令で定めるところにより算定した一月当たりの同項に規定する所得の額が五十八万三千円を超えることとする。

（期末手当基礎額等の加算）

第二条 法第七条の二の規定により同条に規定する一般職の職員（以下「一般職の職員」という。）の例によることとされる期末手当の支給について職務の複雑、困難及び責任の度等を考慮して行政職俸給表㈠の適用を受ける職員でその職務の級が三級以上であるものに相当する職員として政令で定めるものは、法第一条第一号から第四十三号までに掲げる職員とし、これらの職員について百分の二十を超えない範囲内で政令で定める割合は、百分の二十とする。

2　法第七条の二の規定により一般職の職員の例によることとされる期末手当の支給について政令で定める管理又は監督の地位にある職員は、法第一条第一号から第四十三号までに掲げる職員とし、これらの職員について百分の二十五を超えない範囲内で政令で定める割合は、百分の二十五とする。

第三条　法第七条の三の規定により一般職の職員の例によることとされる期末手当の支給について職務の複雑、困難及び責任の度等を考慮して行政職俸給表㈠の適用を受ける職員でその職務の級が三級以上であるものに相当する職員として政令で定めるものは、法第一条第四十四号に掲げる職員（以下「秘書官」という。）とする。

2　法第七条の三の規定により一般職の職員の例によることとされる期末手当の支給について政令で定める職員の区分及びこの区分に応じて百分の二十を超えない範囲内で政令で定める割合は、次の表に定めるとおりとする。

職員の区分	割合
法附則第二項の規定による俸給月額又は法別表第三に掲げる十二号俸の俸給月額を受ける秘書官	百分の二十
法別表第三に掲げる三号俸から十一号俸までの俸給月額を受ける秘書官	百分の十五
法別表第三に掲げる二号俸の俸給月額を受ける秘書官	百分の十
法別表第三に掲げる一号俸の俸給月額を受ける秘書官	百分の五

3　前項の規定は、法第七条の三の規定により一般職の職員の例によることとされる勤勉手当の支給について準用する。

附　則

この政令は、特別職の職員の給与に関する法律及び国際花と緑の博覧会政府代表の設置に関する臨時措置法の一部を改正する法律（平成二年法律第八十号）の施行の日（平成二年十二月二十六日）から施行し、この政令による改正後の特別職の職員の期末手当及び勤勉手当に関する政令の規定は、平成二年四月一日から適用する。

附　則（令二・一一・三〇政令三三九）

この政令は、特別職の職員の給与に関する法律の一部を改正する法律の施行の日〔令二・一一・三〇〕から施行する。

○特別職の職員の給与に関する法律施行令第一条の所得の額の算定に関する内閣官房令

平一七・三・三一
総務令五三

改正　平二六・五・二九総務令五二

（所得の額の算定）

第一条　特別職の職員の給与に関する法律施行令（以下「施行令」という。）第一条に規定する内閣官房令で定めるところにより算定した一年当たりの特別職の職員の給与に関する法律（昭和二十四年法律第二百五十二号。以下「法」という。）第四条第一項に規定する所得の額は、法第一条第十二号から第四十一号までに掲げる特別職の職員が他の職務に従事し、又は営利事業を営み、その他金銭上の利益を目的とする業務を行い、当該職務、事業又は業務から生ずる、その年分の所得税法（昭和四十年法律第三十三号）第二編第二章第二節の規定に準じて計算した場合の同法第二条第一項第二十二号に規定する各種所得の金額（退職所得の金額（同法第三十条第二項に規定する退職所得の金額をいう。）を除き、給与所得の金額（同法第二十八条第二項に規定する給与所得の金額をいう。）については、当該金額の計算の基礎となるべき同項に規定する給与等の収入金額に相当する額とする。）に相当する額を合算した額とする。

第二条　施行令第一条ただし書に規定する内閣官房令で定めるところにより算定した一月当たりの法第四条第一項に規定する所得の額は、施行令第一条ただし書の規定に該当する期間の所得の額を前条の規定に準じて計算し、その額をその期間の月数で除した額とする。

（所得の額の算定の特例）

第三条　内閣総理大臣、各省大臣又は人事院総裁は、特別の事情により、前二条の規定による所得の額の算定が著しく不適当であると認める場合には、内閣総理大臣と協議して、別段の取扱いをすることができる。

附　則

（施行期日）

1　この省令は、平成十七年四月一日から施行する。

（経過措置）

2　特別職の職員の給与に関する法律等の一部を改正する法律の施行に伴う関係政令の整備に関する政令附則第二項に規定する内閣総理大臣、各省大臣又は人事院総裁が総務大臣と協議して定めるものに関する第一条の規定の適用については、同条中「その年」とあるのは、「その年の四月一日から翌年三月三十一日までの期間」とする。

附　則（平二六・五・二九総務令五二）（抄）

（施行期日）

1　この省令は、国家公務員法等の一部を改正する法律（平成二十六年法律第二十二号）の施行の日（平成二十六年五月三十日）から施行する。

○特別職の職員の給与に関する法律施行令第一条ただし書中の「その他内閣総理大臣が定める場合」について

平一七・三・三一
総人恩総二一二

改正　平二六・五・二九総人恩総四一二―二

標記について、特別職の職員の給与に関する法律等の一部を改正する法律の施行に伴う関係政令の整備に関する政令（平成十六年政令第四百四号）による改正後の特別職の職員の給与に関する法律施行令（平成二年政令第三百六十六号）第一条ただし書中の規定に基づき、下記のとおり定めたので通知します。

記

特別職の職員の給与に関する法律施行令第一条ただし書中の「その他内閣総理大臣が定める場合」は、次の各号に定める場合とする。

一　特別職の職員の給与に関する法律（昭和二十四年法律第二百五十二号。以下「法」という。）第一条第十二号から第四十一号までに掲げる特別職の職員が、その年において他の職務に従事し、又は営利事業を営み、その他金銭上の利益を目的とする業務（以下「兼業等」という。）を開始又は終了する場合。

二　法第一条第十二号から第四十一号までに掲げる特別職の職員が、兼業等に係る勤務態様の変更等の理由により、その後の所得が著しく変化する場合。

○特別職の職員の給与に関する法律等の一部を改正する法律附則第四条第三項の内閣総理大臣の定めについて（通知）

平二七・三・一〇
閣人人一六一

標記につき、特別職の職員の給与に関する法律の一部を改正する法律（平成二十六年法律第百六号）附則第四条第三項の規定に基づき、下記のとおり定めたので通知します。

記

1　次の各号に掲げる場合に該当する内閣総理大臣等（特別識の職員の給与に関する法律（昭和二十四年法律第二百五十二号）第一条第一号から第四十三号までに掲げる特別職の職員をいう。以下同じ。）には、平成三十年三月三十一日（任期の定めのある特別職の職員にあっては、同日又は平成二十七年三月三十一日を含む任期に係る期間の末日のいずれか早い日）までの間、俸給月額のほか、以下の各号に定めるところにより俸給を支給する。

(1)　一部施行日（特別職の職員の給与に関する法律の一部を改正する法律（平成二十六年法律第百六号。以下「改正法」という。）附則第一条第一項ただし書に規定する規定の施行の日（平成二十七年四月一日）をいう。以下同じ。）の前日から引き続き内閣総理大臣等である者が、一部施行日以降に引き続き他の内閣総理大臣等となった場合で、当該特別職の職員として受ける俸給月額が、一部施行日の前日に受けていた俸給月額に達しないこととなる特別職の職員には、その差額に相当する額（その額が、当該特別職の職員として受ける俸給月額と改正法第二条の規定による改正前の特別職の職員の給与に関する法律第三条の規定を適用したとしたならば当該特別職の職員として受けることとなる俸給月額（以下「基準額」という。）との差額に相当する額を超えるときは、当該特別職の職員として受ける俸給月額と基準額との差額に相当する額）を俸給として支給する。

(2)　一部施行日以降に新たに内閣総理大臣等（大使又は公使を除く。以下この号において同じ。）となった者のうち、一部施行日の前日から内閣総理大臣等となった日の前日までの間引き続き一般職の職員の給与に関する法律（昭和二十五年法律第九十五号）の同一の俸給表の適用を受けていたもので、当該内閣総理大臣等として受ける俸給月額が一部施行日の前日において受けていた俸給月額に達しないこととなる特別職の職員には、その差額に相当する額（その額が、当該特別職の職員として受ける俸給月額と基準額との差額に相当する額を超えるときは、当該特別職の職員として受ける俸給月額と基準額との差額に相当する額）を俸給として支給する。

2　次の各号に掲げる場合に該当する内閣総理大臣等には、平成三十年三月三十一日（任期の定めのある特別職の職員にあっては、同日又は平成二十七年三月三十一日を含む任期に係る期間の末日のいずれか早い日）までの間、俸給月額のほか、内閣総理大臣と協議の上、前項の例に準じて俸給を支給することができるものとする。

(1)　1(1)による俸給を受ける内閣総理大臣等が、その後更に他の内閣総理大臣等となる場合

(2)　防衛省の職員等特別職の職員の給与に関する法律以外の法律に基づき給与等を支給される国家公務員から引き続き内閣総理大臣等となる場合

(3)　前二項のほか、改正法附則第四条の規定により俸給を支給される他の特別職の職員との権衡上必要と認められる場合

3　施行日

平成二十七年四月一日

以　上

第一六 国会議員及び国会職員

○国会議員の歳費、旅費及び手当等に関する法律

昭二二・四・三〇
法 八 〇

最終改正 令六・一二・二五法七四

〔歳費月額〕

第一条 各議院の議長は二百十七万円を、副議長は百五十八万四千円を、議員は百二十九万四千円を、それぞれ歳費月額として受ける。

〔議長及び副議長の歳費の支給の始期〕

第二条 議長及び副議長は、その選挙された日から歳費を受ける。議長又は副議長に選挙された議員は、その選挙された日の前日までの歳費を受ける。

〔議員の歳費の支給の始期〕

第三条 議員は、その任期が開始する日から歳費を受ける。ただし、再選挙又は補欠選挙により議員となつた者は、その選挙の行われた日から、更正決定又は繰上補充により当選人と定められた議員は、その当選の確定した日からこれを受ける。

〔支給の終期〕

第四条 議長、副議長及び議員が、任期満限、辞職、退職又は除名の場合には、その日までの歳費を受ける。

2 議長、副議長及び議員が死亡した場合には、その当月分までの歳費を受ける。

第四条の二 第二条、第三条又は前条第一項の規定により歳費を受ける場合であつて、月の初日から受けるとき以外のとき又は月の末日まで受けるとき以外のときは、その歳費の額は、その月の現日数を基礎として、日割りによつて計算する。

第五条 衆議院が解散されたときは、衆議院の議長、副議長及び議員は、解散された当月分までの歳費を受ける。

〔重複受給の禁止〕

第六条 各議院の議長、副議長及び議員は、他の議院の議員となつたとき、その他如何なる場合でも、歳費を重複して受けることができない。

〔公務員を兼ねる者の歳費〕

第七条 議員で国の公務員を兼ねる者は、議員の歳費を受けるが、公務員の給料を受けない。但し、公務員の給料額が歳費の額より多いときは、その差額を行政庁から受ける。

〔派遣旅費等〕

第八条 議長、副議長及び議員は、議院の公務により派遣された場合は、別に定めるところにより旅費を受ける。

〔議会雑費〕

第八条の二 各議院の役員（常任委員長を除く。）は、国会開会中に限り、予算の範囲内で、議会雑費を受ける。ただし、日額六千円を超えてはならない。

〔通信交通費〕

第九条 各議院の議長、副議長及び議員は、国政に関する調査研究、広報、国民との交流、滞在等の議員活動を行うため、調査研究広報滞在費として月額百万円を受ける。

2 前項の調査研究広報滞在費についてはその支給を受ける金額を標準として、租税その他の公課を課することができない。

〔特殊乗車券等〕

第十条 各議院の議長、副議長及び議員は、その職務の遂行に資するため、旅客鉄道株式会社及び日本貨物鉄道株式会社に関する法律（昭和六十一年法律第八十八号）第一条第一項に規定する旅客会社、旅客鉄道株式会社及び日本貨物鉄道株式会社に関する法律の一部を改正する法律（平成十三年法律第六十一号）附則第二条第一項に規定する新会社及び旅客鉄道株式会社及び日本貨物鉄道株式会社に関する法律の一部を改正する法律（平成二十七年法律第三十六号）附則第二条第一項に規定する新会社の鉄道及び自動車に運賃及び料金を支払うことなく乗ることができる特殊乗車券の交付を受け、又はこれに代えて若しくはこれと併せて両議院の議長が協議して定める航空法（昭和二十七年法律第二百三十一号）第百二条第一項に規定する本邦航空運送事業者が経営する同法第二条第二十項に規定する国内定期航空運送事業に係る航空券の交付を受ける。

2 前項の規定による航空券の交付は、当該交付を受けようとする議長、副議長及び議員の申出により、予算の範囲内で、当該申出をした者に

係る選挙区等及び交通機関の状況を勘案し、各議院が発行する航空券引換証の交付をもつて、行うものとする。

〔準用規定〕

第十一条　第三条から第六条までの規定は第九条の調査研究広報滞在費について、第九条第二項の規定は第八条の二の議会雑費並びに前条第一項の特殊乗車券及び航空券について準用する。

〔期末手当〕

第十一条の二　各議院の議長、副議長及び議員で六月一日及び十二月一日（以下この条においてこれらの日を「基準日」という。）に在職する者は、それぞれの期間につき期末手当を受ける。これらの基準日前一月以内に、辞職し、退職し、除名され、又は死亡したこれらの者（当該これらの基準日においてこの項前段の規定の適用を受ける者を除く。）についても、同様とする。

2　期末手当の額は、それぞれ前項の基準日現在（同項後段に規定する者にあつては、辞職、退職、除名又は死亡の日現在）において同項に規定する者が受けるべき歳費月額及びその歳費月額に百分の四十五を超えない範囲内で両議院の議長が協議して定める割合を乗じて得た額の合計額に、特別職の職員の給与に関する法律（昭和二十四年法律第二百五十二号）第一条第一号から第四十三号までに掲げる者の例により一定の割合を乗じて得た額とする。この場合において、任期満限の日又は衆議院の解散による任期終了の日に在職した各議院の議長、副議長及び議員で当該任期満限又は衆議院の解散による選挙により再び各議院の議員となつたものの受ける当該期末手当に係る在職期間の計算については、これらの者は引き続き国会議員の職にあつたものとする。

3　第十一条の四の規定により期末手当を受けた各議院の議長、副議長及び議員が第一項の規定による期末手当を受けることとなるときは、これらの者の受ける同項の規定による期末手当の額は、前項の規定による期末手当の額から同条の規定により受けた期末手当の額を差し引いた額とする。ただし、同条の規定により受けた期末手当の額が前項の規定による期末手当の額以上である場合には、第一項の規定による期末手当は支給しない。

〔期末手当の特例〕

第十一条の三　五月十六日から五月三十一日までの間又は十一月十六日から十一月三十日までの間に、各議院の議員の任期が満限に達し、又は衆議院の解散によりその任期が終了したときは、その任期満限の日又は衆議院の解散による任期終了の日に在職する各議院の議長、副議長及び議員は、それぞれ六月一日又は十二月一日まで引き続き在職したものとみなし、前条の期末手当を受ける。

第十一条の四　六月二日から十一月十五日までの間又は十二月二日から翌年五月十五日までの間に、各議院の議員の任期が満限に達し、又は衆議院の解散によりその任期が終了したときは、その任期満限の日又は衆議院の解散による任期終了の日に在職する各議院の議長、副議長及び議員は、それぞれ六月二日又は十二月二日からその任期満限の日又は衆議院の解散による任期終了の日までの期間におけるその者の在職期間に応じて第十一条の二第二項の規定により算出した金額を、期末手当として受ける。

〔人事官弾劾訴追実費〕

第十一条の五　衆議院議長から人事官弾劾の訴追に関する訴訟を行うことを指定された議員は、その職務の遂行に必要な実費として、別に定める額を受ける。

〔弔慰金〕

第十二条　議長、副議長及び議員が死亡したときは、歳費月額十六月分に相当する金額を弔慰金としてその遺族に支給する。

〔特別弔慰金〕

第十二条の二　議長、副議長及び議員がその職務に関連して死亡した場合（次条の規定による補償を受ける場合を除く。）には、前条の規定による弔慰金のほか、歳費月額四月分に相当する金額を特別弔慰金としてその遺族に支給する。

〔公務災害補償〕

第十二条の三　議長、副議長及び議員並びにこれらの者の遺族は、両議院の議長が協議して定めるところにより、その議長、副議長又は議員の公務上の災害に対する補償等を受ける。

〔細則〕

第十三条　この法律に定めるものを除く外、歳費、旅費及び手当等の支給に関する規程は、両議院の議長が協議してこれを定める。

附　則（抄）

①　この法律は、国会法施行の日〔昭二二・五・三〕から、これを施行する。

③　昭和四十九年度に限り、第十一条の二から第十一条の四までの規定による期末手当のほか、一般職の職員の給

与に関する法律の一部を改正する法律（昭和四十九年法律第三十二号）の施行の日（以下「施行日」という。）に在職する各議院の議長、副議長及び議員は、昭和四十九年三月二日から施行日までの期間につき期末手当を受ける。

④　前項の規定による期末手当の額は、施行日において同項に規定する者が受けるべき歳費月額及びその歳費月額に百分の二十五を乗じて得た額の合計額に、特別職の職員の給与に関する法律の規定により期末手当を受ける職員の例により一定の割合を乗じて得た額とする。

⑤　議員の歳費月額は、第一条及び国会法第三十五条の規定にかかわらず、昭和五十六年三月三十一日までの間は、特別職の職員の給与に関する法律の一部を改正する法律（昭和五十五年法律第九十五号）による改正前の特別職の職員の給与に関する法律別表第一に掲げる政務次官の俸給月額に相当する金額とする。

⑥　平成五年六月二日から一般職の職員の給与等に関する法律の一部を改正する法律（平成五年法律第八十二号）の施行の日の前日までの間に衆議院が解散されたことにより受けることとなる第十一条の四の規定による期末手当については、第十一条の二第二項中「特別職の職員の給与に関する法律（昭和二十四年法律第二百五十二号）の規定により期末手当を受ける職員の例により」とあるのは、「一般職の職員の給与等に関する法律の一部を改正する法律（平成五年法律第八十二号）による改正前の一般職の職員の給与等に関する法律（昭和二十五年法律第九十五号）第十九条の四第二項の規定の例により」とする。

⑦　議長及び副議長の歳費月額は、平成十一年三月三十一日までの間は、それぞれ特別職の職員の給与に関する法律の一部を改正する法律（平成十年法律第百二十一号）による改正前の特別職の職員の給与に関する法律（次項において「改正前の特別職給与法」という。）別表第一に掲げる内閣総理大臣の俸給月額に相当する金額及び国務大臣の俸給月額に相当する金額とする。

⑧　議員の歳費月額は、第一条及び国会法第三十五条の規定にかかわらず、平成十一年三月三十一日までの間は、改正前の特別職給与法別表第一に掲げる政務次官の俸給月額に相当する金額とする。

⑨　議長、副議長及び議員の歳費月額は、第一条及び国会法第三十五条の規定にかかわらず、平成十五年三月三十一日までの間は、それぞれ特別職の職員の給与に関する法律及び二千五年日本国際博覧会政府代表の設置に関する臨時措置法の一部を改正する法律（平成十四年法律第百七号）第一条の規定による改正前の特別職の職員の給与に関する法律別表第一に掲げる内閣総理大臣の俸給月額に相当する金額、国務大臣の俸給月額に相当する金額及び大臣政務官の俸給月額に相当する金額に百分の九十を乗じて得た額とする。

⑩　議長、副議長及び議員の歳費月額は、第一条及び国会法第三十五条の規定にかかわらず、平成十六年三月三十一日までの間は、それぞれ特別職の職員の給与に関する法律及び二千五年日本国際博覧会政府代表の設置に関する臨時措置法の一部を改正する法律第一条の規定による改正前の特別職の職員の給与に関する法律別表第一に掲げる内閣総理大臣の俸給月額に相当する金額、国務大臣の俸給月額に相当する金額及び大臣政務官の俸給月額に相当する金額に百分の九十を乗じて得た額とする。

⑪　議長、副議長及び議員の歳費月額は、第一条及び国会法第三十五条の規定にかかわらず、平成十七年三月三十一日までの間は、それぞれ特別職の職員の給与に関する法律及び二千五年日本国際博覧会政府代表の設置に関する臨時措置法の一部を改正する法律第一条の規定による改正前の特別職の職員の給与に関する法律別表第一に掲げる内閣総理大臣の俸給月額に相当する金額、国務大臣の俸給月額に相当する金額及び大臣政務官の俸給月額に相当する金額に百分の九十を乗じて得た額とする。

⑫　平成十七年十二月に支給する期末手当の額の算定については、一般職の職員の給与に関する法律等の一部を改正する法律（平成十七年法律第百十三号）附則第五条の規定の例による。

⑬　平成二十一年六月に受ける第十一条の二第一項の規定による期末手当に関する同条第二項の規定の適用については、同項中「特別職の職員の給与に関する法律（昭和二十四年法律第二百五十二号）」とあるのは「一般職の職員の給与に関する法律等の一部を改正する法律（平成二十一年法律第四十一号）第四条の規定による改正後の特別職の職員の給与に関する法律（昭和二十四年法律第二百五十二号）附則第五項の規定の適用がないものとした場合における同法」と、「額と」とあるのは「額に、百分の八十を乗じて得た額と」とする。

⑭　平成二十二年七月分から国会議員の歳費、旅費及び手当等に関する法律の一部を改正する法律（平成二十二年法律第六十九号）の施行の日の属する月の前月分までの歳費について、月の初日以外の日に議長、副議長若しくは議員となつた者又は月の末日以外の日に衆議院の解散以外の事由により議長、副議長若しくは議員でなくなつた者が、当該事由が生じた月分の歳費として受けた額から、その月の現日数を基礎として日割りによつて計算することとした場合（月の初日以外の日に議長又は副議長となつた者はその日の前日まで議員の歳費を受け、月の末日以外の日に議長又は副議長でなくなつた者はその日の翌日から議員の歳費を受けるものとして計算する。）にその月分の歳費として受けることとなる額を差し引いた額に相当する額の全部又は一部を国庫に返納する場合には、当該返納による国庫への寄附については、公職選挙法（昭和二十五年法律第百号）第百九十九条の二の規定は、適用しない。

⑮　参議院議員が、令和四年七月三十一日までの間において、支給を受けた歳費の一部に相当する額を国庫に返納する場合には、当該返納による国庫への寄附については、公職選挙法第百九十九条の二の規定は、適用しない。

⑯　前項の規定により歳費の一部に相当する額を国庫に返納するに当たつては、同項の措置が参議院に係る経費の節減に資するためのものであることに留意し、月額七万七千円を目安とするものとする。

⑰　議長、副議長及び議員の歳費の月額は、国会法第三十五条の規定にかかわらず、令和三年四月三十日までの間は、歳費月額に百分の八十を乗じて得た額とする。

⑱　議長、副議長及び議員の歳費の月額は、国会法第三十五条の規定にかかわらず、令和三年十月三十一日までの間は、歳費月額に百分の八十を乗じて得た額とする。

⑲　議長、副議長及び議員の歳費の月額は、国会法第三十五条の規定にかかわらず、令和四年七月三十一日までの間は、歳費月額に百分の八十を乗じて得た額とする。

⑳　国会議員の歳費、旅費及び手当等に関する法律の一部を改正する法律（令和四年法律第二十号）の施行の日

（以下「令和四年改正法施行日」という。）から令和四年六月の期末手当の支給期日までの間に最初に受ける期末手当の額の算定については、一般職の職員の給与に関する法律等の一部を改正する法律（令和四年法律第十七号）附則第二条（第一項第一号イに係る部分に限る。）の規定の例による。この場合において、同条第一項中「期末手当の額に、同月一日（同日」とあるのは「期末手当及び同年十月十四日の衆議院の解散により国会議員の歳費、旅費及び手当等に関する法律（昭和二十二年法律第八十号）第十一条の四の規定により支給された期末手当の額の合計額に、同年十二月一日（当該期末手当を支給された者のうち同月に期末手当を支給されなかった者にあっては、当該衆議院の解散の日）（同月一日」と、同項第一号イ中「百六十七・五分の十」とあるのは「百二十七・五分の十五」とする。

㉑　令和四年改正法施行日以後第十一条の四の規定により期末手当を受けた各議院の議長、副議長及び議員が、令和四年六月に第十一条の二第一項の規定による期末手当を受けることとなる場合における同条第三項の規定の適用については、同項中「前項の規定による期末手当の額」とあるのは、「附則第二十項の規定により算定した期末手当の額」とする。

㉒　特別職の職員の給与に関する法律等の一部を改正する法律（令和六年法律第七十三号）附則第二条第二項及び第三項の規定が適用される間における第十一条の二第二項の規定の適用については、同項中「特別職の職員の給与に関する法律（昭和二十四年法律第二百五十二号）第一条第一号から第四十三号までに掲げる者」とあるのは、「特別職の職員の給与に関する法律等の一部を改正する法律（令和六年法律第七十三号）附則第二条第一項に規定する内閣総理大臣等」とする。

附　則（令元・六・二六法四三）

1　この法律は、令和元年八月一日から施行する。

2　この法律による改正後の国会議員の歳費、旅費及び手当等に関する法律（以下「改正後の歳費法」という。）附則第十五項の規定は、この法律の施行の日以後に支給を受ける歳費の一部に相当する額を国庫に返納する場合について適用する。

3　改正後の歳費法附則第十五項の規定による参議院議員の歳費の一部に相当する額の国庫への返納が参議院に係る経費の節減の必要性を踏まえ認められるものであることに鑑み、参議院全体としてこれに取り組むよう努めるとともに、参議院に係る経費の節減については、更に検討が加えられ、その結果に基づいて必要な措置が講ぜられるものとする。

附　則（令二・四・三〇法二四）

この法律は、令和二年五月一日から施行する。

附　則（令三・四・三〇法二八）

この法律は、令和三年五月一日から施行する。

附　則（令三・一二・二四法八六）

この法律は、令和四年一月一日から施行する。

附　則（令四・四・一三法二〇）

この法律は、公布の日から施行する。

附　則（令四・四・二二法二九）

（施行期日）

1　この法律は、公布の日から施行する。

（経過措置）

2　第二条の規定による改正前の国会議員の歳費、旅費及び手当等に関する法律第九条第一項の規定によるこの法律の施行の日の属する月分の文書通信交通滞在費は、第二条の規定による改正後の国会議員の歳費、旅費及び手当等に関する法律第九条第一項の規定による同月分の調査研究広報滞在費とみなす。

附　則（令五・六・三〇法七〇）

（施行期日）

1　この法律は、第二百十二回国会の召集の日〔令五・一〇・二〇〕から施行する。

（経過措置）

2　この法律の施行の日前に係る分の各議院の常任委員長及び特別委員長並びに参議院の調査会長並びに各議院の憲法審査会の会長及び情報監視審査会の会長に対するこの法律による改正前の国会議員の歳費、旅費及び手当等に関する法律第八条の二の議会雑費については、なお従前の例による。

附　則（令六・一二・二五法七四）

この法律は、公布の日から施行する。

○国会議員の歳費、旅費及び手当等支給規程

昭二二・七・一一
両院議長協議決定

最終改正　令七・三・二六

第一条　歳費は、毎月十日にこれを支給する。ただし、その日が国会に置かれる機関の休日に関する法律（昭和六十三年法律第百五号）第一条第一項各号に掲げる日（以下「休日」という。）に当たるときは、その前日とする。

第二条　議長、副議長及び議員が、任期満限、辞職、退職、除名若しくは死亡の場合又は衆議院の解散の場合は、歳費は、その当日から七日以内にこれを支給する。ただし、その期間内に支給することができない特別の事情がある場合には、これを繰り下げて支給することができる。

第三条　削除

第四条　議長、副議長及び議員が議院の公務により国内に派遣された場合には、内閣総理大臣等（国家公務員等の旅費に関する法律施行令（令和六年政令第三百六号）第一条第二項第一号に規定する内閣総理大臣等をいう。）が公務により国内を旅行する場合に支給する旅費の例により、鉄道賃、船賃、航空賃、その他の交通費、宿泊費及び宿泊手当を支給する。

②　前項に規定する場合において、議長、副議長又は議員が死亡したときは、その遺族（国家公務員等の旅費に関する法律（昭和二十五年法律

第百十四号）第二条第七号に規定する遺族をいう。第九条第四項において同じ。）に対し、政府職員が出張のための内国旅行中に死亡した場合の例により、旅費を支給する。

第五条から第八条まで　削除

第九条　議長、副議長及び議員が議院の公務により外国に派遣された場合には、政府職員が外国に旅行する場合に支給する旅費の例により、鉄道賃、船賃、航空賃、その他の交通費、宿泊費、宿泊手当、渡航雑費及び死亡手当を支給する。

②　前項の規定により支給する旅費の額は、議長にあつては内閣総理大臣と、副議長及び議員にあつては国務大臣と同一の額とする。但し、議長において特別の事情があると認めるとき又は当該旅行の性質上正規の旅費を支給する必要がないと認めるときは、これを減額して支給することができる。

③　衆議院の議長、副議長及び議員が議院の公務により外国旅行中衆議院が解散されたときは、解散の日から本邦に帰着した日までの前職務相当の旅費を支給する。

④　第一項に規定する場合において、議長、副議長又は議員が死亡したときは、その遺族に対し、政府職員が出張のための外国旅行中に死亡した場合の例により、旅費を支給する。

第十条　議会雑費は日額六千円とする。但し、予算経理上の必要があるときは、両議院の議長が協議してこれを減額支給することができる。

第十一条　議会雑費は、毎月末日（四月又は十二月にあつては、これらの月の二十五日。以下同じ。）に前月の十六日から当月の十五日までの分を支給する。ただし、その日が休日に当たるときは、その前日に支給する。

②　第二条の規定は、議会雑費についてこれを準用する。

第十一条の二　調査研究広報滞在費は、その月額のうち、両議院の議長が協議して定める額を第一条の歳費支給日に、残余の額を毎月末日に、それぞれ支給する。ただし、その末日が休日に当たるときは、その前日に支給する。

②　第二条の規定は、調査研究広報滞在費についてこれを準用する。

第十二条　第十条及び第十一条の規定は参議院の緊急集会の場合に、これを準用する。

第十二条の二　人事官弾劾の訴追に関する訴訟を行うことを指定された議員が、国会閉会中、当該訴訟のため裁判所に出頭したときは、実費として日額五百円を支給する。

第十二条の三　前条の経費及び訴訟代理人に支払う費用等は、各議院において折半して負担する。

第十三条　削除

第十四条　国会議員の歳費、旅費及び手当等に関する法律（昭和二十二年法律第八十号。以下「法」という。）第十一条の二第二項前段に規定する両議院の議長が協議して定める割合は、百分の四十五とする。

第十五条　期末手当の支給期日は、特別職の職員の給与に関する法律（昭和二十四年法律第二百五十二号）の規定により期末手当を受ける職員の例による。

②　前項の規定にかかわらず、法第十一条の三又は第十一条の四の規定により受ける期末手当の支給期日は、各議院の議員の任期満限の日又は衆議院の解散の日から七日以内とする。ただし、その期間内に支給することができない特別の事情がある場合には、これを繰り下げることができる。

第十六条　議長、副議長及び議員が、死亡したとき、弔慰金及び特別弔慰金を支給される遺族の順位は、配偶者、子、父母、孫、祖父母及び兄弟姉妹とする。

附　則

この規程は、昭和二十二年法律第八十号施行の日（昭二二・五・三）からこれを適用する。

附　則（令四・四・一五）（抄）

（施行期日）

1　この規程は、国会法及び国会議員の歳費、旅費及び手当等に関する法律の一部を改正する法律（令和四年法律第二十九号）の施行の日（令四・四・二二）から施行する。

附　則（令七・三・二六）（抄）

（施行期日）

第一条　この規程は、令和七年四月一日から施行する。

（経過措置）

第二条　改正後の国会議員の歳費、旅費及び手当等支給規程（以下「新規程」という。）の規定は、この規程の施行の日（以下「施行日」という。）以後に出発する旅行について適用し、施行日前に出発した旅行については、なお従前の例による。ただし、施行日前に出発した旅行で、施行日以後に旅行内容に変更が生じた場合は、新規程の規定は、当該旅行のうち当該変更の日以後の期間に対応する分について適用し、当該旅行のうち当該変更の日前の期間に対応する分については、なお従前の例による。

○国会議員の秘書の給与等に関する法律

平二・六・二七
法　四　九

最終改正　令六・一二・二五法七五

（趣旨）

第一条　この法律は、国会議員の秘書（以下「議員秘書」という。）の受ける給与、公務又は通勤による災害補償及び退職手当等について定めるものとする。

（議員秘書の給与）

第二条　議員秘書の受ける給与は、給料、住居手当、通勤手当、期末手当及び勤勉手当とする。

（給料）

第三条　国会法（昭和二十二年法律第七十九号）第百三十二条第一項に規定する議員秘書は、給料月額として、国会議員の申出により、その一人は別表第一による額を、他の一人は別表第二による額を受ける。

2　国会法第百三十二条第二項に規定する議員秘書は、給料月額として、別表第一による額を受ける。

3　別表第一及び別表第二（以下「給料表」という。）の給料の級及び号給の別は、議員秘書の在職期間及び年齢によるものとし、その基準は、両議院の議長が協議して定める。

（給料の級及び号給に係る在職期間）

第四条　前条第三項に規定する在職期間は、第一号に掲げる期間と第二号に掲げる期間とを合算した期間に第三号に掲げる期間を加算した期間とする。

一　議員秘書として在職した期間（年齢五十八歳に達した日の属する月後の在職した期間を除く。）

二　議員秘書を退職し、引き続いて秘書参事等（各議院事務局の議長若しくは副議長の秘書事務をつかさどる参事又は内閣総理大臣若しくは国務大臣の秘書官（内閣総理大臣又は国務大臣の秘書事務をつかさどる一般職の職員の給与に関する法律（昭和二十五年法律第九十五号。以下「一般職給与法」という。）の適用を受ける職員（以下「一般職公務員」という。）を含む。）をいう。以下同じ。）として在職した期間（年齢五十八歳に達した日の属する月後の在職した期間を除く。）

三　議員秘書の次に掲げる期間を合算した期間

イ　年齢二十四歳に達した日の属する月から年齢三十歳に達する日の属する月の前月までの期間については、当該議員秘書の年齢二十四歳に達した日の属する月以後の期間（前二号に掲げる期間を除く。）に六分の一を乗じて得た期間

ロ　年齢三十歳に達した日の属する月から年齢五十六歳に達する日の属する月の前月までの期間については、当該議員秘書の年齢三十歳に達した日の属する月以後の期間（前二号に掲げる期間を除く。）に四分の一を乗じて得た期間

2　前項第一号及び第二号の場合において、採用の日の属する月及び退職の日の属する月は、それぞれ一月とする。ただし、採用の日の属する月に退職したとき、及び退職の日の属する月に再び採用されたときは、一月とする。

3　第一項第三号に掲げる期間に一月未満の端数が生じたときは、これを一月に切り上げるものとする。

（採用された場合の給料の級及び号給）

第五条　議員秘書に採用された場合のその者の受ける給料の級及び号給は、その者の第三条第三項に規定する在職期間及び年齢に応じて同項の規定により両議院の議長が協議して定める基準に該当する給料の級及び号給とする。

（給料表の適用に異動があった場合の給料の級及び号給）

第六条　前条の規定は、議員秘書について給料表の適用に異動があった場合のその者の受ける給料の級及び号給について準用する。

（昇給前に新たな基準に該当することとなった場合の給料の級及び号給）

第七条　前二条及び次条の規定により給料の級及び号給が決まった者が同条の規定により昇給するまでの間に第三条第三項の規定により両議院の議長が協議して定める基準に該当することとなったときは、その者の給料の級及び号給は、当該基準に該当する給料の級及び号給とする。

（昇給）

第八条　議員秘書が現に受けている給料の級及び号給を受けるに至った日の属する月から三十六月（両議院の議長が協議して定める場合は、二十四月）を経過したときは、その者の第三条第

三項に規定する在職期間及び年齢に応じて、同項の規定により両議院の議長が協議して定める基準に該当する給料の級及び号給に昇給する。ただし、議員秘書が年齢五十八歳に達している場合（この項本文の規定により昇給することとなる月が当該年齢に達する日の属する月と同一の場合を除く。）は、この限りでない。

2 前三条の規定により給料の級及び号給が決まった者の最初の昇給については、前項の規定にかかわらず、両議院の議長が協議して定める期間を短縮する。

第九条 議員秘書は、前条第一項ただし書に規定する場合のほか、両議院の議長が協議して定める事由に該当する場合は、昇給しない。

（住居手当）

第十条 議員秘書は、この法律に定めるもののほか、一般職公務員の例により、住居手当を受ける。

（通勤手当）

第十一条 議員秘書は、通勤手当月額として、一般職給与法第十二条第五項に定める一箇月当たりの通勤手当の額の最高額の百分の六十に相当する額を受ける。

（給料等の支給）

第十二条 議員秘書の給料、住居手当及び通勤手当は、採用の当月分から退職又は死亡の当月分までを支給する。

第十三条 議員秘書の給料、住居手当及び通勤手当は、その議員秘書が他の国会議員の議員秘書となった場合その他いかなる場合においても、重複して受けることができない。

（期末手当）

第十四条 議員秘書で六月一日及び十二月一日（以下この条においてこれらの日を「基準日」という。）に在職する者は、期末手当を受ける。議員秘書でこれらの基準日前一月以内に退職し、又は死亡した者（当該これらの基準日において この項前段の規定の適用を受ける者及び第四項又は第十六条第一項の規定の適用を受ける者を除く。）についても、同様とする。

2 期末手当の額は、期末手当基礎額に一般職公務員の例により一定の割合を乗じて得た額とする。この場合において、国会議員の任期が満限に達し、又は衆議院が解散されたときは、当該任期が満限に達した日又は解散の日（以下「任期満限等の日」という。）に在職する議員秘書で当該任期満限等の日から起算して四十日以内に再び議員秘書となったものの受ける当該期末手当に係る在職期間の計算については、その者は引き続き在職したものとみなす。

3 前項の期末手当基礎額は、それぞれその基準日現在（第一項後段に規定する者にあっては、退職又は死亡の日現在）において第一項に規定する者が受けるべき給料月額及びその給料月額に百分の十五を超えない範囲内で両議院の議長が協議して定める割合を乗じて得た額の合計額とする。

4 六月二日から十一月十五日までの間又は十二月二日から翌年五月十五日までの間に、国会議員の任期が満限に達し、又は衆議院が解散されたときは、当該任期満限等の日に在職する議員秘書は、それぞれ六月二日又は十二月二日から当該任期満限等の日までの期間におけるその者の在職期間に応じて前二項の規定により算出した金額を、期末手当として受ける。

5 前項の規定により期末手当を受けた者で、再び議員秘書となったものが、第一項に規定する期末手当を受けることとなるときは、その者の受ける期末手当の額は、第二項の規定による期末手当の額から前項の規定により受けた期末手当の額を差し引いた額とする。ただし、同項の規定により受けた期末手当の額が第二項の規定による期末手当の額以上である場合には、第一項の規定による期末手当は支給しない。

（勤勉手当）

第十五条 議員秘書で六月一日及び十二月一日（以下この条においてこれらの日を「基準日」という。）に在職する者は、基準日以前六月以内の期間におけるその者の在職期間に応じて、勤勉手当を受ける。議員秘書でこれらの基準日前一月以内に退職し、又は死亡した者（当該これらの基準日においてこの項前段の規定の適用を受ける者及び第四項又は次条第一項の規定の適用を受ける者を除く。）についても、同様とする。

2 勤勉手当の額は、勤勉手当基礎額に、前項に規定するその者の在職期間に応じて、次の各号に掲げる割合を乗じて得た額とする。

一 在職期間が六月の場合 百分の百五

二 在職期間が五月以上六月未満の場合 百分の八十四

三 在職期間が三月以上五月未満の場合 百分の六十三

四　在職期間が三月未満の場合　百分の三十一・五

3　前条第二項後段の規定は前項の在職期間を計算する場合について、同条第三項の規定は前項の勤勉手当基礎額について準用する。

4　五月一日から五月十五日までの間又は十一月一日から十一月十五日までの間に、国会議員の任期が満限に達し、又は衆議院が解散されたときは、当該任期満限等の日に在職する議員秘書は、それぞれ十二月二日又は六月二日から当該任期満限等の日までの期間におけるその者の在職期間に応じて前二項の規定により算出した金額を、勤勉手当として受ける。

5　前項の規定により勤勉手当を受けた者で、再び議員秘書となったものが、第一項に規定する勤勉手当を受けることとなるときは、その者の受ける勤勉手当の額は、第二項の規定による勤勉手当の額から前項の規定により受けた勤勉手当の額を差し引いた額とする。ただし、同項の規定により受けた勤勉手当の額が第二項の規定による勤勉手当の額以上である場合には、第一項の規定による勤勉手当は支給しない。

（在職日の特例）

第十六条　五月十六日から五月三十一日までの間又は十一月十六日から十一月三十日までの間に、国会議員の任期が満限に達し、又は衆議院が解散されたときは、当該任期満限等の日に在職する議員秘書は、それぞれ六月一日又は十二月一日まで引き続き在職したものとみなし、第十四条第一項の期末手当及び前条第一項の勤勉手当を受ける。

2　六月二日又は十二月二日前四十日に当たる日の翌日からそれぞれ五月十五日又は十一月十五日までの間に、国会議員の任期が満限に達し、又は衆議院が解散された場合においては、当該任期満限等の日に在職した議員秘書で、それぞれ六月二日又は十二月二日以後に、かつ、当該任期満限等の日から起算して四十日以内に再び議員秘書となったものは、それぞれ六月一日又は十二月一日まで引き続き在職したものとみなし、第十四条第一項の期末手当及び前条第一項の勤勉手当を受ける。

（給与の支給日）

第十七条　議員秘書の給料、住居手当、通勤手当、期末手当及び勤勉手当の支給日は、両議院の議長が協議して定めるところによる。

（給与の直接支給）

第十七条の二　議員秘書の給与は、直接、その全額を議員秘書に支給する。ただし、法律で定めるところにより又は両議院の議長が協議して定めるところにより控除されるものについては、この限りでない。

（災害補償）

第十八条　議員秘書及びその遺族は、両議院の議長が協議して定めるところにより、その議員秘書の公務上の災害又は通勤による災害に対する補償等を受ける。

（退職手当）

第十九条　議員秘書が退職した場合には、その者（死亡による退職の場合には、その遺族）は、両議院の議長が協議して定めるところにより、退職手当を受ける。

（議員秘書の採用等の届出）

第二十条　議員秘書の採用、解職若しくは死亡又は給料表の適用についての届出について必要な事項は、両議院の議長が協議して定める。

（議員秘書の採用制限）

第二十条の二　国会議員は、年齢六十五歳以上の者を議員秘書に採用することができない。

2　国会議員は、その配偶者を議員秘書に採用することができない。

（資格試験等）

第二十一条　国会法第百三十二条第二項に規定する議員秘書は、試験等により当該議員秘書に必要な知識及び能力を有すると判定された者のうちから採用するものとする。

2　前項の試験に関する事項その他同項の議員秘書の採用に関し必要な事項は、両議院の議長が協議して定める。

（兼職禁止）

第二十一条の二　議員秘書は、他の職務に従事し、又は事業を営んではならない。

2　前項の規定にかかわらず、国会議員が議員秘書の職務の遂行に支障がないと認めて許可したときは、議員秘書は、他の職務に従事し、又は事業を営むことができる。

3　議員秘書は、前項の許可を受けた場合には、両議院の議長が協議して定めるところにより、その旨並びに当該兼職に係る企業、団体等の名称、報酬の有無及び報酬の額等を記載した文書を、当該国会議員の属する議院の議長に提出しなければならない。この場合においては、両議院の議長が協議して定める事項を記載した文書を添付しなければならない。

4　前項前段の文書は、両議院の議長が協議して定めるところにより、公開する。

（寄附の勧誘又は要求の禁止）

第二十一条の三　何人も、議員秘書に対して、当該国会議員がその役職員又は構成員である政党その他の政治団体又はその支部（当該国会議員に係る後援団体（公職選挙法（昭和二十五年法律第百号）第百九十九条の五第一項の後援団体をいう。）を含む。）に対する寄附を勧誘し、又は要求してはならない。

（細則）

第二十二条　この法律に定めるもののほか、議員秘書の給与の支給に関する規程は、両議院の議長が協議して定める。

附　則（抄）

（施行期日等）

1　この法律は、平成二年八月一日から施行し、改正後の国会議員の秘書の給与等に関する法律（以下「新法」という。）の規定は、同年四月一日から適用する。

（国会議員の事務補助員として在職した期間）

2　国会法の一部を改正する法律（昭和二十三年法律第八十七号）による改正前の国会法第百三十二条の規定による国会議員の事務補助員として在職した期間は、新法第四条第一項第一号に掲げる期間とみなして、同条の規定を適用する。

（切替日における議員秘書の給料の級及び号給）

3　平成二年四月一日（以下「切替日」という。）の前日において改正前の国会議員の秘書の給料等に関する法律（以下「旧法」という。）第一条の規定により給料月額として特別職の職員の給与に関する法律（昭和二十四年法律第二百五十二号）別表第三に掲げる秘書官の六号俸の俸給月額に相当する額（以下「秘書官六号俸相当額」という。）又は同表に掲げる秘書官の三号俸の俸給月額に相当する額（以下「秘書官三号俸相当額」という。）を受けていた議員秘書の切替日における給料の級及び号給は、秘書官六号俸相当額を受けていた者は新法別表第一の、秘書官三号俸相当額を受けていた者は新法別表第二のその者の新法第三条第二項に規定する在職期間及び年齢に応じて同項の規定により両議院の議長が協議して定める基準に該当する給料の級及び号給とする。

（切替期間に採用された議員秘書の給料の級及び号給）

4　前項の規定は、切替日からこの法律の施行の日（以下「施行日」という。）の前日までの間（以下「切替期間」という。）において、旧法の規定により秘書官六号俸相当額又は秘書官三号俸相当額を受けることとなった議員秘書の当該議員秘書となった日における給料の級及び号給について準用する。

（切替期間に旧法の規定により給料月額に異動があった議員秘書の給料の級及び号給）

5　附則第三項の規定は、切替期間において、旧法の規定により秘書官六号俸相当額を受ける者から秘書官三号俸相当額を受ける者への異動又は秘書官三号俸相当額を受ける者から秘書官六号俸相当額を受ける者への異動があった議員秘書の当該異動の日における給料の級及び号給について準用する。

（切替期間における新法の規定による給料月額）

6　前三項に規定する場合において、切替期間における各月の新法の規定による給料月額（以下「新法の給料月額」という。）が当該各月の旧法の規定による給料月額、勤続特別手当月額及び永年勤続特別手当月額の合計額に両議院の議長が協議して定める割合を乗じて得た額（以下「旧法の給料月額等の額」という。）に満たないときは、当該各月の新法の給料月額は、当該各月の旧法の給料月額等の額に相当する額とする。

（施行日以後の給料月額）

7　施行日の前日に議員秘書として在職し、施行日以後引き続き在職する議員秘書の施行日における新法の給料月額がその者が施行日の前日に受けていた旧法の給料月額等の額に満たないときは、施行日以後において新法の給料月額が当該旧法の給料月額等の額に達するまでの間、当該旧法の給料月額等の額に相当する額をその者の新法の給料月額とする。

8　施行日前に議員秘書を退職し、引き続いて秘書参事等となり、施行日以後当該秘書参事等を退職し、引き続いて再び議員秘書となった者の当該再び議員秘書となった日における新法の給料月額が、施行日の前日にその者が受けていたこととする旧法の給料月額等の額（当該再び議員秘書となった日に新法別表第一の適用を受ける議員秘書となった者にあっては旧法の規定により秘書官六号俸相当額を受ける議員秘書として受ける旧法の給料月額等の額とし、同日に新法別表第二の適用を受ける議員秘書となった者にあっては旧法の規定により秘書官三号俸相当額を受ける議員秘書として受ける旧法の給料月額等の額とする。）に満たないときは、新法の給料月額が当該旧法の給料月額等の額に達するまでの間、当該旧法の給料月額等の額に相当する額をその者の新法の給料月額とする。

9　前項の規定は、施行日前に議員秘書を退職し、引き続いて秘書参事等となり、施行日以後その在職中に国会議員の任期が満限に達し、又は衆議院が解散されたことにより議長又は副議長である国会議員の退職があった場合において秘書参事（各議院事務局の議長又は副議長の秘書事務をつかさどる参事をいう。以下同じ。）を退職し、当該任期満限等の日から起算して四十日以内に再び議員秘書となった者の新法の給料月額について準用する。

10　前三項に規定する議員秘書であって引き続き在職するものについて、施行日以後に給料表の適用に異動があった（他の国会議員の議員秘書となり、従前適用を受けていた給料表と異なる給料表の適用を受けることとなった場合を含む。）者の当該異動があった日における新法の給料月額が、施行日の前日にその者が受けていたこととする旧法の給料月額等の額（当該異動があった日に新法別表第一の適用を受ける議員秘書となった者にあっては旧法の規定により秘書官六号俸相当額を受ける議員秘書として受ける旧法の給料月額等の額とし、同日に新法別表第二の適用を受ける議員秘書となった者にあっては旧法の規定により秘書官三号俸相当額を受ける議員秘書として受ける旧法の給料月額等の額とする。）に満たないときは、新法の給料月額が当該旧法の給料月額等の額に達するまでの間、当該旧法の給料月額等の額に相当する額をその者の新法の給料月額とする。

11　附則第七項から附則第九項までに規定する議員秘書で

あって引き続き在職するものについて、その在職中に国会議員の任期が満限に達し、又は衆議院が解散されたことにより議員秘書を退職し、当該任期満限等の日から起算して四十日以内に再び議員秘書となった者、附則第七項から附則第九項までに規定する議員秘書であって引き続き在職するものについて、当該議員秘書を退職し、引き続いて秘書参事等となり、当該秘書参事等を退職し、引き続いて再び議員秘書となった者及び附則第七項から附則第九項までに規定する議員秘書であって引き続き在職するものについて、当該議員秘書を退職し、引き続いて秘書参事等となり、その在職中に国会議員の任期が満限に達し、又は衆議院が解散されたことにより議長又は副議長である国会議員の退職があった場合において秘書参事を退職し、当該任期満限等の日から起算して四十日以内に再び議員秘書となった者の当該再び議員秘書になった日における新法の給料月額が、施行日の前日にその者が受けていたこととする旧法の給料月額等の額（当該再び議員秘書となった日に新法別表第一の適用を受ける議員秘書となった者にあっては旧法の規定により秘書官六号俸相当額を受ける議員秘書として受ける旧法の給料月額等の額とし、同日に新法別表第二の適用を受ける議員秘書となった者にあっては旧法の規定により秘書官三号俸相当額を受ける議員秘書として受ける旧法の給料月額等の額とする。）に満たないときは、新法の給料月額が当該旧法の給料月額等の額に達するまでの間、当該旧法の給料月額等の額に相当する額をその者の新法の給料月額とする。

12　附則第七項から附則第九項までに規定する議員秘書であって引き続き在職するものについて、その在職中に国会議員の任期が満限に達し、又は衆議院が解散されたことにより議員秘書を退職し、当該任期満限等の日から起算して四十日以内に再び議員秘書となった場合、附則第七項から附則第九項までに規定する議員秘書であって引き続き在職するものについて、当該議員秘書を退職し、引き続いて秘書参事等となり、当該秘書参事等を退職し、引き続いて再び議員秘書となった場合及び附則第七項から附則第九項までに規定する議員秘書であって引き続き在職するものについて、当該議員秘書を退職し、引き続いて秘書参事等となり、その在職中に国会議員の任期が満限に達し、又は衆議院が解散されたことにより議長又は副議長である国会議員の退職があった場合において秘書参事を退職し、当該任期満限等の日から起算して四十日以内に再び議員秘書となった場合における当該議員秘書を退職した日から再び議員秘書となった日までの間は、前二項の規定の適用については、引き続き議員秘書として在職していたものとみなす。

（給料月額の特例）

13　一般職公務員に一般職給与法第十一条の三に規定する地域手当が支給される間は、新法第三条第一項中「別表第一による額」とあるのは「別表第一による額とその額に百分の二十を乗じて得た額との合計額」と、「別表第二による額」とあるのは「別表第二による額とその額に百分の二十を乗じて得た額との合計額」と、同条第二項中「別表第一による額」とあるのは「別表第一による額とその額に百分の二十を乗じて得た額との合計額」とする。

（給与の内払）

14　新法の規定を適用する場合においては、旧法の規定に基づいて支給された給与は、新法の規定による給与の内払とみなす。

（両院議長協議決定への委任）

15　附則第二項から前項までに定めるもののほか、新法の施行に関し必要な事項は、両議院の議長が協議して定める。

（健康保険法の特例）

16　国会議員の任期が満限に達し、又は衆議院が解散されたことにより議員秘書を退職し健康保険の被保険者の資格を喪失した者は、当該任期満限等の日の翌日において、健康保険法（大正十一年法律第七十号）第三条第四項の申出をしたものとみなす。ただし、当該任期満限等の日の翌日から起算して七日を経過する日までの間に、同項に規定する任意継続被保険者とならない旨の申出をした者については、この限りでない。

17　衆議院又は参議院は、健康保険法第百六十一条第一項ただし書（同法附則第二条第七項において準用する場合を含む。）の規定にかかわらず、前項の規定により同法第三条第四項に規定する任意継続被保険者となった者が、当該任期満限等の日の属する月又はその翌月に再び議員秘書となり、かつ、期末手当及び勤勉手当に係る在職期間の計算について、新法第十四条第二項後段（新法第十五条第三項において準用する場合を含む。次項において同じ。）の規定により当該任期満限等の日の翌日以降も引き続き在職したものとみなされることとなったときは、その者に係る当該任期満限等の日の属する月分の健康保険法第三条第四項に規定する任意継続被保険者に関する保険料額（同法附則第二条第四項に規定する調整保険料額を含む。）の二分の一を負担する。

（厚生年金保険法の特例等）

18　衆議院又は参議院は、国会議員の任期が満限に達し、又は衆議院が解散されたことにより議員秘書を退職し厚生年金保険の被保険者の資格を喪失し、当該任期満限等の日の属する月又はその翌月に再び議員秘書となったことにより当該任期満限等の日の翌日以降初めて厚生年金保険の被保険者の資格を取得した者であって、期末手当及び勤勉手当に係る在職期間の計算について、新法第十四条第二項後段の規定により当該任期満限等の日の翌日以降も引き続き在職したものとみなされることとなるもの（以下「継続秘書被保険者」という。）が当該任期満限等の日の属する月（当該任期満限等の日が月の末日である場合にあっては、その翌月。以下同じ。）に厚生年金保険の被保険者の資格を喪失しなかったとしたならばその者について算定されることとなる当該任期満限等の日の属する月分の厚生年金保険の保険料額に相当する金額（以下「厚生年金保険料相当額」という。）を、厚生年金保険の管掌者たる政府に対して、当該任期満限等の日の属する月の翌月末日までに納付するものとする。

19　前項の規定により衆議院又は参議院が継続秘書被保険者に係る厚生年金保険料相当額を納付したときは、当該継続秘書被保険者については、当該任期満限等の日の翌日において厚生年金保険の被保険者の資格を喪失せず、当該任期満限等の日の翌日から再び議員秘書となった日の前日までの間引き続き厚生年金保険の被保険者であったものとみなして、厚生年金保険法（昭和二十九年法律第百十五号）、国民年金法（昭和三十四年法律第百四十一号）その他厚生年金保険又は国民年金に関する法令の規定を適用する。この場合においては、当該厚生年金保険料相当額が納付されたことをもって、当該継続秘書被保険者に係る当該任期満限等の日の属する月分の厚生年金保険の保険料が納付されたものとみなす。

20 前二項に定めるもののほか、継続秘書被保険者に係る厚生年金保険の保険給付の支給その他これらの規定の実施に関し必要な事項は、厚生労働省令で定める。

（通勤手当の特例）

21 議員秘書の通勤手当については、当分の間、第十一条中「一般職給与法第十二条第五項に定める一箇月当たりの通勤手当の額」とあるのは、「一般職の職員の給与に関する法律等の一部を改正する法律（平成十五年法律第百四十一号）による改正前の一般職給与法第十二条第二項第一号に掲げる通勤手当の月額」とする。

（平成二十一年六月に受ける勤勉手当に関する特例措置）

22 平成二十一年六月に受ける勤勉手当に関する第十五条第二項各号の規定の適用については、同項第一号中「百分の七十五」とあるのは「百分の七十」と、同項第二号中「百分の六十」とあるのは「百分の五十六」と、同項第三号中「百分の四十五」とあるのは「百分の四十二」と、同項第四号中「百分の二十二・五」とあるのは「百分の二十一」とする。

（令和四年六月に受ける期末手当等に関する特例措置）

23 国会議員の秘書の給与等に関する法律の一部を改正する法律（令和四年法律第二十一号）の施行の日（以下「令和四年改正法施行日」という。）から令和四年六月の期末手当の支給日までの間に最初に受ける期末手当の額の算定については、一般職の職員の給与に関する法律等の一部を改正する法律（令和四年法律第十七号）附則第二条（第一項第一号イに係る部分に限る。）の規定の例による。この場合において、同条第一項中「期末手当の額に、同月一日（同日」とあるのは、「期末手当及び同年十月十四日の衆議院の解散により国会議員の秘書の給与等に関する法律（平成二年法律第四十九号）第十四条第四項の規定により支給された期末手当の額の合計額に、同年十二月一日（当該期末手当を支給された者のうち同月に期末手当を支給されなかった者にあっては、当該衆議院の解散の日）（同月一日」とする。

24 令和四年改正法施行日以後第十四条第四項の規定により期末手当を受けた者で、再び議員秘書となったものが、令和四年六月に同条第一項の規定による期末手当を受けることとなる場合における同条第五項の規定の適用については、同項中「第二項の規定による期末手当の額」とあるのは、「附則第二十三項の規定により算定した期末手当の額」とする。

附 則（令四・四・一三法二一）

この法律は、公布の日から施行する。

附 則（令四・一一・一八法八三）

（施行期日等）

1 この法律は、公布の日から施行する。ただし、第二条の規定は、令和五年四月一日から施行する。

2 第一条の規定（国会議員の秘書の給与等に関する法律第十五条第二項の改正規定を除く。以下同じ。）による改正後の同法（以下「改正後の秘書給与法」という。）の規定は、令和四年四月一日から適用する。

（給与の内払）

3 改正後の秘書給与法の規定を適用する場合には、第一条の規定による改正前の国会議員の秘書の給与等に関する法律の規定に基づいて支給された給与は、改正後の秘書給与法の規定による給与の内払とみなす。

附 則（令五・一一・二四法七五）

（施行期日等）

1 この法律は、公布の日から施行する。ただし、第二条の規定は、令和六年四月一日から施行する。

2 第一条の規定（国会議員の秘書の給与等に関する法律第十五条第二項の改正規定を除く。以下同じ。）による改正後の同法（以下「改正後の秘書給与法」という。）の規定は、令和五年四月一日から適用する。

（給与の内払）

3 改正後の秘書給与法の規定を適用する場合には、第一条の規定による改正前の国会議員の秘書の給与等に関する法律の規定に基づいて支給された給与は、改正後の秘書給与法の規定による給与の内払とみなす。

附 則（令六・一二・二五法七五）

（施行期日等）

1 この法律は、公布の日から施行する。ただし、第二条の規定は、令和七年四月一日から施行する。

2 第一条の規定による改正後の国会議員の秘書の給与等に関する法律（以下「改正後の秘書給与法」という。）の規定は、令和六年四月一日から適用する。

（給与の内払）

3 改正後の秘書給与法の規定を適用する場合には、第一条の規定による改正前の国会議員の秘書の給与等に関する法律の規定に基づいて支給された給与は、改正後の秘書給与法の規定による給与の内払とみなす。

別表第一（第三条関係）

級	号給	給料月額
一	一	三五〇、五〇〇円
	二	三六八、五〇〇円
二	一	四二四、〇〇〇円
	二	四三四、一〇〇円
	三	四四四、三〇〇円
	四	四五四、五〇〇円
	五	四六四、七〇〇円
	六	四七四、八〇〇円
	七	四八五、〇〇〇円
	八	四九一、八〇〇円
	九	四九八、六〇〇円
三	一	五一六、〇〇〇円
	二	五二七、一〇〇円
	三	五三四、四〇〇円
	四	五四一、七〇〇円

別表第二（第三条関係）

級	号給	給料月額
一	一	二七八、四〇〇円
	二	二七九、三〇〇円
二	一	三一三、八〇〇円
	二	三二一、三〇〇円
	三	三二八、八〇〇円
	四	三三六、三〇〇円
	五	三四三、九〇〇円
三	一	三七一、二〇〇円
	二	三七九、五〇〇円
	三	三八七、八〇〇円
	四	三九六、一〇〇円
	五	四〇一、七〇〇円

○国会議員の秘書の給与の支給等に関する規程

平二・六・二〇
両院議長協議決定

最終改正　令四・四・一五

（給料の級及び号給の基準）

第一条　国会議員の秘書の給与等に関する法律（平成二年法律第四十九号。以下「法」という。）第三条第三項の規定に基づき両議院の議長が協議して定める同条第一項に規定する議員秘書に係る法別表第一の基準は、次の各号に掲げる同条第三項に規定する在職期間（以下「在職期間」という。）及び年齢の区分に応じ、当該各号に掲げる級及び号給とする。

一　三年未満　一級一号給
二　三年以上五年未満　一級二号給
三　五年以上八年未満　二級一号給
四　八年以上十一年未満　二級二号給
五　十一年以上十四年未満　二級三号給
六　十四年以上十七年未満　二級四号給
七　十七年以上二十年未満　二級五号給
八　二十年以上二十三年未満
　イ　年齢四十九歳未満の場合　二級六号給
　ロ　年齢四十九歳以上の場合　三級一号給
九　二十三年以上二十五年未満
　イ　年齢四十九歳未満の場合　二級七号給
　ロ　年齢四十九歳以上の場合　三級二号給
十　二十五年以上

イ　年齢四十九歳未満の場合　二級八号給
ロ　年齢四十九歳以上の場合　三級三号給

2　法第三条第三項の規定に基づき両議院の議長が協議して定める同条第二項に規定する議員秘書に係る法別表第一の基準は、次の各号に掲げる在職期間及び年齢の区分に応じ、当該各号に掲げる級及び号給とする。

一　三年未満　一級二号給
二　三年以上五年未満　二級一号給
三　五年以上八年未満　二級二号給
四　八年以上十一年未満　二級三号給
五　十一年以上十四年未満　二級四号給
六　十四年以上十七年未満　二級五号給
七　十七年以上二十年未満
イ　年齢四十九歳未満の場合　二級六号給
ロ　年齢四十九歳以上の場合　三級一号給
八　二十年以上二十三年未満
イ　年齢四十九歳未満の場合　二級七号給
ロ　年齢四十九歳以上の場合　三級二号給
九　二十三年以上二十五年未満
イ　年齢四十九歳未満の場合　二級八号給
ロ　年齢四十九歳以上の場合　三級三号給
十　二十五年以上
イ　年齢四十九歳未満の場合　二級九号給
ロ　年齢四十九歳以上の場合　三級四号給

3　法第三条第三項の規定に基づき両議院の議長が協議して定める法別表第二の基準は、次の各号に掲げる在職期間及び年齢の区分に応じ、当該各号に掲げる級及び号給とする。

一　三年未満　一級一号給
二　三年以上五年未満　一級二号給
三　五年以上八年未満　二級一号給
四　八年以上十一年未満　二級二号給
五　十一年以上十四年未満　二級三号給
六　十四年以上十七年未満
イ　年齢三十六歳未満の場合　二級四号給
ロ　年齢三十六歳以上の場合　三級一号給
七　十七年以上二十年未満
イ　年齢三十六歳未満の場合　二級五号給
ロ　年齢三十六歳以上の場合　三級二号給
八　二十年以上二十三年未満　三級三号給
九　二十三年以上二十五年未満　三級四号給
十　二十五年以上　三級五号給

（昇給期間）

第二条　法第八条第一項の規定に基づき両議院の議長が協議して定める場合は、次の各号に掲げる級及び号給を受けている場合とする。

一　法別表第一の一級二号給、二級七号給及び三級二号給（法第三条第一項に規定する議員秘書が受けている場合に限る。）

二　法別表第一の二級一号給、二級八号給及び三級三号給（法第三条第二項に規定する議員秘書が受けている場合に限る。）

三　法別表第二の一級二号給及び三級四号給

（議員秘書に採用された者等の最初の昇給期間の短縮）

第三条　法第八条第二項の規定に基づき両議院の議長が協議して定める期間は、法第五条から第七条までの規定により給料の級及び号給が決まった国会議員の秘書（以下「議員秘書」という。）の在職期間から当該給料の級及び号給に係る第一条第一項から第三項までに規定する基準の在職期間の最短の期間を控除して得た期間（法第五条及び第六条の規定により法別表第一の一級一号給及び法別表第二の一級一号給に決まった議員秘書並びに法別表第一の一級二号給に決まった法第三条第二項に規定する議員秘書にあっては、その者の在職期間）とする。

（期末手当及び勤勉手当の加算割合）

第三条の二　法第十四条第三項（法第十五条第三項において準用する場合を含む。）に規定する両議院の議長が協議して定める割合は、百分の十五（その属する給料の級が法別表第二の一級である議員秘書にあっては、百分の十）とする。

（給与の支給日）

第四条　国会議員の歳費、旅費及び手当等支給規程（昭和二十二年七月十一日両院議長協議決定）第一条及び第二条の規定は、議員秘書の給料、住居手当及び通勤手当の支給について準用する。

2　議員秘書が他の議院の国会議員の議員秘書となったときは、当該議員秘書の給料、住居手当及び通勤手当の当月分は、前に議員秘書となっていた国会議員の属する議院において支給する。

3　期末手当及び勤勉手当の支給日は、一般職の職員の給与に関する法律（昭和二十五年法律第九十五号）の適用を受ける職員の例による。

4　前項の規定にかかわらず、法第十四条第四項、第十五条第四項又は第十六条第一項の規定により受ける期末手当又は勤勉手当の支給日は、国会議員の任期が満限に達した日又は衆議院が解散された日から七日以内とし、同条第二項の規定により受ける期末手当及び勤勉手当の支給日は、再び議員秘書に採用された日から二十日以内とする。ただし、その期間内に支給することができない特別の事情がある場合には、これを繰り下げることができる。

（給与からの控除）

第四条の二　法第十七条の二の規定に基づき両議院の議長が協議して定めるところにより控除されるものは、各議院の議長が議員秘書の給与から議員秘書として負担する経費として控除されることが相当であると認めるものであって、議員秘書から書面により控除の依頼があったものとする。

（議員秘書の採用等の届出等）

第五条　国会議員が議員秘書を採用するには、あらかじめ、その国会議員の属する議院の議長の同意を得なければならない。

2　国会議員は、議員秘書の採用につき、あらかじめその国会議員の属する議院の議長の同意を得ることができない特別の事情がある場合においては、前項の規定にかかわらず、その議院の議長の同意を得ないで議員秘書を採用することができる。この場合においては、採用の後、速やかに、その議院の議長の同意を得なければならない。

3　国会議員は、議員秘書を採用したときは、採用の日から二十日以内に、議員秘書の氏名、生年月日、本籍、住所及び採用の年月日並びに議員秘書についての法別表第一及び別表第二の適用の別を、その国会議員の属する議院の議長に届け出なければならない。

4　国会議員は、議員秘書についての法別表第一及び別表第二の適用を異動させたとき、議員秘書を解職したとき、又は議員秘書が死亡したときは、その日（死亡の場合にあっては、その事実を知った日）から二十日以内に、その旨をその国会議員の属する議院の議長に届け出なければならない。

（兼職に係る文書の提出）

第六条　法第二十一条の二第三項の文書は、各議院の議長が定めるところにより、同条第二項の許可を受けた日から二十日以内（衆議院議員の総選挙又は参議院議員の通常選挙が行われた場合における当該選挙により選出された国会議員の任期開始の日（以下「任期開始日」という。）から四十日以内に同項の許可を受けた場合には、当該任期開始日から六十日以内）に提出しなければならない。

2　議員秘書の兼職に係る企業、団体等が政党その他の政治団体又は宗教団体である場合には、法第二十一条の二第三項の文書には、その名称に代えて「政治団体等」と記載するものとする。

3　法第二十一条の二第三項後段の規定に基づき両議院の議長が協議して定める事項は、議員秘書の兼職に係る常勤又は非常勤の別、主たる勤務地その他各議院の議長が定める事項とする。

4　前三項に定めるもののほか、議員秘書の兼職に係る文書の提出に関し必要な事項は、各議院の議長が定める。

（兼職に係る文書の公開等）

第七条　法第二十一条の二第四項の規定による文書の公開は、一般の閲覧に供する方法により行う。

2　法第二十一条の二第四項の規定による文書の公開の期間は、当該文書が各議院の議長に提出された日（任期開始日から六十日以内に当該文書が提出された場合には、当該任期開始日から六十日を経過した日）から三十日を経過した日の翌日から当該議員秘書の退職又は死亡の日までの間とする。

3　第一項の文書は、提出を受けた各議院の議長において、当該兼職の許可をした国会議員の退職又は死亡の日まで保存しなければならない。

4　前三項に定めるもののほか、議員秘書の兼職に係る文書の公開等に関し必要な事項は、各議院の議長が定める。

附　則

1　この規程は、国会議員の秘書の給与等に関する法律（平成二年法律第四十九号）の施行の日から施行し、改正後の国会議員の秘書の給与の支給等に関する規程（以下「改正後の規程」という。）の規定は、平成二年四月一日から適用する。

2　法附則第六項に規定する両議院の議長が協議して定める割合は、同項に規定する旧法の規定による給料月額が特別職の職員の給与に関する法律及び国際花と緑の博覧会政府代表の設置に関する臨時措置法の一部を改正する法律（平成二年法律第八十号）による改正前の特別職の職員の給与に関する法律（昭和二十四年法律第二百五十二号）別表第三に掲げる秘書官の六号俸の俸給月額に相当する額であるときは三千六百六十九分の三千七百九十四と、当該旧法の規定による給料月額が同表に掲げる秘書官の三号俸の俸給月額に相当する額であるときは二千六百三十分の二千七百二十二とする。

3　この規程の施行の際現に議員秘書である者は、改正後の規程第五条第一項の議長の同意を得て採用された者とみなす。

4　この規程の施行の際現に議員秘書である者について、改正前の国会議員の秘書の給料等支給規程第六条の規定によりした届出は、改正後の規程第五条の規定によりした届出とみなす。

5　前二項に定めるもののほか、この規程の施行に関し必要な事項は、両議院の議長が協議して定める。

附　則（令四・四・一五）（抄）

（施行期日）

1　この規程は、国会法及び国会議員の歳費、旅費及び手当等に関する法律の一部を改正する法律（令和四年法律第二十九号）の施行の日〔令四・四・二二〕から施行する。

○国会議員の秘書の退職手当支給規程

昭三七・三・三一
両院議長協議決定

最終改正　令四・六・一五

第一条　国会議員の秘書（以下「秘書」という。）が退職した場合にその者（死亡による退職の場合には、その遺族）に支給する退職手当については、この規程に定めるもののほか、国家公務員が退職した場合に国家公務員退職手当法（昭和二十八年法律第百八十二号。以下「退職手当法」という。）の規定（同法第三条第二項、第五条の二、第五条の三、第六条の二から第六条の四（同条に係る部分を含む。）まで、第七条第四項及び第五項、第七条の二、第八条、第八条の二並びに第二十条第二項から第四項まで並びに同法附則の規定を除く。）により支給する退職手当の例による。

第二条　勤続期間が三年以下の秘書が衆議院の解散による国会議員の退職により退職した場合におけるその者に対する退職手当の額は、退職手当法第四条第一項の規定の例により計算した額とする。この場合において、その勤続期間の計算については、その在職期間が六月以上一年未満の場合には、これを一年とする。

2　過去の退職につきすでに前項の規定の適用を受けた者が再び秘書となつた場合において、その退職の日の翌日から起算して三年以内に再び同項の規定に該当することとなるときは、同項の規定は、適用しない。

第三条　勤続期間が十九年以下の秘書が国会議員の退職（国会議員互助年金法を廃止する法律（平成十八年法律第一号）附則第二条第一項の規定によりなおその効力を有することとされる旧国会議員互助年金法（昭和三十三年法律第七十号）第三条に規定する国会議員の退職をいう。以下同じ。）及び死亡並びに当該秘書の傷病（国家公務員退職手当法施行令（昭和二十八年政令第二百十五号）第二条に規定する傷病をいう。以下同じ。）及び死亡以外の事由により退職した場合におけるその者に対する退職手当の額は、退職手当法第三条第二項の規定の例により計算した額とする。

第四条　勤続期間が二十年以上二十五年未満の秘書が国会議員の退職により退職した場合におけるその者に対する退職手当の額は、退職手当法第四条第一項の規定の例により計算した額とする。

2　勤続期間が二十五年未満の秘書が国会議員の死亡により退職した場合におけるその者に対する退職手当の額は、退職手当法第四条第一項の規定の例により計算した額とする。

第五条　勤続期間が二十五年以上の秘書が国会議員の退職又は死亡により退職した場合におけるその者に対する退職手当の額は、退職手当法第五条第一項の規定の例により計算した額とする。

2　過去の退職につきすでに前項の規定の適用を受けた者がその退職の日の翌日から起算して一年以内に再び秘書となり、その再び秘書となつた日から起算して一年以内に退職し、その退職が退職手当法第五条第一項に規定する退職に該当することとなる場合におけるその者に対する退職手当の額は、同法同条第一項及び第六条の五第一項の規定の例によらず、同法第三条第一項の規定の例により計算した額とする。

3　第一項の規定の適用を受ける者に対する退職手当の額の最高限度額については、退職手当法第六条の規定の例による。

第五条の二　秘書が退職した場合において、その退職の日以前の引き続く六月以内にその者に係る国会議員の秘書の給与等に関する法律（平成二年法律第四十九号。以下「秘書給与法」という。）別表第一及び別表第二（以下「給料表」という。）の適用に異動があつたとき（他の国会議員の秘書となり、従前適用を受けていた給料表と異なる給料表の適用を受けることとなつたときを含み、国会議員の秘書の給与の支給等に関する規程（平成二年六月二十日両院議長協議決定）第五条第三項又は第四項の規定による届出があつたときに限る。第十一条第四項において同じ。）は、その者の退職手当の計算の基礎となる給料月額は、当該退職の日の属する月以前六月間の各月に受けた給料月額の合計額を六で除して得た額とする。

第六条　任期満了又は衆議院の解散による国会議員の退職により秘書が退職した場合において、その者が当該任期満了又は解散の日から起算して四十日以内に再び秘書となつたときは、その者の在職期間の計算については、その退職の日以前の秘書としての引き続く在職期間は、その再び秘書となつた日以後の秘書としての在職期間に引き続いたものとみなす。

第七条　秘書が退職し、引き続いて秘書参事等（各議院事務局の議長若しくは副議長の秘書事務をつかさどる参事又は内閣総理大臣若しくは国務大臣の秘書官（内閣総理大臣又は国務大臣の秘書事務をつかさどる一般職の職員の給与に関する法律（昭和二十五年法律第九十五号）の適用を受ける職員を含む。）をいう。以下同じ。）となり、引き続き秘書参事等として在職した後退職し、引き続いて再び秘書となつた場合においては、その者の在職期間の計算については、先の秘書としての在職期間の始期から後の秘書としての在職期間の終期までの期間は、秘書としての引き続いた在職期間とみなす。

2　秘書を退職し、引き続いて秘書参事等となり、引き続き秘書参事等として在職している者が、任期満了又は衆議院の解散による議長又は副議長である国会議員の退職があつた場合において秘書参事（各議院事務局の議長又は副議長の秘書事務をつかさどる参事をいう。以下同じ。）を退職し、その者が当該任期満了又は解散の日から起算して四十日以内に再び秘書となつた場合においては、その者の在職期間の計算については、先の秘書としての在職期間の始期から秘書参事としての在職期間の終期までの期間は、秘書としての引き続いた在職期間とみなし、当該在職期間は、その再び秘書となつた日以後の秘書としての在職期間に引き続いたものとみなす。この場合において、その秘書参事が退職した日とその再び秘書となつた日とが同じ月に属するときは、その同じ月の月数をその秘書としての在職期間から除算するものとする。

3　第一項又は前項の規定の適用を受けた秘書が退職した場合におけるその者に対する第一条から第五条までの規定による退職手当の額（第十三条第一項に規定する場合にあつては、同条第二項の額）は、これらの規定にかかわらず、退職手当の計算の基礎となる給料月額に第一号に掲げる割合から第二号に掲げる割合を控除した割合を乗じて得た額とする。

一　その者が第一条から第五条までの規定による退職手当の支給を受けるものとした場合における当該退職手当の額（第十三条第一項に規定する場合にあつては、同条第二項の額）の当該退職手当の計算の基礎となる給料月額に対する割合

二　その者が第一項又は前項の秘書参事等を退職した際に支給を受けた退職手当の額のその計算の基礎となつた給料月額又は俸給月額に対する割合（当該秘書参事等の退職を二回以上した者については、それぞれの退職に係る当該割合を合計した割合）

第八条　第六条又は前条の規定の適用を受けた秘書が退職した場合におけるその者に対する退職手当の額が、その者にこれらの規定を適用しないものとして計算した退職手当の額の合計額より少ないときは、当該合計額をその者に対する退職手当の額とする。

第八条の二　秘書としての在職期間を有する者で六十歳に達する前に再び秘書となつたものが、引き続き秘書として在職した後国会議員の退職

若しくは死亡又は当該秘書の傷病若しくは死亡により退職した場合において、当該退職に係る在職期間と先の秘書としての在職期間（国会議員の退職及び死亡以外の事由により秘書を退職した場合（秘書を退職し、引き続いて秘書参事等となり、第七条の規定によりその退職の日以前の秘書としての引き続く在職期間が秘書参事等を退職した後の秘書としての在職期間に引き続いたものとみなされる場合におけるその秘書参事等となる前の秘書を退職したとき及び秘書を退職し、引き続いて秘書参事等となり、引き続き秘書参事等として在職した後議長若しくは副議長又は内閣総理大臣若しくは国務大臣の退職又は死亡により退職し、引き続き秘書とならなかつた場合（秘書参事にあつては、議長又は副議長である国会議員が任期満了又は衆議院の解散により退職した場合における当該任期満了又は衆議院の解散の日から起算して四十日以内に秘書となつたときを除く。）における当該秘書を退職したときを除く。）における当該退職以前の退職に係る在職期間を除く。以下この条において同じ。）とを合算した期間（秘書が在職中に拘禁刑以上の刑に処せられた場合における当該刑に処せられた日を含む引き続く在職期間及び秘書を退職した者が刑事事件（当該退職後に起訴された場合にあつては、当該退職の日を含む引き続く在職期間中の行為に係る刑事事件に限る。）に関し当該退職後に拘禁刑以上の刑に処せられたときの当該退職の日以前の引き続く在職期間（以下この条において「退職手当支給制限期間」という。）を除く。）が二十年以上あるとき（当該退職に係る在職期間が退職手当支給制限期間であるときを除く。）は、その者の当該退職に係る在職期間の計算については、先の秘書としての在職期間（退職手当支給制限期間を除く。）は、これを合算し、当該退職に係る在職期間に引き続いたものとみなす。この場合において、秘書が退職した日と再び秘書となつた日が同じ月に属するときは、その同じ月の月数をその秘書としての在職期間から除算するものとする。

2　秘書としての在職期間を有する者で六十歳に達する前に再び秘書となつたものが、引き続き秘書として在職した後退職し、引き続いて秘書参事等となり、引き続き秘書参事等として在職した後議長若しくは副議長又は内閣総理大臣若しくは国務大臣の退職若しくは死亡又は当該秘書参事等の傷病若しくは死亡により退職した場合（第七条の規定により秘書参事等となる前の秘書としての在職期間が当該秘書参事等を退職した後の秘書としての在職期間に引き続いたものとみなされる場合における当該秘書参事等を退職したときを除く。）において、その秘書参事等となる前の秘書の退職に係る在職期間と先の秘書としての在職期間とを合算した期間（退職手当支給制限期間を除く。）が二十年以上あるとき（その秘書参事等となる前の秘書の退職に係る在職期間が退職手当支給制限期間であるときを除く。）は、その秘書参事等となる前の秘書の退職に係る在職期間の計算については、先の秘書としての在職期間（退職手当支給制限期間を除く。）は、これを合算し、当該退職に係る在職期間に引き続いたものとみなす。この場合において、秘書が退職した日と再び秘書となつた日が同じ月に属するときは、その同じ月の月数をその秘書としての在職期間から除算するものとする。

3　第一項又は前項の規定の適用を受ける秘書に対する第一条、第四条、第五条及び第七条第三項の規定による退職手当の額は、これらの規定にかかわらず、退職手当の計算の基礎となる給料月額に第一号に掲げる割合から第二号に掲げる割合を控除した割合を乗じて得た額とする。

一　その者が第一条、第四条、第五条又は第七条第三項の規定による退職手当の支給を受けるものとした場合における当該退職手当の額の当該退職手当の計算の基礎となる給料月額に対する割合

二　その者が先の秘書としての在職期間に係る退職をした際に支給を受けた退職手当の額のその計算の基礎となつた給料月額に対する割合（当該退職手当の支給を二回以上受けた者（前条の規定の適用を受けた者を含む。）については、それぞれの退職手当の額（前条の規定の適用を受けた者にあつては、第六条又は第七条の規定を適用しないものとして計算した退職手当の額）のその計算の基礎となつた給料月額に対する当該割合を合計した割合）

4　第一項又は第二項の規定の適用を受ける秘書が退職した場合におけるその者に対する退職手当の額が、その者にこれらの規定を適用しないものとして計算した退職手当の額より少ないと

きは、当該額をその者に対する退職手当の額とする。

5　傷病により退職したことにより第一項又は第二項の規定の適用を受けた秘書又は秘書参事等がその後再び秘書となり、秘書又は秘書参事等として在職した後傷病により退職した場合には、これらの規定は適用しない。

第九条　秘書が退職した場合におけるその者に対する第二条から第五条まで、第七条第三項、第八条若しくは前条第三項若しくは第四項の規定による退職手当又は第十三条第一項に規定する場合における退職手当は、退職手当法に規定する一般の退職手当とみなす。

第十条　任期満了又は衆議院の解散による国会議員の退職により秘書が退職した場合においては、その退職についての退職手当は、その者が当該任期満了又は解散の日から起算して四十日以内に再び秘書とならなかつた場合において支給し、その者が当該任期満了又は解散の日から起算して四十日以内に再び秘書となつた場合においては支給しない。

第十一条　秘書が退職し、引き続いて秘書参事等となつた場合においては、その退職についての退職手当は、その者が引き続き秘書参事等として在職した後退職したときに引き続いて再び秘書とならなかつた場合において支給し、その者が引き続いて再び秘書となつた場合においては支給しない。

2　秘書を退職し、引き続いて秘書参事等となり、引き続き秘書参事等として在職している者が、任期満了又は衆議院の解散による議長又は副議長である国会議員の退職があつた場合においては、その秘書参事等となる前の退職についての退職手当については、前項の規定によらず、その者が当該任期満了又は解散の日から起算して四十日以内に再び秘書とならなかつた場合において支給し、その者が当該任期満了又は解散の日から起算して四十日以内に再び秘書となつた場合においては支給しない。

3　前二項において支給すべき退職手当については、その者の退職手当の計算の基礎となる給料月額は、次項の規定による場合を除き、その者が先の秘書を退職した日に秘書給与法の規定により受けていた給料の級及び号給を当該秘書参事等を退職した日に受けていたとした場合の給料月額とする。

4　第一項及び第二項において支給すべき退職手当について、先の秘書の退職の日以前の引き続く六月以内にその者に係る給料表の適用に異動があつたときは、その者の退職手当の計算の基礎となる給料月額は、第五条の二の規定にかかわらず、その者が先の秘書を退職した日の属する月以前六月間の各月に秘書給与法の規定により受けていた給料の級及び号給を当該秘書参事等を退職した日の属する月以前六月間の各月に受けていたとした場合の各月の給料月額の合計額を六で除して得た額とする。

第十二条　秘書参事等が退職し、その者が当該退職の日又はその翌日に再び秘書参事等となつた場合においては、第七条第一項及び第二項前段、第八条の二第一項及び第二項並びに前条第一項前段及び第二項前段の規定の適用については、引き続き秘書参事等として在職したものとみなす。

第十三条　秘書がその在職中拘禁刑以上の刑に処せられ当該刑に処せられた日以後初めて退職（第十条、第十一条第一項若しくは第二項又は第一条の規定によりその例によることとされる退職手当法第二十条第一項の規定により退職手当を支給しないこととしている退職を除く。以下この条において同じ。）をした場合において、議員秘書退職手当管理機関（退職の日において、衆議院の秘書であつた者にあつては衆議院議長、参議院の秘書であつた者にあつては参議院議長をいう。以下同じ。）は、その者に対し、退職手当法第十二条（第一項各号を除く。）の規定の例により、当該退職に係る退職手当（退職手当法第十条の規定の例による退職手当を除く。以下この条において同じ。）の全部又は一部を支給しないこととする処分を行うことができる。

2　前項に規定する場合における退職手当の額は、第一条から第五条までの規定にかかわらず、勤続期間が十九年以下の者については退職手当法第三条第二項の規定の例により、勤続期間が二十年以上の者については同条第一項の規定の例により計算した額とする。

3　第八条の規定は、第一項に規定する場合における退職については、適用しない。

4　前三項に定めるもののほか、議員秘書退職手当管理機関が行う退職手当の額の支払を差し止める処分、退職手当の全部又は一部を支給しないこととする処分、退職手当の額の全部又は一部の返納を命ずる処分及び退職手当の額の全部又は一部に相当する額の納付を命ずる処分については、退職手当法第十三条（第二項第二号、第三項及び第六項を除く。）、第十四条（第一項第二号及び第三号並びに第二項から第四項までを除く。）、第十五条（第一項第二号及び第三号並びに第三項を除く。）及び第十七条（第一項から第三項まで及び第五項を除く。）の規定の例による。

第十四条　議員秘書退職手当管理機関が前条第四項の規定によりその例によることとされる退職手当法第十五条第一項又は第十七条第四項の規定により退職手当の額の全部若しくは一部の返納を命ずる処分又は退職手当の額の全部若しくは一部に相当する額の納付を命ずる処分を行おうとするときは、議員秘書退職手当審査会に諮問しなければならない。この場合における審査の手続については、退職手当法第十九条第二項から第四項までの規定の例による。

第十五条　前条の規定によりその権限に属させられた事項を処理するため、国会に、議員秘書退職手当審査会（以下「審査会」という。）を置く。

第十六条　審査会は、委員三人をもつて組織する。

第十七条　委員は、学識経験のある者のうちから、両議院の議長が任命する。

第十八条　委員の任期は、二年とする。ただし、補欠の委員の任期は、前任者の残任期間とする。

2　委員は、再任されることができる。

3　委員は、非常勤とする。

第十九条　審査会に、会長を置き、委員の互選により選任する。

2　会長は、会務を総理し、審査会を代表する。

3　会長に事故があるときは、あらかじめその指名する委員が、その職務を代理する。

第二十条　審査会の庶務は、衆議院事務局及び参議院事務局において共同して処理する。

第二十一条　議事の手続その他審査会の運営に関し必要な事項は、会長が審査会に諮つて定める。

第二十二条　第十四条から前条までに定めるもののほか、審査会に関し必要な事項は、両議院の議長が協議して定める。

附　則

1　この規程は、昭和三十七年四月一日から施行する。

2　この規程の施行の日（以下「施行日」という。）において秘書として在職している者の施行日前の秘書としての在職期間で施行日まで現に引き続いているものは、施行日以後の秘書としての在職期間とみなす。

3　施行日以後において秘書がはじめて退職する場合におけるその者の当該退職に係る在職期間の計算については、前項に規定する場合のほか、施行日前における秘書（国会法の一部を改正する法律（昭和二十三年法律第八十七号）による改正前の国会法（昭和二十二年法律第七十九号）第百三十二条の規定による国会議員の事務補助員を含む。以下「秘書等」という。）としての引き続く六月以上の在職期間（秘書等が在職中に禁錮以上の刑に処せられた場合における当該刑に処せられた日を含む引き続く在職期間及び秘書等が在職中刑事事件に関し起訴され、その判決の確定前に退職した場合であつて、禁錮以上の刑に処せられたときの当該退職の日以前の引き続く在職期間を除く。以下「施行日前の秘書等としての在職期間」という。）は、これを合算し、施行日以後において秘書がはじめて退職する場合における当該退職に係る在職期間に引き続くものとみなす。この場合において、当該施行日前における秘書等としての在職期間の計算については、退職手当法第七条第二項の規定の例によるものとする。

4　前項の規定により施行日前の秘書等としての在職期間を合算した場合において、同じ月が重複して合算されているときは、その同じ月の月数を当該合算された在職期間から除算するものとする。

5　退職手当法の適用を受ける国家公務員に退職手当法附則第六項から第八項までの規定が適用される間は、秘書が退職した場合におけるその者に対する退職手当（第七条又は第八条の二の規定の適用を受ける者に対する退職手当を除く。）の額については、退職手当法第三条から第五条までの規定の例によらず、退職手当法附則第二十一項から附則第二十三項まで及び国家公務員退職手当法等の一部を改正する法律（平成十五年法律第六十二号）附則第四項の規定の例による。

6　前項の規定が適用される間は、第七条第三項の規定を適用する場合における同項第一号に規定する退職手当の額及び第八条の二第三項の規定を適用する場合における同項第一号に規定する退職手当の額の計算については、前項の規定の例による。

7　秘書が退職した場合におけるその者の当該退職に係る在職期間の計算については、附則第三項の規定の適用があるときは、第八条の二第一項及び第二項の規定は、適用しない。

8　第八条の二第一項又は第二項の規定の適用がある場合における秘書としての在職期間には、附則第二項の規定により施行日以後の秘書としての在職期間とみなされるもののほか、施行日前の秘書等としての在職期間を含むものとする。

9　退職した秘書の在職期間中に給料月額の減額改定によりその者の給料月額が減額されたことがある場合において、その者の減額後の給料月額が減額前の給料月額に達しない場合にその差額に相当する額を支給することとする法令の適用を受けたことがあるときは、この規程の規定による給料月額には、当該差額を含まないものとする。ただし、退職手当法第六条の五の規定の例により退職手当の額を計算する場合における給料月額については、この限りでない。

附　則（令三・六・四）

この規程は、国家公務員法等の一部を改正する法律（令和三年法律第六十一号）の施行の日〔令五・四・一〕から施行する。ただし、附則第十項から第十二項までを削る改正規定は、令和三年六月四日から施行する。

附　則（令四・六・一五）

この規程は、刑法等の一部を改正する法律（令和四年法律第六十七号）の施行の日〔令七・六・一〕から施行する。

○国会職員法

昭二二・四・三〇
法　八　五

最終改正　令四・六・一七法六八

目次〔略〕

第一章　総則

〔国会職員の範囲〕

第一条　この法律において国会職員とは、次に掲げる者をいう。

一　各議院事務局の事務総長、参事、常任委員会専門員及び常任委員会調査員並びに衆議院事務局の調査局長及び調査局調査員

二　各議院法制局の法制局長及び参事

三　国立国会図書館の館長、副館長、司書、専門調査員、調査員及び参事

四　裁判官弾劾裁判所事務局（以下「弾劾裁判所事務局」という。）及び裁判官訴追委員会事務局（以下「訴追委員会事務局」という。）の参事

五　前各号に掲げる者を除くほか、各議院事務局、各議院法制局、国立国会図書館、弾劾裁判所事務局及び訴追委員会事務局の職員

第二章　任用

〔欠格事由〕

第二条　国会職員は次の各号のいずれかに該当しない者でなければならない。

一　拘禁刑に処せられて、その刑の執行を終わらない者又はその刑の執行を受けることのなくなるまでの者

二　懲戒処分により官公職を免ぜられ、その身分を失つた日から二年を経過しない者

三　前二号のいずれかに該当する者のほか、国家公務員法（昭和二十二年法律第百二十号）の規定により官職に就く能力を有しない者

〔任用〕

第三条　国会職員の任用は、別に定のあるものを除き、各本属長の定める任用の基準に基いて、これを行う。

第三条の二　国会職員の昇任（国会職員にその国会職員が現に命ぜられている職より上位の職制上の段階に属する職を命ずることをいう。以下同じ。）及び転任（国会職員にその国会職員が現に命ぜられている職以外の職を命ずることであつて昇任及び降任（国会職員にその国会職員が現に命ぜられている職より下位の職制上の段階に属する職を命ずることをいう。以下同じ。）に該当しないものをいう。以下同じ。）は、各本属長が、国会職員の人事評価（任用、給与、分限その他の人事管理の基礎とするために、国会職員がその職務を遂行するに当たり発揮した能力及び挙げた業績を把握した上で行われる勤務成績の評価をいう。以下同じ。）に基づき、命じようとする職の属する職制上の段階の標準的な職に係る標準職務遂行能力（職制上の段階の標準的な職の職務を遂行する上で発揮することが求められる能力として両議院の議長が協議して定めるものをいう。以下同じ。）及び当該命じようとする職についての適性を有すると認められる者の中から行うものとする。

②　各本属長は、国会職員を降任させる場合には、当該国会職員の人事評価に基づき、命じようとする職の属する職制上の段階の標準的な職に係る標準職務遂行能力及び当該命じようとする職についての適性を有すると認められる職を命ずるものとする。

③　国際機関に派遣されていたこと等の事情により、人事評価が行われていない国会職員の昇任、降任及び転任については、前二項の規定にかかわらず、各本属長が、人事評価以外の能力の実証に基づき、命じようとする職の属する職制上の段階の標準的な職に係る標準職務遂行能力及び当該命じようとする職についての適性を判断して行うことができる。

④　前三項の標準的な職は、係員、係長、課長補佐、課長その他の職とし、職制上の段階及び職務の種類に応じ、両議院の議長が協議して定める。

第三条の三　各本属長は、高度の専門的な知識経験又は優れた識見を有する者をその者が有する当該高度の専門的な知識経験又は優れた識見を一定の期間活用して遂行することが特に必要とされる業務に従事させる場合には、選考により、任期を定めて国会職員を採用することができる。

②　各本属長は、前項の規定によるほか、専門的な知識経験を有する者を当該専門的な知識経験が必要とされる業務に従事させる場合において、両議院の議長が協議して定める場合に該当するときであつて、当該専門的な知識経験を有する

者を当該業務に期間を限つて従事させることが公務の能率的運営を確保するために必要であるときは、選考により、任期を定めて国会職員を採用することができる。

③　前二項の規定により採用される国会職員の任期及びこれらの規定により任期を定めて採用された国会職員の任用の制限については、一般職の任期付職員の採用及び給与の特例に関する法律（平成十二年法律第百二十五号）の適用を受ける職員の例による。

④　前三項の規定の実施に関し必要な事項は、両議院の議長が協議して定める。

⑤　前各項の規定は、非常勤の職員の採用については、適用しない。

〔採用〕

第四条　国会職員の採用は、国会職員であつた者又はこれに準ずる者のうち、両議院の議長が協議して定める者を採用する場合その他両議院の議長が協議して定める場合を除き、条件付のものとし、国会職員が、その職において六月の期間（六月の期間とすることが適当でないと認められる国会職員として両議院の議長が協議して定める国会職員にあつては、両議院の議長が協議して定める期間）を勤務し、その間その職務を良好な成績で遂行したときに、正式のものとなるものとする。

②　前項に定めるもののほか、条件付採用に関し必要な事項は、両議院の議長が協議して定める。

〔定年前再任用短時間勤務職員の任用〕

第四条の二　各本属長は、年齢六十年に達した日以後にこの法律の規定により退職（各議院事務局の事務総長、議長又は副議長の秘書事務をつかさどる参事及び常任委員会専門員、各議院法制局の法制局長並びに国立国会図書館の館長及び専門調査員並びに臨時の職員、法律により任期を定めて任用される国会職員及び非常勤の職員が退職する場合を除く。）をした者（以下この条及び第二十八条第二項において「年齢六十年以上退職者」という。）を、両議院の議長が協議して定めるところにより、従前の勤務実績その他の両議院の議長が協議して定める情報に基づく選考により、短時間勤務の職（当該職を占める国会職員の一週間当たりの通常の勤務時間が、常時勤務を要する職でその職務が当該短時間勤務の職と同種の職を占める国会職員の一週間当たりの通常の勤務時間に比し短い時間である職をいう。以下この項及び第三項において同じ。）（第二十五条第三項の規定に基づく定めにおいて一般職の職員の給与に関する法律（昭和二十五年法律第九十五号）別表第十一に規定する指定職俸給表に相当する給料表の適用を受ける国会職員が占める職として両議院の議長が協議して定める職（第四項及び第四章において「指定職」という。）を除く。以下この項及び第三項において同じ。）に採用することができる。ただし、年齢六十年以上退職者がその者を採用しようとする短時間勤務の職に係る定年退職日相当日（短時間勤務の職を占める国会職員が、常時勤務を要する職でその職務が当該短時間勤務の職と同種の職を占めているものとした場合における第十五条の六第一項に規定する定年退職日をいう。次項及び第三項において同じ。）を経過した者であるときは、この限りでない。

②　前項の規定により採用された国会職員（以下この条及び第二十八条第二項において「定年前再任用短時間勤務職員」という。）の任期は、採用の日から定年退職日相当日までとする。

③　各本属長は、年齢六十年以上退職者のうちその者を採用しようとする短時間勤務の職に係る定年退職日相当日を経過していない者以外の者を当該短時間勤務の職に採用することができず、定年前再任用短時間勤務職員のうち当該定年前再任用短時間勤務職員を昇任し、降任し、又は転任しようとする短時間勤務の職に係る定年退職日相当日を経過していない定年前再任用短時間勤務職員以外の国会職員を当該短時間勤務の職に昇任し、降任し、又は転任することができない。

④　各本属長は、定年前再任用短時間勤務職員を、指定職又は指定職以外の常時勤務を要する職に昇任し、降任し、又は転任することができない。

第五条　この章の規定（第二条の規定を除く。）は、各議院事務局の事務総長、議長又は副議長の秘書事務をつかさどる参事及び常任委員会専門員、各議院法制局の法制局長並びに国立国会図書館の館長及び専門調査員については、適用しない。

第三章　人事評価

第六条　国会職員の執務については、各本属長は、定期的に人事評価を行わなければならない。

②　人事評価の基準及び方法に関する事項その他

人事評価に関し必要な事項は、両議院の議長が協議して定める。

第七条　各本属長は、前条第一項の人事評価の結果に応じた措置を講じなければならない。

第八条　この章の規定は、各議院事務局の事務総長、議長又は副議長の秘書事務をつかさどる参事及び常任委員会専門員、各議院法制局の法制局長並びに国立国会図書館の館長及び専門調査員については、適用しない。

第四章　分限及び保障

〔身分の保障〕

第九条　国会職員は、この法律で定める事由による場合でなければ、その意に反して、降任され、休職され、又は免職されることはない。

② 国会職員は、この法律で定める事由又は両議院の議長が協議して定める事由に該当するときは、降給されるものとする。

③ 前項の規定により降給するときは、第十五条の二第三項に規定する他の職への降任等に伴う降給をする場合その他両議院の議長が協議して定める場合を除き、国会職員考査委員会の審査を経なければならない。

〔失職〕

第十条　国会職員が第二条各号（第二号を除く。）のいずれかに該当するに至つたときは、当然失職する。

〔降任及び免職〕

第十一条　国会職員が次の各号のいずれかに該当するときは、両議院の議長が協議して定めるところにより、その意に反して、これを降任し、又は免職することができる。

一　人事評価又は勤務の状況を示す事実に照らして、勤務実績が良くないとき。

二　身体又は精神の故障により、職務の遂行に支障があり、又はこれに堪えないとき。

三　その他その職に必要な適格性を欠くとき。

四　廃職となり、又は定員改正により過員を生じたとき。

② 前項第一号から第三号までの規定により降任し、又は免職するときは、国会職員考査委員会の審査を経なければならない。

〔退職〕

第十二条　第十三条第一項第三号により休職を命ぜられ、満期となつたときは、当然退職者とする。

〔休職〕

第十三条　国会職員が左の各号の一に該当するときは、その意に反して、これに休職を命ずることができる。

一　懲戒のため国会職員考査委員会の審査に付せられたとき

二　刑事事件に関し起訴されたとき

三　廃職となり又は定員改正により過員を生じたとき

四　身体又は精神の故障により長期の休養を要するとき

五　事務の都合により必要があるとき

② 前項第四号及び第五号の規定により休職を命ずるには、国会職員考査委員会の審査を経なければならない。

③ 第一項の休職の期間は、第一号及び第二号の場合においては、その事件が、国会職員考査委員会又は裁判所に繋属中とし、第三号及び第五号の場合においては一年とし、第四号の場合においては、三年をこえない範囲内において、休養を要する程度に応じ個々の場合について、休職について権限のある者がこれを定める。

④ 第一項第四号に該当し、三年に満たない期間休職を命ぜられた国会職員が、その期間経過の際、引き続き同号に該当するときは、休職について権限のある者は、その休職を発令した日から引き続き三年をこえない範囲内において、休養を要する程度に応じ、当該休職期間を延長しなければならない。

〔休職者の地位〕

第十四条　休職者は、その身分を有するが、職務に従事しない。

② 前条第一項第三号乃至第五号の規定により休職を命ぜられた者に対しては、休職期間が満期となるまでは、事務の都合により、何時でも復職を命ずることができる。

③ 前条第一項第四号の規定により休職を命ぜられ同条第三項又は第四項の規定による三年の休職期間が満期となつた者及び同条第一項第五号の規定により休職を命ぜられその休職期間が満期となつた者については、事務の都合により、復職を命じ、又は休職期間を更新することができる。

〔休職・復職を命ずる者〕

第十五条　休職及び復職は、任用について権限がある者が、これを行う。

〔管理監督職勤務上限年齢による降任等〕

第十五条の二　各本属長は、管理監督職（指定職その他管理又は監督の地位にある国会職員が占める職のうち両議院の議長が協議して定める職（これらの職のうち、その職務と責任に特殊性があること又は欠員の補充が困難であることによりこの条の規定を適用することが著しく不適当と認められる職として両議院の議長が協議して定める職を除く。）をいう。以下この章において同じ。）を占める国会職員でその占める管理監督職に係る管理監督職勤務上限年齢に達している国会職員について、異動期間（当該管理監督職勤務上限年齢に達した日の翌日から同日以後における最初の四月一日までの間をいう。以下この章において同じ。）（第十五条の五第一項から第四項までの規定により延長された期間を含む。以下この項において同じ。）に、管理監督職以外の職又は管理監督職勤務上限年齢が当該国会職員の年齢を超える管理監督職（以下この項及び第三項においてこれらの職を「他の職」という。）への降任又は転任（降給を伴う転任に限る。）をするものとする。ただし、異動期間に、この法律の他の規定により当該国会職員について他の職への昇任、降任若しくは転任をした場合若しくは他の法律の規定により他の職に任用した場合又は第十五条の七第一項の規定により当該国会職員を管理監督職を占めたまま引き続き勤務させることとした場合は、この限りでない。

②　前項の管理監督職勤務上限年齢は、年齢六十年とする。ただし、次の各号に掲げる管理監督職を占める国会職員の管理監督職勤務上限年齢は、当該各号に定める年齢とする。

一　各議院事務局の事務次長、各議院法制局の法制次長及び国立国会図書館の副館長並びにこれらに準ずる管理監督職のうち両議院の議長が協議して定める管理監督職　年齢六十二年

二　前号に掲げる管理監督職のほか、その職務と責任に特殊性があること又は欠員の補充が困難であることにより管理監督職勤務上限年齢を年齢六十年とすることが著しく不適当と認められる管理監督職として両議院の議長が協議して定める管理監督職　六十年を超え六十四年を超えない範囲内で両議院の議長が協議して定める年齢

③　第一項本文の規定による他の職への降任又は転任（以下この章において「他の職への降任等」という。）を行うに当たつて各本属長が遵守すべき基準に関する事項その他の他の職への降任等に関し必要な事項は、両議院の議長が協議して定める。

〔管理監督職への任用の制限〕

第十五条の三　各本属長は、採用し、昇任し、降任し、又は転任しようとする管理監督職に係る管理監督職勤務上限年齢に達している者を、その者が当該管理監督職を占めているものとした場合における異動期間の末日の翌日（他の職への降任等をされた国会職員にあつては、当該他の職への降任等をされた日）以後、当該管理監督職に採用し、昇任し、降任し、又は転任することができない。

〔適用除外〕

第十五条の四　前二条の規定は、法律により任期を定めて任用される国会職員には適用しない。

〔管理監督職勤務上限年齢による降任等及び管理監督職への任用の制限の特例〕

第十五条の五　各本属長は、他の職への降任等をすべき管理監督職を占める国会職員について、次に掲げる事由があると認めるときは、当該国会職員が占める管理監督職に係る異動期間の末日の翌日から起算して一年を超えない期間内（当該期間内に次条第一項に規定する定年退職日（以下この項及び次項において「定年退職日」という。）がある国会職員にあつては、当該異動期間の末日の翌日から定年退職日までの期間内。第三項において同じ。）で当該異動期間を延長し、引き続き当該管理監督職を占める国会職員に、当該管理監督職を占めたまま勤務をさせることができる。

一　当該国会職員の職務の遂行上の特別の事情を勘案して、当該国会職員の他の職への降任等により公務の運営に著しい支障が生ずると認められる事由として両議院の議長が協議して定める事由

二　当該国会職員の職務の特殊性を勘案して、当該国会職員の他の職への降任等により、当該管理監督職の欠員の補充が困難となることにより公務の運営に著しい支障が生ずると認められる事由として両議院の議長が協議して定める事由

②　各本属長は、前項又はこの項の規定により異動期間（これらの規定により延長された期間を含む。）が延長された管理監督職を占める国会

職員について、前項各号に掲げる事由が引き続きあると認めるときは、延長された当該異動期間の末日の翌日から起算して一年を超えない期間内（当該期間内に定年退職日がある国会職員にあつては、延長された当該異動期間の末日の翌日から定年退職日までの期間内。第四項において同じ。）で延長された当該異動期間を更に延長することができる。ただし、更に延長される当該異動期間の末日は、当該国会職員が占める管理監督職に係る異動期間の末日の翌日から起算して三年を超えることができない。

③　各本属長は、第一項の規定により異動期間を延長することができる場合を除き、他の職への降任等をすべき特定管理監督職群（職務の内容が相互に類似する複数の管理監督職（指定職を除く。以下この項及び次項において同じ。）であつて、これらの欠員を容易に補充することができない年齢別構成その他の特別の事情がある管理監督職として両議院の議長が協議して定める管理監督職をいう。以下この項において同じ。）に属する管理監督職を占める国会職員について、当該国会職員の他の職への降任等により、当該特定管理監督職群に属する管理監督職の欠員の補充が困難となることにより公務の運営に著しい支障が生ずると認められる事由として両議院の議長が協議して定める事由があると認めるときは、当該国会職員が占める管理監督職に係る異動期間の末日の翌日から起算して一年を超えない期間内で当該異動期間を延長し、引き続き当該管理監督職を占めている国会職員に当該管理監督職を占めたまま勤務をさせ、又は当該国会職員を当該管理監督職が属する特定管理監督職群の他の管理監督職に降任し、若しくは転任することができる。

④　各本属長は、第一項若しくは第二項の規定により延長された異動期間（これらの規定により延長された期間を含む。）が延長された管理監督職を占める国会職員について前項に規定する事由があると認めるとき（第二項の規定により延長された当該異動期間を更に延長することができるときを除く。）又は前項若しくはこの項の規定により延長された異動期間（前三項又はこの項の規定により延長された期間を含む。）が延長された管理監督職を占める国会職員について前項に規定する事由が引き続きあると認めるときは、延長された当該異動期間の末日の翌日から起算して一年を超えない期間内で延長された当該異動期間を更に延長することができる。

⑤　前各項に定めるもののほか、これらの規定による異動期間（これらの規定により延長された期間を含む。）の延長及び当該延長に係る国会職員の降任又は転任に関し必要な事項は、両議院の議長が協議して定める。

〔定年による退職〕

第十五条の六　国会職員は、定年に達したときは、定年に達した日以後における最初の三月三十一日又は各本属長があらかじめ指定する日のいずれか早い日（次条第一項及び第二項ただし書において「定年退職日」という。）に退職する。

②　前項の定年は、年齢六十五年とする。ただし、その職務と責任に特殊性があること又は欠員の補充が困難であることにより定年を年齢六十五年とすることが著しく不適当と認められる職を占める国会職員として両議院の議長が協議して定める国会職員の定年は、六十五年を超え七十年を超えない範囲内で両議院の議長が協議して定める年齢とする。

③　前二項の規定は、法律により任期を定めて任用される国会職員及び非常勤の職員には適用しない。

〔定年による退職の特例〕

第十五条の七　各本属長は、定年に達した国会職員が前条第一項の規定により退職すべきこととなる場合において、次に掲げる事由があると認めるときは、同項の規定にかかわらず、当該国会職員に係る定年退職日の翌日から起算して一年を超えない範囲内で期限を定め、当該国会職員を当該定年退職日において従事している職務に従事させるため、引き続き勤務させることができる。ただし、第十五条の五第一項から第四項までの規定により異動期間（これらの規定により延長された期間を含む。）を延長した国会職員であつて、定年退職日において管理監督職を占めている国会職員については、同条第一項又は第二項の規定により当該定年退職日まで当該異動期間を延長した場合に限るものとし、当該期限は、当該国会職員が占めている管理監督職に係る異動期間の末日の翌日から起算して三年を超えることができない。

一　前条第一項の規定により退職すべきこととなる国会職員の職務の遂行上の特別の事情を勘案して、当該国会職員の退職により公務の運営に著しい支障が生ずると認められる事由

として両議院の議長が協議して定める事由

二　前条第一項の規定により退職すべきこととなる国会職員の職務の特殊性を勘案して、当該国会職員の退職により、当該国会職員が占める職の欠員の補充が困難となることにより公務の運営に著しい支障が生ずると認められる事由として両議院の議長が協議して定める事由

②　各本属長は、前項の期限又はこの項の規定により延長された期限が到来する場合において、前項各号に掲げる事由が引き続きあると認めるときは、これらの期限の翌日から起算して一年を超えない範囲内で期限を延長することができる。ただし、当該期限は、当該国会職員に係る定年退職日（同項ただし書に規定する国会職員にあつては、当該国会職員が占めている管理監督職に係る異動期間の末日）の翌日から起算して三年を超えることができない。

③　前二項に定めるもののほか、これらの規定による勤務に関し必要な事項は、両議院の議長が協議して定める。

〔苦情の処理〕

第十五条の八　国会職員で、その意に反して、降給（他の職への降任等に伴う降給を除く。）、降任（他の職への降任等に該当する降任を除く。）、休職若しくは免職をされ、その他著しく不利益な処分若しくは取扱いを受け、又は懲戒処分を受けたものの苦情の処理に関しては、衆議院の事務局及び法制局並びに訴追委員会事務局の職員については衆議院議長が衆議院の議院運営委員会に諮つて定め、参議院議長が参議院の事務局及び法制局並びに弾劾裁判所事務局の職員については参議院議長が参議院の議院運営委員会に諮つて定め、国立国会図書館の職員については国立国会図書館の館長が両議院の議院運営委員会の承認を経て定めるところによる。

〔適用除外〕

第十六条　この章の規定（第十条の規定を除く。）は、各議院事務局の事務総長、議長又は副議長の秘書事務をつかさどる参事及び常任委員会専門員、各議院法制局の法制局長並びに国立国会図書館の館長及び専門調査員には適用しない。

②　この章の規定（第十条の規定を除く。）は、臨時の職員の分限には適用しない。

③　第九条、第十一条から第十五条まで及び前条の規定は、条件付採用期間中の職員の分限には適用しない。

④　臨時の職員及び条件付採用期間中の職員の分限については、両議院の議長が協議して必要な事項を定めることができる。

第五章　服務等

〔服務の基本基準〕

第十七条　国会職員は、国会の事務に従事するに当り、公正不偏、誠実にその職務を尽し、以て国民全体に奉仕することを本分とする。

〔上司の命令に従う義務〕

第十八条　国会職員は、その職務を行うについては、上司の命令に従わねばならない。但し、その命令について意見を述べることができる。

〔組合〕

第十八条の二　国会職員は、組合又はその連合体（以下本条中「組合」という。）を結成し、若しくは結成せず、又はこれらに加入し、若しくは加入しないことができる。国会職員は、これらの組織を通じて、代表者を自ら選んでこれを指名し、勤務条件に関し、及びその他社交的厚生的活動を含む適法な目的のため、当局と交渉することができる。但し、その交渉は、当局と団体協約を締結する権利を含まないものとする。すべて国会職員は、国会職員の組合に属していないという理由で、不満を表明し、又は意見を申し出る自由を否定されてはならない。

②　国会職員は、前項の組合について、その構成員であること、これを結成しようとしたこと若しくはこれに加入しようとしたこと又はその組合における正当な行為をしたことのために不利益な取扱を受けない。

③　国会職員は、同盟罷業、怠業その他の争議行為をし、又は国会の活動能率を低下させる怠業的行為をしてはならない。又、このような違法な行為を企て、又はその遂行を共謀し、そそのかし、若しくはあおつてはならない。

④　国会職員で同盟罷業その他前項の規定に違反する行為をした者は、その行為の開始とともに、当局に対し、法令に基いて保有する任命上又は雇用上の権利を以て、対抗することができない。

⑤　国会職員が当局と交渉する場合の手続その他組合に関し必要な事項は、両議院の議長が協議してこれを定める。

〔秘密を守る義務〕

第十九条　国会職員は、本属長の許可がなければ、職務上知り得た秘密を漏らすことはできない。

その職を離れた後でも同様である。

〔信用失墜行為の禁止〕

第二十条 国会職員は、職務の内外を問わず、その信用を失うような行為があつてはならない。

〔政治的行為の禁止〕

第二十条の二 国会職員は、政党又は政治的目的のために、寄附金その他の利益を求め、若しくは受領し、又は何らの方法を以てするを問わず、これらの行為に関与し、あるいは選挙権の行使を除く外、両議院の議長が両議院の議院運営委員会の合同審査会に諮つて定める政治的行為をしてはならない。

② 国会職員は、公選による公職の候補者となり、又は公選による公職と兼ねることができない。

③ 国会職員は、政党その他の政治的団体の役員、政治的顧問その他これらと同様な役割をもつ構成員となることができない。

〔営利行為の禁止〕

第二十一条 国会職員は、営利を目的とする事業団体の役員又は職員その他の使用人となり、又は営利を目的とする事業に従事することができない。

② 本属長は、その所属国会職員が、営利を目的としない事業団体の役員若しくは職員となり、又は営利を目的としない事業に従事することが、国会職員の職務遂行に支障があると認める場合においては、これを禁ずることができる。

〔兼職の禁止〕

第二十二条 国会職員は、本属長の許可を受けなければ、本職の外に、給料を得て他の事務を行うことはできない。

〔職務離脱の禁止〕

第二十三条 国会職員は、本属長の許可を受けなければ、濫りに職務を離れることはできない。

〔服務細則〕

第二十四条 国会職員の居住地、制服その他服務上必要な事項は、本属長がこれを定める。

〔勤務時間、休日等〕

第二十四条の二 国会職員の勤務時間、休日及び休暇に関する事項については、両議院の議長が、両議院の議院運営委員会の合同審査会に諮つてこれを定める。

〔適用除外〕

第二十四条の三 本章の規定は、各議院事務局の事務総長、議長又は副議長の秘書事務を掌る参事及び常任委員会専門員、各議院法制局の法制局長並びに国立国会図書館の館長については、これを適用しない。

② 第二十条の二から第二十二条までの規定は、両議院の議長が協議して定める非常勤の職員については、これを適用しない。

第五章の二 適性評価

第二十四条の四 各議院の議長は、両議院の議長が協議して定めるところにより、両議院の議長が協議して定める国会職員又は国会職員になることが見込まれる者について、適性評価（国会法（昭和二十二年法律第七十九号）第百二条の十八に規定する適性評価をいう。以下次条までにおいて同じ。）を実施するものとする。

② 各議院の議長は、適性評価の対象となる者（以下この項において「評価対象者」という。）について、両議院の議長が協議して定める事項についての調査を行うため必要な範囲内において、その院の国会職員に評価対象者若しくは評価対象者の知人その他の関係者に質問させ、若しくは評価対象者に対し資料の提出を求めさせ、又は公務所若しくは公私の団体に照会して必要な事項の報告を求めることができる。

第二十四条の五 前条に定めるもののほか、適性評価の実施に関し必要な事項は、両議院の議長が協議して定める。

第六章 給与、旅費、災害補償及び年金等

〔給与〕

第二十五条 国会職員は、その在職中給料を受ける。

② 国会職員は、給料の外、必要な手当その他の給与及び旅費を受けることができる。

③ 国会職員の給料、手当その他の給与の種類、額、支給条件及び支給方法並びに旅費については、別に法律（これに基く命令を含む。）で定めるものを除く外、両議院の議長が、両議院の議院運営委員会の合同審査会に諮つてこれを定める。

〔休職者の給与〕

第二十六条 第十三条の規定により休職を命ぜられた国会職員は、両議院の議長が両議院の議院運営委員会の合同審査会に諮つて定めるところにより、給与の全部又は一部を受けることができる。

〔災害補償〕

第二十六条の二 国会職員及びその遺族は、両議

院の議長が両議院の議院運営委員会の合同審査会に諮つて定めるところにより、その国会職員の公務上の災害又は通勤による災害に対する補償等を受ける。

〔年金等〕

第二十七条　国会職員及びその遺族は、その国会職員の退職又は死亡の場合には、別に法律の定めるところにより、年金及び一時金並びに退職手当を受ける。

〔能率〕

第二十七条の二　各本属長は、国会職員の勤務能率の発揮及び増進のために、左の事項について計画を樹立し、これが実施に努めるものとする。

一　国会職員の教育訓練に関する事項
二　国会職員の保健に関する事項
三　国会職員の元気回復に関する事項
四　国会職員の安全保持に関する事項
五　国会職員の厚生に関する事項

〔償還〕

第二十七条の三　国会職員に関する留学費用の償還義務については、国家公務員の留学費用の償還に関する法律（平成十八年法律第七十号）第二条第一項に規定する職員の例による。

第七章　懲戒

〔懲戒〕

第二十八条　各議院事務局の事務総長、議長又は副議長の秘書事務をつかさどる参事及び常任委員会専門員、各議院法制局の法制局長並びに国立国会図書館の館長及び専門調査員を除く国会職員は、次の各号のいずれかに該当する場合において懲戒の処分を受ける。

一　職務上の義務に違反し、又は職務を怠つたとき。
二　職務の内外を問わずその信用を失うような行為があつたとき。

②　国会職員が、各本属長の要請に応じ国会職員以外の国家公務員、地方公務員又は沖縄振興開発金融公庫その他その業務が国の事務若しくは事業と密接な関連を有する法人のうち両議院の議長が協議して定めるものに使用される者（以下この項において「国会職員以外の国家公務員等」という。）となるため退職し、引き続き国会職員以外の国家公務員等として在職した後、引き続いて当該退職を前提として国会職員として採用された場合（一の国会職員以外の国家公務員等として在職した後、引き続き一以上の国会職員以外の国家公務員等として在職し、引き続いて当該退職を前提として国会職員として採用された場合を含む。）において、当該退職までの引き続く国会職員としての在職期間（当該退職前に同様の退職（以下この項において「先の退職」という。）、国会職員以外の国家公務員等としての在職及び国会職員としての採用がある場合には、当該先の退職までの引き続く国会職員としての在職期間を含む。以下この項において「要請に応じた退職前の在職期間」という。）のうち前項の国会職員としての在職期間中に同項各号のいずれかに該当したときは、当該国会職員（同項の国会職員であるものに限る。）は、懲戒の処分を受ける。定年前再任用短時間勤務職員が、年齢六十年以上退職者となつた日までの引き続く国会職員としての在職期間（要請に応じた退職前の在職期間を含む。）のうち同項の国会職員としての在職期間又は第四条の二第一項の規定によりかつて採用されて定年前再任用短時間勤務職員として在職していた期間中に前項各号のいずれかに該当したときも、同様とする。

〔懲戒の種類〕

第二十九条　懲戒は左の通りとする。

一　戒告
二　減給
三　停職
四　免職

〔懲戒の効果〕

第三十条　減給は、一日以上一年以下給料の五分の一以下を減ずる。

〔停職〕

第三十条の二　停職の期間は、一日以上一年以下とする。

②　停職者は、国会職員としての身分を保有するが、職務に従事しない。停職者は、停職の期間中給与を受けることができない。

〔懲戒権者〕

第三十一条　懲戒は、国会職員考査委員会の審査を経て、任用について権限がある者が、これを行う。

〔刑事裁判との関係〕

第三十二条　懲戒に付せらるべき事件が、刑事裁判所に係属する間においても、同一事件について、適宜に、懲戒手続を進めることができる。この法律による懲戒処分は、その国会職員が、同一又は関連の事件に関し、重ねて刑事上の訴追を受けることを妨げない。

第八章　国会職員考査委員会

〔設置〕

第三十三条　国会職員の分限及び懲戒に関する事項を審査するため、各議院事務局、各議院法制局、国立国会図書館、裁判官弾劾裁判所（以下「弾劾裁判所」という。）及び裁判官訴追委員会（以下「訴追委員会」という。）に、それぞれ国会職員考査委員会を設ける。

〔組織通則〕

第三十四条　国会職員考査委員会は、それぞれ委員長一人、委員若干人でこれを組織する。

〔各議院事務局に設ける国会職員考査委員会の組織〕

第三十五条　各議院事務局に設ける国会職員考査委員会の委員長は、その院の事務局の事務総長、その委員は、その院の事務局の事務次長及び部長並びにその院が衆議院である場合にあつては衆議院事務局の調査局長、他の院の事務局の事務総長及び事務次長、各議院法制局の法制局長及び法制次長並びに国立国会図書館の館長が、これに当たる。

〔各議院法制局に設ける国会職員考査委員会の組織〕

第三十五条の二　各議院法制局に設ける国会職員考査委員会の委員長は、その院の法制局の法制局長、その委員は、その院の法制局の法制次長及び部長、他の院の法制局の法制局長及び法制次長、各議院事務局の事務総長及び事務次長並びに国立国会図書館の館長が、これに当たる。

〔国立国会図書館に設ける国会職員考査委員会の組織〕

第三十六条　国立国会図書館に設ける国会職員考査委員会の委員長は、国立国会図書館の館長、その委員には、国立国会図書館の副館長、館長が指名する部局の長、関西館長及び国際子ども図書館長、各議院事務局の事務総長及び事務次長並びに各議院法制局の法制局長及び法制次長が、これに当たる。

〔弾劾裁判所に設ける国会職員考査委員会の組織〕

第三十七条　弾劾裁判所に設ける国会職員考査委員会の委員長は、弾劾裁判所の裁判長、その委員には、弾劾裁判所事務局及び訴追委員会事務局の事務局長、各議院事務局の事務総長及び事務次長並びに各議院法制局の法制局長及び法制次長が、これに当る。

〔訴追委員会に設ける国会職員考査委員会の組織〕

第三十八条　訴追委員会に設ける国会職員考査委員会の委員長は、訴追委員会の委員長、その委員は、訴追委員会事務局及び弾劾裁判所事務局の事務局長、各議院事務局の事務総長及び事務次長並びに各議院法制局の法制局長及び法制次長が、これに当る。

〔幹事〕

第三十九条　国会職員考査委員会にそれぞれ幹事数人を置き、各委員長が、国会職員の中よりこれを命ずる。

〔細則〕

第四十条　国会職員考査委員会に関する規程は、両議院の議院運営委員会の合同審査会に諮り、両議院の議長が、これを定める。

第九章　国際機関等への派遣

〔国会職員の派遣〕

第四十一条　各本属長は、条約その他の国際約束若しくはこれに準ずるものに基づき又は次に掲げる機関の要請に応じ、これらの機関の業務に従事させるため、その所属国会職員（両議院の議長が協議して定める国会職員を除く。）を派遣することができる。

一　わが国が加盟している国際機関

二　外国政府の機関

三　前二号に準ずる機関で、両議院の議長が協議して定めるもの

②　各本属長は、前項の規定によりその所属国会職員を派遣する場合には、当該国会職員の同意を得なければならない。

〔派遣国会職員の身分〕

第四十二条　前条第一項の規定により派遣された国会職員（以下「派遣国会職員」という。）は、その派遣の期間中、国会職員としての身分を保有するが、職務に従事しない。

〔派遣国会職員の給与等〕

第四十三条　派遣国会職員に関する給与、旅費、災害補償、退職又は死亡の場合における年金及び一時金、退職手当等並びに派遣国会職員の職務への復帰及び復帰時における処遇については、国際機関等に派遣される一般職の国家公務員の処遇等に関する法律（昭和四十五年法律第百十

七号）第三条に規定する派遣職員の例による。

〔協議〕

第四十四条　前三条の規定の実施に関し必要な事項は、両議院の議長が協議して定める。

第十章　補則

〔労働三法等の不適用〕

第四十五条　労働組合法（昭和二十四年法律第百七十四号）、労働関係調整法（昭和二十一年法律第二十五号）、労働基準法（昭和二十二年法律第四十九号）、最低賃金法（昭和三十四年法律第百三十七号）、じん肺法（昭和三十五年法律第三十号）及び労働安全衛生法（昭和四十七年法律第五十七号）並びにこれらに基く命令は、国会職員については、これを適用しない。

②　国会職員に関しては、この法律で定めた事項及びこの法律に基き両議院の議長若しくは本属長が定めた事項又は国会職員の勤務条件について他の法律（これに基く命令を含む。）で定めた事項に矛盾しない範囲内において、労働基準法及び労働安全衛生法並びにこれらに基く命令の規定を準用する。但し、労働基準監督機関の職権に関する規定は、これを準用しない。

③　前項の規定の適用に関し必要な事項は、両議院の議長が協議してこれを定める。

附　則

1　この法律は、国会法施行の日〔昭二二・五・三〕から、これを施行する。

2　令和五年四月一日から令和十三年三月三十一日までの間における第十五条の六第二項の規定の適用については、次の表の上欄に掲げる期間の区分に応じ、同項中「六十五年」とあるのはそれぞれ同表の中欄に掲げる字句と、同項ただし書中「七十年」とあるのはそれぞれ同表の下欄に掲げる字句とする。

令和五年四月一日から令和七年三月三十一日まで	六十一年	六十六年
令和七年四月一日から令和九年三月三十一日まで	六十二年	六十七年
令和九年四月一日から令和十一年三月三十一日まで	六十三年	六十八年
令和十一年四月一日から令和十三年三月三十一日まで	六十四年	六十九年

3　令和五年四月一日から令和十三年三月三十一日までの間における国会職員法及び国家公務員退職手当法の一部を改正する法律（令和三年法律第六十二号。以下「令和三年国会職員法等改正法」という。）第一条の規定による改正前の第十五条の二第二項第一号に掲げる国会職員に相当する国会職員として両議院の議長が協議して定める国会職員に対する第十五条の六第二項の規定の適用については、前項の規定にかかわらず、次の表の上欄に掲げる期間の区分に応じ、同条第二項ただし書中同表の中欄に掲げる字句は、それぞれ同表の下欄に掲げる字句とする。

令和五年四月一日から令和七年三月三十一日まで	六十五年を超え七十年を超えない範囲内で両議院の議長が協議して定める年齢	年齢六十六年
令和七年四月一日から令和九年三月三十一日まで	七十年	六十七年
令和九年四月一日から令和十一年三月三十一日まで	七十年	六十八年
令和十一年四月一日から令和十三年三月三十一日まで	七十年	六十九年

4　令和五年四月一日から令和十三年三月三十一日までの間における令和三年国会職員法等改正法第一条の規定による改正前の第十五条の二第二項第二号に掲げる国会職員に相当する国会職員として両議院の議長が協議して定める国会職員に対する第十五条の六第二項の規定の適用については、附則第二項の規定にかかわらず、次の表の上欄に掲げる期間の区分に応じ、同条第二項中「六十五年」とあるのはそれぞれ同表の中欄に掲げる字句と、同項ただし書中「七十年」とあるのはそれぞれ同表の下欄に掲げる字句とする。

令和五年四月一日から令和七年三月三十一日まで	六十三年	六十六年
令和七年四月一日から令和九年三月三十一日まで	六十三年	六十七年
令和九年四月一日から令和十一年三月三十一日まで	六十三年	六十八年
令和十一年四月一日から令和十三年三月三十一日まで	六十四年	六十九年

5　令和五年四月一日から令和七年三月三十一日までの間における令和三年国会職員法等改正法第一条の規定による改正前の第十五条の二第二項第三号に掲げる国会職員に相当する国会職員として両議院の議長が協議して定める国会職員に対する第十五条の六第二項の規定の適用については、附則第二項の規定にかかわらず、同条第二項中「、年齢六十五年」とあるのは「、六十年を超え六十五年を超えない範囲内で両議院の議長が協議して定める年齢」と、同項ただし書中「六十五年を超え七十年を超えない範囲内で両議院の議長が協議して定める年齢」とあるのは「年齢六十六年」とする。

6　令和七年四月一日から令和十三年三月三十一日までの間における前項に規定する国会職員に対する第十五条の六第二項の規定の適用については、附則第二項の規定にかかわらず、次の表の上欄に掲げる期間の区分に応じ、同条第二項中「、年齢六十五年」とあるのはそれぞれ同表の中欄に掲げる字句と、同項ただし書中「七十年」とあるのはそれぞれ同表の下欄に掲げる字句とする。

令和七年四月一日から令和九年三月三十一日まで	、六十一年を超え六十五年を超えない範囲内で両議院の議長が協議して定める年齢	六十七年
令和九年四月一日から令和十一年三月三十一日まで	、六十二年を超え六十五年を超えない範囲内で両議院の議長が協議して定める年齢	六十八年
令和十一年四月一日から令和十三年三月三十一日まで	、六十三年を超え六十五年を超えない範囲内で両議院の議長が協議して定める年齢	六十九年

7　各本属長は、当分の間、国会職員（各議院事務局の事務総長、議長又は副議長の秘書事務をつかさどる参事及び常任委員会専門員、各議院法制局の法制局長並びに国立国会図書館の館長及び専門調査員並びに臨時の職員、法律により任期を定めて任用される国会職員及び非常勤の職員並びに令和三年国会職員法等改正法第一条の規定による改正前の第十五条の二第二項第一号に掲げる国会職員に相当する国会職員として両議院の議長が協議して定める国会職員及び同項第三号に掲げる国会職員に相当する国会職員のうち両議院の議長が協議して定める国会職員その他両議院の議長が協議して定める国会職員を除く。以下この項において同じ。）が年齢六十年（同条第二項第二号に掲げる国会職員に相当する国会職員として両議院の議長が協議して定める国会職員にあつては同号に定める年齢とし、同項第三号に掲げる国会職員に相当する国会職員のうち両議院の議長が協議して定める国会職員にあつては同号に定める年齢とする。以下この項において同じ。）に達する日の属する年度の前年度（当該前年度に国会職員でなかつた者その他の当該前年度においてこの項の規定による情報の提供及び意思の確認を行うことができない国会職員として両議院の議長が協議して定める国会職員にあつては、両議院の議長が協議して定める期間）において、当該国会職員に対し、両議院の議長が協議して定めるところにより、当該国会職員が年齢六十年に達する日以後に適用される任用、給与及び退職手当に関する措置の内容その他の必要な情報を提供するものとするとともに、同日の翌日以後における勤務の意思を確認するよう努めるものとする。

8　令和三年国会職員法等改正法による定年の引上げに伴う第二十五条第三項の規定に基づく定めにおいて定める給与に関する特例措置により降給をする場合における第九条第二項及び第三項並びに第十五条の八の規定の適用については、第九条第二項中「又は」とあるのは「、第二十五条第三項の規定に基づく定めにおいて定める事由又は」と、同条第三項中「する場合」とあるのは「する場合、国会職員法及び国家公務員退職手当法の一部を改正する法律（令和三年法律第六十二号）による定年の引上げに伴う第二十五条第三項の規定に基づく定めにおいて定める給与に関する特例措置（第十五条の八において「定年の引上げに伴う給与に関する特例措置」という。）による降給をする場合」と、第十五条の八中「伴う降給」とあるのは「伴う降給及び定年の引上げに伴う給与に関する特例措置による降給」とする。

附　則（令元・六・一四法三七）（抄）

（施行期日）

第一条　この法律は、公布の日から起算して三月を経過した日から施行する。〔ただし書略〕

附　則（令三・六・一一法六二）（抄）

（施行期日）

第一条　この法律は、令和五年四月一日から施行する。ただし、次条及び附則第八条の規定は、公布の日から施行する。

（実施のための準備等）

第二条　第一条の規定による改正後の国会職員法（以下「新国会職員法」という。）の規定による国会職員（国会職員法第一条に規定する国会職員（各議院事務局の事務総長、議長又は副議長の秘書事務をつかさどる参事及び常任委員会専門員、各議院法制局の法制局長並びに国立国会図書館の館長及び専門調査員を除く。）をいう。以下同じ。）の任用、分限その他の人事行政に関する制度の円滑な実施を確保するため、各本属長は、長期的な人事管理の計画的推進その他必要な準備を行うものとする。

2　各本属長は、この法律の施行の日（以下「施行日」という。）の前日までの間に、施行日から令和六年三月三十一日までの間に年齢六十年に達する国会職員（当該国会職員が占める職に係る第一条の規定による改正前の国会職員法（以下「旧国会職員法」という。）第十五条の二第二項に規定する定年が年齢六十年である国会職員に限る。）に対し、新国会職員法附則第七項の規定の例により、当該国会職員が年齢六十年に達する日以後に適用される任用、給与及び退職手当に関する措置の内容その他の必要な情報を提供するものとするとともに、同日の翌日以後における勤務の意思を確認するよう努めるものとする。

（経過措置）

第三条　新国会職員法第四条の二の規定は、施行日以後に退職をした同条第一項に規定する年齢六十年以上退職者（次項において「年齢六十年以上退職者」という。）について適用する。

2　各本属長は、基準日（令和七年四月一日、令和九年四月一日、令和十一年四月一日及び令和十三年四月一日をいう。以下この項において同じ。）から基準日の翌年の三月三十一日までの間、基準日における新国会職員法定年相当年齢（新国会職員法第四条の二第一項に規定する短時間勤務の職であつて同項に規定する指定職（次条第一項及び附則第六条第三項において「指定職」という。）以外のもの（附則第六条第二項を除き、以下この項及び附則第五条から第七条までにおいて「短時間勤務の職」という。）を占める国会職員が、常時勤務を要する職でその職務が当該短時間勤務の職と同種の職を占めているものとした場合における新国会職員法第十五条の六第二項に規定する定年をいう。以下この項及び附則第五条第二項において同じ。）が基準日の前日における新国会職員法定年相当年齢を超える短時間勤務の職（基準日における新国会職員法定年相当年齢が新国会職員法第十五条の六第二項本文に規定する定年である短時間勤務の職に限る。）及びこれに相当する基準日以後に設置された短時間勤務の職その他の両議院の議長が協議して定める短時間勤務の職（以下この項において「新国会職員法原則定年相当年齢引上げ短時間勤務職」という。）に、基準日の前日までに年齢六十年以上退職者となった者（基準日前から新国会職員法第十五条の七第一項又は第二項の規定により勤務した後基準日以後に退職をした者を含む。）のうち基準日の前日において同日における当該新国会職員法原則定年相当年齢引上げ短時間勤務職に係る新国会職員法定年相当年齢に達している者（当該両議院の議長が協議して定める短時間勤務の職にあっては、両議院の議長が協議して定める者）を、新国会職員法第四条の二第一項の規定により採用することができず、新国会職員法原則定年相当年齢引上げ短時間勤務職に、同条第二項に規定する定年前再任用短時間勤務職員（以下「定年前再任用短時間勤務職員」という。）のうち基準日の前日において同日における当該新国会職員法原則定年相当年齢引上げ短時間勤務職に係る新国会職員法定年相当年齢に達している定年前再任用短時間勤務職員（当該両議院の議長が協議して定める短時間勤務の職にあっては、両議院の議長が協議して定める定年前再任用短時間勤務職員）を、昇任し、降任し、又は転任することができない。

3　平成十一年十月一日前に新国会職員法第二十八条第二項前段に規定する退職又は先の退職がある定年前再任用短時間勤務職員について、同項後段の規定を適用する場合には、同項後段に規定する引き続く国会職員としての在職期間には、同日前の当該退職又は先の退職の前の国会職員としての在職期間を含まないものとする。

4　暫定再任用職員（次条第一項若しくは第二項又は附則第五条第一項若しくは第二項の規定により採用された国会職員をいう。附則第六条及び第七条において同じ。）として在職していた期間がある定年前再任用短時間勤務職員に対する新国会職員法第二十八条第二項後段の規定の適用については、同項後段中「又は」とあるのは、「又は国会職員法及び国家公務員退職手当法の一部を改正する法律（令和三年法律第六十二号）附則第四条第一項若しくは第二項若しくは第五条第一項若しくは第二項の規定によりかつて採用されて同法附則第三条第四項に規定する暫定再任用職員として在職していた期間若しくは」とする。

5　施行日前に旧国会職員法第十五条の三第一項又は第二項の規定により勤務することとされ、かつ、旧国会職員法勤務延長期限（同条第一項の期限又は同条第二項の規定により延長された期限をいう。以下この項及び次項において同じ。）が施行日以後に到来する国会職員（次項において「旧国会職員法勤務延長職員」という。）に係る当該旧国会職員法勤務延長期限までの間における同条第一項又は第二項の規定による勤務については、新国会職員法第十五条の七の規定にかかわらず、なお従前の例による。

6　各本属長は、旧国会職員法勤務延長職員について、旧国会職員法勤務延長期限又はこの項の規定により延長された期限が到来する場合において、新国会職員法第十五条の七第一項各号に掲げる事由があると認めるときは、これらの期限の翌日から起算して一年を超えない範囲内で期限を延長することができる。ただし、当該期限は、当該旧国会職員法勤務延長職員に係る旧国会職員法第十五条の二第一項に規定する定年退職日の翌日から起算して三年を超えることができない。

7　新国会職員法第十五条の二第一項の規定は、施行日において第五項の規定により同条第一項に規定する管理監督職を占めたまま引き続き勤務している国会職員には適用しない。

8　各本属長は、基準日（施行日、令和七年四月一日、令和九年四月一日、令和十一年四月一日及び令和十三年四月一日をいう。以下この項において同じ。）から基準日の翌年の三月三十一日までの間、基準日における新国会職員法定年（新国会職員法第十五条の六第二項に規定する定年をいう。以下この項及び次条第二項において同じ。）が基準日の前日における新国会職員法定年（基準日が施行日である場合には、施行日の前日における旧国会職員法第十五条の二第二項に規定する定年）を超える職（基準日における新国会職員法定年が新国会職員法第十五条の六第二項本文に規定する定年である職に限る。）及びこれに相当する基準日以後に設置された職その他の両議院の議長が協議して定める職に、基準日から基準日の翌年の三月三十一日までの間に新国会職員法第十五条の七第一項若しくは第二項の規定又は第五項若しくは第六項の規定により勤務している国会職員のうち、基準日の前日において同日における当該職に係る新国会職員法定年（基準日が施行日である場合には、施行日の前日における旧国会職員法第十五条の二第二項に規定する定年）に達している国会職員（当該両議院の議長が協議して定める職にあっては、両議院の議長が協議して定める国会職員）を、昇任し、降任し、又は転任することができない。

9　第五項から前項までに定めるもののほか、第五項又は第六項の規定による勤務に関し必要な事項は、両議院の議長が協議して定める。

第四条　各本属長は、次に掲げる者のうち、年齢六十五年に達する日以後における最初の三月三十一日（以下この条及び次条において「年齢六十五年到達年度の末日」という。）までの間にある者であって、当該者を採用しようとする常時勤務を要する職（指定職を除く。以下この項及び次項並びに附則第六条第四項において同じ。）に係る旧国会職員法第十五条の二第二項に規定する定年（施行日以後に設置された職その他の両議院の議長が協議して定める職にあっては、両議院の議長が協議して定める年齢）に達している者を、両議院の議長が協議して定めるところにより、従前の勤務実績その他の両議院の議長が協議して定める情報に基づく選考により、一年を超えない範囲内で任期を定め、当該常時勤務を要する職に採用することができる。

一　施行日前に旧国会職員法第十五条の二第一項の規定により退職した者

二　旧国会職員法第十五条の三第一項若しくは第二項又は前条第五項若しくは第六項の規定により勤務した後退職した者

三　施行日前に旧国会職員法の規定により退職した者（前二号に掲げる者を除く。）のうち、勤続期間その他の事情を考慮して前二号に掲げる者に準ずる者として両議院の議長が協議して定める者

2　令和十四年三月三十一日までの間、各本属長は、次に掲げる者のうち、年齢六十五年到達年度の末日までの間にある者であって、当該者を採用しようとする常時勤務を要する職に係る新国会職員法定年に達している者を、

両議院の議長が協議して定めるところにより、従前の勤務実績その他の両議院の議長が協議して定める情報に基づく選考により、一年を超えない範囲内で任期を定め、当該常時勤務を要する職に採用することができる。

一　施行日以後に新国会職員法第十五条の六第一項の規定により退職した者

二　施行日以後に新国会職員法第十五条の七第一項又は第二項の規定により勤務した後退職した者

三　施行日以後に新国会職員法第四条の二第一項の規定により採用された者のうち、同条第二項に規定する任期が満了したことにより退職した者

四　施行日以後に新国会職員法の規定により退職した者（前三号に掲げる者を除く。）のうち、勤続期間その他の事情を考慮して前三号に掲げる者に準ずる者として両議院の議長が協議して定める者

3　前二項の任期又はこの項の規定により更新された任期は、両議院の議長が協議して定めるところにより、一年を超えない範囲内で更新することができる。ただし、当該任期の末日は、前二項の規定により採用する者又はこの項の規定により任期を更新する者の年齢六十五年到達年度の末日以前でなければならない。

第五条　各本属長は、新国会職員法第四条の二第三項の規定にかかわらず、前条第一項各号に掲げる者のうち、年齢六十五年到達年度の末日までの間にある者であって、当該者を採用しようとする短時間勤務の職に係る旧国会職員法定年相当年齢（短時間勤務の職を占める国会職員が、常時勤務を要する職でその職務が当該短時間勤務の職と同種の職を占めているものとした場合における旧国会職員法第十五条の二第二項に規定する定年（施行日以後に設置された職その他の両議院の議長が協議して定める職にあっては、両議院の議長が協議して定める年齢）をいう。）に達している者を、両議院の議長が協議して定めるところにより、従前の勤務実績その他の両議院の議長が協議して定める情報に基づく選考により、一年を超えない範囲内で任期を定め、当該短時間勤務の職に採用することができる。

2　令和十四年三月三十一日までの間、各本属長は、新国会職員法第四条の二第三項の規定にかかわらず、前条第二項各号に掲げる者のうち、年齢六十五年到達年度の末日までの間にある者であって、当該者を採用しようとする短時間勤務の職に係る新国会職員法定年相当年齢に達している者（新国会職員法第四条の二第一項の規定により当該短時間勤務の職に採用することができる者を除く。）を、両議院の議長が協議して定めるところにより、従前の勤務実績その他の両議院の議長が協議して定める情報に基づく選考により、一年を超えない範囲内で任期を定め、当該短時間勤務の職に採用することができる。

3　前二項の規定により採用された国会職員の任期については、前条第三項の規定を準用する。

第六条　施行日前に旧国会職員法第十五条の四第一項又は第十五条の五第一項の規定により採用された国会職員（以下この項及び次項において「旧国会職員法再任用職員」という。）のうち、この法律の施行の際現に常時勤務を要する職を占める国会職員は、施行日に、附則第四条第一項の規定により採用されたものとみなす。この場合において、当該採用されたものとみなされる国会職員の任期は、同項の規定にかかわらず、施行日における旧国会職員法再任用職員としての任期の残任期間と同一の期間とする。

2　旧国会職員法再任用職員のうち、この法律の施行の際現に旧国会職員法第十五条の五第一項に規定する短時間勤務の職を占める国会職員は、施行日に、前条第一項の規定により採用されたものとみなす。この場合において、当該採用されたものとみなされる国会職員の任期は、同項の規定にかかわらず、施行日における旧国会職員法再任用職員としての任期の残任期間と同一の期間とする。

3　各本属長は、暫定再任用職員を指定職に昇任し、又は転任することができない。

4　各本属長は、附則第四条第一項又は前条第一項の規定により採用した国会職員のうち当該国会職員を昇任し、降任し、又は転任しようとする常時勤務を要する職に係る旧国会職員法第十五条の二第二項に規定する定年（施行日以後に設置された職その他の両議院の議長が協議して定める職にあっては、両議院の議長が協議して定める年齢）に達した国会職員以外の国会職員及び附則第四条第二項又は前条第二項の規定により採用した国会職員のうち当該国会職員を昇任し、降任し、又は転任しようとする常時勤務を要する職に係る新国会職員法第十五条の六第二項に規定する定年に達した国会職員以外の国会職員を、当該常時勤務を要する職に昇任し、降任し、又は転任することができない。

5　前二条の規定が適用される場合における新国会職員法第四条の二第三項の規定の適用については、同項中「経過していない定年前再任用短時間勤務職員」とあるのは、「経過していない定年前再任用短時間勤務職員、国会職員法及び国家公務員退職手当法の一部を改正する法律（令和三年法律第六十二号。以下この項において「令和三年国会職員法等改正法」という。）附則第四条第一項又は第五条第一項の規定により採用した国会職員のうち当該国会職員を昇任し、降任し、又は転任しようとする短時間勤務の職に係る旧国会職員法定年相当年齢（短時間勤務の職を占める国会職員が、常時勤務を要する職でその職務が当該短時間勤務の職と同種の職を占めているものとした場合における令和三年国会職員法等改正法第一条の規定による改正前の第十五条の二第二項に規定する定年（令和三年国会職員法等改正法の施行の日以後に設置された職その他の両議院の議長が協議して定める職にあっては、両議院の議長が協議して定める年齢）をいう。）に達している国会職員及び令和三年国会職員法等改正法附則第四条第二項又は第五条第二項の規定により採用した国会職員のうち当該国会職員を昇任し、降任し、又は転任しようとする短時間勤務の職に係る新国会職員法定年相当年齢（短時間勤務の職を占める国会職員が、常時勤務を要する職でその職務が当該短時間勤務の職と同種の職を占めているものとした場合における第十五条の六第二項に規定する定年をいう。）に達している国会職員」とする。

6　各本属長は、基準日（前二条の規定が適用される間における各年の四月一日（施行日を除く。）をいう。以下この項において同じ。）から基準日の翌年の三月三十一日までの間、基準日における新国会職員法定年（新国会職員法第十五条の六第二項に規定する定年（短時間勤務の職にあっては、当該短時間勤務の職を占める国会職員が、常時勤務を要する職でその職務が当該短時間勤務の職と同種の職を占めているものとした場合における同項に規定する定年）をいう。以下この項において同じ。）が基準日の前日における新国会職員法定年を超える職及

びこれに相当する基準日以後に設置された職その他の両議院の議長が協議して定める職（以下この項において「新国会職員法定年引上げ職」という。）に、附則第四条第二項各号に掲げる者のうち基準日の前日において同日における当該新国会職員法定年引上げ職に係る新国会職員法定年に達している者（当該両議院の議長が協議して定める職にあっては、両議院の議長が協議して定める者）を、同項又は前条第二項の規定により採用しようとする場合には、当該者は当該者を採用しようとする新国会職員法定年引上げ職に係る新国会職員法定年に達しているものとみなして、これらの規定を適用し、新国会職員法定年引上げ職に、附則第四条第二項又は前条第二項の規定により採用された国会職員のうち基準日の前日において同日における当該新国会職員法定年引上げ職に係る新国会職員法定年に達している国会職員（当該両議院の議長が協議して定める職にあっては、両議院の議長が協議して定める国会職員）を、昇任し、降任し、又は転任しようとする場合には、当該国会職員は当該国会職員を昇任し、降任し、又は転任しようとする新国会職員法定年引上げ職に係る新国会職員法定年に達しているものとみなして、第四項の規定及び前項の規定により読み替えて適用する新国会職員法第四条の二第三項の規定を適用する。

7　暫定再任用職員は、定年前再任用短時間勤務職員とみなして、新国会職員法第二十八条第二項後段の規定を適用する。この場合において、同項後段中「年齢六十年以上退職者」とあるのは「国会職員法及び国家公務員退職手当法の一部を改正する法律（令和三年法律第六十二号。以下この項において「令和三年国会職員法等改正法」という。）附則第四条第一項各号若しくは第二項第一号、第二号若しくは第四号に掲げる者となつた日若しくは同項第三号に掲げる者に該当する場合における年齢六十年以上退職者」と、「同項」とあるのは「前項」と、「又は」とあるのは「又は令和三年国会職員法等改正法第一条の規定による改正前の第十五条の四第一項若しくは第十五条の五第一項の規定によりかつて採用されて国会職員として在職していた期間、令和三年国会職員法等改正法附則第四条第一項若しくは第二項若しくは第五条第一項若しくは第二項の規定によりかつて採用されて令和三年国会職員法等改正法附則第三条第四項に規定する暫定再任用職員として在職していた期間若しくは」とする。

8　平成十一年十月一日前に新国会職員法第二十八条第二項前段に規定する退職又は先の退職がある暫定再任用職員について、前項の規定により定年前再任用短時間勤務職員とみなして同条第二項後段の規定を適用する場合には、同項後段に規定する引き続く国会職員としての在職期間には、同日前の当該退職又は先の退職の前の国会職員としての在職期間を含まないものとする。

（その他の経過措置の両院議長協議決定への委任）

第八条　附則第三条から前条までに定めるもののほか、この法律の施行に関し必要な経過措置は、両議院の議長が協議して定める。

附　則（令四・六・一七法六八）（抄）

（施行期日）

1　この法律は、刑法等一部改正法施行日〔令七・六・一〕から施行する。〔ただし書略〕

○国会職員の給与等に関する規程

昭二二・一〇・一六
両院議長決定

最終改正　令五・一一・一七

第一条　国会職員の給料は、次に掲げる給料表による。

一　特別給料表（別表第一）
二　指定職給料表（別表第二）
三　行政職給料表（別表第三）
　イ　行政職給料表㈠
　ロ　行政職給料表㈡
四　速記職給料表（別表第四）
五　議院警察職給料表（別表第五）

②　前項の給料表（以下単に「給料表」という。）は、第十五条第一項の非常勤の職員以外の全ての国会職員に適用するものとし、各給料表の適用範囲は、それぞれ当該給料表に定めるところによる。

③　指定職給料表の適用を受ける国会職員以外の国会職員（特別給料表の適用を受ける国会職員を除く。以下この条において同じ。）の職務は、その複雑、困難及び責任の度に基づき給料表に定める職務の級に分類するものとし、その分類の基準となるべき標準的な職務の内容は、両議院の議長が協議して定める。

④　指定職給料表の適用を受ける国会職員の給料月額は、同表に掲げる給料月額のうち、当該国

会職員の占める職に応じて両議院の議長が協議して定める号給の額とする。

⑤　国会職員の職務の級は、両議院の議長が協議して定める基準に従い決定する。

⑥　新たに給料表（指定職給料表を除く。）の適用を受ける国会職員となつた者の号給は、両議院の議長が協議して定める初任給の基準に従い決定する。

⑦　国会職員が一の職務の級から他の職務の級に移つた場合（指定職給料表の適用を受ける国会職員が他の給料表の適用を受けることとなつた場合を含む。）又は一の職から同じ職務の級の初任給の基準を異にする他の職に移つた場合における号給は、両議院の議長が協議して定めるところにより決定する。

⑧　国会職員（指定職給料表の適用を受ける国会職員を除く。）の昇給は、両議院の議長が協議して定める日に、同日前において両議院の議長が協議して定める日以前一年間における当該国会職員の勤務成績に応じて、行うものとする。この場合において、同日の翌日から昇給を行う日の前日までの間に当該国会職員が国会職員法（昭和二十二年法律第八十五号。以下「法」という。）第二十八条の規定による懲戒処分を受けたことその他これに準ずるものとして両議院の議長が協議して定める事由に該当したときは、これらの事由を併せて考慮するものとする。

⑨　前項の規定により国会職員（次項に規定する国会職員を除く。以下この項において同じ。）を昇給させるか否か及び昇給させる場合の昇給の号給数は、前項前段に規定する期間の全部を良好な成績で勤務し、かつ、同項後段の規定の適用を受けない国会職員の昇給の号給数を四号給（行政職給料表㈠の適用を受ける国会職員でその職務の級が七級以上であるもの及び同表以外の各給料表の適用を受ける国会職員でその職務の級がこれに相当するものとして両議院の議長が協議して定める国会職員にあつては、三号給）とすることを標準として両議院の議長が協議して定める基準に従い決定するものとする。

⑩　五十五歳（両議院の議長が協議して定める国会職員にあつては、五十六歳以上の年齢で両議院の議長が協議して定めるもの）を超える国会職員の第八項の規定による昇給は、同項前段に規定する期間における当該国会職員の勤務成績が特に良好であり、かつ、同項後段の規定の適用を受けない場合に限り行うものとし、昇給させる場合の昇給の号給数は、勤務成績に応じて両議院の議長が協議して定める基準に従い決定するものとする。

⑪　国会職員の昇給は、その属する職務の級における最高の号給を超えて行うことができない。

⑫　法第四条の二第二項に規定する定年前再任用短時間勤務職員（以下「定年前再任用短時間勤務職員」という。）の給料月額は、当該定年前再任用短時間勤務職員に適用される給料表の定年前再任用短時間勤務職員の欄に掲げる基準給料月額のうち、第五項の規定により当該定年前再任用短時間勤務職員の属する職務の級に応じた額に、国会職員の勤務時間、休暇等に関する規程（平成六年六月二十三日両院議長決定。以下「勤務時間規程」という。）第三条第二項の規定により定められた当該定年前再任用短時間勤務職員の勤務時間を同条第一項に規定する勤務時間で除して得た数を乗じて得た額とする。

⑬　第六項から第十一項までの規定は、定年前再任用短時間勤務職員には適用しない。

第二条　給料は、毎月一回、その月の十五日以後の日のうち両議院の議長が協議して定める日に、その月の月額の全額を支給する。ただし、両議院の議長が協議して定めるところにより、特に必要と認められる場合には、月の一日から十五日まで及び月の十六日から末日までの各期間内の日に、その月の月額の半額ずつを支給することができる。

第三条　給料は新任、増給及び減給の場合は、総てその発令の当日からこれを計算する。

②　休職を命ぜられて給料の一部を受ける場合は、減給とみなし前項の規定を適用する。

③　給料は離職の場合は、その発令の当日までこれを計算する。

④　給料額は、給料を、月の初日から支給するとき以外のとき、又は月の末日まで支給するとき以外のときは、特別給料表の適用を受ける国会職員（勤務時間規程の適用を受ける国会職員を除く。）についてはその月の現日数から日曜日の日数を差し引いた日数を、それ以外の国会職員についてはその月の現日数から勤務時間規程第四条第一項、第五条及び第六条第一項の規定に基づく週休日並びに勤務時間規程第四条第三項及び勤務時間規程第六条第二項において読み替えて準用する同条第一項の規定に基づく勤務時間を割り振らない日の日数の合計日数を差し

引いた日数を、それぞれ基礎として日割りによつて計算する。

第四条 国会職員が死亡したときは、当月分の、給料その他の給与の全額を支給する。

第五条 前三条に定めるもののほか、給料の支給方法に関し必要な事項は、両議院の議長が協議して定める。

第六条 国会職員には、給料のほか次に掲げる給与を支給する。

一 扶養手当
二 給料の特別調整額
二の二 業務調整手当
三 初任給調整手当
四 地域手当
五 広域異動手当
六 超過勤務手当
七 休日給
八 夜勤手当
九 宿日直手当
十 管理職員特別勤務手当
十一 期末手当
十二 勤勉手当
十三 削除
十四 特殊勤務手当
十五 住居手当
十六 通勤手当
十七 単身赴任手当
十八 在宅勤務等手当

第六条の二 管理又は監督の地位にある国会職員のうち両議院の議長が協議して指定する職にある者（以下「管理監督職員」という。）には、その特殊性に基づき、毎月給料の特別調整額を支給する。

② 管理監督職員に支給する給料の特別調整額は、両議院の議長が協議してこれを定める。

③ 給料の特別調整額は、給料の支給方法に準じて支給する。

第六条の三 国会職員が、月の一日から末日までの期間の全日数にわたつて勤務しなかつた場合（公務上負傷し、若しくは疾病にかかり、又は通勤（国家公務員災害補償法（昭和二十六年法律第百九十一号）第一条の二に規定する通勤をいう。以下この条及び附則第二項において同じ。）により負傷し、若しくは疾病にかかり、法第十三条第一項第四号に掲げる事由に該当して休職を命ぜられた場合及び公務上負傷し、若しくは疾病にかかり又は通勤により負傷し、若しくは疾病にかかり、承認を得て勤務しなかつた場合を除く。）は、給料の特別調整額は支給することができない。

第六条の四 行政職給料表㈠又は速記職給料表の適用を受ける国会職員（管理監督職員及び両議院の議長が協議して定める国会職員を除く。）が、国会に置かれる機関として両議院の議長が協議して定めるものの業務（当該業務と同様な業務の特殊性及び困難性並びに職員の確保の困難性があると認められるものとして両議院の議長が協議して定める業務を含む。）に従事する場合は、当該国会職員には、業務調整手当を支給する。

② 業務調整手当の月額は、行政職給料表㈠の適用を受ける国会職員にあつては当該国会職員の属する職務の級、速記職給料表の適用を受ける国会職員にあつては当該国会職員の属する職務の級に相当すると認められる行政職給料表㈠の職務の級であつて両議院の議長が協議して定めるものにおける最高の号給の給料月額に百分の十を乗じて得た額を超えない範囲内で両議院の議長が協議して定める額とする。

③ 前二項に規定するもののほか、業務調整手当の支給に関し必要な事項は、両議院の議長が協議して定める。

第六条の五 特殊な専門的知識を必要とし、かつ、採用による欠員の補充について特別の事情があると認められる職で両議院の議長が協議して定めるものに新たに採用された国会職員には、採用の日から五年以内の期間、月額二千五百円を超えない範囲内の額を、採用の日から一年を経過するごとにその額を減じて、初任給調整手当として支給する。

② 前項の職に在職する国会職員のうち、同項の規定により初任給調整手当を支給される国会職員との権衡上必要があると認められる国会職員には、同項の規定に準じて、初任給調整手当を支給する。

③ 前二項の規定により初任給調整手当を支給される国会職員の範囲、初任給調整手当の支給期間及び支給額その他初任給調整手当の支給に関し必要な事項は、両議院の議長が協議して定める。

第六条の六及び第六条の七 削除

第六条の八 国会職員（法第二十四条の三に規定する国会職員を除く。以下この項において同じ。）が勤務しないときは、勤務時間規程第九条の二第一項に規定する超勤代休時間、勤務時間規程第十条に規定する祝日法による休日（勤務時間規程第十一条第一項の規定により代休日を指定されて、当該休日に割り振られた勤務時間の全部を勤務した国会職員にあつては、当該休日に代わる代休日。以下「祝日法による休日等」という。）又は勤務時間規程第十条に規定する年末年始の休日（勤務時間規程第十一条第一項の規定により代休日を指定されて、当該休日に割り振られた勤務時間の全部を勤務した国会職員にあつては、当該休日に代わる代休日。以下「年末年始の休日等」という。）である場合、休暇による場合その他その勤務しないことにつき特に承認のあつた場合を除き、その勤務しない一時間につき、勤務一時間当たりの給与額を減額して給与を支給する。

② 前項に規定する勤務一時間当たりの給与額は、給料の月額並びにこれに対する地域手当及び広域異動手当の月額の合計額に十二を乗じ、その額を一週間当たりの勤務時間に五十二を乗じたもので除して得た額とする。

③ 第一項に規定する勤務一時間当たりの給与額を算定する場合において、当該額に、五十銭未満の端数を生じたときはこれを切り捨て、五十銭以上一円未満の端数を生じたときはこれを一円に切り上げるものとする。

④ 前三項に規定するもののほか、給与の減額に関し必要な事項は、両議院の議長が協議して定める。

第七条 扶養手当、地域手当、広域異動手当、超過勤務手当、休日給、夜勤手当、宿日直手当、住居手当、通勤手当、単身赴任手当及び在宅勤務等手当は、政府職員の例により、これを支給する。

② 地域手当の支給について、政府職員の例により難いときは、前項の規定にかかわらず、当該支給のために必要な事項は、政府職員との権衡を勘案して、両議院の議長が協議して定める。

第七条の二 管理監督職員又は指定職給料表の適用を受ける国会職員が臨時又は緊急の必要その他の公務の運営の必要により勤務時間規程第四条第一項、第五条及び第六条第一項の規定に基づく週休日若しくは勤務時間規程第四条第三項及び勤務時間規程第六条第二項において読み替えて準用する同条第一項の規定に基づく勤務時間を割り振らない日又は祝日法による休日等若しくは年末年始の休日等（次項において「週休日等」という。）に勤務した場合は、当該国会職員には、管理職員特別勤務手当を支給する。

② 前項に規定する場合のほか、管理監督職員が災害への対処その他の臨時又は緊急の必要により週休日等以外の日の午前零時から午前五時までの間であつて正規の勤務時間以外の時間に勤務した場合は、当該国会職員には、管理職員特別勤務手当を支給する。

③ 管理職員特別勤務手当の額は、次の各号に掲げる場合の区分に応じ、当該各号に定める額とする。

一 第一項に規定する場合 次に掲げる国会職員の区分に応じ、同項の勤務一回につき、それぞれ次に定める額（当該勤務に従事する時間等を考慮して両議院の議長が協議して定める勤務をした国会職員にあつては、それぞれその額に百分の百五十を乗じて得た額）

イ 管理監督職員 一万二千円を超えない範囲内において両議院の議長が協議して定める額

ロ 指定職給料表の適用を受ける国会職員 イの両議院の議長が協議して定める額のうち最高のものに百分の百五十を乗じて得た額

二 前項に規定する場合 同項の勤務一回につき、六千円を超えない範囲内において両議院の議長が協議して定める額

④ 前三項に定めるもののほか、管理職員特別勤務手当の支給に関し必要な事項は、両議院の議長が協議して定める。

第七条の三 期末手当は、六月一日及び十二月一日（以下この条においてこれらの日を「基準日」という。）にそれぞれ在職する国会職員に対して、それぞれ基準日の属する月の両議院の議長が協議して定める日に支給する。これらの基準日前一月以内に退職し、又は死亡した国会職員（第十四条第二項の規定の適用を受ける国会職員及び両議院の議長が協議して定める国会職員を除く。）についても、同様とする。

② 期末手当の額は、期末手当基礎額に、特別給料表の適用を受ける国会職員（各議院事務局の議長又は副議長の秘書事務をつかさどる参事を除く。）については百分の百七十、それ以外の国会職員については百分の百二十二・五（行政職給料表㈠の適用を受ける国会職員でその職務

の級が七級以上であるもの並びに同表及び指定職給料表以外の各給料表の適用を受ける国会職員でその職務の複雑、困難及び責任の度等がこれに相当するもの（これらの国会職員のうち、両議院の議長が協議して定める国会職員を除く。次条第二項第一号イ及び第二号において「特定管理職員」という。）にあつては百分の百二・五、指定職給料表の適用を受ける国会職員にあつては百分の六十五）を乗じて得た額に、基準日以前六月以内の期間における当該国会職員の在職期間の次の各号に掲げる区分に応じ、当該各号に定める割合を乗じて得た額とする。

一　六月　百分の百
二　五月以上六月未満　百分の八十
三　三月以上五月未満　百分の六十
四　三月未満　百分の三十

③　定年前再任用短時間勤務職員に対する前項の規定の適用については、同項中「百分の百二十二・五」とあるのは「百分の六十八・七五」と、「百分の百二・五」とあるのは「百分の五十八・七五」とする。

④　第二項の期末手当基礎額は、それぞれその基準日現在（退職し、又は死亡した国会職員にあつては、退職し、又は死亡した日現在）において国会職員が受けるべき給料及び扶養手当の月額並びにこれらに対する地域手当及び広域異動手当の月額の合計額とする。

⑤　行政職給料表㈠の適用を受ける国会職員でその職務の級が三級以上であるもの、同表及び指定職給料表以外の各給料表の適用を受ける国会職員で職務の複雑、困難及び責任の度等を考慮してこれに相当する国会職員として当該各給料表につき両議院の議長が協議して定めるもの並びに指定職給料表の適用を受ける国会職員については、前項の規定にかかわらず、同項に規定する合計額に、給料の月額並びにこれに対する地域手当及び広域異動手当の月額の合計額に職の職制上の段階、職務の級等を考慮して両議院の議長が協議して定める国会職員の区分に応じて百分の二十を超えない範囲内で両議院の議長が協議して定める割合を乗じて得た額（両議院の議長が協議して定める管理又は監督の地位にある国会職員にあつては、その額に給料月額に百分の二十五を超えない範囲内で両議院の議長が協議して定める割合を乗じて得た額を加算した額）を加算した額を第二項の期末手当基礎額とする。

⑥　第二項に規定する在職期間の算定に関し必要な事項は、両議院の議長が協議して定める。

第七条の四　勤勉手当は、六月一日及び十二月一日（以下この項から第三項までにおいてこれらの日を「基準日」という。）にそれぞれ在職する国会職員に対し、当該国会職員の基準日以前における直近の人事評価の結果及び基準日以前六月以内の期間における勤務の状況に応じて、それぞれ基準日の属する月の両議院の議長が協議して定める日に支給する。これらの基準日前一月以内に退職し、又は死亡した国会職員（両議院の議長が協議して定める国会職員を除く。）についても、同様とする。

②　勤勉手当の額は、勤勉手当基礎額に、本属長（各議院事務局の事務総長、各議院法制局の法制局長、国立国会図書館の館長、裁判官弾劾裁判所の裁判長及び裁判官訴追委員会の委員長をいう。以下この項及び第十五条第一項において同じ。）が両議院の議長が協議して定める基準に従つて定める割合を乗じて得た額とする。この場合において、本属長が支給する勤勉手当の額の、その者に所属する次の各号に掲げる国会職員の区分ごとの総額は、それぞれ当該各号に定める額を超えてはならない。

一　前項の国会職員のうち定年前再任用短時間勤務職員以外の国会職員　次に掲げる国会職員の区分に応じ、それぞれ次に定める額
　イ　ロに掲げる国会職員以外の国会職員　当該国会職員の勤勉手当基礎額に当該国会職員がそれぞれその基準日現在（退職し、又は死亡した国会職員にあつては、退職し、又は死亡した日現在。次項において同じ。）において受けるべき扶養手当の月額並びにこれに対する地域手当及び広域異動手当の月額の合計額を加算した額に百分の百二・五（特定管理職員にあつては、百分の百二十二・五）を乗じて得た額の総額
　ロ　指定職給料表の適用を受ける国会職員　当該国会職員の勤勉手当基礎額に百分の百五を乗じて得た額の総額
二　前項の国会職員のうち定年前再任用短時間勤務職員　当該定年前再任用短時間勤務職員の勤勉手当基礎額に百分の四十八・七五（特定管理職員にあつては、百分の五十八・七五）を乗じて得た額の総額

③　前項の勤勉手当基礎額は、それぞれその基準

日現在において国会職員が受けるべき給料の月額並びにこれに対する地域手当及び広域異動手当の月額の合計額とする。

④ 前条第五項の規定は、第二項の勤勉手当基礎額について準用する。この場合において、同条第五項中「前項」とあるのは、「次条第三項」と読み替えるものとする。

第七条の五 各議院事務局の事務総長、各議院法制局の法制局長及び国立国会図書館の館長並びに各議院事務局の常任委員会専門員及び国立国会図書館の専門調査員には扶養手当、給料の特別調整額、広域異動手当、超過勤務手当、休日給、夜勤手当、宿日直手当、管理職員特別勤務手当、勤勉手当、住居手当、単身赴任手当及び在宅勤務等手当を、各議院事務局の議長又は副議長の秘書事務をつかさどる参事には扶養手当、給料の特別調整額、超過勤務手当、休日給、夜勤手当、宿日直手当、管理職員特別勤務手当及び在宅勤務等手当を支給しない。

② 指定職給料表の適用を受ける国会職員には、扶養手当、給料の特別調整額、超過勤務手当、休日給、夜勤手当、宿日直手当及び住居手当を支給しない。

③ 管理監督職員には、超過勤務手当、休日給及び夜勤手当を支給しない。

④ 定年前再任用短時間勤務職員には、扶養手当、初任給調整手当及び住居手当を支給しない。

第八条 削除

第九条 国会職員が、通常にない特殊の勤務に従事し、その勤務に対する報酬について特別の考慮を必要とする場合において、それを給料に組入れることが不可能か又は著しく困難な事情があるときは、その特殊性に応じ、特殊勤務手当を支給する。

第十条及び第十一条 削除

第十二条 特殊勤務手当の種類、支給を受ける者の範囲、支給額その他特殊勤務手当の支給に関し必要な事項は、議長が議院運営委員会に諮り、これを定める。

第十三条 削除

第十四条 法第十三条第一項第一号に掲げる事由に該当して休職を命ぜられた国会職員に対しては、その休職期間中、給料、扶養手当、地域手当、広域異動手当及び住居手当のそれぞれ百分の八十以内を、同条同項第三号又は第五号に掲げる事由に該当して休職を命ぜられた国会職員に対しては、その休職期間中、給料、扶養手当、地域手当、広域異動手当、期末手当及び住居手当のそれぞれ百分の八十以内を、同条同項第二号又は第四号に掲げる事由に該当して休職を命ぜられた国会職員に対しては、政府職員の例により、給与の全部又は一部を支給することができる。

② 前項に規定する国会職員のうち、法第十三条第一項第三号又は第五号に掲げる事由に該当して休職を命ぜられた者が、その休職の期間内で期末手当の支給に係る基準日以前一月以内に退職し、又は死亡したときは、その支給日に、前項の例による額の期末手当を支給することができる。ただし、両議院の議長が協議して定める国会職員については、この限りでない。

第十五条 非常勤の職員（定年前再任用短時間勤務職員を除く。）については、勤務一日につき三万四千三百円（その額により難い特別の事情があるものとして両議院の議長が協議して定める場合には、十万円）を超えない範囲内において、本属長が手当を支給することができる。ただし、長期にわたり雇用される者については、雇用の条件を勘案し、手当を月額で定めることができる。

② 前項の非常勤の職員に対しては、同項の手当を除くほか、他のいかなる給与も支給しない。

③ 第一項の非常勤の職員のうち、勤務形態が常勤を要する国会職員に準ずるもの及び勤務形態がこれらに至らない者で常勤の国会職員の給与との権衡上必要があると認められるものの給与については、前二項の規定にかかわらず、両議院の議長が協議して定めるところによる。

第十六条 国会職員が公務のため国会議員と同行して本邦内を旅行する場合の旅費額については、国会議員の受ける旅費額と同額まで増額することができる。

第十七条 国会職員の公務上の災害又は通勤による災害に対する補償及び公務上の災害又は通勤による災害を受けた国会職員に対する福祉事業については、政府職員の例による。

第十八条 削除

第十九条 国会閉会中、政府職員の給与に関する法令が改正されたため必要があるときは、両議院の議長は、協議の上この規程を改正することができる。

第二十条 この規程に定めるものの外給与等に関し必要な事項は、両議院の議長が協議してこれを定める。

附　則

1　この規程は、昭和二十二年法律第八十五号施行の日〔昭二三・五・一二〕から、これを適用する。

2　当分の間、第六条の八の規定にかかわらず、国会職員が負傷（公務上の負傷及び通勤による負傷を除く。）若しくは疾病（公務上の疾病及び通勤による疾病を除く。以下この項において同じ。）に係る療養のため、又は疾病に係る就業禁止の措置（両議院の議長が協議して定める措置に限る。）により、当該療養のための病気休暇又は当該措置の開始の日から起算して九十日（両議院の議長が協議して定める場合には、一年）を超えて引き続き勤務しないときは、その期間経過後の当該病気休暇又は当該措置に係る日につき、給料の半額を減ずる。ただし、両議院の議長が協議して定める手当の算定については、当該国会職員の給料の半減前の額をその算定の基礎となる給料の額とする。

3　前項に規定するもののほか、同項の勤務しない期間の範囲、給料の計算その他給料の半減に関し必要な事項は、両議院の議長が協議して定める。

4　当分の間、国会職員の給料月額は、当該国会職員が六十歳（次の各号に掲げる国会職員にあつては、当該各号に定める年齢）に達した日後における最初の四月一日（附則第六項において「特定日」という。）以後、当該国会職員に適用される給料表の給料月額のうち、第一条第五項の規定により当該国会職員の属する職務の級並びに同条第六項、第七項、第九項及び第十項の規定により当該国会職員の受ける号給に応じた額に百分の七十を乗じて得た額（当該額に、五十円未満の端数を生じたときはこれを切り捨て、五十円以上百円未満の端数を生じたときはこれを百円に切り上げるものとする。）とする。

一　国会職員法及び国家公務員退職手当法の一部を改正する法律（令和三年法律第六十二号）第一条の規定による改正前の法（次号及び次項第三号において「令和五年旧国会職員法」という。）第十五条の二第二項第二号に掲げる国会職員に相当する国会職員として両議院の議長が協議して定める国会職員　六十三歳

二　令和五年旧国会職員法第十五条の二第二項第三号に掲げる国会職員に相当する国会職員のうち、両議院の議長が協議して定める国会職員　六十歳を超え六十四歳を超えない範囲内で両議院の議長が協議して定める年齢

5　前項の規定は、次に掲げる国会職員には適用しない。

一　各議院事務局の事務総長、議長又は副議長の秘書事務をつかさどる参事及び常任委員会専門員、各議院法制局の法制局長並びに国立国会図書館の館長及び専門調査員

二　臨時の職員、法律により任期を定めて任用される国会職員及び非常勤の職員

三　令和五年旧国会職員法第十五条の二第二項第一号に掲げる国会職員に相当する国会職員として両議院の議長が協議して定める国会職員及び同項第三号に掲げる国会職員に相当する国会職員のうち両議院の議長が協議して定める国会職員

四　法第十五条の五第一項又は第二項の規定により法第十五条の二第一項に規定する異動期間（法第十五条の五第一項又は第二項の規定により延長された期間を含む。）を延長された法第十五条の二第一項に規定する管理監督職を占める国会職員

五　法第十五条の六第二項ただし書に規定する国会職員

六　法第十五条の七第一項又は第二項の規定により勤務している国会職員（法第十五条の六第一項に規定する定年退職日において前項の規定が適用されていた国会職員を除く。）

6　法第十五条の二第三項に規定する他の職への降任等をされた国会職員であつて、当該他の職への降任等をされた日（以下この項及び附則第八項において「異動日」という。）の前日から引き続き同一の給料表の適用を受ける国会職員のうち、特定日に附則第四項の規定により当該国会職員の受ける給料月額（以下この項において「特定日給料月額」という。）が異動日の前日に当該国会職員が受けていた給料月額に百分の七十を乗じて得た額（当該額に、五十円未満の端数を生じたときはこれを切り捨て、五十円以上百円未満の端数を生じたときはこれを百円に切り上げるものとする。以下この項において「基礎給料月額」という。）に達しないこととなる国会職員（両議院の議長が協議して定める国会職員を除く。）には、当分の間、特定日以後、附則第四項の規定により当該国会職員の受ける給料月額のほか、基礎給料月額と特定日給料月額との差額に相当する額を給料として支給する。

7　前項の規定による給料の額と当該給料を支給される国会職員の受ける給料月額との合計額が第一条第五項の規定により当該国会職員の属する職務の級における最高の号給の給料月額を超える場合における前項の規定の適用については、同項中「基礎給料月額と特定日給料月額」とあるのは、「第一条第五項の規定により当該国会職員の属する職務の級における最高の号給の給料月額と当該国会職員の受ける給料月額」とする。

8　異動日の前日から引き続き給料表の適用を受ける国会職員（附則第四項の規定の適用を受ける国会職員に限り、附則第六項に規定する国会職員を除く。）であつて、同項の規定による給料を支給される国会職員との権衡上必要があると認められる国会職員には、当分の間、当該国会職員の受ける給料月額のほか、両議院の議長が協議して定めるところにより、前二項の規定に準じて算出した額を給料として支給する。

9　附則第六項又は前項の規定による給料を支給される国会職員以外の附則第四項の規定の適用を受ける国会職員であつて、任用の事情を考慮して当該給料を支給される国会職員との権衡上必要があると認められる国会職員には、当分の間、当該国会職員の受ける給料月額のほか、両議院の議長が協議して定めるところにより、前三項の規定に準じて算出した額を給料として支給する。

10　附則第六項又は前二項の規定による給料を支給される国会職員に対する第七条の三第五項（第七条の四第四項において準用する場合を含む。）の規定の適用については、第七条の三第五項中「給料月額」とあるのは、「給料月額と附則第六項、第八項又は第九項の規定による給料の額との合計額」とする。

11　附則第四項から前項までに定めるもののほか、附則第四項の規定による給料月額、附則第六項の規定による給料その他附則第四項から前項までの規定の施行に関し必要な事項は、両議院の議長が協議して定める。

附　則（令二・一一・二七）（抄）

この規程は、令和二年十一月三十日から施行する。ただし、第二条〔中略〕の規定は、令和三年四月一日から施行

する。

附　則（令四・四・六）（抄）

（施行期日）

第一条　この規程は、令和四年四月十三日から施行する。

（令和四年六月に支給する期末手当に関する特例措置）

第二条　令和四年六月に支給する期末手当の額は、第一条の規定による改正後の国会職員の給与等に関する規程（第一号ロにおいて「新給与規程」という。）第七条の三第二項（同条第三項〔中略〕及び国会職員の給与等に関する規程（以下この項において「給与規程」という。）第七条の三第四項から第六項まで（育児短時間勤務国会職員等についての国会職員の給与等に関する規程等の特例に関する規程（平成十九年五月九日両院議長決定）第二条の規定により読み替えて適用する場合を含む。）又は第十四条の規定にかかわらず、これらの規定（同条第一項の規定によりその例によることとされる一般職の職員の給与に関する法律等の一部を改正する法律（令和四年法律第十七号）附則第二条の規定を除く。）により算定される期末手当の額（以下この項において「基準額」という。）から、令和三年十二月に支給された期末手当の額に、同月一日（同日前一箇月以内に退職した者にあっては、当該退職をした日）における次の各号に掲げる国会職員（給与規程の適用を受ける者をいう。以下この項において同じ。）の区分ごとに、それぞれ当該各号に定める割合を乗じて得た額（以下この項において「調整額」という。）を減じた額とする。この場合において、調整額が基準額以上となるときは、期末手当は、支給しない。

一　再任用職員（国会職員法（昭和二十二年法律第八十五号）第十五条の四第一項又は第十五条の五第一項の規定により採用された国会職員をいう。次号において同じ。）以外の国会職員　次に掲げる国会職員の区分に応じ、それぞれ次に定める割合

イ　ロからホまでに掲げる国会職員以外の国会職員　百二十七・五分の十五

ロ　新給与規程第七条の三第二項に規定する特定管理職員（次号ロにおいて「特定管理職員」という。）　百七・五分の十五

ハ　給与規程別表第二に規定する指定職給料表の適用を受ける国会職員（次号ハにおいて「指定職職員」という。）　六十七・五分の十

ニ　給与規程別表第一に規定する特別給料表の適用を受ける国会職員（各議院事務局の議長又は副議長の秘書事務をつかさどる参事を除く。）　百六十七・五分の十

ホ　特定任期付職員の給与の特例に関する規程第一条に規定する特定任期付職員　百六十七・五分の十

二　再任用職員　次に掲げる国会職員の区分に応じ、それぞれ次に定める割合

イ　ロ及びハに掲げる国会職員以外の国会職員　七十二・五分の十

ロ　特定管理職員　六十二・五分の十

ハ　指定職職員　三十五分の五

2　令和三年十二月に一般職の職員の給与に関する法律（昭和二十五年法律第九十五号）その他両議院の議長が協議して定める法令の規定に基づき期末手当を支給された者に対する前項の規定の適用については、同項中「令和三年十二月に支給された期末手当の額に、同月一日（同日前一箇月以内に退職した者にあっては、当該退職をした日）における次の各号に掲げる国会職員（給与規程の適用を受ける者をいう。以下この項において同じ。）の区分ごとに、それぞれ当該各号に定める割合を乗じて得た」とあるのは、「一般職の職員の給与に関する法律（昭和二十五年法律第九十五号）の適用を受ける者その他両議院の議長が協議して定める者との権衡を考慮して両議院の議長が協議して定める」とする。

（両院議長協議決定への委任）

第三条　前条に定めるもののほか、この規程の施行に関し必要な事項は、両議院の議長が協議して定める。

附　則（令三・六・四）（抄）

（施行期日）

第一条　この規程は、国会職員法及び国家公務員退職手当法の一部を改正する法律（令和三年法律第六十一号。以下「令和三年国会職員法等改正法」という。）の施行の日〔令五・四・一〕から施行する。ただし、附則第四条の規定は、令和三年国会職員法等改正法の公布の日〔令三・六・一一〕から施行する。

（経過措置）

第二条　第一条の規定による改正後の国会職員の給与等に関する規程（次条において「新給与規程」という。）附則第四項から第十一項までの規定は、令和三年国会職員法等改正法附則第三条第五項又は第六項の規定により勤務している国会職員には適用しない。

第三条　暫定再任用職員（令和三年国会職員法等改正法附則第三条第四項に規定する暫定再任用職員をいう。以下この条において同じ。）（国会職員法（昭和二十二年法律第八十五号）第四条の二第一項に規定する短時間勤務の職（同項に規定する指定職を除く。）を占める暫定再任用職員（以下この条において「暫定再任用短時間勤務職員」という。）を除く。以下この項及び次項において同じ。）の給料月額は、当該暫定再任用職員が定年前再任用短時間勤務職員（同法第四条の二第一項に規定する定年前再任用短時間勤務職員をいう。以下この条において同じ。）であるものとした場合に適用される国会職員の給与等に関する規程第一条第二項に規定する給料表の定年前再任用短時間勤務職員の欄に掲げる基準給料月額のうち、同条第五項の規定により当該暫定再任用職員の属する職務の級に応じた額とする。

2　国会職員の育児休業等に関する法律（平成三年法律第百八号）第十二条第一項に規定する育児短時間勤務をしている暫定再任用職員に対する前項の規定の適用については、同項中「とする」とあるのは、「に、育児短時間勤務国会職員等についての国会職員の給与等に関する規程等の特例に関する規程（平成十九年五月九日両院議長決定）第三条の規定により読み替えられた国会職員の勤務時間、休暇等に関する規程第三条第一項ただし書の規定により定められた当該暫定再任用職員の勤務時間を同項本文に規定する勤務時間で除して得た数を乗じて得た額とする」とする。

3　暫定再任用短時間勤務職員の給料月額は、当該暫定再任用短時間勤務職員が定年前再任用短時間勤務職員であるものとした場合に適用される国会職員の給与等に関する規程第一条第二項に規定する給料表の定年前再任用短時間勤務職員の欄に掲げる基準給料月額のうち、同条第五項の規定により当該暫定再任用短時間勤務職員の属する職務の級に応じた額に、国会職員の勤務時間、休暇等に関する規程第三条第二項の規定により定められた当該

暫定再任用短時間勤務職員の勤務時間を同条第一項に規定する勤務時間で除して得た数を乗じて得た額とする。

4　暫定再任用短時間勤務職員は、定年前再任用短時間勤務職員とみなして、新給与規程第十五条第一項の規定を適用する。

5　暫定再任用職員は、定年前再任用短時間勤務職員とみなして、新給与規程第七条の三第三項の規定を適用する。

6　新給与規程第七条の四第一項の国会職員に暫定再任用職員が含まれる場合における勤勉手当の額の同条第二項各号に掲げる国会職員の区分ごとの総額の算定に係る同項の規定の適用については、同項第一号中「定年前再任用短時間勤務職員」とあるのは「定年前再任用短時間勤務職員及び国会職員法及び国家公務員退職手当法の一部を改正する法律（令和三年法律第六十二号）附則第三条第四項に規定する暫定再任用職員（次号において「暫定再任用職員」という。）」と、同項第二号中「定年前再任用短時間勤務職員」とあるのは「定年前再任用短時間勤務職員及び暫定再任用職員」とする。

7　国会職員の給与等に関する規程第一条第六項、第七項、第九項及び第十一項、第六条第一号、第三号及び第十五号並びに第六条の五並びに新給与規程第一条第八項及び第十項の規定は、暫定再任用職員には適用しない。

8　暫定再任用短時間勤務職員は、定年前再任用短時間勤務職員とみなして、第二条の規定による改正後の国会職員の勤務時間、休暇等に関する規程第三条第二項、第四条第一項ただし書及び第二項ただし書、第五条第二項、第十三条第一項並びに第十九条の規定を適用する。

（その他の経過措置の両院議長協議決定への委任）

第四条　前二条に定めるもののほか、この規程の施行に関し必要な経過措置は、両議院の議長が協議して定める。

附　則（令四・一一・一二）（抄）

（施行期日等）

第一条　この規程は、令和四年十一月十八日から施行する。ただし、第二条〔中略〕の規定は、令和五年四月一日から施行する。

2　第一条の規定（国会職員の給与等に関する規程（以下この項及び次条において「給与規程」という。）第七条の三第二項の改正規定及び給与規程第七条の四第二項の改正規定を除く。次条において同じ。）による改正後の給与規程（次条において「改正後の給与規程」という。）の規定〔中略〕は、令和四年四月一日から適用する。

（給与の内払）

第二条　改正後の給与規程〔中略〕を適用する場合には、第一条の規定による改正前の給与規程〔中略〕の規定に基づいて支給された給与は、〔中略〕改正後の給与規程〔中略〕の規定による給与の内払とみなす。

（両院議長協議決定への委任）

第三条　前条に定めるもののほか、この規程の施行に関し必要な事項は、両議院の議長が協議して定める。

附　則（令五・一一・一七）（抄）

（施行期日等）

第一条　この規程は、令和五年十一月二十四日から施行する。ただし、次の各号に掲げる規定は、当該各号に定める日から施行する。

一　第二条中国会職員の給与等に関する規程（以下この条及び次条において「給与規程」という。）第六条に一号を加える改正規定並びに給与規程第七条第一項、第七条の三第二項及び第三項、第七条の四第二項並びに第七条の五第一項の改正規定〔中略〕　令和六年四月一日

二　第二条（前号に掲げる改正規定を除く。）〔中略〕の規定〔中略〕　令和七年四月一日

2　第一条の規定（給与規程第七条の三第二項及び第三項並びに第七条の四第二項の改正規定を除く。次条において同じ。）による改正後の給与規程の規定〔中略〕は、令和五年四月一日から適用する。

（給与の内払）

第二条　第一条の規定による改正後の給与規程〔中略〕の規定を適用する場合には、第一条の規定による改正前の給与規程〔中略〕の規定に基づいて支給された給与は、〔中略〕第一条の規定による改正後の給与規程〔中略〕の規定による給与の内払とみなす。

（両院議長協議決定への委任）

第三条　前条に定めるもののほか、この規程の施行に関し必要な事項は、両議院の議長が協議して定める。

別表第一 特別給料表（第一条関係）

職名	給料月額
各議院事務局の事務総長 各議院法制局の法制局長 国立国会図書館の館長	一、四一〇、〇〇〇円
各議院事務局の常任委員会専門員 国立国会図書館の専門調査員	三号給 一、〇三八、〇〇〇円 二号給 九六八、〇〇〇円 一号給 八九八、〇〇〇円
各議院事務局の議長又は副議長の秘書事務をつかさどる参事	十二号給 五八七、六〇〇円 十一号給 五五六、九〇〇円 十号給 五二六、九〇〇円 九号給 四九五、三〇〇円 八号給 四六四、七〇〇円 七号給 四三七、三〇〇円 六号給 四〇二、〇〇〇円 五号給 三六三、五〇〇円 四号給 三二七、七〇〇円 三号給 二九六、五〇〇円 二号給 二七四、六〇〇円 一号給 二六八、一〇〇円

別表第二 指定職給料表（第一条関係）

号給	給料月額
	円
1	708,000
2	763,000
3	820,000
4	898,000
5	968,000
6	1,038,000
7	1,110,000
8	1,178,000

備考 この表は、各議院事務局の事務次長その他の職を占める国会職員で、両議院の議長が協議して定めるものに適用する。

別表第三　行政職給料表（第一条関係）
イ　行政職給料表(一)

職員の区分	職務の級	1級	2級	3級	4級	5級	6級	7級	8級	9級	10級
	号給	給料月額	給料月額	給料月額	給料月額	給料月額	給料月額	給料月額	給料月額	給料月額	給料月額
		円	円	円	円	円	円	円	円	円	円
	1	162,100	208,000	240,900	271,600	295,400	323,100	365,500	410,300	459,900	523,100
	2	163,200	209,700	242,400	273,200	297,500	325,300	368,100	412,700	463,000	526,000
	3	164,400	211,400	243,800	274,700	299,500	327,500	370,500	415,200	466,000	529,100
	4	165,500	212,900	245,200	276,300	301,400	329,500	372,900	417,600	469,000	532,200
	5	166,600	214,400	246,400	277,800	303,200	331,500	374,800	419,500	472,000	535,300
	6	167,700	216,200	248,000	279,500	305,000	333,500	377,300	421,600	475,000	537,600
	7	168,800	217,900	249,500	281,300	306,600	335,400	379,600	423,700	478,000	540,100
	8	169,900	219,600	250,900	283,100	308,200	337,300	382,100	425,900	481,100	542,500
	9	170,900	221,100	252,000	284,800	309,800	339,200	384,500	427,800	483,800	544,900
	10	172,300	222,600	253,400	286,700	312,000	341,200	387,100	429,900	486,900	546,700
	11	173,600	224,100	254,900	288,500	314,200	343,200	389,700	432,000	489,900	548,500
	12	174,900	225,600	256,200	290,300	316,200	345,200	392,300	433,900	493,000	550,400
	13	176,100	226,800	257,500	292,100	318,200	347,000	394,600	435,600	495,700	552,100
	14	177,600	228,200	258,700	293,700	320,200	349,000	396,900	437,400	498,000	553,500
	15	179,100	229,600	259,900	295,100	322,100	350,900	399,100	439,300	500,300	554,800
	16	180,700	231,000	261,100	296,500	324,000	352,800	401,400	441,200	502,600	555,900
	17	181,800	232,400	262,300	298,000	325,900	354,500	403,200	443,000	504,600	557,200
	18	183,200	234,000	263,600	300,000	327,900	356,500	405,100	444,800	506,000	558,200
	19	184,600	235,500	264,900	302,000	329,800	358,300	407,000	446,600	507,500	559,100
	20	186,000	236,900	266,200	303,800	331,700	360,200	408,800	448,300	508,900	560,000
	21	187,300	238,100	267,600	305,500	333,400	362,100	410,600	450,100	510,100	560,900
	22	189,600	239,700	269,100	307,400	335,400	364,000	412,400	451,600	511,500	
	23	191,800	241,200	270,700	309,300	337,400	365,900	414,200	453,000	513,000	
	24	194,000	242,600	272,200	311,100	339,300	367,800	416,000	454,500	514,500	
	25	196,200	243,600	273,800	312,800	340,700	369,700	417,600	455,900	515,600	
	26	197,900	245,100	275,500	314,800	342,600	371,600	419,100	457,200	516,700	
	27	199,400	246,400	277,100	316,800	344,500	373,500	420,600	458,500	517,900	
	28	200,900	247,600	278,700	318,700	346,400	375,400	422,100	459,700	519,100	
	29	202,400	248,700	280,300	320,400	348,000	376,900	423,600	460,700	520,100	
	30	203,800	249,700	281,800	322,400	349,900	378,700	424,900	461,400	521,000	
	31	205,200	250,600	283,300	324,400	351,700	380,500	426,200	462,200	521,900	
	32	206,600	251,500	284,800	326,400	353,500	382,100	427,400	462,900	522,800	

	33	208,000	252,400	285,900	327,600	355,300	383,800	428,600	463,600	523,600	
	34	209,300	253,300	287,500	329,600	357,100	385,200	429,900	464,400	524,500	
	35	210,600	254,100	289,000	331,500	358,800	386,600	431,200	465,100	525,200	
	36	211,900	254,900	290,500	333,500	360,500	388,000	432,400	465,700	525,700	
	37	213,200	255,600	291,900	335,400	361,900	389,400	433,600	466,200	526,400	
	38	214,400	256,700	293,500	337,300	363,200	390,600	434,400	466,800	527,000	
	39	215,600	257,900	295,100	339,200	364,500	391,800	435,200	467,400	527,800	
	40	216,700	259,000	296,700	341,100	365,900	392,800	436,000	468,000	528,400	
	41	217,800	260,200	298,200	342,900	367,000	393,900	436,600	468,500	528,900	
	42	218,900	261,400	299,800	344,800	367,900	395,100	437,300	469,000		
	43	219,900	262,500	301,300	346,600	368,900	396,200	438,000	469,400		
	44	220,900	263,600	302,800	348,400	370,000	397,300	438,700	469,700		
	45	221,800	264,700	304,400	349,900	370,800	398,000	439,500	470,000		
	46	222,700	265,800	306,000	351,300	371,700	398,700	440,300			
	47	223,600	266,900	307,600	352,700	372,600	399,400	440,700			
	48	224,500	267,900	309,100	354,200	373,400	400,100	441,400			
	49	225,400	268,900	310,000	355,700	374,200	400,700	441,900			
	50	226,300	269,900	311,500	356,500	375,000	401,300	442,300			
	51	227,200	270,900	313,000	357,500	375,800	401,800	442,700			
	52	228,100	271,800	314,600	358,500	376,500	402,200	443,100			
	53	228,900	272,700	316,200	359,400	377,200	402,600	443,500			
	54	229,800	273,600	317,800	360,500	377,900	402,900	443,900			
	55	230,700	274,500	319,300	361,400	378,600	403,200	444,300			
	56	231,500	275,400	320,800	362,400	379,300	403,500	444,600			
	57	231,800	276,300	322,200	363,300	379,800	403,800	444,900			
	58	232,600	277,200	323,400	364,000	380,400	404,100	445,300			
	59	233,300	278,100	324,500	364,700	381,000	404,400	445,600			
	60	233,900	279,000	325,600	365,300	381,700	404,700	445,900			
	61	234,500	280,000	326,300	365,700	382,100	405,000	446,200			
定年前再任用短時間勤務職員以外の職員	62	235,200	281,000	327,200	366,300	382,800	405,300				
	63	235,800	281,900	328,000	367,000	383,400	405,600				
	64	236,300	282,800	328,800	367,700	384,000	405,900				
	65	236,800	283,300	329,600	368,000	384,400	406,200				
	66	237,300	284,000	330,000	368,700	385,000	406,500				
	67	237,800	284,700	330,600	369,400	385,600	406,800				
	68	238,400	285,600	331,300	370,000	386,200	407,100				

69	238,900	286,600	332,100	370,300	386,600	407,300
70	239,400	287,400	332,800	370,900	387,100	407,600
71	239,900	288,200	333,500	371,600	387,600	407,900
72	240,400	289,000	334,100	372,200	388,200	408,100
73	240,900	289,700	334,600	372,500	388,500	408,300
74	241,400	290,200	335,200	373,100	388,900	408,600
75	241,800	290,600	335,700	373,800	389,300	408,900
76	242,300	291,000	336,300	374,400	389,700	409,100
77	242,800	291,200	336,600	374,800	390,000	409,300
78	243,300	291,500	337,100	375,300	390,300	409,600
79	243,800	291,700	337,500	375,900	390,600	409,900
80	244,300	292,000	337,900	376,400	390,800	410,100
81	244,700	292,200	338,300	376,900	391,000	410,300
82	245,200	292,400	338,800	377,500	391,300	410,600
83	245,600	292,700	339,300	378,000	391,600	410,900
84	246,000	292,900	339,800	378,300	391,800	411,100
85	246,400	293,200	340,100	378,700	392,000	411,300
86	246,800	293,500	340,500	379,200	392,300	
87	247,200	293,800	341,000	379,600	392,600	
88	247,600	294,100	341,400	380,000	392,800	
89	248,000	294,400	341,700	380,400	393,000	
90	248,500	294,800	342,100	380,900	393,300	
91	248,800	295,100	342,600	381,300	393,600	
92	249,100	295,500	343,000	381,700	393,800	
93	249,400	295,700	343,200	382,000	394,000	
94		295,900	343,600			
95		296,200	344,100			
96		296,600	344,500			
97		296,800	344,700			
98		297,100	345,100			
99		297,500	345,500			
100		297,900	345,800			
101		298,100	346,100			
102		298,400	346,500			
103		298,800	346,900			
104		299,100	347,300			
105		299,300	347,800			
106		299,600	348,200			
107		300,000	348,600			
108		300,300	349,000			

	109		300,500	349,500							
	110		300,900	349,900							
	111		301,300	350,200							
	112		301,600	350,500							
	113		301,800	351,000							
	114		302,000								
	115		302,300								
	116		302,700								
	117		302,900								
	118		303,100								
	119		303,400								
	120		303,700								
	121		304,100								
	122		304,300								
	123		304,600								
	124		304,900								
	125		305,200								
定年前再任用短時間勤務職員		基準給料月額	基準給料月額	基準給料月額	基準給料月額	基準給料月額	基準給料月額	基準給料月額	基準給料月額	基準給料月額	基準給料月額
		円 188,700	円 216,200	円 256,200	円 275,600	円 290,700	円 316,200	円 358,000	円 391,200	円 442,400	円 522,800

備考㈠　この表は、他の給料表の適用を受けない全ての国会職員に適用する。ただし、第十五条第一項の非常勤の職員を除く。

㈡　２級の１号給を受ける国会職員のうち、新たにこの表の適用を受けることとなつた国会職員で両議院の議長が協議して定めるものの給料月額は、この表の額にかかわらず、200,700円とする。

ロ　行政職給料表(二)

職員の区分	職務の級 / 号給	1級 給料月額	2級 給料月額	3級 給料月額	4級 給料月額	5級 給料月額
		円	円	円	円	円
	1	147,100	200,200	219,900	260,200	285,500
	2	148,100	201,200	221,000	261,400	287,300
	3	149,100	202,200	221,900	262,400	288,900
	4	150,100	203,000	222,800	263,500	290,500
	5	151,200	203,700	223,800	264,200	292,100
	6	152,300	205,200	225,100	265,200	293,400
	7	153,400	206,500	226,300	266,100	294,500
	8	154,400	207,600	227,400	267,000	295,700
	9	155,300	208,900	228,700	267,600	296,900
	10	156,400	209,600	230,300	268,300	298,600
	11	157,500	210,400	231,800	269,100	300,300
	12	158,600	211,100	233,000	269,900	301,800
	13	159,500	212,200	234,100	270,700	303,100
	14	160,600	213,100	235,300	271,500	304,600
	15	161,800	214,000	236,500	272,300	306,000
	16	162,900	214,800	237,400	273,100	307,300
	17	164,000	215,700	238,000	273,800	308,800
	18	165,400	216,700	238,400	274,800	310,300
	19	166,700	217,600	238,800	275,700	311,900
	20	167,900	218,500	239,300	276,500	313,500
	21	169,000	219,200	239,800	277,400	314,500
	22	170,200	220,000	241,100	278,000	315,900
	23	171,400	220,800	242,300	278,700	317,200
	24	172,600	221,400	243,200	279,400	318,500
	25	173,700	222,100	244,300	279,900	319,600
	26	175,200	222,600	245,500	280,600	321,000
	27	176,700	223,000	246,700	281,400	322,400
	28	178,200	223,500	247,900	282,100	323,800
	29	179,600	224,100	248,700	282,900	325,300
	30	181,000	225,100	249,800	283,800	326,500
	31	182,500	226,000	251,000	284,600	327,800
	32	184,000	226,600	252,100	285,400	329,000

	33	185,400	227,100	253,200	286,100	330,000
	34	187,100	228,100	254,100	287,000	330,900
	35	188,800	229,100	255,000	287,900	332,000
	36	190,500	230,100	256,000	288,800	333,100
	37	192,200	230,600	257,000	289,400	334,200
	38	193,300	231,700	257,800	290,200	335,200
	39	194,700	232,800	258,600	291,000	336,200
	40	195,800	233,800	259,500	291,800	337,200
	41	196,800	234,500	260,400	292,400	338,100
	42	198,200	235,500	261,300	293,400	339,000
	43	199,400	236,400	262,200	294,400	339,900
	44	200,600	237,200	263,200	295,300	340,800
	45	202,100	238,000	263,800	296,000	341,700
	46	203,100	238,800	264,700	296,900	342,700
	47	204,000	239,500	265,700	297,800	343,700
	48	205,100	240,100	266,600	298,600	344,600
	49	206,200	240,700	267,600	299,200	345,500
	50	207,200	241,600	268,400	299,800	346,400
	51	208,100	242,500	269,200	300,400	347,300
	52	209,100	243,300	269,900	301,100	348,100
	53	210,200	244,200	270,500	301,700	348,900
	54	211,200	245,100	271,300	302,500	349,700
	55	212,100	245,700	272,100	303,200	350,500
	56	213,000	246,400	272,900	303,900	351,200
	57	213,900	247,200	273,500	304,500	351,900
	58	214,500	247,900	274,400	305,200	352,700
	59	215,200	248,600	275,300	305,900	353,500
	60	216,000	249,200	276,200	306,500	354,100
	61	216,800	249,800	277,100	307,100	354,800
	62	217,300	250,600	278,100	307,800	355,500
	63	217,800	251,400	278,900	308,500	356,200
	64	218,300	252,000	279,800	309,100	356,900
	65	218,800	252,600	280,600	309,600	357,500
	66	219,400	253,100	281,400	310,100	358,000
定年前再任用短時間勤務職員以外の職員	67	220,000	253,500	282,200	310,700	358,500
	68	220,500	253,900	282,900	311,300	359,000
	69	220,800	254,600	283,500	311,900	359,400
	70	221,100	255,100	284,300	312,300	
	71	221,400	255,500	285,100	312,800	
	72	221,700	255,800	285,800	313,300	

	73	221,900	256,000	286,500	313,600	
	74	222,300	256,300	287,200	314,100	
	75	222,600	256,700	287,900	314,600	
	76	223,000	257,100	288,700	315,000	
	77	223,200	257,400	289,200	315,200	
	78	223,700	257,800	289,700	315,500	
	79	224,000	258,200	290,100	315,800	
	80	224,300	258,600	290,500	316,100	
	81	224,600	258,900	290,900	316,400	
	82	224,900	259,200	291,300	316,700	
	83	225,200	259,500	291,800	317,000	
	84	225,500	259,700	292,300	317,300	
	85	225,800	259,900	292,600	317,500	
	86	226,100	260,100	293,100	317,900	
	87	226,400	260,400	293,700	318,200	
	88	226,700	260,700	294,200	318,400	
	89	227,000	260,900	294,500	318,600	
	90	227,400	261,100	295,000	318,900	
	91	227,700	261,400	295,500	319,200	
	92	228,000	261,600	295,800	319,500	
	93	228,200	261,900	296,200	319,700	
	94	228,500	262,200	296,700	320,000	
	95	228,800	262,500	297,200	320,300	
	96	229,100	262,700	297,700	320,500	
	97	229,300	262,900	298,000	320,700	
	98	229,600	263,200	298,400	321,000	
	99	229,800	263,400	298,900	321,300	
	100	230,100	263,700	299,400	321,500	
	101	230,400	264,000	299,800	321,700	
	102	230,600	264,200	300,200		
	103	230,900	264,500	300,500		
	104	231,200	264,800	300,800		
	105	231,500	265,000	301,100		
	106	232,000	265,200	301,500		
	107	232,300	265,500	301,900		
	108	232,600	265,700	302,300		
	109	232,800	266,000	302,600		
	110	233,200	266,300	303,000		
	111	233,600	266,600	303,400		
	112	233,900	266,800	303,700		

	113	234,100	267,000	303,900		
	114	234,600	267,300	304,200		
	115	235,100	267,500	304,500		
	116	235,600	267,700	304,700		
	117	235,900	268,000	304,900		
	118	236,300	268,300	305,200		
	119	236,700	268,600	305,500		
	120	237,000	268,900	305,700		
	121	237,400	269,100	305,900		
	122		269,300	306,200		
	123		269,600	306,500		
	124		269,900	306,700		
	125		270,100	306,900		
	126		270,300	307,200		
	127		270,600	307,500		
	128		270,900	307,700		
	129		271,100	307,900		
	130		271,300	308,200		
	131		271,600	308,500		
	132		271,900	308,700		
	133		272,100	308,900		
	134		272,300			
	135		272,600			
	136		272,900			
	137		273,100			
定年前再任用短時間勤務職員		基準給料月額	基準給料月額	基準給料月額	基準給料月額	基準給料月額
		円 194,600	円 205,700	円 224,200	円 245,000	円 275,700

備考　この表は、機器の運転操作その他の庁務及びこれらに準ずる業務に従事する国会職員で、両議院の議長が協議して定めるものに適用する。

別表第四 速記職給料表（第一条関係）

職員の区分	職務の級	1 級	2 級	3 級	4 級	5 級	6 級
	号 給	給料月額	給料月額	給料月額	給料月額	給料月額	給料月額
		円	円	円	円	円	円
	1	176,100	208,000	240,900	289,200	313,000	330,800
	2	177,600	209,700	242,400	291,300	315,200	333,100
	3	179,100	211,400	243,800	293,300	317,400	335,200
	4	180,700	212,900	245,200	295,300	319,400	337,300
	5	181,800	214,400	246,400	297,300	321,600	339,300
	6	183,200	216,200	247,800	299,100	323,700	341,500
	7	184,600	217,900	249,100	300,700	325,700	343,700
	8	186,000	219,600	250,300	302,300	327,700	345,900
	9	187,300	221,100	251,200	304,000	329,800	348,100
	10	189,600	222,600	252,800	306,200	332,000	350,200
	11	191,800	224,100	254,500	308,400	334,100	352,400
	12	194,000	225,600	256,000	310,400	336,200	354,700
	13	196,200	226,800	257,300	312,300	338,200	356,800
	14	197,900	228,200	258,900	314,400	340,400	359,100
	15	199,400	229,600	260,500	316,500	342,600	361,300
	16	200,900	231,000	262,100	318,500	344,700	363,700
	17	202,400	232,400	263,500	320,400	346,500	365,800
	18	203,800	234,000	265,100	322,600	348,700	368,800
	19	205,200	235,500	266,700	324,800	350,800	371,700
	20	206,600	236,900	268,300	326,900	352,900	374,500
	21	208,000	238,100	270,000	328,900	354,700	377,200
	22	209,300	239,700	271,800	331,000	356,900	379,500
	23	210,600	241,200	273,800	333,200	359,000	381,900
	24	211,900	242,600	275,800	335,200	360,900	384,300
	25	213,200	243,600	277,700	336,900	362,900	386,500
	26	214,400	245,100	279,700	339,100	365,300	389,000
	27	215,600	246,400	281,600	341,100	367,600	391,400
	28	216,700	247,600	283,500	343,200	370,000	393,900
	29	217,800	248,700	285,200	345,400	372,300	395,900
	30	218,900	249,700	286,900	347,500	374,400	397,900
	31	219,900	250,600	288,600	349,600	376,500	400,000
	32	220,900	251,500	290,300	351,700	378,600	402,100
	33	221,800	252,400	291,700	353,600	379,400	403,200
	34	222,700	253,300	293,500	355,600	380,400	404,900
	35	223,600	254,100	295,200	357,500	381,400	406,700
	36	224,500	254,900	296,900	359,400	382,600	408,500

	37	225,400	255,600	298,700	361,000	383,600	410,100
	38	226,300	256,700	300,500	362,700	384,600	412,000
	39	227,200	257,900	302,300	364,500	385,700	413,800
	40	228,100	259,000	304,100	366,400	386,700	415,500
	41	228,900	260,200	305,700	368,100	387,400	416,800
	42	229,800	261,400	307,600	369,400	388,500	418,000
	43	230,700	262,500	309,400	371,000	389,600	419,200
	44	231,500	263,600	311,200	372,700	390,600	420,400
	45	231,800	264,700	313,000	374,300	391,200	421,600
	46	232,600	265,800	314,900	375,100	392,100	422,900
	47	233,300	266,900	316,800	375,800	393,000	424,200
	48	233,900	267,900	318,600	376,400	393,900	425,400
	49	234,500	268,900	319,800	377,100	394,500	426,500
	50	235,200	269,900	321,600	377,700	395,400	427,800
	51	235,800	270,900	323,400	378,300	396,200	429,100
	52	236,300	271,800	325,300	378,800	397,000	430,300
	53	236,800	272,700	327,100	379,000	397,600	431,400
	54	237,300	273,600	329,000	379,600	398,400	432,200
定年前再任用短時間勤務職員以外の職員	55	237,800	274,500	330,800	380,100	399,100	433,000
	56	238,400	275,400	332,600	380,700	399,800	433,800
	57	238,900	276,300	334,200	381,000	400,600	434,500
	58	239,400	277,200	335,800	381,600	401,400	435,200
	59	239,900	278,100	337,200	382,200	402,200	435,900
	60	240,400	279,000	338,700	382,700	403,000	436,600
	61	240,900	280,000	339,900	383,000	403,700	437,500
	62	241,400	281,000	341,000	383,600	404,300	438,300
	63	241,800	281,900	342,000	384,300	404,800	438,700
	64	242,300	282,800	343,000	384,900	405,500	439,400
	65	242,800	283,300	343,900	385,200	405,900	440,000
	66		284,000	344,600	385,800	406,400	440,400
	67		284,700	345,400	386,500	406,900	440,800
	68		285,600	346,300	387,100	407,400	441,200
	69		286,600	347,200	387,600	407,900	441,700
	70		287,400	348,000	388,200	408,300	442,100
	71		288,200	348,900	388,900	408,700	442,500
	72		289,000	349,700	389,500	408,900	442,800
	73		289,700	350,600	389,800	409,200	443,200
	74		290,200	351,300	390,500	409,600	443,600
	75		290,600	351,900	391,100	410,000	443,900
	76		291,000	352,600	391,500	410,200	444,200
	77		291,200	353,000	391,900	410,500	444,600
	78		291,500	353,600	392,500	410,900	
	79		291,700	354,100	393,000	411,300	
	80		292,000	354,600	393,500	411,500	

	81		292,200	355,100	393,800	411,800	
	82		292,400	355,800	394,400	412,200	
	83		292,700	356,500	394,900	412,600	
	84		292,900	357,100	395,400	412,800	
	85		293,200	357,400	395,600	413,100	
	86		293,500	357,900			
	87		293,800	358,500			
	88		294,100	358,900			
	89		294,400	359,500			
	90		294,800	360,000			
	91		295,100	360,600			
	92		295,500	361,100			
	93		295,700	361,500			
	94		295,900	361,900			
	95		296,200	362,400			
	96		296,600	362,800			
	97		296,800	363,200			
	98		297,100	363,800			
	99		297,500	364,300			
	100		297,900	364,700			
	101		298,100	365,100			
	102		298,400	365,600			
	103		298,800	366,100			
	104		299,100	366,600			
	105		299,300	367,100			
	106		299,600	367,600			
	107		300,000	368,100			
	108		300,300	368,600			
	109		300,500	369,100			
	110		300,900	369,600			
	111		301,300	370,000			
	112		301,600	370,400			
	113		301,800	370,900			
定年前再任用短時間勤務職員		基準給料月額	基準給料月額	基準給料月額	基準給料月額	基準給料月額	基準給料月額
		円 183,800	円 210,800	円 280,500	円 310,500	円 339,700	円 372,600

備考　この表は、速記に従事する国会職員で、両議院の議長が協議して定めるものに適用する。

別表第五 議院警察職給料表（第一条関係）

職員の区分	職務の級	1 級	2 級	3 級	4 級	5 級	6 級
	号給	給料月額	給料月額	給料月額	給料月額	給料月額	給料月額
		円	円	円	円	円	円
	1	188,300	227,900	265,300	303,500	331,300	351,800
	2	190,300	229,900	266,800	305,300	333,500	354,000
	3	192,400	231,700	268,200	307,000	335,600	356,200
	4	194,400	233,500	269,600	308,800	337,700	358,100
	5	196,200	235,500	271,100	310,500	339,500	360,000
	6	198,200	237,000	272,400	312,300	341,000	362,000
	7	200,100	238,500	273,600	314,200	342,500	364,000
	8	202,100	240,100	274,800	316,100	344,000	365,800
	9	204,100	242,000	275,800	317,800	345,800	367,500
	10	205,800	243,600	277,000	319,700	348,000	369,500
	11	207,600	245,300	278,200	321,600	350,200	371,500
	12	209,400	246,800	279,300	323,500	352,200	373,500
	13	211,300	248,500	280,400	325,600	354,100	375,300
	14	213,400	250,400	281,700	327,200	356,100	377,300
	15	215,700	252,200	282,700	328,700	357,900	379,300
	16	217,900	254,000	283,700	330,200	359,800	381,300
	17	219,800	255,300	284,400	331,800	361,700	382,900
	18	221,900	256,900	285,800	334,000	363,800	385,000
	19	224,000	258,500	287,100	336,100	365,800	387,000
	20	225,800	260,000	288,400	338,200	367,900	389,100
	21	227,600	261,400	289,400	340,100	369,500	391,100
	22	229,400	262,300	290,400	342,000	371,400	393,300
	23	231,100	263,200	291,600	343,900	373,200	395,400
	24	232,700	264,200	292,700	345,800	375,100	397,500
	25	234,600	265,300	293,600	347,600	376,700	399,200
	26	236,000	266,400	295,200	349,700	378,800	401,300
	27	237,400	267,500	296,900	351,700	380,900	403,400
	28	238,800	268,400	298,500	353,600	383,000	405,600
	29	240,400	269,300	300,200	355,300	385,000	407,500
	30	241,900	270,400	301,900	357,500	387,100	409,500
	31	243,500	271,600	303,600	359,400	389,100	411,300
	32	245,100	272,600	305,300	361,400	391,100	413,200

	33	246,700	273,100	306,600	362,800	393,200	414,800
	34	248,300	274,400	308,300	364,800	395,300	416,400
	35	249,900	275,500	310,100	366,700	397,300	417,900
	36	251,400	276,600	311,800	368,700	399,200	419,400
	37	252,400	277,200	313,300	370,700	400,900	420,900
	38	253,900	278,100	314,900	372,900	402,700	422,700
	39	255,400	278,900	316,600	374,900	404,400	424,500
	40	256,800	279,700	318,300	376,900	406,100	426,200
	41	258,000	280,700	319,600	378,800	407,300	428,000
	42	259,000	281,700	321,300	380,900	408,800	429,700
	43	259,900	282,600	323,000	382,900	410,200	431,300
	44	260,800	283,400	324,700	384,900	411,600	432,900
	45	261,800	284,400	326,200	386,600	413,000	434,300
	46	263,000	285,700	328,000	388,400	414,700	435,600
	47	264,100	287,000	329,800	390,100	416,300	437,000
	48	264,900	288,400	331,500	391,800	417,900	438,300
	49	265,800	289,900	333,100	393,000	419,300	439,300
	50	266,800	291,600	334,700	394,600	420,400	440,200
	51	267,800	293,000	336,400	396,200	421,500	441,100
	52	268,600	294,300	338,300	397,800	422,400	441,900
	53	269,200	295,900	339,900	399,500	423,200	442,900
	54	270,300	297,500	341,700	401,100	424,100	443,300
	55	271,200	299,000	343,500	402,700	425,000	443,500
	56	272,300	300,500	345,300	404,300	425,800	443,800
	57	273,000	301,800	346,500	406,100	426,400	444,100
	58	273,900	303,400	348,500	407,400	426,900	444,400
	59	274,800	305,000	350,400	408,800	427,600	444,700
	60	275,600	306,300	352,300	410,000	428,400	445,000
	61	276,400	307,700	354,100	411,000	428,800	445,200
	62	277,100	309,200	356,300	412,100	429,400	445,600
	63	277,900	310,600	358,400	413,200	429,900	446,000
	64	278,700	311,900	360,600	414,300	430,400	446,400
	65	279,400	313,200	362,400	415,000	430,900	446,600
	66	280,700	314,800	364,500	416,000	431,500	446,900
	67	281,900	316,200	366,400	417,000	431,900	447,300
	68	283,200	317,600	368,400	417,800	432,400	447,500

定年前再任用短時間勤務職員以外の職員	69	284,500	318,900	370,100	418,600	432,600	447,700
	70	285,900	320,400	371,600	419,100	432,900	448,000
	71	287,100	321,800	373,000	419,700	433,200	448,400
	72	288,500	323,300	374,500	420,200	433,500	448,600
	73	289,800	324,200	375,600	420,800	433,900	448,800
	74	290,900	325,700	376,800	421,200	434,200	449,000
	75	292,000	327,200	378,000	421,700	434,500	449,400
	76	293,100	328,900	379,200	422,200	434,800	449,700
	77	294,500	330,700	380,500	422,600	435,100	449,900
	78	295,900	332,400	381,800	423,100	435,400	450,100
	79	297,200	334,000	383,100	423,700	435,700	450,500
	80	298,300	335,600	384,300	424,200	435,900	450,800
	81	299,400	337,200	385,300	424,400	436,200	451,000
	82	300,500	338,800	386,600	425,000	436,400	451,200
	83	301,600	340,400	387,800	425,500	436,700	451,600
	84	302,700	342,000	389,100	425,700	436,900	451,900
	85	303,600	343,400	390,300	425,900	437,200	452,100
	86	305,000	344,900	391,100	426,400	437,400	
	87	306,200	346,400	391,800	426,700	437,700	
	88	307,500	347,800	392,500	427,000	437,900	
	89	308,700	349,000	393,100	427,300	438,200	
	90	310,100	350,200	393,800	427,700	438,400	
	91	311,200	351,400	394,500	428,100	438,700	
	92	312,500	352,700	395,200	428,500	438,900	
	93	313,400	354,100	395,800	428,800	439,200	
	94	314,700	355,600	396,300			
	95	316,000	357,100	396,900			
	96	317,500	358,500	397,400			
	97	319,000	359,800	398,000			
	98	320,500	361,000	398,400			
	99	321,900	362,100	399,000			
	100	323,400	363,300	399,500			
	101	324,600	364,300	400,000			
	102	325,900	365,400	400,400			
	103	327,200	366,500	400,900			
	104	328,500	367,600	401,300			
	105	329,700	368,700	401,600			
	106	331,000	369,200	402,000			
	107	332,200	369,800	402,500			
	108	333,400	370,400	402,800			

	109	334,800	371,000	403,300			
	110	335,700	371,500	403,800			
	111	336,700	372,000	404,300			
	112	337,800	372,500	404,800			
	113	338,900	373,000	405,000			
	114	340,000	373,400	405,500			
	115	341,000	374,000	406,000			
	116	342,000	374,500	406,500			
	117	343,200	374,900	406,700			
	118	344,200	375,400	407,200			
	119	345,200	376,000	407,700			
	120	346,100	376,400	408,200			
	121	347,000	376,600	408,500			
	122	347,900	377,100	409,000			
	123	348,900	377,500	409,400			
	124	349,900	377,800	409,900			
	125	350,900	378,400	410,200			
	126	351,300	378,900				
	127	351,900	379,400				
	128	352,500	379,900				
	129	352,800	380,200				
	130	353,200	380,700				
	131	353,700	381,200				
	132	354,100	381,700				
	133	354,500	382,000				
	134	354,900	382,500				
	135	355,400	382,900				
	136	355,800	383,300				
	137	356,200	383,600				
	138	356,600	384,100				
	139	357,000	384,600				
	140	357,400	385,100				
	141	357,600	385,400				
	142	358,100					
	143	358,500					
	144	358,800					
	145	359,100					
	146	359,500					
	147	360,000					
	148	360,500					

	149	360,800					
	150	361,300					
	151	361,800					
	152	362,300					
	153	362,600					
定年前再任用短時間勤務職員		基準給料月額	基準給料月額	基準給料月額	基準給料月額	基準給料月額	基準給料月額
		円 254,200	円 259,200	円 286,100	円 310,900	円 328,600	円 355,300

備考　この表は、議院警察に従事する国会職員で、両議院の議長が協議して定めるものに適用する。

○育児短時間勤務国会職員等についての国会職員の給与等に関する規程等の特例に関する規程

平一九・五・九
両院議長決定

最終改正　令五・一一・一七

（趣旨）

第一条　この規程は、国会職員の育児休業等に関する法律（平成三年法律第百八号）第十二条第一項に規定する育児短時間勤務をしている国会職員（以下「育児短時間勤務国会職員」という。）等及び同法第十九条第一項の規定により任用された国会職員（以下「任期付短時間勤務国会職員」という。）について、国会職員の給与等に関する規程（昭和二十二年十月十六日両院議長決定。以下「給与規程」という。）、国会職員の勤務時間、休暇等に関する規程（平成六年六月二十三日両院議長決定。以下「勤務時間規程」という。）及び特定任期付職員の給与の特例に関する規程（平成十九年十一月二十六日両院議長決定。以下「特定任期付職員給与特例規程」という。）の特例を定めるものとする。

（育児短時間勤務国会職員についての給与規程の特例）

第二条　育児短時間勤務国会職員についての給与規程の規定の適用については、次の表の上欄に掲げる給与規程の規定中同表の中欄に掲げる字句は、それぞれ同表の下欄に掲げる字句とする。

第一条第四項	とする	に、育児短時間勤務国会職員等についての国会職員の給与等に関する規程等の特例に関する規程（平成十九年五月九日両院議長決定。以下「特例規程」という。）第三条の規定により読み替えられた国会職員の勤務時間、休暇等に関する規程（平成六年六月二十三日両院議長決定）第三条第一項ただし書の規定により定められたその者の勤務時間を同項本文に規定する勤務時間で除して得た数（以下「算出率」という。）を乗じて得た額とする
第一条第六項、第七項、第九項及び第十項	決定する	決定するものとし、その者の給料月額は、その者の受ける号給に応じた額に、算出率を乗じて得た額とする
第三条第四項及び第七条の二第一項	勤務時間規程	特例規程第三条の規定により読み替えられた勤務時間規程
第七条の三第四項	給料	給料の月額を算出率で除して得た額
第七条の三第五項及び第七条の四第三項	給料の月額	給料の月額を算出率で除して得た額
第七条の三第五項	給料月額	給料月額を算出率で除して得た額
第七条の三第六項	両議院の議長が協議して	国会職員の育児休業等に関する法律（平成三年法律第百八号）第十二条第一項に規定する育児短時間勤務をしている国会職員（以下「育児短時間勤務国会職員」という。）の勤務時間を考慮して両議院の議長が協議して

（育児短時間勤務国会職員についての勤務時間規程の特例）

第三条　育児短時間勤務国会職員についての勤務時間規程の規定の適用については、次の表の上欄に掲げる勤務時間規程の規定中同表の中欄に掲げる字句は、それぞれ同表の下欄に掲げる字句とする。

第三条第一項	とする	とする。ただし、国会職員の育児休業等に関する法律（平成三年法律第百八号）第十二条第三項の規定により同条第一項に規定する育児短時間勤務（以下「育児短時間勤務」という。）の承認を受けた国会職員（以下「育児短時間勤務国会職員」という。）の一週間当たりの勤務時間は、当該承認を受けた育児短時間勤務の内容に従い、本属長が定める
第四条第一項ただし書及び第二項ただ	定年前再任用短時間勤務職員	育児短時間勤務国会職員

だし書、第五条第二項並びに第十三条第一項第一号		
第四条第一項ただし書	これらの日	必要に応じ、当該育児短時間勤務の内容に従い、これらの日
	ことができる	ものとする
第四条第二項ただし書	範囲内で	範囲内で、当該育児短時間勤務の内容に従い、
第四条第三項	定める期間	定める期間（以下この項において「単位期間」という。）
	できる	できる。ただし、当該国会職員が育児短時間勤務国会職員である場合にあっては、単位期間ごとの期間について、当該育児短時間勤務の内容に従い、勤務時間を割り振るものとする
第五条第二項	ところにより、四週間ごとの期間につき八日	ところにより、四週間ごとの期間につき八日の週休日
	八日以上）の週休日を設け、及び	四週間ごとの期間につき八日以上で当該育児短時間勤務の内容に従った週休日）を設け、及び
	第三条に規定する勤務時間	第三条に規定する勤務時間（当該育児短時間勤務国会職員にあっては、当該育児短時間勤務の内容に従った勤務時間）
	必要	必要（育児短時間勤務国会職員にあっては、当該育児短時間勤務の内容）
	割合で週休日	割合で週休日（育児短時間勤務国会職員にあっては、五十二週間を超えない期間につき一週間当たり一日以上の割合で当該育児短時間勤務の内容に従った週休日）
	同条に規定する勤務時間	同条に規定する勤務時間（当該育児短時間勤務国会職員にあっては、当該育児短時間勤務の内容に従った勤務時間）
第九条第一項	国会職員	、公務の運営に著しい支障が生ずると認められる場合として両議院の議長が協議して定める場合に限り、育児短時間勤務国会職員
第九条第二項	公務のため臨時又は緊急の必要がある場合には	公務の運営に著しい支障が生ずると認められる場合として両議院の議長が協議して定める場合に限り
	国会職員	育児短時間勤務国会職員

（育児短時間勤務国会職員についての特定任期付職員給与特例規程の特例）

第三条の二　育児短時間勤務国会職員についての特定任期付職員給与特例規程の規定の適用については、次の表の上欄に掲げる特定任期付職員給与特例規程の規定中同表の中欄に掲げる字句は、それぞれ同表の下欄に掲げる字句とする。

第二条第二項	決定する	決定するものとし、その者の給料月額は、その者の受ける号給に応じた額に、育児短時間勤務国会職員等についての国会職員の給与等に関する規程等の特例に関する規程（平成十九年五月九日両院議長決定）第三条の規定により読み替えられた国会職員の勤務時間、休暇等に関する規程（平成六年六月二十三日両院議長決定）第三条第一項ただし書の規定により定められたその者の勤務時間を同項本文に規定する勤務時間で除して得た数（次項において「算出率」という。）を乗じて得た額とする
第二条第三項	相当する額と	相当する額にそれぞれ算出率を乗じて得た額と

（育児短時間勤務の例による短時間勤務をする国会職員についての準用）

第四条　前三条の規定は、国会職員の育児休業等に関する法律第十八条の規定により育児短時間勤務の例による短時間勤務をする国会職員について準用する。

（任期付短時間勤務国会職員についての給与規程の特例）

第五条　任期付短時間勤務国会職員についての給

与規程の規定の適用については、次の表の上欄に掲げる給与規程の規定中同表の中欄に掲げる字句は、それぞれ同表の下欄に掲げる字句とする。

第一条第四項	とする	に、育児短時間勤務国会職員等についての国会職員の給与等に関する規程等の特例に関する規程（平成十九年五月九日両院議長決定。以下「特例規程」という。）第六条の規定により読み替えられた国会職員の勤務時間、休暇等に関する規程（平成六年六月二十三日両院議長決定）第三条第一項ただし書の規定により定められたその者の勤務時間を同項本文に規定する勤務時間で除して得た数（以下この条において「算出率」という。）を乗じて得た額とする
第一条第六項、第七項、第九項及び第十項	決定する	決定するものとし、その者の給料月額は、その者の受ける号給に応じた額に、算出率を乗じて得た額とする
第三条第四項及び第七条の二第一項	勤務時間規程	特例規程第六条の規定により読み替えられた勤務時間規程
第七条の五第四項	定年前再任用短時間勤務職員	国会職員の育児休業等に関する法律（平成三年法律第百八号）第十九条第一項の規定により任用された国会職員（以下「任期付短時間勤務国会職員」という。）
	扶養手当、初任給調整手当及び住居手当	扶養手当、住居手当及び単身赴任手当
第十五条第一項	定年前再任用短時間勤務職員	任期付短時間勤務国会職員

（任期付短時間勤務国会職員についての勤務時間規程の特例）

第六条　任期付短時間勤務国会職員についての勤務時間規程の規定の適用については、次の表の上欄に掲げる勤務時間規程の規定中同表の中欄に掲げる字句は、それぞれ同表の下欄に掲げる字句とする。

第三条第一項	とする	とする。ただし、国会職員の育児休業等に関する法律（平成三年法律第百八号）第十九条第一項の規定により任用された国会職員（以下「任期付短時間勤務国会職員」という。）の勤務時間は、一週間当たり十時間から十九時間二十分までの範囲内で、両議院の議長が協議して定めるところにより、本属長が定める
第四条第一項ただし書及び第二項ただし書、第五条第二項、第十三条第一項第一号並びに第十九条	定年前再任用短時間勤務職員	任期付短時間勤務国会職員

附　則

（施行期日）

第一条　この規程は、国会職員の育児休業等に関する法律の一部を改正する法律（平成十九年法律第四十三号）の施行の日〔平一九・八・一〕から施行する。

（給与規程附則第四項の規定が適用される育児短時間勤務国会職員等に関する読替え）

第二条　育児短時間勤務国会職員に対する給与規程附則第四項の規定の適用については、同項中「）とする」とあるのは、「）に、育児短時間勤務国会職員等についての国会職員の給与等に関する規程等の特例に関する規程（平成十九年五月九日両院議長決定）第三条の規定により読み替えられた勤務時間規程第三条第一項ただし書の規定により定められたその者の勤務時間を同項本文に規定する勤務時間で除して得た数を乗じて得た額とする」とする。

2　国会職員の育児休業等に関する法律第十八条の規定により育児短時間勤務の例による短時間勤務をしている国会職員が給与規程附則第四項の規定の適用を受ける場合における第四条の規定の適用については、同条中「前三条」とあるのは、「前三条及び附則第二条第一項」とする。

附　則（令三・六・四）（抄）

（施行期日）

第一条　この規程は、国会職員法及び国家公務員退職手当法の一部を改正する法律（令和三年法律第六十二号。以下「令和三年国会職員法等改正法」という。）の施行の日〔令五・四・一〕から施行する。〔ただし書略〕

附　則（令五・一一・一七）（抄）

（施行期日等）

第一条 この規程は、令和五年十一月二十四日から施行する。ただし、次の各号に掲げる規定は、当該各号に定める日から施行する。

一 〔略〕

二 〔前略〕附則第四条の規定 令和七年四月一日

2 〔略〕

○特定任期付職員の給与の特例に関する規程

平一九・一一・二六
両院議長決定

最終改正 令五・一一・一七

（趣旨）

第一条 この規程は、国会職員法（昭和二十二年法律第八十五号）第三条の三第一項の規定により任期を定めて採用された国会職員（以下「特定任期付職員」という。）の給与の特例に関する事項を定めるものとする。

（給与に関する特例）

第二条 特定任期付職員には、次の給料表を適用する。

号給	給料月額
	円
1	380,000
2	427,000
3	477,000
4	539,000
5	615,000
6	718,000
7	839,000

2 特定任期付職員の号給は、特定任期付職員が従事する業務に応じて両議院の議長が協議して定める基準に従い決定する。

3 特定任期付職員について、特別の事情により第一項の給料表に掲げる号給により難いときは、前二項の規定にかかわらず、その給料月額を同表に掲げる七号給の給料月額にその額と同表に掲げる六号給の給料月額との差額に一からの各整数を順次乗じて得られる額を加えた額のいずれかに相当する額（国会職員の給与等に関する規程（昭和二十二年十月十六日両院議長決定。以下「給与規程」という。）の指定職給料表八号給の額未満の額に限る。）又は給与規程の指定職給料表八号給の額に相当する額とすることができる。

4 特定任期付職員のうち、特に顕著な業績を挙げたと認められる国会職員には、両議院の議長が協議して定めるところにより、その給料月額に相当する額を特定任期付職員業績手当として支給することができる。

5 第二項の規定による号給の決定、第三項の規定による給料月額の決定及び前項の規定による特定任期付職員業績手当の支給は、予算の範囲内で行わなければならない。

（給与規程の適用除外等）

第三条 給与規程第一条、第六条第一号から第三号まで、第十二号及び第十五号、第六条の二から第六条の五まで並びに第七条の四の規定は、特定任期付職員には、適用しない。

2 特定任期付職員に対する給与規程第七条の二第一項及び第三項、第七条の三第二項並びに第七条の五第三項の規定の適用については、給与規程第七条の二第一項中「管理監督職員又は」とあるのは「管理監督職員（特定任期付職員の給与の特例に関する規程（平成十九年十一月二十六日両院議長決定）第二条第一項の給料表の適用を受ける国会職員を含む。以下「管理監督職員等」という。）又は」と、同条第三項中

「管理監督職員」とあるのは「管理監督職員等」と、給与規程第七条の三第二項中「百分の百二十二・五」とあるのは「百分の百七十」と、給与規程第七条の五第三項中「管理監督職員」とあるのは「管理監督職員等」とする。

（両院議長協議決定への委任）

第四条　この規程の実施に関し必要な事項は、両議院の議長が協議して定める。

附　則

（施行期日）

第一条　この規程は、平成二十年四月一日から施行する。

（平成二十一年六月に支給する期末手当に関する特例措置）

第二条　平成二十一年六月に支給する期末手当に関する第三条第二項の規定の適用については、同項中「百分の百六十」とあるのは、「百分の百四十五」とする。

附　則（平二六・一一・一二）（抄）

（施行期日等）

第一条　この規程は、平成二十六年十一月十九日から施行する。ただし、〔中略〕第四条〔中略〕の規定は、平成二十七年四月一日から施行する。

2　〔前略〕第三条の規定（特定任期付職員の給与の特例に関する規程第二条第一項の表の改正規定に限る。附則第四条において同じ。）による改正後の特定任期付職員の給与の特例に関する規程の規定は、平成二十六年四月一日から適用する。

（適用日における特定任期付職員に係る最高の号給を超える給料月額の切替え）

第二条　平成二十六年四月一日（以下「適用日」という。）の前日において特定任期付職員の給与の特例に関する規程第二条第三項の規定による給料月額を受けていた国会職員の適用日における給料月額は、第三条の規定による改正後の特定任期付職員の給与の特例に関する規程第二条第一項に規定する給料表に掲げる号給の給料月額及び第一条の規定による改正後の国会職員の給与等に関する規程の指定職給料表八号給の額との権衡を考慮して両議院の議長が協議して定める。

（給与の内払）

第四条　〔前略〕第三条の規定による改正後の特定任期付職員の給与の特例に関する規程の規定を適用する場合においては、〔中略〕第三条の規定による改正前の特定任期付職員の給与の特例に関する規程の規定に基づいて支給された給与は、〔中略〕第三条の規定による改正後の特定任期付職員の給与の特例に関する規程の規定による給与の内払とみなす。

（切替日における特定任期付職員に係る最高の号給を超える給料月額の切替え）

第五条　平成二十七年四月一日（以下「切替日」という。）の前日において特定任期付職員の給与の特例に関する規程第二条第三項の規定による給料月額を受けていた国会職員の切替日における給料月額は、第四条の規定による改正後の特定任期付職員の給与の特例に関する規程第二条第一項に規定する給料表に掲げる号給の給料月額及び第二条の規定による改正後の国会職員の給与等に関する規程の指定職給料表八号給の額との権衡を考慮して両議院の議長が協議して定める。

附　則（平二八・一・二〇）（抄）

（施行期日等）

第一条　この規程は、平成二十八年一月二十六日から施行する。ただし、〔中略〕第五条〔中略〕の規定は、同年四月一日から施行する。

2　〔前略〕第四条の規定による改正後の特定任期付職員の給与の特例に関する規程（以下「改正後の特定任期付職員給与特例規程」という。）の規定は、平成二十七年四月一日から適用する。

（特定任期付職員に係る最高の号給を超える給料月額の切替え）

第二条　平成二十七年四月一日（以下この条において「切替日」という。）の前日において特定任期付職員の給与の特例に関する規程第二条第三項の規定による給料月額を受けていた国会職員の切替日における給料月額は、改正後の特定任期付職員給与特例規程第二条第一項に規定する給料表に掲げる号給の給料月額及び改正後の給与規程の指定職給料表八号給の額との権衡を考慮して両議院の議長が協議して定める。

（給与の内払）

第三条　〔前略〕改正後の特定任期付職員給与特例規程の規定を適用する場合においては、〔中略〕第四条の規定による改正前の特定任期付職員の給与の特例に関する規程の規定に基づいて支給された給与（平成二十六年改正規程附則第七条の規定に基づいて支給された給料を含む。）は、〔中略〕改正後の特定任期付職員給与特例規程の規定による給与（平成二十六年改正規程附則第七条の規定による給料を含む。）の内払とみなす。

（両院議長協議決定への委任）

第四条　前二条に定めるもののほか、この規程の施行に関し必要な事項は、両議院の議長が協議して定める。

附　則（平二八・一一・一六）（抄）

（施行期日等）

第一条　この規程は、平成二十八年十一月二十四日から施行する。ただし、次の各号に掲げる規定は、当該各号に定める日から施行する。

一　〔略〕

二　〔前略〕第五条の規定　平成二十九年四月一日

2　〔略〕

（給与の内払）

第二条　改正後の給与規程又は改正後の特定任期付職員給与特例規程の規定を適用する場合においては、第一条の規定による改正前の給与規程の規定に基づいて支給された給与（国会職員の給与等に関する規程等の一部を改正する規程（平成二十六年十一月十二日両院議長決定。以下この条において「平成二十六年改正規程」という。）附則第七条の規定に基づいて支給された給料を含む。）又は第四条の規定による改正前の特定任期付職員給与特例規程の規定に基づいて支給された給与（平成二十六年改正規程附則第七条の規定に基づいて支給された給料を含む。）は、それぞれ改正後の給与規程の規定による給与（平成二十六年改正規程附則第七条の規定による給料を含む。）又は改正後の特定任期付職員給与特例規程の規定による給与（平成二十六年改正規程附則第七条の規定による給料を含む。）の内払とみなす。

（両院議長協議決定への委任）

第四条　前二条に定めるもののほか、この規程の施行に関し必要な事項は、両議院の議長が協議して定める。

附　則（平二九・一二・八）（抄）

（施行期日等）

第一条　この規程は、平成二十九年十二月十五日から施行する。ただし、〔中略〕第四条〔中略〕の規定は、平成三十年四月一日から施行する。

2　〔前略〕第三条の規定による改正後の特定任期付職員の給与の特例に関する規程（次条〔中略〕において「改正後の特定任期付職員給与特例規程」という。）の規定は、平成二十九年四月一日から適用する。

（給与の内払）

第二条　〔前略〕改正後の特定任期付職員給与特例規程の規定を適用する場合には、〔中略〕第三条の規定による改正前の特定任期付職員の給与の特例に関する規程の規定に基づいて支給された給与（平成二十六年改正規程附則第七条の規定に基づいて支給された給料を含む。）は、〔中略〕改正後の特定任期付職員給与特例規程の規定による給与（平成二十六年改正規程附則第七条の規定による給料を含む。）の内払とみなす。

（両院議長協議決定への委任）

第四条　前二条に定めるもののほか、この規程の施行に関し必要な事項は、両議院の議長が協議して定める。

附　則（平三〇・一一・二八）（抄）

（施行期日等）

第一条　この規程は、平成三十年十一月三十日から施行する。ただし、〔中略〕第四条の規定は、平成三十一年四月一日から施行する。

2　〔前略〕第三条の規定による改正後の特定任期付職員の給与の特例に関する規程（次条において「改正後の特定任期付職員給与特例規程」という。）の規定は、平成三十年四月一日から適用する。

（給与の内払）

第二条　〔前略〕改正後の特定任期付職員給与特例規程の規定を適用する場合には、〔中略〕第三条の規定による改正前の特定任期付職員の給与の特例に関する規程の規定に基づいて支給された給与は、〔中略〕改正後の特定任期付職員給与特例規程の規定による給与の内払とみなす。

（両院議長協議決定への委任）

第三条　前条に定めるもののほか、この規程の施行に関し必要な事項は、両議院の議長が協議して定める。

附　則（令元・一一・一五）（抄）

（施行期日等）

第一条　この規程は、令和元年十一月二十二日から施行する。ただし、〔中略〕第四条の規定は、令和二年四月一日から施行する。

2　〔前略〕第三条の規定（特定任期付職員の給与の特例に関する規程（以下「特定任期付職員給与特例規程」という。）第三条第二項の改正規定を除く。次条において同じ。）による改正後の特定任期付職員給与特例規程（次条において「改正後の特定任期付職員給与特例規程」という。）の規定は、平成三十一年四月一日から適用する。

（給与の内払）

第二条　〔前略〕改正後の特定任期付職員給与特例規程の規定を適用する場合には、〔中略〕第三条の規定による改正前の特定任期付職員給与特例規程の規定に基づいて支給された給与は、〔中略〕改正後の特定任期付職員給与特例規程の規定による給与の内払とみなす。

（両院議長協議決定への委任）

第三条　前条に定めるもののほか、この規程の施行に関し必要な事項は、両議院の議長が協議して定める。

附　則（令二・一一・二七）（抄）

この規程は、令和二年十一月三十日から施行する。ただし、〔中略〕第四条の規定は、令和三年四月一日から施行する。

附　則（令四・四・六）（抄）

（施行期日）

第一条　この規程は、令和四年四月十三日から施行する。

（令和四年六月に支給する期末手当に関する特例措置）

第二条　令和四年六月に支給する期末手当の額は、〔中略〕第二条の規定による改正後の特定任期付職員の給与の特例に関する規程第三条第二項の規定により読み替えて適用する場合を含む。）及び国会職員の給与等に関する規程（以下この項において「給与規程」という。）第七条の三第四項から第六項まで（育児短時間勤務国会職員等についての国会職員の給与等に関する規程等の特例に関する規程（平成十九年五月九日両院議長決定）第二条の規定により読み替えて適用する場合を含む。）又は第十四条の規定にかかわらず、これらの規定（同条第一項の規定によりその例によることとされる一般職の職員の給与に関する法律等の一部を改正する法律（令和四年法律第十七号）附則第二条の規定を除く。）により算定される期末手当の額（以下この項において「基準額」という。）から、令和三年十二月に支給された期末手当の額に、同月一日（同日前一箇月以内に退職した者にあっては、当該退職をした日）における次の各号に掲げる国会職員（給与規程の適用を受ける者をいう。以下この項において同じ。）の区分ごとに、それぞれ当該各号に定める割合を乗じて得た額（以下この項において「調整額」という。）を減じた額とする。この場合において、調整額が基準額以上となるときは、期末手当は、支給しない。

一　再任用職員（国会職員法（昭和二十二年法律第八十五号）第十五条の四第一項又は第十五条の五第一項の規定により採用された国会職員をいう。次号において同じ。）以外の国会職員　次に掲げる国会職員の区分に応じ、それぞれ次に定める割合

イ　ロからホまでに掲げる国会職員以外の国会職員　百二十七・五分の十五

ロ　新給与規程第七条の三第二項に規定する特定管理職員（次号ロにおいて「特定管理職員」という。）　百七・五分の十五

ハ　給与規程別表第二に規定する指定職給料表の適用を受ける国会職員（次号ハにおいて「指定職職員」という。）　六十七・五分の十

ニ　給与規程別表第一に規定する特別給料表の適用を受ける国会職員（各議院事務局の議長又は副議長の秘書事務をつかさどる参事を除く。）　百六十七・五分の十

ホ　特定任期付職員の給与の特例に関する規程第一条に規定する特定任期付職員　百六十七・五分の十

二　再任用職員　次に掲げる国会職員の区分に応じ、そ

れぞれ次に定める割合

イ　ロ及びハに掲げる国会職員以外の国会職員　七十二・五分の十

ロ　特定管理職員　六十二・五分の十

ハ　指定職職員　三十五分の五

2　令和三年十二月に一般職の職員の給与に関する法律（昭和二十五年法律第九十五号）その他両議院の議長が協議して定める法令の規定に基づき期末手当を支給された者に対する前項の規定の適用については、同項中「令和三年十二月に支給された期末手当の額に、同月一日（同日前一箇月以内に退職した者にあっては、当該退職をした日）における次の各号に掲げる国会職員（給与規程の適用を受ける者をいう。以下この項において同じ。）の区分ごとに、それぞれ当該各号に定める割合を乗じて得た」とあるのは、「一般職の職員の給与に関する法律（昭和二十五年法律第九十五号）の適用を受ける者その他両議院の議長が協議して定める者との権衡を考慮して両議院の議長が協議して定める」とする。

（両院議長協議決定への委任）

第三条　前条に定めるもののほか、この規程の施行に関し必要な事項は、両議院の議長が協議して定める。

附　則（令四・一一・一二）（抄）

（施行期日等）

第一条　この規程は、令和四年十一月十八日から施行する。ただし、〔中略〕第四条の規定は、令和五年四月一日から施行する。

2　〔前略〕第三条の規定（特定任期付職員の給与の特例に関する規程（以下この項及び次条において「特定任期付職員給与特例規程」という。）第三条第二項の改正規定を除く。次条において同じ。）による改正後の特定任期付職員給与特例規程（次条において「改正後の特定任期付職員給与特例規程」という。）の規定は、令和四年四月一日から適用する。

（給与の内払）

第二条　〔前略〕改正後の特定任期付職員給与特例規程の規定を適用する場合には、〔中略〕第三条の規定による改正前の特定任期付職員給与特例規程の規定に基づいて支給された給与は、〔中略〕改正後の特定任期付職員給与特例規程の規定による給与の内払とみなす。

（両院議長協議決定への委任）

第三条　前条に定めるもののほか、この規程の施行に関し必要な事項は、両議院の議長が協議して定める。

附　則（令五・一一・一七）（抄）

（施行期日等）

第一条　この規程は、令和五年十一月二十四日から施行する。ただし、次の各号に掲げる規定は、当該各号に定める日から施行する。

一　〔前略〕第五条の規定　令和六年四月一日

二　〔略〕

2　〔前略〕第四条の規定（特定任期付職員の給与の特例に関する規程（以下この項及び次条において「特定任期付職員給与特例規程」という。）第三条第二項の改正規定を除く。次条において同じ。）による改正後の特定任期付職員給与特例規程の規定は、令和五年四月一日から適用する。

（給与の内払）

第二条　〔前略〕第四条の規定による改正後の特定任期付職員給与特例規程の規定を適用する場合には、〔中略〕第四条の規定による改正前の特定任期付職員給与特例規程の規定に基づいて支給された給与は、〔中略〕第四条の規定による改正後の特定任期付職員給与特例規程の規定による給与の内払とみなす。

（両院議長協議決定への委任）

第三条　前条に定めるもののほか、この規程の施行に関し必要な事項は、両議院の議長が協議して定める。

○国会職員の勤務時間、休暇等に関する規程

平六・六・二三
両院議長決定

最終改正　令五・一一・一七

（趣旨）

第一条　この規程は、国会職員法（昭和二十二年法律第八十五号）第一条に規定する国会職員（各議院事務局の事務総長、議長又は副議長の秘書事務をつかさどる参事及び常任委員会専門員、各議院法制局の法制局長並びに国立国会図書館の館長を除く。以下「国会職員」という。）の勤務時間、休日及び休暇に関する事項を定めるものとする。

（本属長の責務等）

第二条　本属長（各議院事務局の事務総長、各議院法制局の法制局長、国立国会図書館の館長、裁判官弾劾裁判所の裁判長及び裁判官訴追委員会の委員長をいう。以下同じ。）は、勤務時間、休日及び休暇に関する事務の実施に当たっては、公務の円滑な運営に配慮するとともに、国会職員の健康及び福祉を考慮することにより、国会職員の適正な勤務条件の確保に努めなければならない。

2　本属長は、この規程による権限の一部を部内の国会職員に委任することができる。

（一週間の勤務時間）

第三条　国会職員の勤務時間は、休憩時間を除き、

一週間当たり三十八時間四十五分とする。

2　国会職員法第四条の二第二項に規定する定年前再任用短時間勤務職員（以下「定年前再任用短時間勤務職員」という。）の勤務時間は、前項の規定にかかわらず、休憩時間を除き、一週間当たり十五時間三十分から三十一時間までの範囲内で、本属長が定める。

（週休日及び勤務時間の割振り等）

第四条　日曜日及び土曜日は、週休日（勤務時間を割り振らない日（第三項及び第六条第二項において読み替えて準用する同条第一項の規定によるものを除く。）をいう。以下同じ。）とする。ただし、本属長は、定年前再任用短時間勤務職員については、これらの日に加えて、月曜日から金曜日までの五日間において、週休日を設けることができる。

2　本属長は、月曜日から金曜日までの五日間において、一日につき七時間四十五分の勤務時間を割り振るものとする。ただし、定年前再任用短時間勤務職員については、一週間ごとの期間について、一日につき七時間四十五分を超えない範囲内で勤務時間を割り振るものとする。

3　本属長は、国会職員（両議院の議長が協議して定める国会職員及び次条の規定の適用を受ける国会職員を除く。以下この項において同じ。）について、国会職員の申告を考慮して、第一項の規定による週休日のほかに当該国会職員の勤務時間を割り振らない日を設け、又は当該国会職員の勤務時間を割り振ることが公務の運営に支障がないと認める場合には、前項の規定にかかわらず、両議院の議長が協議して定めるところにより、国会職員の申告を経て、四週間を超えない範囲内で週を単位として両議院の議長が協議して定める期間ごとの期間につき前条に規定する勤務時間となるように、第一項の規定による週休日のほかに当該国会職員の勤務時間を割り振らない日を設け、又は当該国会職員の勤務時間を割り振ることができる。

第五条　本属長は、公務の運営上の事情により特別の形態によって勤務する必要のある国会職員については、前条第一項及び第二項の規定にかかわらず、週休日及び勤務時間の割振りを別に定めることができる。

2　本属長は、前項の規定により週休日及び勤務時間の割振りを定める場合には、両議院の議長が協議して定めるところにより、四週間ごとの期間につき八日（定年前再任用短時間勤務職員にあっては、八日以上）の週休日を設け、及び当該期間につき第三条に規定する勤務時間となるように勤務時間を割り振らなければならない。ただし、職務の特殊性又は当該機関の特殊の必要により、四週間ごとの期間につき八日（定年前再任用短時間勤務職員にあっては、八日以上）の週休日を設け、又は当該期間につき同条に規定する勤務時間となるように勤務時間を割り振ることが困難である国会職員について、両議院の議長が協議して定めるところにより、五十二週間を超えない期間につき一週間当たり一日以上の割合で週休日を設け、及び当該期間につき同条に規定する勤務時間となるように勤務時間を割り振る場合には、この限りでない。

（週休日の振替等）

第六条　本属長は、国会職員に第四条第一項又は前条の規定により週休日とされた日において特に勤務することを命ずる必要がある場合には、両議院の議長が協議して定めるところにより、第四条第二項若しくは第三項又は前条の規定により勤務時間が割り振られた日（以下この項において「勤務日」という。）のうち両議院の議長が協議して定める期間内にある勤務日を週休日に変更して当該勤務日に割り振られた勤務時間を当該勤務することを命ずる必要がある日に割り振り、又は当該期間内にある勤務日の勤務時間のうち四時間を当該勤務日に割り振ることをやめて当該四時間の勤務時間を当該勤務することを命ずる必要がある日に割り振ることができる。

2　前項の規定は、国会職員に第四条第三項の規定により勤務時間を割り振らない日とされた日において特に勤務することを命ずる必要がある場合について準用する。この場合において、前項中「週休日に」とあるのは、「勤務時間を割り振らない日に」と読み替えるものとする。

（休憩時間）

第七条　本属長は、第四条第二項若しくは第三項、第五条又は前条の規定により勤務時間を割り振る場合には、両議院の議長が協議して定めるところにより、休憩時間を置かなければならない。

（通常の勤務場所を離れて勤務する国会職員の勤務時間）

第八条　第四条第二項若しくは第三項、第五条又は第六条の規定により勤務時間が割り振られた日（以下「勤務日等」という。）に通常の勤務場所を離れる勤務のうち研修その他の勤務する時間帯が定められる勤務で両議院の議長が協議して定めるものを命ぜられた国会職員については、当該勤務を命ぜられた時間をこれらの規定により割り振られた勤務時間とみなす。

（正規の勤務時間以外の時間における勤務）

第九条　本属長は、第三条から第六条までの規定による勤務時間（以下「正規の勤務時間」という。）以外の時間において国会職員に設備等の保全、外部との連絡及び文書の収受を目的とする勤務その他の両議院の議長が協議して定める断続的な勤務をすることを命ずることができる。

2　本属長は、公務のため臨時又は緊急の必要がある場合には、正規の勤務時間以外の時間において国会職員に前項に掲げる勤務以外の勤務をすることを命ずることができる。

（超勤代休時間）

第九条の二　本属長は、国会職員の給与等に関する規程（昭和二十二年十月十六日両院議長決定。第十六条第三項及び第十六条の二第三項において「給与規程」という。）第七条第一項の規定によりその例によることとされる一般職の職員の給与に関する法律（昭和二十五年法律第九十五号）第十六条第三項の規定により超過勤務手当を支給すべき国会職員に対して、両議院の議長が協議して定めるところにより、当該超過勤務手当の一部の支給に代わる措置の対象となるべき時間（以下「超勤代休時間」という。）として、両議院の議長が協議して定める期間内にある勤務日等（第十一条第一項に規定する休日及び代休日を除く。）に割り振られた勤務時間の全部又は一部を指定することができる。

2　前項の規定により超勤代休時間を指定された国会職員は、当該超勤代休時間には、特に勤務することを命ぜられる場合を除き、正規の勤務時間においても勤務することを要しない。

（休日）

第十条　国会職員は、国民の祝日に関する法律（昭和二十三年法律第百七十八号）に規定する休日（以下「祝日法による休日」という。）には、特に勤務することを命ぜられる者を除き、正規の勤務時間においても勤務することを要しない。十二月二十九日から翌年の一月三日までの日（祝日法による休日を除く。以下「年末年始の休日」という。）についても、同様とする。

（休日の代休日）

第十一条　本属長は、国会職員に祝日法による休日又は年末年始の休日（以下この項において「休日」と総称する。）である勤務日等に割り振られた勤務時間の全部（次項において「休日の全勤務時間」という。）について特に勤務することを命じた場合には、両議院の議長が協議して定めるところにより、当該休日前に、当該休日に代わる日（次項において「代休日」という。）として、当該休日後の勤務日等（第九条の二第一項の規定により超勤代休時間が指定された勤務日等及び休日を除く。）を指定することができる。

2　前項の規定により代休日を指定された国会職員は、勤務を命ぜられた休日の全勤務時間を勤務した場合において、当該代休日には、特に勤務することを命ぜられるときを除き、正規の勤務時間においても勤務することを要しない。

（休暇の種類）

第十二条　国会職員の休暇は、年次休暇、病気休暇、特別休暇、介護休暇及び介護時間とする。

（年次休暇）

第十三条　年次休暇は、一の年ごとにおける休暇とし、その日数は、一の年において、次の各号に掲げる国会職員の区分に応じて、当該各号に掲げる日数とする。

一　次号及び第三号に掲げる国会職員以外の国会職員　二十日（定年前再任用短時間勤務職員にあっては、その者の勤務時間等を考慮し二十日を超えない範囲内で両議院の議長が協議して定める日数）

二　次号に掲げる国会職員以外の国会職員であって、当該年の中途において新たに国会職員となり、又は任期が満了することにより退職することとなるもの　その年の在職期間等を考慮し二十日を超えない範囲内で両議院の議長が協議して定める日数

三　当該年の前年において国会職員以外の国家公務員、地方公務員又は沖縄振興開発金融公庫その他その業務が国の事務若しくは事業と密接な関連を有する法人のうち両議院の議長が協議して定めるものに使用される者（以下この号において「国会職員以外の国家公務員等」という。）であった者であって引き続き当該年に新たに国会職員となったものその他両議院の議長が協議して定める国会職員　国会職員以外の国家公務員等としての在職期間及びその在職期間中における年次休暇に相当

する休暇の残日数等を考慮し、二十日に次項の両議院の議長が協議して定める日数を加えた日数を超えない範囲内で両議院の議長が協議して定める日数

2　年次休暇（この項の規定により繰り越されたものを除く。）は、両議院の議長が協議して定める日数を限度として、当該年の翌年に繰り越すことができる。

3　年次休暇については、その時期につき、本属長の承認を受けなければならない。この場合において、本属長は、公務の運営に支障がある場合を除き、これを承認しなければならない。

（病気休暇）

第十四条　病気休暇は、国会職員が負傷又は疾病のため療養する必要があり、その勤務しないことがやむを得ないと認められる場合における休暇とする。

（特別休暇）

第十五条　特別休暇は、選挙権の行使、結婚、出産、交通機関の事故その他の特別の事由により国会職員が勤務しないことが相当である場合として両議院の議長が協議して定める場合における休暇とする。この場合において、両議院の議長が協議して定める特別休暇については、両議院の議長が協議してその期間を定める。

（介護休暇）

第十六条　介護休暇は、国会職員が要介護者（配偶者（届出をしないが事実上婚姻関係と同様の事情にある者を含む。以下この項において同じ。）、父母、子、配偶者の父母その他両議院の議長が協議して定める者で負傷、疾病又は老齢により両議院の議長が協議して定める期間にわたり日常生活を営むのに支障があるものをいう。以下同じ。）の介護をするため、本属長が、両議院の議長が協議して定めるところにより、国会職員の申出に基づき、要介護者の各々が当該介護を必要とする一の継続する状態ごとに、三回を超えず、かつ、通算して六月を超えない範囲内で指定する期間（以下「指定期間」という。）内において勤務しないことが相当であると認められる場合における休暇とする。

2　介護休暇の期間は、指定期間内において必要と認められる期間とする。

3　介護休暇については、給与規程第六条の八第一項の規定にかかわらず、その期間の勤務しない一時間につき、同条第二項に規定する勤務一時間当たりの給与額を減額する。

（介護時間）

第十六条の二　介護時間は、国会職員が要介護者の介護をするため、要介護者の各々が当該介護を必要とする一の継続する状態ごとに、連続する三年の期間（当該要介護者に係る指定期間と重複する期間を除く。）内において一日の勤務時間の一部につき勤務しないことが相当であると認められる場合における休暇とする。

2　介護時間の時間は、前項に規定する期間内において一日につき二時間を超えない範囲内で必要と認められる時間とする。

3　介護時間については、給与規程第六条の八第一項の規定にかかわらず、その勤務しない一時間につき、同条第二項に規定する勤務一時間当たりの給与額を減額する。

（病気休暇、特別休暇、介護休暇及び介護時間の承認）

第十七条　病気休暇、特別休暇（両議院の議長が協議して定めるものを除く。）、介護休暇及び介護時間については、両議院の議長が協議して定めるところにより、本属長の承認を受けなければならない。

（両院議長協議決定への委任）

第十八条　この規程に定めるもののほか、勤務時間、休日及び休暇に関し必要な事項は、両議院の議長が協議して定める。

（非常勤の職員の勤務時間及び休暇）

第十九条　非常勤の職員（定年前再任用短時間勤務職員を除く。）の勤務時間及び休暇に関する事項については、第三条から前条までの規定にかかわらず、その職務の性質等を考慮して両議院の議長が協議して定める。

附　則

（施行期日）

第一条　この規程は、国会職員法の一部を改正する法律（平成六年法律第八十一号）の施行の日（平六・九・一）から施行する。

（経過措置）

第二条　この規程の施行の際現にこの規程による改正前の国会職員の給与等に関する規程（以下「旧給与規程」という。）第六条の五第二項本文の規定に基づき月曜日から金曜日までの五日間において一日につき八時間の勤務時間が割り振られている国会職員について同条第三項の規定に基づき定められている勤務を要しない日又は勤務時間の割振りは、それぞれ第六条の規定に基づき本属長が定めた週休日又は勤務時間の割振りとみなす。

2　この規程の施行の際現に前項に規定する国会職員以外の国会職員について旧給与規程第六条の五第二項又は第三項の規定に基づき定められている勤務を要しない日又

は勤務時間の割振りは、それぞれ第五条又は第六条の規定に基づき本属長が定めた週休日又は勤務時間の割振りとみなす。

3　前二項の規定が適用される国会職員についてこの規程の施行の日（以下「施行日」という。）前の法令の規定に基づき定められている休憩時間については、第七条の規定に基づく休憩時間とみなす。

4　施行日前から引き続き在職する国会職員の施行日以後の平成六年における年次休暇の日数については、第十三条第一項の規定にかかわらず、この規程の施行の際の旧給与規程第六条の七第一項に規定する年次休暇の残日数とする。

5　この規程の施行の際現に旧給与規程第六条の七第四項又は第七項の規定に基づき本属長又はその委任を受けた者の承認を受けている休暇については、それぞれ第十三条第三項又は第十七条の規定に基づき本属長が承認したものとみなす。

6　前各項に規定するもののほか、この規程の施行に伴い必要な経過措置は、両議院の議長が協議して定める。

〔国会職員の給与等に関する規程附則第四項の規定により給与が減ぜられて支給される国会職員に関する読替え〕

附　則（令三・六・四）（抄）

（施行期日）

第一条　この規程は、国会職員法及び国家公務員退職手当法の一部を改正する法律（令和三年法律第六十二号。以下「令和三年国会職員法等改正法」という。）の施行の日〔令五・四・一〕から施行する。ただし、附則第四条の規定は、令和三年国会職員法等改正法の公布の日〔令三・六・二五〕から施行する。

〔注：国会職員の給与等に関する規程の同日の附則参照〕

附　則（令五・一一・一七）（抄）

（施行期日等）

第一条　この規程は、令和五年十一月二十四日から施行する。ただし、次の各号に掲げる規定は、当該各号に定める日から施行する。

一　〔略〕

二　〔前略〕第三条の規定〔中略〕　令和七年四月一日

2　〔略〕

第一七　裁判官及び裁判所職員

○裁判官の報酬等に関する法律

昭二三・七・一
法　七五

最終改正　令六・一二・二五法七六

〔目的〕

第一条　裁判官の受ける報酬その他の給与については、この法律の定めるところによる。

〔報酬〕

第二条　裁判官の報酬月額は、別表による。

第三条　各判事、各判事補及び各簡易裁判所判事の受ける別表の報酬の号又は報酬月額は、最高裁判所が、これを定める。

〔報酬の支給方法〕

第四条　裁判官の報酬は、発令の日から、これを支給する。但し、裁判官としての地位を失つた者が、即日裁判官に任ぜられたときは、発令の日の翌日から報酬を支給する。

2　裁判官の報酬が増額された場合には、増額された日からあらたな額の報酬を支給する。

第五条　裁判官がその地位を失つたときは、その日まで、報酬を支給する。

2　裁判官が死亡したときは、その月まで、報酬を支給する。

第六条　裁判官の報酬は、毎月、最高裁判所の定める時期に、これを支給する。但し、前条の場合においては、その際、これを支給する。

第七条　第四条又は第五条第一項の規定により報酬を支給する場合においては、その報酬の額は、報酬月額の二十五分の一をもつて報酬日額とし、日割りによつてこれを計算する。ただし、その額が報酬月額を超えるときは、これを報酬月額にとどめるものとする。

第八条　削除

〔その他の給与〕

第九条　報酬以外の給与は、最高裁判所長官、最高裁判所判事及び高等裁判所長官には、特別職の職員の給与に関する法律（昭和二十四年法律第二百五十二号）第一条第一号から第四十二号までに掲げる者の例に準じ、判事及び第十五条に定める報酬月額の報酬又は一号から四号までの報酬を受ける簡易裁判所判事には、一般職の職員の給与に関する法律（昭和二十五年法律第九十五号）による指定職俸給表の適用を受ける職員の例に準じ、その他の裁判官には、一般の官吏の例に準じて最高裁判所の定めるところによりこれを支給する。ただし、報酬の特別調整額、超過勤務手当、休日給、夜勤手当及び宿日直手当は、これを支給しない。

2　高等裁判所長官には、一般の官吏の例に準じて、最高裁判所の定めるところにより、単身赴任手当を支給する。

3　寒冷地に在勤する高等裁判所長官には、一般の官吏の例に準じて、最高裁判所の定めるところにより、寒冷地手当を支給する。

〔一般官吏に対する給与との権衡〕

第十条　生計費及び一般賃金事情の著しい変動により、一般の官吏について、政府がその俸給その他の給与の額を増加し、又は特別の給与を支給するときは、最高裁判所は、別に法律の定めるところにより、裁判官について、一般の官吏の例に準じて、報酬その他の給与の額を増加し、又は特別の給与を支給する。

〔給与に関する細則〕

第十一条　裁判官の報酬その他の給与に関する細則は、最高裁判所が、これを定める。

附　則

〔適用期日〕

第十二条　この法律は、公布の日から、これを施行する。但し、報酬その他の給与（旅費を除く。以下これに同じ。）の額に関する規定は、昭和二十三年一月一日に遡及して、これを適用する。

〔従前の給与の取扱〕

2　昭和二十三年一月一日以後すでに支給された報酬その他の給与は、前項但書の規定により支給されるべき報酬その他の給与の内払とみなし、これを超える額（退官手当及び死亡賜金にかかる部分の金額を除く。）は、所得税法（昭和二十二年法律第二十七号）の適用については、同法第三十八条第一項第五号の給与とみなす。

〔判事を兼ねる簡易裁判所判事の報酬〕

第十三条　判事を兼ねる簡易裁判所判事の報酬月額は、当分の間、判事の報酬月額による。

〔従前の法令との関係〕

第十四条　裁判官の報酬等の応急的措置に関する法律（昭和二十二年法律第六十五号）は、これを廃止する。

〔判事の報酬月額の特例〕

第十五条　簡易裁判所判事の報酬月額は、特別のものに限り、当分の間、第二条の規定にかかわらず、九十七万九千円とすることができる。

〔裁判官の報酬等に関する法律の特例〕

第十六条　裁判官の報酬等に関する法律等の一部を改正する法律（平成二十四年法律第四号）附則ただし書に規定する規定の施行の日から平成二十六年三月三十一日までの間においては、裁判官に対する報酬の支給に当たつては、報酬月額（裁判官の報酬等に関する法律の一部を改正する法律（平成十七年法律第百十六号）附則第二条の規定による報酬を含む。）から、当該報酬月額に次の各号に掲げる裁判官の区分に応じ当該各号に定める割合を乗じて得た額に相当する額を減ずる。

一　最高裁判所長官　百分の三十

二　最高裁判所判事及び東京高等裁判所長官　百分の二十

三　その他の高等裁判所長官　百分の十五

四　判事、一号から六号までの報酬を受ける判事補及び前条に定める報酬月額の報酬又は一号から十一号までの報酬を受ける簡易裁判所判事　百分の九・七七

五　七号から十二号までの報酬を受ける判事補及び十二号から十七号までの報酬を受ける簡易裁判所判事　百分の七・七七

2　前項の規定により報酬の支給に当たつて減ずることとされる額を算定する場合において、当該額に一円未満の端数を生じたときは、これを切り捨てるものとする。

附　則（令四・一一・二八法九〇）

（施行期日等）

1　この法律は、公布の日から施行し、この法律による改正後の裁判官の報酬等に関する法律（次項において「新法」という。）の規定は、令和四年四月一日から適用する。

（給与の内払）

2　新法の規定を適用する場合においては、この法律による改正前の裁判官の報酬等に関する法律の規定に基づいて支給された報酬その他の給与は、新法の規定による報酬その他の給与の内払とみなす。

附　則（令五・一一・二四法七六）

（施行期日等）

1　この法律は、公布の日から施行し、この法律による改正後の裁判官の報酬等に関する法律（次項において「新法」という。）の規定は、令和五年四月一日から適用する。

（給与の内払）

2　新法の規定を適用する場合においては、この法律による改正前の裁判官の報酬等に関する法律の規定に基づいて支給された報酬その他の給与は、新法の規定による報酬その他の給与の内払とみなす。

附　則（令六・一二・二五法七六）

（施行期日等）

1　この法律は、公布の日から施行する。ただし、第二条の規定は、令和七年四月一日から施行する。

2　第一条の規定による改正後の裁判官の報酬等に関する法律（次項において「新法」という。）の規定は、令和六年四月一日から適用する。

（給与の内払）

3　新法の規定を適用する場合においては、第一条の規定による改正前の裁判官の報酬等に関する法律の規定に基づいて支給された報酬その他の給与は、新法の規定による報酬その他の給与の内払とみなす。

別表（第二条関係）

区分		報酬月額
最高裁判所長官		二、〇三八、〇〇〇円
最高裁判所判事		一、四八六、〇〇〇円
東京高等裁判所長官		一、四二六、〇〇〇円
その他の高等裁判所長官		一、三二一、〇〇〇円
判事	一号	一、一九一、〇〇〇円
	二号	一、〇四九、〇〇〇円
	三号	九七九、〇〇〇円
	四号	八二九、〇〇〇円
	五号	七一六、〇〇〇円
	六号	六四四、〇〇〇円
	七号	五八四、〇〇〇円
	八号	五二六、〇〇〇円
判事補	一号	四四三、九〇〇円
	二号	四〇九、〇〇〇円
	三号	三九〇、八〇〇円
	四号	三六六、三〇〇円
	五号	三三九、七〇〇円
	六号	三二五、三〇〇円
	七号	三〇九、〇〇〇円
	八号	三〇〇、一〇〇円
	九号	二八三、三〇〇円
	十号	二七四、五〇〇円
	十一号	二六九、一〇〇円

	十二号	二六五、三〇〇円
簡易裁判所判事	一号	八二九、〇〇〇円
	二号	七一六、〇〇〇円
	三号	六四四、〇〇〇円
	四号	五八四、〇〇〇円
	五号	四六二、〇〇〇円
	六号	四四三、九〇〇円
	七号	四〇九、〇〇〇円
	八号	三九〇、八〇〇円
	九号	三六六、三〇〇円
	十号	三三九、七〇〇円
	十一号	三二五、三〇〇円
	十二号	三〇九、〇〇〇円
	十三号	三〇〇、一〇〇円
	十四号	二八三、三〇〇円
	十五号	二七四、五〇〇円
	十六号	二六九、一〇〇円
	十七号	二六五、三〇〇円

○裁判官以外の裁判所職員の俸給等の支給に関する規則

令二・三・一六
最高裁規四

第一条　裁判官以外の裁判所職員の俸給の支給定日は、十八日とする。ただし、次の各号に掲げるときは、当該各号に定める日を支給定日とする。

一　十八日が日曜日に当たるとき　十六日
二　十八日が土曜日に当たるとき　十七日
三　十八日が休日に当たるとき　十五日

第二条　前条に定めるもののほか、裁判官以外の裁判所職員の俸給及び俸給以外の給与（次条において「俸給等」という。）の支給に関する事項については、その性質に反しない限り、人事院規則九―七（俸給等の支給）の規定を準用する。

第三条　この規則に定めるもののほか、裁判官以外の裁判所職員の俸給等の支給に関し必要な事項は、最高裁判所が定める。

附　則
この規則は、令和二年四月一日から施行する。

○裁判官の報酬等に関する規則

平二九・三・一七
最高裁規一

最終改正　令七・三・二六最高裁規七

（趣旨）
第一条　裁判官の報酬等に関する法律（昭和二十三年法律第七十五号。以下「報酬法」という。）の規定に基づき裁判官に対して支給する報酬その他の給与については、この規則の定めるところによる。

（報酬の支給）
第一条の二　裁判官の報酬の支給定日は、十八日とする。ただし、次の各号に掲げるときは、当該各号に定める日を支給定日とする。

一　十八日が日曜日に当たるとき　十六日
二　十八日が土曜日に当たるとき　十七日
三　十八日が国民の祝日に関する法律（昭和二十三年法律第百七十八号）に規定する休日に当たるとき　十五日

2　前項に定めるもののほか、裁判官の報酬の支給については、一般の官吏の例による。

（初任給調整手当）
第二条　報酬法別表判事補の項五号から十二号までの報酬月額の報酬を受ける判事補及び裁判所法（昭和二十二年法律第五十九号）第四十四条の規定により任命された簡易裁判所判事で報酬法別表簡易裁判所判事の項十号から十七号まで

の報酬月額の報酬を受ける簡易裁判所判事には、当分の間、初任給調整手当を支給する。

2　前項の規定により支給される初任給調整手当の月額は、別表第一の上欄に掲げる裁判官の区分に応じ、同表の下欄に定める額とする。

3　前二項の規定にかかわらず、別表第一の上欄に掲げる報酬法別表判事補の項六号から十二号までの報酬月額の報酬を受ける判事補及び報酬法別表簡易裁判所判事の項十一号から十七号までの報酬月額の報酬を受ける簡易裁判所判事の各区分に応じた同表の下欄に定める月額の初任給調整手当が最高裁判所の定める期間を超えて支給されることとなる判事補及び簡易裁判所判事には、その期間を超えるごとに順次上位の報酬の号に対応する月額の初任給調整手当を支給し、別表第一の上欄に掲げる報酬法別表判事補の項五号の報酬月額の報酬を受ける判事補及び報酬法別表簡易裁判所判事の項十号の報酬月額の報酬を受ける簡易裁判所判事の区分に応じた同表の下欄に定める月額の初任給調整手当が最高裁判所の定める期間を超えて支給されることとなる判事補及び簡易裁判所判事には、その期間を超える時から初任給調整手当を支給しない。

（扶養手当）

第三条　扶養手当は、扶養親族のある判事補及び報酬法別表簡易裁判所判事の項五号から十七号までの報酬月額の報酬を受ける簡易裁判所判事に対して支給する。ただし、次項第二号から第五号までのいずれかに該当する扶養親族（第三項において「扶養親族たる父母等」という。）に係る扶養手当は、報酬法別表判事補の項一号及び二号の報酬月額の報酬を受ける判事補並びに報酬法別表簡易裁判所判事の項五号から七号までの報酬月額の報酬を受ける簡易裁判所判事に対しては、支給しない。

2　扶養手当の支給については、次に掲げる者で他に生計の途がなく主としてその裁判官の扶養を受けているものを扶養親族とする。

一　満二十二歳に達する日以後の最初の三月三十一日までの間にある子

二　満二十二歳に達する日以後の最初の三月三十一日までの間にある孫

三　満六十歳以上の父母及び祖父母

四　満二十二歳に達する日以後の最初の三月三十一日までの間にある弟妹

五　重度心身障害者

3　扶養手当の月額は、前項第一号に該当する扶養親族（次項において「扶養親族たる子」という。）については一人につき一万三千円、扶養親族たる父母等については一人につき六千五百円（報酬法別表判事補の項三号及び四号の報酬月額の報酬を受ける判事補並びに報酬法別表簡易裁判所判事の項八号及び九号の報酬月額の報酬を受ける簡易裁判所判事にあっては、三千五百円）とする。

4　扶養親族たる子のうちに満十五歳に達する日後の最初の四月一日から満二十二歳に達する日以後の最初の三月三十一日までの間にある子がいる場合における扶養手当の月額は、前項の規定にかかわらず、五千円に当該期間にある当該扶養親族たる子の数を乗じて得た額を同項の規定による額に加算した額とする。

5　前各項に定めるもののほか、扶養手当の支給については、一般の官吏の例による。

（地域手当）

第四条　地域手当は、一般の官吏の例により支給する。

（広域異動手当）

第五条　広域異動手当は、判事、判事補及び簡易裁判所判事に対し、一般の官吏の例により支給する。

（住居手当）

第六条　住居手当は、判事補及び報酬法別表簡易裁判所判事の項五号から十七号までの報酬月額の報酬を受ける簡易裁判所判事に対し、一般の官吏の例により支給する。

（通勤手当）

第七条　通勤手当は、一般の官吏の例により支給する。

（単身赴任手当）

第八条　単身赴任手当は、高等裁判所長官、判事、判事補及び簡易裁判所判事に対し、一般の官吏の例により支給する。

（特殊勤務手当）

第九条　特殊勤務手当は、判事補及び報酬法別表簡易裁判所判事の項五号から十七号までの報酬月額の報酬を受ける簡易裁判所判事に対し、一般の官吏の例により支給する。

（特地勤務手当等）

第十条　特地勤務手当及び特地勤務手当に準ずる手当は、判事、判事補及び簡易裁判所判事に対し、一般の官吏の例により支給する。

（裁判官特別勤務手当）

第十一条　判事、報酬法別表判事補の項一号から十号までの報酬月額の報酬を受ける判事補及び報酬法第十五条に定める報酬月額又は報酬法別表簡易裁判所判事の項一号から十五号までの報酬月額の報酬を受ける簡易裁判所判事が臨時又は緊急の必要その他の公務の運営の必要により裁判所の休日に関する法律（昭和六十三年法律第九十三号）第一条第一項の規定による裁判所の休日（次項において「休日」という。）に勤務をした場合は、当該裁判官には、裁判官特別勤務手当を支給する。

2　前項に規定する場合のほか、判事、同項の判事補及び同項の簡易裁判所判事が災害への対処その他の臨時又は緊急の必要により午後十時から翌日の午前五時までの間（休日に含まれる時間を除く。）の時間に勤務をした場合は、当該裁判官には、裁判官特別勤務手当を支給する。

3　裁判官特別勤務手当の額は、次の各号に掲げる場合の区分に応じ、当該各号に定める額とする。

一　第一項に規定する場合　別表第二の上欄に掲げる裁判官の区分に応じ、同項の規定による勤務一回につき、同表の下欄に定める額（当該勤務に従事した時間が六時間を超える場合の勤務をした裁判官にあっては、同表の下欄に定める額に百分の百五十を乗じて得た額）

二　第二項に規定する場合　別表第三の上欄に掲げる裁判官の区分に応じ、同項の規定による勤務一回につき、同表の下欄に定める額

4　次に掲げる場合には、第二項の裁判官特別勤務手当を支給しない。この場合において、裁判官がした同項の勤務は、第一項の勤務とみなす。

一　第一項の勤務をした後、引き続いて第二項の勤務をした場合

二　第二項の勤務をした後、引き続いて第一項の勤務をした場合

（期末手当）

第十二条　裁判官であって六月一日及び十二月一日（以下この条から第十四条までにおいてこれらの日を「基準日」という。）にそれぞれ在職するものに対しては、それぞれ基準日から当該基準日の属する月の末日までの間において最高裁判所が定める日（次条及び第十四条においてこれらの日を「支給日」という。）に期末手当を支給する。これらの基準日前一箇月以内に退職し、又は死亡した裁判官（最高裁判所が定める者を除く。）についても、同様とする。

2　期末手当の額は、期末手当基礎額に、最高裁判所長官、最高裁判所判事及び高等裁判所長官にあっては特別職の職員の給与に関する法律（昭和二十四年法律第二百五十二号）第七条の二ただし書の規定により読み替えられた一般職の職員の給与に関する法律（昭和二十五年法律第九十五号。以下「一般職給与法」という。）第十九条の四第二項（各号列記以外の部分に限る。以下この項において同じ。）に規定する指定職俸給表の適用を受ける職員以外の職員につき定められた割合を乗じて得た額に、判事及び報酬法第十五条に定める報酬月額又は報酬法別表簡易裁判所判事の項一号から四号までの報酬月額の報酬を受ける簡易裁判所判事にあっては一般職給与法第十九条の四第二項に規定する指定職俸給表の適用を受ける職員につき定められた割合を乗じて得た額に、報酬法別表判事補の項一号から四号までの報酬月額の報酬を受ける判事補及び報酬法別表簡易裁判所判事の項五号から九号までの報酬月額の報酬を受ける簡易裁判所判事にあっては一般職給与法第十九条の四第二項に規定する特定管理職員につき定められた割合を乗じて得た額に、報酬法別表判事補の項五号から十二号までの報酬月額の報酬を受ける判事補及び報酬法別表簡易裁判所判事の項十号から十七号までの報酬月額の報酬を受ける簡易裁判所判事にあっては一般職給与法第十九条の四第二項に規定する指定職俸給表の適用を受ける職員及び特定管理職員以外の職員につき定められた割合を乗じて得た額に、それぞれ基準日以前六箇月以内の期間におけるその者の在職期間の次の各号に掲げる区分に応じて当該各号に定める割合を乗じて得た額とする。

一　六箇月　百分の百

二　五箇月以上六箇月未満　百分の八十

三　三箇月以上五箇月未満　百分の六十

四　三箇月未満　百分の三十

3　前項の期末手当基礎額は、それぞれその基準日現在（退職し、又は死亡した裁判官にあっては、退職し、又は死亡した日現在）において裁判官が受けるべき報酬及び扶養手当の月額並びにこれらに対する地域手当及び広域異動手当の月額の合計額に、報酬月額並びにこれに対する地域手当及び広域異動手当の月額の合計額に別

表第四の上欄に掲げる裁判官の区分に応じて同表の下欄に掲げる割合を乗じて得た額（別表第五の上欄に掲げる裁判官にあっては、その額に報酬月額に同表の下欄に掲げる割合を乗じて得た額を加算した額）を加算した額とする。

第十三条　裁判官で次の各号のいずれかに該当するものには、前条第一項の規定にかかわらず、当該各号の基準日に係る期末手当（第三号に掲げる者にあっては、その支給を一時差し止めた期末手当）は、支給しない。

一　基準日から当該基準日に対応する支給日の前日までの間に裁判官弾劾裁判所の罷免の裁判を受けた者

二　基準日前一箇月以内又は基準日から当該基準日に対応する支給日の前日までの間に退職した者で、その退職した日から当該支給日の前日までの間に拘禁刑以上の刑に処せられたもの

三　次条第一項の規定により期末手当の支給を一時差し止める処分を受けた者（当該処分を取り消された者を除く。）で、その者の在職期間中の行為に係る刑事事件に関し拘禁刑以上の刑に処せられたもの

第十四条　最高裁判所長官は、支給日に期末手当を支給することとされていた裁判官で当該支給日の前日までに退職したものが次の各号のいずれかに該当する場合は、当該期末手当の支給を一時差し止めることができる。

一　退職した日から当該支給日の前日までの間に、その者の在職期間中の行為に係る刑事事件に関して、その者が起訴（当該起訴に係る犯罪について拘禁刑以上の刑が定められているものに限り、刑事訴訟法（昭和二十三年法律第百三十一号）第六編に規定する略式手続によるものを除く。第三項において同じ。）をされ、その判決が確定していない場合

二　退職した日から当該支給日の前日までの間に、その者の在職期間中の行為に係る刑事事件に関して、その者が逮捕された場合又はその者から聴取した事項若しくは調査により判明した事実に基づきその者に犯罪があると思料するに至った場合であって、その者に対し期末手当を支給することが、裁判官の職務に対する国民の信頼を確保し、期末手当に関する制度の適正かつ円滑な実施を維持する上で重大な支障を生ずると認めるとき。

2　前項の規定による期末手当の支給を一時差し止める処分（以下この条において「一時差止処分」という。）を受けた者は、第五項の説明書を受領した日の翌日から起算して六十日を経過した後においては、当該一時差止処分後の事情の変化を理由に、最高裁判所長官に対し、その取消しを申し立てることができる。

3　最高裁判所長官は、一時差止処分について、次の各号のいずれかに該当するに至った場合には、速やかに当該一時差止処分を取り消さなければならない。ただし、第三号に該当する場合において、一時差止処分を受けた者がその者の在職期間中の行為に係る刑事事件に関し現に逮捕されているときその他これを取り消すことが一時差止処分の目的に明らかに反すると認めるときは、この限りでない。

一　一時差止処分を受けた者が当該一時差止処分の理由となった行為に係る刑事事件に関し拘禁刑以上の刑に処せられなかった場合

二　一時差止処分を受けた者について、当該一時差止処分の理由となった行為に係る刑事事件につき公訴を提起しない処分があった場合

三　一時差止処分を受けた者がその者の在職期間中の行為に係る刑事事件に関し起訴をされることなく当該一時差止処分に係る期末手当の基準日から起算して一年を経過した場合

4　前項の規定は、最高裁判所長官が、一時差止処分後に判明した事実又は生じた事情に基づき、期末手当の支給を差し止める必要がなくなったとして当該一時差止処分を取り消すことを妨げるものではない。

5　最高裁判所長官は、一時差止処分を行う場合は、当該一時差止処分を受けるべき者に対し、当該一時差止処分の際、一時差止処分の事由を記載した説明書を交付しなければならない。

6　一時差止処分に対する審査請求については、一般の官吏の例による。

（勤勉手当）

第十五条　裁判官（最高裁判所長官、最高裁判所判事及び高等裁判所長官を除く。以下この条において同じ。）であって六月一日及び十二月一日（以下この条においてこれらの日を「基準日」という。）にそれぞれ在職するものに対しては、基準日以前六箇月以内の期間におけるその者の勤務成績に応じて、それぞれ基準日から当該基準日の属する月の末日までの間において最高裁判所が定める日に勤勉手当を支給する。

これらの基準日前一箇月以内に退職し、又は死亡した裁判官（最高裁判所が定める者を除く。）についても、同様とする。

2 勤勉手当の額は、勤勉手当基礎額に、最高裁判所が一般の官吏の例に準じて定める割合を乗じて得た額とする。

3 前項の勤勉手当基礎額は、それぞれその基準日現在（退職し、又は死亡した裁判官にあっては、退職し、又は死亡した日現在）において裁判官が受けるべき報酬月額並びにこれに対する地域手当及び広域異動手当の月額の合計額に、その額に別表第六の上欄に掲げる裁判官の区分に応じて同表の下欄に掲げる割合を乗じて得た額（別表第七の上欄に掲げる裁判官にあっては、その額に報酬月額に同表の下欄に掲げる割合を乗じて得た額を加算した額）を加算した額とする。

4 前二条の規定は、第一項の規定による勤勉手当の支給について準用する。この場合において、第十三条中「前条第一項」とあるのは「第十五条第一項」と、同条第一号中「基準日から」とあるのは「基準日（第十五条第一項に規定する基準日をいう。以下この条及び次条において同じ。）から」と、「支給日」とあるのは「支給日（同項に規定する最高裁判所で定める日をいう。以下この条及び次条において同じ。）」と読み替えるものとする。

5 前各項に定めるもののほか、勤勉手当の支給については、一般の官吏の例による。

（寒冷地手当）

第十六条 寒冷地手当は、高等裁判所長官、判事、判事補及び簡易裁判所判事に対し、一般の官吏の例により支給する。

（補則）

第十七条 この規則に定めるもののほか、報酬その他の給与の支給に関し必要な事項は、最高裁判所が定める。

附 則

（施行期日）

第一条 この規則は、平成二十九年四月一日から施行する。

（裁判官の寒冷地手当に関する規則等の廃止）

第二条 次に掲げる規則は、廃止する。

一 裁判官の寒冷地手当に関する規則（昭和二十四年最高裁判所規則第二十九号）

二 裁判官に対する期末手当及び勤勉手当の支給に関する規則（昭和二十七年最高裁判所規則第三十一号）

三 裁判官の地域手当に関する規則（昭和四十二年最高裁判所規則第十七号）

四 裁判官の初任給調整手当に関する規則（昭和四十六年最高裁判所規則第二号）

五 裁判官特別勤務手当に関する規則（平成三年最高裁判所規則第六号）

（平成三十二年三月三十一日までの間における扶養手当に関する特例）

第三条 平成二十九年四月一日から平成三十年三月三十一日までの間は、第三条第一項ただし書の規定は適用せず、同条第三項の規定の適用については、同項中「扶養親族たる配偶者、父母等については一人につき六千五百円（報酬法別表判事補の項三号及び四号の報酬月額の報酬を受ける判事補並びに報酬法別表簡易裁判所判事の項八号及び九号の報酬月額の報酬を受ける簡易裁判所判事にあっては、三千五百円）、前項第二号に該当する扶養親族（次項において「扶養親族たる子」という。）については一人につき一万円」とあるのは、「前項第一号に該当する扶養親族については一万円、同項第二号に該当する扶養親族（以下この項及び次項において「扶養親族たる子」という。）については一人につき八千円（裁判官に配偶者がない場合にあっては、そのうち一人については一万円）、同項第三号から第六号までのいずれかに該当する扶養親族については一人につき六千五百円（裁判官に配偶者及び扶養親族たる子がない場合にあっては、そのうち一人については九千円）」とする。

2 平成三十年四月一日から平成三十一年三月三十一日までの間は、第三条第一項ただし書の規定は適用せず、同条第三項の規定の適用については、同項中「扶養親族たる配偶者、父母等」とあるのは「前項第一号及び第三号から第六号までのいずれかに該当する扶養親族」と、「（報酬法別表判事補の項三号及び四号の報酬月額の報酬を受ける判事補並びに報酬法別表簡易裁判所判事の項八号及び九号の報酬月額の報酬を受ける簡易裁判所判事にあっては、三千五百円）、前項第二号」とあるのは「、同項第二号」とする。

3 平成三十一年四月一日から平成三十二年三月三十一日までの間は、第三条第一項ただし書の規定は適用せず、同条第三項の規定の適用については、同項中「扶養親族たる配偶者、父母等」とあるのは「前項第一号及び第三号から第六号までのいずれかに該当する扶養親族」と、「三号及び四号」とあるのは「一号から四号まで」と、「八号及び九号」とあるのは「五号から九号まで」と、「前項第二号」とあるのは「同項第二号」とする。

（裁判官特別勤務手当の支給に関する経過措置）

第四条 平成二十九年三月三十一日までの間における附則第二条による廃止前の裁判官特別勤務手当に関する規則第一条に規定する勤務に対する裁判官特別勤務手当の支給については、なお従前の例による。

（期末手当及び勤勉手当の支給に関する経過措置）

第五条 この規則の施行の際現に附則第二条による廃止前の裁判官に対する期末手当及び勤勉手当の支給に関する規則附則第八項の適用を受けている裁判官に対する期末手当及び勤勉手当の支給については、なお従前の例による。

（令和四年六月に支給する期末手当に関する特例措置）

第七条 令和四年六月に支給する期末手当の額は、第十二条第二項及び第三項の規定にかかわらず、これらの規定により算定される期末手当の額（以下この項において「基準額」という。）から、令和三年十二月に支給された期末手当の額に、同月一日（同日前一箇月以内に退職した者にあっては、当該退職をした日）における次の各号に掲げる裁判官の区分ごとに、それぞれ当該各号に定める割合を乗じて得た額（以下この項において「調整額」という。）を減じた額とする。この場合において、調整額が基準額以上となるときは、期末手当は、支給しない。

一　最高裁判所長官、最高裁判所判事及び高等裁判所長官　百六十七・五分の十

二　判事及び報酬法第十五条に定める報酬月額又は報酬法別表簡易裁判所判事の項一号から四号までの報酬月額の報酬を受ける簡易裁判所判事　六十七・五分の十

三　報酬法別表判事補の項一号から四号までの報酬月額の報酬を受ける判事補及び報酬法別表簡易裁判所判事の項五号から九号までの報酬月額の報酬を受ける簡易裁判所判事　百七・五分の十五

四　報酬法別表判事補の項五号から十二号までの報酬月額の報酬を受ける判事補及び報酬法別表簡易裁判所判事の項十号から十七号までの報酬月額の報酬を受ける簡易裁判所判事　百二十七・五分の十五

2　令和三年十二月に検察官の俸給等に関する法律（昭和二十三年法律第七十六号）その他の最高裁判所の定める法令の規定に基づき期末手当を支給された者に対する前項の規定の適用については、同項中「令和三年十二月に支給された期末手当の額に、同月一日（同日前一箇月以内に退職した者にあっては、当該退職をした日）における次の各号に掲げる裁判官の区分ごとに、それぞれ当該各号に定める割合を乗じて得た」とあるのは、「検察官その他の国家公務員で最高裁判所の定めるものとの権衡を考慮して最高裁判所の定める」とする。

附　則（令二・三・一六最高裁規五）（抄）

（施行期日）

1　この規則は、令和二年四月一日から施行する。

附　則（令四・五・一三最高裁規一二）

この規則は、公布の日から施行する。

附　則（令五・一二・一九最高裁規八）

（施行期日等）

1　この規則は、公布の日から施行し、この規則による改正後の裁判官の報酬等に関する規則（以下「改正後の規則」という。）の規定は、令和五年四月一日から適用する。

（初任給調整手当の内払）

2　改正後の規則の規定を適用する場合には、この規則による改正前の裁判官の報酬等に関する規則の規定に基づいて支給された初任給調整手当は、改正後の規則の規定による初任給調整手当の内払とみなす。

附　則（令六・一二・二五最高裁規一六）

（施行期日等）

1　この規則は、公布の日から施行し、この規則による改正後の裁判官の報酬等に関する規則（次項において「改正後の規則」という。）の規定は、令和六年四月一日から適用する。

（初任給調整手当の内払）

2　改正後の規則の規定を適用する場合には、この規則による改正前の裁判官の報酬等に関する規則の規定に基づいて支給された初任給調整手当は、改正後の規則の規定による初任給調整手当の内払とみなす。

附　則（令七・二・一二最高裁規三）（抄）

（施行期日）

第一条　この規則は、刑法等の一部を改正する法律（令和四年法律第六十七号。次条において「刑法等一部改正法」という。）の施行の日（令和七年六月一日）から施行する。

（経過措置）

第二条　〔略〕

2　〔略〕

3　刑法等一部改正法及び整理法の施行前に犯した禁錮以上の刑（死刑を除く。）が定められている罪につき起訴をされた者は、第九条の規定による改正後の裁判官の報酬等に関する規則第十四条第一項（第一号に係る部分に限る。）及び第三項（第三号に係る部分に限る。）の規定の適用については、拘禁刑が定められている罪につき起訴をされた者とみなす。

附　則（令七・三・二六最高裁規七）

（施行期日）

第一条　この規則は、令和七年四月一日から施行する。

（令和八年三月三十一日までの間における扶養手当に関する経過措置）

第二条　令和七年四月一日から令和八年三月三十一日までの間における第一条の規定による改正後の裁判官の報酬等に関する規則第三条の規定の適用については、同条第一項ただし書中「対しては」とあるのは「対しては、支給せず、次項第六号に該当する扶養親族に係る扶養手当は、報酬法別表判事補の項一号から四号までの報酬月額の報酬を受ける判事補及び報酬法別表簡易裁判所判事の項五号から九号までの報酬月額の報酬を受ける簡易裁判所判事に対しては」と、同条第二項中「五　重度心身障害者」とあるのは「五　重度心身障害者　六　配偶者（届出をしないが事実上婚姻関係と同様の事情にある者を含む。）」と、同条第三項中「一万三千円」とあるのは「一万五百円」と、「とする」とあるのは「、前項第六号に該当する扶養親族については三千円とする」とする。

別表第一（第二条関係）

区分	初任給調整手当の月額
報酬法別表判事補の項五号の報酬月額の報酬を受ける判事補 報酬法別表簡易裁判所判事の項十号の報酬月額の報酬を受ける簡易裁判所判事	一九、二〇〇円
報酬法別表判事補の項六号の報酬月額の報酬を受ける判事補 報酬法別表簡易裁判所判事の項十一号の報酬月額の報酬を受ける簡易裁判所判事	三一、八〇〇円
報酬法別表判事補の項七号の報酬月額の報酬を受ける判事補 報酬法別表簡易裁判所判事の項十二号の報酬月額の報酬を受ける簡易裁判所判事	四六、〇〇〇円
報酬法別表判事補の項八号の報酬月額の報酬を受ける判事補 報酬法別表簡易裁判所判事の項十三号の報酬月額の報酬を受ける簡易裁判所判事	五四、一〇〇円
報酬法別表判事補の項九号の報酬月額の報酬を受ける判事補 報酬法別表簡易裁判所判事の項十四号の報酬月額の報酬を受ける簡易裁判所判事	七〇、〇〇〇円
報酬法別表判事補の項十号の報酬月額の報酬を受ける判事補 報酬法別表簡易裁判所判事の項十五号の報酬月額の報酬を受ける簡易裁判所判事	七五、一〇〇円
報酬法別表判事補の項十一号の報酬月額の報酬を受ける判事補 報酬法別表簡易裁判所判事の項十六号の報酬月額の報酬を受ける簡易裁判所判事	八三、九〇〇円
報酬法別表判事補の項十二号の報酬月額の報酬を受ける判事補 報酬法別表簡易裁判所判事の項十七号の報酬月額の報酬を受ける簡易裁判所判事	八七、八〇〇円

別表第二（第十一条関係）

区分	裁判官特別勤務手当の額
判事 報酬法第十五条に定める報酬月額又は報酬法別表簡易裁判所判事の項一号から四号までの報酬月額の報酬を受ける簡易裁判所判事	一八、〇〇〇円
報酬法別表判事補の項一号又は二号の報酬月額の報酬を受ける判事補 報酬法別表簡易裁判所判事の項五号から七号までの報酬月額の報酬を受ける簡易裁判所判事	一二、〇〇〇円
報酬法別表判事補の項三号又は四号の報酬月額の報酬を受ける判事補 報酬法別表簡易裁判所判事の項八号又は九号の報酬月額の報酬を受ける簡易裁判所判事	一〇、〇〇〇円
報酬法別表判事補の項五号又は六号の報酬月額の報酬を受ける判事補 報酬法別表簡易裁判所判事の項十号又は十一号の報酬月額の報酬を受ける簡易裁判所判事	八、五〇〇円
報酬法別表判事補の項七号から九号までの報酬月額の報酬を受ける判事補 報酬法別表簡易裁判所判事の項十二号から十四号までの報酬月額の報酬を受ける簡易裁判所判事	七、〇〇〇円
報酬法別表判事補の項十号の報酬月額の報酬を受ける判事補 報酬法別表簡易裁判所判事の項十五号の報酬月額の報酬を受ける簡易裁判所判事	六、〇〇〇円

別表第三（第十一条関係）

区分	裁判官特別勤務手当の額
判事 報酬法第十五条に定める報酬月額又は報酬法別表簡易裁判所判事の項一号から四号までの報酬月額の報酬を受ける簡易裁判所判事	九、〇〇〇円
報酬法別表判事補の項一号又は二号の報酬月額の報酬を受ける判事補 報酬法別表簡易裁判所判事の項五号から七号までの報酬月額の報酬を受ける簡易裁判所判事	六、〇〇〇円
報酬法別表判事補の項三号又は四号の報酬月額の報酬を受ける判事補 報酬法別表簡易裁判所判事の項八号又は九号の報酬月額の報酬を受ける簡易裁判所判事	五、〇〇〇円
報酬法別表判事補の項五号又は六号の報酬月額の報酬を受ける判事補 報酬法別表簡易裁判所判事の項十号又は十一号の報酬月額の報酬を受ける簡易裁判所判事	四、三〇〇円
報酬法別表判事補の項七号から九号までの報酬月額の報酬を受ける判事補 報酬法別表簡易裁判所判事の項十二号から十四号までの報酬月額の報酬を受ける簡易裁判所判事	三、五〇〇円
報酬法別表判事補の項十号の報酬月額の報酬を受ける判事補 報酬法別表簡易裁判所判事の項十五号の報酬月額の報酬を受ける簡易裁判所判事	三、〇〇〇円

別表第四（第十二条関係）

区分	割合
最高裁判所長官 最高裁判所判事 高等裁判所長官 判事 報酬法別表判事補の項一号から四号までの報酬月額の報酬を受ける判事補 報酬法第十五条に定める報酬月額又は報酬法別表簡易裁判所判事の項一号から九号までの報酬月額の報酬を受ける簡易裁判所判事	百分の二十
報酬法別表判事補の項五号から八号までの報酬月額の報酬を受ける判事補 報酬法別表簡易裁判所判事の項十号から十三号までの報酬月額の報酬を受ける簡易裁判所判事	百分の十五
報酬法別表判事補の項九号又は十号の報酬月額の報酬を受ける判事補 報酬法別表簡易裁判所判事の項十四号又は十五号の報酬月額の報酬を受ける簡易裁判所判事	百分の十
報酬法別表判事補の項十一号又は十二号の報酬月額の報酬を受ける判事補 報酬法別表簡易裁判所判事の項十六号又は十七号の報酬月額の報酬を受ける簡易裁判所判事	百分の五

別表第五（第十二条関係）

区分	割合
最高裁判所長官 最高裁判所判事 高等裁判所長官 判事 報酬法別表判事補の項一号又は二号の報酬月額の報酬を受ける判事補 報酬法第十五条に定める報酬月額又は報酬法別表簡易裁判所判事の項一号から七号までの報酬月額の報酬を受ける簡易裁判所判事	百分の二十五
報酬法別表判事補の項三号又は四号の報酬月額の報酬を受ける判事補 報酬法別表簡易裁判所判事の項八号又は九号の報酬月額の報酬を受ける簡易裁判所判事	百分の十五

別表第六（第十五条関係）

区分	割合
判事 報酬法別表判事補の項一号から四号までの報酬月額の報酬を受ける判事補 報酬法第十五条に定める報酬月額又は報酬法別表簡易裁判所判事の項一号から九号までの報酬月額の報酬を受ける簡易裁判所判事	百分の二十
報酬法別表判事補の項五号から八号までの報酬月額の報酬を受ける判事補 報酬法別表簡易裁判所判事の項十号から十三号までの報酬月額の報酬を受ける簡易裁判所判事	百分の十五
報酬法別表判事補の項九号又は十号の報酬月額の報酬を受ける判事補 報酬法別表簡易裁判所判事の項十四号又は十五号の報酬月額の報酬を受ける簡易裁判所判事	百分の十
報酬法別表判事補の項十一号又は十二号の報酬月額の報酬を受ける判事補 報酬法別表簡易裁判所判事の項十六号又は十七号の報酬月額の報酬を受ける簡易裁判所判事	百分の五

別表第七（第十五条関係）

区分	割合
判事 報酬法別表判事補の項一号又は二号の報酬月額の報酬を受ける判事補 報酬法第十五条に定める報酬月額又は報酬法別表簡易裁判所判事の項一号から七号までの報酬月額の報酬を受ける簡易裁判所判事	百分の二十五
報酬法別表判事補の項三号又は四号の報酬月額の報酬を受ける判事補 報酬法別表簡易裁判所判事の項八号又は九号の報酬月額の報酬を受ける簡易裁判所判事	百分の十五

○裁判官及び裁判官の秘書官以外の裁判所職員の定年に関する規則

昭五九・一一・一五
最高裁規六

改正　令四・一二・七最高裁規一九

（定年退職日に関する指定）

第一条　裁判所職員臨時措置法（昭和二十六年法律第二百九十九号）において準用する国家公務員法（昭和二十二年法律第百二十号）（以下「準用国家公務員法」という。）第八十一条の六第一項の規定による指定は、最高裁判所が行う。

（管理監督職に含まれる官職）

第二条　準用国家公務員法第八十一条の二第一項に規定する一般職の職員の給与に関する法律（昭和二十五年法律第九十五号）第十条の二第一項に規定する官職に準ずる官職として最高裁判所規則で定める官職は、同法第六条第一項に規定する行政職俸給表㈠の準用を受ける裁判所技官のうち最高裁判所が定める官職とする。

（管理監督職から除かれる官職）

第三条　準用国家公務員法第八十一条の二第一項に規定する同条の規定を適用することが著しく不適当と認められる官職として最高裁判所規則で定める官職は、最高裁判所事務総長その他最高裁判所が定める官職とする。

（年齢六十年に達する職員等に対する情報の提

供及び勤務の意思の確認の対象から除く職員）

第四条　準用国家公務員法附則第九条に規定する同条の規定を適用する職員から除く職員として国家公務員法等の一部を改正する法律（令和三年法律第六十一号）第一条の規定による改正前の国家公務員法（以下「令和五年旧国家公務員法」という。）第八十一条の二第二項第三号に掲げる職員に相当する職員のうち最高裁判所規則で定める職員は、最高裁判所事務総長その他最高裁判所が定める職員とする。

（一般職の職員の給与に関する法律附則第九項第二号の最高裁判所規則で定める職員）

第五条　裁判所職員臨時措置法において準用する一般職の職員の給与に関する法律附則第九項第二号に規定する令和五年旧国家公務員法第八十一条の二第二項第三号に掲げる職員に相当する職員のうち最高裁判所規則で定める職員は、最高裁判所事務総長その他最高裁判所が定める職員とする。

附　則

（施行期日）

1　この規則は、昭和六十年三月三十一日から施行する。

（令和五年四月一日から令和十三年三月三十一日までの間における令和五年旧国家公務員法第八十一条の二第二項第三号に掲げる職員に相当する職員の定年等）

2　準用国家公務員法附則第八条第四項の最高裁判所規則で定める職員は、最高裁判所事務総長とし、同項又は同条第五項の規定により読み替えられた国家公務員法第八十一条の六第二項本文の最高裁判所規則で定める年齢は、六十五年とする。

附　則（令四・一二・七最高裁規一九）（抄）

（施行期日）

第一条　この規則は、令和五年四月一日から施行する。

○裁判官の災害補償に関する法律

昭三五・六・二三
法　一〇〇

最終改正　平七・四・五法六二

裁判官の公務上の災害又は通勤による災害に対する補償及び公務上の災害又は通勤による災害を受けた裁判官に対する福祉事業については、一般職の国家公務員の例による。

附　則

1　この法律は、公布の日から施行する。

2　裁判官の公務上の災害に対する補償に相当する給与で、この法律の施行前に支給すべき事由の生じたものの支給については、なお従前の例による。

附　則（平七・四・五法六二）（抄）

（施行期日）

第一条　この法律は、平成八年四月一日から施行する。ただし、次の各号に掲げる規定は、当該各号に定める日から施行する。

二　〔前略〕附則第六条の規定　平成七年十月一日

○裁判所職員臨時措置法

昭二六・一二・六
法　二九九

最終改正　令三・六・一一法六一

裁判官及び裁判官の秘書官以外の裁判所職員の採用試験、任免、給与、人事評価、能率、分限、懲戒、保障、服務、退職管理及び退職年金制度に関する事項については、他の法律に特別の定めのあるものを除くほか、当分の間、次に掲げる法律の規定を準用する。この場合において、これらの法律の規定（国家公務員法（昭和二十二年法律第百二十号）第三十八条第三号及び国家公務員の自己啓発等休業に関する法律（平成十九年法律第四十五号）第八条第二項の規定を除く。）中「人事院」、「内閣総理大臣」、「内閣府」又は「内閣」とあるのは「最高裁判所」と、「人事院規則」、「政令」又は「命令」とあるのは「最高裁判所規則」と、「国家公務員倫理審査会」とあるのは「裁判所職員倫理審査会」と、「再就職等監視委員会」とあるのは「裁判所職員再就職等監視委員会」と、国家公務員法第五十七条中「採用（職員の幹部職への任命に該当するものを除く。）」とあるのは「採用」と、同法第五十八条第一項中「転任（職員の幹部職への任命に該当するものを除く。）」とあるのは「転任」と、同条第二項中「降任させる場合（職員の幹部職への任命に該当する場合を除く。）」とあるのは「降任させる場合」と、同条第三項中「転任（職員の幹部職への任命に該当するものを除く。）」とあるのは「転任」と、同法第七十条の六第一項中「研修（人事院にあつては第一号に掲げる観点から行う研修とし、内閣総理大臣にあつては第二号に掲げる観点から行う研修とし、関係庁の長にあつては第三号に掲げる観点から行う研修とする。）」とあるのは「研修」と、同法第八十二条第二項中「特別職に属する国家公務員」とあるのは「一般職に属する国家公務員、特別職に属する国家公務員（裁判官及び裁判官の秘書官以外の裁判所職員を除く。）」と、同法第百六条の二第二項第三号中「官民人材交流センター（以下「センター」という。）」とあるのは「最高裁判所規則の定めるところにより裁判官及び裁判官の秘書官以外の裁判所職員の離職に際しての離職後の就職の援助に関する事務を行う最高裁判所の組織」と、同法第百六条の三第二項第三号中「センター」とあるのは「前条第二項第三号に規定する組織」と読み替えるものとする。

一　国家公務員法（第一条から第三条まで、第四条から第二十五条まで、第二十八条、第三十三条第二項第二号、第三十三条の二、第三十四条第一項第六号及び第七号、第四十五条の二、第四十五条の三、第五十四条、第五十五条、第六十一条の二から第六十一条の十一まで、第六十四条第二項、第六十七条、第七十条の三第二項、第七十条の六第一項各号及び第三項から第五項まで、第七十条の七、第七十三条第二項、第七十三条の二、第七十八条の二、第九十五条、第百六条の七から第百六条の十三まで、第百六条の十四第三項から第五項まで、第百六条の十五、第百六条の二十五、第百六条の二十六、第百八条並びに第百八条の五の二の規定並びにこれらの規定に関する罰則並びに執行官について第六十条の二、第八十一条の二から第八十一条の八まで並びに附則第八条及び第九条の規定を除く。）

二　一般職の任期付職員の採用及び給与の特例に関する法律（平成十二年法律第百二十五号）（第十一条の規定を除く。）

三　一般職の職員の給与に関する法律（昭和二十五年法律第九十五号）（第二条及び第二十四条の規定を除く。）

四　国家公務員の寒冷地手当に関する法律（昭和二十四年法律第二百号）（第三条第二項、第四条及び第五条の規定を除く。）

五　国家公務員災害補償法（昭和二十六年法律第百九十一号）

六　一般職の職員の勤務時間、休暇等に関する法律（平成六年法律第三十三号）（第二条及び第三条の規定を除く。）

七　国家公務員の育児休業等に関する法律（平成三年法律第百九号）

八　国家公務員の自己啓発等休業に関する法律

九　国家公務員の配偶者同行休業に関する法律（平成二十五年法律第七十八号）

十　国家公務員倫理法（平成十一年法律第百二十九号）（第二条第二項第三号から第五号まで、同条第三項第二号から第四号まで、同条第四項第二号及び第三号、同条第七項、第四条、第五条第四項から第六項まで、第十三条から第二十一条まで、第四十条から第四十三条まで並びに第四十六条の規定を除く。）

附　則（抄）

1　この法律は、昭和二十七年一月一日から施行する。

2　この法律は、この法律の施行前に生じた事項にも適用する。但し、この法律の本則に掲げる法律の規定によつて生じた効力を妨げない。

3　この法律の施行前にこの法律の本則に掲げる法律の規定によつてした処分、手続その他の行為は、この法律の適用については、この法律の規定によつてしたものとみなす。

4　この法律の施行前にした行為に対する罰則の適用については、この法律の施行後も、なお従前の例による。

附　則（令元・六・一四法三七）（抄）

（施行期日）

第一条　この法律は、公布の日から起算して三月を経過した日から施行する。〔ただし書略〕

附　則（令三・六・一一法六一）（抄）

（施行期日）

第一条　この法律は、令和五年四月一日から施行する。〔ただし書略〕

○裁判所職員に関する臨時措置規則

昭二七・二・六
最高裁規一

最終改正　平二一・三・三一最高裁規六

裁判官及び裁判官の秘書官以外の裁判所職員の採用試験、任免、給与、能率、分限、懲戒、保障及び服務に関する事項については、他の最高裁判所規則に特別の定のあるものを除くほか、当分の間、その性質に反しない限り、裁判所職員臨時措置法（昭和二十六年法律第二百九十九号）に掲げる法律の規定に基く人事院規則、政令又は命令の規定を準用する。

附　則

この規則は、公布の日から施行し、昭和二十七年一月一日から適用する。

附　則（平二一・三・三一最高裁規六）（抄）

（施行期日）

1　この規則は、国家公務員法等の一部を改正する法律（平成十九年法律第百八号）附則第一条第三号に掲げる規定の施行の日（平成二十一年四月一日）から施行する。

○裁判所書記官等の俸給の調整に関する規則

昭二七・二・一三
最高裁規三

最終改正　令七・二・一二最高裁規四

第一条　裁判所職員臨時措置法において準用する一般職の職員の給与に関する法律（昭和二十五年法律第九十五号）第十条の規定により俸給の調整を行う裁判所職員（以下「職員」という。）の官職は、次のとおりとする。

一　裁判所書記官及び家庭裁判所調査官

二　法廷等の警備に専ら従事する職員の官職（最高裁判所が指定するものを除く。）

三　裁判所事務官（最高裁判所が指定するものに限る。）

第二条　前条各号に掲げる官職にある職員（次項に掲げる職員を除く。）の俸給の調整額は、当該職員の職務の級に応じ一般職の国家公務員の例に準じて最高裁判所が別に定める調整基本額にその者に係る別表の調整数欄に掲げる調整数を乗じて得た額とする。

2　次の各号に掲げる職員の俸給の調整額は、前項の調整基本額にその者に係る別表の調整数欄に掲げる調整数を乗じて得た額に、当該各号に定める数を乗じて得た額とする。

一　裁判所職員臨時措置法において準用する国家公務員法（昭和二十二年法律第百二十号）第六十条の二第二項に規定する定年前再任用短時間勤務職員　裁判所職員臨時措置法において準用する一般職の職員の勤務時間、休暇等に関する法律（平成六年法律第三十三号）（以下「勤務時間法」という。）第五条第二項の規定により定められたその者の勤務時間を同条第一項に規定する勤務時間で除して得た数

二　裁判所職員臨時措置法において準用する国家公務員の育児休業等に関する法律（平成三年法律第百九号）（以下「育児休業法」という。）第十三条第一項に規定する育児短時間勤務職員及び育児休業法第二十二条の規定による短時間勤務をしている職員　育児休業法第十七条（育児休業法第二十二条において準用する場合を含む。）の規定により読み替えられた勤務時間法第五条第一項ただし書の規定により定められたその者の勤務時間を同項本文に規定する勤務時間で除して得た数

三　育児休業法第二十三条第二項に規定する任期付短時間勤務職員　育児休業法第二十五条の規定により読み替えられた勤務時間法第五条第一項ただし書の規定により定められたその者の勤務時間を同項本文に規定する勤務時間で除して得た数

3　第一条第一号又は第三号に掲げる官職にある職員で最高裁判所が指定するものに対する前二項の規定の適用については、調整数を二とする。

4　前三項の規定により算定した俸給の調整額に一円未満の端数があるときは、その端数は、切り捨てるものとする。

第三条　前条に定める調整額は、職員の俸給月額

に加えて支給する。

附 則

この規則は、公布の日から施行し、昭和二十七年一月一日から適用する。

附 則（令四・一二・七最高裁規一九）（抄）

改正 令七・二・二一最高裁規四

（施行期日）

第一条 この規則は、令和五年四月一日から施行する。

（裁判所書記官等の俸給の調整に関する規則の一部改正に伴う経過措置）

第二条 国家公務員法等の一部を改正する法律（令和三年法律第六十一号）（以下「令和三年国家公務員法等改正法」という。）附則第七条第一項に規定する暫定再任用短時間勤務職員は、裁判所職員臨時措置法（昭和二十六年法律第二百九十九号）において準用する国家公務員法（昭和二十二年法律第百二十号）第六十条の二第二項に規定する定年前再任用短時間勤務職員とみなして、第二条の規定による改正後の裁判所書記官等の俸給の調整に関する規則（次項において「改正後俸給調整規則」という。）第二条第二項の規定を適用する。

2 裁判所職員臨時措置法において準用する一般職の職員の給与に関する法律（昭和二十五年法律第九十五号）第十条の規定により俸給の調整を行う官職を占める令和三年国家公務員法等改正法附則第四条第一項又は第五条第一項の規定により採用された職員のうち、当該官職に係る令和三年国家公務員法等改正法第一条の規定による改正前の国家公務員法（以下「令和五年旧国家公務員法」という。）第八十一条の二第二項に規定する年齢（裁判所職員に関する臨時措置規則（昭和二十七年最高裁判所規則第一号）において準用する人事院規則一一―一二（定年退職者等の暫定再任用）第三条第一項各号に規定する官職にあっては、同条第二項に規定する年齢）に達した日がこの規則の施行日前である職員であって、その者に係る調整基本額が最高裁判所が別に定める経過措置基準額に達しないこととなるものには、改正後俸給調整規則第二条及び前項の規定による俸給の調整額のほか、当該調整基本額と当該経過措置基準額の差額に当該職員に係る改正後俸給調整規則別表の調整数欄に掲げる調整数（改正後俸給調整規則第二条第三項に規定する改正後俸給調整規則第一条第一号又は第三号に掲げる官職にある職員で最高裁判所が指定するものにあっては、二）を乗じて得た額（前項の暫定再任用短時間勤務職員にあってはその額に改正後俸給調整規則第二条第二項第一号に定める数を、同項第二号に掲げる職員にあってはその額に同号に定める数をそれぞれ乗じて得た額）（その額に一円未満の端数があるときは、その端数を切り捨てた額）を俸給の調整額として支給する。

附 則（令七・二・二一最高裁規四）（抄）

（施行期日）

第一条 この規則は、令和七年四月一日から施行する。

別表 調整数表（第二条関係）

職員	調整数
第一条第一号に掲げる官職にある者	四
第一条第二号に掲げる官職にある者	二
第一条第三号に掲げる官職にある者	一

○裁判官以外の裁判所職員の俸給の特別調整額に関する規則

昭四〇・二・三
最高裁規三

最終改正　平三〇・三・二六最高裁規三

（支給官職及び区分）

第一条　裁判所職員臨時措置法（昭和二十六年法律第二百九十九号）において準用する一般職の職員の給与に関する法律（昭和二十五年法律第九十五号）第十条の二第一項の規定により俸給の特別調整を行う裁判所職員（次条において「職員」という。）の官職は、別表に掲げる官職及び最高裁判所がこれに相当すると認める官職とする。

2　別表に掲げる官職に係る俸給の特別調整額の区分は、同表の官職欄の区分に応じ、同表の区分欄に定める区分とする。ただし、同表に掲げる官職（同表中その区分について最高裁判所が別に定めることとされている官職を除く。）のうち最高裁判所が別に定める官職にあっては、当該官職に対応する同表の区分欄に定める区分より一段高い区分又は一段低い区分とすることができる。

3　第一項に規定する最高裁判所が別表に掲げる官職に相当すると認める官職に係る俸給の特別調整額の区分については、当該官職が当該別表に掲げる官職が掲げられている同表の官職欄に掲げられているものとして、前項の規定を適用する。

（支給額）

第二条　俸給の特別調整額は、職員の属する職務の級及び職員の占める官職に係る俸給の特別調整額の区分に応じ、一般職の国家公務員の例に準じて最高裁判所が別に定める額とする。

附　則

この規則は、公布の日から施行し、昭和四十年一月一日から適用する。

附　則（平三〇・三・二六最高裁規三）

この規則は、平成三十年四月一日から施行する。

別表　俸給の特別調整額表

組織	官職	区分
最高裁判所	裁判所調査官 大法廷首席書記官 小法廷首席書記官 訟廷首席書記官 裁判所書記官（最高裁判所の定めるものに限る。） 家庭審議官 事務総局の局の課長 参事官 首席技官 司法研修所事務局次長 裁判所職員総合研修所事務局長 裁判所職員総合研修所事務局次長 最高裁判所図書館長 最高裁判所図書館副館長	一種
	審査官（最高裁判所の定めるものに限る。） 次席技官	二種
	裁判所職員総合研修所教官	三種（最高裁判所が別に定める場合にあっては一種、二種又は四種）
	司法研修所の課長 裁判所職員総合研修所の課長 最高裁判所図書館の課長	三種
高等裁判所	首席書記官 事務局次長	一種
	裁判所調査官	一種（最高裁判所が別に定める場合にあっては二種又は三種）
	次席書記官	二種
	課長	三種
	主任書記官（最高裁判所の定めるものに限る。） 家庭裁判所調査官（最高裁判所の定めるものに限る。）	四種
地方裁判所	裁判所調査官	二種

	地方裁判所の首席書記官 事務局長	
	次席書記官 簡易裁判所の首席書記官 事務局次長 事務部長	三　種
	主任書記官（最高裁判所の定めるものに限る。） 課長	四　種
家庭裁判所	首席書記官 首席家庭裁判所調査官 事務局長	二　種
	次席書記官 次席家庭裁判所調査官 事務局次長	三　種
	主任書記官（最高裁判所の定めるものに限る。） 主任家庭裁判所調査官（最高裁判所の定めるものに限る。） 課長	四　種
検察審査会	事務局長	四　種
	課長（最高裁判所の定めるものに限る。）	五　種

○裁判官及び裁判官の秘書官以外の裁判所職員の本府省業務調整手当に関する規則

平二一・三・二一
最高裁規四

（趣旨）

第一条　裁判官及び裁判官の秘書官以外の裁判所職員（第三条において「職員」という。）に対する本府省業務調整手当の支給については、他の法令に定めるもののほか、この規則の定めるところによる。

（本府省業務調整手当の支給される業務）

第二条　裁判所職員臨時措置法（昭和二十六年法律第二百九十九号）において読み替えて準用する一般職の職員の給与に関する法律（昭和二十五年法律第九十五号）（次条において「給与法」という。）第十条の三第一項第二号の最高裁判所規則で定める業務は、次に掲げる業務とする。

一　最高裁判所の大法廷及び小法廷の業務

二　最高裁判所事務総局の業務

三　その他最高裁判所に置かれる組織の業務であって、最高裁判所が別に定めるもの

（本府省業務調整手当の月額）

第三条　給与法第十条の三第二項の最高裁判所規則で定める額は、職員の属する職務の級に応じ、一般職の国家公務員の例に準じて最高裁判所が別に定める額とする。

（雑則）

第四条　この規則に定めるもののほか、本府省業務調整手当に関し必要な事項は、最高裁判所が定める。

附　則

（施行期日）

この規則は、平成二十一年四月一日から施行する。

第一八　自衛官

○防衛省の職員の給与等に関する法律

昭二七・七・三一
法　二　六　六

最終改正　令六・一二・二五法七八

（この法律の目的）

第一条　この法律は、防衛省の職員（一般職に属する職員を除く。以下「職員」という。）について、その給与、自衛官任用一時金、公務又は通勤（第二十七条第一項において準用する国家公務員災害補償法（昭和二十六年法律第百九十一号）第一条の二に規定する通勤をいう。以下同じ。）による災害補償及び若年定年退職者給付金に関する事項並びに国家公務員退職手当法（昭和二十八年法律第百八十二号）及び国家公務員共済組合法（昭和三十三年法律第百二十八号）の特例を定めることを目的とする。

（金銭又は有価物の支給）

第二条　いかなる金銭又は有価物も、この法律に基かないで、職員に支給し、又は無料で貸与してはならない。但し、他の法律に別段の定のある場合は、この限りでない。

（給与の支払）

第三条　この法律の規定による給与は、別段の定めのある場合を除き、毎月一定の期日に現金で直接職員（予備自衛官、即応予備自衛官及び予備自衛官補（以下この条において「予備自衛官等」という。）を除く。以下この条において同じ。）に支払わなければならない。ただし、職員が自衛隊法（昭和二十九年法律第百六十五号）第七十六条第一項、同法第七十八条第一項又は同法第八十一条第二項の規定による出動（第十二条第二項において「出動」という。）を命ぜられている場合、自衛艦その他の自衛隊の使用する船舶に乗り組んでいる場合その他政令で定める特別の事由がある場合には、政令で定めるところにより、職員の収入により生計を維持する者で職員の指定するものにその給与の全部又は一部を支払うことができる。

2　職員が自己又はその収入により生計を維持する者の疾病、災害その他の政令で定める特別の場合の費用に充てるために給与の支払を請求したときは、職員の受けるべきその日までの給与をすみやかに職員に支払わなければならない。

（俸給）

第四条　防衛省の事務次官、防衛審議官、防衛装備庁長官、書記官、部員、事務官、技官、教官その他の職員で、防衛大臣政策参与、自衛官、自衛官候補生、予備自衛官等、防衛大学校又は防衛医科大学校の学生（防衛省設置法（昭和二十九年法律第百六十四号）第十五条第一項又は第十六条第一項（第三号を除く。）の教育訓練を受けている者をいう。以下「学生」という。）、生徒（自衛隊法第二十五条第五項の教育訓練を受けている者をいう。以下同じ。）及び非常勤の者でないもの（以下「事務官等」という。）には、政令で定める適用範囲の区分に従い、別表第一並びに一般職の職員の給与に関する法律（昭和二十五年法律第九十五号。以下「一般職給与法」という。）別表第一、別表第五、別表第六イ、別表第七、別表第八、別表第十及び別表第十一に定める額の俸給を支給する。

2　前項の規定にかかわらず、自衛隊法第三十六条の二第一項の規定により任期を定めて採用された職員（以下「特定任期付職員」という。）である事務官等には、一般職の任期付職員の採用及び給与の特例に関する法律（平成十二年法律第百二十五号）第七条第一項の俸給表に定める額の俸給を支給する。

3　第一項の規定にかかわらず、事務官等のうち自衛隊法第三十六条の六第一項第一号の規定により任期を定めて採用された職員（以下「第一号任期付研究員」という。）には一般職の任期付研究員の採用、給与及び勤務時間の特例に関する法律（平成九年法律第六十五号。以下「一般職任期付研究員法」という。）第六条第一項の俸給表に定める額の俸給を、事務官等のうち自衛隊法第三十六条の六第一項第二号の規定により任期を定めて採用された職員（以下「第二号任期付研究員」という。）には一般職任期付研究員法第六条第二項の俸給表に定める額の俸給を支給する。

4　自衛官には、別表第二に定める額の俸給を支給する。ただし、三等陸尉、三等海尉又は三等空尉以上の自衛官の候補者として採用された者のその候補者である間の俸給月額は、その者の属する階級にかかわらず、候補者としての任用基準に応じて、防衛省令で定める額とする。

5　前項本文の規定にかかわらず、特定任期付職員である自衛官には、一般職の任期付職員の採用及び給与の特例に関する法律第七条第一項の俸給表に定める額の俸給を支給する。

6　常勤の防衛大臣政策参与には、一般職給与法別表第十一に掲げる俸給月額のうち政令で定める号俸の額に相当する額の俸給を支給する。

（職務の級等）

第四条の二　事務官等（特定任期付職員、第一号任期付研究員及び第二号任期付研究員を除く。）の職務は、別表第一並びに一般職給与法別表第一、別表第五、別表第六イ、別表第七、別表第八及び別表第十に定める職務の級又は一般職給与法別表第十一に定める号俸に分類するものとし、その分類の基準となるべき標準的な職務の内容は、政令で定める。

2　事務官等の職務の級ごとの定数は、国家行政組織に関する法令の趣旨に従い、及び前項の規定に基づく分類の基準に適合するように、かつ、予算の範囲内で、防衛省令で定める。

3　事務官等の職務の級は、前項の規定による職務の級ごとの定数の範囲内で、かつ、政令で定める基準に従い決定する。

（号俸の決定基準等）

第五条　新たに職員（常勤の防衛大臣政策参与、次条の規定の適用を受ける職員、特定任期付職員、第一号任期付研究員及び第二号任期付研究員、自衛隊法第四十一条の二第一項の規定により採用された職員（以下「定年前再任用短時間勤務職員」という。）並びに同法第四十五条の二第一項の規定により採用された職員（次条第二項の規定の適用を受ける職員を除く。第九条及び別表第二において「再任用職員」という。）を除く。以下この条において同じ。）として任用された者の号俸の決定基準及び職員が次の各号に掲げる場合のいずれかに該当したときの号俸の決定基準については、政令で定める。

一　事務官等が自衛官となり、又は自衛官が事務官等となつた場合

二　陸上自衛隊の自衛官（以下「陸上自衛官」という。）が海上自衛隊の自衛官（以下「海上自衛官」という。）若しくは航空自衛隊の自衛官（以下「航空自衛官」という。）となり、海上自衛官が陸上自衛官若しくは航空自衛官となり、又は航空自衛官が陸上自衛官若しくは海上自衛官となつた場合

三　事務官等が一の職務の級から他の職務の級に移つた場合（一般職給与法別表第十一に定める額の俸給の支給を受けていた職員が別表第一又は一般職給与法別表第一、別表第五、別表第六イ、別表第七、別表第八若しくは別表第十に定める額の俸給の支給を受けることとなつた場合を含む。）

四　自衛官が昇任し、又は降任した場合（別表第二の陸将、海将及び空将の欄に定める額の俸給の支給を受けていた職員が同表の陸将補、海将補及び空将補の㈡欄に定める額の俸給の支給を受ける陸将、海将又は空将である職員となつた場合、同表の陸将補、海将補及び空将補の㈠欄に定める額の俸給の支給を受けていた職員が同表の陸将補、海将補及び空将補の㈡欄に定める額の俸給の支給を受けることとなつた場合又は同表の一等陸佐、一等海佐及び一等空佐の㈠欄から㈢欄までのいずれか一の欄に定める額の俸給の支給を受けていた職員がこれらの欄のうちの他の欄に定める額の俸給の支給を受けることとなつた場合を含む。）

五　事務官等が一の官職から同じ職務の級の初任給の基準を異にする他の官職に移つた場合

2　一般職給与法第八条第六項から第十一項までの規定は、職員の昇給について準用する。この場合において、同条第六項中「職員（指定職俸給表の適用を受ける職員を除く。）」とあるのは「職員」と、同項から同条第八項まで及び第十一項中「人事院規則」とあるのは「政令」と、同条第六項中「国家公務員法第八十二条」とあるのは「自衛隊法（昭和二十九年法律第百六十五号）第四十六条」と、同条第九項中「職務の級」とあるのは「職務の級又は階級（当該職員の属する階級が陸将、海将又は空将であつてその者が防衛省の職員の給与等に関する法律別表第二の陸将補、海将補及び空将補の㈡欄の適用を受ける場合にあつては同欄をいい、当該職員の属する階級が一等陸佐、一等海佐又は一等空佐である場合にあつてはその者に適用される同表の一等陸佐、一等海佐及び一等空佐の㈠欄、㈡欄又は㈢欄をいう。）」と読み替えるものとする。

3　医師又は歯科医師である自衛官（特定任期付職員である自衛官及び次条第二項の規定の適用を受ける自衛官を除く。次項において同じ。）

を昇給させる場合の昇給の号俸数については、前項において準用する一般職給与法第八条第七項の規定にかかわらず、一般職給与法別表第八イの適用を受ける国家公務員との均衡を考慮して政令で定める号俸数を標準として政令で定める基準に従い決定することができる。

4 医師又は歯科医師である自衛官の号俸が、第一項の規定によりその者の属する階級（当該職員の属する階級が陸将、海将又は空将であつてその者が別表第二の陸将補、海将補及び空将補の㈡欄の適用を受ける場合にあつては同欄をいい、当該職員の属する階級が一等陸佐、一等海佐又は一等空佐である場合にあつてはその者に適用される同表の一等陸佐、一等海佐及び一等空佐の㈠欄、㈡欄又は㈢欄をいう。以下この項、第九条、第十一条の三第二項及び別表第二備考㈣において同じ。）における最高の号俸に決定された場合又は第二項において準用する一般職給与法第八条第七項若しくは第八項若しくは前項の規定によりその者の属する階級における最高の号俸となつた場合において、当該号俸による俸給月額が一般職給与法別表第八イの適用を受ける国家公務員が受ける俸給月額との均衡を失すると認められるときは、当該号俸による俸給月額に同表の適用を受ける国家公務員との均衡を考慮して政令で定める額を加えた額をその者の俸給月額とすることができる。

5 前項の規定により定められた俸給月額が一般職給与法別表第八イの適用を受ける国家公務員が受ける俸給月額との均衡を失すると認められるに至つた場合においても、同項と同様とする。

第六条 一般職給与法別表第十一の適用を受ける事務官等の号俸は、国家行政組織に関する法令の趣旨に従い、及び第四条の二第一項の規定に基づく分類の基準に適合するように、かつ、予算の範囲内で、政令で定めるところにより、決定する。

2 別表第二の陸将、海将及び空将の欄又は陸将補、海将補及び空将補の㈠欄の適用を受ける自衛官の俸給月額は、同表に掲げる俸給月額のうち、その者の占める官職に応じて政令で定める号俸による額とする。

第六条の二 特定任期付職員の号俸は、その者が従事する業務に応じて、政令で定める基準に従い、かつ、予算の範囲内で、決定する。

2 防衛大臣は、特定任期付職員である事務官等について、特別の事情により一般職の任期付職員の採用及び給与の特例に関する法律第七条第一項の俸給表に掲げる号俸により難いときは、第四条第二項及び前項の規定にかかわらず、予算の範囲内で、その俸給月額を同表に掲げる七号俸の俸給月額にその額と同表に掲げる六号俸の俸給月額との差額に一からの各整数を順次乗じて得られる額を加えた額のいずれかに相当する額（一般職給与法別表第十一の八号俸の額未満の額に限る。）又は一般職給与法別表第十一の八号俸の額に相当する額とすることができる。

3 防衛大臣は、特定任期付職員である自衛官について、特別の事情により一般職の任期付職員の採用及び給与の特例に関する法律第七条第一項の俸給表に掲げる号俸により難いときは、第四条第五項及びこの条第一項の規定にかかわらず、予算の範囲内で、その俸給月額を同表に掲げる七号俸の俸給月額にその額と同表に掲げる六号俸の俸給月額との差額に一からの各整数を順次乗じて得られる額を加えた額のいずれかに相当する額（別表第二の陸将、海将及び空将の欄の八号俸の額未満の額に限る。）又は同欄の八号俸の額に相当する額とすることができる。

第七条 第一号任期付研究員及び第二号任期付研究員の号俸は、その者が従事する研究業務（自衛隊法第三十六条の六第一項第一号及び第二号の研究業務をいう。）に応じて、政令で定める基準に従い、かつ、予算の範囲内で、決定する。

2 防衛大臣は、第一号任期付研究員について、特別の事情により一般職任期付研究員法第六条第一項の俸給表に掲げる号俸により難いときは、第四条第三項及び前項の規定にかかわらず、予算の範囲内で、その俸給月額を同表に掲げる六号俸の俸給月額にその額と同表に掲げる五号俸の俸給月額との差額に一からの各整数を順次乗じて得られる額を加えた額のいずれかに相当する額（一般職給与法別表第十一の八号俸の額未満の額に限る。）又は一般職給与法別表第十一の八号俸の額に相当する額とすることができる。

第八条 定年前再任用短時間勤務職員の俸給月額は、その者に適用される俸給表の定年前再任用短時間勤務職員の欄に掲げる基準俸給月額のうち、第四条の二第三項の規定によりその者の属する職務の級に応じた額に、その者の一週間当たりの通常の勤務時間を定年前再任用短時間勤務職員及び国家公務員の育児休業等に関する法律（平成三年法律第百九号）第二十七条第一項において準用する同法第十三条第一項に規定する育児短時間勤務職員以外の職員の一週間当たりの通常の勤務時間として防衛省令で定めるもので除して得た数を乗じて得た額とする。

第九条　再任用職員の俸給月額は、別表第二の再任用職員の欄に掲げる俸給月額のうち、その者の属する階級に応じた額とする。

（俸給の支給）

第十条　新たに職員となつた者には、その日から俸給を支給する。ただし、職員以外の国家公務員が離職し、即日職員となつたとき、又は職員が離職し、即日定年前再任用短時間勤務職員となつたとき、若しくは自衛隊法第四十五条の二第一項の規定により即日職員となつたときは、その翌日から俸給を支給する。

2　職員が昇給その他の事由により俸給の額に異動を生じたときは、その日から新たに定められた俸給を支給する。

3　職員が離職したときは、その日（職員が第五条第一項第一号又は第二号に掲げる場合のいずれかに該当して前の職員の職を離職した場合（即日定年前再任用短時間勤務職員となつた場合及び自衛隊法第四十五条の二第一項の規定により即日職員となつた場合を除く。）にあつては、その日の前日）まで俸給を支給する。

4　職員が死亡したときは、その月まで俸給を支給する。

第十一条　俸給は、毎月一回、その月の十五日以後の日のうち政令で定める日に、その月の月額の全額を支給する。ただし、政令で定めるところにより、特に必要と認められる場合には、月の一日から十五日まで及び月の十六日から末日までの各期間内の日に、その月の月額の半額ずつを支給することができる。

2　前項の場合において職員が勤務しないときは、政令で定めるところにより特に勤務したものとみなされる場合の外政令で定めるところにより、俸給を減額して支給する。

3　前二項に定めるものを除くほか、俸給の支給日その他俸給の支給に関して必要な事項は、政令で定める。

（俸給の調整額）

第十一条の二　一般職給与法第十条の規定は、事務官等の俸給月額について準用する。この場合において、同法同条第一項中「人事院は、俸給月額が」とあるのは「俸給月額が」と、「適正な調整額表を定める」とあるのは「政令で適正な調整額表を定める」と読み替えるものとする。

（俸給の特別調整額）

第十一条の三　管理又は監督の地位にある職員の官職のうち政令で指定するものについては、その特殊性に基き、俸給月額につき、政令で適正な特別調整額を定めることができる。

2　前項の規定による俸給の特別調整額は、同項に規定する官職を占める職員の属する職務の級又は階級における最高の号俸による俸給月額の百分の二十五を超えてはならない。

（扶養手当）

第十二条　扶養親族を有する職員（常勤の防衛大臣政策参与、予備自衛官等、学生及び生徒を除く。）には、一般職の国家公務員の例により、扶養手当を支給する。この場合において、一般職給与法第十一条第一項ただし書、第三項及び第五項において人事院規則で定めることとされている事項は、政令で定めるものとする。

2　出動を命ぜられている職員、自衛艦その他の自衛隊の使用する船舶に乗り組んでいる職員その他政令で定める特別の事由がある職員の扶養親族に関する届出について必要な事項は、防衛省令で定める。

第十三条　削除

（地域手当等）

第十四条　常勤の防衛大臣政策参与には地域手当及び通勤手当を、事務官等には本府省業務調整手当、初任給調整手当、専門スタッフ職調整手当、地域手当、広域異動手当、住居手当、通勤手当、単身赴任手当、在宅勤務等手当、特殊勤務手当、特地勤務手当（これに準ずる手当を含む。以下同じ。）、超過勤務手当、休日給、夜勤手当、宿日直手当及び管理職員特別勤務手当を、第六条第二項の規定の適用を受ける自衛官には地域手当、広域異動手当、通勤手当、単身赴任手当、在宅勤務等手当、特地勤務手当及び管理職員特別勤務手当を、医師又は歯科医師である自衛官には初任給調整手当、地域手当、広域異動手当、住居手当、通勤手当、単身赴任手当、在宅勤務等手当、特殊勤務手当及び特地勤務手当及び管理職員特別勤務手当を、その他の自衛官には本府省業務調整手当、地域手当、広域異動手当、住居手当、通勤手当、単身赴任手当、在宅勤務等手当、特殊勤務手当、特地勤務手当及び管理職員特別勤務手当を、それぞれ支給する。

2　一般職給与法第十条の三から第十条の五まで、第十一条の三から第十一条の八まで、第十一条の十から第十四条まで及び第十六条から第十九条の三までの規定は、前項の場合について準用する。この場合において、これらの規定中「人事院規則」とあるのは「政令」と、一般職給与法第十条の三第一項中「又は研究職俸給表」とあるのは「、研究職俸給表又は防衛省の職員の給与等に関する法律（昭和二十七年法律第二百六十六号）別表第二自衛官俸給表」と、「管理監督職員」とあるのは「同法第十一条の三第一項の政令で指定する官職を占める職員（以下「管理監督職員」という。）」と、同条第二項中「又は研究職俸給表」とあるのは「、研究職俸給表又は自衛官俸給表」と、「職務の級に」とあるのは「職務の級又は階級（当該職員の属する階級が陸将、海将又は空将であつてその者が同表の陸将補、海将補及び空将補の㈡欄の適用を受ける場合にあつては同欄をいい、当該職員の属する階級が一等陸佐、一等海佐又は一等空佐である場合にあつてはその者に適用される同表の一等陸佐、一等海佐及び一等空佐の㈠欄、㈡欄又は㈢欄をいう。）に」と、一般職給与法第十一条の三第二項中「扶養手当」とあるのは「扶養手当並びに営外手当（防衛省の職員の給与等に関する法律第十八条第一項に規定する自衛官に限る。以下同じ。）」と、一般職給与法第十一条の四、第十一条の六第一項及び第二項、第十一条の七第一項及び第二項並びに第十一条の八第一項中「及び扶養手当」とあるのは「、扶養手当及び営外手当」と、一般職給与法第十一条の五中「及び指定職俸給表の適用を受ける職員で人事院の定めるものに限る。）」とあるのは「、指定職俸給表又は一般職の任期付職員の採用及び給与の特例に関する法律（平成十二年法律第百二十五号）第七条第一項の俸給表の適用を受ける職員（医療業務に従事する職員で防衛省令で定めるものに限る。）及び医師又は歯科医師である自衛官」と、一般職給与法第十一条の七第一項ただし書及び第二項ただし書並びに第十四条第一項中「人事院の定める」とあるのは「防衛省令で定める」と、同項中「人事院が指定する」とあるのは「防衛大臣が指定する」と、一般職給与法第十九条の三第一項中「以下「管理監督職員等」」とあるのは「自衛隊法（昭和二十九年法律第百六十五号）第三十六条の二第一項又は第三十六条の六第一項第一号の規定により任期を定めて採用された職員を含む。以下「管理監督職員等」」と、「指定職俸給表」とあるのは「防衛省の職員の給与等に関する法律第六条の規定」と、同条第二項及び第三項中「指定職俸給表」とあるのは「防衛省の職員の給与等に関する法律第六条の規定」と読み替えるものとする。

（防衛出動手当）

第十五条　自衛隊法第七十六条第一項の規定による出動（以下「防衛出動」という。）を命ぜられた職員（政令で定めるものを除く。）には、この条の定めるところにより、防衛出動手当を支給する。

2　防衛出動手当の種類は、防衛出動基本手当及び防衛出動特別勤務手当とする。

3　防衛出動基本手当は、防衛出動時における勤労の強度、勤務時間、勤労環境その他の勤労条件及び勤務の危険性、困難性その他の著しい特殊性に応じて支給するものとする。

4　防衛出動特別勤務手当は、防衛出動時における戦闘又はこれに準ずる勤務の著しい危険性に応じて支給するものとする。

5　防衛出動基本手当が支給される職員には、前条第一項の規定にかかわらず、単身赴任手当、超過勤務手当、休日給、夜勤手当、宿日直手当及び管理職員特別勤務手当は、支給しない。

6　前条第二項において準用する一般職給与法第十一条の十第一項第二号の規定の適用については、防衛出動を命ぜられた日の前日において同号の規定に該当していた職員で、前項の規定の適用がないとしたならば同日後も引き続き単身赴任手当の支給要件を具備することとなるものは、防衛出動手当を支給されている間、同号の規定に該当するものとみなす。

7　前各項に定めるもののほか、防衛出動基本手当及び防衛出動特別勤務手当の額その他防衛出動手当の支給に関し必要な事項は、政令で定める。

（航空手当等）

第十六条　次の各号に掲げる職員として政令で定める自衛官には、それぞれ当該各号に定める手当を支給する。

一　航空機乗員　航空手当

二　艦船乗組員　乗組手当

三　落下傘隊員　落下傘隊員手当

四　特別警備隊員　特別警備隊員手当
五　特殊作戦隊員　特殊作戦隊員手当

2　前項各号に定める手当は、同項の自衛官が同項各号に掲げる職員として勤務しないときは、政令で定めるところにより特にこれらの職員として勤務したものとみなされる場合のほか、政令で定めるところにより、減額して支給する。

3　第一項各号に定める手当の額は、同項の自衛官の受ける俸給の百分の八十以内において政令で定める。

（航海手当）

第十七条　自衛艦その他の自衛隊の使用する船舶に乗り組んでいる自衛官には、その者が乗り組む自衛艦その他の自衛隊の使用する船舶が航海を行う日について、政令で定めるところにより、航海手当を支給する。

2　前項の航海手当の額は、政令で定める。

3　第一項の自衛官には、同項の航海について、国家公務員等の旅費に関する法律（昭和二十五年法律第百十四号）に規定する旅費を支給しない。

（営外手当）

第十八条　陸曹長、海曹長又は空曹長以下の自衛官（以下「陸曹等」という。）が自衛隊法第五十五条の規定により長官の指定する集団的居住場所以外の場所に居住する場合には、営外手当を支給する。

2　前項の営外手当の額は、月額六千八百三十円とする。

3　第一項の営外手当は、陸曹等が勤務しないときは、政令で定めるところにより特に勤務したものとみなされる場合のほか、政令で定めるところにより、減額して支給する。

（期末手当及び勤勉手当）

第十八条の二　職員（常勤の防衛大臣政策参与、自衛官候補生、予備自衛官等、学生及び生徒を除く。）には、一般職の国家公務員の例により、期末手当及び勤勉手当を支給する。この場合において、一般職給与法第十九条の四第二項において人事院規則で定めることとされている事項及び同条第五項（一般職給与法第十九条の七第四項において準用する場合を含む。）において人事院規則で定めることとされている事項は、政令で定めるものとし、一般職給与法第十九条の四第二項及び第五項中「同表及び指定職俸給表以外の各俸給表の適用を受ける職員」とあるのは「同表以外の各俸給表の適用を受ける職員（防衛省の職員の給与等に関する法律第六条の規定の適用を受ける職員を除く。）」と、「指定職俸給表の」とあるのは「同法第六条の規定の」と、同条第三項中「とする」とあるのは「とし、自衛隊法第四十五条の二第一項の規定により採用された職員に対する前項の規定の適用については、同項中「百分の百二十五」とあるのは「百分の七十」と、「百分の百五」とあるのは「百分の六十」と、「百分の六十六・二五」とあるのは「百分の三十五」とする」と、同条第五項中「職務の級等」とあるのは「職務の級、階級等」と、一般職給与法第十九条の七第二項各号中「のうち定年前再任用短時間勤務職員」とあるのは「のうち定年前再任用短時間勤務職員及び自衛隊法第四十五条の二第一項の規定により採用された職員」と、同項第一号ロ中「指定職俸給表」とあるのは「防衛省の職員の給与等に関する法律第六条の規定」と、同項第二号中「当該定年前再任用短時間勤務職員」とあるのは「当該職員」と、「百分の五十」とあるのは「、定年前再任用短時間勤務職員にあつては百分の五十」と、「百分の六十」とあるのは「百分の六十）、同項の規定により採用された職員にあつては百分の五十（特定管理職員にあつては百分の六十、防衛省の職員の給与等に関する法律第六条第二項の規定の適用を受ける職員にあつては百分の五十七・五」とし、営外手当を受ける職員に支給する期末手当及び勤勉手当の額（官職の職制上の段階、階級等を考慮した加算額及び勤勉手当の支給の限度額を含む。）の計算の基礎となる俸給等の合計額は、一般職の国家公務員の例による場合の合計額に営外手当の月額並びにこれに対する地域手当及び広域異動手当の月額の合計額を加えた額とする。

2　前項においてその例によることとされる一般職給与法第十九条の六第二項（前項においてその例によることとされる一般職給与法第十九条の七第五項において準用する場合を含む。）に規定する一時差止処分（以下この項において「一時差止処分」という。）に対する審査請求については、一時差止処分は懲戒処分と、一時差止処分を受けた者は自衛隊法第二条第五項の隊員とそれぞれみなして、同法第四十八条の二から第五十条の二までの規定を適用する。

第十八条の三　常勤の防衛大臣政策参与には、一般職の国家公務員の例により、期末手当を支給する。この場合において、一般職給与法第十九条の四第二項中「百分の百七十二・五」とあるのは、「百分の百二十五」とし、同条第五項において人事院規則で定めることとされている事項については、政令で定めるものとする。

（任期付研究員業績手当）

第十八条の四　第一号任期付研究員又は第二号任期付研究員のうち、特に顕著な研究業績を挙げたと認められる職員には、一般職の国家公務員の例により、任期付研究員業績手当を支給することができる。

（俸給の特別調整額等の支給方法）

第十九条　第十一条の三、第十四条及び第十六条から第十八条までに定めるものを除くほか、職員の俸給の特別調整額、地域手当、特地勤務手当、超過勤務手当、休日給、夜勤手当、宿日直手当、航空手当、乗組手当、落下傘隊員手当、特別警備隊員手当、特殊作戦隊員手当、航海手当及び営外手当の支給方法に関し必要な事項は、政令で定める。

（食事の支給）

第二十条　政令で定める職員には、政令で定めるところにより、食事を支給する。

（被服等の支給又は貸与）

第二十一条　政令で定める職員には、その職務の遂行上必要な被服その他これに類する有価物を支給し、又は無料で貸与する。

2　前項の有価物の範囲及び数量並びにその支給又は貸与の条件は、政令で定める。

（療養等）

第二十二条　自衛官、自衛官候補生、訓練招集に応じている予備自衛官及び即応予備自衛官、教育訓練招集に応じている予備自衛官補、学生並びに生徒（以下この条において「本人」という。）が公務又は通勤によらないで負傷し、又は疾病にかかつた場合には、国は、政令で定めるところにより、国家公務員共済組合法中組合員に対する療養の給付又は入院時食事療養費、入院時生活療養費、保険外併用療養費、療養費、訪問看護療養費、移送費、高額療養費若しくは高額介護合算療養費の支給に関する規定の例により、療養の給付又は療養費、高額療養費若しくは高額介護合算療養費の支給を行うほか、これらの給付又は支給にあわせて、これらに準ずる給付又は支給を行うことができる。

2　前項の規定による高額療養費又は高額介護合算療養費の支給は、本人が受けた療養に係るものとして政令で定めるものについて行う。

3　国は、次に掲げる事務を社会保険診療報酬支払基金法（昭和二十三年法律第百二十九号）による社会保険診療報酬支払基金又は国民健康保険法（昭和三十三年法律第百九十二号）第四十五条第五項に規定する国民健康保険団体連合会に委託することができる。

一　第一項の規定による給付又は支給に係る療養を担当する者が請求することができる診療報酬の額の審査に関する事務及びその診療報酬の支払に関する事務

二　第一項の規定による給付又は支給その他の防衛省令で定める事務（第七項及び第八項において「給付事務」という。）に係る本人に係る情報の収集若しくは整理又は利用若しくは提供に関する事務

4　国は、前項の規定により同項第二号に掲げる事務を委託する場合は、他の社会保険診療報酬支払基金法第一条に規定する保険者及び法令の規定により医療に関する給付その他の事務を行う者であつて防衛省令で定めるものと共同して委託するものとする。

5　国及び保険医療機関等（健康保険法（大正十一年法律第七十号）第六十三条第三項第一号に規定する保険医療機関その他の政令で定める医療機関又は薬局をいう。以下この項から第七項までにおいて同じ。）その他の関係者は、電子資格確認（保険医療機関等から療養を受けようとする者又は同法第八十八条第一項に規定する指定訪問看護事業者（次項及び第七項において「指定訪問看護事業者」という。）から同条第一項に規定する指定訪問看護を受けようとする者が、国に対し、個人番号カード（行政手続における特定の個人を識別するための番号の利用等に関する法律（平成二十五年法律第二十七号）第二条第七項に規定する個人番号カードをいう。）に記録された利用者証明用電子証明書（電子署名等に係る地方公共団体情報システム機構の認証業務に関する法律（平成十四年法律第百五十三号）第二十二条第一項に規定する利用者証明用電子証明書をいう。）を送信する方法その他の防衛省令で定める方法により、本人の資格に係る情報（第一項の規定による給付又は支給に係る費用の請求に必要な情報を含む。）の照会を行い、電子情報処理組織を使用する方法その他の情報通信の技術を利用する方

法により、国から回答を受けて当該情報を当該保険医療機関等又は当該指定訪問看護事業者に提供し、当該保険医療機関等又は当該指定訪問看護事業者から本人であることの確認を受けることをいう。次項において同じ。）の仕組みの導入その他手続における情報通信の技術の利用の推進により、医療保険各法等（高齢者の医療の確保に関する法律（昭和五十七年法律第八十号）第七条第一項に規定する医療保険各法及び高齢者の医療の確保に関する法律をいう。）その他医療に関する給付を定める法令の規定により行われる事務が円滑に実施されるよう、相互に連携を図りながら協力するものとする。

6　本人が電子資格確認を受けることができない状況にあるときは、当該本人は、防衛省令で定めるところにより、国に対し、当該状況にある本人に係る保険医療機関等若しくは指定訪問看護事業者による本人であることの確認のために必要な事項として防衛省令で定める事項を記載した書面の交付又は当該事項の電磁的方法（電子情報処理組織を使用する方法その他の情報通信の技術を利用する方法であつて防衛省令で定めるものをいう。以下この項において同じ。）による提供を求めることができる。この場合において、国は、防衛省令で定めるところにより、速やかに、当該書面の交付の求めを行つた本人に対しては当該書面を交付するものとし、当該電磁的方法による提供の求めを行つた本人に対しては当該事項を電磁的方法により提供するものとする。

7　防衛大臣、国、保険医療機関等、指定訪問看護事業者その他の給付事務又はこれに関連する事務の遂行のため自衛官診療証記号・番号等（発行者符号（防衛大臣が健康保険法第三条第十一項に規定する保険者番号に準じて定めるものをいう。）及び自衛官診療証記号・番号（国が本人の資格を管理するための記号及び番号として、本人ごとに定めるものをいう。）をいう。以下この項から第九項までにおいて同じ。）を利用する者として防衛省令で定める者（次項から第十項までにおいて「防衛大臣等」という。）は、これらの事務の遂行のため必要がある場合を除き、何人に対しても、その者又はその者以外の者に係る自衛官診療証記号・番号等を告知することを求めてはならない。

8　防衛大臣等以外の者は、給付事務及びこれに関連する事務の遂行のため自衛官診療証記号・番号等の利用が特に必要な場合として防衛省令で定める場合を除き、何人に対しても、その者又はその者以外の者に係る自衛官診療証記号・番号等を告知することを求めてはならない。

9　何人も、次に掲げる場合を除き、その者が業として行う行為に関し、その者に対し売買、貸借、雇用その他の契約（以下この項において「契約」という。）の申込みをしようとする者若しくは申込みをする者又はその者と契約の締結をした者に対し、当該者又は当該者以外の者に係る自衛官診療証記号・番号等を告知することを求めてはならない。

一　防衛大臣等が、第七項に規定する場合に、自衛官診療証記号・番号等を告知することを求めるとき。

二　防衛大臣等以外の者が、前項に規定する防衛省令で定める場合に、自衛官診療証記号・番号等を告知することを求めるとき。

10　何人も、次に掲げる場合を除き、業として、自衛官診療証記号・番号等の記録されたデータベース（自己以外の者に係る自衛官診療証記号・番号等を含む情報の集合物であつて、それらの情報を電子計算機を用いて検索することができるように体系的に構成したものをいう。）であつて、当該データベースに記録された情報が他に提供されることが予定されているもの（以下この項において「提供データベース」という。）を構成してはならない。

一　防衛大臣等が、第七項に規定する場合に、提供データベースを構成するとき。

二　防衛大臣等以外の者が、第八項に規定する防衛省令で定める場合に、提供データベースを構成するとき。

11　防衛大臣は、前二項の規定に違反する行為が行われた場合において、当該行為をした者が更に反復してこれらの規定に違反する行為をするおそれがあると認めるときは、当該行為をした者に対し、当該行為を中止することを勧告し、又は当該行為が中止されることを確保するために必要な措置を講ずることを勧告することができる。

12　防衛大臣は、前項の規定による勧告を受けた者がその勧告に従わないときは、その者に対し、期限を定めて、当該勧告に従うべきことを命ずることができる。

13　防衛大臣は、前二項の規定による措置に関し必要があると認めるときは、その必要と認められる範囲内において、第九項若しくは第十項の規定に違反していると認めるに足りる相当の理由がある者に対し、必要な事項に関し報告を求め、又は職員をして当該者の事務所若しくは事業所に立ち入つて質問し、若しくは帳簿書類その他の物件を検査させることができる。

14　前項の規定により質問又は検査を行う職員は、その身分を示す証票を携帯し、関係人にこれを提示しなければならない。

15　第十三項の質問又は検査の権限は、犯罪捜査のために認められたものと解してはならない。

（特定の職員についての適用除外）

第二十二条の二　第十一条の二から第十二条まで、第十四条（地域手当、広域異動手当、通勤手当、単身赴任手当、在宅勤務等手当、特地勤務手当及び管理職員特別勤務手当に係る部分を除く。）及び前条の規定は、第六条の規定の適用を受ける職員には適用しない。

2　第十四条の規定中超過勤務手当、休日給及び夜勤手当に係る部分の規定は、第十一条の三第一項の政令で指定する官職を占める職員及び一般職給与法別表第十の適用を受ける職員でその職務の級が二級以上であるものには適用しない。

3　第十一条の二から第十二条まで、第十四条（本府省業務調整手当、初任給調整手当、専門スタッフ職調整手当、住居手当、超過勤務手当、休日給及び夜勤手当に係る部分に限る。第五項において同じ。）及び第十八条の二（期末手当に係る部分を除く。）の規定は、第一号任期付研究員には適用しない。

4　第十一条の二から第十二条まで、第十四条（本府省業務調整手当、初任給調整手当及び住居手当に係る部分に限る。）及び第十八条の二（期末手当に係る部分を除く。）の規定は、第二号任期付研究員には適用しない。

5　第十一条の二から第十二条まで、第十四条、第十八条及び前条の規定は、特定任期付職員には適用しない。

6　第十二条及び第十四条（初任給調整手当に係る部分に限る。）の規定は、定年前再任用短時間勤務職員及び自衛隊法第四十五条の二第一項の規定により採用された職員には適用しない。

（休職者の給与）

第二十三条　職員が公務上負傷し、若しくは疾病にかかり、又は通勤により負傷し、若しくは疾病にかかり、長期の休養を要するため休職にされたときは、その休職の期間中、これに給与の全額を支給する。

2　職員が結核性疾患にかかり、長期の休養を要するため休職にされたときは、その休職の期間が満二年に達するまでは、これに俸給、扶養手当、地域手当、広域異動手当、住居手当、営外手当及び期末手当（以下この条及び次条において「俸給等」という。）の百分の八十を支給することができる。

3　職員が前二項以外の心身の故障により長期の休養を要するため休職にされたときは、その休職の期間が満一年に達するまでは、これに俸給等の百分の八十を支給することができる。

4　職員が刑事事件に関し起訴され休職にされたときは、その休職の期間中、これに俸給等（期末手当を除く。）の百分の六十以内を支給することができる。

5　職員が前四項以外の場合において休職にされたときは、その休職の期間中、政令で定めるところに従い、これに俸給等の百分の百以内を支給することができる。

6　第二項、第三項又は前項に規定する職員が、当該各項に規定する期間内で第十八条の二第一項においてその例によることとされる一般職の国家公務員の期末手当に係る基準日前一箇月以内に退職し、又は死亡したときは、当該基準日に在職する職員に期末手当を支給すべき日に、第二項、第三項又は前項の例による額の期末手当を支給することができる。ただし、防衛省令で定める職員については、この限りでない。

7　前項の規定の適用を受ける職員が第十八条の二第一項においてその例によることとされる一般職給与法第十九条の五各号のいずれかに該当する者である場合又は同項においてその例によることとされる一般職給与法第十九条の六第一項各号のいずれかに該当する場合におけるその者に支給すべき期末手当の支給に関しては、一般職給与法第十九条の五又は第十九条の六の規定の例による。

8　第十八条の二第二項の規定は、前項においてその例によることとされる一般職給与法第十九条の六第二項に規定する一時差止処分について準用する。

（停職中特に勤務することを命ぜられた者の給与）

第二十四条　職員が停職にされた場合において、停職の期間中特に勤務することを命ぜられたときは、その勤務した期間これにその者の受けるべき俸給等（期末手当を除く。次項において同じ。）を支給する。

2　前項の職員が特に勤務することを命ぜられたことにより第十四条（地域手当、広域異動手当及び住居手当に係る部分を除く。）、第十六条、第十七条及び第十八条の二第一項に規定する手当を支給されるべき場合には、前項の俸給等に併せてこれらの手当を支給する。

（自衛官候補生の給与）

第二十四条の二　自衛官候補生には、自衛官候補生手当及び単身赴任手当を支給する。

2　前項の自衛官候補生手当の月額は、十七万九千円とする。

3　第一項の単身赴任手当の支給については、一般職給与法第十二条の二の規定を準用する。この場合において、同条中「人事院規則」とあるのは「政令」と、同条第三項中「俸給表の適用を受ける職員」とあるのは「自衛官候補生」と読み替えるものとする。

4　第一項の自衛官候補生手当の支給に関し必要な事項は、政令で定める。

（予備自衛官等の給与）

第二十四条の三　予備自衛官には、予備自衛官手当を支給する。

2　前項の予備自衛官手当の月額は、四千円とする。

3　予備自衛官手当は、予備自衛官となつた日の属する月から、予備自衛官以外の者となり、又は死亡した日の属する月まで支給する。ただし、これらの月のうちに次条の規定により即応予備自衛官手当が支給される月があるときは、その月の予備自衛官手当は、支給しない。

4　予備自衛官が左の各号の一に該当する場合には、前三項の規定にかかわらず、政令で定めるところにより、予備自衛官手当を支給しないことができる。

一　自己の責に帰すべき事由に因つて退職させられた場合

二　政令で定める特別の事由がないのにかかわらず退職した場合

三　正当の事由に因らないで訓練招集に応じなかつた場合

㊟　四項の「政令」は、本法施行令一七条の一二参照

第二十四条の四　即応予備自衛官には、即応予備自衛官手当を支給する。

2　前項の即応予備自衛官手当の月額は、一万六千円とする。

3　前条第三項本文及び第四項の規定は、即応予備自衛官手当の支給について準用する。この場合において、これらの規定中「予備自衛官」とあるのは、「即応予備自衛官」と読み替えるものとする。

第二十四条の五　訓練招集に応じた予備自衛官及び即応予備自衛官には、訓練招集に応じた期間一日につき、政令で定める額の訓練招集手当を支給する。

第二十四条の六　教育訓練招集に応じた予備自衛官補には、教育訓練招集に応じた期間一日につき、政令で定める額の教育訓練招集手当を支給する。

第二十四条の七　第二十四条の三から前条までに規定するもののほか、予備自衛官手当、即応予備自衛官手当、訓練招集手当及び教育訓練招集手当の支給について必要な事項は、政令で定める。

（学生の給与）

第二十五条　学生には、学生手当、単身赴任手当及び期末手当を支給する。

2　前項の学生手当の月額は、十五万千三百円とする。

3　第一項の単身赴任手当の支給については、一般職給与法第十二条の二の規定を準用する。この場合において、同条中「人事院規則」とあるのは「政令」と、同条第三項中「俸給表の適用を受ける職員」とあるのは「学生」と読み替えるものとする。

4　第一項の期末手当の支給については、一般職の国家公務員の例による。この場合において、一般職給与法第十九条の四第二項中「百分の百二十五」とあるのは「百分の百七十二・五」と、同条第四項中「職員が受けるべき俸給、専門スタッフ職調整手当及び扶養手当の月額並びにこれらに対する地域手当及び広域異動手当の月額並びに俸給及び扶養手当の月額に対する研究員調整手当の月額の合計額」とあるのは「学生が受けるべき学生手当の月額」とする。

5　第一項の学生手当の支給に関し必要な事項は、政令で定める。

（生徒の給与）

第二十五条の二　生徒には、生徒手当及び期末手当を支給する。

2　前項の生徒手当の月額は、十三万八千円とする。

3　第一項の期末手当の支給については、一般職の国家公務員の例による。この場合において、一般職給与法第十九条の四第二項中「百分の百二十五」とあるのは「百分の百七十二・五」と、同条第四項中「職員が受けるべき俸給、専門スタッフ職調整手当及び扶養手当の月額並びにこれらに対する地域手当及び広域異動手当の月額並びに俸給及び扶養手当の月額に対する研究員調整手当の月額の合計額」とあるのは「生徒が受けるべき生徒手当の月額」とする。

4　第一項の生徒手当の支給に関し必要な事項は、政令で定める。

（非常勤の者の給与）

第二十六条　非常勤の職員には、一般職に属する非常勤の職員の例により、給与を支給する。

（自衛官任用一時金の支給）

第二十六条の二　自衛隊法第三十六条第二項に規定する自衛官候補生から引き続いて同条第一項の自衛官に任用された者には、自衛官任用一時金を支給する。

2　前項の自衛官任用一時金の額は、政令で定める。

3　自衛官任用一時金の支給を受けた者が、その任用期間の満了前に離職した場合には、当該任用後の隊員としての勤続期間を考慮して政令で定める金額を国に償還しなければならない。ただし、次の各号のいずれかに該当する場合は、この限りでない。

一　死亡により離職したとき。

二　公務による災害のため心身に故障を生じ、自衛隊法第四十二条第二号の規定に該当して免職されたとき、又は同条第四号の規定に該当して免職されたとき。

4　前項の規定による償還義務は、本人の死亡により消滅する。

5　前各項に定めるもののほか、自衛官任用一時金の支給及び償還に関し必要な事項は、政令で定める。

（国家公務員災害補償法の準用）

第二十七条　国家公務員災害補償法の規定（第一条、第二条、第三条並びに第四条第二項及び第三項第六号の規定を除く。）は、職員の公務上の災害又は通勤による災害に対する補償及び公務上の災害又は通勤による災害を受けた職員に対する福祉事業について準用する。この場合において、同法の規定中「人事院規則」とあるのは「政令」と、同法第一条の二第一項第二号中「国家公務員法第百三条第一項の規定に違反して同項に規定する営利企業を営むことを目的とする団体の役員、顧問又は評議員の職を兼ねている場合」とあるのは「自衛隊法（昭和二十九年法律第百六十五号）第六十二条第一項の規定に違反して営利を目的とする団体の役員又は顧問の地位その他これらに相当する地位に就いている場合」と、同法第四条の二第一項、第四条の三、第四条の四、第十四条の二第一項及び第十七条の四第二項中「人事院が」とあるのは「防衛省令で」と、同法第八条中「実施機関」とあるのは「防衛大臣の指定する防衛省の機関（以下「実施機関」という。）」と、同法第二十二条、第二十四条から第二十六条まで、第二十七条第一項及び第二十七条の二中「人事院」とあるのは「防衛大臣」と、同法第二十七条第一項中「その職員」とあるのは「その命じた職員」と、同条第二項中「人事院又は実施機関の職員」とあるのは「防衛大臣又は実施機関の命じた職員」と、同法第三十三条中「人事院」とあるのは「防衛省」と読み替えるものとする。

2　前項において準用する国家公務員災害補償法第四条第一項の給与は、常勤の防衛大臣政策参与にあつては俸給、地域手当及び通勤手当とし、事務官等にあつては俸給、俸給の特別調整額、本府省業務調整手当、初任給調整手当、専門スタッフ職調整手当、扶養手当、地域手当、広域異動手当、住居手当、通勤手当、単身赴任手当、在宅勤務等手当、特殊勤務手当、特地勤務手当、超過勤務手当、休日給、夜勤手当、宿日直手当、管理職員特別勤務手当及び防衛出動手当とし、自衛官にあつては俸給、俸給の特別調整額、本府省業務調整手当、初任給調整手当、扶養手当、地域手当、広域異動手当、住居手当、通勤手当、単身赴任手当、在宅勤務等手当、特殊勤務手当、特地勤務手当、管理職員特別勤務手当、防衛出動手当、航空手当（当該額に政令で定める割合を乗じて得た額に限る。以下この項における乗組手当、落下傘隊員手当、特別警備隊員手当及び特殊作戦隊員手当について同じ。）、乗組手当、落下傘隊員手当、特別警備隊員手当、特殊作戦隊員手当及び営外手当（陸曹等であつて営外手当の支給を受けなかつた者（特定任期付職員を除く。）にあつては、その支給を受けなかつた期間についての営外手当に相当する額）とし、その他の職員にあつては政令で定める給与とする。ただし、政令で定めるところにより、寒冷地手当及び国際平和協力手当を加えることができる。

（若年定年退職者給付金の支給）

第二十七条の二　自衛官（自衛隊法第四十五条の二第一項の規定により採用された自衛官を除く。第二十七条の四第一項並びに第二十七条の八第一項第一号及び第二項第二号において同じ。）としての引き続いた在職期間（同条から第二十七条の十まで、第二十七条の十二及び第二十七条の十三において単に「在職期間」という。）が二十年以上である者その他これに準ずる者として政令で定める者（第二十七条の十一第三項及び第二十七条の十四第一項において「長期在職自衛官」という。）であつて次の各号のいずれかに該当するもの（以下「若年定年退職者」という。）には、若年定年退職者給付金（以下「給付金」という。）を支給する。ただし、その者が当該各号に規定する退職の日又はその翌日に国家公務員又は地方公務員（これらの者で臨時的に任用されるものその他の任期を定めて任用されるもの及び非常勤のものを除く。）となつたときは、この限りでない。

一　定年（自衛隊法第四十四条の六第二項本文に規定する定年（以下「自衛官以外の職員の定年」という。）以上であるものを除く。以下この条及び第二十七条の十四第一項において「若年定年」という。）に達したことにより退職した者

二　若年定年に達する日以前一年内に退職した者で次に掲げるもの

イ　定員の減少若しくは組織の改廃のため過員若しくは廃職を生ずることにより、又は勤務官署の移転により退職した者

ロ　国家公務員退職手当法第八条の二第五項に規定する認定（同条第一項第一号に係るものに限る。）を受けて同条第八項第三号に規定する退職すべき期日に退職した者

ハ　その者の事情によらないで若年定年に達するまで引き続いて勤務することを困難とする理由により退職した者で政令で定めるもの

三　若年定年に達した後、自衛隊法第四十五条第三項又は第四項の規定により引き続いて勤務することを命ぜられ、その勤務を命ぜられた期間（以下「勤務延長期間」という。）が満了したことにより退職した者又は勤務延長期間が満了する前にその者の非違によることなく退職した者

（給付金の支給時期及び額）

第二十七条の三　給付金は、二回に分割し、防衛省令で定める月であつて前条の規定により給付金の支給を受けることができる若年定年退職者の退職した日の属する月後最初に到来するものに第一回目の給付金を、その者の退職した日の属する年の翌々年の防衛省令で定める月に第二回目の給付金をそれぞれ支給する。

2　第一回目の給付金及び第二回目の給付金の額は、退職の日においてその者の受けていた俸給月額（退職の日において休職にされていたことにより俸給の一部又は全部を支給されなかつた者その他の政令で定める者については政令で定める俸給月額とし、これらの額が別表第二の三等陸佐、三等海佐及び三等空佐の欄における俸給の幅の最高の号俸による額を超える場合には、その最高の号俸による額とする。次条において単に「俸給月額」という。）に算定基礎期間（退職の日において定められているその者に係る定年に達する日の翌日から自衛官以外の職員の定年に達する日までの期間をいう。以下同じ。）の年数を乗じて得た額に第一回目の給付金にあつては一・七一四を、第二回目の給付金にあつては四・二八六をそれぞれ乗じて得た額に、第一回目の給付金及び第二回目の給付金の支給される時期並びに算定基礎期間の年数を勘案して一を超えない範囲内でそれぞれ算定基礎期間の年数に応じて政令で定める率を乗じて得た額とする。

3　前条第三号に該当する若年定年退職者の第一回目の給付金及び第二回目の給付金の額は、前項の規定にかかわらず、それぞれ同項の規定により計算した額から、その者に係る定年に達する日の翌日の属する月の翌月からその者の退職した日の属する月までの月数を勘案して政令で定めるところにより計算した額を減じた額とする。

（所得による給付金の額の調整等）

第二十七条の四　若年定年退職者の退職した日の属する年の翌年（以下「退職の翌年」とい

う。）におけるその者の所得金額が支給調整下限額（その者が退職の翌年まで自衛官として在職していたと仮定した場合においてその年に受けるべき俸給、扶養手当、営外手当、期末手当及び勤勉手当の合計額として政令で定めるところにより計算した額に相当する額（以下「給与年額相当額」という。）からその者に係る俸給月額に六を乗じて得た額を減じた額をいう。以下同じ。）を超え、支給調整上限額（その者に係る給与年額相当額からその者に係る俸給月額に一・七一四を乗じて得た額を減じた額をいう。以下同じ。）に満たない場合には、前条第二項及び第三項の規定にかかわらず、第二回目の給付金の額は、これらの規定により計算した第二回目の給付金の額に相当する額に、その者に係る支給調整上限額から退職の翌年におけるその者の所得金額を減じた額をその者に係る支給調整上限額からその者に係る支給調整下限額を減じた額で除して得た率を乗じて得た額とする。

2　若年定年退職者の退職の翌年における所得金額がその者に係る支給調整上限額以上である場合には、前条第一項の規定にかかわらず、第二回目の給付金は、支給しない。

3　第一回目の給付金の支給を受けた若年定年退職者の退職の翌年における所得金額が次の各号のいずれかに該当する場合には、その者は、当該各号に定める金額を返納しなければならない。

一　その者に係る支給調整上限額を超え、その者に係る給与年額相当額に満たない場合　その者の支給を受けた第一回目の給付金の額に、その者の退職の翌年における所得金額からその者に係る支給調整上限額を減じた額をその者に係る給与年額相当額からその者に係る支給調整上限額を減じた額で除して得た率を乗じて得た額に相当する金額

二　その者に係る給与年額相当額以上である場合　その者の支給を受けた第一回目の給付金の額に相当する金額

4　前三項に規定する所得金額は、所得税法（昭和四十年法律第三十三号）第二十七条第二項に規定する事業所得の金額と同法第二十八条第二項に規定する給与所得の金額との合計額を同項に規定する給与所得の金額と仮定した場合において当該金額の計算の基礎となるべき同項に規定する給与等の収入金額に相当する金額とする。ただし、退職の翌年の途中から就業した若年定年退職者その他の政令で定める者については、その金額を基礎として政令で定めるところにより計算した金額とする。

（給付金の支給時期の特例等）

第二十七条の五　第二十七条の二の規定により給付金の支給を受けることができる若年定年退職者が、その者に係る給付金について、防衛省令で定めるところにより、一時に支給を受けることを希望する旨を申し出たときは、第二十七条の三第一項の規定にかかわらず、同項に規定するその者の退職した日の属する年の翌々年の防衛省令で定める月に、次項に規定する額の給付金を支給する。

2　前項の規定により若年定年退職者に支給する給付金の額は、その者が第二十七条の三第一項の規定により給付金の支給を受けると仮定した場合において受けるべき第一回目の給付金の額と第二回目の給付金の額との合計額に相当する額とする。ただし、退職の翌年におけるその者の所得金額（前条第四項に規定する所得金額をいう。以下同じ。）がその者に係る支給調整上限額を超え、その者に係る給与年額相当額に満たない場合には、本文に規定する第一回目の給付金の額から、その者を第一回目の給付金の支給を受けた者とみなして前条第三項の規定を適用した場合にその者が返納すべき金額に相当する額を減じた額とする。

3　第一項の規定による申出をした者の退職の翌年における所得金額がその者に係る給与年額相当額以上である場合には、同項の規定にかかわらず、同項の規定による給付金は、支給しない。

（所得の届出等）

第二十七条の六　第二十七条の二の規定により給付金の支給を受けることができる若年定年退職者は、その者の退職した日の属する年の翌々年の防衛省令で定める日までに、防衛大臣又はその委任を受けた者に対し、その者の退職の翌年における所得に関する事項を届け出、かつ、防衛省令で定める書類を提出しなければならない。

2　前項の規定により届出又は書類の提出をなすべき者であつて第一回目の給付金の支給を受けたものが、正当な理由がなくて、同項の規定による届出又は書類の提出をしないときは、防衛大臣は、当該支給を受けた給付金の額に相当する金額の全部又は一部を返納させることができ、かつ、第二回目の給付金及び次条第一項の規定による給付金の全部又は一部を支給しないこと

ができる。

3　第一項の規定により届出又は書類の提出をなすべき者（前項に規定する者を除く。）が、正当な理由がなくて、第一項の規定による届出又は書類の提出をしないときは、防衛大臣は、前条第一項の規定による給付金及び次条第一項の規定による給付金の全部又は一部を支給しないことができる。

4　防衛大臣は、前二項の規定による処分をしようとするときは、あらかじめ、その相手方に、その処分の理由を通知し、弁明する機会を与えなければならない。

（給付金の追給）

第二十七条の七　退職の翌年における所得金額がその者に係る支給調整下限額を超え、かつ、退職の翌年からその者が自衛官以外の職員の定年に達する日の翌日の属する年の前年までの年数（以下「平均所得算定基礎年数」という。）が二年以上ある若年定年退職者であつて、その期間の各年における第二十七条の四第四項本文に規定する所得金額の合計額（退職後の行為に係る刑事事件に関し拘禁刑以上の刑に処せられた者については、その額を基礎として政令で定めるところにより計算した額）をその者に係る平均所得算定基礎年数で除して得た額（以下「平均所得金額」という。）がその者の退職の翌年における所得金額を下回ることとなつたもの（平均所得金額がその者に係る給与年額相当額以上である者を除く。）が、防衛省令で定めるところにより請求したときは、第二十七条の三第一項の規定にかかわらず、その者に次項又は第三項に規定する額の給付金を追給する。

2　前項の規定により若年定年退職者（次項に規定する者を除く。）に追給する給付金の額は、その者の平均所得金額についての次の各号に掲げる場合の区分に応じ、当該各号に定める額とする。

一　その者に係る支給調整上限額未満である場合　その者の退職の翌年における所得金額に係る次の区分に応じて次に定める額

イ　その者に係る給与年額相当額以上であるとき　その者の支給を受けた第一回目の給付金の額に相当する額に、その者を第二十七条の三第一項の規定により第二回目の給付金の支給を受けることができる者と、その者の平均所得金額をその者の退職の翌年における所得金額とそれぞれみなして同条第二項若しくは第三項又は第二十七条の四第一項の規定を適用した場合にその者が支給を受けることができる第二回目の給付金の額に相当する額を加えた額

ロ　その者に係る給与年額相当額未満であるとき　イに定める額からその者の支給を受けた給付金の額に相当する額（その者が第二十七条の四第三項の規定による返納をした場合には、支給を受けた給付金の額からその返納をした額を減じた額に相当する額）を減じた額

二　その者に係る支給調整上限額以上である場合　その者の退職の翌年における所得金額に係る次の区分に応じて次に定める額

イ　その者に係る給与年額相当額以上であるとき　その者の支給を受けた第一回目の給付金の額に相当する額から、その者の平均所得金額をその者の退職の翌年における所得金額とみなして第二十七条の四第三項の規定を適用した場合にその者が返納をしなければならない金額に相当する額を減じた額

ロ　その者に係る給与年額相当額未満であるとき　イに定める額から、その者の支給を受けた給付金の額からその者が第二十七条の四第三項の規定により返納をした額を減じた額に相当する額を減じた額

3　第一項の規定により若年定年退職者であつて第二十七条の五第一項の規定による申出をしたものに追給する給付金の額は、その者の平均所得金額をその者の退職の翌年における所得金額とみなして同条第二項の規定を適用した場合にその者が支給を受けることができる給付金の額に相当する額からその者の支給を受けた給付金の額に相当する額を減じた額とする。

（給付金の支払の差止め）

第二十七条の八　若年定年退職者に対しまだ支払われていない給付金がある場合において、当該若年定年退職者が次の各号のいずれかに該当するときは、給付金管理者（当該若年定年退職者の退職の日においてその者に対し自衛隊法第四十六条の規定による免職の処分を行う権限を有していた者をいう。以下同じ。）は、当該若年定年退職者に対し、当該給付金の支払を差し止める処分を行うものとする。

一　自衛官が刑事事件に関し起訴（当該起訴に

係る犯罪について拘禁刑以上の刑が定められているものに限り、刑事訴訟法（昭和二十三年法律第百三十一号）第六編に規定する略式手続によるものを除く。以下同じ。）をされた場合において、その判決の確定前に退職したとき。

二　当該若年定年退職者が在職期間中の行為に係る刑事事件に関し起訴をされたとき。

2　若年定年退職者に対しまだ支払われていない給付金がある場合において、次の各号のいずれかに該当するときは、給付金管理者は、当該若年定年退職者に対し、当該給付金の支払を差し止める処分を行うことができる。

一　当該若年定年退職者の在職期間中の行為に係る刑事事件に関して、その者が逮捕されたとき又は給付金管理者がその者から聴取した事項若しくは調査により判明した事実に基づきその者に犯罪があると思料するに至つたときであつて、その者に対し給付金を支払うことが公務に対する国民の信頼を確保する上で支障を生ずると認めるとき。

二　給付金管理者が、当該若年定年退職者について、その者が在職期間中に懲戒免職処分を受けるべき行為（在職期間中の自衛官の非違に当たる行為であつて、その非違の内容及び程度に照らして自衛隊法第四十六条の規定による免職の処分に値することが明らかなものをいう。以下同じ。）をしたことを疑うに足りる相当な理由があると思料するに至つたとき。

3　前二項の規定による給付金の支払を差し止める処分（以下「支払差止処分」という。）を受けた者は、行政不服審査法（平成二十六年法律第六十八号）第十八条第一項本文に規定する期間が経過した後においては、当該支払差止処分後の事情の変化を理由に、支払差止処分を行つた給付金管理者に対し、その取消しを申し立てることができる。

4　第一項又は第二項の規定による支払差止処分を行つた給付金管理者は、次の各号のいずれかに該当するに至つた場合には、速やかに当該支払差止処分を取り消さなければならない。ただし、第三号に該当する場合において、支払差止処分を受けた者がその者の在職期間中の行為に係る刑事事件に関し現に逮捕されているときその他これを取り消すことが支払差止処分の目的に明らかに反すると認めるときは、この限りでない。

一　当該支払差止処分を受けた者について、当該支払差止処分の理由となつた起訴又は行為に係る刑事事件につき無罪の判決が確定した場合

二　当該支払差止処分を受けた者について、当該支払差止処分の理由となつた起訴又は行為に係る刑事事件につき、判決が確定した場合（拘禁刑以上の刑に処せられた場合及び無罪の判決が確定した場合を除く。）又は公訴を提起しない処分があつた場合であつて、次条第一項の規定による処分を受けることなく、当該判決が確定した日又は当該公訴を提起しない処分があつた日から六月を経過した場合

三　当該支払差止処分を受けた者について、その者の在職期間中の行為に係る刑事事件に関し起訴をされることなく、かつ、次条第一項の規定による処分を受けることなく、当該支払差止処分を受けた日から一年を経過した場合

5　前項の規定は、当該支払差止処分を行つた給付金管理者が、当該支払差止処分後に判明した事実又は生じた事情に基づき、当該給付金の支払を差し止める必要がなくなつたとして当該支払差止処分を取り消すことを妨げるものではない。

6　給付金管理者は、第一項又は第二項の規定による支払差止処分を行うときは、その理由を付記した書面により、その旨を当該支払差止処分を受けるべき者に通知しなければならない。

7　給付金管理者は、前項の規定による通知をする場合において、当該支払差止処分を受けるべき者の所在が知れないときは、当該支払差止処分の内容を官報に掲載することをもつて通知に代えることができる。この場合においては、その掲載した日から起算して二週間を経過した日に、通知が当該支払差止処分を受けるべき者に到達したものとみなす。

（退職後拘禁刑以上の刑に処せられた場合等の給付金の不支給）

第二十七条の九　若年定年退職者が次の各号のいずれかに該当する場合には、給付金管理者は、当該若年定年退職者に対し、それぞれ当該各号に定める給付金を支給しないこととする処分を行うものとする。

一　第一回目の給付金が支払われる前に刑事事

件（その者が退職後に起訴をされた場合にあっては、在職期間中の行為に係る刑事事件に限る。以下この項において同じ。）に関し拘禁刑以上の刑に処せられた場合、在職期間中の行為に関し自衛隊法第四十六条第二項の規定による免職の処分（以下「再任用職員に対する免職処分」という。）を受けた場合又は給付金管理者により在職期間中に懲戒免職処分を受けるべき行為をしたと認められた場合　第一回目の給付金、第二回目の給付金及び第二十七条の七第一項の規定による給付金

二　第一回目の給付金が支払われた後第二回目の給付金が支払われる前に刑事事件に関し拘禁刑以上の刑に処せられた場合、在職期間中の行為に関し再任用職員に対する免職処分を受けた場合又は給付金管理者により在職期間中に懲戒免職処分を受けるべき行為をしたと認められた場合　第二回目の給付金及び第二十七条の七第一項の規定による給付金

三　第二回目の給付金が支払われ、又は第二十七条の四第二項の規定により第二回目の給付金を支給しないこととされた後第二十七条の七第一項の規定による給付金が支払われる前に刑事事件に関し拘禁刑以上の刑に処せられた場合、在職期間中の行為に関し再任用職員に対する免職処分を受けた場合又は給付金管理者により在職期間中に懲戒免職処分を受けるべき行為をしたと認められた場合　同項の規定による給付金

2　給付金管理者は、前項の規定（給付金管理者により在職期間中に懲戒免職処分を受けるべき行為をしたと認められた場合に係る部分に限る。）による処分を行おうとするときは、当該処分を受けるべき者の意見を聴取しなければならない。

3　行政手続法（平成五年法律第八十八号）第三章第二節（第二十八条を除く。）の規定は、前項の規定による意見の聴取について準用する。

4　前条第六項及び第七項の規定は、第一項の規定による処分について準用する。

5　第二十七条の五第一項の規定による申出をした若年定年退職者についての第一項の規定の適用については、同項中「次の各号のいずれか」とあるのは「第一号又は第三号」と、「当該各号」とあるのは「これらの規定」と、同項第一号中「第一回目の給付金が」とあるのは「第二十七条の五第一項の規定による給付金が」と、「第一回目の給付金、第二回目の給付金」とあるのは「第二十七条の五第一項の規定による給付金」と、同項第三号中「第二回目の給付金が」とあるのは「第二十七条の五第一項の規定による給付金が」と、「第二十七条の四第二項の規定により第二回目の給付金」とあるのは「同条第三項の規定により同条第一項の規定による給付金」とする。

（拘禁刑以上の刑に処せられた場合等の給付金の返納）

第二十七条の十　給付金の支給を受けた若年定年退職者が次の各号のいずれかに該当するときは、給付金管理者は、当該若年定年退職者に対し、当該若年定年退職者の生計の状況を勘案して、支給を受けた給付金の額（第二十七条の四第三項の規定による返納をした者又は第二十七条の六第二項の規定による処分を受けた者については、支給を受けた給付金の額からその返納をした金額又は返納をすべき金額に相当する額を減じた額）の全部又は一部に相当する金額の返納を命ずる処分を行うことができる。

一　在職期間中の行為に係る刑事事件に関し拘禁刑以上の刑に処せられたとき。

二　在職期間中の行為に関し再任用職員に対する免職処分を受けたとき。

三　在職期間中に懲戒免職処分を受けるべき行為をしたと給付金管理者が認めたとき。

2　前項第三号に該当するときにおける同項の規定による処分は、当該退職の日から五年以内に限り、行うことができる。

3　給付金管理者は、第一項の規定による処分を行おうとするときは、当該処分を受けるべき者の意見を聴取しなければならない。

4　行政手続法第三章第二節（第二十八条を除く。）の規定は、前項の規定による意見の聴取について準用する。

5　第二十七条の八第六項の規定は、第一項の規定による処分について準用する。

6　第一項の規定による処分が行われたときは、既に第二十七条の四第三項の規定による返納がされた場合又は第二十七条の六第二項の規定による処分が行われた場合を除き、第二十七条の四第三項並びに第二十七条の六第一項及び第二項の規定は、適用しない。

（若年定年退職者等が死亡した場合の給付金の取扱い）

第二十七条の十一　第二十七条の二の規定により給付金の支給を受けることができる若年定年退職者（次項に規定する者を除く。）が次の各号のいずれかに該当するときは、それぞれ当該各号に定めるところにより、当該各号に定める給付金をその者の遺族に支給し、支給すべき遺族がないときは、当該死亡した者の相続人に支給する。

一　第一回目の給付金の支給を受ける前に死亡した場合　第二十七条の三第二項又は第三項に規定する額の第一回目の給付金及びこれらの規定に規定する額（その者の平均所得金額がその者に係る支給調整下限額を超える場合には、その平均所得金額をその者の退職の翌年における所得金額とみなして第二十七条の四第一項の規定を適用した場合における同項に規定する額）の第二回目の給付金を第二十七条の三第一項に規定する月にそれぞれ支給する。

二　第一回目の給付金の支給を受けた後第二回目の給付金の支給を受ける前に死亡した場合　第二十七条の三第二項又は第三項に規定する額（その者の平均所得金額がその者に係る支給調整下限額を超える場合には、その平均所得金額をその者の退職の翌年における所得金額とみなして第二十七条の四第一項の規定を適用した場合における同項に規定する額）の第二回目の給付金を防衛省令で定める月に支給する。

2　第二十七条の二の規定により給付金の支給を受けることができる若年定年退職者で第二十七条の五第一項の規定による申出をしたものが次の各号のいずれかに該当するときは、それぞれ当該各号に定めるところにより、当該各号に定める給付金をその者の遺族に支給し、支給すべき遺族がないときは、当該死亡した者の相続人に支給する。

一　退職した日の属する年に死亡した場合　第二十七条の五第二項本文に規定する額の給付金を同条第一項に規定する月に支給する。

二　第二十七条の五第一項の規定による給付金の支給を受ける前に、退職の翌年以後において死亡した場合　その者の平均所得金額をその者の退職の翌年における所得金額とみなして同条第二項及び第二十七条の四第三項の規定を適用した場合における第二十七条の五第二項に規定する額の給付金を防衛省令で定める月に支給する。

3　長期在職自衛官が勤務延長期間内に死亡した場合には、当該死亡した者を当該死亡した日にその者の非違によることなく退職した者とみなし、第一項第一号に定めるところにより、同号に定める額の給付金をその者の遺族に支給し、支給すべき遺族がないときは、当該死亡した者の相続人に支給する。

4　第一項各号のいずれかに該当する若年定年退職者の平均所得金額がその者に係る支給調整上限額以上である場合には、同項の規定にかかわらず、当該各号に定める第二回目の給付金は、支給しない。

5　第二項第二号に該当する若年定年退職者の平均所得金額がその者に係る給与年額相当額以上である場合には、同項の規定にかかわらず、同号に定める給付金は、支給しない。

6　第一項第一号に該当する若年定年退職者の平均所得金額がその者に係る支給調整上限額を超える場合には、同項の規定により第一回目の給付金の支給を受けた者は、当該若年定年退職者を当該第一回目の給付金の支給を受けた若年定年退職者と、当該平均所得金額を当該若年定年退職者の退職の翌年における所得金額とそれぞれみなして第二十七条の四第三項の規定を適用した場合の同項各号に掲げる区分に応じ、当該各号に定める金額に相当する金額を返納しなければならない。

7　前項の規定は、第一項第二号に該当する若年定年退職者の平均所得金額がその者に係る支給調整上限額を超える場合について準用する。この場合において、前項中「同項の規定により第一回目の給付金の支給を受けた者」とあるのは、「その者の相続人」と読み替えるものとする。

8　退職の翌年における所得金額がその者に係る支給調整下限額を超え、かつ、その者に係る平均所得算定基礎年数が二年以上ある若年定年退職者が、第二回目の給付金若しくは第二十七条の五第一項の規定による給付金が支給され、又は第二十七条の四第二項若しくは第二十七条の五第三項の規定により第二回目の給付金若しくは同条第一項の規定による給付金を支給しないこととされた後第二十七条の七第一項の規定による請求を行う前に死亡した場合において、その者の平均所得金額がその者の退職の翌年における所得金額を下回ることとなつたとき（平均所得金額がその者に係る給与年額相当額以上であるときを除く。）は、その者の遺族（請求することができる遺族がないときは、相続人）は、自己の名で、給付金の追給を請求することができる。

9 第二十七条の七第二項及び第三項の規定は、前項の規定による請求をした者に対し追給する給付金の額について準用する。

10 第二十七条の六の規定は、第一項又は第二項の規定により給付金の支給を受けることができる者（退職した日の属する年に死亡した若年定年退職者に係る給付金の支給を受けることができる者を除く。）について準用する。この場合において、同条第一項中「その者の退職した日の属する年の翌々年の防衛省令で定める日」とあるのは「防衛省令で定める日」と、「その者の退職の翌年」とあるのは「若年定年退職者の退職の翌年以降の各年」と、同条第二項中「支給を受けたもの」とあるのは「支給を受けたもの又は第一回目の給付金の支給を受けた若年定年退職者の相続人であるもの」と、「第二回目の給付金及び次条第一項の規定による給付金」とあるのは「第二回目の給付金」と、同条第三項中「前項」とあるのは「第二十七条の十一第十項において準用する前項」と、「前条第一項の規定による給付金及び次条第一項の規定による給付金」とあるのは「第二回目の給付金又は同条第二項の規定による給付金」と読み替えるものとする。

（遺族等への支払の差止め等）

第二十七条の十二 死亡した若年定年退職者の遺族又は相続人（以下この条において「遺族等」という。）に対しまだ支払われていない給付金がある場合において、第二十七条の八第二項第二号に該当するときは、給付金管理者は、当該遺族等に対し、当該給付金の支払を差し止める処分を行うことができる。

2 前項の規定による支払差止処分を受けた者は、行政不服審査法第十八条第一項本文に規定する期間が経過した後においては、当該支払差止処分後の事情の変化を理由に、支払差止処分を行つた給付金管理者に対し、その取消しを申し立てることができる。

3 第一項の規定による支払差止処分を行つた給付金管理者は、当該支払差止処分を受けた者が第五項の規定による処分を受けることなく、当該支払差止処分を受けた日から一年を経過した場合には、速やかに当該支払差止処分を取り消さなければならない。

4 前項の規定は、当該支払差止処分を行つた給付金管理者が、当該支払差止処分後に判明した事実又は生じた事情に基づき、当該給付金の支払を差し止める必要がなくなつたとして当該支払差止処分を取り消すことを妨げるものではない。

5 死亡した若年定年退職者が第二十七条の九第一項各号のいずれかに該当する場合には、給付金管理者は、遺族等に対し、それぞれ当該各号に定める給付金を支給しないこととする処分を行うものとする。

6 遺族等に対し給付金が支払われた後において、給付金管理者は、当該若年定年退職者の在職期間中に懲戒免職処分を受けるべき行為をしたと認めたときは、当該遺族等に対し、当該退職の日から一年以内に限り、当該遺族等の生計の状況を勘案して、支払われた給付金の額の全部又は一部に相当する金額の返納を命ずる処分を行うことができる。

7 給付金管理者は、前二項の規定（第五項にあつては、第二十七条の九第一項各号のうち給付金管理者により在職期間中に懲戒免職処分を受けるべき行為をしたと認められた場合に係る部分のいずれかに該当する場合に限る。）による処分を行おうとするときは、当該処分を受けるべき者の意見を聴取しなければならない。

8 行政手続法第三章第二節（第二十八条を除く。）の規定は、前項の規定による意見の聴取について準用する。

9 給付金管理者は、第一項、第五項及び第六項の規定による処分を行おうとするときは、その理由を付記した書面により、その旨を当該処分を受けるべき者に通知しなければならない。

10 給付金管理者は、前項の規定による通知（第六項に係るものを除く。）をする場合において、当該処分を受けるべき者の所在が知れないときは、当該処分の内容を官報に掲載することをもつて通知に代えることができる。この場合においては、その掲載した日から起算して二週間を経過した日に、通知が当該処分を受けるべき者に到達したものとみなす。

11 第六項の規定による処分が行われたときは、前条第六項並びに同条第十項において準用する第二十七条の六第一項及び第二項の規定は、当該処分を受けた遺族等については、適用しない。

（給付金受給者の相続人からの給付金相当額の納付）

第二十七条の十三　若年定年退職者（若年定年退職者が死亡した場合には、その者の遺族又は相続人）に対し給付金が支給された後において、当該給付金の支給を受けた者（以下この条において「給付金の受給者」という。）が当該退職の日から六月以内に第二十七条の十第一項又は前条第六項の規定による処分を受けることなく死亡した場合（次項から第五項までに規定する場合を除く。）において、給付金管理者が、当該給付金の受給者の相続人（包括受遺者を含む。以下この条において同じ。）に対し、当該退職の日から六月以内に、当該若年定年退職者が在職期間中に懲戒免職処分を受けるべき行為をしたことを疑うに足りる相当な理由がある旨の通知をしたときは、給付金管理者は、当該通知が当該相続人に到達した日から六月以内に限り、当該相続人に対し、当該若年定年退職者が在職期間中に懲戒免職処分を受けるべき行為をしたと認められることを理由として、支給された給付金の額の全部又は一部に相当する金額の納付を命ずる処分を行うことができる。

2　給付金の受給者が、当該退職の日から六月以内に第二十七条の十第四項又は前条第八項において準用する行政手続法第十五条第一項の規定による通知を受けた場合において、第二十七条の十第一項又は前条第六項の規定による処分を受けることなく死亡したとき（次項から第五項までに規定する場合を除く。）は、給付金管理者は、当該給付金の受給者の死亡の日から六月以内に限り、当該給付金の受給者の相続人に対し、当該若年定年退職者が在職期間中に懲戒免職処分を受けるべき行為をしたと認められることを理由として、支給された給付金の額（当該若年定年退職者が第二十七条の四第三項の規定による返納をした場合若しくは第二十七条の六第二項の規定による処分を受けた場合、当該若年定年退職者の遺族若しくは相続人が第二十七条の十一第六項の規定による返納をした場合若しくは同条第十項において準用する第二十七条の六第二項の規定による処分を受けた場合又は当該給付金の受給者の相続人が第二十七条の十一第七項において準用する同条第六項の規定による返納をした場合については、支給を受けた給付金の額からその返納をした金額又は返納をすべき金額に相当する額を減じた額）の全部又は一部に相当する金額の納付を命ずる処分を行うことができる。

3　給付金の受給者（若年定年退職者であるものに限る。以下この項から第五項までにおいて同じ。）が、当該退職の日から六月以内に在職期間中の行為に係る刑事事件に関し起訴をされた場合（第二十七条の八第一項第一号に該当する場合を含む。次項において同じ。）において、当該刑事事件につき判決が確定することなく、かつ、第二十七条の十第一項の規定による処分を受けることなく死亡したときは、給付金管理者は、当該給付金の受給者の死亡の日から六月以内に限り、当該給付金の受給者の相続人に対し、当該給付金の受給者が在職期間中に懲戒免職処分を受けるべき行為をしたと認められることを理由として、支給された給付金の額（当該若年定年退職者が第二十七条の四第三項の規定による返納をした場合若しくは第二十七条の六第二項の規定による処分を受けた場合又は当該給付金の受給者の相続人が第二十七条の十一第七項において準用する同条第六項の規定による返納をした場合については、支給を受けた給付金の額からその返納をした金額又は返納をすべき金額に相当する額を減じた額。次項及び第五項において同じ。）の全部又は一部に相当する金額の納付を命ずる処分を行うことができる。

4　給付金の受給者が、当該退職の日から六月以内に在職期間中の行為に係る刑事事件に関し起訴をされた場合において、当該刑事事件に関し拘禁刑以上の刑に処せられた後において第二十七条の十第一項の規定による処分を受けることなく死亡したときは、給付金管理者は、当該給付金の受給者の死亡の日から六月以内に限り、当該給付金の受給者の相続人に対し、当該給付金の受給者が当該刑事事件に関し拘禁刑以上の刑に処せられたことを理由として、支給された給付金の額の全部又は一部に相当する金額の納付を命ずる処分を行うことができる。

5　給付金の受給者が、当該退職の日から六月以内に在職期間中の行為に関し再任用職員に対する免職処分を受けた場合において、第二十七条の十第一項の規定による処分を受けることなく死亡したときは、給付金管理者は、当該給付金の受給者の死亡の日から六月以内に限り、当該給付金の受給者の相続人に対し、当該給付金の受給者が当該行為に関し再任用職員に対する免職処分を受けたことを理由として、支給された給付金の額の全部又は一部に相当する金額の納付を命ずる処分を行うことができる。

6　前各項の規定による処分に基づき納付する金額は、当該給付金の受給者の相続財産の額、当該給付金の受給者の相続人の生計の状況その他の政令で定める事情を勘案して、定めるものとする。この場合において、当該相続人が二人以上あるときは、各相続人が納付する金額の合計額は、当該各項に規定する支給された給付金の額を超えることとなつてはならない。

7　第二十七条の八第六項及び第二十七条の十第三項の規定は、第一項から第五項までの規定による処分について準用する。

8　行政手続法第三章第二節（第二十八条を除く。）の規定は、前項において準用する第二十七条の十第三項の規定による意見の聴取について準用する。

9　第一項の規定による処分が行われたときは第二十七条の十一第七項の規定、第二項から第五項までの規定による処分が行われたときは既に同条第七項において準用する同条第六項の規定による返納がなされた場合を除き同条第七項の規定は、当該処分を受けた相続人については、適用しない。

（遺族の範囲及び順位）

第二十七条の十四　給付金の支給を受けることができる遺族は、配偶者（届出をしていないが、若年定年退職者又は勤務延長自衛官（自衛隊法第四十五条第三項又は第四項の規定により若年定年に達した後も引き続いて勤務している長期在職自衛官をいう。以下同じ。）の死亡の当時事実上これらの者と婚姻関係と同様の事情にあつた者を含む。）、子、父母、孫又は祖父母であつて、若年定年退職者又は勤務延長自衛官の死亡の当時これらの者によつて生計を維持していたものとする。

2　前項の規定による給付金の支給を受けるべき遺族の順位は、同項に規定する順序とする。

3　第一項の規定による給付金の支給を受けるべき遺族に同順位者が二人以上あるときは、その全額をその一人に支給することができるものとし、この場合において、その一人にした支給は、全員に対してしたものとみなす。

（遺族からの排除）

第二十七条の十五　次に掲げる者は、前条第一項の規定にかかわらず、給付金の支給を受けることができる遺族としない。

一　第二十七条の二の規定により給付金の支給を受けることができる若年定年退職者又は勤務延長自衛官を故意に死亡させた者

二　第二十七条の二の規定により給付金の支給を受けることができる若年定年退職者又は勤務延長自衛官の死亡前に、これらの者の死亡によつて給付金の支給を受けることができる先順位又は同順位の遺族となるべき者を故意に死亡させた者

（給付金の支給手続等の政令への委任）

第二十七条の十六　第二十七条の二から前条までに定めるもののほか、給付金の支給手続その他給付金に関し必要な事項は、政令で定める。

（退職手当の特例）

第二十八条　自衛隊法第三十六条の規定により任用期間を定めて任用されている自衛官（以下「任用期間の定めのある隊員」という。）がその任用期間を満了した日に退職し、又は死亡した場合には、退職手当として、その者の退職又は死亡当時の俸給日額（俸給月額の三十分の一に相当する額をいう。以下この条において同じ。）に、次の各号に掲げる区分に従い、当該各号に定める日数を乗じて得た額を支給する。

一　自衛官候補生から引き続いて自衛隊法第三十六条第一項の規定により任用された者　同項に規定する期間が二年である者にあつては八十七日（自衛官候補生としての任用期間が三月でない者にあつては、当該任用期間を勘案して防衛省令で定めるところにより算定した日数）、同項に規定する期間が三年である者にあつては百三十七日（自衛官候補生としての任用期間が三月でない者にあつては、当該任用期間を勘案して防衛省令で定めるところにより算定した日数）

二　自衛隊法第三十六条第一項の規定により任用された者（前号の規定の適用を受けるものを除く。）　任用期間が二年である者にあつては百日、任用期間が三年である者にあつては百五十日

三　自衛隊法第三十六条第七項の規定により一回任用された者　二百日

四　自衛隊法第三十六条第七項の規定により二回任用された者　百五十日

五　自衛隊法第三十六条第七項の規定により三

回以上任用された者　七十五日

2　前項の場合において、次に掲げる事由により現実に職務をとることを要しない日（以下「休職等の日」という。）が任用期間中にあつたときは、その者の退職手当の計算の基礎となる日数は、同項各号の規定にかかわらず、当該各号に定める日数から、当該日数に当該休職等の日の二分の一（第三号に掲げる育児休業による休職等の日のうち当該育児休業に係る子が一歳に達した日までの間のものにあつては、三分の一。第四項及び第七項において同じ。）に相当する日数を当該任用期間に係る日数で除して得た率を乗じて得た日数（一日未満の端数があるときは、これを切り捨てた日数。第四項及び第七項において同じ。）を減じた日数とする。

一　自衛隊法第四十三条の規定による休職（公務上の傷病による休職及び通勤による傷病による休職を除く。）

二　自衛隊法第四十六条第一項の規定による停職

三　国家公務員の育児休業等に関する法律第二十七条第一項において準用する同法第三条第一項の規定による育児休業

3　任用期間の定めのある隊員がその任用期間が経過する前に次の各号に掲げる場合のいずれかに該当するに至つた場合には、退職手当として、その者の退職又は死亡当時の俸給日額にその者の勤続期間一月につき、第一項第一号及び第二号に掲げる者にあつては四日、同項第三号に掲げる者にあつては八日、同項第四号に掲げる者にあつては六日、同項第五号に掲げる者にあつては三日の割合で計算した日数を乗じて得た額を支給する。ただし、その者の退職手当の額が国家公務員退職手当法第五条、第五条の二及び第六条の五の規定の例により計算して得た額に満たないときは、その額をもつて退職手当の額とする。

一　公務上死亡した場合

二　公務上の傷病によりその職に堪えないで退職した場合

4　前項の場合において、休職等の日が任用期間中にあつたときは、その者の退職手当の計算の基礎となる日数は、同項本文の規定にかかわらず、同規定により計算した日数から、当該日数に休職等の日の二分の一に相当する日数をその者の勤続期間に係る日数で除して得た率を乗じて得た日数を減じた日数とする。

5　任用期間の定めのある隊員が自衛隊法第三十六条第七項の規定により任用された場合又は同条第八項の規定によりその任用期間を延長された場合には、当該任用前又は当該延長前の任用期間が経過した日をもつて退職したものとみなし、当該隊員に第一項及び第二項の規定による退職手当を支給する。

6　自衛隊法第三十六条第八項の規定により任用期間の定めのある隊員がその任用期間を延長され、その延長された期間を任用期間の定めのある隊員として勤務して退職し、若しくは死亡した場合又はその延長された期間が経過する前に第三項各号に掲げる場合のいずれかに該当するに至つた場合には、退職手当として、その者の退職又は死亡当時の俸給日額にその延長された期間一月につき八日の割合で計算した日数を乗じて得た額を支給する。同項ただし書の規定は、この場合について準用する。

7　前項の場合において、休職等の日がその延長された期間中にあつたときは、その者の退職手当の計算の基礎となる日数は、同項前段の規定にかかわらず、同規定により計算した日数から、当該日数に休職等の日の二分の一に相当する日数を当該延長された期間に係る日数で除して得た率を乗じて得た日数を減じた日数とする。

8　第五項（第十項において読み替えて適用する場合を含む。次項において同じ。）の規定は、任用期間の定めのある隊員が自衛隊法第三十六条第七項の規定による任用又は同条第八項の規定による任用期間の延長に際し、当該任用又は延長前の任用期間と当該任用又は延長に係る期間との引き続いた在職期間をもつて退職手当の計算の基礎となる期間とすることを希望する旨を申し出たときは、その者については、適用しない。

9　前項の規定により第五項の規定による退職手当の支給を受けなかつた任用期間の定めのある隊員（以下「未受給隊員」という。）が次の各号に掲げる場合のいずれかに該当するに至つた場合には、退職手当として、当該各号に定める額を支給する。

一　自衛隊法第三十六条第七項の規定により任用された任用期間（以下「継続任用期間」という。）が満了した日に退職し、又は死亡した場合　継続任用期間につき第一項及び第二項の規定の例により計算して得た額と、退職又は死亡当時の俸給日額に第五項の規定による退職手当の支給を受けていない任用期間（以下「未受給期間」という。）につき第一項各号に定める日数（休職等の日が未受給期間にある場合にあつては第二項の規定を適用して得られる日数とし、未受給期間である任用期間が二以上ある場合にあつてはそれぞれの任用期間に係る日数を合算した日数。以下「未受給期間に係る日数」という。）を乗じて得た額（以下「未受給期間に係る額」という。）との合計額

二　継続任用期間又は自衛隊法第三十六条第八項の規定により任用期間を延長された期間（以下「延長期間」という。）に関し、第三項又は第六項に規定する場合に該当するに至つた場合　これらの期間につき第三項、第四項、第六項及び第七項の規定の例により計算して得た額と未受給期間に係る額との合計額（国家公務員退職手当法第五条、第五条の二及び第六条の五の規定の例により計算して得た額に満たないときは、その額）

三　継続任用期間又は延長期間が経過する前に退職し、又は死亡した場合（前号に該当する場合を除く。）　未受給期間に係る額と国家公務員退職手当法第七条の勤続期間から未受給期間を除算した期間につき同法の規定の例により計算して得た額との合計額

10　継続任用期間が満了した場合における未受給隊員に係る第五項の規定の適用については、同項中「第一項及び第二項」とあるのは、「第九項第一号」とする。

11　陸士長、海士長又は空士長以下の自衛官が三等陸曹、三等海曹若しくは三等空曹以上の自衛官に昇任し、又は政令で定める場合に該当し、その後政令で定める期間内に退職し、又は死亡した場合における前各項の規定の適用について必要な退職手当の計算及び支給の方法は、政令で定める。

12　未受給隊員が、継続任用期間又は延長期間が経過する前又は満了した日に三等陸曹、三等海曹若しくは三等空曹以上の自衛官に昇任し、又は政令で定める場合に該当し、その後退職し、又は死亡した場合（前項に規定する場合を除く。）において、国家公務員退職手当法の規定により支給される退職手当の額（以下「一般の退職手当の額」という。）が、その昇任した日又は政令で定める日の前日におけるその者の号俸を基準として政令で定めるところにより計算して得た額に未受給期間に係る日数を乗じて得た額と次に掲げる額との合計額に満たないときは、一般の退職手当の額のほか、その差額に相当する額を退職手当として支給する。

一　その者の国家公務員退職手当法第七条の勤続期間から未受給期間を除算した期間につき、同法第三条から第六条の三まで及び第六条の五の規定の例により計算して得た額

二　その者の国家公務員退職手当法第六条の四の基礎在職期間のうち未受給期間に係る期間を除いた期間につき、同条及び同法第六条の五の規定の例により計算して得た額

第二十八条の二　定年に達した自衛官が自衛隊法第四十五条第三項又は第四項の規定により引き続いて勤務することを命ぜられた場合には、国家公務員退職手当法第二十条第一項の規定にかかわらず、その者が定年に達した日に退職したものとみなし、その際退職手当を支給することができる。

2　自衛官に対する国家公務員退職手当法の規定の適用については、同法第五条の二第二項中「（一般の退職手当）」とあるのは「（一般の退職手当、防衛省の職員の給与等に関する法律（昭和二十七年法律第二百六十六号）第二十八条の規定による退職手当」と、同法第九条中「一般の退職手当」とあるのは「一般の退職手当若しくは防衛省の職員の給与等に関する法律第二十八条の規定による退職手当又はこれらの合計額」とする。

3　前条又は第一項の規定による退職手当の支給を受けた自衛官（国家公務員退職手当法第十二条第一項又は第十四条第一項の規定により当該退職手当の全部を支給しないこととする処分を受けた自衛官を含む。）に対する同法の規定の適用については、その退職手当の計算の基礎となつた期間（同法第十二条第一項又は第十四条第一項の規定により当該退職手当の全部を支給しないこととする処分を受けた自衛官にあつては、仮にこれに退職手当を支給することとした場合にその退職手当の計算の基礎となるべき期間）は、同法第六条の四の基礎在職期間及び同法第七条の勤続期間からそれぞれ除くものとする。ただし、同法第十条の規定の適用については、この限りでない。

4　学生及び生徒に対する国家公務員退職手当法

の規定の適用については、学生又は生徒としての在職期間は、同法第七条の勤続期間から除算する。ただし、その者が学生又は生徒としての正規の課程を終了し、引き続いて自衛官に任用され、当該任用に引き続いた自衛官としての在職期間が六月以上となつた場合又は当該在職期間が六月を経過する前に次の各号に掲げる場合のいずれかに該当するに至つた場合に限り、学生又は生徒としての在職期間の二分の一に相当する期間は、自衛官としての在職期間に通算する。

一　傷病又は死亡により退職した場合

二　定員の減少若しくは組織の改廃のため過員若しくは廃職を生ずることにより、又は勤務官署の移転により退職した場合

5　国家公務員退職手当法第七条第二項及び第四項の規定は、前項ただし書に規定する自衛官としての在職期間の計算について準用する。この場合において、同条第二項中「職員となつた日」とあるのは「学生又は生徒としての正規の課程を終了し、引き続いて自衛官に任用された日」と、「退職した日」とあるのは「事務官等となつた日又は退職した日」と、同条第四項中「前三項の規定による」とあるのは「防衛省の職員の給与等に関する法律第二十八条の二第五項において準用する第二項の規定による」と、「月数（国家公務員法第百八条の六第一項ただし書若しくは行政執行法人の労働関係に関する法律（昭和二十三年法律第二百五十七号）第七条第一項ただし書に規定する事由又はこれらに準ずる事由により現実に職務をとることを要しなかつた期間については、その月数）を前三項」とあるのは「月数を同項」と読み替えるものとする。

第二十八条の三　予備自衛官及び即応予備自衛官が訓練招集に応じている期間中の職務に起因する傷病によりその職に堪えないで退職したとき、又は訓練招集に応じている期間中の職務に起因して死亡したときは、その者に対して、又は国家公務員退職手当法第二条の二の規定の例によりその遺族に対して、退職手当として、その者が自衛隊法第六十七条第三項（同法第七十五条の八において準用する場合を含む。）の規定により指定されている自衛官の階級について別表第二に定める最低の俸給月額（当該職員の指定されている階級が陸将、海将又は空将である場合に限る。）又は俸給の幅の最低の号俸（当該職員の指定されている階級が一等陸佐、一等海佐又は一等空佐である場合にあつては、同表の一等陸佐、一等海佐及び一等空佐の㈢欄における最低の号俸をいう。）による俸給月額（その者が自衛官であつた者である場合において、当該俸給月額が当該自衛官として受けていた最終の俸給月額に満たないときは、その最終の俸給月額）に相当する額を支給する。ただし、その者が国家公務員退職手当法の規定による退職手当の支給を受ける者である場合においては、この限りでない。

2　予備自衛官補が教育訓練招集に応じている期間中の職務に起因する傷病によりその職に堪えないで退職したとき、又は教育訓練招集に応じている期間中の職務に起因して死亡したときは、その者に対して、又は国家公務員退職手当法第二条の二の規定の例によりその遺族に対して、退職手当として、別表第二の二等陸士、二等海士及び二等空士の俸給の幅の最低の号俸による俸給月額に相当する額を支給する。ただし、その者が国家公務員退職手当法の規定による退職手当の支給を受ける者である場合においては、この限りでない。

第二十八条の四　職員に対する国家公務員退職手当法第五条の二の規定（第二十八条第三項ただし書、第九項第二号及び第三号並びに第十二項第一号の規定によりその例による場合を含む。）の適用については、同法第五条の二第一項中「以下同じ。）」とあるのは、「以下同じ。）及び自衛隊法（昭和二十九年法律第百六十五号）第四十六条第一項に規定する降任」とする。

（国家公務員共済組合法の適用）

第二十九条　組合員の資格を喪失した日の前日まで引き続き一年以上組合員であつた自衛官、学生又は生徒に対しては、国家公務員共済組合法第六十六条第五項の規定にかかわらず、これらの者が組合員の資格を喪失した際傷病手当金を受けていない場合においても、これを支給することができる。

（審議会等への諮問）

第三十条　防衛大臣は、第三条第一項、第十二条第二項若しくは第二十七条の二の規定による政令若しくは第十二条第二項の規定による防衛省令の制定若しくは改廃の立案をしようとするとき、又は第二十七条の六第四項（第二十七条の十一第十項において準用する場合を含む。）の

規定に定める処分の理由の通知若しくは弁明の機会に関する手続を定め、若しくは変更しようとするときは、審議会等（国家行政組織法（昭和二十三年法律第百二十号）第八条に規定する機関をいう。）で政令で定めるものの意見を聴かなければならない。

（委任規定）

第三十一条 この法律に特別の定があるものの外、この法律の実施に関して必要な事項は、政令で定める。

（罰則）

第三十二条 偽りその他不正の手段により給付金の支給を受けた者は、三年以下の拘禁刑又は三十万円以下の罰金に処する。ただし、刑法（明治四十年法律第四十五号）に正条があるときは、刑法による。

第三十三条 第二十二条第十二項の規定による命令に違反したときは、当該違反行為をした者は、一年以下の拘禁刑又は五十万円以下の罰金に処する。

第三十四条 正当な理由がなく第二十二条第十三項の規定による報告をせず、若しくは虚偽の報告をし、又は同項の規定による質問に対して正当な理由がなく答弁せず、若しくは虚偽の答弁をし、若しくは正当な理由がなく同項の規定による検査を拒み、妨げ、若しくは忌避したときは、当該違反行為をした者は、三十万円以下の罰金に処する。

第三十五条 法人（法人でない社団又は財団で代表者又は管理人の定めがあるもの（以下この条において「人格のない社団等」という。）を含む。以下この項において同じ。）の代表者（人格のない社団等の管理人を含む。）又は法人若しくは人の代理人、使用人その他の従業者が、その法人又は人の業務に関して、前二条の違反行為をしたときは、行為者を罰するほか、その法人又は人に対しても、各本条の罰金刑を科する。

2 人格のない社団等について前項の規定の適用がある場合には、その代表者又は管理人がその訴訟行為につき当該人格のない社団等を代表するほか、法人を被告人又は被疑者とする場合の刑事訴訟に関する法律の規定を準用する。

附 則

1 この法律は、昭和二十七年八月一日から施行する。

2 警察予備隊の一等警察士補以下の警察官としての在職期間は、国家公務員退職手当法第七条の勤続期間の計算については、その期間から除算する。保安庁法附則第十五項に規定する保安官の任用期間が経過するまでの在職期間についても、同様とする。

3 職員に係る公務上の災害に対する補償に相当する給与又は給付で、この法律施行前において支給すべき事由の生じたものの支給については、なお従前の例による。ただし、労働基準法等の施行に伴う政府職員に係る給与の応急措置に関する法律（昭和二十二年法律第百六十七号）に基づいて国が支給する職員に係る給与のうち公務上の災害に対する補償に相当するものの支給について異議のある者は、防衛大臣に対して、審査を請求することができる。国家公務員災害補償法第二十四条、第二十六条及び第二十七条の規定は、この場合について準用する。

4 退職の日において防衛省の職員の給与等に関する法律の一部を改正する法律（平成二十九年法律第八十六号）第二条の規定による改正前の附則第五項において準用する一般職の職員の給与に関する法律等の一部を改正する法律（平成二十九年法律第七十七号）第二条の規定による改正前の一般職給与法附則第八項の規定の適用を受けていた若年定年退職者に対する第二十七条の三第二項の規定の適用については、同項中「受けていた俸給月額」とあるのは「受けていた附則第五項において準用する一般職給与法附則第八項第一号に定める額に相当する額を俸給月額から減じた額」と、「政令で定める俸給月額」とあるのは「同号に定める額に相当するものとして政令で定める額に相当する額を政令で定める俸給月額から減じた額」とする。

5 当分の間、事務官等の俸給月額は、その者が六十歳（次の各号に掲げる事務官等にあつては、当該各号に定める年齢）に達した日後における最初の四月一日（附則第七項において「特定日」という。）以後、その者に適用される俸給表の俸給月額のうち、第四条の二第三項の規定によりその者の属する職務の級並びに第五条第一項の規定並びに同条第二項において準用する一般職給与法第八条第七項及び第八項の規定によりその者の受ける号俸に応じた額に百分の七十を乗じて得た額（当該額に、五十円未満の端数を生じたときはこれを切り捨て、五十円以上百円未満の端数を生じたときはこれを百円に切り上げるものとする。）とする。

一 国家公務員法等の一部を改正する法律（令和三年法律第六十一号）第八条の規定による改正前の自衛隊法（次号及び次項第二号において「令和五年旧自衛隊法」という。）第四十四条の二第二項第二号に掲げる隊員に相当する事務官等として政令で定める事務官等
六十三歳

二 令和五年旧自衛隊法第四十四条の二第二項第三号に掲げる隊員に相当する事務官等のうち、政令で定める事務官等 六十歳を超え六十四歳を超えない範囲内で政令で定める年齢

6 前項の規定は、次に掲げる事務官等には適用しない。

一 自衛隊法第四十四条の六第三項第一号又は第二号に掲げる隊員である事務官等

二 令和五年旧自衛隊法第四十四条の二第二項第一号に掲げる隊員に相当する事務官等として政令で定める事務官等及び同項第三号に掲げる隊員に相当する事務官等のうち政令で定める事務官等

三 自衛隊法第四十四条の五第一項又は第二項の規定により同法第四十四条の二第一項に規定する異動期間（同法第四十四条の五第一項又は第二項の規定により

延長された期間を含む。）を延長された同法第四十四条の二第一項に規定する管理監督職を占める事務官等

四　自衛隊法第四十四条の六第二項ただし書に規定する隊員

五　自衛隊法第四十四条の七第一項又は第二項の規定により勤務している事務官等（同法第四十四条の六第一項に規定する定年退職日において前項の規定が適用されていた事務官等を除く。）

7　自衛隊法第四十四条の二第三項に規定する他の官職への降任等をされた事務官等であつて、当該他の官職への降任等をされた日（以下この項及び附則第九項において「異動日」という。）の前日から引き続き同一の俸給表の適用を受ける事務官等のうち、特定日に附則第五項の規定によりその者の受ける俸給月額（以下この項において「特定日俸給月額」という。）が異動日の前日にその者が受けていた俸給月額に百分の七十を乗じて得た額（当該額に、五十円未満の端数を生じたときはこれを切り捨て、五十円以上百円未満の端数を生じたときはこれを百円に切り上げるものとする。以下この項において「基礎俸給月額」という。）に達しないこととなる事務官等（政令で定める事務官等を除く。）には、当分の間、特定日以後、附則第五項の規定によりその者の受ける俸給月額のほか、基礎俸給月額と特定日俸給月額との差額に相当する額を俸給として支給する。

8　前項の規定による俸給の額と当該俸給を支給される事務官等の受ける俸給月額との合計額が第四条の二第三項の規定によりその者の属する職務の級における最高の号俸の俸給月額を超える場合における前項の規定の適用については、同項中「基礎俸給月額と特定日俸給月額」とあるのは、「第四条の二第三項の規定によりその者の属する職務の級における最高の号俸の俸給月額とその者の受ける俸給月額」とする。

9　異動日の前日から引き続き俸給表の適用を受ける事務官等（附則第五項の規定の適用を受ける事務官等に限り、附則第七項に規定する事務官等を除く。）であつて、同項の規定による俸給を支給される事務官等との権衡上必要があると認められる事務官等には、当分の間、その者の受ける俸給月額のほか、政令で定めるところにより、前二項の規定に準じて算出した額を俸給として支給する。

10　附則第七項又は前項の規定による俸給を支給される事務官等以外の附則第五項の規定の適用を受ける事務官等であつて、任用の事情を考慮して当該俸給を支給される事務官等との権衡上必要があると認められる事務官等には、当分の間、その者の受ける俸給月額のほか、政令で定めるところにより、前三項の規定に準じて算出した額を俸給として支給する。

11　附則第七項又は前二項の規定による俸給を支給される事務官等に対する第十四条第二項において準用する一般職給与法第十条の五第二項の規定の適用については、同項中「俸給月額」とあるのは、「俸給月額と防衛省の職員の給与等に関する法律附則第七項、第九項又は第十項の規定による俸給の額との合計額」とする。

12　当分の間、定年が年齢六十年に満たないとされている若年定年退職者に対する第二十七条の二第一号及び第二十七条の三の規定の適用については、次の表の上欄に掲げる規定中同表の中欄に掲げる字句は、それぞれ同表の下欄に掲げる字句とする。

第二十七条の二第一号	規定する定年（	規定する定年（退職の日において定められているその者に係る定年に達する日が令和五年四月一日から令和十三年三月三十一日までの間である場合においては、同法附則第八項の表の上欄に掲げる期間の区分に応じ、それぞれ同表の中欄に掲げる字句とする。
第二十七条の三第一項	二回に	退職の日において定められているその者に係る定年に達する日の翌日から年齢六十年に達する日までの期間（以下この項及び次項において「前期算定基礎期間」という。）に係るものを二回に
	第一回目の給付金	前期算定基礎期間に係る第一回目の給付金（以下単に「第一回目の給付金」という。）
	第二回目の給付金	前期算定基礎期間に係る第二回目の給付金（以下単に「第二回目の給付金」という。）
	支給する	支給し、年齢六十年に達する日の翌日から自衛官以外の職員の定年に達する日までの期間（以下この項及び次項において「後期算定基礎期間」という。）に係るものを二回に分割し、防衛省令で定める月であつてその者の年齢六十年に達する日の翌日の属する月後最初に到来するものに後期算定基礎期間に係る第一回目の給付金（同項及び第三項において「第三回目の給付金」という。）を、その者の年齢六十年に達する日の翌日の属する年の翌々年の防衛省令で定める月に後期算定基礎期間に係る第二回目の給付金（次項及び第三項において「第四回目の給付金」という。）をそれぞれ支給する
第二十七条の三第二項	次条において	以下
	算定基礎期間（退職の日において定められているその者に係る定年に達する日の翌日から自衛官以外の職員の定年に達する日までの期間をいう。以下同じ。）	前期算定基礎期間
	算定基礎期間の	前期算定基礎期間の
	得た額とする	得た額とし、第三回目の給付金及び第四回目の給付金の額は、退職の日においてその者の受けていた俸給月額に後期算定基礎期間の年数を乗じて得た額に第三回目の給付金にあつては一・三八を、第四

		回目の給付金にあつては二・〇七をそれぞれ乗じて得た額に、第三回目の給付金及び第四回目の給付金の支給される時期並びに後期算定基礎期間の年数を勘案して一を超えない範囲内でそれぞれ後期算定基礎期間の年数に応じて政令で定める率を乗じて得た額とする
第二十七条の三第三項	第二回目の給付金	第二回目の給付金並びに第三回目の給付金及び第四回目の給付金

13　当分の間、定年が年齢六十年以上とされている若年定年退職者に対する第二十七条の二第一号、第二十七条の三第二項及び第二十七条の四第一項の規定の適用については、次の表の上欄に掲げる規定中同表の中欄に掲げる字句は、それぞれ同表の下欄に掲げる字句とする。

第二十七条の二第一号	規定する定年（	規定する定年（退職の日において定められているその者に係る定年に達する日が令和五年四月一日から令和十三年三月三十一日までの間である場合においては、同法附則第八項の表の上欄に掲げる期間の区分に応じ、それぞれ同表の中欄に掲げる字句とする。
第二十七条の三第二項	一・七一四	一・三八
	四・二八六	二・〇七
第二十七条の四第一項	六	三・四五
	一・七一四	一・三八

14　附則第十二項の規定により支給されることとなる給付金のうち、同項の規定により読み替えられた第二十七条の三第一項に規定する前期算定基礎期間に係るものに対する第二十七条の四第一項及び第三項、第二十七条の六第二項及び第三項並びに第二十七条の七第一項の規定の適用については、次の表の上欄に掲げる規定中同表の中欄に掲げる字句は、それぞれ同表の下欄に掲げる字句とする。

第二十七条の四第一項	第二回目の給付金の額は、これら	第二回目の給付金（附則第十二項の規定により読み替えられた同条第一項に規定する第二回目の給付金をいう。以下同じ。）の額は、附則第十二項の規定により読み替えられた同条第二項及び第三項
第二十七条の四第三項	第一回目の給付金	第一回目の給付金（附則第十二項の規定により読み替えられた前条第一項に規定する第一回目の給付金をいう。以下同じ。）
第二十七条の六第二項	及び	、第三回目の給付金（附則第十二項の規定により読み替えられた第二十七条の三第一項に規定する第三回目の給付金をいう。）、第四回目の給付金（附則第十二項の規定により読み替えられた同条第一項に規定する第四回目の給付金をいう。）並びに前期算定基礎期間（附則第十二項の規定により読み替えられた同条第一項に規定する前期算定基礎期間をいう。次項において同じ。）及び後期算定基礎期間（附則第十二項の規定により読み替えられた同条第一項に規定する後期算定基礎期間をいう。次項において同じ。）に係る
	前条第一項	前期算定基礎期間及び後期算定基礎期間に係る前条第一項
第二十七条の六第三項	次条第一項	前期算定基礎期間及び後期算定基礎期間に係る次条第一項
第二十七条の七第一項	自衛官以外の職員の定年	年齢六十年

15　附則第十二項の規定により支給されることとなる給付金のうち、同項の規定により読み替えられた第二十七条の三第一項に規定する後期算定基礎期間に係るものに対する第二十七条の四から第二十七条の七まで、第二十七条の九及び第二十七条の十一の規定の適用については、次の表の上欄に掲げる規定中同表の中欄に掲げる字句は、それぞれ同表の下欄に掲げる字句とする。

第二十七条の四第一項	退職した日	年齢六十年に達する日の翌日
	「退職の翌年	「六十一歳の年
	退職の翌年まで	退職した日の属する年の翌年まで
	六	三・四五
	一・七一四	一・三八
	第二回目の給付金の額は、これら	第四回目の給付金（附則第十二項の規定により読み替えられた同条第一項に規定する第四回目の給付金をいう。以下同じ。）の額は、附則第十二項の規定により読み替えられた同条第二項及び第三項
	第二回目の給付金の額に	第四回目の給付金の額に
	退職の翌年に	六十一歳の年に
第二十七条の四第二項	退職の翌年	六十一歳の年
	第二回目の給付金	第四回目の給付金
第二十七条の四第三項	第一回目の給付金の支給	第三回目の給付金（附則第十二項の規定により読み替えられた前条第一項に規定する第三回目の給付金をいう。以下同じ。）の支給
	退職の翌年	六十一歳の年
	第一回目の給付金の額	第三回目の給付金の額
第二十七条の四第四項	退職の翌年	六十一歳の年

第二十七条の五第一項	退職した日	年齢六十年に達する日の翌日
第二十七条の五第二項	第一回目の給付金	第三回目の給付金
	第二回目の給付金	第四回目の給付金
	退職の翌年	六十一歳の年
第二十七条の五第三項	退職の翌年	六十一歳の年
第二十七条の六第一項	退職した日	年齢六十年に達する日の翌日
	退職の翌年	六十一歳の年
第二十七条の六第二項	第一回目の給付金	第三回目の給付金
	第二回目の給付金	第四回目の給付金
第二十七条の七第一項	退職の翌年	六十一歳の年
第二十七条の七第二項	退職の翌年	六十一歳の年
	第一回目の給付金	第三回目の給付金
	第二回目の給付金	第四回目の給付金
第二十七条の九第一項及び第五項	第一回目の給付金	第三回目の給付金
	第二回目の給付金	第四回目の給付金
第二十七条の十一第一項	第一回目の給付金	第三回目の給付金
	退職の翌年	六十一歳の年
	第二回目の給付金	第四回目の給付金
第二十七条の十一第二項第一号	退職した日	年齢六十年に達する日の翌日
第二十七条の十一第二項第二号	退職の翌年	六十一歳の年
第二十七条の十一第四項	第二回目の給付金	第四回目の給付金
第二十七条の十一第六項	第一回目の給付金	第三回目の給付金
	退職の翌年	六十一歳の年
第二十七条の十一第七項	第一回目の給付金	第三回目の給付金
第二十七条の十一第八項	退職の翌年	六十一歳の年
	第二回目の給付金	第四回目の給付金
第二十七条の十一第十項	退職した日	年齢六十年に達する日の翌日
	退職の翌年	六十一歳の年
	第一回目の給付金	第三回目の給付金
	第二回目の給付金	第四回目の給付金

16　附則第五項から前項までに定めるもののほか、附則第五項の規定による俸給月額、附則第七項の規定による俸給その他附則第五項から前項までの規定の施行に関し必要な事項は、政令で定める。

17　この附則に定めるもののほか、この法律施行のための必要な経過措置は、政令で定める。

附　則（平一七・一一・七法一一五）（抄）

最終改正　平一九・一一・三〇法一二四

（施行期日）

第一条　この法律は、平成十八年四月一日から施行する。

（防衛庁の職員の給与等に関する法律の一部改正に伴う経過措置）

第十四条　防衛省の職員の給与等に関する法律（昭和二十七年法律第二百六十六号。以下この条において「防衛省職員給与法」という。）第二十八条第一項に規定する任用期間の定めのある隊員が新制度適用任期制隊員（施行日前において前条の規定による改正前の防衛庁の職員の給与等に関する法律第二十八条第一項に規定する任用期間の定めのある隊員であって、その者が防衛省の職員の給与等に関する法律の一部を改正する法律（平成十九年法律第百二十四号）の施行の日以後に退職することにより防衛省職員給与法の規定による退職手当の支給を受けることとなる者をいう。）として退職した場合において防衛省職員給与法第二十八条第三項ただし書（同条第六項後段において準用する場合を含む。）、第九項第二号及び第三号並びに第十二項の規定により新法の規定の例による場合には、附則第三条から第六条までの規定の適用があるものとする。

附　則（平一七・一一・七法一二二）（抄）

最終改正　平二四・二・二九法二

（施行期日）

第一条　この法律は、公布の日の属する月の翌月の初日（公布の日が月の初日であるときは、その日）から施行する。ただし、第二条並びに附則第八条から第十九条まで［中略］の規定は、平成十八年四月一日から施行する。

（俸給の切替え）

第二条　この法律の施行の日（以下「施行日」という。）における職員の俸給月額は、附則第四条に定めるものを除き、施行日の前日においてその者が属していた職務の級（防衛庁の職員の給与等に関する法律（以下「法」という。）第四条第三項に規定する特定任期付職員並びに同条第四項に規定する第一号任期付研究員及び第二号任期付研究員（以下「特定任期付職員等」という。）にあっては、一般職の任期付職員の採用及び給与の特例に関する法律（平成十二年法律第百二十五号）第七条第一項又は一般職の任期付研究員の採用、給与及び勤務時間の特例に関する法律（平成九年法律第六十五号）第六条第一項若しくは第二項の俸給表をいう。以下この条において同じ。）又は階級（当該階級が陸将、海将又は空将である場合にあっては法別表第三の陸将補、海将補及び空将補の㈡欄をいい、当該階級が一等陸佐、一等海佐又は一等空佐である場合にあっては同表の一等陸佐、一等海佐及び一等空佐の㈠欄、㈡欄又は㈢欄をいう。以下同じ。）におけるその者が受けていた俸給月額（以下「施行日の前日における俸給月額」という。）に対応する号俸と同一の当該職務の級又は階級における号俸による額とする。

（施行日の前日における俸給月額を受けていた期間の通算）

第三条　前条の規定により施行日における俸給月額を決定される職員（特定任期付職員等を除く。）に対する施行日以降における最初の法第五条第三項において準用する一般職の職員の給与に関する法律（昭和二十五年法律第九十五号。以下「一般職給与法」という。）第八条第六項若しくは第八項ただし書の規定又は防衛庁の職員の給与等に関する法律の一部を改正する法律（平成十年法律第百二十二号。附則第六条及び第十四条において「平成十年改正法」という。）附則第十項から第十二項までの規定の適用については、施行日の前日における俸給月額を受けていた期間（内閣府令で定める職員にあっては、内閣府令で定める期間）を施行日における俸給月額を受ける期間に通算する。

（最高号俸による俸給月額を超える俸給月額等を受ける職員の俸給の切替え等）

第四条　施行日の前日において職務の級又は階級の最高の号俸による俸給月額を超える俸給月額を受けていた職員の施行日における俸給月額及びこれを受ける期間に通算されることとなる期間並びに施行日の前日において法第六条の二第二項又は第七条第二項の規定による俸給月額を受けていた特定任期付職員等の施行日における俸給月額は、内閣府令で定める。

（施行日前の異動者の俸給月額等の調整）

第五条　施行日前に職務の級又は階級を異にして異動した職員及び内閣府令で定めるこれに準ずる職員の施行日における俸給月額及びこれを受けることとなる期間については、その者が施行日において職務の級又は階級を異にする異動等をしたものとした場合との権衡上必要と認められる限度において、内閣府令で定めるところにより、必要な調整を行うことができる。

（施行日の前日における俸給月額の基礎）

第六条　附則第二条から前条までの規定の適用については、職員が属していた職務の級又は階級及びその者が受けていた俸給月額は、第一条の規定による改正前の法又は平成十年改正法附則第十項から第十二項まで及びこれらに基づく命令の規定に従って定められたものでなければならない。

（平成十七年十二月に支給する期末手当及び期末特別手当に関する特例措置）

第七条　法第十八条の二第一項、第十八条の三第一項又は第二十五条第三項の規定によりその例によることとされる一般職の職員の給与に関する法律等の一部を改正する法律（平成十七年法律第百十三号。以下「一般職給与改正法」という。）附則第五条の規定の適用については、同条第一項第一号中「及び特地勤務手当（給与法第十四条の規定による手当を含む。）並びに一般職の職員の給与に関する法律等の一部を改正する法律（平成八年法律第百十二号）附則第十四項及び第十五項に規定する暫定筑波研究学園都市移転手当の月額の合計額」とあるのは「、特地勤務手当（給与法第十四条の規定による手当を含む。）、航空手当、乗組手当、落下傘隊員手当、特別警備隊員手当、特殊作戦隊員手当及び営外手当の月額の合計額又は学生手当の月額」と、同条第二項中「防衛庁の職員の給与等に関する法律（昭和二十七年法律第二百六十六号）」とあるのは「給与法」とする。

（特定の職務の級の切替え）

第八条　平成十八年四月一日（以下「切替日」という。）の前日においてその者が属していた職務の級（以下「旧級」という。）が法別表第一の五級であった職員の切替日における職務の級（以下「新級」という。）は、内閣府令で定めるところにより、同表の五級又は六級とする。

2　切替日の前日において一般職給与法別表第一、別表第六イ、別表第七又は別表第八イの適用を受けていた職員であって、旧級が一般職給与改正法附則別表第一（行政職俸給表㈠、行政職俸給表㈡、教育職俸給表㈠、医療職俸給表㈠及び研究職俸給表に係る部分に限る。以下この項において同じ。）に掲げられている職務の級であったものの新級は、旧級に対応する一般職給与改正法附則別表第一の新級欄に定める職務の級とする。この場合において、同欄に二の職務の級が掲げられているときは、内閣府令で定めるところにより、そのいずれかの職務の級とする。

（号俸への切替え）

第九条　切替日の前日において法別表第一から別表第三までの適用を受けていた職員（第三項並びに附則第十一条及び第十二条に規定する職員を除く。）の切替日における号俸（以下「新号俸」という。）は、旧級又は階級、その者が切替日の前日において受けていた俸給月額（以下「旧俸給月額」という。）に対応する号俸（以下この条、附則別表第一及び附則別表第二において「旧号俸」という。）及び経過期間（旧俸給月額を受けていた期間（内閣府令で定める職員にあっては、内閣府令で定める期間）をいう。以下この条において同じ。）に応じて附則別表第一に定める号俸とする。

2　切替日の前日において一般職給与法別表第一又は別表第六から別表第八までの適用を受けていた職員（第四項及び附則第十二条に規定する職員を除く。）の新号俸は、旧級、旧号俸及び経過期間に応じて一般職給与改正法附則別表第二イ、ロ及びリからカまでに定める号俸とする。

3　前条第一項の規定により新級を決定される職員（附則第十二条に規定する職員を除く。）の新号俸は、新級、旧号俸及び経過期間に応じて附則別表第二に定める号俸とする。

4　前条第二項後段の規定により新級を決定される職員（附則第十二条に規定する職員を除く。）の新号俸は、新級、旧号俸及び経過期間に応じて一般職給与改正法附則別表第三イ及びニからへまでに定める号俸とする。

第十条　切替日の前日において一般職の任期付職員の採用及び給与の特例に関する法律第七条第一項又は一般職の任期付研究員の採用、給与及び勤務時間の特例に関する法律第六条第一項若しくは第二項の俸給表（附則第十五条第一項において「特定任期付職員等俸給表」という。）の適用を受けていた特定任期付職員等の新号俸は、旧俸給月額に対応するこれらの俸給表における号俸と同じ号数の号俸とする。

（法別表第一の指定職の欄等の適用を受ける職員の号俸の切替え）

第十一条　切替日の前日において法別表第一の指定職の欄、一般職給与法別表第十又は法別表第三の陸将、海将及び空将の欄若しくは陸将補、海将補及び空将補の㈠欄の適用を受けていた職員の新号俸は、切替日の前日における号俸（附則別表第三において「旧号俸」という。）に対応する附則別表第三の新号俸欄に定める号俸とする。

（最高号俸による俸給月額を超える俸給月額等を受ける職員の俸給の切替え）

第十二条　切替日の前日において職務の級又は階級における最高の号俸による俸給月額を超える俸給月額を受けていた職員の新号俸及び同日において法第六条の二第二項又は第七条第二項の規定による俸給月額を受けていた特定任期付職員等の切替日における俸給月額は、内閣府令で定める。

（切替日前の異動者の号俸の調整）

第十三条　切替日前に職務の級又は階級を異にして異動した職員及び内閣府令で定めるこれに準ずる職員の新号俸については、その者が切替日において職務の級又は階級を異にする異動等をしたものとした場合との権衡上必要と認められる限度において、内閣府令で定めるところにより、必要な調整を行うことができる。

（旧俸給月額等の基礎）

第十四条　附則第八条から前条までの規定の適用については、職員が属していた職務の級又は階級及びその者が受けていた号俸又は俸給月額は、第二条の規定による改正前の法（附則第十八条において「旧法」という。）又は附則第二十一条の規定による改正前の平成十年改正法附則第十項から第十二項まで及びこれらに基づく命令の規定に従って定められたものでなければならない。

（俸給の切替えに伴う経過措置）

第十五条　切替日の前日から引き続き同一の関係俸給表（防衛省の職員の給与等に関する法律（昭和二十七年法律第二百六十六号。以下「防衛省職員給与法」という。）別表第一若しくは別表第二、一般職給与法別表第一、別表第六から別表第八まで若しくは別表第十一、特定任期付職員等俸給表、防衛庁設置法等の一部を改正する法律（平成十八年法律第四十五号）第三条の規定による改正前の法別表第一から別表第三まで又は一般職の職員の給与に関する法律等の一部を改正する法律（平成十九年法律第百十八号）第二条の規定による改正前の一般職給与法別表第十をいう。以下同じ。）の適用を受ける職員で、その者の受ける俸給月額が旧俸給月額（防衛省の職員の給与等に関する法律等の一部を改正する法律（平成二十一年法律第九十二号。第一号において「平成二十一年防衛省給与改正法」という。）の施行の日において次の各号に掲げる職員である者にあっては、旧俸給月額に当該各号に定める割合を乗じて得た額とし、その額に一円未満の端数が生じたときはこれを切り捨てた額とする。）に達しないこととなるもの（防衛省令で定める職員を除く。）には、平成二十六年三月三十一日までの間、俸給月額のほか、その差額に相当する額（防衛省職員給与法附則第五項において準用する一般職給与法附則第八項の表の俸給表欄に掲げる俸給表の適用を受ける職員のうちその職務の級が同表の職務の級欄に掲げる職務の級以上である者（自衛隊法（昭和二十九年法律第百六十五号）第四十四条の四第一項又は第四十四条の五第一項の規定により採用された者を除く。）及び二等陸佐、二等海佐又は二等空佐以上の自衛官（防衛省職員給与法第六条の規定の適用を受ける自衛官、医師又は歯科医師である自衛官及び自衛隊法第四十五条の二第一項の規定により採用された自衛官を除く。）（以下この項において「特定職員」という。）にあっては、五十五歳に達した日後における最初の四月一日（特定職員以外の者が五十五歳に達した日後における最初の四月一日後に特定職員となった場合にあっては、特定職員となった日）以後、当該額に百分の九十八・五を乗じて得た額）を俸給として支給する。

一　平成二十一年防衛省給与改正法附則第四条の規定により読み替えられた一般職の職員の給与に関する法律等の一部を改正する法律（平成二十一年法律第八十六号）附則第三条第一項第一号に規定する減額改定対象職員（次号に掲げる職員を除く。）　百分の九十九・一

二　防衛省職員給与法第六条の規定の適用を受ける職員　百分の九十八・九四

三　前二号に掲げる職員以外の職員（一般職給与法別表第八イの適用を受ける職員、医師又は歯科医師である自衛官及び防衛省職員給与法第四条第三項に規定する第二号任期付研究員を除く。）　百分の九十九・三四

2　切替日の前日から引き続き関係俸給表の適用を受ける職員（前項に規定する職員を除く。）について、同項の規定による俸給を支給される職員との権衡上必要があると認められるときは、当該職員には、防衛省令で定めるところにより、同項の規定に準じて、俸給を支給する。

3　切替日以降に新たに関係俸給表の適用を受けることとなった職員について、任用の事情等を考慮して前二項の規定による俸給を支給される職員との権衡上必要があると認められるときは、当該職員には、防衛省令で定めるところにより、これらの規定に準じて、俸給を支給する。

第十六条　前条の規定による俸給を支給される職員に関する防衛省職員給与法第十一条の二において準用する一般職給与法第十条第二項の規定の適用については、同項中「調整前における俸給月額」とあるのは、「調整前における俸給月額と防衛庁の職員の給与等に関する法律の一部を改正する法律（平成十七年法律第百二十二号）附則第十五条の規定による俸給の額との合計額」と読み替えるものとする。

2　前条の規定による俸給を支給される職員に関する防衛省職員給与法第二十七条の三第二項の規定の適用については、同項中「受けていた俸給月額」とあるのは「受けていた俸給月額と防衛庁の職員の給与等に関する法律の一部を改正する法律（平成十七年法律第百二十二号。以下この項において「平成十七年防衛庁給与改正法」という。）附則第十五条の規定による俸給の額との合計額」と、「政令で定める俸給月額」とあるのは「政令で定める俸給月額と同条の規定による俸給の額との合計額」と、「別表第二」とあるのは「平成十七年防衛庁給与改正法

第二条の規定による改正前の別表第三」と、「額を」とあるのは「額に百分の九十九・一を乗じて得た額（その額に一円未満の端数があるときは、これを切り捨てた額）を」と、「による額と」とあるのは「による額にその割合を乗じて得た額（その額に一円未満の端数があるときは、これを切り捨てた額）と」とする。

（平成二十二年三月三十一日までの間における一般職給与法の準用に関する特例等）

第十七条　一般職給与改正法附則第十三条の規定は、平成二十二年三月三十一日までの間における防衛省職員給与法第五条第二項において準用する一般職給与改正法第二条の規定による改正後の一般職給与法（以下「改正後の一般職給与法」という。）第八条第六項及び第七項並びに防衛省職員給与法第十四条第二項において準用する改正後の一般職給与法第十一条の三第二項及び第十一条の五の規定の適用について準用する。この場合において、一般職給与改正法附則第十三条の表中「人事院規則」とあるのは、「政令」と読み替えるものとする。

2　平成二十二年四月一日以降において附則第十五条の規定の適用を受ける自衛官（防衛省職員給与法第六条の規定の適用を受ける自衛官を除く。）に関する防衛省職員給与法第十四条第二項において準用する改正後の一般職給与法第十一条の三第二項及び第十一条の五の規定の適用については、同項中「当該各号に定める割合」とあるのは「当該各号に定める割合から百分の一を減じて得た割合」と、同条中「百分の十五」とあるのは「百分の十四」と読み替えるものとする。

（地域手当に関する経過措置）

第十八条　第二条の規定の施行の際現に旧法第十四条第二項又は第三項において準用する一般職給与改正法第二条の規定による改正前の一般職給与法（次項において「改正前の一般職給与法」という。）第十一条の六の規定の適用を受けている職員に対する当該適用に係る官署の移転に係る地域手当の支給に関する防衛省職員給与法第十四条第二項において準用する改正後の一般職給与法第十一条の六の規定の適用については、次の表の上欄に掲げる同条の規定中同表の中欄に掲げる字句は、それぞれ同表の下欄に掲げる字句に読み替えるものとする。

第一項	第十一条の三第一項の	防衛庁の職員の給与等に関する法律の一部を改正する法律（平成十七年法律第百二十二号）第二条の規定による改正前の防衛庁の職員の給与等に関する法律（昭和二十七年法律第二百六十六号。以下「旧防衛庁給与法」という。）第十四条第二項又は第三項において準用する一般職の職員の給与に関する法律等の一部を改正する法律（平成十七年法律第百十三号。以下「平成十七年一般職給与改正法」という。）第二条の規定による改正前の第十一条の三第一項の
	「地域手当支給官署	「調整手当支給官署
	同条第二項各号に定める割合をいう。）	第十一条の三第二項各号に定める割合をいう。）
	地域手当の支給割合（同条第二項各号に定める割合をいう。以下	調整手当の支給割合（旧防衛庁給与法第十四条第二項において準用する平成十七年一般職給与改正法第二条の規定による改正前の第十一条の三第二項各号（防衛省の職員の給与等に関する法律第六条の規定の適用を受ける自衛官以外の自衛官にあつては、旧防衛庁給与法第十四条第三項において準用する平成十七年一般職給与改正法第二条の規定による改正前の第十一条の三第二項。以下同じ。）に定める割合をいう。以下
	同条第一項	第十一条の三第一項
第一項第一号	地域手当支給官署	第十一条の三第一項の政令で定める地域に所在する官署又は同項の政令で定める官署
第三項	地域手当支給官署	調整手当支給官署

	地域手当の支給割合（同条第二項各号	調整手当の支給割合（旧防衛庁給与法第十四条第二項において準用する平成十七年一般職給与改正法第二条の規定による改正前の第十一条の三第二項各号
	同条第一項	第十一条の三第一項

2　第二条の規定の施行の際現に旧法第十四条第二項又は第三項において準用する改正前の一般職給与法第十一条の七の規定の適用を受けている職員に対する当該適用に係る異動等に係る地域手当の支給及び切替日の前日において旧法第十四条第二項又は第三項において準用する改正前の一般職給与法第十一条の三若しくは第十一条の六の規定の適用を受けている職員が切替日にその在勤する官署を異にして異動した場合又はこれらの職員の在勤する官署が切替日に移転した場合における当該職員に対する当該異動等に係る地域手当の支給に関する防衛省職員給与法第十四条第二項において読み替えて準用する改正後の一般職給与法第十一条の七の規定の適用については、次の表の上欄に掲げる同条の規定中同表の中欄に掲げる字句は、それぞれ同表の下欄に掲げる字句に読み替えるものとする。

第一項	第十一条の三第一項の政令で定める地域若しくは官署若しくは第十一条の四の政令で定める空港の区域に在勤する	防衛庁の職員の給与等に関する法律の一部を改正する法律（平成十七年法律第百二十二号）第二条の規定による改正前の防衛庁の職員の給与等に関する法律（以下「旧防衛庁給与法」という。）第十四条第二項又は第三項において準用する一般職の職員の給与に関する法律等の一部を改正する法律（平成十七年法律第百十三号。以下「平成十七年一般職給与改正法」という。）第二条の規定による改正前の第十一条の三第一項の政令で定める地域若しくは官署に在勤する
	その在勤する地域、官署若しくは	その在勤する地域若しくは官署

	空港の区域	
	在勤していた地域、官署又は空港の区域	在勤していた地域又は官署
	在勤していた地域、官署若しくは空港の区域	在勤していた地域若しくは官署
	地域手当の支給割合（第十一条の三第二項各号に定める割合又は第十一条の四の政令で定める割合をいい	調整手当の支給割合（旧防衛庁給与法第十四条第二項において準用する平成十七年一般職給与改正法第二条の規定による改正前の第十一条の三第二項各号（防衛省の職員の給与等に関する法律第六条の規定の適用を受ける自衛官以外の自衛官にあつては、旧防衛庁給与法第十四条第三項において準用する平成十七年一般職給与改正法第二条の規定による改正前の第十一条の三第二項）に定める割合をいい
第二項	前条第一項	旧防衛庁給与法第十四条第二項又は第三項において準用する平成十七年一般職給与改正法第二条の規定による改正前の前条第一項
	移転職員等	同項に規定する移転職員等

（平均給与額算定の基礎となる給与の経過措置）

第十九条　平成十八年六月三十日以前に発生した事故に起因する公務上の災害又は通勤による災害に係る補償に関する防衛省職員給与法第二十七条第二項の規定の適用については、同項中「及び防衛出動手当とし、事務官等」とあるのは「、防衛出動手当及び防衛庁の職員の給与等に関する法律の一部を改正する法律（平成十七年法律第百二十二号）第二条の規定による改正前の第十四条第二項又は第三項において準用する一般職の職員の給与に関する法律等の一部を改正する法律（平成十七年法律第百十三号）第二条の規定による改正前の一般職給与法第十一条の三から第十一条の七までの規定による調整手当（以下「調整手当」という。）とし、事務官等」と、「及び防衛出動手当とし、自衛官」とあるのは「、防衛出動手当及び調整手当とし、自衛官」と、「及び営外手当」とあるのは「、営外手当」と、「相当する額）」とあるのは「相当する額）及び調整手当」とする。

（政令への委任）

第二十条　附則第二条から前条までに定めるもののほか、この法律の施行に関し必要な事項は、政令で定める。

附則別表第一（附則第九条関係）

イ　法別表第一の適用を受ける職員

旧号俸	経過期間＼旧級	1級	2級	3級	4級
1	3月未満	1	1	1	1
	3月以上6月未満	1	1	1	1
	6月以上9月未満	1	1	1	1
	9月以上12月未満	1	1	1	1
	12月以上	1	1	1	1
2	3月未満	1	1	1	1
	3月以上6月未満	2	1	1	1
	6月以上9月未満	3	1	1	1
	9月以上12月未満	4	1	1	1
	12月以上	5	1	1	1
3	3月未満	5	1	1	1
	3月以上6月未満	6	1	1	1
	6月以上9月未満	7	1	1	1
	9月以上12月未満	8	1	1	1
	12月以上	9	1	1	1
4	3月未満	9	1	1	1
	3月以上6月未満	10	1	1	1
	6月以上9月未満	11	1	1	1
	9月以上12月未満	12	1	1	1
	12月以上	13	1	1	1
5	3月未満	13	1	1	1
	3月以上6月未満	14	2	1	1
	6月以上9月未満	15	3	1	1
	9月以上12月未満	16	4	1	1
	12月以上	17	5	1	1
6	3月未満	17	5	1	1
	3月以上6月未満	18	6	2	1
	6月以上9月未満	19	7	3	1
	9月以上12月未満	20	8	4	1
	12月以上	21	9	5	1
7	3月未満	21	9	5	1
	3月以上6月未満	22	10	6	2
	6月以上9月未満	23	11	7	3
	9月以上12月未満	24	12	8	4
	12月以上	25	13	9	5
8	3月未満	25	13	9	5
	3月以上6月未満	26	14	10	6
	6月以上9月未満	27	15	11	7
	9月以上12月未満	28	16	12	8
	12月以上	29	17	13	9
	3月未満	29	17	13	9
	3月以上6月未満	30	18	14	10

旧号俸	経過期間				
9	6月以上9月未満	31	19	15	11
	9月以上12月未満	32	20	16	12
	12月以上	33	21	17	13
10	3月未満	33	21	17	13
	3月以上6月未満	34	22	18	14
	6月以上9月未満	35	23	19	15
	9月以上12月未満	36	24	20	16
	12月以上	37	25	21	17
11	3月未満	37	25	21	17
	3月以上6月未満	38	26	22	18
	6月以上9月未満	39	27	23	19
	9月以上12月未満	40	28	24	20
	12月以上	41	29	25	21
12	3月未満	41	29	25	21
	3月以上6月未満	42	30	26	22
	6月以上9月未満	43	31	27	23
	9月以上12月未満	44	32	28	24
	12月以上	45	33	29	25
13	3月未満	45	33	29	25
	3月以上6月未満	46	34	30	26
	6月以上9月未満	47	35	31	27
	9月以上12月未満	48	36	32	28
	12月以上	49	37	33	29
14	3月未満	49	37	33	29
	3月以上6月未満	50	38	34	30
	6月以上9月未満	51	39	35	31
	9月以上12月未満	52	40	36	32
	12月以上	53	41	37	33
15	3月未満	53	41	37	33
	3月以上6月未満	54	42	38	34
	6月以上9月未満	55	43	39	35
	9月以上12月未満	56	44	40	36
	12月以上	57	45	41	37
16	3月未満	57	45	41	
	3月以上6月未満	58	46	42	
	6月以上9月未満	59	47	43	
	9月以上12月未満	60	48	44	
	12月以上	61	49	45	
17	3月未満	61	49	45	
	3月以上6月未満	62	50	46	
	6月以上9月未満	63	51	47	
	9月以上12月未満	64	52	48	
	12月以上	65	53	49	
18	3月未満	65	53	49	
	3月以上6月未満	66	54	50	
	6月以上9月未満	67	55	51	
	9月以上12月未満	68	56	52	
	12月以上	69	57	53	
19	3月未満	69	57		
	3月以上6月未満	70	58		
	6月以上9月未満	71	59		
	9月以上12月未満	72	60		
	12月以上	73	61		
20	3月未満	73	61		
	3月以上6月未満	74	62		
	6月以上9月未満	75	63		
	9月以上12月未満	76	64		
	12月以上	77	65		
21	3月未満	77	65		
	3月以上6月未満	78	66		
	6月以上9月未満	79	67		
	9月以上12月未満	80	68		
	12月以上	81	69		
22	3月未満	81			
	3月以上6月未満	82			
	6月以上9月未満	83			
	9月以上12月未満	84			
	12月以上	85			
23	3月未満	85			
	3月以上6月未満	86			
	6月以上9月未満	87			
	9月以上12月未満	88			
	12月以上	89			
24	3月未満	89			
	3月以上6月未満	90			
	6月以上9月未満	91			
	9月以上12月未満	92			
	12月以上	93			
25	3月未満	93			
	3月以上6月未満	94			
	6月以上9月未満	95			
	9月以上12月未満	96			
	12月以上	97			
26	3月未満	97			
	3月以上6月未満	98			
	6月以上9月未満	99			
	9月以上12月未満	100			
	12月以上	101			

ロ 法別表第二の適用を受ける職員

旧号俸	経過期間＼旧級	1級	2級
1	3月未満		1
	3月以上6月未満		1
	6月以上9月未満		1
	9月以上12月未満		1
	12月以上		1
2	3月未満	1	1
	3月以上6月未満	2	1
	6月以上9月未満	3	1
	9月以上12月未満	4	1
	12月以上	5	1
3	3月未満	5	1
	3月以上6月未満	6	1
	6月以上9月未満	7	1
	9月以上12月未満	8	1
	12月以上	9	1
4	3月未満	9	1
	3月以上6月未満	10	2
	6月以上9月未満	11	3
	9月以上12月未満	12	4
	12月以上	13	5
5	3月未満	13	5
	3月以上6月未満	14	6
	6月以上9月未満	15	7
	9月以上12月未満	16	8
	12月以上	17	9
6	3月未満	17	9
	3月以上6月未満	18	10
	6月以上9月未満	19	11
	9月以上12月未満	20	12
	12月以上	21	13
7	3月未満	21	13
	3月以上6月未満	22	14
	6月以上9月未満	23	15
	9月以上12月未満	24	16
	12月以上	25	17
8	3月未満	25	17
	3月以上6月未満	26	18
	6月以上9月未満	27	19
	9月以上12月未満	28	20
	12月以上	29	21
9	3月未満	29	21
	3月以上6月未満	30	22
	6月以上9月未満	31	23

	9月以上12月未満	32	24
	12月以上	33	25
10	3月未満	33	25
	3月以上6月未満	34	26
	6月以上9月未満	35	27
	9月以上12月未満	36	28
	12月以上	37	29
11	3月未満	37	29
	3月以上6月未満	38	30
	6月以上9月未満	39	31
	9月以上12月未満	40	32
	12月以上	41	33
12	3月未満	41	33
	3月以上6月未満	42	34
	6月以上9月未満	43	35
	9月以上12月未満	44	36
	12月以上	45	37
13	3月未満	45	37
	3月以上6月未満	46	38
	6月以上9月未満	47	39
	9月以上12月未満	48	40
	12月以上	49	41
14	3月未満	49	41
	3月以上6月未満	50	42
	6月以上9月未満	51	43
	9月以上12月未満	52	44
	12月以上	53	45
15	3月未満	53	45
	3月以上6月未満	54	46
	6月以上9月未満	55	47
	9月以上12月未満	56	48
	12月以上	57	49
16	3月未満	57	49
	3月以上6月未満	58	50
	6月以上9月未満	59	51
	9月以上12月未満	60	52
	12月以上	61	53
17	3月未満	61	53
	3月以上6月未満	62	54
	6月以上9月未満	63	55
	9月以上12月未満	64	56
	12月以上	65	57
18	3月未満	65	57
	3月以上6月未満	66	58
	6月以上9月未満	67	59
	9月以上12月未満	68	60
	12月以上	69	61
19	3月未満	69	61
	3月以上6月未満	70	62
	6月以上9月未満	71	63
	9月以上12月未満	72	64
	12月以上	73	65
20	3月未満	73	65
	3月以上6月未満	74	66
	6月以上9月未満	75	67
	9月以上12月未満	76	68
	12月以上	77	69
21	3月未満	77	69
	3月以上6月未満	78	70
	6月以上9月未満	79	71
	9月以上12月未満	80	72
	12月以上	81	73
22	3月未満	81	73
	3月以上6月未満	82	74
	6月以上9月未満	83	75
	9月以上12月未満	84	76
	12月以上	85	77
23	3月未満	85	77
	3月以上6月未満	86	77
	6月以上9月未満	87	77
	9月以上12月未満	88	77
	12月以上	89	77
24	3月未満	89	
	3月以上6月未満	90	
	6月以上9月未満	91	
	9月以上12月未満	92	
	12月以上	93	
25	3月未満	93	
	3月以上6月未満	94	
	6月以上9月未満	95	
	9月以上12月未満	96	
	12月以上	97	
26	3月未満	97	
	3月以上6月未満	98	
	6月以上9月未満	99	
	9月以上12月未満	100	
	12月以上	101	
27	3月未満	101	
	3月以上6月未満	102	
	6月以上9月未満	103	
	9月以上12月未満	104	
	12月以上	105	
28	3月未満	105	
	3月以上6月未満	106	
	6月以上9月未満	107	
	9月以上12月未満	108	
	12月以上	109	
29	3月未満	109	
	3月以上6月未満	110	
	6月以上9月未満	111	
	9月以上12月未満	112	
	12月以上	113	
30	3月未満	113	
	3月以上6月未満	114	
	6月以上9月未満	115	
	9月以上12月未満	116	
	12月以上	117	
31	3月未満	117	
	3月以上6月未満	118	
	6月以上9月未満	119	
	9月以上12月未満	120	
	12月以上	121	
32	3月未満	121	
	3月以上6月未満	122	
	6月以上9月未満	123	
	9月以上12月未満	124	
	12月以上	125	
33	3月未満	125	
	3月以上6月未満	126	
	6月以上9月未満	127	
	9月以上12月未満	128	
	12月以上	129	

ハ　法別表第三の適用を受ける職員

旧号俸	階級／経過期間	陸将補、海将補及び空将補の㈡欄	1等陸佐、1等海佐及び1等空佐の㈠欄	1等陸佐、1等海佐及び1等空佐の㈡欄	1等陸佐、1等海佐及び1等空佐の㈢欄	2等陸佐 2等海佐 2等空佐	3等陸佐 3等海佐 3等空佐	1等陸尉 1等海尉 1等空尉	2等陸尉 2等海尉 2等空尉	3等陸尉 3等海尉 3等空尉	准陸尉 准海尉 准空尉	陸曹長 海曹長 空曹長	1等陸曹 1等海曹 1等空曹	2等陸曹 2等海曹 2等空曹	3等陸曹 3等海曹 3等空曹	陸士長 海士長 空士長	1等陸士 1等海士 1等空士	2等陸士 2等海士 2等空士	3等陸士 3等海士 3等空士
1	3月未満	1	1	1	1	1	1	1	1	1	1	1	1		1	1		1	1
	3月以上6月未満	1	1	1	1	1	1	2	2	2	2	2	2		2	2		2	1
	6月以上9月未満	1	1	1	1	1	1	3	3	3	3	3	3		3	3		3	1
	9月以上12月未満	1	1	1	1	1	1	4	4	4	4	4	4		4	4		4	1
	12月以上	1	1	1	1	1	1	5	5	5	5	5	5		5	5		5	1
2	3月未満	1	1	1	1	1	1	5	5	5	5	5	5	1	5	5	1	5	
	3月以上6月未満	1	1	1	1	1	1	6	6	6	6	6	6	2	6	6	2	6	
	6月以上9月未満	1	1	1	1	1	1	7	7	7	7	7	7	3	7	7	3	7	
	9月以上12月未満	1	1	1	1	1	1	8	8	8	8	8	8	4	8	8	4	8	
	12月以上	1	1	1	1	1	1	9	9	9	9	9	9	5	9	9	5	9	
3	3月未満	1	1	1	1	1	1	9	9	9	9	9	9	5	9	9	5	9	
	3月以上6月未満	1	1	1	1	1	2	10	10	10	10	10	10	6	10	10	6	9	
	6月以上9月未満	1	1	1	1	1	3	11	11	11	11	11	11	7	11	11	7	9	
	9月以上12月未満	1	1	1	1	1	4	12	12	12	12	12	12	8	12	12	8	9	
	12月以上	1	1	1	1	1	5	13	13	13	13	13	13	9	13	13	9	9	
4	3月未満	1	1	1	1	1	5	13	13	13	13	13	13	9	13	13	9		
	3月以上6月未満	1	1	1	1	2	6	14	14	14	14	14	14	10	14	14	10		
	6月以上9月未満	1	1	1	1	3	7	15	15	15	15	15	15	11	15	15	11		
	9月以上12月未満	1	1	1	1	4	8	16	16	16	16	16	16	12	16	16	12		
	12月以上	1	1	1	1	5	9	17	17	17	17	17	17	13	17	17	13		
5	3月未満	1	1	1	1	5	9	17	17	17	17	17	17	13	17	17	13		
	3月以上6月未満	1	1	1	1	6	10	18	18	18	18	18	18	14	18	18	13		
	6月以上9月未満	1	1	1	1	7	11	19	19	19	19	19	19	15	19	19	13		
	9月以上12月未満	1	1	1	1	8	12	20	20	20	20	20	20	16	20	20	13		
	12月以上	1	1	1	1	9	13	21	21	21	21	21	21	17	21	21	13		
6	3月未満	1	1	1	1	9	13	21	21	21	21	21	21	17	21	21			
	3月以上6月未満	1	1	1	2	10	14	22	22	22	22	22	22	18	22	22			
	6月以上9月未満	1	1	1	3	11	15	23	23	23	23	23	23	19	23	23			
	9月以上12月未満	1	1	1	4	12	16	24	24	24	24	24	24	20	24	24			
	12月以上	1	1	1	5	13	17	25	25	25	25	25	25	21	25	25			
7	3月未満	1	1	1	5	13	17	25	25	25	25	25	25	21	25	25			
	3月以上6月未満	2	2	2	6	14	18	26	26	26	26	26	26	22	26	26			
	6月以上9月未満	3	3	3	7	15	19	27	27	27	27	27	27	23	27	27			
	9月以上12月未満	4	4	4	8	16	20	28	28	28	28	28	28	24	28	28			
	12月以上	5	5	5	9	17	21	29	29	29	29	29	29	25	29	29			
8	3月未満	5	5	5	9	17	21	29	29	29	29	29	29	25	29	29			
	3月以上6月未満	6	6	6	10	18	22	30	30	30	30	30	30	26	30	30			
	6月以上9月未満	7	7	7	11	19	23	31	31	31	31	31	31	27	31	31			
	9月以上12月未満	8	8	8	12	20	24	32	32	32	32	32	32	28	32	32			
	12月以上	9	9	9	13	21	25	33	33	33	33	33	33	29	33	33			
9	3月未満	9	9	9	13	21	25	33	33	33	33	33	33	29	33	33			
	3月以上6月未満	10	10	10	14	22	26	34	34	34	34	34	34	30	34	33			
	6月以上9月未満	11	11	11	15	23	27	35	35	35	35	35	35	31	35	33			
	9月以上12月未満	12	12	12	16	24	28	36	36	36	36	36	36	32	36	33			
	12月以上	13	13	13	17	25	29	37	37	37	37	37	37	33	37	33			
10	3月未満	13	13	13	17	25	29	37	37	37	37	37	37	33	37				
	3月以上6月未満	14	14	14	18	26	30	38	38	38	38	38	38	34	38				
	6月以上9月未満	15	15	15	19	27	31	39	39	39	39	39	39	35	39				
	9月以上12月未満	16	16	16	20	28	32	40	40	40	40	40	40	36	40				
	12月以上	17	17	17	21	29	33	41	41	41	41	41	41	37	41				
11	3月未満	17	17	17	21	29	33	41	41	41	41	41	41	37	41				
	3月以上6月未満	18	18	18	22	30	34	42	42	42	42	42	42	38	42				
	6月以上9月未満	19	19	19	23	31	35	43	43	43	43	43	43	39	43				
	9月以上12月未満	20	20	20	24	32	36	44	44	44	44	44	44	40	44				
	12月以上	21	21	21	25	33	37	45	45	45	45	45	45	41	45				
12	3月未満	21	21	21	25	33	37	45	45	45	45	45	45	41	45				
	3月以上6月未満	22	22	22	26	34	38	46	46	46	46	46	46	42	46				
	6月以上9月未満	23	23	23	27	35	39	47	47	47	47	47	47	43	47				
	9月以上12月未満	24	24	24	28	36	40	48	48	48	48	48	48	44	48				
	12月以上	25	25	25	29	37	41	49	49	49	49	49	49	45	49				
13	3月未満	25	25	25	29	37	41	49	49	49	49	49	49	45	49				
	3月以上6月未満	26	26	26	30	38	42	50	50	50	50	50	50	46	50				
	6月以上9月未満	27	27	27	31	39	43	51	51	51	51	51	51	47	51				
	9月以上12月未満	28	28	28	32	40	44	52	52	52	52	52	52	48	52				
	12月以上	29	29	29	33	41	45	53	53	53	53	53	53	49	53				
14	3月未満	29	29	29	33	41	45	53	53	53	53	53	53	49	53				
	3月以上6月未満	30	30	30	34	42	46	54	54	54	54	54	54	50	54				
	6月以上9月未満	31	31	31	35	43	47	55	55	55	55	55	55	51	55				
	9月以上12月未満	32	32	32	36	44	48	56	56	56	56	56	56	52	56				
	12月以上	33	33	33	37	45	49	57	57	57	57	57	57	53	57				
15	3月未満		33	33	37	45	49	57	57	57	57	57	57	53	57				
	3月以上6月未満		34	34	38	46	50	58	58	58	58	58	58	54	58				
	6月以上9月未満		35	35	39	47	51	59	59	59	59	59	59	55	59				
	9月以上12月未満		36	36	40	48	52	60	60	60	60	60	60	56	60				
	12月以上		37	37	41	49	53	61	61	61	61	61	61	57	61				
16	3月未満		37	37	41	49	53	61	61	61	61	61	61	57	61				
	3月以上6月未満		38	38	42	50	54	62	62	62	62	62	62	58	62				
	6月以上9月未満		39	39	43	51	55	63	63	63	63	63	63	59	63				
	9月以上12月未満		40	40	44	52	56	64	64	64	64	64	64	60	64				
	12月以上		41	41	45	53	57	65	65	65	65	65	65	61	65				
17	3月未満			41	45	53	57	65	65	65	65	65	65	61	65				
	3月以上6月未満			42	46	54	58	66	66	66	66	66	66	62	66				
	6月以上9月未満			43	47	55	59	67	67	67	67	67	67	63	67				
	9月以上12月未満			44	48	56	60	68	68	68	68	68	68	64	68				
	12月以上			45	49	57	61	69	69	69	69	69	69	65	69				
18	3月未満			45	49	57	61	69	69	69	69	69	69	65	69				
	3月以上6月未満			46	50	58	62	70	70	70	70	70	70	66	70				
	6月以上9月未満			47	51	59	63	71	71	71	71	71	71	67	71				
	9月以上12月未満			48	52	60	64	72	72	72	72	72	72	68	72				
	12月以上			49	53	61	65	73	73	73	73	73	73	69	73				
19	3月未満			49	53	61	65	73	73	73	73	73	73	69	73				
	3月以上6月未満			50	54	62	66	74	74	74	74	74	74	70	73				
	6月以上9月未満			51	55	63	67	75	75	75	75	75	75	71	73				
	9月以上12月未満			52	56	64	68	76	76	76	76	76	76	72	73				
	12月以上			53	57	65	69	77	77	77	77	77	77	73	73				
20	3月未満				57	65	69	77	77	77	77	77	77	73					
	3月以上6月未満				58	66	70	78	78	78	78	78	78	74					
	6月以上9月未満				59	67	71	79	79	79	79	79	79	75					
	9月以上12月未満				60	68	72	80	80	80	80	80	80	76					
	12月以上				61	69	73	81	81	81	81	81	81	77					
21	3月未満				61	69	73	81	81	81	81	81	81	77					
	3月以上6月未満				62	70	74	82	82	82	82	82	82	78					
	6月以上9月未満				63	71	75	83	83	83	83	83	83	79					
	9月以上12月未満				64	72	76	84	84	84	84	84	84	80					
	12月以上				65	73	77	85	85	85	85	85	85	81					
22	3月未満				65	73	77	85	85	85	85	85	85	81					
	3月以上6月未満				66	74	78	86	86	86	86	86	86	82					
	6月以上9月未満				67	75	79	87	87	87	87	87	87	83					
	9月以上12月未満				68	76	80	88	88	88	88	88	88	84					
	12月以上				69	77	81	89	89	89	89	89	89	85					
	3月未満				69	77	81	89	89	89	89	89	89	85					
	3月以上6月未満				70	78	82	90	90	90	90	90	90	86					

23	6月以上9月未満				71	79	83	91	91	91	91	91	91	87					
	9月以上12月未満				72	80	84	92	92	92	92	92	92	88					
	12月以上				73	81	85	93	93	93	93	93	93	89					
24	3月未満					81	85	93	93	93	93	93	93	89					
	3月以上6月未満					82	86	94	94	94	94	94	94	90					
	6月以上9月未満					83	87	95	95	95	95	95	95	91					
	9月以上12月未満					84	88	96	96	96	96	96	96	92					
	12月以上					85	89	97	97	97	97	97	97	93					
25	3月未満					85	89	97	97	97	97	97	97	93					
	3月以上6月未満					86	90	98	98	98	98	98	98	94					
	6月以上9月未満					87	91	99	99	99	99	99	99	95					
	9月以上12月未満					88	92	100	100	100	100	100	100	96					
	12月以上					89	93	101	101	101	101	101	101	97					
26	3月未満					89	93	101	101	101	101	101	101	97					
	3月以上6月未満					90	94	102	102	102	102	102	102	98					
	6月以上9月未満					91	95	103	103	103	103	103	103	99					
	9月以上12月未満					92	96	104	104	104	104	104	104	100					
	12月以上					93	97	105	105	105	105	105	105	101					
27	3月未満						97	105	105	105	105	105	105	101					
	3月以上6月未満						98	106	106	106	106	106	106	102					
	6月以上9月未満						99	107	107	107	107	107	107	103					
	9月以上12月未満						100	108	108	108	108	108	108	104					
	12月以上						101	109	109	109	109	109	109	105					
28	3月未満							109	109	109	109	109	109	105					
	3月以上6月未満							110	110	110	110	110	110	106					
	6月以上9月未満							111	111	111	111	111	111	107					
	9月以上12月未満							112	112	112	112	112	112	108					
	12月以上							113	113	113	113	113	113	109					
29	3月未満							113	113	113	113	113	113						
	3月以上6月未満							114	114	114	114	114	114						
	6月以上9月未満							115	115	115	115	115	115						
	9月以上12月未満							116	116	116	116	116	116						
	12月以上							117	117	117	117	117	117						
30	3月未満							117	117	117	117	117	117						
	3月以上6月未満							118	118	118	118	118	118						
	6月以上9月未満							119	119	119	119	119	119						
	9月以上12月未満							120	120	120	120	120	120						
	12月以上							121	121	121	121	121	121						
31	3月未満								121	121	121	121	121						
	3月以上6月未満								122	122	122	122	122						
	6月以上9月未満								123	123	123	123	123						
	9月以上12月未満								124	124	124	124	124						
	12月以上								125	125	125	125	125						
32	3月未満								125	125	125	125							
	3月以上6月未満								126	126	126	126							
	6月以上9月未満								127	127	127	127							
	9月以上12月未満								128	128	128	128							
	12月以上								129	129	129	129							
33	3月未満								129	129	129	129							
	3月以上6月未満								130	130	130	130							
	6月以上9月未満								131	131	131	131							
	9月以上12月未満								132	132	132	132							
	12月以上								133	133	133	133							
34	3月未満									133	133	133							
	3月以上6月未満									134	134	134							
	6月以上9月未満									135	135	135							
	9月以上12月未満									136	136	136							
	12月以上									137	137	137							
35	3月未満									137	137								
	3月以上6月未満									138	138								
	6月以上9月未満									139	139								
	9月以上12月未満									140	140								
	12月以上									141	141								

附則別表第二（附則第九条関係）

旧号俸	経過期間	新級 5級	6級
1	3月未満	1	1
	3月以上6月未満	1	1
	6月以上9月未満	1	1
	9月以上12月未満	1	1
	12月以上	1	1
2	3月未満	1	1
	3月以上6月未満	1	1
	6月以上9月未満	1	1
	9月以上12月未満	1	1
	12月以上	1	1
3	3月未満	1	1
	3月以上6月未満	1	1
	6月以上9月未満	1	1
	9月以上12月未満	1	1
	12月以上	1	1
4	3月未満	1	1
	3月以上6月未満	1	1
	6月以上9月未満	1	1
	9月以上12月未満	1	1
	12月以上	1	1
5	3月未満	1	1
	3月以上6月未満	1	1
	6月以上9月未満	1	1
	9月以上12月未満	1	1
	12月以上	1	1
6	3月未満	1	1
	3月以上6月未満	1	1
	6月以上9月未満	1	1
	9月以上12月未満	1	1
	12月以上	1	1
7	3月未満	1	1
	3月以上6月未満	2	1
	6月以上9月未満	3	1
	9月以上12月未満	4	1
	12月以上	5	1
8	3月未満	5	1
	3月以上6月未満	6	1
	6月以上9月未満	7	1
	9月以上12月未満	8	1
	12月以上	9	1
9	3月未満	9	1
	3月以上6月未満	10	1
	6月以上9月未満	11	1
	9月以上12月未満	12	1
	12月以上	13	1
10	3月未満	13	1
	3月以上6月未満	14	1
	6月以上9月未満	15	1
	9月以上12月未満	16	1
	12月以上	17	1
11	3月未満	17	1
	3月以上6月未満	18	1
	6月以上9月未満	19	1
	9月以上12月未満	20	1
	12月以上	21	1
12	3月未満	21	1
	3月以上6月未満	22	2
	6月以上9月未満	23	3
	9月以上12月未満	24	4
	12月以上	25	5
13	3月未満	25	5
	3月以上6月未満	26	6
	6月以上9月未満	27	7
	9月以上12月未満	28	8
	12月以上	29	9
14	3月未満	29	9
	3月以上6月未満	30	10
	6月以上9月未満	31	11
	9月以上12月未満	32	12
	12月以上	33	13
15	3月未満	33	13
	3月以上6月未満	34	13
	6月以上9月未満	35	13
	9月以上12月未満	36	14
	12月以上	37	14

附則別表第三（附則第十一条関係）

イ　法別表第一の指定職の欄の適用を受ける職員

旧号俸	新号俸
1から4まで	1
5	2
6	3
7	4
8	5
9	6
10	7
11	8

ロ　一般職給与法別表第十の適用を受ける職員

旧号俸	新号俸
1から4まで	1
5	2
6	3
7	4
8	5
9	6
10	7
11	8

ハ　法別表第三の陸将、海将及び空将の欄又は陸将補、海将補及び空将補の(一)欄の適用を受ける職員

旧号俸	新号俸 陸将、海将及び空将の欄	陸将補、海将補及び空将補の(一)欄
1から4まで	1	1
5	2	2
6	3	3
7	4	4
8	5	
9	6	
10	7	
11	8	

附　則（平一八・三・三一法一二）（抄）

改正　平一八・一二・二二法一一八

（施行期日）

第一条　この法律は、平成十八年四月一日から施行する。

（防衛庁の職員の給与等に関する法律の一部改正に伴う経過措置）

第七条　防衛省の職員の給与等に関する法律（昭和二十七年法律第二百六十六号）第二十七条第一項において準用する第一条の規定による改正後の国家公務員災害補償法第一条の二の規定は、施行日以後に発生した事故に起因する通勤による災害について適用し、施行日前に発生した事故に起因する通勤による災害については、なお従前の例による。

附　則（平一八・五・三一法四五）（抄）

（施行期日）

第一条　この法律は、公布の日から起算して四月を超えない範囲内において政令で定める日〔平一八・七・三一〕から施行する。〔ただし書略〕

（職務の級の切替え）

第二条　この法律の施行の日（以下「施行日」という。）の前日において第三条の規定による改正前の防衛庁の職員の給与等に関する法律（以下「旧法」という。）別表第一の適用を受けていた職員（次項及び附則第四条に規定する職員を除く。）で施行日において一般職の職員の給与に関する法律（昭和二十五年法律第九十五号。以下「一般職給与法」という。）別表第一イの適用を受けることとなるものの施行日における職務の級（以下「新級」という。）は、施行日の前日においてその者が属していた職務の級（以下「旧級」という。）に対応する附則別表の新級欄に定める職務の級とする。

2　施行日の前日において旧法別表第一の適用を受けていた職員で旧級が一級であったものの新級は、内閣府令で定めるところにより、一般職給与法別表第一イの三級、四級又は五級とする。

（号俸の切替え）

第三条　前条第一項の規定により新級を決定される職員の施行日における号俸は、施行日の前日においてその者が受けていた号俸と同じ号数の号俸とする。

2　前条第二項の規定により新級を決定される職員の施行日における号俸は、施行日の前日から引き続き一般職給与法別表第一イの適用を受ける職員との均衡を考慮して、内閣府令で定める。

（指定職の欄の適用を受ける職員の号俸の切替え）

第四条　施行日の前日において旧法別表第一の指定職の欄の適用を受けていた職員で施行日において一般職給与法別表第十の適用を受けることとなるものの施行日における号俸は、施行日の前日においてその者が受けていた号俸と同じ号数の号俸とする。

（旧級等の基礎）

第五条　前三条の規定の適用については、職員が属していた職務の級及びその者が受けていた号俸は、旧法及びこれに基づく命令の規定に従って定められたものでなければならない。

（政令への委任）

第六条　附則第二条から前条までに定めるもののほか、第三条の規定の施行に関し必要な事項は、政令で定める。

附則別表　一般職給与法別表第一イの適用を受けることとなる職員の職務の級の切替表

旧　級	新　級
2　級	6　級
3　級	7　級
4　級	8　級
5　級	9　級
6　級	10　級

附　則（平一八・六・二一法八三）（抄）

（施行期日）

第一条　この法律は、平成十八年十月一日から施行する。ただし、次の各号に掲げる規定は、それぞれ当該各号に定める日から施行する。

一～三　〔略〕

四　〔前略〕附則〔中略〕第七十八条〔中略〕の規定　平成二十年四月一日

五・六　〔略〕

附　則（平一八・一二・二二法一一八）（抄）

（施行期日）

第一条　この法律は、公布の日から起算して三月を超えない範囲内において政令で定める日〔平一九・一・九〕から施行する。〔ただし書略〕

（防衛庁の職員の給与等に関する法律の一部改正に伴う経過措置）

第二十八条　この法律の施行前において前条の規定による改正前の防衛庁の職員の給与等に関する法律第二十七条第一項において準用する国家公務員災害補償法（昭和二十六年法律第百九十一号）の規定により支給すべき事由の生じた職員の公務上の災害又は通勤による災害に対する補償及びこれらの災害を受けた職員に対する福祉事業に係る支給については、なお従前の例による。この場合において、同項中「防衛庁長官」とあるのは「防衛大臣」と、「防衛庁の」とあるのは「防衛省の」と、「防衛庁」」とあるのは「防衛省」」とする。

附　則（平一八・一二・二二法一二三）（抄）

（施行期日）

第一条　この法律は、平成十九年四月一日から施行する。

（平成二十三年三月三十一日までの間における俸給の特別調整額に関する経過措置）

第二条　防衛庁の職員の給与等に関する法律の一部を改正する法律（平成十七年法律第百二十二号）附則第十五条の規定による俸給を支給される職員のうち、その者の受ける俸給月額と当該俸給の額との合計額がその者の属する職務の級又は階級（当該階級が陸将、海将又は空将である場合にあってはこの法律による改正後の防衛庁の職員の給与等に関する法律（以下「新法」という。）別表第二の陸将補、海将補及び空将補の㈡欄をいい、当該階級が一等陸佐、一等海佐又は一等空佐である場合にあっては同表の一等陸佐、一等海佐及び一等空佐の㈠欄、㈡欄又は㈢欄をいう。）における最高の号俸による俸給月額を超える職員についての新法第十一条の三第二項の規定の適用については、平成二十三年三月三十一日までの間は、同項の規定中「職員の属する職務の級又は階級における最高の号俸による俸給月額」とあるのは、「職員の俸給月額と防衛庁の職員の給与等に関する法律の一部を改正する法律（平成十七年法律第百二十二号）附則第十五条の規定による俸給の額との合計額」とする。

（広域異動手当の支給に関する経過措置）

第三条　新法第十四条第二項において準用する一般職の職員の給与に関する法律（昭和二十五年法律第九十五号）第十一条の八の規定は、平成十六年四月二日からこの法律の施行の日の前日までの間に職員がその在勤する官署を異にして異動した場合又は職員の在勤する官署が移転した場合についても適用する。この場合において、同条第一項中「当該異動等の日から」とあるのは、「平成十九年四月一日から当該異動等の日以後」とする。

（平成二十年三月三十一日までの間における広域異動手当の支給割合の特例）

第四条　一般職の職員の給与に関する法律の一部を改正する法律（平成十八年法律第百一号）附則第三条の規定は、

平成二十年三月三十一日までの間における新法第十四条第二項において準用する一般職の職員の給与に関する法律第十一条の八第一項各号の規定の適用について準用する。

（政令への委任）

第五条　前三条に定めるもののほか、この法律の施行に関し必要な事項は、政令で定める。

（調整規定）

第八条　この法律の施行の日が防衛庁設置法等の一部を改正する法律（平成十八年法律第百十八号）の施行の日以後である場合には、本則中「防衛庁の職員の給与等に関する法律」とあるのは「防衛省の職員の給与等に関する法律」と、附則第二条中「防衛庁の職員の給与等に関する法律（」とあるのは「防衛省の職員の給与等に関する法律（」と、附則第六条（見出しを含む。）中「国際機関等に派遣される防衛庁の職員の処遇等に関する法律」とあるのは「国際機関等に派遣される防衛省の職員の処遇等に関する法律」とする。

附　則（平一九・五・一六法四二）（抄）

（施行期日）

第一条　この法律は、公布の日から起算して三月を超えない範囲内において政令で定める日〔平一九・八・一〕から施行する。

附　則（平一九・六・八法八〇）（抄）

（施行期日）

第一条　この法律は、公布の日から起算して六月を超えない範囲内において政令で定める日〔平一九・九・一〕から施行する。〔ただし書略〕

附　則（平一九・一一・三〇法一二四）（抄）

（施行期日等）

第一条　この法律は、公布の日から施行する。ただし、次の各号に掲げる規定は、当該各号に定める日から施行する。

一　第二条並びに附則第五条及び第九条の規定　平成二十年一月一日

二　第三条並びに附則〔中略〕第十条の規定　平成二十年四月一日

2　第一条の規定（防衛省の職員の給与等に関する法律第二十五条第三項の改正規定を除く。次条において同じ。）による改正後の同法（以下「改正後の給与法」という。）の規定は、平成十九年四月一日から適用する。

（平成十九年四月一日から施行日の前日までの間における異動者の号俸）

第二条　平成十九年四月一日からこの法律の施行の日（次条において「施行日」という。）の前日までの間において、第一条の規定による改正前の防衛省の職員の給与等に関する法律（以下「改正前の給与法」という。）の規定により、新たに俸給表の適用を受けることとなった職員及びその属する職務の級若しくは階級又はその受ける号俸に異動のあった職員のうち、防衛省令で定める職員の、改正後の給与法の規定による当該適用又は異動の日における号俸は、防衛省令で定める。

（施行日から平成二十年三月三十一日までの間における異動者の号俸の調整）

第三条　施行日から平成二十年三月三十一日までの間において、改正後の給与法の規定により、新たに俸給表の適用を受けることとなった職員及びその属する職務の級若しくは階級又はその受ける号俸に異動のあった職員の当該適用又は異動の日における号俸については、当該適用又は異動について、まず改正前の給与法の規定が適用され、次いで当該適用又は異動の日から改正後の給与法の規定が適用されるものとした場合との権衡上必要と認められる限度において、防衛省令で定めるところにより、必要な調整を行うことができる。

（給与の内払）

第四条　改正後の給与法の規定を適用する場合においては、改正前の給与法の規定に基づいて支給された給与は、改正後の給与法の規定による給与の内払とみなす。

（退職手当の計算方法に関する経過措置）

第五条　任用期間を定めて任用された自衛官が、附則第一条第一項第一号に掲げる規定の施行の日（以下この条において「一部施行日」という。）前に自衛隊法（昭和二十九年法律第百六十五号）第四十三条の規定による休職若しくは同法第四十六条第一項の規定による停職にされ、又は国家公務員の育児休業等に関する法律（平成三年法律第百九号）第二十七条第一項において準用する同法第三条第一項の規定による育児休業（一部施行日以後に同法第四条の規定により育児休業の期間を延長した場合においては当該延長した期間を除く。）をし、これらの期間の終了の日が一部施行日以後となる当該自衛官の退職手当の計算の基礎となるこれらの期間の日数計算については、第二条の規定による改正後の防衛省の職員の給与等に関する法律第二十八条の規定にかかわらず、なお従前の例による。

（政令への委任）

第六条　附則第二条から前条までに定めるもののほか、この法律の施行に関し必要な事項は、政令で定める。

附　則（平二〇・一二・二六法九八）（抄）

最終改正　平二六・四・一八法二二

（施行期日）

第一条　この法律は、平成二十一年四月一日から施行する。ただし、次の各号に掲げる規定は、当該各号に定める日から施行する。

一　第五条第二項の改正規定及び次条の規定　一般職の職員の給与に関する法律等の一部を改正する法律（平成二十年法律第九十四号）第一条中一般職の職員の給与に関する法律（昭和二十五年法律第九十五号）第八条第五項、第六項及び第八項、第十九条の七第一項並びに第十九条の八第二項の改正規定の施行の日〔平二一・四・一〕

二　第二十七条の二の改正規定、第二十七条の十一の改正規定、同条を第二十七条の十五とする改正規定、第二十七条の十の改正規定、同条を第二十七条の十四とする改正規定、第二十七条の九の改正規定、同条を第二十七条の十一とし、同条の次に二条を加える改正規定、第二十七条の八の改正規定、同条を第二十七条の九とし、同条の次に一条を加える改正規定、第二十七条の七の次に一条を加える改正規定、第二十七条の十五の次に一条を加える改正規定、第二十八条第十三項を削る改正規定並びに第二十八条の二、第二十八条の三及び第三十条の改正規定並びに附則第三条の規定　国家公務員退職手当法等の一部を改正する法律（平成二十年法律第九十五号）の施行の日〔平二一・四・一〕

三　〔略〕

（職員の昇給等に関する経過措置）

第二条　前条第一号に掲げる規定の施行の日後一年間にお

いて行われるこの法律による改正後の防衛省の職員の給与等に関する法律第五条第二項において読み替えて準用する一般職の職員の給与に関する法律第八条第五項の規定による昇給については、同項中「日以前一年間」とあるのは「期間」と、「同日の」とあるのは「当該期間の末日の」とする。

2　国家公務員法等の一部を改正する法律（平成二十六年法律第二十二号）の施行の日から起算して三年間は、この法律による改正後の防衛省の職員の給与等に関する法律第十八条の二第一項の規定によりその例によることとされる一般職の職員の給与に関する法律第十九条の七第一項の規定の適用については、同項中「人事評価」とあるのは、「人事評価又はその他の能力の実証」とする。

（若年定年退職者給付金等の支給に係る経過措置）

第三条　この法律による改正後の防衛省の職員の給与等に関する法律第二十七条の二から第二十七条の十五までの規定は、附則第一条第二号に掲げる規定の施行の日（以下「一部施行日」という。）以後に退職した若年定年退職者（防衛省の職員の給与等に関する法律第二十七条の二に規定する若年定年退職者をいう。以下この項において同じ。）に係る若年定年退職者給付金について適用し、一部施行日前に退職した若年定年退職者に係る若年定年退職者給付金については、なお従前の例による。

2　この法律による改正後の防衛省の職員の給与等に関する法律第二十八条及び第二十八条の二の規定は、一部施行日以後の退職に係る退職手当について適用し、一部施行日前の退職に係る退職手当については、なお従前の例による。

（政令への委任）

第四条　前二条に定めるもののほか、この法律の施行に関し必要な事項は、政令で定める。

附　則（平二一・五・二九法四一）（抄）

（施行期日）

第一条　この法律は、公布の日から施行する。ただし、次の各号に掲げる規定は、当該各号に定める日から施行する。

一　〔略〕

二　附則第十五条の規定　この法律の公布の日又は防衛省設置法等の一部を改正する法律（平成二十一年法律第四十四号）の公布の日のいずれか遅い日〔平二一・六・三〕

三　〔略〕

附　則（平二一・六・三法四四）（抄）

改正　平二一・五・二九法四一

（施行期日）

第一条　この法律は、平成二十二年三月三十一日までの間において政令で定める日〔平二二・三・二六〕から施行する。ただし、次の各号に掲げる規定は、当該各号に定める日から施行する。

一　次に掲げる規定　公布の日から起算して六月を超えない範囲内において政令で定める日〔平二一・八・一〕

イ・ロ　〔略〕

ハ　第五条中防衛省の職員の給与等に関する法律第四条第一項の改正規定（「、防衛参事官」を削る部分及び「職員で」の下に「、防衛大臣補佐官」を加える部分に限る。）、同条に一項を加える改正規定、同法第五条の改正規定、同法第十二条第一項の改正規定（「職員（」の下に「常勤の防衛大臣補佐官、」を加える部分に限る。）、同法第十四条（見出しを含む。）の改正規定、同法第十八条の二の見出しを削り、同条の前に見出しを付する改正規定、同条第一項の改正規定（「職員（」の下に「常勤の防衛大臣補佐官、」を加える部分に限る。）、同条の次に一条を加える改正規定、同法第二十七条第二項の改正規定並びに同法第二十七条の二第三号、第二十七条の十四第一項及び第二十八条の二第一項の改正規定

ニ　〔略〕

二　次に掲げる規定　平成二十二年四月一日

イ　〔略〕

ロ　第五条中防衛省の職員の給与等に関する法律第四条第一項の改正規定（「学生」という。）」の下に「、生徒（自衛隊法第二十五条第五項の教育訓練を受けている者をいう。以下同じ。）」を加える部分に限る。）、同法第十二条第一項の改正規定（前号ハに掲げる改正規定を除く。）、同法第十八条の二第一項の改正規定（「及び学生」を「、学生及び生徒」に改める部分に限る。）、同法第二十二条第一項の改正規定（「並びに学生」を「、学生並びに生徒」に改める部分に限る。）、同法第二十五条の次に一条を加える改正規定、同法第二十八条の二第四項及び第五項の改正規定並びに同法第二十九条の改正規定

ハ　〔略〕

三　次に掲げる規定　平成二十二年七月一日

イ　〔略〕

ロ　第五条中防衛省の職員の給与等に関する法律第一条の改正規定、同法第四条第一項の改正規定（第一号ハ及び前号ロに掲げる改正規定を除く。）、同法第十八条の二第一項の改正規定（第一号ハ及び前号ロに掲げる改正規定を除く。）、同法第二十二条第一項の改正規定（前号ロに掲げる改正規定を除く。）、同法第二十四条の六の改正規定、同条を同法第二十四条の七とし、同法第二十四条の三から第二十四条の五までを一条ずつ繰り下げる改正規定、同法第二十四条の二の前の見出しを削り、同条を同法第二十四条の三とし、同条の前に見出しを付する改正規定、同法第二十四条の次に一条を加える改正規定、同法第二十六条の次に一条を加える改正規定及び同法第二十八条の改正規定

ハ　〔略〕

四〔前略〕第五条中防衛省の職員の給与等に関する法律別表第二の改正規定〔中略〕　平成二十二年十月一日

附　則（平二一・一一・三〇法九二）

（施行期日）

第一条　この法律は、公布の日の属する月の翌月の初日（公布の日が月の初日であるときは、その日）から施行する。ただし、次の各号に掲げる規定は、当該各号に定める日から施行する。

一　第三条の規定　公布の日

二　第一条中防衛省の職員の給与等に関する法律第十八条の二の二の改正規定（「百分の百四十」を「百分の百二十五」に、「百分の百六十」を「百分の百四十五」に改める部分に限る。）及び同法第二十五条第三項の改正規定（「百分の百四十」を「百分の百二十五」に、「百分の百六十」を「百分の百四十五」に改める部分に限る。）　平成二十二年四月一日

（最高の号俸を超える俸給月額の切替え）

第二条　この法律の施行の日（以下この条において「施行日」という。）の前日において防衛省の職員の給与等に関する法律第五条第四項若しくは第五項、第六条の二第二項又は第七条第二項の規定による俸給月額を受けていた職員の施行日における俸給月額は、防衛省令で定める。

（平成二十一年十二月三十一日までの間の医師又は歯科医師である自衛官の俸給月額）

第三条　医師又は歯科医師である自衛官（防衛省の職員の給与等に関する法律第六条の規定の適用を受ける自衛官を除く。）の俸給月額は、第一条の規定にかかわらず、平成二十一年十二月三十一日までの間は、なお従前の例による。

（平成二十一年十二月に支給する期末手当に関する特例措置）

第四条　防衛省の職員の給与等に関する法律第十八条の二第一項又は第十八条の二の二の規定によりその例によることとされる一般職の職員の給与に関する法律等の一部を改正する法律（平成二十一年法律第八十六号）附則第三条の規定の適用については、同条第一項第一号中「であるもの、」とあるのは「であるもの、防衛省の職員の給与等に関する法律（昭和二十七年法律第二百六十六号）別表第一自衛隊教官俸給表若しくは同法別表第二自衛官俸給表の適用を受ける職員でその職務の級若しくは階級及び号俸が防衛省の職員の給与等に関する法律等の一部を改正する法律（平成二十一年法律第九十二号）附則別表の俸給表欄、職務の級又は階級欄及び号俸欄に掲げるものであるもの（医師又は歯科医師である自衛官を除く。）、医師若しくは歯科医師である自衛官（防衛省の職員の給与等に関する法律第六条の規定の適用を受ける自衛官を除く。）、防衛省の職員の給与等に関する法律第四条第四項ただし書の規定の適用を受ける自衛官、」と、「及び特地勤務手当（同法第十四条の規定による手当を含む。）」とあるのは「、特地勤務手当（同法第十四条の規定による手当を含む。）、航空手当、乗組手当、落下傘隊員手当、特別警備隊員手当、特殊作戦隊員手当及び営外手当」と、同条第二項中「防衛省の職員の給与等に関する法律（昭和二十七年法律第二百六十六号）」とあるのは「一般職の職員の給与に関する法律」とする。

（政令への委任）

第五条　前三条に定めるもののほか、この法律の施行に関し必要な事項は、政令で定める。

附則別表（附則第四条関係）

俸給表	職務の級又は階級	号俸
自衛隊教官俸給表	一級	一号俸から三十二号俸まで
自衛官俸給表	一等陸尉 一等海尉 一等空尉	一号俸から十六号俸まで
	二等陸尉 二等海尉 二等空尉	一号俸から二十八号俸まで
	三等陸尉 三等海尉 三等空尉	一号俸から三十六号俸まで
	准陸尉 准海尉 准空尉	一号俸から三十六号俸まで
	陸曹長 海曹長 空曹長	一号俸から三十六号俸まで
	一等陸曹 一等海曹 一等空曹	一号俸から三十六号俸まで
	二等陸曹 二等海曹 二等空曹	一号俸から四十号俸まで
	三等陸曹 三等海曹 三等空曹	一号俸から四十八号俸まで
	陸士長 海士長 空士長	一号俸から三十三号俸まで
	一等陸士 一等海士 一等空士	一号俸から十三号俸まで
	二等陸士 二等海士 二等空士	一号俸から九号俸まで
	三等陸士 三等海士 三等空士	一号俸

附　則（平二二・一一・三〇法五九）（抄）

（施行期日）

第一条　この法律は、公布の日の属する月の翌月の初日（公布の日が月の初日であるときは、その日）から施行する。ただし、第二条及び附則第六条の規定は、平成二十三年四月一日から施行する。

（最高の号俸を超える俸給月額の切替え）

第二条　この法律の施行の日（以下この条において「施行日」という。）の前日において防衛省の職員の給与等に関する法律第五条第四項若しくは第五項、第六条の二第二項又は第七条第二項の規定による俸給月額を受けていた職員の施行日における俸給月額は、防衛省令で定める。

（平成二十二年十二月三十一日までの間の医師又は歯科医師である自衛官の俸給月額）

第三条　医師又は歯科医師である自衛官（防衛省の職員の給与等に関する法律第六条の規定の適用を受ける自衛官を除く。）の俸給月額は、第一条の規定にかかわらず、平成二十二年十二月三十一日までの間は、なお従前の例による。

（平成二十二年十二月に支給する期末手当に関する特例措置）

第四条　防衛省の職員の給与等に関する法律第十八条の二第一項又は第十八条の二の二の規定によりその例によることとされる一般職の職員の給与に関する法律等の一部を改正する法律（平成二十二年法律第五十三号。以下「一般職給与改正法」という。）附則第三条の規定の適用については、同条第一項第一号中「若しくは医療職俸給表(一)」とあるのは「、防衛省の職員の給与等に関する法律（昭和二十七年法律第二百六十六号）別表第一自衛隊教官俸給表若しくは同法別表第二自衛官俸給表の適用を受ける職員でその職務の級若しくは階級（当該階級が一等陸佐、一等海佐又は一等空佐である場合にあっては、同表の一等陸佐、一等海佐及び一等空佐の㈠欄、㈡欄又は㈢欄をいう。）及び号俸が防衛省の職員の給与等に関する法律等の一部を改正する法律（平成二十二年法律第五十九号）附則別表の俸給表欄、職務の級又は階級欄及び号俸欄に掲げるものであるもの（同法第一条の規定による改正後の防衛省の職員の給与等に関する法律附則第五項の規定が施行されていたとした場合においても同項において準用する改正後の給与法附則第八項の規定の適用を受けず、かつ、防衛庁の職員の給与等に関する法律の一部を改正する法律（平成十七年法律第百二十二号）附則第十五条の規定の適用を受けない職員に限り、医師又は歯科医師である自衛官を除く。）、医師若しくは歯科医師である自衛官（防衛省の職員の給与等に関する法律第六条の規定の適用を受ける自衛官を除く。）、防衛省の職員の給与等に関する法律第四条第四項ただし書の規定の適用を受ける自衛官若しくは医療職俸給表㈠」と、「及び特地勤務手当（給与法第十四条の規定による手当を含む。）」とあるのは「、特地勤務手当（給与法第十四条の規定による手当を含む。）、航空手当、乗組手当、落下傘隊員手当、特別警備隊員手当、特殊作戦隊員手当及び営外手当」と、同条第二項中「防衛省の職員の給与等に関する法律（昭和二十七年法律第二百六十六号）」とあるのは「一般職の職員の給与に関する法律」とする。

（平成二十二年四月一日前に五十五歳に達した職員に関する読替え）

第五条　一般職給与改正法附則第四条の規定は、平成二十二年四月一日前に五十五歳に達した職員に対する第一条の規定による改正後の防衛省の職員の給与等に関する法律附則第五項において準用する一般職給与改正法第一条の規定による改正後の一般職の職員の給与に関する法律（昭和二十五年法律第九十五号）附則第八項の規定の適用について準用する。この場合において、一般職給与改正法附則第四条中「一般職の職員の給与に関する法律等の一部を改正する法律（平成二十二年法律第五十三号）」とあるのは、「防衛省の職員の給与等に関する法律等の一部を改正する法律（平成二十二年法律第五十九号）」と読み替えるものとする。

2　平成二十二年四月一日前に五十五歳に達した職員に対する第一条の規定による改正後の防衛省の職員の給与等に関する法律附則第六項の規定の適用については、同項中「当該特定職員が五十五歳に達した日後における最初の四月一日」とあるのは「防衛省の職員の給与等に関する法律等の一部を改正する法律（平成二十二年法律第五十九号）の施行の日」と、「五十五歳に達した日後における最初の四月一日後」とあるのは「同日後」とする。

（平成二十三年四月一日における号俸の調整）

第六条　一般職給与改正法附則第五条第一項の規定は、平成二十三年四月一日において四十三歳に満たない職員について準用する。この場合において、同項中「職務の級に」とあるのは「職務の級又は階級（当該階級が陸将、海将又は空将である場合にあっては防衛省の職員の給与等に関する法律（昭和二十七年法律第二百六十六号）別表第二の陸将補、海将補及び空将補の㈡欄をいい、当該階級が一等陸佐、一等海佐又は一等空佐である場合にあっては同表の一等陸佐、一等海佐及び一等空佐の㈠欄、㈡欄又は㈢欄をいう。）に」と、「受けるもの」とあるのは「受けるもの、同法第六条の規定の適用を受ける自衛官」と、「給与法第八条第五項」とあるのは「防衛省の職員の給与等に関する法律第五条第二項において準用する給与法第八条第五項」と、「人事院規則」とあるのは「政令」と読み替えるものとする。

2　前項に定めるもののほか、平成二十三年四月一日において四十三歳に満たない医師又は歯科医師である自衛官であって防衛省の職員の給与等に関する法律第五条第四項及び第五項の規定の適用を受けるものの同日における俸給月額が、一般職の職員の給与に関する法律別表第八イの適用を受ける国家公務員が受ける俸給月額との均衡を失すると認められるときは、同日における当該俸給月額に同表の適用を受ける国家公務員との均衡を考慮して政令で定める額を加えた額をその者の俸給月額とする。

3　国家公務員の育児休業等に関する法律（平成三年法律第百九号）第二十七条第一項において準用する同法第十三条第一項に規定する育児短時間勤務職員に対する第一項において準用する一般職給与改正法附則第五条第一項の規定の適用については、同項中「とする」とあるのは、「とするものとし、その者の俸給月額は、当該号俸に応じた額に、その者の一週間当たりの通常の勤務時間を自衛隊法（昭和二十九年法律第百六十五号）第四十四条の五第一項に規定する短時間勤務の官職を占める職員及び国家公務員の育児休業等に関する法律（平成三年法律第百九号）第二十七条第一項において準用する同法第十三条第一項に規定する育児短時間勤務職員以外の職員の一週間当たりの通常の勤務時間として防衛省令で定めるもので除して得た数を乗じて得た額とする」と読み替えるものとする。

4　前項の規定は、国家公務員の育児休業等に関する法律第二十七条第一項において準用する同法第二十二条の規定による勤務をしている職員について準用する。

5　国家公務員の育児休業等に関する法律第二十七条第一項において準用する同法第二十三条第二項に規定する任期付短時間勤務職員に対する第一項において準用する一般職給与改正法附則第五条第一項の規定の適用については、同項中「とする」とあるのは、「とするものとし、その者の俸給月額は、当該号俸に応じた額に、その者の一週間当たりの通常の勤務時間を自衛隊法（昭和二十九年法律第百六十五号）第四十四条の五第一項に規定する短時間勤務の官職を占める職員及び国家公務員の育児休業等に関する法律（平成三年法律第百九号）第二十七条第一項において準用する同法第十三条第一項に規定する育児短時間勤務職員以外の職員の一週間当たりの通常の勤務時間として防衛省令で定めるもので除して得た数を乗じて得た額とする」と読み替えるものとする。

（政令への委任）

第七条　附則第二条から前条までに定めるもののほか、この法律の施行に関し必要な事項は、政令で定める。

附則別表（附則第四条関係）

俸給表	職務の級又は階級	号俸
自衛隊教官俸給表	一級	一号俸から七十二号俸まで

自衛官俸給表	
二級	一号俸から二十四号俸まで
一等陸佐㈢ 一等海佐㈢ 一等空佐㈢	一号俸から八号俸まで
二等陸佐 二等海佐 二等空佐	一号俸から三十二号俸まで
三等陸佐 三等海佐 三等空佐	一号俸から八十号俸まで
一等陸尉 一等海尉 一等空尉	一号俸から百二十九号俸まで
二等陸尉 二等海尉 二等空尉	一号俸から百三十七号俸まで
三等陸尉 三等海尉 三等空尉	一号俸から百四十五号俸まで
准陸尉 准海尉 准空尉	一号俸から百四十五号俸まで
陸曹長 海曹長 空曹長	一号俸から百四十一号俸まで
一等陸曹 一等海曹 一等空曹	一号俸から百二十九号俸まで
二等陸曹 二等海曹 二等空曹	一号俸から百十二号俸まで
三等陸曹 三等海曹 三等空曹	一号俸から七十三号俸まで
陸士長 海士長 空士長	一号俸から三十三号俸まで
一等陸士 一等海士 一等空士	一号俸から十三号俸まで
二等陸士 二等海士 二等空士	一号俸から九号俸まで

附　則（平二四・二・二九法二）（抄）

（施行期日）

第一条　この法律は、公布の日の属する月の翌月の初日（公布の日が月の初日であるときは、その日）から施行する。ただし、次の各号に掲げる規定は、当該各号に定める日から施行する。

一　〔略〕

二　第七条中防衛省職員給与法附則第九項の改正規定　平成二十六年四月一日

（俸給月額の切替え）

第四条　施行日の前日において防衛省職員給与法第五条第四項若しくは第五項、第六条の二第二項又は第七条第二項の規定による俸給月額を受けていた防衛省の職員の施行日における俸給月額は、防衛省令で定める。

（平成二十四年十二月三十一日までの間の医師又は歯科医師である自衛官の俸給月額）

第五条　医師又は歯科医師である自衛官（防衛省職員給与法第六条の規定の適用を受ける自衛官を除く。）の俸給月額は、第七条の規定による改正後の防衛省職員給与法別表第二の規定にかかわらず、平成二十四年十二月三十一日までの間は、なお従前の例による。

（平成二十四年六月に支給する期末手当に関する特例措置）

第六条　平成二十四年六月に職員に支給する期末手当の額は、一般職給与法第十九条の四第二項（同条第三項、任期付研究員法第七条第二項又は任期付職員法第八条第二項の規定により読み替えて適用する場合を含む。）及び第四項から第六項まで（育児休業法第十六条の規定により読み替えて適用する場合を含む。）若しくは第二十三条第一項から第三項まで、第五項若しくは第七項若しくは附則第八項、国際機関等に派遣される一般職の国家公務員の処遇等に関する法律第五条第一項又は法科大学院派遣法第十三条第二項の規定にかかわらず、これらの規定により算定される期末手当の額（以下この項において「基準額」という。）から次に掲げる額の合計額（以下この項において「調整額」という。）に相当する額を減じた額とする。この場合において、調整額が基準額以上となるときは、期末手当は、支給しない。

一　平成二十三年四月一日（同月二日から施行日までの間に職員（一般職給与法第二十三条及び附則第三項に規定する職員を除く。以下この条において同じ。）以外の者又は職員であって適用される俸給表並びにその職務の級及び号俸がそれぞれ次の表の俸給表欄、職務の級欄及び号俸欄に掲げるものであるもの（平成十七年改正法附則第十一条の規定の適用を受けない職員に限る。）、医療職俸給表㈠若しくは任期付研究員法第六条第二項に規定する俸給表の適用を受ける職員若しくは同条第一項若しくは任期付職員法第七条第一項に規定する俸給表の適用を受ける職員でその号俸が一号俸から三号俸までであるものからこれらの職員以外の職員（以下この項において「減額改定対象職員」という。）となった者（同月一日に減額改定対象職員であった者で任用の事情を考慮して人事院規則で定めるものを除く。）にあっては、その減額改定対象職員となった日（当該日が二以上あるときは、当該日のうち人事院規則で定める日））において減額改定対象職員が受けるべき俸給、俸給の特別調整額、本府省業務調整手当、初任給調整手当、専門スタッフ職調整手当、扶養手当、地域手当、広域異動手当、研究員調整手当、住居手当、単身赴任手当（一般職給与法第十二条の二第二項に規定する人事院規則で定める額を除く。）及び特地勤務手当（一般職給与法第十四条の規定による手当を含む。）の月額（一般職給与法附則第八項の規定により給与が減ぜられて支給される職員にあっては、同項の規定により減ぜられることとなる額を差し引いた額）の合計額に百分の〇・三七を乗じて得た額に、同月から施行日の属する月の前月までの月数（同年四月一日から施行日の前日までの期間において、在職しなかった期間、俸給を支給されなかった期間、減額改定対象職員以外の職員であった期間その他の人事院規則で定める期間がある職員にあっては、当該月数から当該期間を考慮して人事院規則で定める月数を減じた月数）を乗じて得た額

〔表略〕

二　〔略〕

2　平成二十三年四月一日から平成二十四年六月一日までの間において防衛省職員給与法の適用を受ける者その他の人事院規則で定める者であった者から引き続き新たに職員となった者で任用の事情を考慮して人事院規則で定めるものに関する前項の規定の適用については、同項中「次に掲げる額」とあるのは、「次に掲げる額及び防衛省職員給与法の適用を受ける者その他の人事院規則で定める者との権衡を考慮して人事院規則で定める額」とする。

第七条　防衛省職員給与法第十八条の二第一項又は第十八条の二の二の規定によりその例によることとされる前条の規定の適用については、同条第一項第一号中「医療職俸給表(一)」とあるのは「防衛省職員給与法別表第一自衛隊教官俸給表若しくは防衛省職員給与法別表第二自衛官俸給表の適用を受ける防衛省の職員でその職務の級若しくは階級（当該階級が一等陸佐、一等海佐又は一等空佐である場合にあっては、同表の一等陸佐、一等海佐及び一等空佐の(一)欄、(二)欄又は(三)欄をいう。）及び号俸がそれぞれ次条の表の俸給表欄、職務の級又は階級欄及び号俸欄に掲げるものであるもの（防衛庁の職員の給与等に関する法律の一部を改正する法律附則第十五条の規定の適用を受けない防衛省の職員に限り、医師又は歯科医師である自衛官を除く。）、医師若しくは歯科医師である自衛官（防衛省職員給与法第六条の規定の適用を受ける自衛官を除く。）、防衛省職員給与法第四条第四項ただし書の規定の適用を受ける自衛官、医療職俸給表(一)」と、「及び特地勤務手当（一般職給与法第十四条の規定による手当を含む。）」とあるのは「、特地勤務手当（一般職給与法第十四条の規定による手当を含む。）、航空手当、乗組手当、落下傘隊員手当、特別警備隊員手当、特殊作戦隊員手当及び営外手当」と、同条第二項中「防衛省職員給与法」とあるのは「一般職給与法」とする。

俸給表	職務の級又は階級	号俸
自衛隊教官俸給表	一級	一号俸から八十四号俸まで
	二級	一号俸から三十六号俸まで
自衛官俸給表	一等陸佐(二) 一等海佐(二) 一等空佐(二)	一号俸から四号俸まで
	一等陸佐(三) 一等海佐(三) 一等空佐(三)	一号俸から十六号俸まで
	二等陸佐 二等海佐 二等空佐	一号俸から四十号俸まで
	三等陸佐 三等海佐 三等空佐	一号俸から四十八号俸まで
	一等陸尉 一等海尉 一等空尉	一号俸から六十八号俸まで
	二等陸尉 二等海尉 二等空尉	一号俸から八十号俸まで
	三等陸尉 三等海尉 三等空尉	一号俸から八十八号俸まで
	准陸尉 准海尉 准空尉	一号俸から八十号俸まで
	陸曹長 海曹長 空曹長	一号俸から八十号俸まで
	一等陸曹 一等海曹 一等空曹	一号俸から八十号俸まで
	二等陸曹 二等海曹 二等空曹	一号俸から八十四号俸まで
	三等陸曹 三等海曹 三等空曹	一号俸から七十二号俸まで
	陸士長 海士長 空士長	一号俸から三十二号俸まで
	一等陸士 一等海士 一等空士	一号俸から十三号俸まで
	二等陸士 二等海士 二等空士	一号俸から九号俸まで

（平成二十四年四月一日、平成二十五年四月一日及び平成二十六年四月一日における号俸の調整）

第八条　平成二十四年四月一日において第五条の規定による改正後の平成十七年改正法附則第十一条の規定による俸給に関する状況を考慮して人事院規則で定める年齢に満たない職員（同日において、専門スタッフ職俸給表の適用を受ける職員でその職務の級が二級又は三級であるもの（以下この項において「専門スタッフ職二級以上職員」という。）、専門スタッフ職二級以上職員以外の職員でその職務の級における最高の号俸を受けるもの及び指

定職俸給表又は任期付研究員法第六条第一項若しくは第二項若しくは任期付職員法第七条第一項に規定する俸給表の適用を受ける職員（以下この条において「除外職員」という。）である者を除く。）のうち、当該職員の平成十九年一月一日、平成二十年一月一日及び平成二十一年一月一日の一般職給与法第八条第五項の規定による昇給その他の号俸の決定の状況（以下この条において「調整考慮事項」という。）を考慮して調整の必要があるものとして人事院規則で定める職員の平成二十四年四月一日における号俸は、この項の規定の適用がないものとした場合に同日に受けることとなる号俸の一号俸（職員の調整考慮事項を考慮して特に調整の必要があるものとして人事院規則で定める職員にあっては、二号俸）上位の号俸とする。

2　平成二十五年四月一日において第五条の規定による改正後の平成十七年改正法附則第十一条の規定による俸給に関する状況を考慮して人事院規則で定める年齢に満たない職員（同日において除外職員である者を除く。）のうち、当該職員の調整考慮事項及び平成二十四年四月一日における号俸の調整の状況を考慮して調整の必要があるものとして人事院規則で定める職員の平成二十五年四月一日における号俸は、この項の規定の適用がないものとした場合に同日に受けることとなる号俸の一号俸（職員の調整考慮事項を考慮して特に調整の必要があるものとして人事院規則で定める職員にあっては、二号俸）上位の号俸とする。

3　平成二十六年四月一日において第五条の規定による改正後の平成十七年改正法附則第十一条の規定による俸給に関する状況を考慮して人事院規則で定める年齢に満たない職員（同日において除外職員である者を除く。）のうち、当該職員の調整考慮事項並びに平成二十四年四月一日及び平成二十五年四月一日における号俸の調整の状況を考慮して調整の必要があるものとして人事院規則で定める職員の平成二十六年四月一日における号俸は、この項の規定の適用がないものとした場合に同日に受けることとなる号俸の一号俸（職員の調整考慮事項を考慮して特に調整の必要があるものとして人事院規則で定める職員にあっては、二号俸）上位の号俸とする。

4　育児休業法第十三条第一項に規定する育児短時間勤務職員に対する前三項の規定の適用については、これらの規定中「とする」とあるのは、「とするものとし、その者の俸給月額は、当該号俸に応じた額に、育児休業法第十七条の規定により読み替えられた一般職の職員の勤務時間、休暇等に関する法律第五条第一項ただし書の規定により定められたその者の勤務時間を同項本文に規定する勤務時間で除して得た数を乗じて得た額とする」とする。

5　前項の規定は、育児休業法第二十二条の規定による勤務をしている職員について準用する。

6　育児休業法第二十三条第二項に規定する任期付短時間勤務職員に対する第一項から第三項までの規定の適用については、これらの規定中「とする」とあるのは、「とするものとし、その者の俸給月額は、当該号俸に応じた額に、育児休業法第二十五条の規定により読み替えられた一般職の職員の勤務時間、休暇等に関する法律第五条第一項ただし書の規定により定められたその者の勤務時間を同項本文に規定する勤務時間で除して得た数を乗じて得た額とする」とする。

第九条　前条第一項の規定は、平成二十四年四月一日において同項の規定の適用を受ける職員との均衡を考慮して政令で定める年齢に満たない防衛省の職員について準用する。この場合において、同項中「職務の級に」とあるのは「職務の級又は階級（当該階級が陸将、海将又は空将である場合にあっては防衛省職員給与法別表第二の陸将補、海将補及び空将補の㈡欄をいい、当該階級が一等陸佐、一等海佐又は一等空佐である場合にあっては同表の一等陸佐、一等海佐及び一等空佐の㈠欄、㈡欄又は㈢欄をいう。）に」と、「受けるもの」とあるのは「受けるもの、防衛省職員給与法第六条の規定の適用を受ける自衛官」と、「一般職給与法第八条第五項」とあるのは「防衛省職員給与法第五条第二項において準用する一般職給与法第八条第五項」と、「人事院規則」とあるのは「政令」と読み替えるものとする。

2　前項に定めるもののほか、平成二十四年四月一日において同項の政令で定める年齢に満たない医師又は歯科医師である自衛官であって防衛省職員給与法第五条第四項及び第五項の規定の適用を受けるものの同日における俸給月額が、一般職給与法別表第八イの適用を受ける職員が受ける俸給月額との均衡を失すると認められるときは、同日における当該俸給月額に同表の適用を受ける職員との均衡を考慮して政令で定める額を加えた額をその者の俸給月額とする。

3　前条第二項の規定は、平成二十五年四月一日において同項の規定の適用を受ける職員との均衡を考慮して政令で定める年齢に満たない防衛省の職員（同日において第一項において読み替えて準用する同条第一項に規定する除外職員である者を除く。）について準用する。この場合において、同条第二項中「人事院規則で定める職員」とあるのは、「政令で定める防衛省の職員」と読み替えるものとする。

4～9　〔略〕

（人事院規則等への委任）

第十一条　附則第二条から前条までに定めるもののほか、この法律の施行に関し必要な経過措置は、一般職の職員に関するものにあっては人事院規則、特別職の職員及び防衛省の職員に関するものにあっては政令で定める。

附　則（平二四・六・二七法四二）（抄）

（施行期日）

第一条　この法律は、平成二十五年四月一日から施行する。〔ただし書略〕

附　則（平二四・一一・二六法一〇〇）（抄）

改正　平二五・一一・二二法七七

（施行期日）

第一条　この法律は、平成二十五年三月三十一日までの間において政令で定める日〔平二五・三・二六〕から施行する。ただし、次の各号に掲げる規定は、当該各号に定める日から施行する。

一　〔略〕

二　第三条中防衛省の職員の給与等に関する法律第十六条第三項の改正規定　公布の日から起算して三月を超えない範囲内において政令で定める日〔平二五・二・一〕

三　〔前略〕第三条中防衛省の職員の給与等に関する法律第四条第一項の改正規定（「の教育訓練又は同法第十六条第一項」を「又は第十六条第一項（第三号を除く。）」に改める部分に限る。）〔中略〕　平成二十七年四月一日までの間において政令で定める日〔平二六・

四・一〕

四　第三条中防衛省の職員の給与等に関する法律第四条第一項の改正規定〔「から別表第八まで」を「、別表第六イ、別表第七、別表第八」に改める部分に限る。〕及び同法第四条の二第一項及び第五条第一項第三号の改正規定〔中略〕　平成二十九年四月一日までの間において政令で定める日〔平二八・四・一〕

五　〔略〕

附　則（平二五・六・二一法五二）（抄）

（施行期日）

1　この法律は、平成二十六年一月一日から施行する。

附　則（平二六・四・一八法二二）（抄）

（施行期日）

第一条　この法律は、公布の日から起算して六月を超えない範囲内において、政令で定める日〔平二六・五・三〇〕から施行する。〔ただし書略〕

附　則（平二六・六・一三法六五）（抄）

（施行期日）

1　この法律は、公布の日から起算して十月を超えない範囲内において政令で定める日〔平二六・七・二五〕から施行する。ただし、次の各号に掲げる規定は、当該各号に定める日から施行する。

一　第四条の規定（防衛省の職員の給与等に関する法律第四条第一項の改正規定を除く。）及び次項の規定　公布の日から起算して三月を超えない範囲内において政令で定める日〔平二六・六・二一〕

二・三　〔略〕

（経過措置）

2　前項第一号に定める日前に第四条の規定による改正前の防衛省の職員の給与等に関する法律第二十七条の二第二号に該当した者に係る同条に規定する若年定年退職者給付金の支給については、なお従前の例による。

附　則（平二六・六・一三法六七）（抄）

（施行期日）

第一条　この法律は、独立行政法人通則法の一部を改正する法律（平成二十六年法律第六十六号。以下「通則法改正法」という。）の施行の日〔平二七・四・一〕から施行する。〔ただし書略〕

附　則（平二六・六・一三法六九）（抄）

（施行期日）

第一条　この法律は、行政不服審査法（平成二十六年法律第六十八号）の施行の日〔平二八・四・一〕から施行する。

附　則（平二六・一一・二八法一三五）（抄）

改正　平二八・一・二六法七

（施行期日等）

第一条　この法律は、公布の日から施行する。ただし、第二条並びに附則第五条から第九条まで、第十一条から第十四条まで及び第十六条の規定は、平成二十七年四月一日から施行する。

2　第一条の規定（防衛省の職員の給与等に関する法律（以下「法」という。）第十八条の二の二、第二十五条第三項及び第二十五条の二第三項の改正規定を除く。附則第四条において同じ。）による改正後の法（附則第四条において「新法」という。）の規定は、平成二十六年四月一日から適用する。

（適用日における最高の号俸を超える俸給月額の切替え）

第二条　平成二十六年四月一日（以下この条及び次条において「適用日」という。）の前日において法第五条第四項若しくは第五項又は第六条の二第二項の規定による俸給月額を受けていた職員の適用日における俸給月額は、防衛省令で定める。

（適用日前の異動者の号俸の調整）

第三条　適用日前に職務の級又は階級（当該階級が陸将、海将又は空将である場合にあっては法別表第二の陸将補、海将補及び空将補の㈡欄をいい、当該階級が一等陸佐、一等海佐又は一等空佐である場合にあっては同表の一等陸佐、一等海佐及び一等空佐の㈠欄、㈡欄又は㈢欄をいう。以下この条及び附則第七条において同じ。）を異にして異動した職員及び防衛省令で定めるこれに準ずる職員の適用日における号俸については、その者が適用日において職務の級又は階級を異にする異動等をしたものとした場合との権衡上必要と認められる限度において、防衛省令で定めるところにより、必要な調整を行うことができる。

（給与の内払）

第四条　新法の規定を適用する場合においては、第一条の規定による改正前の法の規定に基づいて支給された給与は、新法の規定による給与の内払とみなす。

（切替日における最高の号俸を超える俸給月額の切替え）

第五条　平成二十七年四月一日（以下「切替日」という。）の前日において法第五条第四項若しくは第五項、第六条の二第二項又は第七条第二項の規定による俸給月額を受けていた職員の切替日における俸給月額は、防衛省令で定める。

第六条　削除

（切替日前の異動者の号俸の調整）

第七条　切替日前に職務の級又は階級を異にして異動した職員及び防衛省令で定めるこれに準ずる職員の切替日における号俸については、その者が切替日において職務の級又は階級を異にする異動等をしたものとした場合との権衡上必要と認められる限度において、防衛省令で定めるところにより、必要な調整を行うことができる。

（俸給の切替えに伴う経過措置）

第八条　切替日の前日から引き続き同一の関係俸給表（法別表第一若しくは別表第二、一般職の職員の給与に関する法律（昭和二十五年法律第九十五号。以下「一般職給与法」という。）別表第一、別表第六イ、別表第七、別表第八（イを除く。）、別表第十若しくは別表第十一、一般職の任期付職員の採用及び給与の特例に関する法律（平成十二年法律第百二十五号）第七条第一項の俸給表又は一般職の任期付研究員の採用、給与及び勤務時間の特例に関する法律（平成九年法律第六十五号）第六条第一項の俸給表若しくは同条第二項の俸給表をいう。以下この条において同じ。）の適用を受ける職員で、その者の受ける俸給月額が同日において受けていた俸給月額に達しないこととなるもの（防衛省令で定める職員を除く。）には、平成三十年三月三十一日までの間、俸給月額のほか、その差額に相当する額（特定職員（法附則第五項において準用する一般職給与法附則第八項の表の俸給表欄に掲げる俸給表の適用を受ける職員のうちその職務の級が同項の表の職務の級欄に掲げる職務の級以上である者（自衛隊法（昭和二十九年法律第百六十五号）第四十四条の四第一項又は第四十四条の五第一項の規定により採用された者を除く。）及び二等陸佐、二等海佐又は二等空佐以上の自衛官（法第六条第二項の規定の適用を受ける自衛官、医師又は歯科医師である自衛官及び自衛隊法第四十五条の二第一項の規定により採用された自衛官を除く。）をいう。以下この項において同じ。）にあっては、五十五歳に達した日後における最初の四月一日（特定職員以外の者が五十五歳に達した日後における最初の四月一日後に特定職員となった場合にあっては、特定職員となった日）以後、当該額に百分の九十八・五を乗じて得た額）を俸給として支給する。

2　切替日から自衛隊法等の一部を改正する法律（平成二十四年法律第百号）附則第一条第四号に掲げる規定の施行の日の前日までの間における前項の規定の適用については、同項中「別表第六イ、別表第七、別表第八（イを除く。）」とあるのは、「別表第六から別表第八（イを除く。）まで」とする。

3　切替日の前日から引き続き関係俸給表の適用を受ける職員（第一項に規定する職員を除く。）について、同項の規定による俸給を支給される職員との権衡上必要があると認められるときは、当該職員には、防衛省令で定めるところにより、同項の規定に準じて、俸給を支給する。

4　切替日以降に新たに関係俸給表の適用を受けることとなった職員について、任用の事情等を考慮して第一項又は前項の規定による俸給を支給される職員との権衡上必要があると認められるときは、当該職員には、防衛省令で定めるところにより、これらの規定に準じて、俸給を支給する。

第九条　前条の規定による俸給を支給される職員に関する法第十四条第二項において準用する一般職給与法第十条の五第二項及び法附則第五項において準用する一般職給与法附則第八項第二号から第四号までの規定の適用については、法第十四条第二項において準用する一般職給与法第十条の五第二項中「俸給月額」とあるのは「俸給月額と防衛省の職員の給与等に関する法律の一部を改正する法律（平成二十六年法律第百三十五号）附則第八条の規定による俸給の額との合計額」と、法附則第五項において準用する一般職給与法附則第八項第二号中「専門スタッフ職調整手当の月額」とあるのは「俸給月額に対する専門スタッフ職調整手当の月額（以下この項において「俸給月額対応専門スタッフ職調整手当月額」という。）」と、同項第三号及び第四号中「専門スタッフ職調整手当の月額」とあるのは「俸給月額対応専門スタッフ職調整手当月額」と読み替えるものとする。

2　前条の規定による俸給を支給される職員に関する法第二十七条の三第二項の規定の適用については、同項中「受けていた俸給月額」とあるのは「受けていた俸給月額と防衛省の職員の給与等に関する法律の一部を改正する法律（平成二十六年法律第百三十五号。以下この項において「平成二十六年防衛省給与改正法」という。）附則第八条の規定による俸給の額との合計額」と、「政令で定める俸給月額」とあるのは「政令で定める俸給月額と同条の規定による俸給の額との合計額」と、「別表第二」とあるのは「平成二十六年防衛省給与改正法第二条の規定による改正前の別表第二」とする。

（平成二十七年三月三十一日までの間における昇給に関する特例）

第十条　一般職の職員の給与に関する法律等の一部を改正する法律（平成二十六年法律第百五号。以下「一般職給与改正法」という。）附則第九条の規定は、平成二十七年三月三十一日までの間における法第五条第二項において準用する一般職給与法第八条第七項の規定の適用について準用する。

（平成三十年三月三十一日までの間における地域手当及び単身赴任手当に関する特例）

第十一条　一般職給与改正法附則第十条の規定は、切替日から平成三十年三月三十一日までの間における法第十四条第二項において準用する一般職給与法第十一条の三第二項、第十一条の五及び第十二条の二第二項の規定の適用について準用する。この場合において、一般職給与改正法附則第十条の表中「人事院規則」とあるのは、「政令」と読み替えるものとする。

（広域異動手当に関する特例）

第十二条　一般職給与改正法附則第十一条の規定は、切替日から平成二十八年三月三十一日までの間に職員がその在勤する官署を異にして異動した場合又は職員の在勤する官署が移転した場合における当該職員に対する当該異動又は移転に係る広域異動手当の支給に関する法第十四条第二項において　準用する一般職給与法第十一条の八第一項の規定の適用について準用する。

（地域手当に関する経過措置）

第十三条　第二条の規定の施行の際現に法第十四条第二項において準用する一般職給与法第十一条の六の規定の適用を受けている職員に対する当該適用に係る官署の移転に係る地域手当の支給に関する同条の規定の適用については、次の表の上欄に掲げる同条の規定中同表の中欄に掲げる字句は、それぞれ同表の下欄に掲げる字句に読み替えるものとする。

第一項	同条第二項各号に定める割合をいう。以下	防衛省の職員の給与等に関する法律（昭和二十七年法律第二百六十六号。以下「防衛省給与法」という。）第十四条第二項において準用する一般職の職員の給与に関する法律等の一部を改正する法律（平成二十六年法律第百五号。以下「平成二十六年一般職給与改正法」という。）第二条の規定による改正前の第十一条の三第二項各号に定める割合をいう。以下
	同条第一項	第十一条の三第一項
第三項	同条第二項各号	防衛省給与法第十四条第二項において準用する平成二十六年一般職給与改正法第二条の規定による改正前の第十一条の三第二項各号
	同条第一項	第十一条の三第一項

2　第二条の規定の施行の際現に法第十四条第二項において準用する一般職給与法第十一条の七第一項の規定の適用を受けている職員に対する当該適用に係る異動等

に係る地域手当の支給及び切替日の前日において法第十四条第二項において準用する一般職給与改正法第二条の規定による改正前の一般職給与法第十一条の三若しくは一般職給与法第十一条の六の規定の適用を受けている職員が切替日にその在勤する官署を異にして異動した場合又はこれらの職員の在勤する官署が切替日に移転した場合における当該職員に対する当該異動等に係る地域手当の支給に関する法第十四条第二項において読み替えて準用する一般職給与法第十一条の七第一項の規定の適用については、同項中「第十一条の三第二項各号に定める割合又は第十一条の四の政令で定める割合をいい」とあるのは、「防衛省の職員の給与等に関する法律（昭和二十七年法律第二百六十六号）第十四条第二項において準用する一般職の職員の給与に関する法律等の一部を改正する法律（平成二十六年法律第百五号）第二条の規定による改正前の第十一条の三第二項各号に定める割合をいい」と読み替えるものとする。

（広域異動手当に関する経過措置）

第十四条　一般職給与改正法附則第十三条の規定は、切替日前に職員がその在勤する官署を異にして異動した場合又は職員の在勤する官署が移転した場合における当該職員に対する当該異動又は移転に係る広域異動手当の支給に関する法第十四条第二項において準用する一般職給与法第十一条の八第一項の規定の適用について準用する。

（政令への委任）

第十五条　附則第二条から前条までに定めるもののほか、この法律の施行に関し必要な事項は、政令で定める。

附　則（平二七・五・二九法三一）（抄）

（施行期日）

第一条　この法律は、平成三十年四月一日から施行する。ただし、次の各号に掲げる規定は、それぞれ当該各号に定める日から施行する。

一　〔略〕

二　〔前略〕附則〔中略〕第四十七条から第五十一条まで〔中略〕の規定　平成二十八年四月一日

三　〔略〕

附　則（平二七・六・一七法三九）（抄）

（施行期日）

第一条　この法律は、公布の日から起算して十月を超えない範囲内において政令で定める日〔平二七・一〇・一〕から施行する。〔ただし書略〕

附　則（平二八・一・二六法七）（抄）

（施行期日等）

第一条　この法律は、公布の日から施行する。ただし、第二条の規定は、平成二十八年四月一日から施行する。

2　第一条の規定による改正後の防衛省の職員の給与等に関する法律（以下「新法」という。）の規定並びに附則第四条及び第六条の規定は、平成二十七年四月一日から適用する。

（切替日における最高の号俸を超える俸給月額の切替え）

第二条　平成二十七年四月一日（以下この条において「切替日」という。）の前日において防衛省の職員の給与等に関する法律（以下「法」という。）第五条第四項若しくは第五項又は第六条の二第二項の規定による俸給月額を受けていた職員の切替日における俸給月額は、防衛省令で定める。

（給与の内払）

第三条　新法の規定を適用する場合においては、第一条の規定による改正前の法の規定に基づいて支給された給与（防衛省の職員の給与等に関する法律の一部を改正する法律（平成二十六年法律第百三十五号。以下この条及び次条において「平成二十六年改正法」という。）附則第八条の規定に基づいて支給された俸給を含む。）は、新法の規定による給与（平成二十六年改正法附則第八条の規定による俸給を含む。）の内払とみなす。

（平成二十七年十二月三十一日までの間の医師又は歯科医師である自衛官の俸給月額）

第四条　医師又は歯科医師である自衛官（法第六条第二項の規定の適用を受ける自衛官を除く。）の俸給月額は、新法別表第二の規定にかかわらず、平成二十七年十二月三十一日までの間は、平成二十六年改正法第二条の規定による改正前の法別表第二に定める額とする。

（政令への委任）

第五条　前三条に定めるもののほか、この法律の施行に関し必要な事項は、政令で定める。

附　則（平二八・一一・三〇法九二）

（施行期日等）

第一条　この法律は、公布の日から施行する。ただし、第二条及び附則第四条の規定は、平成二十九年四月一日から施行する。

2　第一条の規定（防衛省の職員の給与等に関する法律（以下「法」という。）第十八条の二の二、第二十五条第三項及び第二十五条の二第三項の改正規定を除く。附則第三条において同じ。）による改正後の法（附則第三条において「新法」という。）の規定は、平成二十八年四月一日から適用する。

（切替日における最高の号俸を超える俸給月額の切替え）

第二条　平成二十八年四月一日（以下この条において「切替日」という。）の前日において法第五条第四項又は第五項の規定による俸給月額を受けていた職員の切替日における俸給月額は、防衛省令で定める。

（給与の内払）

第三条　新法の規定を適用する場合においては、第一条の規定による改正前の法の規定に基づいて支給された給与（防衛省の職員の給与等に関する法律の一部を改正する法律（平成二十六年法律第百三十五号。以下この条において「平成二十六年改正法」という。）附則第八条の規定に基づいて支給された俸給を含む。）は、新法の規定による給与（平成二十六年改正法附則第八条の規定による俸給を含む。）の内払とみなす。

（平成三十二年三月三十一日までの間における扶養手当に関する特例）

第四条　平成二十九年四月一日から平成三十年三月三十一日までの間における第二条の規定による改正後の法第十二条第一項の規定の適用については、同項中「一般職給与法第十一条第一項ただし書及び第三項において人事院規則で定めることとされている事項は、政令で定めるものとし、一般職給与法」とあるのは、「一般職の職員の給与に関する法律等の一部を改正する法律（平成二十八年法律第八十号。以下この項において「平成二十八年一般職給与改正法」という。）附則第三条第一項の規定により読み替えて適用する平成二十八年一般職給与改正法第二条の規定による改正後の一般職給与法」とする。

2　平成三十年四月一日から平成三十一年三月三十一日までの間における第二条の規定による改正後の法第十二条第一項の規定の適用については、同項中「一般職給与法第十一条第一項ただし書及び第三項において人事院規則で定めることとされている事項は、政令で定めるものとし、一般職給与法」とあるのは、「一般職の職員の給与に関する法律等の一部を改正する法律（平成二十八年法律第八十号。以下この項において「平成二十八年一般職給与改正法」という。）附則第三条第二項の規定により読み替えて適用する平成二十八年一般職給与改正法第二条の規定による改正後の一般職給与法」とする。

3　平成三十一年四月一日から平成三十二年三月三十一日までの間における第二条の規定による改正後の法第十二条第一項の規定の適用については、同項中「一般職給与法第十一条第一項ただし書及び第三項において人事院規則で定めることとされている事項は、政令で定めるものとし、一般職給与法」とあるのは、「一般職の職員の給与に関する法律等の一部を改正する法律（平成二十八年法律第八十号。以下この項において「平成二十八年一般職給与改正法」という。）附則第三条第三項の規定により読み替えて適用する平成二十八年一般職給与改正法第二条の規定による改正後の一般職給与法第十一条第三項において人事院規則で定めることとされている事項は、政令で定めるものとし、平成二十八年一般職給与改正法附則第三条第三項の規定により読み替えて適用する平成二十八年一般職給与改正法第二条の規定による改正後の一般職給与法」とする。

（政令への委任）

第五条　前三条に定めるもののほか、この法律の施行に関し必要な事項は、政令で定める。

附　則（平二九・一二・一五法八六）

（施行期日等）

第一条　この法律は、公布の日から施行する。ただし、第二条及び附則第四条の規定は、平成三十年四月一日から施行する。

2　第一条の規定による改正後の防衛省の職員の給与等に関する法律（附則第三条において「新法」という。）の規定は、平成二十九年四月一日から適用する。

（切替日における最高の号俸を超える俸給月額の切替え）

第二条　平成二十九年四月一日（以下この条において「切替日」という。）の前日において防衛省の職員の給与等に関する法律（以下「法」という。）第五条第四項又は第五項の規定による俸給月額を受けていた職員の切替日における俸給月額は、防衛省令で定める。

（給与の内払）

第三条　新法の規定を適用する場合においては、第一条の規定による改正前の法の規定に基づいて支給された給与（防衛省の職員の給与等に関する法律の一部を改正する法律（平成二十六年法律第百三十五号。以下この条において「平成二十六年改正法」という。）附則第八条の規定に基づいて支給された俸給を含む。）は、新法の規定による給与（平成二十六年改正法附則第八条の規定による俸給を含む。）の内払とみなす。

（平成三十年四月一日における号俸の調整）

第四条　一般職の職員の給与に関する法律等の一部を改正する法律（平成二十九年法律第七十七号。以下この条において「一般職給与改正法」という。）附則第三条第一項の規定は、平成三十年四月一日において三十七歳に満たない職員について準用する。この場合において、同項中「職務の級に」とあるのは「職務の級又は階級（当該階級が陸将、海将又は空将である場合にあつては防衛省の職員の給与等に関する法律（昭和二十七年法律第二百六十六号）別表第二の陸将補、海将補及び空将補の㈡欄をいい、当該階級が一等陸佐、一等海佐又は一等空佐である場合にあつては同表の一等陸佐、一等海佐及び一等空佐の㈠欄、㈡欄又は㈢欄をいう。）に」と、「受けるもの」とあるのは「受けるもの、同法第六条第二項の規定の適用を受ける自衛官」と、「一般職の職員の給与に関する法律第八条第六項」とあるのは「防衛省の職員の給与等に関する法律第五条第二項において準用する一般職の職員の給与に関する法律第八条第六項」と、「人事院規則」とあるのは「政令」と読み替えるものとする。

2　前項に定めるもののほか、平成三十年四月一日において三十七歳に満たない医師又は歯科医師である自衛官であつて法第五条第四項及び第五項の規定の適用を受けるものの同日における俸給月額が、一般職の職員の給与に関する法律（昭和二十五年法律第九十五号）別表第八イの適用を受ける国家公務員が受ける俸給月額との均衡を失すると認められるときは、同日における当該俸給月額に同表の適用を受ける国家公務員との均衡を考慮して政令で定める額を加えた額をその者の俸給月額とする。

3　国家公務員の育児休業等に関する法律（平成三年法律第百九号）第二十七条第一項において準用する同法第十三条第一項に規定する育児短時間勤務職員に対する第一項において準用する一般職給与改正法附則第三条第一項の規定の適用については、同項中「とする」とあるのは、「とするものとし、その者の俸給月額は、当該号俸に応じた額に、その者の一週間当たりの通常の勤務時間を自衛隊法（昭和二十九年法律第百六十五号）第四十四条の五第一項に規定する短時間勤務の官職を占める職員及び国家公務員の育児休業等に関する法律（平成三年法律第百九号）第二十七条第一項において準用する同法第十三条第一項に規定する育児短時間勤務職員以外の職員の一週間当たりの通常の勤務時間として防衛省令で定めるもので除して得た数を乗じて得た額とする」とする。

4　前項の規定は、国家公務員の育児休業等に関する法律第二十七条第一項において準用する同法第二十二条の規定による勤務をしている職員及び同法第二十七条第一項において準用する同法第二十三条第二項に規定する任期付短時間勤務職員について準用する。

（政令への委任）

第五条　前三条に定めるもののほか、この法律の施行に関し必要な事項は、政令で定める。

附　則（平三〇・一一・三〇法八七）

（施行期日等）

第一条　この法律は、公布の日から施行する。ただし、第二条の規定は、平成三十一年四月一日から施行する。

2　第一条の規定による改正後の防衛省の職員の給与等に関する法律（附則第三条において「新法」という。）の規定は、平成三十年四月一日から適用する。

（切替日における最高の号俸を超える俸給月額の切替え）

第二条　平成三十年四月一日（以下この条において「切替日」という。）の前日において防衛省の職員の給与等に関する法律（次条において「法」という。）第五条第四項若しくは第五項又は第六条の二第二項の規定による俸給月額を受けていた職員の切替日における俸給月額は、防衛省令で定める。

（給与の内払）

第三条　新法の規定を適用する場合においては、第一条の規定による改正前の法（以下この条において「旧法」という。）の規定に基づいて支給された給与は、新法の規定による給与の内払とみなす。この場合において、旧法の規定に基づいて支払われた営外手当のうち新法の規定により支給されることとなる営外手当の額を超える部分は、新法の規定により支給されることとなる俸給の内払とみなす。

（政令への委任）

第四条　前二条に定めるもののほか、この法律の施行に関し必要な事項は、政令で定める。

附　則（令元・六・一四法三七）（抄）

（施行期日）

第一条　この法律は、公布の日から起算して三月を経過した日から施行する。〔ただし書略〕

（防衛省の職員の給与等に関する法律の一部改正に伴う経過措置）

第十四条　施行日前に第百七十四条の規定による改正前の自衛隊法第三十八条第一項第一号に該当して同条第二項の規定により失職した職員に係る期末手当の支給については、前条の規定による改正後の防衛省の職員の給与等に関する法律第二十三条第六項の規定にかかわらず、なお従前の例による。

附　則（令元・一一・二二法五四）（抄）

（施行期日等）

第一条　この法律は、公布の日から施行する。ただし、次の各号に掲げる規定は、それぞれ当該各号に定める日から施行する。

一　第二条及び附則第三条の規定　令和二年四月一日

二　第三条及び附則第四条の規定　令和三年三月三十一日までの間において政令で定める日〔令二・八・二八〕

2　第一条の規定（防衛省の職員の給与等に関する法律（以下「法」という。）第十八条の二の二、第二十五条第三項及び第二十五条の二第三項の改正規定を除く。次条において同じ。）による改正後の法（次条において「新法」という。）の規定は、平成三十一年四月一日から適用する。

（給与の内払）

第二条　新法の規定を適用する場合においては、第一条の規定による改正前の法の規定に基づいて支給された給与は、新法の規定による給与の内払とみなす。

（住居手当に関する経過措置）

第三条　一般職の職員の給与に関する法律等の一部を改正する法律（令和元年法律第五十一号。以下この項において「一般職給与改正法」という。）第二条の規定の施行の日（以下この項において「一般職給与改正法一部施行日」という。）の前日において法第十四条第二項において準用する一般職給与改正法第二条の規定による改正前の一般職の職員の給与に関する法律（昭和二十五年法律第九十五号）第十一条の十の規定により支給されていた住居手当の月額が二千円を超える職員であって、一般職給与改正法一部施行日以後においても引き続き当該住居手当に係る住宅（貸間を含む。以下この項において同じ。）を借り受け、家賃（使用料を含む。以下この項において同じ。）を支払っているもののうち、次の各号のいずれかに該当するもの（政令で定める職員を除く。）に対しては、一般職給与改正法一部施行日から令和三年三月三十一日までの間、法第十四条第二項において準用する一般職給与改正法第二条の規定による改正後の一般職の職員の給与に関する法律（以下この項において「改正後の一般職給与法」という。）第十一条の十の規定にかかわらず、当該住居手当の月額に相当する額（当該住居手当に係る家賃の月額に変更があった場合には、当該相当する額を超えない範囲内で政令で定める額。第二号において「旧手当額」という。）から二千円を控除した額の住居手当を支給する。

一　法第十四条第二項において準用する改正後の一般職給与法第十一条の十第一項各号のいずれにも該当しないこととなる職員

二　旧手当額から法第十四条第二項において準用する改正後の一般職給与法第十一条の十第二項の規定により算出される住居手当の月額に相当する額を減じた額が二千円を超えることとなる職員

2　前項に定めるもののほか、同項の規定による住居手当の支給に関し必要な事項は、政令で定める。

（一等陸士等の俸給月額及び自衛官候補生手当に関する経過措置）

第四条　第三条の規定の施行の日の前日において一等陸士、一等海士若しくは一等空士である自衛官又は自衛官候補生として在職していた者に対する同条の規定による改正後の法第二十四条の二第二項及び別表第二の規定の適用については、同項中「十四万二千百円」とあるのは「十三万五千五百円」と、同表中

「

2等陸士 2等海士 2等空士	1等陸士 1等海士 1等空士
俸給月額	俸給月額
円 179,200	円 186,700
180,400	188,600
181,600	190,500
182,800	192,400
184,000	194,200
185,200	195,200
186,400	196,200
187,600	197,200
188,800	198,100
190,000	199,100
191,200	200,100
192,400	201,100
193,600	202,100
194,800	203,000
195,900	204,100
197,000	205,200
198,100	206,100

」とあるのは

「

2等陸士 2等海士 2等空士	1等陸士 1等海士 1等空士
俸給月額	俸給月額
円 172,000	円 186,700
173,800	188,600
175,600	190,500
177,400	192,400
179,000	194,200
180,000	195,200
181,000	196,200
182,000	197,200
183,000	198,100
	199,100
	200,100
	201,100
	202,100

」とする。

（政令への委任）

第五条　前三条に定めるもののほか、この法律の施行に関し必要な事項は、政令で定める。

附　則（令二・一一・三〇法六七）

この法律は、公布の日から施行する。ただし、第二条の規定は、令和三年四月一日から施行する。

附　則（令三・六・一一法六一）（抄）

（施行期日）

第一条　この法律は、令和五年四月一日から施行する。〔ただし書略〕

〔注：国家公務員法の令三法六一の附則参照〕

附　則（令四・四・一三法二三）（抄）

（施行期日）

第一条　この法律は、公布の日から施行する。

（令和四年六月に支給する期末手当に関する特例措置）

第二条　防衛省の職員の給与等に関する法律（以下この条において「法」という。）第十八条の二第一項又はこの法律による改正後の法第十八条の二の二、第二十五条第三項若しくは第二十五条の二第三項の規定によりその例によることとされる一般職の職員の給与に関する法律等の一部を改正する法律（令和四年法律第十七号）附則第二条の規定の適用については、同条第一項第一号ニ中「又は一般職の任期付職員の採用及び給与の特例に関する法律」とあるのは「、一般職の任期付職員の採用及び給与の特例に関する法律」と、「特定任期付職員」とあるのは「特定任期付職員又は防衛省の職員の給与等に関する法律（昭和二十七年法律第二百六十六号）第四条第一項に規定する常勤の防衛大臣政策参与、学生若しくは生徒」と、同条第二項中「防衛省の職員の給与等に関する法律（昭和二十七年法律第二百六十六号）」とあるのは「一般職の職員の給与に関する法律」とする。

（政令への委任）

第三条　前条に定めるもののほか、この法律の施行に関し必要な事項は、政令で定める。

附　則（令四・四・二〇法二六）（抄）

（施行期日）

第一条　この法律は、令和五年三月三十一日までの間において政令で定める日〔令五・三・一六〕から施行する。ただし、次の各号に掲げる規定は、当該各号に定める日から施行する。

一　〔前略〕次条の規定　公布の日

二　第三条〔中略〕の規定　公布の日から起算して二年を超えない範囲内において政令で定める日〔令六・四・一〕

（防衛省の職員の給与等に関する法律の改正に伴う経過措置）

第二条　第三条の規定による改正後の防衛省の職員の給与等に関する法律第二十二条第三項に規定する社会保険診療報酬支払基金及び国民健康保険団体連合会は、前条第二号に掲げる規定の施行の日前においても、同項第二号に規定する情報の収集若しくは整理又は利用若しくは提供に関する事務の実施に必要な準備行為をすることができる。

○刑法等の一部を改正する法律の施行に伴う関係法律の整理等に関する法律（抄）

令四・六・一七
法　六　八

（防衛省の職員の給与等に関する法律の一部改正に伴う経過措置）

第五百八条　刑法等一部改正法等の施行前に犯した禁錮以上の刑（死刑を除く。）が定められている罪につき起訴をされた者は、第四百三十六条の規定による改正後の防衛省の職員の給与等に関する法律第二十七条の八第一項及び第四項、第二十七条の九第一項並びに第二十七条の十三第四項並びに防衛省の職員の給与等に関する法律第二十七条の十三第三項の規定の適用については、拘禁刑が定められている罪につき起訴をされた者とみなす。

附　則（抄）

（施行期日）

1　この法律は、刑法等一部改正法施行日〔令七・六・一〕から施行する。〔ただし書略〕

附　則（令四・一一・一八法八八）

（施行期日等）

第一条　この法律は、公布の日から施行する。ただし、第二条の規定は、令和五年四月一日から施行する。

2　第一条の規定（防衛省の職員の給与等に関する法律（以下この項及び次条において「法」という。）第十八条の二の二、第二十五条第三項及び第二十五条の二第三項の改正規定を除く。次条において同じ。）による改正後の法（次条において「新法」という。）の規定は、令和四年四月一日から適用する。

（給与の内払）

第二条　新法の規定を適用する場合においては、第一条の規定による改正前の法の規定に基づいて支給された給与は、新法の規定による給与の内払とみなす。

（政令への委任）

第三条　前条に定めるもののほか、この法律の施行に関し必要な事項は、政令で定める。

附　則（令五・六・九法四八）（抄）

（施行期日）

第一条　この法律は、公布の日から起算して一年三月を超えない範囲内において政令で定める日〔令六・五・二七〕から施行する。ただし、次の各号に掲げる規定は、当該各号に定める日から施行する。

一　〔略〕

二　〔前略〕第八条から第十二条までの規定〔中略〕並びに附則第十五条〔中略〕の規定　公布の日から起算して一年六月を超えない範囲内において政令で定める日〔令六・一二・二〕

三・四　〔略〕

（健康保険法等の一部改正に伴う経過措置）

第十五条　保険者（健康保険法第四条に規定する保険者をいう。）は、第五条の規定による改正後の同法第五十一条の三第一項前段に規定する場合において、必要があると認めるときは、当分の間、同項の規定にかかわらず、職権で、被保険者に対し、同項後段の厚生労働省令で定めるところにより、同項の厚生労働省令で定める事項を記載した書面を交付し、又は当該事項を同項に規定する電磁的方法により提供することができる。

2　前項の規定は、〔中略〕第八条の規定による改正後の防衛省の職員の給与等に関する法律第二十二条第六項〔中略〕の規定による書面の交付及び電磁的方法による提供について準用する。この場合において、必要な技術的読替えは、政令で定める。

附　則（令五・一一・二四法七八）

（施行期日等）

第一条　この法律は、公布の日から施行する。ただし、第二条の規定は、令和六年四月一日から施行する。

2　第一条の規定（防衛省の職員の給与等に関する法律（以下「法」という。）第十八条の二第一項、第十八条の二の二、第二十五条第三項及び第二十五条の二第三項の改正規定を除く。附則第三条において同じ。）による改正後の法（同条において「新法」という。）の規定は、令和五年四月一日から適用する。

（切替日における最高の号俸を超える俸給月額の切替

え）

第二条　令和五年四月一日（以下この条において「切替日」という。）の前日において法第五条第四項若しくは第五項又は第六条の二第二項の規定による俸給月額を受けていた職員の切替日における俸給月額は、防衛省令で定める。

（給与の内払）

第三条　新法の規定を適用する場合においては、第一条の規定による改正前の法の規定に基づいて支給された給与は、新法の規定による給与の内払とみなす。

（政令への委任）

第四条　前二条に定めるもののほか、この法律の施行に関し必要な事項は、政令で定める。

附　則（令六・五・一七法二四）（抄）

（施行期日）

第一条　この法律は、令和七年三月三十一日までの間において政令で定める日〔令七・三・二四〕から施行する。ただし、次の各号に掲げる規定は、当該各号に定める日から施行する。

一〜三　〔略〕

四　〔前略〕第三条の規定　令和六年十月一日

附　則（令六・一二・二五法七八）（抄）

（施行期日等）

第一条　この法律は、公布の日から施行する。ただし、第二条の規定並びに附則第四条から第九条まで〔中略〕の規定は、令和七年四月一日から施行する。

2　第一条の規定による改正後の防衛省の職員の給与等に関する法律（附則第三条において「第一条改正後防衛省給与法」という。）の規定は、令和六年四月一日から適用する。

（適用日における最高の号俸を超える俸給月額の切替え）

第二条　令和六年四月一日（以下この条において「適用日」という。）の前日において防衛省の職員の給与等に関する法律（以下「法」という。）第五条第四項若しくは第五項又は第六条の二第二項の規定による俸給月額を受けていた職員の適用日における俸給月額は、防衛省令で定める。

（給与の内払）

第三条　第一条改正後防衛省給与法の規定を適用する場合においては、第一条の規定による改正前の法の規定に基づいて支給された給与は、第一条改正後防衛省給与法の規定による給与の内払とみなす。

（号俸の切替え）

第四条　令和七年四月一日（以下「切替日」という。）の前日において法別表第一及び別表第二の適用を受けていた職員であって同日においてその者が属していた職務の級又は階級（当該階級が陸将、海将又は空将である場合にあっては同表の陸将補、海将補及び空将補の㈡欄をいい、当該階級が一等陸佐、一等海佐又は一等空佐である場合にあっては同表の一等陸佐、一等海佐及び一等空佐の㈠欄、㈡欄又は㈢欄をいう。以下この条、附則第六条及び附則別表において同じ。）が附則別表に掲げられている職務の級又は階級であったものの切替日における号俸（同条及び同表において「新号俸」という。）は、切替日の前日においてその者が属していた職務の級又は階級及び同日においてその者が受けていた号俸（同表において「旧号俸」という。）に応じて同表に定める号俸とする。

（切替日における最高の号俸を超える俸給月額の切替え）

第五条　切替日の前日において法第五条第四項又は第五項の規定による俸給月額を受けていた職員の切替日における俸給月額は、防衛省令で定める。

（切替日前の異動者の号俸の調整）

第六条　切替日前に職務の級又は階級を異にする異動をした職員及び防衛省令で定めるこれに準ずるものをした職員の新号俸については、その者が切替日において当該異動又は当該準ずるものをしたものとした場合との権衡上必要と認められる限度において、防衛省令で定めるところにより、必要な調整を行うことができる。

（令和八年三月三十一日までの間における扶養手当に関する経過措置）

第七条　第二条の規定による改正後の法（次条及び附則第九条において「第二条改正後防衛省給与法」という。）第十二条第一項の規定によりその例によることとされる一般職の職員の給与に関する法律等の一部を改正する法律（令和六年法律第七十二号。次条及び附則第九条において「一般職給与改正法」という。）附則第六条の規定の適用については、同条中「人事院規則」とあるのは、「政令」とする。

（令和十年三月三十一日までの間における地域手当に関する経過措置）

第八条　一般職給与改正法附則第七条の規定は、切替日から令和十年三月三十一日までの間における第二条改正後防衛省給与法第十四条第二項において準用する一般職の職員の給与に関する法律（昭和二十五年法律第九十五号。以下この条及び次条において「一般職給与法」という。）第十一条の三第二項及び第三項の規定並びに一般職給与法第十一条の四から第十一条の六まで及び第十一条の八第四項の規定の適用について準用する。この場合において、一般職給与改正法附則第七条中「人事院規則」とあるのは「政令」と、同条第二項中「人事院は、前項前段」とあるのは「前項前段」と読み替えるものとする。

（地域手当等に関する経過措置）

第九条　一般職給与改正法附則第八条から第十条までの規定は、第二条改正後防衛省給与法第十四条第二項において準用する一般職給与法第十一条の七、第十二条第四項及び第十二条の二第三項並びに一般職給与法第十四条の規定の適用について準用する。この場合において、一般職給与改正法附則第八条中「人事院規則」とあるのは「政令」と、同条第一項中「国家公務員法（昭和二十二年法律第百二十号）第六十条の二第二項」とあるのは「防衛省の職員の給与等に関する法律（昭和二十七年法律第二百六十六号）第五条第一項」と、「附則第三条第四項に規定する暫定再任用職員（附則第十条及び第十一条第一項第四号において「暫定再任用職員」とあるのは「附則第八条第四項に規定する暫定再任用隊員（附則第十条において「暫定再任用隊員」と、一般職給与改正法附則第十条中「暫定再任用職員」とあるのは「自衛隊法（昭和二十九年法律第百六十五号）第四十五条の二第一項の規定により採用された職員並びに暫定再任用隊員」と読み替えるものとする。

2　一般職給与改正法附則第九条の規定は、第二条改正後防衛省給与法第二十四条の二第三項及び第二十五条第三項において準用する一般職給与改正法第二条の規定による改正後の一般職給与法第十二条の二第三項の規定の適用について準用する。この場合において、一般職給与改正法附則第九条中「俸給表の適用を受ける職員」とあるのは、「自衛官候補生又は学生」と読み替えるものとする。

（政令への委任）

第十条 附則第二条から前条までに定めるもののほか、この法律の施行に関し必要な経過措置は、政令で定める。

附則別表（附則第四条関係）

イ 自衛隊教官俸給表の適用を受ける職員の新号俸

職務の級 / 旧号俸	2級
1	1
2	1
3	1
4	1
5	1
6	1
7	1
8	1
9	1
10	1
11	1
12	1
13	1
14	1
15	1
16	1
17	1
18	2
19	3
20	4
21	5
22	6
23	7
24	8
25	9
26	10
27	11
28	12
29	13
30	14
31	15
32	16
33	17
34	18
35	19
36	20
37	21
38	22
39	23
40	24
41	25
42	26
43	27
44	28
45	29
46	30
47	31
48	32
49	33
50	34
51	35
52	36
53	37
54	38
55	39
56	40
57	41
58	42
59	43
60	44
61	45
62	46
63	47
64	48
65	49
66	50
67	51
68	52
69	53
70	54
71	55
72	56
73	57
74	58
75	59
76	60
77	61

ロ　自衛官俸給表の適用を受ける自衛官の新号俸

階級 / 旧号俸	陸将補 海将補 空将補	1等陸佐 1等海佐 1等空佐			2等陸佐 2等海佐 2等空佐	3等陸佐 3等海佐 3等空佐
	(二)	(一)	(二)	(三)		
1	1	1	1	1	1	1
2	1	1	1	1	1	1
3	1	1	1	1	1	1
4	1	1	1	1	1	1
5	1	1	1	1	1	1
6	1	1	1	1	1	1
7	1	1	1	1	1	1
8	1	1	1	1	1	1
9	1	1	1	1	1	1
10	1	1	1	1	2	2
11	1	1	1	1	3	3
12	1	1	1	1	4	4
13	1	1	1	1	5	5
14	1	1	1	2	6	6
15	1	1	1	3	7	7
16	1	1	1	4	8	8
17	1	1	1	5	9	9
18	1	1	1	6	10	10
19	1	1	1	7	11	11
20	1	1	1	8	12	12
21	1	1	1	9	13	13
22	1	1	1	10	14	14
23	1	1	1	11	15	15
24	1	1	1	12	16	16
25	1	1	1	13	17	17
26	1	1	1	14	18	18
27	1	1	1	15	19	19
28	1	1	1	16	20	20
29	1	1	1	17	21	21
30	1	1	1	18	22	22
31	1	1	1	19	23	23
32	1	1	1	20	24	24
33	1	1	1	21	25	25
34	2	1	1	22	26	26
35	2	1	1	23	27	27
36	2	1	2	24	28	28
37	2	1	2	25	29	29
38	2	1	2	26	30	30
39	2	2	2	27	31	31
40	3	2	2	28	32	32
41	3	2	2	29	33	33
42	3	2	3	30	34	34
43	3	2	3	31	35	35
44	3	2	3	32	36	36
45	3	2	3	33	37	37
46			3	34	38	38
47			3	35	39	39
48			3	36	40	40
49			3	37	41	41
50			4	38	42	42
51			4	39	43	43
52			4	40	44	44
53			4	41	45	45
54			4	42	46	46
55			4	43	47	47
56			4	44	48	48
57			4	45	49	49
58				46	50	50
59				47	51	51
60				48	52	52
61				49	53	53
62				50	54	54
63				51	55	55
64				52	56	56
65				53	57	57
66				54	58	58
67				55	59	59
68				56	60	60
69				57	61	61
70				58	62	62
71				59	63	63
72				60	64	64
73				61	65	65
74				62	66	66
75				63	67	67
76				64	68	68
77				65	69	69
78				66	70	70
79				67	71	71
80				68	72	72
81				69	73	73
82					74	74
83					75	75
84					76	76
85					77	77
86					78	78
87					79	79
88					80	80
89					81	81
90					82	82
91					83	83
92					84	84
93					85	85
94					86	86
95					87	87
96					88	88
97					89	89
98					90	90
99					91	91
100					92	92
101					93	93
102					94	94
103					95	95
104					96	96
105					97	97
106						98
107						99
108						100
109						101
110						102
111						103
112						104
113						105

別表第一 自衛隊教官俸給表（第四条―第五条関係）

職員の区分	職務の級	1級	2級
	号俸	俸給月額	俸給月額
	1	円 246,300	円 376,800
	2	247,800	378,300
	3	249,200	379,700
	4	250,600	381,100
	5	252,000	382,500
	6	253,200	384,000
	7	254,400	385,500
	8	255,600	386,900
	9	257,000	388,200
	10	258,200	389,700
	11	259,500	391,200
	12	260,800	392,700
	13	262,100	394,100
	14	264,000	395,600
	15	265,800	397,100
	16	267,600	398,600
	17	269,300	400,000
	18	271,500	401,600
	19	273,700	403,200
	20	275,900	404,700
	21	278,100	405,900
	22	280,300	407,300
	23	282,500	408,700
	24	284,600	410,000
	25	286,600	411,600
	26	288,500	413,000
	27	290,400	414,300
	28	292,200	415,700
	29	294,000	417,100
	30	295,900	418,400
	31	297,700	419,900
	32	299,400	421,400
	33	301,100	423,000
	34	302,900	424,400
	35	304,600	426,000
	36	306,200	427,500
	37	307,800	429,200
	38	309,500	430,700
	39	311,300	432,300
	40	313,000	433,900
	41	314,300	435,400
	42	316,200	436,900
	43	318,000	438,100
	44	319,700	439,300
	45	321,400	440,500
	46	323,300	441,800
	47	325,000	443,000
	48	326,700	444,200
	49	328,400	445,300
	50	330,200	446,500
	51	332,000	447,700
	52	333,700	448,900
	53	335,400	450,100
	54	336,700	451,300
	55	338,000	452,500
	56	339,300	453,700

定年前再任用短時間勤務職員以外の職員	57	340,800	454,800		89	387,600	
	58	342,400	455,400		90	388,900	
	59	343,900	455,900		91	390,000	
	60	345,500	456,400		92	391,200	
	61	347,000	456,900		93	392,400	
	62	348,600			94	393,500	
	63	350,200			95	394,700	
	64	351,700			96	395,900	
	65	353,200			97	397,300	
	66	354,800			98	398,300	
	67	356,400			99	399,300	
	68	357,900			100	400,300	
	69	359,400			101	401,200	
	70	361,000			102	402,200	
	71	362,600			103	403,300	
	72	364,100			104	404,400	
	73	365,600			105	405,100	
	74	367,200			106	406,000	
	75	368,800			107	406,900	
	76	370,300			108	407,800	
	77	371,800			109	408,600	
	78	373,200			110	409,400	
	79	374,600			111	410,200	
	80	375,900			112	411,000	
	81	377,200			113	411,600	
	82	378,600			114	412,300	
	83	380,000			115	413,000	
	84	381,300			116	413,700	
	85	382,400			117	414,300	
	86	383,800			118	414,800	
	87	385,100			119	415,200	
	88	386,400			120	415,500	

	121	415,800	
	122	416,100	
	123	416,400	
	124	416,600	
	125	416,800	
	126	417,100	
	127	417,400	
	128	417,600	
	129	417,800	
	130	418,100	
	131	418,400	
	132	418,600	
	133	418,800	
	134	419,100	
	135	419,400	
	136	419,600	
	137	419,800	
	138	420,100	
	139	420,400	
	140	420,600	
	141	420,800	
	142	421,100	
	143	421,400	
	144	421,600	
	145	421,800	
定年前再任用短時間勤務職員		基準俸給月額	基準俸給月額
		279,100円	336,600円

別表第二　自衛官俸給表（第四条、第五条、第六条、第九条、第二十七条の三、第二十八条の三関係）

職員の区分 階級	陸将 海将 空将	陸将補 海将補 空将補		1等陸佐 1等海佐 1等空佐			2等陸佐 2等海佐 2等空佐	3等陸佐 3等海佐 3等空佐	1等陸尉 1等海尉 1等空尉	2等陸尉 2等海尉 2等空尉	3等陸尉 3等海尉 3等空尉	准陸尉 准海尉 准空尉	陸曹長 海曹長 空曹長	1等陸曹 1等海曹 1等空曹	2等陸曹 2等海曹 2等空曹	3等陸曹 3等海曹 3等空曹	陸士長 海士長 空士長	1等陸士 1等海士 1等空士	2等陸士 2等海士 2等空士
号俸	俸給月額	俸給月額		俸給月額			俸給月額	俸給月額	俸給月額	俸給月額	俸給月額	俸給月額	俸給月額	俸給月額	俸給月額	俸給月額	俸給月額	俸給月額	俸給月額
		(一)	(二)	(一)	(二)	(三)													
	円	円	円	円	円	円	円	円	円	円	円	円	円	円	円	円	円	円	円
1	716,000	716,000	586,600	546,700	512,300	436,200	385,400	360,900	321,300	298,900	293,300	287,700	280,600	280,500	271,300	253,000	235,300	235,100	224,600
2	772,000	772,000	594,400	552,600	516,700	438,500	388,000	363,500	322,400	300,400	294,000	289,200	282,100	282,000	273,600	255,800	237,800	237,600	226,500
3	829,000	829,000	600,500	557,600	520,300	440,800	390,600	366,100	323,500	301,900	294,700	290,700	283,600	283,500	275,900	258,600	240,300	240,100	228,400
4	908,000	908,000	605,500	562,100	523,800	443,100	393,200	368,700	324,600	303,400	295,400	292,200	285,100	285,000	278,200	261,400	242,800	242,600	230,300
5	979,000		609,500	566,100	527,300	445,200	395,600	371,100	325,700	304,800	296,100	293,500	286,400	286,300	280,300	264,100	245,300	245,100	232,000
6	1,049,000		612,500	569,600	530,800	447,200	397,400	372,900	326,500	306,700	296,800	294,900	287,800	287,700	281,800	265,900	247,100	245,800	233,500
7	1,122,000		615,000	572,600	533,800	449,200	399,200	374,700	327,300	308,600	297,500	296,300	289,200	289,100	283,300	267,700	248,900	246,500	235,000
8	1,191,000		617,000	575,100	536,300	451,200	401,000	376,500	328,100	310,500	298,200	297,700	290,600	290,500	284,800	269,500	250,700	247,300	236,500
9				577,100	538,300	453,000	402,800	378,200	329,000	312,300	299,000	299,000	292,100	292,000	286,200	271,200	252,600	248,000	238,100
10						454,800	404,700	379,800	329,900	313,600	300,400	300,400	293,400	293,300	287,600	273,000	254,600	249,000	239,600
11						456,600	406,600	381,400	330,800	314,900	301,800	301,800	294,700	294,600	289,000	274,800	256,600	250,000	241,100
12						458,400	408,500	383,000	331,700	316,200	303,200	303,200	296,000	295,900	290,400	276,600	258,600	251,000	242,600
13						460,000	410,500	384,400	332,600	317,300	304,700	304,500	297,400	297,300	291,900	278,200	260,600	251,900	244,000
14						461,800	412,500	386,200	333,200	318,000	306,000	305,800	298,700	298,600	293,200	279,500	262,100	252,200	245,000
15						463,600	414,500	388,000	333,800	318,700	307,300	307,100	300,000	299,900	294,500	280,800	263,600	252,500	246,000
16						465,400	416,500	389,800	334,400	319,400	308,600	308,400	301,300	301,200	295,800	282,100	265,100	252,800	247,000
17						467,000	418,500	391,400	335,100	320,200	309,700	309,600	302,600	302,500	297,100	283,200	266,500	253,200	248,000
18						468,300	420,400	393,100	336,100	321,000	310,500	310,300	303,300	303,200	298,400	284,500	268,100		
19						469,600	422,300	394,800	337,100	321,800	311,300	311,000	304,000	303,900	299,700	285,800	269,700		
20						470,900	424,200	396,500	338,100	322,600	312,100	311,700	304,700	304,600	301,000	287,100	271,300		
21						472,000	426,100	398,300	339,000	323,500	312,700	312,300	305,400	305,300	302,300	288,400	273,000		
22						473,300	427,800	400,100	340,300	324,200	313,300	312,900	306,000	305,900	303,000	290,100	274,000		
23						474,600	429,500	401,900	341,600	324,900	313,900	313,500	306,600	306,500	303,700	291,800	275,000		
24						475,900	431,200	403,700	342,900	325,600	314,500	314,100	307,200	307,100	304,400	293,500	276,000		
25						477,000	433,000	405,600	344,200	326,200	315,100	314,700	307,800	307,700	304,900	295,100	277,000		
26						477,800	434,700	407,300	346,300	326,900	315,700	315,300	308,400	308,300	305,600	296,200	278,300		
27						478,600	436,400	409,000	348,400	327,600	316,300	315,900	309,000	308,900	306,300	297,300	279,600		
28						479,400	438,100	410,700	350,500	328,300	316,900	316,500	309,600	309,500	307,000	298,400	280,900		

	29						480,200	439,900	412,500	352,700	328,800	317,500	317,100	310,200	310,100	307,600	299,600	282,000		
	30						480,900	441,800	414,200	353,900	329,800	318,000	317,700	310,800	310,700	308,200	300,200	282,800		
	31						481,600	443,700	415,900	355,100	330,800	318,500	318,300	311,400	311,300	308,800	300,800	283,600		
	32						482,300	445,600	417,600	356,300	331,800	319,000	318,900	312,000	311,900	309,400	301,400	284,400		
	33						482,800	447,400	419,200	357,500	332,600	319,500	319,300	312,400	312,300	309,900	301,800	285,000		
	34						483,600	449,200	420,900	358,800	333,700	320,100	319,900	313,000	312,900	310,500	302,400			
	35						484,400	451,000	422,600	360,100	334,800	320,700	320,500	313,600	313,500	311,100	303,000			
	36						485,200	452,800	424,300	361,400	335,900	321,300	321,100	314,200	314,100	311,700	303,600			
	37						485,800	454,500	426,100	362,600	336,800	322,000	321,700	314,800	314,700	312,100	304,100			
	38						486,500	456,000	428,000	364,000	338,400	322,800	322,400	315,500	315,400	312,700	304,600			
	39						487,200	457,500	429,900	365,400	340,000	323,600	323,100	316,200	316,100	313,300	305,100			
	40						487,900	459,000	431,800	366,800	341,600	324,400	323,800	316,900	316,800	313,900	305,600			
	41						488,500	460,600	433,700	368,000	343,100	325,200	324,500	317,600	317,400	314,600	306,100			
	42						489,100	461,800	434,800	369,400	344,400	326,200	325,400	318,500	318,300	315,200	306,600			
	43						489,700	463,000	435,900	370,800	345,700	327,200	326,300	319,400	319,200	315,800	307,100			
	44						490,300	464,200	437,000	372,200	347,000	328,200	327,200	320,300	320,100	316,400	307,600			
	45						490,900	465,500	437,900	373,700	348,100	329,200	328,100	321,100	321,000	317,000	308,200			
	46						491,500	466,700	438,800	375,000	349,500	330,400	329,200	322,200	322,100	317,900	308,700			
	47						492,100	467,900	439,700	376,300	350,900	331,600	330,300	323,300	323,200	318,800	309,200			
	48						492,700	469,100	440,600	377,600	352,300	332,800	331,400	324,400	324,300	319,700	309,700			
	49						493,300	470,100	441,400	378,700	353,800	334,000	332,500	325,400	325,300	320,500	310,300			
	50						493,800	471,000	442,300	380,100	355,200	335,300	333,800	326,700	326,600	321,600	311,000			
	51						494,300	471,900	443,200	381,500	356,600	336,600	335,100	328,000	327,900	322,700	311,700			
	52						494,800	472,800	444,100	382,900	358,000	337,900	336,400	329,300	329,200	323,800	312,400			
	53						495,200	473,800	444,900	384,400	359,400	339,200	337,500	330,600	330,500	324,900	313,100			
	54						495,700	474,400	445,700	385,700	360,700	340,500	338,600	331,700	331,500	325,900	313,700			
	55						496,200	475,000	446,500	387,000	362,000	341,800	339,700	332,800	332,500	326,900	314,300			
	56						496,700	475,600	447,300	388,300	363,300	343,100	340,800	333,900	333,500	327,900	314,900			
	57						497,100	476,000	447,900	389,700	364,700	344,500	341,800	334,800	334,400	329,000	315,300			
	58						497,600	476,500	448,700	391,200	366,400	345,800	343,200	336,000	335,500	329,900	315,900			
	59						498,100	477,000	449,500	392,700	368,100	347,100	344,600	337,200	336,600	330,800	316,500			
	60						498,600	477,500	450,300	394,200	369,800	348,400	346,000	338,400	337,700	331,700	317,100			

再任用職員以外の職員	61						499,100	477,800	450,900	395,600	371,500	349,700	347,300	339,400	338,900	332,600	317,500				
	62						499,600	478,300	451,700	396,900	372,800	351,200	348,600	340,700	340,100	333,500	318,200				
	63						500,100	478,800	452,500	398,200	374,100	352,700	349,900	342,000	341,300	334,400	318,900				
	64						500,600	479,300	453,300	399,500	375,400	354,200	351,200	343,300	342,500	335,300	319,600				
	65						501,100	479,800	453,900	400,900	376,600	355,700	352,400	344,700	343,700	336,100	320,400				
	66						501,600	480,300	454,600	402,500	377,900	357,900	353,900	346,100	345,000	336,900	320,900				
	67						502,100	480,800	455,300	404,100	379,200	360,100	355,400	347,500	346,300	337,700	321,400				
	68						502,600	481,300	456,100	405,700	380,500	362,300	356,900	348,900	347,600	338,500	321,900				
	69						502,900	481,800	456,700	407,200	381,900	364,300	358,200	350,200	349,000	339,400	322,300				
	70							482,300	457,400	408,300	383,200	365,700	359,500	351,600	350,300	340,600	322,600				
	71							482,800	458,100	409,400	384,500	367,100	360,800	353,000	351,600	341,800	322,900				
	72							483,300	458,800	410,500	385,800	368,500	362,100	354,400	352,900	343,000	323,200				
	73							483,700	459,300	411,600	387,000	369,800	363,300	355,600	354,300	344,200	323,500				
	74							484,200	459,900	412,700	388,500	371,200	364,800	357,000	355,800	345,300					
	75							484,700	460,500	413,800	390,000	372,600	366,300	358,400	357,300	346,400					
	76							485,200	461,100	415,000	391,500	374,000	367,800	359,800	358,800	347,500					
	77							485,700	461,600	416,000	393,000	375,400	369,400	361,300	360,200	348,500					
	78							486,200	462,100	417,100	394,500	376,700	371,000	362,900	361,700	349,600					
	79							486,700	462,700	418,200	396,000	378,000	372,700	364,500	363,200	350,700					
	80							487,200	463,300	419,300	397,500	379,300	374,300	366,100	364,700	351,800					
	81							487,600	463,700	420,300	398,900	380,500	375,800	367,500	366,200	352,900					
	82							488,100	464,200	421,000	400,400	381,900	377,300	369,100	367,600	354,200					
	83							488,600	464,700	421,700	401,900	383,300	378,800	370,700	369,000	355,500					
	84							489,100	465,200	422,500	403,400	384,700	380,300	372,300	370,400	356,800					
	85							489,600	465,700	423,100	405,000	386,100	381,600	373,700	371,800	358,000					
	86							490,100	466,200	423,900	406,200	387,600	383,000	375,000	373,100	359,300					
	87							490,600	466,700	424,700	407,400	389,100	384,400	376,300	374,400	360,600					
	88							491,100	467,200	425,500	408,600	390,600	385,800	377,600	375,700	361,900					
	89							491,600	467,700	426,200	409,700	391,900	387,000	378,900	376,800	363,100					
	90							492,100	468,200	427,100	410,900	393,400	388,500	380,400	378,300	364,200					
	91							492,600	468,700	428,000	412,100	394,900	390,000	381,900	379,900	365,300					
	92							493,100	469,200	428,900	413,300	396,400	391,500	383,400	381,500	366,400					

93							493,400	469,700	429,600	414,400	398,000	392,900	384,800	382,900	367,400					
94							493,900	470,200	430,300	415,300	399,400	394,600	386,400	384,400	368,600					
95							494,400	470,700	431,000	416,200	400,800	396,300	388,000	385,900	369,800					
96							494,900	471,200	431,800	417,100	402,200	398,000	389,600	387,400	371,000					
97							495,200	471,600	432,400	418,000	403,600	399,500	391,200	388,800	372,200					
98								472,100	433,100	418,900	404,900	400,800	392,500	390,000	373,200					
99								472,600	433,800	419,800	406,300	402,100	393,800	391,200	374,200					
100								473,100	434,500	420,700	407,700	403,400	395,100	392,400	375,200					
101								473,400	435,200	421,400	408,900	404,500	396,200	393,400	376,000					
102								473,900	435,900	422,200	409,800	405,500	397,200	394,200	376,900					
103								474,400	436,600	423,000	410,800	406,500	398,300	395,000	377,800					
104								474,900	437,300	423,800	411,800	407,500	399,400	395,800	378,700					
105								475,200	438,000	424,500	412,600	408,300	400,200	396,400	379,500					
106									438,600	425,400	413,600	409,400	401,200	397,200	380,400					
107									439,200	426,300	414,600	410,500	402,200	398,000	381,300					
108									439,800	427,200	415,600	411,600	403,200	398,800	382,200					
109									440,400	427,900	416,400	412,500	404,300	399,500	382,900					
110									441,000	428,600	417,300	413,400	405,100	400,300	383,700					
111									441,600	429,400	418,200	414,300	405,900	401,100	384,500					
112									442,200	430,200	419,100	415,200	406,700	401,900	385,300					
113									442,700	430,800	419,900	416,200	407,600	402,700	386,200					
114									443,300	431,500	420,800	417,200	408,400	403,500						
115									443,900	432,200	421,700	418,200	409,200	404,300						
116									444,500	432,900	422,600	419,200	410,000	405,100						
117									445,000	433,500	423,400	420,000	410,800	405,900						
118									445,600	434,200	424,200	420,900	411,600	406,700						
119									446,200	434,900	425,000	421,800	412,400	407,500						
120									446,800	435,600	425,800	422,700	413,200	408,300						
121									447,300	436,200	426,600	423,400	414,100	409,100						
122									447,900	436,900	427,400	424,200	414,900	409,900						
123									448,500	437,600	428,200	425,000	415,700	410,700						
124									449,100	438,300	429,000	425,800	416,500	411,500						

	125									449,600	438,900	429,600	426,700	417,400	412,300					
	126									450,200	439,600	430,300	427,500	418,200	413,200					
	127									450,800	440,300	431,000	428,300	419,000	414,100					
	128									451,400	441,000	431,700	429,100	419,800	415,000					
	129									451,900	441,600	432,500	429,900	420,700	415,700					
	130										442,300	433,300	430,700	421,500						
	131										443,000	434,100	431,500	422,300						
	132										443,700	434,900	432,300	423,100						
	133										444,300	435,700	433,200	424,000						
	134										445,000	436,500	434,000	424,800						
	135										445,700	437,300	434,800	425,600						
	136										446,400	438,100	435,600	426,400						
	137										447,000	438,800	436,400	427,300						
	138											439,700	437,200	428,100						
	139											440,600	438,000	428,900						
	140											441,500	438,800	429,700						
	141											442,200	439,600	430,500						
	142											443,000	440,400							
	143											443,800	441,200							
	144											444,600	442,000							
	145											445,300	442,800							
再任用職員		—	—	513,200	469,700	454,400	398,800	360,100	342,200	310,700	293,200	287,400	287,200	280,500	279,000	270,700	253,800	—	—	—

備考㈠　統合幕僚長その他の政令で定める官職以外の官職を占める者で陸将、海将又は空将であるものについては、この表の規定にかかわらず、陸将補、海将補及び空将補の㈡欄に定める額の俸給を支給するものとする。

㈡　この表の陸将補、海将補及び空将補の㈠欄に定める額の俸給の支給を受ける職員は、備考㈠の政令で定める官職に準ずる官職を占める者で政令で定めるものとする。

㈢　この表の１等陸佐、１等海佐及び１等空佐の㈠欄又は㈡欄に定める額の俸給の支給を受ける職員の範囲は、官職及び一般職に属する国家公務員との均衡を考慮して、政令で定める。

㈣　退職の日に昇任した職員（その者の事情によらないで引き続いて勤続することを困難とする理由により退職した職員で政令で定めるものを除く。）については、この表の規定にかかわらず、その者の退職の日の前日に属していた階級の欄に定める額の俸給を支給するものとする。

第一九　地方公務員

○地方公務員法

昭二五・一二・一三
法　二　六　一

最終改正　令四・六・一七法六八

目次〔略〕

第一章　総則

（この法律の目的）

第一条　この法律は、地方公共団体の人事機関並びに地方公務員の任用、人事評価、給与、勤務時間その他の勤務条件、休業、分限及び懲戒、服務、退職管理、研修、福祉及び利益の保護並びに団体等人事行政に関する根本基準を確立することにより、地方公共団体の行政の民主的かつ能率的な運営並びに特定地方独立行政法人の事務及び事業の確実な実施を保障し、もつて地方自治の本旨の実現に資することを目的とする。

（この法律の効力）

第二条　地方公務員（地方公共団体のすべての公務員をいう。）に関する従前の法令又は条例、地方公共団体の規則若しくは地方公共団体の機関の定める規程の規定がこの法律の規定に抵触する場合には、この法律の規定が、優先する。

（一般職に属する地方公務員及び特別職に属する地方公務員）

第三条　地方公務員（地方公共団体及び特定地方独立行政法人（地方独立行政法人法（平成十五年法律第百十八号）第二条第二項に規定する特定地方独立行政法人をいう。以下同じ。）の全ての公務員をいう。以下同じ。）の職は、一般職と特別職とに分ける。

2　一般職は、特別職に属する職以外の一切の職とする。

3　特別職は、次に掲げる職とする。

一　就任について公選又は地方公共団体の議会の選挙、議決若しくは同意によることを必要とする職

一の二　地方公営企業の管理者及び企業団の企業長の職

二　法令又は条例、地方公共団体の規則若しくは地方公共団体の機関の定める規程により設けられた委員及び委員会（審議会その他これに準ずるものを含む。）の構成員の職で臨時又は非常勤のもの

二の二　都道府県労働委員会の委員の職で常勤のもの

三　臨時又は非常勤の顧問、参与、調査員、嘱託員及びこれらの者に準ずる者の職（専門的な知識経験又は識見を有する者が就く職であつて、当該知識経験又は識見に基づき、助言、調査、診断その他総務省令で定める事務を行うものに限る。）

三の二　投票管理者、開票管理者、選挙長、選挙分会長、審査分会長、国民投票分会長、投票立会人、開票立会人、選挙立会人、審査分会立会人、国民投票分会立会人その他総務省令で定める者の職

四　地方公共団体の長、議会の議長その他地方公共団体の機関の長の秘書の職で条例で指定するもの

五　非常勤の消防団員及び水防団員の職

六　特定地方独立行政法人の役員

（この法律の適用を受ける地方公務員）

第四条　この法律の規定は、一般職に属するすべての地方公務員（以下「職員」という。）に適用する。

2　この法律の規定は、法律に特別の定がある場合を除く外、特別職に属する地方公務員には適用しない。

（人事委員会及び公平委員会並びに職員に関する条例の制定）

第五条　地方公共団体は、法律に特別の定がある場合を除く外、この法律に定める根本基準に従い、条例で、人事委員会又は公平委員会の設置、職員に適用される基準の実施その他職員に関する事項について必要な規定を定めるものとする。但し、その条例は、この法律の精神に反するものであつてはならない。

2　第七条第一項又は第二項の規定により人事委員会を置く地方公共団体においては、前項の条例を制定し、又は改廃しようとするときは、当該地方公共団体の議会において、人事委員会の意見を聞かなければならない。

第二章　人事機関

（任命権者）

第六条　地方公共団体の長、議会の議長、選挙管

理委員会、代表監査委員、教育委員会、人事委員会及び公平委員会並びに警視総監、道府県警察本部長、市町村の消防長（特別区が連合して維持する消防の消防長を含む。）その他法令又は条例に基づく任命権者は、法律に特別の定めがある場合を除くほか、この法律並びにこれに基づく条例、地方公共団体の規則及び地方公共団体の機関の定める規程に従い、それぞれ職員の任命、人事評価（任用、給与、分限その他の人事管理の基礎とするために、職員がその職務を遂行するに当たり発揮した能力及び挙げた業績を把握した上で行われる勤務成績の評価をいう。以下同じ。）、休職、免職及び懲戒等を行う権限を有するものとする。

2　前項の任命権者は、同項に規定する権限の一部をその補助機関たる上級の地方公務員に委任することができる。

（人事委員会又は公平委員会の設置）

第七条　都道府県及び地方自治法（昭和二十二年法律第六十七号）第二百五十二条の十九第一項の指定都市は、条例で人事委員会を置くものとする。

2　前項の指定都市以外の市で人口（官報で公示された最近の国勢調査又はこれに準ずる人口調査の結果による人口をいう。以下同じ。）十五万以上のもの及び特別区は、条例で人事委員会又は公平委員会を置くものとする。

3　人口十五万未満の市、町、村及び地方公共団体の組合は、条例で公平委員会を置くものとする。

4　公平委員会を置く地方公共団体は、議会の議決を経て定める規約により、公平委員会を置く他の地方公共団体と共同して公平委員会を置き、又は他の地方公共団体の人事委員会に委託して次条第二項に規定する公平委員会の事務を処理させることができる。

（人事委員会又は公平委員会の権限）

第八条　人事委員会は、次に掲げる事務を処理する。

一　人事行政に関する事項について調査し、人事記録に関することを管理し、及びその他人事に関する統計報告を作成すること。

二　人事評価、給与、勤務時間その他の勤務条件、研修、厚生福利制度その他職員に関する制度について絶えず研究を行い、その成果を地方公共団体の議会若しくは長又は任命権者に提出すること。

三　人事機関及び職員に関する条例の制定又は改廃に関し、地方公共団体の議会及び長に意見を申し出ること。

四　人事行政の運営に関し、任命権者に勧告すること。

五　給与、勤務時間その他の勤務条件に関し講ずべき措置について地方公共団体の議会及び長に勧告すること。

六　職員の競争試験及び選考並びにこれらに関する事務を行うこと。

七　削除

八　職員の給与がこの法律及びこれに基く条例に適合して行われることを確保するため必要な範囲において、職員に対する給与の支払を監理すること。

九　職員の給与、勤務時間その他の勤務条件に関する措置の要求を審査し、判定し、及び必要な措置を執ること。

十　職員に対する不利益な処分についての審査請求に対する裁決をすること。

十一　前二号に掲げるものを除くほか、職員の苦情を処理すること。

十二　前各号に掲げるものを除く外、法律又は条例に基きその権限に属せしめられた事務

2　公平委員会は、次に掲げる事務を処理する。

一　職員の給与、勤務時間その他の勤務条件に関する措置の要求を審査し、判定し、及び必要な措置を執ること。

二　職員に対する不利益な処分についての審査請求に対する裁決をすること。

三　前二号に掲げるものを除くほか、職員の苦情を処理すること。

四　前三号に掲げるものを除くほか、法律に基づきその権限に属せしめられた事務

3　人事委員会は、第一項第一号、第二号、第六号、第八号及び第十二号に掲げる事務で人事委員会規則で定めるものを当該地方公共団体の他の機関又は人事委員会の事務局長に委任することができる。

4　人事委員会又は公平委員会は、第一項第十一号又は第二項第三号に掲げる事務を委員又は事務局長に委任することができる。

5　人事委員会又は公平委員会は、法律又は条例に基づきその権限に属せしめられた事務に関し、人事委員会規則又は公平委員会規則を制定することができる。

6　人事委員会又は公平委員会は、法律又は条例に基くその権限の行使に関し必要があるときは、証人を喚問し、又は書類若しくはその写の提出を求めることができる。

7　人事委員会又は公平委員会は、人事行政に関する技術的及び専門的な知識、資料その他の便宜の授受のため、国若しくは他の地方公共団体の機関又は特定地方独立行政法人との間に協定を結ぶことができる。

8　第一項第九号及び第十号又は第二項第一号及び第二号の規定により人事委員会又は公平委員会に属せしめられた権限に基く人事委員会又は公平委員会の決定（判定を含む。）及び処分は、人事委員会規則又は公平委員会規則で定める手続により、人事委員会又は公平委員会によつてのみ審査される。

9　前項の規定は、法律問題につき裁判所に出訴する権利に影響を及ぼすものではない。

（抗告訴訟の取扱い）

第八条の二　人事委員会又は公平委員会は、人事委員会又は公平委員会の行政事件訴訟法（昭和三十七年法律第百三十九号）第三条第二項に規定する処分又は同条第三項に規定する裁決に係る同法第十一条第一項（同法第三十八条第一項において準用する場合を含む。）の規定による地方公共団体を被告とする訴訟について、当該地方公共団体を代表する。

（公平委員会の権限の特例等）

第九条　公平委員会を置く地方公共団体は、条例で定めるところにより、公平委員会が、第八条第二項各号に掲げる事務のほか、職員の競争試験及び選考並びにこれらに関する事務を行うこととすることができる。

2　前項の規定により同項に規定する事務を行うこととされた公平委員会（以下「競争試験等を行う公平委員会」という。）を置く地方公共団体に対する第七条第四項の規定の適用については、同項中「公平委員会を置く地方公共団体」とあるのは「競争試験等を行う公平委員会（第九条第二項に規定する競争試験等を行う公平委員会をいう。以下この項において同じ。）を置く地方公共団体」と、「、公平委員会」とあるのは「、競争試験等を行う公平委員会」と、「公平委員会を置き、又は他の地方公共団体の人事委員会に委託して次条第二項に規定する公平委員会の事務を処理させる」とあるのは「競争試験等を行う公平委員会を置く」とする。

3　競争試験等を行う公平委員会は、第一項に規定する事務で公平委員会規則で定めるものを当該地方公共団体の他の機関又は競争試験等を行う公平委員会の事務局長に委任することができる。

（人事委員会又は公平委員会の委員）

第九条の二　人事委員会又は公平委員会は、三人の委員をもつて組織する。

2　委員は、人格が高潔で、地方自治の本旨及び民主的で能率的な事務の処理に理解があり、かつ、人事行政に関し識見を有する者のうちから、議会の同意を得て、地方公共団体の長が選任する。

3　第十六条第一号、第二号若しくは第四号のいずれかに該当する者又は第六十条から第六十三条までに規定する罪を犯し、刑に処せられた者は、委員となることができない。

4　委員の選任については、そのうちの二人が、同一の政党に属する者となることとなつてはならない。

5　委員のうち二人以上が同一の政党に属することとなつた場合には、これらの者のうち一人を除く他の者は、地方公共団体の長が議会の同意を得て罷免するものとする。ただし、政党所属関係について異動のなかつた者を罷免することはできない。

6　地方公共団体の長は、委員が心身の故障のため職務の遂行に堪えないと認めるとき、又は委員に職務上の義務違反その他委員たるに適しない非行があると認めるときは、議会の同意を得て、これを罷免することができる。この場合においては、議会の常任委員会又は特別委員会において公聴会を開かなければならない。

7　委員は、前二項の規定による場合を除くほか、その意に反して罷免されることがない。

8　委員は、第十六条第一号、第三号又は第四号のいずれかに該当するに至つたときは、その職を失う。

9　委員は、地方公共団体の議会の議員及び当該地方公共団体の地方公務員（第七条第四項の規定により公平委員会の事務の処理の委託を受けた地方公共団体の人事委員会の委員については、他の地方公共団体に公平委員会の事務の処理を委託した地方公共団体の地方公務員を含む。）の職（執行機関の附属機関の委員その他の構成員の職を除く。）を兼ねることができない。

10　委員の任期は、四年とする。ただし、補欠委員の任期は、前任者の残任期間とする。
11　人事委員会の委員は、常勤又は非常勤とし、公平委員会の委員は、非常勤とする。
12　第三十条から第三十八条までの規定は常勤の人事委員会の委員の服務について、第三十条から第三十四条まで、第三十六条及び第三十七条の規定は、非常勤の人事委員会の委員及び公平委員会の委員の服務について、それぞれ準用する。

（人事委員会又は公平委員会の委員長）

第十条　人事委員会又は公平委員会は、委員のうちから委員長を選挙しなければならない。
2　委員長は、委員会に関する事務を処理し、委員会を代表する。
3　委員長に事故があるとき、又は委員長が欠けたときは、委員長の指定する委員が、その職務を代理する。

（人事委員会又は公平委員会の議事）

第十一条　人事委員会又は公平委員会は、三人の委員が出席しなければ会議を開くことができない。
2　人事委員会又は公平委員会は、会議を開かなければ公務の運営又は職員の福祉若しくは利益の保護に著しい支障が生ずると認められる十分な理由があるときは、前項の規定にかかわらず、二人の委員が出席すれば会議を開くことができる。
3　人事委員会又は公平委員会の議事は、出席委員の過半数で決する。
4　人事委員会又は公平委員会の議事は、議事録として記録して置かなければならない。
5　前各項に定めるものを除くほか、人事委員会又は公平委員会の議事に関し必要な事項は、人事委員会又は公平委員会が定める。

（人事委員会及び公平委員会の事務局又は事務職員）

第十二条　人事委員会に事務局を置き、事務局に事務局長その他の事務職員を置く。
2　人事委員会は、第九条の二第九項の規定にかかわらず、委員に事務局長の職を兼ねさせることができる。
3　事務局長は、人事委員会の指揮監督を受け、事務局の局務を掌理する。
4　第七条第二項の規定により人事委員会を置く地方公共団体は、第一項の規定にかかわらず、事務局を置かないで事務職員を置くことができる。
5　公平委員会に、事務職員を置く。
6　競争試験等を行う公平委員会を置く地方公共団体は、前項の規定にかかわらず、事務局を置き、事務局に事務局長その他の事務職員を置くことができる。
7　第一項及び第四項又は前二項の事務職員は、人事委員会又は公平委員会がそれぞれ任免する。
8　第一項の事務局の組織は、人事委員会が定める。
9　第一項及び第四項から第六項までの事務職員の定数は、条例で定める。
10　第二項及び第三項の規定は第六項の事務局長について、第八項の規定は第六項の事務局について準用する。この場合において、第二項及び第三項中「人事委員会」とあるのは「競争試験等を行う公平委員会」と、第八項中「第一項の事務局」とあるのは「第六項の事務局」と、「人事委員会」とあるのは「競争試験等を行う公平委員会」と読み替えるものとする。

第三章　職員に適用される基準

第一節　通則

（平等取扱いの原則）

第十三条　全て国民は、この法律の適用について、平等に取り扱われなければならず、人種、信条、性別、社会的身分若しくは門地によつて、又は第十六条第四号に該当する場合を除くほか、政治的意見若しくは政治的所属関係によつて、差別されてはならない。

（情勢適応の原則）

第十四条　地方公共団体は、この法律に基いて定められた給与、勤務時間その他の勤務条件が社会一般の情勢に適応するように、随時、適当な措置を講じなければならない。
2　人事委員会は、随時、前項の規定により講ずべき措置について地方公共団体の議会及び長に勧告することができる。

第二節　任用

（任用の根本基準）

第十五条　職員の任用は、この法律の定めるところにより、受験成績、人事評価その他の能力の実証に基づいて行わなければならない。

（定義）

第十五条の二　この法律において、次の各号に掲げる用語の意義は、当該各号に定めるところによる。

一　採用　職員以外の者を職員の職に任命すること（臨時的任用を除く。）をいう。

二　昇任　職員をその職員が現に任命されている職より上位の職制上の段階に属する職員の職に任命することをいう。

三　降任　職員をその職員が現に任命されている職より下位の職制上の段階に属する職員の職に任命することをいう。

四　転任　職員をその職員が現に任命されている職以外の職員の職に任命することであつて前二号に定めるものに該当しないものをいう。

五　標準職務遂行能力　職制上の段階の標準的な職（職員の職に限る。以下同じ。）の職務を遂行する上で発揮することが求められる能力として任命権者が定めるものをいう。

2　前項第五号の標準的な職は、職制上の段階及び職務の種類に応じ、任命権者が定める。

3　地方公共団体の長及び議会の議長以外の任命権者は、標準職務遂行能力及び第一項第五号の標準的な職を定めようとするときは、あらかじめ、地方公共団体の長に協議しなければならない。

（欠格条項）

第十六条　次の各号のいずれかに該当する者は、条例で定める場合を除くほか、職員となり、又は競争試験若しくは選考を受けることができない。

一　拘禁刑以上の刑に処せられ、その執行を終わるまで又はその執行を受けることがなくなるまでの者

二　当該地方公共団体において懲戒免職の処分を受け、当該処分の日から二年を経過しない者

三　人事委員会又は公平委員会の委員の職にあつて、第六十条から第六十三条までに規定する罪を犯し、刑に処せられた者

四　日本国憲法施行の日以後において、日本国憲法又はその下に成立した政府を暴力で破壊することを主張する政党その他の団体を結成し、又はこれに加入した者

（任命の方法）

第十七条　職員の職に欠員を生じた場合においては、任命権者は、採用、昇任、降任又は転任のいずれかの方法により、職員を任命することができる。

2　人事委員会（競争試験等を行う公平委員会を含む。以下この節において同じ。）を置く地方公共団体においては、人事委員会は、前項の任命の方法のうちのいずれによるべきかについての一般的基準を定めることができる。

（採用の方法）

第十七条の二　人事委員会を置く地方公共団体においては、職員の採用は、競争試験によるものとする。ただし、人事委員会規則（競争試験等を行う公平委員会を置く地方公共団体においては、公平委員会規則。以下この節において同じ。）で定める場合には、選考（競争試験以外の能力の実証に基づく試験をいう。以下同じ。）によることを妨げない。

2　人事委員会を置かない地方公共団体においては、職員の採用は、競争試験又は選考によるものとする。

3　人事委員会（人事委員会を置かない地方公共団体においては、任命権者とする。以下この節において「人事委員会等」という。）は、正式任用になつてある職に就いていた職員が、職制若しくは定数の改廃又は予算の減少に基づく廃職又は過員によりその職を離れた後において、再びその職に復する場合における資格要件、採用手続及び採用の際における身分に関し必要な事項を定めることができる。

（試験機関）

第十八条　採用のための競争試験（以下「採用試験」という。）又は選考は、人事委員会等が行うものとする。ただし、人事委員会等は、他の地方公共団体の機関との協定によりこれと共同して、又は国若しくは他の地方公共団体の機関との協定によりこれらの機関に委託して、採用試験又は選考を行うことができる。

（採用試験の公開平等）

第十八条の二　採用試験は、人事委員会等の定める受験の資格を有する全ての国民に対して平等の条件で公開されなければならない。

（受験の阻害及び情報提供の禁止）

第十八条の三　試験機関に属する者その他職員は、受験を阻害し、又は受験に不当な影響を与える目的をもつて特別若しくは秘密の情報を提供してはならない。

（受験の資格要件）

第十九条　人事委員会等は、受験者に必要な資格として職務の遂行上必要であつて最少かつ適当な限度の客観的かつ画一的な要件を定めるもの

とする。

（採用試験の目的及び方法）

第二十条　採用試験は、受験者が、当該採用試験に係る職の属する職制上の段階の標準的な職に係る標準職務遂行能力及び当該採用試験に係る職についての適性を有するかどうかを正確に判定することをもつてその目的とする。

２　採用試験は、筆記試験その他の人事委員会等が定める方法により行うものとする。

（採用候補者名簿の作成及びこれによる採用）

第二十一条　人事委員会を置く地方公共団体における採用試験による職員の採用については、人事委員会は、試験ごとに採用候補者名簿を作成するものとする。

２　採用候補者名簿には、採用試験において合格点以上を得た者の氏名及び得点を記載するものとする。

３　採用候補者名簿による職員の採用は、任命権者が、人事委員会の提示する当該名簿に記載された者の中から行うものとする。

４　採用候補者名簿に記載された者の数が採用すべき者の数よりも少ない場合その他の人事委員会規制で定める場合には、人事委員会は、他の最も適当な採用候補者名簿に記載された者を加えて提示することを妨げない。

５　前各項に定めるものを除くほか、採用候補者名簿の作成及びこれによる採用の方法に関し必要な事項は、人事委員会規則で定めなければならない。

（選考による採用）

第二十一条の二　選考は、当該選考に係る職の属する職制上の段階の標準的な職に係る標準職務遂行能力及び当該選考に係る職についての適性を有するかどうかを正確に判定することをもつてその目的とする。

２　選考による職員の採用は、任命権者が、人事委員会等の行う選考に合格した者の中から行うものとする。

３　人事委員会等は、その定める職員の職について前条第一項に規定する採用候補者名簿がなく、かつ、人事行政の運営上必要であると認める場合においては、その職の採用試験又は選考に相当する国又は他の地方公共団体の採用試験又は選考に合格した者を、その職の選考に合格した者とみなすことができる。

（昇任の方法）

第二十一条の三　職員の昇任は、任命権者が、職員の受験成績、人事評価その他の能力の実証に基づき、任命しようとする職の属する職制上の段階の標準的な職に係る標準職務遂行能力及び当該任命しようとする職についての適性を有すると認められる者の中から行うものとする。

（昇任試験又は選考の実施）

第二十一条の四　任命権者が職員を人事委員会規則で定める職（人事委員会を置かない地方公共団体においては、任命権者が定める職）に昇任させる場合には、当該職について昇任のための競争試験（以下「昇任試験」という。）又は選考が行われなければならない。

２　人事委員会は、前項の人事委員会規則を定めようとするときは、あらかじめ、任命権者の意見を聴くものとする。

３　昇任試験は、人事委員会等の指定する職に正式に任用された職員に限り、受験することができる。

４　第十八条から第二十一条までの規定は、第一項の規定による職員の昇任試験を実施する場合について準用する。この場合において、第十八条の二中「定める受験の資格を有する全ての国民」とあるのは「指定する職に正式に任用された全ての職員」と、第二十一条中「職員の採用」とあるのは「職員の昇任」と、「採用候補者名簿」とあるのは「昇任候補者名簿」と、同条第四項中「採用すべき」とあるのは「昇任させるべき」と、同条第五項中「採用の方法」とあるのは「昇任の方法」と読み替えるものとする。

５　第十八条並びに第二十一条の二第一項及び第二項の規定は、第一項の規定による職員の昇任のための選考を実施する場合について準用する。この場合において、同条第二項中「職員の採用」とあるのは、「職員の昇任」と読み替えるものとする。

（降任及び転任の方法）

第二十一条の五　任命権者は、職員を降任させる場合には、当該職員の人事評価その他の能力の実証に基づき、任命しようとする職の属する職制上の段階の標準的な職に係る標準職務遂行能力及び当該任命しようとする職についての適性を有すると認められる職に任命するものとする。

２　職員の転任は、任命権者が、職員の人事評価その他の能力の実証に基づき、任命しようとする職の属する職制上の段階の標準的な職に係る標準職務遂行能力及び当該任命しようとする職についての適性を有すると認められる者の中から行うものとする。

（条件付採用）

第二十二条 職員の採用は、全て条件付のものとし、当該職員がその職において六月の期間を勤務し、その間その職務を良好な成績で遂行したときに、正式のものとなるものとする。この場合において、人事委員会等は、人事委員会規則（人事委員会を置かない地方公共団体においては、地方公共団体の規則。第二十二条の四第一項及び第二十二条の五第一項において同じ。）で定めるところにより、条件付採用の期間を一年を超えない範囲内で延長することができる。

（会計年度任用職員の採用の方法等）

第二十二条の二 次に掲げる職員（以下この条において「会計年度任用職員」という。）の採用は、第十七条の二第一項及び第二項の規定にかかわらず、競争試験又は選考によるものとする。

一 一会計年度を超えない範囲内で置かれる非常勤の職（第二十二条の四第一項に規定する短時間勤務の職を除く。）（次号において「会計年度任用の職」という。）を占める職員であつて、その一週間当たりの通常の勤務時間が常時勤務を要する職を占める職員の一週間当たりの通常の勤務時間に比し短い時間であるもの

二 会計年度任用の職を占める職員であつて、その一週間当たりの通常の勤務時間が常時勤務を要する職を占める職員の一週間当たりの通常の勤務時間と同一の時間であるもの

2 会計年度任用職員の任期は、その採用の日から同日の属する会計年度の末日までの期間の範囲内で任命権者が定める。

3 任命権者は、前二項の規定により会計年度任用職員を採用する場合には、当該会計年度任用職員にその任期を明示しなければならない。

4 任命権者は、会計年度任用職員の任期が第二項に規定する期間に満たない場合には、当該会計年度任用職員の勤務実績を考慮した上で、当該期間の範囲内において、その任期を更新することができる。

5 第三項の規定は、前項の規定により任期を更新する場合について準用する。

6 任命権者は、会計年度任用職員の採用又は任期の更新に当たつては、職務の遂行に必要かつ十分な任期を定めるものとし、必要以上に短い任期を定めることにより、採用又は任期の更新を反復して行うことのないよう配慮しなければならない。

7 会計年度任用職員に対する前条の規定の適用については、同条中「六月」とあるのは、「一月」とする。

（臨時的任用）

第二十二条の三 人事委員会を置く地方公共団体においては、任命権者は、人事委員会規則で定めるところにより、常時勤務を要する職に欠員を生じた場合において、緊急のとき、臨時の職に関するとき、又は採用候補者名簿（第二十一条の四第四項において読み替えて準用する第二十一条第一項に規定する昇任候補者名簿を含む。）がないときは、人事委員会の承認を得て、六月を超えない期間で臨時的任用を行うことができる。この場合において、任命権者は、人事委員会の承認を得て、当該臨時的任用を六月を超えない期間で更新することができるが、再度更新することはできない。

2 前項の場合において、人事委員会は、臨時的に任用される者の資格要件を定めることができる。

3 人事委員会は、前二項の規定に違反する臨時的任用を取り消すことができる。

4 人事委員会を置かない地方公共団体においては、任命権者は、地方公共団体の規則で定めるところにより、常時勤務を要する職に欠員を生じた場合において、緊急のとき、又は臨時の職に関するときは、六月を超えない期間で臨時的任用を行うことができる。この場合において、任命権者は、当該臨時的任用を六月を超えない期間で更新することができるが、再度更新することはできない。

5 臨時的任用は、正式任用に際して、いかなる優先権をも与えるものではない。

6 前各項に定めるもののほか、臨時的に任用された職員に対しては、この法律を適用する。

（定年前再任用短時間勤務職員の任用）

第二十二条の四 任命権者は、当該任命権者の属する地方公共団体の条例年齢以上退職者（条例で定める年齢に達した日以後に退職（臨時的に任用される職員その他の法律により任期を定めて任用される職員及び非常勤職員が退職する場合を除く。）をした者をいう。以下同じ。）を、条例で定めるところにより、従前の勤務実績そ

の他の人事委員会規則で定める情報に基づく選考により、短時間勤務の職（当該職を占める職員の一週間当たりの通常の勤務時間が、常時勤務を要する職でその職務が当該短時間勤務の職と同種の職を占める職員の一週間当たりの通常の勤務時間に比し短い時間である職をいう。以下同じ。）に採用することができる。ただし、条例年齢以上退職者がその者を採用しようとする短時間勤務の職に係る定年退職日相当日（短時間勤務の職を占める職員が、常時勤務を要する職でその職務が当該短時間勤務の職と同種の職を占めているものとした場合における第二十八条の六第一項に規定する定年退職日をいう。第三項及び第四項において同じ。）を経過した者であるときは、この限りでない。

2　前項の条例で定める年齢は、国の職員につき定められている国家公務員法（昭和二十二年法律第百二十号）第六十条の二第一項に規定する年齢を基準として定めるものとする。

3　第一項の規定により採用された職員（以下この条及び第二十九条第三項において「定年前再任用短時間勤務職員」という。）の任期は、採用の日から定年退職日相当日までとする。

4　任命権者は、条例年齢以上退職者のうちその者を採用しようとする短時間勤務の職に係る定年退職日相当日を経過していない者以外の者を当該短時間勤務の職に採用することができず、定年前再任用短時間勤務職員のうち当該定年前再任用短時間勤務職員を昇任し、降任し、又は転任しようとする短時間勤務の職に係る定年退職日相当日を経過していない定年前再任用短時間勤務職員以外の職員を当該短時間勤務の職に昇任し、降任し、又は転任することができない。

5　任命権者は、定年前再任用短時間勤務職員を、常時勤務を要する職に昇任し、降任し、又は転任することができない。

6　第一項の規定による採用については、第二十二条の規定は、適用しない。

第二十二条の五　地方公共団体の組合を組織する地方公共団体の任命権者は、前条第一項本文の規定によるほか、当該地方公共団体の組合の条例年齢以上退職者を、条例で定めるところにより、従前の勤務実績その他の人事委員会規則で定める情報に基づく選考により、短時間勤務の職に採用することができる。

2　地方公共団体の組合の任命権者は、前条第一項本文の規定によるほか、当該地方公共団体の組合を組織する地方公共団体の条例年齢以上退職者を、条例で定めるところにより、従前の勤務実績その他の地方公共団体の組合の規則（競争試験等を行う公平委員会を置く地方公共団体の組合においては、公平委員会規則）で定める情報に基づく選考により、短時間勤務の職に採用することができる。

3　前二項の場合においては、前条第一項ただし書及び第三項から第六項までの規定を準用する。

第三節　人事評価

（人事評価の根本基準）

第二十三条　職員の人事評価は、公正に行われなければならない。

2　任命権者は、人事評価を任用、給与、分限その他の人事管理の基礎として活用するものとする。

（人事評価の実施）

第二十三条の二　職員の執務については、その任命権者は、定期的に人事評価を行わなければならない。

2　人事評価の基準及び方法に関する事項その他人事評価に関し必要な事項は、任命権者が定める。

3　前項の場合において、任命権者が地方公共団体の長及び議会の議長以外の者であるときは、同項に規定する事項について、あらかじめ、地方公共団体の長に協議しなければならない。

（人事評価に基づく措置）

第二十三条の三　任命権者は、前条第一項の人事評価の結果に応じた措置を講じなければならない。

（人事評価に関する勧告）

第二十三条の四　人事委員会は、人事評価の実施に関し、任命権者に勧告することができる。

第四節　給与、勤務時間その他の勤務条件

（給与、勤務時間その他の勤務条件の根本基準）

第二十四条　職員の給与は、その職務と責任に応ずるものでなければならない。

2　職員の給与は、生計費並びに国及び他の地方公共団体の職員並びに民間事業の従事者の給与その他の事情を考慮して定められなければならない。

3　職員は、他の職員の職を兼ねる場合においても、これに対して給与を受けてはならない。

4　職員の勤務時間その他職員の給与以外の勤務条件を定めるに当つては、国及び他の地方公共団体の職員との間に権衡を失しないように適当な考慮が払われなければならない。

5　職員の給与、勤務時間その他の勤務条件は、条例で定める。

（給与に関する条例及び給与の支給）

第二十五条　職員の給与は、前条第五項の規定による給与に関する条例に基づいて支給されなければならず、また、これに基づかずには、いかなる金銭又は有価物も職員に支給してはならない。

2　職員の給与は、法律又は条例により特に認められた場合を除き、通貨で、直接職員に、その全額を支払わなければならない。

3　給与に関する条例には、次に掲げる事項を規定するものとする。

一　給料表

二　等級別基準職務表

三　昇給の基準に関する事項

四　時間外勤務手当、夜間勤務手当及び休日勤務手当に対する給与に関する事項

五　前号に規定するものを除くほか、地方自治法第二百四条第二項に規定する手当を支給する場合には、当該手当に関する事項

六　非常勤の職その他勤務条件の特別な職があるときは、これらについて行う給与の調整に関する事項

七　前各号に規定するものを除くほか、給与の支給方法及び支給条件に関する事項

4　前項第一号の給料表には、職員の職務の複雑、困難及び責任の度に基づく等級ごとに明確な給料額の幅を定めていなければならない。

5　第三項第二号の等級別基準職務表には、職員の職務を前項の等級ごとに分類する際に基準となるべき職務の内容を定めていなければならない。

（給料表に関する報告及び勧告）

第二十六条　人事委員会は、毎年少くとも一回、給料表が適当であるかどうかについて、地方公共団体の議会及び長に同時に報告するものとする。給与を決定する諸条件の変化により、給料表に定める給料額を増減することが適当であると認めるときは、あわせて適当な勧告をすることができる。

（修学部分休業）

第二十六条の二　任命権者は、職員（臨時的に任用される職員その他の法律により任期を定めて任用される職員及び非常勤職員を除く。以下この条及び次条において同じ。）が申請した場合において、公務の運営に支障がなく、かつ、当該職員の公務に関する能力の向上に資すると認めるときは、条例で定めるところにより、当該職員が、大学その他の条例で定める教育施設における修学のため、当該修学に必要と認められる期間として条例で定める期間中、一週間の勤務時間の一部について勤務しないこと（以下この条において「修学部分休業」という。）を承認することができる。

2　前項の規定による承認は、修学部分休業をしている職員が休職又は停職の処分を受けた場合には、その効力を失う。

3　職員が第一項の規定による承認を受けて勤務しない場合には、条例で定めるところにより、減額して給与を支給するものとする。

4　前三項に定めるもののほか、修学部分休業に関し必要な事項は、条例で定める。

（高齢者部分休業）

第二十六条の三　任命権者は、高年齢として条例で定める年齢に達した職員が申請した場合において、公務の運営に支障がないと認めるときは、条例で定めるところにより、当該職員が当該条例で定める年齢に達した日以後の日で当該申請において示した日から当該職員に係る定年退職日（第二十八条の六第一項に規定する定年退職日をいう。）までの期間中、一週間の勤務時間の一部について勤務しないこと（次項において「高齢者部分休業」という。）を承認することができる。

2　前条第二項から第四項までの規定は、高齢者部分休業について準用する。

第四節の二　休業

（休業の種類）

第二十六条の四　職員の休業は、自己啓発等休業、配偶者同行休業、育児休業及び大学院修学休業とする。

2　育児休業及び大学院修学休業については、別に法律で定めるところによる。

（自己啓発等休業）

第二十六条の五　任命権者は、職員（臨時的に任用される職員その他の法律により任期を定めて任用される職員及び非常勤職員を除く。以下この条及び次条（第八項及び第九項を除く。）に

おいて同じ。）が申請した場合において、公務の運営に支障がなく、かつ、当該職員の公務に関する能力の向上に資すると認めるときは、条例で定めるところにより、当該職員が、三年を超えない範囲内において条例で定める期間、大学等課程の履修（大学その他の条例で定める教育施設の課程の履修をいう。第五項において同じ。）又は国際貢献活動（国際協力の促進に資する外国における奉仕活動（当該奉仕活動を行うために必要な国内における訓練その他の準備行為を含む。）のうち職員として参加することが適当であると認められるものとして条例で定めるものに参加することをいう。第五項において同じ。）のための休業（以下この条において「自己啓発等休業」という。）をすることを承認することができる。

2　自己啓発等休業をしている職員は、自己啓発等休業を開始した時就いていた職又は自己啓発等休業の期間中に異動した職を保有するが、職務に従事しない。

3　自己啓発等休業をしている期間については、給与を支給しない。

4　自己啓発等休業の承認は、当該自己啓発等休業をしている職員が休職又は停職の処分を受けた場合には、その効力を失う。

5　任命権者は、自己啓発等休業をしている職員が当該自己啓発等休業の承認に係る大学等課程の履修又は国際貢献活動を取りやめたことその他条例で定める事由に該当すると認めるときは、当該自己啓発等休業の承認を取り消すものとする。

6　前各項に定めるもののほか、自己啓発等休業に関し必要な事項は、条例で定める。

（配偶者同行休業）

第二十六条の六　任命権者は、職員が申請した場合において、公務の運営に支障がないと認めるときは、条例で定めるところにより、当該申請をした職員の勤務成績その他の事情を考慮した上で、当該職員が、三年を超えない範囲内において条例で定める期間、配偶者同行休業（職員が、外国での勤務その他の条例で定める事由により外国に住所又は居所を定めて滞在するその配偶者（届出をしないが事実上婚姻関係と同様の事情にある者を含む。第五項及び第六項において同じ。）と、当該住所又は居所において生活を共にするための休業をいう。以下この条において同じ。）をすることを承認することができる。

2　配偶者同行休業をしている職員は、当該配偶者同行休業を開始した日から引き続き配偶者同行休業をしようとする期間が前項の条例で定める期間を超えない範囲内において、条例で定めるところにより、任命権者に対し、配偶者同行休業の期間の延長を申請することができる。

3　配偶者同行休業の期間の延長は、条例で定める特別の事情がある場合を除き、一回に限るものとする。

4　第一項の規定は、配偶者同行休業の期間の延長の承認について準用する。

5　配偶者同行休業の承認は、当該配偶者同行休業をしている職員が休職若しくは停職の処分を受けた場合又は当該配偶者同行休業に係る配偶者が死亡し、若しくは当該職員の配偶者でなくなつた場合には、その効力を失う。

6　任命権者は、配偶者同行休業をしている職員が当該配偶者同行休業に係る配偶者と生活を共にしなくなつたことその他条例で定める事由に該当すると認めるときは、当該配偶者同行休業の承認を取り消すものとする。

7　任命権者は、第一項又は第二項の規定による申請があつた場合において、当該申請に係る期間（以下この項及び次項において「申請期間」という。）について職員の配置換えその他の方法によつて当該申請をした職員の業務を処理することが困難であると認めるときは、条例で定めるところにより、当該業務を処理するため、次の各号に掲げる任用のいずれかを行うことができる。この場合において、第二号に掲げる任用は、申請期間について一年を超えて行うことができない。

一　申請期間を任用の期間（以下この条において「任期」という。）の限度として行う任期を定めた採用

二　申請期間を任期の限度として行う臨時的任用

8　任命権者は、条例で定めるところにより、前項の規定により任期を定めて採用された職員の任期が申請期間に満たない場合には、当該申請期間の範囲内において、その任期を更新することができる。

9　任命権者は、第七項の規定により任期を定めて採用された職員を、任期を定めて採用した趣旨に反しない場合に限り、その任期中、他の職

に任用することができる。

10 第七項の規定に基づき臨時的任用を行う場合には、第二十二条の三第一項から第四項までの規定は、適用しない。

11 前条第二項、第三項及び第六項の規定は、配偶者同行休業について準用する。

第五節 分限及び懲戒

（分限及び懲戒の基準）

第二十七条 全て職員の分限及び懲戒については、公正でなければならない。

２ 職員は、この法律で定める事由による場合でなければ、その意に反して、降任され、又は免職されず、この法律又は条例で定める事由による場合でなければ、その意に反して、休職され、又は降給されることがない。

３ 職員は、この法律で定める事由による場合でなければ、懲戒処分を受けることがない。

（降任、免職、休職等）

第二十八条 職員が、次の各号に掲げる場合のいずれかに該当するときは、その意に反して、これを降任し、又は免職することができる。

一 人事評価又は勤務の状況を示す事実に照らして、勤務実績がよくない場合

二 心身の故障のため、職務の遂行に支障があり、又はこれに堪えない場合

三 前二号に規定する場合のほか、その職に必要な適格性を欠く場合

四 職制若しくは定数の改廃又は予算の減少により廃職又は過員を生じた場合

２ 職員が、次の各号に掲げる場合のいずれかに該当するときは、その意に反して、これを休職することができる。

一 心身の故障のため、長期の休養を要する場合

二 刑事事件に関し起訴された場合

３ 職員の意に反する降任、免職、休職及び降給の手続及び効果は、法律に特別の定めがある場合を除くほか、条例で定めなければならない。

４ 職員は、第十六条各号（第二号を除く。）のいずれかに該当するに至つたときは、条例に特別の定めがある場合を除くほか、その職を失う。

（管理監督職勤務上限年齢による降任等）

第二十八条の二 任命権者は、管理監督職（地方自治法第二百四条第二項に規定する管理職手当を支給される職員の職及びこれに準ずる職であつて条例で定める職をいう。以下この節において同じ。）を占める職員でその占める管理監督職に係る管理監督職勤務上限年齢に達している職員について、異動期間（当該管理監督職勤務上限年齢に達した日の翌日から同日以後における最初の四月一日までの間をいう。以下この節において同じ。）（第二十八条の五第一項から第四項までの規定により延長された期間を含む。以下この項において同じ。）に、管理監督職以外の職又は管理監督職勤務上限年齢が当該職員の年齢を超える管理監督職（以下この項及び第四項においてこれらの職を「他の職」という。）への降任又は転任（降給を伴う転任に限る。）をするものとする。ただし、異動期間に、この法律の他の規定により当該職員について他の職への昇任、降任若しくは転任をした場合又は第二十八条の七第一項の規定により当該職員を管理監督職を占めたまま引き続き勤務させることとした場合は、この限りでない。

２ 前項の管理監督職勤務上限年齢は、条例で定めるものとする。

３ 管理監督職及び管理監督職勤務上限年齢を定めるに当たつては、国及び他の地方公共団体の職員との間に権衡を失しないように適当な考慮が払われなければならない。

４ 第一項本文の規定による他の職への降任又は転任（以下この節及び第四十九条第一項ただし書において「他の職への降任等」という。）を行うに当たつて任命権者が遵守すべき基準に関する事項その他の他の職への降任等に関し必要な事項は、条例で定める。

（管理監督職への任用の制限）

第二十八条の三 任命権者は、採用し、昇任し、降任し、又は転任しようとする管理監督職に係る管理監督職勤務上限年齢に達している者を、その者が当該管理監督職を占めているものとした場合における異動期間の末日の翌日（他の職への降任等をされた職員にあつては、当該他の職への降任等をされた日）以後、当該管理監督職に採用し、昇任し、降任し、又は転任することができない。

（適用除外）

第二十八条の四 前二条の規定は、臨時的に任用される職員その他の法律により任期を定めて任用される職員には適用しない。

（管理監督職勤務上限年齢による降任等及び管理監督職への任用の制限の特例）

第二十八条の五 任命権者は、他の職への降任等

をすべき管理監督職を占める職員について、次に掲げる事由があると認めるときは、条例で定めるところにより、当該職員が占める管理監督職に係る異動期間の末日の翌日から起算して一年を超えない期間内（当該期間内に次条第一項に規定する定年退職日（以下この項及び次項において「定年退職日」という。）がある職員にあつては、当該異動期間の末日の翌日から定年退職日までの期間内。第三項において同じ。）で当該異動期間を延長し、引き続き当該管理監督職を占める職員に、当該管理監督職を占めたまま勤務をさせることができる。

一　当該職員の職務の遂行上の特別の事情を勘案して、当該職員の他の職への降任等により公務の運営に著しい支障が生ずると認められる事由として条例で定める事由

二　当該職員の職務の特殊性を勘案して、当該職員の他の職への降任等により、当該管理監督職の欠員の補充が困難となることにより公務の運営に著しい支障が生ずると認められる事由として条例で定める事由

2　任命権者は、前項又はこの項の規定により異動期間（これらの規定により延長された期間を含む。）が延長された管理監督職を占める職員について、前項各号に掲げる事由が引き続きあると認めるときは、条例で定めるところにより、延長された当該異動期間の末日の翌日から起算して一年を超えない期間内（当該期間内に定年退職日がある職員にあつては、延長された当該異動期間の末日の翌日から定年退職日までの期間内。第四項において同じ。）で延長された当該異動期間を更に延長することができる。ただし、更に延長される当該異動期間の末日は、当該職員が占める管理監督職に係る異動期間の末日の翌日から起算して三年を超えることができない。

3　任命権者は、第一項の規定により異動期間を延長することができる場合を除き、他の職への降任等をすべき特定管理監督職群（職務の内容が相互に類似する複数の管理監督職であつて、これらの欠員を容易に補充することができない年齢別構成その他の特別の事情がある管理監督職として人事委員会規則（人事委員会を置かない地方公共団体においては、地方公共団体の規則）で定める管理監督職をいう。以下この項において同じ。）に属する管理監督職を占める職員について、当該職員の他の職への降任等により、当該特定管理監督職群に属する管理監督職の欠員の補充が困難となることにより公務の運営に著しい支障が生ずると認められる事由として条例で定める事由があると認めるときは、条例で定めるところにより、当該職員が占める管理監督職に係る異動期間の末日の翌日から起算して一年を超えない期間内で当該異動期間を延長し、引き続き当該管理監督職を占めている職員に当該管理監督職を占めたまま勤務をさせ、又は当該職員を当該管理監督職が属する特定管理監督職群の他の管理監督職に降任し、若しくは転任することができる。

4　任命権者は、第一項若しくは第二項の規定により異動期間（これらの規定により延長された期間を含む。）が延長された管理監督職を占める職員について前項に規定する事由があると認めるとき（第二項の規定により延長された当該異動期間を更に延長することができるときを除く。）、又は前項若しくはこの項の規定により異動期間（前三項又はこの項の規定により延長された期間を含む。）が延長された管理監督職を占める職員について前項に規定する事由が引き続きあると認めるときは、条例で定めるところにより、延長された当該異動期間の末日の翌日から起算して一年を超えない期間内で延長された当該異動期間を更に延長することができる。

5　前各項に定めるもののほか、これらの規定による異動期間（これらの規定により延長された期間を含む。）の延長及び当該延長に係る職員の降任又は転任に関し必要な事項は、条例で定める。

（定年による退職）

第二十八条の六　職員は、定年に達したときは、定年に達した日以後における最初の三月三十一日までの間において、条例で定める日（次条第一項及び第二項ただし書において「定年退職日」という。）に退職する。

2　前項の定年は、国の職員につき定められている定年を基準として条例で定めるものとする。

3　前項の場合において、地方公共団体における当該職員に関しその職務と責任に特殊性があること又は欠員の補充が困難であることにより国の職員につき定められている定年を基準として定めることが実情に即さないと認められるときは、当該職員の定年については、条例で別の定めをすることができる。この場合においては、

国及び他の地方公共団体の職員との間に権衡を失しないように適当な考慮が払われなければならない。

4　前三項の規定は、臨時的に任用される職員その他の法律により任期を定めて任用される職員及び非常勤職員には適用しない。

（定年による退職の特例）

第二十八条の七　任命権者は、定年に達した職員が前条第一項の規定により退職すべきこととなる場合において、次に掲げる事由があると認めるときは、同項の規定にかかわらず、条例で定めるところにより、当該職員に係る定年退職日の翌日から起算して一年を超えない範囲内で期限を定め、当該職員を当該定年退職日において従事している職務に従事させるため、引き続き勤務させることができる。ただし、第二十八条の五第一項から第四項までの規定により異動期間（これらの規定により延長された期間を含む。）を延長した職員であつて、定年退職日において管理監督職を占めている職員については、同条第一項又は第二項の規定により当該定年退職日まで当該異動期間を延長した場合に限るものとし、当該期限は、当該職員が占めている管理監督職に係る異動期間の末日の翌日から起算して三年を超えることができない。

一　前条第一項の規定により退職すべきこととなる職員の職務の遂行上の特別の事情を勘案して、当該職員の退職により公務の運営に著しい支障が生ずると認められる事由として条例で定める事由

二　前条第一項の規定により退職すべきこととなる職員の職務の特殊性を勘案して、当該職員の退職により、当該職員が占める職の欠員の補充が困難となることにより公務の運営に著しい支障が生ずると認められる事由として条例で定める事由

2　任命権者は、前項の期限又はこの項の規定により延長された期限が到来する場合において、前項各号に掲げる事由が引き続きあると認めるときは、条例で定めるところにより、これらの期限の翌日から起算して一年を超えない範囲内で期限を延長することができる。ただし、当該期限は、当該職員に係る定年退職日（同項ただし書に規定する職員にあつては、当該職員が占めている管理監督職に係る異動期間の末日）の翌日から起算して三年を超えることができない。

3　前二項に定めるもののほか、これらの規定による勤務に関し必要な事項は、条例で定める。

（懲戒）

第二十九条　職員が次の各号のいずれかに該当する場合には、当該職員に対し、懲戒処分として戒告、減給、停職又は免職の処分をすることができる。

一　この法律若しくは第五十七条に規定する特例を定めた法律又はこれらに基づく条例、地方公共団体の規則若しくは地方公共団体の機関の定める規程に違反した場合

二　職務上の義務に違反し、又は職務を怠つた場合

三　全体の奉仕者たるにふさわしくない非行のあつた場合

2　職員が、任命権者の要請に応じ当該地方公共団体の特別職に属する地方公務員、他の地方公共団体若しくは特定地方独立行政法人の地方公務員、国家公務員又は地方公社（地方住宅供給公社、地方道路公社及び土地開発公社をいう。）その他その業務が地方公共団体若しくは国の事務若しくは事業と密接な関連を有する法人のうち条例で定めるものに使用される者（以下この項において「特別職地方公務員等」という。）となるため退職し、引き続き特別職地方公務員等として在職した後、引き続いて当該退職を前提として職員として採用された場合（一の特別職地方公務員等として在職した後、引き続き一以上の特別職地方公務員等として在職し、引き続いて当該退職を前提として職員として採用された場合を含む。）において、当該退職までの引き続く職員としての在職期間（当該退職前に同様の退職（以下この項において「先の退職」という。）、特別職地方公務員等としての在職及び職員としての採用がある場合には、当該先の退職までの引き続く職員としての在職期間を含む。次項において「要請に応じた退職前の在職期間」という。）中に前項各号のいずれかに該当したときは、当該職員に対し同項に規定する懲戒処分を行うことができる。

3　定年前再任用短時間勤務職員（第二十二条の四第一項の規定により採用された職員に限る。以下この項において同じ。）が、条例年齢以上退職者となつた日までの引き続く職員としての在職期間（要請に応じた退職前の在職期間を含む。）又は第二十二条の四第一項の規定によりかつて採用されて定年前再任用短時間勤務職員

として在職していた期間中に第一項各号のいずれかに該当したときは、当該議員に対し同項に規定する懲戒処分を行うことができる。

4　職員の懲戒の手続及び効果は、法律に特別の定めがある場合を除くほか、条例で定めなければならない。

（適用除外）

第二十九条の二　次に掲げる職員及びこれに対する処分については、第二十七条第二項、第二十八条第一項から第三項まで、第四十九条第一項及び第二項並びに行政不服審査法（平成二十六年法律第六十八号）の規定を適用しない。

一　条件附採用期間中の職員

二　臨時的に任用された職員

2　前項各号に掲げる職員の分限については、条例で必要な事項を定めることができる。

第六節　服務

（服務の根本基準）

第三十条　すべて職員は、全体の奉仕者として公共の利益のために勤務し、且つ、職務の遂行に当つては、全力を挙げてこれに専念しなければならない。

（服務の宣誓）

第三十一条　職員は、条例の定めるところにより、服務の宣誓をしなければならない。

（法令等及び上司の職務上の命令に従う義務）

第三十二条　職員は、その職務を遂行するに当つて、法令、条例、地方公共団体の規則及び地方公共団体の機関の定める規程に従い、且つ、上司の職務上の命令に忠実に従わなければならない。

（信用失墜行為の禁止）

第三十三条　職員は、その職の信用を傷つけ、又は職員の職全体の不名誉となるような行為をしてはならない。

（秘密を守る義務）

第三十四条　職員は、職務上知り得た秘密を漏らしてはならない。その職を退いた後も、また、同様とする。

2　法令による証人、鑑定人等となり、職務上の秘密に属する事項を発表する場合においては、任命権者（退職者については、その退職した職又はこれに相当する職に係る任命権者）の許可を受けなければならない。

3　前項の許可は、法律に特別の定がある場合を除く外、拒むことができない。

（職務に専念する義務）

第三十五条　職員は、法律又は条例に特別の定がある場合を除く外、その勤務時間及び職務上の注意力のすべてをその職責遂行のために用い、当該地方公共団体がなすべき責を有する職務にのみ従事しなければならない。

（政治的行為の制限）

第三十六条　職員は、政党その他の政治的団体の結成に関与し、若しくはこれらの団体の役員となつてはならず、又はこれらの団体の構成員となるように、若しくはならないように勧誘運動をしてはならない。

2　職員は、特定の政党その他の政治的団体又は特定の内閣若しくは地方公共団体の執行機関を支持し、又はこれに反対する目的をもつて、あるいは公の選挙又は投票において特定の人又は事件を支持し、又はこれに反対する目的をもつて、次に掲げる政治的行為をしてはならない。ただし、当該職員の属する地方公共団体の区域（当該職員が都道府県の支庁若しくは地方事務所又は地方自治法第二百五十二条の十九第一項の指定都市の区若しくは総合区に勤務する者であるときは、当該支庁若しくは地方事務所又は区若しくは総合区の所管区域）外において、第一号から第三号まで及び第五号に掲げる政治的行為をすることができる。

一　公の選挙又は投票において投票をするように、又はしないように勧誘運動をすること。

二　署名運動を企画し、又は主宰する等これに積極的に関与すること。

三　寄附金その他の金品の募集に関与すること。

四　文書又は図画を地方公共団体又は特定地方独立行政法人の庁舎（特定地方独立行政法人にあつては、事務所。以下この号において同じ。）、施設等に掲示し、又は掲示させ、その他地方公共団体又は特定地方独立行政法人の庁舎、施設、資材又は資金を利用し、又は利用させること。

五　前各号に定めるものを除く外、条例で定める政治的行為

3　何人も前二項に規定する政治的行為を行うよう職員に求め、職員をそそのかし、若しくはあおつてはならず、又は職員が前二項に規定する政治的行為をなし、若しくはなさないことに対する代償若しくは報復として、任用、職務、給与その他職員の地位に関してなんらかの利益若しくは不利益を与え、与えようと企て、若しくは

は約束してはならない。

4　職員は、前項に規定する違法な行為に応じなかつたことの故をもつて不利益な取扱を受けることはない。

5　本条の規定は、職員の政治的中立性を保障することにより、地方公共団体の行政及び特定地方独立行政法人の業務の公正な運営を確保するとともに職員の利益を保護することを目的とするものであるという趣旨において解釈され、及び運用されなければならない。

（争議行為等の禁止）

第三十七条　職員は、地方公共団体の機関が代表する使用者としての住民に対して同盟罷業、怠業その他の争議行為をし、又は地方公共団体の機関の活動能率を低下させる怠業的行為をしてはならない。又、何人も、このような違法な行為を企て、又はその遂行を共謀し、そそのかし、若しくはあおつてはならない。

2　職員で前項の規定に違反する行為をしたものは、その行為の開始とともに、地方公共団体に対し、法令又は条例、地方公共団体の規則若しくは地方公共団体の機関の定める規程に基いて保有する任命上又は雇用上の権利をもつて対抗することができなくなるものとする。

（営利企業への従事等の制限）

第三十八条　職員は、任命権者の許可を受けなければ、商業、工業又は金融業その他営利を目的とする私企業（以下この項及び次条第一項において「営利企業」という。）を営むことを目的とする会社その他の団体の役員その他人事委員会規則（人事委員会を置かない地方公共団体においては、地方公共団体の規則）で定める地位を兼ね、若しくは自ら営利企業を営み、又は報酬を得ていかなる事業若しくは事務にも従事してはならない。ただし、非常勤職員（短時間勤務の職を占める職員及び第二十二条の二第一項第二号に掲げる職員を除く。）については、この限りでない。

2　人事委員会は、人事委員会規則により前項の場合における任命権者の許可の基準を定めることができる。

第六節の二　退職管理

（再就職者による依頼等の規制）

第三十八条の二　職員（臨時的に任用された職員、条件付採用期間中の職員及び非常勤職員（短時間勤務の職を占める職員を除く。）を除く。以下この節、第六十条及び第六十三条において同じ。）であつた者であつて離職後に営利企業等（営利企業及び営利企業以外の法人（国、国際機関、地方公共団体、独立行政法人通則法（平成十一年法律第百三号）第二条第四項に規定する行政執行法人及び特定地方独立行政法人を除く。）をいう。以下同じ。）の地位に就いている者（退職手当通算予定職員であつた者であつて引き続いて退職手当通算法人の地位に就いている者及び公益的法人等への一般職の地方公務員の派遣等に関する法律（平成十二年法律第五十号）第十条第二項に規定する退職派遣者を除く。以下「再就職者」という。）は、離職前五年間に在職していた地方公共団体の執行機関の組織（当該執行機関（当該執行機関の附属機関を含む。）の補助機関及び当該執行機関の管理に属する機関の総体をいう。第三十八条の七において同じ。）若しくは議会の事務局（事務局を置かない場合には、これに準ずる組織。同条において同じ。）若しくは特定地方独立行政法人（以下「地方公共団体の執行機関の組織等」という。）の職員若しくは特定地方独立行政法人の役員（以下「役職員」という。）又はこれらに類する者として人事委員会規則（人事委員会を置かない地方公共団体においては、地方公共団体の規則。以下この条（第七項を除く。）、第三十八条の七、第六十条及び第六十四条において同じ。）で定めるものに対し、当該地方公共団体若しくは当該特定地方独立行政法人と当該営利企業等若しくはその子法人（国家公務員法第百六条の二第一項に規定する子法人の例を基準として人事委員会規則で定めるものをいう。以下同じ。）との間で締結される売買、貸借、請負その他の契約又は当該営利企業等若しくはその子法人に対して行われる行政手続法（平成五年法律第八十八号）第二条第二号に規定する処分に関する事務（以下「契約等事務」という。）であつて離職前五年間の職務に属するものに関し、離職後二年間、職務上の行為をするように、又はしないように要求し、又は依頼してはならない。

2　前項の「退職手当通算法人」とは、地方独立行政法人法第二条第一項に規定する地方独立行政法人その他その業務が地方公共団体又は国の事務又は事業と密接な関連を有する法人のうち人事委員会規則で定めるもの（退職手当（これに相当する給付を含む。）に関する規程において、職員が任命権者又はその委任を受けた者の要請に応じ、引き続いて当該法人の役員又は当該法人に使用される者となつた場合に、職員としての勤続期間を当該法人の役員又は当該法人に使用される者としての勤続期間に通算することと定められており、かつ、当該地方公共団体の条例において、当該法人の役員又は当該法人に使用される者として在職した後引き続いて再び職員となつた者の当該法人の役員又は当該法人に使用される者としての勤続期間を当該職員となつた者の職員としての勤続期間に通算することと定められている法人に限る。）をいう。

3　第一項の「退職手当通算予定職員」とは、任命権者又はその委任を受けた者の要請に応じ、引き続いて退職手当通算法人（前項に規定する退職手当通算法人をいう。以下同じ。）の役員又は退職手当通算法人に使用される者となるため退職することとなる職員であつて、当該退職手当通算法人に在職した後、特別の事情がない限り引き続いて選考による採用が予定されている者のうち人事委員会規則で定めるものをいう。

4　第一項の規定によるもののほか、再就職者のうち、地方自治法第百五十八条第一項に規定する普通地方公共団体の長の直近下位の内部組織の長又はこれに準ずる職であつて人事委員会規則で定めるものに離職した日の五年前の日より前に就いていた者は、当該職に就いていた時に在職していた地方公共団体の執行機関の組織等の役職員又はこれに類する者として人事委員会規則で定めるものに対し、契約等事務であつて離職した日の五年前の日より前の職務（当該職に就いていたときの職務に限る。）に属するものに関し、離職後二年間、職務上の行為をするように、又はしないように要求し、又は依頼してはならない。

5　第一項及び前項の規定によるもののほか、再就職者は、在職していた地方公共団体の執行機関の組織等の役職員又はこれに類する者として人事委員会規則で定めるものに対し、当該地方公共団体若しくは当該特定地方独立行政法人と営利企業等（当該再就職者が現にその地位に就いているものに限る。）若しくはその子法人との間の契約であつて当該地方公共団体若しくは当該特定地方独立行政法人においてその締結について自らが決定したもの又は当該地方公共団体若しくは当該特定地方独立行政法人による当該営利企業等若しくはその子法人に対する行政手続法第二条第二号に規定する処分であつて自らが決定したものに関し、職務上の行為をするように、又はしないように要求し、又は依頼してはならない。

6　第一項及び前二項の規定（第八項の規定に基づく条例が定められているときは、当該条例の規定を含む。）は、次に掲げる場合には適用しない。

一　試験、検査、検定その他の行政上の事務であつて、法律の規定に基づく行政庁による指定若しくは登録その他の処分（以下「指定等」という。）を受けた者が行う当該指定等に係るもの若しくは行政庁から委託を受けた者が行う当該委託に係るものを遂行するために必要な場合、又は地方公共団体若しくは国の事務若しくは事業と密接な関連を有する業務として人事委員会規則で定めるものを行うために必要な場合

二　行政庁に対する権利若しくは義務を定めている法令の規定若しくは地方公共団体若しくは特定地方独立行政法人との間で締結された契約に基づき、権利を行使し、若しくは義務を履行する場合、行政庁の処分により課された義務を履行する場合又はこれらに類する場合として人事委員会規則で定める場合

三　行政手続法第二条第三号に規定する申請又は同条第七号に規定する届出を行う場合

四　地方自治法第二百三十四条第一項に規定する一般競争入札若しくはせり売りの手続又は特定地方独立行政法人が公告して申込みをさせることによる競争の手続に従い、売買、貸借、請負その他の契約を締結するために必要な場合

五　法令の規定により又は慣行として公にされ、又は公にすることが予定されている情報の提供を求める場合（一定の日以降に公にすることが予定されている情報を同日前に開示するよう求める場合を除く。）

六　再就職者が役職員（これに類する者を含む。以下この号において同じ。）に対し、契約等事務に関し、職務上の行為をするように、又はしないように要求し、又は依頼することにより公務の公正性の確保に支障が生じないと認められる場合として人事委員会規則で定める場合において、人事委員会規則で定める手続により任命権者の承認を得て、再就職者が

当該承認に係る役職員に対し、当該承認に係る契約等事務に関し、職務上の行為をするように、又はしないように要求し、又は依頼する場合

7　職員は、前項各号に掲げる場合を除き、再就職者から第一項、第四項又は第五項の規定（次項の規定に基づく条例が定められているときは、当該条例の規定を含む。）により禁止される要求又は依頼を受けたとき（地方独立行政法人法第五十条の二において準用する第一項、第四項又は第五項の規定（同条において準用する次項の規定に基づく条例が定められているときは、当該条例の規定を含む。）により禁止される要求又は依頼を受けたときを含む。）は、人事委員会規則又は公平委員会規則で定めるところにより、人事委員会又は公平委員会にその旨を届け出なければならない。

8　地方公共団体は、その組織の規模その他の事情に照らして必要があると認めるときは、再就職者のうち、国家行政組織法（昭和二十三年法律第百二十号）第二十一条第一項に規定する部長又は課長の職に相当する職として人事委員会規則で定めるものに離職した日の五年前の日より前に就いていた者について、当該職に就いていた時に在職していた地方公共団体の執行機関の組織等の役職員又はこれに類する者として人事委員会規則で定めるものに対し、契約等事務であつて離職した日の五年前の日より前の職務（当該職に就いていたときの職務に限る。）に属するものに関し、離職後二年間、職務上の行為をするように、又はしないように要求し、又は依頼してはならないことを条例により定めることができる。

（違反行為の疑いに係る任命権者の報告）

第三十八条の三　任命権者は、職員又は職員であつた者に前条の規定（同条第八項の規定に基づく条例が定められているときは、当該条例の規定を含む。）に違反する行為（以下「規制違反行為」という。）を行つた疑いがあると思料するときは、その旨を人事委員会又は公平委員会に報告しなければならない。

（任命権者による調査）

第三十八条の四　任命権者は、職員又は職員であつた者に規制違反行為を行つた疑いがあると思料して当該規制違反行為に関して調査を行おうとするときは、人事委員会又は公平委員会にその旨を通知しなければならない。

2　人事委員会又は公平委員会は、任命権者が行う前項の調査の経過について、報告を求め、又は意見を述べることができる。

3　任命権者は、第一項の調査を終了したときは、遅滞なく、人事委員会又は公平委員会に対し、当該調査の結果を報告しなければならない。

（任命権者に対する調査の要求等）

第三十八条の五　人事委員会又は公平委員会は、第三十八条の二第七項の届出、第三十八条の三の報告又はその他の事由により職員又は職員であつた者に規制違反行為を行つた疑いがあると思料するときは、任命権者に対し、当該規制違反行為に関する調査を行うよう求めることができる。

2　前条第二項及び第三項の規定は、前項の規定により行われる調査について準用する。

（地方公共団体の講ずる措置）

第三十八条の六　地方公共団体は、国家公務員法中退職管理に関する規定の趣旨及び当該地方公共団体の職員の離職後の就職の状況を勘案し、退職管理の適正を確保するために必要と認められる措置を講ずるものとする。

2　地方公共団体は、第三十八条の二の規定の円滑な実施を図り、又は前項の規定による措置を講ずるため必要と認めるときは、条例で定めるところにより、職員であつた者で条例で定めるものが、条例で定める法人の役員その他の地位であつて条例で定めるものに就こうとする場合又は就いた場合には、離職後条例で定める期間、条例で定める事項を条例で定める者に届け出させることができる。

（廃置分合に係る特例）

第三十八条の七　職員であつた者が在職していた地方公共団体（この条の規定により当該職員であつた者が在職していた地方公共団体とみなされる地方公共団体を含む。）の廃置分合により当該職員であつた者が在職していた地方公共団体（以下この条において「元在職団体」という。）の事務が他の地方公共団体に承継された場合には、当該他の地方公共団体を当該元在職団体と、当該他の地方公共団体の執行機関の組織若しくは議会の事務局で当該元在職団体の執行機関の組織若しくは議会の事務局に相当するものの職員又はこれに類する者として当該他の地方公共団体の人事委員会規則で定めるものを当該元在職団体の執行機関の組織若しくは議会

の事務局の職員又はこれに類する者として当該元在職団体の人事委員会規則で定めるものと、それぞれみなして、第三十八条の二から前条までの規定（第三十八条の二第八項の規定に基づく条例が定められているときは当該条例の規定を含み、これらの規定に係る罰則を含む。）並びに第六十条第四号から第八号まで及び第六十三条の規定を適用する。

第七節　研修

（研修）

第三十九条　職員には、その勤務能率の発揮及び増進のために、研修を受ける機会が与えられなければならない。

2　前項の研修は、任命権者が行うものとする。

3　地方公共団体は、研修の目標、研修に関する計画の指針となるべき事項その他研修に関する基本的な方針を定めるものとする。

4　人事委員会は、研修に関する計画の立案その他研修の方法について任命権者に勧告することができる。

第四十条　削除

第八節　福祉及び利益の保護

（福祉及び利益の保護の根本基準）

第四十一条　職員の福祉及び利益の保護は、適切であり、且つ、公正でなければならない。

第一款　厚生福利制度

（厚生制度）

第四十二条　地方公共団体は、職員の保健、元気回復その他厚生に関する事項について計画を樹立し、これを実施しなければならない。

（共済制度）

第四十三条　職員の病気、負傷、出産、休業、災害、退職、障害若しくは死亡又はその被扶養者の病気、負傷、出産、死亡若しくは災害に関して適切な給付を行なうための相互救済を目的とする共済制度が、実施されなければならない。

2　前項の共済制度には、職員が相当年限忠実に勤務して退職した場合又は公務に基づく病気若しくは負傷により退職し、若しくは死亡した場合におけるその者又はその遺族に対する退職年金に関する制度が含まれていなければならない。

3　前項の退職年金に関する制度は、退職又は死亡の時の条件を考慮して、本人及びその退職又は死亡の当時その者が直接扶養する者のその後における適当な生活の維持を図ることを目的とするものでなければならない。

4　第一項の共済制度については、国の制度との間に権衡を失しないように適当な考慮が払われなければならない。

5　第一項の共済制度は、健全な保険数理を基礎として定めなければならない。

6　第一項の共済制度は、法律によつてこれを定める。

第四十四条　削除

第二款　公務災害補償

（公務災害補償）

第四十五条　職員が公務に因り死亡し、負傷し、若しくは疾病にかかり、若しくは公務に因る負傷若しくは疾病により死亡し、若しくは障害の状態となり、又は船員である職員が公務に因り行方不明となつた場合においてその者又はその者の遺族若しくは被扶養者がこれらの原因によつて受ける損害は、補償されなければならない。

2　前項の規定による補償の迅速かつ公正な実施を確保するため必要な補償に関する制度が実施されなければならない。

3　前項の補償に関する制度には、次に掲げる事項が定められなければならない。

一　職員の公務上の負傷又は疾病に対する必要な療養又は療養の費用の負担に関する事項

二　職員の公務上の負傷又は疾病に起因する療養の期間又は船員である職員の公務による行方不明の期間におけるその職員の所得の喪失に対する補償に関する事項

三　職員の公務上の負傷又は疾病に起因して、永久に、又は長期に所得能力を害された場合におけるその職員の受ける損害に対する補償に関する事項

四　職員の公務上の負傷又は疾病に起因する死亡の場合におけるその遺族又は職員の死亡の当時その収入によつて生計を維持した者の受ける損害に対する補償に関する事項

4　第二項の補償に関する制度は、法律によつて定めるものとし、当該制度については、国の制度との間に権衡を失しないように適当な考慮が払われなければならない。

第三款　勤務条件に関する措置の要求

（勤務条件に関する措置の要求）

第四十六条　職員は、給与、勤務時間その他の勤務条件に関し、人事委員会又は公平委員会に対して、地方公共団体の当局により適当な措置が執られるべきことを要求することができる。

(審査及び審査の結果執るべき措置)
第四十七条　前条に規定する要求があつたときは、人事委員会又は公平委員会は、事案について口頭審理その他の方法による審査を行い、事案を判定し、その結果に基いて、その権限に属する事項については、自らこれを実行し、その他の事項については、当該事項に関し権限を有する地方公共団体の機関に対し、必要な勧告をしなければならない。

(要求及び審査、判定の手続等)
第四十八条　前二条の規定による要求及び審査、判定の手続並びに審査、判定の結果執るべき措置に関し必要な事項は、人事委員会規則又は公平委員会規則で定めなければならない。

第四款　不利益処分に関する審査請求

(不利益処分に関する説明書の交付)
第四十九条　任命権者は、職員に対し、懲戒その他その意に反すると認める不利益な処分を行う場合においては、その際、当該職員に対し、処分の事由を記載した説明書を交付しなければならない。ただし、他の職への降任等に該当する降任をする場合又は他の職への降任等に伴い降給をする場合は、この限りでない。
2　職員は、その意に反して不利益な処分を受けたと思うときは、任命権者に対し処分の事由を記載した説明書の交付を請求することができる。
3　前項の規定による請求を受けた任命権者は、その日から十五日以内に、同項の説明書を交付しなければならない。
4　第一項又は第二項の説明書には、当該処分につき、人事委員会又は公平委員会に対して審査請求をすることができる旨及び審査請求をすることができる期間を記載しなければならない。

(審査請求)
第四十九条の二　前条第一項に規定する処分を受けた職員は、人事委員会又は公平委員会に対してのみ審査請求をすることができる。
2　前条第一項に規定する処分を除くほか、職員に対する処分については、審査請求をすることができない。職員がした申請に対する不作為についても、同様とする。
3　第一項に規定する審査請求については、行政不服審査法第二章の規定を適用しない。

(審査請求期間)
第四十九条の三　前条第一項に規定する審査請求は、処分があつたことを知つた日の翌日から起算して三月以内にしなければならず、処分があつた日の翌日から起算して一年を経過したときは、することができない。

(審査及び審査の結果執るべき措置)
第五十条　第四十九条の二第一項に規定する審査請求を受理したときは、人事委員会又は公平委員会は、直ちにその事案を審査しなければならない。この場合において、処分を受けた職員から請求があつたときは、口頭審理を行わなければならない。口頭審理は、その職員から請求があつたときは、公開して行わなければならない。
2　人事委員会又は公平委員会は、必要があると認めるときは、当該審査請求に対する裁決を除き、審査に関する事務の一部を委員又は事務局長に委任することができる。
3　人事委員会又は公平委員会は、第一項に規定する審査の結果に基いて、その処分を承認し、修正し、又は取り消し、及び必要がある場合においては、任命権者にその職員の受けるべきであつた給与その他の給付を回復するため必要で且つ適切な措置をさせる等その職員がその処分によつて受けた不当な取扱を是正するための指示をしなければならない。

(審査請求の手続等)
第五十一条　審査請求の手続及び審査の結果執るべき措置に関し必要な事項は、人事委員会規則又は公平委員会規則で定めなければならない。

(審査請求と訴訟との関係)
第五十一条の二　第四十九条第一項に規定する処分であつて人事委員会又は公平委員会に対して審査請求をすることができるものの取消しの訴えは、審査請求に対する人事委員会又は公平委員会の裁決を経た後でなければ、提起することができない。

第九節　職員団体

(職員団体)
第五十二条　この法律において「職員団体」とは、職員がその勤務条件の維持改善を図ることを目的として組織する団体又はその連合体をいう。
2　前項の「職員」とは、第五項に規定する職員以外の職員をいう。
3　職員は、職員団体を結成し、若しくは結成せず、又はこれに加入し、若しくは加入しないことができる。ただし、重要な行政上の決定を行う職員、重要な行政上の決定に参画する管理的地位にある職員、職員の任免に関して直接の権限を持つ監督的地位にある職員、職員の任免、分限、懲戒若しくは服務、職員の給与その他の勤務条件又は職員団体との関係についての当局の計画及び方針に関する機密の事項に接し、そのためにその職務上の義務と責任とが職員団体の構成員としての誠意と責任とに直接に抵触すると認められる監督的地位にある職員その他職員団体との関係において当局の立場に立つて遂行すべき職務を担当する職員（以下「管理職員等」という。）と管理職員等以外の職員とは、同一の職員団体を組織することができず、管理職員等と管理職員等以外の職員とが組織する団体は、この法律にいう「職員団体」ではない。

4　前項ただし書に規定する管理職員等の範囲は、人事委員会規則又は公平委員会規則で定める。

5　警察職員及び消防職員は、職員の勤務条件の維持改善を図ることを目的とし、かつ、地方公共団体の当局と交渉する団体を結成し、又はこれに加入してはならない。

（職員団体の登録）

第五十三条　職員団体は、条例で定めるところにより、理事その他の役員の氏名及び条例で定める事項を記載した申請書に規約を添えて人事委員会又は公平委員会に登録を申請することができる。

2　前項に規定する職員団体の規約には、少くとも左に掲げる事項を記載するものとする。

一　名称
二　目的及び業務
三　主たる事務所の所在地
四　構成員の範囲及びその資格の得喪に関する規定
五　理事その他の役員に関する規定
六　第三項に規定する事項を含む業務執行、会議及び投票に関する規定
七　経費及び会計に関する規定
八　他の職員団体との連合に関する規定
九　規約の変更に関する規定
十　解散に関する規定

3　職員団体が登録される資格を有し、及び引き続き登録されているためには、規約の作成又は変更、役員の選挙その他これらに準ずる重要な行為が、すべての構成員が平等に参加する機会を有する直接且つ秘密の投票による全員の過半数（役員の選挙については、投票者の過半数）によつて決定される旨の手続を定め、且つ、現実に、その手続によりこれらの重要な行為が決定されることを必要とする。但し、連合体である職員団体にあつては、すべての構成員が平等に参加する機会を有する構成団体ごとの直接且つ秘密の投票による投票者の過半数で代議員を選挙し、すべての代議員が平等に参加する機会を有する直接且つ秘密の投票によるその全員の過半数（役員の選挙については、投票者の過半数）によつて決定される旨の手続を定め、且つ、現実に、その手続により決定されることをもつて足りるものとする。

4　前項に定めるもののほか、職員団体が登録される資格を有し、及び引き続き登録されているためには、当該職員団体が同一の地方公共団体に属する前条第五項に規定する職員以外の職員のみをもつて組織されていることを必要とする。ただし、同項に規定する職員以外の職員であつた者でその意に反して免職され、若しくは懲戒処分としての免職の処分を受け、当該処分を受けた日の翌日から起算して一年以内のもの又はその期間内に当該処分について法律の定めるところにより審査請求をし、若しくは訴えを提起し、これに対する裁決若しくは裁判が確定するに至らないものを構成員にとどめていること、及び当該職員団体の役員である者を構成員としていることを妨げない。

5　人事委員会又は公平委員会は、登録を申請した職員団体が前三項の規定に適合するものであるときは、条例で定めるところにより、規約及び第一項に規定する申請書の記載事項を登録し、当該職員団体にその旨を通知しなければならない。この場合において、職員でない者の役員就任を認めている職員団体を、そのゆえをもつて登録の要件に適合しないものと解してはならない。

6　登録を受けた職員団体が職員団体でなくなつたとき、登録を受けた職員団体について第二項から第四項までの規定に適合しない事実があつたとき、又は登録を受けた職員団体が第九項の規定による届出をしなかつたときは、人事委員会又は公平委員会は、条例で定めるところにより、六十日を超えない範囲内で当該職員団体の登録の効力を停止し、又は当該職員団体の登録を取り消すことができる。

7　前項の規定による登録の取消しに係る聴聞の期日における審理は、当該職員団体から請求があつたときは、公開により行わなければならな

い。

8　第六項の規定による登録の取消しは、当該処分の取消しの訴えを提起することができる期間内及び当該処分の取消しの訴えの提起があつたときは当該訴訟が裁判所に係属する間は、その効力を生じない。

9　登録を受けた職員団体は、その規約又は第一項に規定する申請書の記載事項に変更があつたときは、条例で定めるところにより、人事委員会又は公平委員会にその旨を届け出なければならない。この場合においては、第五項の規定を準用する。

10　登録を受けた職員団体は、解散したときは、条例で定めるところにより、人事委員会又は公平委員会にその旨を届け出なければならない。

第五十四条　削除

（交渉）

第五十五条　地方公共団体の当局は、登録を受けた職員団体から、職員の給与、勤務時間その他の勤務条件に関し、及びこれに附帯して、社交的又は厚生的活動を含む適法な活動に係る事項に関し、適法な交渉の申入れがあつた場合においては、その申入れに応ずべき地位に立つものとする。

2　職員団体と地方公共団体の当局との交渉は、団体協約を締結する権利を含まないものとする。

3　地方公共団体の事務の管理及び運営に関する事項は、交渉の対象とすることができない。

4　職員団体が交渉することのできる地方公共団体の当局は、交渉事項について適法に管理し、又は決定することのできる地方公共団体の当局とする。

5　交渉は、職員団体と地方公共団体の当局があらかじめ取り決めた員数の範囲内で、職員団体がその役員の中から指名する者と地方公共団体の当局の指名する者との間において行なわなければならない。交渉に当たつては、職員団体と地方公共団体の当局との間において、議題、時間、場所その他必要な事項をあらかじめ取り決めて行なうものとする。

6　前項の場合において、特別の事情があるときは、職員団体は、役員以外の者を指名することができるものとする。ただし、その指名する者は、当該交渉の対象である特定の事項について交渉する適法な委任を当該職員団体の執行機関から受けたことを文書によつて証明できる者でなければならない。

7　交渉は、前二項の規定に適合しないこととなつたとき、又は他の職員の職務の遂行を妨げ、若しくは地方公共団体の事務の正常な運営を阻害することとなつたときは、これを打ち切ることができる。

8　本条に規定する適法な交渉は、勤務時間中においても行なうことができる。

9　職員団体は、法令、条例、地方公共団体の規則及び地方公共団体の機関の定める規程にてい触しない限りにおいて、当該地方公共団体の当局と書面による協定を結ぶことができる。

10　前項の協定は、当該地方公共団体の当局及び職員団体の双方において、誠意と責任をもつて履行しなければならない。

11　職員は、職員団体に属していないという理由で、第一項に規定する事項に関し、不満を表明し、又は意見を申し出る自由を否定されてはならない。

（職員団体のための職員の行為の制限）

第五十五条の二　職員は、職員団体の業務にもつぱら従事することができない。ただし、任命権者の許可を受けて、登録を受けた職員団体の役員としてもつぱら従事する場合は、この限りでない。

2　前項ただし書の許可は、任命権者が相当と認める場合に与えることができるものとし、これを与える場合においては、任命権者は、その許可の有効期間を定めるものとする。

3　第一項ただし書の規定により登録を受けた職員団体の役員として専ら従事する期間は、職員としての在職期間を通じて五年（地方公営企業等の労働関係に関する法律（昭和二十七年法律第二百八十九号）第六条第一項ただし書（同法附則第五項において準用する場合を含む。）の規定により労働組合の業務に専ら従事したことがある職員については、五年からその専ら従事した期間を控除した期間）を超えることができない。

4　第一項ただし書の許可は、当該許可を受けた職員が登録を受けた職員団体の役員として当該職員団体の業務にもつぱら従事する者でなくなつたときは、取り消されるものとする。

5　第一項ただし書の許可を受けた職員は、その許可が効力を有する間は、休職者とし、いかなる給与も支給されず、また、その期間は、退職手当の算定の基礎となる勤続期間に算入されないものとする。

6　職員は、条例で定める場合を除き、給与を受けながら、職員団体のためその業務を行ない、又は活動してはならない。

（不利益取扱の禁止）

第五十六条　職員は、職員団体の構成員であること、職員団体を結成しようとしたこと、若しくはこれに加入しようとしたこと又は職員団体のために正当な行為をしたことの故をもつて不利益な取扱を受けることはない。

第四章　補則

（特例）

第五十七条　職員のうち、公立学校（学校教育法（昭和二十二年法律第二十六号）第一条に規定する学校及び就学前の子どもに関する教育、保育等の総合的な提供の推進に関する法律（平成十八年法律第七十七号）第二条第七項に規定する幼保連携型認定こども園であつて地方公共団体の設置するものをいう。）の教職員（学校教育法第七条（就学前の子どもに関する教育、保育等の総合的な提供の推進に関する法律第二十六条において準用する場合を含む。）に規定する校長及び教員並びに学校教育法第二十七条第二項（同法第八十二条において準用する場合を含む。）、第三十七条第一項（同法第四十九条及び第八十二条において準用する場合を含む。）、第六十条第一項（同法第八十二条において準用する場合を含む。）、第六十九条第一項、第九十二条第一項及び第百二十条第一項並びに就学前の子どもに関する教育、保育等の総合的な提供の推進に関する法律第十四条第二項に規定する事務職員をいう。）、単純な労務に雇用される者その他その職務と責任の特殊性に基づいてこの法律に対する特例を必要とするものについては、別に法律で定める。ただし、その特例は、第一条の精神に反するものであつてはならない。

（他の法律の適用除外等）

第五十八条　労働組合法（昭和二十四年法律第百七十四号）、労働関係調整法（昭和二十一年法律第二十五号）及び最低賃金法（昭和三十四年法律第百三十七号）並びにこれらに基く命令の規定は、職員に関して適用しない。

2　労働安全衛生法（昭和四十七年法律第五十七号）第二章の規定並びに船員災害防止活動の促進に関する法律（昭和四十二年法律第六十一号）第二章及び第五章の規定並びに同章に基づく命令の規定は、地方公共団体の行う労働基準法（昭和二十二年法律第四十九号）別表第一第一号から第十号まで及び第十三号から第十五号までに掲げる事業に従事する職員以外の職員に関して適用しない。

3　労働基準法第二条、第十四条第二項及び第三項、第二十四条第一項、第三十二条の三から第三十二条の五まで、第三十八条の二第二項及び第三項、第三十八条の三、第三十八条の四、第三十九条第六項から第八項まで、第四十一条の二、第七十五条から第九十三条まで並びに第百二条の規定、労働安全衛生法第六十六条の八の四及び第九十二条の規定、船員法（昭和二十二年法律第百号）第六条中労働基準法第二条に関する部分、第三十条、第三十七条中勤務条件に関する部分、第五十三条第一項、第八十九条から第百条まで、第百二条及び第百八条中勤務条件に関する部分の規定並びに船員災害防止活動の促進に関する法律第六十二条の規定並びにこれらの規定に基づく命令の規定は、職員に関して適用しない。ただし、労働基準法第百二条の規定、労働安全衛生法第九十二条の規定、船員法第三十七条及び第百八条中勤務条件に関する部分の規定並びに船員災害防止活動の促進に関する法律第六十二条の規定並びにこれらの規定に基づく命令の規定は、地方公共団体の行う労働基準法別表第一第一号から第十号まで及び第十三号から第十五号までに掲げる事業に従事する職員に、同法第七十五条から第八十八条まで及び船員法第八十九条から第九十六条までの規定は、地方公務員災害補償法（昭和四十二年法律第百二十一号）第二条第一項に規定する者以外の職員に関しては適用する。

4　職員に関しては、労働基準法第三十二条の二第一項中「使用者は、当該事業場に、労働者の過半数で組織する労働組合がある場合においてはその労働組合、労働者の過半数で組織する労働組合がない場合においては労働者の過半数を代表する者との書面による協定により、又は」とあるのは「使用者は、」と、同法第三十四条第二項ただし書中「当該事業場に、労働者の過半数で組織する労働組合がある場合においてはその労働組合、労働者の過半数で組織する労働組合がない場合においては労働者の過半数を代表する者との書面による協定があるときは」とあるのは「条例に特別の定めがある場合は」と、同法第三十七条第三項中「使用者が、当該事業場に、労働者の過半数で組織する労働組合があるときはその労働組合、労働者の過半数で組織する労働組合がないときは労働者の過半数を代表する者との書面による協定により」とあるのは「使用者が」と、同法第三十九条第四項中「当該事業場に、労働者の過半数で組織する労働組合があるときはその労働組合、労働者の過半数で組織する労働組合がないときは労働者の過半数を代表する者との書面による協定により、次に掲げる事項を定めた場合において、第一号に掲げる労働者の範囲に属する労働者が有給休暇を時間を単位として請求したときは、前三項の規定による有給休暇の日数のうち第二号に掲げる日数については、これらの規定にかかわらず、当該協定で定めるところにより」とあるのは「前三項の規定にかかわらず、特に必要があると認められるときは、」とする。

5 労働基準法、労働安全衛生法、船員法及び船員災害防止活動の促進に関する法律の規定並びにこれらの規定に基づく命令の規定中第三項の規定により職員に関して適用されるものを適用する場合における職員の勤務条件に関する労働基準監督機関の職権は、地方公共団体の行う労働基準法別表第一第一号から第十号まで及び第十二号から第十五号までに掲げる事業に従事する職員の場合を除き、人事委員会又はその委任を受けた人事委員会の委員(人事委員会を置かない地方公共団体においては、地方公共団体の長)が行うものとする。

(人事行政の運営等の状況の公表)

第五十八条の二 任命権者は、次条に規定するもののほか、条例で定めるところにより、毎年、地方公共団体の長に対し、職員(臨時的に任用された職員及び非常勤職員(短時間勤務の職を占める職員及び第二十二条の二第一項第二号に掲げる職員を除く。)を除く。)の任用、人事評価、給与、勤務時間その他の勤務条件、休業、分限及び懲戒、服務、退職管理、研修並びに福祉及び利益の保護等人事行政の運営の状況を報告しなければならない。

2 人事委員会又は公平委員会は、条例で定めるところにより、毎年、地方公共団体の長に対し、業務の状況を報告しなければならない。

3 地方公共団体の長は、前二項の規定による報告を受けたときは、条例で定めるところにより、毎年、第一項の規定による報告を取りまとめ、その概要及び前項の規定による報告を公表しなければならない。

(等級等ごとの職員の数の公表)

第五十八条の三 任命権者は、第二十五条第四項に規定する等級及び職員の職の属する職制上の段階ごとに、職員の数を、毎年、地方公共団体の長に報告しなければならない。

2 地方公共団体の長は、毎年、前項の規定による報告を取りまとめ、公表しなければならない。

(総務省の協力及び技術的助言)

第五十九条 総務省は、地方公共団体の人事行政がこの法律によつて確立される地方公務員制度の原則に沿つて運営されるように協力し、及び技術的助言をすることができる。

第五章 罰則

(罰則)

第六十条 次の各号のいずれかに該当する者は、一年以下の拘禁刑又は五十万円以下の罰金に処する。

一 第十三条の規定に違反して差別をした者

二 第三十四条第一項又は第二項の規定(第九条の二第十二項において準用する場合を含む。)に違反して秘密を漏らした者

三 第五十条第三項の規定による人事委員会又は公平委員会の指示に故意に従わなかつた者

四 離職後二年を経過するまでの間に、離職前五年間に在職していた地方公共団体の執行機関の組織等に属する役職員又はこれに類する者として人事委員会規則で定めるものに対し、契約等事務であつて離職前五年間の職務に属するものに関し、職務上不正な行為をするように、又は相当の行為をしないように要求し、又は依頼した再就職者

五 地方自治法第百五十八条第一項に規定する普通地方公共団体の長の直近下位の内部組織の長又はこれに準ずる職であつて人事委員会規則で定めるものに離職した日の五年前の日より前に就いていた者であつて、離職後二年を経過するまでの間に、当該職に就いていた時に在職していた地方公共団体の執行機関の組織等に属する役職員又はこれに類する者として人事委員会規則で定めるものに対し、契約等事務であつて離職した日の五年前の日より前の職務(当該職に就いていたときの職務

に限る。）に属するものに関し、職務上不正な行為をするように、又は相当の行為をしないように要求し、又は依頼した再就職者

六　在職していた地方公共団体の執行機関の組織等に属する役職員又はこれに類する者として人事委員会規則で定めるものに対し、当該地方公共団体若しくは当該特定地方独立行政法人と営利企業等（再就職者が現にその地位に就いているものに限る。）若しくはその子法人との間の契約であつて当該地方公共団体若しくは当該特定地方独立行政法人においてその締結について自らが決定したもの又は当該地方公共団体若しくは当該特定地方独立行政法人による当該営利企業等若しくはその子法人に対する行政手続法第二条第二号に規定する処分であつて自らが決定したものに関し、職務上不正な行為をするように、又は相当の行為をしないように要求し、又は依頼した再就職者

七　国家行政組織法第二十一条第一項に規定する部長又は課長の職に相当する職として人事委員会規則で定めるものに離職した日の五年前の日より前に就いていた者であつて、離職後二年を経過するまでの間に、当該職に就いていた時に在職していた地方公共団体の執行機関の組織等に属する役職員又はこれに類する者として人事委員会規則で定めるものに対し、契約等事務であつて離職した日の五年前の日より前の職務（当該職に就いていたときの職務に限る。）に属するものに関し、職務上不正な行為をするように、又は相当の行為をしないように要求し、又は依頼した再就職者（第三十八条の二第八項の規定に基づき条例を定めている地方公共団体の再就職者に限る。）

八　第四号から前号までに掲げる再就職者から要求又は依頼（地方独立行政法人法第五十条の二において準用する第四号から前号までに掲げる要求又は依頼を含む。）を受けた職員であつて、当該要求又は依頼を受けたことを理由として、職務上不正な行為をし、又は相当の行為をしなかつた者

第六十一条　次の各号のいずれかに該当する者は、三年以下の拘禁刑又は百万円以下の罰金に処する。

一　第五十条第一項に規定する権限の行使に関し、第八条第六項の規定により人事委員会若しくは公平委員会から証人として喚問を受け、正当な理由がなくてこれに応ぜず、若しくは虚偽の陳述をした者又は同項の規定により人事委員会若しくは公平委員会から書類若しくはその写の提出を求められ、正当な理由がなくてこれに応ぜず、若しくは虚偽の事項を記載した書類若しくはその写を提出した者

二　第十五条の規定に違反して任用した者

三　第十八条の三（第二十一条の四第四項において準用する場合を含む。）の規定に違反して受験を阻害し、又は情報を提供した者

四　何人たるを問わず、第三十七条第一項前段に規定する違法な行為の遂行を共謀し、唆し、若しくはあおり、又はこれらの行為を企てた者

五　第四十六条の規定による勤務条件に関する措置の要求の申出を故意に妨げた者

第六十二条　第六十条第二号又は前条第一号から第三号まで若しくは第五号に掲げる行為を企て、命じ、故意にこれを容認し、そそのかし、又はそのほう助をした者は、それぞれ各本条の刑に処する。

第六十三条　次の各号のいずれかに該当する者は、三年以下の拘禁刑に処する。ただし、刑法（明治四十年法律第四十五号）に正条があるときは、刑法による。

一　職務上不正な行為（当該職務上不正な行為が、営利企業等に対し、他の役職員をその離職後に、若しくは役職員であつた者を、当該営利企業等若しくはその子法人の地位に就かせることを目的として、当該役職員若しくは役職員であつた者に関する情報を提供し、若しくは当該地位に関する情報の提供を依頼し、若しくは当該役職員若しくは役職員であつた者を当該地位に就かせることを要求し、若しくは依頼する行為、又は営利企業等に対し、離職後に当該営利企業等若しくはその子法人の地位に就くことを目的として、自己に関する情報を提供し、若しくは当該地位に関する情報の提供を依頼し、若しくは当該地位に就くことを要求し、若しくは約束する行為である場合における当該職務上不正な行為を除く。次号において同じ。）をすること若しくはしたこと、又は相当の行為をしないこと若しくはしなかつたことに関し、営利企業等に対し、離職後に当該営利企業等若しくはその子法人

の地位に就くこと、又は他の役職員をその離職後に、若しくは役職員であつた者を、当該営利企業等若しくはその子法人の地位に就かせることを要求し、又は約束した職員

二　職務に関し、他の役職員に職務上不正な行為をするように、又は相当の行為をしないように要求し、依頼し、若しくは唆すこと、又は要求し、依頼し、若しくは唆したことに関し、営利企業等に対し、離職後に当該営利企業等若しくはその子法人の地位に就くこと、又は他の役職員をその離職後に、若しくは役職員であつた者を、当該営利企業等若しくはその子法人の地位に就かせることを要求し、又は約束した職員

三　前号（地方独立行政法人法第五十条の二において準用する場合を含む。）の不正な行為をするように、又は相当の行為をしないように要求し、依頼し、又は唆した行為の相手方であつて、同号（同条において準用する場合を含む。）の要求又は約束があつたことの情を知つて職務上不正な行為をし、又は相当の行為をしなかつた職員

第六十四条　第三十八条の二第一項、第四項又は第五項の規定（同条第八項の規定に基づく条例が定められているときは、当該条例の規定を含む。）に違反して、役職員又はこれらの規定に規定する役職員に類する者として人事委員会規則で定めるものに対し、契約等事務に関し、職務上の行為をするように、又はしないように要求し、又は依頼した者（不正な行為をするように、又は相当の行為をしないように要求し、又は依頼した者を除く。）は、十万円以下の過料に処する。

第六十五条　第三十八条の六第二項の条例には、これに違反した者に対し、十万円以下の過料を科する旨の規定を設けることができる。

○地方公務員の育児休業等に関する法律

平三・一二・二四
法　一一〇

最終改正　令四・五・二法三五

（目的）

第一条　この法律は、育児休業等に関する制度を設けて子を養育する職員（地方公務員法（昭和二十五年法律第二百六十一号）第四条第一項に規定する職員をいう。以下同じ。）の継続的な勤務を促進し、もって職員の福祉を増進するとともに、地方公共団体の行政の円滑な運営に資することを目的とする。

（育児休業の承認）

第二条　職員（第十八条第一項の規定により採用された同項に規定する短時間勤務職員、臨時的に任用される職員その他その任用の状況がこれらに類する職員として条例で定める職員を除く。）は、任命権者（地方公務員法第六条第一項に規定する任命権者及びその委任を受けた者をいう。以下同じ。）の承認を受けて、当該職員の子（民法（明治二十九年法律第八十九号）第八百十七条の二第一項の規定により職員が当該職員との間における同項に規定する特別養子縁組の成立について家庭裁判所に請求した者（当該請求に係る家事審判事件が裁判所に係属している場合に限る。）であって、当該職員が現に監護するもの、児童福祉法（昭和二十二年法律第百六十四号）第二十七条第一項第三号の

規定により同法第六条の四第二号に規定する養子縁組里親である職員に委託されている児童その他これらに準ずる者として条例で定める者を含む。以下同じ。）を養育するため、当該子が三歳に達する日（非常勤職員にあっては、当該子の養育の事情に応じ、一歳に達する日から一歳六か月に達する日までの間で条例で定める日（当該子の養育の事情を考慮して特に必要と認められる場合として条例で定める場合に該当するときは、二歳に達する日））まで、育児休業をすることができる。ただし、当該子について、既に二回の育児休業（次に掲げる育児休業を除く。）をしたことがあるときは、条例で定める特別の事情がある場合を除き、この限りでない。

一　子の出生の日から国家公務員の育児休業等に関する法律（平成三年法律第百九号。以下「国家公務員育児休業法」という。）第三条第一項第一号の規定により人事院規則で定める期間を基準として条例で定める期間内に、職員（当該期間内に労働基準法（昭和二十二年法律第四十九号）第六十五条第二項の規定により勤務しない職員を除く。）が当該子についてする育児休業（次号に掲げる育児休業を除く。）のうち最初のもの及び二回目のもの

二　任期を定めて採用された職員が当該任期の末日を育児休業の期間の末日としてする育児休業（当該職員が、当該任期を更新され、又は当該任期の満了後引き続いて任命権者を同じくする職に採用されることに伴い、当該育児休業に係る子について、当該更新前の任期の末日の翌日又は当該採用の日を育児休業の期間の初日とする育児休業をする場合に限る。）

2　育児休業の承認を受けようとする職員は、育児休業をしようとする期間の初日及び末日を明らかにして、任命権者に対し、その承認を請求するものとする。

3　任命権者は、前項の規定による請求があったときは、当該請求に係る期間について当該請求をした職員の業務を処理するための措置を講ずることが著しく困難である場合を除き、これを承認しなければならない。

（育児休業の期間の延長）

第三条　育児休業をしている職員は、任命権者に対し、当該育児休業の期間の延長を請求することができる。

2　育児休業の期間の延長は、条例で定める特別の事情がある場合を除き、一回に限るものとする。

3　前条第二項及び第三項の規定は、育児休業の期間の延長について準用する。

（育児休業の効果）

第四条　育児休業をしている職員は、育児休業を開始した時就いていた職又は育児休業の期間中に異動した職を保有するが、職務に従事しない。

2　育児休業をしている期間については、給与を支給しない。

（育児休業の承認の失効等）

第五条　育児休業の承認は、当該育児休業をしている職員が産前の休業を始め、若しくは出産した場合、当該職員が休職若しくは停職の処分を受けた場合又は当該育児休業に係る子が死亡し、若しくは当該職員の子でなくなった場合には、その効力を失う。

2　任命権者は、育児休業をしている職員が当該育児休業に係る子を養育しなくなったことその他条例で定める事由に該当すると認めるときは、当該育児休業の承認を取り消すものとする。

（育児休業に伴う任期付採用及び臨時的任用）

第六条　任命権者は、第二条第二項又は第三条第一項の規定による請求があった場合において、当該請求に係る期間について職員の配置換えその他の方法により当該請求をした職員の業務を処理することが困難であると認めるときは、当該業務を処理するため、次の各号に掲げる任用のいずれかを行うものとする。この場合において、第二号に掲げる任用は、当該請求に係る期間について一年を超えて行うことができない。

一　当該請求に係る期間を任期の限度として行う任期を定めた採用

二　当該請求に係る期間を任期の限度として行う臨時的任用

2　任命権者は、前項の規定により任期を定めて職員を採用する場合には、当該職員に当該任期を明示しなければならない。

3　任命権者は、第一項の規定により任期を定めて採用された職員の任期が第二条第二項又は第三条第一項の規定による請求に係る期間に満たない場合には、当該期間の範囲内において、当該任期を更新することができる。

4　第二項の規定は、前項の規定により任期を更新する場合について準用する。

5　任命権者は、第一項の規定により任期を定めて採用された職員を、任期を定めて採用した趣旨に反しない場合に限り、当該任期中、他の職に任用することができる。

6　第一項の規定により臨時的任用を行う場合には、地方公務員法第二十二条の三第一項から第四項までの規定は、適用しない。

（育児休業をしている職員の期末手当等の支給）

第七条　育児休業をしている職員については、第四条第二項の規定にかかわらず、国家公務員育児休業法第八条に規定する育児休業をしている国家公務員の期末手当又は勤勉手当の支給に関する事項を基準として定める条例の定めるところにより、期末手当又は勤勉手当を支給することができる。

（育児休業をした職員の職務復帰後における給与等の取扱い）

第八条　育児休業をした職員については、国家公務員育児休業法第三条第一項の規定により育児休業をした国家公務員の給与及び退職手当の取扱いに関する事項を基準として、職務に復帰した場合の給与及び退職した場合の退職手当の取扱いに関する措置を講じなければならない。

（育児休業を理由とする不利益取扱いの禁止）

第九条　職員は、育児休業を理由として、不利益な取扱いを受けることはない。

（育児短時間勤務の承認）

第十条　職員（非常勤職員、臨時的に任用される職員その他これらに類する職員として条例で定める職員を除く。）は、任命権者の承認を受けて、当該職員の小学校就学の始期に達するまでの子を養育するため、当該子がその始期に達するまで、常時勤務を要する職を占めたまま、次の各号に掲げるいずれかの勤務の形態（一般職の職員の勤務時間、休暇等に関する法律（平成六年法律第三十三号）第六条の規定の適用を受ける国家公務員と同様の勤務の形態によって勤務する職員以外の職員にあっては、第五号に掲げる勤務の形態）により、当該職員が希望する日及び時間帯において勤務すること（以下「育児短時間勤務」という。）ができる。ただし、当該子について、既に育児短時間勤務をしたことがある場合において、当該子に係る育児短時間勤務の終了の日の翌日から起算して一年を経過しないときは、条例で定める特別の事情がある場合を除き、この限りでない。

一　日曜日及び土曜日を週休日（勤務時間を割り振らない日をいう。以下この項において同じ。）とし、週休日以外の日において一日につき十分の一勤務時間（当該職員の一週間当たりの通常の勤務時間（以下この項において「週間勤務時間」という。）に十分の一を乗じて得た時間に端数処理（五分を最小の単位とし、これに満たない端数を切り上げることをいう。以下この項において同じ。）を行って得た時間をいう。以下この項及び第十三条において同じ。）勤務すること。

二　日曜日及び土曜日を週休日とし、週休日以外の日において一日につき八分の一勤務時間（週間勤務時間に八分の一を乗じて得た時間に端数処理を行って得た時間をいう。以下この項において同じ。）勤務すること。

三　日曜日及び土曜日並びに月曜日から金曜日までの五日間のうちの二日を週休日とし、週休日以外の日において一日につき五分の一勤務時間（週間勤務時間に五分の一を乗じて得た時間に端数処理を行って得た時間をいう。以下この項及び第十三条において同じ。）勤務すること。

四　日曜日及び土曜日並びに月曜日から金曜日までの五日間のうちの二日を週休日とし、週休日以外の日のうち、二日については一日につき五分の一勤務時間、一日については一日につき十分の一勤務時間勤務すること。

五　前各号に掲げるもののほか、一週間当たりの勤務時間が五分の一勤務時間に二を乗じて得た時間に十分の一勤務時間を加えた時間から八分の一勤務時間に五を乗じて得た時間までの範囲内の時間となるように条例で定める勤務の形態

2　育児短時間勤務の承認を受けようとする職員は、条例で定めるところにより、育児短時間勤務をしようとする期間（一月以上一年以下の期間に限る。）の初日及び末日並びにその勤務の形態における勤務の日及び時間帯を明らかにして、任命権者に対し、その承認を請求するものとする。

3　任命権者は、前項の規定による請求があったときは、当該請求に係る期間について当該請求をした職員の業務を処理するための措置を講ずることが困難である場合を除き、これを承認しなければならない。

（育児短時間勤務の期間の延長）

第十一条　育児短時間勤務をしている職員（以下「育児短時間勤務職員」という。）は、任命権者に対し、当該育児短時間勤務の期間の延長を請求することができる。

2　前条第二項及び第三項の規定は、育児短時間勤務の期間の延長について準用する。

（育児短時間勤務の承認の失効等）

第十二条　第五条の規定は、育児短時間勤務の承認の失効及び取消しについて準用する。

（育児短時間勤務職員の並立任用）

第十三条　一人の育児短時間勤務職員（一週間当たりの勤務時間が五分の一勤務時間に二を乗じて得た時間に十分の一勤務時間を加えた時間から十分の一勤務時間に五を乗じて得た時間までの範囲内の時間である者に限る。以下この条において同じ。）が占める職には、他の一人の育児短時間勤務職員を任用することを妨げない。

（育児短時間勤務職員の給与等の取扱い）

第十四条　育児短時間勤務職員については、国家公務員育児休業法第十二条第一項に規定する育児短時間勤務をしている国家公務員の給与、勤務時間及び休暇の取扱いに関する事項を基準として、給与、勤務時間及び休暇の取扱いに関する措置を講じなければならない。

（育児短時間勤務をした職員の退職手当の取扱い）

第十五条　育児短時間勤務をした職員については、国家公務員育児休業法第十二条第一項に規定する育児短時間勤務をした国家公務員の退職手当の取扱いに関する事項を基準として、退職した場合の退職手当の取扱いに関する措置を講じなければならない。

（育児短時間勤務を理由とする不利益取扱いの禁止）

第十六条　職員は、育児短時間勤務を理由として、不利益な取扱いを受けることはない。

（育児短時間勤務の承認が失効した場合等における育児短時間勤務の例による短時間勤務）

第十七条　任命権者は、第十二条において準用する第五条の規定により育児短時間勤務の承認が失効し、又は取り消された場合において、過員を生ずることその他の条例で定めるやむを得ない事情があると認めるときは、その事情が継続している期間、条例で定めるところにより、当該育児短時間勤務をしていた職員に、引き続き当該育児短時間勤務と同一の勤務の日及び時間帯において常時勤務を要する職を占めたまま勤務をさせることができる。この場合において、第十三条から前条までの規定を準用する。

（育児短時間勤務に伴う短時間勤務職員の任用）

第十八条　任命権者は、第十条第二項又は第十一条第一項の規定による請求があった場合において、当該請求に係る期間について当該請求をした職員の業務を処理するため必要があると認めるときは、当該請求に係る期間を任期の限度として、短時間勤務職員（地方公務員法第二十二条の四第一項に規定する短時間勤務の職を占める職員をいう。以下この条において同じ。）を採用することができる。

2　任命権者は、前項の規定により任期を定めて短時間勤務職員を採用する場合には、当該短時間勤務職員にその任期を明示しなければならない。

3　任命権者は、第一項の規定により任期を定めて採用された短時間勤務職員について、条例で定めるところにより、当該育児短時間勤務職員の第十条第二項の規定による請求に係る期間又は当該期間の初日から第十一条第一項の規定による請求に係る期間の末日までの期間の範囲内において、その任期を更新することができる。

4　第二項の規定は、前項の規定により任期を更新する場合について準用する。

5　任命権者は、第一項の規定により任期を定めて採用された短時間勤務職員を、任期を定めて採用した趣旨に反しない場合に限り、その任期中、他の職に任用することができる。

6　任命権者が第一項又は前項の規定により短時間勤務職員を任用する場合には、地方公務員法第二十二条の四第四項の規定は、適用しない。

（部分休業）

第十九条　任命権者（地方教育行政の組織及び運営に関する法律（昭和三十一年法律第百六十二号）第三十七条第一項に規定する県費負担教職員については、市町村の教育委員会）は、職員（育児短時間勤務職員その他その任用の状況がこれに類する職員として条例で定める職員を除く。）が請求した場合において、公務の運営に支障がないと認めるときは、条例の定めるところにより、当該職員がその小学校就学の始期（非常勤職員（地方公務員法第二十二条の四第一項に規定する短時間勤務の職を占める職員を除く。）にあっては、三歳）に達するまでの子を養育するため一日の勤務時間の一部（二時間を超えない範囲内の時間に限る。）について勤務しないこと（以下この条において「部分休業」という。）を承認することができる。

2　職員が部分休業の承認を受けて勤務しない場合には、国家公務員育児休業法第二十六条第二項に規定する育児時間の承認を受けて勤務しない場合の国家公務員の給与の支給に関する事項を基準として定める条例の定めるところにより、減額して給与を支給するものとする。

3　第五条及び第十六条の規定は、部分休業について準用する。

（職員に関する労働基準法等の適用）

第二十条　職員に関する労働基準法第十二条第三項第四号及び第三十九条第十項の規定の適用については、同法第十二条第三項第四号中「育児休業、介護休業等育児又は家族介護を行う労働者の福祉に関する法律（平成三年法律第七十六号）第二条第一号」とあるのは「地方公務員の育児休業等に関する法律（平成三年法律第百十号）第二条第一項」と、「同条第二号」とあるのは「育児休業、介護休業等育児又は家族介護を行う労働者の福祉に関する法律（平成三年法律第七十六号）第二条第二号」と、同法第三十九条第十項中「育児休業、介護休業等育児又は家族介護を行う労働者の福祉に関する法律第二条第一号」とあるのは「地方公務員の育児休業等に関する法律第二条第一項」と、「同条第二号」とあるのは「育児休業、介護休業等育児又は家族介護を行う労働者の福祉に関する法律第二条第二号」とする。

2　職員に関する船員法（昭和二十二年法律第百号）第七十四条第四項の規定の適用については、同項中「育児休業、介護休業等育児又は家族介護を行う労働者の福祉に関する法律（平成三年法律第七十六号）第二条第一号」とあるのは、「地方公務員の育児休業等に関する法律（平成三年法律第百十号）第二条第一項」とする。

○地方自治法（抄）

昭二二・四・一七
法　六　七

最終改正　令七・三・三一法一四

第一編　総則

第四条の二　地方公共団体の休日は、条例で定める。

②　前項の地方公共団体の休日は、次に掲げる日について定めるものとする。

一　日曜日及び土曜日

二　国民の祝日に関する法律（昭和二十三年法律第百七十八号）に規定する休日

三　年末又は年始における日で条例で定めるもの

③　前項各号に掲げる日のほか、当該地方公共団体において特別な歴史的、社会的意義を有し、住民がこぞつて記念することが定着している日で、当該地方公共団体の休日とすることについて広く国民の理解を得られるようなものは、第一項の地方公共団体の休日として定めることができる。この場合においては、当該地方公共団体の長は、あらかじめ総務大臣に協議しなければならない。

④　地方公共団体の行政庁に対する申請、届出その他の行為の期限で法律又は法律に基づく命令で規定する期間（時をもつて定める期間を除

く。）をもつて定めるものが第一項の規定に基づき条例で定められた地方公共団体の休日に当たるときは、地方公共団体の休日の翌日をもつてその期限とみなす。ただし、法律又は法律に基づく命令に別段の定めがある場合は、この限りでない。

第二編　普通地方公共団体

第八章　給与その他の給付

〔議員報酬及び費用弁償〕

第二百三条　普通地方公共団体は、その議会の議員に対し、議員報酬を支給しなければならない。

② 普通地方公共団体の議会の議員は、職務を行うため要する費用の弁償を受けることができる。

③ 普通地方公共団体は、条例で、その議会の議員に対し、期末手当を支給することができる。

④ 議員報酬、費用弁償及び期末手当の額並びにその支給方法は、条例でこれを定めなければならない。

〔報酬及び費用弁償〕

第二百三条の二　普通地方公共団体は、その委員会の非常勤の委員、非常勤の監査委員、自治紛争処理委員、審査会、審議会及び調査会等の委員その他の構成員、専門委員、監査専門委員、投票管理者、開票管理者、選挙長、投票立会人、開票立会人及び選挙立会人その他普通地方公共団体の非常勤の職員（短時間勤務職員及び地方公務員法第二十二条の二第一項第二号に掲げる職員を除く。）に対し、報酬を支給しなければならない。

② 前項の者に対する報酬は、その勤務日数に応じてこれを支給する。ただし、条例で特別の定めをした場合は、この限りでない。

③ 第一項の者は、職務を行うため要する費用の弁償を受けることができる。

④ 普通地方公共団体は、条例で、第一項の者のうち地方公務員法第二十二条の二第一項第一号に掲げる職員に対し、期末手当又は勤勉手当を支給することができる。

⑤ 報酬、費用弁償、期末手当及び勤勉手当の額並びにその支給方法は、条例でこれを定めなければならない。

〔給料、手当及び旅費〕

第二百四条　普通地方公共団体は、普通地方公共団体の長及びその補助機関たる常勤の職員、委員会の常勤の委員（教育委員会にあつては、教育長）、常勤の監査委員、議会の事務局長又は書記長、書記その他の常勤の職員、委員会の事務局長若しくは書記長、委員の事務局長又は委員会若しくは委員の事務を補助する書記その他の常勤の職員その他普通地方公共団体の常勤の職員並びに短時間勤務職員及び地方公務員法第二十二条の二第一項第二号に掲げる職員に対し、給料及び旅費を支給しなければならない。

② 普通地方公共団体は、条例で、前項の者に対し、扶養手当、地域手当、住居手当、初任給調整手当、通勤手当、単身赴任手当、在宅勤務等手当、特殊勤務手当、特地勤務手当（これに準ずる手当を含む。）、へき地手当（これに準ずる手当を含む。）、時間外勤務手当、宿日直手当、管理職員特別勤務手当、夜間勤務手当、休日勤務手当、管理職手当、期末手当、勤勉手当、寒冷地手当、任期付研究員業績手当、義務教育等教員特別手当、定時制通信教育手当、産業教育手当、農林漁業普及指導手当、災害派遣手当（武力攻撃災害等派遣手当及び特定新型インフルエンザ等対策派遣手当を含む。）又は退職手当を支給することができる。

③ 給料、手当及び旅費の額並びにその支給方法は、条例でこれを定めなければならない。

〔給与等の支給制限〕

第二百四条の二　普通地方公共団体は、いかなる給与その他の給付も法律又はこれに基づく条例に基づかずには、これをその議会の議員、第二百三条の二第一項の者及び前条第一項の者に支給することができない。

〔退職年金又は退職一時金〕

第二百五条　第二百四条第一項の者は、退職年金又は退職一時金を受けることができる。

〔給与その他の給付に対する審査請求〕

第二百六条　普通地方公共団体の長以外の機関がした第二百三条から第二百四条まで又は前条の規定による給与その他の給付に関する処分についての審査請求は、法律に特別の定めがある場合を除くほか、普通地方公共団体の長が当該機関の最上級行政庁でない場合においても、当該普通地方公共団体の長に対してするものとする。

② 普通地方公共団体の長は、第二百三条から第二百四条まで又は前条の規定による給与その他の給付に関する処分についての審査請求がされた場合には、当該審査請求が不適法であり、却

下するときを除き、議会に諮問した上、当該審査請求に対する裁決をしなければならない。

③　議会は、前項の規定による諮問を受けた日から二十日以内に意見を述べなければならない。

④　普通地方公共団体の長は、第二項の規定による諮問をしないで同項の審査請求を却下したときは、その旨を議会に報告しなければならない。

〔実費弁償〕

第二百七条　普通地方公共団体は、条例の定めるところにより、第七十四条の三第三項及び第百条第一項後段（第二百八十七条の二第七項において準用する場合を含む。）の規定により出頭した選挙人その他の関係人、第百十五条の二第二項（第百九条第五項において準用する場合を含む。）の規定により出頭した参考人、第百九十九条第八項の規定により出頭した関係人、第二百五十一条の二第九項の規定により出頭した当事者及び関係人並びに第百十五条の二第一項（第百九条第五項において準用する場合を含む。）の規定による公聴会に参加した者の要した実費を弁償しなければならない。

○教育公務員特例法

昭二四・一・一二
法一

最終改正　令四・六・一七法六八

目次〔略〕

第一章　総則

（この法律の趣旨）

第一条　この法律は、教育を通じて国民全体に奉仕する教育公務員の職務とその責任の特殊性に基づき、教育公務員の任免、人事評価、給与、分限、懲戒、服務及び研修等について規定する。

（定義）

第二条　この法律において「教育公務員」とは、地方公務員のうち、学校（学校教育法（昭和二十二年法律第二十六号）第一条に規定する学校及び就学前の子どもに関する教育、保育等の総合的な提供の推進に関する法律（平成十八年法律第七十七号）第二条第七項に規定する幼保連携型認定こども園（以下「幼保連携型認定こども園」という。）をいう。以下同じ。）であつて地方公共団体が設置するもの（以下「公立学校」という。）の学長、校長（園長を含む。以下同じ。）、教員及び部局長並びに教育委員会の専門的教育職員をいう。

2　この法律において「教員」とは、公立学校の教授、准教授、助教、副校長（副園長を含む。以下同じ。）、教頭、主幹教諭（幼保連携型認定こども園の主幹養護教諭及び主幹栄養教諭を含む。以下同じ。）、指導教諭、教諭、助教諭、養護教諭、養護助教諭、栄養教諭、主幹保育教諭、指導保育教諭、保育教諭、助保育教諭及び講師をいう。

3　この法律で「部局長」とは、大学（公立学校であるものに限る。第二十二条の六第三項、第二十二条の七第二項第二号及び第二十六条第一項を除き、以下同じ。）の副学長、学部長その他政令で指定する部局の長をいう。

4　この法律で「評議会」とは、大学に置かれる会議であつて当該大学を設置する地方公共団体の定めるところにより学長、学部長その他の者で構成するものをいう。

5　この法律で「専門的教育職員」とは、指導主事及び社会教育主事をいう。

第二章　任免、人事評価、給与、分限及び懲戒

第一節　大学の学長、教員及び部局長

（採用及び昇任の方法）

第三条　学長及び部局長の採用（現に当該学長の職以外の職に任命されている者を当該学長の職に任命する場合及び現に当該部局長の職以外の職に任命されている者を当該部局長の職に任命する場合を含む。次項から第四項までにおいて同じ。）並びに教員の採用（現に当該教員の職以外の職に任命されている者を当該部局に置かれる教員の職に任命する場合を含む。以下この項及び第五項において同じ。）及び昇任（採用に該当するものを除く。同項において同じ。）は、選考に

よるものとする。

2　学長の採用のための選考は、人格が高潔で、学識が優れ、かつ、教育行政に関し識見を有する者について、評議会（評議会を置かない大学にあつては、教授会。以下同じ。）の議に基づき学長の定める基準により、評議会が行う。

3　学部長の採用のための選考は、当該学部の教授会の議に基づき、学長が行う。

4　学部長以外の部局長の採用のための選考は、評議会の議に基づき学長の定める基準により、学長が行う。

5　教員の採用及び昇任のための選考は、評議会の議に基づき学長の定める基準により、教授会の議に基づき学長が行う。

6　前項の選考について教授会が審議する場合において、その教授会が置かれる組織の長は、当該大学の教員人事の方針を踏まえ、その選考に関し、教授会に対して意見を述べることができる。

（転任）

第四条　学長、教員及び部局長は、学長及び教員にあつては評議会、部局長にあつては学長の審査の結果によるのでなければ、その意に反して転任（現に学長の職に任命されている者を当該学長の職以外の職に任命する場合、現に教員の職に任命されている者を当該教員の職が置かれる部局に置かれる教員の職以外の職に任命する場合及び現に部局長の職に任命されている者を当該部局長の職以外の職に任命する場合をいう。）をされることはない。

2　評議会及び学長は、前項の審査を行うに当たつては、その者に対し、審査の事由を記載した説明書を交付しなければならない。

3　評議会及び学長は、審査を受ける者が前項の説明書を受領した後十四日以内に請求した場合には、その者に対し、口頭又は書面で陳述する機会を与えなければならない。

4　評議会及び学長は、第一項の審査を行う場合において必要があると認めるときは、参考人の出頭を求め、又はその意見を徴することができる。

5　前三項に規定するもののほか、第一項の審査に関し必要な事項は、学長及び教員にあつては評議会、部局長にあつては学長が定める。

（降任及び免職）

第五条　学長、教員及び部局長は、学長及び教員にあつては評議会、部局長にあつては学長の審査の結果によるのでなければ、その意に反して免職されることはない。教員の降任（前条第一項の転任に該当するものを除く。）についても、また同様とする。

2　前条第二項から第五項までの規定は、前項の審査の場合に準用する。

（人事評価）

第五条の二　学長、教員及び部局長の人事評価及びその結果に応じた措置は、学長にあつては評議会が、教員及び学部長にあつては教授会の議に基づき学長が、学部長以外の部局長にあつては学長が行う。

2　前項の人事評価の基準及び方法に関する事項その他人事評価に関し必要な事項は、評議会の議に基づき学長が定める。

（休職の期間）

第六条　学長、教員及び部局長の休職の期間は、心身の故障のため長期の休養を要する場合の休職においては、個々の場合について、評議会の議に基づき学長が定める。

（任期）

第七条　学長及び部局長の任期については、評議会の議に基づき学長が定める。

（定年）

第八条　大学の教員に対する地方公務員法（昭和二十五年法律第二百六十一号）第二十八条の六第一項、第二項及び第四項の規定の適用については、同条第一項中「定年に達した日以後における最初の三月三十一日までの間において、条例で定める日」とあるのは「定年に達した日から起算して一年を超えない範囲内で評議会の議に基づき学長があらかじめ指定する日」と、同条第二項中「国の職員につき定められている定年を基準として条例で」とあるのは「評議会の議に基づき学長が」と、同条第四項中「臨時的に任用される職員その他の法律により任期を定めて任用される職員」とあるのは「臨時的に任用される職員」とする。

2　大学の教員については、地方公務員法第二十八条の六第三項及び第二十八条の七の規定は、適用しない。

（懲戒）

第九条　学長、教員及び部局長は、学長及び教員にあつては評議会、部局長にあつては学長の審査の結果によるのでなければ、懲戒処分を受けることはない。

2 第四条第二項から第五項までの規定は、前項の審査の場合に準用する。

（任命権者）

第十条 大学の学長、教員及び部局長の任用、免職、休職、復職、退職及び懲戒処分は、学長の申出に基づいて、任命権者が行う。

2 大学の学長、教員及び部局長に係る標準職務遂行能力は、評議会の議に基づく学長の申出に基づいて、任命権者が定める。

第二節 大学以外の公立学校の校長及び教員

（採用及び昇任の方法）

第十一条 公立学校の校長の採用（現に校長の職以外の職に任命されている者を校長の職に任命する場合を含む。）並びに教員の採用（現に教員の職以外の職に任命されている者を教員の職に任命する場合を含む。以下この条において同じ。）及び昇任（採用に該当するものを除く。）は、選考によるものとし、その選考は、大学附置の学校にあつては当該大学の学長が、大学附置の学校以外の公立学校（幼保連携型認定こども園を除く。）にあつてはその校長及び教員の任命権者である教育委員会の教育長が、大学附置の学校以外の公立学校（幼保連携型認定こども園に限る。）にあつてはその校長及び教員の任命権者である地方公共団体の長が行う。

（条件付任用）

第十二条 公立の小学校、中学校、義務教育学校、高等学校、中等教育学校、特別支援学校、幼稚園及び幼保連携型認定こども園（以下「小学校等」という。）の教諭、助教諭、保育教諭、助保育教諭及び講師（以下「教諭等」という。）に係る地方公務員法第二十二条に規定する採用については、同条中「六月」とあるのは「一年」として同条の規定を適用する。

2 地方教育行政の組織及び運営に関する法律（昭和三十一年法律第百六十二号）第四十条に定める場合のほか、公立の小学校等の校長又は教員で地方公務員法第二十二条（同法第二十二条の二第七項及び前項の規定において読み替えて適用する場合を含む。）の規定により正式任用になつている者が、引き続き同一都道府県内の公立の小学校等の校長又は教員に任用された場合には、その任用については、同法第二十二条の規定は適用しない。

（校長及び教員の給与）

第十三条 公立の小学校等の校長及び教員の給与は、これらの者の職務と責任の特殊性に基づき条例で定めるものとする。

2 前項に規定する給与のうち地方自治法（昭和二十二年法律第六十七号）第二百四条第二項の規定により支給することができる義務教育等教員特別手当は、これらの者のうち次に掲げるものを対象とするものとし、その内容は、条例で定める。

一 公立の小学校、中学校、義務教育学校、中等教育学校の前期課程又は特別支援学校の小学部若しくは中学部に勤務する校長及び教員

二 前号に規定する校長及び教員との権衡上必要があると認められる公立の高等学校、中等教育学校の後期課程、特別支援学校の高等部若しくは幼稚部、幼稚園又は幼保連携型認定こども園に勤務する校長及び教員

（休職の期間及び効果）

第十四条 公立学校の校長及び教員の休職の期間は、結核性疾患のため長期の休養を要する場合の休職においては、満二年とする。ただし、任命権者は、特に必要があると認めるときは、予算の範囲内において、その休職の期間を満三年まで延長することができる。

2 前項の規定による休職者には、その休職の期間中、給与の全額を支給する。

第三節 専門的教育職員

（採用及び昇任の方法）

第十五条 専門的教育職員の採用（現に指導主事の職以外の職に任命されている者を指導主事の職に任命する場合及び現に社会教育主事の職以外の職に任命されている者を社会教育主事の職に任命する場合を含む。以下この条において同じ。）及び昇任（採用に該当するものを除く。）は、選考によるものとし、その選考は、当該教育委員会の教育長が行う。

第十六条 削除

第三章 服務

（兼職及び他の事業等の従事）

第十七条 教育公務員は、教育に関する他の職を兼ね、又は教育に関する他の事業若しくは事務に従事することが本務の遂行に支障がないと任命権者（地方教育行政の組織及び運営に関する法律第三十七条第一項に規定する県費負担教職員（以下「県費負担教職員」という。）については、市町村（特別区を含む。以下同じ。）の

教育委員会）において認める場合には、給与を受け、又は受けないで、その職を兼ね、又はその事業若しくは事務に従事することができる。

2　前項の規定は、非常勤の講師（地方公務員法第二十二条の四第一項に規定する短時間勤務の職を占める者及び同法第二十二条の二第一項第二号に掲げる者を除く。）については、適用しない。

3　第一項の場合においては、地方公務員法第三十八条第二項の規定により人事委員会が定める許可の基準によることを要しない。

（公立学校の教育公務員の政治的行為の制限）

第十八条　公立学校の教育公務員の政治的行為の制限については、当分の間、地方公務員法第三十六条の規定にかかわらず、国家公務員の例による。

2　前項の規定は、政治的行為の制限に違反した者の処罰につき国家公務員法（昭和二十二年法律第百二十号）第百十条第一項の例による趣旨を含むものと解してはならない。

（大学の学長、教員及び部局長の服務）

第十九条　大学の学長、教員及び部局長の服務について、地方公務員法第三十条の根本基準の実施に関し必要な事項は、前条第一項並びに同法第三十一条から第三十五条まで、第三十七条及び第三十八条に定めるものを除いては、評議会の議に基づき学長が定める。

第四章　研修

（研修実施者及び指導助言者）

第二十条　この章において「研修実施者」とは、次の各号に掲げる者の区分に応じ当該各号に定める者をいう。

一　市町村が設置する中等教育学校（後期課程に学校教育法第四条第一項に規定する定時制の課程のみを置くものを除く。次号において同じ。）の校長及び教員のうち県費負担教職員である者　当該市町村の教育委員会

二　地方自治法第二百五十二条の二十二第一項の中核市（以下この号及び次項第二号において「中核市」という。）が設置する小学校等（中等教育学校を除く。）の校長及び教員のうち県費負担教職員である者　当該中核市の教育委員会

三　前二号に掲げる者以外の教育公務員　当該教育公務員の任命権者

2　この章において「指導助言者」とは、次の各号に掲げる者の区分に応じ当該各号に定める者をいう。

一　前項第一号に掲げる者　同号に定める市町村の教育委員会

二　前項第二号に掲げる者　同号に定める中核市の教育委員会

三　公立の小学校等の校長及び教員のうち県費負担教職員である者（前二号に掲げる者を除く。）　当該校長及び教員の属する市町村の教育委員会

四　公立の小学校等の校長及び教員のうち県費負担教職員以外の者　当該校長及び教員の任命権者

（研修）

第二十一条　教育公務員は、その職責を遂行するために、絶えず研究と修養に努めなければならない。

2　教育公務員の研修実施者は、教育公務員（公立の小学校等の校長及び教員（臨時的に任用された者その他の政令で定める者を除く。以下この章において同じ。）を除く。）の研修について、それに要する施設、研修を奨励するための方途その他研修に関する計画を樹立し、その実施に努めなければならない。

（研修の機会）

第二十二条　教育公務員には、研修を受ける機会が与えられなければならない。

2　教員は、授業に支障のない限り、本属長の承認を受けて、勤務場所を離れて研修を行うことができる。

3　教育公務員は、任命権者（第二十条第一項第一号に掲げる者については、同号に定める市町村の教育委員会。以下この章において同じ。）の定めるところにより、現職のままで、長期にわたる研修を受けることができる。

（校長及び教員としての資質の向上に関する指標の策定に関する指針）

第二十二条の二　文部科学大臣は、公立の小学校等の校長及び教員の計画的かつ効果的な資質の向上を図るため、次条第一項に規定する指標の策定に関する指針（以下この条及び次条第一項において「指針」という。）を定めなければならない。

2　指針においては、次に掲げる事項を定めるものとする。

一　公立の小学校等の校長及び教員の資質の向

上に関する基本的な事項

二　次条第一項に規定する指標の内容に関する事項

三　その他公立の小学校等の校長及び教員の資質の向上を図るに際し配慮すべき事項

3　文部科学大臣は、指針を定め、又はこれを変更したときは、遅滞なく、これを公表しなければならない。

（校長及び教員としての資質の向上に関する指標）

第二十二条の三　公立の小学校等の校長及び教員の任命権者は、指針を参酌し、その地域の実情に応じ、当該校長及び教員の職責、経験及び適性に応じて向上を図るべき校長及び教員としての資質に関する指標（以下この章において「指標」という。）を定めるものとする。

2　公立の小学校等の校長及び教員の任命権者は、指標を定め、又はこれを変更しようとするときは、第二十二条の七第一項に規定する協議会において協議するものとする。

3　公立の小学校等の校長及び教員の任命権者は、指標を定め、又はこれを変更したときは、遅滞なく、これを公表するよう努めるものとする。

4　独立行政法人教職員支援機構は、指標を策定する者に対して、当該指標の策定に関する専門的な助言を行うものとする。

（教員研修計画）

第二十二条の四　公立の小学校等の校長及び教員の研修実施者は、指標を踏まえ、当該校長及び教員の研修について、毎年度、体系的かつ効果的に実施するための計画（以下この条及び第二十二条の六第二項において「教員研修計画」という。）を定めるものとする。

2　教員研修計画においては、おおむね次に掲げる事項を定めるものとする。

一　研修実施者が実施する第二十三条第一項に規定する初任者研修、第二十四条第一項に規定する中堅教諭等資質向上研修その他の研修（以下この項及び次条第二項第一号において「研修実施者実施研修」という。）に関する基本的な方針

二　研修実施者実施研修の体系に関する事項

三　研修実施者実施研修の時期、方法及び施設に関する事項

四　研修実施者が指導助言者として行う第二十二条の六第二項に規定する資質の向上に関する指導助言等の方法に関して必要な事項（研修実施者が都道府県の教育委員会である場合においては、県費負担教職員について第二十条第二項第三号に定める市町村の教育委員会が指導助言者として行う第二十二条の六第二項に規定する資質の向上に関する指導助言等に関する基本的な事項を含む。）

五　前号に掲げるもののほか、研修を奨励するための方途に関する事項

六　前各号に掲げるもののほか、研修の実施に関し必要な事項として文部科学省令で定める事項

3　公立の小学校等の校長及び教員の研修実施者は、教員研修計画を定め、又はこれを変更したときは、遅滞なく、これを公表するよう努めるものとする。

（研修等に関する記録）

第二十二条の五　公立の小学校等の校長及び教員の任命権者は、文部科学省令で定めるところにより、当該校長及び教員ごとに、研修の受講その他の当該校長及び教員の資質の向上のための取組の状況に関する記録（以下この条及び次条第二項において「研修等に関する記録」という。）を作成しなければならない。

2　研修等に関する記録には、次に掲げる事項を記載するものとする。

一　当該校長及び教員が受講した研修実施者実施研修に関する事項

二　第二十六条第一項に規定する大学院修学休業により当該教員が履修した同項に規定する大学院の課程等に関する事項

三　認定講習等（教育職員免許法（昭和二十四年法律第百四十七号）別表第三備考第六号の文部科学大臣の認定する講習又は通信教育をいう。次条第一項及び第三項において同じ。）のうち当該任命権者が開設したものであつて、当該校長及び教員が単位を修得したものに関する事項

四　前三号に掲げるもののほか、当該校長及び教員が行つた資質の向上のための取組のうち当該任命権者が必要と認めるものに関する事項

3　公立の小学校等の校長及び教員の任命権者が都道府県の教育委員会である場合においては、当該都道府県の教育委員会は、指導助言者（第二十条第二項第二号及び第三号に定める者に限る。）に対し、当該校長及び教員の研修等に関

する記録に係る情報を提供するものとする。

（資質の向上に関する指導助言等）

第二十二条の六　公立の小学校等の校長及び教員の指導助言者は、当該校長及び教員がその職責、経験及び適性に応じた資質の向上のための取組を行うことを促進するため、当該校長及び教員からの相談に応じ、研修、認定講習等その他の資質の向上のための機会に関する情報を提供し、又は資質の向上に関する指導及び助言を行うものとする。

2　公立の小学校等の校長及び教員の指導助言者は、前項の規定による相談への対応、情報の提供並びに指導及び助言（次項において「資質の向上に関する指導助言等」という。）を行うに当たつては、当該校長及び教員に係る指標及び教員研修計画を踏まえるとともに、当該校長及び教員の研修等に関する記録に係る情報を活用するものとする。

3　指導助言者は、資質の向上に関する指導助言等を行うため必要があると認めるときは、独立行政法人教職員支援機構、認定講習等を開設する大学その他の関係者に対し、これらの者が行う研修、認定講習等その他の資質の向上のための機会に関する情報の提供その他の必要な協力を求めることができる。

（協議会）

第二十二条の七　公立の小学校等の校長及び教員の任命権者は、指標の策定に関する協議並びに当該指標に基づく当該校長及び教員の資質の向上に関して必要な事項についての協議を行うための協議会（以下この条において「協議会」という。）を組織するものとする。

2　協議会は、次に掲げる者をもつて構成する。

一　指標を策定する任命権者

二　公立の小学校等の校長及び教員の研修に協力する大学その他の当該校長及び教員の資質の向上に関係する大学として文部科学省令で定める者

三　その他当該任命権者が必要と認める者

3　協議会において協議が調つた事項については、協議会の構成員は、その協議の結果を尊重しなければならない。

4　前三項に定めるもののほか、協議会の運営に関し必要な事項は、協議会が定める。

（初任者研修）

第二十三条　公立の小学校等の教諭等の研修実施者は、当該教諭等（臨時的に任用された者その他の政令で定める者を除く。）に対して、その採用（現に教諭等の職以外の職に任命されている者を教諭等の職に任命する場合を含む。）の日から一年間の教諭又は保育教諭の職務の遂行に必要な事項に関する実践的な研修（次項において「初任者研修」という。）を実施しなければならない。

2　指導助言者は、初任者研修を受ける者（次項において「初任者」という。）の所属する学校の副校長、教頭、主幹教諭（養護又は栄養の指導及び管理をつかさどる主幹教諭を除く。）、指導教諭、教諭、主幹保育教諭、指導保育教諭、保育教諭又は講師のうちから、指導教員を命じるものとする。

3　指導教員は、初任者に対して教諭又は保育教諭の職務の遂行に必要な事項について指導及び助言を行うものとする。

（中堅教諭等資質向上研修）

第二十四条　公立の小学校等の教諭等（臨時的に任用された者その他の政令で定める者を除く。以下この項において同じ。）の研修実施者は、当該教諭等に対して、個々の能力、適性等に応じて、公立の小学校等における教育に関し相当の経験を有し、その教育活動その他の学校運営の円滑かつ効果的な実施において中核的な役割を果たすことが期待される中堅教諭等としての職務を遂行する上で必要とされる資質の向上を図るために必要な事項に関する研修（次項において「中堅教諭等資質向上研修」という。）を実施しなければならない。

2　指導助言者は、中堅教諭等資質向上研修を実施するに当たり、中堅教諭等資質向上研修を受ける者の能力、適性等について評価を行い、その結果に基づき、当該者ごとに中堅教諭等資質向上研修に関する計画書を作成しなければならない。

（指導改善研修）

第二十五条　公立の小学校等の教諭等の任命権者は、児童、生徒又は幼児（以下「児童等」という。）に対する指導が不適切であると認定した教諭等に対して、その能力、適性等に応じて、当該指導の改善を図るために必要な事項に関する研修（以下この条において「指導改善研修」という。）を実施しなければならない。

2　指導改善研修の期間は、一年を超えてはならない。ただし、特に必要があると認めるときは、任命権者は、指導改善研修を開始した日から引き続き二年を超えない範囲内で、これを延長することができる。

3 任命権者は、指導改善研修を実施するに当たり、指導改善研修を受ける者の能力、適性等に応じて、その者ごとに指導改善研修に関する計画書を作成しなければならない。

4 任命権者は、指導改善研修の終了時において、指導改善研修を受けた者の児童等に対する指導の改善の程度に関する認定を行わなければならない。

5 任命権者は、第一項及び前項の認定に当たつては、教育委員会規則（幼保連携型認定こども園にあつては、地方公共団体の規則。次項において同じ。）で定めるところにより、教育学、医学、心理学その他の児童等に対する指導に関する専門的知識を有する者及び当該任命権者の属する都道府県又は市町村の区域内に居住する保護者（親権を行う者及び未成年後見人をいう。）である者の意見を聴かなければならない。

6 前項に定めるもののほか、事実の確認の方法その他第一項及び第四項の認定の手続に関し必要な事項は、教育委員会規則で定めるものとする。

7 前各項に規定するもののほか、指導改善研修の実施に関し必要な事項は、政令で定める。

（指導改善研修後の措置）

第二十五条の二 任命権者は、前条第四項の認定において指導の改善が不十分でなお児童等に対する指導を適切に行うことができないと認める教諭等に対して、免職その他の必要な措置を講ずるものとする。

第五章 大学院修学休業

（大学院修学休業の許可及びその要件等）

第二十六条 公立の小学校等の主幹教諭、指導教諭、教諭、養護教諭、栄養教諭、主幹保育教諭、指導保育教諭、保育教諭又は講師（以下「主幹教諭等」という。）で次の各号のいずれにも該当するものは、任命権者（第二十条第一項第一号に掲げる者については、同号に定める市町村の教育委員会。次項及び第二十八条第二項において同じ。）の許可を受けて、三年を超えない範囲内で年を単位として定める期間、大学（短期大学を除く。）の大学院の課程若しくは専攻科の課程又はこれらの課程に相当する外国の大学の課程（次項及び第二十八条第二項において「大学院の課程等」という。）に在学してその課程を履修するための休業（以下「大学院修学休業」という。）をすることができる。

一 主幹教諭（養護又は栄養の指導及び管理をつかさどる主幹教諭を除く。）、指導教諭、教諭、主幹保育教諭、指導保育教諭、保育教諭又は講師にあつては教育職員免許法に規定する教諭の専修免許状、養護をつかさどる主幹教諭又は養護教諭にあつては同法に規定する養護教諭の専修免許状、栄養の指導及び管理をつかさどる主幹教諭又は栄養教諭にあつては同法に規定する栄養教諭の専修免許状の取得を目的としていること。

二 取得しようとする専修免許状に係る基礎となる免許状（教育職員免許法に規定する教諭の一種免許状若しくは特別免許状、養護教諭の一種免許状又は栄養教諭の一種免許状であつて、同法別表第三、別表第五、別表第六、別表第六の二又は別表第七の規定により専修免許状の授与を受けようとする場合には有することを必要とされるものをいう。次号において同じ。）を有していること。

三 取得しようとする専修免許状に係る基礎となる免許状について、教育職員免許法別表第三、別表第五、別表第六、別表第六の二又は別表第七に定める最低在職年数を満たしていること。

四 条件付採用期間中の者、臨時的に任用された者、第二十三条第一項に規定する初任者研修を受けている者その他政令で定める者でないこと。

2 大学院修学休業の許可を受けようとする主幹教諭等は、取得しようとする専修免許状の種類、在学しようとする大学院の課程等及び大学院修学休業をしようとする期間を明らかにして、任命権者に対し、その許可を申請するものとする。

（大学院修学休業の効果）

第二十七条 大学院修学休業をしている主幹教諭等は、地方公務員としての身分を保有するが、職務に従事しない。

2 大学院修学休業をしている期間については、給与を支給しない。

（大学院修学休業の許可の失効等）

第二十八条 大学院修学休業の許可は、当該大学院修学休業をしている主幹教諭等が休職又は停職の処分を受けた場合には、その効力を失う。

2　任命権者は、大学院修学休業をしている主幹教諭等が当該大学院修学休業の許可に係る大学院の課程等を退学したことその他政令で定める事由に該当すると認めるときは、当該大学院修学休業の許可を取り消すものとする。

第六章　職員団体

（公立学校の職員の職員団体）

第二十九条　地方公務員法第五十三条及び第五十四条並びに地方公務員法の一部を改正する法律（昭和四十年法律第七十一号）附則第二条の規定の適用については、一の都道府県内の公立学校の職員のみをもつて組織する地方公務員法第五十二条第一項に規定する職員団体（当該都道府県内の一の地方公共団体の公立学校の職員のみをもつて組織するものを除く。）は、当該都道府県の職員をもつて組織する同項に規定する職員団体とみなす。

2　前項の場合において、同項の職員団体は、当該都道府県内の公立学校の職員であつた者でその意に反して免職され、若しくは懲戒処分としての免職の処分を受け、当該処分を受けた日の翌日から起算して一年以内のもの又はその期間内に当該処分について法律の定めるところにより審査請求をし、若しくは訴えを提起し、これに対する裁決又は裁判が確定するに至らないものを構成員にとどめていること、及び当該職員団体の役員である者を構成員としていることを妨げない。

第七章　教育公務員に準ずる者に関する特例

（教員の職務に準ずる職務を行う者等に対するこの法律の準用）

第三十条　公立の学校において教員の職務に準ずる職務を行う者並びに国立又は公立の専修学校又は各種学校の校長及び教員については、政令の定めるところにより、この法律の規定を準用する。

第三十一条　文部科学省に置かれる研究施設で政令で定めるもの（次条及び第三十五条において「研究施設」という。）の職員のうち専ら研究又は教育に従事する者（以下この章及び附則第八条において「研究施設研究教育職員」という。）に対する国家公務員法の適用については、次の表の上欄に掲げる同法の規定中同表の中欄に掲げる字句は、それぞれ同表の下欄に掲げる字句とする。

第八十一条の二第二項	年齢六十年とする。ただし、次の各号に掲げる管理監督職を占める職員の管理監督職勤務上限年齢は、当該各号に	文部科学省令で定めるところにより任命権者が
第八十一条の五第一項及び第三項	で当該	で文部科学省令で定めるところにより任命権者が定める期間をもつて当該
第八十一条の五第二項及び第四項	で延長された	で文部科学省令で定めるところにより任命権者が定める期間をもつて延長された
第八十一条の六第一項	定年に達した日以後における最初の三月三十一日又は第五十五条第一項に規定する任命権者若しくは法律で別に定められた任命権者があらかじめ指定する日のいずれか早い日	定年に達した日から起算して一年を超えない範囲内で文部科学省令で定めるところにより任命権者があらかじめ指定する日
第八十一条の六第二項	年齢六十五年とする。ただし、その職務と責任に特殊性があること又は欠員の補充が困難であることにより定年を年齢六十五年とすることが著しく不適当と認められる官職を占める医師及び歯科医師その他の職員として人事院規則で定める職員の定年は、六十五年を超	文部科学省令で定めるところにより任命権者が定める

	え七十年を超えない範囲内で人事院規則で定める年齢とする	
第八十一条の七第一項	期限を定め	文部科学省令で定めるところにより任命権者が定める期限をもつて
第八十一条の七第二項	範囲内で	範囲内で文部科学省令で定めるところにより任命権者が定める期間をもつて

2　前項の規定により読み替えて適用する国家公務員法第八十一条の六第二項の規定により任命権者が研究施設研究教育職員の定年を定める場合における次に掲げる採用、昇任、降任及び転任に係る特例に関し必要な事項は、文部科学省令で定める。

一　国家公務員法第六十条の二第一項の規定による研究施設研究教育職員への採用並びに同条第二項に規定する定年前再任用短時間勤務職員である研究施設研究教育職員の昇任、降任及び転任

二　国家公務員法第八十一条の七第一項又は第二項の規定により勤務している研究施設研究教育職員の昇任、降任及び転任

第三十二条　研究施設の長及び研究施設研究教育職員の服務について、国家公務員法第九十六条第一項の根本基準の実施に関し必要な事項は、同法第九十七条から第百五条まで又は国家公務員倫理法（平成十一年法律第百二十九号）に定めるものを除いては、任命権者が定める。

第三十三条　前条に定める者は、教育に関する他の職を兼ね、又は教育に関する他の事業若しくは事務に従事することが本務の遂行に支障がないと任命権者において認める場合には、給与を受け、又は受けないで、その職を兼ね、又はその事業若しくは事務に従事することができる。

2　前項の場合においては、国家公務員法第百一条第一項の規定に基づく命令又は同法第百四条の規定による承認又は許可を要しない。

第三十四条　研究施設研究教育職員（政令で定める者に限る。以下この条において同じ。）が、国及び行政執行法人（独立行政法人通則法（平成十一年法律第百三号）第二条第四項に規定する行政執行法人をいう。以下同じ。）以外の者が国若しくは指定行政執行法人（行政執行法人のうち、その業務の内容その他の事情を勘案して国の行う研究と同等の公益性を有する研究を行うものとして文部科学大臣が指定するものをいう。以下この項において同じ。）と共同して行う研究又は国若しくは指定行政執行法人の委託を受けて行う研究（以下この項において「共同研究等」という。）に従事するため国家公務員法第七十九条の規定により休職にされた場合において、当該共同研究等への従事が当該共同研究等の効率的実施に特に資するものとして政令で定める要件に該当するときは、研究施設研究教育職員に関する国家公務員退職手当法（昭和二十八年法律第百八十二号）第六条の四第一項及び第七条第四項の規定の適用については、当該休職に係る期間は、同法第六条の四第一項に規定する現実に職務をとることを要しない期間には該当しないものとみなす。

2　前項の規定は、研究施設研究教育職員が国及び行政執行法人以外の者から国家公務員退職手当法の規定による退職手当に相当する給付として政令で定めるものの支払を受けた場合には、適用しない。

3　前項に定めるもののほか、第一項の規定の適用に関し必要な事項は、政令で定める。

第三十五条　研究施設の長及び研究施設研究教育職員については、第三条第一項、第二項及び第五項、第五条の二、第六条、第七条、第二十一条並びに第二十二条の規定を準用する。この場合において、第三条第二項中「評議会（評議会を置かない大学にあつては、教授会。以下同じ。）の議に基づき学長」とあり、同条第五項、第五条の二第二項及び第六条中「評議会の議に基づき学長」とあり、第五条の二第一項中「評議会」とあり、及び「教授会の議に基づき学長」とあり、並びに第二十一条第二項中「研修実施者」とあるのは「任命権者」と、第三条第二項中「評議会が」とあり、同条第五項中「教授会の議に基づき学長が」とあり、及び第七条中「評議会の議に基づき学長が」とあるのは「文部科学省令で定めるところにより任命権者が」と読み替えるものとする。

○公立の義務教育諸学校等の教育職員の給与等に関する特別措置法

昭四六・五・二八
法　七　七

最終改正　令三・六・一一法六三

（趣旨）

第一条　この法律は、公立の義務教育諸学校等の教育職員の職務と勤務態様の特殊性に基づき、その給与その他の勤務条件について特例を定めるものとする。

（定義）

第二条　この法律において、「義務教育諸学校等」とは、学校教育法（昭和二十二年法律第二十六号）に規定する公立の小学校、中学校、義務教育学校、高等学校、中等教育学校、特別支援学校又は幼稚園をいう。

2　この法律において、「教育職員」とは、義務教育諸学校等の校長（園長を含む。次条第一項において同じ。）、副校長（副園長を含む。同項において同じ。）、教頭、主幹教諭、指導教諭、教諭、養護教諭、栄養教諭、助教諭、養護助教諭、講師（常時勤務の者及び地方公務員法（昭和二十五年法律第二百六十一号）第二十二条の四第一項に規定する短時間勤務の職を占める者に限る。）、実習助手及び寄宿舎指導員をいう。

（教育職員の教職調整額の支給等）

第三条　教育職員（校長、副校長及び教頭を除く。以下この条において同じ。）には、その者の給料月額の百分の四に相当する額を基準として、条例で定めるところにより、教職調整額を支給しなければならない。

2　教育職員については、時間外勤務手当及び休日勤務手当は、支給しない。

3　第一項の教職調整額の支給を受ける者の給与に関し、次の各号に掲げる場合においては、当該各号に定める内容を条例で定めるものとする。

一　地方自治法（昭和二十二年法律第六十七号）第二百四条第二項に規定する地域手当、特地勤務手当（これに準ずる手当を含む。）、期末手当、勤勉手当、定時制通信教育手当、産業教育手当又は退職手当について給料をその算定の基礎とする場合　当該給料の額に教職調整額の額を加えた額を算定の基礎とすること。

二　休職の期間中に給料が支給される場合　当該給料の額に教職調整額の額を加えた額を支給すること。

三　外国の地方公共団体の機関等に派遣される一般職の地方公務員の処遇等に関する法律（昭和六十二年法律第七十八号）第二条第一項の規定により派遣された者に給料が支給される場合　当該給料の額に教職調整額の額を加えた額を支給すること。

四　公益的法人等への一般職の地方公務員の派遣等に関する法律（平成十二年法律第五十号）第二条第一項の規定により派遣された者に給料が支給される場合　当該給料の額に教職調整額の額を加えた額を支給すること。

（教職調整額を給料とみなして適用する法令）

第四条　前条の教職調整額の支給を受ける者に係る次に掲げる法律の規定及びこれらに基づく命令の規定の適用については、同条の教職調整額は、給料とみなす。

一　地方自治法

二　市町村立学校職員給与負担法（昭和二十三年法律第百三十五号）

三　へき地教育振興法（昭和二十九年法律第百四十三号）

四　地方公務員等共済組合法（昭和三十七年法律第百五十二号）

五　地方公務員等共済組合法の長期給付等に関する施行法（昭和三十七年法律第百五十三号）

六　地方公務員災害補償法（昭和四十二年法律第百二十一号）

（教育職員に関する読替え）

第五条　教育職員については、地方公務員法第五十八条第三項本文中「第三十二条の四第一項中「当該事業場に、労働者の過半数で組織する労働組合がある場合においてはその労働組合、労働者の過半数で組織する労働組合がない場合においては労働者の過半数を代表する者との書面による協定により、次に掲げる事項を定めたときは」とあるのは「次に掲げる事項について条例に特別の定めがある場合は」と、「その協定」とあるのは「その条例」と、「当該協定」とあるのは「当該条例」と、同項第五号中「厚生労働省令」とあるのは「文部科学省令」と、同条第二項中「前項の協定で同項第四号の区分をし」とあるのは「前項第四号の区分並びに」と、「を定めたときは」とあるのは「について条例に特別の定めがある場合は」と、「当該事業場に、労働者の過半数で組織する労働組合がある場合においてはその労働組合、労働者の過半数で組織する労働組合がない場合においては労働者の過半数を代表する者の同意を得て、厚生労働省令」とあるのは「文部科学省令」と、同条第三項中「厚生労働大臣は、労働政策審議会」とあるのは「文部科学大臣は、審議会等（国家行政組織法（昭和二十三年法律第百二十号）第八条に規定する機関をいう。）で政令で定めるもの」と、「厚生労働省令」とあるのは「文部科学省令」と、「協定」とあるのは「条例」と、同法第三十三条第三項中「官公署の事業（別表第一に掲げる事業を除く。）」とあるのは「別表第一第十二号に掲げる事業」と、「労働させることができる」とあるのは「労働させることができる。この場合において、公務員の健康及び福祉を害しないように考慮しなければならない」と読み替えて同法第三十二条の四第一項から第三項まで及び第三十三条第三項の規定を適用するものとし、同法第二条、」と、「から第三十二条の五まで」とあるのは「、第三十二条の三の二、第三十二条の四の二、第三十二条の五、第三十七条」と、「第五十三条第一項」とあるのは「第五十三条第一項、第六十六条（船員法第八十八条の二の二第四項及び第五項並びに第八十八条の三第四項において準用する場合を含む。）」と、「規定は」とあるのは「規定（船員法第七十三条の規定に基づく命令の規定中同法第六十六条に係るものを含む。）は」と、同条第四項中「同法第三十七条第三項中「使用者が、当該事業場に、労働者の過半数で組織する労働組合があるときはその労働組合、労働者の過半数で組織する労働組合がないときは労働者の過半数を代表する者との書面による協定により」とあるのは「使用者が」と、同法」とあるのは「同法」と読み替えて同条第三項及び第四項の規定を適用するものとする。

（教育職員の正規の勤務時間を超える勤務等）

第六条　教育職員（管理職手当を受ける者を除く。以下この条において同じ。）を正規の勤務時間（一般職の職員の勤務時間、休暇等に関する法律（平成六年法律第三十三号）第五条から第八条まで、第十一条及び第十二条の規定に相当する条例の規定による勤務時間をいう。第三項及び次条第一項において同じ。）を超えて勤務させる場合は、政令で定める基準に従い条例で定める場合に限るものとする。

2　前項の政令を定める場合においては、教育職員の健康と福祉を害することとならないよう勤務の実情について十分な配慮がされなければならない。

3　第一項の規定は、次に掲げる日において教育職員を正規の勤務時間中に勤務させる場合について準用する。

一　一般職の職員の勤務時間、休暇等に関する法律第十四条に規定する祝日法による休日及び年末年始の休日に相当する日

二　一般職の職員の給与に関する法律（昭和二十五年法律第九十五号）第十七条の規定に相当する条例の規定により休日勤務手当が一般の職員に対して支給される日（前号に掲げる日を除く。）

（教育職員の業務量の適切な管理等に関する指針の策定等）

第七条　文部科学大臣は、教育職員の健康及び福祉の確保を図ることにより学校教育の水準の維持向上に資するため、教育職員が正規の勤務時間及びそれ以外の時間において行う業務の量の適切な管理その他教育職員の服務を監督する教育委員会が教育職員の健康及び福祉の確保を図るために講ずべき措置に関する指針（次項において単に「指針」という。）を定めるものとする。

2　文部科学大臣は、指針を定め、又はこれを変更したときは、遅滞なく、これを公表しなければならない。

○学校教育の水準の維持向上のための義務教育諸学校の教育職員の人材確保に関する特別措置法

昭四九・二・二五
法　　　　　二

最終改正　平二七・六・二四法四六

（目的）

第一条　この法律は、学校教育が次代をになう青少年の人間形成の基本をなすものであることにかんがみ、義務教育諸学校の教育職員の給与について特別の措置を定めることにより、すぐれた人材を確保し、もつて学校教育の水準の維持向上に資することを目的とする。

（定義）

第二条　この法律において「義務教育諸学校」とは、学校教育法（昭和二十二年法律第二十六号）に規定する小学校、中学校、義務教育学校、中等教育学校の前期課程又は特別支援学校の小学部若しくは中学部をいう。

2　この法律において「教育職員」とは、校長、副校長、教頭及び教育職員免許法（昭和二十四年法律第百四十七号）第二条第一項に規定する教員をいう。

（優遇措置）

第三条　義務教育諸学校の教育職員の給与については、一般の公務員の給与水準に比較して必要な優遇措置が講じられなければならない。

○農業、水産、工業又は商船に係る産業教育に従事する公立の高等学校の教員及び実習助手に対する産業教育手当の支給に関する法律

昭三二・五・三一
法　一　四　五

最終改正　令三・六・一一法六三

（この法律の趣旨）

第一条　この法律は、高等学校（中等教育学校の後期課程を含む。以下同じ。）における農業、水産、工業（電波を含む。）又は商船に係る産業教育の特殊性にかんがみ、産業教育振興法（昭和二十六年法律第二百二十八号）第五条の規定の趣旨に基づき、公立の高等学校において農業、水産、工業（電波を含む。）又は商船に係る産業教育に従事する教員及び実習助手に対して支給する産業教育手当に関し必要な事項を規定するものとする。

（定義）

第二条　この法律において「教員」とは、副校長、教頭、主幹教諭、指導教諭、教諭、助教諭又は講師（常時勤務の者並びに地方公務員法（昭和二十五年法律第二百六十一号）第二十二条の四第一項に規定する短時間勤務の職を占める者及び同法第二十二条の二第一項第二号に掲げる者に限る。）をいう。

（公立の高等学校の教員及び実習助手の産業教育手当）

第三条　地方自治法（昭和二十二年法律第六十七号）第二百四条第二項の規定により支給することができる産業教育手当は、公立の高等学校の教員及び実習助手のうち次に掲げる者を対象とするものとし、その内容は、条例で定める。

一　農業、水産、工業、電波又は商船に関する課程を置く公立の高等学校の教員のうち高等学校の農業若しくは農業実習、水産若しくは水産実習、工業若しくは工業実習又は商船若しくは商船実習の教諭又は助教諭の免許状を有する者（教育職員免許法（昭和二十四年法律第百四十七号）附則第二項の規定により高等学校の農業、農業実習、水産、水産実習、工業、工業実習、商船又は商船実習を担任する主幹教諭、指導教諭又は教諭の職にあることができる者を含む。）であつて、当該農業、水産、工業、電波又は商船に関する課程において実習を伴う農業、水産、工業、電波又は商船に関する科目を主として担任するもの

二　前号に規定する高等学校の実習助手のうちその技術が優秀と認められるものとして政令で定める者であつて、当該高等学校の農業、水産、工業、電波又は商船に関する課程において実習を伴う農業、水産、工業、電波又は商船に関する科目について教諭の職務を助けるもの

○産業教育手当の支給を受ける実習助手の範囲を定める政令

昭三二・一一・一七
政令三一五

最終改正　平一五・一二・三政令四八三

内閣は、農業、水産、工業又は商船に係る産業教育に従事する公立の高等学校の教員及び実習助手に対する産業教育手当の支給に関する法律（昭和三十二年法律第百四十五号）第三条第二号の規定に基き、この政令を制定する。

農業、水産、工業又は商船に係る産業教育に従事する公立の高等学校の教員及び実習助手に対する産業教育手当の支給に関する法律第三条第二号に規定する政令で定める者は、次の各号のいずれかに該当する者とする。

一　高等学校若しくは中等教育学校を卒業した者若しくは高等専門学校の第三学年の課程を修了した者又はこれらと同等以上の学力があると認められる者で、その者の従事する実験又は実習（次号において「担当実習」という。）に関し技術優秀と認められるもの

二　三年以上担当実習に関連のある実地の経験を有する者で、当該担当実習に関し技術優秀と認められるもの

○高等学校の定時制教育及び通信教育振興法（抄）

昭二八・八・一八
法二三八

最終改正　令三・六・一一法六三

（公立の高等学校の教員等の定時制通信教育手当）

第五条　地方自治法（昭和二十二年法律第六十七号）第二百四条第二項の規定により支給することができる定時制通信教育手当は、公立の高等学校の校長、副校長、教頭、主幹教諭、指導教諭、教諭、教員（教諭、養護教諭、助教諭、養護助教諭及び講師（常時勤務の者並びに地方公務員法（昭和二十五年法律第二百六十一号）第二十二条の四第一項に規定する短時間勤務の職を占める者及び同法第二十二条の二第一項第二号に掲げる者に限る。）をいう。以下この条において同じ。）及び実習助手のうち次に掲げる者を対象とするものとし、その内容は、条例で定める。

一　公立の高等学校で、定時制の課程又は通信制の課程を置くものの校長（本務として当該高等学校の校長（中等教育学校の後期課程にあつては、当該課程の属する中等教育学校の校長とする。）の職にある者に限る。）、副校長（本務として定時制の課程又は通信制の課程に関する校務をつかさどる者に限る。）、教頭（定時制の課程又は通信制の課程に関する校務を整理する者に限る。）、主幹教諭（本務として定時制の課程若しくは通信制の課程に関する校務の一部を整理する者又は本務として定時制教育若しくは通信教育に従事する者に限る。）、指導教諭（本務として定時制教育又は通信教育に従事する者に限る。）及び教員（本務として定時制教育又は通信教育に従事する者に限る。）

二　前号に規定する高等学校の実習助手（本務として定時制教育又は通信教育に従事する者に限る。）であつて、その技術が優秀と認められるものとして政令で定める者

○高等学校の定時制教育及び通信教育振興法施行令

昭二九・一二・一六
政令三一二

最終改正　平一七・三・三一政令一〇六

高等学校の定時制教育及び通信教育振興法第五条第二号の政令で定める者は、次の各号のいずれかに該当する者とする。

一　高等学校若しくは中等教育学校を卒業した者若しくは高等専門学校の第三学年の課程を修了した者又はこれらと同等以上の学力があると認められる者で、その者の従事する実験又は実習（次号において「担当実習」という。）に関し技術優秀と認められるもの

二　三年以上担当実習に関連のある実地の経験を有する者で、当該担当実習に関し技術優秀と認められるもの

○地方公営企業法（抄）

昭二七・八・一
法二九二

最終改正　令六・五・三一法四二

第四章　職員の身分取扱

（職員の労働関係の特例）

第三十六条　企業職員の労働関係については、地方公営企業等の労働関係に関する法律（昭和二十七年法律第二百八十九号）の定めるところによる。

第三十七条　削除

（給与）

第三十八条　企業職員の給与は、給料及び手当とする。

2　企業職員の給与は、その職務に必要とされる技能、職務遂行の困難度等職務の内容と責任に応ずるものであり、かつ、職員の発揮した能率が充分に考慮されるものでなければならない。

3　企業職員の給与は、生計費、同一又は類似の職種の国及び地方公共団体の職員並びに民間事業の従事者の給与、当該地方公営企業の経営の状況その他の事情を考慮して定めなければならない。

4　企業職員の給与の種類及び基準は、条例で定める。

（他の法律の適用除外等）

第三十九条　企業職員については、地方公務員法第五条、第八条（第一項第四号及び第六号、第三項並びに第五項を除く。）、第十四条第二項、第二十三条の四から第二十六条の三まで、第二十六条の五第三項（同法第二十六条の六第十一項において準用する場合を含む。）、第三十七条、第三十九条第四項、第四十六条から第四十九条まで、第五十二条から第五十六条まで、第五十八条（同条第三項中労働基準法（昭和二十二年法律第四十九号）第十四条第二項及び第三項に係る部分並びに同法第七十五条から第八十八条まで及び船員法（昭和二十二年法律第百号）第八十九条から第九十六条までに係る部分（地方公務員災害補償法（昭和四十二年法律第百二十一号）第二条第一項に規定する者に適用される場合に限る。）を除く。）及び第五十八条の三、地方公務員の育児休業等に関する法律（平成三年法律第百十号）第四条第二項、第七条、第八条、第十四条、第十五条及び第十九条並びに地方公共団体の一般職の任期付研究員の採用等に関する法律（平成十二年法律第五十一号）第六条の規定は、適用しない。

2　企業職員（政令で定める基準に従い地方公共団体の長が定める職にある者を除く。）については、地方公務員法第三十六条の規定は、適用しない。

3　企業職員については、行政不服審査法（平成二十六年法律第六十八号）の規定は、適用しない。ただし、第三十四条において準用する地方自治法第二百四十三条の二の九第三項の規定による処分を受けた場合は、この限りでない。

4　企業職員に対する地方公務員法第八条第一項

第四号の規定の適用については、同号中「人事行政の運営」とあるのは、「退職管理」とする。

5 企業職員に対する地方公務員の育児休業等に関する法律第十条第一項及び第十七条の規定の適用については、同項中「次の各号に掲げるいずれかの勤務の形態（一般職の職員の勤務時間、休暇等に関する法律（平成六年法律第三十三号）第六条の規定の適用を受ける国家公務員と同様の勤務の形態によって勤務する職員以外の職員にあっては、第五号に掲げる勤務の形態）」とあるのは「五分の一勤務時間（当該職員の一週間当たりの通常の勤務時間（以下この項において「週間勤務時間」という。）に五分の一を乗じて得た時間に端数処理（五分を最小の単位とし、これに満たない端数を切り上げることをいう。以下この項において同じ。）を行って得た時間をいう。）に二を乗じて得た時間に十分の一勤務時間（週間勤務時間に十分の一を乗じて得た時間に端数処理を行って得た時間をいう。）を加えた時間から八分の一勤務時間（週間勤務時間に八分の一を乗じて得た時間に端数処理を行って得た時間をいう。）に五を乗じて得た時間までの範囲内の時間となるように地方公営企業の管理者が定める勤務の形態」と、同法第十七条中「第十三条から前条まで」とあるのは「第十三条及び前条」とする。

6 企業職員に対する地方公共団体の一般職の任期付職員の採用に関する法律（平成十四年法律第四十八号）第五条第三項の規定の適用については、同項中「承認（第二号にあっては、承認その他の処分）」とあるのは「承認その他の処分」と、同項第一号中「承認」とあるのは「承認に相当する承認その他の処分」と、同項第二号中「条例の規定による承認その他の処分」とあるのは「管理規程による承認その他の処分（当該管理規程を制定していない場合にあっては、同法第六十一条の二第五項の規定による承認）」と、同項第三号中「承認」とあるのは「承認に相当する承認その他の処分」とする。

○地方公営企業等の労働関係に関する法律

昭二七・七・三一
法　二　八　九

最終改正　平二六・六・一三法六九

（目的）

第一条　この法律は、地方公共団体の経営する企業及び特定地方独立行政法人の正常な運営を最大限に確保し、もつて住民の福祉の増進に資するため、地方公共団体の経営する企業及び特定地方独立行政法人とこれらに従事する職員との間の平和的な労働関係の確立を図ることを目的とする。

（関係者の責務）

第二条　地方公共団体におけるその経営する企業及び特定地方独立行政法人の重要性にかんがみ、この法律に定める手続に関与する関係者は、紛争をできるだけ防止し、かつ、主張の不一致を友好的に調整するために、最大限の努力を尽さなければならない。

（定義）

第三条　この法律において、次の各号に掲げる用語の意義は、当該各号に定めるところによる。

一　地方公営企業　次に掲げる事業（これに附帯する事業を含む。）を行う地方公共団体が経営する企業をいう。

イ　鉄道事業

ロ　軌道事業

ハ　自動車運送事業
ニ　電気事業
ホ　ガス事業
ヘ　水道事業
ト　工業用水道事業
チ　イからトまでの事業のほか、地方公営企業法（昭和二十七年法律第二百九十二号）第二条第三項の規定に基づく条例又は規約の定めるところにより同法第四章の規定が適用される企業

二　特定地方独立行政法人　地方独立行政法人法（平成十五年法律第百十八号）第二条第二項に規定する特定地方独立行政法人をいう。
三　地方公営企業等　地方公営企業及び特定地方独立行政法人をいう。
四　職員　地方公営企業又は特定地方独立行政法人に勤務する一般職に属する地方公務員をいう。

（他の法律との関係）
第四条　職員に関する労働関係については、この法律の定めるところにより、この法律に定めのないものについては、労働組合法（昭和二十四年法律第百七十四号）（第五条第二項第八号、第七条第一号ただし書、第八条及び第十八条の規定を除く。）及び労働関係調整法（昭和二十一年法律第二十五号）（第九条、第十八条、第二十六条第四項、第三十条及び第三十五条の二から第四十二条までの規定を除く。）の定めるところによる。

（職員の団結権）
第五条　職員は、労働組合を結成し、若しくは結成せず、又はこれに加入し、若しくは加入しないことができる。
2　労働委員会は、職員が結成し、又は加入する労働組合（以下「組合」という。）について、職員のうち労働組合法第二条第一号に規定する者の範囲を認定して告示するものとする。
3　地方公営企業等は、職を新設し、変更し、又は廃止したときは、速やかにその旨を労働委員会に通知しなければならない。

（組合のための職員の行為の制限）
第六条　職員は、組合の業務に専ら従事することができない。ただし、地方公営企業等の許可を受けて、組合の役員として専ら従事する場合は、この限りでない。
2　前項ただし書の許可は、地方公営企業等が相当と認める場合に与えることができるものとし、これを与える場合においては、地方公営企業等は、その許可の有効期間を定めるものとする。
3　第一項ただし書の規定により組合の役員として専ら従事する期間は、職員としての在職期間を通じて五年（地方公務員法（昭和二十五年法律第二百六十一号）第五十五条の二第一項ただし書の規定により職員団体の業務にもつぱら従事したことがある職員については、五年からそのもつぱら従事した期間を控除した期間）をこえることができない。
4　第一項ただし書の許可は、当該許可を受けた職員が組合の役員として当該組合の業務にもつぱら従事する者でなくなつたときは、取り消されるものとする。
5　第一項ただし書の許可を受けた職員は、その許可が効力を有する間は、休職者とし、いかなる給与も支給されず、また、その期間は、退職手当の算定の基礎となる勤続期間に算入されないものとする。

（団体交渉の範囲）
第七条　第十三条第二項に規定するもののほか、職員に関する次に掲げる事項は、団体交渉の対象とし、これに関し労働協約を締結することができる。ただし、地方公営企業等の管理及び運営に関する事項は、団体交渉の対象とすることができない。
一　賃金その他の給与、労働時間、休憩、休日及び休暇に関する事項
二　昇職、降職、転職、免職、休職、先任権及び懲戒の基準に関する事項
三　労働に関する安全、衛生及び災害補償に関する事項
四　前三号に掲げるもののほか、労働条件に関する事項

（条例に抵触する協定）
第八条　地方公共団体の長は、地方公営企業において当該地方公共団体の条例に抵触する内容を有する協定が締結されたときは、その締結後十日以内に、その協定が条例に抵触しなくなるために必要な条例の改正又は廃止に係る議案を当該地方公共団体の議会に付議して、その議決を求めなければならない。ただし、当該地方公共団体の議会がその締結の日から起算して十日を経過した日に閉会しているときは、次の議会に速やかにこれを付議しなければならない。
2　特定地方独立行政法人の理事長は、設立団体

（地方独立行政法人法第六条第二項に規定する設立団体をいう。以下同じ。）の条例に抵触する内容を有する協定を締結したときは、速やかに、当該設立団体の長に対して、その協定が条例に抵触しなくなるために必要な条例の改正又は廃止に係る議案を当該設立団体の議会に付議して、その議決を求めるよう要請しなければならない。

3　前項の規定による要請を受けた設立団体の長は、その要請を受けた日から十日以内に、同項の協定が条例に抵触しなくなるために必要な条例の改正又は廃止に係る議案を当該設立団体の議会に付議して、その議決を求めるものとする。ただし、当該設立団体の議会がその要請を受けた日から起算して十日を経過した日に閉会しているときは、次の議会に速やかにこれを付議するものとする。

4　第一項又は第二項の協定は、第一項又は第二項の条例の改正又は廃止がなければ、条例に抵触する限度において、効力を生じない。

（規則その他の規程に抵触する協定）

第九条　地方公共団体の長その他の地方公共団体の機関は、地方公営企業において、当該地方公共団体の長その他の地方公共団体の機関の定める規則その他の規程に抵触する内容を有する協定が締結されたときは、速やかに、その協定が規則その他の規程に抵触しなくなるために必要な規則その他の規程の改正又は廃止のための措置をとらなければならない。

（予算上資金上不可能な支出を内容とする協定）

第十条　地方公営企業の予算上又は資金上、不可能な資金の支出を内容とするいかなる協定も、当該地方公共団体の議会によつて所定の行為がなされるまでは、当該地方公共団体を拘束せず、且つ、いかなる資金といえども、そのような協定に基いて支出されてはならない。

2　前項の協定をしたときは、当該地方公共団体の長は、その締結後十日以内に、事由を附しこれを当該地方公共団体の議会に付議して、その承認を求めなければならない。但し、当該地方公共団体の議会がその締結の日から起算して十日を経過した日に閉会しているときは、次の議会にすみやかにこれを付議しなければならない。

3　前項の規定により当該地方公共団体の議会の承認があつたときは、第一項の協定は、それに記載された日附にさかのぼつて効力を発生するものとする。

（争議行為の禁止）

第十一条　職員及び組合は、地方公営企業等に対して同盟罷業、怠業その他の業務の正常な運営を阻害する一切の行為をすることができない。また、職員並びに組合の組合員及び役員は、このような禁止された行為を共謀し、唆し、又はあおつてはならない。

2　地方公営企業等は、作業所閉鎖をしてはならない。

（前条の規定に違反した職員の身分）

第十二条　地方公共団体及び特定地方独立行政法人は、前条の規定に違反する行為をした職員を解雇することができる。

（苦情処理）

第十三条　地方公営企業等及び組合は、職員の苦情を適当に解決するため、地方公営企業等を代表する者及び職員を代表する者各同数をもつて構成する苦情処理共同調整会議を設けなければならない。

2　苦情処理共同調整会議の組織その他苦情処理に関する事項は、団体交渉で定める。

（調停の開始）

第十四条　労働委員会は、次に掲げる場合に、地方公営企業等の労働関係に関して調停を行う。

一　関係当事者の双方が調停の申請をしたとき。

二　関係当事者の双方又は一方が労働協約の定めに基づいて調停の申請をしたとき。

三　関係当事者の一方が調停の申請をなし、労働委員会が調停を行う必要があると決議したとき。

四　労働委員会が職権に基づいて調停を行う必要があると決議したとき。

五　厚生労働大臣又は都道府県知事が調停の請求をしたとき。

（仲裁の開始）

第十五条　労働委員会は、次に掲げる場合に、地方公営企業等の労働関係に関して仲裁を行う。

一　関係当事者の双方が仲裁の申請をしたとき。

二　関係当事者の双方又は一方が労働協約の定めに基づいて仲裁の申請をしたとき。

三　労働委員会が、その労働委員会においてあつせん又は調停を行つている労働争議について、仲裁を行う必要があると決議したとき。

四　労働委員会があつせん又は調停を開始した後二月を経過して、なお労働争議が解決しない場合において、関係当事者の一方が仲裁の申請をしたとき。

五　厚生労働大臣又は都道府県知事が仲裁の請求をしたとき。

（仲裁裁定）

第十六条　地方公営企業等とその職員との間に発生した紛争に係る仲裁裁定に対しては、当事者は、双方とも最終的決定としてこれに服従しなければならない。

2　地方公共団体の長は、地方公営企業とその職員との間に発生した紛争に係る仲裁裁定が実施されるように、できる限り努力しなければならない。ただし、当該地方公営企業の予算上又は資金上、不可能な資金の支出を内容とする仲裁裁定については、第十条の規定を準用する。

3　第八条第一項及び第四項の規定は当該地方公共団体の条例に抵触する内容を有する仲裁裁定について、第九条の規定は当該地方公共団体の規則その他の規程に抵触する内容を有する仲裁裁定について準用する。

4　設立団体は、特定地方独立行政法人がその職員との間に発生した紛争に係る仲裁裁定を実施した結果、その事務及び事業の実施に著しい支障が生ずることのないように、できる限り努力しなければならない。

5　第八条第二項から第四項までの規定は、当該設立団体の条例に抵触する内容を有する仲裁裁定について準用する。

（第五条第二項の事務の処理）

第十六条の二　第五条第二項の規定による労働委員会の事務の処理には、公益を代表する委員のみが参与する。

（不当労働行為の申立て等）

第十六条の三　第十二条の規定による解雇に係る労働組合法第二十七条第一項の申立てがあつた場合において、その申立てが当該解雇がなされた日から二月を経過した後になされたものであるときは、労働委員会は、同条第二項の規定にかかわらず、これを受けることができない。

2　第十二条の規定による解雇に係る労働組合法第二十七条第一項の申立て又は同法第二十七条の十五第一項若しくは第二項の再審査の申立てを受けたときは、労働委員会は、申立ての日から二月以内に命令を発するようにしなければならない。

（地方公営企業法の準用）

第十七条　地方公営企業法第三十八条並びに第三十九条第一項及び第三項から第六項までの規定は、地方公営企業（同法第四章の規定が適用されるものを除く。）に勤務する職員について準用する。

2　地方公営企業法第三十九条第二項の規定は、前項に規定する職員（同法第三十九条第二項の政令で定める基準に従い地方公共団体の長が定める職にある者を除く。）について準用する。

○労働基準法

昭二二・四・七
法　四　九

㊟　昭和六〇年法律第四十五号により本法第九十八条・第百条に改正があつたが、現在未施行の部分があるため、その部分は改正していない。

最終改正　令六・五・三一法四二

第一章　総則

（労働条件の原則）

第一条　労働条件は、労働者が人たるに値する生活を営むための必要を充たすべきものでなければならない。

②　この法律で定める労働条件の基準は最低のものであるから、労働関係の当事者は、この基準を理由として労働条件を低下させてはならないことはもとより、その向上を図るように努めなければならない。

（労働条件の決定）

第二条　労働条件は、労働者と使用者が、対等の立場において決定すべきものである。

②　労働者及び使用者は、労働協約、就業規則及び労働契約を遵守し、誠実に各々その義務を履行しなければならない。

（均等待遇）

第三条　使用者は、労働者の国籍、信条又は社会的身分を理由として、賃金、労働時間その他の労働条件について、差別的取扱をしてはならない。

（男女同一賃金の原則）

第四条　使用者は、労働者が女性であることを理由として、賃金について、男性と差別的取扱いをしてはならない。

（強制労働の禁止）
第五条 使用者は、暴行、脅迫、監禁その他精神又は身体の自由を不当に拘束する手段によつて、労働者の意思に反して労働を強制してはならない。

（中間搾取の排除）
第六条 何人も、法律に基いて許される場合の外、業として他人の就業に介入して利益を得てはならない。

（公民権行使の保障）
第七条 使用者は、労働者が労働時間中に、選挙権その他公民としての権利を行使し、又は公の職務を執行するために必要な時間を請求した場合においては、拒んではならない。但し、権利の行使又は公の職務の執行に妨げがない限り、請求された時刻を変更することができる。

第八条 削除

（定義）
第九条 この法律で「労働者」とは、職業の種類を問わず、事業又は事務所（以下「事業」という。）に使用される者で、賃金を支払われる者をいう。

第十条 この法律で使用者とは、事業主又は事業の経営担当者その他その事業の労働者に関する事項について、事業主のために行為をするすべての者をいう。

第十一条 この法律で賃金とは、賃金、給料、手当、賞与その他名称の如何を問わず、労働の対償として使用者が労働者に支払うすべてのものをいう。

第十二条 この法律で平均賃金とは、これを算定すべき事由の発生した日以前三箇月間にその労働者に対し支払われた賃金の総額を、その期間の総日数で除した金額をいう。ただし、その金額は、次の各号の一によつて計算した金額を下つてはならない。

一 賃金が、労働した日若しくは時間によつて算定され、又は出来高払制その他の請負制によつて定められた場合においては、賃金の総額をその期間中に労働した日数で除した金額の百分の六十

二 賃金の一部が、月、週その他一定の期間によつて定められた場合においては、その部分の総額をその期間の総日数で除した金額と前号の金額の合算額

② 前項の期間は、賃金締切日がある場合においては、直前の賃金締切日から起算する。

③ 前二項に規定する期間中に、次の各号のいずれかに該当する期間がある場合においては、その日数及びその期間中の賃金は、前二項の期間及び賃金の総額から控除する。

一 業務上負傷し、又は疾病にかかり療養のために休業した期間

二 産前産後の女性が第六十五条の規定によつて休業した期間

三 使用者の責めに帰すべき事由によつて休業した期間

四 育児休業、介護休業等育児又は家族介護を行う労働者の福祉に関する法律（平成三年法律第七十六号）第二条第一号に規定する育児休業又は同条第二号に規定する介護休業（同法第六十一条第三項に規定する行政執行法人介護休業及び同法第六十一条の二第三項に規定する介護をするための休業を含む。第三十九条第十項において同じ。）をした期間

五 試みの使用期間

④ 第一項の賃金の総額には、臨時に支払われた賃金及び三箇月を超える期間ごとに支払われる賃金並びに通貨以外のもので支払われた賃金で一定の範囲に属しないものは算入しない。

⑤ 賃金が通貨以外のもので支払われる場合、第一項の賃金の総額に算入すべきものの範囲及び評価に関し必要な事項は、厚生労働省令で定める。

⑥ 雇入後三箇月に満たない者については、第一項の期間は、雇入後の期間とする。

⑦ 日日雇い入れられる者については、その従事する事業又は職業について、厚生労働大臣の定める金額を平均賃金とする。

⑧ 第一項乃至第六項によつて算定し得ない場合の平均賃金は、厚生労働大臣の定めるところによる。

第二章 労働契約

（この法律違反の契約）
第十三条 この法律で定める基準に達しない労働条件を定める労働契約は、その部分については無効とする。この場合において、無効となつた部分は、この法律で定める基準による。

（契約期間等）
第十四条 労働契約は、期間の定めのないものを

除き、一定の事業の完了に必要な期間を定めるもののほかは、三年（次の各号のいずれかに該当する労働契約にあつては、五年）を超える期間について締結してはならない。

一　専門的な知識、技術又は経験（以下この号及び第四十一条の二第一項第一号において「専門的知識等」という。）であつて高度のものとして厚生労働大臣が定める基準に該当する専門的知識等を有する労働者（当該高度の専門的知識等を必要とする業務に就く者に限る。）との間に締結される労働契約

二　満六十歳以上の労働者との間に締結される労働契約（前号に掲げる労働契約を除く。）

② 厚生労働大臣は、期間の定めのある労働契約の締結時及び当該労働契約の期間の満了時において労働者と使用者との間に紛争が生ずることを未然に防止するため、使用者が講ずべき労働契約の期間の満了に係る通知に関する事項その他必要な事項についての基準を定めることができる。

③ 行政官庁は、前項の基準に関し、期間の定めのある労働契約を締結する使用者に対し、必要な助言及び指導を行うことができる。

（労働条件の明示）

第十五条　使用者は、労働契約の締結に際し、労働者に対して賃金、労働時間その他の労働条件を明示しなければならない。この場合において、賃金及び労働時間に関する事項その他の厚生労働省令で定める事項については、厚生労働省令で定める方法により明示しなければならない。

② 前項の規定によつて明示された労働条件が事実と相違する場合においては、労働者は、即時に労働契約を解除することができる。

③ 前項の場合、就業のために住居を変更した労働者が、契約解除の日から十四日以内に帰郷する場合においては、使用者は、必要な旅費を負担しなければならない。

（賠償予定の禁止）

第十六条　使用者は、労働契約の不履行について違約金を定め、又は損害賠償額を予定する契約をしてはならない。

（前借金相殺の禁止）

第十七条　使用者は、前借金その他労働することを条件とする前貸の債権と賃金を相殺してはならない。

（強制貯金）

第十八条　使用者は、労働契約に附随して貯蓄の契約をさせ、又は貯蓄金を管理する契約をしてはならない。

② 使用者は、労働者の貯蓄金をその委託を受けて管理しようとする場合においては、当該事業場に、労働者の過半数で組織する労働組合があるときはその労働組合、労働者の過半数で組織する労働組合がないときは労働者の過半数を代表する者との書面による協定をし、これを行政官庁に届け出なければならない。

③ 使用者は、労働者の貯蓄金をその委託を受けて管理する場合においては、貯蓄金の管理に関する規程を定め、これを労働者に周知させるため作業場に備え付ける等の措置をとらなければならない。

④ 使用者は、労働者の貯蓄金をその委託を受けて管理する場合において、貯蓄金の管理が労働者の預金の受入であるときは、利子をつけなければならない。この場合において、その利子が、金融機関の受け入れる預金の利率を考慮して厚生労働省令で定める利率による利子を下るときは、その厚生労働省令で定める利率による利子をつけたものとみなす。

⑤ 使用者は、労働者の貯蓄金をその委託を受けて管理する場合において、労働者がその返還を請求したときは、遅滞なく、これを返還しなければならない。

⑥ 使用者が前項の規定に違反した場合において、当該貯蓄金の管理を継続することが労働者の利益を著しく害すると認められるときは、行政官庁は、使用者に対して、その必要な限度の範囲内で、当該貯蓄金の管理を中止すべきことを命ずることができる。

⑦ 前項の規定により貯蓄金の管理を中止すべきことを命ぜられた使用者は、遅滞なく、その管理に係る貯蓄金を労働者に返還しなければならない。

（解雇制限）

第十九条　使用者は、労働者が業務上負傷し、又は疾病にかかり療養のために休業する期間及びその後三十日間並びに産前産後の女性が第六十五条の規定によつて休業する期間及びその後三十日間は、解雇してはならない。ただし、使用者が、第八十一条の規定によつて打切補償を支払う場合又は天災事変その他やむを得ない事由のために事業の継続が不可能となつた場合においては、この限りでない。

②　前項但書後段の場合においては、その事由について行政官庁の認定を受けなければならない。

（解雇の予告）
第二十条　使用者は、労働者を解雇しようとする場合においては、少くとも三十日前にその予告をしなければならない。三十日前に予告をしない使用者は、三十日分以上の平均賃金を支払わなければならない。但し、天災事変その他やむを得ない事由のために事業の継続が不可能となつた場合又は労働者の責に帰すべき事由に基いて解雇する場合においては、この限りでない。
②　前項の予告の日数は、一日について平均賃金を支払つた場合においては、その日数を短縮することができる。
③　前条第二項の規定は、第一項但書の場合にこれを準用する。

第二十一条　前条の規定は、左の各号の一に該当する労働者については適用しない。但し、第一号に該当する者が一箇月を超えて引き続き使用されるに至つた場合、第二号若しくは第三号に該当する者が所定の期間を超えて引き続き使用されるに至つた場合又は第四号に該当する者が十四日を超えて引き続き使用されるに至つた場合においては、この限りでない。
一　日日雇い入れられる者
二　二箇月以内の期間を定めて使用される者
三　季節的業務に四箇月以内の期間を定めて使用される者
四　試の使用期間中の者

（退職時等の証明）
第二十二条　労働者が、退職の場合において、使用期間、業務の種類、その事業における地位、賃金又は退職の事由（退職の事由が解雇の場合にあつては、その理由を含む。）について証明書を請求した場合においては、使用者は、遅滞なくこれを交付しなければならない。
②　労働者が、第二十条第一項の解雇の予告がされた日から退職の日までの間において、当該解雇の理由について証明書を請求した場合においては、使用者は、遅滞なくこれを交付しなければならない。ただし、解雇の予告がされた日以後に労働者が当該解雇以外の事由により退職した場合においては、使用者は、当該退職の日以後、これを交付することを要しない。
③　前二項の証明書には、労働者の請求しない事項を記入してはならない。
④　使用者は、あらかじめ第三者と謀り、労働者の就業を妨げることを目的として、労働者の国籍、信条、社会的身分若しくは労働組合運動に関する通信をし、又は第一項及び第二項の証明書に秘密の記号を記入してはならない。

（金品の返還）
第二十三条　使用者は、労働者の死亡又は退職の場合において、権利者の請求があつた場合においては、七日以内に賃金を支払い、積立金、保証金、貯蓄金その他名称の如何を問わず、労働者の権利に属する金品を返還しなければならない。
②　前項の賃金又は金品に関して争がある場合においては、使用者は、異議のない部分を、同項の期間中に支払い、又は返還しなければならない。

第三章　賃金

（賃金の支払）
第二十四条　賃金は、通貨で、直接労働者に、その全額を支払わなければならない。ただし、法令若しくは労働協約に別段の定めがある場合又は厚生労働省令で定める賃金について確実な支払の方法で厚生労働省令で定めるものによる場合においては、通貨以外のもので支払い、また、法令に別段の定めがある場合又は当該事業場の労働者の過半数で組織する労働組合があるときはその労働組合、労働者の過半数で組織する労働組合がないときは労働者の過半数を代表する者との書面による協定がある場合においては、賃金の一部を控除して支払うことができる。
②　賃金は、毎月一回以上、一定の期日を定めて支払わなければならない。ただし、臨時に支払われる賃金、賞与その他これに準ずるもので厚生労働省令で定める賃金（第八十九条において「臨時の賃金等」という。）については、この限りでない。

（非常時払）
第二十五条　使用者は、労働者が出産、疾病、災害その他厚生労働省令で定める非常の場合の費用に充てるために請求する場合においては、支払期日前であつても、既往の労働に対する賃金を支払わなければならない。

（休業手当）
第二十六条　使用者の責に帰すべき事由による休業の場合においては、使用者は、休業期間中当該労働者に、その平均賃金の百分の六十以上の手当を支払わなければならない。

（出来高払制の保障給）

第二十七条　出来高払制その他の請負制で使用する労働者については、使用者は、労働時間に応じ一定額の賃金の保障をしなければならない。

（最低賃金）

第二十八条　賃金の最低基準に関しては、最低賃金法（昭和三十四年法律第百三十七号）の定めるところによる。

第二十九条から第三十一条まで　削除

第四章　労働時間、休憩、休日及び年次有給休暇

（労働時間）

第三十二条　使用者は、労働者に、休憩時間を除き一週間について四十時間を超えて、労働させてはならない。

②　使用者は、一週間の各日については、労働者に休憩時間を除き一日について八時間を超えて、労働させてはならない。

第三十二条の二　使用者は、当該事業場に、労働者の過半数で組織する労働組合がある場合においてはその労働組合、労働者の過半数で組織する労働組合がない場合においては労働者の過半数を代表する者との書面による協定により、又は就業規則その他これに準ずるものにより、一箇月以内の一定の期間を平均し一週間当たりの労働時間が前条第一項の労働時間を超えない定めをしたときは、同条の規定にかかわらず、その定めにより、特定された週において同項の労働時間又は特定された日において同条第二項の労働時間を超えて、労働させることができる。

②　使用者は、厚生労働省令で定めるところにより、前項の協定を行政官庁に届け出なければならない。

第三十二条の三　使用者は、就業規則その他これに準ずるものにより、その労働者に係る始業及び終業の時刻をその労働者の決定に委ねることとした労働者については、当該事業場の労働者の過半数で組織する労働組合がある場合においてはその労働組合、労働者の過半数で組織する労働組合がない場合においては労働者の過半数を代表する者との書面による協定により、次に掲げる事項を定めたときは、その協定で第二号の清算期間として定められた期間を平均し一週間当たりの労働時間が第三十二条第一項の労働時間を超えない範囲内において、同条の規定にかかわらず、一週間において同項の労働時間又は一日において同条第二項の労働時間を超えて、労働させることができる。

一　この項の規定による労働時間により労働させることができることとされる労働者の範囲

二　清算期間（その期間を平均し一週間当たりの労働時間が第三十二条第一項の労働時間を超えない範囲内において労働させる期間をいい、三箇月以内の期間に限るものとする。以下この条及び次条において同じ。）

三　清算期間における総労働時間

四　その他厚生労働省令で定める事項

②　清算期間が一箇月を超えるものである場合における前項の規定の適用については、同項各号列記以外の部分中「労働時間を超えない」とあるのは「労働時間を超えず、かつ、当該清算期間をその開始の日以後一箇月ごとに区分した各期間（最後に一箇月未満の期間を生じたときは、当該期間。以下この項において同じ。）ごとに当該各期間を平均し一週間当たりの労働時間が五十時間を超えない」と、「同項」とあるのは「同条第一項」とする。

③　一週間の所定労働日数が五日の労働者について第一項の規定により労働させる場合における同項の規定の適用については、同項各号列記以外の部分（前項の規定により読み替えて適用する場合を含む。）中「第三十二条第一項の労働時間」とあるのは「第三十二条第一項の労働時間（当該事業場の労働者の過半数で組織する労働組合がある場合においてはその労働組合、労働者の過半数で組織する労働組合がない場合においては労働者の過半数を代表する者との書面による協定により、労働時間の限度について、当該清算期間における所定労働日数を同条第二項の労働時間に乗じて得た時間とする旨を定めたときは、当該清算期間における日数を七で除して得た数をもつてその時間を除して得た時間）」と、「同項」とあるのは「同条第一項」とする。

④　前条第二項の規定は、第一項各号に掲げる事項を定めた協定について準用する。ただし、清算期間が一箇月以内のものであるときは、この限りでない。

第三十二条の三の二　使用者が、清算期間が一箇月を超えるものであるときの当該清算期間中の前条第一項の規定により労働させた期間が当該

清算期間より短い労働者について、当該労働させた期間を平均し一週間当たり四十時間を超えて労働させた場合においては、その超えた時間（第三十三条又は第三十六条第一項の規定により延長し、又は休日に労働させた時間を除く。）の労働については、第三十七条の規定の例により割増賃金を支払わなければならない。

第三十二条の四　使用者は、当該事業場に、労働者の過半数で組織する労働組合がある場合においてはその労働組合、労働者の過半数で組織する労働組合がない場合においては労働者の過半数を代表する者との書面による協定により、次に掲げる事項を定めたときは、第三十二条の規定にかかわらず、その協定で第二号の対象期間として定められた期間を平均し一週間当たりの労働時間が四十時間を超えない範囲内において、当該協定（次項の規定による定めをした場合においては、その定めを含む。）で定めるところにより、特定された週において同条第一項の労働時間又は特定された日において同条第二項の労働時間を超えて、労働させることができる。

一　この条の規定による労働時間により労働させることができることとされる労働者の範囲

二　対象期間（その期間を平均し一週間当たりの労働時間が四十時間を超えない範囲内において労働させる期間をいい、一箇月を超え一年以内の期間に限るものとする。以下この条及び次条において同じ。）

三　特定期間（対象期間中の特に業務が繁忙な期間をいう。第三項において同じ。）

四　対象期間における労働日及び当該労働日ごとの労働時間（対象期間を一箇月以上の期間ごとに区分することとした場合においては、当該区分による各期間のうち当該対象期間の初日の属する期間（以下この条において「最初の期間」という。）における労働日及び当該労働日ごとの労働時間並びに当該最初の期間を除く各期間における労働日数及び総労働時間）

五　その他厚生労働省令で定める事項

②　使用者は、前項の協定で同項第四号の区分をし当該区分による各期間のうち最初の期間を除く各期間における労働日数及び総労働時間を定めたときは、当該各期間の初日の少なくとも三十日前に、当該事業場に、労働者の過半数で組織する労働組合がある場合においてはその労働組合、労働者の過半数で組織する労働組合がない場合においては労働者の過半数を代表する者の同意を得て、厚生労働省令で定めるところにより、当該労働日数を超えない範囲内において当該各期間における労働日及び当該総労働時間を超えない範囲内において当該各期間における労働日ごとの労働時間を定めなければならない。

③　厚生労働大臣は、労働政策審議会の意見を聴いて、厚生労働省令で、対象期間における労働日数の限度並びに一日及び一週間の労働時間の限度並びに対象期間（第一項の協定で特定期間として定められた期間を除く。）及び同項の協定で特定期間として定められた期間における連続して労働させる日数の限度を定めることができる。

④　第三十二条の二第二項の規定は、第一項の協定について準用する。

第三十二条の四の二　使用者が、対象期間中の前条の規定により労働させた期間が当該対象期間より短い労働者について、当該労働させた期間を平均し一週間当たり四十時間を超えて労働させた場合においては、その超えた時間（第三十三条又は第三十六条第一項の規定により延長し、又は休日に労働させた時間を除く。）の労働については、第三十七条の規定の例により割増賃金を支払わなければならない。

第三十二条の五　使用者は、日ごとの業務に著しい繁閑の差が生ずることが多く、かつ、これを予測した上で就業規則その他これに準ずるものにより各日の労働時間を特定することが困難であると認められる厚生労働省令で定める事業であつて、常時使用する労働者の数が厚生労働省令で定める数未満のものに従事する労働者については、当該事業場に、労働者の過半数で組織する労働組合がある場合においてはその労働組合、労働者の過半数で組織する労働組合がない場合においては労働者の過半数を代表する者との書面による協定があるときは、第三十二条第二項の規定にかかわらず、一日について十時間まで労働させることができる。

②　使用者は、前項の規定により労働者に労働させる場合においては、厚生労働省令で定めるところにより、当該労働させる一週間の各日の労働時間を、あらかじめ、当該労働者に通知しなければならない。

③　第三十二条の二第二項の規定は、第一項の協定について準用する。

（災害等による臨時の必要がある場合の時間外労働等）

第三十三条　災害その他避けることのできない事由によつて、臨時の必要がある場合においては、使用者は、行政官庁の許可を受けて、その必要の限度において第三十二条から前条まで若しくは第四十条の労働時間を延長し、又は第三十五条の休日に労働させることができる。ただし、事態急迫のために行政官庁の許可を受ける暇がない場合においては、事後に遅滞なく届け出なければならない。

② 前項ただし書の規定による届出があつた場合において、行政官庁がその労働時間の延長又は休日の労働を不適当と認めるときは、その後にその時間に相当する休憩又は休日を与えるべきことを、命ずることができる。

③ 公務のために臨時の必要がある場合においては、第一項の規定にかかわらず、官公署の事業（別表第一に掲げる事業を除く。）に従事する国家公務員及び地方公務員については、第三十二条から前条まで若しくは第四十条の労働時間を延長し、又は第三十五条の休日に労働させることができる。

（休憩）

第三十四条　使用者は、労働時間が六時間を超える場合においては少くとも四十五分、八時間を超える場合においては少くとも一時間の休憩時間を労働時間の途中に与えなければならない。

② 前項の休憩時間は、一斉に与えなければならない。ただし、当該事業場に、労働者の過半数で組織する労働組合がある場合においてはその労働組合、労働者の過半数で組織する労働組合がない場合においては労働者の過半数を代表する者との書面による協定があるときは、この限りでない。

③ 使用者は、第一項の休憩時間を自由に利用させなければならない。

（休日）

第三十五条　使用者は、労働者に対して、毎週少くとも一回の休日を与えなければならない。

② 前項の規定は、四週間を通じ四日以上の休日を与える使用者については適用しない。

（時間外及び休日の労働）

第三十六条　使用者は、当該事業場に、労働者の過半数で組織する労働組合がある場合においてはその労働組合、労働者の過半数で組織する労働組合がない場合においては労働者の過半数を代表する者との書面による協定をし、厚生労働省令で定めるところによりこれを行政官庁に届け出た場合においては、第三十二条から第三十二条の五まで若しくは第四十条の労働時間（以下この条において「労働時間」という。）又は前条の休日（以下この条において「休日」という。）に関する規定にかかわらず、その協定で定めるところによつて労働時間を延長し、又は休日に労働させることができる。

② 前項の協定においては、次に掲げる事項を定めるものとする。

一　この条の規定により労働時間を延長し、又は休日に労働させることができることとされる労働者の範囲

二　対象期間（この条の規定により労働時間を延長し、又は休日に労働させることができる期間をいい、一年間に限るものとする。第四号及び第六項第三号において同じ。）

三　労働時間を延長し、又は休日に労働させることができる場合

四　対象期間における一日、一箇月及び一年のそれぞれの期間について労働時間を延長して労働させることができる時間又は労働させることができる休日の日数

五　労働時間の延長及び休日の労働を適正なものとするために必要な事項として厚生労働省令で定める事項

③ 前項第四号の労働時間を延長して労働させることができる時間は、当該事業場の業務量、時間外労働の動向その他の事情を考慮して通常予見される時間外労働の範囲内において、限度時間を超えない時間に限る。

④ 前項の限度時間は、一箇月について四十五時間及び一年について三百六十時間（第三十二条の四第一項第二号の対象期間として三箇月を超える期間を定めて同条の規定により労働させる場合にあつては、一箇月について四十二時間及び一年について三百二十時間）とする。

⑤ 第一項の協定においては、第二項各号に掲げるもののほか、当該事業場における通常予見することのできない業務量の大幅な増加等に伴い臨時的に第三項の限度時間を超えて労働させる必要がある場合において、一箇月について労働時間を延長して労働させ、及び休日において労働させることができる時間（第二項第四号に関して協定した時間を含め百時間未満の範囲内に

限る。）並びに一年について労働時間を延長して労働させることができる時間（同号に関して協定した時間を含め七百二十時間を超えない範囲内に限る。）を定めることができる。この場合において、第一項の協定に、併せて第二項第二号の対象期間において労働時間を延長して労働させる時間が一箇月について四十五時間（第三十二条の四第一項第二号の対象期間として三箇月を超える期間を定めて同条の規定により労働させる場合にあつては、一箇月について四十二時間）を超えることができる月数（一年について六箇月以内に限る。）を定めなければならない。

⑥　使用者は、第一項の協定で定めるところによつて労働時間を延長して労働させ、又は休日において労働させる場合であつても、次の各号に掲げる時間について、当該各号に定める要件を満たすものとしなければならない。

一　坑内労働その他厚生労働省令で定める健康上特に有害な業務について、一日について労働時間を延長して労働させた時間　二時間を超えないこと。

二　一箇月について労働時間を延長して労働させ、及び休日において労働させた時間　百時間未満であること。

三　対象期間の初日から一箇月ごとに区分した各期間に当該各期間の直前の一箇月、二箇月、三箇月、四箇月及び五箇月の期間を加えたそれぞれの期間における労働時間を延長して労働させ、及び休日において労働させた時間の一箇月当たりの平均時間　八十時間を超えないこと。

⑦　厚生労働大臣は、労働時間の延長及び休日の労働を適正なものとするため、第一項の協定で定める労働時間の延長及び休日の労働について留意すべき事項、当該労働時間の延長に係る割増賃金の率その他の必要な事項について、労働者の健康、福祉、時間外労働の動向その他の事情を考慮して指針を定めることができる。

⑧　第一項の協定をする使用者及び労働組合又は労働者の過半数を代表する者は、当該協定で労働時間の延長及び休日の労働を定めるに当たり、当該協定の内容が前項の指針に適合したものとなるようにしなければならない。

⑨　行政官庁は、第七項の指針に関し、第一項の協定をする使用者及び労働組合又は労働者の過半数を代表する者に対し、必要な助言及び指導を行うことができる。

⑩　前項の助言及び指導を行うに当たつては、労働者の健康が確保されるよう特に配慮しなければならない。

⑪　第三項から第五項まで及び第六項（第二号及び第三号に係る部分に限る。）の規定は、新たな技術、商品又は役務の研究開発に係る業務については適用しない。

（時間外、休日及び深夜の割増賃金）

第三十七条　使用者が、第三十三条又は前条第一項の規定により労働時間を延長し、又は休日に労働させた場合においては、その時間又はその日の労働については、通常の労働時間又は労働日の賃金の計算額の二割五分以上五割以下の範囲内でそれぞれ政令で定める率以上の率で計算した割増賃金を支払わなければならない。ただし、当該延長して労働させた時間が一箇月について六十時間を超えた場合においては、その超えた時間の労働については、通常の労働時間の賃金の計算額の五割以上の率で計算した割増賃金を支払わなければならない。

②　前項の政令は、労働者の福祉、時間外又は休日の労働の動向その他の事情を考慮して定めるものとする。

③　使用者が、当該事業場に、労働者の過半数で組織する労働組合があるときはその労働組合、労働者の過半数で組織する労働組合がないときは労働者の過半数を代表する者との書面による協定により、第一項ただし書の規定により割増賃金を支払うべき労働者に対して、当該割増賃金の支払に代えて、通常の労働時間の賃金が支払われる休暇（第三十九条の規定による有給休暇を除く。）を厚生労働省令で定めるところにより与えることを定めた場合において、当該労働者が当該休暇を取得したときは、当該労働者の同項ただし書に規定する時間を超えた時間の労働のうち当該取得した休暇に対応するものとして厚生労働省令で定める時間の労働については、同項ただし書の規定による割増賃金を支払うことを要しない。

④　使用者が、午後十時から午前五時まで（厚生労働大臣が必要であると認める場合においては、その定める地域又は期間については午後十一時から午前六時まで）の間において労働させた場合においては、その時間の労働については、通常の労働時間の賃金の計算額の二割五分以上の

率で計算した割増賃金を支払わなければならない。

⑤　第一項及び前項の割増賃金の基礎となる賃金には、家族手当、通勤手当その他厚生労働省令で定める賃金は算入しない。

（時間計算）

第三十八条　労働時間は、事業場を異にする場合においても、労働時間に関する規定の適用については通算する。

②　坑内労働については、労働者が坑口に入つた時刻から坑口を出た時刻までの時間を、休憩時間を含め、労働時間とみなす。但し、この場合においては、第三十四条第二項及び第三項の休憩に関する規定は適用しない。

第三十八条の二　労働者が労働時間の全部又は一部について事業場外で業務に従事した場合において、労働時間を算定し難いときは、所定労働時間労働したものとみなす。ただし、当該業務を遂行するためには通常所定労働時間を超えて労働することが必要となる場合においては、当該業務に関しては、厚生労働省令で定めるところにより、当該業務の遂行に通常必要とされる時間労働したものとみなす。

②　前項ただし書の場合において、当該業務に関し、当該事業場に、労働者の過半数で組織する労働組合があるときはその労働組合、労働組合がないときは労働者の過半数を代表する者との書面による協定があるときは、その協定で定める時間を同項ただし書の当該業務の遂行に通常必要とされる時間とする。

③　使用者は、厚生労働省令で定めるところにより、前項の協定を行政官庁に届け出なければならない。

第三十八条の三　使用者が、当該事業場に、労働者の過半数で組織する労働組合があるときはその労働組合、労働組合がないときは労働者の過半数を代表する者との書面による協定により、次に掲げる事項を定めた場合において、労働者を第一号に掲げる業務に就かせたときは、当該労働者は、厚生労働省令で定めるところにより、第二号に掲げる時間労働したものとみなす。

一　業務の性質上その遂行の方法を大幅に当該業務に従事する労働者の裁量にゆだねる必要があるため、当該業務の遂行の手段及び時間配分の決定等に関し使用者が具体的な指示をすることが困難なものとして厚生労働省令で定める業務のうち、労働者に就かせることとする業務（以下この条において「対象業務」という。）

二　対象業務に従事する労働者の労働時間として算定される時間

三　対象業務の遂行の手段及び時間配分の決定等に関し、当該対象業務に従事する労働者に対し使用者が具体的な指示をしないこと。

四　対象業務に従事する労働者の労働時間の状況に応じた当該労働者の健康及び福祉を確保するための措置を当該協定で定めるところにより使用者が講ずること。

五　対象業務に従事する労働者からの苦情の処理に関する措置を当該協定で定めるところにより使用者が講ずること。

六　前各号に掲げるもののほか、厚生労働省令で定める事項

②　前条第三項の規定は、前項の協定について準用する。

第三十八条の四　賃金、労働時間その他の当該事業場における労働条件に関する事項を調査審議し、事業主に対し当該事項について意見を述べることを目的とする委員会（使用者及び当該事業場の労働者を代表する者を構成員とするものに限る。）が設置された事業場において、当該委員会がその委員の五分の四以上の多数による議決により次に掲げる事項に関する決議をし、かつ、使用者が、厚生労働省令で定めるところにより当該決議を行政官庁に届け出た場合において、第二号に掲げる労働者の範囲に属する労働者を当該事業場における第一号に掲げる業務に就かせたときは、当該労働者は、厚生労働省令で定めるところにより、第三号に掲げる時間労働したものとみなす。

一　事業の運営に関する事項についての企画、立案、調査及び分析の業務であつて、当該業務の性質上これを適切に遂行するにはその遂行の方法を大幅に労働者の裁量に委ねる必要があるため、当該業務の遂行の手段及び時間配分の決定等に関し使用者が具体的な指示をしないこととする業務（以下この条において「対象業務」という。）

二　対象業務を適切に遂行するための知識、経験等を有する労働者であつて、当該対象業務に就かせたときは当該決議で定める時間労働

したものとみなされることとなるものの範囲

三　対象業務に従事する前号に掲げる労働者の範囲に属する労働者の労働時間として算定される時間

四　対象業務に従事する第二号に掲げる労働者の範囲に属する労働者の労働時間の状況に応じた当該労働者の健康及び福祉を確保するための措置を当該決議で定めるところにより使用者が講ずること。

五　対象業務に従事する第二号に掲げる労働者の範囲に属する労働者からの苦情の処理に関する措置を当該決議で定めるところにより使用者が講ずること。

六　使用者は、この項の規定により第二号に掲げる労働者の範囲に属する労働者を対象業務に就かせたときは第三号に掲げる時間労働したものとみなすことについて当該労働者の同意を得なければならないこと及び当該同意をしなかつた当該労働者に対して解雇その他不利益な取扱いをしてはならないこと。

七　前各号に掲げるもののほか、厚生労働省令で定める事項

②　前項の委員会は、次の各号に適合するものでなければならない。

一　当該委員会の委員の半数については、当該事業場に、労働者の過半数で組織する労働組合がある場合においてはその労働組合、労働者の過半数で組織する労働組合がない場合においては労働者の過半数を代表する者に厚生労働省令で定めるところにより任期を定めて指名されていること。

二　当該委員会の議事について、厚生労働省令で定めるところにより、議事録が作成され、かつ、保存されるとともに、当該事業場の労働者に対する周知が図られていること。

三　前二号に掲げるもののほか、厚生労働省令で定める要件

③　厚生労働大臣は、対象業務に従事する労働者の適正な労働条件の確保を図るために、労働政策審議会の意見を聴いて、第一項各号に掲げる事項その他同項の委員会が決議する事項について指針を定め、これを公表するものとする。

④　第一項の規定による届出をした使用者は、厚生労働省令で定めるところにより、定期的に、同項第四号に規定する措置の実施状況を行政官庁に報告しなければならない。

⑤　第一項の委員会においてその委員の五分の四以上の多数による議決により第三十二条の二第一項、第三十二条の三第一項、第三十二条の四第一項及び第二項、第三十二条の五第一項、第三十四条第二項ただし書、第三十六条第一項、第二項及び第五項、第三十七条第三項、第三十八条の二第二項、前条第一項並びに次条第四項、第六項及び第九項ただし書に規定する事項について決議が行われた場合における第三十二条の二第一項、第三十二条の三第一項、第三十二条の四第一項から第三項まで、第三十二条の五第一項、第三十四条第二項ただし書、第三十六条、第三十七条第三項、第三十八条の二第二項、前条第一項並びに次条第四項、第六項及び第九項ただし書の規定の適用については、第三十二条の二第一項中「協定」とあるのは「協定若しくは第三十八条の四第一項に規定する委員会の決議（第百六条第一項を除き、以下「決議」という。）」と、第三十二条の三第一項、第三十二条の五第一項、第三十四条第二項ただし書、第三十六条第二項及び第五項から第七項まで、第三十七条第三項、第三十八条の二第二項、前条第一項並びに次条第五項及び第六項ただし書中「協定」とあるのは「協定又は決議」と、第三十二条の四第二項中「同意を得て」とあるのは「同意を得て、又は決議に基づき」と、第三十六条第一項中「届け出た場合」とあるのは「届け出た場合又は決議を行政官庁に届け出た場合」と、「その協定」とあるのは「その協定又は決議」と、同条第八項中「又は労働者の過半数を代表する者」とあるのは「若しくは労働者の過半数を代表する者又は同項の決議をする委員」と、「当該協定」とあるのは「当該協定又は当該決議」と、同条第九項中「又は労働者の過半数を代表する者」とあるのは「若しくは労働者の過半数を代表する者又は同項の決議をする委員」とする。

（年次有給休暇）

第三十九条　使用者は、その雇入れの日から起算して六箇月間継続勤務し全労働日の八割以上出勤した労働者に対して、継続し、又は分割した十労働日の有給休暇を与えなければならない。

②　使用者は、一年六箇月以上継続勤務した労働者に対しては、雇入れの日から起算して六箇月を超えて継続勤務する日（以下「六箇月経過日」という。）から起算した継続勤務年数一年

ごとに、前項の日数に、次の表の上欄に掲げる六箇月経過日から起算した継続勤務年数の区分に応じ同表の下欄に掲げる労働日を加算した有給休暇を与えなければならない。ただし、継続勤務した期間を六箇月経過日から一年ごとに区分した各期間（最後に一年未満の期間を生じたときは、当該期間）の初日の前日の属する期間において出勤した日数が全労働日の八割未満である者に対しては、当該初日以後の一年間においては有給休暇を与えることを要しない。

六箇月経過日から起算した継続勤務年数	労働日
一年	一労働日
二年	二労働日
三年	四労働日
四年	六労働日
五年	八労働日
六年以上	十労働日

③　次に掲げる労働者（一週間の所定労働時間が厚生労働省令で定める時間以上の者を除く。）の有給休暇の日数については、前二項の規定にかかわらず、これらの規定による有給休暇の日数を基準とし、通常の労働者の一週間の所定労働日数として厚生労働省令で定める日数（第一号において「通常の労働者の週所定労働日数」という。）と当該労働者の一週間の所定労働日数又は一週間当たりの平均所定労働日数との比率を考慮して厚生労働省令で定める日数とする。

一　一週間の所定労働日数が通常の労働者の週所定労働日数に比し相当程度少ないものとして厚生労働省令で定める日数以下の労働者

二　週以外の期間によつて所定労働日数が定められている労働者については、一年間の所定労働日数が、前号の厚生労働省令で定める日数に一日を加えた日数を一週間の所定労働日数とする労働者の一年間の所定労働日数その他の事情を考慮して厚生労働省令で定める日数以下の労働者

④　使用者は、当該事業場に、労働者の過半数で組織する労働組合があるときはその労働組合、労働者の過半数で組織する労働組合がないときは労働者の過半数を代表する者との書面による協定により、次に掲げる事項を定めた場合において、第一号に掲げる労働者の範囲に属する労働者が有給休暇を時間を単位として請求したときは、前三項の規定による有給休暇の日数のうち第二号に掲げる日数については、これらの規定にかかわらず、当該協定で定めるところにより時間を単位として有給休暇を与えることができる。

一　時間を単位として有給休暇を与えることができることとされる労働者の範囲

二　時間を単位として与えることができることとされる有給休暇の日数（五日以内に限る。）

三　その他厚生労働省令で定める事項

⑤　使用者は、前各項の規定による有給休暇を労働者の請求する時季に与えなければならない。ただし、請求された時季に有給休暇を与えることが事業の正常な運営を妨げる場合においては、他の時季にこれを与えることができる。

⑥　使用者は、当該事業場に、労働者の過半数で組織する労働組合がある場合においてはその労働組合、労働者の過半数で組織する労働組合がない場合においては労働者の過半数を代表する者との書面による協定により、第一項から第三項までの規定による有給休暇を与える時季に関する定めをしたときは、これらの規定による有給休暇の日数のうち五日を超える部分については、前項の規定にかかわらず、その定めにより有給休暇を与えることができる。

⑦　使用者は、第一項から第三項までの規定による有給休暇（これらの規定により使用者が与えなければならない有給休暇の日数が十労働日以上である労働者に係るものに限る。以下この項及び次項において同じ。）の日数のうち五日については、基準日（継続勤務した期間を六箇月経過日から一年ごとに区分した各期間（最後に一年未満の期間を生じたときは、当該期間）の初日をいう。以下この項において同じ。）から一年以内の期間に、労働者ごとにその時季を定めることにより与えなければならない。ただし、第一項から第三項までの規定による有給休暇を当該有給休暇に係る基準日より前の日から与えることとしたときは、厚生労働省令で定めるところにより、労働者ごとにその時季を定めることにより与えなければならない。

⑧　前項の規定にかかわらず、第五項又は第六項の規定により第一項から第三項までの規定による有給休暇を与えた場合においては、当該与え

た有給休暇の日数（当該日数が五日を超える場合には、五日とする。）分については、時季を定めることにより与えることを要しない。

⑨　使用者は、第一項から第三項までの規定による有給休暇の期間又は第四項の規定による有給休暇の時間については、就業規則その他これに準ずるもので定めるところにより、それぞれ、平均賃金若しくは所定労働時間労働した場合に支払われる通常の賃金又はこれらの額を基準として厚生労働省令で定めるところにより算定した額の賃金を支払わなければならない。ただし、当該事業場に、労働者の過半数で組織する労働組合がある場合においてはその労働組合、労働者の過半数で組織する労働組合がない場合においては労働者の過半数を代表する者との書面による協定により、その期間又はその時間について、それぞれ、健康保険法（大正十一年法律第七十号）第四十条第一項に規定する標準報酬月額の三十分の一に相当する金額（その金額に、五円未満の端数があるときは、これを切り捨て、五円以上十円未満の端数があるときは、これを十円に切り上げるものとする。）又は当該金額を基準として厚生労働省令で定めるところにより算定した金額を支払う旨を定めたときは、これによらなければならない。

⑩　労働者が業務上負傷し、又は疾病にかかり療養のために休業した期間及び育児休業、介護休業等育児又は家族介護を行う労働者の福祉に関する法律第二条第一号に規定する育児休業又は同条第二号に規定する介護休業をした期間並びに産前産後の女性が第六十五条の規定によつて休業した期間は、第一項及び第二項の規定の適用については、これを出勤したものとみなす。

（労働時間及び休憩の特例）

第四十条　別表第一第一号から第三号まで、第六号及び第七号に掲げる事業以外の事業で、公衆の不便を避けるために必要なものその他特殊の必要あるものについては、その必要避くべからざる限度で、第三十二条から第三十二条の五までの労働時間及び第三十四条の休憩に関する規定について、厚生労働省令で別段の定めをすることができる。

②　前項の規定による別段の定めは、この法律で定める基準に近いものであつて、労働者の健康及び福祉を害しないものでなければならない。

（労働時間等に関する規定の適用除外）

第四十一条　この章、第六章及び第六章の二で定める労働時間、休憩及び休日に関する規定は、次の各号の一に該当する労働者については適用しない。

一　別表第一第六号（林業を除く。）又は第七号に掲げる事業に従事する者

二　事業の種類にかかわらず監督若しくは管理の地位にある者又は機密の事務を取り扱う者

三　監視又は断続的労働に従事する者で、使用者が行政官庁の許可を受けたもの

第四十一条の二　賃金、労働時間その他の当該事業場における労働条件に関する事項を調査審議し、事業主に対し当該事項について意見を述べることを目的とする委員会（使用者及び当該事業場の労働者を代表する者を構成員とするものに限る。）が設置された事業場において、当該委員会がその委員の五分の四以上の多数による議決により次に掲げる事項に関する決議をし、かつ、使用者が、厚生労働省令で定めるところにより当該決議を行政官庁に届け出た場合において、第二号に掲げる労働者の範囲に属する労働者（以下この項において「対象労働者」という。）であつて書面その他の厚生労働省令で定める方法によりその同意を得たものを当該事業場における第一号に掲げる業務に就かせたときは、この章で定める労働時間、休憩、休日及び深夜の割増賃金に関する規定は、対象労働者については適用しない。ただし、第三号から第五号までに規定する措置のいずれかを使用者が講じていない場合は、この限りでない。

一　高度の専門的知識等を必要とし、その性質上従事した時間と従事して得た成果との関連性が通常高くないと認められるものとして厚生労働省令で定める業務のうち、労働者に就かせることとする業務（以下この項において「対象業務」という。）

二　この項の規定により労働する期間において次のいずれにも該当する労働者であつて、対象業務に就かせようとするものの範囲

イ　使用者との間の書面その他の厚生労働省令で定める方法による合意に基づき職務が明確に定められていること。

ロ　労働契約により使用者から支払われると見込まれる賃金の額を一年間当たりの賃金の額に換算した額が基準年間平均給与額（厚生労働省において作成する毎月勤労統計における毎月きまつて支給する給与の額

を基礎として厚生労働省令で定めるところにより算定した労働者一人当たりの給与の平均額をいう。)の三倍の額を相当程度上回る水準として厚生労働省令で定める額以上であること。

三　対象業務に従事する対象労働者の健康管理を行うために当該対象労働者が事業場内にいた時間(この項の委員会が厚生労働省令で定める労働時間以外の時間を除くことを決議したときは、当該決議に係る時間を除いた時間)と事業場外において労働した時間との合計の時間(第五号ロ及びニ並びに第六号において「健康管理時間」という。)を把握する措置(厚生労働省令で定める方法に限る。)を当該決議で定めるところにより使用者が講ずること。

四　対象業務に従事する対象労働者に対し、一年間を通じ百四日以上、かつ、四週間を通じ四日以上の休日を当該決議及び就業規則その他これに準ずるもので定めるところにより使用者が与えること。

五　対象業務に従事する対象労働者に対し、次のいずれかに該当する措置を当該決議及び就業規則その他これに準ずるもので定めるところにより使用者が講ずること。

イ　労働者ごとに始業から二十四時間を経過するまでに厚生労働省令で定める時間以上の継続した休息時間を確保し、かつ、第三十七条第四項に規定する時刻の間において労働させる回数を一箇月について厚生労働省令で定める回数以内とすること。

ロ　健康管理時間を一箇月又は三箇月についてそれぞれ厚生労働省令で定める時間を超えない範囲内とすること。

ハ　一年に一回以上の継続した二週間(労働者が請求した場合においては、一年に二回以上の継続した一週間)(使用者が当該期間において、第三十九条の規定による有給休暇を与えたときは、当該有給休暇を与えた日を除く。)について、休日を与えること。

ニ　健康管理時間の状況その他の事項が労働者の健康の保持を考慮して厚生労働省令で定める要件に該当する労働者に健康診断(厚生労働省令で定める項目を含むものに限る。)を実施すること。

六　対象業務に従事する対象労働者の健康管理時間の状況に応じた当該対象労働者の健康及び福祉を確保するための措置であつて、当該対象労働者に対する有給休暇(第三十九条の規定による有給休暇を除く。)の付与、健康診断の実施その他の厚生労働省令で定める措置のうち当該決議で定めるものを使用者が講ずること。

七　対象労働者のこの項の規定による同意の撤回に関する手続

八　対象業務に従事する対象労働者からの苦情の処理に関する措置を当該決議で定めるところにより使用者が講ずること。

九　使用者は、この項の規定による同意をしなかつた対象労働者に対して解雇その他不利益な取扱いをしてはならないこと。

十　前各号に掲げるもののほか、厚生労働省令で定める事項

② 前項の規定による届出をした使用者は、厚生労働省令で定めるところにより、同項第四号から第六号までに規定する措置の実施状況を行政官庁に報告しなければならない。

③ 第三十八条の四第二項、第三項及び第五項の規定は、第一項の委員会について準用する。

④ 第一項の決議をする委員は、当該決議の内容が前項において準用する第三十八条の四第三項の指針に適合したものとなるようにしなければならない。

⑤ 行政官庁は、第三項において準用する第三十八条の四第三項の指針に関し、第一項の決議をする委員に対し、必要な助言及び指導を行うことができる。

第五章　安全及び衛生

(危害の防止)

第四十二条　労働者の安全及び衛生に関しては、労働安全衛生法(昭和四十七年法律第五十七号)の定めるところによる。

第四十三条から第五十五条まで　削除

第六章　年少者

(最低年齢)

第五十六条　使用者は、児童が満十五歳に達した日以後の最初の三月三十一日が終了するまで、これを使用してはならない。

② 前項の規定にかかわらず、別表第一第一号から第五号までに掲げる事業以外の事業に係る職

業で、児童の健康及び福祉に有害でなく、かつその労働が軽易なものについては、行政官庁の許可を受けて、満十三才以上の児童をその者の修学時間外に使用することができる。映画の製作又は演劇の事業については、満十三才に満たない児童についても、同様とする。

（年少者の証明書）

第五十七条　使用者は、満十八才に満たない者について、その年齢を証明する戸籍証明書を事業場に備え付けなければならない。

② 使用者は、前条第二項の規定によつて使用する児童については、修学に差し支えないことを証明する学校長の証明書及び親権者又は後見人の同意書を事業場に備え付けなければならない。

（未成年者の労働契約）

第五十八条　親権者又は後見人は、未成年者に代つて労働契約を締結してはならない。

② 親権者若しくは後見人又は行政官庁は、労働契約が未成年者に不利であると認める場合においては、将来に向つてこれを解除することができる。

第五十九条　未成年者は、独立して賃金を請求することができる。親権者又は後見人は、未成年者の賃金を代つて受け取つてはならない。

（労働時間及び休日）

第六十条　第三十二条の二から第三十二条の五まで、第三十六条、第四十条及び第四十一条の二の規定は、満十八才に満たない者については、これを適用しない。

② 第五十六条第二項の規定によつて使用する児童についての第三十二条の規定の適用については、同条第一項中「一週間について四十時間」とあるのは「、修学時間を通算して一週間について四十時間」と、同条第二項中「一日について八時間」とあるのは「、修学時間を通算して一日について七時間」とする。

③ 使用者は、第三十二条の規定にかかわらず、満十五歳以上で満十八歳に満たない者については、満十八歳に達するまでの間（満十五歳に達した日以後の最初の三月三十一日までの間を除く。）、次に定めるところにより、労働させることができる。

一　一週間の労働時間が第三十二条第一項の労働時間を超えない範囲内において、一週間のうち一日の労働時間を四時間以内に短縮する場合において、他の日の労働時間を十時間まで延長すること。

二　一週間について四十八時間以下の範囲内で厚生労働省令で定める時間、一日について八時間を超えない範囲内において、第三十二条の二又は第三十二条の四及び第三十二条の四の二の規定の例により労働させること。

（深夜業）

第六十一条　使用者は、満十八才に満たない者を午後十時から午前五時までの間において使用してはならない。ただし、交替制によつて使用する満十六才以上の男性については、この限りでない。

② 厚生労働大臣は、必要であると認める場合においては、前項の時刻を、地域又は期間を限つて、午後十一時及び午前六時とすることができる。

③ 交替制によつて労働させる事業については、行政官庁の許可を受けて、第一項の規定にかかわらず午後十時三十分まで労働させ、又は前項の規定にかかわらず午前五時三十分から労働させることができる。

④ 前三項の規定は、第三十三条第一項の規定によつて労働時間を延長し、若しくは休日に労働させる場合又は別表第一第六号、第七号若しくは第十三号に掲げる事業若しくは電話交換の業務については、適用しない。

⑤ 第一項及び第二項の時刻は、第五十六条第二項の規定によつて使用する児童については、第一項の時刻は、午後八時及び午前五時とし、第二項の時刻は、午後九時及び午前六時とする。

（危険有害業務の就業制限）

第六十二条　使用者は、満十八才に満たない者に、運転中の機械若しくは動力伝導装置の危険な部分の掃除、注油、検査若しくは修繕をさせ、運転中の機械若しくは動力伝導装置にベルト若しくはロープの取付け若しくは取りはずしをさせ、動力によるクレーンの運転をさせ、その他厚生労働省令で定める危険な業務に就かせ、又は厚生労働省令で定める重量物を取り扱う業務に就かせてはならない。

② 使用者は、満十八才に満たない者を、毒劇薬、毒劇物その他有害な原料若しくは材料又は爆発性、発火性若しくは引火性の原料若しくは材料を取り扱う業務、著しくじんあい若しくは粉末を飛散し、若しくは有害ガス若しくは有害放射線を発散する場所又は高温若しくは高圧の場所における業務その他安全、衛生又は福祉に有害

な場所における業務に就かせてはならない。

③　前項に規定する業務の範囲は、厚生労働省令で定める。

（坑内労働の禁止）

第六十三条　使用者は、満十八才に満たない者を坑内で労働させてはならない。

（帰郷旅費）

第六十四条　満十八才に満たない者が解雇の日から十四日以内に帰郷する場合においては、使用者は、必要な旅費を負担しなければならない。ただし、満十八才に満たない者がその責めに帰すべき事由に基づいて解雇され、使用者がその事由について行政官庁の認定を受けたときは、この限りでない。

第六章の二　妊産婦等

（坑内業務の就業制限）

第六十四条の二　使用者は、次の各号に掲げる女性を当該各号に定める業務に就かせてはならない。

一　妊娠中の女性及び坑内で行われる業務に従事しない旨を使用者に申し出た産後一年を経過しない女性　坑内で行われるすべての業務

二　前号に掲げる女性以外の満十八歳以上の女性　坑内で行われる業務のうち人力により行われる掘削の業務その他の女性に有害な業務として厚生労働省令で定めるもの

（危険有害業務の就業制限）

第六十四条の三　使用者は、妊娠中の女性及び産後一年を経過しない女性（以下「妊産婦」という。）を、重量物を取り扱う業務、有害ガスを発散する場所における業務その他妊産婦の妊娠、出産、哺育等に有害な業務に就かせてはならない。

②　前項の規定は、同項に規定する業務のうち女性の妊娠又は出産に係る機能に有害である業務につき、厚生労働省令で、妊産婦以外の女性に関して、準用することができる。

③　前二項に規定する業務の範囲及びこれらの規定によりこれらの業務に就かせてはならない者の範囲は、厚生労働省令で定める。

（産前産後）

第六十五条　使用者は、六週間（多胎妊娠の場合にあつては、十四週間）以内に出産する予定の女性が休業を請求した場合においては、その者を就業させてはならない。

②　使用者は、産後八週間を経過しない女性を就業させてはならない。ただし、産後六週間を経過した女性が請求した場合において、その者について医師が支障がないと認めた業務に就かせることは、差し支えない。

③　使用者は、妊娠中の女性が請求した場合においては、他の軽易な業務に転換させなければならない。

第六十六条　使用者は、妊産婦が請求した場合においては、第三十二条の二第一項、第三十二条の四第一項及び第三十二条の五第一項の規定にかかわらず、一週間について第三十二条第一項の労働時間、一日について同条第二項の労働時間を超えて労働させてはならない。

②　使用者は、妊産婦が請求した場合においては、第三十三条第一項及び第三項並びに第三十六条第一項の規定にかかわらず、時間外労働をさせてはならず、又は休日に労働させてはならない。

③　使用者は、妊産婦が請求した場合においては、深夜業をさせてはならない。

（育児時間）

第六十七条　生後満一年に達しない生児を育てる女性は、第三十四条の休憩時間のほか、一日二回各々少なくとも三十分、その生児を育てるための時間を請求することができる。

②　使用者は、前項の育児時間中は、その女性を使用してはならない。

（生理日の就業が著しく困難な女性に対する措置）

第六十八条　使用者は、生理日の就業が著しく困難な女性が休暇を請求したときは、その者を生理日に就業させてはならない。

第七章　技能者の養成

（徒弟の弊害排除）

第六十九条　使用者は、徒弟、見習、養成工その他名称の如何を問わず、技能の習得を目的とする者であることを理由として、労働者を酷使してはならない。

②　使用者は、技能の習得を目的とする労働者を家事その他技能の習得に関係のない作業に従事させてはならない。

（職業訓練に関する特例）

第七十条　職業能力開発促進法（昭和四十四年法律第六十四号）第二十四条第一項（同法第二十七条の二第二項において準用する場合を含む。）の認定を受けて行う職業訓練を受ける労働者について必要がある場合においては、その必要の限度で、第十四条第一項の契約期間、第六十二条及び第六十四条の三の年少者及び妊産婦等の危険有害業務の就業制限、第六十三条の年少者の坑内労働の禁止並びに第六十四条の二の妊産婦等の坑内業務の就業制限に関する規定について、厚生労働省令で別段の定めをすることができる。ただし、第六十三条の年少者の坑内労働の禁止に関する規定については、満十六歳に満たない者に関しては、この限りでない。

第七十一条 前条の規定に基いて発する厚生労働省令は、当該厚生労働省令によつて労働者を使用することについて行政官庁の許可を受けた使用者に使用される労働者以外の労働者については、適用しない。

第七十二条 第七十条の規定に基づく厚生労働省令の適用を受ける未成年者についての第三十九条の規定の適用については、同条第一項中「十労働日」とあるのは「十二労働日」と、同条第二項の表六年以上の項中「十労働日」とあるのは「八労働日」とする。

第七十三条 第七十一条の規定による許可を受けた使用者が第七十条の規定に基いて発する厚生労働省令に違反した場合においては、行政官庁は、その許可を取り消すことができる。

第七十四条 削除

第八章 災害補償

（療養補償）

第七十五条 労働者が業務上負傷し、又は疾病にかかつた場合においては、使用者は、その費用で必要な療養を行い、又は必要な療養の費用を負担しなければならない。

② 前項に規定する業務上の疾病及び療養の範囲は、厚生労働省令で定める。

（休業補償）

第七十六条 労働者が前条の規定による療養のため、労働することができないために賃金を受けない場合においては、使用者は、労働者の療養中平均賃金の百分の六十の休業補償を行わなければならない。

② 使用者は、前項の規定により休業補償を行つている労働者と同一の事業場における同種の労働者に対して所定労働時間労働した場合に支払われる通常の賃金の、一月から三月まで、四月から六月まで、七月から九月まで及び十月から十二月までの各区分による期間（以下四半期という。）ごとの一箇月一人当り平均額（常時百人未満の労働者を使用する事業場については、厚生労働省において作成する毎月勤労統計における当該事業場の属する産業に係る毎月きまつて支給する給与の四半期の労働者一人当りの一箇月平均額。以下平均給与額という。）が、当該労働者が業務上負傷し、又は疾病にかかつた日の属する四半期における平均給与額の百分の百二十をこえ、又は百分の八十を下るに至つた場合においては、使用者は、その上昇し又は低下した比率に応じて、その上昇し又は低下するに至つた四半期の次の次の四半期において、前項の規定により当該労働者に対して行つている休業補償の額を改訂し、その改訂をした四半期に属する最初の月から改訂された額により休業補償を行わなければならない。改訂後の休業補償の額の改訂についてもこれに準ずる。

③ 前項の規定により難い場合における改訂の方法その他同項の規定による改訂について必要な事項は、厚生労働省令で定める。

（障害補償）

第七十七条 労働者が業務上負傷し、又は疾病にかかり、治つた場合において、その身体に障害が存するときは、使用者は、その障害の程度に応じて、平均賃金に別表第二に定める日数を乗じて得た金額の障害補償を行わなければならない。

（休業補償及び障害補償の例外）

第七十八条 労働者が重大な過失によつて業務上負傷し、又は疾病にかかり、且つ使用者がその過失について行政官庁の認定を受けた場合においては、休業補償又は障害補償を行わなくてもよい。

（遺族補償）

第七十九条 労働者が業務上死亡した場合においては、使用者は、遺族に対して、平均賃金の千日分の遺族補償を行わなければならない。

（葬祭料）

第八十条 労働者が業務上死亡した場合においては、使用者は、葬祭を行う者に対して、平均賃金の六十日分の葬祭料を支払わなければならない。

（打切補償）

第八十一条 第七十五条の規定によつて補償を受ける労働者が、療養開始後三年を経過しても負傷又は疾病がなおらない場合においては、使用者は、平均賃金の千二百日分の打切補償を行い、その後はこの法律の規定による補償を行わなくてもよい。

（分割補償）

第八十二条　使用者は、支払能力のあることを証明し、補償を受けるべき者の同意を得た場合においては、第七十七条又は第七十九条の規定による補償に替え、平均賃金に別表第三に定める日数を乗じて得た金額を、六年にわたり毎年補償することができる。

（補償を受ける権利）

第八十三条　補償を受ける権利は、労働者の退職によつて変更されることはない。

② 補償を受ける権利は、これを譲渡し、又は差し押えてはならない。

（他の法律との関係）

第八十四条　この法律に規定する災害補償の事由について、労働者災害補償保険法（昭和二十二年法律第五十号）又は厚生労働省令で指定する法令に基づいてこの法律の災害補償に相当する給付が行なわれるべきものである場合においては、使用者は、補償の責を免れる。

② 使用者は、この法律による補償を行つた場合においては、同一の事由については、その価額の限度において民法による損害賠償の責を免れる。

（審査及び仲裁）

第八十五条　業務上の負傷、疾病又は死亡の認定、療養の方法、補償金額の決定その他補償の実施に関して異議のある者は、行政官庁に対して、審査又は事件の仲裁を申し立てることができる。

② 行政官庁は、必要があると認める場合においては、職権で審査又は事件の仲裁をすることができる。

③ 第一項の規定により審査若しくは仲裁の申立てがあつた事件又は前項の規定により行政官庁が審査若しくは仲裁を開始した事件について民事訴訟が提起されたときは、行政官庁は、当該事件については、審査又は仲裁をしない。

④ 行政官庁は、審査又は仲裁のために必要であると認める場合においては、医師に診断又は検案をさせることができる。

⑤ 第一項の規定による審査又は仲裁の申立て及び第二項の規定による審査又は仲裁の開始は、時効の完成猶予及び更新に関しては、これを裁判上の請求とみなす。

第八十六条　前条の規定による審査及び仲裁の結果に不服のある者は、労働者災害補償保険審査官の審査又は仲裁を申し立てることができる。

② 前条第三項の規定は、前項の規定により審査又は仲裁の申立てがあつた場合に、これを準用する。

（請負事業に関する例外）

第八十七条　厚生労働省令で定める事業が数次の請負によつて行われる場合においては、災害補償については、その元請負人を使用者とみなす。

② 前項の場合、元請負人が書面による契約で下請負人に補償を引き受けさせた場合においては、その下請負人もまた使用者とする。但し、二以上の下請負人に、同一の事業について重複して補償を引き受けさせてはならない。

③ 前項の場合、元請負人が補償の請求を受けた場合においては、補償を引き受けた下請負人に対して、まず催告すべきことを請求することができる。ただし、その下請負人が破産手続開始の決定を受け、又は行方が知れない場合においては、この限りでない。

（補償に関する細目）

第八十八条　この章に定めるものの外、補償に関する細目は、厚生労働省令で定める。

第九章　就業規則

（作成及び届出の義務）

第八十九条　常時十人以上の労働者を使用する使用者は、次に掲げる事項について就業規則を作成し、行政官庁に届け出なければならない。次に掲げる事項を変更した場合においても、同様とする。

一　始業及び終業の時刻、休憩時間、休日、休暇並びに労働者を二組以上に分けて交替に就業させる場合においては就業時転換に関する事項

二　賃金（臨時の賃金等を除く。以下この号において同じ。）の決定、計算及び支払の方法、賃金の締切り及び支払の時期並びに昇給に関する事項

三　退職に関する事項（解雇の事由を含む。）

三の二　退職手当の定めをする場合においては、適用される労働者の範囲、退職手当の決定、計算及び支払の方法並びに退職手当の支払の時期に関する事項

四　臨時の賃金等（退職手当を除く。）及び最低賃金額の定めをする場合においては、これ

に関する事項

五　労働者に食費、作業用品その他の負担をさせる定めをする場合においては、これに関する事項

六　安全及び衛生に関する定めをする場合においては、これに関する事項

七　職業訓練に関する定めをする場合においては、これに関する事項

八　災害補償及び業務外の傷病扶助に関する定めをする場合においては、これに関する事項

九　表彰及び制裁の定めをする場合においては、その種類及び程度に関する事項

十　前各号に掲げるもののほか、当該事業場の労働者のすべてに適用される定めをする場合においては、これに関する事項

（作成の手続）

第九十条　使用者は、就業規則の作成又は変更について、当該事業場に、労働者の過半数で組織する労働組合がある場合においてはその労働組合、労働者の過半数で組織する労働組合がない場合においては労働者の過半数を代表する者の意見を聴かなければならない。

②　使用者は、前条の規定により届出をなすについて、前項の意見を記した書面を添付しなければならない。

（制裁規定の制限）

第九十一条　就業規則で、労働者に対して減給の制裁を定める場合においては、その減給は、一回の額が平均賃金の一日分の半額を超え、総額が一賃金支払期における賃金の総額の十分の一を超えてはならない。

（法令及び労働協約との関係）

第九十二条　就業規則は、法令又は当該事業場について適用される労働協約に反してはならない。

②　行政官庁は、法令又は労働協約に抵触する就業規則の変更を命ずることができる。

（労働契約との関係）

第九十三条　労働契約と就業規則との関係については、労働契約法（平成十九年法律第百二十八号）第十二条の定めるところによる。

第十章　寄宿舎

（寄宿舎生活の自治）

第九十四条　使用者は、事業の附属寄宿舎に寄宿する労働者の私生活の自由を侵してはならない。

②　使用者は、寮長、室長その他寄宿舎生活の自治に必要な役員の選任に干渉してはならない。

（寄宿舎生活の秩序）

第九十五条　事業の附属寄宿舎に労働者を寄宿させる使用者は、左の事項について寄宿舎規則を作成し、行政官庁に届け出なければならない。これを変更した場合においても同様である。

一　起床、就寝、外出及び外泊に関する事項

二　行事に関する事項

三　食事に関する事項

四　安全及び衛生に関する事項

五　建設物及び設備の管理に関する事項

②　使用者は、前項第一号乃至第四号の事項に関する規定の作成又は変更については、寄宿舎に寄宿する労働者の過半数を代表する者の同意を得なければならない。

③　使用者は、第一項の規定により届出をなすについて、前項の同意を証明する書面を添附しなければならない。

④　使用者及び寄宿舎に寄宿する労働者は、寄宿舎規則を遵守しなければならない。

（寄宿舎の設備及び安全衛生）

第九十六条　使用者は、事業の附属寄宿舎について、換気、採光、照明、保温、防湿、清潔、避難、定員の収容、就寝に必要な措置その他労働者の健康、風紀及び生命の保持に必要な措置を講じなければならない。

②　使用者が前項の規定によつて講ずべき措置の基準は、厚生労働省令で定める。

（監督上の行政措置）

第九十六条の二　使用者は、常時十人以上の労働者を就業させる事業、厚生労働省令で定める危険な事業又は衛生上有害な事業の附属寄宿舎を設置し、移転し、又は変更しようとする場合においては、前条の規定に基づいて発する厚生労働省令で定める危害防止等に関する基準に従い定めた計画を、工事着手十四日前までに、行政官庁に届け出なければならない。

②　行政官庁は、労働者の安全及び衛生に必要であると認める場合においては、工事の着手を差し止め、又は計画の変更を命ずることができる。

第九十六条の三　労働者を就業させる事業の附属寄宿舎が、安全及び衛生に関し定められた基準に反する場合においては、行政官庁は、使用者に対して、その全部又は一部の使用の停止、変更その他必要な事項を命ずることができる。

②　前項の場合において行政官庁は、使用者に命じた事項について必要な事項を労働者に命ずる

ことができる。

第十一章　監督機関

（監督機関の職員等）

第九十七条　労働基準主管局（厚生労働省の内部部局として置かれる局で労働条件及び労働者の保護に関する事務を所掌するものをいう。以下同じ。）、都道府県労働局及び労働基準監督署に労働基準監督官を置くほか、厚生労働省令で定める必要な職員を置くことができる。

② 労働基準主管局の局長（以下「労働基準主管局長」という。）、都道府県労働局長及び労働基準監督署長は、労働基準監督官をもつてこれに充てる。

③ 労働基準監督官の資格及び任免に関する事項は、政令で定める。

④ 厚生労働省に、政令で定めるところにより、労働基準監督官分限審議会を置くことができる。

⑤ 労働基準監督官を罷免するには、労働基準監督官分限審議会の同意を必要とする。

⑥ 前二項に定めるもののほか、労働基準監督官分限審議会の組織及び運営に関し必要な事項は、政令で定める。

第九十八条　削除

（労働基準主管局長等の権限）

第九十九条　労働基準主管局長は、厚生労働大臣の指揮監督を受けて、都道府県労働局長を指揮監督し、労働基準に関する法令の制定改廃、労働基準監督官の任免教養、監督方法についての規程の制定及び調整、監督年報の作成並びに労働政策審議会及び労働基準監督官分限審議会に関する事項（労働政策審議会に関する事項については、労働条件及び労働者の保護に関するものに限る。）その他この法律の施行に関する事項をつかさどり、所属の職員を指揮監督する。

② 都道府県労働局長は、労働基準主管局長の指揮監督を受けて、管内の労働基準監督署長を指揮監督し、監督方法の調整に関する事項その他この法律の施行に関する事項をつかさどり、所属の職員を指揮監督する。

③ 労働基準監督署長は、都道府県労働局長の指揮監督を受けて、この法律に基く臨検、尋問、許可、認定、審査、仲裁その他この法律の実施に関する事項をつかさどり、所属の職員を指揮監督する。

④ 労働基準主管局長及び都道府県労働局長は、下級官庁の権限を自ら行い、又は所属の労働基準監督官をして行わせることができる。

（女性主管局長の権限）

第百条　厚生労働省の女性主管局長（厚生労働省の内部部局として置かれる局で女性労働者の特性に係る労働問題に関する事務を所掌するものの局長をいう。以下同じ。）は、厚生労働大臣の指揮監督を受けて、この法律中女性に特殊の規定の制定、改廃及び解釈に関する事項をつかさどり、その施行に関する事項については、労働基準主管局長及びその下級の官庁の長に勧告を行うとともに、労働基準主管局長が、その下級の官庁に対して行う指揮監督について援助を与える。

② 女性主管局長は、自ら又はその指定する所属官吏をして、女性に関し労働基準主管局若しくはその下級の官庁又はその所属官吏の行つた監督その他に関する文書を閲覧し、又は閲覧せしめることができる。

③ 第百一条及び第百五条の規定は、女性主管局長又はその指定する所属官吏が、この法律中女性に特殊の規定の施行に関して行う調査の場合に、これを準用する。

（労働基準監督官の権限）

第百一条　労働基準監督官は、事業場、寄宿舎その他の附属建設物に臨検し、帳簿及び書類の提出を求め、又は使用者若しくは労働者に対して尋問を行うことができる。

② 前項の場合において、労働基準監督官は、その身分を証明する証票を携帯しなければならない。

第百二条　労働基準監督官は、この法律違反の罪について、刑事訴訟法に規定する司法警察官の職務を行う。

第百三条　労働者を就業させる事業の附属寄宿舎が、安全及び衛生に関して定められた基準に反し、且つ労働者に急迫した危険がある場合においては、労働基準監督官は、第九十六条の三の規定による行政官庁の権限を即時に行うことができる。

（監督機関に対する申告）

第百四条　事業場に、この法律又はこの法律に基いて発する命令に違反する事実がある場合においては、労働者は、その事実を行政官庁又は労働基準監督官に申告することができる。

② 使用者は、前項の申告をしたことを理由として、労働者に対して解雇その他不利益な取扱を

してはならない。

(報告等)

第百四条の二 行政官庁は、この法律を施行するため必要があると認めるときは、厚生労働省令で定めるところにより、使用者又は労働者に対し、必要な事項を報告させ、又は出頭を命ずることができる。

② 労働基準監督官は、この法律を施行するため必要があると認めるときは、使用者又は労働者に対し、必要な事項を報告させ、又は出頭を命ずることができる。

(労働基準監督官の義務)

第百五条 労働基準監督官は、職務上知り得た秘密を漏してはならない。労働基準監督官を退官した後においても同様である。

第十二章 雑則

(国の援助義務)

第百五条の二 厚生労働大臣又は都道府県労働局長は、この法律の目的を達成するために、労働者及び使用者に対して資料の提供その他必要な援助をしなければならない。

(法令等の周知義務)

第百六条 使用者は、この法律及びこれに基づく命令の要旨、就業規則、第十八条第二項、第二十四条第一項ただし書、第三十二条の二第一項、第三十二条の三第一項、第三十二条の四第一項、第三十二条の五第一項、第三十四条第二項ただし書、第三十六条第一項、第三十七条第三項、第三十八条の二第二項、第三十八条の三第一項並びに第三十九条第四項、第六項及び第九項ただし書に規定する協定並びに第三十八条の四第一項及び同条第五項(第四十一条の二第三項において準用する場合を含む。)並びに第四十一条の二第一項に規定する決議を、常時各作業場の見やすい場所へ掲示し、又は備え付けること、書面を交付することその他の厚生労働省令で定める方法によつて、労働者に周知させなければならない。

② 使用者は、この法律及びこの法律に基いて発する命令のうち、寄宿舎に関する規定及び寄宿舎規則を、寄宿舎の見易い場所に掲示し、又は備え付ける等の方法によつて、寄宿舎に寄宿する労働者に周知させなければならない。

(労働者名簿)

第百七条 使用者は、各事業場ごとに労働者名簿を、各労働者(日日雇い入れられる者を除く。)について調製し、労働者の氏名、生年月日、履歴その他厚生労働省令で定める事項を記入しなければならない。

② 前項の規定により記入すべき事項に変更があつた場合においては、遅滞なく訂正しなければならない。

(賃金台帳)

第百八条 使用者は、各事業場ごとに賃金台帳を調製し、賃金計算の基礎となる事項及び賃金の額その他厚生労働省令で定める事項を賃金支払の都度遅滞なく記入しなければならない。

(記録の保存)

第百九条 使用者は、労働者名簿、賃金台帳及び雇入れ、解雇、災害補償、賃金その他労働関係に関する重要な書類を五年間保存しなければならない。

第百十条 削除

(無料証明)

第百十一条 労働者及び労働者になろうとする者は、その戸籍に関して戸籍事務を掌る者又はその代理者に対して、無料で証明を請求することができる。使用者が、労働者及び労働者になろうとする者の戸籍に関して証明を請求する場合においても同様である。

(国及び公共団体についての適用)

第百十二条 この法律及びこの法律に基いて発する命令は、国、都道府県、市町村その他これに準ずべきものについても適用あるものとする。

(命令の制定)

第百十三条 この法律に基いて発する命令は、その草案について、公聴会で労働者を代表する者、使用者を代表する者及び公益を代表する者の意見を聴いて、これを制定する。

(付加金の支払)

第百十四条 裁判所は、第二十条、第二十六条若しくは第三十七条の規定に違反した使用者又は第三十九条第九項の規定による賃金を支払わなかつた使用者に対して、労働者の請求により、これらの規定により使用者が支払わなければならない金額についての未払金のほか、これと同一額の付加金の支払を命ずることができる。ただし、この請求は、違反のあつた時から五年以内にしなければならない。

(時効)

第百十五条 この法律の規定による賃金の請求権はこれを行使することができる時から五年間、

この法律の規定による災害補償その他の請求権（賃金の請求権を除く。）はこれを行使することができる時から二年間行わない場合においては、時効によつて消滅する。

（経過措置）

第百十五条の二　この法律の規定に基づき命令を制定し、又は改廃するときは、その命令で、その制定又は改廃に伴い合理的に必要と判断される範囲内において、所要の経過措置（罰則に関する経過措置を含む。）を定めることができる。

（適用除外）

第百十六条　第一条から第十一条まで、次項、第百十七条から第百十九条まで及び第百二十一条の規定を除き、この法律は、船員法（昭和二十二年法律第百号）第一条第一項に規定する船員については、適用しない。

② この法律は、同居の親族のみを使用する事業及び家事使用人については、適用しない。

第十三章　罰則

第百十七条　第五条の規定に違反した者は、一年以上十年以下の拘禁刑又は二十万円以上三百万円以下の罰金に処する。

第百十八条　第六条、第五十六条、第六十三条又は第六十四条の二の規定に違反した者は、一年以下の拘禁刑又は五十万円以下の罰金に処する。

② 第七十条の規定に基づいて発する厚生労働省令（第六十三条又は第六十四条の二の規定に係る部分に限る。）に違反した者についても前項の例による。

第百十九条　次の各号のいずれかに該当する者は、六月以下の拘禁刑又は三十万円以下の罰金に処する。

一　第三条、第四条、第七条、第十六条、第十七条、第十八条第一項、第十九条、第二十条、第二十二条第四項、第三十二条、第三十四条、第三十五条、第三十六条第六項、第三十七条、第三十九条（第七項を除く。）、第六十一条、第六十二条、第六十四条の三から第六十七条まで、第七十二条、第七十五条から第七十七条まで、第七十九条、第八十条、第九十四条第二項、第九十六条又は第百四条第二項の規定に違反した者

二　第三十三条第二項、第九十六条の二第二項又は第九十六条の三第一項の規定による命令に違反した者

三　第四十条の規定に基づいて発する厚生労働省令に違反した者

四　第七十条の規定に基づいて発する厚生労働省令（第六十二条又は第六十四条の三の規定に係る部分に限る。）に違反した者

第百二十条　次の各号のいずれかに該当する者は、三十万円以下の罰金に処する。

一　第十四条、第十五条第一項若しくは第三項、第十八条第七項、第二十二条第一項から第三項まで、第二十三条から第二十七条まで、第三十二条の二第二項（第三十二条の三第四項、第三十二条の四第四項及び第三十二条の五第三項において準用する場合を含む。）、第三十二条の五第二項、第三十三条第一項ただし書、第三十八条の二第三項（第三十八条の三第二項において準用する場合を含む。）、第三十九条第七項、第五十七条から第五十九条まで、第六十四条、第六十八条、第八十九条、第九十条第一項、第九十一条、第九十五条第一項若しくは第二項、第九十六条の二第一項、第百五条（第百条第三項において準用する場合を含む。）又は第百六条から第百九条までの規定に違反した者

二　第七十条の規定に基づいて発する厚生労働省令（第十四条の規定に係る部分に限る。）に違反した者

三　第九十二条第二項又は第九十六条の三第二項の規定による命令に違反した者

四　第百一条（第百条第三項において準用する場合を含む。）の規定による労働基準監督官又は女性主管局長若しくはその指定する所属官吏の臨検を拒み、妨げ、若しくは忌避し、その尋問に対して陳述をせず、若しくは虚偽の陳述をし、帳簿書類の提出をせず、又は虚偽の記載をした帳簿書類の提出をした者

五　第百四条の二の規定による報告をせず、若しくは虚偽の報告をし、又は出頭しなかつた者

第百二十一条　この法律の違反行為をした者が、当該事業の労働者に関する事項について、事業主のために行為した代理人、使用人その他の従業者である場合においては、事業主に対しても各本条の罰金刑を科する。ただし、事業主（事業主が法人である場合においてはその代表者、事業主が営業に関し成年者と同一の行為能力を有しない未成年者又は成年被後見人である場合においてはその法定代理人（法定代理人が法人

であるときは、その代表者）を事業主とする。次項において同じ。）が違反の防止に必要な措置をした場合においては、この限りでない。

② 事業主が違反の計画を知りその防止に必要な措置を講じなかつた場合、違反行為を知り、その是正に必要な措置を講じなかつた場合又は違反を教唆した場合においては、事業主も行為者として罰する。

附　則（抄）

第百二十二条　この法律施行の期日は、勅令で、これを定める。

第百二十三条　工場法、工業労働者最低年齢法、労働者災害扶助法、商店法、黄燐燐寸製造禁止法及び昭和十四年法律第八十七号は、これを廃止する。

第百二十七条　第十八条第二項、第四十九条、第五十七条、第六十条乃至第六十三条、第八十九条、第九十五条及び第百六条乃至第百八条の規定は、この法律施行の日から六箇月間は、これを適用しない。

② 旧法によつて禁止又は制限された事項で前項の規定に係るものについては、同項の期間中は、なお従前の規定による。

第百二十八条　この法律施行の際、満十二才以上の児童を使用する使用者が、引き続きその者を使用する場合においては、この法律施行の日から六箇月間は、その者については第五十六条の規定は、これを適用しない。

② この法律施行の際、満十六才以上の男子を使用する使用者が、引き続きその者を使用する場合においては、この法律施行の日から一年間は、その者については第六十四条の規定は、これを適用しない。

第百二十九条　この法律施行前、労働者が業務上負傷し、疾病にかかり、又は死亡した場合における災害補償については、なお旧法の扶助に関する規定による。

第百三十条　この法律施行前（第百二十七条第二項の場合においては、同条第一項の期間を含む。）になした行為に関する罰則の適用については、なお旧法による。

第百三十一条　厚生労働省令で定める規模以下の事業又は厚生労働省令で定める業種の事業に係る第三十二条第一項（第六十条第二項の規定により読み替えて適用する場合を除く。）の規定の適用については、平成九年三月三十一日までの間は、第三十二条第一項中「四十時間」とあるのは、「四十時間を超え四十四時間以下の範囲内において厚生労働省令で定める時間」とする。

② 前項の規定により読み替えて適用する第三十二条第一項の厚生労働省令は、労働者の福祉、労働時間の動向その他の事情を考慮して定めるものとする。

③ 第一項の規定により読み替えて適用する第三十二条第一項の厚生労働省令を制定し、又は改正する場合においては、当該厚生労働省令で、一定の規模以下の事業又は一定の業種の事業については、一定の期間に限り、当該厚生労働省令の制定前又は改正前の例による旨の経過措置（罰則に関する経過措置を含む。）を定めることができる。

④ 厚生労働大臣は、第一項の規定により読み替えて適用する第三十二条第一項の厚生労働省令の制定又は改正の立案をしようとするときは、あらかじめ、労働政策審議会の意見を聴かなければならない。

第百三十二条　前条第一項の規定が適用される間における同項に規定する事業に係る第三十二条の四第一項の規定の適用については、同項各号列記以外の部分中「次に掲げる事項を定めたときは、第三十二条の規定にかかわらず、その協定で」とあるのは「次に掲げる事項及び」と、「労働時間が四十時間」とあるのは「労働時間を四十時間（命令で定める規模以下の事業にあつては、四十時間を超え四十二時間以下の範囲内において命令で定める時間）以内とし、当該時間を超えて労働させたときはその超えた時間（第三十七条第一項の規定の適用を受ける時間を除く。）の労働について同条の規定の例により割増賃金を支払う定めをしたときは、第三十二条の規定にかかわらず、当該期間を平均し一週間当たりの労働時間が同条第一項の労働時間」と、「労働させることができる」とあるのは「労働させることができる。この場合において、使用者は、当該期間を平均し一週間当たり四十時間（前段の命令で定める規模以下の事業にあつては、前段の命令で定める時間）を超えて労働させたときは、その超えた時間（第三十七条第一項の規定の適用を受ける時間を除く。）の労働について、第三十七条の規定の例により割増賃金を支払わなければならない」と、同項第二号中「四十時間」とあるのは「第三十二条第一項の労働時間」とする。

② 前条第一項の規定が適用される間における同項に規定する事業に係る第三十二条の五第一項の規定の適用については、同項中「協定がある」とあるのは「協定により、一週間の労働時間を四十時間（命令で定める規模以下の事業にあつては、四十時間を超え四十二時間以下の範囲内において命令で定める時間）以内とし、当該時間を超えて労働させたときはその超えた時間（第三十七条第一項の規定の適用を受ける時間を除く。）の労働について同条の規定の例により割増賃金を支払う定めをした」と、「一日について」とあるのは「一週間について同条第一項の労働時間を超えない範囲内において、一日について」と、「労働させることができる」とあるのは「労働させることができる。この場合において、使用者は、一週間について四十時間（前段の命令で定める規模以下の事業にあつては、前段の命令で定める時間）を超えて労働させたときは、その超えた時間（第三十七条の規定の適用を受ける時間を除く。）の労働について、第三十七条の規定の例により割増賃金を支払わなければならない」とする。

③ 前条第四項の規定は、前二項の規定により読み替えて適用する第三十二条の四第一項及び第三十二条の五第一項（第二項の規定により読み替えた部分に限る。）の命令について準用する。

第百三十三条　厚生労働大臣は、第三十六条第二項の基準を定めるに当たつては、満十八歳以上の女性のうち雇用の分野における男女の均等な機会及び待遇の確保等のための労働省関係法律の整備に関する法律（平成九年法律第九十二号）第四条の規定による改正前の第六十四条の二第四項に規定する命令で定める者に該当しない者について平成十一年四月一日以後同条第一項及び第二項の規定が適用されなくなつたことにかんがみ、当該者のうち子の養育又は家族の介護を行う労働者（厚生労働省令で定める者に限る。以下この条において「特定労働者」という。）の職業生活の著しい変化がその家庭生活に及ぼす影響を考慮して、厚生労働省令で定める期間、特定労働者（その者に係る時間外労働を短いものとすることを使用者に申し出た者に限る。）に係る第三十六条第一項の協定で定める労働時間の延長の限度についての基準は、当該特定労働者以外の者に係る同項の協定で定める労働時間の延長の限度についての基準とは別に、これより短いものとして定めるものとする。この場合において、一年についての労働時間の延長の限度についての基準は、百五十時間を超えないものとしなければならない。

第百三十四条　常時三百人以下の労働者を使用する事業に係る第三十九条の規定の適用については、昭和六十六年三月三十一日までの間は同条第一項中「十労働日」とあるのは「六労働日」と、同年四月一日から昭和六十九年三月三十一日までの間は同項中「十労働日」とあるのは「八労働日」とする。

第百三十五条　六箇月経過日から起算した継続勤務年数が四年から八年までのいずれかの年数に達する日の翌日が平成十一年四月一日から平成十二年三月三十一日までの間にある労働者に関する第三十九条の規定の適用については、同日までの間は、次の表の上欄に掲げる当該六箇月経過日から起算した継続勤務年数の区分に応じ、同条第二項の表中次の表の中欄に掲げる字句は、同表の下欄に掲げる字句とする。

四年	六労働日	五労働日
五年	八労働日	六労働日
六年	十労働日	七労働日
七年	十労働日	八労働日
八年	十労働日	九労働日

② 六箇月経過日から起算した継続勤務年数が五年から七年までのいずれかの年数に達する日の翌日が平成十二年四月一日から平成十三年三月三十一日までの間にある労働者に関する第三十九条の規定の適用については、平成十二年四月一日から平成十三年三月三十一日までの間は、次の表の上欄に掲げる当該六箇月経過日から起算した継続勤務年数の区分に応じ、同条第二項の表中次の表の中欄に掲げる字句は、同表の下欄に掲げる字句とする。

五年	八労働日	七労働日
六年	十労働日	八労働日
七年	十労働日	九労働日

③ 前二項の規定は、第七十二条に規定する未成年者については、適用しない。

第百三十六条　使用者は、第三十九条第一項から第四項までの規定による有給休暇を取得した労働者に対して、賃金の減額その他不利益な取扱いをしないようにしなければならない。

第百三十七条　期間の定めのある労働契約（一定の事業の完了に必要な期間を定めるものを除き、その期間が一年を超えるものに限る。）を締結した労働者（第十四条第一項各号に規定する労働者を除く。）は、労働基準法の一部を改正する法律（平成十五年法律第百四号）附則第三条に規定する措置が講じられるまでの間、民法第六百二十八条の規定にかかわらず、当該労働契約の期間の初日から一年を経過した日以後においては、その使用者に申し出ることにより、いつでも退職することができる。

第百三十八条　削除

第百三十九条　工作物の建設の事業（災害時における復旧及び復興の事業に限る。）その他これに関連する事業として厚生労働省令で定める事業に関する第三十六条の規定の適用については、当分の間、同条第五項中「時間（第二項第四号に関して協定した時間を含め百時間未満の範囲内に限る。）」とあるのは「時間」と、「同号」とあるのは「第二項第四号」とし、同条第六項（第二号及び第三号に係る部分に限る。）の規定は適用しない。

②　前項の規定にかかわらず、工作物の建設の事業その他これに関連する事業として厚生労働省令で定める事業については、令和六年三月三十一日（同日及びその翌日を含む期間を定めている第三十六条第一項の協定に関しては、当該協定に定める期間の初日から起算して一年を経過する日）までの間、同条第二項第四号中「一箇月及び」とあるのは、「一日を超え三箇月以内の範囲で前項の協定をする使用者及び労働組合若しくは労働者の過半数を代表する者が定める期間並びに」とし、同条第三項から第五項まで及び第六項（第二号及び第三号に係る部分に限る。）の規定は適用しない。

第百四十条　一般乗用旅客自動車運送事業（道路運送法（昭和二十六年法律第百八十三号）第三条第一号ハに規定する一般乗用旅客自動車運送事業をいう。）の業務、貨物自動車運送事業（貨物自動車運送事業法（平成元年法律第八十三号）第二条第一項に規定する貨物自動車運送事業をいう。）の業務その他の自動車の運転に関する業務として厚生労働省令で定める業務に関する第三十六条の規定の適用については、当分の間、同条第五項中「時間（第二項第四号に関して協定した時間を含め百時間未満の範囲内に限る。）並びに一年について労働時間を延長して労働させることができる時間（同号に関して協定した時間を含め七百二十時間を超えない範囲内に限る。）を定めることができる。この場合において、第一項の協定に、併せて第二項第二号の対象期間において労働時間を延長して労働させる時間が一箇月について四十五時間（第三十二条の四第一項第二号の対象期間として三箇月を超える期間を定めて同条の規定により労働させる場合にあつては、一箇月について四十二時間）を超えることができる月数（一年について六箇月以内に限る。）を定めなければならない」とあるのは、「時間並びに一年について労働時間を延長して労働させることができる時間（第二項第四号に関して協定した時間を含め九百六十時間を超えない範囲内に限る。）を定めることができる」とし、同条第六項（第二号及び第三号に係る部分に限る。）の規定は適用しない。

②　前項の規定にかかわらず、同項に規定する業務については、令和六年三月三十一日（同日及びその翌日を含む期間を定めている第三十六条第一項の協定に関しては、当該協定に定める期間の初日から起算して一年を経過する日）までの間、同条第二項第四号中「一箇月及び」とあるのは、「一日を超え三箇月以内の範囲で前項の協定をする使用者及び労働組合若しくは労働者の過半数を代表する者が定める期間並びに」とし、同条第三項から第五項まで及び第六項（第二号及び第三号に係る部分に限る。）の規定は適用しない。

第百四十一条　医業に従事する医師（医療提供体制の確保に必要な者として厚生労働省令で定める者に限る。）に関する第三十六条の規定の適用については、当分の間、同条第二項第四号中「における一日、一箇月及び一年のそれぞれの期間について」とあるのは「における」とし、同条第三項中「限度時間」とあるのは「限度時間並びに労働者の健康及び福祉を勘案して厚生労働省令で定める時間」とし、同条第五項及び第六項（第二号及び第三号に係る部分に限る。）の規定は適用しない。

②　前項の場合において、第三十六条第一項の協定に、同条第二項各号に掲げるもののほか、当該事業場における通常予見することのできない業務量の大幅な増加等に伴い臨時的に前項の規

定により読み替えて適用する同条第三項の厚生労働省令で定める時間を超えて労働させる必要がある場合において、同条第二項第四号に関して協定した時間を超えて労働させることができる時間（同号に関して協定した時間を含め、同条第五項に定める時間及び月数並びに労働者の健康及び福祉を勘案して厚生労働省令で定める時間を超えない範囲内に限る。）その他厚生労働省令で定める事項を定めることができる。

③　使用者は、第一項の場合において、第三十六条第一項の協定で定めるところによつて労働時間を延長して労働させ、又は休日において労働させる場合であつても、同条第六項に定める要件並びに労働者の健康及び福祉を勘案して厚生労働省令で定める時間を超えて労働させてはならない。

④　前三項の規定にかかわらず、医業に従事する医師については、令和六年三月三十一日（同日及びその翌日を含む期間を定めている第三十六条第一項の協定に関しては、当該協定に定める期間の初日から起算して一年を経過する日）までの間、同条第二項第四号中「一箇月及び」とあるのは、「一日を超え三箇月以内の範囲で前項の協定をする使用者及び労働組合若しくは労働者の過半数を代表する者が定める期間並びに」とし、同条第三項から第五項まで及び第六項（第二号及び第三号に係る部分に限る。）の規定は適用しない。

⑤　第三項の規定に違反した者は、六月以下の拘禁刑又は三十万円以下の罰金に処する。

第百四十二条　鹿児島県及び沖縄県における砂糖を製造する事業に関する第三十六条の規定の適用については、令和六年三月三十一日（同日及びその翌日を含む期間を定めている同条第一項の協定に関しては、当該協定に定める期間の初日から起算して一年を経過する日）までの間、同条第五項中「時間（第二項第四号に関して協定した時間を含め百時間未満の範囲内に限る。）」とあるのは「時間」と、「同号」とあるのは「第二項第四号」とし、同条第六項（第二号及び第三号に係る部分に限る。）の規定は適用しない。

第百四十三条　第百九条の規定の適用については、当分の間、同条中「五年間」とあるのは、「三年間」とする。

②　第百十四条の規定の適用については、当分の間、同条ただし書中「五年」とあるのは、「三年」とする。

③　第百十五条の規定の適用については、当分の間、同条中「賃金の請求権はこれを行使することができる時から五年間」とあるのは、「退職手当の請求権はこれを行使することができる時から五年間、この法律の規定による賃金（退職手当を除く。）の請求権はこれを行使することができる時から三年間」とする。

別表第一　（第三十三条、第四十条、第四十一条、第五十六条、第六十一条関係）

一　物の製造、改造、加工、修理、洗浄、選別、包装、装飾、仕上げ、販売のためにする仕立て、破壊若しくは解体又は材料の変造の事業（電気、ガス又は各種動力の発生、変更若しくは伝導の事業及び水道の事業を含む。）

二　鉱業、石切り業その他土石又は鉱物採取の事業

三　土木、建築その他工作物の建設、改造、保存、修理、変更、破壊、解体又はその準備の事業

四　道路、鉄道、軌道、索道、船舶又は航空機による旅客又は貨物の運送の事業

五　ドック、船舶、岸壁、波止場、停車場又は倉庫における貨物の取扱いの事業

六　土地の耕作若しくは開墾又は植物の栽植、栽培、採取若しくは伐採の事業その他農林の事業

七　動物の飼育又は水産動植物の採捕若しくは養殖の事業その他の畜産、養蚕又は水産の事業

八　物品の販売、配給、保管若しくは賃貸又は理容の事業

九　金融、保険、媒介、周旋、集金、案内又は広告の事業

十　映画の製作又は映写、演劇その他興行の事業

十一　郵便、信書便又は電気通信の事業

十二　教育、研究又は調査の事業

十三　病者又は虚弱者の治療、看護その他保健衛生の事業

十四　旅館、料理店、飲食店、接客業又は娯楽場の事業

十五　焼却、清掃又はと畜場の事業

別表第二 身体障害等級及び災害補償表（第七十七条関係）

等級	災害補償
第一級	一三四〇日分
第二級	一一九〇日分
第三級	一〇五〇日分
第四級	九二〇日分
第五級	七九〇日分
第六級	六七〇日分
第七級	五六〇日分
第八級	四五〇日分
第九級	三五〇日分
第一〇級	二七〇日分
第一一級	二〇〇日分
第一二級	一四〇日分
第一三級	九〇日分
第一四級	五〇日分

別表第三 分割補償表（第八十二条関係）

種別	等級	災害補償
障害補償	第一級	二四〇日分
	第二級	二一三日分
	第三級	一八八日分
	第四級	一六四日分
	第五級	一四二日分
	第六級	一二〇日分
	第七級	一〇〇日分
	第八級	八〇日分
	第九級	六三日分
	第一〇級	四八日分
	第一一級	三六日分
	第一二級	二五日分
	第一三級	一六日分
	第一四級	九日分
遺族補償		一八〇日分

第六編　その他

第一　給与の決定に関する審査の申立て

○人事院規則一三—四（給与の決定に関する審査の申立て）

昭三七・一〇・一制定
昭三七・一〇・一施行

最終改正　令三・三・三一規則一三—四—二

（趣旨）

第一条　この規則は、給与法第二十一条に規定する給与の決定に関する審査の申立て（以下「審査の申立て」という。）に関し必要な事項を定めるものとする。

（審査の申立ての方式）

第二条　審査の申立ては、給与審査申立書（以下「審査申立書」という。）正副二通を提出してしなければならない。

（代理人による審査の申立て）

第三条　審査の申立ては、代理人によつてすることができる。

2　代理人は、各自、審査申立人のために、その審査の申立てに関する一切の行為をすることができる。ただし、審査の申立ての取下げは、特別の委任を受けた場合に限り、することができる。

（代理人の資格の証明等）

第四条　代理人の資格は、書面で証明しなければならない。前条第二項ただし書に規定する特別の委任についても、同様とする。

2　代理人がその資格を失つたときは、審査申立人は、書面でその旨を人事院に届け出なければならない。

（審査申立書の記載事項）

第五条　審査申立書には、次に掲げる事項を記載しなければならない。

一　審査申立人の勤務官署、官職、氏名、生年月日及び住所

二　審査の申立てに係る給与の決定

三　前号に掲げる給与の決定を行つた者（以下「給与権者」という。）の職及び氏名

四　審査の申立ての趣旨及び理由

五　審査の申立ての年月日

2　審査申立人が代理人によつて審査の申立てをするときは、審査申立書には、前項各号に掲げる事項のほか、その代理人の氏名及び住所を記載しなければならない。

（審査申立書の審査等）

第六条　人事院は、審査申立書が提出されたときは、審査申立人の資格、審査の申立ての趣旨及び理由その他の記載事項について審査し、審査の申立てが適法なものであるときは受理し、不適法であつて補正することができないものであるときは却下するものとする。

第七条　前条に規定する審査の結果、審査の申立てが不適法であつて補正することができるものであるときは、人事院は、相当の期間を定めて、その補正を命ずるものとする。ただし、審査の申立てが不適法であつても、それが軽微なものであつて審査の申立ての趣旨に影響のないものであるときは、人事院は、自らその補正をすることができる。

2　前項の期間内に審査申立人が補正しなかつたときは、人事院は、その審査の申立てを却下するものとする。

（受理及び却下の通知）

第八条　人事院は、審査の申立てを受理したときは、その旨を審査申立人及び給与権者に通知し、並びに給与権者に審査申立書の副本を送付するものとし、第六条又は前条第二項の規定により審査の申立てを却下したときは、その旨を審査申立人に通知するものとする。

（審査の併合及び分離）

第九条　人事院は、必要があると認めるときは、数個の審査の申立てを併合し、又は併合された数個の審査の申立てを分離することができる。

（審理の方式）

第十条　審査の申立ての審理は、書面による。この場合において、人事院は、必要と認めるときは、審査申立人、給与権者及びその他の関係者に対し、証拠書類その他必要と認める資料の提出若しくは陳述を求め、又はその他の必要な調査を行うことができる。

2　人事院は、審査申立人から申立てがあつたときは、当該審査申立人に口頭で意見を述べる機会を与えなければならない。ただし、人事院が、

その必要がないと認めるときは、この限りでない。

3　前項の規定による意見の陳述は、非公開で行うものとする。

4　人事院は、必要があると認めるときは、人事院事務総局の職員に第二項の規定による意見の陳述を聞かせ、及びその結果を書面をもつて提出させることができる。この場合において、当該職員は、当該意見の陳述における秩序を維持するために必要な処置をすることができる。

（証拠書類等の提出）

第十一条　審査申立人及び給与権者は、証拠書類その他の資料を人事院に提出することができる。ただし、人事院が証拠書類その他の資料を提出すべき相当の期間を定めたときは、その期間内にこれを提出しなければならない。

（審査の申立ての取下げ）

第十二条　審査申立人は、その審査の申立てに対する人事院の決定があるまでは、いつでも当該審査の申立てを取り下げることができる。

2　審査の申立ての取下げは、書面でしなければならない。

（審査の打切り）

第十三条　審査の申立てが人事院に係属中、審査申立人が死亡した場合、所在不明等により事案の審査を継続することが不可能となつた場合又は審査の申立ての事由の消滅等により事案の審査を継続する必要がなくなつた場合には、人事院は、その事案の審査を打ち切り、審査の申立てを却下することができる。

（決定）

第十四条　審査の申立てに係る給与の決定が違法（これに準ずるものを含む。次項において同じ。）でないときは、人事院は、決定で、当該審査の申立てを棄却する。

2　審査の申立てに係る給与の決定が違法であるときは、人事院は、決定で、当該審査の申立てに係る給与の決定を更正し、又はその更正を命ずる。

（決定の方式）

第十五条　前条の人事院の決定（以下「決定」という。）は、書面で行い、かつ、審査の申立ての要旨及び決定の理由を付するものとする。

2　決定は、指令で行う。

（決定の通知）

第十六条　決定の通知は、決定書の正本を審査申立人及び給与権者に送付して行う。

附　則（平一八・三・一七規則一三—四—一）（抄）

（施行期日）

1　この規則は、平成十八年四月一日から施行する。

（経過措置）

2　この規則による改正後の規則一三—四の規定は、この規則の施行の日以後に行われる給与の決定に係る審査の申立てについて適用し、同日前に行われた給与の決定に係る審査の申立てについては、なお従前の例による。

附　則（令三・三・三一規則一三—四—二）

この規則は、令和三年四月一日から施行する。

第二　退職手当

○国家公務員退職手当法

昭二八・八・八
法　一　八　二

最終改正　令六・五・一七法二六

目次〔略〕

第一章　総則

（趣旨）

第一条　この法律は、国家公務員が退職した場合に支給する退職手当の基準を定めるものとする。

（適用範囲）

第二条　この法律の規定による退職手当は、常時勤務に服することを要する国家公務員（自衛隊法（昭和二十九年法律第百六十五号）第四十五条の二第一項の規定により採用された者及び独立行政法人通則法（平成十一年法律第百三号）第二条第四項に規定する行政執行法人（以下「行政執行法人」という。）の役員を除く。以下「職員」という。）が退職した場合に、その者（死亡による退職の場合には、その遺族）に支給する。

2　職員以外の者で、その勤務形態が職員に準ずるものは、政令で定めるところにより、職員とみなして、この法律の規定を適用する。

（遺族の範囲及び順位）

第二条の二　この法律において、「遺族」とは、次に掲げる者をいう。

一　配偶者（届出をしないが、職員の死亡当時事実上婚姻関係と同様の事情にあつた者を含む。）

二　子、父母、孫、祖父母及び兄弟姉妹で職員の死亡当時主としてその収入によつて生計を維持していたもの

三　前号に掲げる者のほか、職員の死亡当時主としてその収入によつて生計を維持していた親族

四　子、父母、孫、祖父母及び兄弟姉妹で第二号に該当しないもの

2　この法律の規定による退職手当を受けるべき遺族の順位は、前項各号の順位により、同項第二号及び第四号に掲げる者のうちにあつては、当該各号に掲げる順位による。この場合において、父母については、養父母を先にし実父母を後にし、祖父母については、養父母の父母を先にし実父母の父母を後にし、父母の養父母を先にし父母の実父母を後にする。

3　この法律の規定による退職手当の支給を受けるべき遺族に同順位の者が二人以上ある場合には、その人数によつて当該退職手当を等分して当該各遺族に支給する。

4　次に掲げる者は、この法律の規定による退職手当の支給を受けることができる遺族としない。

一　職員を故意に死亡させた者

二　職員の死亡前に、当該職員の死亡によつてこの法律の規定による退職手当の支給を受けることができる先順位又は同順位の遺族となるべき者を故意に死亡させた者

（退職手当の支払）

第二条の三　この法律の規定による退職手当は、他の法令に別段の定めがある場合を除き、その全額を、現金で、直接この法律の規定によりその支給を受けるべき者に支払わなければならない。ただし、政令で定める確実な方法により支払う場合は、この限りでない。

2　次条及び第六条の五の規定による退職手当（以下「一般の退職手当」という。）並びに第九条の規定による退職手当は、職員が退職した日から起算して一月以内に支払わなければならない。ただし、死亡により退職した者に対する退職手当の支給を受けるべき者を確知することができない場合その他特別の事情がある場合は、この限りでない。

第二章　一般の退職手当

（一般の退職手当）

第二条の四　退職した者に対する退職手当の額は、次条から第六条の三までの規定により計算した退職手当の基本額に、第六条の四の規定により計算した退職手当の調整額を加えて得た額とする。

（自己の都合による退職等の場合の退職手当の基本額）

第三条　次条又は第五条の規定に該当する場合を除くほか、退職した者に対する退職手当の基本額は、退職の日におけるその者の俸給月額（俸給が日額で定められている者については、退職

の日におけるその者の俸給の日額の二十一日分に相当する額。次条から第六条の四までにおいて「退職日俸給月額」という。）に、その者の勤続期間を次の各号に区分して、当該各号に掲げる割合を乗じて得た額の合計額とする。

一　一年以上十年以下の期間については、一年につき百分の百

二　十一年以上十五年以下の期間については、一年につき百分の百十

三　十六年以上二十年以下の期間については、一年につき百分の百六十

四　二十一年以上二十五年以下の期間については、一年につき百分の二百

五　二十六年以上三十年以下の期間については、一年につき百分の百六十

六　三十一年以上の期間については、一年につき百分の百二十

2　前項に規定する者のうち、負傷若しくは病気（以下「傷病」という。）又は死亡によらず、かつ、第八条の二第五項に規定する認定を受けないで、その者の都合により退職した者（第十二条第一項各号に掲げる者及び傷病によらず、国家公務員法（昭和二十二年法律第百二十号）第七十八条第一号から第三号まで（裁判所職員臨時措置法（昭和二十六年法律第二百九十九号）において準用する場合を含む。）、自衛隊法第四十二条第一号から第三号まで又は国会職員法（昭和二十二年法律第八十五号）第十一条第一項第一号から第三号までの規定による免職の処分を受けて退職した者を含む。以下この項及び第六条の四第四項において「自己都合等退職者」という。）に対する退職手当の基本額は、自己都合等退職者が次の各号に掲げる者に該当するときは、前項の規定にかかわらず、同項の規定により計算した額に当該各号に定める割合を乗じて得た額とする。

一　勤続期間一年以上十年以下の者　百分の六十

二　勤続期間十一年以上十五年以下の者　百分の八十

三　勤続期間十六年以上十九年以下の者　百分の九十

（十一年以上二十五年未満勤続後の定年退職等の場合の退職手当の基本額）

第四条　十一年以上二十五年未満の期間勤続した者であつて、次に掲げるものに対する退職手当の基本額は、退職日俸給月額に、その者の勤続期間の区分ごとに当該区分に応じた割合を乗じて得た額の合計額とする。

一　国家公務員法第八十一条の六第一項の規定により退職した者（同法第八十一条の七第一項の期限又は同条第二項の規定により延長された期限の到来により退職した者を含む。）又はこれに準ずる他の法令の規定により退職した者

二　その者の事情によらないで引き続いて勤続することを困難とする理由により退職した者で政令で定めるもの

三　第八条の二第五項に規定する認定（同条第一項第一号に係るものに限る。）を受けて同条第八項第三号に規定する退職すべき期日に退職した者

2　前項の規定は、十一年以上二十五年未満の期間勤続した者で、通勤（国家公務員災害補償法（昭和二十六年法律第百九十一号）第一条の二（他の法令において、引用し、準用し、又はその例による場合を含む。）に規定する通勤をいう。次条第二項及び第六条の四第一項において同じ。）による傷病により退職し、死亡（公務上の死亡を除く。）により退職し、又は定年に達した日以後その者の非違によることなく退職した者（前項の規定に該当する者を除く。）に対する退職手当の基本額について準用する。

3　第一項に規定する勤続期間の区分及び当該区分に応じた割合は、次のとおりとする。

一　一年以上十年以下の期間については、一年につき百分の百二十五

二　十一年以上十五年以下の期間については、一年につき百分の百三十七・五

三　十六年以上二十四年以下の期間については、一年につき百分の二百

（二十五年以上勤続後の定年退職等の場合の退職手当の基本額）

第五条　次に掲げる者に対する退職手当の基本額は、退職日俸給月額に、その者の勤続期間の区分ごとに当該区分に応じた割合を乗じて得た額の合計額とする。

一　二十五年以上勤続し、国家公務員法第八十一条の六第一項の規定により退職した者（同法第八十一条の七第一項の期限又は同条第二項の規定により延長された期限の到来により退職した者を含む。）又はこれに準ずる他の法令の規定により退職した者

二　国家公務員法第七十八条第四号（裁判所職員臨時措置法において準用する場合を含む。）、自衛隊法第四十二条第四号又は国会職員法第十一条第一項第四号の規定による免職の処分を受けて退職した者

三　第八条の二第五項に規定する認定（同条第一項第二号に係るものに限る。）を受けて同条第八項第三号に規定する退職すべき期日に退職した者

四　公務上の傷病又は死亡により退職した者

五　二十五年以上勤続し、その者の事情によらないで引き続いて勤続することを困難とする理由により退職した者で政令で定めるもの

六　二十五年以上勤続し、第八条の二第五項に規定する認定（同条第一項第一号に係るものに限る。）を受けて同条第八項第三号に規定する退職すべき期日に退職した者

2　前項の規定は、二十五年以上勤続した者で、通勤による傷病により退職し、死亡により退職し、又は定年に達した日以後その者の非違によることなく退職した者（同項の規定に該当する者を除く。）に対する退職手当の基本額について準用する。

3　第一項に規定する勤続期間の区分及び当該区分に応じた割合は、次のとおりとする。

一　一年以上十年以下の期間については、一年につき百分の百五十

二　十一年以上二十五年以下の期間については、一年につき百分の百六十五

三　二十六年以上三十四年以下の期間については、一年につき百分の百八十

四　三十五年以上の期間については、一年につき百分の百五

（俸給月額の減額改定以外の理由により俸給月額が減額されたことがある場合の退職手当の基本額に係る特例）

第五条の二　退職した者の基礎在職期間中に、俸給月額の減額改定（俸給月額の改定をする法令が制定され、又はこれに準ずる給与の支給の基準が定められた場合において、当該法令又は給与の支給の基準による改定により当該改定前に受けていた俸給月額が減額されることをいう。以下同じ。）以外の理由によりその者の俸給月額が減額されたことがある場合において、当該理由が生じた日（以下「減額日」という。）における当該理由により減額されなかつたものとした場合のその者の俸給月額のうち最も多いもの（以下「特定減額前俸給月額」という。）が、退職日俸給月額よりも多いときは、その者に対する退職手当の基本額は、前三条の規定にかかわらず、次の各号に掲げる額の合計額とする。

一　その者が特定減額前俸給月額に係る減額日のうち最も遅い日の前日に現に退職した理由と同一の理由により退職したものとし、かつ、その者の同日までの勤続期間及び特定減額前俸給月額を基礎として、前三条の規定により計算した場合の退職手当の基本額に相当する額

二　退職日俸給月額に、イに掲げる割合からロに掲げる割合を控除した割合を乗じて得た額

イ　その者に対する退職手当の基本額が前三条の規定により計算した額であるものとした場合における当該退職手当の基本額の退職日俸給月額に対する割合

ロ　前号に掲げる額の特定減額前俸給月額に対する割合

2　前項の「基礎在職期間」とは、その者に係る退職（この法律その他の法律の規定により、この法律の規定による退職手当を支給しないこととしている退職を除く。）の日以前の期間のうち、次の各号に掲げる在職期間に該当するもの（当該期間中にこの法律の規定による退職手当の支給を受けたこと又は地方公務員、第七条の二第一項に規定する公庫等職員（他の法律の規定により、同条の規定の適用について、同項に規定する公庫等職員とみなされるものを含む。以下この項において同じ。）若しくは第八条第一項に規定する独立行政法人等役員として退職したことにより退職手当（これに相当する給付を含む。）の支給を受けたことがある場合におけるこれらの退職手当に係る退職の日以前の期間及び第七条第六項の規定により職員としての引き続いた在職期間の全期間が切り捨てられたこと又は第十二条第一項若しくは第十四条第一項の規定により一般の退職手当等（一般の退職手当及び第九条の規定による退職手当をいう。以下同じ。）の全部を支給しないこととする処分を受けたことにより一般の退職手当等の支給を受けなかつたことがある場合における当該一般の退職手当等に係る退職の日以前の期間（これらの退職の日に職員、地方公務員、第七条の二第一項に規定する公庫等職員又は第八条第一項に規定する独立行政法人等役員となつたとき

は、当該退職の日前の期間）を除く。）をいう。

一 職員としての引き続いた在職期間

二 第七条第五項の規定により職員としての引き続いた在職期間に含むものとされた地方公務員としての引き続いた在職期間

三 第七条の二第一項に規定する再び職員となつた者の同項に規定する公庫等職員としての引き続いた在職期間

四 第七条の二第二項に規定する場合における公庫等職員としての引き続いた在職期間

五 第八条第一項に規定する再び職員となつた者の同項に規定する独立行政法人等役員としての引き続いた在職期間

六 第八条第二項に規定する場合における独立行政法人等役員としての引き続いた在職期間

七 前各号に掲げる期間に準ずるものとして政令で定める在職期間

（定年前早期退職者に対する退職手当の基本額に係る特例）

第五条の三 第四条第一項第三号及び第五条第一項（第一号を除く。）に規定する者（退職日俸給月額が一般職の職員の給与に関する法律（昭和二十五年法律第九十五号）の指定職俸給表六号俸の額に相当する額以上である者その他政令で定める者を除く。）のうち、定年に達する日から政令で定める一定の期間前までに退職した者であつて、その勤続期間が二十年以上であり、かつ、その年齢が政令で定める年齢以上であるものに対する第四条第一項、第五条第一項及び前条第一項の規定の適用については、次の表の上欄に掲げる規定中同表の中欄に掲げる字句は、それぞれ同表の下欄に掲げる字句に読み替えるものとする。

読み替える規定	読み替えられる字句	読み替える字句
第四条第一項及び第五条第一項	退職日俸給月額	退職日俸給月額及び退職日俸給月額に退職の日において定められているその者に係る定年と退職の日におけるその者の年齢との差に相当する年数一年につき当該年数及び退職日俸給月額に応じて百分の三を超えない範囲内で政令で定める割合を乗じて得た額の合計額
第五条の二第一項第一号	及び特定減額前俸給月額	並びに特定減額前俸給月額及び特定減額前俸給月額に退職の日において定められているその者に係る定年と退職の日におけるその者の年齢との差に相当する年数一年につき当該年数及び特定減額前俸給月額に応じて百分の三を超えない範囲内で政令で定める割合を乗じて得た額の合計額
第五条の二第一項第二号	退職日俸給月額に、	退職日俸給月額及び退職日俸給月額に退職の日において定められているその者に係る定年と退職の日におけるその者の年齢との差に相当する年数及び特定減額前俸給月額一年につき当該年数及び特定減額前俸給月額に応じて百分の三を超えない範囲内で政令で定める割合を乗じて得た額の合計額に、
第五条の二第一項第二号ロ	前号に掲げる額	その者が特定減額前俸給月額に係る減額日のうち最も遅い日の前日に現に退職した理由と同一の理由により退職したものとし、かつ、その者の同日までの勤続期間及び特定減額前俸給月額を基礎として、前三条の規定により計算した場合の退職手当の基本額に相当する額

（退職手当の基本額の最高限度額）

第六条 第三条から第五条までの規定により計算した退職手当の基本額が退職日俸給月額に六十を乗じて得た額を超えるときは、これらの規定にかかわらず、その乗じて得た額をその者の退職手当の基本額とする。

第六条の二 第五条の二第一項の規定により計算した退職手当の基本額が次の各号に掲げる同項第二号ロに掲げる割合の区分に応じ当該各号に定める額を超えるときは、同項の規定にかかわらず、当該各号に定める額をその者の退職手当の基本額とする。

一 六十以上 特定減額前俸給月額に六十を乗じて得た額

二 六十未満 特定減額前俸給月額に第五条の二第一項第二号ロに掲げる割合を乗じて得た額及び退職日俸給月額に六十から当該割合を控除した割合を乗じて得た額の合計額

第六条の三 第五条の三に規定する者に対する前二条の規定の適用については、次の表の上欄に掲げる規定中同表の中欄に掲げる字句は、それぞれ同表の下欄に掲げる字句に読み替えるものとする。

読み替える規定	読み替えられる字句	読み替える字句
第六条	第三条から第五条まで	前条の規定により読み替えて適用する第五条
	退職日俸給月額	退職日俸給月額及び退職日俸給月額に退職の日において定められているその者に係る定年と退職の日におけるその者の年齢との差に相当する年数一年につき当該年数及び退職日俸給月額に応じて百分の三を超えない範囲内で政令で定める割合を乗じて得た額の合計額
	これらの	前条の規定により読み替えて適用する第五条の
第六条の二	第五条の二第一項の	第五条の三の規定により読み替えて適用する第五条の二第一項の
	同項第二号ロ	第五条の三の規定により読み替えて適用する同項第二号ロ
	同項の	同条の規定により読み替えて適用する同項の
第六条の二第一号	特定減額前俸給月額	特定減額前俸給月額及び特定減額前俸給月額に退職の日において定められているその者に係る定年と退職の日におけるその者の年齢との差に相当する年数一年につき当該年数及び特定減額前俸給月額に応じて百分の三を超えない範囲内で政令で定める割合を乗じて得た額の合計額
第六条の二第二号	特定減額前俸給月額	特定減額前俸給月額及び特定減額前俸給月額に退職の日において定められているその者に係る定年と退職の日におけるその者の年齢との差に相当する年数一年につき当該年数及び特定減額前俸給月額に応じて百分の三を超えない範囲内で政令で定める割合を乗じて得た額の合計額
	第五条の二第一項第二号ロ	第五条の三の規定により読み替えて適用する第五条の二第一項第二号ロ
	及び退職日俸給月額	並びに退職日俸給月額及び退職日俸給月額に退職の日において定められているその者に係る定年と退職の日におけるその者の年齢との差に相当する年数一年につき当該年数及び特定減額前俸給月額に応じて百分の三を超えない範囲内で政令で定める割合を乗じて得た額の合計額
	当該割合	当該第五条の三の規定により読み替えて適用する同号ロに掲げる割合

（退職手当の調整額）

第六条の四　退職した者に対する退職手当の調整額は、その者の基礎在職期間（第五条の二第二項に規定する基礎在職期間をいう。以下同じ。）の初日の属する月からその者の基礎在職期間の末日の属する月までの各月（国家公務員法第七十九条の規定による休職（公務上の傷病による休職、通勤による傷病による休職、職員を政令で定める法人その他の団体の業務に従事させるための休職及び当該休職以外の休職であつて職員を当該職員の職務に密接な関連があると認められる学術研究その他の業務に従事させるためのもので当該業務への従事が公務の能率的な運営に特に資するものとして政令で定める要件を満たすものを除く。）、同法第八十二条の規定による停職その他これらに準ずる事由により現実に職務をとることを要しない期間のある月（現実に職務をとることを要する日のあつた月を除く。第七条第四項において「休職月等」という。）のうち政令で定めるものを除く。）ごとに当該各月にその者が属していた次の各号に掲げる職員の区分に応じて当該各号に定める額（以下この項及び第五項において「調整月額」という。）のうちその額が最も多いものから順次その順位を付し、その第一順位から第六十順位までの調整月額（当該各月の月数が六十月に満たない場合には、当該各月の調整月額）を合計した額とする。

一　第一号区分　九万五千四百円
二　第二号区分　七万八千七百五十円
三　第三号区分　七万四百円
四　第四号区分　六万五千円
五　第五号区分　五万九千五百五十円
六　第六号区分　五万四千百五十円
七　第七号区分　四万三千三百五十円

八　第八号区分　三万二千五百円
九　第九号区分　二万七千百円
十　第十号区分　二万千七百円
十一　第十一号区分　零

2　退職した者の基礎在職期間に第五条の二第二項第二号から第七号までに掲げる期間が含まれる場合における前項の規定の適用については、その者は、政令で定めるところにより、当該期間において職員として在職していたものとみなす。

3　第一項各号に掲げる職員の区分は、官職の職制上の段階、職務の級、階級その他職員の職務の複雑、困難及び責任の度に関する事項を考慮して、政令で定める。

4　次の各号に掲げる者に対する退職手当の調整額は、第一項の規定にかかわらず、当該各号に定める額とする。
一　退職した者（第五号に掲げる者を除く。次号において同じ。）のうち自己都合等退職者以外のものでその勤続期間が一年以上四年以下のもの　第一項の規定により計算した額の二分の一に相当する額
二　退職した者のうち自己都合等退職者以外のものでその勤続期間が零のもの　零
三　自己都合等退職者でその勤続期間が十年以上二十四年以下のもの　第一項の規定により計算した額の二分の一に相当する額
四　自己都合等退職者でその勤続期間が九年以下のもの　零
五　次のいずれかに該当する者　第三条から前条までの規定により計算した退職手当の基本額の百分の八に相当する額
イ　退職日俸給月額が一般職の職員の給与に関する法律の指定職俸給表八号俸の額に相当する額を超える者その他これに類する者として政令で定める者
ロ　その者の基礎在職期間が全て特別職の職員の給与に関する法律（昭和二十四年法律第二百五十二号）第一条各号（第七十三号及び第七十四号を除く。）に掲げる特別職の職員としての在職期間である者その他これに類する者として政令で定める者

5　前各項に定めるもののほか、調整月額のうちにその額が等しいものがある場合において、調整月額に順位を付す方法その他の本条の規定による退職手当の調整額の計算に関し必要な事項は、政令で定める。

（一般の退職手当の額に係る特例）

第六条の五　第五条第一項に規定する者で次の各号に掲げる者に該当するものに対する退職手当の額が退職の日におけるその者の基本給月額に当該各号に定める割合を乗じて得た額に満たないときは、第二条の四、第五条、第五条の二及び前条の規定にかかわらず、その乗じて得た額をその者の退職手当の額とする。
一　勤続期間一年未満の者　百分の二百七十
二　勤続期間一年以上二年未満の者　百分の三百六十
三　勤続期間二年以上三年未満の者　百分の四百五十
四　勤続期間三年以上の者　百分の五百四十

2　前項の「基本給月額」とは、一般職の職員の給与に関する法律の適用を受ける職員（以下「一般職の職員」という。）については同法に規定する俸給及び扶養手当の月額並びにこれらに対する地域手当、広域異動手当及び研究員調整手当の月額の合計額をいい、その他の職員については一般職の職員の基本給月額に準じて政令で定める額をいう。

（勤続期間の計算）

第七条　退職手当の算定の基礎となる勤続期間の計算は、職員としての引き続いた在職期間による。

2　前項の規定による在職期間の計算は、職員となつた日の属する月から退職した日の属する月までの月数による。

3　職員が退職した場合（第十二条第一項各号のいずれかに該当する場合を除く。）において、その者が退職の日又はその翌日に再び職員となつたときは、前二項の規定による在職期間の計算については、引き続いて在職したものとみなす。

4　前三項の規定による在職期間のうちに休職月等が一以上あつたときは、その月数の二分の一に相当する月数（国家公務員法第百八条の六第一項ただし書若しくは行政執行法人の労働関係に関する法律（昭和二十三年法律第二百五十七号）第七条第一項ただし書に規定する事由又はこれらに準ずる事由により現実に職務をとることを要しなかつた期間については、その月数）を前三項の規定により計算した在職期間から除算する。

5　第一項に規定する職員としての引き続いた在

職期間には、地方公務員が機構の改廃、施設の移譲その他の事由によつて引き続いて職員となつたときにおけるその者の地方公務員としての引き続いた在職期間を含むものとする。この場合において、その者の地方公務員としての引き続いた在職期間の計算については、前各項の規定を準用するほか、政令でこれを定める。

6　前各項の規定により計算した在職期間に一年未満の端数がある場合には、その端数は、切り捨てる。ただし、その在職期間が六月以上一年未満（第三条第一項（傷病又は死亡による退職に係る部分に限る。）、第四条第一項又は第五条第一項の規定により退職手当の基本額を計算する場合にあつては、一年未満）の場合には、これを一年とする。

7　前項の規定は、前条又は第十条の規定により退職手当の額を計算する場合における勤続期間の計算については、適用しない。

8　第十条の規定により退職手当の額を計算する場合における勤続期間の計算については、前各項の規定により計算した在職期間に一月未満の端数がある場合には、その端数は、切り捨てる。

（公庫等職員として在職した後引き続いて職員となつた者の在職期間の計算）

第七条の二　職員のうち、任命権者又はその委任を受けた者の要請に応じ、引き続いて沖縄振興開発金融公庫その他特別の法律により設立された法人（行政執行法人を除く。）でその業務が国の事務又は事業と密接な関連を有するもののうち政令で定めるもの（退職手当（これに相当する給付を含む。）に関する規程において、職員が任命権者又はその委任を受けた者の要請に応じ、引き続いて当該法人に使用される者となつた場合に、職員としての勤続期間を当該法人に使用される者としての勤続期間に通算することと定めている法人に限る。以下「公庫等」という。）に使用される者（役員及び常時勤務に服することを要しない者を除く。以下「公庫等職員」という。）となるため退職をし、かつ、引き続き公庫等職員として在職した後引き続いて再び職員となつた者の前条第一項の規定による在職期間の計算については、先の職員としての在職期間の始期から後の職員としての在職期間の終期までの期間は、職員としての引き続いた在職期間とみなす。

2　公庫等職員が、公庫等の要請に応じ、引き続いて職員となるため退職し、かつ、引き続いて職員となつた場合におけるその者の前条第一項に規定する職員としての引き続いた在職期間には、その者の公庫等職員としての引き続いた在職期間を含むものとする。

3　前二項の場合における公庫等職員としての在職期間の計算については、前条（第五項を除く。）の規定を準用するほか、政令で定める。

4　第六条の四第一項の政令で定める法人その他の団体に使用される者がその身分を保有したまま引き続いて職員となつた場合におけるその者の前条第一項の規定による在職期間の計算については、職員としての在職期間は、なかつたものとみなす。ただし、政令で定める場合においては、この限りでない。

（独立行政法人等役員として在職した後引き続いて職員となつた者の在職期間の計算）

第八条　職員のうち、任命権者又はその委任を受けた者の要請に応じ、引き続いて独立行政法人通則法第二条第一項に規定する独立行政法人その他特別の法律により設立された法人でその業務が国の事務又は事業と密接な関連を有するもののうち政令で定めるもの（退職手当（これに相当する給付を含む。）に関する規程において、職員が任命権者又はその委任を受けた者の要請に応じ、引き続いて当該法人の役員となつた場合に、職員としての勤続期間を当該法人の役員としての勤続期間に通算することと定めている法人に限る。以下「独立行政法人等」という。）の役員（常時勤務に服することを要しない者を除く。以下「独立行政法人等役員」という。）となるため退職をし、かつ、引き続き独立行政法人等役員として在職した後引き続いて再び職員となつた者の第七条第一項の規定による在職期間の計算については、先の職員としての在職期間の始期から後の職員としての在職期間の終期までの期間は、職員としての引き続いた在職期間とみなす。

2　独立行政法人等役員が、独立行政法人等の要請に応じ、引き続いて職員となるため退職し、かつ、引き続いて職員となつた場合におけるその者の第七条第一項に規定する職員としての引き続いた在職期間には、その者の独立行政法人等役員としての引き続いた在職期間を含むものとする。

3　前二項の場合における独立行政法人等役員としての在職期間の計算については、第七条（第五項を除く。）の規定を準用するほか、政令で定める。

（定年前に退職する意思を有する職員の募集等）

第八条の二　各省各庁の長等（財政法（昭和二十二年法律第三十四号）第二十条第二項に規定する各省各庁の長及び行政執行法人の長並びにこれらの委任を受けた者をいう。以下この条において同じ。）は、定年前に退職する意思を有する職員の募集であつて、次に掲げるものを行うことができる。

一　職員の年齢別構成の適正化を図ることを目的とし、第五条の三の政令で定める年齢以上の年齢である職員を対象として行う募集

二　組織の改廃又は官署若しくは事務所の移転を円滑に実施することを目的とし、当該組織又は官署若しくは事務所に属する職員を対象として行う募集

2　各省各庁の長等は、前項の規定による募集（以下この条において単に「募集」という。）を行うに当たつては、同項各号の別、第五項の規定により認定を受けた場合に退職すべき期日又は期間、募集をする人数及び募集の期間その他当該募集に関し必要な事項であつて政令で定めるものを記載した要項（以下この条において「募集実施要項」という。）を当該募集の対象となるべき職員に周知しなければならない。

3　次に掲げる者以外の職員は、内閣官房令で定めるところにより、募集の期間中いつでも応募し、第八項第三号に規定する退職すべき期日が到来するまでの間いつでも応募の取下げを行うことができる。

一　第二条第二項の規定により職員とみなされる者

二　臨時的に任用される職員その他の法律により任期を定めて任用される者

三　前項に規定する退職すべき期日又は同項に規定する退職すべき期間の末日が到来するまでに定年に達する者

四　国家公務員法第八十二条の規定による懲戒処分（管理又は監督に係る職務を怠つた場合における処分で政令で定めるものを除く。）又はこれに準ずる処分を募集の開始の日において受けている者又は募集の期間中に受けた者

4　前項の規定による応募（以下この条において単に「応募」という。）又は応募の取下げは職員の自発的な意思に委ねられるものであつて、各省各庁の長等は職員に対しこれらを強制してはならない。

5　各省各庁の長等は、応募をした職員（以下この条において「応募者」という。）について、次の各号のいずれかに該当する場合を除き、応募による退職が予定されている職員である旨の認定（以下この条において単に「認定」という。）をするものとする。ただし、次の各号のいずれにも該当しない応募者の数が第二項に規定する募集をする人数を超える場合であつて、あらかじめ、当該場合において認定をする者の数を当該募集をする人数の範囲内に制限するために必要な方法を定め、募集実施要項と併せて周知していたときは、各省各庁の長等は、当該方法に従い、当該募集をする人数を超える分の応募者について認定をしないことができる。

一　応募が募集実施要項又は第三項の規定に適合しない場合

二　応募者が応募をした後国家公務員法第八十二条の規定による懲戒処分（第三項第四号の政令で定める処分を除く。）又はこれに準ずる処分を受けた場合

三　応募者が前号に規定する処分を受けるべき行為（在職期間中の応募者の非違に当たる行為であつて、その非違の内容及び程度に照らして当該処分に値することが明らかなものをいう。）をしたことを疑うに足りる相当な理由がある場合その他応募者に対し認定を行うことが公務に対する国民の信頼を確保する上で支障を生ずると認める場合

四　応募者を引き続き職務に従事させることが公務の能率的運営を確保し、又は長期的な人事管理を計画的に推進するために特に必要であると認める場合

6　各省各庁の長等は、認定をし、又はしない旨の決定をしたときは、遅滞なく、内閣官房令で定めるところにより、その旨（認定をしない旨の決定をした場合においてはその理由を含む。）を応募者に書面により通知するものとする。

7　各省各庁の長等が募集実施要項において退職すべき期間を記載した場合には、認定を行つた後遅滞なく、当該期間内のいずれかの日から退職すべき期日を定め、内閣官房令で定めるところにより、前項の規定により認定をした旨を通知した応募者に当該期日を書面により通知する

ものとする。

8　認定を受けた応募者が次の各号のいずれかに該当するときは、認定は、その効力を失う。

一　第十二条第一項各号のいずれかに該当するに至つたとき。

二　第二十条第一項又は第二項の規定により退職手当を支給しない場合に該当するに至つたとき。

三　募集実施要項に記載された退職すべき期日若しくは前項の規定により応募者に通知された退職すべき期日が到来するまでに退職し、又はこれらの期日に退職しなかつたとき（前二号に掲げるときを除く。）。

四　国家公務員法第八十二条の規定による懲戒処分（懲戒免職の処分及び第三項第四号の政令で定める処分を除く。）又はこれに準ずる処分を受けたとき。

五　第三項の規定により応募を取り下げたとき。

9　各省各庁の長等は、この条の規定による募集及び認定について、内閣官房令で定めるところにより、内閣総理大臣に対し、募集実施要項（第五項に規定する方法を周知した場合にあつては当該方法を含む。次項において同じ。）を送付するとともに、認定を受けた応募者の数を報告しなければならない。

10　内閣総理大臣は、毎年度、前項の規定により送付を受けた募集実施要項及び同項の規定により報告を受けた認定を受けた応募者の数を取りまとめ、公表するものとする。

第三章　特別の退職手当

（予告を受けない退職者の退職手当）

第九条　職員の退職が労働基準法（昭和二十二年法律第四十九号）第二十条及び第二十一条又は船員法（昭和二十二年法律第百号）第四十六条の規定に該当する場合におけるこれらの規定による給与又はこれらに相当する給与は、一般の退職手当に含まれるものとする。但し、一般の退職手当の額がこれらの規定による給与の額に満たないときは、一般の退職手当の外、その差額に相当する金額を退職手当として支給する。

（失業者の退職手当）

第十条　勤続期間十二月以上（特定退職者（雇用保険法（昭和四十九年法律第百十六号）第二十三条第二項に規定する特定受給資格者に相当するものとして内閣官房令で定めるものをいう。以下この条において同じ。）にあつては、六月以上）で退職した職員（第四項又は第六項の規定に該当する者を除く。）であつて、第一号に掲げる額が第二号に掲げる額に満たないものが、当該退職した職員を同法第十五条第一項に規定する受給資格者と、当該退職した職員の勤続期間（当該勤続期間に係る職員となつた日前に職員又は政令で定める職員に準ずる者（以下この条において「職員等」という。）であつたことがあるものについては、当該職員等であつた期間を含むものとし、当該勤続期間又は当該職員等であつた期間に第二号イ又はロに掲げる期間が含まれているときは、当該同号イ又はロに掲げる期間に該当する全ての期間を除く。以下この条において「基準勤続期間」という。）の年月数を同法第二十二条第三項に規定する算定基礎期間の年月数と、当該退職の日を同法第二十条第一項第一号に規定する離職の日と、特定退職者を同法第二十三条第二項に規定する特定受給資格者とみなして同法第二十条第一項を適用した場合における同項各号に掲げる受給資格者の区分に応じ、当該各号に定める期間（当該期間内に妊娠、出産、育児その他内閣官房令で定める理由により引き続き三十日以上職業に就くことができない者が、内閣官房令で定めるところにより公共職業安定所長にその旨を申し出た場合には、当該理由により職業に就くことができない日数を加算するものとし、その加算された期間が四年を超えるときは、四年とする。次項及び第三項において「支給期間」という。）内に失業している場合において、第一号に規定する一般の退職手当等の額を第二号に規定する基本手当の日額で除して得た数（一未満の端数があるときは、これを切り捨てる。）に等しい日数（以下この項において「待期日数」という。）を超えて失業しているときは、第一号に規定する一般の退職手当等のほか、その超える部分の失業の日につき第二号に規定する基本手当の日額に相当する金額を、退職手当として、同法の規定による基本手当の支給の条件に従い、公共職業安定所（政令で定める職員については、その者が退職の際所属していた官署又は事務所その他政令で定める官署又は事務所とする。以下同じ。）を通じて支給する。ただし、同号に規定する所定給付日数から待期日数を減じた日数分を超えては支給しない。

一　その者が既に支給を受けた当該退職に係る

一般の退職手当等の額

二　その者を雇用保険法第十五条第一項に規定する受給資格者と、その者の基準勤続期間を同法第十七条第一項に規定する被保険者期間と、当該退職の日を同法第二十条第一項第一号に規定する離職の日と、その者の基準勤続期間の年月数を同法第二十二条第三項に規定する算定基礎期間の年月数とみなして同法の規定を適用した場合に、同法第十六条の規定によりその者が支給を受けることができる基本手当の日額にその者に係る同法第二十二条第一項に規定する所定給付日数（次項において「所定給付日数」という。）を乗じて得た額

イ　当該勤続期間又は当該職員等であつた期間に係る職員等となつた日の直前の職員等でなくなつた日が当該職員等となつた日前一年の期間内にないときは、当該直前の職員等でなくなつた日前の職員等であつた期間

ロ　当該勤続期間に係る職員等となつた日前に退職手当の支給を受けたことのある職員については、当該退職手当の支給に係る退職の日以前の職員等であつた期間

2　勤続期間十二月以上（特定退職者にあつては、六月以上）で退職した職員（第五項又は第七項の規定に該当する者を除く。）が支給期間内に失業している場合において、退職した者が一般の退職手当等の支給を受けないときは、その失業の日につき前項第二号の規定の例によりその者につき雇用保険法の規定を適用した場合にその者が支給を受けることができる基本手当の日額に相当する金額を、退職手当として、同法の規定による基本手当の支給の条件に従い、公共職業安定所を通じて支給する。ただし、前項第二号の規定の例によりその者につき雇用保険法の規定を適用した場合におけるその者に係る所定給付日数に相当する日数分を超えては支給しない。

3　前二項の規定による退職手当の支給に係る退職が定年に達したことその他の内閣官房令で定める理由によるものである職員が雇用保険法第二十条第二項に規定するときに相当するものとして内閣官房令で定めるときに該当する場合又は当該退職の日後に事業（その実施期間が三十日未満のものその他内閣官房令で定めるものを除く。）を開始した職員その他これに準ずるものとして内閣官房令で定める職員が同法第二十条の二に規定する場合に相当するものとして内閣官房令で定める場合に該当する場合に関しては、内閣官房令で、これらの規定に準じて、支給期間についての特例を定めることができる。

4　勤続期間六月以上で退職した職員（第六項の規定に該当する者を除く。）であつて、その者を雇用保険法第四条第一項に規定する被保険者とみなしたならば同法第三十七条の二第一項に規定する高年齢被保険者に該当するもののうち、第一号に掲げる額が第二号に掲げる額に満たないものが退職の日後失業している場合には、一般の退職手当等のほか、第二号に掲げる額から第一号に掲げる額を減じた額に相当する金額を、退職手当として、同法の規定による高年齢求職者給付金の支給の条件に従い、公共職業安定所を通じて支給する。

一　その者が既に支給を受けた当該退職に係る一般の退職手当等の額

二　その者を雇用保険法第三十七条の三第二項に規定する高年齢受給資格者と、その者の基準勤続期間を同法第十七条第一項に規定する被保険者期間と、当該退職の日を同法第二十条第一項第一号に規定する離職の日と、その者の基準勤続期間の年月数を同法第三十七条の四第三項の規定による期間の年月数とみなして同法の規定を適用した場合に、その者が支給を受けることができる高年齢求職者給付金の額に相当する額

5　勤続期間六月以上で退職した職員（第七項の規定に該当する者を除く。）であつて、その者を雇用保険法第四条第一項に規定する被保険者とみなしたならば同法第三十七条の二第一項に規定する高年齢被保険者に該当するものが退職の日後失業している場合において、退職した者が一般の退職手当等の支給を受けないときは、前項第二号の規定の例によりその者につき同法の規定を適用した場合にその者が支給を受けることができる高年齢求職者給付金の額に相当する金額を、退職手当として、同法の規定による高年齢求職者給付金の支給の条件に従い、公共職業安定所を通じて支給する。

6　勤続期間六月以上で退職した職員であつて、雇用保険法第四条第一項に規定する被保険者とみなしたならば同法第三十八条第一項に規定する短期雇用特例被保険者に該当するもののうち、

第一号に掲げる額が第二号に掲げる額に満たないものが退職の日後失業している場合には、一般の退職手当等のほか、第二号に掲げる額から第一号に掲げる額を減じた額に相当する金額を、退職手当として、同法の規定による特例一時金の支給の条件に従い、公共職業安定所を通じて支給する。

一　その者が既に支給を受けた当該退職に係る一般の退職手当等の額

二　その者を雇用保険法第三十九条第二項に規定する特例受給資格者と、その者の基準勤続期間を同法第十七条第一項に規定する被保険者期間とみなして同法の規定を適用した場合に、その者が支給を受けることができる特例一時金の額に相当する額

7　勤続期間六月以上で退職した職員であつて、雇用保険法第四条第一項に規定する被保険者とみなしたならば同法第三十八条第一項に規定する短期雇用特例被保険者に該当するものが退職の日後失業している場合において、退職した者が一般の退職手当等の支給を受けないときは、前項第二号の規定の例によりその者につき同法の規定を適用した場合にその者が支給を受けることができる特例一時金の額に相当する金額を、退職手当として、同法の規定による特例一時金の支給の条件に従い、公共職業安定所を通じて支給する。

8　前二項の規定に該当する者が、これらの規定による退職手当の支給を受ける前に公共職業安定所長の指示した雇用保険法第四十一条第一項に規定する公共職業訓練等を受ける場合には、その者に対しては、前二項の規定による退職手当を支給せず、同条の規定による基本手当の支給の条件に従い、当該公共職業訓練等を受け終わる日までの間に限り、第一項又は第二項の規定による退職手当を支給する。

9　第一項、第二項又は前項に規定する場合のほか、これらの規定による退職手当の支給を受ける者に対しては、次に掲げる場合には、雇用保険法第二十四条から第二十八条までの規定による基本手当の支給の例により、当該基本手当の支給の条件に従い、第一項又は第二項の退職手当を支給することができる。

一　その者が公共職業安定所長の指示した雇用保険法第二十四条第一項に規定する公共職業訓練等を受ける場合

二　その者が次のいずれかに該当する場合

イ　特定退職者であつて、雇用保険法第二十四条の二第一項各号に掲げる者に相当する者として内閣官房令で定める者のいずれかに該当し、かつ、公共職業安定所長が同項に規定する指導基準に照らして再就職を促進するために必要な職業安定法（昭和二十二年法律第百四十一号）第四条第四項に規定する職業指導を行うことが適当であると認めたもの

ロ　雇用保険法第二十二条第二項に規定する厚生労働省令で定める理由により就職が困難な者であつて、同法第二十四条の二第一項第二号に掲げる者に相当する者として内閣官房令で定める者に該当し、かつ、公共職業安定所長が同項に規定する指導基準に照らして再就職を促進するために必要な職業安定法第四条第四項に規定する職業指導を行うことが適当であると認めたもの

三　厚生労働大臣が雇用保険法第二十五条第一項の規定による措置を決定した場合

四　厚生労働大臣が雇用保険法第二十七条第一項の規定による措置を決定した場合

10　第一項、第二項及び第四項から前項までに定めるもののほか、第一項又は第二項の規定による退職手当の支給を受けることができる者で次の各号の規定に該当するものに対しては、雇用保険法第三十六条、第三十七条及び第五十六条の三から第五十九条までの規定に準じて政令で定めるところにより、それぞれ当該各号に掲げる給付を、退職手当として支給する。

一　公共職業安定所長の指示した雇用保険法第三十六条に規定する公共職業訓練等を受けている者については、技能習得手当

二　前号に規定する公共職業訓練等を受けるため、その者により生計を維持されている同居の親族（届出をしていないが、事実上その者と婚姻関係と同様の事情にある者を含む。）と別居して寄宿する者については、寄宿手当

三　退職後公共職業安定所に出頭し求職の申込みをした後において、疾病又は負傷のために職業に就くことができない者については、傷病手当

四　安定した職業に就いた者については、就業促進手当

五　公共職業安定所、職業安定法第四条第九項に規定する特定地方公共団体若しくは同法第

十八条の二に規定する職業紹介事業者の紹介した職業に就くため、又は公共職業安定所長の指示した雇用保険法第五十八条第一項に規定する公共職業訓練等を受けるため、その住所又は居所を変更する者については、移転費

六　求職活動に伴い雇用保険法第五十九条第一項各号のいずれかに該当する行為をする者については、求職活動支援費

11　前項の規定は、第四項又は第五項の規定による退職手当の支給を受けることができる者（第四項又は第五項の規定により退職手当の支給を受けた者であつて、当該退職手当の支給に係る退職の日の翌日から起算して一年を経過していないものを含む。）及び第六項又は第七項の規定による退職手当の支給を受けることができる者（第六項又は第七項の規定により退職手当の支給を受けた者であつて、当該退職手当の支給に係る退職の日の翌日から起算して六箇月を経過していないものを含む。）について準用する。この場合において、前項中「次の各号」とあるのは「第四号から第六号まで」と、「雇用保険法第三十六条、第三十七条及び」とあるのは「雇用保険法」と読み替えるものとする。

12　第十項第三号に掲げる退職手当の支給があつたときは、第一項、第二項又は第十項の規定の適用については、当該支給があつた金額に相当する日数分の第一項又は第二項の規定による退職手当の支給があつたものとみなす。

13　第十項第四号に掲げる退職手当の支給があつたときは、第一項、第二項又は第十項の規定の適用については、政令で定める日数分の第一項又は第二項の規定による退職手当の支給があつたものとみなす。

14　雇用保険法第十条の四の規定は、偽りその他不正の行為によつて第一項、第二項又は第四項から第十一項までの規定による退職手当の支給を受けた者がある場合について準用する。

15　本条の規定による退職手当は、雇用保険法の規定によるこれに相当する給付の支給を受ける者に対して支給してはならない。

第四章　退職手当の支給制限等

（定義）

第十一条　この章において、次の各号に掲げる用語の意義は、当該各号に定めるところによる。

一　懲戒免職等処分　国家公務員法第八十二条の規定による懲戒免職の処分その他の職員としての身分を当該職員の非違を理由として失わせる処分をいう。

二　退職手当管理機関　退職（この法律その他の法律の規定により、この法律の規定による退職手当を支給しないこととしている退職を除く。以下この章において同じ。）の日におけるイからホまでに掲げる職員の区分に応じ、それぞれイからホまでに定める機関をいう。ただし、ホに定める機関が当該職員の退職後に廃止された場合における当該職員については、当該職員の占めていた職（当該職が廃止された場合にあつては、当該職に相当する職）を占める職員に対し懲戒免職等処分を行う権限を有する機関（当該機関がない場合にあつては、懲戒免職等処分及びこの章の規定に基づく処分の性質を考慮して政令で定める機関）をいう。

イ　国会職員法第一条第一号に規定する各議院事務局の事務総長　両議院の議長が両議院の議院運営委員会の合同審査会に諮つて定める機関

ロ　裁判官　最高裁判所

ハ　検査官　会計検査院

ニ　人事官　人事院

ホ　イからニまでに掲げる者以外の職員　国家公務員法その他の法令の規定（国家公務員法第八十四条第二項（裁判所職員臨時措置法において準用する場合を含む。）を除く。）により当該職員の退職の日において当該職員に対し懲戒免職等処分を行う権限を有していた機関（当該機関がない場合にあつては、懲戒免職等処分及びこの章の規定に基づく処分の性質を考慮して政令で定める機関）

（懲戒免職等処分を受けた場合等の退職手当の支給制限）

第十二条　退職をした者が次の各号のいずれかに該当するときは、当該退職に係る退職手当管理機関は、当該退職をした者（当該退職をした者が死亡したときは、当該退職に係る一般の退職手当等の額の支払を受ける権利を承継した者）に対し、当該退職をした者が占めていた職の職務及び責任、当該退職をした者が行つた非違の内容及び程度、当該非違が公務に対する国民の信頼に及ぼす影響その他の政令で定める事情を勘案して、当該一般の退職手当等の全部又は一

部を支給しないこととする処分を行うことができる。

一　懲戒免職等処分を受けて退職をした者

二　国家公務員法第七十六条の規定による失職又はこれに準ずる退職をした者

2　退職手当管理機関は、前項の規定による処分を行うときは、その理由を付記した書面により、その旨を当該処分を受けるべき者に通知しなければならない。

3　退職手当管理機関は、前項の規定による通知をする場合において、当該処分を受けるべき者の所在が知れないときは、当該処分の内容を官報に掲載することをもつて通知に代えることができる。この場合においては、その掲載した日から起算して二週間を経過した日に、通知が当該処分を受けるべき者に到達したものとみなす。

（退職手当の支払の差止め）

第十三条　退職をした者が次の各号のいずれかに該当するときは、当該退職に係る退職手当管理機関は、当該退職をした者に対し、当該退職に係る一般の退職手当等の額の支払を差し止める処分を行うものとする。

一　職員が刑事事件に関し起訴（当該起訴に係る犯罪について拘禁刑以上の刑が定められているものに限り、刑事訴訟法（昭和二十三年法律第百三十一号）第六編に規定する略式手続によるものを除く。以下同じ。）をされた場合において、その判決の確定前に退職をしたとき。

二　退職をした者に対しまだ当該一般の退職手当等の額が支払われていない場合において、当該退職をした者が基礎在職期間中の行為に係る刑事事件に関し起訴をされたとき。

2　退職をした者に対しまだ当該退職に係る一般の退職手当等の額が支払われていない場合において、次の各号のいずれかに該当するときは、当該退職に係る退職手当管理機関は、当該退職をした者に対し、当該一般の退職手当等の額の支払を差し止める処分を行うことができる。

一　当該退職をした者の基礎在職期間中の行為に係る刑事事件に関して、その者が逮捕されたとき又は当該退職手当管理機関がその者から聴取した事項若しくは調査により判明した事実に基づきその者に犯罪があると思料するに至つたときであつて、その者に対し一般の退職手当等の額を支払うことが公務に対する国民の信頼を確保する上で支障を生ずると認めるとき。

二　当該退職手当管理機関が、当該退職をした者について、当該一般の退職手当等の額の算定の基礎となる職員としての引き続いた在職期間中に懲戒免職等処分を受けるべき行為（在職期間中の職員の非違に当たる行為であつて、その非違の内容及び程度に照らして懲戒免職等処分に値することが明らかなものをいう。以下同じ。）をしたことを疑うに足りる相当な理由があると思料するに至つたとき。

3　死亡による退職をした者の遺族（退職をした者（死亡による退職の場合には、その遺族）が当該退職に係る一般の退職手当等の額の支払を受ける前に死亡したことにより当該一般の退職手当等の額の支払を受ける権利を承継した者を含む。以下この項において同じ。）に対しまだ当該一般の退職手当等の額が支払われていない場合において、前項第二号に該当するときは、当該遺族に対し、当該一般の退職手当等の額の支払を差し止める処分を行うことができる。

4　前三項の規定による一般の退職手当等の額の支払を差し止める処分（以下「支払差止処分」という。）を受けた者は、行政不服審査法（平成二十六年法律第六十八号）第十八条第一項本文に規定する期間が経過した後においては、当該支払差止処分後の事情の変化を理由に、当該支払差止処分を行つた退職手当管理機関に対し、その取消しを申し立てることができる。

5　第一項又は第二項の規定による支払差止処分を行つた退職手当管理機関は、次の各号のいずれかに該当するに至つた場合には、速やかに当該支払差止処分を取り消さなければならない。ただし、第三号に該当する場合において、当該支払差止処分を受けた者がその者の基礎在職期間中の行為に係る刑事事件に関し現に逮捕されているときその他これを取り消すことが支払差止処分の目的に明らかに反すると認めるときは、この限りでない。

一　当該支払差止処分を受けた者について、当該支払差止処分の理由となつた起訴又は行為に係る刑事事件につき無罪の判決が確定した場合

二　当該支払差止処分を受けた者について、当該支払差止処分の理由となつた起訴又は行為に係る刑事事件につき、判決が確定した場合

（拘禁刑以上の刑に処せられた場合及び無罪の判決が確定した場合を除く。）又は公訴を提起しない処分があつた場合であつて、次条第一項の規定による処分を受けることなく、当該判決が確定した日又は当該公訴を提起しない処分があつた日から六月を経過した場合

三　当該支払差止処分を受けた者について、その者の基礎在職期間中の行為に係る刑事事件に関し起訴をされることなく、かつ、次条第一項の規定による処分を受けることなく、当該支払差止処分を受けた日から一年を経過した場合

6　第三項の規定による支払差止処分を行つた退職手当管理機関は、当該支払差止処分を受けた者が次条第二項の規定による処分を受けることなく当該支払差止処分を受けた日から一年を経過した場合には、速やかに当該支払差止処分を取り消さなければならない。

7　前二項の規定は、当該支払差止処分を行つた退職手当管理機関が、当該支払差止処分後に判明した事実又は生じた事情に基づき、当該一般の退職手当等の額の支払を差し止める必要がなくなつたとして当該支払差止処分を取り消すことを妨げるものではない。

8　第一項又は第二項の規定による支払差止処分を受けた者に対する第十条の規定の適用については、当該支払差止処分が取り消されるまでの間、その者は、一般の退職手当等の支給を受けない者とみなす。

9　第一項又は第二項の規定による支払差止処分を受けた者が当該支払差止処分が取り消されたことにより当該一般の退職手当等の額の支払を受ける場合（これらの規定による支払差止処分を受けた者が死亡した場合において、当該一般の退職手当等の額の支払を受ける権利を承継した者が第三項の規定による支払差止処分を受けることなく当該一般の退職手当等の額の支払を受けるに至つたときを含む。）において、当該退職をした者が既に第十条の規定による退職手当の額の支払を受けているときは、当該一般の退職手当等の額から既に支払を受けた同条の規定による退職手当の額を控除するものとする。この場合において、当該一般の退職手当等の額が既に支払を受けた同条の規定による退職手当の額以下であるときは、当該一般の退職手当等は、支払わない。

10　前条第二項及び第三項の規定は、支払差止処分について準用する。

（退職後拘禁刑以上の刑に処せられた場合等の退職手当の支給制限）

第十四条　退職をした者に対しまだ当該退職に係る一般の退職手当等の額が支払われていない場合において、次の各号のいずれかに該当するときは、当該退職に係る退職手当管理機関は、当該退職をした者（第一号又は第二号に該当する場合において、当該退職をした者が死亡したときは、当該一般の退職手当等の額の支払を受ける権利を承継した者）に対し、第十二条第一項に規定する政令で定める事情及び同項各号に規定する退職をした場合の一般の退職手当等の額との権衡を勘案して、当該一般の退職手当等の全部又は一部を支給しないこととする処分を行うことができる。

一　当該退職をした者が刑事事件（当該退職後に起訴をされた場合にあつては、基礎在職期間中の行為に係る刑事事件に限る。）に関し当該退職後に拘禁刑以上の刑に処せられたとき。

二　当該退職をした者が当該一般の退職手当等の額の算定の基礎となる職員としての引き続いた在職期間中の行為に関し国家公務員法第八十二条第二項（裁判所職員臨時措置法において準用する場合を含む。）、自衛隊法第四十六条第二項又は国会職員法第二十八条第二項の規定による懲戒免職等処分（以下「定年前再任用短時間勤務職員等に対する免職処分」という。）を受けたとき。

三　当該退職手当管理機関が、当該退職をした者（定年前再任用短時間勤務職員等に対する免職処分の対象となる者を除く。）について、当該退職後に当該一般の退職手当等の額の算定の基礎となる職員としての引き続いた在職期間中に懲戒免職等処分を受けるべき行為をしたと認めたとき。

2　死亡による退職をした者の遺族（退職をした者（死亡による退職の場合には、その遺族）が当該退職に係る一般の退職手当等の額の支払を受ける前に死亡したことにより当該一般の退職手当等の額の支払を受ける権利を承継した者を含む。以下この項において同じ。）に対しまだ当該一般の退職手当等の額が支払われていない場合において、前項第三号に該当するときは、当該退職に係る退職手当管理機関は、当該遺族

に対し、第十二条第一項に規定する政令で定める事情を勘案して、当該一般の退職手当等の全部又は一部を支給しないこととする処分を行うことができる。

3　退職手当管理機関は、第一項第三号又は前項の規定による処分を行おうとするときは、当該処分を受けるべき者の意見を聴取しなければならない。

4　行政手続法（平成五年法律第八十八号）第三章第二節（第二十八条を除く。）の規定は、前項の規定による意見の聴取について準用する。

5　第十二条第二項及び第三項の規定は、第一項及び第二項の規定による処分について準用する。

6　支払差止処分に係る一般の退職手当等に関し第一項又は第二項の規定により当該一般の退職手当等の一部を支給しないこととする処分が行われたときは、当該支払差止処分は、取り消されたものとみなす。

（退職をした者の退職手当の返納）

第十五条　退職をした者に対し当該退職に係る一般の退職手当等の額が支払われた後において、次の各号のいずれかに該当するときは、当該退職に係る退職手当管理機関は、当該退職をした者に対し、第十二条第一項に規定する政令で定める事情のほか、当該退職をした者の生計の状況を勘案して、当該一般の退職手当等の額（当該退職をした者が当該一般の退職手当等の支給を受けていなければ第十条第二項、第五項又は第七項の規定による退職手当の支給を受けることができた者（次条及び第十七条において「失業手当受給可能者」という。）であつた場合には、これらの規定により算出される金額（次条及び第十七条において「失業者退職手当額」という。）を除く。）の全部又は一部の返納を命ずる処分を行うことができる。

一　当該退職をした者が基礎在職期間中の行為に係る刑事事件に関し拘禁刑以上の刑に処せられたとき。

二　当該退職をした者が当該一般の退職手当等の額の算定の基礎となる職員としての引き続いた在職期間中の行為に関し定年前再任用短時間勤務職員等に対する免職処分を受けたとき。

三　当該退職手当管理機関が、当該退職をした者（定年前再任用短時間勤務職員等に対する免職処分の対象となる職員を除く。）について、当該一般の退職手当等の額の算定の基礎となる職員としての引き続いた在職期間中に懲戒免職等処分を受けるべき行為をしたと認めたとき。

2　前項の規定にかかわらず、当該退職をした者が第十条第一項、第四項又は第六項の規定による退職手当の額の支払を受けている場合（受けることができる場合を含む。）における当該退職に係る一般の退職手当等については、当該退職に係る退職手当管理機関は、前項の規定による処分を行うことができない。

3　第一項第三号に該当するときにおける同項の規定による処分は、当該退職の日から五年以内に限り、行うことができる。

4　退職手当管理機関は、第一項の規定による処分を行おうとするときは、当該処分を受けるべき者の意見を聴取しなければならない。

5　行政手続法第三章第二節（第二十八条を除く。）の規定は、前項の規定による意見の聴取について準用する。

6　第十二条第二項の規定は、第一項の規定による処分について準用する。

（遺族の退職手当の返納）

第十六条　死亡による退職をした者の遺族（退職をした者（死亡による退職の場合には、その遺族）が当該退職に係る一般の退職手当等の額の支払を受ける前に死亡したことにより当該一般の退職手当等の額の支払を受ける権利を承継した者を含む。以下この項において同じ。）に対し当該一般の退職手当等の額が支払われた後において、前条第一項第三号に該当するときは、当該退職に係る退職手当管理機関は、当該遺族に対し、当該退職の日から一年以内に限り、第十二条第一項に規定する政令で定める事情のほか、当該遺族の生計の状況を勘案して、当該一般の退職手当等の額（当該退職をした者が失業手当受給可能者であつた場合にあつては、失業者退職手当額を除く。）の全部又は一部の返納を命ずる処分を行うことができる。

2　第十二条第二項並びに前条第二項及び第四項の規定は、前項の規定による処分について準用する。

3　行政手続法第三章第二節（第二十八条を除く。）の規定は、前項において準用する前条第四項の規定による意見の聴取について準用する。

（退職手当受給者の相続人からの退職手当相当額の納付）

第十七条　退職をした者（死亡による退職の場合には、その遺族）に対し当該退職に係る一般の退職手当等の額が支払われた後において、当該一般の退職手当等の額の支払を受けた者（以下この条において「退職手当の受給者」という。）が当該退職の日から六月以内に第十五条第一項又は前条第一項の規定による処分を受けることなく死亡した場合（次項から第五項までに規定する場合を除く。）において、当該退職に係る退職手当管理機関が、当該退職手当の受給者の相続人（包括受遺者を含む。以下この項から第六項までにおいて同じ。）に対し、当該退職の日から六月以内に、当該退職をした者が当該一般の退職手当等の額の算定の基礎となる職員としての引き続いた在職期間中に懲戒免職等処分を受けるべき行為をしたことを疑うに足りる相当な理由がある旨の通知をしたときは、当該退職手当管理機関は、当該通知が当該相続人に到達した日から六月以内に限り、当該相続人に対し、当該退職をした者が当該一般の退職手当等の額の算定の基礎となる職員としての引き続いた在職期間中に懲戒免職等処分を受けるべき行為をしたと認められることを理由として、当該一般の退職手当等の額（当該退職をした者が失業手当受給可能者であつた場合には、失業者退職手当額を除く。）の全部又は一部に相当する額の納付を命ずる処分を行うことができる。

2　退職手当の受給者が、当該退職の日から六月以内に第十五条第五項又は前条第三項において準用する行政手続法第十五条第一項の規定による通知を受けた場合において、第十五条第一項又は前条第一項の規定による処分を受けることなく死亡したとき（次項から第五項までに規定する場合を除く。）は、当該退職に係る退職手当管理機関は、当該退職手当の受給者の死亡の日から六月以内に限り、当該退職手当の受給者の相続人に対し、当該退職をした者が当該退職に係る一般の退職手当等の額の算定の基礎となる職員としての引き続いた在職期間中に懲戒免職等処分を受けるべき行為をしたと認められることを理由として、当該一般の退職手当等の額（当該退職をした者が失業手当受給可能者であつた場合には、失業者退職手当額を除く。）の全部又は一部に相当する額の納付を命ずる処分を行うことができる。

3　退職手当の受給者（遺族を除く。以下この項から第五項までにおいて同じ。）が、当該退職の日から六月以内に基礎在職期間中の行為に係る刑事事件に関し起訴をされた場合（第十三条第一項第一号に該当する場合を含む。次項において同じ。）において、当該刑事事件につき判決が確定することなく、かつ、第十五条第一項の規定による処分を受けることなく死亡したときは、当該退職に係る退職手当管理機関は、当該退職手当の受給者の死亡の日から六月以内に限り、当該退職手当の受給者の相続人に対し、当該退職をした者が当該退職に係る一般の退職手当等の額の算定の基礎となる職員としての引き続いた在職期間中に懲戒免職等処分を受けるべき行為をしたと認められることを理由として、当該一般の退職手当等の額（当該退職をした者が失業手当受給可能者であつた場合には、失業者退職手当額を除く。）の全部又は一部に相当する額の納付を命ずる処分を行うことができる。

4　退職手当の受給者が、当該退職の日から六月以内に基礎在職期間中の行為に係る刑事事件に関し起訴をされた場合において、当該刑事事件に関し拘禁刑以上の刑に処せられた後において第十五条第一項の規定による処分を受けることなく死亡したときは、当該退職に係る退職手当管理機関は、当該退職手当の受給者の死亡の日から六月以内に限り、当該退職手当の受給者の相続人に対し、当該退職をした者が当該刑事事件に関し拘禁刑以上の刑に処せられたことを理由として、当該一般の退職手当等の額（当該退職をした者が失業手当受給可能者であつた場合には、失業者退職手当額を除く。）の全部又は一部に相当する額の納付を命ずる処分を行うことができる。

5　退職手当の受給者が、当該退職の日から六月以内に当該退職に係る一般の退職手当等の額の算定の基礎となる職員としての引き続いた在職期間中の行為に関し定年前再任用短時間勤務職員等に対する免職処分を受けた場合において、第十五条第一項の規定による処分を受けることなく死亡したときは、当該退職に係る退職手当管理機関は、当該退職手当の受給者の死亡の日から六月以内に限り、当該退職手当の受給者の相続人に対し、当該退職をした者が当該行為に関し再任用職員等に対する免職処分を受けたことを理由として、当該一般の退職手当等の額（当該退職をした者が失業手当受給可能者であつた場合には、失業者退職手当額を除く。）の全部又は一部に相当する額の納付を命ずる処分を行うことができる。

6　前各項の規定による処分に基づき納付する金額は、第十二条第一項に規定する政令で定める事情のほか、当該退職手当の受給者の相続人の生計の状況その他の政令で定める事情を勘案して、定めるものとする。この場合において、当該相続人が二人以上あるときは、各相続人が納付する金額の合計額は、当該一般の退職手当等の額を超えることとなつてはならない。

7　第十二条第二項並びに第十五条第二項及び第四項の規定は、第一項から第五項までの規定による処分について準用する。

8　行政手続法第三章第二節（第二十八条を除く。）の規定は、前項において準用する第十五条第四項の規定による意見の聴取について準用する。

（退職手当審査会）

第十八条　内閣府に、退職手当審査会を置く。

2　退職手当審査会は、この法律の規定によりその権限に属させられた事項を処理する。

3　前項に定めるもののほか、退職手当審査会の組織及び委員その他の職員その他退職手当審査会に関し必要な事項については、政令で定める。

（退職手当審査会等への諮問）

第十九条　退職手当管理機関（第五項から第七項までに規定する退職手当管理機関を除く。）は、第十四条第一項第三号若しくは第二項、第十五条第一項、第十六条第一項又は第十七条第一項から第五項までの規定による処分（以下この条において「退職手当の支給制限等の処分」という。）を行おうとするときは、退職手当審査会に諮問しなければならない。

2　退職手当審査会は、第十四条第二項、第十六条第一項又は第十七条第一項から第五項までの規定による処分を受けるべき者から申立てがあつた場合には、当該処分を受けるべき者に口頭で意見を述べる機会を与えなければならない。

3　退職手当審査会は、必要があると認める場合には、退職手当の支給制限等の処分に係る事件に関し、当該処分を受けるべき者又は退職手当管理機関にその主張を記載した書面又は資料の提出を求めること、適当と認める者にその知つている事実の陳述又は鑑定を求めることその他必要な調査をすることができる。

4　退職手当審査会は、必要があると認める場合には、退職手当の支給制限等の処分に係る事件に関し、関係機関に対し、資料の提出、意見の開陳その他必要な協力を求めることができる。

5　前各項の規定は、国会職員法第一条に規定する国会職員に係る退職手当管理機関が退職手当の支給制限等の処分を行おうとするときについて準用する。この場合において、これらの規定中「退職手当審査会」とあるのは、「両議院の議長が両議院の議院運営委員会の合同審査会に諮つて定める機関」と読み替えるものとする。

6　第一項から第四項までの規定は、裁判官又は裁判所の職員に係る退職手当管理機関が退職手当の支給制限等の処分を行おうとするときについて準用する。この場合において、これらの規定中「退職手当審査会」とあるのは、「最高裁判所規則で定める機関」と読み替えるものとする。

7　第一項から第四項までの規定は、会計検査院の検査官又は職員に係る退職手当管理機関が退職手当の支給制限等の処分を行おうとするときについて準用する。この場合において、これらの規定中「退職手当審査会」とあるのは、「会計検査院規則で定める機関」と読み替えるものとする。

第五章　雑則

（職員が退職した後に引き続き職員となつた場合等における退職手当の不支給）

第二十条　職員が退職した場合（第十二条第一項各号のいずれかに該当する場合を除く。）において、その者が退職の日又はその翌日に再び職員となつたときは、この法律の規定による退職手当は、支給しない。

2　職員が、機構の改革、施設の移譲その他の事由によつて、引き続いて地方公務員となり、地方公共団体又は地方独立行政法人法（平成十五年法律第百十八号）第二条第二項に規定する特定地方独立行政法人（以下この項において「特定地方独立行政法人」という。）に就職した場合において、その者の職員としての勤続期間が、当該地方公共団体の退職手当に関する規定又は当該特定地方独立行政法人の退職手当の支給の基準（同法第四十八条第二項又は第五十一条第二項に規定する基準をいう。）によりその者の当該地方公共団体又は特定地方独立行政法人における地方公務員としての勤続期間に通算されることに定められているときは、この法律による退職手当は、支給しない。

3　職員が第七条の二第一項の規定に該当する退職をし、かつ、引き続いて公庫等職員となつた場合又は同条第二項の規定に該当する職員が退職し、かつ、引き続いて公庫等職員となつた場合においては、政令で定める場合を除き、この法律の規定による退職手当は、支給しない。

4　職員が第八条第一項の規定に該当する退職をし、かつ、引き続いて独立行政法人等役員となつた場合又は同条第二項の規定に該当する職員が退職し、かつ、引き続いて独立行政法人等役員となつた場合においては、政令で定める場合を除き、この法律の規定による退職手当は、支給しない。

（実施規定）

第二十一条　この法律の実施のための手続その他その執行について必要な事項は、政令で定める。

附　則

1　この法律は、公布の日から施行し、昭和二十八年八月一日以後の退職による退職手当について適用する。

2　職員のうち、国家公務員等退職手当法等の一部を改正する法律（昭和五十六年法律第九十一号）第一条の規定の施行の日（次項において「昭和五十六年改正法第一条施行日」という。）前に任命権者又はその委任を受けた者の要請に応じ、引き続いて旧プラント類輸出促進臨時措置法（昭和三十四年法律第五十八号）第十六条第二項に規定する指定機関（当該指定機関であつた期間の前後の内閣総理大臣が定める期間における当該指定機関とされた法人を含む。）に使用される者（役員及び常時勤務に服することを要しない者を除く。以下この項において「指定機関職員」という。）となるため退職をし、かつ、引き続き指定機関職員として在職した後引き続いて再び職員となつた者（引き続き指定機関職員として在職した後引き続いて公庫等職員として在職し、その後引き続いて再び職員となつた者を含む。）の第七条第一項の規定による在職期間の計算については、指定機関職員となる前の職員としての在職期間の始期から後の職員としての在職期間の終期までの期間は、職員としての引き続いた在職期間とみなす。

3　職員のうち、昭和五十六年改正法第一条施行日前に任命権者又はその委任を受けた者の要請に応じ、引き続いて地方公共団体（昭和五十六年改正法第一条施行日前における地方公共団体の退職手当に関する規定に、職員としての勤続期間を当該地方公共団体における地方公務員としての勤続期間に通算する旨の規定（以下この項において「通算規定」という。）がない地方公共団体に限る。）の地方公務員となるため退職をし、かつ、引き続き当該地方公共団体の地方公務員として在職した後引き続いて再び職員となつた者の第七条第一項の規定による在職期間の計算については、昭和五十六年改正法第一条施行日における当該地方公共団体の退職手当に関する規定に通算規定がある場合に限り、第七条第五項の規定にかかわらず、当該地方公共団体の地方公務員となる前の職員としての在職期間の始期から後の職員としての在職期間の終期までの期間は、職員としての引き続いた在職期間とみなす。

4　前二項に規定する者が退職した場合におけるその者に対する第二条の四及び第六条の五の規定による退職手当の額は、国家公務員等退職手当法の一部を改正する法律（昭和四十八年法律第三十号。次項から附則第八項までにおいて「昭和四十八年改正法」という。）附則第十二項の規定の例により計算した額とする。

5　附則第三項に規定する者のうち、昭和四十七年十二月一日に地方公務員であつた者は、昭和四十八年改正法附則第五項に規定する適用日に在職する職員とみなす。

6　当分の間、三十五年以下の期間勤続して退職した者（昭和四十八年改正法附則第五項の規定に該当する者を除く。）に対する退職手当の基本額は、第三条から第五条の三まで及び附則第十二項から第十六項までの規定により計算した額にそれぞれ百分の八十三・七を乗じて得た額とする。この場合において、第六条の五第一項中「前条」とあるのは、「前条並びに附則第六項」とする。

7　当分の間、三十六年以上四十二年以下の期間勤続して退職した者（昭和四十八年改正法附則第六項の規定に該当する者を除く。）で第三条第一項の規定に該当する退職をしたものに対する退職手当の基本額は、同項又は第五条の二及び附則第十五項の規定により計算した額に前項に定める割合を乗じて得た額とする。

8　当分の間、三十五年を超える期間勤続して退職した者（昭和四十八年改正法附則第七項の規定に該当する者を除く。）で第五条又は附則第十三項の規定に該当する退職をしたものに対する退職手当の基本額は、その者の勤続期間を三十五年として附則第六項の規定の例により計算して得られる額とする。

9　退職した者の基礎在職期間中に俸給月額の減額改定（平成十八年三月三十一日以前に行われた俸給月額の減額改定で内閣総理大臣が定めるものを除く。）によりその者の俸給月額が減額されたことがある場合において、その者の減額後の俸給月額が減額前の俸給月額に達しない場合にその差額に相当する額を支給することとする法令又はこれに準ずる給与の支給の基準の適用を受けたことがあるときは、この法律の規定による俸給月額には、当該差額を含まないものとする。ただし、第六条の五第二項に規定する一般職の職員に係る基本給月額に含まれる俸給の月額及び同項に規定するその他の職員に係る基本給月額に含まれる俸給月額に相当するものとして政令で定めるものについては、この限りでない。

10　令和九年三月三十一日以前に退職した職員に対する第十条第九項の規定の適用については、同項中「第二十八条まで」とあるのは「第二十八条まで及び附則第五条」と、同項第二号中「ロ　雇用保険法第二十二条第二項に規定する厚生労働省令で定める理由により就職が困難な者であつて、同法第二十四条の二第一項第二号に掲げる者に相当する者として内閣官房令で定める者に該当し、かつ、公共職業安定所長が同項に規定する指導基準に照らして再就職を促進するために必要な職業安定法第四条第四項に規定する職業指導を行うことが適当であると認めたもの」とあるのは「ロ　雇用保険法第二十二条
ハ　特定退職者であつて、
第二項に規定する厚生労働省令で定める理由により就職が困難な者であつて、同法第二十四条の二第一項第二号雇用保険法附則第五条第一項に規定する地域内に居住し、かつ、公共職業安定所長が同法第二十四条の二第一項に

に掲げる者に相当する者として内閣官房令で定める者に
規定する指導基準に照らして再就職を促進するために必
該当し、かつ、公共職業安定所長が同項に規定する指導
要な職業安定法第四条第四項に規定する職業指導を行う
基準に照らして再就職を促進するために必要な職業安定
ことが適当であると認めたもの（イに掲げる者を除
法第四条第四項に規定する職業指導を行うことが適当で
く。）
あると認めたもの
」とする。

11　当分の間、第六条の四第四項第五号に掲げる者に対する同項（同号に係る部分に限る。）及び附則第六項の規定の適用については、同号中「百分の八」とあるのは「百分の八・三」と、同項中「附則第六項」とあるのは「附則第六項及び第十一項」とする。

12　当分の間、第四条第一項の規定は、十一年以上二十五年未満の期間勤続した者であつて、六十歳（次の各号に掲げる者にあつては、当該各号に定める年齢）に達した日以後その者の非違によることなく退職した者（定年の定めのない職を退職した者及び同項又は同条第二項の規定に該当する者を除く。）に対する退職手当の基本額について準用する。この場合における第三条の規定の適用については、同条第一項中「又は第五条」とあるのは、「、第五条又は附則第十二項」とする。

一　次に掲げる者　六十三歳

イ　国家公務員法等の一部を改正する法律（令和三年法律第六十一号。ニにおいて「令和三年国家公務員法等改正法」という。）第一条の規定による改正前の国家公務員法（次号イ及び附則第十四項第一号において「令和五年旧国家公務員法」という。）第八十一条の二第二項第二号（裁判所職員臨時措置法において準用する場合を含む。）に掲げる職員に相当する職員として内閣官房令で定める職員

ロ　検事総長以外の検察官

ハ　国会職員法及び国家公務員退職手当法の一部を改正する法律（令和三年法律第六十二号。附則第十五項において「令和三年国会職員法等改正法」という。）第一条の規定による改正前の国会職員法（次号ロ及び附則第十四項第七号において「令和五年旧国会職員法」という。）第十五条の二第二項第二号に掲げる国会職員（国会職員法第一条に規定する国会職員をいう。以下この項及び附則第十四項において同じ。）に相当する国会職員として内閣官房令で定める国会職員

ニ　令和三年国家公務員法等改正法第八条の規定による改正前の自衛隊法（次号ハ及び附則第十四項第九号において「令和五年旧自衛隊法」という。）第四十四条の二第二項第二号に掲げる隊員（自衛隊法第二条第五項に規定する隊員をいう。以下この項及び附則第十四項において同じ。）に相当する隊員として内閣官房令で定める隊員

二　次に掲げる者　六十歳を超え六十四歳を超えない範囲内で内閣官房令で定める年齢

イ　令和五年旧国家公務員法第八十一条の二第二項第三号（裁判所職員臨時措置法において準用する場合を含む。）に掲げる職員に相当する職員のうち、内閣官房令で定める職員

ロ　令和五年旧国会職員法第十五条の二第二項第三号に掲げる国会職員に相当する国会職員のうち、内閣官房令で定める国会職員

ハ　令和五年旧自衛隊法第四十四条の二第二項第三号に掲げる隊員に相当する隊員のうち、内閣官房令で定める隊員

13　当分の間、第五条第一項の規定は、二十五年以上の期間勤続した者であつて、六十歳（前項各号に掲げる者にあつては、当該各号に定める年齢）に達した日以後その者の非違によることなく退職した者（定年の定めのない職を退職した者及び同条第一項又は第二項の規定に該当する者を除く。）に対する退職手当の基本額について準用する。この場合における第三条の規定の適用については、同条第一項中「又は第五条」とあるのは、「、第五条又は附則第十三項」とする。

14　前二項の規定は、次に掲げる者が退職した場合に支給する退職手当の基本額については適用しない。

一　令和五年旧国家公務員法第八十一条の二第二項第一号（裁判所職員臨時措置法において準用する場合を含む。）に掲げる職員に相当する職員として内閣官房令で定める職員及び同項第三号（裁判所職員臨時措置法において準用する場合を含む。）に掲げる職員に相当する職員のうち内閣官房令で定める職員

二　国家公務員法第八十一条の六第二項ただし書（裁判所職員臨時措置法において準用する場合を含む。）に規定する職員

三　公正取引委員会の委員長及び委員

四　裁判官

五　検事総長

六　検査官

七　令和五年旧国会職員法第十五条の二第二項第一号に掲げる国会職員に相当する国会職員として内閣官房令で定める国会職員及び同項第三号に掲げる国会職員に相当する国会職員のうち内閣官房令で定める国会職員

八　国会職員法第十五条の六第二項ただし書に規定する国会職員

九　令和五年旧自衛隊法第四十四条の二第二項第一号に掲げる隊員に相当する隊員として内閣官房令で定める隊員及び同項第三号に掲げる隊員に相当する隊員のうち内閣官房令で定める隊員

十　自衛隊法第四十四条の六第二項ただし書に規定する隊員

十一　自衛隊法第四十五条第一項に規定する自衛官

十二　給与その他の処遇の状況が前各号に掲げる職員に類する職員として内閣官房令で定める職員

15　一般職の職員の給与に関する法律附則第八項（裁判所職員臨時措置法において準用する場合を含む。）、検察官の俸給等に関する法律（昭和二十三年法律第七十六号）附則第五条第一項若しくは防衛省の職員の給与等に関する法律（昭和二十七年法律第二百六十六号）附則第五項の規定、令和三年国会職員法等改正法による定年の引上げに伴う給与に関する特例措置又はこれらに準ずる給与の支給の基準による職員の俸給月額の改定は、俸給月額の減額改定に該当しないものとする。

16　当分の間、第四条第一項第三号並びに第五条第一項第三号、第五号及び第六号に掲げる者に対する第五条の三及び第六条の三の規定の適用については、第五条の三並びに第六条の三の表第六条の項、第六条の二第一号の項及び第六条の二第二号の項中「定年」とあるのは、「定年（附則第十二項各号及び第十四項各号に掲げ

る者以外の者（国家公務員法等の一部を改正する法律（令和三年法律第六十一号）第一条の規定による改正前の国家公務員法第八十一条の二第二項本文（裁判所職員臨時措置法において準用する場合を含む。）の適用を受けていた者であつて附則第十四項第二号に掲げる職員に該当する職員、国会職員法及び国家公務員退職手当法の一部を改正する法律（令和三年法律第六十二号）第一条の規定による改正前の国会職員法第十五条の二第二項本文の適用を受けていた者であつて附則第十四項第八号に掲げる国会職員に該当する国会職員及び国家公務員法等の一部を改正する法律第八条の規定による改正前の自衛隊法第四十四条の二第二項本文の適用を受けていた者であつて附則第十四項第十号に掲げる隊員に該当する隊員を含む。）にあつては六十歳とし、附則第十二項各号に掲げる者にあつては当該各号に定める年齢とし、附則第十四項第一号に掲げる職員、同項第七号に掲げる国会職員及び同項第九号に掲げる隊員にあつては六十五歳とし、同項第十二号に掲げる職員にあつては内閣官房令で定める年齢とする。」」とする。

附　則（昭四八・五・一七法三〇）（抄）
最終改正　令三・六・一一法六一

（施行期日）
1　この法律は、公布の日から施行する。

（適用日等）
2　改正後の国家公務員等退職手当法（以下「新法」という。）の規定（第七条の二の規定を除く。）は、昭和四十七年十二月一日（以下「適用日」という。）以後の退職による退職手当について適用し、適用日前の退職による退職手当については、なお従前の例による。

4　改正後の法律第百六十四号附則第三項の規定は、適用日以後の退職による退職手当について適用し、適用日前の退職による退職手当については、なお従前の例による。

（長期勤続者等に対する退職手当に係る特例）
5　適用日に在職する職員（適用日に改正前の国家公務員等退職手当法（以下「旧法」という。）第七条の二第一項に規定する公庫等職員（他の法律の規定により、国家公務員等退職手当法第七条の二の規定の適用について、同条第一項に規定する公庫等職員とみなされる者を含む。以下「指定法人職員」という。）として在職する者のうち、適用日前に職員から引き続いて指定法人職員となつた者又は適用日に地方公務員として在職する者で、指定法人職員又は地方公務員として在職した後引き続いて職員となつたものを含む。次項及び附則第七項において同じ。）のうち、適用日以後に国家公務員退職手当法（昭和二十八年法律第百八十二号。以下この項から附則第十二項までにおいて「退職手当法」という。）第三条から第五条まで又は附則第十二項若しくは第十三項の規定に該当する退職をし、かつ、その勤続期間が三十五年以下である者に対する退職手当の基本額は、当分の間、退職手当法第三条から第五条の三まで及び附則第十二項から第十六項までの規定により計算した額にそれぞれ百分の八十三・七を乗じて得た額とする。

6　適用日に在職する職員のうち、適用日以後に退職手当法第三条第一項の規定に該当する退職をし、かつ、その勤続期間が三十六年以上四十二年以下である者に対する退職手当の基本額は、当分の間、同項又は退職手当法第五条の二及び附則第十五項の規定により計算した額に前項に定める割合を乗じて得た額とする。

7　適用日に在職する職員のうち、適用日以後に退職手当法第五条又は附則第十三項の規定に該当する退職をし、かつ、その勤続期間が三十五年を超える者に対する退職手当の基本額は、当分の間、その者の勤続期間を三十五年として附則第五項の規定の例により計算して得られる額とする。

8　法律第百六十四号附則第三項又は附則第四項の規定の適用を受ける職員で附則第五項から前項までの規定に該当するものに対する退職手当の額は、退職手当法第二条の四から第六条の五まで、法律第百六十四号附則第三項、附則第四項又は附則第六項及びこの法律附則第五項から前項まで又は附則第十五項の規定にかかわらず、その者につき法律第百六十四号による改正前の国家公務員等退職手当暫定措置法（昭和二十八年法律第百八十二号）の規定により計算した退職手当の額と退職手当法及び附則第五項から前項まで又は附則第十五項の規定により計算した退職手当の額とのいずれか多い額とする。

（特定指定法人から復帰した職員等に関する経過措置）
9　この法律の施行の日前に旧法第七条の二第一項の規定に該当する退職をし、かつ、引き続き同項に規定する公庫その他の法人でこの法律の施行の日において新法第七条の二第一項に規定する公庫等に該当するもの（以下「特定指定法人」という。）において使用される者として在職した後引き続いて再び職員となつた者の退職手当法第七条第一項の規定による在職期間の計算については、先の職員としての在職期間の始期から後の職員としての在職期間の終期までの期間は、職員としての引き続いた在職期間とみなす。

10　前項に規定する者がこの法律の施行の日以後に退職手当の支給を受けることとなる場合において、その者が適用日以後の退職につき旧法の規定による退職手当の支給を受けている者であるときは、附則第二項の規定にかかわらず、前項の規定は、当該旧法の規定により支給を受けた退職手当については、適用しない。

11　この法律の施行の日前に、特定指定法人に使用される者が、特定指定法人の要請に応じ、引き続いて職員となるため退職し、かつ、引き続いて職員となつた場合におけるその者の退職手当法第七条第一項に規定する職員としての引き続いた在職期間には、その者の特定指定法人に使用される者としての引き続いた在職期間を含むものとする。

12　附則第九項に規定する者又は前項の規定に該当する者が適用日以後に退職した場合におけるその者に対する退職手当法第二条の四及び第六条の五の規定による退職手当の額は、退職手当法第二条の四から第六条の五まで、法律第百六十四号附則第三項、附則第四項又は附則第六項及びこの法律附則第五項から附則第八項までの規定にかかわらず、政令で定めるところにより、第一号に掲げる額から第二号に掲げる額を控除して得た額（その控除して得た額が、その者につき旧法及び法律第百六十四号附則第三項、附則第四項又は附則第六項の規定を適用して計算した退職手当の額より低い額となるときは、これらの規定を適用して計算した額）とする。
一　退職手当法第二条の四から第六条の五まで、法律第百六十四号附則第三項、附則第四項又は附則第六項及びこの法律附則第五項から附則第八項までの規定により計算した額
二　その者が職員又は特定指定法人に使用される者とし

ての引き続いた在職期間内に支給を受けた退職手当（これに相当する給付を含む。以下この号において同じ。）の額と当該退職手当の支給を受けた日の翌日から退職した日の前日までの期間に係る利息に相当する金額を合計した額

（その他の経過措置）

13 附則第九項、附則第十項及び前項の規定は、政令で定めるところにより、他の法律の規定により、国家公務員等退職手当法第七条の二の規定の適用について、同条第一項に規定する公庫等職員とみなされる者について準用する。

14 この法律の施行の日前に、旧法第七条の二第一項の規定に該当する退職をし、かつ、引き続き指定法人職員となつた者（附則第九項又は前項に規定する者を除く。）の新法第七条第一項の規定による在職期間の計算については、なお従前の例による。

15 前項に規定する者が適用日以後に退職した場合におけるその者に対する新法第三条から第五条までの規定による退職手当の額は、新法第三条から第六条まで、法律第百六十四号附則第三項、附則第四項又は附則第六項及びこの法律附則第五項から第七項までの規定にかかわらず、退職の日におけるその者の俸給月額に第一号に掲げる割合から第二号に掲げる割合を控除した割合を乗じて得た額とする。

一 その者が新法第三条から第六条まで、法律第百六十四号附則第三項、附則第四項又は附則第六項及びこの法律附則第五項から附則第七項までの規定により計算した額の退職手当の支給を受けるものとした場合における当該退職手当の額の当該俸給月額に対する割合

二 その者が前項の退職をした際に支給を受けた退職手当の額のその計算の基礎となつた俸給月額に対する割合（職員としての引き続いた在職期間中に当該退職を二回以上した者については、それぞれの退職に係る当該割合を合計した割合）

16 適用日からこの法律の施行の日の前日までの期間内に退職した者（当該退職が死亡による場合には、その遺族）に旧法の規定により支給された退職手当は、新法の規定及び附則第五項から附則第八項まで又は前項の規定による退職手当の内払とみなす。

17 この附則に定めるもののほか、この法律の施行に関し必要な経過措置は、政令で定める。

附　則（平一五・六・四法六二）（抄）

最終改正　令三・六・一一法六一

（施行期日）

1 この法律は、平成十五年十月一日から施行する。ただし、次の各号に掲げる規定は、当該各号に定める日から施行する。

一 第一条中国家公務員退職手当法第五条の二及び第七条の二の改正規定並びに同条の次に一条を加える改正規定並びに附則第五項から第七項までの規定　公布の日から起算して二月を超えない範囲内において政令で定める日〔平一五・六・一五〕

（経過措置）

2 平成十五年十月一日から平成十六年九月三十日までの間における第一条の規定による改正後の国家公務員退職手当法附則第二十一項の規定の適用については、同項中「額は」とあるのは「額は、第六条の規定にかかわらず」と、「百分の百四」とあるのは「百分の百七」とする。

3 平成十五年十月一日から平成十六年九月三十日までの間における第二条の規定による改正後の国家公務員等退職手当法の一部を改正する法律附則第五項（同法附則第六項又は第七項において例による場合を含む。）及び同法附則第六項の規定の適用については、同法附則第五項中「第五条の二」とあるのは「第六条」と、「百分の百四」とあるのは「百分の百七」と、同法附則第六項中「三十六年」とあるのは「三十五年を超え三十七年以下」と、同法附則第七項中「第五条及び第五条の二並びに」とあるのは「第五条から第六条まで及び」とする。

4 当分の間、四十二年を超える期間勤続して退職した者で国家公務員退職手当法第三条第一項の規定に該当する退職をしたものに対する退職手当の額は、同項の規定にかかわらず、その者が同法第五条の規定に該当する退職をしたものとし、かつ、その者の勤続期間を三十五年として同法附則第六項の規定の例により計算して得られる額とする。

5 この附則に定めるもののほか、この法律の施行に関し必要な経過措置は、政令で定める。

附　則（平一七・一一・七法一一五）（抄）

最終改正　令三・六・一一法六一

（施行期日）

第一条 この法律は、平成十八年四月一日から施行する。

（経過措置）

第二条 国有林野の有する公益的機能の維持増進を図るための国有林野の管理経営に関する法律等の一部を改正する等の法律（平成二十四年法律第四十二号）第五条第一号の規定による廃止前の国有林野事業を行う国の経営する企業に勤務する職員の給与等に関する特例法（昭和二十九年法律第百四十一号）第二条第一項に規定する国有林野事業を行う国の経営する企業、独立行政法人通則法の一部を改正する法律（平成二十六年法律第六十六号）による改正前の独立行政法人通則法（平成十一年法律第百三号）第二条第二項に規定する特定独立行政法人（この法律の施行の日（以下「施行日」という。）以後に同項に規定する特定独立行政法人以外の独立行政法人（同条第一項に規定する独立行政法人をいう。）となつたものその他の法人で政令で定めるものを含む。）及び郵政民営化法（平成十七年法律第九十七号）第百六十六条第一項の規定による解散前の日本郵政公社（以下「国営企業等」と総称する。）の職員の退職による退職手当については、この法律による改正後の国家公務員退職手当法の規定は、国営企業等ごとに、施行日から起算して一年を超えない範囲内において政令で定める日（以下「適用日」という。）から適用し、適用日前の当該退職による退職手当については、なお従前の例による。

第三条 職員が新制度適用職員（職員であって、その者が新制度切替日以後に退職することにより国家公務員退職手当法の規定による退職手当の支給を受けることとなる者をいう。以下同じ。）として退職した場合において、その者が新制度切替日の前日に現に退職した理由と同一の理由により退職したものとし、かつ、その者の同日までの勤続期間及び同日における俸給月額を基礎として、この法律による改正前の国家公務員退職手当法（以下この項において「旧法」という。）第三条から第六条まで及び附則第二十一項から第二十三項までの規定、附則第九条の規定による改正前の国家公務員

等退職手当法の一部を改正する法律（昭和四十八年法律第三十号）附則第五項から第七項までの規定並びに附則第十条の規定による改正前の国家公務員退職手当法等の一部を改正する法律（平成十五年法律第六十二号）附則第四項の規定により計算した額（当該勤続期間が四十三年又は四十四年の者であって、傷病若しくは死亡によらずにその者の都合により又は通勤による傷病以外の公務によらない傷病により退職したものにあっては、その者が旧法第五条の規定に該当する退職をしたものとみなし、かつ、その者の当該勤続期間を三十五年として旧法附則第二十一項の規定の例により計算して得られる額）にそれぞれ百分の八十三・七（当該勤続期間が二十年以上の者（四十二年以下の者で傷病又は死亡によらずにその者の都合により退職したもの及び三十七年以上四十二年以下の者で公務によらない傷病により退職したものを除く。）にあっては、百四分の八十三・七）を乗じて得た額が、国家公務員退職手当法第二条の四から第六条の五まで並びに附則第六項から第八項まで及び第十一項の規定、国家公務員等退職手当法の一部を改正する法律（昭和四十八年法律第三十号）附則第五項から第七項までの規定、国家公務員退職手当法等の一部を改正する法律（平成十五年法律第六十二号）附則第四項の規定並びに附則第五条及び第六条の規定により計算した退職手当の額よりも多いときは、これらの規定にかかわらず、その多い額をもってその者に支給すべきこれらの規定による退職手当の額とする。

2　前項の「新制度切替日」とは、次の各号に掲げる職員の区分に応じ、当該各号に定める日をいう。

一　施行日の前日及び施行日において職員（国営企業等の職員を除く。以下「一般職員」という。）として在職していた者　施行日

二　施行日の前日において一般職員として在職していた者で、施行日に国営企業等（当該国営企業等に係る適用日が施行日であるものに限る。）の職員となったもの　施行日

三　国営企業等のいずれかに係る適用日の前日及び適用日において当該国営企業等の職員として在職していた者（その者の基礎在職期間（国家公務員退職手当法第五条の二第二項に規定する基礎在職期間をいう。以下同じ。）のうち当該適用日前の期間に、新制度適用職員としての在職期間が含まれない者に限る。）　当該国営企業等に係る適用日

四　国営企業等の職員として在職した後、施行日以後に引き続いて一般職員となった者（その者の基礎在職期間のうち当該一般職員となった日前の期間に、新制度適用職員としての在職期間が含まれない者に限る。）　当該一般職員となった日

五　国営企業等の職員として在職した後、引き続いて他の国営企業等の職員となった者（その者の基礎在職期間のうち当該他の国営企業等の職員となった日前の期間に、新制度適用職員としての在職期間が含まれない者であって、当該他の国営企業等の職員となった日が当該他の国営企業等に係る適用日以後であるものに限る。）　当該他の国営企業等の職員となった日

六　職員として在職した後、施行日以後に引き続いて地方公務員又は国家公務員退職手当法第七条の二第一項に規定する公庫等職員（他の法律の規定により同条の規定の適用について同項に規定する公庫等職員とみなされる者を含む。以下この項において「公庫等職員」という。）若しくは国家公務員退職手当法第八条第一項に規定する独立行政法人等役員（以下この項において「独立行政法人等役員」という。）となった者で、地方公務員又は公庫等職員若しくは独立行政法人等役員として在職した後引き続いて一般職員となったもの（その者の基礎在職期間のうち当該地方公務員又は公庫等職員若しくは独立行政法人等役員となった日前の期間に、新制度適用職員としての在職期間が含まれない者に限る。）　当該地方公務員又は公庫等職員若しくは独立行政法人等役員となった日

七　職員として在職した後、施行日以後に引き続いて地方公務員又は公庫等職員若しくは独立行政法人等役員となった者で、地方公務員又は公庫等職員若しくは独立行政法人等役員として在職した後引き続いて国営企業等の職員となったもの（その者の基礎在職期間のうち当該地方公務員又は公庫等職員若しくは独立行政法人等役員となった日前の期間に、新制度適用職員としての在職期間が含まれない者であって、当該国営企業等の職員となった日が当該国営企業等に係る適用日以後であるものに限る。）　当該地方公務員又は公庫等職員若しくは独立行政法人等役員となった日

八　施行日の前日に地方公務員として在職していた者又は施行日の前日に公庫等職員として在職していた者のうち職員から引き続いて公庫等職員となった者若しくは施行日の前日に独立行政法人等役員として在職していた者のうち職員から引き続いて独立行政法人等役員となった者で、地方公務員又は公庫等職員若しくは独立行政法人等役員として在職した後引き続いて一般職員となったもの　施行日

九　施行日の前日に地方公務員として在職していた者又は施行日の前日に公庫等職員として在職していた者のうち職員から引き続いて公庫等職員となった者若しくは施行日の前日に独立行政法人等役員として在職していた者のうち職員から引き続いて独立行政法人等役員となった者で、地方公務員又は公庫等職員若しくは独立行政法人等役員として在職した後引き続いて国営企業等の職員となったもの（当該国営企業等の職員となった日が当該国営企業等に係る適用日以後である者に限る。）　施行日

十　前各号に掲げる者に準ずる者であって政令で定めるもの　施行日から起算して一年を超えない範囲内において政令で定める日

3　前項第八号及び第九号に掲げる者が新制度適用職員として退職した場合における当該退職による退職手当についての第一項の規定の適用については、同項中「退職したものとし」とあるのは「職員として退職したものとし」と、「勤続期間」とあるのは「勤続期間として取り扱われるべき期間」と、「俸給月額」とあるのは「俸給月額に相当する額として政令で定める額」とする。

第四条　削除

第五条　基礎在職期間の初日が新制度切替日（附則第三条第二項に規定する新制度切替日をいう。次項において同じ。）前である者に対する国家公務員退職手当法第五

条の二の規定の適用については、同条第一項中「基礎在職期間」とあるのは、「基礎在職期間（国家公務員退職手当法の一部を改正する法律（平成十七年法律第百十五号）附則第三条第二項に規定する新制度切替日以後の期間に限る。）」とする。

2　新制度適用職員として退職した者で、その者の基礎在職期間のうち新制度切替日以後の期間に、新制度適用職員以外の職員としての在職期間が含まれるものに対する国家公務員退職手当法第五条の二の規定の適用については、その者が当該新制度適用職員以外の職員として受けた俸給月額は、同条第一項に規定する俸給月額には該当しないものとみなす。

第六条　国家公務員退職手当法第六条の四及び附則第十一項の規定により退職手当の調整額を計算する場合において、基礎在職期間の初日が平成八年四月一日前である者に対する同条の規定の適用については、次の表の上欄に掲げる同条の規定中同表の中欄に掲げる字句は、それぞれ同表の下欄に掲げる字句に読み替えるものとする。

読み替える規定	読み替えられる字句	読み替える字句
第一項	その者の基礎在職期間（	平成八年四月一日以後のその者の基礎在職期間（
第二項	基礎在職期間	平成八年四月一日以後の基礎在職期間

2　次に掲げる職員であった者に対する国家公務員退職手当法第六条の四の規定の適用については、当該職員としての在職期間は、同条第四項第五号ロに規定する特別職の職員としての在職期間とみなす。

一　労働者災害補償保険法等の一部を改正する法律（平成八年法律第四十二号）による改正前の特別職の職員の給与に関する法律（昭和二十四年法律第二百五十二号。以下「特別職給与法」という。）第一条第十二号の二に掲げる労働保険審査会委員

二　行政機関の保有する情報の公開に関する法律の施行に伴う関係法律の整備等に関する法律（平成十一年法律第四十三号）による改正前の特別職給与法第一条第十三号の五の二に掲げる行政改革委員会の常勤の委員

三　中央省庁等改革のための国の行政組織関係法律の整備等に関する法律（平成十一年法律第百二号）による改正前の特別職給与法第一条第八号に掲げる政務次官

四　中央省庁等改革関係法施行法（平成十一年法律第百六十号）による改正前の特別職給与法第一条第十三号の二に掲げる原子力委員会の常勤の委員、同条第十三号の四に掲げる科学技術会議の常勤の議員及び同条第十三号の四の二に掲げる宇宙開発委員会の常勤の委員

五　航空事故調査委員会設置法等の一部を改正する法律（平成十三年法律第三十四号）による改正前の特別職給与法第一条第十三号の六に掲げる航空事故調査委員会の委員長及び常勤の委員並びに同条第十四号に掲げる運輸審議会委員

六　行政機関の保有する個人情報の保護に関する法律等の施行に伴う関係法律の整備等に関する法律（平成十五年法律第六十一号）による改正前の特別職給与法第一条第十三号の五の二に掲げる情報公開審査会の常勤の委員

七　特別職の職員の給与に関する法律等の一部を改正する法律（平成十六年法律第百四十六号）による改正前の特別職給与法第一条第十三号に掲げる地方財政審議会の会長

八　前各号に掲げる職員に類するものとして政令で定める職員

第七条　この附則に定めるもののほか、この法律の施行に関し必要な経過措置は、政令で定める。

附　則（平二四・一一・二六法九六）（抄）

（施行期日）

第一条　この法律は、平成二十五年一月一日から施行する。ただし、次の各号に掲げる規定は、当該各号に定める日から施行する。

一　〔前略〕附則〔中略〕第十一条の規定　公布の日

二〜四　〔略〕

五　第一条中国家公務員退職手当法目次、第三条、第四条、第五条（見出しを含む。）、第五条の三、第六条の三及び第六条の四第四項の改正規定、同法第二章中第八条の次に一条を加える改正規定並びに同法第十一条第二号及び第十四条第一項第二号の改正規定並びに附則第五条の規定　公布の日から起算して一年を超えない範囲内において政令で定める日〔平二五・一一・一。ただし、第一条中国家公務員退職手当法（昭和二十八年法律第百八十二号〔中略〕第二章中第八条の次に一条を加える改正は、平二五・六・一〕

六　〔略〕

（退職手当に関する経過措置）

第二条　第一条の規定による改正後の国家公務員退職手当法（以下この条及び附則第五条において「新退職手当法」という。）附則第二十一項（新退職手当法附則第二十三項及び第三条の規定による改正後の国家公務員退職手当法等の一部を改正する法律附則第四項においてその例による場合を含む。）及び第二十二項の規定の適用については、新退職手当法附則第二十一項中「百分の八十七」とあるのは、平成二十五年一月一日から同年九月三十日までの間においては「百分の九十八」と、同年十月一日から平成二十六年六月三十日までの間においては「百分の九十二」とする。

第三条　第二条の規定による改正後の国家公務員等退職手当法の一部を改正する法律附則第五項（同法附則第七項においてその例による場合を含む。）及び第六項の規定の適用については、同法附則第五項中「百分の八十七」とあるのは、平成二十五年一月一日から同年九月三十日までの間においては「百分の九十八」と、同年十月一日から平成二十六年六月三十日までの間においては「百分の九十二」とする。

第四条　第四条の規定による改正後の国家公務員退職手当法の一部を改正する法律附則第三条第一項の規定の適用については、同項中「百分の八十七」とあるのは、平成二十五年一月一日から同年九月三十日までの間においては「百分の九十八」と、同年十月一日から平成二十六年六月三十日までの間においては「百分の九十二」と、「百四分の八十七」とあるのは、平成二十五年一月一日から同年九月三十日までの間においては「百

四分の九十八」と、同年十月一日から平成二十六年六月三十日までの間においては「百四分の九十二」とする。

第五条　この法律の施行の際現に職員として在職していた者が第一条の規定による改正前の国家公務員退職手当法第四条第一項に規定する二十五年未満の期間勤続し、その者の事情によらないで引き続いて勤続することを困難とする理由により退職した者で政令で定めるものに該当する場合（その者が新退職手当法第五条第一項第三号に掲げる者に該当する場合を除き、その者の勤続期間が十一年未満である場合に限る。）には、新退職手当法第四条第一項に規定する十一年以上二十五年未満の期間勤続した者であって、同項第二号に掲げるものとみなして、同項の規定を適用する。

（政令への委任）

第十一条　附則第二条から前条までに定めるもののほか、この法律の施行に関し必要な経過措置は、政令で定める。

附　則（平二六・四・一八法二二）（抄）

（施行期日）

第一条　この法律は、公布の日から起算して六月を超えない範囲内において、政令で定める日〔平二六・五・三〇〕から施行する。〔ただし書略〕

附　則（平二六・六・一三法六七）（抄）

（施行期日）

第一条　この法律は、独立行政法人通則法の一部を改正する法律（平成二十六年法律第六十六号。以下「通則法改正法」という。）の施行の日〔平二七・四・一〕から施行する。〔ただし書略〕

（国家公務員退職手当法の一部改正に伴う経過措置）

第六条　旧特労法第七条第一項ただし書に規定する事由により現実に職務をとることを要しなかった期間は、第五条の規定による改正後の国家公務員退職手当法（次項において「新退手法」という。）第七条第四項の規定の適用については、新行労法第七条第一項ただし書に規定する事由により現実に職務をとることを要しなかった期間とみなす。

2　この法律の施行前に特定独立行政法人を退職した職員に対する新退手法第十条第四項及び第五項の規定の適用については、同条第四項及び第五項中「行政執行法人の事務又は事業」とあるのは、「独立行政法人通則法の一部を改正する法律（平成二十六年法律第六十六号）による改正前の独立行政法人通則法（平成十一年法律第百三号）第二条第二項に規定する特定独立行政法人の事務又は事業」とする。

附　則（平二六・六・一三法六九）（抄）

（施行期日）

第一条　この法律は、行政不服審査法（平成二十六年法律第六十八号）の施行の日〔平二八・四・一〕から施行する。

附　則（平二六・一一・一九法一〇七）（抄）

（施行期日）

第一条　この法律は、平成二十七年四月一日から施行する。ただし、附則第三条の規定は、公布の日から施行する。

（経過措置）

第二条　行政執行法人（独立行政法人通則法（平成十一年法律第百三号）第二条第四項に規定する行政執行法人をいう。以下この条において同じ。）の職員の退職による退職手当については、この法律による改正後の国家公務員退職手当法の規定は、行政執行法人ごとに、この法律の施行の日から起算して一年を超えない範囲内において政令で定める日から適用し、同日前の当該退職による退職手当については、なお従前の例による。

（政令への委任）

第三条　前条に定めるもののほか、この法律の施行に関し必要な経過措置は、政令で定める。

附　則（平二八・三・三一法一七）（抄）

改正　平二八・一一・二四法八〇

（施行期日）

第一条　この法律は、平成二十九年一月一日から施行する。〔ただし書略〕

（国家公務員退職手当法の一部改正に伴う経過措置）

第十七条　退職職員（退職した国家公務員退職手当法第二条第一項に規定する職員（同条第二項の規定により職員とみなされる者を含む。）をいう。以下この条において同じ。）であって、退職職員が退職の際勤務していた国又は独立行政法人通則法（平成十一年法律第百三号）第二条第四項に規定する行政執行法人の事務又は事業を雇用保険法第五条第一項に規定する適用事業とみなしたならば第二条改正前雇用保険法第六条第一号に掲げる者に該当するものにつき、前条の規定による改正後の国家公務員退職手当法（以下この条において「新退職手当法」という。）第十条第四項又は第五項の勤続期間を計算する場合における国家公務員退職手当法第七条の規定の適用については、同条第一項中「在職期間」とあるのは「在職期間（雇用保険法等の一部を改正する法律（平成二十八年法律第十七号）の施行の日（以下この項及び次項において「雇用保険法改正法施行日」という。）前の在職期間を有する者にあつては、雇用保険法改正法施行日以後の職員としての引き続いた在職期間）」と、同条第二項中「月数」とあるのは「月数（雇用保険法改正法施行日前の在職期間を有する者にあつては、雇用保険法改正法施行日の属する月から退職した日の属する月までの月数（退職した日が雇用保険法改正法施行日前である場合にあつては、零））」とする。

2　新退職手当法第十条第十項（第六号に係る部分に限り、同条第十一項において準用する場合を含む。）の規定は、退職職員であって求職活動に伴い施行日以後に同号に規定する行為（当該行為に関し、前条の規定による改正前の国家公務員退職手当法（以下この条において「旧退職手当法」という。）第十条第十項第六号に掲げる広域求職活動費に相当する退職手当が支給されている場合における当該行為を除く。）をしたもの（施行日前一年以内に旧退職手当法第十条第四項又は第五項の規定による退職手当の支給を受けることができる者となった者であって施行日以後に新退職手当法第十条第四項から第七項までの規定による退職手当の支給を受けることができる者となっていないものを除く。）について適用し、退職職員であって施行日前に公共職業安定所の紹介により広範囲の地域にわたる求職活動をしたものに対する広域求職活動費に相当する退職手当の支給については、なお従前の例による。

3　新退職手当法第十条第十一項において準用する同条第十項（第四号に係る部分に限る。）の規定は、退職職員であって施行日以後に職業に就いたものについて適用し、退職職員であって施行日前に職業に就いたものに対する国家公務員退職手当法第十条第十項第四号に掲げる就業促進手当に相当する退職手当の支給については、なお従前の例による。

4　施行日前に旧退職手当法第十条第四項又は第五項の規定による退職手当の支給を受けることができる者となった者（施行日以後に新退職手当法第十条第四項から第七項までの規定による退職手当の支給を受けることができる者となった者を除く。）に対する国家公務員退職手当法第十条第十項第五号に掲げる移転費に相当する退職手当の支給については、なお従前の例による。

附　則（平二九・三・三一法一四）（抄）

（施行期日）

第一条　この法律は、平成二十九年四月一日から施行する。ただし、次の各号に掲げる規定は、当該各号に定める日から施行する。

一〜三　〔略〕

四　〔前略〕附則第十三条中国家公務員退職手当法（昭和二十八年法律第百八十二号）第十条第十項第五号の改正規定〔中略〕　平成三十年一月一日

五　〔略〕

（国家公務員退職手当法の一部改正に伴う経過措置）

第十四条　前条の規定による改正後の国家公務員退職手当法（以下この条において「新退職手当法」という。）第十条第九項（第二号に係る部分に限り、新退職手当法附則第二十五項の規定により読み替えて適用する場合を含む。）の規定は、退職職員（退職した国家公務員退職手当法第二条第一項に規定する職員（同条第二項の規定により職員とみなされる者を含む。）をいう。次項において同じ。）であって国家公務員退職手当法第十条第一項第二号に規定する所定給付日数から同項に規定する待期日数を減じた日数分の同項の退職手当又は同号の規定の例により雇用保険法の規定を適用した場合におけるその者に係る同号に規定する所定給付日数に相当する日数分の同条第二項の退職手当の支給を受け終わった日が施行日以後であるものについて適用する。

附　則（平二九・一二・一五法七九）（抄）

（施行期日）

1　この法律は、平成三十年一月一日から施行する。

附　則（令元・六・一四法三七）（抄）

（施行期日）

第一条　この法律は、公布の日から起算して三月を経過した日から施行する。〔ただし書略〕

附　則（令三・六・一一法六一）（抄）

（施行期日）

第一条　この法律は、令和五年四月一日から施行する。ただし、第三条中国家公務員退職手当法附則第二十五項の改正規定〔中略〕は、公布の日から施行する。

〔注：国家公務員法の令三法六一の附則参照〕

附　則（令三・六・一一法六二）（抄）

（施行期日）

第一条　この法律は、令和五年四月一日から施行する。ただし、〔中略〕附則第八条の規定は、公布の日から施行する。

（経過措置）

第七条　暫定再任用職員に対する第二条の規定による改正後の国家公務員退職手当法第二条第一項の規定の適用については、同項中「第四十五条の二第一項」とあるのは、「第四十五条の二第一項又は国会職員法及び国家公務員退職手当法の一部を改正する法律（令和三年法律第六十二号）附則第四条第一項若しくは第二項若しくは第五条第一項若しくは第二項」とする。

2　短時間勤務の職を占める暫定再任用職員は、定年前再任用短時間勤務職員とみなして、附則第九条の規定による改正後の国会職員の育児休業等に関する法律（平成三年法律第百八号）第二十条第一項の規定を適用する。

3　前三条及び前二項に定めるもののほか、暫定再任用職員の任用その他暫定再任用職員に関し必要な事項は、両議院の議長が協議して定める。

（その他の経過措置の両院議長協議決定への委任）

第八条　附則第三条から前条までに定めるもののほか、この法律の施行に関し必要な経過措置は、両議院の議長が協議して定める。

附　則（令四・三・三一法一二）（抄）

（施行期日）

第一条　この法律は、令和四年四月一日から施行する。ただし、次の各号に掲げる規定は、当該各号に定める日から施行する。

一　〔略〕

二　〔前略〕附則第十一条中国家公務員退職手当法（昭和二十八年法律第百八十二号）第十条第三項の改正規定並びに附則第十二条〔中略〕の規定　令和四年七月一日

三　〔前略〕附則第十一条中国家公務員退職手当法第十条第十項の改正規定〔中略〕　令和四年十月一日

（国家公務員退職手当法の一部改正に伴う経過措置）

第十二条　前条の規定（附則第一条第二号に掲げる改正規定に限る。）による改正後の国家公務員退職手当法第十条第三項の規定は、第二号施行日以後に同項の事業を開始した職員その他これに準ずるものとして同項の内閣官房令で定める職員に該当するに至った者について適用する。

○刑法等の一部を改正する法律の施行に伴う関係法律の整理等に関する法律（抄）

令四・六・一七
法　六　八

（国家公務員退職手当法の一部改正に伴う経過措置）

第四百九十八条　刑法等一部改正法等の施行前に犯した禁錮以上の刑（死刑を除く。）が定められている罪につき起訴をされた者は、第七十二条の規定による改正後の国家公務員退職手当法第十三条第一項及び第五項、第十四条第一項（第一号に係る部分に限る。）並びに第十七条第四項並びに国家公務員退職手当法第十七条第三項の規定の適用については、拘禁刑が定められている罪につき起訴をされた者とみなす。

附　則（抄）

（施行期日）

1　この法律は、刑法等一部改正法施行日〔令七・六・一〕から施行する。〔ただし書略〕

附　則（令六・五・一七法二六）（抄）

（施行期日）

第一条　この法律は、令七年四月一日から施行する。〔ただし書略〕

【参考】

○日本国有鉄道改革法（抄）

昭六一・一二・四法八七

最終改正　平一〇・一〇・一九法一三六

（承継法人の職員）

第二十三条

3　前項の名簿に記載された日本国有鉄道の職員のうち、設立委員等から採用する旨の通知を受けた者であつて附則第二項の規定の施行の際現に日本国有鉄道の職員であるものは、承継法人の成立の時において、当該承継法人の職員として採用される。

6　第三項の規定により日本国有鉄道の職員が承継法人の職員となる場合には、その者に対しては、国家公務員等退職手当法（昭和二十八年法律第百八十二号）に基づく退職手当は、支給しない。

7　承継法人は、前項の規定の適用を受けた承継法人の職員の退職に際し、退職手当を支給しようとするときは、その者の日本国有鉄道の職員としての引き続いた在職期間を当該承継法人の職員としての在職期間とみなして取り扱うべきものとする。

附　則（抄）

（施行期日）

1　この法律は、公布の日から施行する。〔ただし書略〕

【参考】

○日本国有鉄道改革法等施行法（抄）

昭六一・一二・四法九三

最終改正　平二〇・一二・二六法九五

（清算事業団の職員の退職手当に関する経過措置）

第三十六条　清算事業団法附則第二条の規定により日本国有鉄道の職員が清算事業団の職員になる場合には、その者に対しては、第五十一条の規定による改正前の国家公務員等退職手当法（昭和二十八年法律第百八十二号。以下「旧退職手当法」という。）に基づく退職手当は、支給しない。

2　清算事業団は、前項の規定の適用を受けた清算事業団の職員の退職に際し、退職手当を支給しようとするときは、その者の日本国有鉄道の職員としての引き続いた在職期間を清算事業団の職員としての在職期間とみなして取り扱うべきものとする。

3　清算事業団は、前項に定めるもののほか、第一項の規定の適用を受けた清算事業団の職員が日本国有鉄道退職希望職員及び日本国有鉄道清算事業団職員の再就職の促進に関する特別措置法がその効力を有する間に退職する場合において、その退職に関し、退職手当を支給しようとするときは、附則第五条第三項に規定する場合を除き、旧退職手当法の規定の例によりその額を計算するものとする。

○国家公務員退職手当法施行令

昭二八・八・二五
政令二一五

注 第五条の二、第六条、第九条の二及び第九条の四の各号における旧機関名にあっては、利便性を鑑み、改正根拠法令を省略して記載し、それぞれ※を付した。

最終改正 令七・一・二九政令一九

目次〔略〕

第一章 総則

（非常勤職員に対する退職手当）

第一条 常時勤務に服することを要する国家公務員（以下「職員」という。）以外の者で、国家公務員退職手当法（以下「法」という。）第二条第二項の規定により職員とみなされるものは、次に掲げる者とする。

一 国の一般会計又は特別会計の歳出予算の常勤職員給与の目から俸給が支給される者

二 前号に掲げる者以外の常時勤務に服することを要しない者のうち、内閣総理大臣の定めるところにより、職員について定められている勤務時間以上勤務した日（法令の規定により、勤務を要しないこととされ、又は休暇を与えられた日を含む。）が引き続いて十二月を超えるに至つたもので、その超えるに至つた日以後引き続き当該勤務時間により勤務することとされているもの

2 前項第二号に掲げる者については、法第四条中十一年以上二十五年未満の期間勤続した者の通勤による傷病による退職及び死亡による退職に係る部分以外の部分の規定並びに法第五条中公務上の傷病又は死亡による退職に係る部分並びに二十五年以上勤続した者の通勤による傷病による退職及び死亡による退職に係る部分以外の部分の規定は、適用しないものとする。

（退職手当の支払方法の特例）

第一条の二 法第二条の三第一項ただし書に規定する政令で定める確実な方法は、日本銀行を支払人とする小切手の振出しとする。

第二章 一般の退職手当

（俸給月額）

第一条の三 法の規定による退職手当の計算の基礎となる俸給月額は、職員が休職、停職、減給その他の理由によりその俸給（これに相当する給与を含む。以下同じ。）の一部又は全部を支給されない場合においては、これらの理由がないと仮定した場合においてその者が受けるべき俸給月額とする。

（傷病の程度）

第二条 法第三条第二項、第四条第二項又は第五条第一項第四号若しくは第二項に規定する傷病は、厚生年金保険法（昭和二十九年法律第百十五号）第四十七条第二項に規定する障害等級に該当する程度の障害の状態にある傷病とする。

（法第四条第一項第二号に掲げるその者の事情によらないで引き続いて勤続することを困難とする理由により退職した者）

第三条 法第四条第一項第二号に掲げるその者の事情によらないで引き続いて勤続することを困難とする理由により退職した者で政令で定めるものは、次に掲げる者とする。

一 裁判官で日本国憲法第八十条に定める任期を終えて退職し、又は任期の終了に伴う裁判官の配置等の事務の都合により任期の終了前一年内に退職したもの

二 法律の規定に基づく任期を終えて退職した者

三 定年の定めのない職を職員の配置等の事務の都合により退職した者

四 次に掲げる職を職員の配置等の事務の都合により定年に達する日前に退職した者

イ 各議院事務局の事務総長又は各議院法制局の法制局長がその任命を行うに際し各議院の議長の同意（国会法（昭和二十二年法律第七十九号）第二十七条第二項及び第百三十一条第五項の規定によるものを除く。）を得た職

ロ 国立国会図書館の館長がその任命を行うに際し両議院の議長の承認を得た職

ハ 裁判官訴追委員会の委員長又は裁判官弾劾裁判所の裁判長がその任命を行うに際し両議院の議長の同意及び両議院の議院運営委員会の承認を得た職（裁判官訴追委員会事務局にあつては事務局長及び事務局次長の職に限り、裁判官弾劾裁判所事務局にあつては事務局長の職に限る。）

ニ 参議院事務局の事務総長がその任命を行うに際し参議院の調査会長の同意を得た職

ホ　参議院事務局の事務総長がその任命を行うに際し参議院の憲法審査会の会長の同意を得た職

ヘ　任命権者又はその委任を受けた者がその任命を行うに際し内閣の承認を得た職

ト　内閣がその任免を行う検察庁法（昭和二十二年法律第六十一号）第十五条第一項に規定する職

チ　会計検査院長が会計検査院法（昭和二十二年法律第七十三号）第十四条第一項の規定により検査官の合議で決するところによりその任免及び進退を行う職（事務総局に置かれる事務総長、事務総局次長及び局長並びに事務総局に置かれる官房に置かれる総括審議官の職に限る。）

五　競争の導入による公共サービスの改革に関する法律（平成十八年法律第五十一号）第三十一条第一項に規定する実施期間の初日以後一年を経過する日までの期間内に、任命権者又はその委任を受けた者の要請に応じ、引き続いて同項に規定する対象公共サービス従事者となるために退職した者

（法第五条第一項第五号に掲げる二十五年以上勤続し、その者の事情によらないで引き続いて勤続することを困難とする理由により退職した者）

第四条　法第五条第一項第五号に掲げる二十五年以上勤続し、その者の事情によらないで引き続いて勤続することを困難とする理由により退職した者で政令で定めるものは、二十五年以上勤続した者であつて、前条各号に掲げるものとする。

（退職の理由の記録）

第四条の二　法第八条の二第一項に規定する各省各庁の長等（以下「各省各庁の長等」という。）は、第三条各号（第一号中任期を終えて退職した者に係る部分及び第二号を除く。）に掲げる者の退職の理由について、内閣官房令で定めるところにより、記録を作成しなければならない。

（公務又は通勤によることの認定の基準）

第五条　各省各庁の長等は、退職の理由となつた傷病又は死亡が公務上のもの又は通勤によるものであるかどうかを認定するに当たつては、国家公務員災害補償法（昭和二十六年法律第百九十一号）その他の法律の規定により職員の公務上の災害又は通勤による災害に対する補償を実施する場合における認定の基準に準拠しなければならない。

（基礎在職期間）

第五条の二　法第五条の二第二項第七号に規定する政令で定める在職期間は、次に掲げる在職期間とする。

一　第七条第三項（同条第四項の規定により任命権者の要請に応じ退職したこととみなされる場合を含む。）の規定を適用して職員としての在職期間を計算する場合における先の地方公務員としての引き続いた在職期間及び同条第三項に規定する通算制度を有する一般地方独立行政法人等に使用される者としての引き続いた在職期間

二　第七条第五項又は第六項の規定を適用して職員としての在職期間を計算する場合における同条第五項に規定する特定公庫等職員としての引き続いた在職期間

三　第九条の三第一項又は第二項の規定を適用して職員としての在職期間を計算する場合における先の第七条第五項に規定する特定公庫等職員としての引き続いた在職期間及び同条第三項に規定する特定地方公務員又は第九条の三第一項に規定する特定地方公社職員としての引き続いた在職期間

四　※日本たばこ産業株式会社の職員としての在職期間

五　※日本電信電話株式会社の職員としての在職期間

六　※日本国有鉄道清算事業団となつた旧日本国有鉄道及び承継法人等の職員としての在職期間

七　※旧日本国有鉄道、旧日本国有鉄道清算事業団及び旧日本鉄道建設公団の職員としての在職期間

八　※旧独立行政法人国立青年の家の職員としての在職期間

九　※旧独立行政法人国立少年自然の家の職員としての在職期間

十　※独立行政法人経済産業研究所の職員としての在職期間

十一　※旧独立行政法人日本貿易保険の職員としての在職期間

十二　削除

十三　※独立行政法人宇宙航空研究開発機構

（国立研究開発法人宇宙航空研究開発機構を

含む。）の職員としての在職期間
十四　※独立行政法人労働政策研究・研修機構の職員としての在職期間
十五　※旧独立行政法人原子力安全基盤機構の職員としての在職期間
十六　※独立行政法人医薬品医療機器総合機構の職員としての在職期間
十七　※独立行政法人日本学生支援機構の職員としての在職期間
十八　※独立行政法人海洋研究開発機構（国立研究開発法人海洋研究開発機構を含む。）の職員としての在職期間
十九　※国立大学法人等の職員としての在職期間
二十　※独立行政法人国立高等専門学校機構の職員としての在職期間
二十一　※独立行政法人大学評価・学位授与機構（独立行政法人大学改革支援・学位授与機構を含む。）の職員としての在職期間
二十二　※旧独立行政法人国立大学財務・経営センターの職員としての在職期間
二十三　※旧独立行政法人メディア教育開発センターの職員としての在職期間
二十四　※独立行政法人産業技術総合研究所（国立研究開発法人産業技術総合研究所を含む。）の職員としての在職期間
二十五　※独立行政法人医薬基盤研究所（国立研究開発法人医薬基盤・健康・栄養研究所を含む。）の職員としての在職期間
二十六　※独立行政法人情報通信研究機構（国立研究開発法人情報通信研究機構を含む。）の職員としての在職期間
二十七　※独立行政法人酒類総合研究所の職員としての在職期間
二十八　※旧青年の家又は旧少年自然の家の職員としての在職期間及び独立行政法人国立特別支援教育総合研究所、国立研究開発法人物質・材料研究機構、国立研究開発法人防災科学技術研究所、国立研究開発法人放射線医学総合研究所及び国立研究開発法人量子科学技術研究開発機構並びに独立行政法人国立文化財機構の職員としての在職期間
二十九　※労働安全衛生総合研究所等の職員としての在職期間
三十　※国立研究開発法人農業・食品産業技術総合研究機構、国立研究開発法人水産総合研究センター及び国立研究開発法人水産研究・教育機構、旧国立研究開発法人農業生物資源研究所、旧国立研究開発法人農業環境技術研究所、国立研究開発法人国際農林水産業研究センター並びに国立研究開発法人森林総合研究所及び国立研究開発法人森林研究・整備機構の職員としての在職期間
三十一　※独立行政法人工業所有権情報・研修館の職員としての在職期間
三十二　※国立研究開発法人土木研究所、国立研究開発法人建築研究所、国立研究開発法人海上技術安全研究所及び国立研究開発法人海上・港湾・航空技術研究所、旧国立研究開発法人港湾空港技術研究所並びに旧国立研究開発法人電子航法研究所の職員としての在職期間
三十三　※独立行政法人国立環境研究所（国立研究開発法人国立環境研究所を含む。）の職員としての在職期間
三十四　※旧独立行政法人文化財研究所及び独立行政法人国立文化財機構の職員としての在職期間
三十五　※旧独立行政法人林木育種センター及び独立行政法人森林総合研究所（国立研究開発法人森林総合研究所及び国立研究開発法人森林研究・整備機構を含む。）の職員としての在職期間
三十六　※自動車検査独立行政法人（独立行政法人自動車技術総合機構を含む。）の職員としての在職期間
三十七　※日本郵政株式会社、郵便事業株式会社又は郵便局株式会社の職員としての在職期間
三十八　※旧メディア教育開発センター及び放送大学学園の職員としての在職期間
三十九　※旧独立行政法人国立国語研究所及び大学共同利用機関法人人間文化研究機構の職員としての在職期間
四十　※国立高度専門医療研究センターの職員としての在職期間及び国立健康危機管理研究機構法（令和五年法律第四十六号）附則第十八条第二項の規定により退職手当の算定の基礎となる勤続期間の計算について職員としての引き続いた在職期間とみなされる国立健康危機管理研究機構の職員としての在職期間
四十一　※旧郵便事業株式会社又は旧郵便局株式会社及び日本郵便株式会社の職員としての

在職期間

四十二　※旧独立行政法人原子力安全基盤機構の職員としての在職期間

四十三　※旧独立行政法人国立健康・栄養研究所及び国立研究開発法人医薬基盤・健康・栄養研究所の職員としての在職期間

四十四　※独立行政法人森林総合研究所（国立研究開発法人森林総合研究所及び国立研究開発法人森林研究・整備機構を含む。）の職員としての在職期間

四十五　※独立行政法人国立病院機構の職員としての在職期間

四十六　※独立行政法人自動車技術総合機構及び旧独立行政法人交通安全環境研究所の職員としての在職期間

四十七　※独立行政法人港湾空港技術研究所（旧国立研究開発法人港湾空港技術研究所を含む。）若しくは独立行政法人電子航法研究所（旧国立研究開発法人電子航法研究所を含む。）及び国立研究開発法人海上・港湾・航空技術研究所又は旧独立行政法人航海訓練所及び独立行政法人海技教育機構の職員としての在職期間

四十八　※旧独立行政法人労働安全衛生総合研究所及び独立行政法人労働者健康安全機構の職員としての在職期間

四十九　※旧種苗管理センター等及び国立研究開発法人農業・食品産業技術総合研究機構又は旧独立行政法人水産大学校及び国立研究開発法人水産研究・教育機構の職員としての在職期間

五十　※独立行政法人教職員支援機構の職員としての在職期間

五十一　国立健康危機管理研究機構法附則第八条第三項の規定により退職手当の算定の基礎となる勤続期間の計算について職員としての引き続いた在職期間とみなされる国立健康危機管理研究機構の職員としての在職期間

（定年前早期退職者の範囲等）

第五条の三　法第五条の三に規定する政令で定める者は、次に掲げる者とする。

一　第三条第一号及び第二号に掲げる者

二　特定減額前俸給月額が一般職の職員の給与に関する法律（昭和二十五年法律第九十五号。以下「一般職給与法」という。）の指定職俸給表六号俸の額に相当する額以上である者

2　法第五条の三に規定する政令で定める一定の期間は、六月とする。

3　法第五条の三に規定する政令で定める年齢は、退職の日において定められているその者に係る定年から二十年を減じた年齢とする。

4　法第五条の三の規定により読み替えて適用する法第四条第一項及び第五条第一項に規定する政令で定める割合は、次の各号に掲げる職員の区分に応じて当該各号に定める割合とする。

一　退職日俸給月額が一般職給与法の指定職俸給表四号俸の額に相当する額以上である職員　百分の一

二　退職日俸給月額が一般職給与法の指定職俸給表一号俸の額に相当する額以上同表四号俸の額に相当する額未満である職員　百分の二

三　前二号に掲げる職員以外の職員　百分の三（退職の日において定められているその者に係る定年と退職の日におけるその者の年齢との差に相当する年数が一年である職員にあっては、百分の二）

5　法第五条の三の規定により読み替えて適用する法第五条の二第一項各号に規定する政令で定める割合は、次の各号に掲げる職員の区分に応じて当該各号に定める割合とする。

一　特定減額前俸給月額が一般職給与法の指定職俸給表四号俸の額に相当する額以上である職員　百分の一

二　特定減額前俸給月額が一般職給与法の指定職俸給表一号俸の額に相当する額以上同表四号俸の額に相当する額未満である職員　百分の二

三　前二号に掲げる職員以外の職員　百分の三（退職の日において定められているその者に係る定年と退職の日におけるその者の年齢との差に相当する年数が一年である職員にあっては、百分の二）

（定年前早期退職者に対する退職手当の基本額の最高限度額を計算する場合に退職日俸給月額に乗じる割合等）

第五条の四　法第六条の三の規定により読み替えて適用する法第六条に規定する政令で定める割合は、前条第四項各号に掲げる職員の区分に応じて当該各号に定める割合とする。

2　法第六条の三の規定により読み替えて適用する法第六条の二各号に規定する政令で定める割合は、前条第五項各号に掲げる職員の区分に応じて当該各号に定める割合とする。

（職員を休職させてその業務に従事させる法人その他の団体等）

第六条　法第六条の四第一項に規定する政令で定める法人その他の団体は、次に掲げる法人で、退職手当（これに相当する給付を含む。）に関する規程において、職員が国家公務員法（昭和二十二年法律第百二十号）第七十九条の規定により休職され、引き続いてその法人に使用される者となつた場合におけるその者の在職期間の計算については、その法人に使用される者としての在職期間はなかつたものとすることと定めているもの及びこれらに準ずる法人その他の団体で内閣総理大臣の指定するものとする。

一　※旧日本原子力研究所
二　※旧アジア経済研究所
三　地方職員共済組合
四　公立学校共済組合
五　警察共済組合
六　都市職員共済組合連合会
七　地方公務員災害補償基金
八　※旧国民生活センター
九　※旧心身障害者福祉協会
十　沖縄振興開発金融公庫
十一　軽自動車検査協会
十二　※日本下水道事業団（旧下水道事業センターを含む。）
十三　※総合研究開発機構
十四　自動車安全運転センター
十五　危険物保安技術協会
十六　※国立研究開発法人科学技術振興機構（旧新技術開発事業団、旧新技術事業団及び旧科学技術振興事業団並びに独立行政法人科学技術振興機構を含む。）

2　法第六条の四第一項に規定する政令で定める要件は、次の各号のいずれにも該当することとする。

一　退職した者が、その休職の期間中、次に掲げる法人に使用される者（常時勤務に服することを要しない者を除く。）として学術の調査、研究又は指導に従事していたこと。

イ　国立大学法人（国立大学法人法第二条第一項に規定する国立大学法人をいう。以下同じ。）、大学共同利用機関法人（同条第三項に規定する大学共同利用機関法人をいう。以下同じ。）、公立大学法人（地方独立行政法人法（平成十五年法律第百十八号）第六十八条第一項に規定する公立大学法人をいう。）及び放送大学学園、沖縄科学技術大学院大学学園（沖縄科学技術大学院大学学園法（平成二十一年法律第七十六号）第二条に規定する沖縄科学技術大学院大学学園をいう。以下同じ。）その他の学校教育法（昭和二十二年法律第二十六号）第一条に規定する大学を設置する学校法人（私立学校法（昭和二十四年法律第二百七十号）第三条に規定する学校法人をいう。）

ロ　行政執行法人以外の独立行政法人及び特殊法人（法律により直接に設立された法人又は特別の法律により特別の設立行為をもつて設立された法人で総務省設置法（平成十一年法律第九十一号）第四条第一項第八号の規定の適用を受けるものをいい、放送大学学園及び沖縄科学技術大学院大学学園を除く。ハにおいて同じ。）

ハ　退職した者の休職の期間中、イに該当していたもの、行政執行法人若しくは旧特定独立行政法人（独立行政法人通則法の一部を改正する法律（平成二十六年法律第六十六号）による改正前の独立行政法人通則法（平成十一年法律第百三号）第二条第二項に規定する特定独立行政法人をいう。）以外の独立行政法人に該当していたもの又は特殊法人に該当していたもの（イ及びロに掲げるものを除く。）

二　前号に掲げるもののほか、同号の学術の調査、研究又は指導への従事が公務の能率的な運営に特に資するものとして内閣総理大臣の定める要件に該当すること。

3　法第六条の四第一項に規定する政令で定める休職月等は、次の各号に掲げる休職月等の区分に応じ、当該各号に定める休職月等とする。

一　国家公務員法第百八条の六第一項ただし書若しくは行政執行法人の労働関係に関する法律（昭和二十三年法律第二百五十七号）第七条第一項ただし書に規定する事由若しくはこれらに準ずる事由により現実に職務をとることを要しない期間又は国家公務員の自己啓発等休業に関する法律（平成十九年法律第四十五号）第二条第五項（同法第十条及び裁判所職員臨時措置法（昭和二十六年法律第二百九十九号）において準用する場合を含む。）に規定する自己啓発等休業（国家公務員の自己啓発等休業に関する法律第八条第二項（同法

第十条及び裁判所職員臨時措置法において準用する場合を含む。）の規定により読み替えて適用する法第七条第四項に規定する場合に該当するものを除く。）若しくは国家公務員の配偶者同行休業に関する法律（平成二十五年法律第七十八号）第二条第四項（同法第十一条及び裁判所職員臨時措置法において準用する場合を含む。）に規定する配偶者同行休業、国会職員の配偶者同行休業に関する法律（平成二十五年法律第八十号）第二条第三項に規定する配偶者同行休業若しくは裁判官の配偶者同行休業に関する法律（平成二十五年法律第九十一号）第二条第二項に規定する配偶者同行休業により現実に職務をとることを要しない期間のあつた休職月等（次号及び第三号に規定する現実に職務をとることを要しない期間のあつた休職月等を除く。）　当該休職月等

二　育児休業（国会職員の育児休業等に関する法律（平成三年法律第百八号）第三条第一項の規定による育児休業、国家公務員の育児休業等に関する法律（平成三年法律第百九号）第三条第一項（同法第二十七条第一項及び裁判所職員臨時措置法において準用する場合を含む。）の規定による育児休業及び裁判官の育児休業に関する法律（平成三年法律第百十一号）第二条第一項の規定による育児休業をいう。以下同じ。）により現実に職務をとることを要しない期間（当該育児休業に係る子が一歳に達した日の属する月までの期間に限る。）又は育児短時間勤務（国会職員の育児休業等に関する法律第十二条第一項に規定する育児短時間勤務（同法第十八条の規定による勤務を含む。）及び国家公務員の育児休業等に関する法律第十二条第一項（同法第二十七条第一項及び裁判所職員臨時措置法において準用する場合を含む。）に規定する育児短時間勤務（国家公務員の育児休業等に関する法律第二十二条（同法第二十七条第一項及び裁判所職員臨時措置法において準用する場合を含む。）の規定による勤務を含む。）をいう。）により現実に職務をとることを要しない期間のあつた休職月等　退職した者が属していた法第六条の四第一項各号に掲げる職員の区分（以下「職員の区分」という。）が同一の休職月等がある休職月等にあつては職員の区分が同一の休職月等ごとにそれぞれその最初の休職月等から順次に数えてその月数の三分の一に相当する数（当該相当する数に一未満の端数があるときは、これを切り上げた数）になるまでにある休職月等、退職した者が属していた職員の区分が同一の休職月等がない休職月等にあつては当該休職月等

三　第一号に規定する事由以外の事由により現実に職務をとることを要しない期間のあつた休職月等（前号に規定する現実に職務をとることを要しない期間のあつた休職月等を除く。）　退職した者が属していた職員の区分が同一の休職月等がある休職月等にあつては職員の区分が同一の休職月等ごとにそれぞれその最初の休職月等から順次に数えてその月数の二分の一に相当する数（当該相当する数に一未満の端数があるときは、これを切り上げた数）になるまでにある休職月等、退職した者が属していた職員の区分が同一の休職月等がない休職月等にあつては当該休職月等

（基礎在職期間に特定基礎在職期間が含まれる者の取扱い）

第六条の二　退職した者の基礎在職期間に法第五条の二第二項第二号から第七号までに掲げる期間（以下「特定基礎在職期間」という。）が含まれる場合における法第六条の四第一項並びに前条及び次条の規定の適用については、その者は、内閣総理大臣の定めるところにより、次の各号に掲げる特定基礎在職期間において当該各号に定める職員として在職していたものとみなす。

一　職員としての引き続いた在職期間（その者の基礎在職期間に含まれる期間に限る。）に連続する特定基礎在職期間　当該職員としての引き続いた在職期間の末日にその者が従事していた職務と同種の職務に従事する職員又は当該特定基礎在職期間に連続する職員としての引き続いた在職期間の初日にその者が従事していた職務と同種の職務に従事する職員

二　前号に掲げる特定基礎在職期間以外の特定基礎在職期間　当該特定基礎在職期間に連続する職員としての引き続いた在職期間の初日にその者が従事していた職務と同種の職務に従事する職員（当該従事していた職務が内閣総理大臣の定めるものであつたときは、内閣総理大臣の定める職務に従事する職員）

（職員の区分）

第六条の三　退職した者は、その者の基礎在職期

間の初日の属する月からその者の基礎在職期間の末日の属する月までの各月ごとにその者の基礎在職期間に含まれる時期の別により定める別表第一イ又はロの表の下欄に掲げるその者の当該各月における区分に対応するこれらの表の上欄に掲げる職員の区分に属していたものとする。この場合において、その者が同一の月において これらの表の下欄に掲げる二以上の区分に該当していたときは、その者は、当該月において、これらの区分のそれぞれに対応するこれらの表の上欄に掲げる職員の区分に属していたものとする。

（退職日俸給月額が一般職給与法の指定職俸給表八号俸の額に相当する額を超える者に類する者）

第六条の四　法第六条の四第四項第五号イに規定する政令で定める者は、別表第二の上欄に掲げるいずれかの期間（その者の基礎在職期間に含まれる期間に限る。）において同表の下欄に掲げる額を超える俸給月額を受けていた者とする。

（調整月額に順位を付す方法等）

第六条の五　第六条の三（第六条の二の規定により同条各号に定める職員として在職していたものとみなされる場合を含む。）後段の規定により退職した者が同一の月において二以上の職員の区分に属していたこととなる場合には、その者は、当該月において、当該職員の区分のうち、調整月額が最も高い額となる職員の区分のみに属していたものとする。

2　調整月額のうちにその額が等しいものがある場合には、その者の基礎在職期間の末日の属する月に近い月に係るものを先順位とする。

（現実に職務をとることを要しない期間）

第六条の六　法第六条の四第一項に規定する現実に職務をとることを要しない期間には、裁判官弾劾法（昭和二十二年法律第百三十七号）第三十九条の規定による職務の停止の期間及び検察庁法第二十四条の規定により欠位を待つ期間を含むものとする。

（一般職の職員の基本給月額に準ずる額）

第六条の七　法第六条の五第二項に規定する一般職の職員の基本給月額に準ずる額は、次の各号に掲げる職員の区分に応じ、当該各号に定める額とする。

一　自衛官　俸給、扶養手当及び営外手当の月額、これらに対する地域手当及び広域異動手当の月額並びに航空手当、乗組手当、落下傘隊員手当、特別警備隊員手当及び特殊作戦隊員手当の月額の合計額

二　前号に掲げる職員以外の職員で一般職の職員以外のもの　俸給及び扶養手当の月額並びにこれらに対する地域手当及び広域異動手当の月額又はこれらの給与に相当する給与の月額の合計額

（地方公務員としての引き続いた在職期間の計算）

第七条　法第七条第五項の場合において、地方公務員が退職により法の規定による退職手当に相当する給付の支給を受けているときは、当該給付の計算の基礎となつた在職期間（当該給付の計算の基礎となるべき在職期間がその者が在職した地方公共団体の退職手当に関する規定又は特定地方独立行政法人の退職手当の支給の基準において明確に定められていない場合においては、当該給付の額を退職の日におけるその者の俸給月額で除して得た数に十二を乗じて得た数（一未満の端数を生じたときは、その端数を切り捨てる。）に相当する月数）は、その者の地方公務員としての引き続いた在職期間には、含まないものとする。

2　職員が法第二十条第二項の規定により退職手当を支給されないで地方公務員となり、引き続き地方公務員として在職した後法第七条第五項に規定する事由によつて引き続いて職員となつた場合においては、先の職員としての引き続いた在職期間の始期から地方公務員としての引き続いた在職期間の終期までの期間をその者の地方公務員としての引き続いた在職期間として計算する。

3　地方公共団体又は特定地方独立行政法人（以下「地方公共団体等」という。）で、退職手当に関する規定又は退職手当の支給の基準において、他の地方公共団体等の公務員又は一般地方独立行政法人（地方独立行政法人法第八条第一項第五号に規定する一般地方独立行政法人をいう。）、地方公社（地方住宅供給公社、地方道路公社及び土地開発公社をいう。以下同じ。）若しくは公庫等（法第七条の二第一項に規定する公庫等をいう。以下同じ。）（以下「一般地方独立行政法人等」という。）に使用される者（役員及び常時勤務に服することを要しない者を除く。以下同じ。）が、任命権者若しくはその委任を受けた者又は一般地方独立行政法人等の要

請に応じ、退職手当を支給されないで、引き続いて当該地方公共団体等の公務員となつた場合に、他の地方公共団体等の公務員又は一般地方独立行政法人等に使用される者としての勤続期間を当該地方公共団体等の公務員としての勤続期間に通算することと定めているものの公務員（以下「特定地方公務員」という。）が、任命権者又はその委任を受けた者の要請に応じ、引き続いて一般地方独立行政法人等で、退職手当（これに相当する給付を含む。以下この項において同じ。）に関する規程において、地方公務員又は他の一般地方独立行政法人等に使用される者が、任命権者若しくはその委任を受けた者又は一般地方独立行政法人等の要請に応じ、退職手当を支給されないで、引き続いて当該一般地方独立行政法人等に使用される者となつた場合に、地方公務員又は他の一般地方独立行政法人等に使用される者としての勤続期間（法第二十条第二項の規定により退職手当を支給されないで地方公務員となつた者の職員としての勤続期間を含む。）を当該一般地方独立行政法人等に使用される者としての勤続期間に通算することと定めているもの（以下「通算制度を有する一般地方独立行政法人等」という。）に使用される者（役員及び常時勤務に服することを要しない者を除く。以下同じ。）となるため退職し、かつ、引き続き通算制度を有する一般地方独立行政法人等に使用される者として在職した後引き続いて再び特定地方公務員となるため退職し、かつ、引き続き地方公務員として在職した後更に法第七条第五項に規定する事由によつて引き続いて職員となつた場合においては、先の地方公務員としての引き続いた在職期間（法第二十条第二項の規定により退職手当を支給されないで地方公務員となつた者にあつては、先の職員としての引き続いた在職期間）の始期から後の地方公務員としての引き続いた在職期間の終期までの期間をその者の地方公務員としての引き続いた在職期間として計算する。

4　通算制度を有する一般地方独立行政法人等である移行型一般地方独立行政法人（地方独立行政法人法第五十九条第二項に規定する移行型一般地方独立行政法人をいう。以下同じ。）の成立の日の前日に特定地方公務員として在職し、同項の規定により引き続いて当該移行型一般地方独立行政法人に使用される者（役員及び常時勤務に服することを要しない者を除く。）となつた者に対する前項の規定の適用については、同条第二項の規定により地方公務員としての身分を失つたことを任命権者の要請に応じ通算制度を有する一般地方独立行政法人等に使用される者となるため退職したこととみなす。

5　通算制度を有する一般地方独立行政法人等である公庫等に使用される者（役員及び常時勤務に服することを要しない者を除く。以下「特定公庫等職員」という。）が、公庫等の要請に応じ、引き続いて特定地方公務員となるため退職し、かつ、引き続き地方公務員として在職した後法第七条第五項に規定する事由によつて引き続いて職員となつた場合においては、特定公庫等職員としての引き続いた在職期間の始期から地方公務員としての引き続いた在職期間の終期までの期間をその者の地方公務員としての引き続いた在職期間として計算する。

6　職員が、任命権者又はその委任を受けた者の要請に応じ、引き続き特定公庫等職員となるため退職し、かつ、引き続き特定公庫等職員として在職した後引き続いて特定地方公務員となるため退職し、かつ、引き続き地方公務員として在職した後法第七条第五項に規定する事由によつて引き続いて職員となつた場合においては、先の職員としての引き続いた在職期間の始期から地方公務員としての引き続いた在職期間の終期までの期間をその者の地方公務員としての引き続いた在職期間として計算する。

（勤続期間の計算の特例）

第八条　次の各号に掲げる者に対する退職手当の算定の基礎となる勤続期間の計算については、当該各号に掲げる期間は、法第七条第一項に規定する職員としての引き続いた在職期間とみなす。

一　第一条第一項第二号に掲げる者　その者の同号に規定する勤務した日が引き続いて十二月をこえるに至るまでのその引き続いて勤務した期間

二　第一条第一項各号に掲げる者以外の常時勤務に服することを要しない者のうち、同項第二号に規定する勤務した日が引き続いて十二月をこえるに至るまでの間に引き続いて職員となり、通算して十二月をこえる期間勤務したもの　その職員となる前の引き続いて勤務した期間

第九条　法第七条第五項に規定する地方公務員と

しての引き続いた在職期間には、第一条第一項各号に掲げる者に相当する地方公務員としての引き続いた在職期間を含むものとする。

２　前条の規定は、地方公務員であつた者に対する退職手当の算定の基礎となる勤続期間の計算について準用する。

（法第七条の二第一項に規定する政令で定める法人）

第九条の二　法第七条の二第一項に規定する政令で定める法人は、沖縄振興開発金融公庫のほか、次に掲げる法人とする。

一　※旧都市基盤整備公団（旧日本住宅公団及び旧宅地開発公団並びに旧住宅・都市整備公団を含む。）

二　※旧日本道路公団

三　※旧独立行政法人緑資源機構（旧農地開発機械公団、旧八郎潟新農村建設事業団、旧農用地開発公団、旧森林開発公団及び旧農用地整備公団並びに旧緑資源公団を含む。）

四　※旧日本鉄道建設公団及び旧運輸施設整備事業団（旧国内旅客船公団、旧特定船舶整備公団、旧船舶整備公団及び旧造船業基盤整備事業協会を含む。）

五　※首都高速道路株式会社（旧首都高速道路公団を含む。）

六　※独立行政法人日本原子力研究開発機構（旧原子燃料公社、旧日本原子力船開発事業団、旧日本原子力船研究開発事業団及び旧動力炉・核燃料開発事業団並びに旧日本原子力研究所及び旧核燃料サイクル開発機構を含む。）

七　※独立行政法人労働者健康福祉機構（旧労働福祉事業団を含む。）及び旧労働安全衛生総合研究所

八　※旧日本貿易振興会（旧アジア経済研究所を含む。）

九　※独立行政法人新エネルギー・産業技術総合開発機構（旧石炭鉱業合理化事業団、旧新エネルギー総合開発機構、旧鉱害基金及び旧石炭鉱害事業団並びに旧新エネルギー・産業技術総合開発機構を含む。）

十　※株式会社日本政策金融公庫（旧日本輸出入銀行、旧海外経済協力基金、旧国民金融公庫及び旧環境衛生金融公庫並びに旧国民生活金融公庫、旧農林漁業金融公庫、旧中小企業金融公庫及び旧国際協力銀行を含む。）

十一　※株式会社日本政策投資銀行（旧日本開発銀行及び旧北海道東北開発公庫並びに旧日本政策投資銀行を含む。）

十二　※独立行政法人理化学研究所（旧理化学研究所を含む。）

十三　※独立行政法人科学技術振興機構（旧新技術開発事業団、旧日本科学技術情報センター及び旧新技術事業団並びに旧科学技術振興事業団を含む。）

十四　※旧農畜産業振興事業団（旧日本蚕糸事業団及び旧糖価安定事業団並びに旧畜産振興事業団及び旧蚕糸砂糖類価格安定事業団を含む。）及び旧野菜供給安定基金

十五　※旧勤労者退職金共済機構（旧特定業種退職金共済組合並びに旧中小企業退職金共済事業団及び旧特定業種退職金共済組合を含む。）

十六　※旧国際観光振興会（旧日本観光協会を含む。）

十七　※旧日本てん菜振興会

十八　※旧独立行政法人雇用・能力開発機構（旧雇用・能力開発機構、旧炭鉱離職者援護会及び旧雇用促進事業団を含む。）

十九　※旧年金資金運用基金（旧年金福祉事業団を含む。）

二十　※旧簡易保険福祉事業団（旧簡易保険郵便年金福祉事業団を含む。）

二十一　※阪神高速道路株式会社（旧阪神高速道路公団を含む。）

二十二　※旧水資源開発公団（旧愛知用水公団を含む。）

二十三　※旧国際協力事業団（旧海外技術協力事業団及び旧海外移住事業団を含む。）

二十四　※旧中小企業総合事業団（旧日本中小企業指導センター、旧小規模企業共済事業団、旧中小企業共済事業団及び旧中小企業振興事業団、旧中小企業信用保険公庫、旧繊維産業構造改善事業協会及び旧中小企業事業団を含む。）及び旧産業基盤整備基金（特定不況産業信用基金、旧特定産業信用基金及び産業基盤信用基金を含む。）並びに旧地域振興整備公団（旧産炭地域振興事業団及び旧工業再配置・産炭地域振興公団を含む。）

二十五　※独立行政法人農業・食品産業技術総合研究機構（旧農業機械化研究所及び旧生物系特定産業技術研究推進機構を含む。）並びに旧独立行政法人種苗管理センター、旧国立

研究開発法人農業生物資源研究所（独立行政法人農業生物資源研究所及び独立行政法人農業環境技術研究所を含む。）
二十六　※独立行政法人石油天然ガス・金属鉱物資源機構（旧金属鉱業事業団及び旧石油公団を含む。）
二十七　※旧農林漁業信用基金（旧林業信用基金及び旧中央漁業信用基金並びに旧農業共済基金を含む。）
二十八　日本消防検定協会
二十九　※旧国立教育会館
三十　※旧社会保障研究所
三十一　※旧オリンピック記念青少年総合センター
三十二　※旧公害健康被害補償予防協会（公害健康被害補償協会を含む。）及び旧環境事業団（旧公害防止事業団を含む。）
三十三　※旧日本芸術文化振興会（旧国立劇場を含む。）
三十四　※成田国際空港株式会社（旧新東京国際空港公団を含む。）
三十五　※旧日本体育・学校健康センター（旧国立競技場及び旧日本学校健康会並びに旧日本学校給食会及び旧日本学校安全会を含む。）
三十六　※旧日本労働研究機構（旧日本労働協会を含む。）
三十七　※旧日本学術振興会
三十八　※旧社会福祉・医療事業団（旧社会福祉事業振興会及び旧医療金融公庫を含む。）
三十九　削除

四十　※旧京浜外貿埠頭公団
四十一　※旧阪神外貿埠頭公団
四十二　※独立行政法人宇宙航空研究開発機構（旧宇宙開発事業団を含む。）
四十三　※国家公務員共済組合連合会（旧国家公務員等共済組合連合会を含む。）
四十四　※本州四国連絡高速道路株式会社（旧本州四国連絡橋公団を含む。）
四十五　※日本私立学校振興・共済事業団（旧日本私学振興財団を含む。）
四十六　※旧情報処理振興事業協会
四十七　※旧農業者年金基金
四十八　※旧国民生活センター
四十九　※旧心身障害者福祉協会
五十　※国立研究開発法人水産総合研究センター（旧海洋水産資源開発センター及び独立行政法人水産総合研究センターを含む。）及び旧水産大学校
五十一　※旧独立行政法人日本万国博覧会記念機構（旧日本万国博覧会記念協会を含む。）
五十二　※独立行政法人海洋研究開発機構（旧海洋科学技術センターを含む。）
五十三　軽自動車検査協会
五十四　※日本下水道事業団（旧下水道事業センターを含む。）
五十五　※旧国際交流基金
五十六　※旧日本育英会
五十七　※旧建設省共済組合
五十八　※日本航空株式会社
五十九　消防団員等公務災害補償等共済基金
六十　※中小企業投資育成株式会社

六十一　※日本自動車ターミナル株式会社
六十二　※旧こどもの国協会
六十三　※企業年金連合会（旧厚生年金基金連合会及び旧企業年金連合会を含む。）
六十四　石炭鉱業年金基金
六十五　※製品安全協会
六十六　※旧自動車事故対策センター
六十七　小型船舶検査機構
六十八　※旧空港周辺整備機構（旧空港周辺整備機構を含む。）
六十九　高圧ガス保安協会
七十　※旧北方領土問題対策協会
七十一　自動車安全運転センター
七十二　※旧独立行政法人海上災害防止センター（旧海上災害防止センターを含む。）
七十三　※輸出入・港湾関連情報処理センター株式会社（航空貨物通関情報処理センター、旧通関情報処理センター及び旧独立行政法人通関情報処理センターを含む。）
七十四　※独立行政法人情報通信研究機構（通信・放送衛星機構及び旧通信・放送機構を含む。）
七十五　※旧医薬品副作用被害救済・研究振興調査機構（医薬品副作用被害救済基金及び医薬品副作用被害救済・研究振興基金を含む。）
七十六　※放送大学学園（旧放送大学学園及び旧メディア教育開発センターを含む。）
七十七　※電源開発株式会社
七十八　※国際電信電話株式会社
七十九　日本商工会議所

八十　地方職員共済組合
八十一　警察共済組合
八十二　中央労働災害防止協会
八十三　地方公務員災害補償基金
八十四　※貿易研修センター
八十五　預金保険機構
八十六　旧総合研究開発機構
八十七　危険物保安技術協会
八十八　※独立行政法人高齢・障害者雇用支援機構（身体障害者雇用促進協会及び旧日本障害者雇用促進協会を含む。）
八十九　※郵便貯金振興会
九十　中央職業能力開発協会
九十一　地方公務員共済組合連合会
九十二　全国市町村職員共済組合連合会
九十三　※関西国際空港株式会社
九十四　日本たばこ産業株式会社
九十五　日本電信電話株式会社
九十六　※旧基盤技術研究促進センター
九十七　北海道旅客鉄道株式会社
九十八　※東日本旅客鉄道株式会社
九十九　※東海旅客鉄道株式会社
百　※西日本旅客鉄道株式会社
百一　四国旅客鉄道株式会社
百二　※九州旅客鉄道株式会社
百三　日本貨物鉄道株式会社
百四　※旧新幹線鉄道保有機構
百五　※旧独立行政法人平和祈念事業特別基金（旧平和祈念事業特別基金を含む。）
百六　社会保険診療報酬支払基金
百七　国民年金基金連合会
百八　公立学校共済組合
百九　日本中央競馬会
百十　※東日本電信電話株式会社
百十一　※西日本電信電話株式会社
百十二　原子力発電環境整備機構
百十三　行政執行法人以外の独立行政法人
百十四　株式会社産業再生機構
百十五　国立大学法人
百十六　大学共同利用機関法人
百十七　※中間貯蔵・環境安全事業株式会社（日本環境安全事業株式会社を含む。）
百十八　東日本高速道路株式会社
百十九　中日本高速道路株式会社
百二十　西日本高速道路株式会社
百二十一　※旧国立大学法人富山大学、旧国立大学法人富山医科薬科大学及び旧国立大学法人高岡短期大学
百二十二　※旧国立大学法人筑波技術短期大学
百二十三　日本郵政株式会社
百二十四　日本司法支援センター
百二十五　旧青年の家及び旧少年自然の家
百二十六　※旧住宅金融公庫
百二十七　※独立行政法人国立特殊教育総合研究所
百二十八　※独立行政法人国立博物館及び旧文化財研究所
百二十九　※国立研究開発法人森林総合研究所（旧林木育種センター及び独立行政法人森林総合研究所を含む。）
百三十　削除
百三十一　日本郵便株式会社（旧郵便事業株式会社及び旧郵便局株式会社を含む。）
百三十二　※旧国立大学法人大阪外国語大学
百三十三　※地方公共団体金融機構（旧公営企業金融公庫及び地方公営企業等金融機構を含む。）
百三十四　地方競馬全国協会
百三十五　株式会社商工組合中央金庫
百三十六　全国健康保険協会
百三十七　農水産業協同組合貯金保険機構
百三十八　※株式会社産業革新投資機構（株式会社産業革新機構を含む。）
百三十九　※株式会社地域経済活性化支援機構（株式会社企業再生支援機構を含む。）
百四十　※旧国立国語研究所
百四十一　日本年金機構
百四十二　削除
百四十三　全国土地改良事業団体連合会
百四十四　全国中小企業団体中央会
百四十五　全国商工会連合会
百四十六　漁業共済組合連合会
百四十七　日本銀行
百四十八　日本弁理士会
百四十九　東京地下鉄株式会社
百五十　日本アルコール産業株式会社
百五十一　※原子力損害賠償・廃炉等支援機構（原子力損害賠償支援機構を含む。）
百五十二　※沖縄科学技術大学院大学学園（旧独立行政法人沖縄科学技術研究基盤整備機構を含む。）
百五十三　株式会社東日本大震災事業者再生支援機構

百五十四　株式会社国際協力銀行
百五十五　新関西国際空港株式会社
百五十六　株式会社農林漁業成長産業化支援機構
百五十七　株式会社民間資金等活用事業推進機構
百五十八　株式会社海外需要開拓支援機構
百五十九　旧独立行政法人原子力安全基盤機構
百六十　地方公共団体情報システム機構
百六十一　株式会社海外交通・都市開発事業支援機構
百六十二　広域的運営推進機関
百六十三　※独立行政法人医薬基盤研究所及び旧国立健康・栄養研究所
百六十四　※独立行政法人物質・材料研究機構
百六十五　※独立行政法人防災科学技術研究所
百六十六　※国立研究開発法人放射線医学総合研究所（独立行政法人放射線医学総合研究所を含む。）
百六十七　※国立高度専門医療研究センター
百六十八及び百六十九　削除
百七十　※独立行政法人国際農林水産業研究センター
百七十一　※独立行政法人産業技術総合研究所
百七十二　※独立行政法人土木研究所
百七十三　※独立行政法人建築研究所
百七十四　※国立研究開発法人海上技術安全研究所（独立行政法人海上技術安全研究所を含む。）、旧国立研究開発法人港湾空港技術研究所（独立行政法人港湾空港技術研究所を含む。）及び旧国立研究開発法人電子航法研究所（独立行政法人電子航法研究所を含む。）
百七十五及び百七十六　削除
百七十七　※独立行政法人国立環境研究所
百七十八　株式会社海外通信・放送・郵便事業支援機構
百七十九　※独立行政法人大学評価・学位授与機構及び旧国立大学財務・経営センター
百八十　※自動車検査独立行政法人及び旧交通安全環境研究所
百八十一　※旧航海訓練所
百八十二　使用済燃料再処理・廃炉推進機構（脱炭素社会の実現に向けた電気供給体制の確立を図るための電気事業法等の一部を改正する法律（令和五年法律第四十四号）第三条の規定による改正前の原子力発電における使用済燃料の再処理等の実施に関する法律（平成十七年法律第四十八号）第十条の使用済燃料再処理機構を含む。）
百八十三　外国人技能実習機構
百八十四　株式会社日本貿易保険（旧独立行政法人日本貿易保険を含む。）
百八十五　※独立行政法人教員研修センター
百八十六　農業共済組合連合会（農業保険法（昭和二十二年法律第百八十五号）第十条第一項に規定する全国連合会に限る。）
百八十七　地方税共同機構
百八十八　※独立行政法人郵便貯金・簡易生命保険管理機構
百八十九　※旧国立大学法人岐阜大学及び旧国立大学法人名古屋大学
百九十　※旧小樽商科大学及び旧北見工業大学並びに旧帯広畜産大学
百九十一　※旧奈良教育大学及び旧奈良女子大学
百九十二　福島国際研究教育機構
百九十三　株式会社脱炭素化支援機構
百九十四　金融経済教育推進機構
百九十五　脱炭素成長型経済構造移行推進機構
百九十六　※旧東京工業大学及び※旧東京医科歯科大学
百九十七　国立健康危機管理研究機構（国立健康危機管理研究機構法附則第十六条第一項の規定により解散した旧国立研究開発法人国立国際医療研究センターを含む。）

（公庫等職員としての引き続いた在職期間の計算）

第九条の三　職員が、任命権者又はその委任を受けた者の要請に応じ、引き続いて特定公庫等職員となるため退職し、かつ、引き続き特定公庫等職員として在職した後引き続いて特定地方公務員又は通算制度を有する一般地方独立行政法人等である地方公社に使用される者（役員及び常時勤務に服することを要しない者を除く。以下「特定地方公社職員」という。）となるため退職し、かつ、引き続き特定地方公務員又は特定地方公社職員として在職した後引き続いて再び特定公庫等職員となるため退職し、かつ、引き続き特定公庫等職員として在職した後引き続いて再び職員となるため退職し、かつ、引き続いて職員となつた場合においては、先の職員としての引き続いた在職期間の始期から後の特定公庫等職員としての引き続いた在職期間の終期までの期間をその者の公庫等職員（法第七条の二第一項に規定する公庫等職員をいう。以下同じ。）としての引き続いた在職期間として計算する。

2　特定公庫等職員が、公庫等の要請に応じ、引き続いて特定地方公務員又は特定地方公社職員となるため退職し、かつ、引き続き特定地方公務員又は特定地方公社職員として在職した後引き続いて再び特定公庫等職員となるため退職し、かつ、引き続き特定公庫等職員として在職した後更に引き続いて職員となるため退職し、かつ、引き続いて職員となつた場合においては、先の特定公庫等職員としての引き続いた在職期間の始期から後の特定公庫等職員としての引き続いた在職期間の終期までの期間をその者の公庫等職員としての引き続いた在職期間として計算する。

（法第八条第一項に規定する政令で定める法人）

第九条の四　法第八条第一項に規定する政令で定める法人は、独立行政法人のほか、次に掲げる法人とする。

一　※旧住宅金融公庫
二　旧農林漁業金融公庫
三　旧中小企業金融公庫
四　※旧日本道路公団
五　※独立行政法人日本原子力研究開発機構（旧日本原子力研究所を含む。）
六　※旧日本自転車振興会
七　※独立行政法人理化学研究所（旧理化学研究所を含む。）
八　※旧首都高速道路公団
九　※旧阪神高速道路公団
十　地方競馬全国協会
十一　※旧日本小型自動車振興会
十二　地方職員共済組合
十三　公立学校共済組合
十四　警察共済組合
十五　地方公務員災害補償基金
十六　※旧本州四国連絡橋公団
十七　預金保険機構
十八　沖縄振興開発金融公庫
十九　旧総合研究開発機構
二十　農水産業協同組合貯金保険機構
二十一　※旧中小企業総合事業団及び旧地域振興整備公団
二十二　日本下水道事業団
二十三　全国市町村職員共済組合連合会
二十四　地方公務員共済組合連合会
二十五　国家公務員共済組合連合会
二十六　※独立行政法人新エネルギー・産業技術総合開発機構（旧新エネルギー・産業技術総合開発機構を含む。）
二十七　※独立行政法人情報通信研究機構（旧独立行政法人通信総合研究所及び旧通信・放送機構を含む。）
二十八　日本私立学校振興・共済事業団
二十九　旧国際協力銀行
三十　旧国民生活金融公庫
三十一　※旧年金資金運用基金
三十二　銀行等保有株式取得機構
三十三　削除
三十四　国立大学法人
三十五　大学共同利用機関法人
三十六　※旧国立大学法人富山医科薬科大学及び旧国立大学法人高岡短期大学
三十七　※旧国立大学法人筑波技術短期大学
三十八　※独立行政法人国立オリンピック記念青少年総合センター
三十九　※独立行政法人農業・食品産業技術総合研究機構（独立行政法人農業・生物系特定産業技術研究機構、旧独立行政法人農業者大学校、旧独立行政法人農業工学研究所及び旧独立行政法人食品総合研究所を含む。）並びに旧種苗管理センター、旧国立研究開発法人農業生物資源研究所（独立行政法人農業生物資源研究所を含む。）及び旧国立研究開発法人農業環境技術研究所（独立行政法人農業環境技術研究所を含む。）
四十　※国立研究開発法人水産総合研究センター（独立行政法人水産総合研究センターを含む。）及び旧水産大学校
四十一　※独立行政法人土木研究所（旧独立行政法人北海道開発土木研究所を含む。）
四十二　放送大学学園（旧メディア教育開発センターを含む。）
四十三　※独立行政法人農林水産消費技術センター及び旧独立行政法人肥飼料検査所
四十四　※国立研究開発法人森林総合研究所
四十五　旧大阪外国語大学
四十六　※地方公共団体金融機構（旧公営企業金融公庫及び地方公営企業等金融機構を含む。）

四十七　旧緑資源機構
四十八　旧独立行政法人通関情報処理センター
四十九　全国健康保険協会
五十　旧国立国語研究所
五十一　日本年金機構
五十二　削除
五十三　日本商工会議所
五十四　全国土地改良事業団体連合会
五十五　全国中小企業団体中央会
五十六　全国商工会連合会
五十七　高圧ガス保安協会
五十八　消防団員等公務災害補償等共済基金
五十九　漁業共済組合連合会
六十　軽自動車検査協会
六十一　小型船舶検査機構
六十二　自動車安全運転センター
六十三　危険物保安技術協会
六十四　※関西国際空港株式会社
六十五　日本電信電話株式会社
六十六　北海道旅客鉄道株式会社
六十七　四国旅客鉄道株式会社
六十八　削除
六十九　日本貨物鉄道株式会社
七十　東日本電信電話株式会社
七十一　西日本電信電話株式会社
七十二　原子力発電環境整備機構
七十三　東京地下鉄株式会社
七十四　※中間貯蔵・環境安全事業株式会社（日本環境安全事業株式会社を含む。）
七十五　成田国際空港株式会社
七十六　東日本高速道路株式会社
七十七　首都高速道路株式会社
七十八　中日本高速道路株式会社
七十九　西日本高速道路株式会社
八十　阪神高速道路株式会社
八十一　本州四国連絡高速道路株式会社
八十二　日本アルコール産業株式会社
八十三　日本郵政株式会社
八十四　削除
八十五　日本郵便株式会社（旧郵便事業株式会社及び旧郵便局株式会社を含む。）
八十六　株式会社日本政策金融公庫
八十七　株式会社商工組合中央金庫
八十八　株式会社日本政策投資銀行
八十九　輸出入・港湾関連情報処理センター株式会社
九十　※原子力損害賠償・廃炉等支援機構（原子力損害賠償支援機構を含む。）
九十一　旧独立行政法人雇用・能力開発機構
九十二　旧高齢・障害者雇用支援機構
九十三　沖縄科学技術大学院大学学園（旧沖縄科学技術研究基盤整備機構を含む。）
九十四　株式会社国際協力銀行
九十五　新関西国際空港株式会社
九十六　旧独立行政法人平和祈念事業特別基金
九十七　旧独立行政法人海上災害防止センター
九十八　※株式会社産業革新投資機構（株式会社産業革新機構を含む。）
九十九　株式会社農林漁業成長産業化支援機構
百　株式会社地域経済活性化支援機構
百一　株式会社民間資金等活用事業推進機構
百二　株式会社海外需要開拓支援機構
百三　旧独立行政法人原子力安全基盤機構
百四　地方公共団体情報システム機構
百五　旧独立行政法人日本万国博覧会記念機構
百六　株式会社海外交通・都市開発事業支援機構
百七　広域的運営推進機関
百八　旧国立健康・栄養研究所
百九　※独立行政法人物質・材料研究機構
百十　※独立行政法人防災科学技術研究所
百十一　※国立研究開発法人放射線医学総合研究所（独立行政法人放射線医学総合研究所を含む。）
百十二　※独立行政法人科学技術振興機構
百十三　※独立行政法人宇宙航空研究開発機構
百十四　※独立行政法人海洋研究開発機構
百十五及び百十六　削除
百十七　※独立行政法人国際農林水産業研究センター
百十八　※独立行政法人産業技術総合研究所
百十九　※独立行政法人建築研究所
百二十　※国立研究開発法人海上技術安全研究所（独立行政法人海上技術安全研究所を含む。）、旧国立研究開発法人港湾空港技術研究所（独立行政法人港湾空港技術研究所を含む。）及び旧国立研究開発法人電子航法研究所（独立行政法人電子航法研究所を含む。）
百二十一及び百二十二　削除
百二十三　※独立行政法人国立環境研究所
百二十四　株式会社海外通信・放送・郵便事業支援機構
百二十五　※独立行政法人大学評価・学位授与

機構及び旧国立大学財務・経営センター
百二十六　※自動車検査独立行政法人
百二十七　旧航海訓練所
百二十八　※独立行政法人労働者健康福祉機構及び旧労働安全衛生総合研究所
百二十九　使用済燃料再処理・廃炉推進機構
百三十　外国人技能実習機構
百三十一　株式会社日本貿易保険（旧独立行政法人日本貿易保険を含む。）
百三十二　※独立行政法人教員研修センター
百三十三　地方税共同機構
百三十四　※独立行政法人郵便貯金・簡易生命保険管理機構
百三十五　旧岐阜大学及び旧名古屋大学
百三十六　旧小樽商科大学、旧北見工業大学及び旧帯広畜産大学
百三十七　旧奈良教育大学及び旧奈良女子大学
百三十八　福島国際研究教育機構
百三十九　株式会社脱炭素化支援機構
百四十　旧独立行政法人石油天然ガス・金属鉱物資源機構法第二条の独立行政法人石油天然ガス・金属鉱物資源機構
百四十一　金融経済教育推進機構
百四十二　脱炭素成長型経済構造移行推進機構
百四十三　旧東京工業大学及び旧東京医科歯科大学
百四十四　国立健康危機管理研究機構

（募集実施要項の記載事項）
第九条の五　法第八条の二第二項に規定する政令で定めるものは、次に掲げる事項とする。
一　法第八条の二第一項の規定による募集（以下この条及び第九条の七において「募集」という。）の対象となるべき職員の範囲
二　法第八条の二第二項に規定する募集実施要項（以下この条及び第九条の七第三項において「募集実施要項」という。）の内容を周知させるための説明会を開催する予定があるときは、その旨
三　法第八条の二第三項の規定による応募（以下この条及び第九条の七第三項において「応募」という。）又は応募の取下げに係る手続
四　法第八条の二第六項の規定による通知の予定時期
五　第九条の七第三項に規定する時点で募集の期間が満了するものとするときは、その旨及び同項に規定する応募上限数
六　募集に関する問合せを受けるための連絡先
七　その他内閣官房令で定める事項
2　各省各庁の長等は、募集実施要項に前項第一号に掲げる職員の範囲を記載するときは、当該職員の範囲に含まれる職員の数が募集をする人数に一を加えた人数以上となるようにしなければならない。ただし、法第八条の二第一項第二号に掲げる募集を行う場合は、この限りでない。
3　各省各庁の長等は、募集実施要項に募集の期間を記載するときは、その開始及び終了の年月日時を明らかにしてしなければならない。

（法第八条の二第三項第四号に規定する懲戒処分から除かれる処分）
第九条の六　法第八条の二第三項第四号に規定する政令で定めるものは、故意又は重大な過失によらないで管理又は監督に係る職務を怠つた場合における懲戒処分とする。

（募集の期間の延長等に係る手続）
第九条の七　各省各庁の長等は、募集の目的を達成するため必要があると認めるときは、募集の期間を延長することができる。
2　各省各庁の長等は、前項の規定により募集の期間を延長した場合には、直ちにその旨及び延長後の募集の期間の終了の年月日時を当該募集の対象となるべき職員に周知しなければならない。
3　各省各庁の長等が募集実施要項に募集の期間の終了の年月日時が到来するまでに応募をした職員の数が募集をする人数以上の一定数（以下この項において「応募上限数」という。）に達した時点で募集の期間は満了するものとする旨及び応募上限数を記載している場合には、応募をした職員の数が応募上限数に達した時点で募集の期間は満了するものとする。
4　各省各庁の長等は、前項の規定により募集の期間が満了した場合には、直ちにその旨を当該募集の対象となるべき職員に周知しなければならない。

（退職すべき期日の変更に係る手続）
第九条の八　各省各庁の長等は、法第八条の二第五項に規定する認定（以下この項において「認定」という。）を行つた後に生じた事情に鑑み、認定を受けた職員（以下この条において「認定応募者」という。）が同条第八項第三号に規定する退職すべき期日（以下この条において「退職すべき期日」という。）に退職することにより公務の能率的運営の確保に著しい支障を及ぼ

することとなると認める場合において、当該認定応募者にその旨及びその理由を明示し、内閣官房令で定めるところにより、退職すべき期日の繰上げ又は繰下げについて当該認定応募者の書面による同意を得たときは、公務の能率的運営を確保するために必要な限度で、退職すべき期日を繰り上げ、又は繰り下げることができる。

2　各省各庁の長等は、前項の規定により退職すべき期日を繰り上げ、又は繰り下げた場合には、直ちに、内閣官房令で定めるところにより、新たに定めた退職すべき期日を当該認定応募者に書面により通知しなければならない。

第三章　特別の退職手当

（法第十条第一項に規定する政令で定める職員に準ずる者）

第九条の九　法第十条第一項に規定する政令で定める職員に準ずる者は、職員以外の者で、内閣総理大臣の定めるところにより、引き続き職員について定められている勤務時間以上勤務した日（法令の規定により、勤務を要しないこととされ、又は休暇を与えられた日を含む。）が一月以上あるものとする。ただし、季節的業務に四箇月以内の期間を定めて雇用され、又は季節的に四箇月以内の期間を定めて雇用されていた者にあつては、引き続き当該所定の期間を超えて勤務した場合に限る。

（失業者の退職手当の支給官署の特例の適用を受ける職員）

第十条　法第十条第一項に規定する政令で定める職員は、行政執行法人の職員とする。

（技能習得手当及び寄宿手当に相当する退職手当）

第十一条　法第十条第十項第一号に掲げる技能習得手当及び同項第二号に掲げる寄宿手当に相当する退職手当は、それぞれ雇用保険法（昭和四十九年法律第百十六号）第三十六条第一項に規定する技能習得手当及び同条第二項に規定する寄宿手当に相当する金額を同法の当該規定によるこれらの手当の支給の条件に従い支給する。

（傷病手当に相当する退職手当）

第十二条　法第十条第十項第三号に掲げる傷病手当に相当する退職手当（以下「傷病手当に相当する退職手当」という。）は、支給残日数を超えては支給しない。

2　前項に規定する支給残日数とは、法第十条第一項又は第二項の規定による退職手当の支給を受ける資格に係る同条第一項第二号に規定する所定給付日数から当該資格に係る同項に規定する待期日数及び当該退職手当の支給を受けた日数を控除した日数をいう。

3　傷病手当に相当する退職手当は、雇用保険法第三十七条第一項に規定する傷病手当の支給の条件に従い支給する。

（就業促進手当等に相当する退職手当）

第十三条　法第十条第十項第四号に掲げる就業促進手当、同項第五号に掲げる移転費及び同項第六号に掲げる求職活動支援費に相当する退職手当は、それぞれ雇用保険法第五十六条の三第一項に規定する就業促進手当、同法第五十八条第一項に規定する移転費及び同法第五十九条第一項に規定する求職活動支援費に相当する金額を同法の当該規定によるこれらの給付の支給の条件に従い支給する。

（法第十条第十三項に規定する政令で定める日数）

第十四条　法第十条第十三項に規定する政令で定める日数は、雇用保険法第五十六条の三第一項第一号に該当する者に係る就業促進手当について同条第四項の規定により基本手当を支給したものとみなされる日数に相当する日数とする。

（内閣官房令への委任）

第十五条　法第十条の規定による退職手当の支給を受けるために必要な証明書の様式及び交付の手続その他その支給に関し必要な事項は、内閣官房令で定める。

第四章　退職手当の支給制限等

（懲戒免職等処分を行う権限を有していた機関がない場合における退職手当管理機関）

第十六条　法第十一条第二号ホに規定する政令で定める機関は、次に掲げる職員の区分に応じ、当該各号に定める機関とする。

一　内閣総理大臣　内閣総理大臣

二　法第十一条第二号ホに掲げる職員のうち、当該職員の退職の日において当該職員に対し同号ホに規定する懲戒免職等処分を行う権限を有していた機関がないものであつて、前号に掲げる者以外のもの　当該職員の退職の日において当該職員の占めていた職（当該職が廃止された場合にあつては、当該職に相当する職）の任命権を有する機関

（一般の退職手当等の全部又は一部を支給しな

いこととする場合に勘案すべき事情）

第十七条　法第十二条第一項に規定する政令で定める事情は、当該退職をした者が占めていた職の職務及び責任、当該退職をした者の勤務の状況、当該退職をした者が行つた非違の内容及び程度、当該非違に至つた経緯、当該非違後における当該退職をした者の言動、当該非違が公務の遂行に及ぼす支障の程度並びに当該非違が公務に対する国民の信頼に及ぼす影響とする。

（一般の退職手当等の額の全部又は一部に相当する額の納付を命ずる場合に勘案すべき事情）

第十八条　法第十七条第六項に規定する政令で定める事情は、当該退職手当の受給者の相続財産の額、当該退職手当の受給者の相続財産の額のうち同条第一項から第五項までの規定による処分を受けるべき者が相続又は遺贈により取得をした又は取得をする見込みである財産の額、当該退職手当の受給者の相続人の生計の状況及び当該一般の退職手当等に係る租税の額とする。

（内閣官房令への委任）

第十九条　法第十二条第二項（法第十三条第十項、第十四条第五項、第十五条第六項、第十六条第二項及び第十七条第七項において準用する場合を含む。）の書面の様式は、内閣官房令で定める。

附　則

1　この政令は、公布の日から施行し、昭和二十八年八月一日から適用する。

2　法附則第九項ただし書に規定する政令で定める額は、第六条の七各号に規定する俸給の月額とする。

3　当分の間、法第四条第一項第三号並びに第五条第一項第三号、第五号及び第六号に掲げる者（次の表の上欄に掲げる者であつて、退職の日において定められているその者に係る定年がそれぞれ同表の下欄に掲げる年齢を超える者に限る。）（内閣官房令で定める者を除く。）に対する第五条の三及び第五条の四の規定の適用については、第五条の三第二項中「六月」とあるのは「零月」と、同条第四項第三号及び第五項第三号中「百分の三（退職の日において定められているその者に係る定年と退職の日におけるその者の年齢との差に相当する年数が一年である職員にあつては、百分の二）」とあるのは「百分の二」とする。

法附則第十二項各号及び第十四項各号に掲げる者以外の者（国家公務員法等の一部を改正する法律（令和三年法律第六十一号。以下この表において「令和三年国家公務員法等改正法」という。）第一条の規定による改正前の国家公務員法第八十一条の二第二項本文（裁判所職員臨時措置法において準用する場合を含む。）の適用を受けていた者であつて法附則第十四項第二号に掲げる職員に該当する職員、国会職員法及び国家公務員退職手当法の一部を改正する法律（令和三年法律第六十二号）第一条の規定による改正前の国会職員法（昭和二十二年法律第八十五号）第十五条の二第二項本文の適用を受けていた者であつて法附則第十四項第八号に掲げる国会職員に該当する国会職員及び令和三年国家公務員法等改正法第八条の規定による改正前の自衛隊法（昭和二十九年法律第百六十五号）第四十四条の二第二項本文の適用を受けていた者であつて法附則第十四項第十号に掲げる隊員に該当する隊員を含む。）	六十歳
法附則第十二項各号に掲げる者	法附則第十二項各号に定める年齢
法附則第十四項第一号に掲げる職員、同項第七号に掲げる国会職員及び同項第九号に掲げる隊員	六十五歳
法附則第十四項第十二号に掲げる職員	内閣官房令で定める年齢

4　当分の間、法第四条第一項第三号及び第五条第一項（第一号を除く。）に規定する者に対する第五条の三の規定の適用については、同条第三項中「二十年」とあるのは「十五年」とするほか、前項の表の上欄に掲げる者の区分に応じ、同条第三項中「退職の日において定められているその者に係る定年」とあるのはそれぞれ同表の下欄に掲げる字句とする。

5　当分の間、法第五条第一項第二号及び第四号に掲げる者であつて附則第三項の表の上欄に掲げる者が、それぞれ同表の下欄に掲げる年齢に達する日前に退職したときにおける第五条の三及び第五条の四の規定の適用については、次の表の上欄に掲げる規定中同表の中欄に掲げる字句は、それぞれ同表の下欄に掲げる字句とする。

第五条の三第四項第一号	百分の一	附則第三項の表の上欄に掲げる者の区分ごとにそれぞれ同表の下欄に掲げる年齢と退職の日におけるその者の年齢との差に相当する年数（以下この条において「改正前定年前年数」という。）に百分の一を乗じて得た割合を退職の日において定められているその者に係る定年と退職の日におけるその者の年齢との差に相当する年数（以下この条において「改正後定年前年数」という。）で除して得た割合
第五条の三第四項第二号及	百分の二	改正前定年前年数に百分の二を乗じて得た割合を

び第五項第二号		改正後定年前年数で除して得た割合
第五条の三第四項第三号及び第五項第三号	百分の三（退職の日において定められているその者に係る定年と退職の日におけるその者の年齢との差に相当する年数が一年である職員にあつては、百分の二）	改正前定年前年数に百分の三を乗じて得た割合を改正後定年前年数で除して得た割合
第五条の三第五項第一号	百分の一	改正前定年前年数に百分の一を乗じて得た割合を改正後定年前年数で除して得た割合

6　当分の間、法第五条第一項第二号及び第四号に掲げる者であつて附則第三項の表の上欄に掲げる者が、それぞれ同表の下欄に掲げる年齢に達した日以後に退職したときにおける第五条の三及び第五条の四の規定の適用については、次の表の上欄に掲げる規定中同表の中欄に掲げる字句は、それぞれ同表の下欄に掲げる字句とする。

第五条の三第四項第一号	百分の一	百分の一を退職の日において定められているその者に係る定年と退職の日におけるその者の年齢との差に相当する年数（以下この条において「改正後定年前年数」という。）で除して得た割合
第五条の三第四項第二号及び第五項第二号	百分の二	百分の二を改正後定年前年数で除して得た割合
第五条の三第四項第三号及び第五項第三号	百分の三（退職の日において定められているその者に係る定年と退職の日におけるその者の年齢との差に相当する年数が一年である職員にあつては、百分の二）	百分の二を改正後定年前年数で除して得た割合
第五条の三第五項第一号	百分の一	百分の一を改正後定年前年数で除して得た割合

7　当分の間、教育公務員特例法（昭和二十四年法律第一号）第三十一条第一項に規定する研究施設研究教育職員に対する附則第三項から前項までの規定の適用については、次の表の上欄に掲げる規定中同表の中欄に掲げる字句は、それぞれ同表の下欄に掲げる字句とする。

附則第三項	次の表の上欄に掲げる者であつて、退職	退職
	それぞれ同表の下欄に掲げる年齢	改正前定年（教育公務員特例法（昭和二十四年法律第一号）附則第八条の規定により読み替えて適用する法附則第十二項に規定する改正前定年をいう。附則第五項及び第六項において同じ。）
附則第四項	は、同条第三項中「二十年」とあるのは「十五年」とするほか、前項の表の上欄に掲げる者の区分に応じ、それぞれ同表の下欄に掲げる字句	は、「教育公務員特例法（昭和二十四年法律第一号）附則第八条の規定により読み替えて適用する法附則第十二項に規定する改正前定年」と、「二十年」とあるのは「十五年」
附則第五項	であつて附則第三項の表の上欄に掲げる者が、それぞれ同表の下欄に掲げる年齢	が改正前定年
附則第五項の表第五条の三第四項第一号の項	附則第三項の表の上欄に掲げる者の区分ごとにそれぞれ同表の下欄に掲げる年齢	教育公務員特例法（昭和二十四年法律第一号）附則第八条の規定により読み替えて適用する法附則第十二項に規定する改正前定年
前項	であつて附則第三項の表の上欄に掲げる者が、それぞれ同表の下欄に掲げる年齢	が改正前定年

附　則（昭三四・六・一政令二〇八）（抄）

最終改正　平二一・三・三一政令七六

1　この政令は、公布の日から施行する。

2　改正後の国家公務員等退職手当法施行令（以下「新令」という。）の規定及び附則第三項から第七項までの規定は、昭和三十四年十月一日（国家公務員等退職手当暫定措置法の一部を改正する法律（昭和三十四年法律第百六十四号）附則第二項に規定する郵政職員等及び国家公務員等退職手当法（以下「法」という。）第二条第一項第二号の職員については、昭和三十四年一月一日。以下「適用日」という。）以後の退職に係る退職手当について適用し、適用日前の退職に係る退職手当については、なお従前の例による。ただし、新令第九条並びに新令附則第六項及び第十項の規定は、昭和三十四年四月一日以後の退職に係る退職手当について適用する。

3　常時勤務に服することを要しない者で適用日（前項に規定する郵政職員等及び法第二条第一項第二号の職員で昭和三十四年一月一日以後この政令の施行の日前に職員となつたものについては、同日。以下この項において同じ。）の前日に雇用されているものが、適用日以後最初に退職した場合（新令第一条第一項の規定により職員とみなされる場合を除く。）において、改正前の国家公務員等退職手当暫定措置法施行令（以下「旧令」という。）第八条の規定によれば退職手当の支給を受けることができた者に該当するときは、その者を法第二条第一項各号の職員とみなして退職手当を支給する。

4　職員のこの政令の施行日（附則第二項に規定する郵政職員等及び法第二条第一項第二号の職員以外の職員については、昭和三十四年十月一日）の前日を含む月以前における旧令第八条に規定する常勤を要しない職員としての勤続期間は、従前の例により計算し、これを同月後の引き続いた勤続期間に加算するものとする。

5　国家公務員退職手当法施行令（昭和二十八年政令第二百十五号。以下この項及び次項において「施行令」という。）第一条第一項各号に掲げる者以外の常時勤務に服することを要しない者の同項第二号に規定する勤務した日が引き続いて六月を超えるに至つた場合（附則第三項の規定に該当する場合を除く。）には、当分の間、その者を同号の職員とみなして、施行令の規定を適用する。この場合において、その者に対する国家公務員退職手当法（昭和二十八年法律第百八十二号）第二条の四及び第六条の五の規定による退職手当の額は、同法第二条の四から第六条の五までの規定により計算した退職手当の額の百分の五十に相当する金額とする。

6　前項の規定の適用を受ける者（引き続き同項に規定する者であるものとした場合に、同項の規定の適用を受けることができた者を含む。）に対する施行令第八条の規定の適用については、同条中「十二月」とあるのは、「六月」とする。

7　附則第二項に規定する郵政職員等が昭和三十四年一月一日からこの政令の施行の日の前日までの間に退職した場合における法第三条第二項に規定する傷病の程度については、新令第二条の規定にかかわらず、なお従前の例による。

附　則（昭四八・五・一七政令一三四）（抄）

最終改正　平二六・五・二九政令一九五

1　この政令は、国家公務員等退職手当法の一部を改正する法律（以下「法律第三十号」という。）の施行の日から施行し、この政令による改正後の国家公務員等退職手当法施行令（以下「新令」という。）の規定（第六条、第七条第三項から第五項まで及び第九条の三の規定を除く。）は、昭和四十七年十二月一日（以下「適用日」という。）以後の退職による退職手当について適用し、適用日前の退職による退職手当については、なお従前の例による。

2　国家公務員退職手当法（昭和二十八年法律第百八十二号。以下「法」という。）附則第十項及び法律第三十号附則第九項の規定に該当する者が適用日以後に退職した場合におけるその者に対する退職手当の額は、国家公務員退職手当法施行令（昭和二十八年政令第二百十五号。以下この項及び附則第六項において「施行令」という。）附則第十六項の規定にかかわらず、同項の規定により計算した額からその者が職員又は特定指定法人（法律第三十号附則第九項に規定する特定指定法人をいう。以下同じ。）に使用される者としての引き続いた在職期間内に支給を受けた退職手当（これに相当する給付を含み、施行令附則第十六項第二号に規定する特殊退職をした際に支給を受けた法の規定による退職手当に相当する給付を除く。以下この項において同じ。）の額と当該退職手当の支給を受けた日の翌日から退職した日の前日までの期間につき附則別表の上欄に掲げる期間の区分に応じそれぞれ同表の下欄に掲げる利率で複利計算の方法により計算した利息に相当する金額を合計した額を控除して得た額とする。

3　法附則第十項及び法律第三十号附則第十四項の規定に該当する者が適用日以後に退職した場合におけるその者に対する退職手当の額は、新令附則第十六項の規定にかかわらず、当該退職の日における俸給月額に同項第一号に掲げる割合から同項第二号に掲げる割合と法律第三十号附則第十五項第二号に掲げる割合とを合計した割合を控除した割合を乗じて得た額とする。

4　法律第三十号附則第十二項の規定により同項第一号に掲げる額から控除する同項第二号に掲げる額のうち利息に相当する金額は、同号に規定する退職手当の支給を受けた日の翌日から退職した日の前日までの期間につき附則別表の上欄に掲げる期間の区分に応じそれぞれ同表の下欄に掲げる利率で複利計算の方法により計算して得た金額とする。

5　法律第三十号の施行の日前に国家公務員法第七十九条の規定により休職され、又はこれに準ずる措置を受け、引き続き法律第三十号の施行の日において法律第三十号による改正後の国家公務員等退職手当法第七条第四項に規定する政令で定める法人その他の団体に該当するもの（以下「特定休職指定法人」という。）の業務に従事した職員の当該業務に従事した期間については、法第七条第四項の規定による除算は、行わない。

6　法律第三十号の施行の日前に、法律第三十号の施行の日において新令第七条第三項に規定する通算制度を有する地方公共団体に該当するもの（以下「特定地方公共団体」という。）の公務員が、任命権者又はその委任を受けた者の要請に応じ、引き続いて地方公社又は新令第九条の二に掲げる法人で法律第三十号の施行の日において新令第七条第三項に規定する通算制度を有する地方公社等に該当するもの（以下「特定地方公社等」という。）に使用される者（役員及び常時勤務に服することを要しない者を除く。以下同じ。）となるため退職し、かつ、引き続き特定地方公社等に使用される者として在職した後引き続いて再び特定地方公共団体の公務員となるため退職し、かつ、引き続き地方公務員として在職した後更に法第七条第五項に規定する事由によつて引き続いて職員となつた場合においては、先の地方公務員としての引き続いた在職期間（国家公務員退職手当法等の一部を改正する法律（平成二十年法律第九十五号）第一条の規定による改正前の法第十三条の規定により退職手当を支給されないで地方公務員となつた者にあつては、先の職員としての引き続いた在職期間）の始期から後の地方公務員としての引き続いた在職期間の終期までの期間をその者の地方公務員としての引き続いた在職期間として計算する。この場合における先の特定地方公共団体の公務員としての引き続いた在職期間の計算については、施行令第七条第一項の規定は、適用しない。

7　法律第三十号の施行の日前に、特定地方公社等である特定指定法人に使用される者（役員及び常時勤務に服することを要しない者を除く。以下同じ。）が、特定指定法人の要請に応じ、引き続いて特定地方公共団体の公務員となるため退職し、かつ、引き続き地方公務員として在職した後法第七条第五項に規定する事由によつて引き続いて職員となつた場合においては、特定地方公社等である特定指定法人に使用される者としての引き続いた在職期間の始期から地方公務員としての引き続いた在職期間の終期までの期間をその者の地方公務員としての引き続いた在職期間として計算する。

8　法律第三十号の施行の日前に、職員が、法律第三十号による改正前の国家公務員等退職手当法（以下「旧法」という。）第七条の二第一項の規定に該当する退職をし、かつ、引き続き特定地方公社等である特定指定法人に使用される者として在職した後引き続いて特定地方公共団体の公務員となるため退職し、かつ、引き続き地方公務員として在職した後法第七条第五項に規定する事由によつて引き続いて再び職員となつた場合においては、先の職員としての引き続いた在職期間の始期から地方公務員としての引き続いた在職期間の終期までの期間をその者の地方公務員としての引き続いた在職期間として計算する。

9　法律第三十号の施行の日前に旧法第七条の二第一項の規定に該当する退職をし、かつ、引き続き特定地方公社等である特定指定法人に使用される者として在職した後引き続いて特定地方公共団体の公務員又は特定地方公社等である地方公社に使用される者（役員及び常時勤務に服することを要しない者を除く。以下同じ。）となるため退職し、かつ、引き続き特定地方公共団体の公務員又は特定地方公社等である地方公社に使用される者として在職した後引き続いて再び特定地方公社等である特定指定法人に使用される者となるため退職し、かつ、引き続き特定地方公社等である特定指定法人に使用される者として在職した後引き続いて再び職員となつた者の法第七条第一項の規定による在職期間の計算については、先の職員としての在職期間の始期から後の職員としての在職期間の終期までの期間は、職員としての引き続いた在職期間とみなす。

10　法律第三十号の施行の日前に、特定地方公社等である特定指定法人に使用される者が、特定指定法人の要請に応じ、引き続いて特定地方公共団体の公務員又は特定地方公社等である地方公社に使用される者となるため退職し、かつ、引き続き特定地方公共団体の公務員又は特定地方公社等である地方公社に使用される者として在職した後引き続いて再び特定地方公社等である特定指定法人に使用される者となるため退職し、かつ、引き続き特定地方公社等である特定指定法人に使用される者として在職した後更に特定指定法人の要請に応じ、引き続いて職員となるため退職し、かつ、引き続いて職員となつた場合におけるその者の法第七条第一項に規定する職員としての引き続いた在職期間には、その者の先の特定地方公社等である特定指定法人に使用される者としての引き続いた在職期間の始期から後の特定地方公社等である特定指定法人に使用される者としての引き続いた在職期間の終期までの期間を含むものとする。

11　附則第五項の規定は、法律第三十号の施行の日前に地方公務員法（昭和二十五年法律第二百六十一号）第二十七条第二項の規定により休職され、引き続き特定休職指定法人又は地方公社の業務に従事した者の法第七条第五項の規定による地方公務員としての引き続いた在職期間の計算について準用する。この場合において、附則第五項中「法第七条第四項」とあるのは、「法第七条第五項において準用する同条第四項」と読み替えるものとする。

12　法律第三十号附則第九項、第十一項若しくは第十四項又は附則第五項から前項までの規定（以下「勤続期間に関する特例規定」という。）の適用を受ける者のうち次の表の上欄に掲げる者（同表のそれぞれの項に掲げる規定以外の勤続期間に関する特例規定の適用を受ける者を除く。）が適用日以後に退職した場合におけるその者に対する法第二条の四及び第六条の五の規定による退職手当の額については、法律第三十号附則第十二項及び附則第四項の規定を準用する。この場合において、法律第三十号附則第十二項第二号の規定中同表の中欄に掲げる字句は、それぞれ同表の下欄に掲げる字句に読み替えるものとする。

職員の区分	読み替えられる字句	読み替える字句
附則第五項の規定の適用を受ける者	職員又は特定指定法人に使用される者としての引き続いた在職期間内	特定休職指定法人の業務に従事した期間内
附則第六項の規定の適用を受ける者	職員又は特定指定法人	先の特定地方公共団体の公務員又は特定地方公社等
附則第七項の規定の適用を受ける者	職員又は特定指定法人	特定地方公社等である特定指定法人
附則第八項の規定の適用を受ける者	特定指定法人	特定地方公社等である特定指定法人
附則第九項の規定の適用を受ける者	又は特定指定法人	若しくは特定地方公共団体の公務員又は特定地方公社等
附則第十項の規定の適用を受ける者	職員又は特定指定法人	特定地方公共団体の公務員又は特定地方公社等
前項の規定の適用を受ける者	職員又は特定指定法人に使用される者としての引き続いた在職期間内	特定休職指定法人又は地方公社の業務に従事した期間内

13　法律第三十号附則第九項又は第十一項及び附則第五項又は第十一項の規定の適用を受ける者（他の勤続期間に

関する特例規定の適用を受ける者を除く。）が適用日以後に退職した場合におけるその者に対する法第二条の四及び第六条の五の規定による退職手当の額は、法第二条の四から第六条の五まで、国家公務員等退職手当暫定措置法の一部を改正する法律（昭和三十四年法律第百六十四号。以下「法律第百六十四号」という。）附則第三項及び法律第三十号附則第五項から第八項まで又は第十二項の規定にかかわらず、同項の規定により計算した額からその者が特定休職指定法人又は地方公社の業務に従事した期間内に支給を受けた退職手当（これに相当する給付を含む。以下この項において同じ。）の額と当該退職手当の支給を受けた日の翌日から退職した日の前日までの期間につき附則別表の上欄に掲げる期間の区分に応じそれぞれ同表の下欄に掲げる利率で複利計算の方法により計算した利息に相当する金額を合計した額を控除して得た額（その控除して得た額が、その者につき旧法及び法律第百六十四号附則第三項の規定を適用して計算した退職手当の額より低い額となるときは、これらの規定を適用して計算した額）とする。

14　法律第三十号附則第十四項及び附則第五項又は第十一項の規定の適用を受ける者（他の勤続期間に関する特例規定の適用を受ける者を除く。）が適用日以後に退職した場合におけるその者に対する法第二条の四及び第六条の五の規定による退職手当の額は、法第二条の四から第六条の五まで、法律第百六十四号附則第三項及び法律第三十号附則第五項から第八項まで又は第十五項の規定にかかわらず、同項（法律第百六十四号附則第三項の規定の適用を受ける者で法律第三十号附則第五項から第七項までの規定に該当するものにあつては、法律第三十号附則第八項）の規定により計算した額からその者が特定休職指定法人又は地方公社の業務に従事した期間内に支給を受けた退職手当の額と当該退職手当の支給を受けた日の翌日から退職した日の前日までの期間につき附則別表の上欄に掲げる期間の区分に応じそれぞれ同表の下欄に掲げる利率で複利計算の方法により計算した利息に相当する金額を合計した額を控除して得た額（その控除して得た額が、その者につき旧法及び法律第百六十四号附則第三項の規定を適用して計算した退職手当の額より低い額となるときは、これらの規定を適用して計算した額）とする。

15　この政令の施行の日前に、任命権者又はその委任を受けた者の要請に応じ、特定指定法人のうち新令第九条の二第七十二号から第八十九号までに掲げる法人（以下「日本育英会等」という。）に使用される者（役員及び常時勤務に服することを要しない者を除く。以下同じ。）となるため旧法第七条の二第一項の規定に該当する退職に準ずる退職をし、かつ、引き続き日本育英会等に使用される者として在職した後引き続いて再び職員となつた者の法第七条第一項の規定による在職期間の計算については、法律第三十号附則第九項並びにこの政令附則第八項及び附則第九項中「旧法第七条の二第一項の規定に該当する退職」とあるのは、「旧法第七条の二第一項の規定に該当する退職に準ずる退職」と読み替えて、これらの規定を適用する。

16　前項に規定する者のうち適用日に日本育英会等に使用される者として在職する者で引き続いて職員となつたものは、適用日に在職する職員とみなして、法律第三十号附則第五項から附則第八項までの規定を適用する。

17　次の表の上欄に掲げる者については、法律第三十号附則第九項中「同項に規定する公庫その他の法人でこの法律の施行の日において新法第七条の二第一項に規定する公庫等に該当するもの（以下「特定指定法人」という。）」とあり、又は法律第三十号附則第十二項中「特定指定法人」とあるのは、それぞれ同表の下欄に掲げる字句に読み替えてこれらの規定及び法律第三十号附則第十項の規定を準用するものとする。

オリンピック東京大会の大会運営者の職員（常時勤務に服することを要しない者を除く。）	オリンピック東京大会の大会運営者
財団法人日本万国博覧会協会の職員（常時勤務に服することを要しない者を除く。）	財団法人日本万国博覧会協会
財団法人札幌オリンピック冬季大会組織委員会の職員（常時勤務に服することを要しない者を除く。）	財団法人札幌オリンピック冬季大会組織委員会
財団法人沖縄国際海洋博覧会協会の職員（常時勤務に服することを要しない者を除く。）	財団法人沖縄国際海洋博覧会協会

18　附則第二項、附則第六項から附則第十項まで、附則第十二項及び附則第十三項の規定は、前項の表の上欄に掲げる者について準用する。この場合において、これらの規定中「特定指定法人」とあり、又は「特定地方公社等」とあり、「特定地方公社等である特定指定法人」とあるのは、同表の項の区分に応じ、それぞれ同表の下欄に掲げる字句に読み替えるものとする。

19　法律第三十号附則第十一項の規定に該当する者が適用日から法律第三十号の施行の日の前日までの間に引き続いて特定指定法人に使用される者となるため退職し、かつ、引き続いて特定指定法人に使用される者となつた場合におけるその者の法第七条第一項の規定による職員としての引き続いた在職期間の計算については、法律第三十号附則第十一項の規定にかかわらず、なお従前の例による。

20　法第二十条第三項の規定は、法律第三十号附則第十一項の規定に該当する者が法律第三十号の施行の日以後に引き続いて公庫等職員（法第七条の二第一項に規定する公庫等職員をいう。以下この項において同じ。）となるため退職し、かつ、引き続いて公庫等職員となつた場合について準用する。

附則別表

平成十三年三月三十一日以前	年五・五パーセント
平成十三年四月一日から平成十七年三月三十一日まで	年四・〇パーセント
平成十七年四月一日から平成十八年三月三十一日まで	年一・六パーセント
平成十八年四月一日から平成十九年三月三十一日まで	年二・三パーセント

平成十九年四月一日から平成二十年三月三十一日まで	年二・六パーセント
平成二十年四月一日から平成二十一年三月三十一日まで	年三・〇パーセント
平成二十一年四月一日から平成二十二年三月三十一日まで	年三・二パーセント
平成二十二年四月一日から平成二十三年三月三十一日まで	年一・八パーセント
平成二十三年四月一日から平成二十四年三月三十一日まで	年一・九パーセント
平成二十四年四月一日から平成二十五年三月三十一日まで	年二・〇パーセント
平成二十五年四月一日から平成二十六年三月三十一日まで	年二・二パーセント
平成二十六年四月一日から平成二十七年三月三十一日まで	年二・六パーセント
平成二十七年四月一日から平成二十八年三月三十一日まで	年二・九パーセント
平成二十八年四月一日から平成二十九年三月三十一日まで	年三・四パーセント
平成二十九年四月一日から平成三十年三月三十一日まで	年三・六パーセント
平成三十年四月一日から平成三十一年三月三十一日まで	年三・九パーセント
平成三十一年四月一日から平成三十二年三月三十一日まで	年四・〇パーセント
平成三十二年四月一日以後	年四・一パーセント

附　則（平二五・五・二四政令一五八）（抄）

（施行期日）

第一条　この政令は、国家公務員の退職給付の給付水準の見直し等のための国家公務員退職手当法等の一部を改正する法律附則第一条第五号に掲げる規定の施行の日（平成二十五年十一月一日）から施行する。ただし、目次及び第五条の改正規定並びに第九条の五を第九条の九とし、第二章中第九条の四の次に四条を加える改正規定並びに次条の規定は、平成二十五年六月一日から施行する。

（先行募集可能期間における経過措置）

第二条　前条ただし書に規定する規定の施行の日から平成二十五年十月三十一日までの間（次項及び第三項において「先行募集可能期間」という。）においては、国家公務員の退職給付の給付水準の見直し等のための国家公務員退職手当法等の一部を改正する法律第一条の規定による改正後の国家公務員退職手当法（次項において「新退職手当法」という。）第八条の二第一項第一号中「第五条の三の政令で定める年齢」とあるのは、「退職の日において定められているその者に係る定年から十五年を減じた年齢」とする。

2　新退職手当法第八条の二第一項に規定する各省各庁の長等は、先行募集可能期間において同項の規定による募集を行うに当たっては、同条第二項の規定により募集実施要項に記載する退職すべき期日又は期間を、平成二十五年十一月一日以後の期日又はその初日が同日以後の日である期間としなければならない。

3　先行募集可能期間においては、この政令による改正後の第五条中「各省各庁の長等」とあるのは、「法第八条の二第一項に規定する各省各庁の長等（以下「各省各庁の長等」という。）」とする。

附　則（平二五・六・一二政令一七四）

この政令は、平成二十五年十月一日から施行する。

附　則（平二五・九・四政令二五六）

この政令は、民間資金等の活用による公共施設等の整備等の促進に関する法律の一部を改正する法律の施行の日（平成二十五年九月五日）から施行する。

附　則（平二五・九・一三政令二七三）

この政令は、株式会社海外需要開拓支援機構法の施行の日（平成二十五年九月十八日）から施行する。

附　則（平二五・一〇・一七政令二九八）（抄）

（施行期日）

1　この政令は、平成二十六年四月一日から施行する。ただし、〔中略〕次項の規定は、公布の日から施行する。

附　則（平二五・一二・二六政令三五七）

この政令は、公布の日から施行する。

附　則（平二五・一二・二六政令三六六）

この政令は、平成二十六年四月一日から施行する。

附　則（平二六・二・五政令二三）（抄）

この政令は、廃止法の施行の日（平成二十六年四月一日）から施行する。〔ただし書略〕

附　則（平二六・二・一三政令二九）

この政令は、国家公務員の配偶者同行休業に関する法律の施行の日（平成二十六年二月二十一日）から施行する。

附　則（平二六・二・一九政令三九）（抄）

（施行期日）

1　この政令は、法の施行の日（平成二十六年三月一日）から施行する。

附　則（平二六・三・二四政令七三）（抄）

（施行期日）

第一条　この政令は、公的年金制度の健全性及び信頼性の確保のための厚生年金保険法等の一部を改正する法律（以下「平成二十五年改正法」という。）の施行の日（平成二十六年四月一日）から施行する。

附　則（平二六・五・二九政令一九五）（抄）

（施行期日）

第一条　この政令は、法の施行の日（平成二十六年五月三十日）から施行する。〔ただし書略〕

附　則（平二六・六・二七政令二三四）

この政令は、株式会社海外交通・都市開発事業支援機構法の施行の日（平成二十六年七月十七日）から施行する。

附　則（平二六・七・二政令二四四）

この政令は、電気事業法の一部を改正する法律の施行の日（平成二十七年四月一日）から施行する。

附　則（平二六・八・六政令二七三）（抄）

（施行期日）

1　この政令は、原子力損害賠償支援機構法の一部を改正する法律の施行の日（平成二十六年八月十八日）から施行する。

附　則（平二六・一二・一九政令四〇七）（抄）

（施行期日）

1　この政令は、日本環境安全事業株式会社法の一部を改正する法律の施行の日（平成二十六年十二月二十四日）から施行する。

附　則（平二七・二・四政令三五）（抄）

（施行期日）

1　この政令は、平成二十七年四月一日から施行する。〔ただし書略〕

附　則（平二七・二・一二政令四二）（抄）

この政令は、平成二十七年四月一日から施行する。〔ただし書略〕

附　則（平二七・三・一八政令七四）（抄）

この政令は、平成二十七年四月一日から施行する。〔ただし書略〕

附　則（平二七・八・二八政令三一一）

この政令は、株式会社海外通信・放送・郵便事業支援機構法の施行の日（平成二十七年九月四日）から施行する。

附　則（平二七・九・三〇政令三四四）（抄）

（施行期日）

第一条　この政令は、平成二十七年十月一日から施行する。〔ただし書略〕

附　則（平二七・一二・二八政令四四四）（抄）

（施行期日）

1　この政令は、旅客鉄道株式会社及び日本貨物鉄道株式会社に関する法律の一部を改正する法律の施行の日（平成二十八年四月一日）から施行する。

附　則（平二八・一・二二政令一一）（抄）

（施行期日）

1　この政令は、平成二十八年四月一日から施行する。〔ただし書略〕

附　則（平二八・一・二二政令一三）（抄）

（施行期日）

1　この政令は、平成二十八年四月一日から施行する。〔ただし書略〕

附　則（平二八・一・二六政令二二）（抄）

（施行期日）

1　この政令は、平成二十八年四月一日から施行する。〔ただし書略〕

附　則（平二八・三・九政令五七）（抄）

（施行期日）

1　この政令は、平成二十八年四月一日から施行する。〔ただし書略〕

附　則（平二八・三・二五政令七八）（抄）

（施行期日）

第一条　この政令は、平成二十八年四月一日から施行する。〔ただし書略〕

附　則（平二八・三・三〇政令八六）（抄）

（施行期日）

第一条　この政令は、平成二十八年四月一日から施行する。〔ただし書略〕

附　則（平二八・三・三一政令一〇三）（抄）

（施行期日）

1　この政令は、平成二十八年四月一日から施行する。

附　則（平二八・九・三〇政令三一九）

この政令は、改正法の施行の日（平成二十八年十月一日）から施行する。

附　則（平二八・一一・二八政令三六一）

この政令は、公布の日から施行する。

附　則（平二八・一二・七政令三七二）（抄）

（施行期日）

第一条　この政令は、漁業経営に関する補償制度の改善のための漁船損害等補償法及び漁業災害補償法の一部を改正する等の法律（以下「改正法」という。）の施行の日（平成二十九年四月一日）から施行する。

附　則（平二八・一二・二六政令三九六）

この政令は、平成二十九年四月一日から施行する。

附　則（平二八・一二・二六政令三九九）（抄）

この政令は、平成二十九年一月一日から施行する。

附　則（平二九・一・二〇政令四）（抄）

この政令は、平成二十九年四月一日から施行する。〔ただし書略〕

附　則（平二九・二・一五政令一七）

この政令は、平成二十九年四月一日から施行する。

附　則（平二九・二・一七政令二二）（抄）

（施行期日）

1　この政令は、平成二十九年四月一日から施行する。ただし、第三条中国家公務員退職手当法施行令第五条の二に一号を加える改正規定は、平成三十年四月一日から施行する。

（国家公務員退職手当法施行令の一部改正に伴う経過措置）

2　この政令の施行の日から平成三十年三月三十一日までの間における第三条の規定による改正後の国家公務員退職手当法施行令第九条の二第百八十五号の規定の適用については、同号中「教育公務員特例法等の一部を改正する法律」とあるのは、「教育公務員特例法等の一部を改正する法律（平成二十八年法律第八十七号）」とする。

附　則（平二九・一〇・二五政令二六四）（抄）

この政令は、平成三十年四月一日から施行する。〔ただし書略〕

附　則（平二九・一二・一政令二九六）（抄）

（施行期日）

1　この政令は、平成三十年四月一日から施行する。

附　則（平三〇・三・三一政令一二六）（抄）

（施行期日）

第一条　この政令は、平成三十一年四月一日から施行する。〔ただし書略〕

附　則（平三〇・九・二一政令二六五）（抄）

（施行期日）

1　この政令は、産業競争力強化法等の一部を改正する法律附則第一条第二号に掲げる規定の施行の日（平成三十年九月二十五日）から施行する。

附　則（平三一・三・二〇政令四〇）

この政令は、平成三十一年四月一日から施行する。

附　則（令元・九・一一政令九七）（抄）

（施行期日）

1　この政令は、令和二年四月一日から施行する。

附　則（令三・五・二一政令一五六）（抄）

この政令は、令和四年四月一日から施行する。〔ただし書略〕

附　則（令三・七・二政令一九五）（抄）

（施行期日）

1　この政令は、令和三年九月一日から施行する。〔ただし書略〕

附　則（令四・三・三〇政令一二八）（抄）

（施行期日）

第一条　この政令は、令和五年四月一日から施行する。

附　則（令四・六・一六政令二一八）

この政令は、福島復興再生特別措置法の一部を改正する法律の施行の日（令和四年六月十七日）から施行する。

附　則（令四・六・二四政令二三八）（抄）

（施行期日）

1　この政令は、地球温暖化対策の推進に関する法律の一部を改正する法律（令和四年法律第六十号）の施行の日（令和四年七月一日）から施行する。

附　則（令四・一一・一一政令三四八）

この政令は、改正法〔安定的なエネルギー需給構造の確立を図るためのエネルギーの使用の合理化等に関する法律等の一部を改正する法律〕附則第一条第二号に掲げる規定の施行の日（令和四年十一月十四日）から施行する。

附　則（令五・一二・二〇政令三六二）（抄）

（施行期日）

1　この政令は、令和六年十月一日から施行する。〔ただし書略〕

附　則（令五・一二・二七政令三七九）（抄）

（施行期日）

第一条　この政令は、法附則第一条第二号に掲げる規定の施行の日（令和六年二月十六日）から施行する。

附　則（令六・一・三一政令二三）（抄）

（施行期日）

1　この政令は、金融商品取引法等の一部を改正する法律附則第一条第二号に掲げる規定の施行の日（令和六年二月一日）から施行する。

附　則（令六・三・二五政令六二）

この政令は、令和六年四月一日から施行する。

附　則（令六・四・二四政令一七四）

この政令は、日本電信電話株式会社等に関する法律の一部を改正する法律の施行の日〔令六・四・二五〕から施行する。

附　則（令六・一〇・一一政令三一七）（抄）

この政令は、令和七年四月一日から施行する。〔ただし書略〕

附　則（令七・一・二九政令一九）（抄）

（施行期日）

1　この政令は、国立健康危機管理研究機構法の施行の日（令和七年四月一日）から施行する。

別表第一（第六条の三関係）

イ　平成八年四月一日から平成十八年三月三十一日までの間の基礎在職期間における職員の区分についての表

第一号区分
一　平成八年四月一日から平成十八年三月三十一日までの間において適用されていた一般職給与法（他の法令において、引用し、準用し、又はその例による場合を含む。以下「平成八年四月以後平成十八年三月以前の一般職給与法」という。）の指定職俸給表の適用を受けていた者で同表九号俸の俸給月額以上の俸給月額を受けていたもの
二　平成八年四月一日から平成十八年三月三十一日までの間において適用されていた裁判官の報酬等に関する法律（昭和二十三年法律第七十五号。以下「平成八年四月以後平成十八年三月以前の裁判官報酬法」という。）別表の適用を受けていた者で同表判事の項二号の報酬月額以上の報酬月額を受けていたもの
三　平成八年四月一日から平成十八年三月三十一日までの間において適用されていた検察官の俸給等に関する法律（昭和二十三年法律第七十六号。以下「平成八年四月以後平成十八年三月以前の検察官俸給法」という。）別表の適用を受けていた者で同表検事の項二号の俸給月額以上の俸給月額を受けていたもの
四　平成八年四月一日から平成十八年三月三十一日までの間において適用されていた特別職の職員の給与に関する法律（昭和二十四年法律第二百五十二号。以下「平成八年四月以後平成十八年三月以前の特別職給与法」という。）別表第一の適用を受けていた者で公害等調整委員会の常勤の委員の受ける俸給月額以上の俸給月額を受けていたもの
五　平成八年四月以後平成十八年三月以前の特別職給与法別表第二大使の項の適用を受けていた者で同項二号俸の俸給月額以上の俸給月額を受けていたもの
六　平成八年四月以後平成十八年三月以前の特別職給与法別表第二公使の項の適用を受けていた者で同項二号俸の俸給月額以上の俸給月額を受けていたもの
七　平成八年四月一日から平成十三年一月五日までの間において適用されていた旧防衛庁給与法（防衛庁設置法等の一部を改正する法律（平成十八年法律第百十八号）附則第二十七条の規定による改正前の防衛庁の職員の給与等に関する法律（昭和二十七年法律第二百六十六号）をいう。以下同じ。）の参事官等俸給表の適用を受けていた者で同表の指定職の欄九号俸の俸給月額以上の俸給月額を受けていたもの
八　平成十三年一月六日から平成十八年三月三十一日までの間において適用されていた旧防衛庁給与法（以下「平成十三年一月以後平成十八年三月以前の旧防衛庁給与法」という。）の防衛参事官等俸給表の適用を受けていた者で同表の指定職の欄九号俸の俸給月額以上の俸給月額を受けていたもの
九　平成八年四月一日から平成十八年三月三十一日までの間において適用され

ていた旧防衛庁給与法（以下「平成八年四月以後平成十八年三月以前の旧防衛庁給与法」という。）の自衛官俸給表の適用を受けていた者で同表の陸将、海将及び空将の欄九号俸の俸給月額以上の俸給月額を受けていたもの

一〇　前各号に掲げる者に準ずるものとして内閣総理大臣の定めるもの

第二号区分

一　平成八年四月以後平成十八年三月以前の一般職給与法の指定職俸給表の適用を受けていた者で同表四号俸から八号俸までの俸給月額を受けていたもの

二　平成八年四月以後平成十八年三月以前の裁判官報酬法別表判事の項の適用を受けていた者で同項三号から五号までの報酬月額を受けていたもの

三　平成八年四月以後平成十八年三月以前の裁判官報酬法別表簡易裁判所判事の項の適用を受けていた者で同項一号又は二号の報酬月額を受けていたもの

四　平成八年四月以後平成十八年三月以前の検察官俸給法別表検事の項の適用を受けていた者で同項三号から五号までの俸給月額を受けていたもの

五　平成八年四月以後平成十八年三月以前の特別職給与法別表第一の適用を受けていた者で公害等調整委員会の常勤の委員の受ける俸給月額に満たない俸給月額を受けていたもの

六　平成八年四月以後平成十八年三月以前の特別職給与法別表第二大使の項の適用を受けていた者で同項一号俸の俸給月額を受けていたもの

七　平成八年四月以後平成十八年三月以前の特別職給与法別表第二公使の項の適用を受けていた者で同項一号俸の俸給月額を受けていたもの

八　平成八年四月一日から平成十三年一月五日までの間において適用されていた旧防衛庁給与法（以下「平成八年四月以後平成十三年一月以前の旧防衛庁給与法」という。）の参事官等俸給表の適用を受けていた者で同表の指定職の欄四号俸から八号俸までの俸給月額を受けていたもの

九　平成十三年一月以後平成十八年三月以前の旧防衛庁給与法の防衛参事官等俸給表の適用を受けていた者で同表の指定職の欄四号俸から八号俸までの俸給月額を受けていたもの

一〇　平成八年四月以後平成十八年三月以前の旧防衛庁給与法の自衛官俸給表の適用を受けていた者で同表の陸将、海将及び空将の欄四号俸から八号俸までの俸給月額を受けていたもの又は陸将補、海将補及び空将補の㈠欄四号俸から七号俸までの俸給月額を受けていたもの

一一　平成九年六月四日から平成十八年三月三十一日までの間において適用されていた一般職の任期付研究員の採用、給与及び勤務時間の特例に関する法律（平成九年法律第六十五号。他の法令において引用する場合を含む。以下「平成九年六月以後平成十八年三月以前の任期付研究員法」という。）第六条第一項の俸給表の適用を受けていた者で同表六号俸の俸給月額を受けていたもの

一二　平成十二年十一月二十七日から平成十八年三月三十一日までの間において適用されていた一般職の任期付職員の採用及び給与の特例に関する法律（平成十二年法律第百二十五号。他の法令において、引用し、又は準用する場合を含む。以下「平成十二年十一月以後平成十八年三月以前の任期付職員法」という。）第七条第一項の俸給表の適用を受けていた者で同表七号俸の俸給月額を受けていたもの

一三　前各号に掲げる者に準ずるものとして内閣総理大臣の定めるもの

第三号区分

一　平成八年四月以後平成十八年三月以前の一般職給与法の指定職俸給表の適用を受けていた者で同表一号俸から三号俸までの俸給月額を受けていたもの

二　平成八年四月以後平成十八年三月以前の裁判官報酬法別表判事の項の適用を受けていた者で同項六号から八号までの報酬月額を受けていたもの

三　平成八年四月以後平成十八年三月以前の裁判官報酬法別表簡易裁判所判事の項の適用を受けていた者で同項三号又は四号の報酬月額を受けていたもの

四　平成八年四月以後平成十八年三月以前の検察官俸給法別表検事の項の適用を受けていた者で同項六号から八号までの俸給月額を受けていたもの

五　平成八年四月以後平成十八年三月以前の検察官俸給法別表副検事の項の適用を受けていた者で同項一号の俸給月額を受けていたもの

六　平成八年四月以後平成十三年一月以前の旧防衛庁給与法の参事官等俸給表の適用を受けていた者で同表の指定職の欄一号俸から三号俸までの俸給月額を受けていたもの

七　平成十三年一月以後平成十八年三月

	以前の旧防衛庁給与法の防衛参事官等俸給表の適用を受けていた者で同表の指定職の欄一号俸から三号俸までの俸給月額を受けていたもの 八　平成八年四月以後平成十八年三月以前の旧防衛庁給与法の自衛官俸給表の適用を受けていた者で同表の陸将、海将及び空将の欄一号俸から三号俸までの俸給月額を受けていたもの、陸将補、海将補及び空将補の㈠欄一号俸から三号俸までの俸給月額を受けていたもの又は陸将補、海将補及び空将補の㈡欄に掲げる俸給月額を受けていたもののうち内閣総理大臣の定めるもの 九　前各号に掲げる者に準ずるものとして内閣総理大臣の定めるもの
第四号区分	一　平成八年四月以後平成十八年三月以前の一般職給与法の行政職俸給表㈠の適用を受けていた者でその属する職務の級が十一級であつたもの 二　平成八年四月以後平成十八年三月以前の一般職給与法の専門行政職俸給表の適用を受けていた者でその属する職務の級が七級であつたもの 三　平成八年四月以後平成十八年三月以前の一般職給与法の税務職俸給表の適用を受けていた者でその属する職務の級が十一級であつたもの 四　平成八年四月以後平成十八年三月以前の一般職給与法の公安職俸給表㈠の適用を受けていた者でその属する職務の級が十一級であつたもの 五　平成八年四月以後平成十八年三月以前の一般職給与法の公安職俸給表㈡の適用を受けていた者でその属する職務の級が十一級であつたもの 六　平成八年四月以後平成十八年三月以前の一般職給与法の海事職俸給表㈠の適用を受けていた者でその属する職務の級が七級であつたもののうち内閣総理大臣の定めるもの 七　平成八年四月一日から平成十六年十月二十七日までの間において適用されていた一般職給与法（他の法令において、引用し、準用し、又はその例による場合を含む。以下「平成八年四月以後平成十六年十月以前の一般職給与法」という。）の教育職俸給表㈠の適用を受けていた者でその属する職務の級が五級であつたもののうち内閣総理大臣の定めるもの 八　平成十六年十月二十八日から平成十八年三月三十一日までの間において適用されていた一般職給与法（他の法令において、引用し、準用し、又はその例による場合を含む。以下「平成十六年十月以後平成十八年三月以前の一般職給与法」という。）の教育職俸給表㈠の適用を受けていた者でその属する職務の級が四級であつたもののうち内閣総理大臣の定めるもの 九　平成八年四月以後平成十八年三月以前の一般職給与法の研究職俸給表の適用を受けていた者でその属する職務の級が五級であつたもののうち内閣総理大臣の定めるもの 一〇　平成八年四月以後平成十八年三月以前の一般職給与法の医療職俸給表㈠の適用を受けていた者でその属する職務の級が四級であつたもののうち内閣総理大臣の定めるもの 一一　平成八年四月以後平成十八年三月以前の裁判官報酬法別表判事補の項の適用を受けていた者で同項一号又は二号の報酬月額を受けていたもの 一二　平成八年四月以後平成十八年三月以前の裁判官報酬法別表簡易裁判所判事の項の適用を受けていた者で同項五号から七号までの報酬月額を受けていたもの 一三　平成八年四月以後平成十八年三月以前の検察官俸給法別表検事の項の適用を受けていた者で同項九号又は十号の俸給月額を受けていたもの 一四　平成八年四月以後平成十八年三月以前の検察官俸給法別表副検事の項の適用を受けていた者で同項二号から四号までの俸給月額を受けていたもの 一五　平成十四年十二月一日から平成十八年三月三十一日までの間において適用されていた特別職の職員の給与に関する法律（以下「平成十四年十二月以後平成十八年三月以前の特別職給与法」という。）別表第三の適用を受けていた者で同表十号俸又は十一号俸の俸給月額を受けていたもの 一六　平成八年四月以後平成十三年一月以前の旧防衛庁給与法の参事官等俸給表の適用を受けていた者でその属する職務の級が五級であつたもの 一七　平成十三年一月以後平成十八年三月以前の旧防衛庁給与法の防衛参事官等俸給表の適用を受けていた者でその属する職務の級が五級であつたもの 一八　平成八年四月以後平成十八年三月以前の旧防衛庁給与法の自衛官俸給表の適用を受けていた者で同表の陸将補、海将補及び空将補の㈡欄に掲げる俸給

月額を受けていたもの（第三号区分の項第八号に掲げる者を除く。）又は一等陸佐、一等海佐及び一等空佐の㈠欄に掲げる俸給月額を受けていたもの

一九　平成九年六月以後平成十八年三月以前の任期付研究員法第六条第一項の俸給表の適用を受けていた者で同表五号俸の俸給月額を受けていたもの

二〇　平成十二年十一月以後平成十八年三月以前の任期付職員法第七条第一項の俸給表の適用を受けていた者で同表六号俸の俸給月額を受けていたもの

二一　前各号に掲げる者に準ずるものとして内閣総理大臣の定めるもの

第五号区分

一　平成八年四月以後平成十八年三月以前の一般職給与法の行政職俸給表㈠の適用を受けていた者でその属する職務の級が十級であつたもの

二　平成八年四月以後平成十八年三月以前の一般職給与法の専門行政職俸給表の適用を受けていた者でその属する職務の級が六級であつたもの

三　平成八年四月以後平成十八年三月以前の一般職給与法の税務職俸給表の適用を受けていた者でその属する職務の級が十級であつたもの

四　平成八年四月以後平成十八年三月以前の一般職給与法の公安職俸給表㈠の適用を受けていた者でその属する職務の級が十級であつたもの

五　平成八年四月以後平成十八年三月以前の一般職給与法の公安職俸給表㈡の適用を受けていた者でその属する職務の級が十級であつたもの

六　平成八年四月以後平成十八年三月以前の一般職給与法の海事職俸給表㈠の適用を受けていた者でその属する職務の級が七級であつたもの（第四号区分の項第六号に掲げる者を除く。）

七　平成八年四月以後平成十六年十月以前の一般職給与法の教育職俸給表㈠の適用を受けていた者でその属する職務の級が五級であつたもの（第四号区分の項第七号に掲げる者を除く。）のうち内閣総理大臣の定めるもの

八　平成十六年十月以後平成十八年三月以前の一般職給与法の教育職俸給表㈠の適用を受けていた者でその属する職務の級が四級であつたもの（第四号区分の項第八号に掲げる者を除く。）のうち内閣総理大臣の定めるもの

九　平成八年四月以後平成十八年三月以前の一般職給与法の研究職俸給表の適用を受けていた者でその属する職務の級が五級であつたもの（第四号区分の項第九号に掲げる者を除く。）のうち内閣総理大臣の定めるもの

一〇　平成八年四月以後平成十八年三月以前の一般職給与法の医療職俸給表㈠の適用を受けていた者でその属する職務の級が四級であつたもの（第四号区分の項第一〇号に掲げる者を除く。）のうち内閣総理大臣の定めるもの

一一　平成八年四月以後平成十八年三月以前の裁判官報酬法別表判事補の項の適用を受けていた者で同項三号又は四号の報酬月額を受けていたもの

一二　平成八年四月以後平成十八年三月以前の裁判官報酬法別表簡易裁判所判事の項の適用を受けていた者で同項八号又は九号の報酬月額を受けていたもの

一三　平成八年四月以後平成十八年三月以前の検察官俸給法別表検事の項の適用を受けていた者で同項十一号又は十二号の俸給月額を受けていたもの

一四　平成八年四月以後平成十八年三月以前の検察官俸給法別表副検事の項の適用を受けていた者で同項五号又は六号の俸給月額を受けていたもの

一五　平成十四年十二月以後平成十八年三月以前の特別職給与法別表第三の適用を受けていた者で同表九号俸の俸給月額を受けていたもの

一六　平成八年四月以後平成十三年一月以前の旧防衛庁給与法の参事官等俸給表の適用を受けていた者でその属する職務の級が四級であつたもの

一七　平成十三年一月以後平成十八年三月以前の旧防衛庁給与法の防衛参事官等俸給表の適用を受けていた者でその属する職務の級が四級であつたもの

一八　平成八年四月以後平成十八年三月以前の旧防衛庁給与法の自衛官俸給表の適用を受けていた者で同表の一等陸佐、一等海佐及び一等空佐の㈡欄に掲げる俸給月額を受けていたもの

一九　平成十二年十一月以後平成十八年三月以前の任期付職員法第七条第一項の俸給表の適用を受けていた者で同表五号俸の俸給月額を受けていたもの

二〇　前各号に掲げる者に準ずるものとして内閣総理大臣の定めるもの

第六号区分

一　平成八年四月以後平成十八年三月以前の一般職給与法の行政職俸給表㈠の適用を受けていた者でその属する職務の級が九級であつたもの

二　平成八年四月以後平成十八年三月以

前の一般職給与法の専門行政職俸給表の適用を受けていた者でその属する職務の級が五級であつたもの

三　平成八年四月以後平成十八年三月以前の一般職給与法の税務職俸給表の適用を受けていた者でその属する職務の級が九級であつたもの

四　平成八年四月以後平成十八年三月以前の一般職給与法の公安職俸給表㈠の適用を受けていた者でその属する職務の級が九級であつたもの

五　平成八年四月以後平成十八年三月以前の一般職給与法の公安職俸給表㈡の適用を受けていた者でその属する職務の級が九級であつたもの

六　平成八年四月以後平成十八年三月以前の一般職給与法の海事職俸給表㈠の適用を受けていた者でその属する職務の級が六級であつたもののうち内閣総理大臣の定めるもの

七　平成八年四月以後平成十六年十月以前の一般職給与法の教育職俸給表㈠の適用を受けていた者でその属する職務の級が五級であつたもの（第四号区分の項第七号及び第五号区分の項第七号に掲げる者を除く。）

八　平成十六年十月以後平成十八年三月以前の一般職給与法の教育職俸給表㈠の適用を受けていた者でその属する職務の級が四級であつたもの（第四号区分の項第八号及び第五号区分の項第八号に掲げる者を除く。）

九　平成八年四月以後平成十八年三月以前の一般職給与法の研究職俸給表の適用を受けていた者でその属する職務の級が五級であつたもの（第四号区分の項第九号及び第五号区分の項第九号に掲げる者を除く。）のうち内閣総理大臣の定めるもの

一〇　平成八年四月以後平成十八年三月以前の一般職給与法の医療職俸給表㈠の適用を受けていた者でその属する職務の級が四級であつたもの（第四号区分の項第一〇号及び第五号区分の項第一〇号に掲げる者を除く。）

一一　平成八年四月以後平成十八年三月以前の一般職給与法の医療職俸給表㈡の適用を受けていた者でその属する職務の級が八級であつたもの

一二　平成八年四月以後平成十八年三月以前の一般職給与法の医療職俸給表㈢の適用を受けていた者でその属する職務の級が七級であつたもの

一三　平成十二年一月一日から平成十八年三月三十一日までの間において適用されていた一般職給与法（他の法令において、準用し、又はその例による場合を含む。以下「平成十二年一月以後平成十八年三月以前の一般職給与法」という。）の福祉職俸給表の適用を受けていた者でその属する職務の級が六級であつたもの

一四　平成八年四月以後平成十八年三月以前の裁判官報酬法別表判事補の項の適用を受けていた者で同項五号又は六号の報酬月額を受けていたもの

一五　平成八年四月以後平成十八年三月以前の裁判官報酬法別表簡易裁判所判事の項の適用を受けていた者で同項十号又は十一号の報酬月額を受けていたもの

一六　平成八年四月以後平成十八年三月以前の検察官俸給法別表検事の項の適用を受けていた者で同項十三号又は十四号の俸給月額を受けていたもの

一七　平成八年四月以後平成十八年三月以前の検察官俸給法別表副検事の項の適用を受けていた者で同項七号又は八号の俸給月額を受けていたもの

一八　平成八年四月以後平成十八年三月以前の特別職給与法別表第三の適用を受けていた者で同表五号俸から八号俸までの俸給月額を受けていたもの

一九　平成八年四月以後平成十三年一月以前の旧防衛庁給与法の参事官等俸給表の適用を受けていた者でその属する職務の級が三級であつたもの

二〇　平成十三年一月以後平成十八年三月以前の旧防衛庁給与法の防衛参事官等俸給表の適用を受けていた者でその属する職務の級が三級であつたもの

二一　平成八年四月以後平成十八年三月以前の旧防衛庁給与法の自衛官俸給表の適用を受けていた者で同表の一等陸佐、一等海佐及び一等空佐の㈢欄に掲げる俸給月額を受けていたもの

二二　平成九年六月以後平成十八年三月以前の任期付研究員法第六条第一項の俸給表の適用を受けていた者で同表四号俸の俸給月額を受けていたもの

二三　平成十二年十一月以後平成十八年三月以前の任期付職員法第七条第一項の俸給表の適用を受けていた者で同表四号俸の俸給月額を受けていたもの

二四　前各号に掲げる者に準ずるものとして内閣総理大臣の定めるもの

第七号区分

一　平成八年四月以後平成十八年三月以前の一般職給与法の行政職俸給表㈠の

適用を受けていた者でその属する職務の級が八級であつたもの

二　平成八年四月以後平成十八年三月以前の一般職給与法の専門行政職俸給表の適用を受けていた者でその属する職務の級が四級であつたもの

三　平成八年四月以後平成十八年三月以前の一般職給与法の税務職俸給表の適用を受けていた者でその属する職務の級が八級であつたもの

四　平成八年四月以後平成十八年三月以前の一般職給与法の公安職俸給表(一)の適用を受けていた者でその属する職務の級が八級であつたもの

五　平成八年四月以後平成十八年三月以前の一般職給与法の公安職俸給表(二)の適用を受けていた者でその属する職務の級が八級であつたもの

六　平成八年四月以後平成十八年三月以前の一般職給与法の海事職俸給表(一)の適用を受けていた者でその属する職務の級が六級であつたもの（第六号区分の項第六号に掲げる者を除く。）

七　平成八年四月以後平成十六年十月以前の一般職給与法の教育職俸給表(一)の適用を受けていた者でその属する職務の級が四級であつたもののうち内閣総理大臣の定めるもの

八　平成十六年十月以後平成十八年三月以前の一般職給与法の教育職俸給表(一)の適用を受けていた者でその属する職務の級が三級であつたもののうち内閣総理大臣の定めるもの

九　平成八年四月以後平成十八年三月以前の一般職給与法の研究職俸給表の適用を受けていた者でその属する職務の級が五級であつたもの（第四号区分の項第九号、第五号区分の項第九号及び第六号区分の項第九号に掲げる者を除く。）

一〇　平成八年四月以後平成十八年三月以前の一般職給与法の医療職俸給表(一)の適用を受けていた者でその属する職務の級が三級であつたもの

一一　平成八年四月以後平成十八年三月以前の一般職給与法の医療職俸給表(二)の適用を受けていた者でその属する職務の級が六級又は七級であつたもの

一二　平成八年四月以後平成十八年三月以前の一般職給与法の医療職俸給表(三)の適用を受けていた者でその属する職務の級が六級であつたもの

一三　平成十二年一月以後平成十八年三月以前の一般職給与法の福祉職俸給表の適用を受けていた者でその属する職務の級が五級であつたもの

一四　平成八年四月以後平成十八年三月以前の裁判官報酬法別表判事補の項の適用を受けていた者で同項七号又は八号の報酬月額を受けていたもの

一五　平成八年四月以後平成十八年三月以前の裁判官報酬法別表簡易裁判所判事の項の適用を受けていた者で同項十二号又は十三号の報酬月額を受けていたもの

一六　平成八年四月以後平成十八年三月以前の検察官俸給法別表検事の項の適用を受けていた者で同項十五号又は十六号の俸給月額を受けていたもの

一七　平成八年四月以後平成十八年三月以前の検察官俸給法別表副検事の項の適用を受けていた者で同項九号又は十号の俸給月額を受けていたもの

一八　平成八年四月以後平成十八年三月以前の特別職給与法別表第三の適用を受けていた者で同表三号俸又は四号俸の俸給月額を受けていたもの

一九　平成八年四月以後平成十三年一月以前の旧防衛庁給与法の参事官等俸給表の適用を受けていた者でその属する職務の級が二級であつたもの

二〇　平成十三年一月以後平成十八年三月以前の旧防衛庁給与法の防衛参事官等俸給表の適用を受けていた者でその属する職務の級が二級であつたもの

二一　平成八年四月以後平成十八年三月以前の旧防衛庁給与法の自衛官俸給表の適用を受けていた者でその属する階級が二等陸佐、二等海佐又は二等空佐であつたもの

二二　平成九年六月以後平成十八年三月以前の任期付研究員法第六条第一項の俸給表の適用を受けていた者で同表三号俸の俸給月額を受けていたもの

二三　平成十二年十一月以後平成十八年三月以前の任期付職員法第七条第一項の俸給表の適用を受けていた者で同表三号俸の俸給月額を受けていたもの

二四　前各号に掲げる者に準ずるものとして内閣総理大臣の定めるもの

第八号区分

一　平成八年四月以後平成十八年三月以前の一般職給与法の行政職俸給表(一)の適用を受けていた者でその属する職務の級が七級であつたもの

二　平成八年四月以後平成十八年三月以前の一般職給与法の行政職俸給表(二)の適用を受けていた者でその属する職務の級が六級であつたもののうち内閣総

理大臣の定めるもの

三　平成八年四月以後平成十八年三月以前の一般職給与法の専門行政職俸給表の適用を受けていた者でその属する職務の級が三級であつたもののうち内閣総理大臣の定めるもの

四　平成八年四月以後平成十八年三月以前の一般職給与法の税務職俸給表の適用を受けていた者でその属する職務の級が七級であつたもの

五　平成八年四月以後平成十八年三月以前の一般職給与法の公安職俸給表㈠の適用を受けていた者でその属する職務の級が七級であつたもの

六　平成八年四月以後平成十八年三月以前の一般職給与法の公安職俸給表㈡の適用を受けていた者でその属する職務の級が七級であつたもの

七　平成八年四月以後平成十八年三月以前の一般職給与法の海事職俸給表㈠の適用を受けていた者でその属する職務の級が五級であつたもの

八　平成八年四月以後平成十八年三月以前の一般職給与法の海事職俸給表㈡の適用を受けていた者でその属する職務の級が六級であつたもののうち内閣総理大臣の定めるもの

九　平成八年四月以後平成十六年十月以前の一般職給与法の教育職俸給表㈠の適用を受けていた者でその属する職務の級が四級であつたもの（第七号区分の項第七号に掲げる者を除く。）

一〇　平成十六年十月以後平成十八年三月以前の一般職給与法の教育職俸給表㈠の適用を受けていた者でその属する職務の級が三級であつたもの（第七号区分の項第八号に掲げる者を除く。）

一一　平成八年四月以後平成十六年十月以前の一般職給与法の教育職俸給表㈣の適用を受けていた者でその属する職務の級が三級であつたもののうち内閣総理大臣の定めるもの

一二　平成十六年十月以後平成十八年三月以前の一般職給与法の教育職俸給表㈡の適用を受けていた者でその属する職務の級が三級であつたもののうち内閣総理大臣の定めるもの

一三　平成八年四月以後平成十八年三月以前の一般職給与法の研究職俸給表の適用を受けていた者でその属する職務の級が四級であつたもの

一四　平成八年四月以後平成十八年三月以前の一般職給与法の医療職俸給表㈠の適用を受けていた者でその属する職務の級が二級であつたもののうち内閣総理大臣の定めるもの

一五　平成八年四月以後平成十八年三月以前の一般職給与法の医療職俸給表㈡の適用を受けていた者でその属する職務の級が五級であつたもののうち内閣総理大臣の定めるもの

一六　平成八年四月以後平成十八年三月以前の一般職給与法の医療職俸給表㈢の適用を受けていた者でその属する職務の級が五級であつたもの

一七　平成十二年一月以後平成十八年三月以前の一般職給与法の福祉職俸給表の適用を受けていた者でその属する職務の級が四級であつたもののうち内閣総理大臣の定めるもの

一八　平成八年四月以後平成十八年三月以前の裁判官報酬法別表判事補の項の適用を受けていた者で同項九号の報酬月額を受けていたもの

一九　平成八年四月以後平成十八年三月以前の裁判官報酬法別表簡易裁判所判事の項の適用を受けていた者で同項十四号の報酬月額を受けていたもの

二〇　平成八年四月以後平成十八年三月以前の検察官俸給法別表検事の項の適用を受けていた者で同項十七号の俸給月額を受けていたもの

二一　平成八年四月以後平成十八年三月以前の検察官俸給法別表副検事の項の適用を受けていた者で同項十一号の俸給月額を受けていたもの

二二　平成八年四月以後平成十三年一月以前の旧防衛庁給与法の参事官等俸給表の適用を受けていた者でその属する職務の級が一級であつたもののうち内閣総理大臣の定めるもの

二三　平成十三年一月以後平成十八年三月以前の旧防衛庁給与法の防衛参事官等俸給表の適用を受けていた者でその属する職務の級が一級であつたもののうち内閣総理大臣の定めるもの

二四　平成十六年十月二十八日から平成十八年三月三十一日までの間において適用されていた旧防衛庁給与法（以下「平成十六年十月以後平成十八年三月以前の旧防衛庁給与法」という。）の自衛隊教官俸給表の適用を受けていた者でその属する職務の級が二級であつたもの

二五　平成八年四月以後平成十八年三月以前の旧防衛庁給与法の自衛官俸給表の適用を受けていた者でその属する階級が三等陸佐、三等海佐又は三等空佐

	であつたもの 二六　平成九年六月以後平成十八年三月以前の任期付研究員法第六条第一項の俸給表の適用を受けていた者で同表二号俸の俸給月額を受けていたもの 二七　平成十二年十一月以後平成十八年三月以前の任期付職員法第七条第一項の俸給表の適用を受けていた者で同表一号俸又は二号俸の俸給月額を受けていたもの 二八　前各号に掲げる者に準ずるものとして内閣総理大臣の定めるもの
第九号区分	一　平成八年四月以後平成十八年三月以前の一般職給与法の行政職俸給表(一)の適用を受けていた者でその属する職務の級が六級であつたもの 二　平成八年四月以後平成十八年三月以前の一般職給与法の行政職俸給表(二)の適用を受けていた者でその属する職務の級が六級であつたもの（第八号区分の項第二号に掲げる者を除く。） 三　平成八年四月以後平成十八年三月以前の一般職給与法の専門行政職俸給表の適用を受けていた者でその属する職務の級が三級であつたもの（第八号区分の項第三号に掲げる者を除く。） 四　平成八年四月以後平成十八年三月以前の一般職給与法の税務職俸給表の適用を受けていた者でその属する職務の級が六級であつたもの 五　平成八年四月以後平成十八年三月以前の一般職給与法の公安職俸給表(一)の適用を受けていた者でその属する職務の級が四級若しくは五級であつたもののうち内閣総理大臣の定めるもの又は六級であつたもの 六　平成八年四月以後平成十八年三月以前の一般職給与法の公安職俸給表(二)の適用を受けていた者でその属する職務の級が六級であつたもの 七　平成八年四月以後平成十八年三月以前の一般職給与法の海事職俸給表(一)の適用を受けていた者でその属する職務の級が四級であつたもの 八　平成八年四月以後平成十八年三月以前の一般職給与法の海事職俸給表(二)の適用を受けていた者でその属する職務の級が六級であつたもの（第八号区分の項第八号に掲げる者を除く。） 九　平成八年四月以後平成十六年十月以前の一般職給与法の教育職俸給表(一)の適用を受けていた者でその属する職務の級が三級であつたもの 一〇　平成十六年十月以後平成十八年三月以前の一般職給与法の教育職俸給表(一)の適用を受けていた者でその属する職務の級が二級であつたもの 一一　平成八年四月以後平成十六年十月以前の一般職給与法の教育職俸給表(四)の適用を受けていた者でその属する職務の級が三級であつたもの（第八号区分の項第一一号に掲げる者を除く。） 一二　平成十六年十月以後平成十八年三月以前の一般職給与法の教育職俸給表(二)の適用を受けていた者でその属する職務の級が三級であつたもの（第八号区分の項第一二号に掲げる者を除く。） 一三　平成八年四月以後平成十八年三月以前の一般職給与法の研究職俸給表の適用を受けていた者でその属する職務の級が三級であつたもの 一四　平成八年四月以後平成十八年三月以前の一般職給与法の医療職俸給表(一)の適用を受けていた者でその属する職務の級が二級であつたもの（第八号区分の項第一四号に掲げる者を除く。） 一五　平成八年四月以後平成十八年三月以前の医療職俸給表(二)の適用を受けていた者でその属する職務の級が五級であつたもの（第八号区分の項第一五号に掲げる者を除く。） 一六　平成八年四月以後平成十八年三月以前の一般職給与法の医療職俸給表(三)の適用を受けていた者でその属する職務の級が四級であつたもの 一七　平成十二年一月以後平成十八年三月以前の一般職給与法の福祉職俸給表の適用を受けていた者でその属する職務の級が四級であつたもの（第八号区分の項第一七号に掲げる者を除く。） 一八　平成八年四月以後平成十八年三月以前の裁判官報酬法別表判事補の項の適用を受けていた者で同項十号の報酬月額を受けていたもの 一九　平成八年四月以後平成十八年三月以前の裁判官報酬法別表簡易裁判所判事の項の適用を受けていた者で同項十五号の報酬月額を受けていたもの 二〇　平成八年四月以後平成十八年三月以前の検察官俸給法別表検事の項の適用を受けていた者で同項十八号の俸給月額を受けていたもの 二一　平成八年四月以後平成十八年三月以前の検察官俸給法別表副検事の項の適用を受けていた者で同項十二号の俸給月額を受けていたもの 二二　平成八年四月以後平成十八年三月

以前の特別職給与法別表第三の適用を受けていた者で同表二号俸の俸給月額を受けていたもの

二三　平成八年四月以後平成十三年一月以前の旧防衛庁給与法の参事官等俸給表の適用を受けていた者でその属する職務の級が一級であつたもの（第八号区分の項第二二号に掲げる者を除く。）のうち内閣総理大臣の定めるもの

二四　平成十三年一月以後平成十八年三月以前の旧防衛庁給与法の防衛参事官等俸給表の適用を受けていた者でその属する職務の級が一級であつたもの（第八号区分の項第二三号に掲げる者を除く。）のうち内閣総理大臣の定めるもの

二五　平成十六年十月以後平成十八年三月以前の旧防衛庁給与法の自衛隊教官俸給表の適用を受けていた者でその属する職務の級が一級であつたもののうち内閣総理大臣の定めるもの

二六　平成八年四月以後平成十八年三月以前の旧防衛庁給与法の自衛官俸給表の適用を受けていた者でその属する階級が一等陸尉、一等海尉又は一等空尉であつたもの

二七　平成九年六月以後平成十八年三月以前の任期付研究員法第六条第一項俸給表の適用を受けていた者で同表一号俸の俸給月額を受けていたもの

二八　前各号に掲げる者に準ずるものとして内閣総理大臣の定めるもの

第十号区分

一　平成八年四月以後平成十八年三月以前の一般職給与法の行政職俸給表㈠の適用を受けていた者でその属する職務の級が四級又は五級であつたもの

二　平成八年四月以後平成十八年三月以前の一般職給与法の行政職俸給表㈡の適用を受けていた者でその属する職務の級が三級であつたもののうち内閣総理大臣の定めるもの又は四級若しくは五級であつたもの

三　平成八年四月以後平成十八年三月以前の一般職給与法の専門行政職俸給表の適用を受けていた者でその属する職務の級が二級であつたもの

四　平成八年四月以後平成十八年三月以前の一般職給与法の税務職俸給表の適用を受けていた者でその属する職務の級が四級又は五級であつたもの

五　平成八年四月以後平成十八年三月以前の一般職給与法の公安職俸給表㈠の適用を受けていた者でその属する職務の級が三級であつたもののうち内閣総理大臣の定めるもの又は四級若しくは五級であつたもの（第九号区分の項第五号に掲げる者を除く。）

六　平成八年四月以後平成十八年三月以前の一般職給与法の公安職俸給表㈡の適用を受けていた者でその属する職務の級が四級又は五級であつたもの

七　平成八年四月以後平成十八年三月以前の一般職給与法の海事職俸給表㈠の適用を受けていた者でその属する職務の級が三級であつたもの

八　平成八年四月以後平成十八年三月以前の一般職給与法の海事職俸給表㈡の適用を受けていた者でその属する職務の級が四級又は五級であつたもの

九　平成八年四月以後平成十六年十月以前の一般職給与法の教育職俸給表㈠の適用を受けていた者でその属する職務の級が二級であつたもののうち内閣総理大臣の定めるもの

一〇　平成十六年十月以後平成十八年三月以前の一般職給与法の教育職俸給表㈠の適用を受けていた者でその属する職務の級が一級であつたもののうち内閣総理大臣の定めるもの

一一　平成八年四月以後平成十六年十月以前の一般職給与法の教育職俸給表㈣の適用を受けていた者でその属する職務の級が二級であつたもののうち内閣総理大臣の定めるもの

一二　平成十六年十月以後平成十八年三月以前の一般職給与法の教育職俸給表㈡の適用を受けていた者でその属する職務の級が二級であつたもののうち内閣総理大臣の定めるもの

一三　平成八年四月以後平成十八年三月以前の一般職給与法の研究職俸給表の適用を受けていた者でその属する職務の級が二級であつたもののうち内閣総理大臣の定めるもの

一四　平成八年四月以後平成十八年三月以前の一般職給与法の医療職俸給表㈠の適用を受けていた者でその属する職務の級が一級であつたもののうち内閣総理大臣の定めるもの

一五　平成八年四月以後平成十八年三月以前の一般職給与法の医療職俸給表㈡の適用を受けていた者でその属する職務の級が二級であつたもののうち内閣総理大臣の定めるもの又は三級若しくは四級であつたもの

一六　平成八年四月以後平成十八年三月以前の一般職給与法の医療職俸給表㈢の適用を受けていた者でその属する職

	務の級が二級であつたもののうち内閣総理大臣の定めるもの又は三級であつたもの 一七　平成十二年一月以後平成十八年三月以前の一般職給与法の福祉職俸給表の適用を受けていた者でその属する職務の級が二級又は三級であつたもの 一八　平成八年四月以後平成十八年三月以前の裁判官報酬法別表判事補の項の適用を受けていた者で同項十一号又は十二号の報酬月額を受けていたもの 一九　平成八年四月以後平成十八年三月以前の裁判官報酬法別表簡易裁判所判事の項の適用を受けていた者で同項十六号又は十七号の報酬月額を受けていたもの 二〇　平成八年四月以後平成十八年三月以前の検察官俸給法別表検事の項の適用を受けていた者で同項十九号又は二十号の俸給月額を受けていたもの 二一　平成八年四月以後平成十八年三月以前の検察官俸給法別表副検事の項の適用を受けていた者で同項十三号から十五号までの俸給月額を受けていたもの 二二　平成八年四月以後平成十八年三月以前の特別職給与法別表第三の適用を受けていた者で同表一号俸の俸給月額を受けていたもの 二三　平成八年四月以後平成十三年一月以前の旧防衛庁給与法の参事官等俸給表の適用を受けていた者でその属する職務の級が一級であつたもの（第八号区分の項第二二号及び第九号区分の項第二三号に掲げる者を除く。） 二四　平成十三年一月以後平成十八年三月以前の旧防衛庁給与法の防衛参事官等俸給表の適用を受けていた者でその属する職務の級が一級であつたもの（第八号区分の項第二三号及び第九号区分の項第二四号に掲げる者を除く。） 二五　平成十六年十月以後平成十八年三月以前の旧防衛庁給与法の自衛隊教官俸給表の適用を受けていた者でその属する職務の級が一級であつたもの（第九号区分の項第二五号に掲げる者を除く。）のうち内閣総理大臣の定めるもの 二六　平成八年四月以後平成十八年三月以前の旧防衛庁給与法の自衛官俸給表の適用を受けていた者でその属する階級が二等陸尉、二等海尉若しくは二等空尉、三等陸尉、三等海尉若しくは三等空尉、准陸尉、准海尉若しくは准空尉、陸曹長、海曹長若しくは空曹長又は一等陸曹、一等海曹若しくは一等空曹であつたもの 二七　平成九年六月以後平成十八年三月以前の任期付研究員法第六条第二項の俸給表の適用を受けていた者 二八　前各号に掲げる者に準ずるものとして内閣総理大臣の定めるもの
第十一号区分	第一号区分から第十号区分までのいずれの職員の区分にも属しないこととなる者

備考　内閣総理大臣は、第一号区分の項第一〇号、第二号区分の項第一三号、第三号区分の項第九号、第四号区分の項第二一号、第五号区分の項第二〇号、第六号区分の項第二四号、第七号区分の項第二四号、第八号区分の項第二八号、第九号区分の項第二八号及び第十号区分の項第二八号の規定による内閣総理大臣の定めをしようとするときは、農林水産大臣又は行政執行法人の意見を聴くものとする。

ロ　平成十八年四月一日以後の基礎在職期間における職員の区分についての表

第一号区分	一　平成十八年四月一日以後適用されている一般職給与法（他の法令において、引用し、準用し、又はその例による場合を含む。以下「平成十八年四月以後の一般職給与法」という。）の指定職俸給表の適用を受けていた者で同表六号俸の俸給月額以上の俸給月額を受けていたもの 二　平成十八年四月一日以後適用されている裁判官の報酬等に関する法律（以下「平成十八年四月以後の裁判官報酬法」という。）別表の適用を受けていた者で同表判事の項二号の報酬月額以上の報酬月額を受けていたもの 三　平成十八年四月一日以後適用されている検察官の俸給等に関する法律（以下「平成十八年四月以後の検察官俸給法」という。）別表の適用を受けていた者で同表検事の項二号の俸給月額以上の俸給月額を受けていたもの 四　平成十八年四月一日以後適用されている特別職の職員の給与に関する法律（以下「平成十八年四月以後の特別職給与法」という。）別表第一の適用を受けていた者で公害等調整委員会の常勤の委員の受ける俸給月額以上の俸給月額を受けていたもの 五　平成十八年四月以後の特別職給与法別表第二大使の項の適用を受けていた者で同項二号俸の俸給月額以上の俸給月額を受けていたもの 六　平成十八年四月以後の特別職給与法別表第二公使の項の適用を受けていた者で同項二号俸の俸給月額以上の俸給

	月額を受けていたもの 七　平成十八年四月一日から同年七月三十日までの間において適用されていた旧防衛庁給与法（以下「平成十八年四月以後同年七月以前の旧防衛庁給与法」という。）の防衛参事官等俸給表の適用を受けていた者で同表の指定職の欄六号俸の俸給月額以上の俸給月額を受けていたもの 八　平成十八年四月一日から平成十九年一月八日までの間において適用されていた旧防衛庁給与法（以下「平成十八年四月以後平成十九年一月以前の旧防衛庁給与法」という。）の自衛官俸給表の適用を受けていた者で同表の陸将、海将及び空将の欄六号俸の俸給月額以上の俸給月額を受けていたもの 八の二　平成十九年一月九日以後適用されている防衛省の職員の給与等に関する法律（昭和二十七年法律第二百六十六号。以下「平成十九年一月以後の防衛省給与法」という。）の自衛官俸給表の適用を受けていた者で同表の陸将、海将及び空将の欄六号俸の俸給月額以上の俸給月額を受けていたもの 九　前各号に掲げる者に準ずるものとして内閣総理大臣の定めるもの
第二号区分	一　平成十八年四月以後の一般職給与法の指定職俸給表の適用を受けていた者で同表一号俸から五号俸までの俸給月額を受けていたもの 二　平成十八年四月以後の裁判官報酬法別表判事の項の適用を受けていた者で同項三号から五号までの報酬月額を受けていたもの 三　平成十八年四月以後の裁判官報酬法別表簡易裁判所判事の項の適用を受けていた者で同項一号又は二号の報酬月額を受けていたもの 四　平成十八年四月以後の検察官俸給法別表検事の項の適用を受けていた者で同項三号から五号までの俸給月額を受けていたもの 五　平成十八年四月以後の特別職給与法別表第一の適用を受けていた者で公害等調整委員会の常勤の委員の受ける俸給月額に満たない俸給月額を受けていたもの 六　平成十八年四月以後の特別職給与法別表第二大使の項の適用を受けていた者で同項一号俸の俸給月額を受けていたもの 七　平成十八年四月以後の特別職給与法別表第二公使の項の適用を受けていた者で同項一号俸の俸給月額を受けていたもの 八　平成十八年四月以後同年七月以前の旧防衛庁給与法の防衛参事官等俸給表の適用を受けていた者で同表の指定職の欄一号俸から五号俸までの俸給月額を受けていたもの 九　平成十八年四月以後平成十九年一月以前の旧防衛庁給与法の自衛官俸給表の適用を受けていた者で同表の陸将、海将及び空将の欄一号俸から五号俸までの俸給月額を受けていたもの又は陸将補、海将補及び空将補の㈠欄に掲げる俸給月額を受けていたもの 九の二　平成十九年一月以後の防衛省給与法の自衛官俸給表の適用を受けていた者で同表の陸将、海将及び空将の欄一号俸から五号俸までの俸給月額を受けていたもの又は陸将補、海将補及び空将補の㈠欄に掲げる俸給月額を受けていたもの 一〇　平成十八年四月一日以後適用されている一般職の任期付研究員の採用、給与及び勤務時間の特例に関する法律（他の法令において引用する場合を含む。以下「平成十八年四月以後の任期付研究員法」という。）第六条第一項の俸給表の適用を受けていた者で同表六号俸の俸給月額を受けていたもの 一一　平成十八年四月一日以後適用されている一般職の任期付職員の採用及び給与の特例に関する法律（他の法令において、引用し、又は準用する場合を含む。以下「平成十八年四月以後の任期付職員法」という。）第七条第一項の俸給表の適用を受けていた者で同表七号俸の俸給月額を受けていたもの 一二　前各号に掲げる者に準ずるものとして内閣総理大臣の定めるもの
第三号区分	一　平成十八年四月以後の一般職給与法の行政職俸給表㈠の適用を受けていた者でその属する職務の級が十級であったもの 二　平成十八年四月以後の一般職給与法の専門行政職俸給表の適用を受けていた者でその属する職務の級が八級であったもの 三　平成十八年四月以後の一般職給与法の税務職俸給表の適用を受けていた者でその属する職務の級が十級であったもの 四　平成十八年四月以後の一般職給与法の公安職俸給表㈠の適用を受けていた者でその属する職務の級が十一級であ

つたもの

五　平成十八年四月以後の一般職給与法の公安職俸給表㈡の適用を受けていた者でその属する職務の級が十級であつたもの

六　平成十八年四月以後の一般職給与法の教育職俸給表㈠の適用を受けていた者でその属する職務の級が五級であつたもの

七　平成十八年四月以後の一般職給与法の研究職俸給表の適用を受けていた者でその属する職務の級が六級であつたもの

八　平成十八年四月以後の一般職給与法の医療職俸給表㈠の適用を受けていた者でその属する職務の級が五級であつたもの

八の二　平成二十九年四月一日以後適用されている一般職給与法（他の法令において、引用し、準用し、又はその例による場合を含む。）の専門スタッフ職俸給表の適用を受けていた者でその属する職務の級が四級であつたもの

九　平成十八年四月以後の裁判官報酬法別表判事の項の適用を受けていた者で同項六号から八号までの報酬月額を受けていたもの

一〇　平成十八年四月以後の裁判官報酬法別表簡易裁判所判事の項の適用を受けていた者で同項三号又は四号の報酬月額を受けていたもの

一一　平成十八年四月以後の検察官俸給法別表検事の項の適用を受けていた者で同項六号から八号までの俸給月額を受けていたもの

一二　平成十八年四月以後の検察官俸給法別表副検事の項の適用を受けていた者で同項一号又は二号の俸給月額を受けていたもの

一三　平成十八年四月以後の特別職給与法別表第三の適用を受けていた者で同表十二号俸の俸給月額を受けていたもの

一四　平成十八年四月以後同年七月以前の旧防衛庁給与法の防衛参事官等俸給表の適用を受けていた者でその属する職務の級が六級であつたもの

一五　平成十八年四月以後平成十九年一月以前の旧防衛庁給与法の自衛官俸給表の適用を受けていた者で同表の陸将補、海将補及び空将補の㈡欄に掲げる俸給月額を受けていたもののうち内閣総理大臣の定めるもの

一五の二　平成十九年一月以後の防衛省給与法の自衛官俸給表の適用を受けていた者で同表の陸将補、海将補及び空将補の㈡欄に掲げる俸給月額を受けていたもののうち内閣総理大臣の定めるもの

一六　前各号に掲げる者に準ずるものとして内閣総理大臣の定めるもの

第四号区分

一　平成十八年四月以後の一般職給与法の行政職俸給表㈠の適用を受けていた者でその属する職務の級が九級であつたもの

二　平成十八年四月以後の一般職給与法の専門行政職俸給表の適用を受けていた者でその属する職務の級が七級であつたもの

三　平成十八年四月以後の一般職給与法の税務職俸給表の適用を受けていた者でその属する職務の級が九級であつたもの

四　平成十八年四月以後の一般職給与法の公安職俸給表㈠の適用を受けていた者でその属する職務の級が十級であつたもの

五　平成十八年四月以後の一般職給与法の公安職俸給表㈡の適用を受けていた者でその属する職務の級が九級であつたもの

六　平成十八年四月以後の一般職給与法の海事職俸給表㈠の適用を受けていた者でその属する職務の級が七級であつたもののうち内閣総理大臣の定めるもの

七　平成十八年四月以後の一般職給与法の教育職俸給表㈠の適用を受けていた者でその属する職務の級が四級であつたもののうち内閣総理大臣の定めるもの

八　平成十八年四月以後の一般職給与法の研究職俸給表の適用を受けていた者でその属する職務の級が五級であつたもののうち内閣総理大臣の定めるもの

九　平成十八年四月以後の一般職給与法の医療職俸給表㈠の適用を受けていた者でその属する職務の級が四級であつたもののうち内閣総理大臣の定めるもの

九の二　平成二十年四月一日以後適用されている一般職給与法（他の法令において、引用し、準用し、又はその例による場合を含む。以下「平成二十年四月以後の一般職給与法」という。）の専門スタッフ職俸給表の適用を受けていた者でその属する職務の級が三級であつたもの

一〇　平成十八年四月以後の裁判官報酬法別表判事補の項の適用を受けていた者で同項一号又は二号の報酬月額を受けていたもの

一一　平成十八年四月以後の裁判官報酬法別表簡易裁判所判事の項の適用を受けていた者で同項五号から七号までの報酬月額を受けていたもの

一二　平成十八年四月以後の検察官俸給法別表検事の項の適用を受けていた者で同項九号又は十号の俸給月額を受けていたもの

一三　平成十八年四月以後の検察官俸給法別表副検事の項の適用を受けていた者で同項三号から五号までの俸給月額を受けていたもの

一四　平成十八年四月以後の特別職給与法別表第三の適用を受けていた者で同表十号俸又は十一号俸の俸給月額を受けていたもの

一五　平成十八年四月以後同年七月以前の旧防衛庁給与法の防衛参事官等俸給表の適用を受けていた者でその属する職務の級が五級であつたもの

一六　平成十八年四月以後平成十九年一月以前の旧防衛庁給与法の自衛官俸給表の適用を受けていた者で同表の陸将補、海将補及び空将補の㈡欄に掲げる俸給月額を受けていたもの（第三号区分の項第一五号に掲げる者を除く。）又は一等陸佐、一等海佐及び一等空佐の㈠欄に掲げる俸給月額を受けていたもの

一六の二　平成十九年一月以後の防衛省給与法の自衛官俸給表の適用を受けていた者で同表の陸将補、海将補及び空将補の㈡欄に掲げる俸給月額を受けていたもの（第三号区分の項第一五号の二に掲げる者を除く。）又は一等陸佐、一等海佐及び一等空佐の㈠欄に掲げる俸給月額を受けていたもの

一七　平成十八年四月以後の任期付研究員法第六条第一項の俸給表の適用を受けていた者で同表五号俸の俸給月額を受けていたもの

一八　平成十八年四月以後の任期付職員法第七条第一項の俸給表の適用を受けていた者で同表六号俸の俸給月額を受けていたもの

一九　前各号に掲げる者に準ずるものとして内閣総理大臣の定めるもの

第五号区分

一　平成十八年四月以後の一般職給与法の行政職俸給表㈠の適用を受けていた者でその属する職務の級が八級であつたもの

二　平成十八年四月以後の一般職給与法の専門行政職俸給表の適用を受けていた者でその属する職務の級が六級であつたもの

三　平成十八年四月以後の一般職給与法の税務職俸給表の適用を受けていた者でその属する職務の級が八級であつたもの

四　平成十八年四月以後の一般職給与法の公安職俸給表㈠の適用を受けていた者でその属する職務の級が九級であつたもの

五　平成十八年四月以後の一般職給与法の公安職俸給表㈡の適用を受けていた者でその属する職務の級が八級であつたもの

六　平成十八年四月以後の一般職給与法の海事職俸給表㈠の適用を受けていた者でその属する職務の級が七級であつたもの（第四号区分の項第六号に掲げる者を除く。）

七　平成十八年四月以後の一般職給与法の教育職俸給表㈠の適用を受けていた者でその属する職務の級が四級であつたもの（第四号区分の項第七号に掲げる者を除く。）のうち内閣総理大臣の定めるもの

八　平成十八年四月以後の一般職給与法の研究職俸給表の適用を受けていた者でその属する職務の級が五級であつたもの（第四号区分の項第八号に掲げる者を除く。）のうち内閣総理大臣の定めるもの

九　平成十八年四月以後の一般職給与法の医療職俸給表㈠の適用を受けていた者でその属する職務の級が四級であつたもの（第四号区分の項第九号に掲げる者を除く。）のうち内閣総理大臣の定めるもの

九の二　平成二十年四月以後の一般職給与法の専門スタッフ職俸給表の適用を受けていた者でその属する職務の級が二級であつたもの

一〇　平成十八年四月以後の裁判官報酬法別表判事補の項の適用を受けていた者で同項三号又は四号の報酬月額を受けていたもの

一一　平成十八年四月以後の裁判官報酬法別表簡易裁判所判事の項の適用を受けていた者で同項八号又は九号の報酬月額を受けていたもの

一二　平成十八年四月以後の検察官俸給法別表検事の項の適用を受けていた者

で同項十一号又は十二号の俸給月額を受けていたもの

一三　平成十八年四月以後の検察官俸給法別表副検事の項の適用を受けていた者で同項六号又は七号の俸給月額を受けていたもの

一四　平成十八年四月以後の特別職給与法別表第三の適用を受けていた者で同表九号俸の俸給月額を受けていたもの

一五　平成十八年四月以後同年七月以前の旧防衛庁給与法の防衛参事官等俸給表の適用を受けていた者でその属する職務の級が四級であつたもの

一六　平成十八年四月以後平成十九年一月以前の旧防衛庁給与法の自衛官俸給表の適用を受けていた者で同表の一等陸佐、一等海佐及び一等空佐の㈡欄に掲げる俸給月額を受けていたもの

一六の二　平成十九年一月以後の防衛省給与法の自衛官俸給表の適用を受けていた者で同表の一等陸佐、一等海佐及び一等空佐の㈡欄に掲げる俸給月額を受けていたもの

一七　平成十八年四月以後の任期付職員法第七条第一項の俸給表の適用を受けていた者で同表五号俸の俸給月額を受けていたもの

一八　前各号に掲げる者に準ずるものとして内閣総理大臣の定めるもの

第六号区分

一　平成十八年四月以後の一般職給与法の行政職俸給表㈠の適用を受けていた者でその属する職務の級が七級であつたもの

二　平成十八年四月以後の一般職給与法の専門行政職俸給表の適用を受けていた者でその属する職務の級が五級であつたもの

三　平成十八年四月以後の一般職給与法の税務職俸給表の適用を受けていた者でその属する職務の級が七級であつたもの

四　平成十八年四月以後の一般職給与法の公安職俸給表㈠の適用を受けていた者でその属する職務の級が八級であつたもの

五　平成十八年四月以後の一般職給与法の公安職俸給表㈡の適用を受けていた者でその属する職務の級が七級であつたもの

六　平成十八年四月以後の一般職給与法の海事職俸給表㈠の適用を受けていた者でその属する職務の級が六級であつたもののうち内閣総理大臣の定めるもの

七　平成十八年四月以後の一般職給与法の教育職俸給表㈠の適用を受けていた者でその属する職務の級が四級であつたもの（第四号区分の項第七号及び第五号区分の項第七号に掲げる者を除く。）

八　平成十八年四月以後の一般職給与法の研究職俸給表の適用を受けていた者でその属する職務の級が五級であつたもの（第四号区分の項第八号及び第五号区分の項第八号に掲げる者を除く。）のうち内閣総理大臣の定めるもの

九　平成十八年四月以後の一般職給与法の医療職俸給表㈠の適用を受けていた者でその属する職務の級が四級であつたもの（第四号区分の項第九号及び第五号区分の項第九号に掲げる者を除く。）

一〇　平成十八年四月以後の一般職給与法の医療職俸給表㈡の適用を受けていた者でその属する職務の級が八級であつたもの

一一　平成十八年四月以後の一般職給与法の医療職俸給表㈢の適用を受けていた者でその属する職務の級が七級であつたもの

一二　平成十八年四月以後の一般職給与法の福祉職俸給表の適用を受けていた者でその属する職務の級が六級であつたもの

一三　平成十八年四月以後の裁判官報酬法別表判事補の項の適用を受けていた者で同項五号又は六号の報酬月額を受けていたもの

一四　平成十八年四月以後の裁判官報酬法別表簡易裁判所判事の項の適用を受けていた者で同項十号又は十一号の報酬月額を受けていたもの

一五　平成十八年四月以後の検察官俸給法別表検事の項の適用を受けていた者で同項十三号又は十四号の俸給月額を受けていたもの

一六　平成十八年四月以後の検察官俸給法別表副検事の項の適用を受けていた者で同項八号又は九号の俸給月額を受けていたもの

一七　平成十八年四月以後の特別職給与法別表第三の適用を受けていた者で同表五号俸から八号俸までの俸給月額を受けていたもの

一八　平成十八年四月以後同年七月以前の旧防衛庁給与法の防衛参事官等俸給表の適用を受けていた者でその属する

職務の級が三級であつたもの

一九　平成十八年四月以後平成十九年一月以前の旧防衛庁給与法の自衛官俸給表の適用を受けていた者で同表の一等陸佐、一等海佐及び一等空佐の㈢欄に掲げる俸給月額を受けていたもの

一九の二　平成十九年一月以後の防衛省給与法の自衛官俸給表の適用を受けていた者で同表の一等陸佐、一等海佐及び一等空佐の㈢欄に掲げる俸給月額を受けていたもの

二〇　平成十八年四月以後の任期付研究員法第六条第一項の俸給表の適用を受けていた者で同表四号俸の俸給月額を受けていたもの

二一　平成十八年四月以後の任期付職員法第七条第一項の俸給表の適用を受けていた者で同表四号俸の俸給月額を受けていたもの

二二　前各号に掲げる者に準ずるものとして内閣総理大臣の定めるもの

第七号区分

一　平成十八年四月以後の一般職給与法の行政職俸給表㈠の適用を受けていた者でその属する職務の級が六級であつたもの

二　平成十八年四月以後の一般職給与法の専門行政職俸給表の適用を受けていた者でその属する職務の級が四級であつたもの

三　平成十八年四月以後の一般職給与法の税務職俸給表の適用を受けていた者でその属する職務の級が六級であつたもの

四　平成十八年四月以後の一般職給与法の公安職俸給表㈠の適用を受けていた者でその属する職務の級が七級であつたもの

五　平成十八年四月以後の一般職給与法の公安職俸給表㈡の適用を受けていた者でその属する職務の級が六級であつたもの

六　平成十八年四月以後の一般職給与法の海事職俸給表㈠の適用を受けていた者でその属する職務の級が六級であつたもの（第六号区分の項第六号に掲げる者を除く。）

七　平成十八年四月以後の一般職給与法の教育職俸給表㈠の適用を受けていた者でその属する職務の級が三級であつたもののうち内閣総理大臣の定めるもの

八　平成十八年四月以後の一般職給与法の研究職俸給表の適用を受けていた者でその属する職務の級が五級であつたもの（第四号区分の項第八号、第五号区分の項第八号及び第六号区分の項第八号に掲げる者を除く。）

九　平成十八年四月以後の一般職給与法の医療職俸給表㈠の適用を受けていた者でその属する職務の級が三級であつたもの

一〇　平成十八年四月以後の一般職給与法の医療職俸給表㈡の適用を受けていた者でその属する職務の級が六級又は七級であつたもの

一一　平成十八年四月以後の一般職給与法の医療職俸給表㈢の適用を受けていた者でその属する職務の級が六級であつたもの

一二　平成十八年四月以後の一般職給与法の福祉職俸給表の適用を受けていた者でその属する職務の級が五級であつたもの

一二の二　平成二十年四月以後の一般職給与法の専門スタッフ職俸給表の適用を受けていた者でその属する職務の級が一級であつたもの

一三　平成十八年四月以後の裁判官報酬法別表判事補の項の適用を受けていた者で同項七号又は八号の報酬月額を受けていたもの

一四　平成十八年四月以後の裁判官報酬法別表簡易裁判所判事の項の適用を受けていた者で同項十二号又は十三号の報酬月額を受けていたもの

一五　平成十八年四月以後の検察官俸給法別表検事の項の適用を受けていた者で同項十五号又は十六号の俸給月額を受けていたもの

一六　平成十八年四月以後の検察官俸給法別表副検事の項の適用を受けていた者で同項十号又は十一号の俸給月額を受けていたもの

一七　平成十八年四月以後の特別職給与法別表第三の適用を受けていた者で同表三号俸又は四号俸の俸給月額を受けていたもの

一八　平成十八年四月以後同年七月以前の旧防衛庁給与法の防衛参事官等俸給表の適用を受けていた者でその属する職務の級が二級であつたもの

一九　平成十八年四月以後平成十九年一月以前の旧防衛庁給与法の自衛官俸給表の適用を受けていた者でその属する階級が二等陸佐、二等海佐又は二等空佐であつたもの

一九の二　平成十九年一月以後の防衛省給与法の自衛官俸給表の適用を受けて

いた者でその属する階級が二等陸佐、二等海佐又は二等空佐であつたもの
二〇　平成十八年四月以後の任期付研究員法第六条第一項の俸給表の適用を受けていた者で同表三号俸の俸給月額を受けていたもの
二一　平成十八年四月以後の任期付職員法第七条第一項の俸給表の適用を受けていた者で同表三号俸の俸給月額を受けていたもの
二二　前各号に掲げる者に準ずるものとして内閣総理大臣の定めるもの

第八号区分

一　平成十八年四月以後の一般職給与法の行政職俸給表㈠の適用を受けていた者でその属する職務の級が五級であつたもの
二　平成十八年四月以後の一般職給与法の行政職俸給表㈡の適用を受けていた者でその属する職務の級が五級であつたもののうち内閣総理大臣の定めるもの
三　平成十八年四月以後の一般職給与法の専門行政職俸給表の適用を受けていた者でその属する職務の級が三級であつたもののうち内閣総理大臣の定めるもの
四　平成十八年四月以後の一般職給与法の税務職俸給表の適用を受けていた者でその属する職務の級が五級であつたもの
五　平成十八年四月以後の一般職給与法の公安職俸給表㈠の適用を受けていた者でその属する職務の級が六級であつたもの
六　平成十八年四月以後の一般職給与法の公安職俸給表㈡の適用を受けていた者でその属する職務の級が五級であつたもの
七　平成十八年四月以後の一般職給与法の海事職俸給表㈠の適用を受けていた者でその属する職務の級が五級であつたもの
八　平成十八年四月以後の一般職給与法の海事職俸給表㈡の適用を受けていた者でその属する職務の級が六級であつたもののうち内閣総理大臣の定めるもの
九　平成十八年四月以後の一般職給与法の教育職俸給表㈠の適用を受けていた者でその属する職務の級が三級であつたもの（第七号区分の項第七号に掲げる者を除く。）
一〇　平成十八年四月以後の一般職給与法の教育職俸給表㈡の適用を受けていた者でその属する職務の級が三級であつたもののうち内閣総理大臣の定めるもの
一一　平成十八年四月以後の一般職給与法の研究職俸給表の適用を受けていた者でその属する職務の級が四級であつたもの
一二　平成十八年四月以後の一般職給与法の医療職俸給表㈠の適用を受けていた者でその属する職務の級が二級であつたもののうち内閣総理大臣の定めるもの
一三　平成十八年四月以後の一般職給与法の医療職俸給表㈡の適用を受けていた者でその属する職務の級が五級であつたもののうち内閣総理大臣の定めるもの
一四　平成十八年四月以後の一般職給与法の医療職俸給表㈢の適用を受けていた者でその属する職務の級が五級であつたもの
一五　平成十八年四月以後の一般職給与法の福祉職俸給表の適用を受けていた者でその属する職務の級が四級であつたもののうち内閣総理大臣の定めるもの
一六　平成十八年四月以後の裁判官報酬法別表判事補の項の適用を受けていた者で同項九号の報酬月額を受けていたもの
一七　平成十八年四月以後の裁判官報酬法別表簡易裁判所判事の項の適用を受けていた者で同項十四号の報酬月額を受けていたもの
一八　平成十八年四月以後の検察官俸給法別表検事の項の適用を受けていた者で同項十七号の俸給月額を受けていたもの
一九　平成十八年四月以後の検察官俸給法別表副検事の項の適用を受けていた者で同項十二号の俸給月額を受けていたもの
二〇　平成十八年四月以後同年七月以前の旧防衛庁給与法の防衛参事官等俸給表の適用を受けていた者でその属する職務の級が一級であつたもののうち内閣総理大臣の定めるもの
二一　平成十八年四月以後平成十九年一月以前の旧防衛庁給与法の自衛隊教官俸給表の適用を受けていた者でその属する職務の級が二級であつたもの
二一の二　平成十九年一月以後の防衛省給与法の自衛隊教官俸給表の適用を受けていた者でその属する職務の級が二

	級であつたもの 二二　平成十八年四月以後平成十九年一月以前の旧防衛庁給与法の自衛官俸給表の適用を受けていた者でその属する階級が三等陸佐、三等海佐又は三等空佐であつたもの 二二の二　平成十九年一月以後の防衛省給与法の自衛官俸給表の適用を受けていた者でその属する階級が三等陸佐、三等海佐又は三等空佐であつたもの 二三　平成十八年四月以後の任期付研究員法第六条第一項の俸給表の適用を受けていた者で同表二号俸の俸給月額を受けていたもの 二四　平成十八年四月以後の任期付職員法第七条第一項の俸給表の適用を受けていた者で同表一号俸又は二号俸の俸給月額を受けていたもの 二五　前各号に掲げる者に準ずるものとして内閣総理大臣の定めるもの
第九号区分	一　平成十八年四月以後の一般職給与法の行政職俸給表㈠の適用を受けていた者でその属する職務の級が四級であつたもの 二　平成十八年四月以後の一般職給与法の行政職俸給表㈡の適用を受けていた者でその属する職務の級が五級であつたもの（第八号区分の項第二号に掲げる者を除く。） 三　平成十八年四月以後の一般職給与法の専門行政職俸給表の適用を受けていた者でその属する職務の級が三級であつたもの（第八号区分の項第三号に掲げる者を除く。） 四　平成十八年四月以後の一般職給与法の税務職俸給表の適用を受けていた者でその属する職務の級が四級であつたもの 五　平成十八年四月以後の一般職給与法の公安職俸給表㈠の適用を受けていた者でその属する職務の級が四級であつたもののうち内閣総理大臣の定めるもの又は五級であつたもの 六　平成十八年四月以後の一般職給与法の公安職俸給表㈡の適用を受けていた者でその属する職務の級が四級であつたもの 七　平成十八年四月以後の一般職給与法の海事職俸給表㈠の適用を受けていた者でその属する職務の級が四級であつたもの 八　平成十八年四月以後の一般職給与法の海事職俸給表㈡の適用を受けていた者でその属する職務の級が六級であつたもの（第八号区分の項第八号に掲げる者を除く。） 九　平成十八年四月以後の一般職給与法の教育職俸給表㈠の適用を受けていた者でその属する職務の級が二級であつたもの 一〇　平成十八年四月以後の一般職給与法の教育職俸給表㈡の適用を受けていた者でその属する職務の級が三級であつたもの（第八号区分の項第一〇号に掲げる者を除く。） 一一　平成十八年四月以後の一般職給与法の研究職俸給表の適用を受けていた者でその属する職務の級が三級であつたもの 一二　平成十八年四月以後の一般職給与法の医療職俸給表㈠の適用を受けていた者でその属する職務の級が二級であつたもの（第八号区分の項第一二号に掲げる者を除く。） 一三　平成十八年四月以後の一般職給与法の医療職俸給表㈡の適用を受けていた者でその属する職務の級が五級であつたもの（第八号区分の項第一三号に掲げる者を除く。） 一四　平成十八年四月以後の一般職給与法の医療職俸給表㈢の適用を受けていた者でその属する職務の級が四級であつたもの 一五　平成十八年四月以後の一般職給与法の福祉職俸給表の適用を受けていた者でその属する職務の級が四級であつたもの（第八号区分の項第一五号に掲げる者を除く。） 一六　平成十八年四月以後の裁判官報酬法別表判事補の項の適用を受けていた者で同項十号の報酬月額を受けていたもの 一七　平成十八年四月以後の裁判官報酬法別表簡易裁判所判事の項の適用を受けていた者で同項十五号の報酬月額を受けていたもの 一八　平成十八年四月以後の検察官俸給法別表検事の項の適用を受けていた者で同項十八号の俸給月額を受けていたもの 一九　平成十八年四月以後の検察官俸給法別表副検事の項の適用を受けていた者で同項十三号の俸給月額を受けていたもの 二〇　平成十八年四月以後の特別職給与法別表第三の適用を受けていた者で同表二号俸の俸給月額を受けていたもの 二一　平成十八年四月以後同年七月以前

	の旧防衛庁給与法の防衛参事官等俸給表の適用を受けていた者でその属する職務の級が一級であつたもの（第八号区分の項第二〇号に掲げる者を除く。）のうち内閣総理大臣の定めるもの 二二　平成十八年四月以後平成十九年一月以前の旧防衛庁給与法の自衛隊教官俸給表の適用を受けていた者でその属する職務の級が一級であつたもののうち内閣総理大臣の定めるもの 二二の二　平成十九年一月以後の防衛省給与法の自衛隊教官俸給表の適用を受けていた者でその属する職務の級が一級であつたもののうち内閣総理大臣の定めるもの 二三　平成十八年四月以後平成十九年一月以前の旧防衛庁給与法の自衛官俸給表の適用を受けていた者でその属する階級が一等陸尉、一等海尉又は一等空尉であつたもの 二三の二　平成十九年一月以後の防衛省給与法の自衛官俸給表の適用を受けていた者でその属する階級が一等陸尉、一等海尉又は一等空尉であつたもの 二四　平成十八年四月以後の任期付研究員法第六条第一項の俸給表の適用を受けていた者で同表一号俸の俸給月額を受けていたもの 二五　前各号に掲げる者に準ずるものとして内閣総理大臣の定めるもの
第十号区分	一　平成十八年四月以後の一般職給与法の行政職俸給表㈠の適用を受けていた者でその属する職務の級が三級であつたもの 二　平成十八年四月以後の一般職給与法の行政職俸給表㈡の適用を受けていた者でその属する職務の級が三級であつたもののうち内閣総理大臣の定めるもの又は四級であつたもの 三　平成十八年四月以後の一般職給与法の専門行政職俸給表の適用を受けていた者でその属する職務の級が二級であつたもの 四　平成十八年四月以後の一般職給与法の税務職俸給表の適用を受けていた者でその属する職務の級が三級であつたもの 五　平成十八年四月以後の一般職給与法の公安職俸給表㈠の適用を受けていた者でその属する職務の級が三級であつたもののうち内閣総理大臣の定めるもの又は四級であつたもの（第九号区分の項第五号に掲げる者を除く。） 六　平成十八年四月以後の一般職給与法の公安職俸給表㈡の適用を受けていた者でその属する職務の級が三級であつたもの 七　平成十八年四月以後の一般職給与法の海事職俸給表㈠の適用を受けていた者でその属する職務の級が三級であつたもの 八　平成十八年四月以後の一般職給与法の海事職俸給表㈡の適用を受けていた者でその属する職務の級が四級又は五級であつたもの 九　平成十八年四月以後の一般職給与法の教育職俸給表㈠の適用を受けていた者でその属する職務の級が一級であつたもののうち内閣総理大臣の定めるもの 一〇　平成十八年四月以後の一般職給与法の教育職俸給表㈡の適用を受けていた者でその属する職務の級が二級であつたもののうち内閣総理大臣の定めるもの 一一　平成十八年四月以後の一般職給与法の研究職俸給表の適用を受けていた者でその属する職務の級が二級であつたもののうち内閣総理大臣の定めるもの 一二　平成十八年四月以後の一般職給与法の医療職俸給表㈠の適用を受けていた者でその属する職務の級が一級であつたもののうち内閣総理大臣の定めるもの 一三　平成十八年四月以後の一般職給与法の医療職俸給表㈡の適用を受けていた者でその属する職務の級が二級であつたもののうち内閣総理大臣の定めるもの又は三級若しくは四級であつたもの 一四　平成十八年四月以後の一般職給与法の医療職俸給表㈢の適用を受けていた者でその属する職務の級が二級であつたもののうち内閣総理大臣の定めるもの又は三級であつたもの 一五　平成十八年四月以後の一般職給与法の福祉職俸給表の適用を受けていた者でその属する職務の級が二級又は三級であつたもの 一六　平成十八年四月以後の裁判官報酬法別表判事補の項の適用を受けていた者で同項十一号又は十二号の報酬月額を受けていたもの 一七　平成十八年四月以後の裁判官報酬法別表簡易裁判所判事の項の適用を受けていた者で同項十六号又は十七号の報酬月額を受けていたもの

	一八　平成十八年四月以後の検察官俸給法別表検事の項の適用を受けていた者で同項十九号又は二十号の俸給月額を受けていたもの 一九　平成十八年四月以後の検察官俸給法別表副検事の項の適用を受けていた者で同項十四号から十六号までの俸給月額を受けていたもの 二〇　平成十八年四月以後の特別職給与法別表第三の適用を受けていた者で同表一号俸の俸給月額を受けていたもの 二一　平成十八年四月以後同年七月以前の旧防衛庁給与法の防衛参事官等俸給表の適用を受けていた者でその属する職務の級が一級であつたもの（第八号区分の項第二〇号及び第九号区分の項第二一号に掲げる者を除く。） 二二　平成十八年四月以後平成十九年一月以前の旧防衛庁給与法の自衛隊教官俸給表の適用を受けていた者でその属する職務の級が一級であつたもの（第九号区分の項第二二号に掲げる者を除く。）のうち内閣総理大臣の定めるもの 二二の二　平成十九年一月以後の防衛省給与法の自衛隊教官俸給表の適用を受けていた者でその属する職務の級が一級であつたもの（第九号区分の項第二二号の二に掲げる者を除く。）のうち内閣総理大臣の定めるもの 二三　平成十八年四月以後平成十九年一月以前の旧防衛庁給与法の自衛官俸給表の適用を受けていた者でその属する階級が二等陸尉、二等海尉若しくは二等空尉、三等陸尉、三等海尉若しくは三等空尉、准陸尉、准海尉若しくは准空尉、陸曹長、海曹長若しくは空曹長又は一等陸曹、一等海曹若しくは一等空曹であつたもの 二三の二　平成十九年一月以後の防衛省給与法の自衛官俸給表の適用を受けていた者でその属する階級が二等陸尉、二等海尉若しくは二等空尉、三等陸尉、三等海尉若しくは三等空尉、准陸尉、准海尉若しくは准空尉、陸曹長、海曹長若しくは空曹長又は一等陸曹、一等海曹若しくは一等空曹であつたもの 二四　平成十八年四月以後の任期付研究員法第六条第二項の俸給表の適用を受けていた者 二五　前各号に掲げる者に準ずるものとして内閣総理大臣の定めるもの
第十一号区分	第一号区分から第十号区分までのいずれの職員の区分にも属しないこととなる者

備考

一　内閣総理大臣は、第一号区分の項第九号、第二号区分の項第一二号、第三号区分の項第一六号、第四号区分の項第一九号、第五号区分の項第一八号、第六号区分の項第二二号、第七号区分の項第二二号、第八号区分の項第二五号、第九号区分の項第二五号及び第十号区分の項第二五号の規定による内閣総理大臣の定めをしようとするときは、農林水産大臣又は行政執行法人の意見を聴くものとする。

二　平成十八年四月以後平成十九年一月以前の旧防衛庁給与法の自衛官俸給表又は平成十九年一月以後の防衛省給与法の自衛官俸給表の適用を受けていた者で退職の日に昇任したもの（公務上死亡した者又は公務上の傷病によりその職に堪えないで退職した者を除く。）は、その昇任前の階級に属していたものとみなす。

別表第二（第六条の四関係）

平成八年四月一日から平成十年三月三十一日まで	一般職の職員の給与に関する法律及び一般職の任期付研究員の採用、給与及び勤務時間の特例に関する法律の一部を改正する法律（平成九年法律第百十二号）第一条の規定による改正前の一般職給与法の指定職俸給表十一号俸の額に相当する額
平成十年四月一日から平成十四年十一月三十日まで	一般職の職員の給与に関する法律等の一部を改正する法律（平成十四年法律第百六号）第一条の規定による改正前の一般職給与法の指定職俸給表十一号俸の額に相当する額
平成十四年十二月一日から平成十五年十月三十一日まで	一般職の職員の給与に関する法律等の一部を改正する法律（平成十五年法律第百四十一号）第一条の規定による改正前の一般職給与法の指定職俸給表十一号俸の額に相当する額
平成十五年十一月一日から平成十七年十一月三十日まで	一般職の職員の給与に関する法律等の一部を改正する法律（平成十七年法律第百十三号。以下「平成十七年一般職給与法改正法」という。）第一条の規定による改正前の一般職給与法の指定職俸給表十一号俸の額に相当する額
平成十七年十二月一日から平成十八年三月三十一日まで	平成十七年一般職給与法改正法第二条の規定による改正前の一般職給与法の指定職俸給表十一号俸の額に相当する額
平成十八年四月一日から退職の日の前日まで	一般職給与法の指定職俸給表八号俸の額に相当する額

○国家公務員退職手当法の一部を改正する法律の施行に伴う経過措置に関する政令

平一八・三・三
政令三〇

最終改正　平二九・一二・二二政令三一六

（法附則第二条に規定する政令で定める法人等）

第一条　国家公務員退職手当法の一部を改正する法律（以下「法」という。）附則第二条に規定する政令で定める法人は、次に掲げる法人とする。

一　独立行政法人に係る改革を推進するための独立行政法人農林水産消費技術センター法及び独立行政法人森林総合研究所法の一部を改正する法律（平成十九年法律第八号。以下「農林水産消費技術センター法等改正法」という。）第一条の規定による改正前の独立行政法人農林水産消費技術センター法（平成十一年法律第百八十三号）第二条の独立行政法人農林水産消費技術センター

二　農林水産消費技術センター法等改正法附則第三条第一項の規定による解散前の独立行政法人肥飼料検査所

三　農林水産消費技術センター法等改正法附則第三条第一項の規定による解散前の独立行政法人農薬検査所

四　道路運送車両法及び自動車検査独立行政法人法の一部を改正する法律（平成二十七年法律第四十四号。以下「平成二十七年道路運送車両法等改正法」という。）第二条の規定による改正前の自動車検査独立行政法人法（平成十一年法律第二百十八号）第二条の自動車検査独立行政法人（自動車検査独立行政法人法及び道路運送車両法の一部を改正する法律（平成十九年法律第九号）の施行の日の前日までの間におけるものに限る。）

五　独立行政法人国立公文書館

六　独立行政法人駐留軍等労働者労務管理機構

七　独立行政法人統計センター

八　独立行政法人造幣局

九　独立行政法人国立印刷局

十　独立行政法人製品評価技術基盤機構

十一　独立行政法人国立病院機構（独立行政法人通則法の一部を改正する法律の施行に伴う関係法律の整備に関する法律（平成二十六年法律第六十七号。以下「平成二十六年独法整備法」という。）の施行の日の前日までの間におけるものに限る。）

2　次に掲げる国営企業等に係る法附則第二条に規定する政令で定める日は、平成十八年四月一日とする。

一　国有林野の有する公益的機能の維持増進を図るための国有林野の管理経営に関する法律等の一部を改正する等の法律（平成二十四年法律第四十二号）第五条第一号の規定による廃止前の国有林野事業を行う国の経営する企業に勤務する職員の給与等に関する特例法（昭和二十九年法律第百四十一号）第二条第一項に規定する国有林野事業を行う国の経営する企業

二　前項第一号から第十号までに掲げる法人

3　第一項第十一号に掲げる法人に係る法附則第二条に規定する政令で定める日は、平成十八年八月一日とする。

4　郵政民営化法（平成十七年法律第九十七号）第百六十六条第一項の規定による解散前の日本郵政公社に係る法附則第二条に規定する政令で定める日は、平成十九年三月三十一日とする。

（法附則第三条第二項に規定する政令で定める者等）

第一条の二　法附則第三条第二項第十号に規定する政令で定める者は、次の各号に掲げる者とし、同項第十号に規定する政令で定める日は、それぞれ当該各号に定める日とする。

一　国家公務員退職手当法（昭和二十八年法律第百八十二号）第二条第一項に規定する職員（以下「職員」という。）として在職した後、平成十八年四月一日以後平成十九年三月三十一日までの間に引き続いて地方公務員又は同法第七条の二第一項に規定する公庫等職員（他の法律の規定により、同条の規定の適用について、同項に規定する公庫等職員とみなされる者を含む。以下この条及び次条において「公庫等職員」という。）若しくは国家公務員退職手当法等の一部を改正する法律（平成二十年法律第九十五号）第一条の規定による改正前の国家公務員退職手当法第七条の三

第一項に規定する独立行政法人等役員（以下この条及び次条において「独立行政法人等役員」という。）となった者で、地方公務員又は公庫等職員若しくは独立行政法人等役員として在職した後同年四月一日以後に引き続いて独立行政法人通則法の一部を改正する法律（平成二十六年法律第六十六号。次号において「平成二十六年通則法改正法」という。）による改正前の独立行政法人通則法（平成十一年法律第百三号）第二条第二項に規定する特定独立行政法人（国営企業等に該当するものを除く。）の職員又は独立行政法人通則法第二条第四項に規定する行政執行法人（国営企業等に該当するものを除く。）の職員となったもの（その者の基礎在職期間（国家公務員退職手当法第五条の二第二項に規定する基礎在職期間をいう。以下同じ。）のうち当該地方公務員又は公庫等職員若しくは独立行政法人等役員となった日前の期間に、新制度適用職員としての在職期間が含まれない者に限る。） 当該地方公務員又は公庫等職員若しくは独立行政法人等役員となった日

二 平成十八年三月三十一日に地方公務員として在職していた者又は同日に公庫等職員として在職していた者のうち職員から引き続いて公庫等職員となった者若しくは同日に独立行政法人等役員として在職していた者のうち職員から引き続いて独立行政法人等役員となった者で、地方公務員又は公庫等職員若しくは独立行政法人等役員として在職した後平成十九年四月一日以後に引き続いて平成二十六年通則法改正法による改正前の独立行政法人通則法第二条第二項に規定する特定独立行政法人（国営企業等に該当するものを除く。）の職員又は独立行政法人通則法第二条第四項に規定する行政執行法人（国営企業等に該当するものを除く。）の職員となったもの 平成十八年四月一日

2 法附則第三条第三項の規定は、前項第二号に掲げる者について準用する。

（法附則第三条第三項の規定により読み替えて適用する同条第一項に規定する政令で定める額）

第二条 法附則第三条第三項（前条第二項において準用する場合を含む。）の規定により読み替えて適用する法附則第三条第一項に規定する政令で定める額は、同条第二項第八号及び第九号並びに前条第一項第二号に掲げる者が、内閣総理大臣の定めるところにより、その者の地方公務員、公庫等職員又は独立行政法人等役員としての在職期間において職員として在職していたものとみなした場合に、その者が平成十八年三月三十一日において受けるべき俸給月額とする。

（法附則第六条第二項第八号に規定する政令で定める職員）

第三条 法附則第六条第二項第八号に規定する政令で定める職員は、次に掲げる職員とする。

一 内閣府設置法の一部を改正する法律（平成二十六年法律第三十一号）附則第四条第一号の規定による改正前の特別職の職員の給与に関する法律（昭和二十四年法律第二百五十二号）第一条第十七号に掲げる総合科学技術会議の常勤の議員

二 個人情報の保護に関する法律及び行政手続における特定の個人を識別するための番号の利用等に関する法律の一部を改正する法律（平成二十七年法律第六十五号）附則第十三条の規定による改正前の特別職の職員の給与に関する法律第一条第十四号の二に掲げる特定個人情報保護委員会の委員長及び常勤の委員

（特定の者に対する退職手当の額の計算に関する経過措置）

第四条 裁判官の報酬等に関する法律の一部を改正する法律（平成十七年法律第百十六号）附則第二条第一項の規定による報酬月額を受けていたことがある者が退職した場合においては、その者が当該報酬月額を受けていた間、俸給月額として百二十二万六千円を受けていたものとみなして、その者に対する退職手当の額を計算するものとする。

（基礎在職期間に旧財務省造幣局の職員としての在職期間等が含まれる場合に関する経過措置）

第五条 退職した者の基礎在職期間に次に掲げる期間が含まれる場合においては、当該期間における職員としての在職を職員以外の者としての在職と、当該期間を国家公務員退職手当法第五条の二第二項第七号に規定する政令で定める在職期間とそれぞれみなして、同法第六条の四及び国家公務員退職手当法施行令（昭和二十八年政令第二百十五号）第六条の二の規定を適用する。

一　独立行政法人造幣局法（平成十四年法律第四十号）附則第八条による改正前の国営企業及び特定独立行政法人の労働関係に関する法律（昭和二十三年法律第二百五十七号）第二条第一号ニに掲げる事業（これに附帯する事業を含む。）を行う国の経営する企業に勤務する職員としての在職期間（一般職の職員の給与に関する法律（昭和二十五年法律第九十五号。以下「一般職給与法」という。）の適用を受けていた職員としての在職期間を除く。次号及び第三号において同じ。）

二　独立行政法人国立印刷局法（平成十四年法律第四十一号）附則第九条による改正前の国営企業及び特定独立行政法人の労働関係に関する法律第二条第一号ハに掲げる事業（これに附帯する事業を含む。）を行う国の経営する企業に勤務する職員としての在職期間

三　郵政民営化法等の施行に伴う関係法律の整備等に関する法律（平成十七年法律第百二号）第二条第十二号の規定による廃止前の日本郵政公社法施行法（平成十四年法律第九十八号）第百四十一条による改正前の国営企業及び特定独立行政法人の労働関係に関する法律第二条第一号イに掲げる事業（これに附帯する事業を含む。）を行う国の経営する企業に勤務する職員としての在職期間

四　平成二十六年独法整備法第八十八条の規定による改正前の独立行政法人宇宙航空研究開発機構法（平成十四年法律第百六十一号）附則第十条第一項の規定により解散した旧独立行政法人航空宇宙技術研究所の職員としての在職期間

五　平成二十六年独法整備法第百七十条の規定による改正前の独立行政法人産業技術総合研究所法（平成十一年法律第二百三号）第二条の独立行政法人産業技術総合研究所の職員としての在職期間（独立行政法人産業技術総合研究所法の一部を改正する法律（平成十六年法律第八十三号）の施行の日の前日までの間に限る。）

六　平成八年四月一日から平成十六年十月二十七日までの間において適用されていた一般職給与法（他の法令において、引用し、準用し、又はその例による場合を含む。）の教育職俸給表㈡又は教育職俸給表㈢の適用を受けていた期間

七　平成二十六年独法整備法第四十七条の規定による改正前の独立行政法人情報通信研究機構法（平成十一年法律第百六十二号）第三条の独立行政法人情報通信研究機構の職員としての在職期間（独立行政法人通信総合研究所法の一部を改正する法律（平成十四年法律第百三十四号）附則第二条の規定により独立行政法人情報通信研究機構となった旧独立行政法人通信総合研究所の職員としての在職期間を含み、独立行政法人情報通信研究機構法の一部を改正する法律（平成十八年法律第二十一号）の施行の日の前日までの間に限る。）

八　独立行政法人消防研究所の解散に関する法律（平成十八年法律第二十二号）第一項の規定により解散した旧独立行政法人消防研究所の職員としての在職期間

九　独立行政法人酒類総合研究所の職員としての在職期間（独立行政法人酒類総合研究所法の一部を改正する法律（平成十八年法律第二十三号）の施行の日の前日までの間に限る。）

十　独立行政法人に係る改革を推進するための文部科学省関係法律の整備に関する法律（平成十八年法律第二十四号。以下「平成十八年独法改革文部科学省関係法整備法」という。）第三条の規定による改正前の独立行政法人国立オリンピック記念青少年総合センター法（平成十一年法律第百六十七号）第二条の国立オリンピック記念青少年総合センターの職員としての在職期間

十一　学校教育法等の一部を改正する法律（平成十八年法律第八十号）第四条の規定による改正前の独立行政法人国立特殊教育総合研究所法（平成十一年法律第百六十五号）第二条の独立行政法人国立特殊教育総合研究所、独立行政法人大学入試センター、独立行政法人国立女性教育会館、独立行政法人に係る改革を推進するための文部科学省関係法律の整備等に関する法律（平成二十一年法律第十八号）附則第二条第一項の規定により解散した旧独立行政法人国立国語研究所、独立行政法人国立科学博物館、平成二十六年独法整備法第七十九条の規定による改正前の独立行政法人物質・材料研究機構法（平成十一年法律第百七十三号）第三条の独立行政法人物質・材料研究機構、平成二十六年独法整備法第八十条の規定による改正前の独立行政法人防災科

学技術研究所法（平成十一年法律第百七十四号）第三条の独立行政法人防災科学技術研究所、平成二十六年独法整備法第八十一条の規定による改正前の独立行政法人放射線医学総合研究所法（平成十一年法律第百七十六号）第二条の独立行政法人放射線医学総合研究所、独立行政法人国立美術館、独立行政法人国立博物館法の一部を改正する法律（平成十九年法律第七号）による改正前の独立行政法人国立博物館法（平成十一年法律第百七十八号）第二条の独立行政法人国立博物館及び独立行政法人国立博物館法の一部を改正する法律附則第二条第一項の規定により解散した旧独立行政法人文化財研究所の職員としての在職期間（平成十八年独法改革文部科学省関係法整備法の施行の日の前日までの間に限る。）

十二　独立行政法人に係る改革を推進するための厚生労働省関係法律の整備に関する法律（平成十八年法律第二十五号。以下「平成十八年独法改革厚生労働省関係法整備法」という。）第一条の規定による改正前の独立行政法人産業安全研究所法（平成十一年法律第百八十一号）第二条の独立行政法人産業安全研究所及び平成十八年独法改革厚生労働省関係法整備法附則第八条第一項の規定により解散した旧独立行政法人産業医学総合研究所の職員としての在職期間

十三　独立行政法人医薬基盤研究所法の一部を改正する法律（平成二十六年法律第三十八号）附則第二条第一項の規定により解散した旧独立行政法人国立健康・栄養研究所の職員としての在職期間（平成十八年独法改革厚生労働省関係法整備法の施行の日の前日までの間に限る。）

十四　独立行政法人に係る改革を推進するための農林水産省関係法律の整備に関する法律（平成十八年法律第二十六号。以下「平成十八年独法改革農林水産省関係法整備法」という。）第一条の規定による改正前の独立行政法人農業・生物系特定産業技術研究機構法（平成十一年法律第百九十二号）第三条の独立行政法人農業・生物系特定産業技術研究機構並びに平成十八年独法改革農林水産省関係法整備法附則第八条第一項の規定により解散した旧独立行政法人農業者大学校、旧独立行政法人農業工学研究所及び旧独立行政法人食品総合研究所の職員としての在職期間（独立行政法人農業技術研究機構法の一部を改正する法律（平成十四年法律第百二十九号）附則第二条の規定により独立行政法人農業・生物系特定産業技術研究機構となった旧独立行政法人農業技術研究機構の職員としての在職期間を含む。）

十五　平成二十六年独法整備法第百五十三条の規定による改正前の独立行政法人水産総合研究センター法（平成十一年法律第百九十九号）第二条の独立行政法人水産総合研究センター及び平成十八年独法改革農林水産省関係法整備法附則第十六条第一項の規定により解散した旧独立行政法人さけ・ます資源管理センターの職員としての在職期間（平成二十六年独法整備法第百五十三条の規定による改正前の独立行政法人水産総合研究センター法第二条の独立行政法人水産総合研究センターの職員としての在職期間にあっては、平成十八年独法改革農林水産省関係法整備法の施行の日の前日までの間に限る。）

十六　独立行政法人に係る改革を推進するための農林水産省関係法律の整備に関する法律（平成二十七年法律第七十号。以下「平成二十七年独法改革農林水産省関係法整備法」という。）附則第二条第一項の規定により解散した旧独立行政法人種苗管理センター、独立行政法人家畜改良センター、農林水産消費技術センター法等改正法附則第六条第一項の規定により解散した旧独立行政法人林木育種センター、平成二十七年独法改革農林水産省関係法整備法附則第九条第一項の規定により解散した旧独立行政法人水産大学校、平成二十六年独法整備法第百四十九条の規定による改正前の独立行政法人農業生物資源研究所法（平成十一年法律第百九十三号）第二条の独立行政法人農業生物資源研究所、平成二十六年独法整備法第百五十条の規定による改正前の独立行政法人農業環境技術研究所法（平成十一年法律第百九十四号）第二条の独立行政法人農業環境技術研究所、平成二十六年独法整備法第百五十一条の規定による改正前の独立行政法人国際農林水産業研究センター法（平成十一年法律第百九十七号）第二条の独立行政法人国際農林水産業研究センター及び平成二十六年独法整備法第百五十二条の規定による改正前の独立行政法人森林総合研究所

法（平成十一年法律第百九十八号）第二条の独立行政法人森林総合研究所の職員としての在職期間（平成十八年独法改革農林水産省関係法整備法の施行の日の前日までの間に限る。）

十七　独立行政法人工業所有権情報・研修館の職員としての在職期間（特許審査の迅速化等のための特許法等の一部を改正する法律（平成十六年法律第七十九号）附則第五条の規定により独立行政法人工業所有権情報・研修館となった旧独立行政法人工業所有権総合情報館の職員としての在職期間を含み、独立行政法人工業所有権情報・研修館法の一部を改正する法律（平成十八年法律第二十七号）の施行の日の前日までの間に限る。）

十八　平成二十六年独法整備法第百八十四条の規定による改正前の独立行政法人土木研究所法（平成十一年法律第二百五号）第二条の独立行政法人土木研究所及び独立行政法人に係る改革を推進するための国土交通省関係法律の整備に関する法律（平成十八年法律第二十八号。以下「平成十八年独法改革国土交通省関係法整備法」という。）附則第八条第一項の規定により解散した旧独立行政法人北海道開発土木研究所の職員としての在職期間（平成二十六年独法整備法第百八十四条の規定による改正前の独立行政法人土木研究所法第二条の独立行政法人土木研究所の職員としての在職期間にあっては、平成十八年独法改革国土交通省関係法整備法の施行の日の前日までの間に限る。）

十九　平成十八年独法改革国土交通省関係法整備法附則第八条第一項の規定により解散した旧独立行政法人海技大学校及び平成十八年独法改革国土交通省関係法整備法第八条の規定による改正前の独立行政法人海員学校法（平成十一年法律第二百十四号）第二条の独立行政法人海員学校の職員としての在職期間

二十　平成二十六年独法整備法第百八十五条の規定による改正前の独立行政法人建築研究所法（平成十一年法律第二百六号）第二条の独立行政法人建築研究所、平成二十七年道路運送車両法等改正法附則第十一条第一項の規定により解散した旧独立行政法人交通安全環境研究所、平成二十六年独法整備法第百八十七条の規定による改正前の独立行政法人海上技術安全研究所法（平成十一年法律第二百八号）第二条の独立行政法人海上技術安全研究所、平成二十六年独法整備法第百八十八条の規定による改正前の独立行政法人港湾空港技術研究所法（平成十一年法律第二百九号）第二条の独立行政法人港湾空港技術研究所、平成二十六年独法整備法第百八十九条の規定による改正前の独立行政法人電子航法研究所法（平成十一年法律第二百十号）第二条の独立行政法人電子航法研究所、独立行政法人に係る改革を推進するための国土交通省関係法律の整備に関する法律（平成二十七年法律第四十八号）附則第二条第一項の規定により解散した旧独立行政法人航海訓練所及び独立行政法人航空大学校の職員としての在職期間（平成十八年独法改革国土交通省関係法整備法の施行の日の前日までの間に限る。）

二十一　平成二十六年独法整備法第二百四条の規定による改正前の独立行政法人国立環境研究所法（平成十一年法律第二百十六号）第二条の独立行政法人国立環境研究所の職員としての在職期間（独立行政法人国立環境研究所法の一部を改正する法律（平成十八年法律第二十九号）の施行の日の前日までの間に限る。）

（研究交流促進法施行令の適用に関する経過措置）

第六条　法附則第十七条の規定による改正前の研究交流促進法（昭和六十一年法律第五十七号）第六条第一項の規定の適用に係る研究交流促進法施行令（昭和六十一年政令第三百四十五号）第四条第二項の総務大臣の承認は、法附則第十七条の規定による改正後の研究交流促進法第六条第一項の規定の適用に係る同令第四条第二項の総務大臣の承認とみなす。

附　則

この政令は、平成十八年四月一日から施行する。

附　則（平二九・一二・二二政令三一六）

この政令は、平成三十年一月一日から施行する。

○国家公務員退職手当法附則第十二項、第十四項及び第十六項の規定による退職手当の基本額の特例等に関する内閣官房令

令四・四・一二
内閣官房令三

改正 令五・三・三一内閣官房令四

（法附則第十二項第一号に規定する内閣官房令で定める者）

第一条 国家公務員退職手当法（以下「法」という。）附則第十二項第一号イに規定する内閣官房令で定める職員、同号ハに規定する内閣官房令で定める国会職員及び同号ニに規定する内閣官房令で定める隊員は、次に掲げる者とする。

一 守衛、巡視等の監視、警備等の業務に従事する者

二 用務員、労務作業員等の庁務又は労務に従事する者

（法附則第十二項第二号に規定する内閣官房令で定める者及び年齢）

第二条 法附則第十二項第二号イに規定する内閣官房令で定める職員、同号ロに規定する内閣官房令で定める国会職員及び同号ハに規定する内閣官房令で定める隊員は、別表第一の上欄に掲げる者とし、同号に規定する内閣官房令で定める年齢は、同表の上欄に掲げる者の区分に応じ、それぞれ同表の下欄に掲げる年齢とする。

（法附則第十四項に規定する内閣官房令で定める者）

第三条 法附則第十四項第一号に規定する内閣官房令で定める職員、同項第七号に規定する内閣官房令で定める国会職員及び同項第九号に規定する内閣官房令で定める隊員のうち、国家公務員法等の一部を改正する法律（令和三年法律第六十一号。この項において「令和三年国家公務員法等改正法」という。）第一条の規定による改正前の国家公務員法（昭和二十二年法律第百二十号。次項において「令和五年旧国家公務員法」という。）第八十一条の二第二項第一号（裁判所職員臨時措置法（昭和二十六年法律第二百九十九号）において準用する場合を含む。）に掲げる職員に相当する職員、国会職員法及び国家公務員退職手当法の一部を改正する法律（令和三年法律第六十二号）第一条の規定による改正前の国会職員法（昭和二十二年法律第八十五号。次項において「令和五年旧国会職員法」という。）第十五条の二第二項第一号に掲げる国会職員に相当する国会職員及び令和三年国家公務員法等改正法第八条の規定による改正前の自衛隊法（昭和二十九年法律第百六十五号。次項において「令和五年旧自衛隊法」という。）第四十四条の二第二項第一号に掲げる隊員に相当する隊員は、次に掲げる施設等に勤務し、医療業務に従事する医師及び歯科医師並びにこれらに類する者として内閣総理大臣が定めるものとする。

一 病院又は診療所

二 国立児童自立支援施設

三 刑務所、少年刑務所、拘置所、少年院、少年鑑別所又は婦人補導院

四 入国者収容所又は地方出入国在留管理局

五 検疫所又は国立障害者リハビリテーションセンター自立支援局の総合相談支援部若しくは国立保養所

六 国立ハンセン病療養所

七 地方厚生局又は地方厚生支局

八 環境調査研修所

九 国の行政機関の内部部局（これに相当するものを含む。）に置かれた医療業務を担当する部署（第一号に掲げるものを除く。）

十 自衛隊中央病院若しくは自衛隊地区病院、防衛大学校又は自衛隊の部隊若しくは機関に置かれている診療所等の医療施設

十一 前各号に掲げるもののほか、医療業務を担当する部署のある施設等

2 法附則第十四項第一号に規定する内閣官房令で定める職員、同項第七号に規定する内閣官房令で定める国会職員及び同項第九号に規定する内閣官房令で定める隊員のうち、令和五年旧国家公務員法第八十一条の二第二項第三号（裁判所職員臨時措置法において準用する場合を含む。）に掲げる職員に相当する職員、令和五年旧国会職員法第十五条の二第二項第三号に掲げる国会職員に相当する国会職員及び令和五年旧自衛隊法第四十四条の二第二項第三号に掲げる隊員に相当する隊員は、別表第二に掲げる者とする。

（内閣総理大臣への届出）

第四条 各議院事務局の事務総長、各議院法制局

の法制局長、国立国会図書館の館長並びに裁判官訴追委員会事務局及び裁判官弾劾裁判所事務局の事務局長は、次に掲げる機関ごとに、法附則第十二項から第十四項まで及び第十六項の規定を施行するために必要な事項として、国会職員法第二十五条第三項の規定に基づき定められるもののうち内閣総理大臣が定める事項を定め、又は改廃しようとするときは、その定め、又は改廃の日の二月前までに、その旨を内閣総理大臣に届け出なければならない。

一　衆議院事務局（衆議院法制局及び裁判官訴追委員会事務局を含む。）
二　参議院事務局（参議院法制局及び裁判官弾劾裁判所事務局を含む。）
三　国立国会図書館

2　行政執行法人（独立行政法人通則法（平成十一年法律第百三号）第二条第四項に規定する行政執行法人をいう。別表第一及び別表第二において同じ。）の長は、給与の支給の基準（独立行政法人通則法第五十七条第二項に規定する給与の支給の基準をいう。）のうち内閣総理大臣が定める事項を定め、又は改廃しようとするときは、その定め、又は改廃の日の二月前までに、その旨を内閣総理大臣に届け出なければならない。

（施行令附則第三項に規定する内閣官房令で定める者等）

第五条　国家公務員退職手当法施行令（この条において「施行令」という。）附則第三項（施行令附則第七項において読み替えて適用する場合を含む。）に規定する内閣官房令で定める者は、次の各号に掲げる者（施行令附則第七項において読み替えて適用する場合にあっては、第一号に該当する者に限る。）とする。

一　施行令附則第三項の表の上欄に掲げる者であって、当該者の他の官職への異動に伴って退職の日において定められているその者に係る定年がそれぞれ同表の下欄に掲げる年齢を超える者
二　前号に掲げる者に類する者

附　則

（施行期日）

1　この内閣官房令は、国家公務員法等の一部を改正する法律附則第一条に掲げる規定の施行の日（令和五年四月一日）から施行する。ただし、次項及び第三項の規定は、公布の日から施行する。

（経過措置）

2　各議院事務局の事務総長、各議院法制局の法制局長、国立国会図書館の館長並びに裁判官訴追委員会事務局及び裁判官弾劾裁判所事務局の事務局長は、次に掲げる機関ごとに、公布の日からこの内閣官房令の施行の日（以下「施行日」という。）の前日までの間及び施行日から施行日以後二月を経過する日までの間に、法附則第十二項から第十四項まで及び第十六項の規定を施行するために必要な事項として、国会職員法第二十五条第三項の規定に基づき定められるもののうち内閣総理大臣が定める事項を定め、又は改廃しようとするときは、施行日の二月前までにその旨を内閣総理大臣に届け出なければならない。この場合において、当該届出（施行日から施行日以後二月を経過する日までの間に当該内閣総理大臣が定める事項を定め、又は改廃しようとする場合におけるものに限る。）をした者は、施行日から起算して二月を経過する日までの間は、第四条第一項の規定による届出をしたものとみなす。

一　衆議院事務局（衆議院法制局及び裁判官訴追委員会事務局を含む。）
二　参議院事務局（参議院法制局及び裁判官弾劾裁判所事務局を含む。）
三　国立国会図書館

3　行政執行法人（独立行政法人通則法第二条第四項に規定する行政執行法人をいう。）の長は、公布の日から施行日の前日までの間及び施行日から施行日以後二月を経過する日までの間に、法附則第十二項から第十四項まで及び第十六項の規定を施行するために必要な事項として、給与の支給の基準（独立行政法人通則法第五十七条第二項に規定する給与の支給の基準をいう。）のうち内閣総理大臣が定める事項を定め、又は改廃しようとするときは、施行日の二月前までにその旨を内閣総理大臣に届け出なければならない。この場合において、当該届出（施行日から施行日以後二月を経過する日までの間に当該内閣総理大臣が定める事項を定め、又は改廃しようとする場合におけるものに限る。）をした者は、施行日から起算して二月を経過する日までの間は、第四条第二項の規定による届出をしたものとみなす。

附　則（令五・三・三一内閣官房令四）

この内閣官房令は、令和五年四月一日から施行する。

別表第一（第二条関係）

事務次官（外交領事事務に従事する職員で内閣総理大臣が定めるものを除く。） 外局（国家行政組織法（昭和二十三年法律第百二十号）第三条第三項の庁に限る。）の長官 会計検査院事務総長 会計検査院事務総局次長 人事院事務総長 内閣衛星情報センター所長 内閣審議官のうち、標準的な官職を定める政令に規定する内閣官房令で定める標準的な官職等を定める内閣官房令（平成二十一年内閣府令第二号）第一条第四項各号に規定するもの 内閣法制次長 内閣府審議官 地方創生推進事務局長 知的財産戦略推進事務局長 科学技術・イノベーション推進事務局長 公正取引委員会事務総長 警察庁長官 警察庁次長 警視総監 カジノ管理委員会事務局長 金融国際審議官 消費者庁長官 こども家庭庁長官 デジタル審議官 総務審議官 外務審議官（外交領事事務に従事する職員で内閣総理大臣が定めるものを除く。） 財務官 文部科学審議官 厚生労働審議官 医務技監 農林水産審議官 経済産業審議官 技監 国土交通審議官 地球環境審議官 原子力規制庁長官 防衛事務次官 防衛審議官 防衛監察監 防衛装備庁長官 防衛技監 国会職員のうち、内閣総理大臣が定めるもの 行政執行法人の職員のうち、内閣総理大臣が定めるもの 給与その他の処遇の状況がこれらに類する者として内閣総理大臣が定めるもの	六十二年
研究所、試験所等の副所長（これに相当する者を含む。）で内閣総理大臣が定めるもの 宮内庁の職員のうち、次に掲げる職員 一　内舎人、上皇内舎人及び東宮内舎人 二　式部副長（内閣総理大臣が定めるものを除く。）及び式部官 三　鷹（たか）師長及び鷹（たか）師 四　主膳長及び副主膳長 皇宮警察学校教育主事 在外公館に勤務する職員（一般職の職員の給与に関する法律（昭和二十五年法律第九十五号）に規定する行政職俸給表㈠又は指定職俸給表の適用を受ける職員に限る。）及び外務省本省に勤務し、外交領事事務に従事する職員で内閣総理大臣が定めるもの 海技試験官 原子力規制委員会の職員のうち、次に掲げる職員 一　上席原子力防災専門官 二　原子力防災専門官 三　原子力艦放射能調査専門官 四　上席放射線防災専門官 五　統括核物質防護対策官 六　主任安全審査官 七　主任監視指導官 八　原子力運転検査官 九　主任原子力専門検査官 十　原子力専門検査官	六十三年

国会職員のうち、内閣総理大臣が定めるもの 行政執行法人の職員のうち、内閣総理大臣が定めるもの 給与その他の処遇の状況がこれらに類する者として内閣総理大臣が定めるもの

別表第二（第三条第二項関係）

研究所、試験所等の長で内閣総理大臣が定めるもの
迎賓館長
宮内庁の職員のうち、次に掲げる職員
一　宮内庁次長
二　女嬬、上皇女嬬及び東宮女嬬
三　式部副長（内閣総理大臣が定めるものに限る。）
四　首席楽長、楽長及び楽長補
五　修補師長及び修補師長補
六　主厨長及び副主厨長
金融庁長官
国税不服審判所長
海難審判所の審判官及び理事官
運輸安全委員会事務局の船舶事故及びその兆候に関する調査に従事する事故調査官で内閣総理大臣が定めるもの
原子力規制委員会の職員のうち、次に掲げる職員
一　地域原子力規制総括調整官
二　上席安全審査官
三　安全規制調整官
四　首席原子力専門検査官
五　統括監視指導官
六　上席原子力専門検査官
七　上席監視指導官
八　統括原子力運転検査官
九　教官
十　上席指導官

防衛大学校及び防衛医科大学校の学校長、副校長（教官である者に限る。）、教授、准教授及び講師
国会職員のうち、内閣総理大臣が定めるもの
最高裁判所の職員のうち、内閣総理大臣が定めるもの
行政執行法人の職員のうち、内閣総理大臣が定めるもの
給与その他の処遇の状況がこれらに類する者として内閣総理大臣が定めるもの

○国家公務員退職手当法施行令第四条の二の規定による退職の理由の記録に関する内閣官房令

平二五・五・二四
総務令五七

最終改正　令二・一二・一八内閣官房令六

（退職理由記録の記載事項等）

第一条　国家公務員退職手当法施行令第四条の二の規定により作成する同令第三条各号（第一号中任期を終えて退職した者に係る部分及び第二号を除く。）に掲げる者の退職の理由の記録（以下「退職理由記録」という。）には、次に掲げる事項を記載しなければならない。

一　作成年月日
二　氏名及び生年月日
三　退職の日における勤務官署又は事務所及び職名
四　勤続期間並びに採用年月日及び退職年月日
五　退職の理由及び当該退職の理由に該当するに至った経緯
六　作成者の職名及び氏名

2　退職理由記録の様式は、別記様式とする。

3　退職理由記録には、職員が提出した辞職の申出の書面の写しを添付しなければならない。

（作成時期）

第二条　退職理由記録は、職員の退職後速やかに作成しなければならない。

（保管）

第三条　退職理由記録は、国家公務員退職手当法（昭和二十八年法律第百八十二号）第八条の二第一項に規定する各省各庁の長等が保管する。

2　退職理由記録は、その作成の日から五年間保管しなければならない。

附　則

（施行期日）

1　この省令は、平成二十五年十一月一日から施行する。

（退職勧奨の記録に関する省令の廃止）

2　退職勧奨の記録に関する省令（昭和六十年総理府令第十一号）は、廃止する。

（経過措置）

3　前項の規定により廃止された退職勧奨の記録に関する省令の規定により作成された退職勧奨の記録の保管については、なお従前の例による。

附　則（令二・一二・一八内閣官房令六）（抄）

（施行期日）

第一条　この内閣官房令は、公布の日から施行する。

別記様式（第１条関係）（表面）

退　職　の　理　由　の　記　録

作成年月日	年　　月　　日

氏　　名			生年月日	年　　月　　日
勤務官署 又は事務所			職　　名	
勤続期間	年　　月	採用年月日		退職年月日
		年　　月　　日		年　　月　　日

退職の理由	国家公務員退職手当法施行令第三条第　　号　　に掲げる者に該当 （国家公務員退職手当法第　　条第　　項第　　号）
当該退職の理由に該当するに至った経緯	

作成者の 職名及び氏名	

別記様式（第１条関係）（裏面）

備考
1　退職理由記録の記入要領は、次のとおりとする。
⑴　「作成年月日」欄は、退職理由記録を作成した日を記入する。
⑵　「氏名」欄は、職員の氏名を記入する。
⑶　「勤務官署又は事務所」欄は、退職時に所属していた勤務官署又は事務所の名称を記入する。
⑷　「職名」欄は、退職時の職名を記入する。なお、警察官、海上保安官及び自衛官については、退職時の階級を括弧書で併記する。
⑸　「勤続期間」欄は、退職手当の算定の基礎となる勤続期間（月単位までとし、一月未満の端数は切り捨てる。）を記入する。
⑹　「採用年月日」欄及び「退職年月日」欄は、退職手当の算定の基礎となる在職期間に係る採用年月日及び退職年月日を記入する。
⑺　「退職の理由」欄は、職員が国家公務員退職手当法施行令（昭和二十八年政令第二百十五号。以下「施行令」という。）第三条各号のうちの該当する号等を記入するとともに、当該職員の勤続年数に応じて国家公務員退職手当法（昭和二十八年法律第百八十二号）第三条第一項、第四条第一項第二号又は第五条第一項第五号の規定のいずれかの条項を括弧書で併記する。
⑻　「当該退職の理由に該当するに至った経緯」欄は、当該退職の理由に該当するに至った経緯その他の事務の都合の具体的な内容を記入する。なお、施行令第三条第五号に掲げる者に該当するときは、当該者が使用されることとなる競争の導入による公共サービスの改革に関する法律（平成十八年法律第五十一号）第三十一条第一項に規定する公共サービス実施民間事業者の名称を併記する。
⑼　「作成者の職名及び氏名」欄は、退職理由記録を作成した者の職名及び氏名を記入する。
2　その者の都合による退職と職員の配置等の事務の都合による退職（施行令第三条第五号に掲げる者の退職を含む。以下同じ。）とを明確に区分するため、第一条第三項に規定する辞職の申出については、職員の配置等の事務の都合による退職である旨明らかとなるよう留意されたい。

○国家公務員退職手当法の規定による退職手当の支給制限等に係る書面の様式を定める内閣官房令

平二一・三・三一
総務令二七

最終改正　令七・三・三一内閣官房令四

（退職手当支給制限処分書の様式）

第一条　国家公務員退職手当法（昭和二十八年法律第百八十二号。以下「法」という。）第十二条第一項の規定による処分に係る同条第二項の書面の様式及び法第十四条第一項（同項第一号又は第二号に該当する場合に限る。）の規定による処分に係る同条第五項において準用する法第十二条第二項の書面の様式は、別記様式第一のとおりとする。

2　法第十四条第一項（同項第三号に該当する場合に限る。）又は第二項の規定による処分に係る同条第五項において準用する法第十二条第二項の書面の様式は、別記様式第二のとおりとする。

（退職手当支払差止処分書の様式）

第二条　法第十三条第一項の規定による処分に係る同条第十項において準用する法第十二条第二項の書面の様式は、別記様式第三のとおりとする。

2　法第十三条第二項（同項第一号に該当する場合に限る。）の規定による処分に係る同条第十項において準用する法第十二条第二項の書面の様式は、別記様式第四のとおりとする。

3　法第十三条第二項（同項第二号に該当する場合に限る。）の規定による処分に係る同条第十項において準用する法第十二条第二項の書面の様式は、別記様式第五のとおりとする。

4　法第十三条第三項の規定による処分に係る同条第十項において準用する法第十二条第二項の書面の様式は、別記様式第六のとおりとする。

（退職手当返納命令書の様式）

第三条　法第十五条第一項（同項第一号又は第二号に該当する場合に限る。）の規定による処分に係る同条第六項において準用する法第十二条第二項の書面の様式は、別記様式第七のとおりとする。

2　法第十五条第一項（同項第三号に該当する場合に限る。）の規定による処分に係る同条第六項又は法第十六条第一項の規定による処分に係る同条第二項において準用する法第十二条第二項の書面の様式は、別記様式第八のとおりとする。

（法第十七条第一項に規定する懲戒免職等処分を受けるべき行為をしたことを疑うに足りる相当な理由がある旨の通知書の様式）

第四条　法第十七条第一項の規定による通知に係る書面の様式は、別記様式第九のとおりとする。

（退職手当相当額納付命令書の様式）

第五条　法第十七条第一項、第二項又は第三項の規定による処分に係る同条第七項において準用する法第十二条第二項の書面の様式は、別記様式第十のとおりとする。

2　法第十七条第四項又は第五項の規定による処分に係る同条第七項において準用する法第十二条第二項の書面の様式は、別記様式第十一のとおりとする。

附　則

1　この省令は、国家公務員退職手当法等の一部を改正する法律の施行の日（平成二十一年四月一日）から施行する。

2　次に掲げる省令は、廃止する。

一　退職手当の返納に関する省令（平成元年総理府令第六号）

二　退職手当の支給の一時差止処分に関する省令（平成九年総理府令第四十四号）

附　則（令三・三・二六内閣官房令一）

この内閣官房令は、公布の日から施行する。

附　則（令七・三・三一内閣官房令四）

この内閣官房令は、令和七年六月一日から施行する。

別記様式第一（第１条第１項関係）（表面）

【文書番号：　　　　　　】
年　月　日

退職手当支給制限処分書

殿

（退職手当管理機関）

国家公務員退職手当法 第12条第１項／第14条第１項 の規定により、一般の退職手当等の全部又は一部を支給しないこととする処分として、下記の金額を支払わないこととする。

なお、この処分についての審査請求は、行政不服審査法の規定により、この処分書を受けた日の翌日から起算して３か月以内に (1) に対してすることができる。

また、この処分の取消しの訴えは、行政事件訴訟法の規定により、この処分書を受けた日の翌日から起算して６か月以内に (2) を被告として（被告を代表する者は (3) ）提起することができる（なお、この処分書を受けた日の翌日から起算して６か月以内であっても、この処分の日の翌日から起算して1年を経過するとこの処分の取消しの訴えを提起することはできない。）。ただし、この処分書を受けた日の翌日から起算して３か月以内に審査請求をした場合には、この処分の取消しの訴えは、その審査請求に対する裁決の送達を受けた日の翌日から起算して６か月以内に提起することができる（なお、その裁決の送達を受けた日の翌日から起算して６か月以内であっても、その裁決の日の翌日から起算して１年を経過するとこの処分の取消しの訴えを提起することはできない。）。

記

金　　　　円

（処分前の一般の退職手当等の額）　　円
（処分後に支払われる一般の退職手当等の額）　　円

別記様式第一（裏面）

（退職をした者の氏名）	
（採用年月日）　年　月　日	**（勤続期間）**　年　月
（退職年月日）　年　月　日	
（退職時の勤務官署又は事務所）	
（退職時の職名）	**（退職時の俸給月額）**　円 （　職　級　号俸）
（支給制限処分の理由）	
（国家公務員退職手当法施行令第 17 条で定める事情に関し勘案した内容についての説明）	

備考１　(1)には審査請求をすべき行政庁を、(2)には取消しの訴えの被告とすべき者を、(3)には取消しの訴えの被告とすべき者を代表する者を、それぞれ記載すること。
２　勤続期間とは、国家公務員退職手当法第７条第１項に規定する勤続期間をいう。
３　不要の文字は、抹消すること。

別記様式第二（第１条第２項関係）（表面）

【文書番号：　　　　　　】
年　　月　　日

退職手当支給制限処分書

殿

（退職手当管理機関）

国家公務員退職手当法 第14条第１項／第14条第２項 の規定により、一般の退職手当等の全部又は一部を支給しないこととする処分として、下記の金額を支払わないこととする。

なお、この処分についての審査請求は、行政不服審査法の規定により、この処分書を受けた日の翌日から起算して３か月以内に　(1)　に対してすることができる。

また、この処分の取消しの訴えは、行政事件訴訟法の規定により、この処分書を受けた日の翌日から起算して６か月以内に　(2)　を被告として（被告を代表する者は　(3)　）提起することができる（なお、この処分書を受けた日の翌日から起算して６か月以内であっても、この処分の日の翌日から起算して１年を経過するとこの処分の取消しの訴えを提起することはできない。）。ただし、この処分書を受けた日の翌日から起算して３か月以内に審査請求をした場合には、この処分の取消しの訴えは、その審査請求に対する裁決の送達を受けた日の翌日から起算して６か月以内に提起することができる（なお、その裁決の送達を受けた日の翌日から起算して６か月以内であっても、その裁決の日の翌日から起算して１年を経過するとこの処分の取消しの訴えを提起することはできない。）。

記

金　　　　　　　　円

（処分前の一般の退職手当等の額）　　円
（処分後に支払われる一般の退職手当等の額）　　円

別記様式第二（裏面）

（退職をした者の氏名）	
（採用年月日）　年　月　日	（勤続期間）　年　月
（退職年月日）　年　月　日	
（退職時の勤務官署又は事務所）	
（退職時の職名）	（退職時の俸給月額）　円 （　職　級　号俸）
（懲戒免職等処分を受けるべき行為をしたと認めた理由）	
（国家公務員退職手当法施行令第 17 条で定める事情に関し勘案した内容についての説明）	

備考１　(1)には審査請求をすべき行政庁を、(2)には取消しの訴えの被告とすべき者を、(3)には取消しの訴えの被告とすべき者を代表する者を、それぞれ記載すること。
２　勤続期間とは、国家公務員退職手当法第７条第１項に規定する勤続期間をいう。
３　不要の文字は、抹消すること。

別記様式第三（第２条第１項関係）（表面）

【文書番号：　　　　　　】
年　月　日

退職手当支払差止処分書

殿

（退職手当管理機関）

国家公務員退職手当法第13条第１項の規定により、一般の退職手当等の額の支払を差し止める。

なお、この処分についての審査請求は、行政不服審査法の規定により、この処分書を受けた日の翌日から起算して３か月以内に　(1)　に対してすることができる。また、この処分書を受けた日の翌日から起算して３か月が経過した後においては、この処分の後の事情の変化を理由に、　(2)　に対してこの処分の取消しを申し立てることができる。

また、この処分の取消しの訴えは、行政事件訴訟法の規定により、この処分書を受けた日の翌日から起算して６か月以内に　(3)　を被告として（被告を代表する者は　(4)　）提起することができる（なお、この処分書を受けた日の翌日から起算して６か月以内であっても、この処分の日の翌日から起算して１年を経過するとこの処分の取消しの訴えを提起することはできない。）。ただし、この処分書を受けた日の翌日から起算して３か月以内に審査請求をした場合には、この処分の取消しの訴えは、その審査請求に対する裁決の送達を受けた日の翌日から起算して６か月以内に提起することができる（なお、その裁決の送達を受けた日の翌日から起算して６か月以内であっても、その裁決の日の翌日から起算して１年を経過するとこの処分の取消しの訴えを提起することはできない。）。

（退職をした者の氏名）	
（採用年月日）　年　月　日	（勤続期間） 年　月
（退職年月日）　年　月　日	

別記様式第三（裏面）

（退職時の勤務官署又は事務所）	
（退職時の職名）	（退職時の俸給月額）　円 （　職　級　号俸）
（支払差止処分の理由）	
（支払差止処分の取消し） この処分は、次のいずれかに該当する場合には取り消され、差し止められている一般の退職手当等の額が支払われる。 １　この処分を受けた者について、この処分の理由となった起訴に係る刑事事件につき無罪の判決が確定した場合 ２　この処分を受けた者について、この処分の理由となった起訴に係る刑事事件につき、判決が確定した場合（拘禁刑以上の刑に処せられた場合及び無罪の判決が確定した場合を除く。） ３　処分者が、この処分後に判明した事実又は生じた事情に基づき、この一般の退職手当等の額の支払を差し止める必要がなくなったと認める場合	

備考１　(1)には審査請求をすべき行政庁を、(2)には処分の取消しの申立てをすべき行政庁を、(3)には取消しの訴えの被告とすべき者を、(4)には取消しの訴えの被告とすべき者を代表する者を、それぞれ記載すること。
２　勤続期間とは、国家公務員退職手当法第７条第１項に規定する勤続期間をいう。

別記様式第四（第２条第２項関係）（表面）

【文書番号：　　　　　　】
年　　月　　日

退職手当支払差止処分書

殿

（退職手当管理機関）

国家公務員退職手当法第13条第２項の規定により、一般の退職手当等の額の支払を差し止める。

なお、この処分についての審査請求は、行政不服審査法の規定により、この処分書を受けた日の翌日から起算して３か月以内に　(1)　に対してすることができる。また、この処分書を受けた日の翌日から起算して３か月が経過した後においては、この処分の後の事情の変化を理由に、　(2)　に対してこの処分の取消しを申し立てることができる。

また、この処分の取消しの訴えは、行政事件訴訟法の規定により、この処分書を受けた日の翌日から起算して６か月以内に　(3)　を被告として（被告を代表する者は　(4)　）提起することができる（なお、この処分書を受けた日の翌日から起算して６か月以内であっても、この処分の日の翌日から起算して１年を経過するとこの処分の取消しの訴えを提起することはできない。）。ただし、この処分書を受けた日の翌日から起算して３か月以内に審査請求をした場合には、この処分の取消しの訴えは、その審査請求に対する裁決の送達を受けた日の翌日から起算して６か月以内に提起することができる（なお、その裁決の送達を受けた日の翌日から起算して６か月以内であっても、その裁決の日の翌日から起算して１年を経過するとこの処分の取消しの訴えを提起することはできない。）。

（退職をした者の氏名）	
（採用年月日）　　年　　月　　日	（勤続期間）　　年　　月
（退職年月日）　　年　　月　　日	

別記様式第四（裏面）

（退職時の勤務官署又は事務所）	
（退職時の職名）	（退職時の俸給月額）　　円 （　　職　　級　　号俸）
（公務に対する国民の信頼を確保する上で支障を生ずると認める理由） （思料される犯罪に係る罰条：　　　　）	
（支払差止処分の取消し） この処分は、次のいずれかに該当する場合には取り消され、差し止められている一般の退職手当等の額が支払われる。ただし、３に該当する場合において、この処分を受けた者がその者の基礎在職期間中の行為に係る刑事事件に関し現に逮捕されているときその他これを取り消すことが支払差止処分の目的に明らかに反すると認めるときは、この限りでない。 １　この処分を受けた者について、この処分の理由となった行為に係る刑事事件につき無罪の判決が確定した場合 ２　この処分を受けた者について、この処分の理由となった行為に係る刑事事件につき、判決が確定した場合（拘禁刑以上の刑に処せられた場合及び無罪の判決が確定した場合を除く。）又は公訴を提起しない処分があった場合であって、国家公務員退職手当法第 14 条第１項の規定による処分を受けることなく、その判決が確定した日又はその公訴を提起しない処分があった日から６か月を経過した場合 ３　この処分を受けた者について、その者の基礎在職期間中の行為に係る刑事事件に関し起訴をされることなく、かつ、国家公務員退職手当法第 14 条第１項の規定による処分を受けることなく、この処分を受けた日から１年を経過した場合 ４　処分者が、この処分後に判明した事実又は生じた事情に基づき、この一般の退職手当等の額の支払を差し止める必要がなくなったと認める場合	

備考１　(1)には審査請求をすべき行政庁を、(2)には処分の取消しの申立てをすべき行政庁を、(3)には取消しの訴えの被告とすべき者を、(4)には取消しの訴えの被告とすべき者を代表する者を、それぞれ記載すること。

２　勤続期間とは、国家公務員退職手当法第７条第１項に規定する勤続期間をいう。

別記様式第五（第２条第３項関係）（表面）

【文書番号：　　　　　　】
年　月　日

退職手当支払差止処分書

殿

（退職手当管理機関）

国家公務員退職手当法第13条第２項の規定により、一般の退職手当等の額の支払を差し止める。

なお、この処分についての審査請求は、行政不服審査法の規定により、この処分書を受けた日の翌日から起算して３か月以内に　(1)　に対してすることができる。また、この処分書を受けた日の翌日から起算して３か月が経過した後においては、この処分の後の事情の変化を理由に、　(2)　に対してこの処分の取消しを申し立てることができる。

また、この処分の取消しの訴えは、行政事件訴訟法の規定により、この処分書を受けた日の翌日から起算して６か月以内に　(3)　を被告として（被告を代表する者は　(4)　）提起することができる（なお、この処分書を受けた日の翌日から起算して６か月以内であっても、この処分の日の翌日から起算して１年を経過するとこの処分の取消しの訴えを提起することはできない。）。ただし、この処分書を受けた日の翌日から起算して３か月以内に審査請求をした場合には、この処分の取消しの訴えは、その審査請求に対する裁決の送達を受けた日の翌日から起算して６か月以内に提起することができる（なお、その裁決の送達を受けた日の翌日から起算して６か月以内であっても、その裁決の日の翌日から起算して１年を経過するとこの処分の取消しの訴えを提起することはできない。）。

（退職をした者の氏名）	
（採用年月日）　年　月　日	（勤続期間） 年　月
（退職年月日）　年　月　日	

別記様式第五（裏面）

（退職時の勤務官署又は事務所）	
（退職時の職名）	（退職時の俸給月額）　円 （　職　級　号俸）
（懲戒免職等処分を受けるべき行為をしたことを疑うに足りる相当な理由）	

（支払差止処分の取消し）

この処分は、次のいずれかに該当する場合には取り消され、差し止められている一般の退職手当等の額が支払われる。ただし、３に該当する場合において、この処分を受けた者がその者の基礎在職期間中の行為に係る刑事事件に関し現に逮捕されているときその他これを取り消すことが支払差止処分の目的に明らかに反すると認めるときは、この限りでない。

1　この処分を受けた者について、この処分の理由となった行為に係る刑事事件につき無罪の判決が確定した場合
2　この処分を受けた者について、この処分の理由となった行為に係る刑事事件につき、判決が確定した場合（拘禁刑以上の刑に処せられた場合及び無罪の判決が確定した場合を除く。）又は公訴を提起しない処分があった場合であって、国家公務員退職手当法第 14 条第１項の規定による処分を受けることなく、その判決が確定した日又はその公訴を提起しない処分があった日から６か月を経過した場合
3　この処分を受けた者について、その者の基礎在職期間中の行為に係る刑事事件に関し起訴をされることなく、かつ、国家公務員退職手当法第 14 条第１項の規定による処分を受けることなく、この処分を受けた日から１年を経過した場合
4　処分者が、この処分後に判明した事実又は生じた事情に基づき、この一般の退職手当等の額の支払を差し止める必要がなくなったと認める場合

備考１　(1)には審査請求をすべき行政庁を、(2)には処分の取消しの申立てをすべき行政庁を、(3)には取消しの訴えの被告とすべき者を、(4)には取消しの訴えの被告とすべき者を代表する者を、それぞれ記載すること。
２　勤続期間とは、国家公務員退職手当法第７条第１項に規定する勤続期間をいう。

別記様式第六（第２条第４項関係）（表面）

【文書番号：　　　　　　　】
年　　月　　日

退職手当支払差止処分書

殿

（退職手当管理機関）

　国家公務員退職手当法第13条第３項の規定により、一般の退職手当等の額の支払を差し止める。
　なお、この処分についての審査請求は、行政不服審査法の規定により、この処分書を受けた日の翌日から起算して３か月以内に　(1)　に対してすることができる。また、この処分書を受けた日の翌日から起算して３か月が経過した後においては、この処分の後の事情の変化を理由に、　(2)　に対してこの処分の取消しを申し立てることができる。
　また、この処分の取消しの訴えは、行政事件訴訟法の規定により、この処分書を受けた日の翌日から起算して６か月以内に　(3)　を被告として（被告を代表する者は　(4)　）提起することができる（なお、この処分書を受けた日の翌日から起算して６か月以内であっても、この処分の日の翌日から起算して１年を経過するとこの処分の取消しの訴えを提起することはできない。）。ただし、この処分書を受けた日の翌日から起算して３か月以内に審査請求をした場合には、この処分の取消しの訴えは、その審査請求に対する裁決の送達を受けた日の翌日から起算して６か月以内に提起することができる（なお、その裁決の送達を受けた日の翌日から起算して６か月以内であっても、その裁決の日の翌日から起算して１年を経過するとこの処分の取消しの訴えを提起することはできない。）。

<table>
<tr><td colspan="2">（退職をした者の氏名）</td></tr>
<tr><td>（採用年月日）　　年　　月　　日</td><td rowspan="2">（勤続期間）
年　　月</td></tr>
<tr><td>（退職年月日）　　年　　月　　日</td></tr>
</table>

別記様式第六（裏面）

<table>
<tr><td colspan="2">（退職時の勤務官署又は事務所）</td></tr>
<tr><td>（退職時の職名）</td><td>（退職時の俸給月額）　　円
（　　職　　級　　号俸）</td></tr>
<tr><td colspan="2">（懲戒免職等処分を受けるべき行為をしたことを疑うに足りる相当な理由）</td></tr>
<tr><td colspan="2">（支払差止処分の取消し）
　この処分は、次のいずれかに該当する場合には取り消され、差し止められている一般の退職手当等の額が支払われる。
　1　この処分を受けた者が国家公務員退職手当法第14条第２項の規定による処分を受けることなくこの処分を受けた日から１年を経過した場合
　2　処分者が、この処分後に判明した事実又は生じた事情に基づき、この一般の退職手当等の額の支払を差し止める必要がなくなったと認める場合</td></tr>
</table>

備考１　(1)には審査請求をすべき行政庁を、(2)には処分の取消しの申立てをすべき行政庁を、(3)には取消しの訴えの被告とすべき者を、(4)には取消しの訴えの被告とすべき者を代表する者を、それぞれ記載すること。
　　２　勤続期間とは、国家公務員退職手当法第７条第１項に規定する勤続期間をいう。

別記様式第七（第３条第１項関係）（表面）

【文書番号：　　　　　　】
年　　月　　日

退職手当返納命令書

殿

（退職手当管理機関）

国家公務員退職手当法第15条第１項の規定により、既に支払われた一般の退職手当等の額のうち下記の金額の返納を命ずる。

なお、この処分についての審査請求は、行政不服審査法の規定により、この命令書を受けた日の翌日から起算して３か月以内に　(1)　に対してすることができる。

また、この処分の取消しの訴えは、行政事件訴訟法の規定により、この命令書を受けた日の翌日から起算して６か月以内に　(2)　を被告として（被告を代表する者は　(3)　）提起することができる（なお、この命令書を受けた日の翌日から起算して６か月以内であっても、この処分の日の翌日から起算して１年を経過するとこの処分の取消しの訴えを提起することはできない。）。ただし、この命令書を受けた日の翌日から起算して３か月以内に審査請求をした場合には、この処分の取消しの訴えは、その審査請求に対する裁決の送達を受けた日の翌日から起算して６か月以内に提起することができる（なお、その裁決の送達を受けた日の翌日から起算して６か月以内であっても、その裁決の日の翌日から起算して１年を経過するとこの処分の取消しの訴えを提起することはできない。）。

記

金　　　　　　　　円

（既に支払われた一般の退職手当等の額）　円
（国家公務員退職手当法第15条第１項の規定により控除される失業者退職手当額）　円

別記様式第七（裏面）

（退職をした者の氏名）
（返納命令の理由）
（国家公務員退職手当法施行令第 17 条で定める事情のほか、この処分を受ける者の生計の状況に関し勘案した内容についての説明）

備考　(1)には審査請求をすべき行政庁を、(2)には取消しの訴えの被告とすべき者を、(3)には取消しの訴えの被告とすべき者を代表する者を、それぞれ記載すること。

別記様式第八（第３条第２項関係）（表面）

【文書番号：　　　　　】
年　　月　　日

退職手当返納命令書

殿

（退職手当管理機関）

国家公務員退職手当法　第15条第１項／第16条第１項　の規定により、既に支払われた一般の退職手当等の額のうち下記の金額の返納を命ずる。

なお、この処分についての審査請求は、行政不服審査法の規定により、この命令書を受けた日の翌日から起算して３か月以内に　(1)　に対してすることができる。

また、この処分の取消しの訴えは、行政事件訴訟法の規定により、この命令書を受けた日の翌日から起算して６か月以内に　(2)　を被告として（被告を代表する者は　(3)　）提起することができる（なお、この命令書を受けた日の翌日から起算して６か月以内であっても、この処分の日の翌日から起算して１年を経過するとこの処分の取消しの訴えを提起することはできない。）。ただし、この命令書を受けた日の翌日から起算して３か月以内に審査請求をした場合には、この処分の取消しの訴えは、その審査請求に対する裁決の送達を受けた日の翌日から起算して６か月以内に提起することができる（なお、その裁決の送達を受けた日の翌日から起算して６か月以内であっても、その裁決の日の翌日から起算して１年を経過するとこの処分の取消しの訴えを提起することはできない。）。

記

金　　　　　　　　円

（既に支払われた一般の退職手当等の額） 円
（国家公務員退職手当法　第15条第１項／第16条第１項　の規定により控除される失業者退職手当額） 円

別記様式第八（裏面）

（退職をした者の氏名）
（懲戒免職等処分を受けるべき行為をしたと認めた理由）
（国家公務員退職手当法施行令第17条で定める事情のほか、この処分を受ける者の生計の状況に関し勘案した内容についての説明）

備考１　(1)には審査請求をすべき行政庁を、(2)には取消しの訴えの被告とすべき者を、(3)には取消しの訴えの被告とすべき者を代表する者を、それぞれ記載すること。

２　不要の文字は、抹消すること。

別記様式第九（第４条関係）（表面）

【文書番号：　　　　　　】
年　　月　　日

国家公務員退職手当法第17条第１項に規定する
懲戒免職等処分を受けるべき行為をしたことを疑うに足りる相当な理由がある旨の通知書

殿

（退職手当管理機関）

下記の退職をした者に対しその退職に係る一般の退職手当等の額が支払われた後において、その者がその一般の退職手当等の額の算定の基礎となる職員としての引き続いた在職期間中に懲戒免職等処分を受けるべき行為をしたことを疑うに足りる相当な理由があるため、国家公務員退職手当法第17条第１項の規定により通知する。

この通知をした機関は、この通知が到達した日の翌日から起算して６か月以内に限り、この通知を受けた者に対し、下記の退職をした者が既に支払われた一般の退職手当等の額の算定の基礎となる職員としての引き続いた在職期間中に懲戒免職等処分を受けるべき行為をしたと認められることを理由として、その一般の退職手当等の額（下記の退職をした者が失業手当受給可能者であった場合にあっては、失業者退職手当額を除く。）の全部又は一部に相当する額の納付を命ずる処分を行うことができる。

記

（退職をした者の氏名）
（退職手当の受給者の氏名）

別記様式第九（裏面）

（既に支払われた一般の退職手当等の額） 円
（国家公務員退職手当法第17条第１項の規定により控除される失業者退職手当額） 円
（懲戒免職等処分を受けるべき行為をしたことを疑うに足りる相当な理由）

別記様式第十（第５条第１項関係）（表面）

【文書番号：　　　　　　】
年　　月　　日

退職手当相当額納付命令書

殿

（退職手当管理機関）

国家公務員退職手当法　第17条第１項／第17条第２項／第17条第３項　の規定により、退職手当の受給者に対し既に支払われた一般の退職手当等の額に相当する額のうち下記の金額の納付を命ずる。

なお、この処分についての審査請求は、行政不服審査法の規定により、この命令書を受けた日の翌日から起算して３か月以内に　(1)　に対してすることができる。

また、この処分の取消しの訴えは、行政事件訴訟法の規定により、この命令書を受けた日の翌日から起算して６か月以内に　(2)　を被告として（被告を代表する者は　(3)　）提起することができる（なお、この命令書を受けた日の翌日から起算して６か月以内であっても、この処分の日の翌日から起算して１年を経過するとこの処分の取消しの訴えを提起することはできない。）。ただし、この命令書を受けた日の翌日から起算して３か月以内に審査請求をした場合には、この処分の取消しの訴えは、その審査請求に対する裁決の送達を受けた日の翌日から起算して６か月以内に提起することができる（なお、その裁決の送達を受けた日の翌日から起算して６か月以内であっても、その裁決の日の翌日から起算して１年を経過するとこの処分の取消しの訴えを提起することはできない。）。

記

金　　　　　　　　円

（既に支払われた一般の退職手当等の額） 円
（国家公務員退職手当法　第17条第１項／第17条第２項／第17条第３項　の規定により控除される失業者退職手当額） 円

別記様式第十（裏面）

（退職をした者の氏名）
（退職手当の受給者の氏名）
（懲戒免職等処分を受けるべき行為をしたと認められる理由）
（国家公務員退職手当法施行令第17条及び第18条で定める事情に関し勘案した内容についての説明）

備考１　(1)には審査請求をすべき行政庁を、(2)には取消しの訴えの被告とすべき者を、(3)には取消しの訴えの被告とすべき者を代表する者を、それぞれ記載すること。

２　不要の文字は、抹消すること。

別記様式第十一（第５条第２項関係）（表面）

【文書番号：　　　　　　】
年　月　日

退職手当相当額納付命令書

殿

（退職手当管理機関）

国家公務員退職手当法 第17条第４項／第17条第５項 の規定により、退職手当の受給者に対し既に支払われた一般の退職手当等の額に相当する額のうち下記の金額の納付を命ずる。

なお、この処分についての審査請求は、行政不服審査法の規定により、この命令書を受けた日の翌日から起算して３か月以内に (1) に対してすることができる。

また、この処分の取消しの訴えは、行政事件訴訟法の規定により、この命令書を受けた日の翌日から起算して６か月以内に (2) を被告として（被告を代表する者は (3) ）提起することができる（なお、この命令書を受けた日の翌日から起算して６か月以内であっても、この処分の日の翌日から起算して１年を経過するとこの処分の取消しの訴えを提起することはできない。）。ただし、この命令書を受けた日の翌日から起算して３か月以内に審査請求をした場合には、この処分の取消しの訴えは、その審査請求に対する裁決の送達を受けた日の翌日から起算して６か月以内に提起することができる（なお、その裁決の送達を受けた日の翌日から起算して６か月以内であっても、その裁決の日の翌日から起算して１年を経過するとこの処分の取消しの訴えを提起することはできない。）。

記

金　　　　円

（既に支払われた一般の退職手当等の額） 円
（国家公務員退職手当法 第17条第４項／第17条第５項 の規定により控除される失業者退職手当額） 円

別記様式第十一（裏面）

（退職をした者の氏名）
（退職手当の受給者の氏名）
（納付命令の理由）
（国家公務員退職手当法施行令第17条及び第18条で定める事情に関し勘案した内容についての説明）

備考１　(1)には審査請求をすべき行政庁を、(2)には取消しの訴えの被告とすべき者を、(3)には取消しの訴えの被告とすべき者を代表する者を、それぞれ記載すること。
２　不要の文字は、抹消すること。

○国家公務員退職手当法の規定に基づく意見の聴取の手続に関する規則

平二一・三・三一
総務令二九

最終改正　令三・三・二六内閣官房令一

（趣旨）

第一条　国家公務員退職手当法（以下「法」という。）第十四条第三項又は第十五条第四項（法第十六条第二項及び第十七条第七項において準用する場合を含む。以下同じ。）の規定により退職手当管理機関（法第十一条第二号に規定する退職手当管理機関をいう。以下同じ。）が行う意見の聴取の手続については、この内閣官房令の定めるところによる。

（定義）

第二条　この規則において、次の各号に掲げる用語の意義は、それぞれ当該各号に定めるところによる。

一　主宰者　法第十四条第四項、第十五条第五項、第十六条第三項及び第十七条第八項において準用する行政手続法（平成五年法律第八十八号。以下「準用行政手続法」という。）第十九条第一項の規定により意見の聴取を主宰する者をいう。

二　当事者　準用行政手続法第十五条第一項の規定による通知を受けた者（同条第三項後段の規定により当該通知が到達したものとみなされる者を含む。）をいう。

三　関係人　当事者以外の者であって法に照らし法第十四条第一項（同項第三号に該当する場合に限る。）及び第二項、第十五条第一項、第十六条第一項並びに第十七条第一項から第五項までの規定による処分につき利害関係を有するものと認められる者をいう。

四　参加人　準用行政手続法第十七条第一項の規定により意見の聴取に関する手続に参加する関係人をいう。

（意見の聴取の期日等の変更）

第三条　退職手当管理機関が準用行政手続法第十五条第一項の通知をした場合（同条第三項の規定により通知をした場合を含む。）において、当事者は、やむを得ない理由がある場合には、退職手当管理機関に対し、意見の聴取の期日又は場所の変更を申し出ることができる。

2　退職手当管理機関は、前項の申出により、又は職権により、意見の聴取の期日又は場所を変更することができる。

3　退職手当管理機関は、前項の規定により意見の聴取の期日又は場所を変更したときは、速やかに、その旨を当事者、参加人（その時までに準用行政手続法第十七条第一項の求めを受諾し、又は同項の許可を受けている者に限る。）及び第五条に規定する参考人に通知しなければならない。

（関係人の参加許可の手続）

第四条　準用行政手続法第十七条第一項の規定による許可の申請については、関係人は、速やかに、その氏名、住所及び当該意見の聴取に係る不利益処分につき利害関係を有することの疎明を記載した書面を主宰者に提出してこれを行うものとする。

2　主宰者は、前項の許可をしたときは、速やかに、その旨を当該申請者に通知しなければならない。

（参考人）

第五条　主宰者は、必要があると認めるときは、学識経験のある者その他の参考人（以下単に「参考人」という。）に対し、意見の聴取に関する手続に参加することを求めることができる。

（文書等の閲覧の手続）

第六条　準用行政手続法第十八条第一項の規定による閲覧の求めについては、当事者又は当該不利益処分がされた場合に自己の利益を害されることとなる参加人（以下この条において「当事者等」という。）は、その氏名、住所及び閲覧をしようとする資料の標目を記載した書面を退職手当管理機関に提出してこれを行うものとする。ただし、意見の聴取の期日における審理の進行に応じて必要となった場合の閲覧については、口頭で求めれば足りる。

2　退職手当管理機関は、閲覧を許可したときは、その場で閲覧させる場合を除き、速やかに、閲覧の日時及び場所を当該当事者等に通知しなければならない。この場合において、退職手当管理機関は、意見の聴取の審理における当事者等の意見陳述の準備を妨げることがないよう配慮するものとする。

3　退職手当管理機関は、意見の聴取の期日における審理の進行に応じて必要となった資料の閲覧の求めがあった場合に、当該審理において閲覧させることができないとき（準用行政手続法第十八条第一項後段の規定による拒否の場合を除く。）は、閲覧の日時及び場所を指定し、当該当事者等に通知しなければならない。この場合において、主宰者は、準用行政手続法第二十二条第一項の規定に基づき、当該閲覧の日時以降の日を新たな意見の聴取の期日として定めるものとする。

（主宰者の指名の手続）

第七条　準用行政手続法第十九条第一項の規定による主宰者の指名は、意見の聴取の通知の時までに行うものとする。

2　主宰者が準用行政手続法第十九条第二項各号のいずれかに該当するに至ったとき、又は主宰者が死亡し若しくは心身の故障その他継続して意見の聴取を行えない事由により意見の聴取を行うことができなくなったときは、退職手当管理機関は、速やかに、新たな主宰者を指名しなければならない。

（補佐人の出頭許可の手続）

第八条　準用行政手続法第二十条第三項の規定による許可の申請については、当事者又は参加人は、速やかに、補佐人の氏名、住所、当事者又は参加人との関係及び補佐する事項を記載した書面を主宰者に提出してこれを行うものとする。ただし、準用行政手続法第二十二条第二項（準用行政手続法第二十五条後段において準用する場合を含む。）の規定により通知された意見の聴取の期日に出頭させようとする補佐人であって既に受けた許可に係る事項につき補佐するものについては、この限りでない。

2　主宰者は、前項の許可をしたときは、速やかに、その旨を当該当事者又は参加人に通知しなければならない。

3　補佐人の陳述は、当該当事者又は参加人が直ちに取り消さないときは、自ら陳述したものとみなす。

（意見の聴取の期日における陳述の制限及び秩序維持）

第九条　主宰者は、意見の聴取の期日に出頭した者が当該事案の範囲を超えて陳述するときその他議事を整理するためにやむを得ないと認めるときは、その者に対し、その陳述を制限することができる。

2　主宰者は、前項に規定する場合のほか、意見の聴取の審理の秩序を維持するため、意見の聴取の審理を妨害し、又はその秩序を乱す者に対し退場を命ずる等適当な措置をとることができる。

（意見の聴取の期日における審理の公開）

第十条　退職手当管理機関は、準用行政手続法第二十条第六項の規定により意見の聴取の期日における審理の公開を相当と認めたときは、意見の聴取の期日及び場所を公示するものとする。この場合において、退職手当管理機関は、当事者、参加人（その時までに準用行政手続法第十七条第一項の求めを受諾し、又は同項の許可を受けている者に限る。）及び参考人に対し、速やかに、その旨を通知するものとする。

（陳述書の提出の方法等）

第十一条　準用行政手続法第二十一条第一項の規定による陳述書の提出は、提出する者の氏名、住所、意見の聴取の件名及び当該意見の聴取に係る不利益処分の原因となる事実その他当該事案の内容についての意見を記載した書面により行うものとする。

（意見の聴取調書及び報告書の記載事項）

第十二条　準用行政手続法第二十四条第一項に規定する調書（以下「意見の聴取調書」という。）には、次に掲げる事項（意見の聴取の期日における審理が行われなかった場合においては、第四号に掲げる事項を除く。）を記載し、主宰者がこれに記名押印しなければならない。

一　意見の聴取の件名

二　意見の聴取の期日及び場所

三　主宰者の氏名及び職名

四　意見の聴取の期日に出頭した当事者及び参加人又はこれらの者の代理人若しくは補佐人（以下この項及び第三項において「当事者等」という。）並びに参考人の氏名及び住所並びに退職手当管理機関の職員の氏名及び職名

五　意見の聴取の期日に出頭しなかった当事者等の氏名及び住所並びに当該当事者等のうち当事者及びその代理人にあっては、出頭しなかったことについての正当な理由の有無

六　当事者等、参考人及び退職手当管理機関の職員の陳述の要旨（提出された陳述書における意見の陳述を含む。）

七　証拠書類等が提出されたときは、その標目

八　その他参考となるべき事項

2　意見の聴取調書には、書面、図画、写真その

他主宰者が適当と認めるものを添付して調書の一部とすることができる。

3　準用行政手続法第二十四条第三項に規定する報告書（以下単に「報告書」という。）には、次に掲げる事項を記載し、主宰者がこれに記名しなければならない。

一　意見

二　不利益処分の原因となる事実に対する当事者等の主張

三　理由

（意見の聴取調書及び報告書の閲覧の手続）

第十三条　準用行政手続法第二十四条第四項の規定による閲覧の求めについては、当事者又は参加人は、その氏名、住所及び閲覧をしようとする意見の聴取調書又は報告書の件名を記載した書面を、意見の聴取の終結前にあっては意見の聴取の主宰者に、意見の聴取の終結後にあっては退職手当管理機関に提出してこれを行うものとする。

2　主宰者又は退職手当管理機関は、閲覧を許可したときは、その場で閲覧させる場合を除き、速やかに、閲覧の日時及び場所を当該当事者又は参加人に通知しなければならない。

附　則

この省令は、国家公務員退職手当法等の一部を改正する法律（平成二十年法律第九十五号）の施行の日（平成二十一年四月一日）から施行する。

附　則（令三・三・二六内閣官房令一）

この内閣官房令は、公布の日から施行する。

○国家公務員退職手当法の運用方針

昭六〇・四・三〇
総　人　二　六　一

最終改正　令四・八・三閣人人五〇一

第二条関係

一　国家公務員退職手当法施行令（昭和二十八年政令第二百十五号。以下「施行令」という。）第一条第一項第二号に掲げる者が、国家公務員退職手当法の適用を受ける非常勤職員について（昭和六十年四月三十日付け総人第二百六十号。以下「総人第二百六十号」という。）第一項に規定する「同項に規定する職員について定められている勤務時間以上勤務した日」が一月において十八日（一月間の日数（行政機関の休日に関する法律（昭和六十三年法律第九十一号）第一条第一項各号に掲げる日の日数は、算入しない。）が二十日に満たない日数の場合にあっては、十八日から二十日と当該日数との差に相当する日数を減じた日数）に満たないことが客観的に明らかとなった場合には、その日をもって退職したものとして取り扱うものとする。

二　国家公務員等退職手当暫定措置法施行令の一部を改正する政令（昭和三十四年政令第二百八号）附則第五項に規定する「勤務した日が引き続いて六月を超えるに至つた場合」とは、総人第二百六十号第一項の「勤務日数」が同項の「職員みなし日数」以上ある月が引き続いて六月を超えるに至った場合をいう。

第二条の三関係

一　本条第一項に規定する「他の法令に別段の定めがある場合」とは、例えば次に掲げる場合をいう。

イ　地方税法（昭和二十五年法律第二百二十六号）第四十一条及び第五十条の六並びに第三百二十八条の五及び第三百二十八条の六に基づく徴収を行う場合

ロ　国家公務員共済組合法（昭和三十三年法律第百二十八号）第百一条に基づく控除を行う場合

ハ　所得税法（昭和四十年法律第三十三号）第百九十九条及び第二百一条に基づく徴収を行う場合

二　退職手当の支払方法として、その支給を受けるべき者の預金若しくは貯金への振込み又は隔地送金の方法によることは、本条第一項本文に規定する支払方法に含まれる。

三　施行令第一条の二に規定する「小切手の振出し」は、支出官が小切手を振り出す場合のほか、資金前渡官吏が小切手を振り出す場合も含まれる。

四　本条第二項に規定する「特別の事情がある場合」とは、例えば次に掲げる場合をいう。

イ　死亡等による予期し得ない退職のため、事前に退職手当の支給手続を行うことができなかった場合や退職手当管理機関が退職手当審査会に諮問した場合等であって、退職手当の支給手続に相当な時間を要するとき。

ロ　基礎在職期間に第五条の二第二項第二号から第七号までに掲げる在職期間が含まれると考えられる場合等であって、その確認に相当な時間を要するとき。

第三条関係

一　「俸給」とは、一般職の職員の給与に関する法律（昭和二十五年法律第九十五号。以下「一般職給与法」という。）第五条第一項に規定する俸給又は勤務に対する報酬として支給される給与であってこれに相当するものをいう。

二　前号の場合において、賃金又は手当の支給を受けている者に対する退職手当の算定の基礎となる俸給月額は、次に掲げる額とする。

イ　賃金又は手当の額のうち俸給に相当する部分の額が賃金又は手当の額の算定上明らかである者については、次に掲げる額

(1)　賃金又は手当の額が月額で定められている者については、当該俸給に相当する部分の月額

(2)　賃金又は手当の額が日額で定められている者については、当該俸給に相当する部分の日額の二十一倍に相当する額

ロ　イに該当する者以外の者については、次に掲げる額

(1)　賃金又は手当の額が月額で定められている者については、当該月額の八割五分に相当する額

(2)　賃金又は手当の額が日額で定められている者については、当該日額の八割五分に相当する額の二十一倍に相当する額

三　本条第二項の規定は、次に掲げる者に対しては適用しない。

イ　国家公務員法（昭和二十二年法律第百二十号）第八十一条の六第一項の規定により退職した者（同法第八十一条の七第一項の期限又は同条第二項の規定により延長された期限の到来により退職した者を含む。）又はこれに準ずる他の法令の規定により退職した者

ロ　定年に達した日以後その者の非違によることなく退職した者（イに該当する者を除き、次のいずれかに該当する者を含む。）

(1)　国家公務員法等の一部を改正する法律（令和三年法律第六十一号。以下「令和三年国家公務員法等改正法」という。）附則第三条第五項に規定する旧国家公務員法勤務延長期限若しくは同条第六項の規定により延長された期限の到来により退職した者又はこれに準ずる他の法令の規定により退職した者

(2)　令和三年国家公務員法等改正法附則第三条第五項に規定する旧国家公務員法勤務延長期限若しくは同条第六項の規定により延長された期限の到来前に退職した者又はこれに準ずる他の法令の規定により退職した者

ハ　裁判官で日本国憲法第八十条に定める任期を終えて退職し、又は任期の終了に伴う裁判官の配置等の事務の都合により任期の終了前一年内に退職したもの

ニ　法律の規定に基づく任期を終えて退職した者（イに該当する者を除く。）

ホ　定年の定めのない職を職員の配置等の事務の都合により退職した者

ヘ　施行令第三条第四号に掲げる職を職員の配置等の事務の都合により定年に達する日前に退職した者

ト　十一年未満の期間勤続した者であって、六十歳（附則第十二項各号に掲げる者にあっては、当該各号に定める年齢）に達した日以後その者の非違によることなく退職した者（附則第十四項各号に掲げる者及びイからヘまでに該当する者を除き、ロ(1)又は(2)に該当する者を含む。）

四　例えば次に掲げる場合に、職員をその者の事情によらないで引き続いて勤続することを困難とする理由により退職した者として取り扱おうとするときは、その者の事情によることなく辞職を申し出たものかどうかについて、特に慎重に判断するものとする。

イ　直前において国家公務員法第八十二条に規定する懲戒処分又はこれに準ずる処分を受けた職員に対し、その辞職を承認する場合

ロ　その者からの辞職の申出前又は辞職の申出後辞職の承認前に、その者に懲戒処分に付すことにつき相当の事由があると思料するに至った場合には、辞職の承認を保留し、必要な実情調査を行うべきこととなるが、その結果、国家公務員法第八十二条に規定する懲戒処分又はこれに準ずる処分に付し

た上で、その辞職を承認するとき。

第四条関係

一　本条第一項第一号に規定する「これに準ずる他の法令の規定」とは、例えば次に掲げる法律の規定をいう。

イ　私的独占の禁止及び公正取引の確保に関する法律（昭和二十二年法律第五十四号）第三十条

ロ　裁判所法（昭和二十二年法律第五十九号）第五十条

ハ　検察庁法（昭和二十二年法律第六十一号）第二十二条

ニ　会計検査院法（昭和二十二年法律第七十三号）第五条

ホ　国会職員法（昭和二十二年法律第八十五号）第十五条の六及び第十五条の七

ヘ　裁判所職員臨時措置法（昭和二十六年法律第二百九十九号）本則

ト　自衛隊法（昭和二十九年法律第百六十五号）第四十四条の六、第四十四条の七及び第四十五条

二　例えば第三条関係第四号イ又はロに掲げる場合に、職員をその者の事情によらないで引き続いて勤続することを困難とする理由により退職した者として取り扱おうとするときは、その者の事情によることなく辞職を申し出たものかどうかについて、特に慎重に判断するものとする。

三　本条第二項の規定の適用については、次に定めるところによる。

イ　「定年に達した日」の計算方法は、年齢計算ニ関スル法律（明治三十五年法律第五十号）の定めるところによる。

ロ　「定年に達した日以後その者の非違によることなく退職した者（前項の規定に該当する者を除く。）」とは、次に掲げる者のうち、その者の都合により退職した者をいう。

(1)　定年に達した日以後定年退職日の前日までの間において、その者の非違によることなく退職した者

(2)　国家公務員法第八十一条の七第一項の期限又は同条第二項の規定により延長された期限の到来前にその者の非違によることなく退職した者

(3)　令和三年国家公務員法等改正法附則第三条第五項に規定する旧国家公務員法勤務延長期限若しくは同条第六項の規定により延長された期限の到来前にその者の非違によることなく退職した者

(4)　(2)又は(3)に掲げる規定に準ずる他の法令の規定により勤務した後その者の非違によることなく退職した者

ハ　本条第二項の規定は、令和三年国家公務員法等改正法附則第三条第五項に規定する旧国家公務員法勤務延長期限若しくは同条第六項の規定により延長された期限の到来により退職した者又はこれに準ずる他の法令の規定により退職した者に対しても適用されるものとする。

ニ　例えば第三条関係第四号イ又はロに掲げる場合には、その者の非違によることなく辞職を申し出たものかどうかについて、特に慎重に判断するものとする。

四　附則第六項及び国家公務員等退職手当法の一部を改正する法律（昭和四十八年法律第三十号）附則第五項の規定は、本条第二項の規定により退職した者に対し適用されるものとする。

第五条関係

一　本条第一項第一号に規定する「これに準ずる他の法令の規定」とは、第四条関係第一号に定めるところによる。

二　例えば第三条関係第四号イ又はロに掲げる場合に、職員をその者の事情によらないで引き続いて勤続することを困難とする理由により退職した者として取り扱おうとするときは、その者の事情によることなく辞職を申し出たものかどうかについて、特に慎重に判断するものとする。

三　本条第二項の規定の適用については、第四条関係第三号に定めるところによる。

四　附則第六項及び第八項並びに国家公務員等退職手当法の一部を改正する法律（昭和四十八年法律第三十号）附則第五項及び第七項の規定は、本条第二項の規定により退職した者に対し適用されるものとする。

第五条の二関係

一　「俸給月額の減額改定」には、職員が引き続いて地方公務員、公庫等職員又は独立行政法人等役員その他職員以外のもの（以下「地方公務員等」という。）となり再び職員となった場合において、当該地方公務員等としての在職期間中に俸給月額の減額改定が行わ

れたことにより再び職員となったときの俸給月額が先の職員として受けていた俸給月額より少なくなった場合を含むものとする。

二　「給与の支給の基準」とは、独立行政法人通則法（平成十一年法律第百三号）第五十七条第二項に規定する給与の支給の基準をいう。

三　「俸給月額が減額されたことがある場合」とは、職員として受ける俸給月額が減額されたことがある場合をいい、例えば、次に掲げる場合はこれに該当しない。

イ　地方公務員等としての在職期間においてその者の本俸（俸給月額に相当するものをいう。以下同じ。）が減額された場合

ロ　地方公務員等から職員となった場合において地方公務員等を退職した際に受けていた本俸より当該退職に引き続いて職員となった際に受けていた俸給月額が少ない場合

四　「俸給月額の減額改定以外の理由」には、職員がその者の俸給表の適用を異にして異動した場合において当該異動後に受けていたその者の俸給月額が異動前に受けていたその者の俸給月額より少ない場合を含む。

第五条の三関係

一　「定年に達する日」の計算方法は、第四条関係第三号イに定めるところによる。

二　「定年に達する日から政令で定める一定の期間」の計算方法は、民法（明治二十九年法律第八十九号）第百四十三条の規定を準用するものとする。

三　「退職の日におけるその者の年齢」の単位は、年齢のとなえ方に関する法律（昭和二十四年法律第九十六号）第一項の定めるところによる。

四　「退職の日において定められているその者に係る定年」は、退職の日に昇任した自衛官については、当該昇任前の階級について定められている定年とする。

第六条の四関係

一　本条第一項に規定する「通勤による傷病による休職」には、平成三年四月一日以後に退職した者の同日前の「通勤による傷病による休職」を含む。

二　本条第一項に規定する「その他これらに準ずる事由により現実に職務をとることを要しない期間」には、次に掲げる期間は含まれない。

イ　一般職給与法第十五条の規定により給与の減額をされた期間

ロ　一般職の職員の勤務時間、休暇等に関する法律第十六条に規定する休暇の期間

ハ　イ又はロに規定する期間に相当する期間

三　施行令第六条第三項第二号に規定する育児休業には、国家公務員退職手当法の一部を改正する法律（平成十七年法律第百十五号）施行日前（国営企業等職員にあっては適用日前）における国会職員の育児休業等に関する法律（平成三年法律第百八号）第三条第一項の規定による育児休業（国会職員の育児休業等に関する法律の一部を改正する法律（平成二十二年法律第六十二号）による改正前の国会職員の育児休業等に関する法律附則第二条の規定により同法第三条の規定による育児休業の承認とみなされる育児休業の許可に係る育児休業を含む。）、国家公務員の育児休業等に関する法律（平成三年法律第百九号）第三条第一項（同法第二十七条第一項及び裁判所職員臨時措置法において準用する場合を含む。）の規定による育児休業（一般職の職員の給与に関する法律等の一部を改正する法律（平成二十二年法律第五十三号）附則第七条の規定による改正前の国家公務員の育児休業等に関する法律附則第二条の規定により同法第三条の規定による育児休業の承認とみなされる育児休業の許可に係る育児休業を含む。）及び裁判官の育児休業に関する法律（平成三年法律第百十一号）第二条第一項の規定による育児休業を含む。

第七条関係

本条第五項に規定する「その他の事由」とは、自己の意思に基づく転職、異動等すべての場合を含む。

第七条の二関係

一　本条第一項に規定する「要請」とは、任命権者又はその委任を受けた者が、職員に対し、公庫等職員として在職した後再び職員に復帰させることを前提として、公庫等に退職出向することを慫慂する行為をいう。

二　本条第二項に規定する「要請」とは、公庫等が、公庫等職員に対し、職員として在職した後再び公庫等職員に復帰させることを前提として、国に退職出向することを慫慂する行為をいう。

第八条関係

一　本条第一項に規定する「要請」とは、任命権者又はその委任を受けた者が、職員に対し、独立行政法人等役員として在職した後再び職員に復帰させることを前提として、独立行政法人等に退職出向することを慫慂する行為をいう。

二　本条第二項に規定する「要請」とは、独立行政法人等が、独立行政法人等役員に対し、職員として在職した後再び独立行政法人等役員に復帰させることを前提として、国に退職出向することを慫慂する行為をいう。

第八条の二関係

一　本条第一項に規定する「定年前」とは、定年に達する日前をいい、「定年に達する日」の計算方法は、年齢計算ニ関スル法律の定めるところによる。

二　本条第一項第一号に定める「年齢以上の年齢」の単位は、年齢のとなえ方に関する法律第一項の定めるところによる。

三　本条第三項第三号に規定する「定年に達する者」とは、定年に達する日を迎える者をいい、「定年に達する日」の計算方法は、第一号に定めるところによる。

四　本条第三項第四号、第五項第二号及び第八項第四号に規定する「これに準ずる処分」とは、例えば次に掲げる規定による処分（故意又は重大な過失によらないで管理又は監督に係る職務を怠った場合における処分を除く。）をいう。

イ　国会職員法第二十八条及び第二十九条

ロ　裁判官分限法（昭和二十二年法律第百二十七号）第二条

ハ　自衛隊法第四十六条

五　本条第五項に規定する認定をし、又はしない旨の決定を行うに当たっては、応募者の意思の尊重と応募者間の不公平感の払拭に留意しつつ、厳正かつ公正に対処するものとする。

六　本条第五項第三号に規定する「その他応募者に対し認定を行うことが公務に対する国民の信頼を確保する上で支障を生ずると認める場合」とは、例えば次に掲げる場合をいう。

イ　応募者に非違行為があると思料される場合で、例えば次に掲げる場合

(1)　応募者が逮捕され、その逮捕の理由となった犯罪又はその者が犯したと思料される犯罪に係る法定刑の上限が禁錮以上に当たるものである場合

(2)　応募者が本条第五項第二号に規定する処分を受けるべき行為をしたと思料されるが、その者が行方不明となり事実の聴取等ができない場合

ロ　応募者が選挙の公認候補予定者である場合等、応募者が選挙に立候補することが明らかである場合

第十一条関係

本条第一号に規定する「その他の職員としての身分を当該職員の非違を理由として失わせる処分」とは、国家公務員法の適用を受けない職員が、他の法令の規定によりこれらに規定する国家公務員法の規定に実質的に該当する場合をいう。

第十二条関係

一　非違の発生を抑止するという制度目的に留意し、一般の退職手当等の全部を支給しないこととすることを原則とするものとする。

二　一般の退職手当等の一部を支給しないこととする処分にとどめることを検討する場合は、施行令第十七条に規定する「当該退職をした者が行った非違の内容及び程度」について、次のいずれかに該当する場合に限定する。その場合であっても、公務に対する国民の信頼に及ぼす影響に留意して、慎重な検討を行うものとする。

イ　停職以下の処分にとどめる余地がある場合に、特に厳しい措置として懲戒免職等処分とされた場合

ロ　懲戒免職等処分の理由となった非違が、正当な理由がない欠勤その他の行為により職場規律を乱したことのみである場合であって、特に参酌すべき情状のある場合

ハ　懲戒免職等処分の理由となった非違が過失（重過失を除く。）による場合であって、特に参酌すべき情状のある場合

ニ　過失（重過失を除く。）により禁錮以上の刑に処せられ、執行猶予を付された場合であって、特に参酌すべき情状のある場合

三　一般の退職手当等の一部を支給しないこととする処分にとどめることとすることを検討する場合には、例えば、当該退職をした者が指定職以上の職員であるとき又は当該退職をした者が占めていた職の職務に関連した非違であるときには処分を加重することを検討す

ること等により、施行令第十七条に規定する「当該退職をした者が占めていた職の職務及び責任」を勘案することとする。

四　一般の退職手当等の一部を支給しないこととする処分にとどめることとすることを検討する場合には、例えば、過去にも類似の非違を行ったことを理由として懲戒処分を受けたことがある場合には処分を加重することを検討すること等により、施行令第十七条に規定する「当該退職をした者の勤務の状況」を勘案することとする。

五　一般の退職手当等の一部を支給しないこととする処分にとどめることとすることを検討する場合には、例えば、当該非違が行われることとなった背景や動機について特に参酌すべき情状がある場合にはそれらに応じて処分を減軽又は加重することを検討すること等により、施行令第十七条に規定する「当該非違に至った経緯」を勘案することとする。

六　一般の退職手当等の一部を支給しないこととする処分にとどめることとすることを検討する場合には、例えば、当該非違による被害や悪影響を最小限にするための行動をとった場合には処分を減軽することを検討し、当該非違を隠蔽する行動をとった場合には処分を加重することを検討すること等により、施行令第十七条に規定する「当該非違後における当該退職をした者の言動」を勘案することとする。

七　一般の退職手当等の一部を支給しないこととする処分にとどめることとすることを検討する場合には、例えば、当該非違による被害や悪影響が結果として重大であった場合には処分を加重することを検討すること等により、施行令第十七条に規定する「当該非違が公務の遂行に及ぼす支障の程度」を勘案することとする。

八　本条第一項第二号に規定する「これに準ずる退職」とは、例えば次に掲げる規定による退職をいう。

イ　国会職員法第十条

ロ　公職選挙法（昭和二十五年法律第百号）第九十条

ハ　自衛隊法第三十八条第二項

第十三条関係

一　本条に規定する支払差止処分を行うに当たっては、公務に対する国民の信頼確保の要請と退職者の権利の尊重に留意しつつ、厳正かつ公正に対処するものとする。

二　本条第二項第一号に規定する「その者に対し一般の退職手当等の額を支払うことが公務に対する国民の信頼を確保する上で支障を生ずると認めるとき」とは、当該退職者の逮捕の理由となった犯罪又はその者が犯したと思料される犯罪（以下「逮捕の理由となった犯罪等」という。）に係る法定刑の上限が禁錮以上の刑に当たるものであるときをいう。

三　本条第四項の規定に基づき、支払差止処分後の事情の変化を理由に、当該支払差止処分を受けた者から当該支払差止処分の取消しの申立てがあった場合には、事情の変化の有無を速やかに確認しなければならない。

四　前号の場合において、取消しの申立てに理由がないと認める場合には、その旨及び当該認定に不服がある場合には行政不服審査法（平成二十六年法律第六十八号）に基づき審査請求ができる旨を速やかに申立者に通知するものとする。

五　本条第五項ただし書に規定する「その他これを取り消すことが支払差止処分の目的に明らかに反すると認めるとき」とは、支払差止処分を受けた者が現に勾留されているときなど、その者が起訴される可能性が極めて高いと認められるときをいう。

六　本条第七項に規定する「一般の退職手当等の額の支払を差し止める必要がなくなった」と認める場合とは、例えば次に掲げる場合をいう。

イ　退職をした者の逮捕の理由となった犯罪等について、犯罪後の法令により刑が廃止された場合又は大赦があった場合

ロ　退職をした者の逮捕の理由となった犯罪等に係る刑事事件に関し公訴を提起しない処分がなされた場合

ハ　退職をした者が、その者の逮捕の理由となった犯罪等について、法定刑の上限として罰金以下の刑が定められている犯罪に係る起訴をされた場合又は略式手続による起訴をされた場合

第十四条関係

本条第一項の規定により一般の退職手当等の全部又は一部を支給しないこととする処分を行うにあたっては、当該処分を受ける者が第十二

条第一項各号に該当していた場合に同項の規定により受けたであろう処分と同様の処分とすることを原則とするものとする。

第十五条関係

一　本条第一項の規定による一般の退職手当等の返納の手続については、国にあっては、国の債権の管理等に関する法律（昭和三十一年法律第百十四号）の定めるところによる。

二　本条第一項の規定による処分により返納を命ずる一般の退職手当等の額は、第十二条関係第二号から第七号までに規定する基準のほか、同項に規定する「当該退職をした者の生計の状況」を勘案して定める額とする。

三　本条第一項に規定する「当該退職をした者の生計の状況」を勘案するに当たっては、退職手当の生活保障としての性格にかんがみ、当該退職をした者又はその者と生計を共にする者が現在及び将来どのような支出を要するか、どのような財産を有しているか、現在及び将来どのような収入があるか等についての申立てを受け、返納すべき額の全額を返納させることが困難であると認められる場合には、返納額を減免することができることとする。

四　当該一般の退職手当等の支払に際して源泉徴収した所得税及び住民税の額については、当該源泉徴収をした各省各庁の長等の債権の管理を行う歳入徴収官等が還付請求を行う。したがって、当該税の額については、返納を命ずる額からは減じないが、当該退職をした者に対する納入告知の額からは減ずることとする。

第十六条関係

一　本条第一項の規定による一般の退職手当等の返納の手続については、国にあっては、国の債権の管理等に関する法律の定めるところによる。

二　本条第一項の規定による処分により返納を命ずる一般の退職手当等の額は、第十二条関係第二号から第七号までに規定する基準のほか、同項に規定する「当該遺族の生計の状況」を勘案して定める額とする。

三　本条第一項に規定する「当該遺族の生計の状況」を勘案するに当たっては、退職手当の生活保障としての性格にかんがみ、当該遺族又はその者と生計を共にする者が、現在及び将来どのような支出を要するか、どのような財産を有しているか、現在及び将来どのような収入があるか等についての申立てを受け、返納すべき額の全額を返納させることが困難であると認められる場合には、返納額を減免することができることとする。

四　当該遺族が当該一般の退職手当等について納付した又は納付すべき相続税の額については、当該遺族が還付請求を行うことができる。したがって、当該税の額については、返納を命ずる額からは減じない。

第十七条関係

一　本条第一項から第五項までの規定による処分を行うにあたっては、当該処分を受けるべき者は非違を行った者ではないことを踏まえ、個別の事案ごとに諸事情を考慮した運用をするものとする。

二　本条第一項から第五項までの規定による一般の退職手当等に相当する額の納付の手続については、国にあっては、国の債権の管理等に関する法律の定めるところによる。

三　本条第一項から第五項までの規定による処分により納付を命ずる一般の退職手当等の額は、第十二条関係第二号から第七号までに規定する基準のほか、次の第四号から第八号までを勘案して定める額とする。

四　本条において、当該一般の退職手当等の額には、源泉徴収された所得税額及び住民税額又はみなし相続財産とされて納入した若しくは納入すべき相続税額を含まないものとする。

五　施行令第十八条に規定する「当該退職手当の受給者の相続財産の額」を勘案するに当たっては、当該相続財産の額が当該一般の退職手当等の額よりも小さいときは、当該相続人の納付額の合計額を当該相続財産の額の範囲内で定めることとする。

六　相続人が複数あるときは、原則として、相続人が実際に相続（包括遺贈を含む。）によって得た財産の価額に応じて按分して計算した額を勘案して各相続人の納付額を定める。ただし、納付命令の時点で遺産分割がなされていない場合には、当該相続人が相続放棄をした場合を除き、民法の規定による相続分により按分して計算した額を勘案して各相続人の納付額を定めることとする。

七　本条第一項から第五項までの規定による処分を受けるべき者が納付すべき額は、当該者が相続財産を取得したことにより納付した又は納付すべき相続税の額についての申立てを受け、当該税の額から、当該相続財産の額から当該一般の退職手当等の額を減じた額の相続であれば納付したであろう相続税の額を減じた額を控除して定めることとする。

八 施行令第十八条に規定する「当該退職手当の受給者の相続人の生計の状況」を勘案するに当たっては、退職手当の生活保障としての性格にかんがみ、処分を受けるべき者又はその者と生計を共にする者が現在及び将来どのような支出を要するか、どのような財産を有しているか、現在及び将来どのような収入があるか等についての申立てを受け、納付すべき額の全額を納付させることが困難であると認められる場合には、納付額を減免することができることとする。

第十九条関係

一 本条各項の規定による退職手当審査会等への諮問事項は、本条第一項に該当する処分の処分案とする。

二 退職手当管理機関は、退職手当審査会等に対し、前号の処分案とともに、当該事案の内容及び処分案の理由を併せて提示するものとする。

第二十条関係

本条第二項に規定する「その他の事由」とは、第七条関係に定めるところによる。

附則第九項関係

本項の規定は、退職手当の調整額の基礎となる俸給月額についても適用される。

附則第十二項関係

本項の規定は、次に掲げる者に対しても適用されるものとする。

イ 令和三年国家公務員法等改正法附則第三条第五項に規定する旧国家公務員法勤務延長期限若しくは同条第六項の規定により延長された期限の到来前にその者の非違によることなく退職した者又はこれに準ずる他の法令の規定により退職した者

ロ イの期限の到来により退職した者又はこれに準ずる他の法令の規定により退職した者

附則第十三項関係

本項の規定は、附則第十二項関係イ及びロに定める者に対しても適用されるものとする。

附則第十五項関係

本項の規定の適用による退職日俸給月額には、次に掲げる額を含むものとする。

イ 一般職給与法附則第十項（裁判所職員臨時措置法において準用する場合を含む。）に規定する基礎俸給月額と特定日俸給月額との差額に相当する額並びに同法附則第十二項及び第十三項（裁判所職員臨時措置法において準用する場合を含む。）に規定する人事院規則で定めるところにより算出した額

ロ 検察官の俸給等に関する法律（昭和二十三年法律第七十六号）附則第五条第二項に規定する任命日の前日にその者が受けていた俸給月額に百分の七十を乗じて得た額と任命日に同条第一項の規定によりその者の受ける俸給月額との差額に相当する額及び同条第三項の準則で定めるところにより算出した額

ハ 防衛省の職員の給与等に関する法律（昭和二十七年法律第二百六十六号）附則第七項に規定する基礎俸給月額と特定日俸給月額との差額に相当する額並びに同法附則第九項及び第十項に規定する政令で定めるところにより算出した額

ニ イからハに準ずる給与の支給の基準によるイからハに規定する額に相当する額

国家公務員退職手当法の一部を改正する法律（平成十七年法律第百十五号）附則第三条関係

本条の規定は、国家公務員退職手当法第八条の二第五項に規定する認定を受けて同条第八項第三号に規定する退職すべき期日に退職した者には適用しない。

○国家公務員退職手当法の規定による早期退職希望者の募集及び認定の制度に係る書面の様式等を定める内閣官房令

平二五・五・二四
総務令五八

最終改正　令五・三・三一内閣官房令四

（応募及び応募の取下げの様式）

第一条　国家公務員退職手当法（以下「法」という。）第八条の二第三項の規定による応募（以下「応募」という。）は、別記様式第一の申請書によるものとする。

2　法第八条の二第三項の規定による応募の取下げは、別記様式第二の申請書によるものとする。

（認定をし、又はしない旨の決定の通知の様式）

第二条　法第八条の二第六項の規定による通知は、次の各号の区分に応じて当該各号に定める通知書によるものとする。

一　法第八条の二第五項の規定による認定（以下「認定」という。）をする旨の決定をしたとき　別記様式第三

二　認定をしない旨の決定をしたとき　別記様式第四

（退職すべき期日の通知の様式）

第三条　法第八条の二第七項の規定による通知（以下「第七項通知」という。）は、別記様式第五の通知書によるものとする。ただし、前条第一号に定める通知書により第七項通知を併せて行った場合は、別記様式第五の通知書を省略することができる。

（内閣総理大臣に対する送付及び報告）

第四条　法第八条の二第九項の規定による送付及び報告は、次の各号に掲げる機関（当該機関が所管する行政執行法人（独立行政法人通則法（平成十一年法律第百三号）第二条第四項に規定する行政執行法人をいう。）を含む。）ごとに、毎年四月中に、前年度に認定を受けた応募をした職員の数及び当該認定に係る全ての募集実施要項（法第八条の二第二項に規定する募集実施要項をいう。以下同じ。）（同条第五項に規定する必要な方法を周知した場合にあっては、当該方法を含む。）について、別記様式第六により行うものとする。

一　衆議院事務局（衆議院法制局及び裁判官訴追委員会事務局を含む。）

二　参議院事務局（参議院法制局及び裁判官弾劾裁判所事務局を含む。）

三　国立国会図書館

四　会計検査院

五　人事院

六　内閣官房（内閣法制局を含む。）

七　内閣府本府

八　宮内庁

九　公正取引委員会

十　国家公安委員会

十一　個人情報保護委員会

十二　カジノ管理委員会

十三　金融庁

十四　消費者庁

十五　こども家庭庁

十六　デジタル庁

十七　総務省

十八　法務省

十九　外務省

二十　財務省

二十一　文部科学省

二十二　厚生労働省

二十三　農林水産省

二十四　経済産業省

二十五　国土交通省

二十五　環境省

二十七　防衛省

二十八　最高裁判所

（募集実施要項の記載事項）

第五条　国家公務員退職手当法施行令（以下「施行令」という。）第九条の五第一項第七号の内閣官房令で定める事項は、次に掲げるものとする。

一　法第八条の二第三項各号に掲げる職員が応募をすることはできない旨

二　法第八条の二第五項の規定により認定をしない旨の決定をする場合がある旨

三　認定を行った後遅滞なく、退職すべき期間のいずれかの日から退職すべき期日を定め、第七項通知を行うこととなる旨（募集実施要項に退職すべき期間を記載した場合に限る。）

四　施行令第九条の七第一項の規定により募集

の期間を延長する場合があるときは、その旨

五　施行令第九条の八第一項の規定により退職すべき期日を繰り上げ、又は繰り下げる場合があるときは、その旨

（退職すべき期日の繰上げ又は繰下げに係る同意の様式）

第六条　施行令第九条の八第一項の規定による同意は、次の各号の区分に応じて当該各号に定める同意書によるものとする。

一　退職すべき期日を繰り上げるとき　別記様式第七

二　退職すべき期日を繰り下げるとき　別記様式第八

（新たに定めた退職すべき期日の通知の様式）

第七条　施行令第九条の八第二項の規定による新たに定めた退職すべき期日の通知は、別記様式第九の通知書によるものとする。

附　則

（施行期日）

1　この省令は、平成二十五年六月一日から施行する。

（経過措置）

2　復興庁が廃止されるまでの間における第四条の規定の適用については、同条中「十六　デジタル庁」とあるのは、「十六　デジタル庁　十六の二　復興庁」とする。

附　則（平二七・一二・二二内閣官房令一〇）

（施行期日）

1　この内閣官房令は、個人情報の保護に関する法律及び行政手続における特定の個人を識別するための番号の利用等に関する法律の一部を改正する法律附則第一条第二号に掲げる規定の施行の日（平成二十八年一月一日）から施行する。

（経過措置）

2　この内閣官房令の施行の日から平成二十八年四月三十日までの間における改正後の様式官房令第四条の規定の適用については、同条中「十一　個人情報保護委員会」とあるのは、「十一　個人情報保護委員会（個人情報の保護に関する法律及び行政手続における特定の個人を識別するための番号の利用等に関する法律の一部を改正する法律（平成二十七年法律第六十五号）第四条の規定による改正前の行政手続における特定の個人を識別するための番号の利用等に関する法律（平成二十五年法律第二十七号）第三十六条第一項の特定個人情報保護委員会を含む。）」とする。

附　則（令元・一〇・三一内閣官房令五）

この内閣官房令は、特定複合観光施設区域整備法附則第一条第三号に掲げる規定の施行の日（令和二年一月七日）から施行する。

附　則（令二・一二・一八内閣官房令六）（抄）

（施行期日）

第一条　この内閣官房令は、公布の日から施行する。

附　則（令三・八・二七内閣官房令九）

この内閣官房令は、デジタル庁設置法（令和三年法律第三十六号）の施行の日（令和三年九月一日）から施行する。

附　則（令五・三・三一内閣官房令四）

この内閣官房令は、令和五年四月一日から施行する。

別記様式第一（第１条関係）

早期退職希望者の募集に係る応募申請書

（各省各庁の長等）

……………………殿

応募年月日　　　年　月　日

応募申請者……………………

私は、国家公務員退職手当法第８条の２第３項の規定により、この度の早期退職希望者の募集に応募をします。

1　応募をする早期退職希望者の募集について	
募集の期間	年　月　日から　　年　月　日まで
退職すべき期日又は期間	
備　考	

（注）「募集の期間」及び「退職すべき期日又は期間」は、「募集実施要項」に記載されている期日・期間を記入すること。

2　応募申請者について			
ふりがな 氏　名		所　属	
		職　名	
級号俸	俸給表[　　　]　……級　……号俸		
生年月日	年　月　日	年　齢	歳

（注）　　年　月　日現在で記入すること。

※各省各庁の長等記入欄

受理年月日	年　月　日	受理番号	

別記様式第二（第１条関係）

早期退職希望者の募集に係る応募取下げ申請書

（各省各庁の長等）

……………………殿

取下げ年月日　　　年　月　日

取下げ申請者……………………

私は、国家公務員退職手当法第８条の２第３項の規定により、早期退職希望者の募集に係る応募申請を取り下げます。

1　取下げ申請をする早期退職希望者の募集について			
募集期間	年　月　日から　　年　月　日まで		
退職すべき期日又は期間			
2　取下げ申請者について			
ふりがな 氏　名		所　属	
		職　名	
3　認定について			
認定通知書に記載された認定年月日	年　月　日		
退職すべき期日又は期間			

（注）「３　認定について」欄は、取下げ時点において認定を受けている場合に記入すること。また、このうち「退職すべき期日又は期間」欄には、取下げ時点において退職すべき期日が既に通知されている場合はその期日を、それ以外の場合は退職すべき期間を記入すること。

※各省各庁の長等記入欄

受理年月日	年　月　日
応募申請書の受理番号	

別記様式第三（第２条関係）

認定通知書

認定年月日　　　年　　月　　日

……………………殿

（各省各庁の長等）

【文書番号：　　　　　　】

貴殿から　　　年　　月　　日付けで申請のあった早期退職希望者の募集に係る応募については、国家公務員退職手当法第８条の２第５項及び第６項の規定により、認定の決定をしましたので、通知します。

１　退職すべき期日又は期間
２　備考

（注）「１　退職すべき期日又は期間」欄は、募集実施要項に退職すべき期日を記載した場合にあっては当該期日を、退職すべき期間を記載した場合にあっては当該期間内の期間又は期日を記入すること。

別記様式第四（第２条関係）

不認定通知書

年　　月　　日

……………………殿

（各省各庁の長等）

【文書番号：　　　　　　】

貴殿から　　　年　　月　　日付けで申請のあった早期退職希望者の募集に係る応募については、国家公務員退職手当法第８条の２第５項及び第６項の規定により、認定をしない旨の決定をしましたので、通知します。

不認定の理由

別記様式第五（第３条関係）

退職すべき期日の決定通知書

年　　月　　日

……………………殿

（各省各庁の長等）

【文書番号：　　　　　　】

貴殿の退職すべき期日については、　　　年　　月　　日と決定しましたので、国家公務員退職手当法第８条の２第７項の規定により、通知します。

別記様式第六（第４条関係）

募集及び認定実施報告書

年　月　日

内閣総理大臣

……………………殿

（各省各庁の長等）

……………………

【文書番号：　　　　　】

国家公務員退職手当法第８条の２第９項の規定により、　　年度に所管組織内（所管する行政執行法人を含む。）において実施された早期退職希望者の募集及び認定について、認定を受けた応募者の数を報告するとともに、その認定に係る全ての募集実施要項（同条第５項に規定する必要な方法を周知した場合にあっては、当該方法を含む。以下同じ。）を送付します。

１．認定を受けた応募者の数

２．募集実施要項

	実際の募集の期間	退職すべき期日又は期間	必要な方法の有無
別添１			
別添２			
別添３			
・ ・ ・			

（注１）別添番号を付記の上、募集実施要項を添付すること。
（注２）募集の期間が終了していない募集にあっては、終了予定日を記入すること。

別記様式第七（第６条関係）

退職すべき期日の繰上げ同意書

（各省各庁の長等）　　　　　　　　　　年　月　日

……………………殿　　　　　　　　……………………

私は、国家公務員退職手当法施行令第９条の８第１項の規定により、下記の退職すべき期日を繰り上げることに同意します。

既に通知した退職すべき期日	年　月　日
認定年月日	年　月　日

（注）「認定年月日」は、認定通知書（別記様式第三）に記載されている認定年月日を記入すること。

別記様式第八（第６条関係）

退職すべき期日の繰下げ同意書

（各省各庁の長等）　　　　　　　　　　年　月　日

……………………殿　　　　　　　　……………………

私は、国家公務員退職手当法施行令第９条の８第１項の規定により、下記の退職すべき期日を繰り下げることに同意します。

既に通知した退職すべき期日	年　月　日
認定年月日	年　月　日

（注）「認定年月日」は、認定通知書（別記様式第三）に記載されている認定年月日を記入すること。

別記様式第九（第７条関係）

退職すべき期日の変更通知書

年　　月　　日

……………………殿

（各省各庁の長等）

【文書番号：　　　　　　　】

貴殿の退職すべき期日は、国家公務員退職手当法施行令第９条の８第２項の規定により、以下のとおり変更することとしましたので、通知します。

退職すべき期日	変更前	年　　月　　日
	変更後	年　　月　　日
変更同意日		年　　月　　日

（注）「変更同意日」は、提出された退職すべき期日の繰上げ同意書（別記様式第七）又は退職すべき期日の繰下げ同意書（別記様式第八）に記載されている年月日を記入すること。

○早期退職募集制度の運用について

平二五・五・二四
総人恩総四〇三

最終改正　令四・四・二二閣人人二七五

国家公務員の退職給付の給付水準の見直し等のための国家公務員退職手当法等の一部を改正する法律（平成二十四年法律第九十六号）の一部及び国家公務員退職手当法施行令の一部を改正する政令（平成二十五年政令第百五十八号）の一部が平成二十五年六月一日に施行され、新たに早期退職募集制度が導入されることとなった。

ついては、各府省等におかれては、平成二十五年六月一日以降、下記事項に留意の上、その適正な運用を図られたい。

記

第一　募集に係る事項

1　募集を行う主体

(1)　募集を行う主体は、「各省各庁の長等」であること（国家公務員退職手当法（昭和二十八年法律第百八十二号。以下「法」という。）第八条の二第一項）。「各省各庁の長等」とは、財政法（昭和二十二年法律第三十四号）第二十条第二項に規定する各省各庁の長及び独立行政法人通則法（平成十一年法律第百三号）第二条第四項に規定する行政執行法人（以下「行政執行法人」という。）の長並びにこれらの委任を受けた者をいうものであること（以下この通知における「各省各庁の長等」について同じ。）。

(2)　委任は、募集の都度行っても、事務分掌規程等で包括的に定めても差し支えないこと。

(3)　各省各庁の長等が連携し、合同で募集を行うことは差し支えないこと。

2　募集実施要項等の周知

(1)　各省各庁の長等は、募集の対象となるべき職員（以下「対象者」という。）に対し、募集実施要項（法第八条の二第五項ただし書に規定する必要な方法を定めた場合は、これを含む。以下「募集実施要項等」という。）を周知しなければならないこと。

この場合の職員とは、常時勤務に服することを要する国家公務員（自衛隊法（昭和二十九年法律第百六十五号）第四十五条の二第一項の規定により採用された者及び行政執行法人の役員を除く。）であって、募集を行う各省各庁の長等の組織に現に所属しているものをいうこと（以下この通知における「職員」について同じ。）。なお、各省各庁の長等は、職員以外の者（例えば、異動により他府省に所属している者）に対して周知する義務は負わないものであること。

(2)　周知を行うに当たっては、全ての対象者に応募をする機会が確保されるよう、例えば、口頭又は書面によって対象者に直接通知する方法や庁内の掲示板又は庁内イントラネットへ掲示する方法など、内容が対象者に認識される合理的かつ適切な方法によること。以下この通知における「周知」の方法については同様であること。

(3)　各省各庁の長等は、職員に復帰することを前提として出向している者（以下「出向者」という。）に対しても、必要に応じ、募集実施要項等の内容について情報提供をすることができるものであること。

3　募集実施要項の必要的記載事項

各省各庁の長等は、募集実施要項に次の事項を記載しなければならないこと（法第八条の二第二項、国家公務員退職手当法施行令（昭和二十八年政令第二百十五号。以下「施行令」という。）第九条の五第一項各号及び国家公務員退職手当法の規定による早期退職希望者の募集及び認定の制度に係る書面の様式等を定める内閣官房令（平成二十五年総務省令第五十八号。以下「内閣官房令」という。）第五条各号）。

(1)　募集を行う目的

法第八条の二第一項第一号に掲げる募集（以下「一号募集」という。）又は同項第二号に掲げる募集（以下「二号募集」という。）の別を併せて明記すること。

(2)　募集の対象となるべき職員の範囲

イ　対象者は特定複数（二人以上）となるように範囲を設定すること。

ロ　特定の仕方は、職位や勤続年数等、各省各庁の長等の任意であること。なお、性別等による差別的な特定はできないこと。また、年齢については、一号募集の場合は退職日において定年（当分の間、施行令附則第四項後段の規定の適用を受ける者にあっては、同令附則第三項の表の上欄に掲げる者の区分に応じ、同表の下欄に掲げる年齢）前二十年（当分の間、施行令附則第四項前段の規定に準じ、十五年）内の年齢以上であることが必要であること。

ハ　対象者には法第八条の二第三項各号に掲げる職員が含まれないことを注記すること。

(3)　募集人数（認定予定者数）

対象者の志気・心情に配慮する等の観点から、対象者の総数と募集人数が同数とならないように設定すること。ただし、二号募集の場合は、この限りでないこと。

(4)　募集の期間（応募受付期間）

イ　募集の期間は、早期退職希望者の募集が時限措置であることを踏まえ、対象者の総数や組織の業務形態、人事管理の事情等を勘案の上、各省各庁の長等が適切と考える期間を任意に設定すること。ただし、次の点に留意すること。

①　募集の期間を通年と設定することはできないこと。

②　年度を跨ぐ募集の期間を設定することは差し支えないこと。

ロ　募集の期間の開始及び終了の年月日時を記載すること。

ハ　募集の期間を延長する場合があり得るときは、その旨を記載すること。

ニ　募集の期間の終了の年月日時が到来するまでに応募をした職員の数が募集人数以上の一定数（以下「応募上限数」という。）に達した時点で募集の期間は満了するものとするときは、その旨及び応募上限数を記載すること。

(5)　認定を受けた場合に退職すべき期日又は期間

イ　退職すべき期間を記載する場合には、各省各庁の長等が認定を行った後遅滞なく、当該期間内のいずれかの日から退職すべき期日を定め、法第八条の二第七項の規定に基づき通知することとなる旨を記載すること。

ロ　退職すべき期間を記載する場合には、対象者が具体的な退職時期を予測できるよう配慮すること。

ハ　認定を行った後に生じた事情に鑑み、当該認定を受けた職員（以下「認定応募者」という。）が退職すべき期日に退職することにより公務の能率的運営の確保に著しい支障を及ぼすこととなると認める場合において、当該認定応募者にその旨及びその理由を明示し、退職すべき期日の繰上げ同意書（内閣官房令第六条第一号別記様式第七。以下同じ。）又は退職すべき期日の繰下げ同意書（内閣官房令第六条第二号別記様式第八。以下同じ。）により当該認定応募者の同意を得て、公務の能率的運営を確保するために必要な限度で、当該退職すべき期日を繰り上げ、又は繰り下げることがあり得るときは、その旨を記載すること。

(6)　募集実施要項の内容を周知させるための説明会を開催する予定があるときは、その旨

(7)　応募申請書（内閣官房令第一条第一項別記様式第一。以下同じ。）及び応募取下げ申請書（内閣官房令第一条第二項別記様式第二。以下同じ。）の提出手続

受付窓口、担当者名、受付（提出）方法を記載すること。

(8)　不認定となる場合がある旨の明示

(9)　応募をした職員に対する認定又は不認定の通知の予定時期

(10)　募集に関する問合せを受けるための連絡先

4　必要な方法（法第八条の二第五項ただし書）

(1)　必要な方法の設定は、全ての募集において必須ではないこと。各省各庁の長等の判断により必要に応じ設定すること。

(2)　必要な方法は、法第八条の二第五項各号に掲げる四つの理由以外で不認定の判断を下す根拠になるものであることから、これを定めた場合には、その内容の周知は必須であり、特に留意すること。

第二　応募及び応募の取下げに係る事項

1　職員による応募

(1)　職員は、早期退職希望者の募集に応募をする場合には、応募申請書に必要事項を記入の上、募集の期間内に募集実施要項で指

定された窓口に提出すること。

(2)　次の職員は応募をすることができないものであること（法第八条の二第三項各号）。

イ　法第二条第二項の規定により職員とみなされる者

ロ　臨時的に任用される職員その他の法律により任期を定めて任用される者

ハ　退職すべき期日又は退職すべき期間の末日が到来するまでに定年に達する者

ニ　国家公務員法第八十二条の規定による懲戒処分（軽過失による管理監督義務違反に係る処分を除く。以下同じ。）又はこれに準ずる処分（特別職の国家公務員に係る懲戒処分をいい、いわゆる矯正処分をいうものではない。以下同じ。）を募集の開始の日において受けている者又は募集の期間中に受けた者

2　出向者の取扱い

各省各庁の長等は、上記第一の2の(3)の情報提供等の結果、出向者から職員復帰後に応募をする旨の意向を確認した場合には、その者について、人事上の措置を講じて職員に復帰させ、その後応募申請書を受け付けることができるものであること。

3　応募の取下げ

応募をした者は、法第八条の二第八項第三号に規定する退職すべき期日が到来するまでの間いつでも応募の取下げを行うことができること。この場合、応募取下げ申請書に必要事項を記入の上、募集実施要項で指定された窓口に提出すること。

4　応募及び応募の取下げの強制禁止（法第八条の二第四項）

応募も応募の取下げも職員に強制してはならないこと。

第三　認定に係る事項

1　認定又は不認定の判断（法第八条の二第五項）

各省各庁の長等は、応募をした職員に対して認定を行うこと。ただし、次のいずれかに該当する場合には不認定とすること。

(1)　応募が募集実施要項又は法第八条の二第三項の規定に適合しない場合

(2)　応募をした職員が応募をした後、国家公務員法第八十二条の規定による懲戒処分又はこれに準ずる処分を受けた場合

(3)　応募をした職員が上記(2)に規定する処分を受けるべき行為（在職期間中の当該応募をした職員の非違に当たる行為であって、その非違の内容及び程度に照らして当該処分に値することが明らかなものをいう。）をしたことを疑うに足りる相当な理由がある場合その他応募をした職員に対し認定を行うことが公務に対する国民の信頼を確保する上で支障を生ずると認める場合

(4)　応募をした職員を引き続き職務に従事させることが公務の能率的運営を確保し、又は長期的な人事管理を計画的に推進するために特に必要であると認める場合

また、上記(1)から(4)までのいずれにも該当しない応募をした職員の数が募集人数を超える場合であって、当該場合において認定をする職員の数を当該募集人数の範囲内に制限するために必要な方法をあらかじめ周知していたときは、当該方法に従って、当該募集人数を超える分の応募をした職員について認定をしないことができるものであること。

2　認定とした職員への連絡

(1)　各省各庁の長等は、認定をする旨の決定をしたときは、遅滞なく、応募をした職員に対し認定通知書（内閣官房令第二条第一号別記様式第三。以下同じ。）を交付すること（法第八条の二第六項）。当該交付については、辞令交付の手続に準ずること。

(2)　認定通知書に記載する認定日は、実際に認定通知書を交付する日とし、認定通知書には、認定日以後の日付で「退職すべき期日」又は「退職すべき期間」を記載すること。認定日と退職すべき期日を同日とすることは差し支えないこと。また、認定日を募集の期間中の日付とすることも差し支えないこと。

(3)　各省各庁の長等が募集実施要項において退職すべき期日に代えて退職すべき期間を記載した場合には、認定を行った後遅滞なく、当該期間内のいずれかの日から退職すべき期日を定め、上記(1)により認定通知書を交付した応募をした職員に対し当該期日を退職すべき期日の決定通知書（内閣官房令第三条別記様式第五）により通知すること（法第八条の二第七項）。ただし、認定通知書に当該期日を記載した場合は、この限りでないこと。

(4) 認定後に生じた事情に鑑み、認定応募者が退職すべき期日に退職することにより公務の能率的運営の確保に著しい支障を及ぼすこととなると認めるときは、当該認定応募者にその旨及びその理由を明示し、退職すべき期日の繰上げ同意書又は退職すべき期日の繰下げ同意書により当該認定応募者の同意を得て、公務の能率的運営を確保するために必要な限度で、当該退職すべき期日を繰り上げ、又は繰り下げることができること。この場合、新たに定めた退職すべき期日を当該認定応募者に対し退職すべき期日の変更通知書（内閣官房令第七条別記様式第九）により通知すること。

(5) 相応の準備（上記第二の2）を経た出向者について、職員復帰日と同日に、応募申請書の提出を受けて認定通知書を交付した上で、辞職を承認することは差し支えないこと。

3 不認定とした職員への連絡

(1) 各省各庁の長等は、認定をしない旨の決定をしたときは、遅滞なく、応募をした職員に対し不認定通知書（内閣官房令第二条第二号別記様式第四。以下同じ。）を交付すること（法第八条の二第六項）。当該交付については、辞令交付の手続に準ずること。

(2) 不認定通知書には、不認定の理由を記載すること（法第八条の二第六項）。

4 認定後に非違行為等が発覚した場合

(1) 退職前

認定応募者について、認定後、退職すべき期日までの間に、在職中の非違行為等が発覚した場合には、従来と同じように任命権者は任用上の処分に係る検討及び判断等を行うものであること。

また、その後、懲戒処分をしたときは、これと同時に応募認定退職（早期退職希望者の募集に応募をし、認定を受けて退職すべき期日に退職したこと。以下同じ。）に係る認定の効力は自動失効するものであること（法第八条の二第八項第四号）。

(2) 退職後

認定応募者について、退職後、在職期間中に懲戒免職等処分を受けるべき行為をしたことが発覚した場合には、法第四章に定める手続に従って処理すること。

第四 その他留意事項

1 出向先の人事当局への適切な情報提供等

出向者について一連の手続をとるに当たっては、各省各庁の長等は、出向者が現に所属する出向先（他の各省各庁の長等の組織等）の人事当局への適切な情報提供等に努めること。

2 退職すべき期日前後に退職した場合の取扱い

(1) 退職すべき期日前又は期日後に退職した場合

退職すべき期日前又は期日後に認定応募者が退職した場合には、当該認定の効力は失われるため、応募認定退職とはならないものであること（法第八条の二第八項第三号）。

(2) 退職すべき期日当日に死亡した場合

退職すべき期日当日に認定応募者が死亡退職した場合には、公務上死亡の場合には公務上死亡による退職として、公務外死亡の場合には応募認定退職として、それぞれ取り扱うこと。

3 退職すべき期間を超えて定年に達した場合の取扱い

退職すべき期間の末日までは定年に達しなかった認定応募者が、認定後に生じた官側の事情により、退職すべき期間外に退職すべき期日を設定されたため、当該期日までに定年に達する場合には、応募認定退職とは取り扱わず、定年に達した日以後非違なく退職した者又は定年退職者として取り扱うこと。

ただし、当分の間、法附則第十六項の規定の適用を受ける者であって退職すべき期間の末日までは同項により読み替えた年齢に達しなかった認定応募者が、認定後に生じた官側の事情により、退職すべき期間外に退職すべき期日を設定されたため、当該期日までに当該年齢に達する場合には、応募認定退職とは取り扱わず、定年に達した日以後非違なく退職した者として取り扱うこと。

4 募集の期間を延長した場合

各省各庁の長等は、法第八条の二第一項各号に掲げる募集の目的を達成するため必要があると認めるときは、募集の期間を延長することができること。この場合、次の点に留意すること。

(1)　延長により募集の期間を実質的に通年とすることはできないこと。

(2)　延長される期間における募集条件は、当初の条件と同一にすること。

(3)　募集の期間を延長したときは、直ちにその旨及び当該延長後の募集の期間の終了の年月日時を対象者に周知しなければならないこと。

(4)　応募上限数を設定していた場合には、延長後の募集の期間の終了の年月日時が到来するまでに応募をした職員の数が当該応募上限数に達した時点で当該募集の期間は満了すること。

5　募集の期間が満了した場合

(1)　募集の期間の終了の年月日時が到来するまでに応募をした職員の数が応募上限数に達した時点で募集の期間は満了する旨及び応募上限数を募集実施要項に記載している場合には、応募をした職員の数が当該応募上限数に達した時点で募集の期間は満了するものであること。

(2)　上記(1)により募集の期間が満了した場合には、直ちにその旨を対象者に周知しなければならないこと。

以　上

○失業者の退職手当支給規則

昭五〇・三・二九
総府令一四

最終改正　令七・三・七内閣官房令一

（基本手当の日額）

第一条　国家公務員退職手当法（以下「法」という。）第十条第一項に規定する基本手当の日額は、次条の規定により算定した賃金日額を雇用保険法（昭和四十九年法律第百十六号）第十七条に規定する賃金日額とみなして同法第十六条の規定を適用して計算した金額とする。

（賃金日額）

第二条　賃金日額は、退職の月前における最後の六月（月の末日に退職した場合には、その月及び前五月。以下「退職の月前六月」という。）に支払われた給与（臨時に支払われる給与及び三箇月を超える期間ごとに支払われる給与を除く。以下この条において同じ。）の総額を百八十で除して得た額とする。

2　給与が、労働した日若しくは時間によつて算定され、又は出来高払制その他の請負制によつて定められている場合において、前項の規定による額が、退職の月前六月に支払われた給与の総額を当該期間中に労働した日数で除して得た額の百分の七十に相当する額に満たないときは、同項の規定にかかわらず、当該額をもつて賃金日額とする。

3　前二項に規定する給与の総額は、職員に通貨で支払われたすべての給与によつて計算する。

4　退職の月前六月に給与の全部又は一部を支払われなかつた場合における給与の総額は、前項の規定にかかわらず、次の各号に掲げる額とする。

一　退職の月前六月において給与の全部を支払われなかつた場合においては、当該六月の各月において受けるべき基本給月額（法第六条の五第二項に規定する基本給月額をいう。以下この項において同じ。）の合計額

二　退職の月前六月のうちいずれかの月において給与の全部を支払われなかつた場合においては、その月において受けるべき基本給月額と退職の月前六月に支払われた給与の額との合計額

三　退職の月前六月のうちいずれかの月において給与の一部を支払われなかつた期間がある場合においては、当該期間の属する月において受けるべき基本給月額（当該基本給月額が、その期間の属する月に支払われた給与の額に満たないときは、その支払われた額とする。）と退職の月前六月のうち当該期間の属する月以外の月に支払われた給与の額との合計額

5　第一項から前項までの規定にかかわらず、これらの規定により算定した賃金日額が、雇用保険法第十七条第四項第一号に掲げる額に満たないときはその額を、同項第二号に掲げる額を超えるときはその額を、それぞれ賃金日額とする。

（退職票の交付）

第三条　所属庁等の長（法第八条の二第一項に規定する各省各庁の長等をいう。以下同じ。）は、退職した者が法第十条第一項又は第二項の規定による退職手当（以下「基本手当に相当する退職手当」という。）の支給を受ける資格を有している場合においては、別記様式第一による国家公務員退職票（以下「退職票」という。）をその者に交付しなければならない。

（在職票の交付）

第四条　所属庁等の長は、勤続期間十二月未満（国家公務員退職手当法施行令（以下「施行令」という。）第一条第一項各号に掲げる者以外の常時勤務に服することを要しない者については、同項第二号に規定する勤務した月が引き続いて十二月を超えるに至らない期間とする。以下同じ。）の者が退職する場合においては、別記様式第二による国家公務員在職票（以下「在職票」という。）をその者に交付しなければならない。ただし、施行令第一条第一項各号に掲げる者以外の常時勤務に服することを要しない者のうち施行令第九条の九の規定に該当しない者が退職する場合には、この限りでない。

（退職票の提出）

第五条　基本手当に相当する退職手当の支給を受ける資格を有する者（以下「受給資格者」という。）は、退職後速やかにその住所又は居所を管轄する公共職業安定所（以下「管轄公共職業安定所」という。）に出頭し、第三条の規定により交付を受けた退職票を提出して求職の申込みをするものとする。この場合において、その者が第八条第五項又は第八条の四第四項の規定により受給期間延長等通知書の交付を受けているときは、併せて提出しなければならない。

（受給資格証の交付等）

第六条　管轄公共職業安定所の長は、退職の際施行令第十条に規定する職員（以下「特例職員」という。）以外の受給資格者から前条の規定による退職票の提出及び求職の申込みを受けたときは、別記様式第三（その一）による失業者退職手当受給資格証（以下「受給資格証（その一）」という。）を当該受給資格者に交付しなければならない。

2　管轄公共職業安定所の長は、特例職員である受給資格者から前条の規定による退職票の提出及び求職の申込みを受けたときは、当該退職票に必要な事項を記載し、当該特例職員に返付しなければならない。

3　特例職員である受給資格者は、前項の規定による退職票の返付を受けたときは、速やかに当該退職票をその者に係る法第十条第一項に規定する官署又は事務所（以下「所轄官署等」という。）に提出するものとする。

4　所轄官署等の長は、前項の規定による退職票の提出を受けたときは、別記様式第三（その二）による失業者退職手当受給資格証（以下「受給資格証（その二）」という。）を当該特例職員に交付しなければならない。

5　受給資格者は、受給資格証（特例職員以外の受給資格者については受給資格証（その一）を、特例職員である受給資格者については受給資格証（その二）をいう。以下同じ。）の交付を受けた後、氏名を変更した場合にあつては別記様式第三の二による受給資格者氏名変更届に、住所又は居所を変更した場合にあつては別記様式第三の二による受給資格者住所変更届に、氏名又は住所若しくは居所の変更の事実を証明することができる書類及び受給資格証を添えて、変更後最初に出頭した失業の認定日に管轄公共職業安定所の長に提出しなければならない。ただし、受給資格証を提出することができないことについて正当な理由があるときは、これを添えないことができる。

6　管轄公共職業安定所の長は、受給資格者氏名変更届又は受給資格者住所変更届の提出を受けたときは、受給資格証に必要な改定をし、当該受給資格者に返付しなければならない。

（法第十条第一項に規定する内閣官房令で定める者）

第六条の二　法第十条第一項に規定する内閣官房令で定める者は、次のとおりとする。

一　法第五条第一項第二号に規定する者

二　法第八条の二第五項に規定する認定を受けて同条第八項第三号に規定する退職すべき期日に退職した者

三　国家公務員法（昭和二十二年法律第百二十号）第七十八条第二号の規定による免職又はこれに準ずる処分を受けた者

四　公務上の傷病により退職した者

五　施行令第三条各号（第一号及び第二号を除く。）に掲げる者

（法第十条第一項に規定する内閣官房令で定める理由）

第七条　法第十条第一項に規定する内閣官房令で定

定める理由は、次のとおりとする。

一　疾病又は負傷（法第十条第十項第三号の規定により傷病手当に相当する退職手当の支給を受ける場合における当該給付に係る疾病又は負傷を除く。）

二　前号に掲げるもののほか、管轄公共職業安定所の長がやむを得ないと認めるもの

（受給期間延長の申出）

第八条　法第十条第一項の申出は、別記様式第四による受給期間延長等申請書に医師の証明書その他の第七条各号に掲げる理由に該当することの事実を証明することができる書類及び受給資格証（受給資格証の交付を受けていない場合には、退職票。以下この条において同じ。）を添えて管轄公共職業安定所の長に提出することによつて行うものとする。ただし、受給資格証を添えて提出することができないことについて正当な理由があるときは、これを添えないことができる。

2　前項の申出は、当該申出に係る者が法第十条第一項に規定する理由に該当するに至つた日の翌日から、基本手当に相当する退職手当の支給を受ける資格に係る退職の日の翌日から起算して四年を経過する日までの間（同項の規定により加算された期間が四年に満たない場合は、当該期間の最後の日までの間）にしなければならない。ただし、天災その他申出をしなかつたことについてやむを得ない理由があるときは、この限りでない。

3　前項ただし書の場合における第一項の申出は、当該理由がやんだ日の翌日から起算して七日以内にしなければならない。

4　第二項ただし書の場合における第一項の申出は、受給期間延長等申請書に天災その他の申出をしなかつたことについてやむを得ない理由を証明することができる書類を添えなければならない。

5　管轄公共職業安定所の長は、第一項の申出をした者が法第十条第一項に規定する理由に該当すると認めたときは、その者に別記様式第五による受給期間延長等通知書を交付しなければならない。この場合（第一項ただし書の規定により受給資格証を添えないで同項の申出を受けたときを除く。）において、管轄公共職業安定所の長は、受給資格証に必要な事項を記載した上、返付しなければならない。

6　前項の規定により受給期間延長等通知書の交付を受けた者は、次の各号のいずれかに該当する場合には、速やかに、その旨を管轄公共職業安定所の長に届け出るとともに、当該各号に掲げる書類を提出しなければならない。この場合において、管轄公共職業安定所の長は、提出を受けた書類に必要な事項を記載した上、返付しなければならない。

一　その者が提出した受給期間延長等申請書の記載内容に重大な変更があつた場合　交付を受けた受給期間延長等通知書

二　法第十条第一項に規定する理由がやんだ場合　交付を受けた受給期間延長等通知書及び受給資格証

7　第一項の申出は、代理人に行わせることができる。この場合において、代理人は、その資格を証明する書類に同項に規定する書類を添えて同項の公共職業安定所の長に提出しなければならない。

8　前項の規定は、第六項の場合及び第二項ただし書の場合における第一項の申出に、第一項ただし書の規定は、第六項の場合について準用する。

（法第十条第三項の内閣官房令で定める事業）

第八条の二　法第十条第三項の内閣官房令で定める事業は、次の各号のいずれかに該当するものとする。

一　その事業を開始した日又はその事業に専念し始めた日から起算して、三十日を経過する日が、法第十条第一項に規定する雇用保険法第二十条第一項を適用した場合における同項各号に掲げる受給資格者の区分に応じ、当該各号に定める期間の末日後であるもの

二　その事業について当該事業を実施する受給資格者が第二十一条第一項に規定する再就職手当の支給を受けたもの

三　その事業により当該事業を実施する受給資格者が自立することができないと管轄公共職業安定所の長が認めたもの

（法第十条第三項の内閣官房令で定める職員）

第八条の三　法第十条第三項の内閣官房令で定める職員は、次の各号のいずれかに該当するものとする。

一　法第十条第一項に規定する退職の日以前に同条第三項に規定する事業を開始し、当該退職の日後に当該事業に専念する職員

二　その他事業を開始した職員に準ずるものと

して管轄公共職業安定所の長が認めた職員

（支給の期間の特例の申出）

第八条の四　法第十条第三項に規定する雇用保険法第二十条の二に規定する場合に相当するものとして内閣官房令で定める場合は、法第十条第一項に規定する退職の日後に同条第三項に規定する事業を開始した職員又は前条に規定する職員が公共職業安定所長にその旨を申し出た場合とする。

2　前項の申出は、別記様式第四による受給期間延長等申請書に登記事項証明書その他法第十条第一項に規定する退職の日後に同条第三項に規定する事業を開始した職員又は前条に規定する職員に該当することの事実を証明することができる書類及び受給資格証（受給資格証の交付を受けていない場合には、退職票。以下この条において同じ。）を添えて管轄公共職業安定所の長に提出することによつて行うものとする。

3　前二項の申出（以下この条において「特例申出」という。）は、当該特例申出に係る者が法第十条第三項に規定する事業を開始した日又は当該事業に専念し始めた日の翌日から起算して、二箇月以内にしなければならない。ただし、天災その他申出をしなかつたことについてやむを得ない理由があるときは、この限りでない。

4　管轄公共職業安定所の長は、特例申出をした者が法第十条第一項に規定する退職の日後に同条第三項に規定する事業を開始した職員又は前条に規定する職員に該当すると認めたときは、その者に別記様式第五による受給期間延長等通知書を交付しなければならない。この場合（第六項の規定により準用する第八条第一項ただし書の規定により受給資格証を添えないで特例申出を受けたときを除く。）において、管轄公共職業安定所の長は、受給資格証に必要な事項を記載した上、返付しなければならない。

5　前項の規定により受給期間延長等通知書の交付を受けた者は、次の各号のいずれかに該当する場合には、速やかに、その旨を管轄公共職業安定所の長に届け出るとともに、当該各号に掲げる書類を提出しなければならない。この場合において、管轄公共職業安定所の長は、提出を受けた書類に必要な事項を記載した上、返付しなければならない。

一　その者が提出した受給期間延長等申請書の記載内容に重大な変更があつた場合　交付を受けた受給期間延長等通知書

二　法第十条第三項に規定する事業を廃止し、又は休止した場合　交付を受けた受給期間延長等通知書及び受給資格証

6　第八条第七項の規定は、特例申出及び前項の場合並びに第三項ただし書の場合における特例申出に、第八条第一項ただし書の規定は、第二項及び前項の場合に、第八条第三項及び第四項の規定は、第三項ただし書の場合における特例申出について準用する。

（法第十条第三項の支給期間の特例）

第八条の五　法第十条第三項の内閣官房令で定める支給期間についての特例は、同項に規定する事業の実施期間（当該実施期間の日数が四年から同条第一項により算定される支給期間の日数を除いた日数を超える場合における当該超える日数を除く。）を同項の規定による支給期間に算入しないものとする。

（基本手当に相当する退職手当の支給調整）

第九条　基本手当に相当する退職手当で法第十条第一項の規定によるものは、当該受給資格者が第五条の規定による求職の申込みをした日から起算して、雇用保険法第三十三条に規定する期間及び待期日数（法第十条第一項に規定する待期日数をいう。以下同じ。）に等しい失業の日数を経過した後に支給する。

2　受給資格者が待期日数の期間内に職業に就き、次の各号に掲げるいずれかの給付を受ける資格を取得しないうちに再び離職した場合においては、その離職の日の翌日から起算して待期日数の残日数に等しい失業の日数を経過した後に基本手当に相当する退職手当を支給する。

一　雇用保険法の規定による基本手当、高年齢求職者給付金又は特例一時金

二　基本手当に相当する退職手当

三　法第十条第四項又は第五項の規定による退職手当（以下「高年齢求職者給付金に相当する退職手当」という。）

四　法第十条第六項又は第七項の規定による退職手当（以下「特例一時金に相当する退職手当」という。）

3　雇用保険法の規定による基本手当の支給を受ける資格を有する者が同法第二十条第一項又は第二項に規定する期間内に受給資格者となつた場合においては、当該基本手当の支給を受けることができる日数（法第十条第一項の規定による退職手当に係る場合にあつては、その日数に

待期日数を加えた日数）に等しい失業の日数が経過した後に基本手当に相当する退職手当を支給する。

4　受給資格者が、基本手当に相当する退職手当の支給を受けることができる日数（法第十条第一項の規定による退職手当に係る受給資格者にあつては、その日数に待期日数を加えた日数）の経過しないうちに職業に就き、雇用保険法の規定による基本手当の支給を受ける資格を取得した場合においては、当該基本手当の支給を受けることができる日数（法第十条第一項の規定による退職手当に係る受給資格者にあつては、その日数に待期日数の残日数を加えた日数）に等しい失業の日数が経過した後に基本手当に相当する退職手当を支給する。

（基本手当に相当する退職手当の支給日）

第十条　基本手当に相当する退職手当は、毎月十六日又は管轄公共職業安定所の長の指定する日に、それぞれの前日までの間における失業の認定を受けた日の分を支給する。

（基本手当に相当する退職手当の支給手続）

第十一条　法第十条第一項の規定による退職手当に係る受給資格者は、待期日数の経過後速やかに管轄公共職業安定所に出頭して職業の紹介を求め、別記様式第六による失業認定申告書に受給資格証を添えて提出した上、待期日数の間における失業の認定を受けるものとする。

2　受給資格者が基本手当に相当する退職手当の支給を受けようとするときは、法第十条第一項の規定による退職手当に係る場合にあつては前項に規定する失業の認定を受けた後、同条第二項の規定による退職手当に係る場合にあつては第五条に規定する求職の申込みをした後に管轄公共職業安定所の長が指定する失業の認定を受けるべき日ごとに管轄公共職業安定所に出頭して職業の紹介を求め、前項に規定する失業認定申告書に受給資格証を添えて提出した上、失業の認定を受けなければならない。

3　管轄公共職業安定所の長は、特例職員である受給資格者について前項に規定する失業の認定を行うときは、雇用保険法第十九条及び第三十二条から第三十四条までの規定に準じて支給の制限を行うべき事実の有無を確認し、当該事実の有無を所轄官署等の長に通知しなければならない。

（公共職業訓練等を受講する場合における届出）

第十二条　受給資格者は、公共職業安定所の長の指示により雇用保険法第十五条第三項に規定する公共職業訓練等を受けることとなつたときは、速やかに別記様式第七による公共職業訓練等受講届（以下「受講届」という。）及び別記様式第八による公共職業訓練等通所届（以下「通所届」という。）に受給資格証を添えて管轄公共職業安定所等（特例職員である受給資格者については、所轄官署等をいう。以下同じ。）の長に提出するものとする。第八条第一項ただし書の規定は、この場合について準用する。

2　管轄公共職業安定所等の長は、前項の規定による受講届及び通所届の提出を受けたときは、受給資格証に必要な事項を記載し、当該受給資格者に返付しなければならない。

3　受給資格者は、受講届及び通所届の記載事項に変更があつたときは、速やかにその旨を記載した届書に受給資格証を添えて管轄公共職業安定所等の長に提出しなければならない。第八条第一項ただし書の規定は、この場合について準用する。

4　管轄公共職業安定所等の長は、前項の規定による届書の提出を受けたときは、受給資格証に必要な改定をし、当該受給資格者に返付しなければならない。

（技能習得手当に相当する退職手当等の支給手続）

第十三条　受給資格者は、法第十条第九項第一号又は同条第十項第一号若しくは第二号の規定による退職手当の支給を受けようとするときは、別記様式第八の二による公共職業訓練等受講証明書に受給資格証を添えて管轄公共職業安定所等の長に提出しなければならない。第八条第一項ただし書の規定は、この場合について準用する。

2　管轄公共職業安定所等の長は、前項の規定による証明書の提出を受けたときは、受給資格証に必要な事項を記載し、当該受給資格者に返付しなければならない。

（法第十条第九項第二号に規定する内閣官房令で定める者）

第十三条の二　法第十条第九項第二号イに規定する内閣官房令で定める者のうち次の各号に掲げる者は、当該各号に定める者とする。

一　雇用保険法第二十四条の二第一項第一号に掲げる者に相当する者　退職職員（退職した

法第二条第一項に規定する職員（同条第二項の規定により職員とみなされる者を含む。）であつて、雇用保険法第二十四条の二第一項第一号に掲げる者に該当するもの

二　雇用保険法第二十四条の二第一項第二号に掲げる者に相当する者　退職職員であつて、その者を同法第四条第一項に規定する被保険者と、その者が退職の際勤務していた国又は行政執行法人（独立行政法人通則法（平成十一年法律第百三号）第二条第四項に規定する行政執行法人をいう。次号において同じ。）の事務又は事業を雇用保険法第五条第一項に規定する適用事業とみなしたならば同法第二十四条の二第一項第二号に掲げる者に該当するもの

三　雇用保険法第二十四条の二第一項第三号に掲げる者に相当する者　退職職員であつて、その者を同法第四条第一項に規定する被保険者と、その者が退職の際勤務していた国又は行政執行法人の事務又は事業を同法第五条第一項に規定する適用事業とみなしたならば同法第二十四条の二第一項第三号に掲げる者に該当するもの

2　法第十条第九項第二号ロに規定する内閣官房令で定める者は、前項第二号に定める者とする。

（傷病手当に相当する退職手当の支給手続）

第十四条　受給資格者は、法第十条第十項第三号の規定による退職手当の支給を受けようとするときは、別記様式第九による傷病手当に相当する退職手当支給申請書に受給資格証を添えて管轄公共職業安定所等の長に提出しなければならない。第八条第一項ただし書の規定は、この場合について準用する。

2　管轄公共職業安定所等の長は、前項の規定による支給申請書の提出を受けたときは、受給資格証に必要な事項を記載し、当該受給資格者に返付しなければならない。

（退職票等の提出）

第十五条　退職票又は在職票の交付を受けた者が法第十条第一項に規定する期間内（在職票の交付を受けた者にあつては、当該在職票に係る退職の日の翌日から起算して一年の期間内）に国家公務員となつた場合においては、当該退職票又は在職票を新たに所属することとなつた所属庁等の長に提出しなければならない。

2　所属庁等の長は、前項の規定により退職票又は在職票を提出した者が勤続期間十二月未満で退職するときは、当該退職票又は在職票をその者に返付しなければならない。

（退職票等の再交付）

第十六条　受給資格者又は勤続期間十二月未満で退職した者は、退職票又は在職票を滅失又は損傷した場合においては、もとの所属庁等の長にその旨を申し出て退職票又は在職票の再交付を受けることができる。

2　もとの所属庁等の長は、前項の規定による再交付をするときは、その退職票又は在職票に再交付の旨及びその年月日を記載しなければならない。

3　退職票又は在職票の再交付があつたときは、もとの退職票又は在職票はその効力を失う。

（受給資格証の再交付）

第十七条　前条の規定は、受給資格証の再交付について準用する。この場合において、同条中「退職票又は在職票」とあるのは「受給資格証」と、「もとの所属庁等の長」とあるのは「管轄公共職業安定所等の長」と読み替えるものとする。

（高年齢受給資格証の交付等）

第十七条の二　管轄公共職業安定所の長は、高年齢求職者給付金に相当する退職手当の支給を受ける資格を有する者（以下「高年齢受給資格者」という。）のうち特例職員以外の者から退職票の提出及び求職の申込みを受けたときは、別記様式第九の二（その一）による失業者退職手当高年齢受給資格証（その一）（以下「高年齢受給資格証（その一）」という。）をその者に交付しなければならない。

2　管轄公共職業安定所の長は、特例職員である高年齢受給資格者から退職票の提出及び求職の申込みを受けたときは、当該退職票に必要な事項を記載し、当該特例職員に返付しなければならない。

3　特例職員である高年齢受給資格者は、前項の規定による退職票の返付を受けたときは、速やかに当該退職票をその者に係る所轄官署等に提出するものとする。

4　所轄官署等の長は、前項の規定による退職票の提出を受けたときは、別記様式第九の二（その二）による失業者退職手当高年齢受給資格証（その二）（以下「高年齢受給資格証（その二）」という。）を当該特例職員に交付しなければならな

い。

（特例受給資格証の交付等）

第十八条　管轄公共職業安定所の長は、特例一時金に相当する退職手当の支給を受ける資格を有する者（以下「特例受給資格者」という。）のうち特例職員以外の者から退職票の提出及び求職の申込みを受けたときは、別記様式第十（その一）による失業者退職手当特例受給資格証（以下「特例受給資格証（その一）」という。）をその者に交付しなければならない。

2　管轄公共職業安定所の長は、特例職員である特例受給資格者から退職票の提出及び求職の申込みを受けたときは、当該退職票に必要な事項を記載し、当該特例職員に返付しなければならない。

3　特例職員である特例受給資格者は、前項の規定による退職票の返付を受けたときは、速やかに当該退職票をその者に係る所轄官署等に提出するものとする。

4　所轄官署等の長は、前項の規定による退職票の提出を受けたときは、別記様式第十（その二）による失業者退職手当特例受給資格証（以下「特例受給資格証（その二）」という。）を当該特例職員に交付しなければならない。

（準用）

第十九条　第三条、第五条前段、第六条第五項及び第六項、第九条第二項、第十一条第一項及び第三項並びに第十五条から第十七条までの規定は、高年齢求職者給付金に相当する退職手当の支給について準用する。この場合において、これらの規定（第九条第二項各号を除く。）中「法第十条第一項又は第二項」とあるのは「法第十条第四項又は第五項」と、「基本手当」とあるのは「高年齢求職者給付金」と、「受給資格者」とあるのは「高年齢受給資格者」と、「法第十条第一項」とあるのは「法第十条第四項」と、「別記様式第六による失業認定申告書」とあるのは「別記様式第十の二による高年齢受給資格者失業認定申告書」と、「受給資格証」とあるのは「高年齢受給資格証（特例職員以外の高年齢受給資格者については高年齢受給資格証（その一）を、特例職員である高年齢受給資格者については高年齢受給資格証（その二）をいう。以下同じ。）」と、「法第十条第一項に規定する期間内（在職票の交付を受けた者にあつては、当該在職票に係る退職の日の翌日から起算して一年の期間内）に」とあるのは「当該退職票又は在職票に係る退職の日の翌日から起算して一年を経過する日までに、高年齢求職者給付金に相当する退職手当の支給を受けることなく」と読み替えるものとする。

2　第三条、第五条前段、第六条第五項及び第六項、第九条第二項、第十一条第一項及び第三項並びに第十五条から第十七条までの規定は、特例一時金に相当する退職手当の支給について準用する。この場合において、これらの規定（第九条第二項各号を除く。）中「法第十条第一項又は第二項」とあるのは「法第十条第六項又は第七項」と、「基本手当」とあるのは「特例一時金」と、「受給資格者」とあるのは「特例受給資格者」と、「法第十条第一項」とあるのは「法第十条第六項」と、「別記様式第六による失業認定申告書」とあるのは「別記様式第十一による特例受給資格者失業認定申告書」と、「受給資格証」とあるのは「特例受給資格証（特例職員以外の特例受給資格者については特例受給資格証（その一）を、特例職員である特例受給資格者については特例受給資格証（その二）をいう。以下同じ。）」と、「法第十条第一項に規定する期間内（在職票の交付を受けた者にあつては、当該在職票に係る退職の日の翌日から起算して一年の期間内）に」とあるのは「当該退職票又は在職票に係る退職の日の翌日から起算して六箇月を経過する日までに、特例一時金に相当する退職手当の支給を受けることなく」と読み替えるものとする。

（高年齢求職者給付金に相当する退職手当の支給手続等）

第十九条の二　高年齢求職者給付金に相当する退職手当で法第十条第四項の規定によるものは、当該高年齢受給資格者が前条第一項において準用する第五条の規定による求職の申込みをした日から起算して、雇用保険法第三十三条に規定する期間及び待期日数に等しい失業の日数を経過した後に支給する。

2　高年齢受給資格者が高年齢求職者給付金に相当する退職手当の支給を受けようとするときは、法第十条第四項の規定による退職手当に係る場合にあつては前条第一項において準用する第十一条第一項の規定による失業の認定を受けた後に、法第十条第五項の規定による退職手当に係る場合にあつては前条第一項において準用する第五条の規定による求職の申込みをした後に管轄公共職業安定所の長が指定する失業の認定を受けるべき日に管轄公共職業安定所に出頭して職業の紹介を求め、高年齢受給資格者失業認定申告書に高年齢受給資格証を添えて提出した上、失業の認定を受けなければならない。

3　雇用保険法の規定による基本手当の支給を受ける資格を有する者が同法第二十条第一項又は第二項に規定する期間内に高年齢受給資格者となつた場合においては、当該基本手当の支給を受けることができる日数（法第十条第四項の規定による退職手当に係る高年齢受給資格者にあつては、その日数に待期日数を加えた日数）に等しい失業の日数が経過した後に高年齢求職者給付金に相当する退職手当を支給する。

（特例一時金に相当する退職手当の支給手続等）

第二十条　特例一時金に相当する退職手当で法第十条第六項の規定によるものは、当該特例受給資格者が第十九条第二項において準用する第五条の規定による求職の申込みをした日から起算して、雇用保険法第三十三条に規定する期間及び待期日数に等しい失業の日数を経過した後に支給する。

2　特例受給資格者が特例一時金に相当する退職手当の支給を受けようとするときは、法第十条第六項の規定による退職手当に係る場合にあつては第十九条第二項において準用する第十一条第一項の規定による失業の認定を受けた後に、法第十条第七項の規定による退職手当に係る場合にあつては第十九条第二項において準用する第五条の規定による求職の申込みをした後に管轄公共職業安定所の長が指定する失業の認定を受けるべき日に管轄公共職業安定所に出頭して職業の紹介を求め、特例受給資格者失業認定申告書に特例受給資格証を添えて提出した上、失業の認定を受けなければならない。

3　雇用保険法の規定による基本手当の支給を受ける資格を有する者が同法第二十条第一項又は第二項に規定する期間内に特例受給資格者となつた場合においては、当該基本手当の支給を受けることができる日数（法第十条第六項の規定による退職手当に係る特例受給資格者にあつては、その日数に待期日数を加えた日数）に等しい失業の日数が経過した後に特例一時金に相当する退職手当を支給する。

（就業促進手当等に相当する退職手当の支給手続）

第二十一条　受給資格者又は法第十条第十一項に規定する者は、同条第十項第四号から第六号までの規定による退職手当の支給を受けようとするときは、同項第四号の規定による退職手当のうち雇用保険法第五十六条の三第一項第一号に該当する者に係る就業促進手当（雇用保険法施行規則（昭和五十年労働省令第三号）第八十三条の四に規定する就業促進定着手当（以下「就業促進定着手当」という。）を除く。以下「再就職手当」という。）に相当する退職手当にあつては別記様式第十一の三による再就職手当に相当する退職手当支給申請書に、同号に該当する者に係る就業促進手当（就業促進定着手当に限る。）に相当する退職手当にあつては別記様式第十一の四による就業促進定着手当に相当する退職手当支給申請書に、同項第二号に該当する者に係る就業促進手当（以下「常用就職支度手当」という。）に相当する退職手当にあつては別記様式第十二による常用就職支度手当に相当する退職手当支給申請書に、法第十条第十項第五号の規定による退職手当にあつては別記様式第十三による移転費に相当する退職手当支給申請書に、同項第六号の規定による退職手当のうち雇用保険法第五十九条第一項第一号に該当する行為をする者に係る求職活動支援費に相当する退職手当にあつては別記様式第十四による求職活動支援費（広域求職活動費）に相当する退職手当支給申請書に、同項第二号に該当する行為をする者に係る求職活動支援費に相当する退職手当にあつては別記様式第十四の二による求職活動支援費（短期訓練受講費）に相当する退職手当支給申請書に、同項第三号に該当する行為をする者に係る求職活動支援費に相当する退職手当にあつては別記様式第十四の三による求職活動支援費（求職活動関係役務利用費）に相当する退職手当支給申請書にそれぞれ受給資格証、高年齢受給資格証又は特例受給資格証を添えて管轄公共職業安定所等の長に提出しなければならない。ただし、受給資格証、高年齢受給資格証又は特例受給資格証を提出することができないことについて正当な理由があるときは、これを添えないことができる。

2　管轄公共職業安定所等の長は、前項の規定による申請書の提出を受けたときは、受給資格証、高年齢受給資格証又は特例受給資格証に必要な事項を記載し、その者に返付しなければならない。

附　則

（施行期日）

1　この府令は、昭和五十年四月一日から施行する。

（失業者の退職手当を受けるために必要な手続に関する省令の廃止）

2　失業者の退職手当を受けるために必要な手続に関する省令（昭和二十八年大蔵省令第七十二号）は、廃止する。

（手続等に関する経過措置）

3　前項の規定による廃止前の失業者の退職手当を受けるために必要な手続に関する省令の規定によりされた届出、申請その他の手続は、この省令の相当規定によりされた届出、申請その他の手続とみなす。

（待期日数に関する経過措置）

4　雇用保険法の施行に伴う関係法律の整備等に関する法律第十五条第二項第二号に規定する待期日数は、同号に規定する失業保険金の日額に同号に規定する日数のうち昭和五十年四月一日以後の日数を乗じて得た額を同号に規定する基本手当の日額で除して得た数（一未満の端数を生じたときは、切り捨てる。）に相当する日数とする。

（様式に関する経過措置）

5　第十二条第一項の規定による公共職業訓練等受講届及び公共職業訓練等通所届並びに第十四条第一項の規定による傷病手当に相当する退職手当支給申請書は、当分の間、第二項の規定による廃止前の失業者の退職手当を受けるために必要な手続に関する省令の相当様式によることができる。

（特定退職者に関する暫定措置）

6　受給資格に係る退職の日が雇用保険法施行規則（昭和五十年労働省令第三号）附則第一条の四に規定する離職の日に相当する期間内である者に係る第六条の二及び第二十一条第一項の規定の適用については、第六条の二中「次のとおり」とあるのは「雇用保険法施行規則（昭和五十年労働省令第三号）附則第一条の四の規定により読み替えられた同規則第三十六条（各号列記以外の部分に限る。）に規定する理由により退職した者のほか、次のとおり」と、第二十一条第一項中「雇用保険法施行規則（昭和五十年労働省令第三号）」とあるのは「雇用保険法施行規則」とする。

附　則（令三・七・三〇内閣官房令八）

（施行期日）

1　この内閣官房令は、公布の日から施行する。

（経過措置）

2　この内閣官房令の施行の際現に提出され、又は交付されているこの内閣官房令による改正前の失業者の退職手当支給規則の様式（次項において「旧様式」という。）により使用されている書類は、この内閣官房令による改正後の失業者の退職手当支給規則の様式によるものとみなす。

3　この内閣官房令の施行の際現にある旧様式による用紙については、当分の間、これを取り繕って使用することができる。

附　則（令四・六・一七内閣官房令五）

（施行期日）

1　この内閣官房令は、令和四年七月一日から施行する。

（経過措置）

2　この内閣官房令の施行の際現に提出され、又は交付されているこの内閣官房令による改正前の失業者の退職手当支給規則の様式（次項において「旧様式」という。）により使用されている書類は、この内閣官房令による改正後の失業者の退職手当支給規則の様式によるものとみなす。

3　この内閣官房令の施行の際現にある旧様式による用紙については、当分の間、これを取り繕って使用することができる。

附　則（令六・四・一内閣官房令四）（抄）

（施行期日）

1　この内閣官房令は、公布の日から施行する。

附　則（令七・三・七内閣官房令一）

この内閣官房令は、令和七年四月一日から施行する。

別記様式〔略〕

○国家公務員退職手当法の一部を改正する法律（平成十七年法律第百十五号）の施行後の退職手当の取扱いについて（抄）

平一八・三・一四
総人恩総二〇四

最終改正　令三・七・七閣人人四四二

標記について、国家公務員退職手当法施行令（昭和二十八年政令第二百十五号）第六条第二項、第六条の二及び別表第一並びに国家公務員退職手当法の一部を改正する法律の施行に伴う経過措置に関する政令（平成十八年政令第三十号）第二条の規定に基づき、下記のとおり定め、平成十八年四月一日以降、これにより取り扱うこととするので、通知します。

記

第一　国家公務員退職手当法施行令第六条第二項関係

1　国家公務員退職手当法施行令（以下「施行令」という。）第六条第二項第二号に規定する内閣総理大臣の定める要件は、次の各号のいずれにも該当することとする。

(1)　学術の調査、研究又は指導への従事が、休職の期間の初日の前日（休職の期間が更新された場合にあっては、更新された休職の期間の初日の前日）において、次のいずれにも該当するものであったこと。

イ　相当程度高度な学術の調査、研究又は指導に従事するものであること。

ロ　その成果によって休職の期間の終了後においても公務の能率的な運営に特に資することが見込まれるものであること。

(2)　学術の調査、研究又は指導への従事が、法人の要請に基づき行われたものであったこと。

(3)　学術の調査、研究又は指導への従事によって退職した者が法人から退職手当（これに相当する給付を含む。）の支給を受けていないこと。

2　休職の期間の初日（休職の期間が更新された場合にあっては、更新された休職の期間の初日）が平成二十九年一月一日前である場合における前項の規定の適用については、同項第一号中「休職の期間の初日の前日（休職の期間が更新された場合にあっては、更新された休職の期間の初日の前日）において、次のいずれにも該当するものであった」とあるのは「次のいずれにも該当することにつき、休職の期間の初日の前日（休職の期間が更新された場合にあっては、更新された休職の期間の初日の前日）までに、各省各庁の長等（財政法（昭和二十二年法律第三十四号）第二十条第二項に規定する各省各庁の長及び独立行政法人通則法（平成十一年法律第百三号）第二条第四項に規定する行政執行法人の長並びにこれらの委任を受けた者をいう。）が内閣総理大臣の承認を受けていた」とする。ただし、裁判所職員の休職又は国会職員の休職については、この限りでない。

3　休職の期間の初日（休職の期間が更新された場合にあっては、更新された休職の期間の初日）が平成十八年四月一日である場合における第一項の規定の適用については、前項の規定にかかわらず、第一項第一号中「休職の期間の初日の前日（休職の期間が更新された場合にあっては、更新された休職の期間の初日の前日）において、次のいずれにも該当するものであった」とあるのは「次のいずれにも該当することにつき、休職の期間の初日（休職の期間が更新された場合にあっては、更新された休職の期間の初日）までに、各省各庁の長等（財政法第二十条第二項に規定する各省各庁の長及び独立行政法人通則法第二条第四項に規定する行政執行法人の長並びにこれらの委任を受けた者をいう。）が内閣総理大臣の承認を受けていた」とする。ただし、裁判所職員の休職又は国会職員の休職については、この限りでない。

第二　国家公務員退職手当法施行令第六条の二関係

1　退職した者の基礎在職期間に施行令第六条の二第一号の特定基礎在職期間が含まれる場合においては、その者は、次の各号に掲げる当該特定基礎在職期間に連続する職員としての引き続いた在職期間の初日にその者が従事していた職務の区分に応じ、当該特定基礎在職期間において、当該各号に定める職員として在職していたものとみなす。

(1)　一般職給与法（他の法令において、引用し、準用し、又はその例による場合を含む。以下同じ。）の指定職俸給表の適用を受ける職員が従事する職務、裁判官の職務、検察官の職務及び特別職の職員の給与に関する法律（昭和二十四年法律第二百五十二号。以下「特別職給与法」という。）第一条各号に掲げる特別職の職員（同条第七十三号に掲げる職員及び第七十四号に掲げる職員で国会職員の給与等に関する規程（昭和二十二年十月十六日両院議長決定。以下「国会職員給与規程」という。）の特別給料表又は指定職給料表の適用を受ける職員以外のものを除く。）が従事する職務（以下「特定職務」という。）　当該特定基礎在職期間の直前の職員としての引き続いた在職期間の末日にその者が従事していた職務と同種の職務に従事する職員

(2)　特定職務以外の職務　当該職務と同種の職務に従事する職員

2　退職した者の基礎在職期間に施行令第六条の二第二号の特定基礎在職期間が含まれる場合においては、その者は、次の各号に掲げる当該特定基礎在職期間に連続する職員としての引き続いた在職期間の初日にその者が従事していた職務の区分に応じ、当該特定基礎在職期間において、当該各号に定める職員として在職していたものとみなす。

(1)　特定職務　当該特定基礎在職期間にその者が現に従事していた職務又は業務が当該特定基礎在職期間を通じておおむね一種類の職員が従事する職務と類似しているもの

であった場合にあっては当該職員が従事する職務、それ以外の場合にあっては内閣総理大臣が決定する職務に従事する職員

(2)　特定職務以外の職務　当該職務と同種の職務に従事する職員

3　退職した者が前二項の規定により特定基礎在職期間において前二項各号に定める職員として在職していたものとみなされる場合に、当該特定基礎在職期間の初日の属する月から当該特定基礎在職期間の末日の属する月までの各月にその者が属していた職員の区分を決めるのに必要な官職の職制上の段階、職務の級、階級その他職員の職務の複雑、困難及び責任の度に関する事項のうち、職務の級、階級、号俸又は俸給月額については、当該特定基礎在職期間にその者に適用されることとなる初任給の決定、昇格、昇給等に関する規定の例により定める。

4　退職した者が第一項の規定により特定基礎在職期間において同項各号に定める職員として在職していたものとみなされる場合に当該特定基礎在職期間の初日の属する月から当該特定基礎在職期間の末日の属する月までの各月にその者が属していた職員の区分を決めるのに必要な官職の職制上の段階、職務の級、階級その他職員の職務の複雑、困難及び責任の度に関する事項のうち、一般職給与法第十条の二第一項の規定による俸給の特別調整額（これに準ずる額を含む。以下この項において「俸給の特別調整額」という。）については、次の各号のいずれにも該当する場合に限り、その者は、当該特定基礎在職期間において、当該特定基礎在職期間の直前の職員としての引き続いた在職期間の末日（以下この項において「特定基礎在職期間の直前の日」という。）にその者が占めていた官職に応じた俸給の特別調整額の区分（平成八年四月一日から平成十九年三月三十一日までの間において適用されていた人事院規則九―一七（俸給の特別調整額）第二条に規定する区分及び平成十九年四月一日以後適用されている同規則第一条第二項に規定する区分をいう。以下同じ。）と当該特定基礎在職期間に連続する職員としての引き続いた在職期間の初日（以下この項において「特定基礎在職期間に連続する日」という。）にその者が占めていた官職に応じた俸給の特別調整額の区分のうちいずれか低い区分による俸給の特別調整額の支給を受けていたものとみなす。

(1)　特定基礎在職期間の直前の日にその者が従事していた職務と特定基礎在職期間に連続する日にその者が従事していた職務が同種のものであること。

(2)　特定基礎在職期間の直前の日及び特定基礎在職期間に連続する日にその者が属する職務の級が同一であり、かつ、その者が俸給の特別調整額の支給を受けていたこと。

5　退職した者が第一項及び第二項の規定により特定基礎在職期間においてこれらの項の各号に定める職員として在職していたものとみなされる場合には、当該特定基礎在職期間中の次の各号に掲げる期間に関して行われた処分又は行為は、当該各号に定める期間に関して行われた処分又は行為とみなす。

(1)　地方公務員法（昭和二十五年法律第二百六十一号）第五十五条の二ただし書若しくは地方公営企業等の労働関係に関する法律（昭和二十七年法律第二百八十九号）第六条第一項ただし書の規定による休職の期間、法人の就業規則等に定められている休職で労働組合業務に専ら従事するためのものの期間、地方公務員法第二十六条の五第一項に規定する自己啓発等休業の期間、法人の就業規則等に定められている休業で国家公務員の自己啓発等休業に関する法律（平成十九年法律第四十五号）第二条第五項に規定する自己啓発等休業に相当するものの期間、地方公務員法第二十六条の六第一項に規定する配偶者同行休業の期間又は法人の就業規則等に定められている休業で国家公務員の配偶者同行休業に関する法律（平成二十五年法律第七十八号）第二条第四項に規定する配偶者同行休業に相当するものの期間　施行令第六条第三項第一号に規定する現実に職務をとることを要しない期間

(2)　地方公務員の育児休業等に関する法律（平成三年法律第百十号）第二条第一項の規定による育児休業の期間（当該育児休業に係る子が一歳に達した日の属する月までの期間に限る。）、育児休業、介護休業等育児又は家族介護を行う労働者の福祉に関する法律（平成三年法律第七十六号）第五条の規定による育児休業の期間（当該育児休

業に係る子が一歳に達した日の属する月までの期間に限る。）、地方公務員の育児休業等に関する法律第十条第一項に規定する育児短時間勤務の期間又は法人の就業規則等に定められている短時間勤務で国家公務員の育児休業等に関する法律（平成三年法律第百九号）第十二条第一項に規定する育児短時間勤務に相当するものの期間　施行令第六条第三項第二号に規定する現実に職務をとることを要しない期間

(3)　地方公務員法第二十八条第二項に規定する休職の期間（公務上の傷病による休職及び通勤による傷病による休職の期間を除く。）、同法第二十七条第二項に基づき条例で規定する休職の期間（地方公務員を施行令第六条で定める法人の業務に従事させるための休職の期間を除く。）、同法第二十九条に規定する停職の期間、外国の地方公共団体の機関等に派遣される一般職の地方公務員の処遇等に関する法律（昭和六十二年法律第七十八号）第二条の規定による派遣の期間、地方公務員の育児休業等に関する法律第二条第一項に規定する育児休業の期間（前号に掲げる期間を除く。）、公益的法人等への一般職の地方公務員の派遣等に関する法律（平成十二年法律第五十号）第二条の規定による職員派遣の期間、法人の就業規則等に定められている休職の期間（第一号に掲げる期間並びに業務上の傷病による休職及び通勤による傷病による休職の期間を除く。）若しくは停職の期間（これに相当する出勤停止の期間を含む。）又は育児休業、介護休業等育児又は家族介護を行う労働者の福祉に関する法律第五条の規定による育児休業の期間（前号に掲げる期間を除く。）　施行令第六条第三項第三号に規定する現実に職務をとることを要しない期間

第三　国家公務員退職手当法施行令別表第一関係

1　施行令別表第一イの表第一号区分の項第十号に規定する内閣総理大臣の定めるものは、別表第一イの表第一号区分の項各号、別表第二イの表第一号区分の項各号、別表第六イの表第一号区分の項、別表第九イの表第一号区分の項及び別表第十四イの表第一号区分の項各号に掲げる者とする。

2　施行令別表第一イの表第二号区分の項第十三号に規定する内閣総理大臣の定めるものは、別表第一イの表第二号区分の項各号、別表第二イの表第二号区分の項各号、別表第六イの表第二号区分の項各号、別表第六ロの表第二号区分の項、別表第九イの表第二号区分の項及び別表第十四イの表第二号区分の項に掲げる者とする。

3　施行令別表第一イの表第三号区分の項各号に規定する内閣総理大臣の定めるものは、次の各号に掲げる区分に応じ、当該各号に定めるものとする。

(1)　施行令別表第一イの表第三号区分の項第八号に規定する内閣総理大臣の定めるもの

平成八年四月以後平成十八年三月以前の旧防衛庁給与法の自衛官俸給表の適用を受けていた者で陸将補、海将補及び空将補の㈡欄に掲げる俸給月額を受けていたもののうち、陸将補、海将補又は空将補以上の階級にあった期間が三十月を超えていたもの

(2)　施行令別表第一イの表第三号区分の項第九号に規定する内閣総理大臣の定めるもの

別表第一イの表第三号区分の項各号、別表第二イの表第三号区分の項、別表第六イの表第三号区分の項各号及び別表第六ロの表第三号区分の項に掲げる者

4　施行令別表第一イの表第四号区分の項各号に規定する内閣総理大臣の定めるものは、次の各号に掲げる区分に応じ、当該各号に定めるものとする。

(1)　施行令別表第一イの表第四号区分の項第六号に規定する内閣総理大臣の定めるもの

平成八年四月以後平成十八年三月以前の一般職給与法の海事職俸給表㈠の適用を受けていた者でその属する職務の級が七級であったもののうち、平成八年四月以後平成十八年三月以前の一般職給与法第十条の二第一項の規定による俸給の特別調整額でその額が俸給月額に百分の二十五の支給割合を乗じて得た額であるもの（これに準ずる額を含む。）の支給を受けていたものとする。

(2)　施行令別表第一イの表第四号区分の項第七号に規定する内閣総理大臣の定めるもの

平成八年四月以後平成十六年十月以前の一般職給与法の教育職俸給表㈠の適用を受けていた者でその属する職務の級が五級で

あったもののうち、平成八年四月以後平成十六年十月以前の一般職給与法第十条の二第一項の規定による俸給の特別調整額でその額が俸給月額に百分の二十五の支給割合を乗じて得た額であるもの（これに準ずる額を含む。）の支給を受けていたものであり、かつ、平成八年四月以後平成十六年十月以前の一般職給与法第十九条の四第一項の規定による期末手当でその計算の基礎とされる平成八年四月一日から平成十三年三月三十一日までの間において適用されていた一般職給与法（以下「平成八年四月以後平成十三年三月以前の一般職給与法」という。）第十九条の四第四項又は平成十三年四月一日から平成十六年十月二十七日までの間に適用されていた一般職給与法（以下「平成十三年四月以後平成十六年十月以前の一般職給与法」という。）第十九条の四第五項に規定する人事院規則で定める割合が百分の二十であったもの（これに準ずる手当を含む。）の支給を受ける者であったもの

(3) 施行令別表第一イの表第四号区分の項第八号に規定する内閣総理大臣の定めるもの

平成十六年十月以後平成十八年三月以前の一般職給与法の教育職俸給表(一)の適用を受けていた者でその属する職務の級が四級であったもののうち、平成十六年十月以後平成十八年三月以前の一般職給与法第十条の二第一項の規定による俸給の特別調整額でその額が俸給月額に百分の二十五の支給割合を乗じて得た額であるもの（これに準ずる額を含む。）の支給を受けていたものであり、かつ、平成十六年十月以後平成十八年三月以前の一般職給与法第十九条の四第一項の規定による期末手当でその計算の基礎とされる平成十六年十月以後平成十八年三月以前の一般職給与法第十九条の四第五項に規定する人事院規則で定める割合が百分の二十であったもの（これに準ずる手当を含む。）の支給を受ける者であったもの

(4) 施行令別表第一イの表第四号区分の項第九号に規定する内閣総理大臣の定めるもの

平成八年四月以後平成十八年三月以前の一般職給与法の研究職俸給表の適用を受けていた者でその属する職務の級が五級であったもののうち、平成八年四月以後平成十八年三月以前の一般職給与法第十条の二第一項の規定による俸給の特別調整額でその額が俸給月額に百分の二十五の支給割合を乗じて得た額であるもの（これに準ずる額を含む。）の支給を受けていたもの

(5) 施行令別表第一イの表第四号区分の項第十号に規定する内閣総理大臣の定めるもの

平成八年四月以後平成十八年三月以前の一般職給与法の医療職俸給表(一)の適用を受けていた者でその属する職務の級が四級であったもののうち、平成八年四月以後平成十八年三月以前の一般職給与法第十条の二第一項の規定による俸給の特別調整額でその額が俸給月額に百分の二十五の支給割合を乗じて得た額であるもの（これに準ずる額を含む。）の支給を受けていたものであり、かつ、平成八年四月以後平成十八年三月以前の一般職給与法第十九条の四第一項の規定による期末手当でその計算の基礎とされる平成八年四月以後平成十三年三月以前の一般職給与法第十九条の四第四項又は平成十三年四月以後平成十八年三月以前の一般職給与法第十九条の四第五項に規定する人事院規則で定める割合が百分の二十であったもの（これに準ずる手当を含む。）の支給を受ける者であったもの

(6) 施行令別表第一イの表第四号区分の項第二十一号に規定する内閣総理大臣の定めるもの　別表第一イの表第四号区分の項各号、別表第二イの表第四号区分の項各号、別表第三イの表第四号区分の項、別表第四イの表第四号区分の項、別表第五イの表第四号区分の項、別表第六イの表第四号区分の項各号、別表第六ロの表第四号区分の項各号、別表第七イの表第四号区分の項、別表第八イの表第四号区分の項、別表第九イの表第四号区分の項各号、別表第十一イの表第四号区分の項、別表第十三イの表第四号区分の項、別表第十四イの表第四号区分の項各号及び別表第十五イの表第四号区分の項に掲げる者

5　施行令別表第一イの表第五号区分の項各号に規定する内閣総理大臣の定めるものは、次の各号に掲げる区分に応じ、当該各号に定めるものとする。

(1)　施行令別表第一イの表第五号区分の項第七号に規定する内閣総理大臣の定めるもの
　平成八年四月以後平成十六年十月以前の一般職給与法の教育職俸給表㈠の適用を受けていた者でその属する職務の級が五級であったもののうち、平成八年四月以後平成十六年十月以前の一般職給与法第十九条の四第一項の規定による期末手当でその計算の基礎とされる平成八年四月以後平成十三年三月以前の一般職給与法第十九条の四第四項又は平成十三年四月以後平成十六年十月以前の一般職給与法第十九条の四第五項に規定する人事院規則で定める割合が百分の二十であったもの（これに準ずる手当を含む。）の支給を受ける者であったもの

(2)　施行令別表第一イの表第五号区分の項第八号に規定する内閣総理大臣の定めるもの
　平成十六年十月以後平成十八年三月以前の一般職給与法の教育職俸給表㈠の適用を受けていた者でその属する職務の級が四級であったもののうち、平成十六年十月以後平成十八年三月以前の一般職給与法第十九条の四第一項の規定による期末手当でその計算の基礎とされる平成十六年十月以後平成十八年三月以前の一般職給与法第十九条の四第五項に規定する人事院規則で定める割合が百分の二十であったもの（これに準ずる手当を含む。）の支給を受ける者であったもの

(3)　施行令別表第一イの表第五号区分の項第九号に規定する内閣総理大臣の定めるもの
　平成八年四月以後平成十八年三月以前の一般職給与法の研究職俸給表の適用を受けていた者でその属する職務の級が五級であったもののうち、平成八年四月以後平成十八年三月以前の一般職給与法第十条の二第一項の規定による俸給の特別調整額でその額が俸給月額に百分の二十の支給割合を乗じて得た額であるもの（これに準ずる額を含む。）の支給を受けていたもの

(4)　施行令別表第一イの表第五号区分の項第十号に規定する内閣総理大臣の定めるもの
　平成八年四月以後平成十八年三月以前の一般職給与法の医療職俸給表㈠の適用を受けていた者でその属する職務の級が四級であったもののうち、平成八年四月以後平成十八年三月以前の一般職給与法第十九条の四第一項の規定による期末手当でその計算の基礎とされる平成八年四月以後平成十三年三月以前の一般職給与法第十九条の四第四項又は平成十三年四月以後平成十八年三月以前の一般職給与法第十九条の四第五項に規定する人事院規則で定める割合が百分の二十であったもの（これに準ずる手当を含む。）の支給を受ける者であったもの

(5)　施行令別表第一イの表第五号区分の項第二十号に規定する内閣総理大臣の定めるもの　別表第一イの表第五号区分の項各号、別表第二イの表第五号区分の項各号、別表第三イの表第五号区分の項、別表第四イの表第五号区分の項、別表第五イの表第五号区分の項、別表第六イの表第五号区分の項各号、別表第六ロの表第五号区分の項各号、別表第七イの表第五号区分の項各号、別表第八イの表第五号区分の項各号、別表第九イの表第五号区分の項、別表第十イの表第五号区分の項、別表第十一イの表第五号区分の項、別表第十三イの表第五号区分の項、別表第十四イの表第五号区分の項及び別表第十五イの表第五号区分の項に掲げる者

6　施行令別表第一イの表第六号区分の項各号に規定する内閣総理大臣の定めるものは、次の各号に掲げる区分に応じ、当該各号に定めるものとする。

(1)　施行令別表第一イの表第六号区分の項第六号に規定する内閣総理大臣の定めるもの
　平成八年四月以後平成十八年三月以前の一般職給与法の海事職俸給表㈠の適用を受けていた者でその属する職務の級が六級であったもののうち、平成八年四月以後平成十八年三月以前の一般職給与法第十条の二第一項の規定による俸給の特別調整額でその額が俸給月額に百分の二十以上の支給割合を乗じて得た額であるもの（これに準ずる額を含む。）の支給を受けていたもの

(2)　施行令別表第一イの表第六号区分の項第九号に規定する内閣総理大臣の定めるもの
　平成八年四月以後平成十八年三月以前の一般職給与法の研究職俸給表の適用を受けていた者でその属する職務の級が五級であったもののうち、平成八年四月以後平成十八年三月以前の一般職給与法第十条の二

第一項の規定による俸給の特別調整額でその額が俸給月額に百分の十六の支給割合を乗じて得た額であるもの（これに準ずる額を含む。）の支給を受けていたもの

(3)　施行令別表第一イの表第六号区分の項第二十四号に規定する内閣総理大臣の定めるもの　別表第一イの表第六号区分の項、別表第二イの表第六号区分の項各号、別表第三イの表第六号区分の項、別表第四イの表第六号区分の項、別表第五イの表第六号区分の項各号、別表第六イの表第六号区分の項各号、別表第六ロの表第六号区分の項各号、別表第七イの表第六号区分の項各号、別表第八イの表第六号区分の項各号、別表第九イの表第六号区分の項各号、別表第十イの表第六号区分の項、別表第十一イの表第六号区分の項各号、別表第十二イの表第六号区分の項、別表第十三イの表第六号区分の項、別表第十四イの表第六号区分の項各号及び別表第十五イの表第六号区分の項に掲げる者

7　施行令別表第一イの表第七号区分の項各号に規定する内閣総理大臣の定めるものは、次の各号に掲げる区分に応じ、当該各号に定めるものとする。

(1)　施行令別表第一イの表第七号区分の項第七号に規定する内閣総理大臣の定めるもの　平成八年四月以後平成十六年十月以前の一般職給与法の教育職俸給表㈠の適用を受けていた者でその属する職務の級が四級であったもののうち、平成八年四月以後平成十六年十月以前の一般職給与法第十九条の四第一項の規定による期末手当でその計算の基礎とされる平成八年四月以後平成十三年三月以前の一般職給与法第十九条の四第四項又は平成十三年四月以後平成十六年十月以前の一般職給与法第十九条の四第五項に規定する人事院規則で定める割合が百分の十五であったもの（これに準ずる手当を含む。）の支給を受ける者であったもの

(2)　施行令別表第一イの表第七号区分の項第八号に規定する内閣総理大臣の定めるもの　平成十六年十月以後平成十八年三月以前の一般職給与法の教育職俸給表㈠の適用を受けていた者でその属する職務の級が三級であったもののうち、平成十六年十月以後平成十八年三月以前の一般職給与法第十九条の四第一項の規定による期末手当でその計算の基礎とされる平成十六年十月以後平成十八年三月以前の一般職給与法第十九条の四第五項に規定する人事院規則で定める割合が百分の十五であったもの（これに準ずる手当を含む。）の支給を受ける者であったもの

(3)　施行令別表第一イの表第七号区分の項第二十四号に規定する内閣総理大臣の定めるもの　別表第一イの表第七号区分の項、別表第二イの表第七号区分の項各号、別表第三イの表第七号区分の項、別表第四イの表第七号区分の項、別表第五イの表第七号区分の項、別表第六イの表第七号区分の項各号、別表第六ロの表第七号区分の項各号、別表第七イの表第七号区分の項各号、別表第八イの表第七号区分の項各号、別表第九イの表第七号区分の項各号、別表第十イの表第七号区分の項各号、別表第十一イの表第七号区分の項各号、別表第十二イの表第七号区分の項、別表第十三イの表第七号区分の項、別表第十四イの表第七号区分の項各号及び別表第十五イの表第七号区分の項に掲げる者

8　施行令別表第一イの表第八号区分の項各号に規定する内閣総理大臣の定めるものは、次の各号に掲げる区分に応じ、当該各号に定めるものとする。

(1)　施行令別表第一イの表第八号区分の項第二号に規定する内閣総理大臣の定めるもの　平成八年四月以後平成十八年三月以前の一般職給与法の行政職俸給表㈡の適用を受けていた者でその属する職務の級が六級であったもののうち、三人以上の職種の長（平成八年四月一日から平成十八年三月三十一日までの間において適用されていた人事院規則九―八（初任給、昇格、昇給等の基準）の行政職俸給表㈡級別標準職務表に規定する電話交換手の組長、作業船の船長、機関長、甲板長若しくは操機長、一般技能職員の職長、家政職員の主任、車庫長又は守衛長若しくは巡視長（人事院規則が適用される者以外の者でこれらに準ずるものを含む。）であって、これらの職にあることが発令内容等から確認できるものをいう。以下この号において同じ。）（二人の職種の

長と当該二人の職種の長の直接指揮監督する者が合わせておおむね十人以上であった場合にあっては、二人の職種の長）を直接指揮監督する職務に従事していた者（その事実が発令内容等から確認できるものに限る。）

(2)　施行令別表第一イの表第八号区分の項第三号に規定する内閣総理大臣の定めるもの　平成八年四月以後平成十八年三月以前の一般職給与法の専門行政職俸給表の適用を受けていた者でその属する職務の級が三級であったもののうち、平成八年四月以後平成十八年三月以前の一般職給与法第十条の二第一項の規定による俸給の特別調整額でその額が俸給月額に百分の十以上の支給割合を乗じて得た額であるもの（これに準ずる額を含む。）の支給を受けていたもの

(3)　施行令別表第一イの表第八号区分の項第十四号に規定する内閣総理大臣の定めるもの　平成八年四月以後平成十八年三月以前の一般職給与法の医療職俸給表㈠の適用を受けていた者でその属する職務の級が二級であったもののうち、平成八年四月以後平成十八年三月以前の一般職給与法第十条の二第一項の規定による俸給の特別調整額でその額が俸給月額に百分の十以上の支給割合を乗じて得た額であるもの（これに準ずる額を含む。）の支給を受けていたもの

(4)　施行令別表第一イの表第八号区分の項第十五号に規定する内閣総理大臣の定めるもの　平成八年四月以後平成十八年三月以前の一般職給与法の医療職俸給表㈡の適用を受けていた者でその属する職務の級が五級であったもののうち、平成八年四月以後平成十八年三月以前の一般職給与法第十条の二第一項の規定による俸給の特別調整額でその額が俸給月額に百分の十二以上の支給割合を乗じて得た額であるもの（これに準ずる額を含む。）の支給を受けていたもの

(5)　施行令別表第一イの表第八号区分の項第十七号に規定する内閣総理大臣の定めるもの　平成十二年一月以後平成十八年三月以前の一般職給与法の福祉職俸給表の適用を受けていた者でその属する職務の級が四級であったもののうち、平成十二年一月以後平成十八年三月以前の一般職給与法第十条の二第一項の規定による俸給の特別調整額でその額が俸給月額に百分の十二以上の支給割合を乗じて得た額であるもの（これに準ずる額を含む。）の支給を受けていたもの

(6)　施行令別表第一イの表第八号区分の項第二十二号に規定する内閣総理大臣の定めるもの　平成八年四月以後平成十三年一月以前の旧防衛庁給与法の参事官等俸給表の適用を受けていた者でその属する職務の級が一級であったもののうち、同表の一級の欄七号俸の俸給月額以上の俸給月額を受けていたもので、かつ、平成八年四月以後平成十三年一月以前の旧防衛庁給与法第十八条の二第一項の規定による期末手当でその計算の基礎とされる平成八年四月一日から平成九年十二月三十一日までの間において適用されていた旧防衛庁給与法施行令（防衛庁設置法等の一部を改正する法律の施行に伴う関係政令の整備に関する政令（平成十九年政令第三号）第七条の規定による改正前の防衛庁の職員の給与等に関する法律施行令（昭和二十七年政令第三百六十八号）をいう。以下同じ。）第十二条の五第二項又は平成十年一月一日から平成十三年一月五日までの間において適用されていた旧防衛庁給与法施行令（以下「平成十年一月以後平成十三年一月以前の旧防衛庁給与法施行令」という。）第十二条の六第二項に規定する割合が百分の九であったものの支給を受ける者であったもの

(7)　施行令別表第一イの表第八号区分の項第二十三号に規定する内閣総理大臣の定めるもの　平成十三年一月以後平成十八年三月以前の旧防衛庁給与法の防衛参事官等俸給表の適用を受けていた者でその属する職務の級が一級であったもののうち、同表の一級の欄七号俸の俸給月額以上の俸給月額を受けていたもので、かつ、平成十三年一月以後平成十八年三月以前の旧防衛庁給与法第十八条の二第一項の規定による期末手当でその計算の基礎とされる平成十三年一月六日から平成十八年三月三十一日までの間において適用されていた旧防衛庁給与法施行令（以下「平成十三年一月以後平成十八年三月以前の旧防衛庁給与法施行令」という。）第十二条の六第二項に規定する割合

が百分の九であったものの支給を受ける者であったもの

(8)　施行令別表第一イの表第八号区分の項第二十八号に規定する内閣総理大臣の定めるもの　別表第二イの表第八号区分の項各号、別表第三イの表第八号区分の項、別表第四イの表第八号区分の項、別表第五イの表第八号区分の項、別表第六イの表第八号区分の項各号、別表第六ロの表第八号区分の項各号、別表第七イの表第八号区分の項各号、別表第八イの表第八号区分の項各号、別表第九イの表第八号区分の項各号、別表第十イの表第八号区分の項各号、別表第十一イの表第八号区分の項各号、別表第十二イの表第八号区分の項、別表第十三イの表第八号区分の項、別表第十四イの表第八号区分の項各号及び別表第十五イの表第八号区分の項に掲げる者

9　施行令別表第一イの表第九号区分の項各号に規定する内閣総理大臣の定めるものは、次の各号に掲げる区分に応じ、当該各号に定めるものとする。

(1)　施行令別表第一イの表第九号区分の項第五号に規定する内閣総理大臣の定めるもの　平成八年四月以後平成十八年三月以前の一般職給与法の公安職俸給表(一)の適用を受けていた者でその属する職務の級が四級又は五級であったもののうち、皇宮警部補以上の階級にあった期間が百五十六月を超える皇宮護衛官、副看守長以上の階級にあった期間が百二十月を超える刑務官又は警備士以上の階級にあった期間が二十四月を超える入国警備官であったもの

(2)　施行令別表第一イの表第九号区分の項第二十三号に規定する内閣総理大臣の定めるもの　平成八年四月以後平成十三年一月以前の旧防衛庁給与法の参事官等俸給表の適用を受けていた者でその属する職務の級が一級であったもののうち、平成八年四月以後平成十三年一月以前の旧防衛庁給与法第十八条の二第一項の規定による期末手当でその計算の基礎とされる平成八年四月一日から平成九年十二月三十一日までの間において適用されていた旧防衛庁給与法施行令第十二条の五第二項又は平成十年一月以後平成十三年一月以前の旧防衛庁給与法施行令第十二条の六第二項に規定する割合が百分の九であったものの支給を受ける者であったもの

(3)　施行令別表第一イの表第九号区分の項第二十四号に規定する内閣総理大臣の定めるもの　平成十三年一月以後平成十八年三月以前の旧防衛庁給与法の防衛参事官等俸給表の適用を受けていた者でその属する職務の級が一級であったもののうち、平成十三年一月以後平成十八年三月以前の旧防衛庁給与法第十八条の二第一項の規定による期末手当でその計算の基礎とされる平成十三年一月以後平成十八年三月以前の旧防衛庁給与法施行令第十二条の六第二項に規定する割合が百分の九であったものの支給を受ける者であったもの

(4)　施行令別表第一イの表第九号区分の項第二十五号に規定する内閣総理大臣の定めるもの　平成十六年十月以後平成十八年三月以前の旧防衛庁給与法の自衛隊教官俸給表の適用を受けていた者でその属する職務の級が一級であったもののうち、平成十六年十月以後平成十八年三月以前の旧防衛庁給与法第十八条の二第一項の規定による期末手当でその計算の基礎とされる平成十六年十月二十八日から平成十八年三月三十一日までの間において適用されていた旧防衛庁給与法施行令（以下「平成十六年十月以後平成十八年三月以前の旧防衛庁給与法施行令」という。）第十二条の六第二項に規定する割合が百分の十であったものの支給を受ける者であったもの

(5)　施行令別表第一イの表第九号区分の項第二十八号に規定する内閣総理大臣の定めるもの　別表第二イの表第九号区分の項各号、別表第三イの表第九号区分の項各号、別表第四イの表第九号区分の項、別表第五イの表第九号区分の項、別表第六イの表第九号区分の項各号、別表第六ロの表第九号区分の項各号、別表第七イの表第九号区分の項各号、別表第九イの表第九号区分の項各号、別表第十イの表第九号区分の項各号、別表第十一イの表第九号区分の項各号、別表第十二イの表第九号区分の項、別表第十三イの表第九号区分の項、別表第十四イの表第九号区分の項各号及び別表第十五イの表第九号区分の項に掲げる者

10　施行令別表第一イの表第十号区分の項各号に規定する内閣総理大臣の定めるものは、次の各号に掲げる区分に応じ、当該各号に定めるものとする。

(1)　施行令別表第一イの表第十号区分の項第二号に規定する内閣総理大臣の定めるもの　平成八年四月以後平成十八年三月以前の一般職給与法の行政職俸給表㈡の適用を受けていた者でその属する職務の級が三級であったもののうち、昭和六十年六月三十日以前に適用されていた一般職給与法（以下「昭和六十年六月以前の一般職給与法」という。）の行政職俸給表㈡の適用を受けていた者でその属する職務の等級が二等級以上の等級であった期間を有するもの又は昭和六十年七月一日以後適用されている一般職給与法（以下「昭和六十年七月以後の一般職給与法」という。）の行政職俸給表㈡の適用を受けていた者でその属する職務の級が三級以上の級であった期間を有するもので、かつ、これらの期間が合わせて百二十月を超えていたもの

(2)　施行令別表第一イの表第十号区分の項第五号に規定する内閣総理大臣の定めるもの　平成八年四月以後平成十八年三月以前の一般職給与法の公安職俸給表㈠の適用を受けていた者でその属する職務の級が三級であったもののうち、副看守長以上の階級にあった期間が六十月を超える刑務官又は警備士補以上の階級にあった期間が六十月を超える入国警備官であったもの

(3)　施行令別表第一イの表第十号区分の項第十一号に規定する内閣総理大臣の定めるもの　平成八年四月以後平成十六年十月以前の一般職給与法の教育職俸給表㈣の適用を受けていた者でその属する職務の級が二級であったもののうち、平成八年四月以後平成十六年十月以前の一般職給与法第十条の二第一項の規定による俸給の特別調整額でその額が俸給月額に百分の十二以上の支給割合を乗じて得た額であるもの（これに準ずる額を含む。）の支給を受けていたもの

(4)　施行令別表第一イの表第十号区分の項第十二号に規定する内閣総理大臣の定めるもの　平成十六年十月以後平成十八年三月以前の一般職給与法の教育職俸給表㈡の適用を受けていた者でその属する職務の級が二級であったもののうち、平成十六年十月以後平成十八年三月以前の一般職給与法第十条の二第一項の規定による俸給の特別調整額でその額が俸給月額に百分の十二以上の支給割合を乗じて得た額であるもの（これに準ずる額を含む。）の支給を受けていたもの

(5)　施行令別表第一イの表第十号区分の項第十六号に規定する内閣総理大臣の定めるもの　平成八年四月以後平成十八年三月以前の一般職給与法の医療職俸給表㈢の適用を受けていた者でその属する職務の級が二級であったもののうち、昭和六十年六月以前の一般職給与法の医療職俸給表㈢の適用を受けていた者でその属する職務の等級が三等級以上の等級であった期間を有するもの又は昭和六十年七月以後の一般職給与法の医療職俸給表㈢の適用を受けていた者でその属する職務の級が二級以上の級であった期間を有するもので、かつ、これらの期間が合わせて三百六十月を超えていたもの

(6)　施行令別表第一イの表第十号区分の項第二十五号に規定する内閣総理大臣の定めるもの　平成十六年十月以後平成十八年三月以前の旧防衛庁給与法の自衛隊教官俸給表の適用を受けていた者でその属する職務の級が一級であったもののうち、平成十六年十月以後平成十八年三月以前の旧防衛庁給与法第十八条の二第一項の規定による期末手当でその計算の基礎とされる平成十六年十月以後平成十八年三月以前の旧防衛庁給与法施行令第十二条の六第二項に規定する割合が百分の五であったものの支給を受ける者であったもの

(7)　施行令別表第一イの表第十号区分の項第二十八号に規定する内閣総理大臣の定めるもの　別表第二イの表第十号区分の項各号、別表第三イの表第十号区分の項各号、別表第四イの表第十号区分の項、別表第五イの表第十号区分の項各号、別表第六イの表第十号区分の項各号、別表第六ロの表第十号区分の項各号、別表第七イの表第十号区分の項各号、別表第八イの表第十号区分の項各号、別表第九イの表第十号区分の項各号、別表第十イの表第十号区分の項各号、別表第十一イの表第十号区分の項各号、別表第

十二イの表第十号区分の項、別表第十三イの表第十号区分の項、別表第十四イの表第十号区分の項各号及び別表第十五イの表第十号区分の項に掲げる者

11　施行令別表第一ロの表第一号区分の項第九号に規定する内閣総理大臣の定めるものは、別表第一ロの表第一号区分の項各号、別表第二ロの表第一号区分の項各号、別表第九ロの表第一号区分の項及び別表第十四ロの表第一号区分の項に掲げる者とする。

12　施行令別表第一ロの表第二号区分の項第十二号に規定する内閣総理大臣の定めるものは、別表第一ロの表第二号区分の項各号、別表第二ロの表第二号区分の項各号、別表第三ロの表第二号区分の項、別表第六ハの表第二号区分の項、別表第九ロの表第二号区分の項及び別表第十四ロの表第二号区分の項各号に掲げる者とする。

13　施行令別表第一ロの表第三号区分の項各号に規定する内閣総理大臣の定めるものは、次の各号に掲げる区分に応じ、当該各号に定めるものとする。

(1)　施行令別表第一ロの表第三号区分の項第十五号に規定する内閣総理大臣の定めるもの　平成十八年四月以後平成十九年一月以前の旧防衛庁給与法の自衛官俸給表の適用を受けていた者で同表の陸将補、海将補及び空将補の㈡欄に掲げる俸給月額を受けていたもののうち、陸将補、海将補又は空将補以上の階級にあった期間が三十月を超えていたもの

(1の2)　施行令別表第一ロの表第三号区分の項第十五号の二に規定する内閣総理大臣の定めるもの　平成十九年一月以後の防衛省給与法の自衛官俸給表の適用を受けていた者で同表の陸将補、海将補及び空将補の㈡欄に掲げる俸給月額を受けていたもののうち、陸将補、海将補又は空将補以上の階級にあった期間が三十月を超えていたもの

(2)　施行令別表第一ロの表第三号区分の項第十六号に規定する内閣総理大臣の定めるもの　別表第一ロの表第三号区分の項各号、別表第二ロの表第三号区分の項各号、別表第三ロの表第三号区分の項各号、別表第四ロの表第三号区分の項、別表第五ロの表第三号区分の項、別表第六ハの表第三号区分の項、別表第七ロの表第三号区分の項各号、別表第十四ロの表第三号区分の項及び別表第十五ロの表第三号区分の項に掲げる者

14　施行令別表第一ロの表第四号区分の項各号に規定する内閣総理大臣の定めるものは、次の各号に掲げる区分に応じ、当該各号に定めるものとする。

(1)　施行令別表第一ロの表第四号区分の項第六号に規定する内閣総理大臣の定めるもの　平成十八年四月以後の一般職給与法の海事職俸給表㈠の適用を受けていた者でその属する職務の級が七級であったもののうち、俸給の特別調整額の区分が一種の官職を占めていたもの（これに準ずるものを含む。）

(2)　施行令別表第一ロの表第四号区分の項第七号に規定する内閣総理大臣の定めるもの　平成十八年四月以後の一般職給与法の教育職俸給表㈠の適用を受けていた者でその属する職務の級が四級であったもののうち、俸給の特別調整額の区分が一種の官職を占めていたもの（これに準ずるものを含む。）であり、かつ、平成十八年四月以後の一般職給与法第十九条の四第一項の規定による期末手当でその計算の基礎とされる平成十八年四月以後の一般職給与法第十九条の四第五項に規定する人事院規則で定める割合が百分の二十であったもの（これに準ずる手当を含む。）の支給を受ける者であったもの

(3)　施行令別表第一ロの表第四号区分の項第八号に規定する内閣総理大臣の定めるもの　平成十八年四月以後の一般職給与法の研究職俸給表の適用を受けていた者でその属する職務の級が五級であったもののうち、俸給の特別調整額の区分が一種の官職を占めていたもの（これに準ずるものを含む。）

(4)　施行令別表第一ロの表第四号区分の項第九号に規定する内閣総理大臣の定めるもの　平成十八年四月以後の一般職給与法の医療職俸給表㈠の適用を受けていた者でその属する職務の級が四級であったもののうち、俸給の特別調整額の区分が一種の官職を占めていたもの（これに準ずるものを含む。）であり、かつ、平成十八年四月以後の一般職給与法第十九条の四第一項の規定

による期末手当でその計算の基礎とされる平成十八年四月以後の一般職給与法第十九条の四第五項に規定する人事院規則で定める割合が百分の二十であったもの（これに準ずる手当を含む。）の支給を受ける者であったもの

(5)　施行令別表第一ロの表第四号区分の項第十九号に規定する内閣総理大臣の定めるもの　別表第二ロの表第四号区分の項各号、別表第三ロの表第四号区分の項、別表第四ロの表第四号区分の項、別表第五ロの表第四号区分の項、別表第六ハの表第四号区分の項各号、別表第七ロの表第四号区分の項、別表第八ロの表第四号区分の項各号、別表第九ロの表第四号区分の項各号、別表第十一ロの表第四号区分の項、別表第十四ロの表第四号区分の項各号及び別表第十五ロの表第四号区分の項に掲げる者

15　施行令別表第一ロの表第五号区分の項各号に規定する内閣総理大臣の定めるものは、次の各号に掲げる区分に応じ、当該各号に定めるものとする。

(1)　施行令別表第一ロの表第五号区分の項第七号に規定する内閣総理大臣の定めるもの　平成十八年四月以後の一般職給与法の教育職俸給表㈠の適用を受けていた者でその属する職務の級が四級であったもののうち、平成十八年四月以後の一般職給与法第十九条の四第一項の規定による期末手当でその計算の基礎とされる平成十八年四月以後の一般職給与法第十九条の四第五項に規定する人事院規則で定める割合が百分の二十であったもの（これに準ずる手当を含む。）の支給を受ける者であったもの

(2)　施行令別表第一ロの表第五号区分の項第八号に規定する内閣総理大臣の定めるもの　平成十八年四月以後の一般職給与法の研究職俸給表の適用を受けていた者でその属する職務の級が五級であったもののうち、俸給の特別調整額の区分が二種の官職を占めていたもの（これに準ずるものを含む。）

(3)　施行令別表第一ロの表第五号区分の項第九号に規定する内閣総理大臣の定めるもの　平成十八年四月以後の一般職給与法の医療職俸給表㈠の適用を受けていた者でその属する職務の級が四級であったもののうち、平成十八年四月以後の一般職給与法第十九条の四第一項の規定による期末手当でその計算の基礎とされる平成十八年四月以後の一般職給与法第十九条の四第五項に規定する人事院規則で定める割合が百分の二十であったもの（これに準ずる手当を含む。）の支給を受ける者であったもの

(4)　施行令別表第一ロの表第五号区分の項第十八号に規定する内閣総理大臣の定めるもの　別表第二ロの表第五号区分の項各号、別表第三ロの表第五号区分の項各号、別表第四ロの表第五号区分の項、別表第五ロの表第五号区分の項、別表第六ハの表第五号区分の項各号、別表第七ロの表第五号区分の項各号、別表第八ロの表第五号区分の項各号、別表第九ロの表第五号区分の項各号、別表第十ロの表第五号区分の項、別表第十一ロの表第五号区分の項、別表第十三ロの表第五号区分の項、別表第十四ロの表第五号区分の項、別表第十五ロの表第五号区分の項及び別表第十六の表第五号区分の項に掲げる者

16　施行令別表第一ロの表第六号区分の項各号に規定する内閣総理大臣の定めるものは、次の各号に掲げる区分に応じ、当該各号に定めるものとする。

(1)　施行令別表第一ロの表第六号区分の項第六号に規定する内閣総理大臣の定めるもの　平成十八年四月以後の一般職給与法の海事職俸給表㈠の適用を受けていた者でその属する職務の級が六級であったもののうち、俸給の特別調整額の区分が一種又は二種の官職を占めていたもの（これに準ずるものを含む。）

(2)　施行令別表第一ロの表第六号区分の項第八号に規定する内閣総理大臣の定めるもの　平成十八年四月以後の一般職給与法の研究職俸給表の適用を受けていた者でその属する職務の級が五級であったもののうち、俸給の特別調整額の区分が三種の官職を占めていたもの（これに準ずるものを含む。）

(3)　施行令別表第一ロの表第六号区分の項第二十二号に規定する内閣総理大臣の定めるもの　別表第二ロの表第六号区分の項各号、別表第三ロの表第六号区分の項各号、別表

第四ロの表第六号区分の項、別表第五ロの表第六号区分の項、別表第六ハの表第六号区分の項各号、別表第七ロの表第六号区分の項各号、別表第八ロの表第六号区分の項各号、別表第九ロの表第六号区分の項各号、別表第十ロの表第六号区分の項、別表第十一ロの表第六号区分の項各号、別表第十二ロの表第六号区分の項、別表第十三ロの表第六号区分の項各号、別表第十四ロの表第六号区分の項、別表第十五ロの表第六号区分の項及び別表第十六の表第六号区分の項各号に掲げる者

17　施行令別表第一ロの表第七号区分の項各号に規定する内閣総理大臣の定めるものは、次の各号に掲げる区分に応じ、当該各号に定めるものとする。

(1)　施行令別表第一ロの表第七号区分の項第七号に規定する内閣総理大臣の定めるもの　平成十八年四月以後の一般職給与法の教育職俸給表㈠の適用を受けていた者でその属する職務の級が三級であったもののうち、平成十八年四月以後の一般職給与法第十九条の四第一項の規定による期末手当でその計算の基礎とされる平成十八年四月以後の一般職給与法第十九条の四第五項に規定する人事院規則で定める割合が百分の十五であったもの（これに準ずる手当を含む。）の支給を受ける者であったもの

(2)　施行令別表第一ロの表第七号区分の項第二十二号に規定する内閣総理大臣の定めるもの　別表第二ロの表第七号区分の項各号、別表第三ロの表第七号区分の項各号、別表第四ロの表第七号区分の項、別表第五ロの表第七号区分の項、別表第六ハの表第七号区分の項各号、別表第七ロの表第七号区分の項各号、別表第八ロの表第七号区分の項各号、別表第九ロの表第七号区分の項各号、別表第十ロの表第七号区分の項各号、別表第十一ロの表第七号区分の項各号、別表第十二ロの表第七号区分の項、別表第十三ロの表第七号区分の項、別表第十四ロの表第七号区分の項各号、別表第十五ロの表第七号区分の項及び別表第十六の表第七号区分の項各号に掲げる者

18　施行令別表第一ロの表第八号区分の項各号に規定する内閣総理大臣の定めるものは、次の各号に掲げる区分に応じ、当該各号に定めるものとする。

(1)　施行令別表第一ロの表第八号区分の項第二号に規定する内閣総理大臣の定めるもの　平成十八年四月以後の一般職給与法の行政職俸給表㈡の適用を受けていた者でその属する職務の級が五級であったもののうち、三人以上の職種の長（平成十八年四月一日以後適用されている人事院規則九―八（初任給、昇格、昇給等の基準）の行政職俸給表㈡級別標準職務表に規定する電話交換手の組長、作業船の船長、機関長、甲板長若しくは操機長、一般技能職員の職長、家政職員の主任、車庫長又は守衛長若しくは巡視長（人事院規則が適用される者以外の者でこれらに準ずるものを含む。）であって、これらの職にあることが発令内容等から確認できるものをいう。以下この号において同じ。）（二人の職種の長と当該二人の職種の長の直接指揮監督する者が合わせておおむね十人以上であった場合にあっては、二人の職種の長）を直接指揮監督する職務に従事していた者（その事実が発令内容等から確認できるものに限る。）

(2)　施行令別表第一ロの表第八号区分の項第三号に規定する内閣総理大臣の定めるもの　平成十八年四月以後の一般職給与法の専門行政職俸給表の適用を受けていた者でその属する職務の級が三級であったもののうち、俸給の特別調整額の区分が五種又は五種より高い区分の官職を占めていたもの（これに準ずるものを含む。）

(3)　施行令別表第一ロの表第八号区分の項第十二号に規定する内閣総理大臣の定めるもの　平成十八年四月以後の一般職給与法の医療職俸給表㈠の適用を受けていた者でその属する職務の級が二級であったもののうち、俸給の特別調整額の区分が五種又は五種より高い区分の官職を占めていたもの（これに準ずるものを含む。）

(4)　施行令別表第一ロの表第八号区分の項第十三号に規定する内閣総理大臣の定めるもの　平成十八年四月以後の一般職給与法の医療職俸給表㈡の適用を受けていた者でその属する職務の級が五級であったもののうち、俸給の特別調整額の区分が四種又は四種より高い区分の官職を占めていたもの

（これに準ずるものを含む。）

(5)　施行令別表第一ロの表第八号区分の項第十五号に規定する内閣総理大臣の定めるもの　平成十八年四月以後の一般職給与法の福祉職俸給表の適用を受けていた者でその属する職務の級が四級であったもののうち、俸給の特別調整額の区分が四種又は四種より高い区分の官職を占めていたもの（これに準ずるものを含む。）

(6)　施行令別表第一ロの表第八号区分の項第二十号に規定する内閣総理大臣の定めるもの　平成十八年四月以後同年七月以前の旧防衛庁給与法の防衛参事官等俸給表の適用を受けていた者でその属する職務の級が一級であったもののうち、同表の一級の欄七号俸の俸給月額以上の俸給月額を受けていたもので、かつ、平成十八年四月以後同年七月以前の旧防衛庁給与法第十八条の二第一項の規定による期末手当でその計算の基礎とされる平成十八年四月一日から同年七月三十日までの間において適用されていた旧防衛庁給与法施行令（以下「平成十八年四月以後同年七月以前の旧防衛庁給与法施行令」という。）第十二条の六第二項に規定する割合が百分の九であったものの支給を受ける者であったもの

(7)　施行令別表第一ロの表第八号区分の項第二十五号に規定する内閣総理大臣の定めるもの　別表第二ロの表第八号区分の項各号、別表第三ロの表第八号区分の項各号、別表第四ロの表第八号区分の項、別表第五ロの表第八号区分の項、別表第六ハの表第八号区分の項各号、別表第七ロの表第八号区分の項各号、別表第八ロの表第八号区分の項各号、別表第九ロの表第八号区分の項各号、別表第十ロの表第八号区分の項各号、別表第十一ロの表第八号区分の項各号、別表第十二ロの表第八号区分の項、別表第十三ロの表第八号区分の項、別表第十四ロの表第八号区分の項各号、別表第十五ロの表第八号区分の項及び別表第十六の表第八号区分の項各号に掲げる者

19　施行令別表第一ロの表第九号区分の項各号に規定する内閣総理大臣の定めるものは、次の各号に掲げる区分に応じ、当該各号に定めるものとする。

(1)　施行令別表第一ロの表第九号区分の項第五号に規定する内閣総理大臣の定めるもの　平成十八年四月以後の一般職給与法の公安職俸給表㈠の適用を受けていた者でその属する職務の級が四級であったもののうち、皇宮警部補以上の階級にあった期間が百五十六月を超える皇宮護衛官、副看守長以上の階級にあった期間が百二十月を超える刑務官又は警備士以上の階級にあった期間が二十四月を超える入国警備官であったもの

(2)　施行令別表第一ロの表第九号区分の項第二十一号に規定する内閣総理大臣の定めるもの　平成十八年四月以後同年七月以前の旧防衛庁給与法の防衛参事官等俸給表の適用を受けていた者でその属する職務の級が一級であったもののうち、平成十八年四月以後同年七月以前の旧防衛庁給与法第十八条の二第一項の規定による期末手当でその計算の基礎とされる平成十八年四月以後同年七月以前の旧防衛庁給与法施行令第十二条の六第二項に規定する割合が百分の九であったものの支給を受ける者であったもの

(3)　施行令別表第一ロの表第九号区分の項第二十二号に規定する内閣総理大臣の定めるもの　平成十八年四月以後平成十九年一月以前の旧防衛庁給与法の自衛隊教官俸給表の適用を受けていた者でその属する職務の級が一級であったもののうち、平成十八年四月以後平成十九年一月以前の旧防衛庁給与法第十八条の二第一項の規定による期末手当でその計算の基礎とされる平成十八年四月一日から平成十九年一月八日までの間において適用されていた旧防衛庁給与法施行令（以下「平成十八年四月以後平成十九年一月以前の旧防衛庁給与法施行令」という。）第十二条の六第二項に規定する割合が百分の十であったものの支給を受ける者であったもの

(3の2)　施行令別表第一ロの表第九号区分の項第二十二号の二に規定する内閣総理大臣の定めるもの　平成十九年一月以後の防衛省給与法の自衛隊教官俸給表の適用を受けていた者でその属する職務の級が一級であったもののうち、平成十九年一月以後の防衛省給与法第十八条の二第一項の規定による期末手当でその計算の基礎とされる平成十九年一月九日以後適用されている防衛省の職

員の給与等に関する法律施行令（昭和二十七年政令第三百六十八号。以下「平成十九年一月以後の防衛省給与法施行令」という。）第十二条の六第二項に規定する割合が百分の十であったものの支給を受ける者であったもの

(4)　施行令別表第一ロの表第九号区分の項第二十五号に規定する内閣総理大臣の定めるもの　別表第二ロの表第九号区分の項各号、別表第三ロの表第九号区分の項各号、別表第四ロの表第九号区分の項、別表第五ロの表第九号区分の項、別表第六ハの表第九号区分の項各号、別表第七ロの表第九号区分の項各号、別表第九ロの表第九号区分の項各号、別表第十ロの表第九号区分の項各号、別表第十一ロの表第九号区分の項各号、別表第十二ロの表第九号区分の項、別表第十三ロの表第九号区分の項、別表第十四ロの表第九号区分の項各号、別表第十五ロの表第九号区分の項及び別表第十六の表第九号区分の項各号に掲げる者

20　施行令別表第一ロの表第十号区分の項各号に規定する内閣総理大臣の定めるものは、次の各号に掲げる区分に応じ、当該各号に定めるものとする。

(1)　施行令別表第一ロの表第十号区分の項第二号に規定する内閣総理大臣の定めるもの　平成十八年四月以後の一般職給与法の行政職俸給表㈡の適用を受けていた者でその属する職務の級が三級であったもののうち、昭和六十年六月以前の一般職給与法の行政職俸給表㈡の適用を受けていた者でその属する職務の等級が二等級以上の等級であった期間を有するもの又は昭和六十年七月以後の一般職給与法の行政職俸給表㈡の適用を受けていた者でその属する職務の級が三級以上の級であった期間を有するもので、かつ、これらの期間が合わせて百二十月を超えていたもの

(2)　施行令別表第一ロの表第十号区分の項第五号に規定する内閣総理大臣の定めるもの　平成十八年四月以後の一般職給与法の公安職俸給表㈠の適用を受けていた者でその属する職務の級が三級であったもののうち、副看守長以上の階級にあった期間が六十月を超える刑務官又は警備士補以上の階級にあった期間が六十月を超える入国警備官であったもの

(3)　施行令別表第一ロの表第十号区分の項第十号に規定する内閣総理大臣の定めるもの　平成十八年四月以後の一般職給与法の教育職俸給表㈡の適用を受けていた者でその属する職務の級が二級であったもののうち、俸給の特別調整額の区分が四種又は四種より高い区分の官職を占めていたもの（これに準ずるものを含む。）

(4)　施行令別表第一ロの表第十号区分の項第十四号に規定する内閣総理大臣の定めるもの　平成十八年四月以後の一般職給与法の医療職俸給表㈢の適用を受けていた者でその属する職務の級が二級であったもののうち、昭和六十年六月以前の一般職給与法の医療職俸給表㈢の適用を受けていた者でその属する職務の等級が三等級以上の等級であった期間を有するもの又は昭和六十年七月以後の一般職給与法の医療職俸給表㈢の適用を受けていた者でその属する職務の級が二級以上の級であった期間を有するもので、かつ、これらの期間が合わせて三百六十月を超えていたもの

(5)　施行令別表第一ロの表第十号区分の項第二十二号に規定する内閣総理大臣の定めるもの　平成十八年四月以後平成十九年一月以前の旧防衛庁給与法の自衛隊教官俸給表の適用を受けていた者でその属する職務の級が一級であったもののうち、平成十八年四月以後平成十九年一月以前の旧防衛庁給与法第十八条の二第一項の規定による期末手当でその計算の基礎とされる平成十八年四月以後平成十九年一月以前の旧防衛庁給与法施行令第十二条の六第二項に規定する割合が百分の五であったものの支給を受ける者であったもの

(5の2)　施行令別表第一ロの表第十号区分の項第二十二号の二に規定する内閣総理大臣の定めるもの　平成十九年一月以後の防衛省給与法の自衛隊教官俸給表の適用を受けていた者でその属する職務の級が一級であったもののうち、平成十九年一月以後の防衛省給与法第十八条の二第一項の規定による期末手当でその計算の基礎とされる平成十九年一月以後の防衛省給与法施行令第十二条の六第二項に規定する割合が百分の五で

あったものの支給を受ける者であったもの

(6)　施行令別表第一ロの表第十号区分の項第二十五号に規定する内閣総理大臣の定めるもの　別表第二ロの表第十号区分の項各号、別表第四ロの表第十号区分の項、別表第五ロの表第十号区分の項各号、別表第六ハの表第十号区分の項各号、別表第七ロの表第十号区分の項各号、別表第八ロの表第十号区分の項各号、別表第九ロの表第十号区分の項各号、別表第十ロの表第十号区分の項各号、別表第十一ロの表第十号区分の項各号、別表第十二ロの表第十号区分の項、別表第十三ロの表第十号区分の項、別表第十四ロの表第十号区分の項各号、別表第十五ロの表第十号区分の項及び別表第十六の表第十号区分の項に掲げる者

第四　国家公務員退職手当法の一部を改正する法律の施行に伴う経過措置に関する政令第二条関係

国家公務員退職手当法の一部を改正する法律の施行に伴う経過措置に関する政令（以下「経過措置令」という。）第二条に規定する俸給月額は、退職した者で国家公務員退職手当法の一部を改正する法律（平成十七年法律第百十五号）附則第三条第二項第八号及び第九号並びに経過措置令第一条の二第一項第二号に掲げる者であったものが第二の第一項及び第二項の規定により同法の施行の日の前日を含む特定基礎在職期間においてこれらの項の各号に定める職員として在職していたものとみなされる場合に当該特定基礎在職期間にその者に適用されることとなる初任給の決定、昇格、昇給等に関する規定の例により計算した場合にその者が同日において受けるべき俸給月額とする。

別表第一　特別の事情による俸給月額を受けていた者等であった基礎在職期間における職員の区分についての表（第三関係）

イ　平成八年四月一日から平成十八年三月三十一日までの間の基礎在職期間における職員の区分についての表

第一号区分	(1)　平成八年四月以後平成十八年三月以前の裁判官報酬法第十五条の規定の適用を受けていた判事であったもの (2)　平成八年四月以後平成十八年三月以前の特別職給与法第三条第二項の規定の適用を受けていた者 (3)　平成八年四月以後平成十八年三月以前の特別職給与法第三条第三項の規定の適用を受けていた者で平成八年四月以後平成十八年三月以前の一般職給与法の指定職俸給表九号俸の俸給月額に相当する額以上の俸給月額を受けていたもの (4)　平成八年四月以後平成十八年三月以前の特別職給与法第四条第二項の規定の適用を受けていた者 (5)　平成十七年四月一日から平成十八年三月三十一日までの間において適用されていた特別職の職員の給与に関する法律等の一部を改正する法律（平成十六年法律第百四十六号）附則第二項又は第三項（以下「平成十六年特別職給与法第百四十六号附則」という。）の規定の適用を受けていた者 (6)　平成九年六月以後平成十八年三月以前の任期付研究員法第六条第四項の規定の適用を受けていた者で平成九年六月四日から平成十八年三月三十一日までの間において適用されていた一般職給与法（以下「平成九年六月以後平成十八年三月以前の一般職給与法」という。）の指定職俸給表九号俸の俸給月額に相当する額以上の俸給月額を受けていたもの (7)　平成十二年十一月以後平成十八年三月以前の任期付職員法第七条第三項の規定の適用を受けていた者で平成十二年十一月二十七日から平成十八年三月三十一日までの間において適用されていた一般職給与法（以下「平成十二年十一月以後平成十八年三月以前の一般職給与法」という。）の指定職俸給表九号俸の俸給月額に相当する額以上の俸給月額を受けていたもの (8)　平成十四年四月一日から平成十八年三月三十一日までの間において適用されていた二千五年日本国際博覧会政府代表の設置に関する臨時措置法（平成十四年法律第十九号）第六条の規定の適用を受けていた者
第二号区分	(1)　平成八年四月以後平成十八年三月以前の裁判官報酬法第十五条の規定の適用を受けていた簡易裁判所判事であったもの (2)　平成八年四月以後平成十八年三月以前の特別職給与法第三条第三項の規定の適用を受けていた者で平成八年四月以後平成十八年三月以前の一般職給与法の指定職俸給表九号俸の俸給月額に

区分	内容
	相当する額に満たない俸給月額を受けていたもの (3)　平成八年四月一日から平成十四年十一月三十日までの間において適用されていた特別職給与法（以下「平成八年四月以後平成十四年十一月以前の特別職給与法」という。）附則第三項の規定の適用を受けていた者で平成八年四月一日から平成十四年十一月三十日までの間において適用されていた一般職給与法（以下「平成八年四月以後平成十四年十一月以前の一般職給与法」という。）の指定職俸給表四号俸の俸給月額に相当する額以上の俸給月額を受けていたもの (4)　平成十四年十二月以後平成十八年三月以前の特別職給与法附則第三項の規定の適用を受けていた者で平成十四年十二月一日から平成十八年三月三十一日までの間において適用されていた一般職給与法（以下「平成十四年十二月以後平成十八年三月以前の一般職給与法」という。）の指定職俸給表四号俸の俸給月額に相当する額以上の俸給月額を受けていたもの (5)　平成九年六月以後平成十八年三月以前の任期付研究員法第六条第四項の規定の適用を受けていた者で平成九年六月以後平成十八年三月以前の一般職給与法の指定職俸給表九号俸の俸給月額に満たない俸給月額を受けていたもの (6)　平成十二年十一月以後平成十八年三月以前の任期付職員法第七条第三項の規定の適用を受けていた者で平成十二年十一月以後平成十八年三月以前の一般職給与法の指定職俸給表九号俸の俸
	給月額に相当する額に満たない俸給月額を受けていたもの
第三号区分	(1)　平成八年四月以後平成十八年三月以前の検察官俸給法第九条の規定の適用を受けていた者 (2)　平成八年四月以後平成十四年十一月以前の特別職給与法附則第三項の規定の適用を受けていた者で平成八年四月以後平成十四年十一月以前の一般職給与法の指定職俸給表四号俸の俸給月額に相当する額に満たない俸給月額を受けていたもの（平成八年四月以後平成十四年十一月以前の特別職給与法別表第三に掲げる八号俸の俸給月額にその額と同表に掲げる七号俸の俸給月額との差額の三倍に相当する額を超え八倍に相当する額を超えない範囲内の額を加えた額の俸給月額を受けていたものに限る。） (3)　平成十四年十二月以後平成十八年三月以前の特別職給与法附則第三項の規定の適用を受けていた者で平成十四年十二月以後平成十八年三月以前の一般職給与法の指定職俸給表四号俸の俸給月額に相当する額に満たない俸給月額を受けていたもの
第四号区分	(1)　平成八年四月以後平成十四年十一月以前の特別職給与法第三条第五項又は附則第三項の規定の適用を受けていた者で平成八年四月以後平成十四年十一月以前の特別職給与法別表第三に掲げる八号俸の俸給月額にその額と同表に掲げる七号俸の俸給月額との差額の二倍又は三倍に相当する額を加えた額の俸給月額を受けていたもの (2)　平成八年四月以後平成十六年十月以
	前の一般職給与法の教育職俸給表㈣の適用を受けていた者でその属する職務の級が五級であったもの
第五号区分	(1)　平成八年四月以後平成十四年十一月以前の特別職給与法第三条第五項又は附則第三項の規定の適用を受けていた者で平成八年四月以後平成十四年十一月以前の特別職給与法別表第三に掲げる八号俸の俸給月額にその額と同表に掲げる七号俸の俸給月額との差額を加えた額の俸給月額を受けていたもの (2)　平成八年四月以後平成十六年十月以前の一般職給与法の教育職俸給表㈣の適用を受けていた者でその属する職務の級が四級であったもののうち、平成八年四月以後平成十六年十月以前の一般職給与法第十九条の四第一項の規定による期末手当でその計算の基礎とされる平成八年四月以後平成十三年三月以前の一般職給与法第十九条の四第四項又は平成十三年四月以後平成十六年十月以前の一般職給与法第十九条の四第五項に規定する人事院規則で定める割合が百分の二十であったもの（これに準ずる手当を含む。）の支給を受ける者であったもの
第六号区分	平成八年四月以後平成十六年十月以前の一般職給与法の教育職俸給表㈣の適用を受けていた者でその属する職務の級が四級であったもの（その者の職務が教授であり、かつ、学科の長（これに準ずる者を含む。）であったものに限る。）のうち、平成八年四月以後平成十六年十月以前の一般職給与法第十九条の四第一項の規定による期末手当でその計算の基礎とされる平成八年四月以後平成十三年三月以前

	の一般職給与法第十九条の四第四項又は平成十三年四月以後平成十六年十月以前の一般職給与法第十九条の四第五項に規定する人事院規則で定める割合が百分の十五であったもの（これに準ずる手当を含む。）の支給を受ける者であったもの
第七号区分	平成八年四月以後平成十六年十月以前の一般職給与法の教育職俸給表㈣の適用を受けていた者でその属する職務の級が四級であったもの（第五号区分の項第二号及び第六号区分の項に掲げる者を除く。）

ロ　平成十八年四月一日以後の基礎在職期間における職員の区分についての表

第一号区分	(1)　平成十八年四月一日以後適用されている裁判官の報酬等に関する法律の一部を改正する法律（平成十七年法律第百十六号）附則第二条第一項の規定の適用を受けていた者 (2)　平成十八年四月以後の特別職給与法第三条第二項の規定の適用を受けていた者 (3)　平成十八年四月以後の特別職給与法第三条第三項の規定の適用を受けていた者で平成十八年四月以後の一般職給与法の指定職俸給表六号俸の俸給月額に相当する額以上の俸給月額を受けていたもの (4)　平成十八年四月以後適用されている特別職給与法第四条第二項の規定の適用を受けていた者 (5)　平成十八年四月一日以後適用されている平成十六年特別職給与法第百四十六号附則の規定の適用を受けていた者 (6)　平成十八年四月以後の任期付研究員法第六条第四項の規定の適用を受けていた者で平成十八年四月以後の一般職給与法の指定職俸給表六号俸の俸給月額に相当する額以上の俸給月額を受けていたもの (7)　平成十八年四月以後の任期付職員法第七条第三項の規定の適用を受けていた者で平成十八年四月以後の一般職給与法の指定職俸給表六号俸の俸給月額に相当する額以上の俸給月額を受けていたもの (8)　平成十八年四月一日以後適用されている二千五年日本国際博覧会政府代表の設置に関する臨時措置法第六条の規定の適用を受けていた者
第二号区分	(1)　平成十八年四月以後の裁判官報酬法第十五条の規定の適用を受けていた簡易裁判所判事 (2)　平成十八年四月以後の特別職給与法第三条第三項の規定の適用を受けていた者で平成十八年四月以後の一般職給与法の指定職俸給表六号俸の俸給月額に相当する額に満たない俸給月額を受けていたもの (3)　平成十八年四月以後の特別職給与法附則第三項の規定の適用を受けていた者で平成十八年四月以後の一般職給与法の指定職俸給表一号俸の俸給月額に相当する額以上の俸給月額を受けていたもの (4)　平成十八年四月以後の任期付研究員法第六条第四項の規定の適用を受けていた者で平成十八年四月以後の一般職給与法の指定職俸給表六号俸の俸給月額に満たない俸給月額を受けていたもの (5)　平成十八年四月以後の任期付職員法第七条第三項の規定の適用を受けていた者で平成十八年四月以後の一般職給与法の指定職俸給表六号俸の俸給月額に相当する額に満たない俸給月額を受けていたもの
第三号区分	(1)　平成十八年四月以後の検察官俸給法第九条の規定の適用を受けていた者 (2)　平成十八年四月以後の特別職給与法附則第三項の規定の適用を受けていた者で平成十八年四月以後の一般職給与法の指定職俸給表一号俸の俸給月額に相当する額に満たない俸給月額を受けていたもの

別表第二　国会職員であった基礎在職期間における職員の区分についての表（第三関係）

イ　平成八年四月一日から平成十八年三月三十一日までの間の基礎在職期間における職員の区分についての表

第一号区分	(1)　平成八年四月一日から平成十八年三月三十一日までの間において適用されていた国会職員給与規程（以下「平成八年四月以後平成十八年三月以前の国会職員給与規程」という。）の特別給料表の適用を受けていた者で同表各議院事務局の常任委員会専門員及び国立国会図書館の専門調査員の項三号給の給料月額以上の給料月額を受けていたもの (2)　平成八年四月以後平成十八年三月以前の国会職員給与規程の指定職給料表

	の適用を受けていた者で同表九号給の給料月額以上の給料月額を受けていたもの
第二号区分	(1) 平成八年四月以後平成十八年三月以前の国会職員給与規程の特別給料表各議院事務局の常任委員会専門員及び国立国会図書館の専門調査員の項の適用を受けていた者で同項一号給又は二号給の給料月額を受けていたもの (2) 平成八年四月以後平成十八年三月以前の国会職員給与規程の指定職給料表の適用を受けていた者で同表四号給から八号給までの給料月額を受けていたもの
第三号区分	平成八年四月以後平成十八年三月以前の国会職員給与規程の指定職給料表の適用を受けていた者で同表一号給から三号給までの給料月額を受けていたもの
第四号区分	(1) 平成八年四月一日から平成十四年十一月三十日までの間において適用されていた国会職員給与規程（以下「平成八年四月以後平成十四年十一月以前の国会職員給与規程」という。）第一条第十三項の適用を受けていた者で平成八年四月以後平成十四年十一月以前の国会職員給与規程の特別給料表各議院事務局の議長又は副議長の秘書事務をつかさどる参事の項に掲げる八号給の給料月額にその額と同項に掲げる七号給の給料月額との差額の二倍又は三倍に相当する額を加えた額の給料月額を受けていたもの (2) 平成十四年十二月一日から平成十八年三月三十一日までの間において適用されていた国会職員給与規程（以下「平成十四年十二月以後平成十八年三月以前の国会職員給与規程」という。）の特別給料表各議院事務局の議長又は副議長の秘書事務をつかさどる参事の項の適用を受けていた者で同項十号給又は十一号給の給料月額を受けていたもの (3) 平成八年四月以後平成十八年三月以前の国会職員給与規程の行政職給料表㈠の適用を受けていた者でその属する職務の級が十一級であったもの
第五号区分	(1) 平成八年四月以後平成十四年十一月以前の国会職員給与規程第一条第十三項の適用を受けていた者で平成八年四月以後平成十四年十一月以前の国会職員給与規程の特別給料表各議院事務局の議長又は副議長の秘書事務をつかさどる参事の項に掲げる八号給の給料月額にその額と同項に掲げる七号給の給料月額との差額を加えた額の給料月額を受けていたもの (2) 平成十四年十二月以後平成十八年三月以前の国会職員給与規程の特別給料表各議院事務局の議長又は副議長の秘書事務をつかさどる参事の項の適用を受けていた者で同項九号給の給料月額を受けていたもの (3) 平成八年四月以後平成十八年三月以前の国会職員給与規程の行政職給料表㈠の適用を受けていた者でその属する職務の級が十級であったもの
第六号区分	(1) 平成八年四月以後平成十八年三月以前の国会職員給与規程の特別給料表各議院事務局の議長又は副議長の秘書事務をつかさどる参事の項の適用を受けていた者で同項五号給から八号給までの給料月額を受けていたもの (2) 平成八年四月以後平成十八年三月以前の国会職員給与規程の行政職給料表㈠の適用を受けていた者でその属する職務の級が九級であったもの
第七号区分	(1) 平成八年四月以後平成十八年三月以前の国会職員給与規程の特別給料表各議院事務局の議長又は副議長の秘書事務をつかさどる参事の項の適用を受けていた者で同項三号給又は四号給の給料月額を受けていたもの (2) 平成八年四月以後平成十八年三月以前の国会職員給与規程の行政職給料表㈠の適用を受けていた者でその属する職務の級が八級であったもの (3) 平成八年四月以後平成十八年三月以前の国会職員給与規程の速記職給料表の適用を受けていた者でその属する職務の級が八級であったもの (4) 平成八年四月以後平成十八年三月以前の国会職員給与規程の議院警察職給料表の適用を受けていた者でその属する職務の級が七級であったもの
第八号区分	(1) 平成八年四月以後平成十八年三月以前の国会職員給与規程の行政職給料表㈠の適用を受けていた者でその属する職務の級が七級であったもの (2) 平成八年四月以後平成十八年三月以前の国会職員給与規程の速記職給料表の適用を受けていた者でその属する職務の級が七級であったもの (3) 平成八年四月以後平成十八年三月以前の国会職員給与規程の議院警察職給料表の適用を受けていた者でその属す

	る職務の級が六級であったもの
第九号区分	(1)　平成八年四月以後平成十八年三月以前の国会職員給与規程の特別給料表各議院事務局の議長又は副議長の秘書事務をつかさどる参事の項の適用を受けていた者で同項二号給の給料月額を受けていたもの (2)　平成八年四月以後平成十八年三月以前の国会職員給与規程の行政職給料表(一)の適用を受けていた者でその属する職務の級が六級であったもの (3)　平成八年四月以後平成十八年三月以前の国会職員給与規程の行政職給料表(二)の適用を受けていた者でその属する職務の級が六級であったもの (4)　平成八年四月以後平成十八年三月以前の国会職員給与規程の速記職給料表の適用を受けていた者でその属する職務の級が六級であったもの (5)　平成八年四月以後平成十八年三月以前の国会職員給与規程の議院警察職給料表の適用を受けていた者でその属する職務の級が五級であったもの
第十号区分	(1)　平成八年四月以後平成十八年三月以前の国会職員給与規程の特別給料表各議院事務局の議長又は副議長の秘書事務をつかさどる参事の項の適用を受けていた者で同項一号給の給料月額を受けていたもの (2)　平成八年四月以後平成十八年三月以前の国会職員給与規程の行政職給料表(一)の適用を受けていた者でその属する職務の級が四級又は五級であったもの (3)　平成八年四月以後平成十八年三月以前の国会職員給与規程の行政職給料表(二)の適用を受けていた者でその属する職務の級が三級であったもののうち、昭和六十年六月三十日以前に適用されていた国会職員給与規程（以下「昭和六十年六月以前の国会職員給与規程」という。）の行政職給料表(二)の適用を受けていた者でその属する職務の等級が二等級以上の等級であった期間を有するもの若しくは昭和六十年七月一日以後適用されている国会職員給与規程（以下「昭和六十年七月以後の国会職員給与規程」という。）の行政職給料表(二)の適用を受けていた者でその属する職務の級が三級以上の級であった期間を有するもので、かつ、これらの期間が合わせて百二十月を超えていたもの又は四級若しくは五級であったもの (4)　平成八年四月以後平成十八年三月以前の国会職員給与規程の速記職給料表の適用を受けていた者でその属する職務の級が四級又は五級であったもの (5)　平成八年四月以後平成十八年三月以前の国会職員給与規程の議院警察職給料表の適用を受けていた者でその属する職務の級が三級又は四級であったもの

ロ　平成十八年四月一日以後の基礎在職期間における職員の区分についての表

第一号区分	(1)　平成十八年四月一日以後適用されている国会職員給与規程（以下「平成十八年四月以後の国会職員給与規程」という。）の特別給料表の適用を受けていた者で同表各議院事務局の常任委員会専門員及び国立国会図書館の専門調査員の項三号給の給料月額以上の給料月額を受けていたもの (2)　平成十八年四月以後の国会職員給与規程の指定職給料表の適用を受けていた者で同表六号給の給料月額以上の給料月額を受けていたもの (3)　平成二十年四月一日以後適用されている特定任期付職員の給与の特例に関する規程（以下「平成二十年四月以後の特定任期付職員給与特例規程」という。）第二条第三項の適用を受けていた者で平成十八年四月以後の国会職員給与規程の指定職給料表六号給の給料月額に相当する額以上の給料月額を受けていたもの
第二号区分	(1)　平成十八年四月以後の国会職員給与規程の特別給料表各議院事務局の常任委員会専門員及び国立国会図書館の専門調査員の項の適用を受けていた者で同項一号給又は二号給の給料月額を受けていたもの (2)　平成十八年四月以後の国会職員給与規程の指定職給料表の適用を受けていた者で同表一号給から五号給までの給料月額を受けていたもの (3)　平成二十年四月以後の特定任期付職員給与特例規程第二条第一項の給料表の適用を受けていた者で同表七号給の給料月額を受けていたもの (4)　平成二十年四月以後の特定任期付職員給与特例規程第二条第三項の適用を受けていた者で平成十八年四月以後の国会職員給与規程の指定職給料表六号給の給料月額に相当する額に満たない給料月額を受けていたもの
第三号区分	(1)　平成十八年四月以後の国会職員給与規程

区分	
	規程の特別給料表各議院事務局の議長又は副議長の秘書事務をつかさどる参事の項の適用を受けていた者で同項十二号給の給料月額を受けていたもの (2)　平成十八年四月以後の国会職員給与規程の行政職給料表㈠の適用を受けていた者でその属する職務の級が十級であったもの
第四号区分	(1)　平成十八年四月以後の国会職員給与規程の特別給料表各議院事務局の議長又は副議長の秘書事務をつかさどる参事の項の適用を受けていた者で同項十号給又は十一号給の給料月額を受けていたもの (2)　平成十八年四月以後の国会職員給与規程の行政職給料表㈠の適用を受けていた者でその属する職務の級が九級であったもの (3)　平成二十年四月以後の特定任期付職員給与特例規程第二条第一項の給料表の適用を受けていた者で同表六号給の給料月額を受けていたもの
第五号区分	(1)　平成十八年四月以後の国会職員給与規程の特別給料表各議院事務局の議長又は副議長の秘書事務をつかさどる参事の項の適用を受けていた者で同項九号給の給料月額を受けていたもの (2)　平成十八年四月以後の国会職員給与規程の行政職給料表㈠の適用を受けていた者でその属する職務の級が八級であったもの (3)　平成二十年四月以後の特定任期付職員給与特例規程第二条第一項の給料表の適用を受けていた者で同表五号給の給料月額を受けていたもの
第六号区分	(1)　平成十八年四月以後の国会職員給与規程の特別給料表各議院事務局の議長又は副議長の秘書事務をつかさどる参事の項の適用を受けていた者で同項五号給から八号給までの給料月額を受けていたもの (2)　平成十八年四月以後の国会職員給与規程の行政職給料表㈠の適用を受けていた者でその属する職務の級が七級であったもの (3)　平成二十年四月以後の特定任期付職員給与特例規程第二条第一項の給料表の適用を受けていた者で同表四号給の給料月額を受けていたもの
第七号区分	(1)　平成十八年四月以後の国会職員給与規程の特別給料表各議院事務局の議長又は副議長の秘書事務をつかさどる参事の項の適用を受けていた者で同項三号給又は四号給の給料月額を受けていたもの (2)　平成十八年四月以後の国会職員給与規程の行政職給料表㈠の適用を受けていた者でその属する職務の級が六級であったもの (3)　平成十八年四月以後の国会職員給与規程の速記職給料表の適用を受けていた者でその属する職務の級が六級であったもの (4)　平成十八年四月以後の国会職員給与規程の議院警察職給料表の適用を受けていた者でその属する職務の級が六級であったもの (5)　平成二十年四月以後の特定任期付職員給与特例規程第二条第一項の給料表の適用を受けていた者で同表三号給の給料月額を受けていたもの
第八号区分	(1)　平成十八年四月以後の国会職員給与規程の行政職給料表㈠の適用を受けていた者でその属する職務の級が五級であったもの (2)　平成十八年四月以後の国会職員給与規程の行政職給料表㈡の適用を受けていた者でその属する職務の級が五級であったもののうち、三人以上の職種の長（平成十八年四月一日以後適用されている国会職員の初任給、昇格、昇給等の基準に関する件（昭和三十二年十一月十一日両院議長協議決定）の行政職給料表㈡級別標準職務表に規定する電話交換手の組長、一般技能職員の職長又は車庫長であって、これらの職にあることが発令内容等から確認できるものをいう。以下この号において同じ。）（二人の職種の長と当該二人の職種の長の直接指揮監督する者が合わせておおむね十人以上であった場合にあっては、二人の職種の長）を直接指揮監督する職務に従事していた者（その事実が発令内容等から確認できるものに限る。） (3)　平成十八年四月以後の国会職員給与規程の速記職給料表の適用を受けていた者でその属する職務の級が五級であったもの (4)　平成十八年四月以後の国会職員給与規程の議院警察職給料表の適用を受けていた者でその属する職務の級が五級であったもの (5)　平成二十年四月以後の特定任期付職員給与特例規程第二条第一項の給料表の適用を受けていた者で同表一号給又は二号給の給料月額を受けていたもの

第九号区分	(1) 平成十八年四月以後の国会職員給与規程の特別給料表各議院事務局の議長又は副議長の秘書事務をつかさどる参事の項の適用を受けていた者で同項二号給の給料月額を受けていたもの (2) 平成十八年四月以後の国会職員給与規程の行政職給料表(一)の適用を受けていた者でその属する職務の級が四級であったもの (3) 平成十八年四月以後の国会職員給与規程の行政職給料表(二)の適用を受けていた者でその属する職務の級が五級であったもの（第八号区分の項第二号に掲げる者を除く。） (4) 平成十八年四月以後の国会職員給与規程の速記職給料表の適用を受けていた者でその属する職務の級が四級であったもの (5) 平成十八年四月以後の国会職員給与規程の議院警察職給料表の適用を受けていた者でその属する職務の級が四級であったもの
第十号区分	(1) 平成十八年四月以後の国会職員給与規程の特別給料表各議院事務局の議長又は副議長の秘書事務をつかさどる参事の項の適用を受けていた者で同項一号給の給料月額を受けていたもの (2) 平成十八年四月以後の国会職員給与規程の行政職給料表(一)の適用を受けていた者でその属する職務の級が三級であったもの (3) 平成十八年四月以後の国会職員給与規程の行政職給料表(二)の適用を受けていた者でその属する職務の級が三級であったもののうち、昭和六十年六月以前の国会職員給与規程の行政職給料表(二)の適用を受けていた者でその属する職務の等級が二等級以上の等級であった期間を有するもの若しくは昭和六十年七月以後の国会職員給与規程の行政職給料表(二)の適用を受けていた者でその属する職務の級が三級以上の級であった期間を有するもので、かつ、これらの期間が合わせて百二十月を超えていたもの又は四級であったもの (4) 平成十八年四月以後の国会職員給与規程の速記職給料表の適用を受けていた者でその属する職務の級が三級であったもの (5) 平成十八年四月以後の国会職員給与規程の議院警察職給料表の適用を受けていた者でその属する職務の級が三級であったもの

別表第三～別表第十六〔略〕

○国家公務員の自己啓発等休業に関する法律第八条第二項の規定により読み替えて適用される国家公務員退職手当法第七条第四項に規定する内閣総理大臣が定める要件について

平一九・七・二〇
総人恩総八一二

最終改正　令四・四・一二閣人人二七一

標記について、国家公務員の自己啓発等休業に関する法律（平成十九年法律第四十五号）第八条第二項（同法第十条及び裁判所職員臨時措置法（昭和二十六年法律第二百九十九号）において準用する場合を含む。）の規定により読み替えて適用される国家公務員退職手当法（昭和二十八年法律第百八十二号）第七条第四項の規定に基づき、下記のとおり定め、平成十九年八月一日以降、これにより取り扱うこととするので、通知します。

記

1　国家公務員の自己啓発等休業に関する法律（以下「法」という。）第八条第二項（法第十条及び裁判所職員臨時措置法（以下「措置法」という。）において準用する場合を含む。）の規定により読み替えて適用される国家公務員退職手当法（以下「退職手当法」という。）第七条第四項に規定する内閣総理大臣の定める要件は、次の各号のいずれにも該当することとする。

(1) 自己啓発等休業（法第二条第五項（法第十条及び措置法において準用する場合を含む。）に規定する自己啓発等休業をいう。以下同じ。）の期間中の法第二条第三項又は第四項（法第十条及び措置法において準用する場合を含む。）に規定する大学等における修学又は国際貢献活動の内容が、その成果によって当該自己啓発等休業の期間の終了後においても公務の能率的な運営に特に資することが見込まれるものとして当該自己啓発等休業の期間の初日の前日（法第四条（法第十条及び措置法において準用する場合を含む。）の規定により自己啓発等休業の期間が延長された場合にあっては、延長された自己啓発等休業の期間の初日の前日）までに、各省各庁の長等（財政法（昭和二十二年法律第三十四号）第二十条第二項に規定する各省各庁の長及び独立行政法人通則法（平成十一年法律第百三号）第二条第四項に規定する行政執行法人の長並びにこれらの委任を受けた者をいう。）が内閣総理大臣の承認を受けたこと。

(2) 自己啓発等休業の期間中の行為を原因として国家公務員法（昭和二十二年法律第百二十号）第八十二条の規定による懲戒処分又はこれに準ずる処分を受けていないこと。

(3) 自己啓発等休業の期間の末日の翌日から起算した職員としての在職期間（退職手当法第七条第五項、第七条の二第一項及び第八条第一項の規定により職員としての引き続いた在職期間に含むものとされる期間を含む。）が五年に達するまでの期間中に退職したものではないこと。ただし、次のいずれかに該当する場合は、この限りでない。

イ　通勤（退職手当法第四条第二項に規定する通勤（他の法令の規定により通勤とみなされるものを含む。）をいう。以下同じ。）による負傷若しくは病気（以下「傷病」という。）若しくは死亡により退職した場合又は退職手当法第五条第一項に規定する公務上の傷病若しくは死亡（他の法令の規定により公務とみなされる業務に係る業務上の傷病又は死亡を含む。）により退職した場合

ロ　国家公務員法等の一部を改正する法律（令和三年法律第六十一号）附則第三条第五項に規定する旧国家公務員法勤務延長期限若しくは同条第六項の規定により延長された期限の到来により退職した場合又はこれに準ずる他の法令の規定により退職した場合

ハ　国家公務員法第八十一条の六第一項の規定により退職した場合（同法第八十一条の七第一項の期限又は同条第二項の規定により延長された期限の到来により退職した場合を含む。）又はこれに準ずる他の法令の規定により退職した場合

ニ　任期を定めて採用された職員が、当該任期が満了したことにより退職した場合

ホ　退職手当法第二十条各項の規定に該当して退職した場合

2　前項第三号の職員としての在職期間には、次に掲げる期間を含まないものとする。

(1) 国家公務員法第七十九条の規定による休職の期間（通勤による傷病若しくは退職手当法第五条第一項に規定する公務上の傷病（他の法令の規定により公務とみなされる業務に係る業務上の傷病を含む。）により国家公務員法第七十九条第一号に掲げる事由に該当し、又は人事院規則一一―四（職員の身分保障）第三条に規定する事由（同条第一項第三号に規定する事由を除く。）に該当して休職にされた場合における当該休職の期間を除く。）

(2) 国家公務員法第八十二条の規定による停職の期間

(3) 国家公務員法第百八条の六第一項ただし書の規定により職員団体の業務に専ら従事した期間又は行政執行法人の労働関係に関する法律（昭和二十三年法律第二百五十七号）第七条第一項ただし書の規定により労働組合の業務に専ら従事した期間

(4) 国家公務員の育児休業等に関する法律（平成三年法律第百九号）第三条第一項の規定による育児休業をした期間

(5) 自己啓発等休業をした期間

(6) 国家公務員の配偶者同行休業に関する法律（平成二十五年法律第七十八号）第二条第四項の規定による配偶者同行休業をした期間

(7) (1)から(6)までの期間に準ずる期間

3　裁判官及び裁判官の秘書官以外の裁判所職員の自己啓発等休業に係る第一項の規定の適用については、同項第一号中「見込まれるものとし

て当該自己啓発等休業の期間の初日の前日（法第四条（法第十条及び措置法において準用する場合を含む。）の規定により自己啓発等休業の期間が延長された場合にあっては、延長された自己啓発等休業の期間の初日の前日）までに、各省各庁の長等（財政法（昭和二十二年法律第三十四号）第二十条第二項に規定する各省各庁の長及び独立行政法人通則法（平成十一年法律第百三号）第二条第四項に規定する行政執行法人の長並びにこれらの委任を受けた者をいう。）が内閣総理大臣の承認を受けたこと」とあるのは、「見込まれること」とする。

○国家公務員退職手当法の適用を受ける非常勤職員について

昭六〇・四・三〇
総人一一六〇

最終改正 令六・一二・二四閣人人九一九

1 国家公務員退職手当法施行令（以下「施行令」という。）第一条第一項第二号に規定する「内閣総理大臣の定めるところにより、職員について定められている勤務時間以上勤務した日（法令の規定により、勤務を要しないこととされ、又は休暇を与えられていた日を含む。）が引き続いて十二月を超えるに至つたもの」は、雇用関係が事実上継続していると認められる場合において、同項に規定する職員について定められている勤務時間以上勤務した日（一般職の職員の勤務時間、休暇等に関する法律（平成六年法律第三十三号。以下「勤務時間法」という。）の規定に基づく人事院規則一五—一五（非常勤職員の勤務時間及び休暇）第二条第二項又はこれに準ずる他の法令の規定（以下「勤務時間等に関する規則等」という。）により、四週間を超えない範囲内で週を単位として勤務時間等に関する規則等の定める期間ごとの期間につき常時勤務に服することを要する職員の一週間当たりの勤務時間以上の勤務時間を定められ、かつ、勤務した日を含む。以下「勤務日数」という。）が十八日（一月間の日数（行政機関の休日に関する法律（昭和六十三年法律第九十一号）第一条第一項各号に掲げる日の日数は、算入しない。）が二十日に満たない日数の場合にあっては、十八日から二十日と当該日数との差に相当する日数を減じた日数。次項において「職員みなし日数」という。）以上ある月が引き続いて十二月を超えるに至った者とする。

2 施行令第九条の九に規定する「内閣総理大臣の定めるところにより、引き続き職員について定められている勤務時間以上勤務した日（法令の規定により、勤務を要しないこととされ、又は休暇を与えられた日を含む。）が一月以上あるもの」は、雇用関係が事実上継続していると認められる場合において、勤務日数が職員みなし日数以上ある月が一月以上ある者とする。

3 前二項の勤務日数には、次の各号に掲げる日を含むものとする。

一 国家公務員法（昭和二十二年法律第百二十号）第七十九条の規定による休職、同法第八十二条の規定による停職、国家公務員の育児休業等に関する法律（平成三年法律第百九号。以下「育児休業法」という。）第三条第一項の規定による育児休業その他これらに準ずる事由により勤務を要しないこととされた日（任命権者又はその委任を受けた者が当該事由がなければ勤務を要するものとして定めた日に限る。）

二 育児休業法第二十六条第一項の規定による育児時間その他これに準ずる事由により勤務しない時間を勤務したものとみなした場合に、職員について定められている勤務時間以上勤務

務した日

三　勤務時間等に関する規則等により四週間を超えない範囲内で週を単位として勤務時間等に関する規則等の定める期間ごとの期間において、勤務時間法第六条第三項又はこれに準ずる他の法令の規定の例に準じて取り扱うものとされている勤務時間を定めない日

四　勤務時間法第二十三条の規定に基づく人事院規則により休暇を与えられた日（これに相当する日を含む。以下同じ。）

五　前四号に掲げる日に準ずる日

4　第一項及び第二項の勤務日数には、行政機関の休日に関する法律第一条第一項各号に掲げる日（実際に勤務した日及び休暇を与えられた日を除く。）を含まないものとする。

○期間業務職員の退職手当に係る取扱いについて

平二二・九・三〇
総人恩総八三六

最終改正　令四・八・三閣人人五〇二

標記について、平成二十二年十月一日に人事院規則八―一二―八（人事院規則八―一二（職員の任免）の一部を改正する人事院規則）等が施行されることにより新たに設けられる期間業務職員の、国家公務員退職手当法（昭和二十八年法律第百八十二号。以下「退職手当法」という。）の規定による退職手当に係る取扱いについては、下記の点に留意されたい。

なお、人事院規則八―一二―八（人事院規則八―一二（職員の任免）の一部を改正する人事院規則）による改正後の人事院規則八―一二（職員の任免）第四十六条の二第三項において「任命権者は、期間業務職員の採用又は任期の更新に当たっては、業務の遂行に必要かつ十分な任期を定めるもの」と規定されている趣旨を踏まえると、退職手当法の適用を避けるために、任期と任期の間を一日空けるような運用は適当ではないと考える。

記

1　期間業務職員のうち、雇用関係が事実上継続していると認められる場合において、常勤職員について定められている勤務時間以上勤務した日が十八日（一月間の日数（行政機関の休日に関する法律（昭和六十三年法律第九十一号）第一条第一項各号に掲げる日の日数は、算入しない。）が二十日に満たない日数の場合にあっては、十八日から二十日と当該日数との差に相当する日数を減じた日数）以上ある月が引き続いて六月を超えるに至ったもので、その超えるに至った日以後引き続き当該勤務時間により勤務することとされているものについては、退職手当法が適用されること（国家公務員退職手当法施行令（昭和二十八年政令第二百十五号）第一条第一項第二号、国家公務員等退職手当暫定措置法施行令の一部を改正する政令（昭和三十四年政令第二百八号）附則第五項、国家公務員退職手当法の適用を受ける非常勤職員について（昭和六十年総人第二百六十号）第一項及び第三項並びに国家公務員退職手当法の運用方針（昭和六十年総人第二百六十一号）第二条関係第二号）。

2　上記1の場合において、任期満了により当該期間業務職員が退職したときの退職手当の計算については、退職手当法第三条第一項が適用されること。

3　期間業務職員が退職した場合（退職手当法第十二条第一項各号のいずれかに該当する場合を除く。）において、当該者が退職の日又はその翌日に同一任命権者（国家公務員法（昭和二十二年法律第百二十号）第五十五条第二項の規定により任命権が委任されている場合には、その委任を受けた者をいう。）に再び期間業務職員として採用されたときは、雇用関係が事実上継続していると認められ、その在職期間の計算は引き続いて在職したものとして取り扱うこと

（退職手当法第七条第三項）。

以上

第三　旅費

○国家公務員等の旅費に関する法律

昭二五・四・三〇
法　一　一　四

最終改正　令六・五・一五法二二

（目的）

第一条　この法律は、公務のため旅行する国家公務員等に対し支給する旅費に関し諸般の基準を定め、公務の円滑な運営に資するとともに国費の適正な支出を図ることを目的とする。

2　国が国家公務員（以下「職員」という。）及び職員以外の者に対し支給する旅費に関しては、他の法律に特別の定めがある場合を除くほか、この法律の定めるところによる。

（用語の意義）

第二条　この法律において、次の各号に掲げる用語の意義は、当該各号に定めるところによる。

一　各庁の長　衆議院議長、参議院議長、内閣総理大臣、各省大臣、最高裁判所長官、会計検査院長及び人事院総裁をいう。

二　内国旅行　本邦（本州、北海道、四国、九州及び財務省令で定めるその附属の島の存する領域をいう。次号及び次条第二項において同じ。）における旅行をいう。

三　外国旅行　本邦と外国（本邦以外の領域（公海を含む。）をいう。以下この号及び次条第二項において同じ。）との間における旅行及び外国における旅行をいう。

四　出張　職員が公務のため一時その在勤官署（常時勤務する在勤官署のない場合又は各庁の長若しくはその委任を受けた者（以下「旅行命令権者」という。）が認める場合には、その住所、居所その他旅行命令権者が認める場所）を離れて旅行し、又は職員以外の者が公務のため一時その住所又は居所を離れて旅行することをいう。

五　赴任　新たに採用された職員がその採用に伴う移転のため住所若しくは居所から在勤官署に旅行し、又は転任を命ぜられた職員がその転任に伴う移転のため旧在勤官署から新在勤官署に旅行することをいう。

六　帰住　職員が退職し、又は死亡した場合において、その職員又はその遺族が生活の根拠となる地に旅行することをいう。

七　遺族　職員の配偶者（婚姻の届出をしていないが、事実上婚姻関係と同様の事情にある者を含む。次条第二項において同じ。）、子、父母、孫、祖父母及び兄弟姉妹並びに職員の死亡当時職員と生計を一にしていた他の親族をいう。

八　旅行役務提供者　旅行業者（旅行業法（昭和二十七年法律第二百三十九号）第六条の四第一項に規定する旅行業者をいう。）その他の政令で定める者（以下この号において「旅行業者等」という。）であつて、国と旅行役務提供契約（旅行業者等が国に対して旅行に係る役務その他の政令で定めるものを旅行者に提供することを約し、かつ、国が当該旅行業者等に対して当該旅行に係る旅費に相当する金額を支払うことを約する契約をいう。次条第八項において同じ。）を締結したものをいう。

（旅費の支給）

第三条　職員が出張し、又は赴任した場合には、当該職員に対し、旅費を支給する。

2　職員、その配偶者若しくは子又はその遺族が次の各号のいずれかに該当する場合には、当該各号に掲げる者に対し、旅費を支給する。

一　職員が出張又は赴任のための内国旅行中に退職、免職（罷免を含む。）、失職又は休職（以下この号及び第四号並びに次項において「退職等」という。）となつた場合（当該退職等に伴う旅行を必要としない場合を除く。）には、当該職員

二　職員が出張又は赴任のための内国旅行中に死亡した場合には、当該職員の遺族

三　職員が死亡した場合において、当該職員の本邦にある遺族がその死亡の日の翌日から三月以内にその居住地を出発して帰住したときは、当該遺族

四　職員が、外国の在勤地において退職等となり、一定の期間内に本邦に帰住し、又は出張若しくは赴任のための外国旅行中に退職等となつた場合（当該退職等に伴う旅行を必要としない場合を除く。）には、当該職員

五　職員が、外国の在勤地において死亡し、又

は出張若しくは赴任のための外国旅行中に死亡した場合には、当該職員の遺族

六　外国在勤の職員が死亡した場合において、当該職員の外国にある遺族（配偶者及び子に限る。）がその死亡の日の翌日から三月以内にその居住地を出発して帰住したときは、当該遺族

七　外国在勤の職員の配偶者又は子が、当該職員の在勤地において死亡し、又は政令で定める外国旅行中に死亡した場合には、当該職員

八　外務公務員法（昭和二十七年法律第四十一号）第二十三条の規定により休暇帰国を許された者が在勤地と本邦との間を旅行する場合には、当該職員

3　職員が前項第一号又は第四号の規定に該当する場合において、国家公務員法（昭和二十二年法律第百二十号）第三十八条各号若しくは第八十二条第一項各号に掲げる事由又はこれらに準ずる事由により退職等となつたときは、前項の規定にかかわらず、同項の規定による旅費は、支給しない。

4　職員又は職員以外の者が、国の機関の依頼又は要求に応じ、公務の遂行を補助するため、証人、鑑定人、参考人、通訳等として旅行した場合には、その者に対し、旅費を支給する。

5　第一項、第二項及び前項の規定に該当する場合を除くほか、他の法律に特別の定めがある場合その他国費を支弁して旅行させる必要がある場合には、旅費を支給する。

6　第一項、第二項及び前二項の規定により旅費の支給を受けることができる者が、次条第三項の規定により旅行命令等の変更（取消しを含む。同項及び同条第四項並びに第五条において同じ。）を受け、又は死亡した場合その他政令で定める場合には、当該旅行のため既に支出した金額のうちその者の損失となる金額又は支出を要する金額で財務省令で定めるものを旅費として支給することができる。

7　第一項、第二項、第四項及び第五項の規定により旅費の支給を受けることができる者が、旅行中天災その他政令で定める事情により概算払を受けた旅費額（概算払を受けなかつた場合には、概算払を受けることができた旅費額に相当する金額）の全部又は一部を喪失した場合には、その喪失した旅費額の範囲内で財務省令で定める金額を旅費として支給することができる。

8　第一項、第二項及び第四項から第六項までに規定する場合において、国が旅行役務提供契約に基づき旅行役務提供者に支払うべき金額があるときは、これらの項に規定する者に対する旅費の支給に代えて、当該旅行役務提供者に対し、当該金額を旅費に相当するものとして支払うことができる。

（旅行命令等）

第四条　次の各号に掲げる旅行は、当該各号に掲げる区分により、旅行命令権者の発する旅行命令又は旅行依頼（以下この条及び次条において「旅行命令等」という。）によつて行われなければならない。

一　前条第一項の規定に該当する旅行　旅行命令

二　前条第四項の規定に該当する旅行　旅行依頼

2　旅行命令権者は、電信、電話、郵便等の通信による連絡手段によつては公務の円滑な遂行を図ることができない場合で、かつ、予算上旅費の支出が可能である場合に限り、旅行命令等を発することができる。

3　旅行命令権者は、既に発した旅行命令等の変更をする必要があると認める場合で、前項の規定に該当する場合には、自ら又は次条第一項若しくは第二項の規定による旅行者の申請に基づき、その変更をすることができる。

4　旅行命令権者は、旅行命令等を発し、又はその変更をするには、旅行命令簿又は旅行依頼簿（以下この条において「旅行命令簿等」という。）に財務省令で定める事項の記載又は記録をし、当該事項を当該旅行者に通知してしなければならない。ただし、旅行命令簿等に当該事項の記載又は記録をするいとまがない場合には、この限りでない。

5　前項ただし書の規定により旅行命令簿等に記載又は記録をしなかつた場合には、できるだけ速やかに旅行命令簿等に同項に定める事項の記載又は記録をしなければならない。

（旅行命令等に従わない旅行）

第五条　旅行者は、公務上の必要又は天災その他やむを得ない事情により旅行命令等（前条第三項の規定により変更を受けた旅行命令等を含む。以下この条において同じ。）に従つて旅行することができない場合には、あらかじめ旅行命令権者に旅行命令等の変更の申請をしなければならない。

2　旅行者は、前項の規定による旅行命令等の変更の申請をするいとまがない場合には、旅行命令等に従わないで旅行した後、できるだけ速やかに旅行命令権者に旅行命令等の変更の申請をしなければならない。

3　旅行者が、前二項の規定による旅行命令等の変更の申請をせず、又は申請をしたがその変更が認められなかつた場合において、旅行命令等に従わないで旅行したときは、当該旅行者は、旅行命令等に従つた限度の旅行に対する旅費のみの支給を受けることができる。

（旅費の計算）

第六条　旅費は、旅行に要する実費を弁償するためのものとして政令で定める種目及び内容に基づき、最も経済的な通常の経路及び方法により旅行した場合によつて計算する。ただし、公務上の必要又は天災その他やむを得ない事情により最も経済的な通常の経路又は方法により旅行し難い場合には、その現によつた経路及び方法によつて計算する。

（旅費の請求手続）

第七条　旅費（概算払に係る旅費を含む。）の支給を受けようとする旅行者及び概算払に係る旅費の支給を受けた旅行者でその精算をしようとするもの並びに旅費に相当する金額の支払を受けようとする旅行役務提供者は、所定の請求書（当該請求書に記載すべき事項を記録した電磁的記録（電子的方式、磁気的方式その他人の知覚によつては認識することができない方式で作られる記録であつて、電子計算機による情報処理の用に供されるものをいう。第五項において同じ。）を含む。以下この条において同じ。）に必要な資料を添えて、これを当該旅費若しくは当該金額の支出をする会計法（昭和二十二年法律第三十五号）第二十四条第四項に規定する支出官（同法第四十六条の三第一項の規定により支出官の事務を代理する職員及び同法第四十八条第一項の規定により支出官の事務を行う都道府県の知事又は知事の指定する職員を含む。）又は同法第十七条の規定により資金の交付を受ける職員であつて当該旅費若しくは当該金額の支払をする者（以下この条並びに第十条第一項及び第二項において「支出官等」という。）に提出しなければならない。この場合において、必要な資料の全部又は一部を提出しなかつた者は、その請求に係る旅費又は旅費に相当する金額のうちその資料を提出しなかつたため、その旅費又は旅費に相当する金額の必要が明らかにされなかつた部分の支給又は支払を受けることができない。

2　概算払に係る旅費の支給を受けた旅行者は、当該旅行を完了した後所定の期間内に、当該旅行について前項の規定による旅費の精算をしなければならない。

3　支出官等は、前項の規定による精算の結果過払金があつた場合には、所定の期間内に、当該過払金を返納させなければならない。

4　支出官等は、その支出し、又は支払つた概算払に係る旅費の支給を受けた旅行者が第二項に規定する期間内に旅費の精算をしなかつた場合又は前項に規定する期間内に過払金を返納しなかつた場合には、当該支出官等がその後においてその者に対し支出し、又は支払う給与又は旅費の額から当該概算払に係る旅費額又は当該過払金に相当する金額を差し引かなければならない。

5　第一項の請求書又は資料が電磁的記録で作成されているときは、電磁的方法（電子情報処理組織を使用する方法その他の情報通信の技術を利用する方法であつて財務省令で定めるものをいう。次項において同じ。）をもつて提出することができる。

6　前項の規定により請求書又は資料の提出が電磁的方法により行われたときは、支出官等の使用に係る電子計算機に備えられたファイルへの記録がなされた時に当該請求書又は資料を提出したものとみなす。

7　第一項に規定する請求書及び必要な資料の種類、記載事項又は記録事項、第二項及び第三項に規定する期間並びに第四項に規定する給与の種類その他の必要な事項は、財務省令で定める。

（旅費の調整）

第八条　各庁の長は、旅行者が国以外の者から旅費の支給を受ける場合その他旅行における特別の事情により又は旅行の性質上この法律又は旅費に関する他の法律の規定による旅費を支給した場合には不当に旅行の実費を超えた旅費又は通常必要としない旅費を支給することとなる場合においては、その実費を超えることとなる部分の旅費又はその必要としない部分の旅費を支給しないことができる。

2　各庁の長は、旅行者がこの法律又は旅費に関する他の法律の規定による旅費により旅行することが当該旅行における特別の事情により又は当該旅行の性質上困難である場合には、財務大臣に協議して定める旅費を支給することができる。

（旅費の特例）

第九条　各庁の長は、職員について労働基準法（昭和二十二年法律第四十九号）第十五条第三項若しくは第六十四条又は船員法（昭和二十二年法律第百号）第四十七条第一項若しくは第二項の規定に該当する事由がある場合において、この法律の規定による旅費の支給ができないとき、又はこの法律の規定により支給する旅費が労働基準法第十五条第三項若しくは第六十四条又は船員法第四十八条の規定による旅費又は費用に満たないときは、当該職員に対しこれらの規定による旅費若しくは費用に相当する金額又はその満たない部分に相当する金額を旅費として支給するものとする。

2　各庁の長は、職員について船員法第四十七条第二項の規定に該当する事由があつた場合において、前項の規定により当該職員に旅費を支給したときは、当該職員に対し、当該支給した旅費の償還を請求するものとする。

（旅費の返納）

第十条　支出官等は、旅行者又は旅行役務提供者がこの法律又はこれに基づく命令の規定に違反して旅費の支給又は旅費に相当する金額の支払を受けた場合には、当該旅費又は当該金額を返納させなければならない。

2　旅行者がこの法律又はこれに基づく命令の規定に違反して旅費の支給を受けた場合には、支出官等は、前項に規定する返納に代えて、当該支出官等がその後においてその者に対し支出し、又は支払う給与又は旅費の額から、当該旅費に相当する金額を差し引くことができる。

3　前項に規定する給与の種類は、財務省令で定める。

（財務大臣の監督）

第十一条　財務大臣は、この法律の適正な執行を確保するため、各庁の長に対して、この法律の執行状況に関する資料若しくは報告を求め、実地監査を行い、又はこの法律の執行について必要な措置を求めることができる。

（財務省令への委任）

第十二条　この法律に定めるもののほか、この法律の規定による旅費の支給の手続その他この法律の実施のため必要な事項は、財務省令で定める。

附　則（抄）

1　この法律は、公布の日から施行し、昭和二十五年四月一日以後の旅行から適用する。但し、第四条、第五条及び第十三条の規定は、昭和二十五年五月一日以後出発する旅行から適用し、附則第八項及び第九項の規定は、昭和二十四年度以後に出張又は赴任を命ぜられた者の旅行から適用する。

2　左に掲げる勅令は、廃止する。

内国旅費規則（昭和十八年勅令第六百八十四号）

外国旅費規則（大正十年勅令第四百一号）

南洋群島関東州満洲旅費規則（大正十年勅令第四百二号）

3　外国旅行については、当該旅行の期間とその旅行開始直前十日間の準備期間とを通じた期間が二会計年度にわたる場合の旅費は、当分の間、当該二会計年度のうち前会計年度の歳出予算から概算で支出することができる。

4　前項の規定により支出して旅費の精算に因つて生ずる返納金又は追給金は、その精算を行つた日の属する会計年度の歳入又は歳出とする。

附　則（令六・五・一五法二二）（抄）

（施行期日）

第一条　この法律は、令和七年四月一日から施行する。

（経過措置）

第二条　改正後の国家公務員等の旅費に関する法律（以下この条において「新法」という。）の規定は、この法律の施行の日（以下この項及び次項において「施行日」という。）以後に新法第二条第四号に規定する旅行命令権者が新法第四条第一項に規定する旅行命令等を発する旅行及び新法第三条第五項の規定により旅費の支給を決定する旅行について適用し、施行日前に改正前の国家公務員等の旅費に関する法律（以下この項及び第三項において「旧法」という。）第四条第一項に規定する旅行命令権者が同項に規定する旅行命令等を発した旅行及び旧法第三条第五項の規定により旅費の支給を決定した旅行については、なお従前の例による。ただし、施行日前に旧法第四条第一項に規定する旅行命令権者が同項に規定する旅行命令等を発し、かつ、施行日以後に新法第二条第四号に規定する旅行命令権者が新法第四条第三項の規定により当該旅行命令等を変更する旅行については、新法の規定は、当該旅行のうち当該変更の日以後の期間に対応する分について適用し、当該旅行のうち当該変更の日前の期間に対応する分については、なお従前の例による。

2　新法第三条第二項の規定は、施行日以後に退職、免職（罷免を含む。）、失職若しくは休職（以下この項において「退職等」という。）となった場合、死亡した場合又は外務公務員法（昭和二十七年法律第四十一号）第二十三条の規定により休暇帰国を許された場合について適用し、施行日前に退職等となった場合、死亡した場合又は同法の定めるところにより休暇帰国を許された場合については、なお従前の例による。

3　新法第三条第六項及び第七項の規定は、これらの項に規定する者が同条第一項、第二項、第四項及び第五項の規定により旅費の支給を受けることができる場合について適用し、旧法第三条第一項、第二項、第四項及び第五項の規定により旅費の支給を受けることができる場合については、なお従前の例による。

4　新法第十条の規定は、新法又はこれに基づく命令の規定に違反して旅費の支給を受けた場合について適用する。

○国家公務員等の旅費に関する法律施行令

令六・九・二六
政令三〇六

目次（略）

第一章　総則

（定義）

第一条　この政令において、「職員」、「各庁の長」、「内国旅行」、「本邦」、「外国旅行」、「外国」、「出張」、「旅行命令権者」、「赴任」、「帰住」、「遺族」、「配偶者」又は「退職等」とは、それぞれ、国家公務員等の旅費に関する法律（以下「法」という。）第一条第二項、第二条第一号から第七号まで又は第三条第二項第一号に規定する職員、各庁の長、内国旅行、本邦、外国旅行、外国、出張、旅行命令権者、赴任、帰住、遺族、配偶者又は退職等をいう。

2　この政令において、次の各号に掲げる用語の意義は、当該各号に定めるところによる。

一　内閣総理大臣等　内閣総理大臣、最高裁判所長官、その任免につき天皇の認証を要する職員及び特別職の職員の給与に関する法律（昭和二十四年法律第二百五十二号）第一条第五号から第四十一号までに掲げる職員並びに各庁の長が財務大臣に協議して定めるこれらに相当する職務にある者をいう。

二　指定職職員等　一般職の職員の給与に関する法律（昭和二十五年法律第九十五号）第六条第一項第十一号に規定する指定職俸給表の適用を受ける職員及び各庁の長が財務大臣に協議して定めるこれに相当する職務にある者をいう。

三　職務の級　一般職の職員の給与に関する法律第六条第一項第一号イに規定する行政職俸給表㈠による職務の級及び行政職俸給表㈠の適用を受けない者については各庁の長が財務大臣に協議して定めるこれに相当する職務の級をいう。

四　家族　内国旅行にあっては職員の配偶者、子、父母、孫、祖父母及び兄弟姉妹で職員と生計を一にするものをいい、外国旅行にあっては職員の配偶者及び子で職員と生計を一にするものをいう。

（法第二条第八号に規定する政令で定める者等）

第二条　法第二条第八号に規定する政令で定める者は、次の各号のいずれかに該当する者とする。

一　旅行業法（昭和二十七年法律第二百三十九号）第六条の四第一項に規定する旅行業者

二　鉄道事業法（昭和六十一年法律第九十二号）第十三条第一項に規定する鉄道運送事業者及び軌道法（大正十年法律第七十六号）第四条に規定する軌道経営者

三　海上運送法（昭和二十四年法律第百八十七号）第二十三条の三第二項に規定する船舶運航事業者

四　航空法（昭和二十七年法律第二百三十一号）第二条第十八項に規定する航空運送事業を経営する者

五　道路運送法（昭和二十六年法律第百八十三号）第九条第七項第三号に規定する一般旅客自動車運送事業者

六　旅館業法（昭和二十三年法律第百三十八号）第二条第一項に規定する旅館業を営む者

七　貨物自動車運送事業法（平成元年法律第八十三号）第七条第一項に規定する一般貨物自動車運送事業者及び貨物利用運送事業法（平成元年法律第八十二号）第五十五条第一項に規定する貨物利用運送事業者

八　外国における前各号に掲げる者に相当するもの

九　割賦販売法（昭和三十六年法律第百五十九号）第三十一条に規定する登録包括信用購入あっせん業者（国との契約によりカード等（同法第二条第三項第一号に規定するカード等をいう。次項において同じ。）を前各号に掲げる者が提供する役務その他の旅行に係る役務の対価の支払のみのために旅行者に提供する場合に限る。）

2　法第二条第八号に規定する政令で定めるものは、役務及びカード等とする。

（法第三条に規定する政令で定める外国旅行等）

第三条　法第三条第二項第七号に規定する政令で定める外国旅行は、第十四条第一項第二号イ、ロ又はニに規定する場合における外国旅行とする。

2　法第三条第六項に規定する政令で定める場合は、次に掲げる場合とする。

一　法第三条第二項及び第五項の規定により旅

費の支給を受けることができる者が、傷病その他やむを得ない事情により旅行を中止し、又は変更したとき。

二　法第三条第一項及び第二項（第一号、第四号及び第八号に係る部分に限る。）の規定により旅費の支給を受けることができる職員がその家族の旅行について第十二条、第十四条第一項、第十七条第二項及び第十九条に基づく旅費の支給を受けることができる場合であって、当該家族が死亡又は傷病その他やむを得ない事情により旅行を中止し、又は変更したとき。

3　法第三条第七項に規定する政令で定める事情は、次に掲げる事情とする。

一　交通事故その他の法第三条第七項に規定する者の責めに帰することができない事情

二　前項第二号に規定する旅費の支給を受けることができる場合における当該家族の旅行中の天災又は交通事故その他の当該職員若しくは家族の責めに帰することができない事情

第二章　旅費の種目及び内容

第一節　通則

（法第六条に規定する政令で定める種目及び内容）

第四条　法第六条に規定する政令で定める種目は、鉄道賃、船賃、航空賃、その他の交通費、宿泊費、包括宿泊費、宿泊手当、転居費、着後滞在費、家族移転費、渡航雑費及び死亡手当とし、これらの内容については、この章の定めるところによる。

第二節　交通費

（鉄道賃）

第五条　鉄道賃は、鉄道（鉄道事業法第二条第一項に規定する鉄道事業の用に供する鉄道及び軌道法第一条第一項に規定する軌道、外国におけるこれらに相当するものその他財務省令で定めるものをいう。次項及び第八条において同じ。）を利用する移動に要する費用とし、その額は、次に掲げる費用（第二号から第六号までに掲げる費用は、第一号に掲げる運賃に加えて別に支払うものであって、公務のため特に必要とするものに限る。）の額の合計額とする。

一　運賃

二　急行料金

三　寝台料金

四　座席指定料金

五　特別車両料金（内国旅行にあっては内閣総理大臣等及び指定職職員等に限り、外国旅行にあってはこれらの者及び職務の級が七級以上の者に限る。）

六　前各号に掲げる費用に付随する費用

2　前項第一号に掲げる運賃の額の上限は、内国旅行の場合であって運賃の等級が区分された鉄道により移動するときは最下級（内閣総理大臣等及び指定職職員等が移動する場合には、最上級）、外国旅行の場合であって運賃の等級が区分された鉄道により移動するときは最上級（等級が三以上に区分された鉄道により職務の級が六級以下の者が移動する場合には、最上級の直近下位の級）の運賃の額とする。

（船賃）

第六条　船賃は、船舶（海上運送法第二条第二項に規定する船舶運航事業の用に供する船舶、外国におけるこれに相当するものその他財務省令で定めるものをいう。次項及び第八条において同じ。）を利用する移動に要する費用とし、その額は、次に掲げる費用（第二号から第五号までに掲げる費用は、第一号に掲げる運賃に加えて別に支払うものであって、公務のため特に必要とするものに限る。）の額の合計額とする。

一　運賃

二　寝台料金

三　座席指定料金

四　特別船室料金（内国旅行にあっては内閣総理大臣等及び指定職職員等に限り、外国旅行にあってはこれらの者及び職務の級が七級以上の者に限る。）

五　前各号に掲げる費用に付随する費用

2　前項第一号に掲げる運賃の額の上限は、内国旅行の場合であって運賃の等級が区分された船舶により移動するときは最下級（内閣総理大臣等及び指定職職員等が移動する場合には、最上級）、外国旅行の場合であって運賃の等級が区分された船舶により移動するときは最上級（等級が三以上に区分された船舶により職務の級が六級以下の者が移動する場合には、最上級の直近下位の級）の運賃の額とする。

（航空賃）

第七条　航空賃は、航空機（航空法第二条第十八項に規定する航空運送事業の用に供する航空機、外国におけるこれに相当するものその他財務省令で定めるものをいう。次項及び次条において同じ。）を利用する移動に要する費用とし、その額は、次に掲げる費用（第二号及び第三号に掲げる費用は、第一号に掲げる運賃に加えて別に支払うものであって、公務のため特に必要とするものに限る。）の額の合計額とする。

一　運賃

二　座席指定料金

三　前二号に掲げる費用に付随する費用

2　前項第一号に掲げる運賃の額の上限は、運賃の等級が区分された航空機により移動する場合には、最下級の運賃の額とする。ただし、次の各号に掲げる場合は、当該各号に定める額とする。

一　内国旅行の場合であって、内閣総理大臣等が移動するとき　最上級の運賃の額

二　外国旅行の場合であって、内閣総理大臣等、指定職職員等及び職務の級が七級以上の者が移動するとき並びに職務の級が六級又は五級の者が長時間にわたる移動として財務省令で定めるもの（次号において「特定航空移動」という。）をするとき（同号に掲げる場合を除く。）　最上級の運賃の額

三　外国旅行の場合であって、運賃の等級が三以上に区分された航空機により内閣総理大臣等（内閣総理大臣、最高裁判所長官、国務大臣、最高裁判所判事、会計検査院長、人事院総裁及び検事総長を除く。）、指定職職員等及び職務の級が七級以上の者が移動するとき並びに職務の級が六級又は五級の者が特定航空移動をするとき　最上級の直近下位の級の運賃の額

四　外国旅行の場合であって、職務の級が四級以下の者が著しく長時間にわたる移動として財務省令で定めるものをするとき　最下級の直近上位の級の運賃の額

（その他の交通費）

第八条　その他の交通費は、鉄道、船舶及び航空機以外を利用する移動に要する費用とし、その額は、次に掲げる費用（第二号から第四号までに掲げる費用は、公務のため特に必要とするものに限る。）の額の合計額とする。

一　道路運送法第三条第一号イに掲げる一般乗合旅客自動車運送事業（路線を定めて定期に運行する自動車により乗合旅客の運送を行うものに限る。）の用に供する自動車（外国におけるこれに相当するものを含む。）を利用する移動に要する運賃

二　道路運送法第三条第一号ハに掲げる一般乗用旅客自動車運送事業の用に供する自動車（外国におけるこれに相当するものを含む。）その他の旅客を運送する交通手段（前号に規定する自動車を除く。）を利用する移動に要する運賃

三　前二号に掲げる運賃以外の費用であって、道路運送法第八十条第一項の許可を受けて業として有償で貸し渡す自家用自動車（外国におけるこれに相当するものを含む。）の賃料その他の移動に直接要する費用

四　前三号に掲げる費用に付随する費用

第三節　宿泊費等

（宿泊費）

第九条　宿泊費は、旅行中の宿泊に要する費用とし、その額は、地域の実情及び旅行者の職務を勘案して財務省令で定める額（次条において「宿泊費基準額」という。）とする。ただし、当該宿泊に係る特別な事情がある場合として財務省令で定める場合は、当該宿泊に要する費用の額とする。

（包括宿泊費）

第十条　包括宿泊費は、移動及び宿泊に対する一体の対価として支払われる費用とし、その額は、当該移動に係る前節の規定による交通費の額及び当該宿泊に係る宿泊費基準額の合計額とする。

（宿泊手当）

第十一条　宿泊手当は、宿泊を伴う旅行に必要な諸雑費に充てるための費用とし、その額は、通常要する費用の額を勘案して財務省令で定める一夜当たりの定額とする。

第四節　転居費等

（転居費）

第十二条　転居費は、赴任に伴う転居に要する費用（第十四条第一項第一号イ若しくはロ又は同項第二号イ若しくはロに規定する場合の家族の転居に要する費用を含む。）とし、その額は、転居の実態を勘案して財務省令で定める方法により算定される額とする。

（着後滞在費）

第十三条　着後滞在費は、赴任に伴う転居に必要な滞在に係る費用とし、その額は、内国旅行にあっては五夜分を、外国旅行にあっては十夜分を限度として、現に宿泊した夜数に係る宿泊費及び宿泊手当の合計額に相当する額とする。

（家族移転費）

第十四条　家族移転費は、赴任に伴う家族の移転に要する費用とし、その額は、次に掲げる額とする。

一　内国旅行にあっては、次に掲げる額

イ　赴任の際家族（赴任を命ぜられた日において同居している者に限る。以下このイ及びロ並びに次号イからハまでにおいて同じ。）を職員の新居住地に移転する場合には、家族一人ごとに、職員がその移転をするものとして算定した交通費、宿泊費、包括宿泊費、宿泊手当及び着後滞在費の合計額に相当する額

ロ　イに規定する場合に該当せず、かつ、赴任を命ぜられた日の翌日から一年以内に家族を職員の居住地（赴任後家族を移転するまでの間に更に赴任があった場合には、当該赴任後における職員の新居住地）に移転する場合には、イの規定に準じて算定した額

二　外国旅行にあっては、次に掲げる額

イ　赴任の際各庁の長の許可を受け、家族を職員の新居住地に移転する場合には、家族一人ごとに、職員がその移転をするものとして算定した交通費、宿泊費、包括宿泊費、宿泊手当、着後滞在費及び渡航雑費の合計額に相当する額

ロ　イに規定する場合に該当せず、かつ、赴任後各庁の長の許可を受け、赴任を命ぜられた日の翌日から一年以内に家族を職員の居住地（赴任後家族を移転するまでの間に更に赴任があった場合には、当該赴任後における職員の新居住地）に移転する場合には、イの規定に準じて算定した額

ハ　イに規定する場合に該当せず、かつ、本邦から外国に赴任後各庁の長の許可を受け、赴任を命ぜられた日の翌日から一年以内に家族を赴任を命ぜられた日における居住地から本邦内の他の地に移転する場合には、前号イの規定に準じて算定した額

ニ　外国に赴任後各庁の長の許可を受け、家族（イ又はロに規定する許可を受け移転した者であって同居しているものに限る。）を本邦に移転する場合には、イの規定に準じて算定した額

2　旅行命令権者は、公務上の必要又は天災その他やむを得ない事情がある場合には、前項第一号ロ又は第二号ロ若しくはハに規定する期間を延長することができる。

第五節　その他の種目

（渡航雑費）

第十五条　渡航雑費は、外国旅行に要する雑費とし、その額は、予防接種に係る費用、旅券の交付手数料及び査証手数料、外貨交換手数料並びに入出国税その他外国旅行に必要なものとして財務省令で定める費用の額とする。

（死亡手当）

第十六条　死亡手当は、職員又はその配偶者若しくは子の外国における死亡（法第三条第二項第五号又は第七号に規定する場合に限る。）に伴う諸雑費に充てるための費用とし、その額は、通常要する費用の額を勘案して財務省令で定める定額とする。

第三章　雑則

（退職者等の旅費）

第十七条　法第三条第二項第一号又は第四号の規定により支給する旅費は、退職等の日の翌日から三月以内における当該退職等に伴う旅行又は本邦への帰住について、出張又は赴任の例に準じて財務省令で定めるものとする。

2　前項の場合において、退職等となった職員が家族を移転するときは、同項に規定する旅費に、転居費のうち家族の転居に要する費用及び家族移転費に相当するものを加えるものとする。

3　各庁の長は、天災その他やむを得ない事情がある場合には、第一項に規定する期間を延長することができる。

（遺族等の旅費）

第十八条　法第三条第二項第二号、第三号又は第五号から第七号までの規定により支給する旅費（死亡手当に係るものを除く。）は、出張又は赴任の例に準じて財務省令で定めるものとする。

（休暇帰国の旅費）

第十九条　法第三条第二項第八号の規定により支給する旅費は、職務の級が六級又は五級の職員については、職務の級が四級以下の職員とみなして航空賃の額を算定するものとし、職員が休暇帰国に際し家族を随伴する場合には、家族移転費（着後滞在費に相当する部分を除く。）に相当するものを加えるものとする。

（証人等の旅費）

第二十条　法第三条第四項又は第五項の規定により支給する旅費は、他の法令に特別の定めがあ

る場合を除くほか、各庁の長が財務大臣に協議して定めるものとする。

（旅費の支給額の上限）

第二十一条　鉄道賃、船賃、航空賃及びその他の交通費（家族移転費のうちこれらに相当する部分を含む。）に係る旅費の支給額は、第五条第一項各号、第六条第一項各号、第七条第一項各号及び第八条各号に掲げる各費用について、当該各条及び法第六条の規定により計算した額と現に支払った額を比較し、当該各費用ごとのいずれか少ない額を合計した額とする。

2　宿泊費、包括宿泊費、転居費、着後滞在費（宿泊手当に相当する部分を除く。）、家族移転費（宿泊手当に相当する部分を除く。）及び渡航雑費に係る旅費の支給額は、当該各種目について第九条、第十条、第十二条、第十三条、第十四条第一項及び第十五条並びに法第六条の規定により計算した額と現に支払った額を比較し、当該各種目ごとのいずれか少ない額を合計した額とする。

（財務省令への委任）

第二十二条　この政令に定めるもののほか、旅費の種目及び内容に係る細則その他この政令の実施のため必要な事項は、財務省令で定める。

附　則（抄）

（施行期日）

第一条　この政令は、令和七年四月一日から施行する。

○国家公務員等の旅費支給規程

昭二五・五・一
大蔵令四五

最終改正　令六・一二・二〇財務令七〇

（用語）

第一条　この省令において使用する用語は、国家公務員等の旅費に関する法律（昭和二十五年法律第百十四号。以下「法」という。）及び国家公務員等の旅費に関する法律施行令（令和六年政令第三百六号。以下「令」という。）において使用する用語の例による。

（附属の島）

第二条　法第二条第二号に規定する財務省令で定める附属の島は、本州、北海道、四国及び九州に附属する島とする。

（旅行命令等の変更を受けた場合等における旅費）

第三条　法第三条第六項に規定する財務省令で定めるものは、法第八条第二項の規定により旅費を支給する場合を除くほか、次に掲げる金額とする。

一　鉄道賃、船賃、航空賃及びその他の交通費（家族移転費のうちこれらに相当する部分を含む。）については、令第五条第一項各号、第六条第一項各号、第七条第一項各号及び第八条各号に掲げる各費用について、当該各条及び法第六条の規定により計算した額と現に支払つた額で所要の払戻手続をとつたにもかかわらず払戻しを受けることができない額又は所要の取消手続をとつたにもかかわらずなお支払う必要がある額を比較し、当該各費用ごとのいずれか少ない額の合計額

二　宿泊費、包括宿泊費、転居費、着後滞在費（宿泊手当に相当する部分を除く。）、家族移転費（宿泊手当に相当する部分を除く。）及び渡航雑費については、当該各種目について令第九条、第十条、第十二条、第十三条、第十四条第一項及び第十五条並びに法第六条の規定により計算した額と現に支払つた額で所要の払戻手続をとつたにもかかわらず払戻しを受けることができない額又は所要の取消手続をとつたにもかかわらずなお支払う必要がある額を比較し、当該各種目ごとのいずれか少ない額の合計額

三　前二号に掲げる金額のほか、手数料その他の旅行命令等の変更等に伴い支給する必要があるものとして旅行命令権者が認めた額

（旅費額を喪失した場合における旅費）

第四条　法第三条第七項に規定する財務省令で定める金額は、次に掲げる金額とする。

一　現に所持していた旅費額（交通手段を利用するための乗車券、乗船券、航空券等で当該旅行について購入したものを含む。次号において同じ。）の全部を喪失した場合には、その喪失した時以後の旅行を完了するため法及び令の規定により支給することができる額

二　現に所持していた旅費額の一部を喪失した場合には、前号に規定する額から喪失を免れ

た旅費額を差し引いた額

（旅行命令等の通知）

第五条　旅行命令権者は、旅行命令等を発し、又はその変更をした場合には、できるだけ速やかに次条第一項で定める事項を支出官等に通知しなければならない。

（旅行命令簿等の記載事項又は記録事項）

第六条　法第四条第四項に規定する財務省令で定める事項は、発令年月日、出発地、用務、用務先、到着地、旅行期間及び旅行命令権者の官職とする。

2　旅行命令簿は、旅行命令権者が職員ごとに作成し、前項に定める事項のほか、所属部局課、住所又は居所、官職、氏名、職務の級（職員が内閣総理大臣等又は指定職職員等のいずれかに該当する場合には、その旨。）、旅費の請求者並びに概算払及び精算払に係る支給年月日及び支給額を記載又は記録する。

3　旅行依頼簿は、旅行命令権者が旅行者ごとに作成し、第一項に定める事項のほか、所属団体又は所属部局課、住所又は居所、役職又は官職、氏名、職務の級（旅行者が内閣総理大臣等又は指定職職員等のいずれかに該当する場合には、その旨。）、旅費の請求者並びに概算払及び精算払に係る支給年月日及び支給額を記載又は記録する。

4　旅行命令簿等は、備考欄を設け、旅行命令等の変更をする場合には、旅行命令等の変更の事実及び変更前の旅行命令等の発令年月日を記載又は記録する。

（旅行命令等の変更の申請）

第七条　旅行者は、法第五条第一項又は第二項の規定により旅行命令等の変更を申請する場合には、その変更の必要を証明するに足る資料を提出しなければならない。

（行政職俸給表㈠に相当する職務の級）

第八条　令第一条第二項第三号に規定する「これに相当する職務の級」は、旅行者の職務の内容及び旅行者に支給される給与の額を勘案して定めることとし、次の各号に掲げる者について、各庁の長は財務大臣への協議を経たものとみなして、当該各号に掲げる職務の級とすることができる。

一　一般職の職員の給与に関する法律（昭和二十五年法律第九十五号。以下「一般職給与法」という。）第六条第一項第一号ロ及び第二号から第十号までに規定する俸給表の適用を受ける者　別表第一の一及び別表第一の二で定める職務の級

二　一般職の任期付研究員の採用、給与及び勤務時間の特例に関する法律（平成九年法律第六十五号。別表第一の三において「任期付研究員法」という。）第三条第一項の規定により任期を定めて採用された者　別表第一の三で定める職務の級

三　一般職の任期付職員の採用及び給与の特例に関する法律（平成十二年法律第百二十五号）第三条第一項の規定により任期を定めて採用された者　用務の内容及び行政職俸給表㈠の適用を受ける者との権衡を考慮して各庁の長が定める職務の級

四　特別職の職員の給与に関する法律（昭和二十四年法律第二百五十二号。次号及び別表第一の三において「特別職給与法」という。）第一条第四十四号に掲げる者　別表第一の三で定める職務の級

五　一般職給与法第二十二条の規定による非常勤職員及び特別職給与法第一条第四十五号から第七十二号までに掲げる者　用務の内容及び行政職俸給表㈠の適用を受ける者との権衡を考慮して各庁の長が定める職務の級

六　一般職の職員以外の職員であつて、その者の受ける俸給が一般職給与法を準用して定められている者　現にその者について定められている職務の級

（鉄道賃に係る鉄道）

第九条　令第五条第一項に規定する財務省令で定めるものは、次に掲げるものとする。

一　鉄道事業法（昭和六十一年法律第九十二号）第二条第一項に規定する鉄道事業の用に供する鉄道に類するもの

二　軌道法（大正十年法律第七十六号）第一条第一項に規定する軌道に類するもの

三　外国における前二号に掲げるものに相当するもの

（船賃に係る船舶）

第十条　令第六条第一項に規定する財務省令で定めるものは、次に掲げるものとする。

一　海上運送法（昭和二十四年法律第百八十七号）第二条第二項に規定する船舶運航事業の用に供する船舶に類するもの

二　外国における前号に掲げるものに相当するもの

（航空賃に係る航空機）

第十一条　令第七条第一項に規定する財務省令で定めるものは、次に掲げるものとする。

一　航空法（昭和二十七年法律第二百三十一号）第二条第十八項に規定する航空運送事業の用に供する航空機に類するもの

二　外国における前号に掲げるものに相当するもの

（特定航空移動等）

第十二条　令第七条第二項第二号に規定する財務省令で定めるものは、一の旅行区間における飛行時間が八時間以上の移動とする。

2　令第七条第二項第四号に規定する財務省令で定めるものは、一の旅行区間における飛行時間が二十四時間以上の移動とする。

（宿泊費基準額等）

第十三条　令第九条に規定する財務省令で定める額は、別表第二のとおりとする。

2　令第九条に規定する財務省令で定める場合は、内国の宿泊にあつては、現に支払つた費用の額が宿泊費基準額を超える場合であつて、旅行命令権者が次の各号のいずれかに該当すると認めるときとする。

一　国際会議（内閣総理大臣、国務大臣、内閣官房副長官、副大臣、大臣政務官又は国会議員（次項第二号において「各大臣等」という。）が出席するものに限る。）において主催者から宿泊施設の指定があり当該宿泊施設以外に宿泊することが困難であるとき。

二　公務の円滑な運営上支障のない範囲及び条件において検索し、その結果から最も安価な宿泊施設を選択するとき。

3　令第九条に規定する財務省令で定める場合は、外国の宿泊にあつては、現に支払つた費用の額が宿泊費基準額を超える場合であつて、旅行命令権者が次の各号のいずれかに該当すると認めるときとする。

一　国際会議（これに準ずるものを含む。以下この号及び次号において同じ。）において外国政府、国際機関その他国際会議の主催者から宿泊施設の指定があり当該宿泊施設以外に宿泊することが困難であるとき。

二　国際会議に出席するため各大臣等の外国旅行に同行する者が各大臣等と同一の宿泊施設に宿泊しなければ公務の運営上支障を来すとき。

三　外務大臣が財務大臣に協議して定める宿泊施設の一覧表に記載されている宿泊施設に宿泊する場合であつて、当該宿泊施設に宿泊することが公務の円滑な運営に資するとき。

四　公務の円滑な運営上支障のない範囲及び条件において検索し、その結果から最も安価な宿泊施設を選択するとき。

五　為替相場の変動その他旅行命令等を発した時には通常予見することのできない事情があつたとき。

（宿泊手当の定額等）

第十四条　令第十一条に規定する財務省令で定める一夜当たりの定額は、別表第三のとおりとする。

2　宿泊手当の額は、法及び令の規定により支給される宿泊費又は包括宿泊費について次の各号に掲げる場合に該当するときは、前項の規定にかかわらず、当該各号に掲げる額とする。

一　朝食又は夕食に係る費用のいずれかに相当するものが含まれる場合　前項で定める定額の三分の二の額

二　朝食及び夕食に係る費用に相当するものが含まれる場合　前項で定める定額の三分の一の額

3　移動中に宿泊する場合の宿泊手当の額は、前二項の規定にかかわらず、その移動の到着地に応じ、別表第三のとおりとする。ただし、法及び令の規定により支給される鉄道賃、船賃、航空賃又はその他の交通費（包括宿泊費及び家族移転費のうちこれらに相当するものを含む。）に食費に相当するものが含まれる場合には、当該額の三分の一の額とする。

4　旅行者が、旅行中自宅（住所又は居所若しくはこれに相当する場所をいう。）に宿泊する場合には、前三項の規定にかかわらず、宿泊手当は支給しない。

（転居費の算定方法等）

第十五条　令第十二条に規定する財務省令で定める方法は、次に掲げる方法とする。ただし、外国旅行においては、別表第四に定める容積又は重量の範囲内において算定した額とする。

一　運送業者が家財の運送を行う場合には、複数の運送業者に見積りをさせ、かつ、その中から最も経済的なものを選択するときに限り、当該運送に要する額を転居費の額とする方法

二　旅行役務提供者が家財の運送を行う場合には、前号の規定にかかわらず、当該運送に要

する額を転居費の額とする方法

三　旅行者が宅配便又は自家用自動車若しくは道路運送法（昭和二十六年法律第百八十三号）第八十条第一項の許可を受けて業として有償で貸し渡す自家用自動車その他これらに類するものを利用して家財の運送を行う場合には、当該運送に要する額を転居費の額とする方法。ただし、当該運送に要する額が運送業者に依頼したものとして第一号の規定により算定した額を超えるときは、当該額とする。

2　前項の算定に当たつては、法及び令の規定により他の種目として支給を受ける費用その他の国費による支給が適当でない費用として主計局長が定めるものを除くものとする。

3　職員又は家族が他から赴任に係る旅費の支給又はこれに相当する金額の支払を受ける場合には、前二項の規定により算定した転居費の額から当該支給又は当該支払を受ける金額を差し引くこととする。

（近距離の転居に係る転居費等の制限）

第十六条　同一市町村内（東京都の特別区の存する地域にあつては、特別区の存する全地域内）における在勤官署の変更に伴う旅行については、国設宿舎への入居又は退去を命ぜられて赴任する場合を除くほか、転居費、着後滞在費及び家族移転費は支給しない。

（渡航雑費の細則）

第十七条　令第十五条に規定する財務省令で定める費用は、次に掲げる費用（公務のため特に必要とするものに限る。）とする。

一　保険料

二　医薬品の購入に係る費用

三　携行品の購入に係る費用

四　健康診断その他の医療機関での受診に係る費用

五　令第十五条に規定する費用に類する又は付随する費用

六　前各号に掲げる費用のほか、旅行者の負担とすべきでないものとして主計局長が定める費用

（死亡手当の定額）

第十八条　令第十六条の財務省令で定める定額は、別表第五のとおりとする。

（退職者等の旅費の細則）

第十九条　令第十七条第一項に規定する財務省令で定めるものは、次に掲げる旅費とする。

一　法第三条第二項第一号の規定により旅費を支給する場合には、次に掲げる旅費

イ　職員が出張のための内国旅行中に退職等となつた場合には、出張の例に準じ、退職等となる前の職務の級の者（職員が内閣総理大臣等又は指定職職員等であつた場合には、当該者をいう。ロ及び第三号において同じ。）として退職等の日にいた地から旧在勤地に旅行するものとして計算した旅費

ロ　職員が赴任のための内国旅行中に退職等となつた場合には、赴任の例に準じ、退職等となる前の職務の級の者として退職等の日にいた地から新在勤地に旅行するものとして計算した旅費

二　本邦に出張のための外国旅行中の外国在勤の職員が法第三条第二項第一号の規定に該当する場合において、同号の規定により旅費を支給するときは、当該職員の本邦への出張における出張地を旧在勤地とみなして前号イの規定に準じた旅費のほか、次号ハ又はニ及び次項の規定に準じた旅費

三　法第三条第二項第四号の規定により旅費を支給する場合には、次に掲げる旅費

イ　外国在勤の職員がその在勤地において退職等となつた場合には、赴任の例に準じ、退職等となる前の職務の級の者として旧在勤地から本邦内の地に旅行するものとして計算した旅費（着後滞在費を除く。）

ロ　本邦在勤の職員が出張のための外国旅行中に退職等となつた場合には、出張の例に準じ、退職等となる前の職務の級の者として出張地から本邦内の地に旅行するものとして計算した旅費

ハ　外国在勤の職員が出張のための外国旅行中に退職等となり、出張地から旧在勤地を経由しないで当該退職等に伴う旅行をした場合には、次に掲げる旅費

(1)　ロの規定に準じた旅費

(2)　家財又は家族を旧在勤地から本邦に移転する必要がある場合には、(1)に掲げる旅費のほか、赴任の例に準じ、退職等となる前の職務の級の者として旧在勤地から本邦内の地に旅行するものとして算定した転居費及び家族移転費

ニ　外国在勤の職員が出張のための外国旅行中に退職等となり、出張地から旧在勤地を経由して当該退職等に伴う旅行をした場合

には、次に掲げる旅費

(1) 出張の例に準じ、退職等となる前の職務の級の者として出張地から旧在勤地に旅行するものとして計算した旅費

(2) イの規定に準じた旅費

2 前項第三号の規定に該当する場合を除くほか、職員が外国旅行中において退職等となつた場合において法第三条第二項第四号の規定により支給する旅費は、前項第三号の規定に準じて各庁の長が財務大臣に協議して定めるものとする。

（遺族等の旅費の細則）

第二十条 令第十八条に規定する財務省令で定めるものは、次に掲げる旅費とする。

一 本邦在勤の職員が法第三条第二項第二号の規定に該当する場合において、同号の規定により旅費を支給するときは、次に掲げる旅費

イ 職員が出張のための内国旅行中に死亡した場合には、出張の例に準じ、職員が遺族の居住地（外国在住の遺族の場合には、本邦における外国からの到着地）と死亡地との間を往復するものとして計算した旅費

ロ 職員が赴任のための内国旅行中に死亡した場合には、イに掲げる旅費のほか、赴任の例に準じ、職員が死亡地から新居住地に旅行するものとして計算した旅費

二 本邦に出張のための外国旅行中の外国在勤の職員が法第三条第二項第二号の規定に該当する場合において、同号の規定により旅費を支給するときは、第四号イの規定に準じた旅費

三 法第三条第二項第三号の規定により旅費を支給する場合には、出張の例に準じ、職員が遺族の居住地から帰住地（外国に帰住する場合には、本邦における外国への出発地）に旅行するものとして計算した旅費（宿泊費及び包括宿泊費を除く。）

四 法第三条第二項第五号の規定により支給する旅費は、次に掲げる旅費

イ 出張の例に準じ、職員が遺族の居住地と死亡地との間を往復するものとして計算した旅費

ロ 職員が赴任のための外国旅行中に死亡した場合には、イに掲げる旅費のほか、赴任の例に準じ、職員が死亡地から新居住地に旅行するものとして計算した旅費

五 法第三条第二項第六号の規定により支給する旅費は、赴任の例に準じ、職員が居住地から帰住地（本邦内の地に限る。）に旅行するものとして算定した転居費及び家族移転費（着後滞在費に相当する部分を除く。）

六 法第三条第二項第七号の規定により支給する旅費は、出張の例に準じ、職員が居住地と死亡地との間を往復するものとして計算した旅費

2 遺族が前項第一号から第五号までに規定する旅費の支給を受ける順位は、法第二条第七号に掲げる順序により、同順位者がある場合には、年長者を先にする。

（休暇帰国の旅費の計算）

第二十一条 法第三条第二項第八号の規定により支給する旅費は、在勤地と本邦における所属庁（各庁の長の在勤官署をいう。）所在地（所属庁がない場合には、東京都。）間の往復について出張の例に準じて計算する。

（旅行依頼に係る旅費）

第二十二条 法第三条第四項の規定により支給する旅費は、旅行者の職務の級を行政職俸給表㈠の適用を受ける者の職務の級に相当するものとして出張の例に準じて計算した旅費とする場合には、各庁の長が財務大臣への協議を経たものとみなして定めることができる。

（電磁的方法）

第二十三条 法第七条第五項に規定する財務省令で定めるものは、各庁の長が定める方法とする。

（請求書及び必要な資料の種類、記載事項又は記録事項等）

第二十四条 法第七条第一項に規定する請求書の種類は、次に掲げるものとする。

一 次号から第五号までに規定する旅費以外の旅費を請求する場合には、出張旅費精算請求書又は出張旅費概算請求書

二 法第三条第一項に規定する赴任に係る旅費又は同条第二項第一号、第四号、第八号若しくは第五項の規定により転居費、着後滞在費、家族移転費若しくはこれらに相当するものが含まれる旅費を請求する場合には、赴任旅費精算請求書又は赴任旅費概算請求書

三 法第三条第二項（第一号、第四号及び第八号を除く。）に係る旅費を請求する場合には、死亡時旅費請求書

四 法第三条第六項に係る旅費を請求する場合には、旅費損失請求書

五 法第三条第七項に係る旅費を請求する場合

には、旅費喪失請求書

六 法第三条第八項に係る旅費に相当する金額を請求する場合には、当該金額に係る旅費に応じた前各号に掲げる請求書

2 法第七条第一項に規定する必要な資料の種類は、別表第六のとおりとする。ただし、旅行役務提供者が旅費に相当する金額を請求する場合には、第四項に規定する請求書に相当するものをもつて、同表に規定する額を証明するに足る資料又はその支払を証明するに足る資料に代えることができる。

3 法第七条第七項に規定する記載事項又は記録事項は、別表第七の上欄に掲げる請求書の区分ごとにそれぞれ同表の下欄に掲げる事項及び別表第八の上欄に掲げる種目の区分ごとにそれぞれ同表の下欄に掲げる事項とする。

4 旅行役務提供者が旅費に相当する金額を請求する場合において、別表第七中「請求者」とあるのは、「旅行者」と読み替えるものとする。この場合において、前項で定める記載事項又は記録事項に準ずる内容が記載又は記録され、かつ、支出官等が認めた請求書に相当するもの（請求する者の名称又は氏名及び住所が記載されたものに限る。）をもつて、第一項第六号に掲げる請求書に代えることができる。

5 旅行命令権者及び支出官等は、旅行者又は旅行役務提供者が請求書を提出した場合には、その請求内容が適切であるかを確認するものとする。

6 前項の場合において、請求書を提出した者が旅行役務提供者であるときは、旅行命令権者及び支出官等は、旅行者に対して必要な報告又は資料の提出を求めることができる。

7 支出官等は、旅費を支給した又は旅費に相当する金額を支払つた場合には、請求書に支給先又は支払先及び支給年月日又は支払年月日を記載又は記録するものとする。

（旅費の精算に係る期間）

第二十五条 法第七条第二項に規定する期間は、やむを得ない事情のため旅行命令権者の承認を得た場合を除くほか、旅行を完了した日の翌日から起算して二週間とする。

2 法第七条第三項に規定する期間は、精算による過払金の返納の告知の日の翌日から起算して二週間とする。

（給与の種類）

第二十六条 法第七条第四項及び第十条第二項に規定する給与の種類は、一般職給与法に規定する俸給、俸給の特別調整額、本府省業務調整手当、初任給調整手当、専門スタッフ職調整手当、扶養手当、地域手当、広域異動手当、単身赴任手当、特殊勤務手当、特地勤務手当（同法第十四条の規定による手当を含む。）、超過勤務手当、休日給、夜勤手当、宿日直手当及び管理職員特別勤務手当又はこれらに相当する給与とする。

（通勤手当との調整）

第二十七条 旅行者が一般職給与法第十二条に規定する通勤手当又はこれに相当する給与（以下この条において「通勤手当等」という。）の支給を受けている場合であつて、旅行の経路に当該通勤手当等の区間が含まれるときは、その重複する区間に係る旅費は支給しないものとする。

（実地監査）

第二十八条 法第十一条の規定により実地監査を行う場合には、財務大臣は、あらかじめ、各庁の長に対して、監査の目的、対象、日程並びに当該職員の官職及び氏名を通知しなければならない。

（在勤官署等以外の地を出発地又は到着地とする場合の旅費）

第二十九条 在勤官署（常時勤務する在勤官署のない場合又は旅行命令権者が認める場合には、住所、居所その他旅行命令権者が認める場所。次項において同じ。）において「在勤官署等」という。）又は旅行地（以下この項において「在勤官署等」という。）以外の地を出発地として旅行する場合における旅費の支給額は、在勤官署等以外の地から目的地に至る旅費の額と在勤官署等から目的地に至る旅費の額を比較し、いずれか少ない額とする。

2 既に旅行している者が、旅行地から在勤官署以外の地を到着地として旅行する場合における旅費の支給額は、旅行地から在勤官署以外の地に至る旅費の額と旅行地から在勤官署に至る旅費の額を比較し、いずれか少ない額とする。

（本邦通過の場合の旅費）

第三十条 外国旅行中本邦を通過する場合には、その本邦内の旅行について支給する旅費は、内国旅行の規定による。ただし、外国航路の船舶又は航空機により本邦を出発し、又は本邦に到着した場合における船賃又は航空賃については、外国旅行の規定による。

2 前項本文の場合において、令第十四条第一項第一号の規定の適用については、本邦出発の場

合にはその外国への出発地を新居住地又は居住地とみなす。

（年度経過等による区分）

第三十一条　移動中における年度の経過、職務の級の変更等のため鉄道賃、船賃、航空賃及びその他の交通費（家族移転費のうちこれらに相当する部分を含む。）を区分して算定する必要がある場合には、年度の経過、職務の級の変更等の後に最初の目的地に到着するまでの分及びそれ以後の分に区分して算定する。

附　則

この省令は、公布の日から施行し、昭和二十五年四月一日以後の旅行から適用する。但し、第四条及び第六条から第八条までの規定は、昭和二十五年五月一日以後出発する旅行から適用する。

附　則（令二・四・一財務令二五）

（施行期日）

1　この省令は、公布の日から施行する。

（経過措置）

2　この省令の施行の際、現に存するこの省令による改正前の書式による用紙は、当分の間、これを取り繕い使用することができる。

附　則（令二・六・一五財務令四九）

この省令は、公布の日から施行する。

附　則（令二・一二・二五財務令九一）

（施行期日）

1　この省令は公布の日から施行する。

（経過措置）

2　この省令の施行の際、現に存するこの省令による改正前の様式による用紙は、当分の間、これを取り繕い使用することができる。

附　則（令六・一二・二〇財務令七〇）

（施行期日）

第一条　この省令は、国家公務員等の旅費に関する法律の一部を改正する法律（令和六年法律第二十二号。次条第一項において「改正法」という。）の施行の日（令和七年四月一日）から施行する。

（経過措置）

第二条　改正後の国家公務員等の旅費支給規程（以下この条において「新規程」という。）の規定は、この省令の施行の日（以下この項及び次項において「施行日」という。）以後に改正法による改正後の国家公務員等の旅費に関する法律（昭和二十五年法律第百十四号。以下この項及び第三項において「新法」という。）第二条第四号に規定する旅行命令権者が新法第四条第一項に規定する旅行命令等を発する旅行及び新法第三条第五項の規定により旅費の支給を決定する旅行について適用し、施行日前に改正法による改正前の国家公務員等の旅費に関する法律（以下この項及び第三項において「旧法」という。）第四条第一項に規定する旅行命令権者が同項に規定する旅行命令等を発した旅行及び旧法第三条第五項の規定により旅費の支給を決定した旅行については、なお従前の例による。ただし、施行日前に旧法第四条第一項に規定する旅行命令権者が同項に規定する旅行命令等を発し、かつ、施行日以後に新法第二条第四号に規定する旅行命令権者が新法第四条第三項の規定により当該旅行命令等を変更する旅行については、新規程の規定は、当該旅行のうち当該変更の日以後の期間に対応する分について適用し、当該旅行のうち当該変更の日前の期間に対応する分については、なお従前の例による。

2　新規程第十八条から第二十一条までの規定は、施行日以後に退職、免職（罷免を含む。）、失職若しくは休職（以下この項において「退職等」という。）となった場合、死亡した場合又は外務公務員法（昭和二十七年法律第四十一号）第二十三条の規定により休暇帰国を許された場合について適用し、施行日前に退職等となった場合、死亡した場合又は同法の定めるところにより休暇帰国を許された場合については、なお従前の例による。

3　新規程第三条及び第四条の規定は、新法第三条第六項及び第七項に規定する者が同条第一項、第二項、第四項及び第五項の規定により旅費の支給を受けることができる場合について適用し、旧法第三条第一項、第二項、第四項及び第五項の規定により旅費の支給を受けることができる場合については、なお従前の例による。

教育職俸給表㈠	教育職俸給表㈡	研究職俸給表	医療職俸給表㈠	医療職俸給表㈡	医療職俸給表㈢	福祉職俸給表	専門スタッフ職俸給表
５級		６級	５級				４級
４級の５号俸以上		５級の５号俸以上	４級	８級			３級
４級の４号俸以下 ３級の29号俸以上		５級の４号俸以下	３級の５号俸以上				２級
３級の９号俸から28号俸まで	３級の29号俸以上		３級の４号俸以下	７級	７級	６級	
２級の25号俸以上	３級の25号俸から28号俸まで ２級の49号俸以上	４級 ３級の13号俸以上	２級の13号俸以上	６級	６級	５級	１級
３級の８号俸以下 ２級の17号俸から24号俸まで	３級の17号俸から24号俸まで ２級の41号俸から48号俸まで	３級の５号俸から12号俸まで	２級の９号俸から12号俸まで	５級	５級	４級	
２級の５号俸から16号俸まで	３級の５号俸から16号俸まで ２級の37号俸から40号俸まで １級の57号俸以上	３級の４号俸以下	２級の８号俸以下 １級の25号俸以上				
２級の４号俸以下 １級の25号俸以上	３級の４号俸以下 ２級の25号俸から36号俸まで １級の37号俸から56号俸まで	２級の25号俸以上	１級の13号俸から24号俸まで	４級 ３級の５号俸以上	４級 ３級の５号俸以上	３級 ２級の13号俸以上	
１級の９号俸から24号俸まで	２級の９号俸から24号俸まで １級の21号俸から36号俸まで	２級の９号俸から24号俸まで １級の45号俸以上	１級の12号俸以下	３級の４号俸以下 ２級の９号俸以上	３級の４号俸以下 ２級の29号俸以上	２級の12号俸以下	
１級の８号俸以下	２級の８号俸以下 １級の20号俸以下	２級の８号俸以下 １級の44号俸以下		２級の８号俸以下 １級	２級の28号俸以下 １級	１級	

別表第一 行政職俸給表㈠の各級に相当する職務の級（第八条関係）

一 一般職給与法第六条第一項第一号ロ及び第二号から第十号までに規定する俸給表の適用を受ける者（別表第一の二に規定する職員を除く。）の行政職俸給表㈠の各級に相当する職務の級

行政職俸給表㈠	行政職俸給表㈡	専門行政職俸給表	税務職俸給表	公安職俸給表㈠	公安職俸給表㈡	海事職俸給表㈠	海事職俸給表㈡
10級		8級	10級	11級	10級		
9級		7級	9級	10級	9級	7級	
8級		6級	8級	9級	8級		
7級		5級	7級	8級	7級	6級	
6級		4級	6級	7級	6級		
5級		3級	5級	6級	5級	5級	
4級	5級		4級	5級	4級	4級	6級
3級	4級	2級	3級	4級	3級	3級	5級
2級	3級	1級の17号俸以上	2級	3級の9号俸以上 2級の33号俸以上 1級の41号俸以上	2級	2級の9号俸以上	4級 3級
1級	2級 1級	1級の16号俸以下	1級	3級の8号俸以下 2級の32号俸以下 1級の40号俸以下	1級	2級の8号俸以下 1級	2級 1級

教育職俸給表(一)	教育職俸給表(二)	研究職俸給表	医療職俸給表(一)	医療職俸給表(二)	医療職俸給表(三)	福祉職俸給表	専門スタッフ職俸給表
5級		6級	5級				4級
			4級	8級			3級
4級		5級					2級
			3級	7級	7級	6級	
		4級		6級	6級	5級	1級
3級	3級	3級		5級	5級	4級	
2級	2級		2級				
1級	1級	2級	1級	4級 3級	4級 3級	3級 2級	
		1級		2級	2級		
				1級	1級	1級	

二 国家公務員法（昭和二十二年法律第百二十号）第六十条の二第二項に規定する定年前再任用短時間勤務職員又は国家公務員法等の一部を改正する法律（令和三年法律第六十一号）附則第三条第四項に規定する暫定再任用職員の行政職俸給表㈠の各級に相当する職務の級

行政職俸給表㈠	行政職俸給表㈡	専門行政職俸給表	税務職俸給表	公安職俸給表㈠	公安職俸給表㈡	海事職俸給表㈠	海事職俸給表㈡
10級		8級	10級	11級	10級		
9級		7級	9級	10級	9級	7級	
8級		6級	8級	9級	8級		
7級		5級	7級	8級	7級	6級	
6級		4級	6級	7級	6級		
5級		3級	5級	6級	5級	5級	
4級	5級		4級	5級	4級	4級	6級
3級	4級	2級	3級	4級	3級	3級	5級
2級	3級	1級	2級	3級 2級 1級	2級	2級	4級 3級
1級	2級 1級		1級		1級	1級	2級 1級

新潟県	34,000円	22,000円	16,000円
富山県	23,000円	15,000円	11,000円
石川県	19,000円	13,000円	9,000円
福井県	21,000円	14,000円	10,000円
山梨県	25,000円	17,000円	12,000円
長野県	23,000円	15,000円	11,000円
岐阜県	27,000円	18,000円	13,000円
静岡県	19,000円	13,000円	9,000円
愛知県	23,000円	15,000円	11,000円
三重県	19,000円	13,000円	9,000円
滋賀県	23,000円	15,000円	11,000円
京都府	40,000円	27,000円	19,000円
大阪府	27,000円	18,000円	13,000円
兵庫県	25,000円	17,000円	12,000円
奈良県	23,000円	15,000円	11,000円
和歌山県	23,000円	15,000円	11,000円
鳥取県	17,000円	11,000円	8,000円
島根県	19,000円	13,000円	9,000円
岡山県	21,000円	14,000円	10,000円
広島県	27,000円	18,000円	13,000円
山口県	17,000円	11,000円	8,000円
徳島県	21,000円	14,000円	10,000円
香川県	32,000円	21,000円	15,000円
愛媛県	21,000円	14,000円	10,000円
高知県	23,000円	15,000円	11,000円
福岡県	38,000円	25,000円	18,000円
佐賀県	23,000円	15,000円	11,000円
長崎県	23,000円	15,000円	11,000円
熊本県	29,000円	20,000円	14,000円
大分県	23,000円	15,000円	11,000円
宮崎県	25,000円	17,000円	12,000円
鹿児島県	25,000円	17,000円	12,000円
沖縄県	23,000円	15,000円	11,000円

二　外国

区分			宿泊費基準額（一夜につき）		
地域	国名	地名	内閣総理大臣等	指定職職員等	職務の級が10級以下の者
アジア	インド	ニューデリー	29,000円	20,000円	18,000円
		コルカタ	16,000円	11,000円	10,000円

三　任期付研究員法第三条第一項の規定により任期を定めて採用された者及び特別職給与法第一条第四十四号に掲げる者の行政職俸給表㈠の各級に相当する職務の級

行政職俸給表㈠	任期付研究員法第３条第１項第１号	任期付研究員法第３条第１項第２号	特別職給与法第１条第44号
10級			
９級	６号俸		12号俸 11号俸 10号俸 ９号俸
８級	５号俸		
７級	４号俸		８号俸 ７号俸 ６号俸 ５号俸
６級	３号俸		４号俸 ３号俸
５級	２号俸		
４級	１号俸		２号俸
３級		３号俸 ２号俸 １号俸	１号俸
２級			
１級			

別表第二　宿泊費基準額（第十三条関係）

一　本邦

区分	宿泊費基準額（一夜につき）		
	内閣総理大臣等	指定職職員等	職務の級が10級以下の者
北海道	27,000円	18,000円	13,000円
青森県	23,000円	15,000円	11,000円
岩手県	19,000円	13,000円	9,000円
宮城県	21,000円	14,000円	10,000円
秋田県	23,000円	15,000円	11,000円
山形県	21,000円	14,000円	10,000円
福島県	17,000円	11,000円	8,000円
茨城県	23,000円	15,000円	11,000円
栃木県	21,000円	14,000円	10,000円
群馬県	21,000円	14,000円	10,000円
埼玉県	40,000円	27,000円	19,000円
千葉県	36,000円	24,000円	17,000円
東京都	40,000円	27,000円	19,000円
神奈川県	34,000円	22,000円	16,000円

ネパール	カトマンズ	24,000円	17,000円	15,000円
	その他の地	24,000円	17,000円	15,000円
パキスタン	イスラマバード	51,000円	35,000円	32,000円
	カラチ	50,000円	34,000円	31,000円
	その他の地	50,000円	34,000円	31,000円
バングラデシュ	ダッカ	27,000円	19,000円	17,000円
	その他の地	27,000円	19,000円	17,000円
東ティモール	ディリ	27,000円	19,000円	17,000円
	その他の地	27,000円	19,000円	17,000円
フィリピン	マニラ	27,000円	19,000円	17,000円
	セブ	30,000円	21,000円	19,000円
	ダバオ	35,000円	24,000円	22,000円
	その他の地	35,000円	24,000円	22,000円
ブルネイ	バンダルスリブガワン	32,000円	22,000円	20,000円
	その他の地	32,000円	22,000円	20,000円
ベトナム	ハノイ	22,000円	15,000円	14,000円
	ダナン	24,000円	17,000円	15,000円
	ホーチミン	24,000円	17,000円	15,000円
	その他の地	22,000円	15,000円	14,000円
マレーシア	クアラルンプール	22,000円	15,000円	14,000円
	ペナン	22,000円	15,000円	14,000円
	その他の地	24,000円	17,000円	15,000円
ミャンマー	ヤンゴン	27,000円	19,000円	17,000円
	その他の地	27,000円	19,000円	17,000円
モルディブ	マレ	75,000円	52,000円	47,000円
	その他の地	72,000円	50,000円	45,000円
モンゴル	ウランバートル	38,000円	26,000円	24,000円
	その他の地	38,000円	26,000円	24,000円
	チェンナイ	19,000円	13,000円	12,000円
	ベンガルール	26,000円	18,000円	16,000円
	ムンバイ	37,000円	25,000円	23,000円
	その他の地	22,000円	15,000円	14,000円
インドネシア	ジャカルタ	26,000円	18,000円	16,000円
	スラバヤ	19,000円	13,000円	12,000円
	デンパサール	29,000円	20,000円	18,000円
	メダン	13,000円	9,000円	8,000円
	その他の地	21,000円	14,000円	13,000円
カンボジア	プノンペン	34,000円	23,000円	21,000円
	その他の地	34,000円	23,000円	21,000円
シンガポール	シンガポール	54,000円	37,000円	34,000円
	その他の地	54,000円	37,000円	34,000円
スリランカ	コロンボ	35,000円	24,000円	22,000円
	その他の地	35,000円	24,000円	22,000円
タイ	バンコク	32,000円	22,000円	20,000円
	チェンマイ	22,000円	15,000円	14,000円
	その他の地	30,000円	21,000円	19,000円
大韓民国	ソウル	42,000円	29,000円	26,000円
	済州	37,000円	25,000円	23,000円
	釜山	29,000円	20,000円	18,000円
	その他の地	37,000円	25,000円	23,000円
中華人民共和国	北京	27,000円	19,000円	17,000円
	広州	27,000円	19,000円	17,000円
	上海	27,000円	19,000円	17,000円
	重慶	18,000円	12,000円	11,000円
	瀋陽	14,000円	10,000円	9,000円
	青島	19,000円	13,000円	12,000円
	香港	51,000円	35,000円	32,000円
	その他の地	24,000円	17,000円	15,000円

	マーシャル	マジュロ	40,000円	28,000円	25,000円
		その他の地	40,000円	28,000円	25,000円
	ミクロネシア	コロニア	40,000円	28,000円	25,000円
		その他の地	40,000円	28,000円	25,000円
	その他の国		40,000円	28,000円	25,000円
北米	アメリカ合衆国	ワシントン	86,000円	59,000円	54,000円
		アトランタ	61,000円	42,000円	38,000円
		サンフランシスコ	78,000円	54,000円	49,000円
		シアトル	67,000円	46,000円	42,000円
		シカゴ	70,000円	48,000円	44,000円
		デトロイト	69,000円	47,000円	43,000円
		デンバー	64,000円	44,000円	40,000円
		ナッシュビル	59,000円	41,000円	37,000円
		ニューヨーク	91,000円	63,000円	57,000円
		ハガッニャ	29,000円	20,000円	18,000円
		ヒューストン	45,000円	31,000円	28,000円
		ボストン	94,000円	65,000円	59,000円
		ホノルル	78,000円	54,000円	49,000円
		マイアミ	62,000円	43,000円	39,000円
		ロサンゼルス	67,000円	46,000円	42,000円
		その他の地	58,000円	40,000円	36,000円
	カナダ	オタワ	54,000円	37,000円	34,000円
		カルガリー	54,000円	37,000円	34,000円
		トロント	78,000円	54,000円	49,000円
		バンクーバー	70,000円	48,000円	44,000円
		モントリオール	58,000円	40,000円	36,000円
		その他の地	56,000円	39,000円	35,000円
	その他の国		58,000円	40,000円	36,000円
中南米	アルゼンチン	ブエノスアイレス	40,000円	28,000円	25,000円

	ラオス	ビエンチャン	27,000円	19,000円	17,000円
		その他の地	27,000円	19,000円	17,000円
	その他の国		27,000円	19,000円	17,000円
大洋州	オーストラリア	キャンベラ	46,000円	32,000円	29,000円
		シドニー	46,000円	32,000円	29,000円
		パース	43,000円	30,000円	27,000円
		ブリスベン	45,000円	31,000円	28,000円
		メルボルン	42,000円	29,000円	26,000円
		その他の地	42,000円	29,000円	26,000円
	キリバス	タラワ	40,000円	28,000円	25,000円
		その他の地	40,000円	28,000円	25,000円
	サモア	アピア	40,000円	28,000円	25,000円
		その他の地	40,000円	28,000円	25,000円
	ソロモン	ホニアラ	40,000円	28,000円	25,000円
		その他の地	40,000円	28,000円	25,000円
	トンガ	ヌクアロファ	40,000円	28,000円	25,000円
		その他の地	40,000円	28,000円	25,000円
	ニュージーランド	ウェリントン	43,000円	30,000円	27,000円
		オークランド	43,000円	30,000円	27,000円
		その他の地	38,000円	26,000円	24,000円
	バヌアツ	ポートビラ	40,000円	28,000円	25,000円
		その他の地	40,000円	28,000円	25,000円
	パプアニューギニア	ポートモレスビー	61,000円	42,000円	38,000円
		その他の地	61,000円	42,000円	38,000円
	パラオ	コロール	40,000円	28,000円	25,000円
		その他の地	40,000円	28,000円	25,000円
	フィジー	スバ	53,000円	36,000円	33,000円
		その他の地	64,000円	44,000円	40,000円

		その他の地	53,000円	36,000円	33,000円
	パナマ	パナマ	37,000円	25,000円	23,000円
		その他の地	34,000円	23,000円	21,000円
	パラグアイ	アスンシオン	35,000円	24,000円	22,000円
		その他の地	27,000円	19,000円	17,000円
	バルバドス	ブリッジタウン	75,000円	52,000円	47,000円
		その他の地	75,000円	52,000円	47,000円
	ブラジル	ブラジリア	26,000円	18,000円	16,000円
		クリチバ	19,000円	13,000円	12,000円
		サンパウロ	32,000円	22,000円	20,000円
		マナウス	22,000円	15,000円	14,000円
		リオデジャネイロ	30,000円	21,000円	19,000円
		レシフェ	21,000円	14,000円	13,000円
		その他の地	18,000円	12,000円	11,000円
	ベネズエラ	カラカス	50,000円	34,000円	31,000円
		その他の地	50,000円	34,000円	31,000円
	ペルー	リマ	32,000円	22,000円	20,000円
		その他の地	30,000円	21,000円	19,000円
	ボリビア	ラパス	21,000円	14,000円	13,000円
		その他の地	21,000円	14,000円	13,000円
	ホンジュラス	テグシガルパ	46,000円	32,000円	29,000円
		その他の地	46,000円	32,000円	29,000円
	メキシコ	メキシコ	30,000円	21,000円	19,000円
		レオン	27,000円	19,000円	17,000円
		その他の地	30,000円	21,000円	19,000円
	その他の国		22,000円	15,000円	14,000円
欧州	アイスランド	レイキャビク	78,000円	54,000円	49,000円
		その他の地	75,000円	52,000円	47,000円
		その他の地	38,000円	26,000円	24,000円
	ウルグアイ	モンテビデオ	32,000円	22,000円	20,000円
		その他の地	32,000円	22,000円	20,000円
	エクアドル	キト	43,000円	30,000円	27,000円
		その他の地	40,000円	28,000円	25,000円
	エルサルバドル	サンサルバドル	43,000円	30,000円	27,000円
		その他の地	43,000円	30,000円	27,000円
	キューバ	ハバナ	22,000円	15,000円	14,000円
		その他の地	22,000円	15,000円	14,000円
	グアテマラ	グアテマラ	35,000円	24,000円	22,000円
		その他の地	34,000円	23,000円	21,000円
	コスタリカ	サンホセ	51,000円	35,000円	32,000円
		その他の地	51,000円	35,000円	32,000円
	コロンビア	ボゴタ	29,000円	20,000円	18,000円
		その他の地	27,000円	19,000円	17,000円
	ジャマイカ	キングストン	70,000円	48,000円	44,000円
		その他の地	70,000円	48,000円	44,000円
	チリ	サンティアゴ	42,000円	29,000円	26,000円
		その他の地	38,000円	26,000円	24,000円
	ドミニカ共和国	サントドミンゴ	54,000円	37,000円	34,000円
		その他の地	53,000円	36,000円	33,000円
	トリニダード・トバゴ	ポートオブスペイン	64,000円	44,000円	40,000円
		その他の地	58,000円	40,000円	36,000円
	ニカラグア	マナグア	22,000円	15,000円	14,000円
		その他の地	22,000円	15,000円	14,000円
	ハイチ	ポルトープランス	53,000円	36,000円	33,000円

ギリシャ	アテネ	45,000円	31,000円	28,000円
	その他の地	40,000円	28,000円	25,000円
キルギス	ビシュケク	24,000円	17,000円	15,000円
	その他の地	24,000円	17,000円	15,000円
クロアチア	ザグレブ	34,000円	23,000円	21,000円
	その他の地	35,000円	24,000円	22,000円
ジョージア	トビリシ	34,000円	23,000円	21,000円
	その他の地	34,000円	23,000円	21,000円
スイス	ベルン	53,000円	36,000円	33,000円
	ジュネーブ	61,000円	42,000円	38,000円
	その他の地	51,000円	35,000円	32,000円
スウェーデン	ストックホルム	48,000円	33,000円	30,000円
	その他の地	40,000円	28,000円	25,000円
スペイン	マドリード	50,000円	34,000円	31,000円
	バルセロナ	54,000円	37,000円	34,000円
	その他の地	38,000円	26,000円	24,000円
スロバキア	ブラチスラバ	35,000円	24,000円	22,000円
	その他の地	29,000円	20,000円	18,000円
スロベニア	リュブリャナ	37,000円	25,000円	23,000円
	その他の地	35,000円	24,000円	22,000円
セルビア	ベオグラード	40,000円	28,000円	25,000円
	その他の地	34,000円	23,000円	21,000円
タジキスタン	ドゥシャンベ	45,000円	31,000円	28,000円
	その他の地	45,000円	31,000円	28,000円
チェコ	プラハ	30,000円	21,000円	19,000円
	その他の地	27,000円	19,000円	17,000円
デンマーク	コペンハーゲン	54,000円	37,000円	34,000円

アイルランド	ダブリン	58,000円	40,000円	36,000円
	その他の地	53,000円	36,000円	33,000円
アゼルバイジャン	バクー	40,000円	28,000円	25,000円
	その他の地	40,000円	28,000円	25,000円
アルバニア	ティラナ	26,000円	18,000円	16,000円
	その他の地	26,000円	18,000円	16,000円
アルメニア	エレバン	43,000円	30,000円	27,000円
	その他の地	42,000円	29,000円	26,000円
イタリア	ローマ	48,000円	33,000円	30,000円
	ミラノ	50,000円	34,000円	31,000円
	その他の地	35,000円	24,000円	22,000円
ウクライナ	キーウ	34,000円	23,000円	21,000円
	その他の地	34,000円	23,000円	21,000円
ウズベキスタン	タシケント	40,000円	28,000円	25,000円
	その他の地	38,000円	26,000円	24,000円
英国	ロンドン	70,000円	48,000円	44,000円
	エディンバラ	61,000円	42,000円	38,000円
	その他の地	46,000円	32,000円	29,000円
エストニア	タリン	30,000円	21,000円	19,000円
	その他の地	32,000円	22,000円	20,000円
オーストリア	ウィーン	38,000円	26,000円	24,000円
	その他の地	34,000円	23,000円	21,000円
オランダ	ハーグ	38,000円	26,000円	24,000円
	その他の地	40,000円	28,000円	25,000円
カザフスタン	アスタナ	37,000円	25,000円	23,000円
	その他の地	37,000円	25,000円	23,000円
北マケドニア	スコピエ	34,000円	23,000円	21,000円
	その他の地	32,000円	22,000円	20,000円
キプロス	ニコシア	53,000円	36,000円	33,000円
	その他の地	42,000円	29,000円	26,000円

	ポーランド	ワルシャワ	29,000円	20,000円	18,000円
		その他の地	24,000円	17,000円	15,000円
	ボスニア・ヘルツェゴビナ	サラエボ	29,000円	20,000円	18,000円
		その他の地	26,000円	18,000円	16,000円
	ポルトガル	リスボン	45,000円	31,000円	28,000円
		その他の地	35,000円	24,000円	22,000円
	モルドバ	キシナウ	32,000円	22,000円	20,000円
		その他の地	32,000円	22,000円	20,000円
	ラトビア	リガ	29,000円	20,000円	18,000円
		その他の地	29,000円	20,000円	18,000円
	リトアニア	ビリニュス	29,000円	20,000円	18,000円
		その他の地	29,000円	20,000円	18,000円
	ルーマニア	ブカレスト	34,000円	23,000円	21,000円
		その他の地	27,000円	19,000円	17,000円
	ルクセンブルク	ルクセンブルク	56,000円	39,000円	35,000円
		その他の地	46,000円	32,000円	29,000円
	ロシア	モスクワ	34,000円	23,000円	21,000円
		ウラジオストク	34,000円	23,000円	21,000円
		サンクトペテルブルク	34,000円	23,000円	21,000円
		ハバロフスク	34,000円	23,000円	21,000円
		ユジノサハリンスク	34,000円	23,000円	21,000円
		その他の地	34,000円	23,000円	21,000円
	その他の国		34,000円	23,000円	21,000円
中東	アフガニスタン	カブール	37,000円	25,000円	23,000円
		その他の地	37,000円	25,000円	23,000円
	アラブ首長国連邦	アブダビ	48,000円	33,000円	30,000円
		ドバイ	40,000円	28,000円	25,000円

	その他の地	48,000円	33,000円	30,000円
ドイツ	ベルリン	40,000円	28,000円	25,000円
	デュッセルドルフ	35,000円	24,000円	22,000円
	ハンブルク	40,000円	28,000円	25,000円
	フランクフルト	32,000円	22,000円	20,000円
	ミュンヘン	38,000円	26,000円	24,000円
	その他の地	30,000円	21,000円	19,000円
トルクメニスタン	アシガバット	34,000円	23,000円	21,000円
	その他の地	34,000円	23,000円	21,000円
ノルウェー	オスロ	51,000円	35,000円	32,000円
	その他の地	46,000円	32,000円	29,000円
バチカン	バチカン	34,000円	23,000円	21,000円
	その他の地	34,000円	23,000円	21,000円
ハンガリー	ブダペスト	34,000円	23,000円	21,000円
	その他の地	30,000円	21,000円	19,000円
フィンランド	ヘルシンキ	43,000円	30,000円	27,000円
	その他の地	42,000円	29,000円	26,000円
フランス	パリ	61,000円	42,000円	38,000円
	ストラスブール	38,000円	26,000円	24,000円
	マルセイユ	37,000円	25,000円	23,000円
	その他の地	40,000円	28,000円	25,000円
ブルガリア	ソフィア	32,000円	22,000円	20,000円
	その他の地	29,000円	20,000円	18,000円
ベラルーシ	ミンスク	42,000円	29,000円	26,000円
	その他の地	42,000円	29,000円	26,000円
ベルギー	ブリュッセル	54,000円	37,000円	34,000円
	その他の地	42,000円	29,000円	26,000円

		その他の地	37,000円	25,000円	23,000円
	その他の国		37,000円	25,000円	23,000円
アフリカ	アルジェリア	アルジェ	48,000円	33,000円	30,000円
		その他の地	46,000円	32,000円	29,000円
	アンゴラ	ルアンダ	75,000円	52,000円	47,000円
		その他の地	75,000円	52,000円	47,000円
	ウガンダ	カンパラ	30,000円	21,000円	19,000円
		その他の地	50,000円	34,000円	31,000円
	エジプト	カイロ	51,000円	35,000円	32,000円
		その他の地	50,000円	34,000円	31,000円
	エチオピア	アディスアベバ	29,000円	20,000円	18,000円
		その他の地	38,000円	26,000円	24,000円
	ガーナ	アクラ	46,000円	32,000円	29,000円
		その他の地	46,000円	32,000円	29,000円
	ガボン	リーブルビル	51,000円	35,000円	32,000円
		その他の地	51,000円	35,000円	32,000円
	カメルーン	ヤウンデ	42,000円	29,000円	26,000円
		その他の地	42,000円	29,000円	26,000円
	ギニア	コナクリ	35,000円	24,000円	22,000円
		その他の地	35,000円	24,000円	22,000円
	ケニア	ナイロビ	42,000円	29,000円	26,000円
		その他の地	42,000円	29,000円	26,000円
	コートジボワール	アビジャン	51,000円	35,000円	32,000円
		その他の地	51,000円	35,000円	32,000円
	コンゴ民主共和国	キンシャサ	35,000円	24,000円	22,000円
		その他の地	35,000円	24,000円	22,000円
	ザンビア	ルサカ	53,000円	36,000円	33,000円
		その他の地	59,000円	41,000円	37,000円
	ジブチ	ジブチ	35,000円	24,000円	22,000円
		その他の地	38,000円	26,000円	24,000円
	イエメン	サヌア	37,000円	25,000円	23,000円
		その他の地	37,000円	25,000円	23,000円
	イスラエル	テルアビブ	59,000円	41,000円	37,000円
		その他の地	53,000円	36,000円	33,000円
	イラク	バグダッド	37,000円	25,000円	23,000円
		その他の地	37,000円	25,000円	23,000円
	イラン	テヘラン	37,000円	25,000円	23,000円
		その他の地	37,000円	25,000円	23,000円
	オマーン	マスカット	22,000円	15,000円	14,000円
		その他の地	24,000円	17,000円	15,000円
	カタール	ドーハ	27,000円	19,000円	17,000円
		その他の地	27,000円	19,000円	17,000円
	クウェート	クウェート	37,000円	25,000円	23,000円
		その他の地	38,000円	26,000円	24,000円
	サウジアラビア	リヤド	69,000円	47,000円	43,000円
		ジッダ	34,000円	23,000円	21,000円
		その他の地	59,000円	41,000円	37,000円
	シリア	ダマスカス	37,000円	25,000円	23,000円
		その他の地	37,000円	25,000円	23,000円
	トルコ	アンカラ	24,000円	17,000円	15,000円
		イスタンブール	32,000円	22,000円	20,000円
		その他の地	30,000円	21,000円	19,000円
	バーレーン	マナーマ	35,000円	24,000円	22,000円
		その他の地	35,000円	24,000円	22,000円
	ヨルダン	アンマン	34,000円	23,000円	21,000円
		その他の地	34,000円	23,000円	21,000円
	レバノン	ベイルート	37,000円	25,000円	23,000円

		その他の地	35,000円	24,000円	22,000円
	ジンバブエ	ハラレ	30,000円	21,000円	19,000円
		その他の地	30,000円	21,000円	19,000円
	スーダン	ハルツーム	35,000円	24,000円	22,000円
		その他の地	35,000円	24,000円	22,000円
	セーシェル	ビクトリア	35,000円	24,000円	22,000円
		その他の地	35,000円	24,000円	22,000円
	セネガル	ダカール	64,000円	44,000円	40,000円
		その他の地	62,000円	43,000円	39,000円
	タンザニア	ダルエスサラーム	35,000円	24,000円	22,000円
		その他の地	37,000円	25,000円	23,000円
	チュニジア	チュニス	46,000円	32,000円	29,000円
		その他の地	46,000円	32,000円	29,000円
	ナイジェリア	アブジャ	50,000円	34,000円	31,000円
		その他の地	50,000円	34,000円	31,000円
	ナミビア	ウィントフック	21,000円	14,000円	13,000円
		その他の地	27,000円	19,000円	17,000円
	ブルキナファソ	ワガドゥグー	37,000円	25,000円	23,000円
		その他の地	37,000円	25,000円	23,000円
	ベナン	コトヌ	43,000円	30,000円	27,000円
		その他の地	43,000円	30,000円	27,000円
	ボツワナ	ハボローネ	37,000円	25,000円	23,000円
		その他の地	37,000円	25,000円	23,000円
	マダガスカル	アンタナナリボ	38,000円	26,000円	24,000円
		その他の地	38,000円	26,000円	24,000円
	マラウイ	リロングウェ	42,000円	29,000円	26,000円
		その他の地	42,000円	29,000円	26,000円
	マリ	バマコ	66,000円	45,000円	41,000円
		その他の地	66,000円	45,000円	41,000円
	南アフリカ共和国	プレトリア	26,000円	18,000円	16,000円
		その他の地	29,000円	20,000円	18,000円
	南スーダン	ジュバ	35,000円	24,000円	22,000円
		その他の地	35,000円	24,000円	22,000円
	モーリシャス	ポートルイス	61,000円	42,000円	38,000円
		その他の地	42,000円	29,000円	26,000円
	モーリタニア	ヌアクショット	34,000円	23,000円	21,000円
		その他の地	34,000円	23,000円	21,000円
	モザンビーク	マプト	29,000円	20,000円	18,000円
		その他の地	30,000円	21,000円	19,000円
	モロッコ	ラバト	32,000円	22,000円	20,000円
		その他の地	30,000円	21,000円	19,000円
	リビア	トリポリ	35,000円	24,000円	22,000円
		その他の地	35,000円	24,000円	22,000円
	ルワンダ	キガリ	46,000円	32,000円	29,000円
		その他の地	46,000円	32,000円	29,000円
	その他の国		35,000円	24,000円	22,000円
その他の地域			34,000円	23,000円	21,000円

別表第三　宿泊手当（第十四条関係）

一　本邦

区　　　分	宿泊手当（一夜につき）
全ての地	2,400円

二　外国

区分		宿泊手当（一夜につき）
地　域	国　　名	
アジア	インド	4,800円
	インドネシア	4,500円
	カンボジア	5,400円
	シンガポール	5,400円
	スリランカ	5,400円

	ジャマイカ	5,400円
	チリ	5,400円
	ドミニカ共和国	5,400円
	トリニダード・トバゴ	5,400円
	ニカラグア	4,800円
	ハイチ	5,400円
	パナマ	5,400円
	パラグアイ	5,400円
	バルバドス	5,400円
	ブラジル	3,900円
	ベネズエラ	5,400円
	ペルー	5,400円
	ボリビア	4,500円
	ホンジュラス	5,400円
	メキシコ	5,400円
	その他の国	4,800円
欧州	アイスランド	5,400円
	アイルランド	5,400円
	アゼルバイジャン	5,400円
	アルバニア	5,400円
	アルメニア	5,400円
	イタリア	5,400円
	ウクライナ	5,400円
	ウズベキスタン	5,400円
	英国	5,400円
	エストニア	5,400円
	オーストリア	5,400円
	オランダ	5,400円
	カザフスタン	5,400円
	北マケドニア	5,400円
	キプロス	5,400円
	ギリシャ	5,400円
	キルギス	5,100円
	クロアチア	5,400円
	ジョージア	5,400円
	スイス	5,400円
	スウェーデン	5,400円
	スペイン	5,400円
	スロバキア	5,400円
	スロベニア	5,400円

	タイ	5,400円
	大韓民国	5,400円
	中華人民共和国	5,100円
	ネパール	5,100円
	パキスタン	5,400円
	バングラデシュ	5,400円
	東ティモール	5,400円
	フィリピン	5,400円
	ブルネイ	5,400円
	ベトナム	4,800円
	マレーシア	5,100円
	ミャンマー	5,400円
	モルディブ	5,400円
	モンゴル	5,400円
	ラオス	5,400円
	その他の国	5,400円
大洋州	オーストラリア	5,400円
	キリバス	5,400円
	サモア	5,400円
	ソロモン	5,400円
	トンガ	5,400円
	ニュージーランド	5,400円
	バヌアツ	5,400円
	パプアニューギニア	5,400円
	パラオ	5,400円
	フィジー	5,400円
	マーシャル	5,400円
	ミクロネシア	5,400円
	その他の国	5,400円
北米	アメリカ合衆国	5,400円
	カナダ	5,400円
	その他の国	5,400円
中南米	アルゼンチン	5,400円
	ウルグアイ	5,400円
	エクアドル	5,400円
	エルサルバドル	5,400円
	キューバ	4,800円
	グアテマラ	5,400円
	コスタリカ	5,400円
	コロンビア	5,400円

アフリカ	アルジェリア	5,400円
	アンゴラ	5,400円
	ウガンダ	5,400円
	エジプト	5,400円
	エチオピア	5,400円
	ガーナ	5,400円
	ガボン	5,400円
	カメルーン	5,400円
	ギニア	5,400円
	ケニア	5,400円
	コートジボワール	5,400円
	コンゴ民主共和国	5,400円
	ザンビア	5,400円
	ジブチ	5,400円
	ジンバブエ	5,400円
	スーダン	5,400円
	セーシェル	5,400円
	セネガル	5,400円
	タンザニア	5,400円
	チュニジア	5,400円
	ナイジェリア	5,400円
	ナミビア	5,400円
	ブルキナファソ	5,400円
	ベナン	5,400円
	ボツワナ	5,400円
	マダガスカル	5,400円
	マラウイ	5,400円
	マリ	5,400円
	南アフリカ共和国	5,400円
	南スーダン	5,400円
	モーリシャス	5,400円
	モーリタニア	5,400円
	モザンビーク	5,400円
	モロッコ	5,400円
	リビア	5,400円
	ルワンダ	5,400円
	その他の国	5,400円
その他の地域		5,400円

	セルビア	5,400円
	タジキスタン	5,400円
	チェコ	5,400円
	デンマーク	5,400円
	ドイツ	5,400円
	トルクメニスタン	5,400円
	ノルウェー	5,400円
	バチカン	5,400円
	ハンガリー	5,400円
	フィンランド	5,400円
	フランス	5,400円
	ブルガリア	5,400円
	ベラルーシ	5,400円
	ベルギー	5,400円
	ポーランド	5,100円
	ボスニア・ヘルツェゴビナ	5,400円
	ポルトガル	5,400円
	モルドバ	5,400円
	ラトビア	5,400円
	リトアニア	5,400円
	ルーマニア	5,400円
	ルクセンブルク	5,400円
	ロシア	5,400円
	その他の国	5,400円
中東	アフガニスタン	5,400円
	アラブ首長国連邦	5,400円
	イエメン	5,400円
	イスラエル	5,400円
	イラク	5,400円
	イラン	5,400円
	オマーン	5,100円
	カタール	5,400円
	クウェート	5,400円
	サウジアラビア	5,400円
	シリア	5,400円
	トルコ	5,400円
	バーレーン	5,400円
	ヨルダン	5,400円
	レバノン	5,400円
	その他の国	5,400円

5　宿泊費	その支払を証明するに足る資料 第13条第2項各号又は第3項各号のいずれかに該当することを証明するに足る資料（令第9条ただし書に該当する場合に限る。以下この表において同じ。）
6　包括宿泊費	その支払を証明するに足る資料 その移動に係る交通費の内容を証明するに足る資料
7　転居費	その支払を証明するに足る資料 転居を証明する資料 同居する家族であることを証明する資料（家族の転居に要する費用を含む場合に限る。） 令第14条第1項第2号イ又はロに規定する許可を証明するに足る資料（同号イ又はロに規定する場合に該当するときに限る。） 令第14条第2項に規定する延長の許可を証明するに足る資料（同項に該当する場合に限る。）
8　着後滞在費（宿泊手当に相当する部分を除く。）	その支払を証明するに足る資料 第13条第2項各号又は第3項各号のいずれかに該当することを証明するに足る資料
9　家族移転費（宿泊手当に相当する部分を除く。）	その支払を証明するに足る資料 移転を証明する資料 同居する家族であることを証明する資料 第13条第2項各号又は第3項各号のいずれかに該当することを証明するに足る資料 令第14条第1項第2号イ、ロ、ハ又はニに規定する許可を証明するに足る資料（同号イ、ロ、ハ又はニに規定する場合に該当するときに限る。）
10　渡航雑費	その支払を証明するに足る資料

別表第四　外国旅行の転居費に係る家財運送量の上限（第十五条関係）

区分			上限
家財の運送単位を容積により算出する場合	在外公館長	職員	13.5立方メートル
		配偶者	9立方メートル
		子（一人につき）	1.5立方メートル
	その他の者	職員	9立方メートル
		配偶者	9立方メートル
		子（一人につき）	1.5立方メートル
家財の運送単位を重量により算出する場合	在外公館長	職員	540キログラム
		配偶者	360キログラム
		子（一人につき）	60キログラム
	その他の者	職員	360キログラム
		配偶者	360キログラム
		子（一人につき）	60キログラム

別表第五　死亡手当（第十八条関係）

区分	死亡手当
全ての者	930,000円

別表第六　請求書に添付する資料（第二十四条関係）

区分		添付する資料
1　鉄道賃	令第5条第1項第1号に掲げる運賃（運賃の等級が区分された鉄道による移動に限る。）	運賃の等級及び額を証明するに足る資料 その支払を証明するに足る資料
	令第5条第1項第2号から第6号までに掲げる費用	その支払を証明するに足る資料（急行料金にあつては、支出官等が必要と認める場合に限る。）
2　船賃	令第6条第1項第1号に掲げる運賃（運賃の等級が区分された船舶による移動に限る。）	運賃の等級及び額を証明するに足る資料 その支払を証明するに足る資料
	令第6条第1項第2号から第5号までに掲げる費用	その支払を証明するに足る資料
3　航空賃	令第7条第1項第1号に掲げる運賃	運賃の等級及び額を証明するに足る資料 その支払を証明するに足る資料
	令第7条第1項第2号及び第3号に掲げる費用	その支払を証明するに足る資料
4　その他の交通費		その支払を証明するに足る資料

別表第七　旅費の請求に係る記載事項又は記録事項（請求書）（第二十四条関係）

区　　分	記載事項又は記録事項
出張旅費精算請求書又は出張旅費概算請求書	支出官等の官職及び氏名 請求者の所属部局課又は所属団体、官職又は役職、職務の級（請求者又は死亡者が内閣総理大臣等又は指定職職員等のいずれかに該当する場合には、その旨。以下この表において同じ。）及び氏名 旅行日ごとに出発地、経路、到着地、宿泊地（宿泊した場合に限る。以下この表において同じ。）、種目及びその金額 請求年月日 概算額、精算額、追給額及び返納額（これらについては、概算払に係る旅費を請求する場合に限る。以下この表において同じ。）
赴任旅費精算請求書又は赴任旅費概算請求書	支出官等の官職及び氏名 請求者の所属部局課又は所属団体、官職又は役職、職務の級及び氏名 旅行日ごとに出発地、経路、到着地、宿泊地、種目及びその金額 請求年月日 概算額、精算額、追給額及び返納額
死亡時旅費請求書	支出官等の官職及び氏名 請求者の住所、死亡者との続柄及び氏名並びに死亡者の所属部局課、官職、職務の級及び氏名（これらについては、請求者が遺族である場合に限る。） 請求者の所属部局課、官職、職務の級及び氏名並びに死亡者の請求者との続柄及び氏名（これらについては、請求者が職員である場合に限る。） 請求額 種目及びその金額 請求年月日
旅費損失請求書	支出官等の官職及び氏名 請求者の所属部局課、官職、職務の級及び氏名（これらについては、請求者が職員である場合に限る。） 請求者の住所、職員との続柄及び氏名（これらについては、請求者が遺族である場合に限る。） 請求者の所属団体、役職及び氏名（これらについては、請求者が職員及び遺族以外である場合に限る。） 請求額 種目及びその金額 損失事由 請求年月日

11　令第17条に規定する旅費	請求する種目に相当するものに応じた第１号から前号までに掲げる資料 退職等の事由を証明する資料 所定の期間内に帰住又は退職等に伴う旅行をしたことを証明するに足る資料 旅行中に又は外国の在勤地において退職等となつたことを証明する資料
12　死亡時旅費請求書により請求する旅費	請求する種目に相当するものに応じた第１号から第10号までに掲げる資料 職員、配偶者又は子の死亡及びその死亡地を証明する資料 帰住を証明する資料（遺族が帰住した場合に限る。） 遺族であることを証明する資料（請求者が遺族である場合に限る。）
13　旅費損失請求書により請求する旅費	損失となる金額又は支出を要する金額を証明するに足る資料 旅行命令等の変更、法第３条第１項、第２項、第４項及び第５項の規定により旅費の支給を受けることができる者の死亡又は令第３条第２項各号に掲げる場合に該当することを証明する資料 同居する家族であることを証明する資料（転居費のうち家族の転居に要する費用又は家族移転費に相当するものを含む場合に限る。）
14　旅費喪失請求書により請求する旅費	天災又は令第３条第３項各号に掲げる事情により旅費額を喪失したことを証明するに足る資料 喪失額を証明するに足る資料
15　法第９条第１項に規定する旅費	請求する種目に相当するものに応じた第１号から第10号までに掲げる資料 法第９条第１項の規定に該当することを証明するに足る資料

旅費喪失請求書	支出官等の官職及び氏名 請求者の所属部局課又は所属団体、官職又は役職、職務の級及び氏名 請求額 喪失以後の旅行に必要な旅費額、喪失を免れた旅費額及び差引額 喪失以後の旅行に必要な旅費について、旅行日ごとに出発地、経路、到着地、宿泊地、種目及びその金額 喪失事由 請求年月日

備　考

一　旅行日ごとに記載又は記録する事項は、請求の内容が同一である、又は複数の旅行日にわたる旅費である場合には、複数の旅行日をまとめて記載することができる。

二　概算払に係る旅費を精算する場合であつて、当該精算額が概算払に係る旅費額と同一であるときは、出張旅費精算請求書及び赴任旅費精算請求書のうち、出発地、経路、到着地、宿泊地、種目及びその金額の記載又は記録を省略することができる。

三　請求書は、備考欄を設け、旅費の計算上参考となる事項を記載又は記録することができる。

別表第八　旅費の請求に係る記載事項又は記録事項（種目）（第二十四条関係）

区　　分	記載事項又は記録事項
1　鉄道賃	令第5条第1項第1号に掲げる運賃、同項第2号から第5号までに掲げる料金及び同項第6号に掲げる費用の各金額並びに合計金額
2　船賃	令第6条第1項第1号に掲げる運賃、同項第2号から第4号までに掲げる料金及び同項第5号に掲げる費用の各金額並びに合計金額
3　航空賃	令第7条第1項第1号に掲げる運賃、同項第2号に掲げる座席指定料金及び同項第3号に掲げる費用の各金額並びに合計金額
4　その他の交通費	金額
5　宿泊費	夜数及び金額
6　包括宿泊費	夜数及び金額
7　宿泊手当	夜数及び定額
8　転居費	金額
9　着後滞在費	宿泊費に係る夜数及び金額、宿泊手当に係る夜数及び定額並びにこれらの合計金額
10　家族移転費	第1号から第7号まで及び第9号の例に準じた記載事項又は記録事項、合計金額並びに旅行人員
11　渡航雑費	金額
12　死亡手当	定額

○国家公務員等の旅費に関する法律等の運用方針について

令六・一二・二〇
財計四七〇七
財務省主計局長通達

国家公務員等の旅費に関する法律の一部を改正する法律（令和六年法律第二十二号。以下「改正法」という。）による国家公務員等の旅費に関する法律（昭和二十五年法律第百十四号。以下「法」という。）の改正、国家公務員等の旅費に関する法律施行令（令和六年政令第三百六号。以下「令」という。）の制定及び国家公務員等の旅費支給規程の一部を改正する省令（令和六年財務省令第七十号）による国家公務員等の旅費支給規程（昭和二十五年大蔵省令第四十五号。以下「規程」という。）の改正に伴い、法、令及び規程の運用方針を下記のとおり定めたので、令和七年四月一日以降の運用に当たっては、下記に従って取り扱われたい。

なお、これに伴い、「国家公務員等の旅費に関する法律の運用方針について」（昭和二十七年四月十五日付蔵計第九百二十二号。以下「旧運用方針」という。）は廃止する。ただし、改正法附則第二条の規定により改正法による改正前の法の規定を適用する場合には、旧運用方針に従って取り扱われたい。

記

法第二条関係

職員が在勤官署の移転に伴い旅行をする必要がある場合には、当該旅行を赴任とみなすことができるものとする。

法第三条関係

第一項

1　職員で他の職務の級の者（内閣総理大臣等又は指定職職員等である場合には、当該者をいう。以下同じ。）を兼ねる者が、その兼ねる職務の級の者として旅行した場合には、当該者相当の旅費を支給するものとする。

2　職員としての採用を予定されている者がその発令に伴い在勤官署に旅行した場合には、当該者を職員と、当該旅行を赴任とみなすことができるものとする。

法第四条関係

第一項

1　各庁の長は、旅行命令等を発する権限を委任する場合には、国家行政組織法（昭和二十三年法律第百二十号）第三条第二項に規定する委員会及び庁、第七条第一項に規定する内部部局、第八条から第八条の三までに規定する機関並びに第九条に規定する地方支分部局又はこれらに準ずるものの長のうちから行うものとする。

2　旅行命令等を発する権限の委任を受けた者は、その事務の円滑な実施を図るために必要があると認めるときは、あらかじめ各庁の長の承認を得て、更にこれを再委任することができる。

3　各庁の長は、2の承認をするに当たっては、法第四条第二項に規定する旅行命令等を発する要件について適切に判断できる者であることを確認の上これを行うものとする。

4　各庁の長又は旅行命令等を発する権限の委任を受けた者は、旅行命令等を発する権限を委任し又は再委任した場合には、当該委任又は再委任を受けた者の官職を、支出負担行為認証官、支出負担行為担当官及び支出官等に通知するものとする。

5　各庁の長又は旅行命令等を発する権限の委任を受けた者は、旅行命令等を発する権限の委任又は再委任を受けた者に事故がある場合には、臨時に他の職員をして、その事務を行わせることができるものとする。

第二項

「電信、電話、郵便等の通信による連絡手段」には、オンライン会議等を含むものとする。

第二項及び第三項

旅行命令権者は、旅行命令等を発し、又はその変更をする場合には、旅行が法第六条その他旅費の計算に関する規定の趣旨に合致して行われるように留意するものとする。

第四項及び第五項

1　旅行命令権者は、旅行命令簿等に規程第六条第一項から第三項までに定める事項を記載又は記録することなく旅行命令等を発し、又はその変更をした場合には、原則として、発令の日の翌日までに旅行命令簿等に当該事項を記載又は記録しなければならないものとする。

2　1の場合において、旅行命令簿等に1に規定する事項を記載又は記録しないうちに旅行命令等の変更をしたときには、当該変更をした旅行命令等に基づいて当該事項を記載又は記録すれば足り、規程第六条第四項の規定を除くほか、変更前の旅行命令等に基づく当該事項は記載又は記録しないことができるものとする。

法第六条関係

「最も経済的な通常の経路及び方法」とは、通常の経路（鉄道、船舶、航空機等の交通手段のうち一般に利用されている経路）及び方法（往復切符、通し切符等を含む。）のうち、一の旅行区間における最も安価なものに限らず、旅行における公務の内容及び日程、当該旅行に係る旅費の総額、旅行者の移動に係る時間コスト等を踏まえて旅行命令権者が適当と判断したものをいう。

法第八条関係

第一項

1　「この法律又は旅費に関する他の法律の規定による旅費を支給した場合には不当に旅行の実費を超えた旅費又は通常必要としない旅費を支給することとなる場合」とは、法の規定どおりの旅費を支給することが法の趣旨に照らして適当でない場合をいう。

2　次の(1)及び(2)に規定する場合において、各庁の長は、当該(1)及び(2)に規定する旅費の調整を行うものとする。

(1)　職員の職務の級（職員が内閣総理大臣等又は指定職職員等である場合には、その官職）が遡って変更された場合において、当該職員が既に行った旅行について旅費の増減を行うことが適当でないと認められるときには、その変更に伴う旅費の額の増減は、これを行わないものとする。

(2)　旅行者が公用の宿泊施設、食堂施設等を無料で利用して旅行したため規程別表第三で定める宿泊手当の定額を支給することが適当でない場合には、当該額の一部又は全部を支給しないものとする。

法第十一条関係

実地監査は、オンライン会議等の電信、電話、郵便等の通信による連絡手段を利用する方法によっても、法の執行状況等を十分把握することができ、かつ、相手方との見解及び認識の齟齬が生じないと判断した場合には、当該方法により行うことができるものとする。

令第五条関係

第一項

1　第一号から第五号までに掲げる費用は、鉄道事業法（昭和六十一年法律第九十二号）第十六条の規定に基づいて鉄道運送事業者が国土交通大臣の認可又は同大臣への届出により定める運賃又は料金のうち、運賃、急行料金、寝台料金、座席指定料金及び特別車両料金並びに軌道法（大正十年法律第七十六号）第十一条の規定に基づいて軌道経営者が同大臣の認可により定める運賃又は料金のうち、運賃、急行料金、寝台料金、座席指定料金及び特別車両料金並びにこれらに類するものをいう。

2　第一号に掲げる運賃には、鉄道事業法施行規則（昭和六十二年運輸省令第六号）第三十四条第一項第四号に掲げる料金を含むものとする。

令第六条関係

第一項

第一号から第四号に掲げる費用は、海上運送法（昭和二十四年法律第百八十七号）第七条（同法第二十一条の五の規定により準用する場合を含む。）の規定に基づいて一般旅客定期航路事業者及び旅客不定期航路事業者がそれぞれ国土交通大臣の認可又は同大臣への届出により定める運賃又は料金のうち、運賃、寝台料金、座席指定料金及び特別船室料金並びにこれらに類するものをいう。

令第七条関係

第一項

1　第一号及び第二号に掲げる費用は、航空法（昭和二十七年法律第二百三十一号）第百五条又は第百二十九条の二の規定に基づいて本邦航空運送事業者及び外国人国際航空運送事業者がそれぞれ国土交通大臣の認可又は同大臣への届出により定める運賃又は料金のうち、運賃及び座席指定料金並びにこれらに類するものをいう。

2　第一号に掲げる運賃には、次に掲げる費用を含むものとする。

(1)　航空法第百五条又は第百二十九条の二の規定に基づいて、本邦航空運送事業者及び外国人国際航空運送事業者がそれぞれ国土交通大臣の認可又は同大臣への届出により定める料金のうち、航空保険特別料金及びこれに類するもの

(2) 旅客取扱施設利用料（空港法（昭和三十一年法律第八十号）第十六条第三項（同法附則第五条第一項及び関西国際空港及び大阪国際空港の一体的かつ効率的な設置及び管理に関する法律（平成二十三年法律第五十四号）第三十二条第二項において準用する場合を含む。）の規定により空港法に定める指定空港機能施設事業者等が国土交通大臣に届け出て徴収するもの）及び旅客保安サービス料（指定空港機能施設事業者、成田国際空港株式会社、中部国際空港株式会社、関西エアポート株式会社等が徴収するもの）並びにこれらに類するもの

(3) 地方公共団体が管理する空港における(2)に相当する費用

(4) 外国における(1)及び(2)に相当する費用

3 赴任の際第三号に掲げる費用として超過手荷物に係る料金を支給する場合には、当該超過手荷物について、次に掲げる個数、重量及び大きさを上限とする。

(1) 個数 五個（無料手荷物許容量を含む。）

(2) 重量 一個当たり三十二kg

(3) 大きさ 無料手荷物許容量として定められた大きさ

第二項

1 運賃の額の上限について、合理的に見積もった当該運賃と比較して、その上位の級の運賃によることが旅行に係る旅費の総額を勘案し経済的と認められる場合であって、旅行命令権者が適当と認めるときは、当該上位の級の運賃を支給できるものとする。

2 運賃の額の上限について、第一号から第三号までに掲げる場合であって、第一号から第三号までに規定する内閣総理大臣等に相当する者の代理（発令行為を伴うものに限る。）として公務のため旅行するときは、旅行者を当該相当する者とみなすことができるものとする。

令第十四条関係

第一項

1 家族に小児運賃等が適用される者が含まれる場合であって、当該者に係る家族移転費の額を職員に相当する額とすることが適当でないと旅行命令権者が判断したときは、家族移転費の額は、当該小児運賃等により算定するものとする。

2 家族移転費のうち子に係る航空賃を算定する場合には、令第七条関係第一項3(1)に掲げる個数は、三個とする。

令第十六条関係

遺族が死亡手当の支給を受ける順位は、規程第二十条第二項で定める順位に準じて決定するものとする。

規程第十三条関係

第二項

1 「国際会議」とは、多国間の会議、フォーラム、二国間協議等の本来的な意味での国際会議をいう。

2 「主催者」とは、政府、各府省等が所管する法人又は地方公共団体であって、当該国際会議の開催に係る主要な主体となっているものをいう。

3 「宿泊施設の指定」とは、当該国際会議の参加に適した宿泊施設が選定されている場合において、旅行者が当該宿泊施設に宿泊しなければならないことをいう。

4 「公務の円滑な運営上支障のない範囲及び条件」とは、次に掲げる範囲又は条件（以下「範囲等」という。）のうち、旅行命令権者が公務の円滑な運営上必要と認めるものをいう。

(1) 用務先まで、最も適当な移動手段による所要時間がおおむね三十分以内であること。ただし、公務の性質及び内容並びに旅行における特別の事情を勘案し、旅行命令権者がやむを得ないと認める場合には、用務先までの適当な所要時間の範囲内とすることができる。

(2) 複数の旅行者が同一の宿泊施設に宿泊する必要がある場合には、当該旅行者分の部屋数の確保が可能であること。

(3) 旅行を中止する、変更する可能性がある場合には、予約の取消し又は変更が可能な期間が設定されているプランであること。

(4) 施設内に執務可能な事務机、無線LAN（Wi-Fi）等の公務の円滑な運営上必要

な設備が整えられていること。

(5) 各部屋に施錠設備が設置されている、二十四時間体制で防犯対策が行われている等の安全性が確保されている施設であること。

第三項

1 「国際会議」とは、多国間の会議、フォーラム、二国間協議等の本来的な意味での国際会議をいい、「これに準ずるもの」とは、会議の名称にかかわらず、各大臣等が外国政府高官等と会談し意見交換を行うもの及び各種式典を含むものとする。

2 「主催者」とは、外国政府、国際機関、外国地方公共団体その他外国公法人又はその関係団体であって、当該国際会議の開催に係る主要な主体となっているものをいう。

3 「宿泊施設の指定」には、当該国際会議の参加に適した宿泊施設が選定されている場合であって旅行者が当該宿泊施設に宿泊しなければならないときのほか、会場周辺に適当な宿泊施設がない場合、他国の参加者の多くが当該宿泊施設を利用する場合であって当該宿泊施設において他国と打合せをする必要があるとき、当該宿泊施設において主催者の求めによる用務がある場合その他事実上当該宿泊施設に宿泊しなければ公務の運営上支障を来たす場合を含むものとする。

4 「同行する者」には、各大臣等と同一の日程で行動する者のほか、各大臣等の外国旅行に係る用務に必要と認められる期間において、各大臣等からの要請に基づき即時に打合せ等の対応を行わなければならない者を含むものとする。

5 「同一の宿泊施設」には、やむを得ない事情により各大臣等と異なる近隣の宿泊施設を利用した場合における当該宿泊施設を含むものとする。

6 「公務の円滑な運営上支障のない範囲及び条件」とは、次に掲げる範囲等のうち、旅行命令権者が公務の円滑な運営上必要と認めるものをいう。

(1) 用務先まで、最も適当な移動手段による所要時間がおおむね三十分以内であること。ただし、公務の性質及び内容並びに当該旅行における特別の事情を勘案し、旅行命令権者がやむを得ないと認める場合には、用務先までの適当な所要時間の範囲内とすることができる。

(2) 複数の旅行者が同一の宿泊施設で宿泊する必要がある場合には、当該旅行者分の部屋数の確保が可能であること。

(3) 旅行を中止する、又は変更する可能性がある場合には、予約の取消し又は変更が可能な期間が設定されているプランであること。

(4) 施設内に執務可能な事務机、無線LAN(Wi-Fi)等の公務の円滑な運営上必要な設備が整えられていること。

(5) 各部屋に施錠設備が設置されている、二十四時間体制で防犯対策が行われている等の安全性が確保されている施設であること。

(6) 周辺地域における治安情勢を考慮し、旅行者の安全に配慮した立地にあること。

(7) 危険地域（外務省による危険情報がレベル二以上の地域）においては、(5)の防犯対策に加えて、旅行者の安全を確保するうえで必要な設備、対策等が講じられていること。

第二項及び第三項

1 「検索」とは、複数の宿泊施設検索サイト、メタサーチサイト又は他社商品も含めて範囲等に従った宿泊施設を提供できる旅行代理店を利用して検索することをいう。

2 「最も安価な宿泊施設」とは、宿泊料金及び用務先と宿泊施設との間の移動に係る交通費を勘案し、予約時点で最も安価な宿泊施設、ルームタイプ及び料金体系であるものをいう。

規程第十五条関係

第二項

主計局長が定めるものは、次に掲げる費用とする。

1 法及び令の規定により他の種目として支給を受ける費用

2 多くの民間企業において支給を制限している次に掲げる費用

(1) ピアノ、美術品、骨董品、ペット、庭石、植木等の個人的な嗜好の強いものを運送する際の追加費用

(2) 自家用自動車、自動二輪車等を運送する際の追加費用。ただし、離島、へき地

等への異動に際し自家用自動車、自動二輪車等を運送しなければ公務の運営上支障を来すと各庁の長が認める場合には、支給の対象とすることができる。

(3)　荷造り及び荷解きに係る追加費用（いわゆるおまかせプラン等を利用したことによる追加費用であり、追加の作業員に係る補助車両費を含む。）。ただし、次に掲げる費用は、支給の対象とすることができる。

ア　身体上の理由等により自力での荷造り及び荷解きができないと各庁の長が認めた場合には、当該荷造り及び荷解きに係る追加費用

イ　外国旅行において、パッキングリストの作成、荷物の梱包その他運送業者が通関等の義務的な手続を行うために必要な作業に要する費用

(4)　工事、設置等に係る追加費用。ただし、空調設備、暖房器具、ガス器具及び洗濯機の取外し及び取付け工事費用並びに取付けに必須の付帯工事費用については、支給の対象とする。

3　家具、家電等の生活用品を購入した費用等の旅費に馴染まない次に掲げる費用

(1)　家具、家電等の購入費及び賃料

(2)　宿舎等の修繕費（ハウスクリーニング料金等の原状回復費用を含む。）

(3)　家電リサイクルに係る費用

(4)　不用品、不要品及び粗大ごみの回収、処理及び処分に係る費用

(5)　荷物を一時保管する場合の追加費用。ただし、宿舎を退去しなければならない日又は着任日から宿舎への入居が可能となる日までの最低限の期間に生じた一時保管に要する費用については、支給の対象とする。

(6)　敷金、礼金、仲介手数料等の民間賃貸住宅等への入居に要する初期費用

(7)　新居住地の下見に要する費用

(8)　友人等の転居の補助を行った者への謝礼等

(9)　家族の転園、転学等に要する費用

(10)　官公庁への諸手続に要する費用

規程第十七条関係

第六号に規定する主計局長が定める費用は、各庁の長が財務大臣に協議して定める費用とする。

規程第二十条関係

第一項

「死亡地」には、死亡した地のほか、遺体のある地を含むものとする。

第四　沖縄復帰職員の特例

○沖縄の復帰に伴う特別措置に関する法律（抄）

昭四六・一二・三一
法　一　二　九

最終改正　令六・三・三〇法八

（琉球政府の職員の承継）

第三十二条　この法律の施行の際琉球政府の一般職に属する常勤の職員又は特別職のうち政令で定めるものに属する職員として在職する者は、政令で定めるところにより、国、沖縄県、沖縄県の区域内の市町村又は政令で定める公共的団体の職員となる。

（特別の手当）

第五十五条　琉球政府の職員のうち、第三十二条の規定により国家公務員となり、一般職の職員の給与に関する法律（昭和二十五年法律第九十五号）の規定の適用を受けることとなる職員で、琉球政府において受けていた給料月額等を考慮して人事院が必要と認めるものについては、当分の間、人事院規則で定めるところにより、特別の手当を支給するものとする。

2　沖縄県の区域内に所在する官署に勤務する医師及び歯科医師で、一般職の職員の給与に関する法律の規定の適用を受けるものについては、当分の間、人事院規則で定めるところにより、特別の手当を支給することができる。

（政令への委任）

第百五十六条　この法律に定めるもののほか、本土法令の沖縄への適用についての経過措置、この法律において法律としての効力を有することとされ又はその例によることとされた沖縄法令の規定の技術的読替えに関する措置その他沖縄の復帰に伴い必要とされる事項については、当分の間、政令で必要な規定を設けることができる。

2　この法律の成立後に沖縄において法令の制定、改正又は廃止が行なわれたことにより、この法律の規定の適用につき支障を生ずることとなつた場合には、この法律の趣旨に照らし合理的に必要と判断される範囲内において、この法律の規定にかかわらず、政令で必要な規定を設けることができる。

3　前二項の規定に基づき制定される政令には、本土法令の制定又は改正の際の経過措置の規定に準ずる規定を設ける場合に当該経過措置の罰則に定める罰よりも重くない範囲内において罰則を設ける等、沖縄の復帰に伴い合理的に必要と判断される範囲内において、罰則を設けることができる。

○人事院規則一—九（沖縄の復帰に伴う国家公務員法等の適用の特別措置等）（抄）

昭四七・五・一三制定
昭四七・五・一五施行

最終改正　令元・九・一三規則一—九—四

（初任給調整手当）

第十三条　復帰職員のうち、次に掲げる要件を満たす職員には、初任給調整手当を支給する。

一　特別措置法の施行の日において、同日における規則九—三四（初任給調整手当）第二条に規定する官職又はこれらの官職の属する職務の等級より上位の職務の等級に属する官職（同条第二項又は第三項の官職の属する職務の等級より上位の職務の等級に属する官職で規則九—一七（俸給の特別調整額）第一条に規定するものを除く。）を占める職員であること。

二　琉球政府の職員となつた日に給与法の適用を受ける職員となり、引き続き在職しているものとした場合に、特別措置法の施行の日の前日までの間に特別措置法の施行の日における規則九—三四第三条又は第四条に規定する職員の要件に準じて人事院が定める要件を満たして初任給調整手当を支給されることとなり、かつ、同法の施行の日に初任給調整手当の支給期間が満了していないこととなる職員であること。

2　前項の職員に係る初任給調整手当の支給期間及び支給額その他必要な事項は、同項第二号の規定により特別措置法の施行の日の前日までに初任給調整手当を支給されていたこととされる期間等を考慮して人事院が定める。

本条―昭六〇・一二・二一施行

（雑則）

第十九条　この規則に定めるもののほか、復帰職員の処遇等に関し必要な事項は、人事院が別に定める。

本条―昭六〇・一二・二一施行

○復帰職員にかかる給与関係の特別措置等について（通知）（抄）

昭四七・五・一五
給実甲三八六

最終改正　平六・七・二七管総七八三

第二　初任給調整手当関係

1　規則一―九第十三条第一項第二号の「人事院が定める要件」は、琉球政府の職員となった日に沖縄の復帰に伴う特別措置に関する法律（昭和四十六年法律第百二十九号）の施行の日における規則九―三四（初任給調整手当）の規定の適用を受けることとなつたものとして次表の第一欄に掲げる同規則の規定中同表の第二欄に掲げる字句をそれぞれ同表の第三欄に掲げる字句に読み替えた場合における同規則第三条および第四条に規定する職員の要件とする。

第一欄	第二欄	第三欄
第二条第一項各号列記以外の部分	医療職俸給表㈠の適用を受ける職員の官職	医師及び歯科医師の給与等に関する立法（千九百六十年立法第六十五号）に規定する給料月額の表の適用を受ける職員の職
第二条第二項各号列記以外の部分	給与法第十条の二第一項の規定に基づき人事院規則で指定する官職	一般職の職員の給与に関する立法（千九百五十四年立法第五十三号）（以下「沖縄給与法」という。）第七条の三第一項の規定に基づき人事委員会規則で指定する職位
第二条第二項第一号および同条第三項第一号	行政職俸給表㈠の職務の等級六等級及び七等級	沖縄給与法に規定する行政職関係給料表㈠の職務の等級三等級及び四等級並びに行政職関係給料表㈡の職務の等級二等級及び三等級
第二条第二項第一号および同条第三項第一号	公安職俸給表㈡の職務の等級五等級及び六等級	沖縄給与法に規定する公安職関係給料表㈡の職務の等級三等級及び四等級
第二条第二項第一号および同条第三項第一号	研究職俸給表の職務の等級二等級及び三等級	沖縄給与法に規定する研究職関係給料表の職務の等級三等級及び四等級
第二条第二項第二号	海事職俸給表㈠の職務の等級四等級	沖縄給与法に規定する行政職関係給料表㈠の職務の等級二等級、三等級及び四等級
第二条第二項第三号および	教育職俸給表㈠の職務の等級三等級及び四等級	琉球大学教員の給与に関する立法（千九百六十六年

同条第三項第三号		立法第百八号）に規定する給料月額の表の職務の等級三等級及び四等級
第二条第二項第四号および同条第三項第四号	教育職俸給表㈡の職務の等級二等級	沖縄給与法に規定する教育職関係給料表㈠の職務の等級三等級
第二条第三項第一号	税務職俸給表の職務の等級五等級及び六等級	沖縄給与法に規定する税務職関係給料表の職務の等級三等級及び四等級
第二条第三項第一号	公安職俸給表㈠の職務の等級四等級及び五等級	沖縄給与法に規定する公安職関係給料表㈠の職務の等級四等級及び五等級
第二条第三項第七号	医療職俸給表㈡の職務の等級四等級	沖縄給与法に規定する医療職関係給料表の職務の等級二等級
第二条第三項第八号	医療職俸給表㈢の職務の等級三等級	沖縄給与法に規定する医療職関係給料表の職務の等級二等級
第三条第六号	当該官職を対象として行なわれた採用試験の結果に基づく採用候補者名簿	琉球政府公務員採用上級試験の三級建築職、三級土木職又は四級気象職に属する職を対象とする採用候補者名簿
第三条第九号	当該官職を対象として行なわれた採用試験の結果に基づく採用候補者名簿	琉球政府公務員採用上級試験の対象となる職のうち三級建築職、三級土木職及び四級気象職以外の職級に属する職を対象とする採用候補者名簿

2　規則一―九第十三条第一項の職員にかかる初任給調整手当の支給期間および支給額は、前項に定める職員の要件を満たすこととなつた日から初任給調整手当が支給されていたものとした場合に復帰の日以降支給されることとなる支給期間および支給額とする。

第三　その他

特別の事情によりこの通達の定めによることができない場合またはこの通達の定めるところによるときは他の職員との均衡を著しく失すると認められる場合には、あらかじめ人事院の承認を得て別段の取扱いをすることができるものとする。

第五　旧国鉄職員の給与等の特例

○人事院規則一―一二（日本国有鉄道退職希望職員及び日本国有鉄道清算事業団職員を採用する場合の任用、給与等の特例等）

昭六一・一二・四制定
昭六一・一二・四施行

最終改正　平一四・六・二〇規則一―三六

（趣旨）

第一条　この規則は、日本国有鉄道退職希望職員及び日本国有鉄道清算事業団職員の再就職の促進に関する特別措置法（昭和六十一年法律第九十一号。以下「再就職促進法」という。）第五条第一項に規定する再就職促進方針に従い同項に規定する国鉄退職希望職員を採用する場合及び同法第十四条第一項に規定する再就職促進基本計画に従い同項に規定する清算事業団職員を採用する場合の任用、給与等の特例等に関し、必要な事項を定めるものとする。

（採用の方法等）

第二条　再就職促進法第十四条第一項に規定する再就職促進基本計画（以下「再就職促進基本計画」という。）に従い同項に規定する清算事業団職員（以下「清算事業団職員」という。）を常勤官職に採用する場合には、選考により行うことができる。この場合においては、当該官職は、採用候補者名簿のない官職である場合を除き、選考による採用について人事院の承認を得たものでなければならない。

2　前項の選考は、経歴評定（日本国有鉄道及び日本国有鉄道清算事業団における勤務実績に基づく評定を含む。）及び実地試験、筆記試験、口述試験その他の方法により職務遂行の能力の有無を判定するものとする。

3　人事院は、任命権者に対し、必要に応じて、第一項の選考に関し、報告を求めることができる。

（級別資格基準表の適用方法等）

第三条　再就職促進基本計画に従い清算事業団職員から引き続き給与法第六条第一項に規定する俸給表の適用を受ける職員（以下第七条までにおいて「職員」という。）となつた者のうち、次の各号に掲げる者に対する人事院規則九―八（初任給、昇格、昇給等の基準）別表第二に定める級別資格基準表（次項において「級別資格基準表」という。）の適用については、当該各号に定める同表の試験欄の「正規の試験」の区分によることができる。

一　高等専門学校卒業程度の採用試験の結果に基づき日本国有鉄道に採用された者　Ｂ種

二　高等学校卒業程度の採用試験の結果に基づき日本国有鉄道に採用された者　Ⅲ種

三　前二号に掲げる採用試験以外の採用試験の結果に基づき日本国有鉄道に採用された者及び人事院の定める学歴免許等の資格を有する者　あらかじめ人事院の承認を得た区分

2　再就職促進基本計画に従い清算事業団職員から引き続き職員となつた者に対して人事院規則九―八第十一条第一項の規定を適用する場合において、部内の他の職員との均衡上必要があると認められ、かつ、あらかじめ人事院の承認を得たときは、級別資格基準表に定める必要経験年数に百分の八十以上百分の百未満の割合を乗じて得た年数をもつて、同表の必要経験年数とすることができる。

（俸給月額の決定等）

第四条　再就職促進基本計画に従い清算事業団職員から引き続き職員となつた者の俸給月額は、あらかじめ人事院の承認を得て、その者が日本国有鉄道に採用された時に職員となり、引き続き在職したものとみなして人事院規則九―八の規定を適用した場合に得られる俸給月額に決定することができる。

2　前項の規定により俸給月額を決定された者については、あらかじめ人事院の承認を得て、職員となつた後の最初の昇給に係る昇給期間を人事院の承認を得た期間短縮することができる。

（人事院規則九―八の規定の適用に関する特例）

第五条　再就職促進基本計画に従い清算事業団職員から引き続き職員となつた者については、人事院規則九―八第十条第一号中「第十七条」とあるのは「人事院規則一―一二（日本国有鉄道退職希望職員及び日本国有鉄道清算事業団職員を採用する場合の任用、給与等の特例等）第四条第一項」と、同規則第二十六条第一項第二号中「第十七条」とあるのは「人事院規則一—一二第四条第一項」として、これらの規定を適用する。

（調整手当）

第六条 再就職促進基本計画に従い清算事業団職員から引き続き職員となつた者のうち、職員となつた日（以下この項において「採用日」という。）の前日に日本国有鉄道清算事業団において人事院規則九—四九（調整手当）別表第一に掲げる地域に勤務していた者で、採用日の前日に職員であつたものとし、かつ、現に在勤することとなつた地域又は官署に採用日に異動したものとした場合に給与法第十一条の六第一項に規定する調整手当の支給要件を具備することとなるものには、同条第二項の調整手当を支給する。

2　前項の規定により支給される調整手当の額及び支給期間は、その者が具備することとなる給与法第十一条の六第一項の支給要件に応じ同項の規定による調整手当が支給されるものとした場合の当該調整手当の額及び支給期間と同一の額及び期間とする。

（期末手当及び勤勉手当）

第七条 給与法第十九条の三第一項に規定する基準日（以下この項において「基準日」という。）以前三箇月以内（基準日が十二月一日であるときは、六箇月以内）の期間において、再就職促進基本計画に従い清算事業団職員から引き続き職員となつた者（当該期間に係る期末手当に相当する給与が日本国有鉄道清算事業団から支給される者を除く。）に対して支給する期末手当に係る在職期間の算定については、その期間内において日本国有鉄道清算事業団に在職した期間（日本国有鉄道に在職した期間のある者については、その期間を含む。）は、人事院規則九—四〇（期末手当及び勤勉手当）第五条第一項の在職期間に算入する。

2　前項の規定は、勤勉手当に係る在職期間の算定について準用する。この場合において、同項中「第十九条の三第一項」とあるのは「第十九条の四第一項」と、「三箇月以内（基準日が十二月一日であるときは、六箇月以内）」とあるのは「六箇月以内」と、「期末手当に」とあるのは「勤勉手当に」と、「第五条第一項」とあるのは「第十一条第一項」と読み替えるものとする。

3　前二項の規定に基づき算入する期間の算定については、人事院規則九—四〇第五条第二項及び第十一条第二項の規定を準用する。

（採用時の健康診断）

第八条 再就職促進基本計画に従い清算事業団職員を採用する場合における人事院規則一〇—四（職員の保健及び安全保持）第十九条前段に規定する健康診断の実施に当たつては、その者が採用前六箇月以内に日本国有鉄道清算事業団又は日本国有鉄道において当該健康診断における検査と同一の項目について検査を受けているときは、当該項目については検査を要しないものとする。

（年次休暇の日数）

第九条 再就職促進基本計画に従い清算事業団職員から引き続き給与法第十四条の三の規定の適用を受ける職員となつた者の当該年の年次休暇の日数は、二十日に当該年の前年における年次有給休暇の残日数（当該日数が十日を超える場合にあつては、十日）を加えて得た日数から、当該職員となつた日の前日までの間に使用した年次有給休暇の日数を減じて得た日数（当該日数がその者の当該年における在職期間に応じ、人事院規則一五—一一（職員の休暇）別表第一の日数欄に掲げる日数に満たない場合にあつては、当該掲げる日数）とする。

（実務研修生）

第十条 任命権者は、日本国有鉄道清算事業団が実務の体験を目的とする研修のため清算事業団職員を国の機関に派遣した場合において、特に必要があると認められるときは、当該清算事業団職員を非常勤職員として採用することができる。

2　前項の規定により非常勤職員として採用された者（以下この条において「実務研修生」という。）については、給与を支給しない。

3　各庁の長（給与法第七条に掲げる各庁の長又はその委任を受けた者をいう。以下この条において同じ。）は、実務研修生に対して人事院の定める日数の年次休暇を与えなければならない。

4　各庁の長は、実務研修生が負傷又は疾病のため療養する必要があり、その勤務しないことがやむを得ないと認められる場合には、必要最小限度の期間の休暇を与えるものとする。

5 各庁の長は、実務研修生が人事院規則一五―一一第六条各号に掲げる場合に該当する場合には、同条各号に掲げる期間の休暇を与えるものとする。

6 前三項の休暇の承認その他実務研修生の休暇に関し必要な事項は、人事院が定める。

（報告）

第十一条 任命権者は、再就職促進基本計画に従い清算事業団職員を採用した場合には、人事院の定めるところにより、その状況を人事院に報告するものとする。

（雑則）

第十二条 この規則の実施に関し必要な事項は、人事院が定める。

（読替え）

第十三条 再就職促進法第五条第一項に規定する国鉄退職希望職員に係るこの規則の規定の適用については、次の表の上欄に掲げる規定中同表の中欄に掲げる字句は、それぞれ同表の下欄に掲げる字句とする。

第二条第一項	第十四条第一項に規定する再就職促進基本計画（以下「再就職促進基本計画」という。）に従い同項に規定する清算事業団職員（以下「清算事業団職員」という。）	第五条第一項に規定する再就職促進方針（以下「再就職促進方針」という。）に従い同項に規定する国鉄退職希望職員（以下「国鉄退職希望職員」という。）
	除き、	除き、その者が日本国有鉄道において現に就いている職と同等以下と人事院が認めるものであり、かつ、
第二条第二項	日本国有鉄道及び日本国有鉄道清算事業団	日本国有鉄道
第三条、第四条第一項及び第五条	再就職促進基本計画に従い清算事業団職員	再就職促進方針に従い国鉄退職希望職員
第六条第一項	再就職促進基本計画に従い清算事業団職員	再就職促進方針に従い国鉄退職希望職員
	日本国有鉄道清算事業団	日本国有鉄道
第七条第一項	再就職促進基本計画に従い清算事業団職員から引き続き職員となつた者（当該期間に係る期末手当に相当する給与が日本国有鉄道清算事業団から支給される者を除く。）	再就職促進方針に従い国鉄退職希望職員から引き続き職員となつた者
	日本国有鉄道清算事業団に在職した期間（日本国有鉄道に在職した期間のある者については、その期間を含む。）	日本国有鉄道に在職した期間
第八条	再就職促進基本計画に従い清算事業団職員	再就職促進方針に従い国鉄退職希望職員
	日本国有鉄道清算事業団又は日本国有鉄道	日本国有鉄道
第九条	再就職促進基本計画に従い清算事業団職員	再就職促進方針に従い国鉄退職希望職員
第十条第一項	日本国有鉄道清算事業団	日本国有鉄道
	清算事業団職員	国鉄退職希望職員
第十一条	再就職促進基本計画に従い清算事業団職員	再就職促進方針に従い国鉄退職希望職員

附 則

この規則は、公布の日から施行する。

附 則（平一四・六・二〇規則一―三六）（抄）

（施行期日）

1 この規則は、公布の日から施行する。〔ただし書略〕

○日本国有鉄道退職希望職員及び日本国有鉄道清算事業団職員を採用する場合の任用、給与等の取扱いについて（通知）

昭六一・一二・四
管総—一五八六

標記について、下記のとおり取り扱うこととしたので、通知します。

記

第一　趣旨

日本国有鉄道退職希望職員及び日本国有鉄道清算事業団職員の再就職の促進に関する特別措置法（昭和六十一年法律第九十一号）第五条第一項に規定する再就職促進方針に従い同項に規定する国鉄退職希望職員（以下「国鉄退職希望職員」という。）を採用する場合及び同法第十四条第一項に規定する再就職促進基本計画に従い同項に規定する清算事業団職員（以下「清算事業団職員」という。）を採用する場合の任用、給与等の取扱いについては、人事院規則一—一二（日本国有鉄道退職希望職員及び日本国有鉄道清算事業団職員を採用する場合の任用、給与等の特例等）（以下「規則」という。）及びこの通達に定めるところによるものとし、規則及びこの通達に定めのない事項については、一般の取扱いによるものとする。

第二　採用の方法

1　選考は、別紙一に掲げる事項に留意して、一の官職への採用につき、適切な数の国鉄退職希望職員又は清算事業団職員について行うものとする。

2　国鉄退職希望職員又は清算事業団職員からの採用については、採用候補者名簿に記載されている者からの採用について十分にしんしやくした上、行うものとする。

第三　給与の取扱い

1　規則第三条第一項第三号に掲げる者については、採用試験等の程度、内容等に応じ、あらかじめ人事院の承認を得て、「Ⅰ種」、「Ⅱ種」、「Ⅲ種」、「A種」又は「B種」のうちいずれかの「正規の試験」の区分を適用することができる。

2　規則第四条の規定に基づき俸給月額の決定等について承認を得ようとする場合には、次に掲げる事項に留意するものとする。

(1)　採用時における俸給月額及び次期昇給の予定の時期については、部内の他の職員との均衡並びに採用予定者の日本国有鉄道及び日本国有鉄道清算事業団における勤務実績を考慮して再計算すること。

(2)　規則第三条第一項の規定により人事院規則九—八（初任給、昇格、昇給等の基準）別表第二に定める級別資格基準表（以下「級別資格基準表」という。）の試験欄の「正規の試験」の区分の適用を受けることとされた者については、日本国有鉄道の職員となつた時に級別資格基準表及び同規則別表第六に定める初任給基準表（以下「初任給基準表」という。）の試験欄の当該「正規の試験」の区分を適用されたものとして取り扱い、その他の者については、日本国有鉄道の職員となつた時にその者の職種及び学歴免許等の資格に応じた級別資格基準表及び初任給基準表の職種欄の区分及び学歴免許等欄の区分を適用されたものとして取り扱うこと。

(3)　日本国有鉄道の職員賃金基準規程（昭和四十二年二月十五日職達第二号）第四十一条第三項の規定により人事院規則九—八第三十七条の規定による特別昇給に相当する昇給をした職員については、再計算を行う際、当該特別昇給に相当する昇給を同条の規定による特別昇給とみなして取り扱うこと。

第四　実務研修生

1　規則第十条第一項の「派遣した場合」とは、日本国有鉄道及び日本国有鉄道清算事業団が国鉄退職希望職員又は清算事業団職員に対し再就職に必要な知識及び技能を習得させるため、それぞれの研修実施計画に基づき、それらの者を日本国有鉄道又は日本国有鉄道清算事業団の職員としての身分を有したまま、正規の給与を支給しつつ、国の機関に派遣した場合をいう。

2　規則第十条第一項の「特に必要があると認められるとき」とは、国の機関に派遣された国鉄退職希望職員又は清算事業団職員が実務の体験を目的とする研修の一環として公権力の行使に直接関与し、又は守秘義務等の服務規制が必要な業務に従事する場合等その者を国の職員として任用することが当該研修の適正かつ円滑な実施のために特に必要であると認められるときをいう。

3　規則第十条第一項の規定により非常勤職員に採用する場合には、人事異動通知書の「異動内容」欄に「給与は支給しない」と付記するものとする。

4　規則第十条第二項の規定は、実務研修生の給与の取扱いについて国家公務員法（昭和二十二年法律第百二十号）附則第十三条に基づく特例を定めたものである。

5　実務研修生の休暇については、次に定めるところによる。

(1)　年次休暇の日数は、日本国有鉄道又は日本国有鉄道清算事業団の職員として有している年次有給休暇の日数に相当する日数とし、その年次休暇は当該年次有給休暇の有効期間内に限り使用できるものとする。

(2)　年次休暇の単位は、一日又は半日とする。

(3)　年次休暇の承認については、常勤職員の例に準じて取り扱うものとする。

(4)　年次休暇以外の休暇は、必要に応じて一日、一時間又は一分を単位として取り扱うものとする。

(5)　年次休暇以外の休暇の承認については、常勤職員の例に準じて取り扱うものとする。

(6)　休暇の手続については、常勤職員の例に準じて取り扱うものとする。

第五　人事院への報告

任命権者は、毎年一月一日、四月一日、七月一日及び十月一日前三箇月間の採用の状況を、それぞれ当該日の属する月の十五日までに、別紙二の様式の報告書により、人事院に報告するものとする。ただし、毎年四月一日における採用の状況にあつては、四月三十日までに報告するものとする。

第六　申請手続

1　規則第二条第一項の規定に基づく選考による採用に関する承認並びに規則第三条第一項第三号の規定に基づく「正規の試験」の区分の適用に関する承認、規則第四条第一項の規定に基づく俸給月額の決定に関する承認及び同条第二項の規定に基づく昇給期間の短縮に関する承認を得ようとする場合には、次に掲げる書類を添付して、別紙三の様式の選考採用・俸給関係承認申請書を提出するものとする。

一　日本国有鉄道又は日本国有鉄道清算事業団へ提示した募集計画

二　日本国有鉄道又は日本国有鉄道清算事業団から提出された別紙四の様式の推薦者名簿

三　採用予定者の選考結果に関する資料

四　採用予定者の日本国有鉄道及び日本国有鉄道清算事業団（国鉄退職希望職員にあつては、日本国有鉄道）における人事記録

五　採用予定者の日本国有鉄道における採用試験の合格証明書の写し

六　採用しようとする官職が免許・資格を必要とするものである場合にあつては、採用予定者の有する免許・資格証明書の写し

七　採用予定者の日本国有鉄道における勤務実績の評価に関する資料

八　採用予定者の実務研修の記録等日本国有鉄道清算事業団における勤務実績の評価に関する資料

九　採用予定者の日本国有鉄道採用前の経歴に関する資料の写し

十　給実甲第五百五十六号（協議様式について）別表第二に定める様式の級別定数整理表

十一　別紙五の様式の俸給決定関係仮計算調書

十二　その他参考となる資料

2　国鉄退職希望職員又は清算事業団職員を採用候補者名簿のない官職に採用する場合において、規則第三条第一項第三号の規定に基づく「正規の試験」の区分の適用に関する承認、規則第四条第一項の規定に基づく俸給月額の決定に関する承認及び同条第二項の規定に基づく昇給期間の短縮に関する承認を得ようとするときには、前項第四号から第六号まで及び第九号から第十二号までに掲げる書類を添付して、別紙六の様式の俸給関係承認申請書を提出するものとする。

3　前二項の選考採用・俸給関係承認申請書及び俸給関係承認申請書の別表の記入例は、次のとおりとし、俸給関係の承認については、承認に係る欄（昇給期間の短縮にあつては、次期昇給の予定の時期の欄）に「※」を記入するものとする。

（記入例）

番号	氏　名	採用予定官職（所属部課名）及び職務内容	採用予定年月日	俸給表職務の級	俸給月額	次期昇給の予定の時期	級別資格基準表の適用区分	級別定数上の職名
1	○○○○	○○局○○課 会計事務	62.4.1	行(一) 2級	※ 7号俸	※ 63.1.1	Ⅲ種	一般職員

以上

別紙一～別紙六〔略〕

附録

○一般職給与法改正経過一覧表

年月日	法律番号	改正内容	参考
昭二五・四・三	九五	政府職員の新給与実施に関する法律の失効による制定	五・四　退職手当臨時措置法公布 五・一五　職階法公布
昭二五・一二・二七	二九九	七、九八一円ベース改訂（二六・一・一施行）	八・九　八、〇五八円ベース勧告 一二・九　マイヤース勧告発表
昭二六・一一・三〇	二七八	一〇、〇六二円ベース改訂（二六・一〇・一遡及適用）	六・二　災害補償法公布
昭二六・一二・二一	三一四	公務員法の一部改正による改正	八・二〇　一一、二六三円ベース勧告
昭二七・六・一二	一八三	勤務地手当支給地域区分の改訂（二七・四・一遡及適用）	三・三一　外務公務員法公布
昭二七・七・三一	二五一	電電公社法による改正	七・三一　現業職員に団交権附与 八・一　一三、五一五円ベース勧告
昭二七・七・三一	二六八	法務府設置法の一部改正による改正	
昭二七・七・三一	二七〇	大蔵省設置法の一部改正法に伴う整理法による改正	
昭二七・一二・二五	三二四	一二、八二〇円ベース改訂（二七・一一・一遡及適用）	
昭二八・八・一	一六一	未帰還者留守家族等援護法による改正	七・一八　給与準則及び一五、四八〇円ベース勧告
昭二八・八・一八	二三七	教員俸給表の三本建（二九・一・一施行）	八・八　退職手当暫定措置法公布
昭二八・一二・一	二七九	勤務地手当の無級地を一級地に引上げ（二八・一二・三一施行）	
昭二八・一二・一二	二八五	一五、四八三円ベース改訂（二九・一・一施行）	
昭二九・六・一	一四一	国営企業職員給与特例法による改正	三・三〇　公務員制度調査会設置 七・一九　ベース改訂勧告留保
昭三〇・一二・一四	一八四	期末手当を一・五月分に増額	七・一六　ベース改訂勧告留保 一一・一五　公務員制度調査会答申
昭三一・一二・一四	一七四	期末、勤勉手当を〇・一五月分増額	七・一六　俸給表の合理化勧告
昭三一・一二・二〇	一七六	一般職給与法の一部改正法（昭二八法二三七）の一部改正	
昭三二・六・一	一五四	等級制実施による俸給制度の全面改正、勤務地手当の廃止と暫定手当の支給	七・一六　通勤手当新設等勧告

昭三二・一一・一八	一八二	期末手当の増額	
昭三三・四・二五	八七	通勤手当の新設	七・一六　初任給引上げ等を勧告
昭三三・一二・一五	一七六	期末手当の増額	
昭三三・一二・二三	一七九	公務員宿舎法による改正	
昭三四・四・一三	一一九	初任給の引上げとこれに伴う俸給表の調整、期末手当の増額	五・一五　退職年金制度新設による共済組合法改正
昭三四・五・一五	一六四	退職手当暫定措置法の一部改正	七・一六　中級職員等の俸給表の改善等勧告
昭三五・六・九	九三	俸給表の中だるみ是正、期末手当の増額及び特殊勤務手当の規則委任等	六・九　政府職員の特殊勤務手当に関する政令の廃止並びに人事院規則九―三〇及び九―三一制定
昭三五・一二・二二	一五〇	俸給月額の引上げ（おおむね二、六八〇円）、昇給期間を一律十二月に統一、期末手当〇・一月分増額等 初任給調整手当新設	俸給月額改定増額分最低九百円程度となるよう国会で俸給表の一部修正 俸給月額の引上げ一二・四％
昭三六・六・一五	一三二	暫定手当制度の一部改正	
昭三六・一一・一	一七六	俸給月額の引上げ 初任給調整手当の改正 通勤手当の増額 期末手当の増額等	俸給月額の引上げ七・一％
昭三七・九・一五	一六一	行政不服審査法の施行に伴う関係法律の整理等に関する法律による改正	
昭三八・二・二八	六	俸給月額の引上げと号俸構成の一部改正 教育職俸給表㈣の新設 期末・勤勉手当の増設と支給方法暫定手当非支給地域の職員に対する暫定手当の支給 宿日直手当制度の改正等	俸給月額改定増額分の最低千五百円の引上げとなるよう国会で俸給表の一部修正 最終段階における俸給月額の引上げ七・九％ 期末手当年間二・九月分、勤勉手当〇・八月分
昭三八・一二・二〇	一七四	事務次官等の俸給について、特号俸制度を新設（一官一給与体系へ改善） 全俸給表全等級の俸給月額の引上げ 一部職員について次期昇給期を三月短縮 通勤手当の支給限度額を引上げ	俸給表の引上げは平均六・七％ 初任給については千四百円引上げ 大学教官、研究職員、医師等について特に配慮

		十二月の期末手当、三月の勤勉手当をそれぞれ〇・一月分増額 病気休職者等に対し期末手当支給	
昭三九・一二・一七	一七四	各俸給表の俸給月額の引上げ 指定職俸給表の新設 行政職俸給表(一)に新三等級を新設 一部の職員について次期昇給期を三月（行(二)六月）短縮 期末・勤勉手当の支給割合をそれぞれ〇・一月分増額、年間合計四・二月分となる。 休日給、宿日直手当、初任給調整手当および通勤手当に所要の改正 暫定手当一段階分本俸へ繰入れ（四〇・四・一施行）	俸給表の引上げは平均七・九%初任給については大学卒、短大卒二千円、高校卒千七百円 大学教官、研究職員、医師等について特に配慮 昇給間差額についてできるだけ改善を図り、中位等級について特に配慮
昭四〇・一二・二七	一四七	全俸給表の全等級を通じての俸給月額の引上げ 通勤手当支給額の増額 十二月期期末手当〇・一月分増額 一部職員の昇給期間の三月短縮 扶養手当の日割計算の廃止 期末、勤勉手当の基準を三月、六月、十二月の各一日に変更	俸給表全体の改善率六・四% 指定職甲の俸給月額据置 初任給―大学卒、短大卒千九百円、高校卒千六百円程度引上げ 中位等級の昇給間差額については特に配慮 看護婦等の深夜勤務に特殊勤務手当支給
昭四一・一二・二一	一四〇	全俸給表の全等級を通じての俸給月額の引上げ 俸給表の一部の等級について初号を削除 指定職俸給表の乙欄の体系是正 扶養手当支給額の増額 通勤手当支給額の引上げ 医師の初任給調整手当の支給限度額の引上げ 非常勤職員（委員、顧問、参与等）の手当支給限度額の引上げ	俸給表全体の改善率六・〇% 中位等級以下について特に配慮 初任給―大卒および短大卒千六百円、高卒千二百円引上げ
昭四二・一二・二三	一四一	全俸給表の全等級を通じての俸給月額の引上げ 医師の初任給調整手当の支給限度額を一万円に引上げ 都市手当新設の勧告を尊重して、その名称を調整手当と改め、甲地（旧四級地）六%、乙地（旧三級地）三%を支給 宿日直手当の増額 三月期勤勉手当〇・一月分増額 暫定手当一段階分を三年計画で整理開始	俸給表全体の改善率七・〇%（指定職甲二万円、上下等級概ね同率引上げ） 初任給―大卒千八百円、短大卒千四百円、高卒千百円引上げ 大学院担当助手および長期航海を常態とする船員の一部に調整額支給 夜間通信業務に従事する職員に特殊勤務手当支給

昭四三・一二・二一	一〇五	全俸給表の全等級を通じての俸給月額の引上げ 税務、公安(一)、公安(二)に特三等級、海事(一)、医療(三)に特一等級を新設、公安(二)の八等級削除 医療(三)三等級に新一号俸増設、税務、公安(一)、公安(二)の二等級一号俸の削除 医師の初任給調整手当の支給限度額の引上げおよび支給期間の延長 通勤手当の支給限度額の引上げおよび支給方法の一部改正 看守長等の宿日直手当の新設 四四年四月以降の期末、勤勉手当の各期ごとの支給割合の変更 非常勤職員（委員、顧問、参与等）の手当支給限度額の引上げ	俸給表全体の改善率七・〇% 中位等級以下に特に配慮 初任給—大卒二千四百円、短大卒二千百円、高卒千六百円の引上げ、特別昇給定数の枠を一五%に拡大 病院、療養所の電話交換業務、夜間道路作業および夜間の自動車による税関監視業務に従事する職員に特殊勤務手当支給
昭四四・一二・二	七二	全俸給表の全等級を通じての俸給月額の引上げ 医師の初任給調整手当の支給限度額の引上げ 扶養手当の支給額増額 通勤手当の支給限度額の引上げ 十二月期期末手当〇・一月分増額 非常勤職員（委員、顧問、参与等）の手当支給限度額の引上げ	俸給表全体の改善率八・七% 初任給—大卒三千二百円、短大卒三千円、高卒二千八百円引上げ 国際空港等における旅具検査、旅券審査、検疫等の業務に従事する職員、気象庁における予報業務に従事する職員等で交替制勤務に服するものの一部に特殊勤務手当支給
昭四五・一二・一七	一一九	全俸給表の全等級を通じての俸給月額の引上げ 指定職俸給表の号俸構成の一部改正、教育(一)一等級および研究一・二等級の一部号俸の削除 一定年令をこえる職員の昇給の取扱いについての特別措置新設 医師の初任給調整手当の支給限度額の引上げおよび支給期間の延長 調整手当の支給区分甲地に勤務する職員の一部について支給率を八%に引上げ、異動保障の期間を三年間に延長、医師についての支給率を八%にする特別措置新設 住居手当の新設 自転車等の交通用具による通勤者の通勤手当の増額 隔遠地手当を特地勤務手当に改め、その級地区分等の一部を改正、特地勤務手当に準ずる手当の新設 宿日直手当の増額	俸給表全体の改善率一〇・七% 初任給—大卒四千五百二十円、短大卒四千三百円、高卒四千百六十円引上げ 精神薄弱児施設その他の社会福祉施設等の職員および社会保険審査医ならびに航空機操縦士について俸給の調整額の引上げおよび適用範囲拡大 夜間看護手当、夜間特殊業務手当の増額、皇宮護衛官、税関船舶職員、入国審査官等の職員に特勤手当支給 パイロット等に対する航空手当の増額

		六月期期末手当、勤勉手当をそれぞれ○・一月分ずつ増額 非常勤職員（委員、顧問、参与等）の手当支給限度額の引上げ 暫定手当の廃止	
昭四六・一二・一五	一二二	全俸給表の全等級を通じての俸給月額の引上げ 一部の俸給表を除く各俸給表の初任等級の号俸構成の一部変更と当該等級の最低号俸の削除 教職調整額との関係で教育㈣の四・五等級の俸給月額を四十七年一月一日以降改定 医師の初任給調整手当の支給限度額の引上げおよび支給期間の延長 扶養手当の支給額増額 筑波研究学園都市移転手当の新設 六月期期末手当を○・一月分増額し、管理または監督の地位にある職員の期末手当、勤勉手当の基礎に一定率の額が加算された。 非常勤職員（委員、顧問、参与等）の手当支給限度額の引上げ	俸給表全体の改善率一○・三六% 初任給―大卒五千円、短大卒三千七百円、高卒四千八百円引上げ 夜間看護手当、航空管制手当の増額
昭四七・一一・一三	一一八	全俸給表の全等級を通じての俸給月額の引上げ 医師の初任給調整手当の支給限度額の引上げおよび支給期間の延長 扶養手当の増額 通勤手当の支給限度額の引上げおよび自転車等の使用者に対する手当の支給月額に使用距離による区分を新設 非常勤職員（委員、顧問、参与等）の手当支給限度額の引上げ	俸給表全体の改善率九・三五% 初任給―大卒五千八百円、短大卒五千五百円、高卒五千四百円引上げ 社会保険審査医に対する俸給の調整額の引上げ 夜間看護手当、夜間特殊業務手当の増額および航空管制手当の適用範囲拡大
昭四八・四・一二	一○	国民の祝日に関する法律の一部改正による改正	
昭四八・九・二六	九五	全俸給表の全等級を通じての俸給月額の引上げ 税務、公安㈠、公安㈡、行㈡、海事㈡、医療㈡に特一等級を新設 初任給調整手当の支給限度額の引上げ 扶養手当、通勤手当の増額 住居手当の増額	俸給表全体の改善率一三・三六% 初任給―大卒八千二百円、短大卒七千六百円、高卒七千三百円の引上げ 交替制勤務者の夜間特殊業務手当の増額
昭四九・三・二七	七	教育職俸給表の一部等級を除く各等級を通じての俸給月額の引上げ	教育職俸給表㈢ 教諭(一等級)、校長(一等級)とも九・○%の改善（教育㈠、㈡、㈣はいわゆる逆転防止の改善）

昭四九・四・二七	三二	医療職俸給表、ハ医療職俸給表㈢の全等級を通じての俸給月額の引上げ 期末手当支給の特例（〇・三月分）	一般病院勤務の一般看護婦（三等級）一〇・一%、准看護婦、総婦長等を含めた全体で八・九%（調整額四%を含む。）の改善 一般病院の看護婦等でこれまで俸給の調整額の対象となつていなかつた者を対象の範囲に含めた（四%）。
昭四九・六・一	七〇	学校教育法の一部改正による改正	
昭四九・六・四	七四	全俸給表の全俸給月額を一〇%増額とする暫定措置（百円未満の端数は切り捨てる）	
昭四九・一二・二三	一〇五	全俸給表の全等級を通じての俸給月額の引上げ 死亡退職の場合の日割計算の廃止 医師・医学系教官等の初任給調整手当の支給限度額の引上げ及び医学系教官等の支給期間の延長 扶養手当の増額及び自宅居住者に対する住居手当の新設 通勤手当・宿日直手当の増額 六月期期末手当を〇・三月分、十二月期期末手当を〇・一月分それぞれ増額 非常勤職員（委員、顧問、参与等）の手当支給限度額の引上げ	行政職俸給表の改善率一五・八七%（四十九年六月の暫定措置後の俸給表に対する改善率） 初任給―大卒一万六千五百円、短大卒一万五千円、高卒一万四千四百円引上げ（四十九年六月の暫定措置による改善分を含む。） 試験採用者（上級甲を除く。）の最初の昇給期間を三月短縮
昭五〇・三・三一	九	教育職俸給表の一部等級を除く各等級を通じての俸給月額の引上げ 教育職俸給表㈡、㈢に特一等級を新設 義務教育等教員特別手当の新設	教育職俸給表㈢の改定で三・〇%、義務教育等教員特別手当の新設で四・〇%の改善（教育㈠、㈡、㈣はいわゆる逆転防止の改善）
昭五〇・一一・七	七一	全俸給表の全等級を通じての俸給月額の引上げ 医療職俸給表㈡に特二等級を新設 医師・医学系教官等の初任給調整手当の支給限度額の引上げ及び医学系教官等の支給期間の延長 扶養手当の増額 通勤手当及び住居手当の支給限度額の引上げ 義務教育等教員特別手当の支給限度額の引上げ 非常勤職員（委員、顧問、参与等）の手当支給限度額の引上げ	行政職俸給表の改善率九・四四% 初任給―大卒七千三百円、短大卒七千二百円、高卒六千八百円引上げ 俸給の特別調整額（一種、二種）の一〇%削減（五〇・四～五一・三）
昭五一・一一・五	七七	全俸給表の全等級を通じての俸給月額の引上げ 医師・医学系教官等の初任給調整手当の支給限度額の引上げ	行政職俸給表の改善率六・〇一% 初任給―大卒五千二百円、短大卒四千六百円、

公布年月日	法律番号	改正内容	備考
		扶養手当の増額 通勤手当及び住居手当の支給限度額の引上げ 宿日直手当の増額 六月期勤勉手当〇・一月分、十二月期期末手当〇・一月分をそれぞれ減額 非常勤職員（委員、顧問、参与等）の手当支給限度額の引上げ	高卒四千三百円引上げ
昭五二・一二・二一	八八	全俸給表の全等級を通じての俸給月額の引上げ 医師・医学系教官等の初任給調整手当の支給限度額の引上げ 扶養手当の増額 通勤手当及び住居手当の支給限度額の引上げ 義務教育等教員特別手当の支給限度額の引上げ 医師の宿日直手当新設 非常勤職員（委員、顧問、参与等）の手当支給限度額の引上げ 義務教育諸学校等の女子教育職員及び医療施設、社会福祉施設等の看護婦、保母等の職員の育児休業給の新設	行政職俸給表の改善率六・一二％ 初任給―大卒五千五百円、短大卒五千円、高卒四千六百円引上げ 義務教育諸学校等の主任等である教諭の一部につき教育業務連絡指導手当を支給 教員特殊業務手当の適用範囲拡大
昭五三・一〇・二一	九〇	指定職俸給表を除く全俸給表の全等級を通じての俸給月額の引上げ 医師・医学系教官等の初任給調整手当の支給限度額の引上げ 理工系及び法文系官職に対する初任給調整手当の縮減又は廃止（五四・一・一施行） 扶養手当の増額 通勤手当の支給限度額の引上げ並びに自転車等の使用者に対する手当の支給月額の増額及び使用距離区分の細分化 十二月期期末手当を〇・一月分減額 義務教育等教員特別手当の支給限度額の引上げ及び支給範囲の拡大	行政職俸給表の改善率三・一五％ 初任給―大卒二千五百円、短大卒二千百円、高卒千七百円引上げ 教育業務連絡指導手当の支給範囲の拡大 教員特殊業務手当の支給要件の緩和 大規模校の校長、教頭に対する俸給の特別調整額の支給割合の引上げ
昭五四・一二・二一	五七	全俸給表の全等級を通じての俸給月額の引上げ（指定職俸給表については五四・一〇・一適用） 五六歳以上の職員の昇給の延伸及び一定年齢を超える職員の昇給の停止（五五・四・一施行） 医師・医学系教官等の初任給調整手当の支給限度額の引上げ 扶養手当の増額 住居手当の基礎控除額の引上げ及び支給限度額の引上げ 交通機関等利用者に対する通勤手当の支給限度額の引上げ	行政職俸給表の改善率三・〇七％ 初任給―大卒二千七百円、短大卒二千五百円、高卒二千三百円引上げ 俸給の調整額の一部定額化（五五・一・一施行）

昭五五・一一・二九	九四	全俸給表の全等級を通じての俸給月額の引上げ（指定職俸給表については五五・一〇・一適用） 医師・医学系教官等の初任給調整手当の支給限度額の引上げ 扶養手当の増額 多数の官署の移転等に特別の事情が認められる場合及び五現業職員等からの人事交流による復帰等の場合における調整手当の特例的支給（人事交流等による場合については五六・一・一施行） 交通機関等利用者の通勤手当の支給限度額及び通勤不便者（自転車等利用者）の手当月額の引上げ 非常勤職員（委員、顧問、参与等）の手当支給限度額の引上げ（五五・一〇・一適用） 週休二日制の新設（五六・三・二九施行）	行政職俸給表の改善率三・八四％ 初任給―大卒三千八百円、短大卒三千三百円、高卒三千百円引上げ
昭五六・一二・二四	九六	全俸給表の全等級を通じての俸給月額の引上げ（指定職俸給表については五七・四・一適用） 医師・医学系教官等の初任給調整手当の支給限度額の引上げ 扶養手当の増額 調整手当の甲地八％地域の支給率を九％に引上げ（医師、新東京国際空港官署も同様に引上げ）（五七・四・一適用） 住居手当の基礎控除額の引上げ及び支給限度額の引上げ 交通機関等利用者に対する通勤手当の支給限度額の引上げ 筑波研究学園都市移転手当の支給率の限度を九％に引上げ（五七・四・一適用） 非常勤職員（委員、顧問、参与等）の手当支給限度額の引上げ	行政職俸給表の改善率四・三五％ 初任給―大卒四千九百円、短大卒四千三百円、高卒三千九百円引上げ 五六・四・一から五七・三・三一までの間における俸給の特別調整額一種及び二種のいわゆる管理職員に係る俸給及び扶養手当、これらを算定の基礎とする他の手当、初任給調整手当、通勤手当並びに住居手当の額が、改正後の法の規定等にかかわらず従前の例による額とされた。 また、管理職員の給与に係るいわゆる逆転防止のための手当が所要の期間支給されることとされた。 五六年度中に支給される期末手当及び勤勉手当の額が改正前の俸給等を基礎に算定した額に据え置かれた。
昭五七・七・一六	六六	障害に関する用語の整理に関する法律による改正	
昭五八・一一・二九	六九	全俸給表の全等級を通じての引上げ 医師・医学系教官等の初任給調整手当の支給限度額の引上げ 扶養手当の増額	政府改正案改善率二・〇三％（人事院勧告の改善率六・四七％を修正実施） 初任給―大卒二千百円、短大卒千九百円、高卒千八百円の引上げ

公布年月日	法律番号	改正内容	備考
		住居手当の支給限度額の引上げ 交通機関等利用者の通勤手当の支給限度額の引上げ及び自転車等利用者の支給月額の増額 非常勤職員（委員、顧問、参与等）の手当支給限度額の引上げ 期末・勤勉手当の支給日の変更	
昭五八・一二・　二	八〇	総務庁設置に伴う改正	
昭五八・一二・　三	八二	国家公務員共済組合法が国家公務員等共済組合法に改正されたことによる改正	
昭五九・一二・一二	七九	全俸給表の全等級を通じての引上げ 医師・医学系教官等の初任給調整手当の支給限度額の引上げ 扶養手当の増額 住居手当の支給限度額の引上げ 交通機関等利用者の通勤手当の支給限度額の引上げ 非常勤職員（委員、顧問、参与等）の手当支給限度額の引上げ	政府改正案改善率三・三七％（人事院勧告の改善率六・四四％を修正実施）
昭六〇・一二・二一	九七	俸給表の等級構成及び号俸構成の全面改正（一一級制に変更） 専門行政職俸給表の新設 医師・医学系教官等の初任給調整手当の支給限度額の引上げ 扶養手当の増額 調整手当甲地九％地域の支給率を一〇％に引上げ（医師、新東京国際空港官署も同様に引上げ） 住居手当の支給限度額の引上げ 通勤手当の支給限度額の引上げ 筑波研究学園都市移転手当の支給率の限度を一〇％に引上げ 非常勤職員（委員、顧問、参与等）の手当支給限度額の引上げ 休日、休暇制度の改正	行政職俸給表の改善率四・七八％ 初任給―大卒五千七百円、高卒四千八百円の引上げ
昭六〇・一二・二七	一〇五	国家公務員等共済組合法等の一部を改正する法律による改正	
昭六一・一二・　四	九三	日本国有鉄道改革法等施行法による改正	
昭六一・一二・二二	一〇一	全俸給表の全俸給月額の引上げ 医師・医学系教官等の初任給調整手当の支給限度額の引上げ 扶養手当の増額 宿日直手当の増額 非常勤職員（委員、顧問、参与等）の手当支給限度額の引上げ	行政職俸給表の改善率二・〇一％ 初任給―大卒二千七百円、高卒二千三百円の引上げ

昭六一・一二・一五	一〇九	全俸給表の全俸給月額の引上げ 医師・医学系教官等の初任給調整手当の支給限度額の引上げ 住居手当の基礎控除額の引上げ及び支給限度額の引上げ 交通機関等利用者の通勤手当の支給限度額の引上げ及び自転車等利用者の支給月額の増額 非常勤職員（委員、顧問、参与等）の手当支給限度額の引上げ 週休二日制の改正（六三・四・一七施行）	行政職俸給表の改善率一・二六％ 初任給—大卒二千円、高卒千七百円の引上げ
昭六二・一二・一三	九二	週休二日制・勤務時間制度の改正（六四・一・一施行）	
昭六三・一二・二四	一〇〇	全俸給表の全俸給月額の引上げ 医師・医学系教官等の初任給調整手当の支給限度額の引上げ 扶養手当の扶養親族の要件の改正（元・四・一施行） 扶養手当の増額 住居手当の支給限度額の引上げ 非常勤職員（委員、顧問、参与等）の手当支給限度額の引上げ	行政職俸給表の改善率二・〇三％ 初任給—大卒三千二百円、高卒二千七百円の引上げ
平元・一二・一三	七三	全俸給表の全俸給月額の引上げ 医師・医学系教官等の初任給調整手当の支給限度額の引上げ 交通機関等利用者の通勤手当の支給限度額の引上げ並びに交通用具使用者の支給月額の増額及び使用距離区分の変更 単身赴任手当の新設（二・四・一施行） 六月期期末手当、勤勉手当をそれぞれ〇・一月分ずつ増額 非常勤職員（委員、顧問、参与等）の手当支給限度額の引上げ	行政職俸給表の改善率二・七二％ 初任給—大卒五千二百円、高卒四千四百円の引上げ
平二・一二・二六	七九	全俸給表の全俸給月額の引上げ 各俸給表の職務の級の一・二級等最低号俸削除 医師・医学系教官等の初任給調整手当の支給限度額の引上げ 住居手当の支給限度額の引上げ 六月期・十二月期期末手当を〇・一月分、三月期期末手当を〇・〇五月分それぞれ増額 期末手当、勤勉手当に職務段階等に応じた加算措置を導入 非常勤職員（委員、顧問、参与等）の手当支給限度額の引上げ 通勤災害による給与の取扱いの変更（三・一・一施行）	行政職俸給表の改善率三・四五％ 初任給—大卒一万六千八百円、高卒一万七百円の引上げ
平三・一二・二四	一〇二	全俸給表の全俸給月額の引上げ 医療職俸給表㈢に七級を新設	行政職俸給表の改善率三・三九％ 初任給—大卒一万六百円、高卒七千六百円の引

		医師・医系教官等の初任給調整手当の支給限度額の引上げ 扶養手当の増額 扶養手当について児童手当との調整措置を廃止（四・一・一施行） 交通機関利用者の通勤手当支給限度額の引上げ及び交通用具使用者の使用距離区分を二区分増設 指定職俸給表適用者に通勤手当を支給（四・一・一施行） 宿日直手当の増額（四・一・一施行） 管理職員特別勤務手当の新設（四・一・一施行） 超過勤務手当等を支給しない職員を、俸給の特別調整額の支給される職員から管理職員特別勤務手当の支給される職員に改正（四・一・一施行） 十二月期期末手当を〇・一月分増額 非常勤職員（委員・顧問・参与等）の手当支給限度額の引上げ	上げ
平三・一二・二四	一〇九	国家公務員の育児休業等に関する法律による改正	
平四・四・二	二八	週休二日制・勤務時間制度の改正（四・五・一施行）	
平四・一二・一六	九二	全俸給表の全俸給月額の引上げ 医師・医系教官等の初任給調整手当の支給限度額の引上げ 扶養手当について子、孫及び弟妹の支給の終期を満二十二歳の年度末に改正 物価及び生計費の特に高い地域の調整手当の支給割合の引上げ（五・四・一施行） 住居手当の支給限度額の引上げ 交通用具使用者（使用距離一〇キロメートル以上の者）の通勤手当の支給月額の増額 宿日直手当の増額（五・一・一施行） 非常勤職員（委員・顧問・参与等）の手当支給限度額の引上げ	行政職俸給表の改善率二・五〇％ 初任給—大卒七千七百円、高卒七千円の引上げ
平五・一一・一二	八二	全俸給表の全俸給月額の引上げ 医師・医系教官等の初任給調整手当の支給限度額の引上げ 扶養手当について、満一六歳の年度初めから満二二歳の年度末までの子に係る手当額の加算措置を制定し、また、配偶者以外の三人目以降の扶養親族への支給額を増額 住居手当の二分の一加算の限度額の増額 単身赴任手当について、交通距離七〇〇キロメートル以上の者	行政職俸給表の改善率一・六九％ 初任給—大卒三千五百円、高卒三千円の引上げ

		の支給区分及び支給額の改正 超過勤務手当について、二種類の支給割合を制定 休日給の支給割合の改正 三月期の期末手当を〇・〇五月分、十二月期の期末手当を〇・一月分それぞれ減額 非常勤職員（委員・顧問・参与等）の手当支給限度額の引上げ	
平六・六・一五	三三	一般職の職員の勤務時間、休暇等に関する法律による改正（六・九・一施行）	
平六・一一・七	八九	全俸給表の全俸給月額の引上げ 医師・医系教官等の初任給調整手当の支給限度額の引上げ 扶養手当について、満一六歳の年度初めから満二二歳の年度末までの子に係る加算額を増額 通勤手当について、住居を得ることが著しく困難である島等に所在する官署への通勤のため、特別運賃等を負担することを常例とする職員に係る支給月額の算定につき、特例措置を制定（六・一二・一施行） 宿日直手当の増額（七・一・一施行） 十二月期期末手当を〇・一月分減額 非常勤職員（委員・顧問・参与等）の手当支給限度額の引上げ	行政職俸給表の改善率一・〇四% 初任給―大卒二千三百円、高卒千六百円の引上げ
平七・三・三一	五一	国家公務員等共済組合法の一部を改正する法律による改正	
平七・一〇・二五	一一六	全俸給表の全俸給月額の引上げ 医師・医系教官等の初任給調整手当の支給限度額の引上げ 扶養手当について、満一六歳の年度初めから満二二歳の年度末までの子に係る加算額を増額 転勤者に対する特例措置として、 ・異動等に伴い新幹線等を利用することが必要となった職員等に対し、特急料金等の負担を考慮した通勤手当を支給する措置を制定（八・一・一施行） ・単身赴任手当受給者の留守家族の居住する借家・借間に対し、住居手当を支給する措置を制定（八・一・一施行） 調整手当について、特別の事情により移転した官署に引き続き勤務する職員等に対する特例措置を制定 宿日直手当の増額（八・一・一施行） 非常勤職員（委員・顧問・参与等）の手当支給限度額の引上げ	行政職俸給表の改善率〇・八一% 初任給―大卒千八百円（I種据置き）、高卒千四百円の引上げ

平八・一二・一一	一一二	全俸給表の全俸給月額の引上げ 医師・医系教官等の初任給調整手当の支給限度額の引上げ 初任給調整手当の支給対象官職の追加（九・四・一施行） 扶養手当について、満一六歳の年度初めから満二二歳の年度末までの子に係る加算額を増額 研究員調整手当の新設（九・四・一施行） 交通機関利用者の通勤手当支給限度額の引上げ 筑波研究学園都市移転手当の廃止（九・四・一施行） 宿日直手当の増額（九・一・一施行） 非常勤職員（委員・顧問・参与等）の手当支給限度額の引上げ	行政職俸給表の改善率〇・八五％ 初任給—大卒二千円（Ⅰ種九百円）、高卒千四百円の引上げ
平九・六・四	六六	国家公務員退職手当法等の一部を改正する法律による改正	
平九・一二・一〇	一一二	全俸給表の全俸給月額の引上げ（指定職俸給表については一〇・四・一適用） 医師・医系教官等の初任給調整手当の支給限度額の引上げ 扶養手当について、満一六歳の年度初めから満二二歳の年度末までの子に係る加算額を増額、扶養親族でない配偶者を有する場合の一人目の手当額の増額 特地勤務手当について、手当額の算定方法を変更、特地勤務手当に準ずる手当の支給割合の上限の引上げ（一〇・四・一施行） ハワイ観測所勤務手当の新設 宿日直手当の増額（一〇・一・一施行） 三月期期末手当を〇・〇五月分増額 管理職職員（特定幹部職員）の六月期及び一二月期期末手当をそれぞれ〇・二月分減額し、六月期及び一二月期勤勉手当をそれぞれ〇・二月分増額（一〇・一・一施行） 指定職俸給表の適用を受ける職員に対して、期末特別手当を新設（一〇・一・一施行）	行政職俸給表の改善率〇・八六％ 初任給—大卒二千円（Ⅰ種千八百円）、高卒千四百円の引上げ
平一〇・一〇・一六	一二〇	全俸給表の全俸給月額の引上げ 公安職俸給表㈠に特二級を新設 五五歳を超える職員の原則昇給の停止（一一・四・一施行） 医師・医系教官等の初任給調整手当の支給限度額の引上げ 扶養手当について、満一六歳の年度初めから満二二歳の年度末までの子に係る加算額を増額 単身赴任手当について、基礎額及び加算額の増額	行政職俸給表の改善率〇・六二％ 初任給—大卒千二百円（Ⅰ種千円）、高卒千円の引上げ

年月日	法律番号	改正内容	備考
		宿日直手当の増額（一一・一・一施行） 義務教育等教員特別手当を新設の中等教育学校（六年制）の教員にも適用（一一・四・一施行）	
平一一・七・七	八三	国家公務員法等の一部を改正する法律による改正（一三・四・一施行）	
平一一・七・一六	一〇四	独立行政法人通則法の施行に伴う関係法律の整備に関する法律による改正（一三・一・六施行）	
平一一・一一・二五	一四一	全俸給表の全俸給月額の引上げ（行政職俸給表(一)一〇・一一級、専門行政職俸給表六・七級、税務職俸給表一〇・一一級、公安職俸給表(一)一〇・一一級、公安職俸給表(二)一〇・一一級、指定職俸給表を除く） 福祉職俸給表の新設（一二・一・一施行） 六月期・一二月期期末手当及び期末特別手当をそれぞれ〇・一五月分減額（平成一一年度一二月期期末手当及び期末特別手当を〇・二五月分、三月期期末手当及び期末特別手当を〇・〇五月分減額） 育児休業者への期末・勤勉手当を勤務実績がある者に在職期間等に応じて支給（一二・一・一施行） 宿日直手当の増額（一二・一・一施行）	行政職俸給表の改善率〇・二六% 初任給—大卒二百円（I種据置き）、高卒二百円の引上げ
平一一・一二・二二	一六〇	中央省庁等改革関係法施行法による改正（一三・一・六施行）	
平一二・一一・二二	一二二	扶養手当について、配偶者以外の扶養親族への支給額を増額 一二月期期末手当及び期末特別手当を〇・一五月分、勤勉手当を〇・〇五月分それぞれ減額	
平一三・一一・二八	一二六	特例一時金の新設 一二月期期末手当及び期末特別手当をそれぞれ〇・〇五月分減額	
平一三・一二・一二	一五三	保健婦助産婦看護婦法の一部を改正する法律による改正（一四・三・一施行）	
平一四・七・三一	九八	日本郵政公社法施行法による改正（一五・四・一施行）	
平一四・一一・二二	一〇六	全俸給表の全俸給月額の引下げ 扶養手当について、配偶者に係る手当額を減額し、また、配偶者以外の三人目以降の扶養親族への手当額を増額 医師・医系教官等の初任給調整手当の支給限度額の引下げ 平成一四年度は、三月期の期末手当及び期末特別手当をそれぞれ〇・三五月分及び〇・三月分減額し、一二月期の期末手当及び期末特別手当をそれぞれ〇・三月分及び〇・二五月分増額	行政職俸給表の改善率▲一・六七% 初任給—大卒二千九百円（I種三千三百円）、高卒二千四百円の引下げ

改正年月日	法律番号	改正内容	俸給表等
		平成一五年度は、三月期の期末手当及び期末特別手当を廃止し、六月期の期末手当を及び期末特別手当をそれぞれ〇・一月分及び〇・二五月分増額し、一二月期の期末手当を〇・一五月分減額、また、六月期の勤勉手当を〇・一月分増額、一二月期の勤勉手当を〇・一五月分増額 非常勤職員（委員、顧問、参与等）の手当支給限度額の引下げ及び特別な事情がある場合の特例的な支給限度額の新設 特例一時金の廃止 実施時期は一四・一二・一であるが、四月からの年間給与について実質的な均衡が図られるよう、一二月期の期末手当の額について所要の調整措置	
平一五・一〇・一六	一四一	全俸給表の全俸給月額の引下げ 医師・医系教官等の初任給調整手当の支給限度額の引下げ 扶養手当について、配偶者に係る手当額を減額 調整手当の異動保障について、新たに支給要件（異動等の前に引き続き六箇月を超えて在勤）を設け、異動保障の期間を二年間（支給割合は最初の一年目は異動等の前の支給割合、二年目は異動等の前の支給割合の一〇〇分の八〇）に改正 自宅居住者に対する住居手当について、新築・購入の日から五年間に限って支給することに改正 通勤手当について、交通機関等利用者は六箇月定期券等の価額による一括支給への変更、交通用具使用者の使用距離区分の変更（四区分新設）及び一月当たりの全額支給限度額の増額 平成一五年度は、一二月期の期末手当及び期末特別手当をそれぞれ〇・二五月分及び〇・二月分減額 平成一六年度は、六月期の期末手当及び期末特別手当をそれぞれ〇・一五月分及び〇・一月分減額し、一二月期の期末手当及び期末特別手当をそれぞれ〇・一五月分及び〇・一月分増額 非常勤職員（委員、顧問、参与等）の手当支給限度額の引下げ 実施時期は一五・一一・一であるが、四月からの年間給与について実質的な均衡が図られるよう、一二月期の期末手当及び期末特別手当の額について所要の調整措置	行政職俸給表の改善率▲〇・九一％ 初任給―大卒八百円（Ⅰ種千百円）、高卒七百円の引下げ
平一六・一〇・二八	一三六	教育職俸給表について、教育職俸給表㈠は一級を削除、教育職俸給表㈡及び教育職俸給表㈢は廃止、教育職俸給表㈣は名称を教育職俸給表㈡とし、四級、五級を削除 指定職俸給表について、一二号俸を削除 研究員調整手当について、教育職俸給表㈠の適用を受ける職員	

		等に対する研究員調整手当は廃止 ハワイ観測所勤務手当の廃止 義務教育等教員特別手当の廃止	
平一七・一〇・二一	一〇二	郵政民営化法等の施行に伴う関係法律の整備等に関する法律による改正（一九・一〇・一施行）	
平一七・一一・七	一一三	【一七・一二・一施行】 全俸給表の全俸給月額の引下げ 医師・医系技官等の初任給調整手当の支給限度額の引下げ 扶養手当について、配偶者に係る手当額を減額 平成一七年度は、一二月期の勤勉手当及び期末特別手当をそれぞれ〇・〇五月分増額 平成一八年度は、六月期の勤勉手当を〇・〇二五月分減額し、一二月期の勤勉手当を〇・〇二五月分増額 非常勤職員（委員、顧問、参与等）の手当支給限度額の引下げ 実施時期は一七・一二・一であるが、四月からの年間給与について実質的な均衡が図られるよう、一二月期の期末手当及び期末特別手当の額について所要の調整措置 【一八・四・一施行（給与構造の改革）】 行政職俸給表㈠について、地域別の官民の給与較差の三年平均値を参考として、平成一七年官民較差に基づく改定を行った後の俸給表の水準を全体として、平均四・八%の引下げ 行政職俸給表㈠以外の俸給表について、行政職俸給表㈠との均衡を基本として引下げ 俸給表の級構成及び号俸構成の改正（級の統合・新設、号俸の四分割、初号等の号俸を削除、在職実態に応じた号俸の増設） 指定職俸給表について、改正前の行政職俸給表㈠一一級と同程度の引下率とするとともに、一～三号俸を削除 昇給制度の改正（普通昇給と特別昇給の一本化、昇給時期の統一、枠外昇給の廃止等） 俸給表の水準の引下げに伴い、新旧俸給月額の差額を支給する経過措置 調整手当を廃止し、地域手当を新設 非常勤職員（委員、顧問、参与等）の手当支給限度額の引下げ 暫定筑波研究学園都市移転手当の廃止	【一七・一二・一施行】 行政職俸給表㈠の改善率▲〇・二八% 初任給―大卒五百円（Ⅰ種六百円）、高卒四百円の引下げ 【一八・四・一施行】 若年の係員層については引下げを行わず、中高齢層について最高七%引き下げることにより、給与カーブをフラット化 初任給―大卒（Ⅰ種含む）、高卒ともに据置き
平一七・一一・七	一二三	障害者自立支援法による改正（一八・一〇・一施行）	
平一八・一一・一七	一〇一	給与水準の改定なし 【一九・四・一施行（給与構造の改革）】 広域異動手当の新設（広域的に転勤のある民間企業の賃金水準	

		が地域の平均的な民間企業の賃金水準よりも高いことを考慮し、広域異動を行った職員に対して手当を新設） 俸給の特別調整額の定額化（定率制から俸給表別・職務の級別・俸給の特別調整額の区分別の定額制に移行） 扶養手当について、配偶者以外の三人目以降の扶養親族への手当額を増額	
平一九・五・一六	四二	国家公務員の育児休業等に関する法律の一部を改正する法律による改正（一九・八・一施行）	
平一九・五・二五	五八	株式会社日本政策金融公庫法の施行に伴う関係法律の整備に関する法律による改正（二〇・一〇・一施行）	
平一九・七・六	一〇八	国家公務員法等の一部を改正する法律による改正（二一・四・一施行）	
平一九・一一・三〇	一一八	初任給を中心に若年層に限定して全俸給表（指定職俸給表を除く。）を改定 扶養手当について、配偶者以外の扶養親族への手当額を増額 平成一九年度は、一二月期の勤勉手当を〇・〇五月分増額 平成二〇年度は、六月期・一二月期の勤勉手当をそれぞれ〇・〇二五月分増額	行政職俸給表㈠の改善率〇・一〇% 初任給―大卒二千円、高卒千六百円の引上げ
		【二〇・四・一施行（給与構造の改革）】 専門スタッフ職俸給表の新設	
平二〇・一二・二六	九四	医師等の初任給調整手当の支給限度額の引上げによる特別改善を除き、給与水準の改定なし 【二一・四・一施行（給与構造の改革）】 本府省業務調整手当の新設 新たな人事評価制度の導入に伴い、昇給、勤勉手当及び期末特別手当について勤務成績判定に関する仕組みを整備	
平二一・五・二九	四一	六月期の期末手当及び勤勉手当をそれぞれ〇・一五月分及び〇・〇五月分（特定管理職員については、それぞれ〇・一月分）凍結（指定職俸給表の適用を受ける職員については、次の改定を行った上で、期末手当及び勤勉手当をそれぞれ〇・〇五月分及び〇・一月分凍結） 期末特別手当を期末手当と勤勉手当に改編	
平二一・一一・三〇	八六	【二一・一二・一施行】 初任給を中心とした若年層及び医療職俸給表㈠を除き、すべての俸給月額について引下げ 自宅に係る住居手当を廃止	行政職俸給表㈠の改善率▲〇・二%

		平成二一年度は、六月期の期末手当・勤勉手当のうち特例措置により凍結していた○・二月分（指定職俸給表の適用を受ける職員は○・一五月分）を支給しないこととしたとともに、一二月期の期末手当及び勤勉手当をそれぞれ○・一月分及び○・○五月分（特定管理職員は期末手当を○・一五月分、指定職俸給表適用職員は期末手当を○・一月分）減額 非常勤職員（委員、顧問、参与等）の手当支給限度額の引下げ 実施時期は二一・一二・一であるが、四月からの年間給与について実質的な均衡が図られるよう、一二月期の期末手当の額について所要の調整措置 【二二・四・一施行】 月六○時間を超える超過勤務に係る超過勤務手当の支給割合を引上げ 平成二二年度は、六月期の期末手当及び勤勉手当をそれぞれ○・一五月分及び○・○五月分（指定職俸給表適用職員はそれぞれ○・一月分及び○・○五月分）減額	
平二二・一一・三○	五三	【二二・一二・一施行】 医療職俸給表(一)を除き、中高齢層(四○歳台以上)が受ける俸給月額に限定して引下げ 五五歳を超える職員（行政職俸給表(一)五級以下の職員及びこれに相当する級の職員を除く）について、俸給の支給額を一・五％減額（医療職俸給表(一)及び指定職俸給表等についてはこの措置は行わない） 平成二二年度は、一二月期の期末手当及び勤勉手当をそれぞれ○・一五月分及び○・○五月分（指定職俸給表適用職員はそれぞれ○・一月分及び○・○五月分）減額 非常勤職員（委員、顧問、参与等）の手当支給限度額の引下げ 実施時期は二二・一二・一であるが、四月からの年間給与について実質的な均衡が図られるよう、一二月期の期末手当の額について所要の調整措置 【二三・四・一施行】 平成二三年四月にかけて給与構造改革による経過措置が解消されることに伴って生ずる制度改正原資を用い、同年四月一日に若年・中堅層（四三歳未満の職員）にこれまで抑制してきた昇給を一号俸回復 平成二三年度は、六月期の期末手当及び勤勉手当をそれぞれ○・○二五月分減額し、一二月期の期末手当及び勤勉手当をそれぞれ○・一二五月分及び○・○二五月分（指定職俸給表適用職員はそれぞれ○・○七五月分及び○・○二五月分）減額	【二二・一二・一施行】 行政職俸給表(一)の改善率▲○・一％

平二四・二・二九	二	国家公務員の給与の改定及び臨時特例に関する法律 【二四・三・一施行】 医療職俸給表(一)等を除き、五〇歳台の職員が在職する号俸に重点を置き、四〇歳台前半層が在職する号俸までを目途として俸給月額を引下げ 非常勤職員（委員、顧問、参与等）の手当支給限度額の引下げ 給与構造改革による経過措置額を平成二六年四月に廃止 平成二三年四月からの給与について実質的な均衡が図られるよう、平成二四年六月期の期末手当の額について所要の調整措置 【二四・四・一施行】 平成二四年四月にかけて給与構造改革による経過措置が解消されることに伴って生ずる制度改正原資を用い、同年四月一日に若年・中堅層にこれまで抑制してきた昇給を、三〇歳以上三六歳未満の職員については一号俸、三〇歳未満の職員については二号俸回復 平成二五年四月にかけて給与構造改革による経過措置が解消されることに伴って生ずる制度改正原資を用い、同年四月一日に若年・中堅層にこれまで抑制してきた昇給を、人事院規則で定める年齢に満たない職員については一号俸（特に調整の必要があるものとして人事院規則で定める職員については二号俸）回復 平成二六年四月にかけて給与構造改革による経過措置が解消されることに伴って生ずる制度改正原資及び平成二六年四月に経過措置が廃止されることに伴って生ずる制度改正原資を用い、同年四月一日に若年・中堅層にこれまで抑制してきた昇給を、人事院規則で定める年齢に満たない職員については一号俸（特に調整の必要があるものとして人事院規則で定める職員については二号俸）回復 ※国家公務員の給与の臨時特例【二四・四・一施行】 施行日から平成二六年三月三一日までの間において、俸給月額等に、係員級職員については一〇〇分の四・七七、係長及び課長補佐級職員については一〇〇分の七・七七、課室長級職員及び指定職俸給表の適用を受ける職員については一〇〇分の九・七七を乗じて得た額に相当する額を減額等 非常勤職員（委員、顧問、参与等）に支給される手当の支給限度額及び特例支給限度額の引下げ	【二四・三・一施行】 行政職俸給表(一)の改善率▲〇・二％
平二四・六・二七	四二	国有林野の有する公益的機能の維持増進を図るための国有林野の管理経営に関する法律等の一部を改正する等の法律による改正（二五・四・一施行）	

平二五・六・二一	五二	五五歳を超える職員について、その者の勤務成績が標準である場合には昇給を行わないこととする措置（二六・一・一施行）	
平二六・四・一八	二二	国家公務員法等の一部を改正する法律による改正（二六・五・三〇施行）	
平二六・六・一三	六七	独立行政法人通則法の一部を改正する法律の施行に伴う関係法律の整備に関する法律による改正（二七・四・一施行）	
平二六・六・一三	六九	行政不服審査法の施行に伴う関係法律の整備等に関する法律による改正（二八・四・一施行）	
平二六・一一・一九	一〇五	初任給を中心に若年層に重点を置いて全俸給表（指定職俸給表を除く。）を改定 医師・医系技官等の初任給調整手当の支給限度額の引上げ 交通用具使用者（使用距離五キロメートル以上の者）に係る通勤手当の引上げ 平成二六年度は、一二月期の勤勉手当を〇・一五月分増額 【二七・四・一施行】 平成二七年度は、六月期・一二月期の勤勉手当をそれぞれ〇・〇七五月分増額 再任用職員に新たに単身赴任手当を支給 【二七・四・一施行（給与制度の総合的見直し）】 行政職俸給表㈠について、平成二六年官民較差に基づく改定を行った後の俸給表の水準を全体として平均二%引下げ 行政職俸給表㈠以外の俸給表について、行政職俸給表㈠との均衡を基本として引下げ（医療職俸給表㈠については引下げなし、指定職俸給表については行政職俸給表㈠の平均改定率と同程度の引下げ） 行政職俸給表㈠の五級及び六級等について八号俸増設 五十五歳を超える職員（行政職俸給表㈠六級相当以上）の俸給等の一・五%減額支給措置を平成三〇年四月に廃止 地域手当について、俸給表の水準の引下げに伴い、級地区分を一区分増設し、支給割合を見直し、更新された賃金指数のデータに基づき支給地域を見直し 広域異動手当について、異動前後の官署間の距離区分に応じて支給割合を引上げ 単身赴任手当について、基礎額及び加算額の引上げ、加算額の交通距離の区分を二区分増設 管理職員特別勤務手当の支給対象範囲を平日深夜勤務にも拡大 非常勤職員（委員、顧問、参与等）の手当支給限度額の引下げ 俸給表の水準の引下げに伴い、新旧俸給月額の差額を支給する経過措置（三年間）	行政職俸給表㈠の改善率〇・三% 初任給―大卒二千円（総合職据置き）、高卒二千円の引上げ 【二七・四・一施行】 民間賃金水準の低い地域における官民給与の較差と全国の較差との率の差を踏まえ、俸給表の水準を平均二%引き下げる中で、五〇歳台後半層の職員が多く在職する高位号俸は最大四%程度引き下げる等により、世代間の給与配分を更に適正化 初任給―大卒（総合職含む）、高卒ともに据置き

平二八・一一・二六	一	初任給を中心に若年層に重点を置いて、全俸給表の全俸給月額の引上げ 医師・医系技官等の初任給調整手当の支給限度額の引上げ 平成二七年度は、一二月期の勤勉手当を〇・一月分（指定職俸給表適用職員については〇・〇五月分）増額 【平成二八・四・一施行】 平成二八年度は、六月期及び一二月期の勤勉手当をそれぞれ〇・〇五月分（指定職俸給表適用職員については〇・〇二五月分）増額 【二八・四・一施行（給与制度の総合的見直し）】 地域手当の支給割合を給与法に定める支給割合に引上げ 単身赴任手当について、基礎額及び加算額の引上げ 広域異動手当について、異動前後の官署間の距離が三〇〇km以上の場合は一〇%に、六〇km以上三〇〇km未満の場合は五%に引上げ 勤務時間について、原則として全ての職員を対象にフレックスタイム制を拡充（平成二八年四月一日実施）	行政職俸給表(一)の改善率〇・四% 初任給—大卒二千五百円（総合職据置き）、高卒二千五百円の引上げ
平二八・一一・二四	八〇	初任給を中心に、若年層に重点をおいて全俸給表（指定職俸給表を除く。）を改定。 本府省業務調整手当の手当額について、係長級は基準となる俸給月額の四・五%相当額に、係員級は同二・五%相当額にそれぞれ引上げ 医師・医学系技官等の初任給調整手当の支給限度額の引上げ 平成二八年度は、一二月期の勤勉手当を〇・一月分増額 【平成二九・四・一施行】 平成二九年度は、六月期・一二月期の勤勉手当をそれぞれ〇・〇五月分増額 【平成二九・四・一施行（給与制度の総合的見直し）】 本府省業務調整手当の手当額について、係長級は基準となる俸給月額の五・五%相当額に、係員級は同三・五%相当額にそれぞれ引上げ 配偶者に係る扶養手当の見直し（二九・四・一から段階実施） 民間企業及び公務における配偶者に係る手当をめぐる状況の変化等を踏まえ、以下のとおり見直し（平成三二年度完成。それまでは段階的に実施） ・配偶者に係る手当額を他の扶養親族に係る手当額と同額まで減額。それにより生ずる原資を用いて子に係る手当額を引上げ（配偶者及び父母等：六千五百円、子：一万円）	行政職俸給表(一)の改善率〇・二% 初任給—大卒及び高卒千五百円の引上げ

		・本府省課長級（行㈠九・一〇級相当）の職員には、子以外の扶養親族に係る手当を支給しない。本府省室長級（行㈠八級相当）の職員には、子以外の扶養親族に係る手当を三千五百円支給 専門スタッフ職俸給表四級の新設及び同級に係る昇給規定の整備 民間労働法制の改正内容に即して、介護休暇の分割、介護時間の新設、育児休業等に係る子の範囲の拡大（平成二九年一月一日施行）	
平二九・一二・一五	七七	初任給を中心に若年層に重点をおいて、全俸給表（指定職俸給表を除く。）を改定 本府省業務調整手当の手当額について、係長級の手当額を九百円、係員級の手当額を六百円それぞれ引上げ 医師・医学系技官等の初任給調整手当の支給限度額の引上げ 平成二九年度は、一二月期の勤勉手当を〇・一月分増額 【平成三〇・四・一施行】 平成三〇年度は、六月期・一二月期の勤勉手当をそれぞれ〇・〇五月分増額 【平成三〇・四・一施行（給与制度の総合的見直し）】 五五歳を超える職員（行政職俸給表㈠六級相当以上）の俸給等の一・五％減額支給措置及び俸給表水準の引下げの際の経過措置については、平成三〇年三月三一日に廃止 本府省業務調整手当の手当額について、係長級は基準となる俸給月額の六％相当額に、係員級は同四％相当額にそれぞれ引上げ 給与制度の総合的見直しによる経過措置の廃止等に伴って生じる制度改正原資を用い、平成二七年一月一日に抑制された昇給を、平成三〇年四月一日に三七歳未満の職員について、同日に一号俸回復	行政職俸給表㈠の改善率〇・二％ 初任給―大卒及び高卒一千円の引上げ
平三〇・一一・三〇	八二	初任給を中心に若年層に重点をおいて、全俸給表（指定職俸給表を除く。）を改定 医師・医系技官等の初任給調整手当の支給限度額の引上げ 平成三〇年度は、一二月期の勤勉手当を〇・〇五月分増額 宿日直手当の増額 【平成三一・四・一施行】 平成三一年度は、六月期・一二月期の勤勉手当をそれぞれ〇・〇二五月分増額 平成三一年度以降の六月期・一二月期の期末手当の支給月数を平準化	行政職俸給表㈠の改善率〇・二％ 初任給―大卒及び高卒千五百円の引上げ

年月日	法律番号	改正内容	備考
令元・一二・一三	五一	初任給及び若年層（三〇歳台半ばまでの職員が在職する号俸）を対象として、全俸給表（専門スタッフ職俸給表及び指定職俸給表を除く。）を改定 令和元年度は、一二月期の勤勉手当を〇・〇五月分増額 【令和二・四・一施行】 住居手当について、手当の支給対象となる家賃額の下限を引上げ。これにより生ずる原資を用いて最高支給額限度額を引上げ。手当額が二千円を超える減額となる職員については一年間所要の経過措置 令和二年度は、六月期・一二月期の勤勉手当をそれぞれ〇・〇二五月分増額	行政職俸給表(一)の改善率〇・一% 初任給―大卒千五百円、高卒二千円の引上げ
令二・六・二四	六三	科学技術基本法等の一部を改正する法律による改正 【令和三・四・一施行】	
令二・一二・三〇	六五	令和二年度は、一二月期の期末手当を〇・〇五月分減額 【令和三・四・一施行】 令和三年度は、六月期・一二月期の期末手当をそれぞれ〇・〇二五月分減額	
令三・六・一一	六一	国家公務員法等の一部を改正する法律による改正 【令和五・四・一施行（定年制度の改正）】	
令四・四・一三	一七	令和四年度は、六月期・一二月期の期末手当をそれぞれ〇・〇七五月分（指定職俸給表適用職員については〇・〇五月分）減額（令和三年度分の期末手当の引下げ相当額は、令和四年六月期の期末手当から減額することで調整）	
令四・一一・一八	八一	初任給及び若年層（二〇歳台半ばに重点を置き、三〇歳台半ばまでの職員が在職する号俸）を対象として、全俸給表（専門スタッフ職俸給表及び指定職俸給表を除く。）を改定 令和四年度は、一二月期の勤勉手当を〇・一月分（指定職俸給表適用職員については〇・〇五月分）増額 【令和五・四・一施行】 令和五年度は、六月期・一二月期の勤勉手当をそれぞれ〇・〇五月分（指定職俸給表適用職員については〇・〇二五月分）増額	行政職俸給表(一)の改善率〇・三% 初任給―大卒三千円、高卒四千円の引上げ
令五・一一・二四	七三	初任給を始め若年層に重点を置き、そこから改定率を逓減させるかたちで全俸給表の全俸給月額を改定 医師・医系技官等の初任給調整手当の支給限度額の引上げ 非常勤職員（委員、顧問、参与等）の手当支給限度額の引上げ 令和五年度は、一二月期の期末手当及び勤勉手当をそれぞれ〇・〇五月分増額	行政職俸給表(一)の改善率一・一% 初任給―大卒一万一千円、高卒一万二千円の引上げ

		【令和六・四・一施行】 令和六年度は、六月期・一二月期の期末手当及び勤勉手当をそれぞれ〇・〇二五月分増額 在宅勤務等手当の新設	
令六・一二・二五	七二	初任給を大幅に引上げ。若年層に特に重点を置きつつ、おおむね三〇歳台後半までの職員に重点を置いて、全俸給表の全俸給月額を改定 医師・医系技官等の初任給調整手当の支給限度額の引上げ 非常勤職員（委員、顧問、参与等）の手当支給限度額の引上げ 令和六年度は、一二月期の期末手当及び勤勉手当をそれぞれ〇・〇二五月分増額（指定職俸給表適用職員については〇・〇二五月分） 【令和七・四・一施行】 令和七年度は、六月期・一二月期の期末手当及び勤勉手当をそれぞれ〇・〇二五月分増額（指定職俸給表適用職員については〇・〇一二五月分）。 【令和七・四・一施行。ただし、初任給の引上げ等は令和六・四・一施行（給与制度のアップデート）】 俸給について、職務や職責をより重視した体系を導入（初号等の号俸を削除、号俸の大くくり化） 扶養手当について、配偶者に係る手当の廃止及び子に係る手当の増額（令和八年度完成。それまでは段階的に実施）等の見直し 地域手当について、級地区分の段階数及び支給割合等の見直し 通勤手当について、支給限度額の見直し及び採用時から新幹線等に係る手当を支給可能とする見直し等 単身赴任手当について、採用時から支給可能とする見直し 管理職員特別勤務手当について、支給対象時間帯及び支給対象者を拡大 再任用職員に支給する手当の拡大（住居手当、異動保障等、研究員調整手当、特地勤務手当等）	行政職俸給表㈠の改善率三・〇％ 初任給―大卒（総合職）二万九千三百円、大卒（一般職）二万三千八百円、高卒二万一千四百円の引上げ

○人事院規則（九の系列）一覧表

番号	件名（細則）	制定月日（施行又は適用月日）	改廃経緯（公布日。ただし、廃止は施行日。）
九—〇	特殊勤務手当	昭二四・三・一九（二三・一二・一）	昭二六・一・一廃止
九—一	**非常勤職員の給与**	昭二四・三・一九（二四・一・一）	昭二六・四・九　昭二六・六・二九　昭二六・一一・三〇　昭二七・一二・二六　昭三二・八・一　昭三二・一一・一　昭四二・四・一　昭四四・四・二　昭四五・四・一　昭四六・四・一　昭四八・四・二〇　昭四九・四・一六　昭五〇・四・九　昭五一・四・八　昭五二・四・一　昭五三・三・三〇　昭五五・三・三一　昭五六・四・一　昭五七・四・一　昭五九・三・三一　昭六〇・四・一　昭六一・四・一　昭六二・四・一　昭六三・四・一　平元・四・一　平二・三・三一　平三・四・一　平四・四・一　平四・四・六　平五・四・一　平六・四・一　平七・三・三一　平八・四・一　平九・四・一　平一〇・四・一　平一一・四・一　平一四・一一・二二　平一五・一〇・一六　平一七・一一・七　平一八・二・一　平二一・一一・三〇　平二二・一一・三〇　平二四・二・二九　平二七・一・三〇　令五・一一・二四　令六・一二・二五
九—二	**俸給表の適用範囲**	昭三一・六・一（三一・四・一）	昭三三・二・二四　昭三三・六・五　昭三四・一・三一　昭三四・四・八　昭三五・七・一　昭三五・一二・二二　昭三六・四・一　昭三六・四・二四　昭三六・七・五　昭三六・一一・一　昭三七・四・一三　昭三八・二・二八　昭三八・四・一〇　昭三九・一二・一七　昭四〇・三・三〇　昭四〇・五・六　昭四一・四・六　昭四二・四・一三　昭四二・一二・二二　昭四三・四・一　昭四三・六・二二　昭四三・一二・二五　昭四四・四・一　昭四四・七・七　昭四四・一〇・一六　昭四五・五・一三　昭四五・一二・一七　昭四六・四・二二　昭四六・一二・二三　昭四七・五・一五　昭四八・一・一八　昭四八・四・二五　昭四八・九・二六　昭四八・一〇・二二　昭四九・一・一九　昭四九・七・二　昭四九・八・三一　昭四九・九・一一　昭五〇・四・一　昭五〇・五・二八　昭五二・五・二　昭五三・四・一　昭五三・九・三〇　昭五五・四・一一　昭五五・六・二五　昭五六・四・三　昭五六・四・一四　昭五六・四・二四　昭五九・四・一二　昭五九・六・三〇　昭六〇・四・一　昭六〇・一二・二一　昭六一・四・一　昭六一・四・五　昭六一・七・一　昭六二・四・一　昭六二・五・二一　昭六三・一二・一　平元・四・一　平元・六・二八　平三・四・一　平三・四・一二　平三・七・一　平四・四・一　平四・四・一〇　平四・七・一　平四・九・一一　平五・一〇・一　平六・二・一六　平六・六・二四　平七・二・一　平七・三・三一　平八・五・一一　平八・六・一四　平八・七・一　平九・四・一　平九・七・一　平九・一〇・一　平一〇・四・九　平一〇・六・二二　平一〇・一二・一五　平一一・四・一　平一一・七・一　平一一・一一・二五　平一二・三・三一　平一二・六・三〇　平一二・七・一〇　平一二・一二・二七　平一二・一二・二七　平一三・三・三〇　平一三・六・二九　平一三・一〇・一　平一四・三・一　平一四・四・一　平一四・七・一　平一五・四・一　平一五・四・九　平一六・三・一　平一六・四・一　平一六・一〇・一　平一六・一〇・二八　平一七・九・三〇　平一八・三・三一　平一八・六・三〇　平一八・九・二九　平一九・三・三〇　平一九・一〇・一　平二〇・二・一　平二〇・四・一　平二〇・七・一　平二〇・一〇・一　平二一・九・一　平二二・四・一　平二三・四・一　平二三・七・一　平二四・三・三〇　平二四・九・一九　平二六・八・二九　平二八・四・一　平二八・七・一　平二九・三・三一　平二九・七・七　平三〇・三・三〇　平三一・四・一　令二・一・七　令二・四・一　令三・九・一　令五・三・三一　令六・四・一　令七・四・一

注　件名の太字は、現在効力を有するもの

番号	件名	制定	改正
九―三	給与の差引	昭二四・六・一三（同日）	昭三九・一二・一七廃止（規則九―七に吸収）
九―四	給与の直接支払	昭二四・八・二〇（同日）	昭三九・一二・一七廃止（規則九―七に吸収）
九―五	給与簿	昭二四・一二・一九（二五・一・一）	昭二六・一・二五 昭二六・八・六 昭二六・一一・三〇 昭二八・二・七 昭三二・六・一 昭三三・四・二五 昭三四・一一・九 昭三五・六・九 昭三六・三・三一 昭三九・一二・一七 昭四二・一二・一二 昭四三・一二・七 昭四五・一二・一七 昭四五・一二・二五 昭四六・一二・二三 昭四九・一一・二五 昭五〇・三・三一 昭六〇・一二・二一 平二・二・一五 平三・一二・二四 平四・九・一一 平六・一・四 平六・七・二七 平九・一・三一 平九・一二・一〇 平九・一二・一九 平一三・一・一九 平一五・一二・二五 平一六・一〇・二八 平一八・二・一 平一八・一二・一五 平二〇・二・一 平二一・二・二 平二一・五・二九 平二一・一一・二 平二二・二・一 平二七・一〇・一 令三・三・三一 令六・一・二三
九―六	俸給の調整額	昭三二・八・一（同日）	昭三三・五・一三 昭三四・一・三一 昭三四・三・三一 昭三五・四・一八 昭三六・三・二七 昭三六・四・一 昭三六・一二・二八 昭三七・一・二六 昭三七・四・一一 昭三七・四・二三 昭三八・四・一〇 昭三八・四・二二 昭三八・八・一〇 昭三八・一二・二〇 昭三九・三・一四 昭三九・四・一 昭三九・七・八 昭三九・八・八 昭三九・一二・一七 昭三九・一二・二六 昭四〇・三・二五 昭四〇・七・一五 昭四〇・一一・一 昭四一・四・二 昭四一・六・四 昭四一・一二・二一 昭四二・七・二九 昭四二・一〇・二六 昭四二・一二・二二 昭四三・四・二六 昭四四・四・三 昭四四・七・二五 昭四五・四・二〇 昭四五・一二・一七 昭四六・四・一 昭四七・五・一五 昭四七・一一・一三 昭四八・五・二 昭四九・三・二六 昭四九・四・二七 昭四九・八・三一 昭五〇・四・五 昭五〇・一一・二九 昭五一・五・一〇 昭五一・六・二八 昭五二・六・六 昭五二・九・九 昭五二・一一・二二 昭五三・四・二〇 昭五三・一〇・一七 昭五三・一一・二二 昭五四・四・二七 昭五四・一〇・一 昭五四・一二・二〇 昭五五・三・三一 昭五五・五・二六 昭五五・七・一六 昭五五・一一・二九 昭五五・一二・二七 昭五六・四・一 昭五六・四・二四 昭五六・七・一六 昭五六・一二・二四 昭五八・四・一 昭五八・一一・二九 昭五八・一二・一 昭五九・四・一一 昭五九・六・三〇 昭五九・一〇・一 昭五九・一二・二二 昭六〇・四・一 昭六〇・一二・二一 昭六一・四・五 昭六一・一〇・一 昭六一・一二・二二 昭六一・一二・二七 昭六二・四・一 昭六二・六・一八 昭六二・一二・一五 昭六三・四・一 昭六三・一〇・一 昭六三・一二・二四 平元・六・二八 平元・一二・一三 平二・三・三一 平二・六・八 平二・一二・二六 平三・四・一 平三・一〇・一 平三・一二・二四 平四・四・一 平五・四・一 平六・六・二四 平六・一一・一六 平七・一〇・二五 平八・四・一 平八・五・一一 平八・六・二〇 平八・一二・一一 平九・四・一 平九・七・一 平九・一二・一〇 平一〇・四・一 平一〇・四・三〇 平一〇・一〇・一六 平一一・四・一 平一一・一〇・二五 平一一・一一・二五 平一二・三・三一 平一二・六・一六 平一二・九・一 平一二・一二・二八 平一三・三・三〇 平一三・一〇・一 平一四・三・一 平一四・四・一 平一四・一〇・一 平一四・一一・二二 平一五・四・一 平一五・一〇・一六 平一六・三・一 平一六・四・一 平一六・一〇・一 平一六・一〇・二八 平一七・四・一 平一七・七・一五 平一七・九・三〇 平一七・一一・七 平一八・二・一 平一八・三・三一 平一八・九・二九 平一九・三・三〇 平一九・七・二〇 平一九・一〇・一 平一九・一一・三〇 平二〇・四・一 平二〇・一〇・一 平二一・四・一 平二一・一〇・一 平二一・一一・三〇 平二二・四・一 平二二・一一・三〇 平二三・四・一 平二三・九・三〇 平二四・二・二九 平二四・三・三〇 平二四・九・一九 平二五・四・一 平二六・二・二八 平二六・四・一 平二六・一一・一九 平二七・四・一〇

番号	件名	制定年月日（施行）	改正
			平二八・四・一 平二八・七・一 平二九・三・三一 平二九・六・三〇 平二九・九・二九 平三〇・三・三〇 平三一・四・一 令元・一二・二五 令二・四・一 令三・四・一 令三・九・一 令三・一〇・一 令四・二・一八 令四・四・一 令五・三・三一 令六・四・一 令七・四・一
九—七	俸給等の支給	昭二五・一二・二九（二六・一・一）	昭二六・四・五 昭二六・一二・一一 昭二六・一二・一七 昭二六・一二・二七 昭二七・九・四 昭二八・二・七 昭二八・三・二 昭二八・六・五 昭二九・六・四 昭二九・一一・二二 昭三一・六・一 昭三二・六・一 昭三三・四・一五 昭三五・六・九 昭三五・七・一 昭三五・一二・二二 昭三六・三・二八 昭三六・三・三一 昭三六・六・一五 昭三七・一一・一 昭三八・二・二八 昭三八・一二・二〇 昭三九・一二・一七 昭四〇・一二・二七 昭四二・一二・二二 昭四三・三・二七 昭四三・四・一七 昭四三・一一・六 昭四五・五・一三 昭四五・一二・一七 昭四五・一二・二五 昭四六・七・一 昭四六・一二・一五 昭四七・五・一五 昭四七・七・四 昭四八・四・二〇 昭四八・七・二五 昭四八・一二・二四 昭四九・七・九 昭四九・一一・二五 昭五〇・三・三一 昭五一・四・一 昭五二・一二・一一 昭五三・七・五 昭五七・四・六 昭五九・六・三〇 昭六〇・一二・二一 昭六一・六・二五 昭六三・四・一 平二・二・一五 平二・三・三一 平二・一二・二六 平三・一二・二四 平四・一・一七 平六・七・二七 平九・一・三一 平九・一二・一〇 平一〇・六・二二 平一〇・一二・一五 平一二・三・二一 平一二・七・一四 平一二・一二・二七 平一三・七・二五 平一五・一・一四 平一五・四・一 平一五・四・九 平一五・一〇・一 平一五・一二・二六 平一六・四・一 平一六・一〇・二八 平一八・二・一 平一八・三・三一 平一八・一二・一五 平一九・一・九 平一九・三・三〇 平一九・七・二〇 平一九・七・二〇 平一九・八・三一 平二〇・二・一 平二〇・八・一 平二一・二・二 平二一・九・一 平二一・一一・二 平二二・二・一 平二二・一一・三〇 平二四・九・一九 平二五・一二・二七 平二六・二・一三 平二六・五・二九 平二七・六・二四 平二七・一二・二八 平二九・五・一九 平三〇・二・一 令元・五・二三 令二・一・七 令二・六・一二 令二・一二・二八 令三・九・一 令四・六・二四 令四・七・一 令五・三・三一 令六・三・二九
九—八	初任給、昇格、昇給等の基準	昭三一・六・一（三一・四・一）	昭三三・五・二六 昭三四・四・八 昭三五・七・一 昭三五・一二・二二 昭三六・三・二八 昭三六・四・二四 昭三六・一一・一 昭三八・二・二八 昭三八・四・一〇 昭三八・七・六 昭三八・一二・二〇 昭三九・四・一 昭三九・七・一一 昭三九・一二・一七 昭四〇・三・三〇 昭四〇・一二・二七 昭四一・四・六 昭四一・一二・二一 昭四二・四・一三 昭四二・一二・二二 昭四三・三・二七 昭四三・六・二二 昭四三・一一・六 昭四三・一二・二一 昭四四・五・一 昭四四・一一・一八 昭四四・一二・二 昭四五・四・一 昭四五・五・一三 昭四五・一二・一七 昭四五・一二・二五 昭四六・九・一三 昭四六・一二・一五 昭四六・一二・二三 昭四七・五・一一 昭四七・一一・一三 昭四八・一・一八 昭四八・三・二四 昭四八・九・二六 昭四九・二・二二 昭四九・三・二七 昭四九・四・二七 昭四九・五・一五 昭四九・六・四 昭四九・八・三一 昭四九・一二・二三 昭五〇・三・三一 昭五〇・一一・七 昭五一・四・一 昭五一・一一・五 昭五二・九・九 昭五二・一二・二一 昭五三・四・一 昭五三・一〇・二一 昭五四・三・三一 昭五四・一二・一二 昭五五・二・一二 昭五五・六・二五 昭五五・一一・二九 昭五六・三・二六 昭五六・四・二四 昭五六・一二・二四 昭五七・九・三〇 昭五八・一一・二九 昭五九・六・三〇 昭五九・一〇・一 昭五九・一二・二二 昭五九・一二・二五 昭六〇・三・一 昭六〇・一二・三一 昭六一・二・一 昭六一・四・一 昭六一・四・二五 昭六二・四・一 昭六三・三・二五 昭六三・一二・一 平元・四・一 平元・一二・一三 平二・三・三一 平二・五・一 平二・一二・二六 平三・四・一 平三・七・一 平三・一二・二四 平四・一・一七 平四・二・六 平四・一二・一六 平五・三・三〇 平五・一一・一二 平六・二・一六 平六・七・二七 平六・一一・七

番号	件名	制定	改正
			平七・二・一　平七・三・一　平七・一〇・二五　平八・三・二六　平八・四・一　平八・五・一　平八・六・二〇　平八・一二・一一　平九・四・二三　平九・一二・一〇　平一〇・三・二五　平一〇・四・九　平一〇・一〇・一六　平一一・一・二九　平一一・四・一　平一一・七・一　平一一・一〇・二五　平一一・一一・二五　平一二・三・二一　平一二・四・一九　平一二・七・一〇　平一二・七・一四　平一二・一二・二七　平一二・一二・二七　平一三・七・二五　平一三・一〇・一　平一四・三・一　平一四・四・一　平一四・六・二〇　平一四・一一・二二　平一五・一・一四　平一五・四・一　平一五・五・三〇　平一五・一〇・一　平一五・一〇・一六　平一六・四・一　平一六・四・一二　平一六・一〇・一　平一六・一〇・二八　平一七・四・一　平一七・九・三〇　平一八・二・一　平一八・三・三一　平一八・六・三〇　平一八・九・二九　平一八・一一・二九　平一九・三・三〇　平一九・七・二〇　平一九・九・二八　平一九・一一・三〇　平一九・一二・二六　平二〇・二・一　平二〇・四・一　平二〇・一〇・一　平二一・三・一八　平二一・五・二九　平二一・一一・三〇　平二二・四・一　平二二・一一・三〇　平二三・四・一　平二三・一二・二八　平二四・二・二九　平二四・一二・一〇　平二五・四・一　平二五・一〇・一　平二六・五・二九　平二六・一一・一九　平二七・一・三〇　平二七・三・一八　平二七・六・二四　平二八・一・二六　平二八・三・一　平二八・一一・二四　平二八・一二・一　平二九・五・一九　平二九・一二・一五　平三〇・二・一　平三〇・一一・三〇　平三一・四・一　令元・五・二三　令元・一一・二二　令元・一二・一八　令二・六・一二　令二・一二・二八　令三・九・一　令三・一二・二四　令四・六・二四　令四・一一・一八　令五・一一・二四　令六・一二・二五　令七・二・五　令七・四・一
九―九	未帰還職員の給与　九―九―一（未帰還職員の給与の支給細則）	昭二六・三・三一（二六・一・一）	平一二・一二・二七廃止
九―一〇	俸給の支給定日の特例	昭二六・九・一九（同日）	昭二六・一二・一六廃止
九―一一	勤務地手当の支給地域の区分に関する官署の指定	昭二六・一二・一一（二六・一〇・一）	昭三二・六・一廃止
九―一二	俸給の支給定日の特例	昭二七・一〇・一一（同日）	昭二七・一二・二六廃止
九―一三	休職者の給与	昭二七・一二・二九（二七・一二・二五）	昭三二・六・一　昭三七・一〇・一　昭三七・一二・一　昭三八・一二・二〇　昭四一・七・二一　昭四二・一二・二一　昭四五・一二・一七　昭四五・一二・二五　昭四六・一二・一五　昭四八・一一・一　昭五二・四・一　平二・一二・二六　平九・一・三一　平九・一二・一九　平一二・三・二一　平一二・四・一九　平一五・一〇・一　平一八・二・一　平一八・三・三一　平一八・一二・一五　平二一・五・二九　平二六・五・二九　平二七・六・二四　平二九・五・一九　令元・五・二三　令二・六・二二　令二・一二・二八　令三・九・一　令四・六・二四
九―一四	俸給の月額の月一回払	昭二八・一・一八（二八・一・一）	昭三六・三・一八廃止
九―一五	宿日直手当	昭二八・一・二九（二八・一・一）	昭三八・二・二八　昭三九・一二・一七全改　昭四二・一二・二二　昭四三・一二・二一　昭四五・一二・一七　昭四八・九・二六　昭四八・一二・二四　昭四九・一二・二三　昭五一・一一・五　昭五二・一二・二一　昭五六・一二・二八　昭六一・一二・二二　昭六二・五・二一　平三・一二・二四　平四・四・六　平四・一二・一六　平六・七・二七　平六・一一・七　平七・三・二八　平七・一〇・二五　平八・一二・一一　平九・一二・一〇　平一〇・一・一六　平一〇・一〇・一六

番号	件名	制定年月日（施行日）	改正経過
			平一一・一一・二五 平一二・一二・二七 平一八・三・三一 平一九・一〇・一 平二〇・四・一 平二〇・八・一 平二一・七・二一 平二四・三・三〇 平二四・九・一九 平三〇・一一・三〇 令六・三・二九
九―一六	宿日直手当の支給	昭二八・二・三（二八・一・一）	昭二八・二・三廃止
九―一七	俸給の特別調整額	昭二八・二・七（二八・一・一）	昭二八・七・二八 昭二八・一一・三〇 昭二八・一二・一八 昭二九・一・二五 昭二九・五・一〇 昭二九・六・二八 昭二九・八・一八 昭二九・一一・二二 昭二九・一二・二四 昭三〇・三・三〇 昭三〇・三・三一 昭三〇・四・二二 昭三〇・七・三〇 昭三〇・八・二九 昭三〇・一一・一 昭三一・二・一五 昭三一・二・二七 昭三一・四・一 昭三一・四・七 昭三一・六・九 昭三一・七・一四 昭三一・八・四 昭三一・八・一〇 昭三一・九・二四 昭三一・一一・二九 昭三二・三・三〇 昭三二・五・一七 昭三二・六・一 昭三二・八・一 昭三二・九・二一 昭三二・一二・一二 昭三三・七・一七 昭三三・一二・一 昭三四・六・八 昭三四・一二・一〇 昭三五・三・二五 昭三五・六・三〇 昭三五・七・二七 昭三五・一〇・二一 昭三六・三・二七 昭三六・四・一 昭三六・六・一六 昭三六・九・五 昭三六・一一・一 昭三六・一二・二八 昭三七・一・二六 昭三七・三・三一 昭三七・四・一 昭三七・四・二八 昭三八・二・二一 昭三八・五・二五 昭三八・七・一 昭三八・八・二二 昭三八・一〇・一 昭三八・一二・二〇 昭三九・一・一四 昭三九・三・二五 昭三九・四・一六 昭三九・五・二八 昭三九・一二・二六全改 昭四〇・三・二五 昭四〇・四・八 昭四〇・七・六 昭四〇・一〇・一 昭四一・四・一六 昭四一・六・四 昭四一・八・五 昭四一・一二・二一 昭四二・七・一一 昭四二・八・三〇 昭四二・一〇・二六 昭四三・二・二三 昭四三・四・二六 昭四三・五・二五 昭四三・六・一七 昭四三・六・二八 昭四三・七・二五 昭四三・九・一三 昭四四・四・一六 昭四四・五・一七 昭四四・七・二五 昭四四・一〇・一 昭四四・一一・五 昭四五・四・二七 昭四五・五・一三 昭四五・七・二二 昭四五・八・一四 昭四五・一〇・三一 昭四六・五・一四 昭四六・五・二六 昭四六・九・一六 昭四六・一〇・一五 昭四六・一二・二三 昭四七・一二・二〇 昭四八・三・九 昭四八・八・一六 昭四八・一〇・二二 昭四九・一・二二 昭四九・三・二六 昭四九・五・一三 昭四九・七・二 昭四九・七・一五 昭五〇・五・一五 昭五〇・九・四 昭五〇・一〇・二四 昭五〇・一一・七 昭五一・三・一 昭五一・五・一〇 昭五一・六・一 昭五一・七・一 昭五一・一〇・一三 昭五二・三・三 昭五二・四・二一 昭五二・六・六 昭五二・七・一 昭五二・一〇・一七 昭五三・一・二五 昭五三・三・三〇 昭五三・四・二〇 昭五三・七・五 昭五三・一〇・一七 昭五三・一〇・二一 昭五四・一・二〇 昭五四・三・二〇 昭五四・四・二七 昭五四・七・三〇 昭五四・一〇・三 昭五四・一〇・一六 昭五五・二・一九 昭五五・五・一五 昭五五・五・二六 昭五五・七・一六 昭五五・一〇・二二 昭五五・一二・二七 昭五六・三・九 昭五六・四・一 昭五六・四・二四 昭五六・七・一七 昭五六・一〇・七 昭五六・一二・一 昭五七・三・一 昭五七・四・二八 昭五七・七・八 昭五七・七・三一 昭五七・一〇・八 昭五八・四・一 昭五八・四・一五 昭五八・六・二九 昭五八・七・一八 昭五八・一〇・二七 昭五八・一二・一 昭五九・三・三一 昭五九・四・二三 昭五九・六・三〇 昭五九・一〇・一 昭六〇・四・一 昭六〇・四・二六 昭六〇・五・一 昭六〇・七・一五 昭六一・四・一 昭六一・四・二一 昭六一・六・三 昭六一・七・一 昭六一・一〇・一 昭六一・一二・一 昭六一・一二・二三 昭六二・四・一 昭六二・六・一八 昭六二・七・一 昭六二・八・二一 昭六二・一〇・一 昭六三・四・一 昭六三・四・八 昭六三・七・一 昭六三・一〇・一 昭六三・一〇・二〇 平元・四・一 平元・五・二九 平元・九・三〇 平二・三・三一 平二・六・八 平二・六・三〇 平二・一〇・一 平三・四・一 平三・四・一六 平三・七・一 平三・七・一〇 平三・一〇・一 平三・一一・三〇 平三・一二・二四 平四・四・一 平四・四・一五

			平四・七・一 平五・四・一(42) 平六・四・一 平六・一二・一九 平八・四・一 平八・一○・一 平九・四・一 平一○・四・一 平一○・一二・一五 平一一・七・一 平一二・六・三○ 平一二・一二・二八 平一三・一○・一 平一四・四・一 平一四・四・一 平一五・三・一 平一六・一二・一 平一七・九・三○ 平一八・七・七 平一八・一二・二八 平一九・七・二○ 平二○・七・四 平二一・三・一八 平二一・九・一 平二二・一一・三○ 平二三・九・一 平二四・八・七 平二五・七・一 平二六・四・一 平二七・四・一○ 平二七・一二・二八 平二八・一一・二四 平二九・九・二九 平三○・三・三○ 平三一・四・二六 令三・四・一 令四・二・一八 令六・四・一 平四・七・二○ 平五・四・一(43) 平六・六・二四 平七・三・三一 平八・五・一一 平八・一一・二七 平九・七・一 平一○・四・九 平一○・一二・二四 平一一・九・二○ 平一二・六・三○ 平一三・三・三○ 平一三・一一・三○ 平一四・七・一 平一五・四・九 平一六・四・一 平一七・四・一 平一八・二・一 平一八・九・一 平一九・一・九 平一九・八・三一 平二○・一○・一 平二一・四・一 平二一・一一・三○ 平二二・一二・八 平二四・三・三○ 平二四・九・一九 平二五・一○・一 平二六・五・二九 平二七・五・一 平二八・一・二六 平二九・三・三一 平二九・一二・一五 平三○・一○・一 令二・一・七 令三・七・一 令四・四・一 令六・一二・二五 平四・八・一○ 平五・七・一 平六・七・一 平七・六・三○ 平八・六・一四 平八・一二・二五 平九・一○・一 平一○・六・二二 平一一・三・一 平一一・一○・二五 平一二・七・一○ 平一三・六・二二 平一四・三・一 平一四・一○・一 平一五・七・一 平一六・七・一 平一七・七・一 平一八・三・三一 平一八・九・二九 平一九・三・三○ 平二○・四・一 平二○・一二・二五 平二一・五・二九 平二一・一二・二八 平二三・四・一 平二四・四・六 平二五・四・一 平二五・一二・二七 平二七・一・三○ 平二七・九・一 平二八・四・一 平二九・七・七 平二九・一二・二八 平三○・一一・三○ 令二・四・一 令三・九・一 令五・三・三一 令七・四・一 平四・一二・二八 平五・一○・一 平六・九・三○ 平七・九・二九 平八・七・一 平九・一・三一 平九・一二・一九 平一○・七・一 平一一・四・一 平一二・三・三一 平一二・九・二九 平一三・六・二九 平一四・三・二七 平一五・一・一四 平一五・一○・一 平一六・一○・一 平一七・七・一五 平一八・六・三○ 平一八・一二・一五 平一九・六・二九 平二○・七・一 平二一・二・二 平二一・七・一四 平二二・四・一 平二三・六・三○ 平二四・六・二九 平二五・五・一六 平二六・二・二八 平二七・四・一 平二七・一○・一 平二八・六・一○ 平二九・七・一四 平三○・二・一 平三一・四・一 令二・一○・一 令三・一○・一 令五・六・三○
九—一八	俸給の支給定日の特例	昭二八・七・三 （同　日）	昭二九・二・一八廃止
九—一九	俸給の支給定日の特例	昭二八・一一・二二 （同　日）	昭二九・二・一八廃止
九—二○	俸給の支給定日の特例	昭三○・一一・二六 （同　日）	昭三一・六・一廃止
九—二一	俸給の支給定日の特例	昭三一・一一・二四 （同　日）	昭三二・六・一廃止
九—二二	暫定手当	昭三二・六・一 （三二・四・一）	昭四五・一二・一七廃止

九―一三	九―二四	九―二五	九―二六	九―二七	九―二八	九―二九	
俸給の支給定日の特例	通勤手当	俸給の支給定日の特例	職務の等級の最高の号俸をこえる俸給月額を受ける職員の俸給月額	俸給の支給定日の特例	俸給の支給定日の特例	職務の等級の最高の号俸をこえる俸給月額を受ける職員の俸給月額	
昭三一・一二・二一	昭三三・四・二五 （三三・四・一）	昭三三・一一・二一 （同日）	昭三四・四・一三 （三四・四・一）	昭三四・一〇・三	昭三四・一一・二〇	昭三五・六・九 （三五・四・一）	
昭三三・一一・二一廃止	昭三六・一一・一 昭三八・一二・二〇 昭三九・一二・一七 昭四〇・一二・二七 昭四一・一二・二一 昭四三・四・一 昭四三・一二・二一 昭四四・一二・二 昭四五・一二・一七 昭四七・一一・一三 昭四八・九・二六 昭四九・一二・二三 昭五〇・一一・七 昭五一・一一・五 昭五二・一二・二一 昭五三・一〇・二一 昭五四・一二・一二 昭五五・一一・二九 昭五六・二・二七 昭五六・一二・二四 昭五七・九・三〇 昭五八・一一・二九 昭五九・一二・二二 昭六〇・一二・二一 昭六二・一二・一五 昭六三・二・一九 平元・一二・一三 平三・一二・二四 平四・四・六 平六・七・二七 平六・一一・七 平七・一〇・二五 平八・一二・一一 平一一・一〇・二五 平一二・三・二一 平一四・六・二〇 平一五・一〇・一 平一五・一二・二六 平一六・四・一 平一七・一・三一 平一八・三・三一 平一九・三・三〇 平一九・七・二〇 平一九・七・二〇 平二〇・八・一 平二四・一〇・一五 平二五・三・一五 平二六・二・一三 平二七・一・三〇 平二七・六・二四 平二九・五・一九 令元・五・二三 令二・四・一 令二・六・一二 令二・一二・二八 令三・九・一 令四・二・一八 令四・二・二八 令四・六・二四 令四・七・一 令五・二・二八 令六・一・二三 令七・二・五	昭三四・一一・二〇廃止	昭三五・六・九廃止	昭三五・六・九廃止	昭三五・六・九廃止	昭三五・一二・二二廃止	昭三六・四・一 昭三六・九・五 昭三六・一〇・二一 昭三六・一一・一 昭三七・六・一四 昭三七・一一・一 昭三八・四・二二 昭三八・五・二五 昭三八・八・一〇 昭三八・一二・二〇 昭三九・四・一 昭三九・七・八 昭三九・一二・一七 昭三九・一二・二六 昭四〇・三・一 昭四〇・四・一九 昭四〇・七・一五 昭四〇・一二・一 昭四〇・一二・二七 昭四一・一・二一 昭四一・二・一九 昭四一・四・二 昭四一・六・四 昭四一・八・一三 昭四二・四・一 昭四二・一〇・二六 昭四二・一二・二二 昭四三・六・二六 昭四三・一二・二一 昭四四・二・二一 昭四四・四・三 昭四四・一〇・一 昭四四・一二・二 昭四五・四・一 昭四五・四・二〇 昭四五・七・二二 昭四五・一二・一七 昭四六・四・一 昭四六・一二・一五 昭四六・一二・二八 昭四七・五・一五 昭四七・一〇・四 昭四七・一一・一三 昭四八・五・二二 昭四八・九・二六 昭四九・一・二二 昭四九・五・一三 昭四九・八・三一 昭四九・一二・二七 昭五〇・四・二二 昭五〇・五・二六 昭五一・三・三〇 昭五一・五・一〇 昭五一・一二・二三 昭五二・四・二一 昭五二・六・二八 昭五二・九・一 昭五二・一一・二二 昭五二・一二・二一 昭五三・二・九 昭五三・四・二〇 昭五三・七・五 昭五三・一〇・二一 昭五三・一一・二二 昭五四・五・三〇 昭五四・一〇・三 昭五四・一二・一四 昭五五・三・一五 昭五五・四・一一 昭五五・一一・一五 昭五六・四・一 昭五六・五・一五 昭五六・一〇・二一 昭五七・四・一 昭五七・四・六 昭五七・四・二八

九―三〇	九―三一	九―三二	九―三三	九―三四
特殊勤務手当	隔遠地手当	俸給の支給定日の特例	職務の等級の最高の号俸又は最高の号俸をこえる俸給月額を受ける職員の俸給の切替え等	初任給調整手当
昭三五・六・九（同日）	昭三五・六・九（同日）	昭三五・一一・一九（同日）	昭三五・一二・二二（三五・一〇・一）	昭三六・三・三一（三六・四・一）
昭五八・四・五、昭五九・六・三〇、昭六〇・一二・二一、昭六三・二・一九、平二・六・八、平三・七・一、平四・四・一、平五・四・一、平六・三・三一、平六・九・二、平七・四・二六、平九・四・一、平一〇・七・一、平一二・三・三一、平一三・一・二五、平一三・一〇・一、平一四・一〇・一、平一六・四・一、平一七・九・三〇、平一八・九・二九、平一九・七・二〇、平二一・四・一、平二二・三・三一、平二三・六・二、平二四・四・六、平二五・四・一、平二六・四・一、平二七・一一・三〇、平二九・一〇・二二、平三一・四・二六、令二・七・一、令三・一〇・一、令六・二・一五、令七・四・一 昭五八・四・一五、昭五九・一〇・一、昭六一・三・八、昭六三・一〇・一、平二・一〇・一、平三・一〇・一、平四・四・一〇、平五・一二・一六、平六・六・二四、平六・一〇・二五、平八・四・一、平九・六・四、平一〇・一〇・一六、平一二・六・一六、平一三・三・二七、平一四・三・一、平一五・四・一、平一六・一〇・一、平一八・二・一、平一九・三・三〇、平一九・一〇・一、平二一・七・一七、平二二・四・一、平二三・六・二九、平二四・五・三一、平二五・五・一六、平二七・一・九、平二九・三・二四、平三〇・三・三〇、令元・一二・二五、令二・一二・一、令四・四・一、令六・四・一 昭五九・二・一、昭六〇・四・一、昭六一・四・五、昭六三・一二・一五、平三・四・一、平三・一一・一、平四・一〇・三〇、平六・一・四、平六・七・二一、平六・一二・一六、平八・五・一一、平九・一〇・一、平一一・四・一、平一二・一二・二七、平一三・三・三〇、平一四・四・一、平一五・一〇・一、平一七・二・一七、平一八・三・三一、平一九・六・一、平二〇・四・一、平二一・一〇・一、平二二・九・一〇、平二三・七・一、平二四・九・一九、平二五・一〇・三一、平二七・四・一〇、平二九・三・三一、平三一・三・一四、令二・二・二八、令三・四・一、令四・九・三〇、令六・六・二八 昭五九・四・一一、昭六〇・四・六、昭六二・五・二一、平元・五・二九、平三・四・一二、平三・一二・二四、平四・一二・二八、平六・一・六、平六・七・二七、平七・三・三一、平八・一二・一一、平一〇・四・九、平一一・一〇・二五、平一二・一二・二七、平一三・五・一一、平一四・七・一、平一五・一一・一〇、平一七・四・一、平一八・五・二四、平一九・六・二九、平二一・三・三一、平二二・一・一四、平二三・四・一、平二四・三・三〇、平二四・九・二五、平二六・二・二八、平二七・五・二九、平二九・七・一四、平三一・四・一、令二・四・一、令三・五・二〇、令五・三・三一、令六・一二・二	昭四五・一二・一七廃止	昭三六・四・一廃止	昭三八・一・一〇廃止	昭三六・一一・一、昭三九・一二・一七、昭四二・一二・二二、昭四五・一二・二五、昭四八・一・一八、昭五〇・一一・七、昭五三・一二・二五、昭五六・一二・二四、昭六一・一二・二二 昭三七・四・一、昭四〇・三・三〇、昭四三・一二・二一、昭四六・四・二二、昭四八・九・二六、昭五一・一一・五、昭五四・一二・一二、昭五八・一一・二九、昭六二・一二・一五 昭三七・四・二三、昭四一・一二・二一、昭四四・一二・二、昭四六・一二・一五、昭四九・一〇・二二、昭五二・一二・二一、昭五五・一一・二九、昭五九・一二・二二、昭六三・一二・二四 昭三八・二・二八、昭四二・七・一一、昭四五・一二・一七、昭四七・一一・一三、昭四九・一二・二三、昭五三・一〇・二一、昭五六・一二・七、昭六〇・一二・二一、平元・一二・一三

	九—三五	九—三六	九—三七	九—三八	九—三九	九—四〇
	タイピスト等及び職務の等級の最高の号俸をこえる俸給月額を受ける職員の俸給の切替え	退職し又は死亡した職員の期末手当及び勤勉手当	職務の等級の最高の号俸又は最高の号俸をこえる俸給月額を受ける職員の俸給の切替え	教育職俸給表㈣の適用を受ける職員の俸給の切替え	事務次官等の官職及びこれらの官職を占める職員の俸給月額	**期末手当及び勤勉手当**
	昭三六・一一・一（三六・一〇・一）	昭三八・一二・二八（三七・一〇・一）	昭三八・一二・二八（三七・一〇・一）	昭三八・一二・二八（三七・一〇・一）	昭三八・一二・二〇（三八・一〇・一）	昭三八・一二・二〇（三八・一〇・一）
平三・一二・二六 平六・一一・七 平九・一二・一〇 平一三・一・一九 平一六・一〇・二八 平二一・二・二 平二七・六・二四 平二九・一二・一五 令二・一二・二八 令四・六・二四 令七・二・五 平三・一二・二四 平七・一〇・二五 平一〇・一〇・一六 平一四・一一・二二 平一七・一一・七 平二二・四・一 平二八・一・二六 平三〇・一一・三〇 令三・四・一 令四・七・一 平四・一二・一六 平八・一二・一一 平一二・三・二一 平一五・一〇・一 平一八・二・一 平二六・一一・一九 平二八・一一・二四 令元・五・二三 令三・九・一 令五・一一・二四 平五・一一・一二 平九・七・一 平一二・一一・二三 平一五・一〇・一六 平一九・七・二〇 平二七・一・三〇 平二九・五・一九 令二・六・一二 令四・二・一八 令六・一二・二五	昭三八・一〇・一廃止	昭三八・一〇・一廃止	昭三九・一二・一七廃止	昭三九・一二・一七廃止	昭三九・一二・一七廃止	昭三九・一二・一七 昭四三・一一・六 昭四六・一二・一五 昭五一・四・一 昭五七・八・三一 昭六一・四・一 昭六三・二・一九 平三・四・一二 平九・六・四 平九・一二・一九 平一二・三・二一 平一二・一二・二七 平一四・一一・二二 平一六・四・一 平一八・二・一 平一九・九・二八 平二一・三・一八 平二二・二・一 平二三・一一・三〇 平二六・五・二九 平二七・六・二四 平二八・三・九 平二九・一二・一五 令元・五・二三 昭四〇・一二・二七 昭四四・四・一 昭四八・一・三〇 昭五一・一一・五 昭五九・三・三一 昭六一・六・二五 昭六三・一二・一五 平三・一二・二四 平九・七・一 平一〇・一〇・一六 平一二・七・一四 平一二・一二・二七 平一五・四・一 平一六・一〇・二八 平一八・三・三一 平一九・一一・三〇 平二一・四・一 平二二・四・一 平二四・九・二八 平二六・一一・一九 平二七・一一・二六 平二八・一一・二四 平三〇・二・一 令元・九・一三 昭四一・一二・二一 昭四五・一二・一七 昭四八・五・三〇 昭五二・四・二一 昭六〇・一二・二一 昭六一・一一・一九 平元・一二・一三 平四・一・一七 平九・一〇・一 平一一・一〇・二五 平一二・一一・二二 平一三・六・一五 平一五・六・四 平一七・二・一 平一九・三・三〇 平二〇・二・一 平二一・五・二九 平二二・一一・三〇 平二五・四・一 平二七・一・三〇 平二八・一・二六 平二八・一二・一 平三〇・一一・三〇 令元・一一・二二 昭四三・二・八 昭四五・一二・二五 昭四八・九・二六 昭五五・二・二七 昭六一・三・八 昭六二・三・二〇 平二・一二・二六 平六・七・二七 平九・一一・二五 平一一・一一・二五 平一二・一一・二七 平一四・六・二〇 平一五・一〇・一 平一七・一一・七 平一九・七・二〇 平二〇・一〇・二一 平二一・一一・三〇 平二三・二・一 平二六・二・一三 平二七・三・一八 平二八・二・一 平二九・五・一九 平三一・一・一七 令二・四・一

番号	件名	公布（施行）	改正・廃止
			令二・六・一二　令三・一二・一　令四・六・二四　令五・一一・二四　令二・一二・二八　令三・一二・二四　令四・七・一　令六・三・二九　令三・四・一　令四・二・一八　令四・一一・一八　令六・一二・二五　令三・九・一　令四・六・一七　令五・三・三一　令七・二・五
九―四一	最高号俸等を受ける職員の俸給の切替え	昭三八・一二・二〇（三八・一〇・一）	昭四〇・一二・二七廃止
九―四二	指定職俸給表の適用を受ける職員の俸給月額	昭三九・一二・一七（三九・九・一）	平二六・五・二九廃止
九―四三	休日給	昭三九・一二・一七（三九・九・一）	昭四八・四・二〇　昭六一・一〇・二一　平六・七・二七　昭五六・一二・一七　昭六三・一二・一九　平一九・七・二〇　昭六〇・一二・二一　昭六三・一二・一五　平二二・二・一　昭六一・三・八　平六・一・四
九―四四	最高号俸等を受ける職員の俸給の切替え	昭三九・一二・一七（三九・九・一）	昭四一・一二・一二廃止
九―四五	昭和三十九年改正法第四条の規定の施行に伴う最高号俸をこえる俸給月額を受ける職員の俸給月額の決定等	昭四〇・三・三〇（四〇・四・一）	昭四一・一二・一二廃止
九―四六	最高号俸等を受ける職員の俸給の切替え	昭四〇・一二・二七（四〇・九・一）	昭四二・一二・二三廃止
九―四七	最高号俸等を受ける職員の俸給の切替え等	昭四一・一二・二二（四一・九・一）	昭四三・一二・二二廃止
九―四八	最高号俸等を受ける職員の俸給の切替え等	昭四二・一二・二二（四二・八・一）	昭四四・一二・二廃止
九―四九	地域手当	昭四二・一二・二二（四二・八・一）	昭四五・一二・一七全改　昭五四・三・二〇　昭五七・四・一　昭六二・七・一　平三・一二・二四　平九・一・三一　平一〇・七・一五　平一二・二・一六　平一二・一二・二七　平一三・五・一八　平一五・五・一二　平一六・三・一　平一七・二・一七　平一八・一二・一五　平二〇・一〇・一　平二五・四・一　平二七・七・二八　平二八・二・一　平三〇・二・一　令二・一・二九　令七・二・五　昭四六・一二・二八　昭五五・一一・二九　昭五七・八・三一　昭六三・一一・五　平四・一二・一六　平九・二・二八　平一一・二・八　平一二・三・二七　平一二・一二・二七　平一三・八・一　平一五・六・四　平一六・四・一　平一七・四・一　平一九・九・二八　平二一・二・二　平二七・一・三〇　平二七・一一・一一　平二九・三・三一　平三〇・三・三〇　令二・七・三〇　昭四八・九・二六　昭五六・四・二四　昭六〇・一二・二一　平元・一二・一三　平七・一〇・二五　平九・七・一　平一一・七・一三　平一二・四・二八　平一三・二・二八　平一四・三・一　平一五・七・一　平一六・七・一　平一八・二・一全改　平一九・一一・三〇　平二一・五・二九　平二七・三・一八　平二七・一二・一八　平二九・七・一四　平三一・四・一　令四・四・一　昭五二・四・二一　昭五七・三・一二　昭六二・三・二〇　平二・一二・二六　平七・一二・一五　平九・一二・一九　平一一・一〇・二五　平一二・一一・二二　平一三・三・三〇　平一五・一・一四　平一五・一二・二六　平一七・一・三一　平一八・一一・三〇　平二〇・二・一　平二二・一一・三〇　平二七・三・三〇　平二八・一・二六　平二九・九・二九　令元・一〇・一　令五・三・二七

番号	件名	制定年月日（施行日）	改正
九―五〇	最高号俸をこえる俸給月額を受ける職員の昭和四十二年改正法附則第十四項の規定に基づく俸給月額	昭四三・三・二七（四三・四・一）	昭四五・一二・一七廃止
九―五一	最高号俸等を受ける職員の俸給の切替え等	昭四三・一二・二一（四三・七・一）	昭四五・一二・一七廃止
九―五二	最高号俸等を受ける職員の俸給の切替え	昭四四・一二・二（同日）	昭四六・一二・一五廃止
九―五三	最高号俸等を受ける職員の俸給の切替え等	昭四五・一二・一七（同日）	昭四七・一一・一三廃止
九―五四	住居手当	昭四五・一二・一七（四五・五・一）	昭四八・九・二六 昭四九・一二・二三 昭五〇・一一・七 昭五二・一二・二一 昭五四・一二・一二 昭五五・一一・二九 昭五七・八・三一 昭六〇・一二・二一 昭六二・三・二〇 平七・一〇・二五 平九・一・三一 平一二・三・二一 平一五・四・一 平一五・六・四 平一五・一〇・一 平一五・一〇・一六 平一八・一二・一五 平一九・九・二八 平二〇・一〇・一 平二一・一一・三〇 平二四・一〇・一五 平二五・四・一 平二七・一・三〇 平二七・三・一八 平二七・六・二四 平二八・一一・二四 平二九・五・一九 令元・五・二三 令二・二・三 令二・六・一二 令二・一二・二八 令三・四・一 令三・九・一 令四・二・一八 令四・六・二四 令五・二・二八 令七・二・五
九―五五	特地勤務手当等	昭四五・一二・一七（四五・五・一）	昭四六・三・一五 昭四六・八・九 昭四六・一二・二八 昭四七・五・四 昭四七・五・一五 昭四七・八・七 昭四七・一二・一五 昭四八・一・三〇 昭四八・五・三〇 昭四八・九・一 昭四九・三・二六 昭四九・九・四 昭五〇・一・二九 昭五〇・九・四 昭五一・三・三〇 昭五一・一二・一三 昭五二・四・二一 昭五二・一〇・一 昭五三・三・二〇 昭五三・七・五 昭五四・二・一五 昭五四・三・二七 昭五四・六・二九 昭五四・一〇・二三 昭五四・一二・一四 昭五五・三・一五 昭五五・三・三一 昭五五・四・二八 昭五五・七・一八 昭五五・一〇・二二 昭五六・五・一五 昭五六・一一・二 昭五七・五・一 昭五七・八・三一 昭五七・一〇・三〇 昭五八・四・一 昭五八・四・一五 昭五八・一〇・二七 昭五九・四・一一 昭五九・六・三〇 昭五九・一〇・一 昭六〇・四・一 昭六〇・四・六 昭六〇・五・一 昭六一・四・一 昭六一・一二・一 昭六二・五・二一 昭六二・七・一 昭六二・一〇・一 昭六二・一〇・一五 昭六三・四・三〇 昭六三・七・一 昭六三・一〇・一 平元・五・二九 平二・三・二六 平二・六・八 平二・一〇・一 平二・一一・二二 平三・六・一九 平三・一〇・二二 平三・一一・三〇 平三・一二・一八 平四・四・一〇 平四・六・一 平四・一二・一 平五・四・一（25） 平五・四・一（26） 平五・七・一 平五・一〇・一 平六・二・二八 平六・四・一 平六・六・二四 平六・七・一 平七・三・三一 平七・六・一 平七・一二・二八 平八・五・一一 平八・七・一 平八・一〇・一 平九・二・二八 平九・四・一 平九・七・一 平九・七・二二 平九・一〇・一 平一〇・二・二四 平一〇・四・三〇 平一〇・七・一五 平一一・二・八 平一一・四・三〇 平一二・二・一 平一二・三・二一 平一二・四・二八 平一二・一二・二八 平一三・三・二六 平一三・五・一一 平一三・六・一五 平一三・七・二五 平一三・一一・一 平一三・一一・三〇 平一四・三・一 平一四・五・一 平一四・七・一 平一四・一〇・三一 平一四・一一・二二 平一五・二・二八 平一五・四・一 平一五・七・一 平一五・一〇・一 平一五・一〇・一六 平一六・三・一 平一六・三・二四 平一六・四・一

			平一六・四・二八　平一六・九・一五　平一六・一〇・一　平一六・一〇・二八　平一六・一一・一〇　平一六・一一・二五　平一七・一・二六　平一七・四・一　平一七・九・三〇　平一七・一〇・一七　平一七・一一・七　平一七・一一・一六　平一八・一・一六　平一八・二・一　平一八・三・一　平一八・三・三一　平一八・一一・一六　平一八・一二・一五　平一九・二・一六　平一九・三・三〇　平一九・五・一六　平一九・七・一三　平一九・七・二〇　平一九・一〇・一　平二〇・四・一　平二〇・四・一六　平二〇・七・一六　平二〇・一〇・一　平二一・三・一六　平二一・四・一　平二一・一〇・一　平二一・一一・三〇　平二一・一二・二二　平二一・一二・二八　平二二・三・一五　平二二・三・二六　平二二・一一・三〇　平二三・三・七　平二三・四・一　平二三・七・一　平二三・九・一　平二四・一・三〇　平二四・二・二九　平二四・三・三〇　平二四・六・二九　平二四・九・一九　平二四・一一・一　平二五・三・七　平二五・四・一　平二五・五・一六　平二六・五・一　平二六・八・一　平二六・一〇・一　平二七・三・一八　平二七・三・三〇　平二七・四・一〇　平二七・一〇・一　平二八・四・一　平二八・九・一　平二八・九・三〇　平二九・三・三一　平二九・七・一四　平二九・八・八　平二九・九・四　平三〇・二・一　平三〇・三・三〇　平三〇・四・二四　平三〇・六・二九　平三〇・八・三一　平三〇・一一・三〇　平三一・四・一　令二・四・一　令二・一〇・一　令三・四・一　令三・七・一　令三・一〇・一　令四・二・一八　令四・四・一　令四・七・一　令五・三・三一　令五・五・一　令五・六・三〇　令五・八・一　令六・七・一六　令六・一〇・一　令六・一一・二八　令七・二・五　令七・四・一
九—五六	最高号俸等を受ける職員の俸給の切替え等	昭四六・一二・一五 （四六・五・一）	昭四八・九・二六廃止
九—五七	教職調整額の支給方法等	昭四六・一二・二三 （四七・一・一）	平一六・三・五廃止
九—五八	筑波研究学園都市移転手当	昭四六・一二・二四 （四六・一〇・一）	平九・一・三一廃止
九—五九	沖縄の復帰に伴う特別措置に関する法律の規定による特別の手当	昭四七・五・一五 （同日）	平九・一二・一九廃止
九—六〇	最高号俸等を受ける職員の俸給の切替え	昭四七・一一・一三 （同日）	昭四九・一二・二三廃止
九—六一	最高号俸等を受ける職員の俸給の切替え	昭四八・九・二六	昭五〇・一一・七廃止
九—六二	最高号俸等を受ける特定の教育職員の俸給の切替え	昭四九・三・二七 （同日）	昭五〇・一一・七廃止
九—六三	医療職俸給表㈢の適用を受ける職員で最高号俸等を受けるものの俸給の切替え	昭四九・四・二七 （四九・四・一）	昭五〇・一一・七廃止
九—六四	給与法附則第七項の規定による期末手当	昭四九・四・二七	昭五〇・一一・七廃止

九―六五	最高号俸を超える俸給月額を受ける職員の俸給月額等	昭四九・六・四	昭四九・一二・二三廃止
九―六六	最高号俸等を受ける職員の俸給の切替え	昭四九・一二・二三	昭五一・一一・五廃止
九―六七	最高号俸等を受ける特定の教育職員の俸給の切替え	昭五〇・三・三一	昭五一・一一・五廃止
九―六八	義務教育等教員特別手当	昭五〇・三・三一（五〇・一・一）	平一六・一〇・二八廃止
九―六九	最高号俸等を受ける職員の俸給の切替え	昭五〇・一一・七	昭五二・一二・二一廃止
九―七〇	最高号俸等を受ける職員の俸給の切替え	昭五一・一一・五	昭五三・一〇・二一廃止
九―七一	最高号俸等を受ける職員の俸給の切替え	昭五二・一二・二一	昭五四・一二・一二廃止
九―七二	最高号俸を超える俸給月額を受ける職員の俸給の切替え	昭五三・一〇・二一	昭五五・一一・二九廃止
九―七三	最高号俸を超える俸給月額を受ける職員の俸給の切替え	昭五四・一二・一二	昭五六・一二・二四廃止
九―七四	最高号俸を超える俸給月額を受ける職員の俸給の切替え	昭五五・一一・二九	昭五八・三・三一廃止
九―七五	最高号俸等を受ける職員の俸給の切替え	昭五六・一二・二四	昭五八・三・三一廃止
九―七六	昭和五十六年改正法附則の実施	昭五六・一二・二四	昭五八・三・三一廃止
九―七七	給与法第十一条第四項の規定の適用に関する特例	昭五七・五・一（五七・六・二）	昭六一・五・三〇廃止
九―七八	最高号俸等を受ける職員の俸給の切替え	昭五八・一一・二九	昭五九・一二・二三廃止
九―七九	最高号俸を超える俸給月額を受ける職員の俸給の切替え	昭五九・一二・二三	昭六〇・一二・二一廃止
九―八〇	**扶養手当**	昭六〇・一二・二一（同日）	平元・九・一　平二・九・一　平三・一二・二〇　平五・三・一五　平二八・一一・二四　令五・二・二八　令七・二・二五
九―八一	最高号俸を超える俸給月額を受ける職員の俸給の切替え等	昭六〇・一二・二一（同日）	昭六一・一二・二三廃止

九―八二	**俸給の半減**	昭六〇・一二・二一（六一・一・一）	昭六一・三・八 昭六三・二・一九 昭六三・一二・一五 平四・一・一七 平六・七・二七 平七・三・三一 平一六・一〇・二八 平二一・三・一八 平二二・一一・一 令六・三・二九
九―八三	給与法第十一条第四項の規定の適用に関する特例	昭六一・五・三〇（六一・六・一）	平三・一二・二四廃止
九―八四	最高号俸を超える俸給月額を受ける職員の俸給の切替え	昭六一・一二・二三（同　日）	昭六二・一二・一五廃止
九―八五	最高号俸等を受ける職員の俸給の切替え	昭六二・一二・一五（同　日）	昭六三・一二・二四廃止
九―八六	昭和六二年改正法附則第七項の規定による住居手当の支給	昭六二・一二・一五（同　日）	昭六三・一二・二四廃止
九―八七	最高号俸等を受ける職員の俸給の切替え	昭六三・一二・二四（同　日）	平元・一二・一三廃止
九―八八	最高号俸等を受ける職員の俸給の切替え	平元・一二・一三（同　日）	平二・一二・二六廃止
九―八九	**単身赴任手当**	平二・二・一五（平二・四・一）	平五・一一・一二 平一〇・一〇・一六 平一二・三・二一 平一五・一〇・一 平二四・一〇・一五 平二五・四・一 平二七・一・三〇 平二七・三・一八 平二七・六・二四 平二八・二・一 平二九・五・一九 令元・五・二三 令二・六・一二 令二・一二・二八 令三・九・一 令四・二・一八 令四・六・二四 令五・二・二八 令七・二・五
九―九〇	平成二年三月の俸給等及び期末手当の支給の特例等	平二・三・一五（同　日）	平三・一二・二四廃止
九―九一	最高号俸等を受ける職員の俸給の切替え等	平二・一二・二六（同　日）	平三・一二・二四廃止
九―九二	最高号俸等を受ける職員の俸給の切替え等	平三・一二・二四（同　日）	平四・一二・一六廃止
九―九三	**管理職員特別勤務手当**	平三・一二・二四（四・一・一）	平九・六・四 平一二・一一・二七 平一八・一二・一五 平一九・七・二〇 平二〇・二・一 平二一・一二・二 平二六・五・二九 平二七・一・三〇 平二八・一一・二四 令四・一一・一八 令七・二・五
九―九四	最高号俸等を受ける職員の俸給の切替え等	平四・一二・一六（同　日）	平五・一一・一二廃止
九―九五	平成四年改正法附則第十一項の規定による住居手当の支給	平四・一二・一六（同　日）	平五・一一・一二廃止
九―九六	最高号俸等を受ける職員の俸給の切替え等	平五・一一・一二（同　日）	平六・一一・七廃止
九―九七	**超過勤務手当**	平六・一・四（六・四・一）	平一一・一〇・二五 平二二・二・一 平二三・二・一

九―九八	平成六年改正法附則第三項の規定による最高号俸等を受ける職員の俸給の切替え等	平六・一一・七（同日）	平七・一〇・二五廃止
九―九九	給与法別表第一イの備考(二)等の規定の適用を受ける職員	平七・一〇・二五（七・四・一）	令六・一二・二五廃止
九―一〇〇	平成七年改正法附則第三項の規定による最高号俸等を受ける職員の俸給の切替え等	平七・一〇・二五（七・四・一）	平八・一二・一一廃止
九―一〇一	平成八年改正法附則第六項の規定による最高号俸等を受ける職員の俸給の切替え等	平八・一二・一一（同日）	平九・一二・一〇廃止
九―一〇二	**研究員調整手当**	平九・一・三一（九・四・一）	平九・四・一 平九・七・一 平九・一二・一九 平一一・一〇・二五 平一二・一二・二七 平一三・三・三〇 平一六・三・一 平一六・一〇・二八 平一八・二・一 平一八・一二・一五 平二一・二・二 平二一・五・二九 平二二・四・一 平二二・一一・三〇 平三〇・二・一
九―一〇三	暫定筑波研究学園都市移転手当	平九・一・三一（九・四・一）	平一八・二・一廃止
九―一〇四	平成九年改正法附則第四項の規定による最高号俸等を受ける職員の俸給の切替え等	平九・一二・一〇（同日）	平一〇・一〇・一六廃止
九―一〇五	ハワイ観測所勤務手当	平九・一二・一〇（同日）	平一六・一〇・二八廃止
九―一〇六	平成一〇年改正法附則第六項の規定による最高号俸等を受ける職員の俸給の切替え等	平一〇・一〇・一六（同日）	平一一・一一・二五廃止
九―一〇七	**定年前再任用短時間勤務職員等の俸給月額の端数計算**	平一一・一〇・二五（一三・四・一）	平一九・七・二〇 平二〇・二・一 平二二・一一・三〇 平二三・二・一 平二四・二・二九 平二五・二・一五 平二五・一〇・一 平二六・二・二八 平二六・五・二九 平三〇・二・一（1―71） 平三〇・二・一（9―144） 令四・二・一八
九―一〇八	平成一一年改正法附則第三項の規定による最高の号俸を超える俸給月額を受ける職員の俸給の切替え等	平一一・一一・二五（同日）	平一四・一二・一廃止
九―一〇九	平成一一年改正法附則第一〇項の規定による最高号俸等を受け	平一一・一一・二五（一二・一・一）	平一四・一二・一廃止

	る職員の俸給の切替え等		
九—一二〇	特例一時金	平一三・一一・二八（一三・四・一）	平一四・一二・一廃止
九—一二一	平成一四年改正法附則第二項の規定による職務の級における最高の号俸を超える俸給月額等を受ける職員の俸給の切替え等	平一四・一一・二二（一四・一二・一）	平一五・一一・一廃止
九—一二二	平成一四年一二月に支給する期末手当及び期末特別手当に関する特例措置	平一四・一一・二二（一四・一二・一）	平一五・一一・一廃止
九—一二三	平成一五年改正法附則第二項の規定による職務の級における最高の号俸を超える俸給月額等を受ける職員の俸給の切替え等	平一五・一〇・一六（一五・一一・一）	平一六・一〇・二八廃止
九—一二四	平成一五年一二月に支給する期末手当及び期末特別手当に関する特例措置	平一五・一〇・一六（一五・一一・一）	平一六・一〇・二八廃止
九—一二五	平成一六年改正法附則第五項の規定による職務の級における最高の号俸を超える俸給月額を受ける職員の俸給の切替え等	平一六・一〇・二八（同日）	平一七・一二・一廃止
九—一二六	平成一七年改正法附則第二条の規定による職務の級における最高の号俸を超える俸給月額等を受ける職員の俸給の切替え等	平一七・一一・七（一七・一二・一）	平一八・四・一廃止
九—一二七	平成一七年改正法の施行の日における昇格又は降格の特例	平一七・一一・七（一七・一二・一）	平一八・四・一廃止
九—一二八	平成一七年一二月に支給する期末手当及び期末特別手当に関する特例措置	平一七・一一・七（一七・一二・一）	平一八・四・一廃止
九—一二九	平成一七年改正法附則第八条の規定による職務の級における最	平一八・二・一（一八・四・一）	平二〇・四・一廃止

	高の号俸を超える俸給月額等を受ける職員の俸給の切替え		
九―一二〇	平成一七年改正法附則第一一条の規定による俸給	平一八・二・一（一八・四・一）	平二六・四・一廃止
九―一二一	広域異動手当	平一八・一二・一五（一九・四・一）	平二一・五・二九　平二七・三・一八　令元・五・二三　令四・二・一八　平二二・一一・三〇　平二七・六・二四　令二・六・一二　令四・六・二四　平二五・四・一　平二九・五・一九　令二・一二・二八　平二七・一・三〇　平三〇・二・一　令三・九・一
九―一二二	専門スタッフ職調整手当	平二〇・二・一（二〇・四・一）	平二一・二・二　平二二・一一・三〇　平三〇・二・一
九―一二三	本府省業務調整手当	平二一・二・二（二一・四・一）	平二一・四・一　平二二・一〇・四　平二三・七・一　平二四・九・一九　平二五・一二・二七　平二六・五・二九　平二七・四・一〇　平二八・四・一　平二九・五・三一　平三〇・三・三〇　令二・一〇・一　令四・四・一　令七・四・一　平二一・九・一　平二二・一一・一五　平二三・九・一　平二五・四・一　平二六・三・七　平二六・八・二九　平二七・九・一　平二八・五・一三　平二九・六・三〇　平三一・四・一　令三・四・一　令五・三・三一　平二一・一二・二八　平二三・四・一　平二四・三・三〇　平二五・七・一　平二六・四・一　平二七・一・二〇　平二七・一〇・一　平二八・一一・二四　平二九・一二・一五　令二・一・七　令三・九・一　令五・九・二九　平二二・四・一　平二三・六・三〇　平二四・四・六　平二五・一〇・一　平二六・五・一　平二七・四・一　平二七・一二・二八　平二九・三・三一　平三〇・二・一　令二・四・一　令四・二・一八　令六・四・一
九―一二四	平成二一年改正法附則第二条の規定による最高の号俸を超える俸給月額を受ける任期付研究員等の俸給月額の切替え	平二一・一一・三〇（二一・一二・一）	平二四・二・二九廃止
九―一二五	平成二一年一二月に支給する期末手当に関する特例措置	平二一・一一・三〇（二一・一二・一）	平二四・二・二九廃止
九―一二六	平成二二年改正法附則第二条の規定による最高の号俸を超える俸給月額を受ける任期付研究員等の俸給月額の切替え	平二二・一一・三〇（二二・一二・一）	平二四・二・二九廃止
九―一二七	平成二二年一二月に支給する期末手当に関する特例措置	平二二・一一・三〇（二二・一二・一）	平二四・二・二九廃止
九―一二八	平成二三年四月一日における号俸の調整	平二三・二・一（二三・四・一）	平二四・二・二九廃止

番号	件名	制定（施行）	改廃
九—一二九	**東日本大震災及び東日本大震災以外の特定大規模災害等並びに特定新型インフルエンザ等に対処するための人事院規則九—三〇（特殊勤務手当）の特例**	平二三・六・二九（二三・三・一一）	平二四・五・一　平二四・九・一九　平二九・五・一六　令二・三・一八　令二・一一・二七　令四・四・一　令五・五・八　令六・二・一五
九—一三〇	国家公務員の給与の改定及び臨時特例に関する法律附則第二条の規定による最高の号俸を超える俸給月額を受ける任期付研究員等の俸給月額の切替え	平二四・二・二九（二四・三・一）	平二五・二・一五廃止
九—一三一	平成二四年六月に支給する期末手当に関する特例措置	平二四・二・二九（二四・三・一）	平二五・二・一五廃止
九—一三二	平成二四年四月一日における号俸の調整	平二四・二・二九（二四・四・一）	平二五・二・一五廃止
九—一三三	平成二五年四月一日における号俸の調整	平二五・二・一五（二五・四・一）	平二六・四・一廃止
九—一三四	平成二六年四月一日における号俸の調整	平二六・二・二八（二六・四・一）	平二七・一・三〇廃止
九—一三五	原子力安全基盤機構解散法附則第五条の規定による特別の手当	平二六・二・二八（二六・三・一）	平三一・四・一廃止
九—一三六	平成二六年改正法附則第二条の規定による最高の号俸を超える俸給月額を受ける任期付職員の俸給月額の切替え	平二六・一一・一九（同　日）	平二七・一・三〇廃止
九—一三七	平成二七年一月一日における昇給に関する人事院規則九—八（初任給、昇格、昇給等の基準）の特例	平二六・一一・一九（同　日）	令七・四・一廃止
九—一三八	平成二六年改正法附則第五条の規定による最高の号俸を超える俸給月額を受ける任期付研究員等の俸給月額の切替え	平二七・一・三〇（二七・四・一）	平二八・一・二六廃止

九―一三九	平成二六年改正法附則第七条の規定による俸給	平二七・一・三〇 （二七・四・一）	平三〇・四・一廃止
九―一四〇	平成二七年勧告改正法附則第二条の規定による最高の号俸を超える俸給月額を受ける任期付職員の俸給月額の切替え	平二八・一・二六 （同日）	平三〇・四・一廃止
九―一四一	平成二七年勧告改正法の施行に伴う給与の支給等の特例	平二八・一・二六 （同日）	平三〇・四・一廃止
九―一四二	平成二八年改正法の施行に伴う給与の支給等の特例	平二八・一一・二四 （同日）	平三〇・四・一廃止
九―一四三	平成二九年改正法の施行に伴う給与の支給等の特例	平二九・一二・一五 （同日）	平三〇・四・一廃止
九―一四四	平成三〇年四月一日における号俸の調整	平三〇・二・一 （三〇・四・一）	平三一・四・一廃止
九―一四五	平成三〇年改正法附則第二条の規定による最高の号俸を超える俸給月額を受ける特定任期付職員の俸給月額の切替え	平三〇・一一・三〇 （同日）	平三一・四・一廃止
九―一四六	令和元年改正法附則第三条の規定による住居手当	令二・二・三 （二・四・一）	令三・四・二廃止
九―一四七	**給与法附則第八項の規定による俸給月額**	令四・二・一八 （令五・四・一）	令五・四・一
九―一四八	**給与法附則第一〇項、第一二項又は第一三項の規定による俸給**	令四・二・一八 （令五・四・一）	
九―一四九	令和四年六月に支給する期末手当に関する特例措置	令四・四・一三 （同日）	令六・四・一廃止
九―一五〇	令和五年改正法附則第二条の規定による最高の号俸を超える俸給月額を受ける特定任期付職員の俸給月額の切替え	令五・一一・二四 （同日）	令六・四・一廃止

九—一五一	在宅勤務等手当	令六・一・二三（令六・四・一）	
九—一五二	令和六年改正法附則第二条の規定による最高の号俸を超える俸給月額を受ける特定任期付職員の俸給月額の切替え	令六・一二・二五（同日）	令七・四・一廃止

○現行給実甲通達一覧表

★この表は、人事院給与局から発せられた現行の給実甲通達のうち現に効力を有するものをまとめたものである。なお参考のため平成七年一月以降の通達については、一部改正のための通達も含めた。

号	年月日	件名	備考
一四	昭二五・七・一	予算配賦遅延等による給与簿の取扱いについて	
二八	昭二六・一・一	一般職の職員の給与に関する法律の運用方針	一部改正（給実甲第三五号、第四二号、第六四号、第一三〇号、第一五〇号、第一六四号、第一六九号、第一八一号、第二〇七号、第二二四号、第二三六号、第二三七号、第二五九号、第三〇二号、第三一〇号、第三一六号、第三三八号、第三四〇号、第三五八号、第三七六号、第四〇一号、第四〇二号、第四〇七号、第四三一号、第四四〇号、第四五三号、第四九四号、第五〇三号、第五一〇号、第五六二号、管管第二八一号、給実甲第六二二号、第六三九号、第六六一号、第六八九号、管総第五八号、給実甲第七〇八号、第七一四号、第七三〇号、管総第七八三号、給実甲第七五四号、第七六〇号、第七六四号、第七七〇号、給三—一一、管総第五九四号、給実甲第八〇四号、第八〇八号、管総第九五九号、第一二六〇号、給実甲第八六二号、第八六八号、第八七一号、第八七四号、第九〇五号、総総第四五一号、給実甲第九二四号、総総第一号、給実甲第九四八号、第九五五号、第九五七号、第九六四号、第九八一号、事総第三〇号、第六七九号、給実甲第一〇四四号、事総第五六四号、給実甲第一〇五四号、事総第四二号、給実甲第一〇八一号、事総第三二六号、給実甲第一一一〇号、第一一二七号、第一一四一号、事企法第一三一号、第五八号、給実甲第一一六七号、事企法第二七七号、給実甲第一一八三号、事企法第一二〇号、第二八五号、給実甲第一一九四号、第一二一三号、事企法第九一号、第一六二号、給実甲第一二三二号、第一二四八号、第一二五四号、事企法第二二一号、第二二四号、第三八七号、第二五〇号、第三七号、第一八九号、給実甲第一三〇三号、第一三一八号、事企法第八七号、給実甲第一三三二号、第一三三五号）
五七	昭二七・一〇・二	謝金の取扱について	一部改正（管管第一六九二号、管総第七八三号）
六五	昭二八・二・二三	人事院規則九―七（俸給等の支給）の運用について	一部改正（給実甲第一三四号、第一七九号、第二四九号、第二六〇号、第二七七号、第三〇三号、第三四四号、第三五八号、第三六九号、第四二九号、第五二九号、第五六三号、第六二八号、管総第四八六号、給実甲第六六九号、管総第三〇五号、給実甲第七三一号、管総第七八三号、給実甲第八二八号、総総第三六号、給実甲第一〇六三号、事総第三一六号、給実甲第一一〇一号、第一一一一号、事企法第一六号、給実甲第一二七三号）
一五一	昭三三・四・三〇	通勤手当の運用について	一部改正（給実甲第二六五号、第三二四号、第三三二号、第三五四号、第三九五号、管総第三九八号、第四八六号、給実甲第六五四号、管総第三〇五号、給実甲第七五六号、第七七四号、第七九四号、第八二二号、管総第九五九号、給実甲第八六二号、第八七九号、第八九七号、第九〇八号、総総第四五一号、給実甲第九二三号、第九四八号、第九六一号、第九六八号、第一〇三四号、第一〇九一号、第一一六一号、事企法第一三一号、給実甲第一一八四号、事企法第一二〇号、第二八五号、給実甲第一二〇九号、事企法第九一号、第一六二号、第一六号、第二二二号、給実甲第一二六五号、事企法第二二四号、給実甲第一二七八号、事企法第三八七号、第三七号、給実甲第一二九七号、

			事企法第一八九号、給実甲第一三〇九号、第一三二〇号、第一三四三号）
一八〇	昭三六・四・一	初任給調整手当の運用について	一部改正（給実甲第一八六号、第一九四号、第一九六号、第二〇六号、第二一六号、第二二七号、第二四一号、第二五一号、第二五七号、第二八四号、第二九八号、第三一五号、第三二五号、第三三二号、第三五五号、第三五八号、第三六一号、第三七〇号、第三九三号、第三九七号、第四一七号、第四三三号、第四五〇号、第四六五号、第四七四号、第四八二号、第五四七号、第六〇六号、第八六二号、第九四八号、第一〇七二号、事企法第二八五号、第九一号、第二一六号）
一九二	昭三七・四・一	復職時等における号俸の調整の運用について	一部改正（給実甲第二八二号、第三二五号、第三四五号、第四〇一号、第四五五号、第四九七号、第五六五号、第六三六号、管総第五八号、給実甲第六九九号、第八三五号、第八六二号、総総第二六号、給実甲第九四八号、第一〇一〇号、第一〇二九号、第一〇四六号、第一〇八二号、第一〇九八号、第一一三五号、第一一四〇号、事総第五九一号、給実甲第一一四七号、第一一六二号、事企法第五八号、給実甲第一一六八号、事企法第二一七七号、給実甲第一一七九号、事企法第二八五号、事企法第一六二号、給実甲第一二三三号、事企法第二二号、第二二四号、第三八七号、第二五〇号、第一八九号、給実甲第一三三六号）
一九七	六・一四	特殊勤務手当の運用について	一部改正（給実甲第二二六号、第二三四号、第二五五号、第二七五号、第二八八号、第二九〇号、第二九九号、第三二二号、第三三三号、第三三六号、第三六〇号、第三七一号、第三七九号、第三九二号、第四〇五号、第四一二号、第四二八号、第四三八号、第四四七号、第四六六号、第四六九号、第四七五号、第四七七号、第四八一号、第四八七号、第五一六号、第五一八号、第五二〇号、第五二六号、第五二八号、第五三五号、第五五七号、第五五八号、第五八二号、管管第二八一号、給実甲第五九六号、第六一七号、第六二三号、第六三二号、第六四〇号、第六四六号、第六五〇号、第六七〇号、第六八〇号、第六八一号、第六九一号、第七一一号、第七二四号、第七三二号、第七四八号、管総第七八三号、給実甲第七五二号、第七六五号、第七八三号、第八三七号、第八六四号、第八八〇号、第八九〇号、総総第三六号、給実甲第八九八号、第九〇〇号、第九〇四号、第九一三号、第九二〇号、第九六九号、第九七八号、第九九八号、第一〇〇三号、事総第三〇号、給実甲第一〇二一号、第一〇三五号、第一〇四〇号、第一〇四一号、第一〇四二号、第一〇五〇号、第一〇六〇号、第一〇六二号、第一一一七号、第一一二四号、第一一四二号、第一一四四号、事企法第一三一号、給実甲第一二七〇号、第一二八五号、第一三一五号、第一三一四号、第二三二五号、第一三五七号）
二一〇	昭三八・二・二八	期末手当および勤勉手当の基準日前一月以内に採用した職員の在職期間通算についての前任の機関に対する通知について	一部改正（給実甲第二六六号、管総第三九八号）
二二〇	一二・二〇	期末手当及び勤勉手当の支給について	一部改正（給実甲第二六七号、第二七三号、第二七六号、第二八六号、第三〇一号、第三〇六号、第三一一号、第三五六号、第三五八号、第三七二号、第四〇一号、第四〇六号、第四一八号、第四二一号、第四二七号、第四三〇号、第四三九号、第四四八号、第四五二号、第四六四号、第四七二号、第四七八号、第四八三号、第四八九号、第四九五号、第五〇一号、第五〇七号、第五一二号、第五二一号、第五三〇号、第五三四号、第五三六号、第五四一号、第五四八号、第五五四号、第五六一号、第五八三号、第五九一号、第五九三号、第五九四号、第五九七号、第五九九号、第六〇一号、第六〇二

番号	日付	件名	改正
			号、管総第三九八号、給実甲第六一六号、第六一八号、第六一九号、第六二六号、第六二九号、第六三四号、第六三五号、第六四一号、第六五一号、第六五二号、第六五三号、第六五九号、第六六八号、第六七一号、第六八二号、第六八四号、第六八六号、第六九二号、管総第五八号、給実甲第七一二号、第七一六号、第七四四号、第七四七号、管総第七八三号、給実甲第七五一号、第七八六号、第七八七号、給三｜一一、給実甲第七九九号、管総第五九四号、給実甲第八〇二号、第八〇五号、第八〇六号、第八一四号、第八一五号、第八二四号、第八二五号、第八二六号、第八三〇号、第八三八号、第八四三号、第八四六号、管総第九五九号、給実甲第八五五号、第八五九号、第八六一号、第八六二号、第八六七号、第八七二号、第八八一号、第八九一号、第八九四号、第九〇一号、第九〇七号、第九一五号、第九二一号、総総第四五一号、給実甲第九三二号、第九三九号、第九四七号、総総第五四九号、第九四八号、第九七〇号、第九七九号、第九八三号、第九九六号、第九九九号、第一〇〇四号、第一〇〇八号、第一〇一八号、第一〇二二号、第一〇二六号、第一〇二八号、事総第六七九号、給実甲第一〇四二号、事総第五六四号、給実甲第一〇五五号、事総第四二号、給実甲第一〇六八号、第一〇八三号、第一〇九七号、事総第三六四号、給実甲第一一〇三号、第一一一二号、第一一一八号、第一一二八号、第一一三六号、第一一四六号、事総第五九一号、事企法第四五九号、第一三一号、第五八号、第二七七号、給実甲第一一七六号、第一一八五号、事企法第一二〇号、事企法第二八五号、第四四八号、給実甲第一一九七号、第一二〇一号、第一二〇二号、第一二〇四号、第一二〇八号、第一二一六号、第一二二〇号、第一二二四号、事企法第一六二号、給実甲第一二二九号、第一二三四号、第一二四九号、事企法第二二二号、給実甲第一二五七号、第一二五八号、第一二五九号、第一二七一号、事企法第二二四号、第三八七号、給実甲第一二八三号、事企法第二五〇号、給実甲第一二八九号、第一二九四号、事企法第三七号、給実甲第一三〇二号、事企法第一八九号、給実甲第一三〇四号、第一三〇七号、第一三〇八号、第一三一七号、事企法第八七号、給実甲第一三二八号、第一三三二号、第一三四四号）
二四二	昭三九・一二・一七	常直勤務に対する宿日直手当の支給等について	一部改正（給実甲第三〇〇号、第三五三号、第四一六号、第四三五号、第四六二号、第六〇七号、第六九三号、第七〇七号、第七二〇号、管総第七八三号、給実甲第七五三号、第七七三号、第七九五号、第八〇九号、第八二一号、第八五六号、第一二五〇号）
二五四	昭四〇・四・一	初任給基準又は俸給表の適用を異にして異動した場合の職務の級及び号俸の決定等について	一部改正（給実甲第三二五号、第四四一号、第四五八号、第五六六号、第六七九号、第七〇〇号、第七八一号、第七八五号、第七八九号、第八一七号、第八五二号、第九一七号、総総第四五一号、第九八四号、事総第三〇号、給実甲第一〇三一号、事総第四二号、給実甲第一〇八四号、事総第三六四号、第五九一号、事企法第三七号）
三二四	昭四四・四・三	非常勤職員の給与の承認手続について	一部改正（給実甲第九三〇号）
三二六	五・一	人事院規則九―八（初任給、昇格、昇給等の基準）の運用について	一部改正（給実甲第三二八号、第三三四号、第三三九号、第三四六号、第三五八号、第三七三号、第三八〇号、第三八二号、第三八四号、第三八九号、第三九九号、第四〇〇号、第四〇一号、第四〇四号、第四〇九号、第四一九号、第四二五号、第四三七号、第四四三号、第四五六号、第四六三号、第四六七号、第四七一号、第四七六号、第四七九号、第四八四号、第四九〇号、第四九六号、第五〇〇号、第五〇四号、第五一一号、第五一三号、第五二五号、第五二七号、第五三八号、第五四三号、第五四九号、第五六〇号、第五六八号、第五九〇号、第五九二号、第六〇三号、第六〇四号、第六一一号、第六二四号、第六三〇号、第六三七号、第六四二号、第六四七号、第六五五号、第六六五号、第六六七号、第六七二号、第六八三号、第六九六号、第七〇九号、第七二三号、第七三五号、管総第七

番号	年月日	件名	改正
			八三号、給実甲第七五七号、第七六一号、第七六二号、第七八一号、第七九三号、第八〇一号、第八一二号、第八一八号、第八二九号、第八三一号、第八四一号、第八四四号、第八五三号、第八六〇号、第八六二号、第八六三号、第八六六号、第八七五号、総総第三六号、第八九三号、第九一一号、第九一八号、総総第四五一号、給実甲第九三六号、第九四二号、第九四八号、第九四九号、第九五六号、第九六六号、第九七七号、第九八六号、第九九四号、第一〇〇一号、第一〇〇二号、第一〇〇九号、第一〇一二号、第一〇二〇号、第一〇二四号、第一〇二七号、第一〇三〇号、第一〇三八号、事総第三九七号、第五六四号、給実甲第一〇五七号、事総第四二号、給実甲第一〇六五号、第一〇七一号、第一〇八五号、事総第三六四号、給実甲第一一一三号、第一一二八号、第一一二九号、事総第五九一号、事企法第一三六号、第一一六二号、事企法第一三一号、給実甲第一一六五号、第一一七一号、事企法第二七七号、給実甲第一一七三号、第一一七四号、第一一七七号、事企法第一二〇号、給実甲第一一九一号、事企法第二八五号、給実甲第一一九二号、事企法第四四八号、給実甲第第一一九八号、第一二〇五号、第一二〇七号、第一二一四号、第一二一五号、第一二二一号、事企法第一六二号、給実甲第一二三五号、第一二五六号、事企法第二二二号、給実甲第一二六〇号、第一二七二号、事企法第二二四号、給実甲第一二七四号、事企法第三八七号、給実甲第一二八六号、第一二八七号、事企法第二五〇号、給実甲第一二九〇号、事企法第三七号、給実甲第一二九八号、事企法第一八九号、給実甲第一三〇五号、事企法第八七号、給実甲第一三二九号、第一三三七号、第一三五三号）
三二七	五・一	免許所有職員等の経験年数の取扱いについて	**一部改正**（給実甲第三三五号、第三四七号、第三七四号、第五六九号、第六三八号、第七六三号、第七九三号、第八四五号、第九一二号、事総第三六四号、給実甲第一一七八号、第一三五四号）
三四二	昭四五・一二・一七	行政職俸給表㈡の適用を受ける技能職員の号俸の決定について	**一部改正**（給実甲第五七〇号、第六一四号、第六七六号、第七〇一号、第七三六号、第七九三号、総総第四五一号、事総第三〇号、第三六四号、第五九一号、給実甲第一三三八号）
三四三	一二・一七	民間の研究所等から採用された研究員の号俸の決定について	**一部改正**（給実甲第五五一号、第五七一号、第六一五号、第六七七号、第七〇二号、第七三七号、第七九三号、第八七六号、総総第四五一号、事総第三〇号、第三六四号、第五九一号）
三五一	一二・一七	特地勤務手当等の運用について	**一部改正**（給実甲第三九八号、第四八五号、第五三一号、第五五九号、第五八四号、管総第四八六号、給実甲第七一三号、管総第三〇五号、第七八三号、給実甲第七六六号、第七六九号、第八一六号、第八四〇号、第九八七号、事総第六七九号、給実甲第一〇三六号、第一〇七三号、第一一一六号、第一二一〇号、事企法第九一号、給実甲第一二三六号、事企法第一一六号、給実甲第一三四五号）
三八六	昭四七・五・一五	復帰職員にかかる給与関係の特別措置等について	**一部改正**（給実甲第三九四号、第四〇一号、第五七二号、管総第七八三号）
四三四	昭四九・一二・二三	住居手当の運用について	**一部改正**（給実甲第五〇六号、第五三二号、第五八六号、管総第三九八号、第四八六号、給実甲第六五六号、管総第三〇五号、給実甲第七七六号、給三—一、給実甲第八二一号、第八六二号、第八八二号、第九四六号、第九四八号、第九五四号、第九七一号、事総第六七九号、給実甲第一〇九二号、第一一〇四号、第一一六〇号、事企法第一三一号、第一二〇号、第二八五号、第九一号、第二六二号、第一六号、第二二二号、給実甲第一二六六号、事企法第二二四号、給実甲第一二七九号、事企法第三八七号、第二五〇号、第一八九号、給実甲第一三一〇号、第一三四六号）
四四二	昭五〇・四・一	人事交流による採用者等の職務の級及び号俸の決定について	**一部改正**（給実甲第五七三号、第六一二号、管総第四八六号、給実甲第七四五号、第八一三号、第八七七号、総総第三六号、第四五一号、第一号、給実甲第九四三号、第九八八号、事総第三〇号、給実

四四四	四・一	派遣職員の給与の支給割合の決定等について	甲第一〇三二号、第一〇四八号、第一〇六六号、第一〇八六号、事総第三六四号、第五九一号、事企法第一三一号、一二〇号） **一部改正**（給実甲第六一三号、給三―一一、総総第三六号、第四五一号、給実甲第九五〇号、事総第三〇号、第六七九号、給実甲第一一二三号、第一一二九号、事企法第二七七号、給実甲第一二三七号、事企法第三七号、給実甲一三三三号）
四七〇	昭五二・七・一	行政職俸給表㈡在級期間表において別に定めることとされている要件による職務の級の決定について	**一部改正**（給実甲第五七四号、第七九三号、総総第四五一号、事総第三〇号、第三六四号、第五九一号、給実甲第一三三九号）
五五六	昭六〇・四・一	協議様式について	**一部改正**（管総第四八六号、第三〇五号、事総第三〇号、給実甲第一〇八七号、事総第三六四号、事企法第二七七号、第一六号、給実甲第一二七五号）
五七六	一二・二一	給与簿等の取扱いについて	**一部改正**（管管第二八一号、給実甲第五九八号、第六二〇号、第六二五号、管総第四八六号、給実甲第六六二号、第六九五号、管総第五八号、給実甲第七一〇号、第七一五号、管総第三〇五号、給実甲第七二八号、第七三三号、第七四九号、管総第七八三号、給実甲第七五九号、第七六七号、第七七七号、給三―一一、給実甲第八〇〇号、管総第五九四号、給実甲第八一一号、管総第一二六〇号、給実甲第八二〇号、管総第二二六〇号、給実甲第八四七号、第八六二号、第八六八号、第八八六号、総総第三六号、給実甲第八九九号、第九〇六号、第九二六号、第九三七号、第九四八号、第九五八号、第九六〇号、第九六七号、第九九〇号、事総第三〇号、第六七九号、給実甲第一〇四七号、第一〇四九号、事総第四二号、給実甲第一〇八八号、事総第三一六号、給実甲第一一〇二号、第一一一四号、第一一三〇号、第一一四八号、事企法第五八号、給実甲第一一七二号、第一一八二号、事企法第二八五号、給実甲第一一九五号、事企法第四四八号、給実甲第一二〇六号、第一二二二号、事企法第九一号、給実甲第一二三八号、第一二五二号、第一二五三号、事企法第一六号、給実甲第一二六一号、第一二七六号、第一二八二号、事企法第三七号、給実甲第一三一二号、事企法第八七号、給実甲第一三二七号、第一三三〇号、第一三四七号）
五八〇	一二・二一	扶養手当の運用について	**一部改正**（管管第一六九二号、給実甲第六四八号、第六九四号、第七二二号、管総第三〇五号、給実甲第七二九号、管総第七八三号、給実甲第八二〇号、第八八四号、第九七三号、事総第六七九号、給実甲第一〇五六号、第一〇九三号、第一一一七号、事企法第九一号、給実甲第一二三九号、第一二五一号、事企法第一六号、給実甲第一二六四号、第一二六八号、第一二八〇号、第一三一一号、第一三四八号）
六〇九	昭六二・三・二〇	俸給の調整額の運用について	**一部改正**（給実甲第六一〇号、第六八五号、第六九〇号、第七〇六号、第七二五号、第七二六号、第七五〇号、第七六八号、第八一九号、第八五七号、第八六五号、第八七〇号、第八八八号、第八九二号、第八九五号、第九〇三号、第九一四号、第九一九号、第九二三号、第九三八号、第九四一号、第九五一号、第九七四号、第九八〇号、第一〇〇〇号、第一〇〇五号、第一〇二三号、第一〇二五号、第一〇三九号、第一〇五一号、第一〇六一号、第一〇六九号、第一〇七九号、第一〇九〇号、第一〇九四号、第一一〇〇号、第一一二〇号、第一一四五号、第一一五四号、事企法第四六四号、給実甲第一一九二号、第一二二五号、第一二二八号、第一二四六号、第一二五五号、第一二六九号、第一二八四号、事企法第三七号、給実甲第一三一四号、第一三五五号）
六三三	昭六三・五・一三	初任給の基準の改正に伴う在職者の昇給期間の短縮等について	

六四五	平元・一二・一三	懲戒が免除された職員の昇給に係る勤務成績の証明に関する取扱いの特例について	
六四九	四・一	経験年数を有するI種区分適用職員の昇給期間の短縮等について	
六六〇	平二・二・一五	単身赴任手当の運用について	一部改正（管総第三〇五号、給実甲第七四六号、第七七九号、第七八〇号、第八二三号、第八六二号、第八八五号、第八九六号、第九〇二号、総総第二〇二号、給実甲第九三五号、第九四八号、第九七五号、第一〇九五号、第一一〇五号、第一一五六号、第一一五九号、事企法第一三一号、給実甲第一一八六号、事企法第二〇号、第二八五号、給実甲第一一九六号、第一二一一号、事企法第九一号、第一六二号、給実甲第一二四〇号、第一二四七号、事企法第一六号、第二二二号、給実甲第一二六二号、第一二六七号、事企法第二二四号、給実甲第一二八一号、事企法第三八七号、第二五〇号、第三七号、第一八九号、第一九〇号、給実甲第一三一二号、第一三四九号）
六七三	一二・二六	博士課程修了者等の初任給基準の改正に伴う在職者の号俸の決定等について	
六七五	一二・二六	新たに職員となった者の俸給月額の経過的特例について	一部改正（給実甲第六九七号、第七三八号、第七九三号）
六七八	一二・二六	給与法の改正に伴う復職時等における俸給月額の取扱いについて	一部改正（管総第五八号）
六八八	平三・一二・二四	管理職員特別勤務手当の運用について	一部改正（管総第七八三号、第一一二五号、総総第三六号、事総第三九七号、給実甲第一〇七四号、事企法第二七七号、給実甲第一一八七号、第一二七七号、事企法第八七号、給実甲第一三五〇号）
六九八	平四・二・六	初任給基準の改正に伴う在職者の号俸の決定等について	
七〇三	二・六	人事院規則九—八—一八（人事院規則九—八（初任給、昇格、昇給等の基準）の一部を改正する人事院規則）の運用等について	一部改正（給実甲第七一九号、第七三九号、管総第七八三号、給実甲第七五八号、第八三三号、総総第三六号）
七〇四	二・六	人事院規則九—八の改正に伴う復職時等における俸給月額の取扱いについて	一部改正（給実甲第七九一号、第八三六号、第八五〇号、第八六二号）
七四〇	平六・二・一六	経験年数を有する者の俸給月額の調整基準の改正に伴う在職者の号俸等の決定について	
七四一	二・一六	経験年数を有する者の俸給月額の調整基準の改正に伴う行政職俸給表(二)の適用を受ける在職者の号俸等の決定について	
七四二	二・一六	人事院規則九—八の改正に伴う復職時等における休職者等の期間の取扱について	
七六〇	平七・二・一	（給実甲第二八号の一部改正について）	
七六一	二・一	（給実甲第三二六号の一部改正について）	
七六二	三・一	（給実甲第三二六号の一部改正について）	

番号	発出日	件名	備考
七六三	三・一	（給実甲第三二七号の一部改正について）	
七六四	三・三一	（給実甲第二八号の一部改正について）	
七六五	三・三一	（給実甲第一九七号の一部改正について）	
七六六	三・三一	（給実甲第三五一号の一部改正について）	
七六七	三・三一	（給実甲第五七六号の一部改正について）	
七六八	三・三一	（給実甲第六〇九号の一部改正について）	
七六九	五・二四	（給実甲第三五一号の一部改正について）	
七七〇	一〇・二五	（給実甲第二八号の一部改正について）	
七七三	一〇・二五	（給実甲第二四二号の一部改正について）	
七七四	一〇・二五	（給実甲第一五一号の一部改正について）	
七七五	一〇・二五	（給実甲第五〇五号の一部改正について）	
七七六	一〇・二五	（給実甲第四三四号の一部改正について）	
七七七	一〇・二五	（給実甲第五七六号の一部改正について）	
七七八	一二・一五	（給実甲第五〇五号の一部改正について）	
七七九	一二・一五	（給実甲第六六〇号の一部改正について）	
七八〇	平八・三・二六	（給実甲第六六〇号の一部改正について）	
七八一	四・一	（給実甲第二五四号の一部改正について）	
七八二	四・一	（給実甲第三二六号の一部改正について）	
七八三	五・一一	（給実甲第一九七号の一部改正について）	
七八四	六・二〇	（給実甲第七七二号の一部改正について）	
七八五	七・一	（給実甲第二五四号の一部改正について）	
七八六	一〇・一	（給実甲第二〇号の一部改正について）	
七八七	一一・二七	（給実甲第二〇号の一部改正について）	
七八八	一二・一一	平成八年改正法の施行に伴う俸給の切替え等について	
七八九	一二・一一	（給実甲第二五四号の一部改正について）	
七九〇	一二・一一	平成八年改正法の施行に伴う復職時等における俸給月額の調整等の取扱いについて	**一部改正**（給実甲第八六二号）
七九一	一二・一一	（給実甲第七〇四号の一部改正について）	
七九二	一二・一一	新たに職員となった者の俸給月額の経過的特例について	**一部改正**（給実甲第八七八号）
七九三	一二・一一	（給実甲第三二六号・第三二七号・第三四二号・第三四三号・第四七〇号・第六七五号の一部改正について）	
七九四	一二・一一	（給実甲第一五一号の一部改正について）	

七九五	一二・一一	（給実甲第二四二号の一部改正について）	
七九七	平九・一・三一	研究員調整手当の運用について	**一部改正**（給実甲第七七号、第九九一号、事総第三〇号、第六七九号、給実甲第一〇七五号）
七九九	四・一	（給実甲第二二〇号の一部改正について）	
八〇〇	四・一	（給実甲第五七六号の一部改正について）	
八〇一	四・二三	（給実甲第三二六号の一部改正について）	
八〇二	七・一	（給実甲第二二〇号の一部改正について）	
八〇四	七・一	（給実甲第二八号の一部改正について）	
八〇五	一〇・一	（給実甲第二二〇号の一部改正について）	
八〇六	一一・二五	（給実甲第二二〇号の一部改正について）	
八〇七	一二・一〇	平成九年改正法の施行に伴う俸給の切替え等について	
八〇八	一二・一〇	（給実甲第二八号の一部改正について）	
八〇九	一二・一〇	（給実甲第二四二号の一部改正について）	
八一〇	一二・一〇	（給実甲第七九六号の一部改正について）	
八一一	一二・一〇	（給実甲第五七六号の一部改正について）	
八一二	一二・一一	（給実甲第三二六号の一部改正について）	
八一三	一二・一一	（給実甲第四四二号の一部改正について）	
八一四	一二・一一	（給実甲第二二〇号の一部改正について）	
八一五	一二・一九	（給実甲第二二〇号の一部改正について）	
八一六	平一〇・二・二四	（給実甲第三五一号の一部改正について）	
八一七	三・二五	（給実甲第二五四号の一部改正について）	
八一八	三・二五	（給実甲第三二六号の一部改正について）	
八一九	四・一	（給実甲第六〇九号の一部改正について）	
八二〇	四・一	（給実甲第五八〇号の一部改正について）	
八二一	四・一	（給実甲第四三四号の一部改正について）	
八二二	四・一	（給実甲第一五一号の一部改正について）	
八二三	四・一	（給実甲第六六〇号の一部改正について）	
八二四	四・一	（給実甲第二二〇号の一部改正について）	
八二五	七・一	（給実甲第二二〇号の一部改正について）	
八二六	一〇・一	（給実甲第二二〇号の一部改正について）	
八二七	一〇・一六	平成一〇年改正法の施行に伴う俸給の切替え等について	
八二八	一〇・一六	（給実甲第六五号の一部改正について）	

番号	年月日	件名	備考
八二九	一〇・一六	（給実甲第三二六号の一部改正について）	
八三〇	一〇・一六	（給実甲第二二〇号の一部改正について）	
八三一	一〇・一六	（給実甲第二四二号の一部改正について）	
八三二	平一一・一・二九	（給実甲第三二六号の一部改正について）	
八三三	一・二九	（給実甲第七〇三号の一部改正について）	
八三四	一・二九	人事院規則九―八―三七（人事院規則九―八（初任給、昇格、昇給等の基準）の一部を改正する人事院規則）の運用について	**一部改正**（給実甲第八六二号、第九四四号、第九四八号）
八三五	二・二六	（給実甲第一九二号の一部改正について）	
八三六	二・二六	（給実甲第七〇四号の一部改正について）	
八三七	四・一	（給実甲第一九七号の一部改正について）	
八三八	四・一	（給実甲第二二〇号の一部改正について）	
八三九	四・一	（給実甲第六〇九号の一部改正について）	
八四〇	四・一	（給実甲第三五一号の一部改正について）	
八四一	四・一	（給実甲第三二六号の一部改正について）	
八四二	四・三〇	（給実甲第六六〇号の一部改正について）	
八四三	六・一	（給実甲第二二〇号の一部改正について）	
八四四	七・一	（給実甲第三二六号の一部改正について）	
八四五	七・一	（給実甲第三二七号の一部改正について）	
八四六	一〇・一	（給実甲第二二〇号の一部改正について）	
八四七	一〇・五	（給実甲第五七六号の一部改正について）	
八五〇	一一・二五	（給実甲第七〇四号の一部改正について）	
八五一	一一・二五	人事院規則九―八―四〇（人事院規則九―八（初任給、昇格、昇給等の基準）の一部を改正する人事院規則）の運用等について	
八五二	一一・二五	（給実甲第二五四号の一部改正について）	
八五三	一一・二五	（給実甲第三二六号の一部改正について）	
八五五	一一・二五	（給実甲第二二〇号の一部改正について）	
八五六	一一・二五	（給実甲第二四二号の一部改正について）	
八五七	一一・二五	（給実甲第六〇九号の一部改正について）	
八五八	一一・二五	（給実甲第七九六号の一部改正について）	
八五九	一二・一	（給実甲第二二〇号の一部改正について）	
八六〇	平一二・一・二九	（給実甲第三二六号の一部改正について）	

八六一	三・七	（給実甲第二二〇号の一部改正について）	
八六二	三・二一	国と民間企業との間の人事交流に関する法律（平成一一年法律第二二四号）の施行に伴う関係人事院事務総長通知の一部改正について	
八六三	三・三一	（給実甲第三二六号の一部改正について）	
八六四	三・三一	（給実甲第一九七号の一部改正について）	
八六五	三・三一	（給実甲第六〇九号の一部改正について）	
八六六	四・一九	（給実甲第三二六号の一部改正について）	
八六七	四・一九	（給実甲第二二〇号の一部改正について）	
八六八	七・一四	教育公務員特例法等の一部を改正する法律（平成一二年法律第五二号）の施行に伴う関係人事院事務総長通知の一部改正について	
八六九	八・一六	一般職の職員の給与に関する法律第二二条第一項の非常勤職員について	**一部改正**（給実甲第八八七号、第一〇九九号、第一一四三号、事総第五八号、給実甲第一一五八号、第一一六六号）
八七〇	九・一	（給実甲第六〇九号の一部改正について）	
八七一	一一・二二	（給実甲第二八号の一部改正について）	
八七二	一一・二二	（給実甲第二二〇号等の一部改正について）	
八七三	一一・二二	（給実甲第五〇五号の一部改正について）	
八七四	一二・二七	（給実甲第二八号の一部改正について）	
八七五	一二・二七	（給実甲第三二六号の一部改正について）	
八七六	一二・二七	（給実甲第三四三号の一部改正について）	
八七七	一二・二七	（給実甲第四四二号の一部改正について）	
八七八	一二・二七	（給実甲第七九二号の一部改正について）	
八七九	一二・二七	（給実甲第一五一号の一部改正について）	
八八〇	一二・二七	（給実甲第一九七号の一部改正について）	
八八一	一二・二七	（給実甲第二二〇号の一部改正について）	
八八二	一二・二七	（給実甲第四三四号の一部改正について）	
八八三	一二・二七	（給実甲第五〇五号の一部改正について）	
八八四	一二・二七	（給実甲第五八〇号の一部改正について）	
八八五	一二・二七	（給実甲第六六〇号の一部改正について）	
八八六	一二・二七	（給実甲第五七六号の一部改正について）	
八八七	一二・二八	（給実甲第八六九号の一部改正について）	
八八八	平一三・一・五	（給実甲第六〇九号の一部改正について）	

八九〇	一・一五	(給実甲第一九七号の一部改正について)
八九一	一・一五	(給実甲第二二〇号の一部改正について)
八九二	一・一五	(給実甲第六〇九号の一部改正について)
八九三	三・三〇	(給実甲第三二六号の一部改正について)
八九四	三・三〇	(給実甲第二二〇号の一部改正について)
八九五	三・三〇	(給実甲第六〇九号の一部改正について)
八九六	三・三〇	(給実甲第六六〇号の一部改正について)
八九七	三・三〇	(給実甲第一五一号の一部改正について)
八九八	三・三〇	(給実甲第一九七号の一部改正について)
八九九	四・二六	(給実甲第五七六号の一部改正について)
九〇〇	五・一一	(給実甲第一九七号の一部改正について)
九〇一	六・一五	(給実甲第二二〇号の一部改正について)
九〇二	九・七	(給実甲第六六〇号の一部改正について)
九〇三	一〇・一	(給実甲第六〇九号の一部改正について)
九〇四	一〇・一	(給実甲第一九七号の一部改正について)
九〇五	一一・二八	(給実甲第二八号の一部改正について)
九〇六	一一・二八	(給実甲第五七六号の一部改正について)
九〇七	一一・三〇	(給実甲第二二〇号の一部改正について)
九〇八	平一四・一・二九	(給実甲第一五一号の一部改正について)
九〇九	三・一	(給実甲第一四三号の一部改正について)
九一〇	三・一	(給実甲第三一八号の一部改正について)
九一一	三・一	(給実甲第三二六号の一部改正について)
九一二	三・一	(給実甲第三二七号の一部改正について)
九一三	三・一	(給実甲第一九七号の一部改正について)
九一四	三・一	(給実甲第六〇九号の一部改正について)
九一五	三・一	(給実甲第二二〇号の一部改正について)
九一六	四・一	(給実甲第一四三号の一部改正について)
九一七	四・一	(給実甲第二五四号の一部改正について)
九一八	四・一	(給実甲第三二六号の一部改正について)
九一九	四・一	(給実甲第六〇九号の一部改正について)
九二〇	四・一	(給実甲第一九七号の一部改正について)
九二一	四・一	(給実甲第二二〇号の一部改正について)

九二二	六・二〇	人事院規則九—四三（休日給）第一条ただし書の休日給の支給される日について	一部改正（事総第三九七号、事企法第八七号）
九二三	一〇・一	（給実甲第六〇九号の一部改正について）	
九二四	一一・二二	（給実甲第二八号の一部改正について）	
九二五	一一・二二	（給実甲第一四三号の一部改正について）	
九二六	一一・二二	（給実甲第五七六号の一部改正について）	
九二七	一一・二二	平成一四年改正法の施行に伴う俸給の切替え等について	
九二八	一一・二二	平成一四年一二月に支給する期末手当及び期末特別手当に関する特例措置の運用について	
九三〇	一一・二二	（給実甲第三二四号の一部改正について）	
九三一	一一・二二	人事院規則九—六—二五附則第二項及び第四項の「人事院の定める異動」等について	一部改正（給実甲第九九二号）
九三二	一一・二二	（給実甲第二二〇号の一部改正について）	
九三三	平一五・一・七	（給実甲第一五一号の一部改正について）	
九三四	一・七	運賃等の値上げ等、在宅勤務等手当の支給又は通勤所要回数の変動に伴う通勤手当に係る届出の取扱いについて	一部改正（給実甲第九六二号、第一三二一号、第一三五一号）
九三五	二・一八	（給実甲第六六〇号の一部改正について）	
九三六	四・一	（給実甲第三二六号の一部改正について）	
九三七	四・一	（給実甲第五七六号の一部改正について）	
九三八	四・一	（給実甲第六〇九号の一部改正について）	
九三九	四・一	（給実甲第二二〇号の一部改正について）	
九四〇	四・一	（給実甲第一四三号の一部改正について）	
九四一	五・三〇	（給実甲第六〇九号の一部改正について）	
九四二	六・四	（給実甲第三二六号の一部改正について）	
九四三	六・四	（給実甲第四四二号の一部改正について）	
九四四	六・四	（給実甲第八三四号の一部改正について）	
九四五	六・四	（給実甲第五〇五号の一部改正について）	
九四六	六・四	（給実甲第四三四号の一部改正について）	
九四七	六・四	（給実甲第二二〇号の一部改正について）	
九四八	一〇・一	法科大学院への裁判官及び検察官その他の一般職の国家公務員の派遣に関する法律（平成一五年法律第四〇号）の施行に伴う関係人事院事務総長通知の一部改正について	

番号	日付	件名
九四九	一〇・一	（給実甲第三二六号の一部改正について）
九五〇	一〇・一	（給実甲第四四四号の一部改正について）
九五一	一〇・一	（給実甲第六〇九号の一部改正について）
九五二	一〇・一六	平成一五年改正法の施行に伴う俸給の切替え等について
九五三	一〇・一六	平成一五年一二月に支給する期末手当及び期末特別手当に関する特例措置の運用について
九五四	一〇・一六	（給実甲第四三四号の一部改正について）
九五五	一一・二八	（給実甲第二八号の一部改正について）
九五六	一一・二八	（給実甲第三二六号の一部改正について）
九五七	一二・二五	（給実甲第二八号の一部改正について）
九五八	一二・二五	（給実甲第五七六号の一部改正について）
九五九	一二・二五	（給実甲第九四八号の一部改正について）
九六〇	一二・二六	（給実甲第五七六号の一部改正について）
九六一	一二・二六	（給実甲第一五一号の一部改正について）
九六二	一二・二六	（給実甲第九三四号の一部改正について）
九六三	平一六・三・三一	（給実甲第五〇五号の一部改正について）
九六四	四・一	（給実甲第二八号の一部改正について）
九六五	四・一	（給実甲第一四三号の一部改正について）
九六六	四・一	（給実甲第三二六号の一部改正について）
九六七	四・一	（給実甲第五七六号の一部改正について）
九六八	四・一	（給実甲第一五一号の一部改正について）
九六九	四・一	（給実甲第一九七号の一部改正について）
九七〇	四・一	（給実甲第二二〇号の一部改正について）
九七一	四・一	（給実甲第四三四号の一部改正について）
九七二	四・一	（給実甲第五〇五号の一部改正について）
九七三	四・一	（給実甲第五八〇号の一部改正について）
九七四	四・一	（給実甲第六〇九号の一部改正について）
九七五	四・一	（給実甲第六六〇号の一部改正について）
九七六	四・一	（給実甲第七九八号の一部改正について）
九七七	四・一二	（給実甲第三二六号の一部改正について）
九七八	一〇・一	（給実甲第一九七号の一部改正について）
九七九	一〇・一	（給実甲第二二〇号の一部改正について）

九八〇	一〇・一	（給実甲第六〇九号の一部改正について）
九八一	一〇・二八	（給実甲第二八号の一部改正について）
九八二	一〇・二八	（給実甲第一四三号の一部改正について）
九八三	一〇・二八	（給実甲第二二〇号の一部改正について）
九八四	一〇・二八	（給実甲第二五四号の一部改正について）
九八五	一〇・二八	（給実甲第二八〇号の一部改正について）
九八六	一〇・二八	（給実甲第三二六号の一部改正について）
九八七	一〇・二八	（給実甲第三五一号の一部改正について）
九八八	一〇・二八	（給実甲第四四二号の一部改正について）
九八九	一〇・二八	（給実甲第五〇五号の一部改正について）
九九〇	一〇・二八	（給実甲第五七六号の一部改正について）
九九一	一〇・二八	（給実甲第七九七号の一部改正について）
九九二	一〇・二八	（給実甲第九三一号の一部改正について）
九九三	一〇・二八	教育職俸給表の適用を受ける職員の俸給の切替え等について
九九四	一〇・二九	（給実甲第三二六号の一部改正について）
九九五	平一七・一・三一	（給実甲第五〇五号の一部改正について）
九九六	二・一	判事補及び検事の弁護士職務経験に関する法律（平成一六年法律第一二一号）の施行に伴う関係人事院事務総長通知の一部改正について
九九七	二・一七	（給実甲第五〇五号の一部改正について）
九九八	四・一	（給実甲第一九七号の一部改正について）
九九九	四・一	（給実甲第二二〇号の一部改正について）
一〇〇〇	四・一	（給実甲第六〇九号の一部改正について）
一〇〇一	四・一	（給実甲第三二六号の一部改正について）
一〇〇二	九・三〇	（給実甲第三二六号の一部改正について）
一〇〇三	九・三〇	（給実甲第一九七号の一部改正について）
一〇〇四	九・三〇	（給実甲第二二〇号の一部改正について）
一〇〇五	九・三〇	（給実甲第六〇九号の一部改正について）
一〇〇六	一一・七	平成一七年改正法の施行に伴う俸給の切替え等について
一〇〇七	一一・七	平成一七年一二月に支給する期末手当及び期末特別手当に関する特例措置の運用について
一〇〇八	一一・七	（給実甲第二二〇号の一部改正について）

番号	年月日	件名	備考
一〇〇九	一二・一	(給実甲第三二六号の一部改正について)	
一〇一〇	平一八・二・一	(給実甲第一九二号の一部改正について)	
一〇一一	二・一	切替日の前日から引き続き休職等をしていた職員が切替日以後に復職等をした場合等の復職時調整について	
一〇一二	二・一	(給実甲第三二六号の一部改正について)	
一〇一三	二・一	人事院規則九—八—五七（人事院規則九—八（初任給、昇格、昇給等の基準）の一部を改正する人事院規則）の運用について	
一〇一四	二・一	経験年数を有する者の初任給の号俸の調整基準の改正に伴う在職者の号俸の決定について	
一〇一五	二・一	平成一七年改正法の施行に伴う平成一八年四月一日における俸給の切替え等について	**一部改正**（事総第三九七号、第五六四号、第四二号、給実甲第一〇六七号、第一〇八九号、事総第三六四号、給実甲第一一〇六号、第一一三一号、第一一四九号）
一〇一六	二・一	人事院規則九—一二〇（平成一七年改正法附則第一一条の規定による俸給）の運用について	
一〇一七	二・一	人事院規則九—六—五八（人事院規則九—六（俸給の調整額）の一部を改正する人事院規則）の運用について	
一〇一八	二・一	(給実甲第二二〇号の一部改正について)	
一〇一九	二・一	地域手当の運用について	**一部改正**（給実甲第一〇五八号、第一〇七〇号、第一〇七六号、第一一二一号、第一一二五号、事企法第二七七号、給実甲第一一八八号、第一二〇三号、第一二四一号、第一三五二号）
一〇二〇	三・三一	(給実甲第三二六号の一部改正について)	
一〇二一	三・三一	(給実甲第一九七号の一部改正について)	
一〇二二	三・三一	(給実甲第二二〇号の一部改正について)	
一〇二三	三・三一	(給実甲第六〇九号の一部改正について)	
一〇二四	平一八・九・二九	(給実甲第三二六号の一部改正について)	
一〇二五	九・二九	(給実甲第六〇九号の一部改正について)	
一〇二六	一一・九	(給実甲第二二〇号の一部改正について)	
一〇二七	一一・九	(給実甲第三二六号の一部改正について)	
一〇二八	一一・二九	(給実甲第二二〇号の一部改正について)	
一〇二九	一一・二九	(給実甲第一九二号の一部改正について)	
一〇三〇	一一・二九	(給実甲第三二六号の一部改正について)	
一〇三一	一一・二九	(給実甲第二五四号の一部改正について)	
一〇三二	一一・二九	(給実甲第四四二号の一部改正について)	

一〇三三	一二・一五	広域異動手当の運用について	**一部改正**（給実甲第一〇五九号、第一〇七七号、第一一八九号、事企法第二八五号、給実甲第一二二二号、事企法第九一号、第一六二号、第一六号、第二二一号、第一八九号）
一〇三四	平一九・三・三〇	（給実甲第一五一号の一部改正について）	
一〇三五	三・三〇	（給実甲第一九七号の一部改正について）	
一〇三六	三・三〇	（給実甲第三五一号の一部改正について）	
一〇三七	三・三〇	（給実甲第一四三号の一部改正について）	
一〇三八	三・三〇	（給実甲第三二六号の一部改正について）	
一〇三九	三・三〇	（給実甲第六〇九号の一部改正について）	
一〇四〇	六・一	（給実甲第一九七号の一部改正について）	
一〇四一	六・二九	（給実甲第一九七号の一部改正について）	
一〇四二	七・二〇	（給実甲第一九七号の一部改正について）	
一〇四三	七・二〇	（給実甲第二二〇号の一部改正について）	
一〇四四	七・二〇	（給実甲第二八号の一部改正について）	
一〇四五	七・二〇	（給実甲第一四三号の一部改正について）	
一〇四六	七・二〇	（給実甲第一九二号の一部改正について）	
一〇四七	七・二〇	（給実甲第五七六号の一部改正について）	
一〇四八	九・二八	（給実甲第四四二号の一部改正について）	
一〇四九	九・二八	（給実甲第五七六号の一部改正について）	
一〇五〇	一〇・一	（給実甲第一九七号の一部改正について）	
一〇五一	一〇・一	（給実甲第六〇九号の一部改正について）	
一〇五二	一一・三〇	平成一九年改正法の施行に伴う俸給の切替えについて	
一〇五三	一一・三〇	平成一九年改正法の施行に伴い平成一七年改正法附則第一一条の規定による俸給の額が減少した場合等における職員に対する通知について	
一〇五四	一一・三〇	（給実甲第二八号の一部改正について）	
一〇五五	一一・三〇	（給実甲第二二〇号の一部改正について）	
一〇五六	一一・三〇	（給実甲第五八〇号の一部改正について）	
一〇五七	一二・二六	（給実甲第三二六号の一部改正について）	
一〇五八	平二〇・二・一	（給実甲第一〇一九号の一部改正について）	
一〇五九	二・一	（給実甲第一〇三三号の一部改正について）	
一〇六〇	四・一	（給実甲第一九七号の一部改正について）	
一〇六一	四・一	（給実甲第六〇九号の一部改正について）	
一〇六二	八・一	（給実甲第一九七号の一部改正について）	

番号	日付	件名	備考
一〇六三	八・一	（給実甲第六五号の一部改正について）	
一〇六四	八・二六	一般職の職員の給与に関する法律第二二条第二項の非常勤職員に対する給与について	**一部改正**（給実甲第一二三七号、第一二八八号、第一三二三号）
一〇六五	一〇・一	（給実甲第三二六号の一部改正について）	
一〇六六	一〇・一	（給実甲第四四二号の一部改正について）	
一〇六七	一〇・一	（給実甲第一〇一六号の一部改正について）	
一〇六八	一〇・一	（給実甲第二二〇号の一部改正について）	
一〇六九	一〇・一	（給実甲第六〇九号の一部改正について）	
一〇七〇	一〇・一	（給実甲第一〇一九号の一部改正について）	
一〇七一	一〇・二二	（給実甲第三二六号の一部改正について）	
一〇七二	平二一・二・二	（給実甲第一八〇号の一部改正について）	
一〇七三	二・二	（給実甲第三五一号の一部改正について）	
一〇七四	二・二	（給実甲第六八八号の一部改正について）	
一〇七五	二・二	（給実甲第七九七号の一部改正について）	
一〇七六	二・二	（給実甲第一〇一九号の一部改正について）	
一〇七七	二・二	（給実甲第一〇三三号の一部改正について）	
一〇七八	二・二	本府省業務調整手当の運用について	
一〇七九	三・一三	（給実甲第六〇九号の一部改正について）	
一〇八〇	三・一八	指定職俸給表を適用する職員について	**一部改正**（給実甲第一一二三号、第一一五五号、事企法第一七七号、給実甲第一二四二号、第一二九二号）
一〇八一	三・一八	（給実甲第二八号の一部改正について）	
一〇八二	三・一八	（給実甲第一九二号の一部改正について）	
一〇八三	三・一八	（給実甲第二二〇号の一部改正について）	
一〇八四	三・一八	（給実甲第二五四号の一部改正について）	
一〇八五	三・一八	（給実甲第三二六号の一部改正について）	
一〇八六	三・一八	（給実甲第四四二号の一部改正について）	
一〇八七	三・一八	（給実甲第五五六号の一部改正について）	
一〇八八	三・一八	（給実甲第五七六号の一部改正について）	
一〇八九	三・一八	（給実甲第一〇一六号の一部改正について）	
一〇九〇	三・三一	（給実甲第六〇九号の一部改正について）	
一〇九一	四・一	（給実甲第一五一号の一部改正について）	
一〇九二	四・一	（給実甲第四三四号の一部改正について）	
一〇九三	四・一	（給実甲第五八〇号の一部改正について）	
一〇九四	四・一	（給実甲第六〇九号の一部改正について）	

番号	年月日	件名	備考
一〇九五	四・一	（給実甲第六六〇号の一部改正について）	
一〇九六	五・二九	人事院規則一—五四附則第二条の「人事院が定める額」及び「人事院が定める職員」について	
一〇九七	五・二九	（給実甲第二二〇号の一部改正について）	
一〇九八	七・一	（給実甲第一九二号の一部改正について）	
一〇九九	九・一	（給実甲第八六九号の一部改正について）	
一一〇〇	一〇・一	（給実甲第六〇九号の一部改正について）	
一一〇一	一一・二	（給実甲第六五号の一部改正について）	
一一〇二	一一・二	（給実甲第五七六号の一部改正について）	
一一〇三	一一・三〇	（給実甲第二二〇号の一部改正について）	
一一〇四	一一・三〇	（給実甲第四三四号の一部改正について）	
一一〇五	一一・三〇	（給実甲第六六〇号の一部改正について）	
一一〇六	一一・三〇	（給実甲第一〇一六号の一部改正について）	
一一〇七	一一・三〇	人事院規則九—一二〇—一（人事院規則九—一二〇（平成一七年改正法附則第一一条の規定による俸給の一部を改正する人事院規則）等の運用について）	**一部改正**（給実甲第一一三二号、第一一五〇号）
一一〇八	一一・三〇	平成二一年一二月に支給する期末手当に関する特例措置の運用について	
一一〇九	一一・三〇	平成二一年改正法の施行に伴い平成一七年改正法附則第一一条の規定による俸給の額が変動した場合等における職員に対する通知について	
一一一〇	平二三・二・一	（給実甲第二八号の一部改正について）	
一一一一	二・一	（給実甲第六五号の一部改正について）	
一一一二	二・一	（給実甲第二二〇号の一部改正について）	
一一一三	二・一	（給実甲第三二六号の一部改正について）	
一一一四	二・一	（給実甲第五七六号の一部改正について）	
一一一六	三・二六	（給実甲第三五一号の一部改正について）	
一一一七	四・一	（給実甲第一九七号の一部改正について）	
一一一八	四・一	（給実甲第二二〇号の一部改正について）	
一一一九	四・一	（給実甲第三二六号の一部改正について）	
一一二〇	四・一	（給実甲第六〇九号の一部改正について）	
一一二一	四・一	（給実甲第一〇一九号の一部改正について）	
一一二二	四・一	（給実甲第一〇八〇号の一部改正について）	
一一二三	七・二七	（給実甲第四四四号の一部改正について）	

一二二四	九・一〇	（給実甲第一九七号の一部改正について）		
一二二五	一〇・一	（給実甲第一〇一九号の一部改正について）		
一二二六	一一・一	人事院規則九―八二（俸給の半減）の運用について	**一部改正**（事企法第八七号）	
一二二七	一一・三〇	（給実甲第二八号の一部改正について）		
一二二八	一一・三〇	（給実甲第二二〇号の一部改正について）		
一二二九	一一・三〇	（給実甲第四四四号の一部改正について）		
一二三〇	一一・三〇	（給実甲第五七六号の一部改正について）		
一二三一	一一・三〇	（給実甲第一〇一六号の一部改正について）		
一二三二	一一・三〇	（給実甲第一一〇七号の一部改正について）		
一二三三	一一・三〇	平成二二年一二月に支給する期末手当に関する特例措置の運用について		
一二三四	一一・三〇	平成二二年改正法の施行に伴い平成一七年改正法附則第一一条の規定による俸給の額が変動した場合等における職員に対する通知について		
一二三五	平二三・二・一	（給実甲第一九二号の一部改正について）		
一二三六	二・一	（給実甲第二二〇号の一部改正について）		
一二三七	二・一	（給実甲第一一五号の廃止）		
一二三八	二・一	平成二三年四月一日における号俸の調整の運用について	**一部改正**（給実甲第一一四〇号）	
一二三九	三・一五	（給実甲第三二六号の一部改正について）		
一二四〇	三・一八	平成二三年四月一日における号俸の調整に係る関係人事院事務総長通知の一部改正について		
一二四一	三・三〇	（給実甲第二八号の一部改正について）		
一二四二	四・一	（給実甲第一九七号の一部改正について）		
一二四三	六・二四	（給実甲第八六九号の一部改正について）		
一二四四	六・二九	人事院規則九―一二九（東日本大震災及び東日本大震災以外の特定大規模災害等並びに特定新型インフルエンザ等に対処するための人事院規則九―三〇（特殊勤務手当）の特例）の運用等について	**一部改正**（給実甲第一一五七号、第一一九〇号、第一二二三号、第一二二六号、第一三〇〇号、第一三一六号）	
一二四五	九・三〇	（給実甲第六〇九号の一部改正について）		
一二四六	一一・三〇	（給実甲第二二〇号の一部改正について）		
一二四七	平二四・二・二九	（給実甲第一九二号の一部改正について）		
一二四八	二・二九	（給実甲第五七六号の一部改正について）		
一二四九	二・二九	（給実甲第一〇一六号の一部改正について）		

一一五〇	二・二九	(給実甲第一一〇七号の一部改正について)
一一五一	二・二九	平成二四年六月に支給する期末手当に関する特例措置の運用について
一一五二	二・二九	国家公務員の給与の改定及び臨時特例に関する法律第五条の規定の施行に伴い平成一七年改正法附則第一一条の規定による俸給の額が変動した場合等における職員に対する通知について
一一五三	二・二九	平成二四年四月一日における号俸の調整の運用について
一一五四	三・三〇	(給実甲第六〇九号の一部改正について)
一一五五	三・三〇	(給実甲第一〇八〇号の一部改正について)
一一五六	四・一三	(給実甲第六六〇号の一部改正について)
一一五七	五・一一	(給実甲第一一四四号の一部改正について)
一一五八	七・一一	(給実甲第八六九号の一部改正について)
一一五九	一〇・一五	(給実甲第六六〇号の一部改正について)
一一六〇	一〇・一五	(給実甲第四三四号の一部改正について)
一一六一	一〇・一五	(給実甲第一五一号の一部改正について)
一一六二	平二五・二・一	(給実甲第三二六号の一部改正について)
一一六三	二・一五	(給実甲第一九二号の一部改正について)
一一六四	二・一五	平成二五年四月一日における号俸の調整の運用について
一一六五	一〇・一	(給実甲第三二六号の一部改正について)
一一六六	一二・一三	(給実甲第八六九号の一部改正について)
一一六七	平二六・二・二八	(給実甲第二八号の一部改正について)
一一六八	二・二八	(給実甲第一九二号の一部改正について)
一一六九	二・二八	一般職の職員の給与に関する法律等の一部を改正する法律(平成一七年法律第一一三号)附則第一一条の規定による俸給が支給されなくなることに伴う職員に対する通知について
一一七〇	二・二八	平成二六年四月一日における号俸の調整の運用について
一一七一	四・一	(給実甲第三二六号の一部改正について)
一一七二	四・一	(給実甲第五七六号の一部改正について)
一一七三	六・一一	(給実甲第三二六号の一部改正について)
一一七四	一〇・三	(給実甲第三二六号の一部改正について)
一一七五	一一・一九	平成二六年改正法附則第三条の規定に基づく号俸の調整について

番号	年月日	件名
一一七六	平二七・一一・一九	（給実甲第二二〇号の一部改正について）
一一七七	一・三〇	（給実甲第三二六号の一部改正について）
一一七八	一・三〇	（給実甲第三二七号の一部改正について）
一一七九	一・三〇	（給実甲第一九二号の一部改正について）
一一八〇	一・三〇	平成二六年改正法附則第六条の規定に基づく号俸の調整について
一一八一	一・三〇	人事院規則九―一三九（平成二六年改正法附則第七条の規定による俸給）の運用について
一一八二	一・三〇	（給実甲第五七六号の一部改正について）
一一八三	一・三〇	（給実甲第二八号の一部改正について）
一一八四	一・三〇	（給実甲第一五一号の一部改正について）
一一八五	一・三〇	（給実甲第二二〇号の一部改正について）
一一八六	一・三〇	（給実甲第六六〇号の一部改正について）
一一八七	一・三〇	（給実甲第六八八号の一部改正について）
一一八八	一・三〇	（給実甲第一〇一九号の一部改正について）
一一八九	一・三〇	（給実甲第一〇三三号の一部改正について）
一一九〇	一・三〇	（給実甲第一一四四号の一部改正について）
一一九一	四・一	（給実甲第三二六号の一部改正について）
一一九二	四・一〇	（給実甲第六〇九号の一部改正について）
一一九三	九・三〇	（給実甲第三二六号の一部改正について）
一一九四	一〇・一	（給実甲第二八号の一部改正について）
一一九五	一〇・一	（給実甲第五七六号の一部改正について）
一一九六	一一・一	（給実甲第六六〇号の一部改正について）
一一九七	一一・二六	（給実甲第二二〇号の一部改正について）
一一九八	一二・一八	（給実甲第三二六号の一部改正について）
一一九九	平二八・一・二六	平成二七年勧告改正法附則第七条の規定による俸給の額が減少した場合における職員に対する通知について
一二〇〇	一・二六	人事院規則九―一四一（平成二七年勧告改正法の施行に伴う給与の支給等の特例）の運用について
一二〇一	一・二六	（給実甲第二二〇号の一部改正について）
一二〇二	二・一	（給実甲第二二〇号の一部改正について）
一二〇三	二・一	（給実甲第一〇一九号の一部改正について）
一二〇四	二・五	（給実甲第二二〇号の一部改正について）

番号	日付	件名
一二〇五	二・五	（給実甲第三二六号の一部改正について）
一二〇六	二・五	（給実甲第五七六号の一部改正について）
一二〇七	三・一	（給実甲第三二六号の一部改正について）
一二〇八	三・九	（給実甲第二二〇号の一部改正について）
一二〇九	三・二五	（給実甲第一五一号の一部改正について）
一二一〇	三・二五	（給実甲第三五一号の一部改正について）
一二一一	三・二五	（給実甲第六六〇号の一部改正について）
一二一二	三・二五	（給実甲第一〇三三号の一部改正について）
一二一三	三・二九	（給実甲第二八号の一部改正について）
一二一四	四・一	（給実甲第三二六号の一部改正について）
一二一五	四・一九	（給実甲第三二六号の一部改正について）
一二一六	一一・二四	（給実甲第二二〇号の一部改正について）
一二一七	一一・二四	（給実甲第五八〇号の一部改正について）
一二一八	一一・二四	平成二八年改正法の施行に伴い平成二六年改正法附則第七条の規定による俸給の額が減少した場合における職員に対する通知について
一二一九	一一・二四	人事院規則九—一四二（平成二八年改正法の施行に伴う給与の支給等の特例）の運用について
一二二〇	一二・一	（給実甲第二二〇号の一部改正について）
一二二一	一二・一	（給実甲第三二六号の一部改正について）
一二二二	一二・一	（給実甲第五七六号の一部改正について）
一二二三	一二・一五	（給実甲第一一四四号の一部改正について）
一二二四	平二九・一・一九	（給実甲第二二〇号の一部改正について）
一二二五	三・三一	（給実甲第六〇九号の一部改正について）
一二二六	五・一六	（給実甲第一一四四号の一部改正について）
一二二七	七・一二	（給実甲第一〇六四号の一部改正について）
一二二八	九・二九	（給実甲第六〇九号の一部改正について）
一二二九	一二・一五	（給実甲第二二〇号の一部改正について）
一二三〇	一二・一五	平成二九年改正法の施行に伴い平成二六年改正法附則第七条の規定による俸給の額が減少した場合における職員に対する通知について
一二三一	一二・一五	人事院規則九—一四三（平成二九年改正法の施行に伴う給与の支給等の特例）の運用について
一二三二	平三〇・二・一	（給実甲第二八号の一部改正について）

一二三三	二・一	(給実甲第一九二号の一部改正について)
一二三四	二・一	(給実甲第二二〇号の一部改正について)
一二三五	二・一	(給実甲第三二六号の一部改正について)
一二三六	二・一	(給実甲第三五一号の一部改正について)
一二三七	二・一	(給実甲第四四四号の一部改正について)
一二三八	二・一	(給実甲第五七六号の一部改正について)
一二三九	二・一	(給実甲第五八〇号の一部改正について)
一二四〇	二・一	(給実甲第六六〇号の一部改正について)
一二四一	二・一	(給実甲第一〇一九号の一部改正について)
一二四二	二・一	(給実甲第一〇八〇号の一部改正について)
一二四三	二・一	給与法附則第八項の規定により給与が減ぜられて支給されることがなくなることに伴う職員に対する通知について
一二四四	二・一	平成二六年改正法附則第七条の規定による俸給が支給されなくなることに伴う職員に対する通知について
一二四五	二・一	平成三〇年四月一日における号俸の調整の運用について
一二四六	三・三〇	(給実甲第六〇九号の一部改正について)
一二四七	六・二七	(給実甲第六六〇号の一部改正について)
一二四八	一〇・一	(給実甲第二八号の一部改正について)
一二四九	一一・三〇	(給実甲第二二〇号の一部改正について)
一二五〇	一一・三〇	(給実甲第二四二号の一部改正について)
一二五一	一一・三〇	(給実甲第五八〇号の一部改正について)
一二五二	一二・六	(給実甲第五七六号の一部改正について)
一二五三	平三一・二・一	(給実甲第五七六号の一部改正について)
一二五四	四・一	(給実甲第二八号の一部改正について)
一二五五	四・一	(給実甲第六〇九号の一部改正について)
一二五六	令元・五・二二	(給実甲第三二六号の一部改正について)
一二五七	九・一三	(給実甲第二二〇号の一部改正について)
一二五八	一一・二二	(給実甲第二二〇号の一部改正について)
一二五九	一一・二二	(給実甲第二二〇号の一部改正について)
一二六〇	一一・二二	(給実甲第三二六号の一部改正について)
一二六一	一一・二二	(給実甲第五七六号の一部改正について)

番号	日付	件名
一二六二	令二・一・二九	（給実甲第六六〇号の一部改正について）
一二六三	二・三	令和元年改正法附則第三条の規定による住居手当の運用について
一二六四	二・三	（給実甲第五八〇号の一部改正について）
一二六五	二・三	（給実甲第一五一号の一部改正について）
一二六六	二・三	（給実甲第四三四号の一部改正について）
一二六七	二・三	（給実甲第六六〇号の一部改正について）
一二六八	二・三	（給実甲第五八〇号の一部改正について）
一二六九	四・一	（給実甲第六〇九号の一部改正について）
一二七〇	四・一	（給実甲第一九七号の一部改正について）
一二七一	四・一	（給実甲第二二〇号の一部改正について）
一二七二	四・一	（給実甲第三二六号の一部改正について）
一二七三	六・一七	（給実甲第六五号の一部改正について）
一二七四	六・一七	（給実甲第三二六号の一部改正について）
一二七五	六・一七	（給実甲第五五六号の一部改正について）
一二七六	六・一七	（給実甲第五七六号の一部改正について）
一二七七	六・一七	（給実甲第六八八号の一部改正について）
一二七八	九・三〇	（給実甲第一五一号の一部改正について）
一二七九	九・三〇	（給実甲第四三四号の一部改正について）
一二八〇	九・三〇	（給実甲第五八〇号の一部改正について）
一二八一	九・三〇	（給実甲第六六〇号の一部改正について）
一二八二	一二・一	（給実甲第五七六号の一部改正について）
一二八三	令三・三・三一	（給実甲第二二〇号の一部改正について）
一二八四	四・一	（給実甲第六〇九号の一部改正について）
一二八五	四・一	（給実甲第一九七号の一部改正について）
一二八六	五・二七	（給実甲第三二六号の一部改正について）
一二八七	七・一四	（給実甲第三二六号の一部改正について）
一二八八	七・一六	（給実甲第一〇六四号の一部改正について）
一二八九	一二・一	（給実甲第二二〇号の一部改正について）
一二九〇	一二・二四	（給実甲第三二六号の一部改正について）
一二九一	一二・二四	給実甲第一二九〇号（給実甲第三二六号の一部改正について）の施行に伴う経過措置について
一二九二	一二・二四	（給実甲第一〇八〇号の一部改正について）

番号	日付	件名	備考
一二九三	一二・二四	給実甲第一二九二号（給実甲第一〇八〇号の一部改正について）の施行に伴う経過措置について	
一二九四	一二・二四	（給実甲第一二二〇号の一部改正について）	
一二九五	令四・二・一八	給与法附則第八項の規定による俸給月額の運用について	**一部改正**（給実甲第一二九九号、第一三二六号、第一三五六号）
一二九六	二・一八	人事院規則九―一四八（給与法附則第一〇項、第一二項又は第一三項の規定による俸給）の運用について	**一部改正**（給実甲第一三四〇号）
一二九七	二・二八	（給実甲第一五一号の一部改正について）	
一二九八	三・三一	（給実甲第三三六号の一部改正について）	
一二九九	三・三一	（給実甲第一二九五号の一部改正について）	
一三〇〇	四・一	（給実甲第一一四四号の一部改正について）	
一三〇一	四・一三	人事院規則九―一四九（令和四年六月に支給する期末手当に関する特例措置）の運用について	
一三〇二	六・一七	（給実甲第二二〇号の一部改正について）	
一三〇三	七・一	（給実甲第二八号の一部改正について）	
一三〇四	七・一	（給実甲第二二〇号の一部改正について）	
一三〇五	一一・一八	（給実甲第三二六号の一部改正について）	
一三〇六	一一・一八	博士課程修了者等の初任給基準の改正に伴う在職者等の号俸の決定について	**一部改正**（給実甲第一三四一号）
一三〇七	一一・一八	（給実甲第二二〇号の一部改正について）	
一三〇八	一一・一八	「国家公務員法等の一部を改正する法律の施行に伴う関係人事院事務総長通知の一部改正について」の一部改正について	
一三〇九	令五・二・二八	（給実甲第一五一号の一部改正について）	
一三一〇	二・二八	（給実甲第四三四号の一部改正について）	
一三一一	二・二八	（給実甲第五八〇号の一部改正について）	
一三一二	二・二八	（給実甲第六六〇号の一部改正について）	
一三一三	三・二二	（給実甲第一〇六四号の一部改正について）	
一三一四	三・三一	（給実甲第六〇九号の一部改正について）	
一三一五	三・三一	（給実甲第一九七号の一部改正について）	
一三一六	五・八	（給実甲第一一四四号の一部改正について）	
一三一七	一一・二四	（給実甲第二二〇号の一部改正について）	
一三一八	令六・一・二三	（給実甲第二八号の一部改正について）	
一三一九	一・二三	在宅勤務等手当の運用について	

一三二〇	一・一三	（給実甲第一五一号の一部改正について）
一三二一	一・一三	（給実甲第九三四号の一部改正について）
一三二二	一・一三	（給実甲第五七六号の一部改正について）
一三二三	一・一三	（給実甲第四四四号の一部改正について）
一三二四	二・一五	（給実甲第一九七号の一部改正について）
一三二五	四・一	（給実甲第一九七号の一部改正について）
一三二六	四・一	（給実甲第一二九五号の一部改正について）
一三二七	四・一	（給実甲第五七六号の一部改正について）
一三二八	六・一〇	（給実甲第二二〇号の一部改正について）
一三二九	六・一〇	（給実甲第三二六号の一部改正について）
一三三〇	六・一〇	（給実甲第五七六号の一部改正について）
一三三一	一二・二五	（給実甲第二八号の一部改正について）
一三三二	一二・二五	（給実甲第二二〇号の一部改正について）
一三三三	令七・二・一二	令和六年改正法附則第四条及び第五条の規定に基づく号俸の切替え及び号俸の調整について
一三三四	二・一二	令和七年四月一日における給実甲第二五四号（初任給基準又は俸給表の適用を異にして異動した場合の職務の級及び号俸の決定等について）の適用の特例について
一三三五	二・一二	（給実甲第二八号の一部改正について）
一三三六	二・一二	（給実甲第一九二号の一部改正について）
一三三七	二・一二	（給実甲第三二六号の一部改正について）
一三三八	二・一二	（給実甲第三四二号の一部改正について）
一三三九	二・一二	（給実甲第四七〇号の一部改正について）
一三四〇	二・一二	（給実甲第一二九六号の一部改正について）
一三四一	二・一二	（給実甲第一三〇六号の一部改正について）
一三四二	二・一二	人事院規則九―二四―二一（人事院規則九―二四（通勤手当）の一部を改正する人事院規則）の運用について）の制定について
一三四三	二・一二	（給実甲第一五一号の一部改正について）
一三四四	二・一二	（給実甲第二二〇号の一部改正について）
一三四五	二・一二	（給実甲第三五一号の一部改正について）
一三四六	二・一二	（給実甲第四三四号の一部改正について）
一三四七	二・一二	（給実甲第五七六号の一部改正について）

一三四八	二・二一	(給実甲第五八〇号の一部改正について)
一三四九	二・二一	(給実甲第六六〇号の一部改正について)
一三五〇	二・二一	(給実甲第六八八号の一部改正について)
一三五一	二・二一	(給実甲第九三四号の一部改正について)
一三五二	二・二一	(給実甲第一〇一九号の一部改正について)
一三五三	四・一	(給実甲第三二六号の一部改正について)
一三五四	四・一	(給実甲第三二七号の一部改正について)
一三五五	四・一	(給実甲第六〇九号の一部改正について)
一三五六	四・一	(給実甲第一二九五号の一部改正について)
一三五七	四・一	(給実甲第一九七号の一部改正について)

○国家公務員退職手当支給率早見表 ※調整率を乗じた後のもの
(平成30年1月1日以降の退職)

勤続年数／年	法第3条			法第4条	法第5条	
	自己都合	(十一年未満勤続)定年・応募認定退職(一号)・任期終了・事務都合退職・公務外死亡・通勤傷病等	公務外傷病(通勤傷病を除く)	(十一年以上二十五年未満勤続)定年・応募認定退職(一号)・任期終了・事務都合退職・公務外死亡・通勤傷病等	整理・応募認定退職(二号)・公務上死亡・公務上傷病	(二十五年以上勤続)定年・応募認定退職(一号)・任期終了・事務都合退職・公務外死亡・通勤傷病等
1	0.5022	0.837	0.837		1.2555(3.6a)	
2	1.0044	1.674	1.674		2.511 (4.5a)	
3	1.5066	2.511	2.511		3.7665(5.4a)	
4	2.0088	3.348	3.348		5.022 (5.4a)	
5	2.511	4.185	4.185		6.2775	
6	3.0132	5.022	5.022		7.533	
7	3.5154	5.859	5.859		8.7885	
8	4.0176	6.696	6.696		10.044	
9	4.5198	7.533	7.533		11.2995	
10	5.022	8.37	8.37		12.555	
11	7.43256		9.2907	11.613375	13.93605	
12	8.16912		10.2114	12.76425	15.3171	
13	8.90568		11.1321	13.915125	16.69815	
14	9.64224		12.0528	15.066	18.0792	
15	10.3788		12.9735	16.216875	19.46025	
16	12.88143		14.3127	17.890875	20.8413	
17	14.08671		15.6519	19.564875	22.22235	
18	15.29199		16.9911	21.238875	23.6034	
19	16.49727		18.3303	22.912875	24.98445	
20	19.6695		19.6695	24.586875	26.3655	
21	21.3435		21.3435	26.260875	27.74655	
22	23.0175		23.0175	27.934875	29.1276	
23	24.6915		24.6915	29.608875	30.50865	
24	26.3655		26.3655	31.282875	31.8897	
25	28.0395		28.0395		33.27075	33.27075
26	29.3787		29.3787		34.77735	34.77735
27	30.7179		30.7179		36.28395	36.28395
28	32.0571		32.0571		37.79055	37.79055
29	33.3963		33.3963		39.29715	39.29715
30	34.7355		34.7355		40.80375	40.80375
31	35.7399		35.7399		42.31035	42.31035
32	36.7443		36.7443		43.81695	43.81695
33	37.7487		37.7487		45.32355	45.32355
34	38.7531		38.7531		46.83015	46.83015
35	39.7575		39.7575		47.709	47.709
36	40.7619		40.7619		47.709	47.709
37	41.7663		41.7663		47.709	47.709
38	42.7707		42.7707		47.709	47.709
39	43.7751		43.7751		47.709	47.709
40	44.7795		44.7795		47.709	47.709
41	45.7839		45.7839		47.709	47.709
42	46.7883		46.7883		47.709	47.709
43	47.709		47.709		47.709	47.709
44	47.709		47.709		47.709	47.709
45	47.709		47.709		47.709	47.709

(注1) ( ) 内は、法第6条の5の最低保障である。

(注2) aは、基本給月額であり、俸給及び扶養手当の月額並びにこれらに対する地域手当等(又はこれらに相当する手当)の月額合計額をいう。

(注3) 法附則第6項から第8項まで及び昭和48年法律第30号附則第5項から第7項による退職手当の基本額の調整(83.7/100)を含めた計数である。

(注4) 令和5年4月1日以降、国家公務員の定年引上げに伴い、当分の間、引上げ前の定年年齢以降非違なく退職した職員については、勤続期間を同じくする定年退職者と同様の支給率となる。

給与小六法〈令和８年版〉

昭和34年８月20日　初版発行
令和７年７月31日　８年版第１刷発行

一般財団法人
編　者　人事行政研究所

不許複製

発行者　光　行　明

発行所　学　陽　書　房
〒102-0072 東京都千代田区飯田橋1-9-3
(営業)　TEL (03) 3261−1111(代)
　　　　FAX (03) 5211−3300
(編集)　TEL (03) 3261−1112(代)
　　　　FAX (03) 5211−3301
https://www.gakuyo.co.jp/

ISBN978-4-313-00308-8 C2032　　加藤文明社・三省堂印刷

人事評価の基準、方法等に関する政令……438

ち

地方公営企業等の労働関係に関する法律……1435
地方公営企業法（抄）……1434
地方公務員の育児休業等に関する法律……1415
地方公務員法……1391
地方自治法（抄）……1419

て

天皇の退位等に関する皇室典範特例法（抄）……1239
天皇の即位の日及び即位礼正殿の儀の行われる日を休日とする法律……957

と

特定任期付職員の給与の特例に関する規程……1305
特別職の職員の給与に関する法律……1233
特別職の職員の給与に関する法律施行令……1239
特別職の職員の給与に関する法律施行令第１条の所得の額の算定に関する内閣官房令……1240
独立行政法人通則法……1207

に

日本国憲法……2
日本国有鉄道改革法（抄）……1493
日本国有鉄道改革法等施行法(抄)……1493

の

農業、水産、工業又は商船に係る産業教育に従事する公立の高等学校の教員及び実習助手に対する産業教育手当の支給に関する法律……1432

ふ

福島復興再生特別措置法（抄）……1128,1160

ほ

防衛省の職員の給与等に関する法律……1330
法科大学院への裁判官及び検察官その他の一般職の国家公務員の派遣に関する法律……1109

み

南スーダン国際平和協力隊の設置等に関する政令……817

れ

令和７年に開催される国際博覧会の準備及び運営のために必要な特別措置に関する法律(抄)……1138
令和９年に開催される国際園芸博覧会の準備及び運営のために必要な特別措置に関する法律（抄）……1149

ろ

労働基準法……1438

国家公務員退職手当法 ………………1468
国家公務員退職手当法施行令 ………1494
国家公務員退職手当法施行令第4条の2の規定による退職の理由の記録に関する内閣官房令 ………………………………………1545
国家公務員退職手当法の一部を改正する法律の施行に伴う経過措置に関する政令 ………………1536
国家公務員退職手当法の規定に基づく意見の聴取の手続に関する規則 …………………………1560
国家公務員退職手当法の規定による早期退職希望者の募集及び認定の制度に係る書面の様式等を定める内閣官房令 …………1570
国家公務員退職手当法の規定による退職手当の支給制限等に係る書面の様式を定める内閣官房令 …………………………………1548
国家公務員退職手当法附則第12項、第14項及び第16項の規定による退職手当の基本額の特例等に関する内閣官房令 …………1541
国家公務員等の旅費支給規程 ………1622
国家公務員等の旅費に関する法律 ……………………………………1614
★国家公務員の旅費に関する法律施行令 ……………………………………1618
国家公務員の育児休業等に関する法律……………………………957
国家公務員の寒冷地手当に関する法律……………………………792
国家公務員の自己啓発等休業に関する法律…………………………988
国家公務員の配偶者同行休業に関する法律…………………………995
国家公務員法 …………………………10

さ

在外公館に勤務する外務公務員の在勤基本手当の額、住居手当に係る控除額及び限度額並びに子女教育手当に係る自己負担額を定める政令 ………………1178
在外公館の名称及び位置並びに在外公館に勤務する外務公務員の給与に関する法律 ……………1170
在勤基本手当の月額の調整に関する規則 …………………………1197
在勤基本手当の号の適用に関する規則 ……………………………1197
裁判官以外の裁判所職員の俸給等の支給に関する規則 ……………1315
裁判官以外の裁判所職員の俸給の特別調整額に関する規則 ………1328
裁判官及び裁判官の秘書官以外の裁判所職員の定年に関する規則 ……………………………………1323
裁判官及び裁判官の秘書官以外の裁判所職員の本府省業務調整手当に関する規則 ……………1329
裁判官の災害補償に関する法律 ……1324
裁判官の報酬等に関する規則 ………1315
裁判官の報酬等に関する法律 ………1313
裁判所書記官等の俸給の調整に関する規則 …………………………1326
裁判所職員に関する臨時措置規則 ………………………………………1326
裁判所職員臨時措置法 ………………1324
産業教育手当の支給を受ける実習助手の範囲を定める政令 ………1433

し

失業者の退職手当支給規則 …………1580
住居手当の支給に関する規則(抄) …1199
所得税法（抄） ………………………603
所得税法施行令（抄） ………………603

★＝今年版新収録
（全部改正及び改題名含む）

法令名さくいん（50音順）

い

育児短時間勤務国会職員等についての国会職員の給与等に関する規程等の特例に関する規程……1302
一般職の職員の給与に関する法律……61,1018
一般職の職員の勤務時間、休暇等に関する法律……899
一般職の任期付研究員の採用、給与及び勤務時間の特例に関する法律……1059
一般職の任期付職員の採用及び給与の特例に関する法律……1098

お

沖縄の復帰に伴う特別措置に関する法律（抄）……1652

か

科学技術・イノベーション創出の活性化に関する法律（抄）……1003
科学技術・イノベーション創出の活性化に関する法律施行令（抄）……1006
学校教育の水準の維持向上のための義務教育諸学校の教育職員の人材確保に関する特別措置法……1432
寒冷地手当支給規則……802

き

教育公務員特例法……896,1421
行政機関の休日に関する法律……955
行政執行法人の労働関係に関する法律……1203

く

国等の債権債務等の金額の端数計算に関する法律……861
国と民間企業との間の人事交流に関する法律……1072

け

建国記念の日となる日を定める政令……956
検察官の俸給等に関する法律……1200

こ

高等学校の定時制教育及び通信教育振興法（抄）……1433
高等学校の定時制教育及び通信教育振興法施行令……1434
公立の学校の事務職員の休職の特例に関する法律……896
公立の義務教育諸学校等の教育職員の給与等に関する特別措置法……1430
国際機関等に派遣される一般職の国家公務員の処遇等に関する法律……1034
国際連合平和維持活動等に対する協力に関する法律（抄）……813
国民の祝日に関する法律……955
国会議員の歳費、旅費及び手当等支給規程……1246
国会議員の歳費、旅費及び手当等に関する法律……1243
国会議員の秘書の給与等に関する法律……1248
国会議員の秘書の給与の支給等に関する規程……1254
国会議員の秘書の退職手当支給規程……1257
国会職員の給与等に関する規程……1276
国会職員の勤務時間、休暇等に関する規程……1308
国会職員法……1263
国家行政組織法……208